KU-168-658

DAN BROWN

PRARASTAS SIMBOLIS

Iš anglų kalbos vertė Rasa Drazdauskienė

Jotema

UDK 820(73)-3
Br291

Dan Brown
THE LOST SYMBOL
New York, Doubleday, 2009

Brown, Dan
Br291 Prarastas simbolis: [romanas] / Dan Brown; [iš anglų kalbos vertė Rasa Drazdauskienė]. — Kaunas: Jotema, 2010.— 448 p.

ISBN 978-9955-13-243-1

Harvardo universiteto simbologijos profesorius Robertas Lengdonas netikėtai pakviečiamas skaityti paskaitos JAV Kapitolijuje. Tačiau vos jam atvykus prasideda nesuprantami įvykiai. Sužinojęs, kad pagrobtas mylimas mokytojas, žymus masonas ir filantropas Piteris Solomonas, Lengdonas supranta, kad Piterį jis gali išgelbėti tik įvykdęs pagrobėjo reikalavimus iššifruoti mistinės masonų piramidės paslaptis. Netrukus Lengdonas pasineria į keistą pasaulį, kuriame viskas — masonų paslaptys, nutylėta istorija ir niekada iki tol nematytos vietos — stumte stumia jį pripažinti vienintelę neįsivaizduojamą tiesą.

UDK 820(73)-3

Redaktorius *Jonas Vabuolas*
Viršelio dailininkas *Audrius Arlauskas*
Maketavo *Teresė Vasiliauskienė*

SL 250. 28 sp. l. Užsak. Nr. 100320
UAB „Jotema“, Algirdo g. 54, 50157 Kaunas
Tel. 337695, el. paštas: info@jotema.lt
http://www.jotema.lt
Spausdino UAB „Logotipas“, Utenos g. 41A, 08217 Vilnius

Skiriama Blythe

Padėka

Nuoširdžiai dėkoju trims brangiems draugams, su kuriais man teko laimė dirbti: redaktoriui Džeisonui Kaufmanui (Jason Kaufman), agentei Heidei Lange ir konsultantui Maiklui Radelui (Michael Rudell). Be to, norėčiau išreikšti beribį dėkingumą leidyklai *Doubleday*, mano leidėjams visose pasaulio šalyse ir, be abejo, skaitytojams.

Šis romanas nebūtų parašytas be dosnios daugybės asmenų, pasidalijusių savo žiniomis ir patirtimi, pagalbos. Leiskite jums visiems pareikšti didžiulį dėkingumą.

Gyventi pasaulyje, nesistengiant perprasti jo prasmės, yra tas pat, kaip vaikščioti po didžią bibliotekąą, nepaliečiant jos knygų.

Visų laikų slaptasis mokymas

FAKTAS:

1991 m. CŽV direktoriaus seife buvo užrakintas dokumentas. Šiandien jis ten tebėra. Koduotame jo tekste esama nuorodų į senovinius vartus ir nežinomą požemio vietą. Dar dokumente yra sakinys: „Tai užkasta kažkur ten.“

Visos romane minimos organizacijos iš tiesų egzistuoja — ir masonai, ir Nematomoji kolegija, ir Saugumo tarnyba, ir SMS, ir Noetikos mokslų institutas.

Visi romane aprašyti ritualai, mokslo duomenys, meno kūriniai ir paminklai yra tikri.

Prologas

Šventyklos rūmai
20 val. 33 min.

Didžiausia paslaptis — kaip numirti.

Nuo neatmenamų laikų paslaptis išlieka ta pati — kaip numirti.

Trisdešimt ketverių metų įšventinamasis pažvelgė į žmogaus kaukolę, kurią laikė delnuose. Kaukolė buvo tuščiavidurė kaip taurė, pilna raudono it kraujas vyno.

Išgerk, paliepė jis sau. *Nėra ko bijoti*.

Kaip liepia tradicija, kelionę jis pradėjo apsitaisęs apeigoms skirtais į kartuves vedamo viduramžių eretiko drabužiais, pro nesusegtus palaidus marškinius bolavo blyški krūtinė, dešinė kelnių klešnė paraitota iki kelio, dešinė rankovė — iki alkūnės. Kaklą juosė storos virvės kilpa — kaklasaitis, kaip ją vadino broliai. Tačiau šįvakar jis, kaip ir liudijimo broliai, vilkėjo meistro drabužiais.

Ratu jį apsupę broliai dėvėjo iškilmių apdarus — avių odos prijuostes, juostas, baltas pirštines. Ant kaklų kabantys apeigų brangakmeniai blausioje šviesoje žiburiavo tarsi vaiduoklių akys. Dauguma susirinkusiųjų užėmė įtakingus postus, tačiau įšventinamasis žinojo, jog šičia jų statusas pasaulyje nieko nereiškia. Čia visi lygūs, priesaikos broliai, susieti mistiniais ryšiais.

Apžvelgęs baugią susirinkusiųjų minią įšventinamasis pamanė, kad vargu ar kas nors už šių sienų patikėtų, jog visi šie žmonės gali susirinkti drauge... juo labiau čia. Patalpa priminė senovės pasaulio šventovę.

Tačiau tikrovė buvo dar keistesnė.

Aš esu vos už kelių kvartalų nuo Baltųjų rūmų.

Šis didžiulis pastatas, pažymėtas 1733 numeriu Vašingtone, Kolumbijos apygardoje, Šešioliktojoje Šiaurės Vakarų gatvėje, buvo pastatytas pagal ikikrikščioniškos šventyklos — karaliaus Mauzolio šventyklos, iš kurios pavadinimo kilo žodis „mauzoliejus", — pavyzdį... tai vieta, į kurią žmogus patenka po mirties. Prie pagrindinio įėjimo du septyniolika tonų sveriantys sfinksai sergėjo bronzines duris. Viduje driekėsi puošnių, apeigoms skirtų patalpų, salių, užmūrytų skliautuotų rūsių ir bibliotekų labirintas, net tuščiavidurė siena su išlikusiais dviejų žmonių palaikais. Įšventinamajam buvo pasakyta, kad kiekvienas šio pastato kambarys turi savo paslaptį, tačiau jis neįsivaizdavo didesnės paslapties už tą, kurią saugo erdvi menė: joje jis dabar klūpo, delnuose laikydamas kaukolę.

Šventyklos menė.

Kambarys buvo kvadrato formos. Ir labai aukštas. Lubos, remiamos monolitinių žalio granito kolonų, kilo virš galvų daugiau kaip trisdešimt metrų. Sienas juosė kelių aukštų galerija, apstatyta tamsaus Rusijos riešutmedžio krėslais su rankomis siūtomis kiaulių odos sėdynėmis. Vakarinės sienos fone kilo dešimties metrų aukščio sostas, priešais jį — paslėpti vargonai. Sienos mirgėte mirgėjo senoviniais simboliais ir burtaženkliais — egiptietiškais, hebrajiškais, astronominiais, alcheminiais ir kitais, dar nežinomais.

Šį vakarą Šventyklos menę apšvietė tvarkingai sustatytos žvakės. Jų neryškų švytėjimą papildė tik blyški mėnesiena, besiskverbianti pro brangiai kainavusį lubose įtaisytą švieslangį ir nušviečianti labiausiai stulbinamą menės objektą — neapsakomo dydžio altorių, iškaltą iš vientiso, dailiai nušlifuoto belgiško marmuro luito, stovintį pačiame kvadratinės patalpos centre.

Didžiausia paslaptis — kaip numirti, priminė sau įšventinamasis.

— Metas, — pasigirdo šnibždesys.

Įšventinamasis pakėlė akis, nužvelgdamas priešais stovinčią iškilnią žmogystą baltu apdaru. *Didysis meistras*. Vyriškis, baigiantis šeštąją dešimtį, buvo vienas iš Amerikos simbolių, visų mėgstamas, tvirtas, neapsakomai turtingas. Kadaise tamsūs jo plaukai spindėjo sidabru, o gerai pažįstamame veide buvo matyti ilgametės galios ir skvarbaus proto įspausti pėdsakai.

— Sakyk priesaiką, — tarė Didysis meistras tyliu nelyginant krintančios snaigės balsu. — Užbaik savo kelionę.

Įšventinamojo kelionė, kaip ir visos tokios kelionės, prasidėjo nuo pirmojo lygio. Aną vakarą panašiose į šias apeigose Didysis meistras užrišo jam akis aksomo raiščiu ir prispaudė prie nuogos krūtinės apeigų durklo smaigalį klausdamas:

— Ar tikrai prisieki savo garbe, neveikiamas pelno siekimo ar kitokių nevertų motyvų, laisvai ir savo noru tapti kandidatu pažinti šios brolijos paslaptis ir privilegijas?

— Taip, — pamelavo įšventinamasis.

— Tada tegu tai bus priminimas tavo sąžinei, — įspėjo jį meistras, — ir teištiks tave staigi mirtis, jei kada nors išduosi tau patikėtas paslaptis.

Tada įšventinamasis nejuto baimės. *Jie niekada nesužinos, koks tikslas iš tikrųjų mane čionai atvedė.*

Tačiau šiandien Šventyklos menėje jis pajuto bloga lemiančią rimtį ir mintyse atgijo visi kelionėje girdėti grėsmingi įspėjimai, gąsdinimai baisumais, kurie ištiks, jei kam nors išduos senovines paslaptis, kurias netrukus sužinos: *perpjauti gerklę nuo ausies iki ausies... su šaknimis išrauti liežuvį... ištraukti ir sudeginti vidurius... išbarstyti į visus keturis vėjus... išplėšti širdį ir atiduoti suėsti laukiniams žvėrims...*

— Broli, — ištarė pilkaakis meistras, uždėjęs kairę ranką ant įšventinamojo peties. — Tark paskutinę priesaiką.

Susikaupęs paskutiniam kelionės žingsniui įšventinamasis sujudėjo visu raumeningu kūnu ir vėl įsižiūrėjo į delnuose laikomą kaukolę. Neryškioje žvakių šviesoje raudonasis vynas atrodė beveik juodas. Menėje stojo mirtina tyla, jis juto, kad susirinkusieji jį stebi laukdami, kol jis ištars paskutinę priesaiką ir įsilies į išrinktųjų gretas.

Šį vakarą, pamanė jis, *tarp šių sienų vyksta tai, ko brolijos istorijoje dar niekada nėra buvę. Nė karto per šimtus metų.*

Jis žinojo, kad įsižiebs kibirkštis... ir kad ji suteiks jam nesuvokiamų galių. Pilnas energijos įkvėpė ir garsiai ištarė žodžius, kuriuos prieš jį kalbėjo nesuskaičiuojama daugybė žmonių visose pasaulio šalyse.

— *Tegu vynas, kurį dabar gersiu, taps man mirtinais nuodais... jei kada nors sąmoningai arba savo valia sulaužysiu priesaiką.*

Jo žodžiai nuaidėjo erdvėje.

Paskui stojo tyla.

Stengdamasis, kad nedrebėtų rankos, įšventinamasis pakėlė prie burnos kaukolę ir lūpomis palietė sausą kaulą. Jis užsimerkė ir užsivertė taurę, išgėrė vyną ilgais, dideliais gurkšniais. Nurijęs paskutinį lašą, nuleido kaukolę.

Akies mirksnį jam pasivaideno, kad suspaudė plaučius ir širdis pradėjo karštligiškai plakti. *Dieve mano, jie žino!* Tačiau šis jausmas praėjo taip pat greitai, kaip buvo užėjęs.

Kūnu nusruveno maloni šiluma. Įšventinamasis iškvėpė šypsodamasis pats sau ir žiūrėdamas į nieko neįtariantį pilkaakį žmogų, per kvailumą priėmusį jį į slapčiausias brolijos gretas.

Netrukus tu neteksi to, ką brangini labiau už viską.

1 skyrius

Bendrovės „Otis“ liftas, slenkantis aukštyn pietiniu Eifelio bokšto šonu, buvo sausakimšas turistų. Pilnutėliame lifte griežtas verslininkas išlygintu kostiumu nužvelgė greta stovintį berniuką.

— Vaike, atrodai išblyškęs. Gal geriau būtum pasilikęs apačioje.

— Nieko tokio, — atsakė vaikas, iš paskutiniųjų stengdamasis suvaldyti nerimą. — Kitam aukšte išlipsiu. — *Man trūksta oro.*

Vyriškis pasilenkė arčiau.

— Maniau, jau būsi spėjęs tai įveikti. — Jis švelniai perbraukė vaiko skruostą.

Berniukui buvo gėda nuvilti tėvą, tačiau jam taip spengė ausyse, kad beveik nieko negirdėjo. *Man trūksta oro. Reikia žūtbūt ištrūkti iš šitos dėžės!*

Liftininkas drąsinamai pasakojo apie šarnyrinius lifto stūmoklius ir pudlinguotos geležies karkasą. Žemai po kojomis į visas puses šakojosi Paryžiaus gatvės.

Jau beveik, mintyse kalbėjo vaikas ištiesęs kaklą ir žiūrėdamas viršun, į išlipimo platformą. *Liko tik truputis.*

Liftas pakrypo, artėdamas prie viršutinės apžvalgos aikštelės, šachta susiaurėjo, masyvūs statramsčiai susiglaudė į ankštą vertikalų tunelį.

— Tėti, man atrodo, aš ne...

Staiga virš jų galvų pasigirdo šaižus trūkstančio lyno pliaukštelėjimas. Lifto kabina trūktelėjo ir pasviro į šoną. Nutrūkę lyno galai daužėsi aplinkui, raitydamiesi kaip gyvatės. Berniukas pasviro prie tėvo.

— Tėti!

Vieną baugų mirksnį jų akys susitiko.

Staiga iš po kojų iškrito kabinos dugnas.

Robertas Lengdonas krūptelėjęs išsitiesė minkštos odos krėsle, pabudęs iš mieguistų svajų. Jis vienas sėdėjo erdviame privataus reaktyvinio lėktuvo „Falcon 2000EX“, skrendančio per sūkurį, salone. Už nugaros tolygiai ūžė du „Pratt & Whitney“ varikliai.

— Pone Lengdonai? — virš galvos pro traškesį pasigirdo garsiakalbio sustiprintas balsas. — Netrukus leisimės.

Lengdonas atsisėdo tiesiai ir įsidėjo paskaitų užrašus atgal į odinį krepšį.

Buvo pradėjęs peržiūrinėti masonų simboliką, bet užsisvajojo. Mintis apie velionį tėvą, spėjo Lengdonas, veikiausiai bus prišaukęs netikėtas senojo mokytojo Piterio Solomono kvietimas.

Dar vienas žmogus, kurio niekaip nenorėčiau nuvilti.

Penkiasdešimt aštuonerių filantropas, istorikas ir mokslininkas priglaudė Lengdoną po savo sparnu kone prieš trisdešimt metų ir beveik įstengė užpildyti tuštumą, atsivėrusią po tėvo mirties. Nors Solomonas priklausė įtakingai dinastijai ir buvo labai turtingas, jo švelniose pilkose akyse Lengdonas įžvelgė nuolankumą ir šilumą.

Už lango saulė jau buvo nusileidusi, bet Lengdonas dar įžiūrėjo liauną aukščiausio pasaulyje obelisko siluetą, kylantį virš horizonto nelyginant didžiulė senovinio saulės laikrodžio rodyklė. Beveik 170 metrų aukščio marmuru puoštas obeliskas ženklino pačią šalies širdį. Tvarkingos, geometriškai organizuotos gatvės ir paminklai nuo obelisko tarsi spinduliai tiesėsi į išorę.

Net iš oro Vašingtonas skleidė kone mistinę galią.

Lengdonas mylėjo šį miestą ir lėktuvui nusileidus pajuto jaudulį, pagalvojęs apie tai, kas netrukus jo laukia. Lėktuvas privažiavo privatų terminalą, glūdintį kažkur didžiulėje Daleso tarptautinio oro uosto erdvėje, ir sustojo.

Lengdonas susirinko daiktus, padėkojo pilotams ir iš prabangaus lėktuvo salono žengė ant sulankstomų laiptų. Šaltas sausio mėnesio oras dvelkė laisve.

Alsuok, Robertai, patarė sau, džiaugdamasis atvira erdve.

Pakilimo taku driekėsi balto rūko marška, ir Lengdonas, leisdamasis ant asfalto, pasijuto tarsi žengtų į pelkę.

— Sveiki! Sveiki! — iš toli prodainiu sušuko balsas britišku akcentu. — Profesoriau Lengdonai?

Lengdonas pakėlė galvą ir pamatė atskubančią vidutinio amžiaus moterį su vardine kortele ir segtuvu, linksmai mojančią jam ranka. Iš po stilingos megztos kepuraitės veržėsi garbanoti šviesūs plaukai.

— Sveiki atvykę į Vašingtoną, pone!

Lengdonas nusišypsojo.

— Ačiū.

— Mano vardas Pamė, dirbu keleivių aptarnavimo skyriuje. — Moteris kalbėjo taip žvaliai, kad darėsi beveik nejauku jos klausytis. — Malonėkite eiti su manimi, pone, jūsų automobilis laukia.

Lengdonas nusekė jai iš paskos skersai pakilimo tako prie privatiems lėktuvams skirto terminalo, apsupto blizgančių privačių lėktuvų eilės. *Turtuolių ir garsenybių taksi stotelė.*

— Nenorėčiau jūsų trikdyti, profesoriau, — truputį drovėdamasi ištarė moteris, — bet jūs tas pats Robertas Lengdonas, kuris rašo knygas apie simbolius ir religiją, tiesa?

Lengdonas sudvejojo, bet paskui linktelėjo galva.

— Taip ir maniau! — nušvito ji. — Mes knygų klube skaitėme jūsų knygą apie Bažnyčią ir šventąjį moteriškumą! Kokį nuostabų skandalą ji sukėlė! Jūs su tokiu malonumu įleidote šešką į vištidę!

Lengdonas nusišypsojo.

— Iš tiesų nesiekiau sukelti skandalo.

Moteris, regis, pajuto, kad Lengdonas nenusiteikęs kalbėti apie savo darbą.

— Atsiprašau. Jau įsiplepėjau. Žinau, jus turbūt vargina, kad nuolat esate atpažįstamas... bet pats esate dėl to kaltas. — Ji žaismingai mostelėjo, rodydama į jo drabužius. — Uniforma jus išduoda.

Uniforma? Lengdonas nužvelgė savo aprangą. Jis kaip visada buvo apsirengęs tamsiai pilku megztiniu aukšta apykakle, angliško tvido švarku, medvilninėmis kelnėmis, apsiavęs minkštos odos batais, panašiais į mokasinus... visad taip rengdavosi eidamas į universitetą skaityti paskaitų, dalyvaudamas įvairiuose renginiuose ir fotografuodamasis knygų viršeliams.

Moteris nusijuokė.

— Tie jūsų megztiniai aukštu kaklu tokie senamadiški. Su kaklaraiščiu atrodytumėte daug elegantiškiau.

Nė kalbos negali būti, pamanė Lengdonas. *Nertis kilpą ant kaklo?*

Kai Lengdonas mokėsi Filipso Ekseterio akademijoje, šešias dienas per savaitę privalėjo ryšėti kaklaraištį; nors direktorius mėgo romantišką pasakojimą apie kaklaskarės kilmę iš šilkinės *fascalia*, kuria romėnų oratoriai neva šildydavę balso stygas, Lengdonas žinojo, kad etimologiškai kaklaskarės pavadinimas — *cravat* — kilęs iš negailestingos samdomos gaujos kroatų karių, kurie prieš puldami į mūšį apsirišdavo kaklus skepetomis. Dar ir dabar nūdienos įstaigų karžygiai, tikėdamiesi sutrikdyti priešus kasdieniuose valdybos posėdžių mūšiuose, eidami į darbą pasipuošia šiais senovės karių atributais.

— Ačiū už patarimą, — susijuokęs atsakė Lengdonas. — Ateityje pagalvosiu apie kaklaraištį.

Laimei, iš glotnaus „Lincoln“ limuzino, pastatyto netoli terminalo, išlipo tarnautoją primenantis vyras tamsiu kostiumu ir iškėlė pirštą.

— Pone Lengdonai? Aš Čarlzas iš „Beltvėjaus limuzinų“ bendrovės. — Jis atidarė keleivio dureles. — Labas vakaras, pone. Sveiki atvykę į Vašingtoną.

Lengdonas davė Pamei arbatpinigių, dėkodamas už sutikimą, ir įsiropštė į prabangų limuzino saloną. Vairuotojas jam parodė oro temperatūros reguliatorius, vandens butelius ir šiltų keksiukų krepšelį. Vos po kelių sekundžių

Lengdonas jau lėkė keliu, skirtu tik privatiems klientams. *Tai štai kaip gyvena turtuoliai.*

Vindsoko plente padidinęs automobilio greitį vairuotojas pasižiūrėjo į keleivio duomenis ir skubiai paskambino.

— Čia iš „Beltvėjaus limuzinų", — trumpai, kaip tikras profesionalas, prisistatė jis. — Manęs prašė pranešti, kai keleivis nusileis. — Jis patylėjo. — Taip, pone. Jūsų svečias ponas Lengdonas jau atvyko, septintą valandą vakaro aš jį pristatysiu prie Kapitolijaus rūmų. Nėra už ką, pone. — Ir baigė pokalbį.

Lengdonas nenorom nusišypsojo. *Viskuo pasirūpinta.* Piterio Solomono smulkmeniškas atidumas buvo vienas iš didžiausių jo privalumų, leidžiantis iš pažiūros lengvai naudotis turima didele valdžia. *Keletas milijardų dolerių banko sąskaitoje, žinoma, irgi ne pro šalį.*

Lengdonas patogiau įsitaisė minkštoje odinėje sėdynėje ir užsimerkė, oro uosto triukšmas nutolo. Iki JAV Kapitolijaus pusvalandis kelio, šis laikas jam pravers mintims sutelkti. Šiandien viskas įvyko taip greitai, kad Lengdonas tik dabar rimčiau susimąstė apie jo laukiantį neįtikimą vakarą.

Atvykstu gaubiamas paslapties šydo, pamanė Lengdonas, kuriam tokia perspektyva kėlė šypseną.

Už šešiolikos kilometrų nuo Kapitolijaus vieniša žmogysta nekantraudama ruošėsi Roberto Lengdono atvykimui.

2 skyrius

Tas, kuris save vadino Malachu, prispaudė adatos smaigalį sau prie skustos galvos, dūsaudamas iš pasitenkinimo, aštriam įrankiui pervėrus odą. Negalėjo apsieiti be tylaus elektrinio prietaiso zyzimo... ir aštraus skausmo, kurį kėlė į odą sminganti adata, paliekanti dažų pėdsakus.

Aš esu šedevras.

Tatuiruotėmis niekas nesiekia grožio. Jų tikslas — *pakeisti.* Nuo šventųjų nubių žynių du tūkstančiai metų prieš Kristų, nuo tatuiruotų Kibelės garbintojų senovės Romoje iki šiuolaikinių maorių *moko* randų žmonės darėsi tatuiruotes kaip savotišką dalinę savo kūno auką, kentė fizinius puošybos keliamus skausmus ir tapdavo kitokie.

Nepaisant griežto Kunigų knygos (19, 28) draudimo, liepiančio „savo odos netatuiruoti jokiais ženklais", tatuiruotės milijonams nūdienos žmonių — sveikiems ir doriems paaugliams, nusivalkiojusiems narkomanams, priemiesčiuose gyvenančioms šeimų motinoms — tapo privaloma puošmena.

Savo odos tatuiravimas prilygo galios deklaracijai, pasauliui adresuotam skelbimui: „Aš esu savo kūno šeimininkas." Svaigus, permainų skatinamas valdžios pojūtis privertė milijonus žmonių pamilti kūno koregavimo procedūras — plastinę chirurgiją, įvairius pervėrimus, raumenų formavimą, steroidus... net bulimiją ir lyties keitimą. *Žmogaus dvasia trokšta tapti savo kūniško lukšto valdove.*

Malacho švytuoklinis laikrodis išmušė vieną kartą, ir žmogus pakėlė galvą. Pusė septynių vakaro. Palikęs prietaisus, jis apsiautė nuogą, metro devyniasdešimt dviejų centimetrų ūgio kūną japoniško šilko chalatu ir nužingsniavo į koridorių. Erdvaus rūmo kambariuose tvyrojo aitrus jo odos dažų ir vaško žvakių, kurių liepsnoje jis sterilizuodavo adatas, aromatas. Aukštas jaunuolis ėjo koridoriumi pro neįkainojamus italų senovės dirbinius — Piranezio graviūras, Savonarolos krėslą, sidabrinę Bugarinio aliejaus lempelę.

Eidamas pro aukštą, nuo grindų iki lubų, langą stabtelėjo, gėrėdamasis tolumoje plytinčiu klasikiniu vaizdu. Apšviestas JAV Kapitolijaus kupolas tarsi iškilnus valdžios simbolis švytėjo tamsiame žiemos danguje.

Štai kur tai paslėpta, pamanė jis. *Paslėpta kažkur ten.*

Mažai kas žino apie jo egzistavimą... Dar mažiau išmano jo stulbinamą galią ar suvokia, kaip sumaniai jis paslėptas. Iki šių dienų tai tebėra didžiausia neatskleista šios šalies paslaptis. Saujelė žmonių, kuri žino tiesą, stropiai ją slepia po simbolių, legendų ir palyginimų šydu.

Dabar jie atvėrė duris man, pamanė Malachas.

Prieš tris savaites paslaptingose apeigose, dalyvaujant įtakingiausiems Amerikos žmonėms, Malachas pasiekė trisdešimt trečiąjį, aukščiausią, seniausios išlikusios pasaulio brolijos laipsnį. Nepaisant jo iškilimo, broliai Malachui nieko nepasakė. *Ir nepasakys*, jis tai žinojo. Viskas vyksta ne taip. Kiekviename rate egzistuoja savi ratai, kiekvienoje brolijoje — atskiros brolijos. Net per daugelį metų Malachui gali nepavykti pelnyti visiško jų pasitikėjimo.

Laimei, didžiausiai jų paslapčiai išgauti jam nereikalingas jų pasitikėjimas.

Mano įšventinimas pasiekė tikslą.

Užlietas energijos antplūdžio nuo minčių apie tai, kas laukia ateityje, jis nužingsniavo į vonią. Iš garsiakalbių, įtaisytų visuose namuose, sklido neįprasti garsai — kastrato giedama *Lux Aeterna* iš Verdžio „Rekviem", buvusio gyvenimo priminimas. Malachas paėmė nuotolinio valdymo pultelį ir perjungė griausmingą *Dies Irae*. Tada, lydimas griaudėjančių timpanų ir lygiagrečių kvintų, greitai užlipo marmuro laiptais, aplink raumeningas kojas plaikstantis chalato skvernams.

Bėgant pasigirdo nepatenkintas pilvo gurgimas. Malachas badavo jau dvi dienas, gėrė tik vandenį, pagal senovinius būdus ruošdamas kūną. *Išaušus tavo alkis bus numalšintas*, priminė jis sau. *Kaip ir skausmas*.

Malachas pagarbiai įžengė į savo miegamąjį-šventovę ir užsirakino duris. Priėjęs prie spintos stabtelėjo ir pajuto, kaip jį traukia didžiulis veidrodis auksuotais rėmais. Neįstengdamas atsispirti atsigręžė į savo atspindį. Lėtai, tarsi išvyniodamas neįkainojamą dovaną, Malachas atskleidė chalatą, apnuogindamas kūną. Reginys sukėlė jam pagarbų susižavėjimą.

Aš esu šedevras.

Jo stambus kūnas buvo glotnus ir beplaukis. Pirmiausia jis nuleido akis į pėdas, ištatuiruotas žvynais ir nagais kaip vanago kojos. Raumeningos blauzdos ir šlaunys tatuiruotėmis papuoštos taip, kad priminė raižytas kolonas, šulus — kairės kojos puošyba vijosi spirale, dešinės kilo vertikaliomis juostomis. *Boazas ir Jachinas*. Paslėpsniai ir pilvas priminė išpuoštą arką, galingą krūtinę virš jų puošė dvigalvis feniksas... abiejų profiliais pasuktų galvų regimas akis atstojo Malacho speneliai. Pečius, sprandą, veidą ir plikai skustą galvą dengė įmantrus senovinių simbolių ir magiškų ženklų raštas.

Aš esu meno kūrinys... aš tampu ikona.

Vienas mirtingasis prieš aštuoniolika valandų matė Malachą nuogą. Žmogus sušuko iš baimės.

— Viešpatie, tu tikras demonas!

— Jei tau taip atrodo, — atsakė Malachas, kaip ir senovės žmonės suvokdamas, kad angelai ir demonai yra tapatūs, vienas kitą atstojantys archetipai, to paties dalyko poliai: angelą sargą, kovoje įveikiantį tavo priešus, priešai laikys demonu griovėju.

Malachas palenkė galvą ir iš padilbų apžiūrėjo savo viršugalvį. Pačiame jo centre, apsuptas karūną primenančios aureolės, švietė blyškios, netatuiruotos odos skritulėlis. Ši kruopščiai saugoma švari drobė buvo vienintelis Malachui likęs neišpuoštas odos plotas. Šventoji vieta kantriai laukė... šįvakar ji bus užpildyta. Malachas dar neturėjo to, ko jam reikėjo šedevrui užbaigti, tačiau jis žinojo, kad toji akimirka sparčiai artėja.

Prisipildęs jaudulio nuo savo paties atvaizdo jis juto, kaip auga jėgos. Susisiautė chalatą ir priėjęs prie lango vėl įsižiūrėjo į priešais plytintį mistinį miestą. *Tai paslėpta kažkur ten*.

Susikaupęs artėjančiam darbui, Malachas priėjo prie tualetinio stalelio ir kruopščiai tepė veidą, galvą bei kaklą maskuojamuoju makiažo pagrindu, kol tatuiruočių nebebuvo matyti. Tada apsivilko specialius drabužius ir visa kita, ką buvo iš anksto parengęs šiam vakarui. Baigęs dar kartą pasižiūrėjo į veidrodį. Patenkintas delnu atsargiai persibraukė glotnų pakaušį ir nusišypsojo.

Jis ten, pamanė. *Ir šįvakar vienas žmogus man padės jį surasti.*

Išeidamas iš namų Malachas pasirengė įvykiui, kuris netrukus sukrės JAV Kapitolijaus rūmus. Didžiulėmis pastangomis jis buvo viską parengęs šiam vakarui.

Ir štai galiausiai į žaidimą įsitraukė paskutinis pėstininkas.

3 skyrius

Robertas Lengdonas įsigilinęs vartė savo užrašus, kai „Lincoln“ limuzinas sulėtino greitį. Lengdonas pakėlė akis ir nustebęs apsižvalgė.

Jau Atminimo tiltas?

Jis pasidėjo užrašus ir įsižiūrėjo į apačioje plytinčius ramius Potomako vandenis. Jų paviršių gaubė tirštas rūkas. Tiksliai pavadinta Rūkų žemuma jam visad atrodė keista vieta valstybės sostinei įkurti. Galėdami rinktis visą Naująjį pasaulį, tėvai įkūrėjai savo utopinės visuomenės kertinį akmenį nutarė padėti tižiuose paupio pelkynuose.

Lengdonas pažvelgė į kairę, virš Potvynių žiočių, į grakštų apskritą Džefersono memorialo siluetą — daug kas jį vadino Amerikos Panteonu. Tiesiai priešais kilo griežtas, asketiškas Linkolno memorialas, kurio stačiakampis pavidalas priminė senovės Atėnų Partenoną. Tačiau miesto centrinį objektą, tą pačią smailę, kurią buvo matęs iš lėktuvo, Lengdonas įžiūrėjo toliau. Jos architektūrinis provaizdis buvo daug senesnis už romėnų ar graikų kultūras.

Amerikos egiptietiškasis obeliskas.

Tiesiai prieš akis dunksojo Vašingtono paminklo smailės monolitas, šviečiantis danguje tartum didingas laivo stiebas. Žvelgiant iš nepatogios Lengdono perspektyvos, šį vakarą obeliskas atrodė tarsi plauktų ore... linguodamas nykaus dangaus fone nelyginant audringoje jūroje. Lengdonas ir pats beveik nejuto žemės po kojomis. Šis apsilankymas Vašingtone buvo visiškai netikėtas. *Rytą prabudau tikėdamasis sekmadienį ramiai praleisti namie... o štai dabar esu už kelių minučių nuo Kapitolijaus.*

Šį rytą, be penkiolikos penktą, Lengdonas kaip visada panėrė į ramų vandenį, ketindamas dienos pradžiai penkiasdešimt kartų perplaukti tuščią Harvardo baseiną. Fizinis Lengdono pasirengimas nebebuvo toks geras kaip tada, kai mokėsi koledže ir žaidė Amerikos vandensvydžio rinktinėje, tačiau jis sugebėjo išlikti lieknas ir sportiškas: visai neblogai keturiasdešimtmetį peržengusiam vyrui. Vienintelis skirtumas buvo tas, kad dabar palaikyti tokią būklę Lengdonui reikėjo daugiau pastangų.

Apie šeštą grįžęs namo Lengdonas pradėjo rytinį ritualą — rankiniu malūnėliu sumalė Sumatros kavos pupeles, mėgaudamasis virtuvėje pasklidusiu egzotišku aromatu. Tačiau šį rytą pamatė telefono atsakiklyje mirkčiojančią raudoną lemputę ir nustebo. *Kas galėtų skambinti sekmadienį, šeštą valandą ryto?* Jis paspaudė mygtuką ir išklausė pranešimą.

„Labas rytas, profesoriau Lengdonai, labai atsiprašau už tokį ankstyvą skambutį." Balse buvo aiškiai girdėti dvejonė ir neryškus pietinių valstijų gyventojo akcentas. „Aš esu Entonis Dželbartas, Piterio Solomono vykdomasis padėjėjas. Ponas Solomonas man sakė, kad jūs pratęs anksti keltis... šį rytą jis mėgino jus pasiekti, tai labai skubu. Kai gausite šį pranešimą, gal galėtumėte paskambinti tiesiai Piteriui? Tikriausiai turite jo naują privatų numerį, bet jei ne, primenu, kad jis yra 202-329-5746."

Lengdoną staiga apėmė nerimas dėl seno draugo. Piteris Solomonas buvo nepriekaištingų manierų ir mandagus, tikrai ne iš tų, kurie be labai rimtos priežasties skambina sekmadienį dar neišaušus.

Lengdonas paliko neišvirtą kavą ir nuskubėjo į kabinetą skambinti.

Tikiuosi, jam nieko neatsitiko.

Nuo pat pirmo susitikimo Prinstono universitete Piteris Solomonas tapo jo draugu, mokytoju ir, nors buvo tik dvylika metų vyresnis, atstojo tėvą. Mokantis antrame kurse Lengdonui teko išklausyti vakarinę garsaus jauno istoriko ir filantropo paskaitą. Solomonas kalbėjo aistringai ir įdomiai, pateikė stulbinamą semiotikos ir archetipų istorijos viziją, įžiebusią Lengdono širdyje aistrą simboliams, virtusią viso gyvenimo darbu. Tačiau ne Solomono intelektas, o jo švelniose pilkose akyse švytintis nuolankumas suteikė Lengdonui drąsos parašyti jam padėkos laišką. Jaunas antrakursis nė nesvajojo, kad Piteris Solomonas, vienas iš turtingiausių ir mįslingiausių jaunų Amerikos intelektualų, jam atsakys. Bet Solomonas atsakė. Taip prasidėjo abiem svarbi jų draugystė.

Piteris Solomonas, garsus mokslininkas, iš kurio romaus elgesio niekad neatspėtum jo didingos kilmės, buvo kilęs iš neapsakomai turtingos Solomonų giminės: jos pavardę buvo galima pamatyti ant daugybės šalies pastatų ir universitetų. Solomonų pavardė, kaip Europoje — Rotšildų, nuo seno buvo siejama su Amerikos įtakingiausių ir turtingiausių žmonių paslaptimi. Piteris dar jaunystėje, mirus tėvui, tapo paveldėtoju ir dabar, sulaukęs penkiasdešimt aštuonerių, užėmė ne vieną įtakingą postą. Šiuo metu jis vadovavo Smitsono institutui. Lengdonas kartais paerzindavo Piterį, kad jo spindinčioje it grynas sidabras karjeroje yra tik viena rūdžių dėmelė, antrarūšio universiteto diplomas: Solomonas buvo baigęs Jeilį.

Įėjęs į kabinetą Lengdonas nustebo pamatęs, kad Piteris jam atsiuntė ir faksogramą.

Piteris Solomonas
SMITSONO INSTITUTAS
SEKRETORIATAS

Labas rytas, Robertai,
man reikia kuo greičiau su tavimi
pasikalbėti. Būk geras, kai tik galėsi,
šį rytą paskambink man telefonu
202-329-5746.

Piteris

Lengdonas tuojau pat surinko numerį ir atsisėdo už pagaminto pagal užsakymą ąžuolinio stalo laukdamas, kol sujungs.

— Piterio Solomono kabinetas, — atsiliepė pažįstamas padėjėjo balsas. — Kalba Entonis. Kuo galiu jums padėti?

— Sveiki, čia Robertas Lengdonas. Jūs man palikote pranešimą...

— Taip, profesoriau Lengdonai! — Jaunuolio balse buvo girdėti palengvėjimas. — Ačiū, kad taip greit paskambinote. Ponas Solomonas nekantrauja su jumis pasikalbėti. Tuoj pranešiu, kad skambinate. Ar galite palaukti?

— Žinoma.

Laukdamas, kol Solomonas atsilieps, Lengdonas pažvelgė į Piterio pavardę virš Smitsono instituto adreso ir nenoromis šyptelėjo. *Dykaduonių Solomonų giminėje nerasi*. Piterio genealoginiame medyje mirgėte mirgėjo turtingų verslininkų, įtakingų politikų ir daugelio garsių mokslininkų — kai kurie iš jų net buvo Londono karališkosios draugijos nariai — vardai. Vienintelė gyva Solomono šeimos narė, jaunesnė sesuo Ketrina, veikiausiai bus paveldėjusi mokslininkės gabumus, nes šiuo metu buvo viena iš pagrindinių naujos šakos, vadinamosios noetikos, veikėjų.

Aš apie tai nieko neišmanau, pagalvojo Lengdonas, su šypsena prisiminęs, kaip Ketrina pernai per pobūvį brolio namuose nesėkmingai mėgino paaiškinti jam noetikos mokslą. Lengdonas atidžiai klausėsi, o paskui atsakė:

— Man tai veikiau panašu į magiją, o ne į mokslą.

Ketrina žaismingai pamerkė akį.

— Šie du dalykai artimesni, negu tu manai, Robertai.

Telefoną vėl paėmė Solomono padėjėjas.

— Atsiprašau, bet ponas Solomonas dar dalyvauja vaizdo konferencijoje, kurią tuoj baigs. Šį rytą pas mus šioks toks sąmyšis.

— Tai nieko. Man nesunku paskambinti dar kartą.

— Tiesą sakant, jis manęs paprašė papasakoti jums, kodėl jūsų ieškojo — ar neprieštarausite?

— Žinoma, ne.

Padėjėjas giliai įkvėpė.

— Jūs tikriausiai žinote, profesoriau, kad kiekvienais metais čia, Vašingtone, Smitsono instituto valdyba rengia privatų pokylį, kuriame išreiškia padėką dosniausiems rėmėjams. Jame dalyvauja daug šalies kultūros elito atstovų.

Lengdonas žinojo, kad jo paties ne tokia įspūdinga banko sąskaita neleidžia vadintis kultūros elito atstovu, bet nejau Solomonas vis tiek ketina jį pakviesti į pokylį?

— Šiemet, kaip įprasta, — toliau kalbėjo padėjėjas, — prieš vakarienę numatyta kviestinio svečio kalba. Mums pavyko susitarti, kad šiai kalbai gausime Nacionalinę statulų salę.

Geriausia salė visoje Kolumbijos apygardoje, pamanė Lengdonas, prisiminęs politikos paskaitą, kitados išklausytą įspūdingoje pusapvalėje patalpoje. Sunku būtų pamiršti penkis šimtus sulankstomų kėdžių, sustatytų nepriekaištingu pusračiu ir apsuptų trisdešimt aštuonių natūralaus dydžio žmonių skulptūrų erdvėje, kadaise buvusioje pirma šalies Atstovų rūmų sale.

— Problema štai kokia, — kalbėjo jaunuolis. — Mūsų kalbėtoja susirgo ir ką tik pranešė negalėsianti dalyvauti, — jis nesmagiai nutilo. — Tai reiškia, jog turime žūtbūt surasti, kas ją pakeis. Ponas Solomonas tikisi, kad jūs sutiksite ją pavaduoti.

Lengdonas atsipeikėjo.

— Aš? — To jis nesitikėjo. — Neabejoju, kad Piteris ras daug geresnį pakaitalą.

— Ponas Solomonas iškart pasirinko jus, profesoriau, jūs be reikalo kuklinatės. Instituto svečiai labai apsidžiaugs jus išgirdę, o ponas Solomonas mano, kad galėtumėte perskaityti tą pačią paskaitą, kurią skaitėte prieš kelerius metus per televiziją, per skaitymui skirtą programą. Tada jums visai nereikėtų ruoštis. Jis sakė, kad kalbėjote apie mūsų valstybės sostinės architektūros simbolius — šiam renginiui tai puikiausiai tiktų.

Lengdonas tuo abejojo.

— Jei gerai pamenu, ta paskaita veikiau buvo skirta pastato masoniškajai istorijai, o ne...

— Būtent! Jūs juk žinote, kad ponas Solomonas yra masonas, kaip ir daugelis jo kolegų, kurie dalyvaus pokylyje. Neabejoju, kad jiems bus labai įdomu išgirsti jūsų paskaitą šia tema.

Tenka pripažinti, jog bus nesunku. Lengdonas saugojo visų savo kada nors skaitytų paskaitų užrašus.

— Turbūt galėčiau pagalvoti. Kada numatomas renginys?

Padėjėjas atsikrenkštė tarsi staiga sumišęs.

— Na, tiesą sakant, pone, jis šįvakar.

Lengdonas garsiai nusikvatojo.

— Šįvakar?

— Todėl šįryt čia toks sąmyšis. Smitsono institutas atsidūrė labai nesmagioje padėtyje... — padėjėjas prakalbo daug greičiau. — Ponas Solomonas pasirengęs jums į Bostoną atsiųsti privatų lėktuvą. Skrydis trunka tik valandą, namo grįšite dar prieš vidurnaktį. Jums yra tekę būti Bostono Logano oro uosto privačių skrydžių terminale?

— Taip, — nenoriai prisipažino Lengdonas. *Nenuostabu, kad Piteris visada pasiekia, ko nori.*

— Puiku! Ar sutinkate atvykti į lėktuvą, tarkime... penktą valandą?

— Jūs nepaliekate man kito pasirinkimo, tiesa? — šyptelėjo Lengdonas.

— Tik noriu įvykdyti pono Solomono prašymą, pone.

Piteris taip veikia visus žmones. Lengdonas ilgokai pasvarstė, tačiau nesugalvojo, kaip išsisukti.

— Gerai. Pasakykite, kad sutinku.

— Nuostabu! — šūktelėjo padėjėjas, o jo balse buvo girdėti palengvėjimas. Jis padiktavo Lengdonui lėktuvo atpažinimo numerį ir kitą reikalingą informaciją.

Galiausiai baigęs pokalbį Lengdonas paklausė savęs, ar kas nors yra kada nors pasipriešinęs Piteriui Solomonui.

Grįžęs prie kavos, Lengdonas įbėrė į malūnėlį dar šaukštą pupelių. *Šįryt prireiks šiek tiek daugiau kofeino*, pamanė jis. *Diena bus ilga.*

4 skyrius

Jungtinių Valstijų Kapitolijaus pastatas karališkai stūkso rytiniame Tautos alėjos gale ant plokščios pakilumos, kurią miestą projektavęs architektas Pjeras L'Anfanas pavadino „postamentu, laukiančiu paminklo". Kapitolijaus perimetras yra daugiau negu 230 metrų ilgio ir 110 metrų pločio. Bendras vidaus erdvių plotas daugiau kaip 65 tūkstančiai kvadratinių metrų, jame stulbinamai daug kambarių — net 541. Neoklasicizmo stiliaus projektu tyčia siekiama pakartoti senovės Romos didybę — romėnų idealai įkvėpė Amerikos įkūrėjus, kurie rengė naujosios respublikos įstatymus ir puoselėjo kultūrą.

Naujas turistų, įeinančių į Kapitolijaus pastatą, patikrinimo punktas įrengtas neseniai užbaigto požeminio lankytojų centro gilumoje, po didingu stiklo šviesiangiu, įrėminančiu Kapitolijaus kupolą. Neseniai pradėjęs dirbti apsaugininkas Alfonsas Nunjesas atidžiai apžiūrėjo lankytoją, kuris artėjo prie jo posto. Vyras buvo plikai nusiskutęs galvą, prieš įeidamas į pastatą jis pastoviniavo vestibiulyje, norėdamas baigti kalbėti telefonu. Ant dešinės jo rankos buvo įtvaras, eidamas žmogus šlubčiojo. Jis buvo apsivilkęs nudrengtą karišką paltą; drabužis ir skusta galva paskatino Nunjesą spėti, jog tai kariškis. Buvę JAV ginkluotųjų pajėgų kariai dažnai lankydavosi Vašingtone.

— Labas vakaras, pone, — pasisveikino Nunjesas, laikydamasis saugumo protokolo nurodymų užmegzti žodinį kontaktą su visais lankytojais vyrais, kurie ateina vieni.

— Sveiki, — atsakė lankytojas, apžvelgęs beveik tuščią punktą. — Šįvakar ramu.

— Nacionalinės futbolo lygos atkrintamosios rungtynės, — atsakė Nunjesas. — Šiandien visi žiūri, kaip žaidžia „Redskins“. — Jis ir pats būtų mielai žiūrėjęs, bet dirbo dar tik mėnesį ir šįkart jam nepasisekė. — Sudėkite visus metalinius daiktus į padėklą.

Lankytojas sveikąja ranka ėmė raustis po ilgo palto kišenes, o Nunjesas atidžiai jį stebėjo. Instinktyvi žmogiška užuojauta skatino atsižvelgti į sužeistus ar neįgalius žmones, tačiau Nunjesas buvo išmokytas įveikti instinktus.

Nunjesas palaukė, kol lankytojas iškraustys iš kišenių įprastus daiktus — monetas, raktus, porą mobiliųjų telefonų.

— Išnarinta? — paklausė apžiūrinėdamas sužeistą lankytojo ranką, iš pažiūros aptvarstytą keliais storais „Ace“ tvarsčiais.

Plikagalvis linktelėjo.

— Paslydau ant ledo. Prieš savaitę. Iki šiol velniškai skauda.

— Užjaučiu. Prašom praeiti.

Lankytojas šlubčiodamas perėjo metalo detektorių, kuris protestuojamai suzvimbė.

Lankytojas suraukė kaktą.

— To ir bijojau. Po tvarsčiais yra žiedas. Pirštas labai sutino, nepavyko numauti, todėl gydytojai uždėjo tvarsčius ant viršaus.

— Nieko tokio, — atsiliepė Nunjesas. — Patikrinsiu rankiniu detektorium.

Nunjesas perbraukė metalo detektoriaus lazdele sutvarstytą lankytojo ranką. Kaip ir tikėjosi, metalo aptiko vienoje vietoje — ant sužeisto bevardžio piršto. Nunjesas neskubėdamas tikrino metalo detektoriumi kiekvieną įtvaro ir žiedo colį. Žinojo, kad viršininkas veikiausiai stebi jį per kamerą pastato saugumo centre — Nunjesas nenorėjo prarasti šio darbo. *Visada geriau apsidrausti*. Jis atsargiai kyštelėjo detektorių po įtvaru.

Lankytojas iš skausmo susiraukė.

— Atsiprašau.

— Nieko, — atsakė vyras. — Šiais laikais atsargumo nebūna per daug.

— Tai jau tikrai.

Nunjesui vyras patiko. Keista, tačiau tai jo darbe buvo labai svarbu. Žmogiškieji instinktai buvo patikimiausia Amerikos gynyba nuo terorizmo. Seniai įrodyta, kad žmogaus intuicija patikimiau už visus pasaulio elektronikos prietaisus įspėja apie pavojų; „baimės dovana" — taip ji pavadinta viename iš saugumo darbo vadovų.

Šį kartą Nunjeso instinktai nepajuto jokios baimės. Stovėdamas taip arti lankytojo pastebėjo tik vieną keistybę — šis tvirtos išvaizdos vyrukas, atrodo, bus išsitepęs veidą kažkokiu savaiminio įdegio kremu ar maskuojamuoju makiažo pagrindu. *Na ir kas? Niekas nenori žiemą atrodyti išblyškęs.*

— Viskas gerai, — pasakė Nunjesas, baigęs tikrinti ir padėdamas lazdelę.

— Ačiū. — Vyras pradėjo rinkti daiktus nuo padėklo.

Kol jis tai darė, Nunjesas pastebėjo, kad abu jo pirštai, kyšantys iš įtvaro, ištatuiruoti: ant smiliaus galiuko nupiešta karūna, ant nykščio — žvaigždė. *Atrodo, šiais laikais visi turi tatuiruočių*, pamanė Nunjesas, nors jam pasirodė, kad tatuiruoti pirštų galiukus turbūt gana skausminga.

— Ar neskaudėjo?

Vyras dirstelėjo į savo pirštų galiukus ir susijuokė.

— Mažiau, negu buvo galima tikėtis.

— Jums gerai, — atsakė Nunjesas. — Man labai skaudėjo. Būdamas naujokų stovykloje, išsipiešiau ant nugaros undinę.

— Undinę? — plikagalvis sukikeno.

— Aha, — droviai patvirtino apsaugininkas. — Kokių tik klaidų jaunystėje nepridarai.

— Tikrai, — atsakė plikagalvis. — Aš irgi jaunystėje padariau didelę klaidą. Dabar ją matau kiekvieną rytą prabudęs.

Abu nusijuokė, ir lankytojas nuėjo.

Vaikų žaidimas, pamanė Malachas eidamas pro Nunjesą ir eskalatoriumi kildamas Kapitolijaus pastato link. Įeiti vidun pasirodė lengviau negu tikėjosi. Susikūprinęs ir prisirišęs butaforinį pilvą, Malachas užmaskavo tikrąjį kūno sudėjimą, o maskuojamasis kremas, kuriuo išsitepė veidą ir rankas, paslėpė visą kūną dengiančias tatuiruotes. Tačiau genialiausias išradimas buvo įtvaras, pridengęs galingą objektą, kurį Malachui reikėjo įnešti į pastatą.

Dovana vieninteliam žemėje žmogui, kuris man gali padėti gauti tai, ko ieškau.

5 skyrius

Didžiausias ir pažangiausiomis technologijomis aprūpintas pasaulio muziejus sykiu yra ir viena iš geriausiai saugomų pasaulio paslapčių. Jame daugiau eksponatų negu Ermitaže, Vatikano muziejuje ir Niujorko Metropoliteno muziejuje... kartu sudėjus. Ir vis dėlto, nepaisant tokios didingos kolekcijos, paprasti žmonės beveik niekada nepatenka už akylai saugomų jo sienų.

Muziejus, kurio adresas — Silver Hilo plentas, 4210, visai netoli nuo Vašingtono, yra didžiulis zigzago pavidalo pastatas, sudarytas iš penkių tarp savęs sujungtų sekcijų, kurių kiekviena plotu pranoksta futbolo aikštę. Melsvu metalu padailinta išorė leidžia tik spėti, kokios keistybės slypi viduje — penkiasdešimt penkių tūkstančių kvadratinių metrų ploto ateivių pasaulis, kuriame yra ir „mirties zona", ir „drėgnoji sekcija", ir beveik dvidešimt kilometrų lentynų eksponatams saugoti.

Šį vakarą mokslininkė Ketrina Solomon, baltu „Volvo" privažiuodama prie pagrindinių pastato patikrinimo vartų, juto nerimą.

Apsaugininkas nusišypsojo.

— Nežiūrite futbolo, ponia Solomon? — Jis sumažino prieš „Redskins" atkrintamąsias rungtynes transliuojamo šou garsą.

Ketrina prisivertusi išspaudė šypseną.

— Sekmadienio vakaras.

— Ak taip. Jūsų susitikimas.

— Ar jis jau atvyko? — neramiai paklausė ji.

Apsaugininkas pažvelgė į dokumentus.

— Registracijos knygoje nematau.

— Aš atvykau anksčiau. — Ketrina draugiškai pamojavo ir nuvažiavo vingiuotu keliuku į savo įprastą vietą mažos dviaukštės automobilių stovėjimo aikštelės pirmame aukšte. Pradėjusi rinkti iš mašinos daiktus, skubomis nužvelgė save galinio vaizdo veidrodėlyje — veikiau iš įpročio, negu tuštybės skatinama.

Ketrinai Solomon pasisekė paveldėti atsparią protėvių iš Viduržemio jūros apylinkių veido spalvą, todėl net sulaukus penkiasdešimties jos oda buvo rusva ir glotni. Ji beveik nenaudojo kosmetikos, o vešlius juodus plaukus nešiojo palaidus, nesivargindama įmantriai šukuoti. Kaip ir vyresnis brolis Piteris, turėjo pilkas akis, buvo aristokratiškai liekna ir elegantiška.

Judu galima palaikyti dvyniais, dažnai sakydavo žmonės.

Jų tėvas mirė nuo vėžio, kai Ketrinai buvo tik septyneri, ji jo beveik neprisiminė. Brolis, aštuoneriais metais vyresnis už Ketriną, tėvui mirus buvo tik penkiolikos ir turėjo virsti Solomonų šeimos patriarchu daug anksčiau, negu kas nors būtų galėjęs manyti. Tačiau, kaip ir galėjai tikėtis, Piteris ėmėsi naujo vaidmens oriai ir ištvermingai, pateisindamas šeimos pavardę. Dar ir dabar jis globojo Ketriną, tarsi jiedu tebebūtų vaikai.

Nepaisant reguliarių brolio raginimų ir nejaučiamo gerbėjų stygiaus, Ketrina taip ir neištekėjo. Susiejo gyvenimą su mokslu, darbas jai suteikė daugiau pasitenkinimo ir jaudulio, negu buvo galima tikėtis iš bet kurio vyro. Ketrina nieko nesigailėjo.

Jos pasirinkta mokslo šaka — noetika — buvo beveik niekam nežinoma, kai ji pati pirmąkart apie ją išgirdo, bet pastaraisiais metais šis mokslas atvėrė kelerias naujas duris į žmogaus psichikos galių supratimą.

Tiesiog neįsivaizduojama, kokių nepanaudotų išteklių mes turime.

Parašiusi dvi knygas apie noetiką Ketrina jau iškilo į šios miglotos mokslo šakos viršūnes, tačiau dabar, paskelbus jos naujausius atradimus, noetika gali tapti pagrindine pokalbių tema visame pasaulyje.

Bet šį vakarą mokslas jai mažiausiai rūpėjo. Dieną gavo labai baugių žinių apie brolį. *Niekaip netikiu, kad tai tiesa.* Visą popietę negalėjo galvoti apie nieką kitą.

Į priekinį automobilio stiklą pradėjo barbenti smulkus lietutis, ir Ketrina skubiai susirinko viską, ko reikės viduje. Jau ketino lipti iš automobilio, tik staiga suskambo mobilusis telefonas.

Ji pažiūrėjo, kas skambina, ir giliai įkvėpė.

Tada užkišo už ausies plaukų sruogą ir patogiau atsisėdo, pasirengusi kalbėti.

Už šešių mylių Malachas ėjo Jungtinių Valstijų Kapitolijaus pastato koridoriais, prispaudęs prie ausies telefoną. Kantriai laukė, kol atsilieps.

Galiausiai išgirdo moters balsą.

— Klausau?

— Mums reikia susitikti dar kartą, — pasakė Malachas.

Stojo ilga tyla.

— Ar viskas gerai?

— Turiu naujos informacijos, — atsakė Malachas.

— Pasakykite.

Malachas giliai įkvėpė.

— Tai, kas, pasak jūsų brolio, paslėpta Kolumbijos apygardoje...

— Taip?

— Tai galima surasti.

Ketrina Solomon, atrodo, nustėro.

— Norite pasakyti, jog tai iš tiesų *egzistuoja*?

Malachas pats sau tyliai nusišypsojo.

— Kartais legenda išlieka kelis šimtus metų... ir tai atsitinka ne be pagrindo.

6 skyrius

— Ar negalite privažiuoti arčiau? — Robertą Lengdoną staiga apėmė nerimas pamačius, kad vairuotojas sustojo Pirmojoje gatvėje, už gero puskilometrio nuo Kapitolijaus.

— Deja, ne, — atsakė vairuotojas. — Vidaus saugumo nurodymai. Prie istorinės reikšmės objektų automobilius statyti draudžiama. Atsiprašau, pone.

Lengdonas pažiūrėjo į laikrodį ir apstulbo pamatęs, kad jau be dešimt septynios. Važiuojant juos užlaikė kelio darbai Tautos alėjoje, o paskaita turi prasidėti po dešimties minučių.

— Oras bjūra, — pasakė vairuotojas, iššokęs iš limuzino ir atidarydamas Lengdonui dureles. — Verčiau paskubėkit. — Lengdonas įkišo ranką į kišenę, norėdamas išsitraukti piniginę ir duoti arbatpinigių, bet vairuotojas sumojavo rankomis. — Užsakovas jau pridėjo labai dosnią sumą.

Tipiškas Piterio elgesys, pamanė Lengdonas rinkdamas savo daiktus.

— Gerai, ačiū už kelionę.

Kai Lengdonas pasiekė dailiomis arkomis papuoštą vestibiulį, iš kurio buvo galima nusileisti prie naujo „požeminio" lankytojų įėjimo, jau pradėjo kristi pirmieji lietaus lašai.

Kapitolijaus lankytojų centras buvo brangiai kainavęs ir daug diskusijų sukėlęs projektas. Kalbama, kad šis požeminis miestas, kone prilygstantis Disnėjaus pasauliui, driekiasi didesniame negu keturiasdešimt šešių tūkstančių kvadratinių metrų plote, pilname įvairių eksponatų, restoranų ir renginių salių.

Lengdonas seniai norėjo jį apžiūrėti, nors ir nesitikėjo, kad teks taip toli eiti. Lietus, rodėsi, netrukus prapliups ne juokais, tad jis pasileido bėgti, mokasinų padais slysčiodamas ant šlapio cemento. *Rengiausi ruošdamasis paskaitai, o ne beveik keturių šimtų metrų bėgimui per lietų!*

Apačią pasiekė uždusęs ir suplukęs. Lengdonas pastūmė sukamąsias duris ir minutėlę stabtelėjo vestibiulyje, norėdamas atgauti kvapą ir nusipurtyti lietaus lašus. Tai darydamas pakėlė akis ir apsidairė po neseniai atidarytą erdvę.

Na, gerai, sutinku, iš tiesų įspūdinga.

Kapitolijaus lankytojų centras buvo visai ne toks, kokio jis tikėjosi. Žinodamas, kad jis įrengtas po žeme, Lengdonas įeidamas truputį būgštavo. Vaikystėje po nelaimingo atsitikimo visą naktį pratūnojęs giliame požemio šulinyje, Lengdonas nuo to laiko beveik liguistai bijojo uždarų erdvių. Tačiau ši požemio erdvė kažkodėl atrodė... atvira. *Šviesi. Erdvi.*

Plačios lubos buvo iš stiklo su įtaisytais apšvietimo šaltiniais, kurių blausus švytėjimas paryškino perlamutro spalvų interjerą.

Įprastą dieną Lengdonas čia būtų praleidęs mažiausiai valandą, gėrėdamasis architektūra, bet dabar, likus penkioms minutėms iki paskaitos pradžios, jis nunarino galvą ir pasileido bėgti per pagrindinį vestibiulį prie patikrinimo punkto ir eskalatorių. Atsipalaiduok, paliepė sau. *Piteris žino, kad tu jau čia. Paskaita be tavęs neprasidės.*

Patikrinimo punkte jaunas apsaugininkas ispanas užkalbino Lengdoną, kai šis iškraustė kišenes ir nusisegė retro stiliaus laikrodį.

— Peliukas Mikis? — nusišypsojęs paklausė apsaugininkas.

Lengdonas, pratęs prie tokių pastabų, linktelėjo. Kolekcinis laikrodis su Peliuko Mikio atvaizdu buvo jo tėvų dovana devintojo gimtadienio proga.

— Nešioju jį, kad nepamirščiau, jog nereikia skubėti ir žiūrėti į gyvenimą pernelyg rimtai.

— Nepasakyčiau, kad jums gerai sektųsi, — vėl nusišypsojęs atsakė apsaugininkas. — Atrodo, ne juokais skubate.

Lengdonas atsakė šypsena ir padėjo krepšį peršviesti.

— Kaip patekti į Statulų salę?

Apsaugininkas mostelėjo eskalatorių pusėn.

— Pamatysite užrašus.

— Ačiū. — Lengdonas griebė krepšį nuo konvejerio ir nuskubėjo.

Kildamas eskalatoriumi Lengdonas giliai įkvėpė ir pamėgino surikiuoti mintis. Pro lietaus lašais nusėtą stiklinį stogą žvelgė į viršuje kylantį kalną, primenantį apšviestą Kapitolijaus kupolą. Stulbinamas pastatas. Aukštai ant stogo, iškilusi beveik šimtą metrų virš žemės, į miglotą tamsą nelyginant sergėjanti dvasia žvelgė Laisvės statula. Lengdonas prisiminė ironišką faktą, kad darbininkai, gabalais užkėlę ant postamento šešių metrų aukščio bronzinę skulptūrą, buvo vergai — ši Kapitolijaus paslaptis labai retai minima mokyklų istorijos programose.

Tiesą sakant, visas šis pastatas yra tikras keisčiausių artefaktų lobynas — kaip antai „pražūtingoji vonia“, kaltinama pagreitinusi viceprezidento Henrio Vilsono mirtį nuo plaučių uždegimo, laiptai su neišnykstančia kraujo dėme, ant kurios suklupo nepaaiškinamai daug lankytojų, ir sandariai uždaryta rūsio patalpa, kurioje darbininkai 1930 m. atrado generolui Džonui Aleksandrui Loganui priklausiusio seniai padvėsusio žirgo iškamšą.

Tačiau ilgiausiai ištvėrė legendos apie šiame pastate besivaidenančias trylika skirtingų šmėklų. Dažnai pasakojama apie miesto architekto Pjero L'Anfano dvasią, kurią žmonės matė klaidžiojančią koridoriais, ieškančią, kas po dviejų šimtų metų pagaliau sumokės jo sąskaitas. Statybininko, nukritusio nuo Kapitolijaus kupolo, vaiduoklį matė slankiojantį koridoriais nešiną įrankių dėže. Ir, žinoma, pats garsiausias vaiduoklis, daugelį kartų matytas Kapitolijaus rūsyje — juodos katės šmėkla, peliaujanti baugiuose siauruose požemio koridorėliuose ir sandėliukuose.

Lengdonas nulipo nuo eskalatoriaus ir vėl pažvelgė į laikrodį. *Trys minutės.* Jis nuskubėjo plačiu koridoriumi paskui ženklus, rodančius Statulų salės kryptį, mintyse kartodamasis įžanginius paskaitos sakinius. Lengdonui teko pripažinti, kad Piterio padėjėjas neklydo: ši paskaitos tema puikiausiai tiks renginiui, vykstančiam Vašingtone, Kolumbijos apygardoje, ir vadovaujamam garsaus masono.

Niekam ne paslaptis, kad Kolumbijos apygardos istorija glaudžiai susijusi su masonais. Pavyzdžiui, šio pastato kertinį akmenį padėjo pats Džordžas Vašingtonas pagal visas masonų apeigų taisykles. Miestą sukūrė ir suprojektavo masonų meistrai — Džordžas Vašingtonas, Benas Franklinas ir Pjeras L'Anfanas: skvarbaus proto žmonės, išpuošę naująją sostinę masonų simboliais, masonų architektūra ir meno kūriniais.

Be abejo, žmonės šiuose simboliuose įžvelgia beprotiškiausių idėjų.

Daug sąmokslo teorijos šalininkų tvirtina, kad masonai įkūrėjai visame Vašingtone paliko svarbių paslapčių ir simbolinių pranešimų, paslėptų miesto gatvių planuose. Lengdonas niekad tuo netikėjo. Informacija apie masonus taip dažnai būdavo netiksli, kad net išsilavinusių Harvardo studentų samprata apie broliją atrodė stebėtinai iškreipta.

Pernai į Lengdono auditoriją įbėgo paklaikęs pirmakursis, nešinas dokumentu, išsispausdintu iš interneto. Tai buvo Kolumbijos apygardos gatvių planas su išryškintomis kai kuriomis gatvėmis, kad šios sudarytų įvairius pavidalus: šėtoniškas pentagramas, masonų kompasą ir kampainį, Bafometo galvą, — neva įrodymus, kad masonai, projektavę Vašingtoną, buvo sudarę juodą, mistinį sąmokslą.

— Įdomu, — pripažino Lengdonas, — bet nelabai įtikinama. Nubrėžus žemėlapyje pakankamai daug susikertančių linijų, jose galima atrasti įvairiausių pavidalų.

— Bet tai negali būti atsitiktinumas! — pareiškė vaikinas.

Lengdonas kantriai parodė studentui, kad lygiai tokius pat pavidalus galima įžvelgti ir Detroito gatvių plane.

Vaikinas atrodė baisiai nusivylęs.

— Nenusimink, — padrąsino Lengdonas. — Vašingtonas iš tiesų turi neįtikimų paslapčių... tik šiame gatvių plane jų nėra.

Jaunuolis pagyvėjo.

— Paslapčių? Kokių?

— Kiekvieną pavasarį aš skaitau kursą apie okultinius simbolius. Daug kalbu apie Vašingtoną. Užsirašykite į šį kursą.

— *Okultinius* simbolius! — pirmakursis vėl susijaudino. — Vadinasi, Kolumbijos apygardoje iš tiesų yra šėtoniškų simbolių!

Lengdonas nusišypsojo.

— Deja, žodis „okultinis", kuris jums kelia tokias asociacijas su šėtono garbinimu, iš tiesų reiškia „slaptas" arba „paslėptas". Religinės priespaudos laikais žinias, prieštaraujančias vyraujančiai doktrinai, teko slėpti, versti „okultinėmis", o Bažnyčia, kuriai tai kėlė pavojų, pasmerkė visas „okultines" žinias — tokia nuostata išliko iki šiol.

— Aa, — vaikinas vėl nuliūdo.

Vis dėlto tą patį pavasarį Lengdonas pastebėjo pirmakursį sėdintį pirmoje eilėje, penkiems šimtams studentų susirinkus senoje Harvardo Sanderso amfiteatrinėje auditorijoje su girgždančiais mediniais suolais.

— Visiems labas rytas! — nuo erdvios platformos sušuko Lengdonas. Jis įjungė projektorių, ir jam už nugaros išryškėjo vaizdas. — Kol susėsite, atsakykite į klausimą — kiek iš jūsų atpažįsta šį pastatą?

— Jungtinių Valstijų Kapitolijus! — vienbalsiai sušuko dešimtys jaunuolių. — Vašingtonas, Kolumbijos apygarda!

— Taip. Šį kupolą laiko daugiau negu keturi tūkstančiai tonų geležies atramų. XIX a. šeštajame dešimtmetyje niekas neprilygo šiam architektūros stebuklui.

— Nerealu! — šūktelėjo kažkas.

Lengdonas pakėlė akis į dangų, svajodamas, kad kas nors pagaliau uždraustų šį žodį.

— Na, gerai, kas iš jūsų esate buvę Vašingtone?

Pakilo keletas rankų.

— Tiek nedaug? — Lengdonas apsimetė nustebęs. — O kas iš jūsų esate buvę Romoje, Paryžiuje, Madride arba Londone?

Beveik visi auditorijoje sėdintys studentai pakėlė rankas.

Kaip visada. Vienas iš būtinų Amerikos koledžo auklėtinių gyvenimo etapų buvo vasara, praleista keliaujant su *Eurorail* bilietu, prieš susikaupiant darbui ir negailestingai gyvenimo tikrovei.

— Atrodo, Europoje jūsų lankėsi daug daugiau negu savo šalies sostinėje. Kaip manote, kodėl?

— Europoje nedraudžia parduoti alkoholio žmonėms, neturintiems dvidešimt vienerių metų! — pasigirdo balsas iš galinio suolo.

Lengdonas nusišypsojo.

— O *čia* šis draudimas jus labai varžo?

Visi nusijuokė.

Buvo pirma paskaitų diena, studentai ilgiau negu įprastai sėdosi į savo vietas, muistėsi, girgždino medinius suolus. Lengdonas mėgo skaityti paskaitas šioje auditorijoje, nes visad galėdavo nustatyti studentų susidomėjimą vien pasiklausęs, ar labai jie muistosi suoluose.

— Jei kalbėsime rimtai, — tarė Lengdonas, — Vašingtone rasime įspūdingiausių pasaulio architektūros, meno ir simbolizmo pavyzdžių. Kam keliauti už vandenyno, dar neaplankius savo sostinės?

— Senovė labiau veža, — kažkas pasakė.

— Kai sakote „senovė“, — patikslino Lengdonas, — tikriausiai turite galvoje pilis, laidojimo rūsius, šventyklas ir panašius dalykus?

Studentai vieningai palinksėjo galvomis.

— Aišku. Na, o jei pasakyčiau jums, kad *visa tai* yra Vašingtone? Pilys, laidojimo rūsiai, piramidės, šventyklos — viskas.

Girgždesys pritilo.

— Bičiuliai, — prakalbo Lengdonas tylesniu balsu ir žengė į platformos priekį, — šioje paskaitoje sužinosite, kad mūsų šalyje knibždėte knibžda paslapčių ir slaptosios istorijos faktų. O patys įdomiausi dalykai, lygiai kaip Europoje, paslėpti visų akivaizdoje.

Medinių suolų girgždėjimo nebebuvo girdėti.

Pakliuvot.

Lengdonas prigesino šviesas ir perjungė kitą vaizdą.

— Kas man pasakys, ką čia daro Džordžas Vašingtonas?

Tai buvo gerai žinoma freska, vaizduojanti Džordžą Vašingtoną, iškilmingais masonų apdarais stovintį priešais keistą įtaisą — didžiulį medinį trikojį su pritaisyta keliamųjų lynų sistema, ant kurios kabo stambus juodas akmuo. Aplink stovi grupė puošniai apsirengusių žmonių.

— Kelia šitą akmenį? — pasiūlė versiją vienas studentas.

Lengdonas nieko neatsakė, laukė, kol studentai patys susipras.

— Tiesą sakant, — įsiterpė kitas studentas, — man atrodo, kad Vašingtonas *deda* akmenį. Jis vilki masono drabužius. Esu matęs paveikslus, vaizduojančius, kaip masonai deda kertinius akmenis. Šioje ceremonijoje visada naudojamas toks trikojis pirmajam akmeniui padėti.

— Puiku, — pagyrė Lengdonas. — Freskoje vaizduojama, kaip mūsų šalies Įkūrėjas, pasinaudodamas trikoju ir skriemuliu, 1793 m. rugsėjo 18 dieną tarp penkiolikos minučių po vienuoliktos ir pusės pirmos deda kertinį Kapitolijaus akmenį. — Lengdonas nutilo ir apžvelgė auditoriją. — Ar kas nors gali man pasakyti, kuo svarbi ši data ir laikas?

Tyla.

— O jei pasakyčiau jums, kad būtent šį laiką pasirinko trys garsiausi masonai — Džordžas Vašingtonas, Bendžaminas Franklinas ir Pjeras L'Anfanas, pagrindinis Vašingtono architektas?

Ir vėl tyla.

— Paprasta: kertinis akmuo padėtas tą dieną ir tuo metu dar ir todėl, kad būtent tada sėkmei palanki Drakono galva buvo Mergelės ženkle.

Studentai keistai susižvalgė.

— Pala, — ištarė vienas. — Bet... juk tai *astrologija?*

— Visiškai teisingai. Tiesa, kitokia, negu ją matome šiandien.

Pakilo viena ranka.

— Tai jūs norite pasakyti, kad Amerikos įkūrėjai tikėjo astrologija?

Lengdonas susijuokė.

— Ir dar kaip. Ką atsakytumėte, jei aš jums praneščiau, kad Vašingtono miesto architektūroje yra daugiau astrologinių ženklų negu bet kuriame kitame pasaulio mieste — Zodiako ratų, žvaigždėlapių, tiksliai astrologiškai nustatytą dieną ir valandą padėtų kertinių akmenų? Daugiau kaip pusė mūsų Konstitucijos kūrėjų buvo masonai, kurie tvirtai tikėjo, kad žvaigždės susijusios su žmonių likimais, ir kurdami naują pasaulį atidžiai stebėjo dangaus kūnų padėtį.

— Bet kam rūpi, kad Kapitolijaus kertinis akmuo padėtas Drakono galvai esant Mergelės ženkle? Ar tai negali būti paprastas sutapimas?

— Įspūdingas sutapimas, turint omeny, kad visų trijų statinių, kurie sudaro Federacinį trikampį — Kapitolijaus, Baltųjų rūmų ir Vašingtono paminklo — pamatai pakloti skirtingu laiku, bet kiekvieną kartą kertinį akmenį rūpestingai taikyta padėti *lygiai tokiomis pačiomis* astrologinėmis sąlygomis.

Studentų auditorija sužiuro į Lengdoną plačiai išplėstomis akimis. Kelios galvos palinko, studentai suskato užsirašinėti.

Gale pakilo ranka.

— Kodėl jie taip darė?

Lengdonas susijuokė.

— Norint atsakyti į šį klausimą, reikia išnagrinėti tiek medžiagos, kad jos pakaks visam semestrui. Jei jums tai įdomu, užsirašykite į mano kursą apie misticizmą. Bet aš, atvirai sakant, nemanau, kad jūs, vaikinai, esate emociškai subrendę išgirsti atsakymą.

— Ką? — sušuko jaunuolis, kėlęs ranką. — O jūs pamėginkit!

Lengdonas apsimetė svarstąs, tačiau netrukus erzindamas papurtė galvą.

— Deja, niekaip negaliu. Tarp jūsų yra pirmakursių. Bijau, kad neišsikraustytumėte iš proto.

— Papasakokit! — sušuko visi drauge.

Lengdonas gūžtelėjo pečiais.

— Gal verčiau įstokite į masonų broliją arba „Rytinės žvaigždės" sąjungą, tada viską sužinosite iš pirmų lūpų.

— Mes negalime įstoti, — užginčijo vaikinas. — Masonai — visiškai slapta draugija!

— Visiškai slapta? Iš tiesų? — Lengdonas prisiminė stambų žiedą su masonų simboliais, kurį jo draugas Piteris Solomonas išdidžiai nešiojo ant dešinės rankos. — Tai kodėl tada masonai nešioja aiškiai atpažįstamus masoniškus žiedus, kaklaraiščių segtukus ar sąsagas? Kodėl masonų pastatai paženklinti visiems matomais ženklais? Kodėl jų susirinkimų vieta ir laikas skelbiami laikraščiuose? — Lengdonas nusišypsojo, pamatęs suglumusius veidus. — Bičiuliai, masonai anaiptol nėra slapta draugija... tai draugija, turinti paslapčių.

— Tai tas pat, — kažkas sumurmėjo.

— Argi? — paklausė Lengdonas. — Ar pasakytumėte, kad bendrovė *Coca Cola* — slapta draugija?

— Žinoma, ne, — atsakė studentas.

— Na, gerai, o kas būtų, jei pasibelstumėte į bendrovės centrinę būstinę ir paprašytumėte klasikinės kokakolos recepto?

— Niekas jo neduotų.

— Žinoma. Jei norite sužinoti labiausiai saugomą *Coca Cola* bendrovės paslaptį, turėsite joje įsidarbinti, dirbti daug metų, įrodyti, kad esate verti pasitikėjimo, galiausiai iškilti, tapti vienu iš bendrovės vadovų, ir tada galbūt paslaptis jums bus patikėta. Tačiau turėsite prisiekti ją saugoti.

— Tai jūs norite pasakyti, kad laisvieji mūrininkai — savotiška bendrovė?

— Tik ta prasme, kad jie laikosi griežtos hierarchijos ir labai saugo paslaptis.

— Mano dėdė masonas, — prabilo mergina. — Ir teta labai dėl to pyksta, nes jis nieko jai apie tai nepasakoja. Ji sako, kad masonystė — tai lyg kokia keista religija.

— Dažnai pasitaikantis nesusipratimas.

— Tai ne religija?

— Pasvarstykime, — pasiūlė Lengdonas. — Kas iš jūsų esate lankę profesoriaus Viterspūno lyginamosios religijotyros kursą?

Pakilo kelios rankos.

— Gerai. Tai pasakykite, kokių trijų prielaidų reikia, kad ideologija galėtų būti laikoma religija?

— UTA, — atsakė viena studentė. — Užtikrinti, Tikėti, Atversti.

— Teisingai, — patvirtino Lengdonas. — Religija *užtikrina* žmonėms išganymą; religijoje *tikima* tiksliai apibrėžta teologija; religija *atverčia* netikinčiuosius. — Jis trumpam nutilo. — Tačiau kalbant apie masonus netinka nė vienas iš trijų požymių. Masonai niekam nežada išganymo, jie neturi konkrečios teologijos ir nesistengia nieko atversti. Tiesą sakant, masonų ložėse išvis draudžiama diskutuoti apie religiją.

— Tai... masonai *priešiški* religijai?

— Anaiptol. Viena iš būtinų sąlygų, norint tapti masonu, yra žmogaus privalomas tikėjimas aukštesne jėga. Masonų dvasingumas nuo institucinės religijos skiriasi tuo, kad masonai nevadina šios aukštesnės jėgos konkrečiu vardu ir nesistengia jos apibrėžti. Užuot kalbėję apie konkrečias teologines būtybes, tokias kaip Dievas, Alachas, Buda ar Jėzus, masonai vartoja bendresnes sąvokas — Aukščiausia Būtybė arba Didysis Visatos Architektas. Todėl skirtingų tikėjimų masonai gali tarpusavyje sutarti.

— Skamba nelabai suprantamai, — ištarė kažkas.

— O gal netikėtai tolerantiškai? — pasiteiravo Lengdonas. — Šiais laikais, kai skirtingų kultūrų atstovai žudo vieni kitus kovodami, kas geriau apibrėžia Dievą, galėtume pasidžiaugti masoniška tolerancijos ir atvirumo tradicija. — Lengdonas ėmė žingsniuoti išilgai pakylos. — Be to, masonu gali tapti bet kurios rasės, odos spalvos ir įsitikinimų žmogus; tai dvasinė brolija, kurioje išvis nėra diskriminacijos.

— Nėra diskriminacijos? — Universiteto Moterų centro narė pakilo iš savo vietos. — Ar daug yra *moterų*, kurioms leista tapti masonėmis, profesoriau Lengdonai?

Lengdonas iškėlė rankas delnais į priekį, rodydamas, jog pasiduoda.

— Teisinga pastaba. Tradiciškai laisvųjų mūrininkų organizacija kilo iš Europos mūrininkų gildijų, todėl tai vyrų organizacija. Prieš kelis šimtus metų, kai kas net sako, kad apie 1703 m., buvo įkurta moterims skirta atšaka, vadinama „Rytine žvaigžde“. Jai priklauso per milijoną narių.

— Nesvarbu, — atkirto mergina. — Masonai — tai galinga organizacija, nepriimanti moterų.

Lengdonas abejojo, ar masonus vis dar galima vadinti *galinga* organizacija, ir neketino veltis į šią diskusiją: mūsų laikais požiūriai į masonus be galo įvairūs, pradedant niekam nieko blogo nedarančių senių, mėgstančių rengtis iškilmių drabužiais, klubu ir baigiant įsitikinimu, kad tai pogrindinė galingųjų grupė, laikanti rankose pasaulio valdžią. Tiesa, be abejo, yra kažkur per vidurį.

— Profesoriau Lengdonai, — kreipėsi į jį garbanotas jaunuolis iš paskutinės eilės, — bet jei masonai nėra slapta draugija, ne bendrovė ir ne religija, tai kas gi jie tokie?

— Na, jei paklaustumėte masono, jis jums atsakytų taip: masonystė — tai alegorijomis pridengta ir simboliais iliustruota moralės sistema.

— Mano akimis, tai švelniau pasakyti žodžiai „nenormali sekta".

— Sakote, *nenormali*?

— Tai jau tikrai! — Vaikinas atsistojo. — Girdėjau, ką jie išdarinėja tuose savo slaptuose pastatuose! Keisčiausios ceremonijos žvakių šviesoje, karstai, kilpos, vynas, geriamas iš kaukolių. Na, ar tai normalu!

Lengdonas apžvelgė auditoriją.

— Ar kitiems tai irgi atrodo nenormalu?

— Taip! — choru atsakė studentai.

Lengdonas apsimetė giliai atsidusęs.

— Labai gaila. Jei jums tokie dalykai atrodo nenormalūs, tai suprantu, kad į *mano* sektą nieku gyvu nenorėsite įstoti.

Auditorijoje įsiviešpatavo tyla. Studentė iš Moterų centro jausdamasi nepatogiai paklausė:

— O *jūs* priklausote sektai?

Lengdonas linktelėjo galva ir sąmokslininko šnibždesiu atsakė:

— Niekam nepasakokite, bet pagonių saulės dievo Ra dienomis aš klūpau senovinės kankinimų priemonės papėdėje ir valgau apeiginius kūno bei kraujo simbolius.

Studentai atrodė pasibaisėję.

Lengdonas gūžtelėjo pečiais.

— Jei kas nors iš jūsų norėtumėte prie manęs prisidėti, prašom sekmadienį ateiti į Harvardo koplyčią, atsiklaupti priešais Nukryžiuotąjį ir priimti Šventąją Komuniją.

Auditorijoje tebetvyrojo tyla.

Lengdonas mirktelėjo.

— Atverkite širdis, bičiuliai. Mes visi bijome to, ko nesuprantame.

Kapitolijaus koridoriais nuaidėjo laikrodžio dūžiai.

Septynios.

Robertas Lengdonas ne juokais bėgo. *Tai bent įspūdingai išeisiu į sceną.* Bėgdamas jungiamuoju koridoriumi jis pastebėjo Nacionalinės statulų salės duris ir patraukė tiesiai prie jų.

Prisiartinęs prie durų sulėtino žingsnį, apsimetė nerūpestingu ir kelis kartus giliai įkvėpė oro. Susisagstė švarką, kilstelėjo smakrą ir pasuko už kampo kaip tik sulig paskutiniuoju laikrodžio dūžiu.

Spektaklis prasideda.

Įžengęs į Nacionalinę statulų salę, profesorius Lengdonas pakėlė akis ir draugiškai nusišypsojo. Po mirksnio šypsena dingo. Jis sustojo kaip įbestas.

Įvyko baisi klaida.

7 skyrius

Ketrina Solomon po šaltu lietumi nuskubėjo per automobilių stovėjimo aikštelę, gailėdamasi, kad neužsimetė ko nors ant džinsų ir kašmyro megztuko. Artėjant prie pastato pagrindinio įėjimo, milžiniški oro gryninimo aparatai gaudė vis garsiau. Ji jų beveik negirdėjo, nes ausyse tebeskambėjo ką tik baigtas telefono pokalbis.

Tai, kas, pasak jūsų brolio, paslėpta Kolumbijos apygardoje... tai galima surasti.

Ketrinai atrodė, kad tuo patikėti beveik neįmanoma. Jai su skambinusiuoju dar reikia labai daug ką aptarti: susitarė tai padaryti šįvakar, kiek vėliau.

Pasiekusi pagrindines duris ji pajautė tokį patį jaudulį, kokį jausdavo kas kartą įeidama į didžiulį pastatą. *Niekas nežino, kokia čia vieta.*

Užrašas ant durų skelbė:

SMITSONO MUZIEJAUS SAUGYKLOS
(SMS)

Smitsono institutas Tautos alėjoje turėjo daugiau negu tuziną erdvių muziejų, bet jo rinkiniai buvo tokie gausūs, kad eksponuoti buvo galima ne daugiau kaip du procentus eksponatų iškart. Kitus devyniasdešimt aštuonis procentus rinkinių reikėjo kur nors saugoti. „Kur nors“ reiškė čia.

Nenuostabu, kad šiame pastate stulbinamai daug įvairių artefaktų: milžiniškų Budos statulų, ranka rašytų kodeksų, užnuodytų strėlių iš Naujosios Gvinėjos, brangakmeniais inkrustuotų peilių, iš banginio ūsų pintas kajakas. Ne mažiau fantastiški buvo pastate saugomi *gamtos* lobiai — pleziozaurų griaučiai, neįkainojama meteoritų kolekcija, milžiniškas kalmaras, net dramblių kaukolių rinkinys, kurį iš Afrikos safario parsivežė Tedas Ruzveltas.

Tačiau ne dėl šių eksponatų Smitsono instituto sekretorius Piteris Solomonas prieš trejus metus atsivedė seserį į SMS. Jis norėjo, kad čia ji ne *apžiūrinėtų* mokslo stebuklus, o juos *kurtų*. Būtent tai ir darė Ketrina.

Pačiose pastato gelmėse, tolimiausios atšakos tamsybėse, glaudėsi maža mokslinė laboratorija, panašios į kurią nebuvo visame pasaulyje. Atradimai, kuriuos Ketrina neseniai padarė noetikos moksle, turėjo įtaką visoms sritims — nuo fizikos iki istorijos, nuo filosofijos iki religijos. *Netrukus viskas pasikeis,* pamanė ji.

Ketrinai įėjus į vestibiulį, prie stalo sėdintis apsaugininkas skubiai paslėpė radijo imtuvą ir išsitraukė iš ausų ausines.

— Ponia Solomon! — Jis plačiai nusišypsojo.

— „Redskins"?

Jis kaltai nuraudo.

— Tuoj prasidės žaidimas.

Ji nusišypsojo.

— Aš niekam nesakysiu.

Priėjo prie metalo detektoriaus ir ištuštino kišenes. Nusimaudama nuo riešo ploną auksinį Kartjė laikrodį, pajuto įprastą liūdesio dilgtelėjimą. Laikrodį Ketrinai dovanojo motina aštuonioliktojo gimtadienio proga. Praėjo jau beveik dešimt metų nuo tos dienos, kai motina mirė smurtine mirtimi... užgeso ant Ketrinos rankų.

— Nagi, ponia Solomon? — juokaudamas sušnibždėjo apsaugininkas. — Ar kada nors kam pasakysite, ką jūs ten veikiate?

Ji pakėlė akis.

— Kada nors pasakysiu, Kailai. Ne šiandien.

— Nagi, — neatlyžo jis. — Slapta laboratorija... slaptame muziejuje? Tikriausiai darote kokius nors labai kietus darbelius.

Tu nė neįsivaizduoji, kokius kietus, pamanė Ketrina susirinkdama daiktus. Ir iš tiesų mokslas, kuriuo užsiėmė Ketrina, buvo toks pažangus, kad jau nė nebepanėšėjo į mokslą.

8 skyrius

Robertas Lengdonas sustingo Nacionalinės statulų salės tarpduryje ir apžvelgė prieš akis atsivėrusį stulbinamą reginį. Patalpa atrodė lygiai taip pat, kaip jis ją prisiminė — taisyklingas pusratis, panašus į graikų amfiteatrą. Grakščias smiltainio ir venecijietiško tinko sienas su arkomis skaldė spalvoto marmuro kolonos Kararos marmuro kapiteliais, tarp kurių stovėjo nacijos statulų kolekcija — trisdešimt aštuonios natūralaus dydžio garsiausių amerikiečių statulos, pusračiu išrikiuotos didžiuliame plote ant juodo ir balto marmuro plytelių grindų.

Lygiai tą patį Lengdonas prisiminė iš anksčiau, kai buvo čia atvykęs klausyti paskaitos.

Išskyrus viena.

Šį vakarą salė buvo tuščia.

Nei kėdžių. Nei klausytojų. Nei Piterio Solomono. Tik saujelė turistų, be tikslo slankiojančių aplink, nė nepastebėjusių didingo Lengdono pasirodymo. *Gal Piteris kalbėjo apie Rotondą?* Jis įsižiūrėjo į pietinio koridoriaus gale esančią Rotondą ir pamatė, kad ten irgi slampinėja turistai.

Laikrodžio dūžių aidas išsisklaidė ore. Dabar Lengdonas jau tikrai pavėlavo.

Jis nuskubėjo atgal į vestibiulį ir susirado gidą.

— Atleiskite, norėjau paklausti apie Smitsono instituto šio vakaro paskaitą. Kur ji vyks?

Gidas sudvejojo.

— Negalėčiau atsakyti, pone. Kada ji turi prasidėti?

— Dabar!

Vyriškis papurtė galvą.

— Negirdėjau apie jokį Smitsono instituto renginį šį vakarą — bent jau čia.

Suglumęs Lengdonas beveik bėgte grįžo į salės vidurį, atidžiai dairydamasis aplink. *Gal Solomonas sumanė taip pajuokauti?* Lengdonas niekaip neįstengė to įsivaizduoti. Jis išsitraukė iš kišenės mobilųjį telefoną, šį rytą gautą faksogramą ir surinko Piterio numerį.

Telefonas milžiniškame pastate ne iš karto susijungė. Galiausiai pasigirdo signalas.

Balsas pažįstamu pietietišku akcentu atsiliepė:

— Piterio Solomono kabinetas, kalba Entonis. Klausau jūsų?

— Entoni! — su palengvėjimu ištarė Lengdonas. — Kaip gerai, kad jūs dar čia. Kalba Robertas Lengdonas. Atrodo, įvyko kažkokia painiava dėl paskaitos. Aš stoviu Statulų salėje, bet čia daugiau nieko nėra. Gal paskaitą perkėlė į kitą patalpą?

— Nieko negirdėjau, pone. Tuoj pažiūrėsiu, — padėjėjas trumpam nutilo. — Ar jūs kalbėjote su pačiu ponu Solomonu?

Lengdonas nieko nebesuprato.

— Ne, aš susitariau su *jumis*, Entoni! Šiandien rytą!

— Taip, aš prisimenu. — Ragelyje stojo tyla. — Pasielgėte nelabai apdairiai, ką, profesoriau?

Lengdonas sukluso ir įsitempė.

— Prašau?

— Na, jūs pats pagalvokite... — kalbėjo žmogus. — Gavote faksogramą, kurioje jūsų prašo paskambinti tam tikru numeriu — jūs paskambinate. Pasikalbate su visiškai nepažįstamu žmogumi, kuris jums prisistato kaip Piterio Solomono padėjėjas. Paskui savo noru sėdate į privatų lėktuvą, skrendate į Vašingtoną, lipate į laukiantį automobilį. Ar ne?

Lengdonas pajuto, kaip kūnu nubėgo šiurpuliai.

— Kas jūs toks, po velnių? Kur Piteris?

— Deja, Piteris Solomonas nė neįtaria, kad jūs šį vakarą esate Vašingtone. — Iš vyriškio balso dingo pietietiškas akcentas, jis virto sodriu, melodingu šnabždesiu. — Jūs, profesoriau Lengdonai, čia atvykote todėl, kad jus išsikviečiau *aš*.

9 skyrius

Statulų salėje Robertas Lengdonas tvirčiau prispaudė prie ausies mobilųjį telefoną ir ėmė nervingai vaikščioti nedideliu ratu.

— Kas, po velnių, jūs toks?

Jam atsakė ramus šilkinis šnabždesys:

— Neišsigąskite, profesoriau Lengdonai. Jus čia pakvietė ne be reikalo.

— Pakvietė? — Lengdonas pasijuto tarsi narve įkalintas gyvūnas. — Verčiau sakykite — pagrobė!

— Kažin, — žmogaus balsas buvo keistai ramus. — Jei būčiau norėjęs jums padaryti ką nors bloga, dabar gulėtumėte negyvas limuzine. — Jis neilgai patylėjo, leisdamas pašnekovui įsigilinti į išgirstus žodžius. — Užtikrinu jus, mano ketinimai kuo doriausi. Norėčiau jus kai kur pakviesti.

Ačiū, ne. Po kelerių praėjusių metų nuotykių Europoje nenoromis išgarsėjęs Lengdonas it magnetas traukė įvairiausius pakvaišėlius, bet šis jau peržengė labai rimtą ribą.

— Klausykite, aš nežinau, kokia čia velniava vyksta, bet dabar baigsiu pokalbį...

— Tai neišmintinga, — atsakė žmogus. — Ir taip turite labai maža šansų, jei norite išgelbėti Piterio Solomono sielą.

Lengdonas staiga giliai įkvėpė.

— Ką jūs pasakėte?

— Neabejoju, kad jūs mane girdėjote.

Pašnekovui ištarus Piterio vardą, Lengdonui sustingo gyslose kraujas.

— Ką jūs žinote apie Piterį?

— Šiuo metu žinau visas, absoliučiai visas jo paslaptis. Ponas Solomonas svečiuojasi pas mane, o aš moku būti labai įsakmus šeimininkas.

To negali būti.

— Piterio pas jus nėra.

— Aš atsiliepiau jo privačiu mobiliuoju telefonu. Tai turėtų priversti jus susimąstyti.

— Aš skambinu policijai.

— To visai nereikia, — atsakė žmogus. — Pareigūnai netrukus prie jūsų prieis.

Ką paisto šitas pamišėlis? Lengdonas prakalbo griežtesniu balsu:

— Jei Piteris pas jus, tuojau pat paduokite jam telefoną.

— Neįmanoma. Ponas Solomonas šiuo metu gana nepatogioje vietoje. — Žmogus patylėjo. — Jis Arafe.

— Kur? — Lengdonas pajuto taip stipriai gniaužiąs telefoną, kad nutirpo pirštai.

— Arafe. Arba Hamistagane. Žodžiu, toje vietoje, kurią Dantė aprašė tuoj po to, kai sukūrė legendinį „Pragarą".

Žmogaus pateikiamos religinės ir literatūrinės užuominos patvirtino Lengdono spėjimą, kad kalbasi su pamišėliu. *Antroji knyga*. Lengdonas ją puikiai žinojo: nebūtum radęs nė vieno Filipso Eksेterio akademijos absolvento, kuris nebūtų skaitęs Dantės.

— Norite pasakyti, kad Piteris Solomonas yra... *skaistykloje?*

— Jūs, krikščionys, vartojate tokį šiurkštų žodį... tačiau taip, ponas Solomonas iš tiesų yra *tarpe*.

Žmogaus žodžiai sustingo Lengdono ausyse.

— Tai jūs sakote, kad Piteris... *nebegyvas?*

— Ne, ne visai.

— Ne visai?! — suriko Lengdonas, o jo balsas šaižiai nuaidėjo salėje. Į jį atsigręžė turistų šeima. Lengdonas nusisuko ir prakalbo tyliau. — Kai žmogus miršta, dažniausiai būna aišku, ar jis visai miręs, ar ne!

— Jūs mane stebinate, profesoriau. Tikėjausi, kad geriau suprasite gyvenimo ir mirties paslaptis. Pasaulis *tarp* iš tiesų egzistuoja — ir šiame pasaulyje dabar kybo Piteris Solomonas. Jis gali arba sugrįžti į šį pasaulį, arba pereiti į kitą... tai priklauso nuo to, kaip jūs tuojau pat pasielgsite.

Lengdonas pasistengė suprasti, ką išgirdęs.

— Ko jūs iš manęs norite?

— Paprasto dalyko. Jums pavyko priartėti prie kai ko iš gilios senovės. Šį vakarą pasidalysite tuo su manimi.

— Visiškai nenumanau, apie ką jūs kalbate.

— Ne? Apsimetate, kad nesuprantate jums patikėtų senovės paslapčių?

Lengdonas atspėjo, apie ką šis kalba, ir jam staiga pasidarė sunku ant širdies. *Senovės paslaptys.* Jis niekam nė žodžiu neprasitarė apie tai, ką prieš kelerius metus teko patirti Paryžiuje, bet Gralio fanatikai atidžiai sekė žiniasklaidos pranešimus; kai kurie iš jų sujungė atskirus faktus ir buvo įsitikinę, kad Lengdonas turi slaptos informacijos apie Šventąjį Gralį — gal net žino, kur šis yra.

— Klausykite, — tarė Lengdonas, — jei jūs kalbate apie Šventąjį Gralį, tai galiu jus užtikrinti, kad žinau ne daugiau, negu...

— Neniekinkite mano proto, pone Lengdonai, — griežtai nutraukė jį vyriškis. — Man visai nerūpi tokie niekai kaip Šventasis Gralis ar pasigailėtini žmonijos ginčai, kieno istorijos versija teisingesnė. Manęs nedomina besikartojantys ginčai apie tikėjimo semantiką. Į šiuos klausimus atsakyti padės tik mirtis.

Šiurkštūs žodžiai Lengdoną sutrikdė.

— Tai ko, po velnių, jūs norite?

Žmogus kelias sekundes tylėjo.

— Kaip jums veikiausiai žinoma, šiame mieste egzistuoja senovinis įėjimas.

Senovinis įėjimas?

— Ir šįvakar jūs, profesoriau, man atrakinsite jo vartus. Turėtumėte didžiuotis, kad kreipiausi į jus — tokio kvietimo sulaukiama tik kartą gyvenime. Jūs esate vienintelis išrinktasis.

O jūs esate visiškas beprotis.

— Labai gaila, tačiau pasirinkote ne tą žmogų, — atsakė Lengdonas. — Aš nieko nežinau apie jokius senovinius įėjimus.

— Jūs nesupratote, profesoriau. Jus pasirinkau ne aš... jus pasirinko *Piteris Solomonas.*

— Ką? — vos girdimu šnabždesiu atsakė Lengdonas.

— Ponas Solomonas man pasakė, kaip rasti įėjimą, ir prisipažino, kad atrakinti jo vartus gali vienintelis žmogus. Sakė, jog tas žmogus — tai *jūs*.

— Jei Piteris taip pasakė, tai jis klydo... arba melavo.

— Nemanau. Jis prisipažino tai būdamas labai pažeidžiamas, ir aš būčiau linkęs juo tikėti.

Lengdonas pajuto, kaip jį užliejo pyktis.

— Įspėju jus, jei padarėte Piteriui kokią nors...

— *Tokiems dalykams* jau gerokai per vėlu, — linksmu balsu atsakė žmogus. — Iš Piterio Solomono jau gavau tai, ko man reikėjo. Tačiau jo paties labui siūlau, kad ir jūs parūpintumėte man tai, ko noriu iš *jūsų*. Laikas nepaprastai svarbus... jums *abiem*. Siūlyčiau surasti įėjimą ir atrakinti jo vartus. Piteris parodys kelią.

Piteris?

— Jūs lyg sakėte, kad Piteris „skaistykloje"?

— Kaip viršuje, taip ir apačioje, — atsakė žmogus.

Lengdonas pajuto, kaip šiurpuliai pasidarė lediniai. Šis keistas atsakymas buvo senovinis hermetikų posakis, skelbiantis tikėjimą fiziniais ryšiais, siejančiais dangų ir žemę. *Kaip viršuje, taip ir apačioje*. Lengdonas apžvelgė milžinišką salę, stebėdamasis, kaip staiga šįvakar viskas susipainiojo.

— Klausykit, aš tikrai nežinau, kaip rasti senovinį įėjimą. Skambinu policijai.

— Nejau jums tikrai vis dar neaišku, ką? Kodėl pasirinko jus?

— Ne, — atsakė Lengdonas.

— Tuoj paaiškės, — susijuokė balsas. — Labai greit.

Ryšys nutrūko.

Kelias siaubingas akimirkas Lengdonas stovėjo it sustingęs, stengdamasis suvokti, kas ką tik nutiko.

Staiga tolumoje išgirdo netikėtą garsą.

Jis sklido iš Rotondos.

Kažkas garsiai klykė.

10 skyrius

Robertas Lengdonas ne kartą gyvenime buvo įėjęs į Kapitolijaus Rotondą, bet įbėgti jam dar nebuvo tekę. Įlėkdamas pro šiaurinį įėjimą jis pastebėjo turistų grupę, susibūrusią salės viduryje. Klykė mažas berniukas, tėvai mėgino jį nuraminti. Kiti būriavosi aplink, o keli apsaugininkai kaip įmanydami stengėsi palaikyti tvarką.

— Jis ištraukė ją iš įtvaro, — karštligiškai ištarė kažkas, — ir tiesiog *numetė* čia.

Priartėjęs Lengdonas pagaliau pamatė, dėl ko kilo šis sąmyšis. Teisybė, objektas, gulintis ant Kapitolijaus grindų, buvo keistokas, tačiau vargu ar dėl jo vertėjo taip klykti.

Daiktų, panašių į dabar gulintį ant grindų, Lengdonui buvo tekę matyti ne kartą. Harvardo menų fakultete jų buvo per akis — natūros dydžio plastikinių modelių, kuriais naudodamiesi skulptoriai ir dailininkai mokosi vaizduoti sudėtingiausią žmogaus kūno dalį: daugelio nuostabai, tai buvo ne veidas, bet rankos plaštaka. *Kažkas Rotondoje paliko žmogaus plaštakos modelį?*

Plaštakų modelių pirštai turėjo lanksčius sąnarius, leidžiančius menininkui suteikti rankai kokią nori padėtį — antrakursiai studentai dažniausiai ją statydavo nukreipę aukštyn ištiestą didįjį pirštą. O šis modelis buvo padėtas taip, kad į lubas rodė jo nykštys ir smilius.

Tačiau priėjęs arčiau Lengdonas pastebėjo, kad plaštakos modelis ne toks, kaip kiti. Jo plastikinis paviršius nebuvo lygus ir glotnus. Buvo matyti, kad ranka nusėta dėmėmis, šiek tiek raukšlėta — ji atrodė beveik...

Beveik kaip tikra.

Lengdonas staiga sustojo.

Tik dabar jis pamatė kraują. *Dieve mano!*

Nukirstas riešas, atrodo, buvo pasmeigtas ant įkalto į stovelį medinio strypo, kad geriau stovėtų. Lengdoną užliejo šleikštulio banga. Jis žingtelėjo arčiau, neįstengdamas atgauti kvapo, ir pamatė, kad smiliaus bei nykščio galiukus puošia mažytės tatuiruotės. Tačiau ne jos patraukė Lengdono dėmesį. Jo žvilgsnis iškart nukrypo į pažįstamą auksinį žiedą ant bevardžio piršto.

Negali būti.

Lengdonas atšlijo. Galva ėmė suktis supratus, kad jis žiūri į nukirstą Piterio Solomono rankos plaštaką.

11 skyrius

Kodėl Piteris *neatsako?* stebėjosi Ketrina Solomon, baigdama skambinti mobiliuoju telefonu. *Kur jis?*

Trejus metus Piteris Solomonas pirmas atvykdavo į jų susitikimus, rengiamus kas savaitę sekmadieniais, septintą valandą vakaro. Tai buvo privatus šeimos ritualas, būdas išlaikyti ryšius prieš prasidedant naujai darbo savaitei, o Piteriui — proga sužinoti naujienas apie Ketrinos darbą laboratorijoje.

Jis niekada nevėluoja, pamanė ji, *ir jis visada atsiliepia telefonu.* Dar blogiau — Ketrina nebuvo apsisprendusi, ką pasakys, kai jis galiausiai atvyks. *Kaip išvis pradėti jį klausinėti apie tai, ką šiandien sužinojau?*

Jos batų padai ritmingai kaukšėjo cementuotu koridoriumi, tarsi stuburas jungiančiu visas SMS. Koridorius, pramintas „gatve“, jungė penkias erdvias muziejaus saugyklas. Dvylikos metrų aukštyje oranžiniai ventiliacijos sistemos vamzdžiai pulsavo pastato širdies ritmu — jais cirkuliavo šimtai kubinių metrų filtrais išvalyto oro.

Šiaip pastato alsavimo garsai nuramindavo Ketriną, einančią beveik puskilometrį iki savo laboratorijos. Tačiau šį vakarą pulsavimas ją erzino. Tai, ką šiandien sužinojo apie savo brolį, būtų bet kam sukėlę nerimą, o kadangi Piteris buvo vienintelis pasaulyje gyvas likęs Ketrinos šeimos narys, jai buvo ypač nesmagu galvoti, kad jis nuo jos ką nors slepia.

Ligi šiol, kiek jai žinoma, jis yra nuslėpęs nuo jos tik vieną dalyką... nuostabų dalyką, įkurdintą šio koridoriaus gale. Prieš trejus metus brolis vedė Ketriną koridoriumi ir pasakojo jai apie SMS, išdidžiai rodydamas įdomiausius pastate laikomus objektus — Marso meteoritą ALH-84001, vado Sėdinčio Buliaus ranka rašytą piktografinį dienoraštį, rinkinį vašku užlietų indų su pavyzdžiais, priklausiusiais Čarlzui Darvinui.

Jiedviem einant pro sunkias duris su mažyčiu langeliu Ketrina pastebėjo, kas yra už durų, ir aiktelėjo.

— Dievulėliau, *kas gi tai?*

Brolis susijuokė, tačiau nesulėtino žingsnių.

— Trečioji sekcija. Vadiname ją Drėgnąja sekcija. Nelabai įprastas vaizdas, ką?

Sakyčiau, net baugus. Ketrina nuskubėjo jam iš paskos. Šis pastatas atrodė tarsi kita planeta.

— Iš tikrųjų noriu tau parodyti Penktąją sekciją, — kalbėjo brolis, vesdamas ją koridoriumi, kuris, rodėsi, niekada nesibaigs. — Tai naujausias mūsų statinys. Jos paskirtis — saugoti eksponatus, esančius Nacionalinio gamtos istorijos muziejaus pirmame aukšte. Kolekciją numatoma čia perkelti po penkerių metų, o tai reiškia, kad Penktoji sekcija šiuo metu tuščia.

Ketrina apsidairė.

— Tuščia? Tai kodėl mes atėjome jos apžiūrėti?

Pilkose brolio akyse žybtelėjo pažįstamos šelmiškos kibirkštėlės.

— Pamaniau, kad jei niekas šiomis patalpomis nesinaudoja, jos galėtų praversti *tau.*

— Man?

— Žinoma. Pamaniau, kad tau bus ne pro šalį speciali laboratorija — joje galėsi *atlikti* eksperimentus, kurių teoriją šitiek metų tobulini.

Ketrina apstulbusi įsistebeilijo į brolį.

— Bet, Piteri, tie eksperimentai ir *yra* teoriniai! Jų *atlikti* beveik neįmanoma.

— Nėra nieko neįmanomo, Ketrina, o šis pastatas puikiausiai tau tinka. SMS — tai ne šiaip sau lobių sandėlis: čia įrengtos pažangiausios pasaulyje mokslo laboratorijos. Mes nuolatos tiriame eksponatus iš kolekcijų geriausiomis technologijomis, kokias tik galima įsigyti už pinigus. Čia galėsi naudotis visa įranga, kurios tau prireiks.

— Piteri, bet technologijos, kurių reikia tiems eksperimentams, yra...

— Jau čia. — Jis plačiai nusišypsojo. — Laboratorija įrengta.

Ketrina vos įstengė ištarti žodį.

— Tu... tu įrengei man laboratoriją?

— Toks mano darbas. Smitsono institutas įkurtas skatinti mokslo pažangai. Aš, kaip jo sekretorius, turiu rimtai žvelgti į šį reikalavimą. Manau, tavo pasiūlyti eksperimentai turi galimybių nukelti mokslą į dar neištirtas teritorijas. — Piteris stabtelėjo ir atidžiai pažvelgė jai į akis. — Net jei nebūtum mano sesuo, jausčiau pareigą padėti šiems tyrimams. Tavo idėjos talentingos. Pasaulis nusipelno pamatyti, kur jos nuves.

— Piteri, bet aš juk negaliu...

— Gerai, nusiramink... pinigai mano, o Penktąja sekcija kol kas niekas nesinaudoja. Kai baigsi eksperimentus, galėsi išsikraustyti. Be to, Penktoji sekcija turi keletą ypatumų, dėl kurių labai tiks tavo darbui.

Ketrina nė neįsivaizdavo, kodėl didžiulė tuščia pastato sekcija turėtų tikti jos tyrimams, tačiau suprato, jog netrukus pati viską pamatys. Jie kaip tik priėjo plieno duris, ant kurių ryškiomis raidėmis buvo užrašyta:

5 SEKCIJA

Brolis įkišo kortelę į plyšį, sušvito elektroninė klaviatūra. Jis pakėlė pirštą, ketindamas surinkti įėjimo kodą, bet stabtelėjo ir pakėlė antakius taip pat išdaigiškai kaip vaikystėje.

— Tu tikrai pasirengusi?

Ji linktelėjo. *Mano brolis negali be spektaklio.*

— Pasitrauk. — Piteris paspaudė klavišus.

Plieno durys garsiai sušnypštė ir atsivėrė.

Kitapus slenksčio buvo tik juoda tamsa... žiojinti tuštuma. Iš patalpos gelmių tarsi atsklido dusli aimana. Ketrina pajuto, kaip iš vidaus pūstelėjo šalto oro gūsis. Jausmas toks, tarsi naktį žiūrėtum į Didįjį kanjoną.

— Įsivaizduok tuščią oro linijų angarą, laukiantį, kol į jį pristatys „Airbus" lėktuvų partiją, — pasakė brolis, — ir suprasi, kas čia.

Ketrina pajuto, kaip nenoromis žingtelėjo atgal.

— Sekcija pernelyg didelė, kad ją būtų galima apšildyti, bet tavo laboratorija — apšiltinta patalpa šlakbetonio sienomis, apytikriai kubo pavidalo, įrengta tolimiausiame sekcijos kampe, kad būtų kaip įmanoma labiau nuo visko atskirta.

Ketrina pamėgino ją įsivaizduoti. *Dėžė dėžėje*. Išplėtusi akis stengėsi ką nors įžvelgti tamsoje, tačiau ši buvo visiškai juoda.

— Ar toli nuo įėjimo?

— Tolokai... čia lengvai tilptų futbolo aikštė. Tiesa, turiu tave įspėti, kad eiti iki jos bus gana baugu. Viduje neapsakomai tamsu.

Ketrina atsargiai žvilgtelėjo už kampo.

— Nematau šviesos jungiklio.

— Penktojoje sekcijoje dar neįvedė elektros.

— Bet... kaip tada veiks laboratorija?

Jis pamerkė akį.

— Vandenilio kuras.

Ketrina išsižiojo.

— Tu juokauji, teisybė?

— Gamina tiek švarios energijos, kad jos pakaktų nedidukam miesteliui. Tavo laboratorija radijo dažnių požiūriu visiškai atskirta nuo pastato. Maža to — visos sekcijos iš išorės hermetiškai padengtos šviesai atsparia membrana, sauganča viduje esančius objektus nuo saulės radiacijos. Iš esmės ši sekcija yra hermetiška, energijos požiūriu neutrali patalpa.

Ketrina pradėjo suprasti Penktosios sekcijos privalumus. Didelė dalis jos darbo buvo susijusi su anksčiau nežinomų energijos laukų matavimais, todėl eksperimentus būtinai reikėjo atlikti aplinkoje, izoliuotoje nuo išorės radiacijos ir „baltojo triukšmo“. Jam priklausė ir tokie subtilūs trukdžiai kaip netoliese esančių žmonių „smegenų radiacija“ ar „minčių spinduliavimas“. Dėl šios priežasties netiko nei universiteto miestelis, nei ligoninės laboratorija, užtat apleista SMS sekcija buvo tiesiog tobula.

— Nagi, eime, apžiūrėsime. — Brolis šypsodamasis žengė į tamsią erdvę. — Eik paskui mane.

Ketrina stabtelėjo prie slenksčio. *Daugiau negu šimtą metrų eiti visiškoje tamsoje?* Buvo benorinti pasiūlyti įžiebti žibintuvėlį, tačiau brolis jau dingo tamsybėse.

— Piteri? — pašaukė ji.

— Tikėjimo šuolis, — atsiliepė jis, o balsas jau tolo. — Kelią surasi. Tikėk manim.

Jis juokauja, ar ne? Ketrina smarkiai plakančia širdimi žengė keletą pėdų už slenksčio, stengdamasi tamsoje ką nors įžiūrėti. Nors į akį durk! Staiga plieno durys sušnypštusios užsitrenkė jai už nugaros, panardindamos į visišką tamsą. Niekur nė kibirkštėlės.

— Piteri?!

Tyla.

Kelią surasi. Tikėk manim.

Ji apgraibomis patraukė į priekį. *Tikėjimo šuolis?* Ketrina nematė net rankos, pakeltos prieš veidą. Ji ėjo į priekį, bet po kelių sekundžių visai sutriko. *Kur aš einu?*

Tai buvo prieš trejus metus.

Dabar, priėjusi tas pačias sunkias plieno duris, Ketrina suvokė, kaip viskas pasikeitė nuo ano vakaro. Jos laboratorija, praminta Kubu, tapo jai namais, prieglobsčiu Penktosios sekcijos gilumoje. Kaip buvo sakęs brolis, aną vakarą ir visus vakarus po to ji rado kelią tamsoje, pasinaudojusi sumaniai sukurta paprasta ženklų sistema, kurią brolis jai leido aptikti pačiai.

Dar svarbiau buvo tai, kad išsipildė ir kita brolio pranašystė: Ketrinos eksperimentai davė stulbinamų rezultatų, ypač per pastaruosius šešis mėnesius: tai buvo proveržiai, pakeisiantys ištisas mąstymo paradigmas. Ketrina su broliu sutarė laikyti tyrimų rezultatus visiškoje paslaptyje, kol geriau supras jų reikšmę. Tačiau ji žinojo, kad jau labai greitai galės paskelbti mokslinėje spaudoje vieną iš progresyviausių mokslo atradimų žmonijos istorijoje.

Slapta laboratorija slaptame muziejuje, pamanė ji, kišdama rakto kortelę į Penktosios sekcijos duris. Klaviatūra nušvito, Ketrina surinko savo PIN kodą.

Plieno durys sušnypštė ir atsivėrė.

Pažįstamą duslią aimaną lydėjo tas pats šalto oro gūsis. Ketrina pajuto, kaip jos pulsas ima greitėti.

Keisčiausia kelionė pasaulyje.

Susikaupusi kelionei, Ketrina Solomon žvilgtelėjo į laikrodį ir žengė į tamsą. Tačiau šįvakar ją atsekė nerami mintis. *Kur Piteris?*

12 skyrius

Kapitolijaus policijos viršininkas Trentas Andersonas jau daugiau kaip dešimt metų buvo atsakingas už Jungtinių Valstijų Kapitolijaus komplekso saugumą. Kresnas, plačiapetis vyras tarsi iš akmens iškaptuotu veidu ir rusvais plaukais, kuriuos kirpo ežiuku ir dėl to atrodė dar panašesnis į karišką. Ginklą prie šono jis nešiojo neslėpdamas, tarsi įspėdamas tuos, kuriems pakaks kvailumo abejoti jo įgaliojimais.

Beveik visas Andersono darbo laikas praeidavo Kapitolijaus rūsyje įrengtame, šiuolaikiškomis technologijomis aprūpintame stebėjimo centre, koordinuojant jam pavaldžių policininkų veiksmus. Čia jis prižiūrėjo techninius darbuotojus, stebinčius vaizdo monitorius, kompiuterių duomenis ir telefono dispečerinę, leidžiančią palaikyti ryšius su visais jam pavaldžiais apsaugininkais.

Šįvakar buvo kaip reta ramu, Andersonas atrodė tuo patenkintas. Jis tikėjosi plokščiame savo kabineto televizoriaus ekrane užmesti akį, kaip žaidžia „Redskins". Vos prasidėjus rungtynėms, suzyzė vidaus telefonas.

— Viršininke?

Andersonas suvaitojo ir paspaudė mygtuką, nenuleisdamas akių nuo televizoriaus.

— Aš.

— Rotondoje sąmyšis. Pareigūnai jau atvyksta, bet manau, kad jūs irgi norėsite pažiūrėti.

— Gerai. — Andersonas įėjo į apsaugos sistemos centrą — kompaktišką, itin modernią patalpą, grūste prigrūstą kompiuterių monitorių. — Ką ten turite?

Techninis darbuotojas monitoriuje surado skaitmeninę vaizdo atkarpą.

— Rotonda, rytinio balkono kamera. Prieš dvidešimt sekundžių. — Jis paleido atkarpą.

Andersonas žiūrėjo pro techninio darbuotojo petį.

Šiandien Rotondoje žmonių beveik nebuvo, kur ne kur stypsojo keli turistai. Išmiklintą Andersono akį tuojau pat patraukė vienišas žmogus, kuris ėjo greičiau už kitus. Skustagalvis. Žalias kariškas paltas. Sužeista ranka, įtvaras. Truputį šlubčioja. Eidamas kūprinasi. Kalba mobiliuoju telefonu.

Plikagalvio žingsniai garsiai aidėjo per garso daviklius, kol jis atėjo į patį Rotondos vidurį, staiga sustojo, baigė pokalbį ir pasilenkė, tarsi norėdamas užsirišti bato raištelius. Tačiau užuot tai daręs, kažką ištraukė iš įtvaro ir padėjo ant grindų. Tada atsistojo ir žvaliai nušlubčiojo rytinio išėjimo link.

Andersonas apžvelgė keisto pavidalo objektą, kurį paliko žmogus. *Kas čia dabar?* Kokių aštuonių colių aukščio, stovi vertikaliai. Andersonas pasilenkė arčiau monitoriaus ir prisimerkė. *Negali būti, kad ten iš tiesų tas, kas atrodo!*

Plikagalviui nuskubėjus ir dingus už rytinio įėjimo portiko, buvo girdėti, kaip berniukas netoliese sako: „Mama, tas žmogus kažką pametė." Berniukas patraukė prie objekto, bet staiga sustojo. Ilgokai stovėjo nejudėdamas, paskui ištiesė ranką, rodydamas daiktą pirštu, ir kurtinamai suklykė.

Tą pačią akimirką policijos viršininkas apsisuko ir puolė prie durų, pakeliui šūkčiodamas įsakymus:

— Radijo signalą visiems postams! Rasti vyrą plika galva ir sutvarstyta ranka, sulaikyti! TUOJAU PAT!

Išlėkęs iš saugumo centro, jis užlėkė daugelio pėdų nugludintais laiptais, šokdamas per tris pakopas. Saugumo medžiaga rodė, kad plikagalvis su įtvaru išskubėjo iš Rotondos pro rytinius vartus. Norėdamas išeiti iš pastato trumpiausiu keliu, jis turės pereiti rytų–vakarų koridoriumi, kuris buvo čia pat.

Aš jį aplenksiu.

Užlėkęs laiptais ir pasukęs už kampo, Andersonas nužvelgė priešais atsivėrusį ramų vestibiulį. Tolimajame jo kampe ėjo pagyvenusi pora, laikydamasi už rankų. Netoliese šviesiaplaukis turistas mėlynu švarku auksinėmis sagomis skaitė vadovą ir apžiūrinėjo lubų mozaiką netoli Rūmų posėdžių kambario.

— Atsiprašau, pone! — šūktelėjo Andersonas, pribėgdamas prie jo. — Gal matėte vyrą plika galva ir sutvarstyta ranka?

Turistas sutrikusia veido išraiška pakėlė akis nuo vadovo.

— Plikagalvį vyrą sutvarstyta ranka! — aiškiau pakartojo Andersonas. — Gal matėte?

Turistas sudvejojo ir neramiai dirstelėjo į tolimiausią vestibiulio kampą rytinėje pusėje.

— Eeee... taip, — atsakė jis. — Man atrodo, jis ką tik prabėgo pro šalį... anų laiptų link. — Jis parodė į vestibiulį.

Andersonas išsitraukė radijo stotelę ir garsiai suriko:

— Visiems postams! Įtariamasis pasuko prie pietrytinio įėjimo. Apsupti! — Paskui įsidėjo stotelę atgal, išsitraukė iš dėklo ginklą ir nubėgo prie išėjimo.

Po trisdešimties sekundžių tvirto sudėjimo šviesiaplaukis mėlynu švarku auksinėmis sagomis žengė į drėgną nakties orą pro ramų išėjimą rytinėje Kapitolijaus pusėje. Jis nusišypsojo, džiaugdamasis vakaro vėsa.

Persimainymas.

Viskas buvo taip lengva.

Vos prieš minutę jis skubiai išslubčiojo iš Rotondos, vilkėdamas karišką paltą. Žengęs į tamsią nišą, paltą nusimetė: po juo vilkėjo mėlyną švarką. Prieš palikdamas paltą, iš kišenės ištraukė šviesių plaukų peruką, kurį užsitempė ant galvos. Tada atsitiesė, išsiėmė iš švarko kišenės ploną Vašingtono vadovą ir ramia elegantiška eisena žengė iš nišos.

Persimainymas. Ką jau moku, tai moku.

Malacho mirtingoms kojoms nešant jį prie laukiančio limuzino, jis ištiesė nugarą, atsitiesė visu metro devyniasdešimt dviejų centimetrų ūgiu ir atmetė pečius. Giliai įkvėpė, leisdamas orui pripildyti plaučius. Juto, kaip plačiai skečiasi ant krūtinės ištatuiruoto fenikso sparnai.

Jeigu tik jie žinotų, kokią aš turiu galią, pamanė jis, žvelgdamas į miestą. *Šį vakarą įvyks galutinis persimainymas.*

Kapitolijuje Malachas sužaidė meniškai, prisilaikydamas visų senovinio etiketo taisyklių. *Senovinis kvietimas įteiktas*. Jei Lengdonas dar nesuprato, koks vaidmuo šiandien čia jo laukia, netrukus turės suprasti.

13 skyrius

Kapitolijaus Rotonda — kaip ir Šv. Petro bazilika — Robertui Lengdonui visad kėlė nuostabą. Protu jis suvokė salę esant tokią didžiulę, kad joje lengvai tilptų Laisvės statula, ir vis tiek kas kartą, kai pamatydavo Rotondą po ilgesnio laiko, ji jam atrodė didesnė ir šlovingesnė, negu buvo tikėjęsis, tarsi ore sklandytų kokios nors dvasios. Tačiau šį vakarą joje buvo tik chaosas.

Kapitolijaus policijos pareigūnai mėgino atkirsti Rotondą ir nuvyti susijaudinusius turistus toliau nuo plaštakos. Berniukas tebeverkė. Švystelėjo ryški blykstė — turistas nufotografavo ranką, keli policininkai tuojau pat jį sulaikė, atėmė fotoaparatą ir išvedė iš patalpos. Sumaištyje Lengdonas pasijuto slenkąs tarsi transo būsenos, neįkyriai brovėsi per minią, stengdamasis priartėti prie rankos.

Nukirsta dešinioji Piterio Solomono rankos plaštaka buvo pastatyta ant riešo, o pastarasis pamautas ant medinio smaigo, įtvirtinto į nedidelį stovelį. Trys pirštai sugniaužti į kumštį, užtat visiškai tiesūs nykštys ir smilius rodė tiesiai į erdvėje dunksantį kupolą.

— Visi pasitraukite į šalį! — šūktelėjo policininkas.

Lengdonas jau buvo taip arti, kad matė uždžiūvusį kraują, kuris, nutekėjęs nuo riešo, sukrešėjo ant medinio stovelio. *Žaizdos, padarytos žmogui mirus, nekraujuoja... tai reiškia, kad Piteris gyvas*. Lengdonas nė pats nesusivokė, ar ši mintis jam kelia palengvėjimą, ar šleikštulį. *Piteriui gyvam nukirto ranką?* Gerklėje pakilo tulžies gumulas. Lengdonas prisiminė, kiek kartų brangus draugas buvo jam ištiesęs štai šią ranką, norėdamas pasisveikinti ar šiltai apkabinti.

Lengdonas pajuto, kaip keletą sekundžių galva ištuštėjo tarsi nesureguliuotas televizorius, rodantis vien sniegą. Pirmieji vaizdiniai, kurie joje atsirado, pasirodė visiškai netikėti.

Karūna... ir žvaigždė.

Lengdonas pritūpė, norėdamas geriau apžiūrėti Piterio nykščio ir smiliaus galiukus. *Tatuiruotės?* Neįtikima — atrodo, pabaisa, kuris taip pasielgė, ištatuiravo ant Piterio pirštų galiukų mažulyčius simbolius.

Ant nykščio — karūną. Ant smiliaus — žvaigždę.

To negali būti. Lengdono protas iškart suvokė abudu simbolius, ir jau be to siaubingas reginys tapo kone šmėkliškas. Šie simboliai istorijoje ne kartą buvo vartojami drauge ir visad būdavo toje pačioje vietoje — ant rankos pirštų galiukų. Vienas iš slapčiausių ir labiausiai geidžiamų senovės pasaulio ženklų.

Slėpinių ranka.

Dabar šį ženklą retai kur pamatysi, bet jis nuo seno simbolizuoja itin įtaigų kvietimą veikti. Lengdonas susikaupė ir pamėgino suvokti, ką reiškia šis prieš jo akis atsidūręs groteskiškas daiktas. *Kažkas pavertė Piterio plaštaką Slėpinių ranka?* Nesuvokiama. Šį simbolį įprasta kalti iš akmens, skaptuoti iš medžio, piešti. Lengdonui dar nė karto nebuvo tekę girdėti, kad Slėpinių ranka būtų buvusi sukurta iš gyvo žmogaus kūno. Tokia mintis kėlė pasišlykštėjimą.

— Pone? — iš už nugaros Lengdoną pašaukė apsaugininkas. — Prašom atsitraukti.

Lengdonas jo beveik neišgirdo. *Tatuiruočių yra ir daugiau.* Nors Lengdonas neįžiūrėjo sugniaužtų į kumštį pirštų galiukų, jis žinojo, kad ir šie bus paženklinti unikaliais ženklais. Tokia tradicija. Iš viso turi būti penki simboliai. Ištisus tūkstantmečius simboliai ant Slėpinių rankos pirštų galiukų nesikeitė... kaip ir simbolinė pačios rankos paskirtis.

Ši ranka — tai ženklas... kvietimas.

Staiga Lengdonas pašiurpo prisiminęs, ką jam sakė žmogus, iškvietęs atvykti čia. *Profesoriau, tokio kvietimo sulaukiama tik kartą gyvenime...* Senovėje Slėpinių ranka iš tiesų prilygo geidžiamiausiam kvietimui pasaulyje. Gauti šį simbolį reiškė būti pakviestam į elitinę pašvęstųjų grupę, kuri, kaip kalbama, saugo slaptą visų amžių išmintį. Kvietimas — tai ne tik didžiulė garbė, bet ir ženklas, kad meistras laiko tave esant vertą sužinoti šią slaptą išmintį. *Meistro ranka, ištiesta pašvęstajam.*

— Pone, — pakartojo apsaugininkas, griežtai palietęs ranka Lengdono petį. — Prašyčiau jus tuojau pat atsitraukti.

— Aš žinau, ką visa tai reiškia, — vargais negalais ištarė Lengdonas. — Galiu jums padėti.

— Tuojau pat!— paliepė apsaugininkas.

— Mano draugą ištiko nelaimė. Reikia...

Lengdonas pajuto, kaip stiprios rankos jį suėmė ir patraukė nuo plaštakos. Jis nesipriešino... jautėsi visiškai sutrikęs. Ką tik jis gavo oficialų kvietimą. Kažkas pakvietė Lengdoną atidaryti mistinius vartus, už kurių slypi senovės išminties ir slaptųjų žinių pasaulis.

Tačiau tai juk gryniausia beprotybė.

Pamišėlio kliedesiai.

14 skyrius

Malacho limuzinas pajudėjo nuo JAV Kapitolijaus ir pasuko Nepriklausomybės prospektu rytų kryptimi. Jauna porelė, einanti šaligatviu, pamėgino žvilgtelėti pro tamsintus galinius langus: tikėjosi pamatyti labai svarbų asmenį.

Bet aš sėdžiu priekyje, pamanė Malachas tyliai šypsodamasis.

Malachas karštai mėgo galios jausmą, kurį patirdavo pats vairuodamas didžiulį automobilį. Nė vienas iš kitų penkių jo automobilių jam negalėjo suteikti to, ko reikėjo šį vakarą — užtikrinti privatumą. Absoliutų. Limuzinai šiame mieste turėjo savotišką neliečiamybę. Ambasados ant ratų. Policininkai, dirbantys Kapitolijaus kalvos apylinkėse, niekad negalėjo numatyti, ką iš šio pasaulio galingųjų aptiktų, netyčia sustabdę kurį nors limuziną, todėl dauguma jų paprasčiausiai nenorėjo rizikuoti.

Perkirtęs Anakostijos upę ir atsidūręs Merilande, Malachas pasijautė artėjantis prie Ketrinos, traukiamas nenumaldomos likimo jėgos. *Šį vakarą esu pakviestas atlikti antrą užduotį... užduotį, kurios neišgalvojau*. Vakar, kai Piteris Solomonas atskleidė paskutines savo paslaptis, Malachas sužinojo apie slaptą laboratoriją, kurioje Ketrina Solomon daro stebuklus — stulbinamus mokslo atradimus: Malachas buvo įsitikinęs, kad jie pakeistų pasaulį, jei tik taptų labiau žinomi.

Jos darbas atskleis tikrąją visa ko prigimtį.

Šimtus metų „šviesiausi pasaulio protai" ignoravo senovės mokslus, niekino juos kaip neišmanėlių prietarus, apsiginklavę pasipūtimu, skepsiu ir kvapą gniaužiančiomis naujausiomis technologijomis — įrankiais, nuvedusiais juos tik dar toliau nuo tiesos. *Kiekvienos kartos atradimus paneigia kitos kartos išrastos technologijos*. Ir taip per amžius. Juo daugiau žmogus sužino, juo daugiau pamato nežinąs.

Ištisus tūkstantmečius žmonija klaidžiojo tamsybėse... bet dabar, kaip išpranašauta, artėja permainos. Ilgus metus aklai brovusis per istoriją, žmonija galiausiai pasiekė kryžkelę. Ši akimirka seniai numatyta, išpranašauta senovės tekstuose, pirmykščiuose kalendoriuose, įrašyta net žvaigždėse. Data konkreti ir visai artima. Prieš pat jai ateinant pažadėtas nepaprastas pažinimo tvykstelėjimas... šviesos pliūpsnis, nušviesiąs tamsybes ir suteiksiąs žmonijai paskutinį šansą pasitraukti nuo bedugnės krašto ir pasukti išminties keliu.

Aš atėjau užstoti šviesą, pamanė Malachas. *Tokia mano paskirtis.*

Lemtis susiejo jį su Piteriu ir Ketrina Solomonais. Atradimai, Ketrinos padaryti SMS, tikriausiai atvers naujo mąstymo vartus, pradės naują Renesansą. Jei Ketrinos darbai iškils į viešumą, jie virs katalizatoriumi, paskatinsiančiu žmoniją iš naujo atrasti prarastas žinias, suteiksiančiu jai galių, pranokstančių drąsiausias svajones.

Ketrinos lemtis — įžiebti šį deglą.

Manoji — jį užgesinti.

15 skyrius

Visiškoje tamsoje Ketrina Solomon apčiuopomis susirado laboratorijos išorines duris. Atvėrė jas — sunkias, šarvuotas švinu — ir skubomis žengė į mažą prieškambarį. Kelionė per tuštumą truko tik devyniasdešimt sekundžių, tačiau širdis karštligiškai daužėsi. Atrodytų, per trejus metus buvo galima prie to priprasti. Ketrina visad pajusdavo palengvėjimą ištrūkusi iš Penktosios sekcijos tamsybių ir įžengusi į šią švarią, skaisčiai apšviestą erdvę.

Laboratorija — arba Kubas — buvo didžiulė belangė dėžė. Viduje kiekvienas lubų ir sienų paviršiaus centimetras buvo išklotas standžiu titanu dengto švino pluošto tinklu, todėl patalpa panėšėjo į milžinišką, cementu aptaisytą narvą. Blausaus organinio stiklo pertvaromis erdvė buvo suskirstyta į kelis skyrius — laboratoriją, valdymo punktą, įrenginių kambarį, tualetą ir nedidelę mokslinę biblioteką.

Ketrina greitu žingsniu įėjo į pagrindinę laboratoriją. Ant gerai apšviesto sterilaus darbastalio spindėjo naujausia matavimo įranga: pora elektroencefalografų, femtosekundinių impulsų lazeris, magnetooptinė gaudyklė ir atsitiktinių skaičių generatoriai, naudojantys elektroninių elementų triukšmą, dažniau vadinami atsitiktinių įvykių generatoriais — REG.

Noetikos moksle naudojamos pačios pažangiausios technologijos, tačiau jo atradimai kur kas mistiškesni už šaltus sudėtingus įrenginius, kurie juos lemia. Iš visur srūte srūvant naujiems ir stulbinamiems duomenims, daug kas iš to, apie ką pasakoja mitai ir magija, pradėjo virsti tikrove ir leido patvirtinti pamatinę noetikos prielaidą: žmogaus proto erdvės yra beribės ir neištirtos.

Pagrindinis teiginys labai paprastas: *mes dar tik pradedame susivokti, kokios neaprėpiamos yra mūsų proto ir dvasios galimybės.*

Eksperimentai, atlikti tokiose bazėse kaip Noetikos mokslų institutas (IONS) Kalifornijoje arba Prinstono inžinerijos anomalijų tyrimo laboratorija (PEAR), be jokių abejonių įrodė, kad deramai sutelkta žmogaus minties jėga įstengia veikti ir keisti *fizinę masę*. Ir tai ne kokie šarlatanų žaidimėliai, o griežtai kontroliuojami eksperimentai, kurie visi davė tą patį stulbinamą rezultatą:

parodė, jog mūsų mintys, ar mes tai žinome, ar nežinome, iš tiesų sąveikauja su fizine tikrove ir keičia ją įvairiais lygmenimis iki pat atomų dalelių lygmens.

Dvasios pergalė prieš materiją.

2001 metais, tuojau pat po siaubingų rugsėjo vienuoliktosios įvykių, vos per kelias valandas noetikos mokslas padarė kokybinį šuolį į priekį. Keturi mokslininkai nustatė, kad tuomet, kai išsigandusius pasaulio žmones suvienijo bendras tragedijos sukeltas sielvartas, trisdešimt septynių skirtingų atsitiktinių įvykių generatorių, veikiančių visame pasaulyje, rodmenys staiga tapo nebe tokie atsitiktiniai, ir šis skirtumas pasirodė statistiškai reikšmingas. Kažin kokiu būdu bendras išgyvenimas, suliejęs į vieną milijonus žmonių, paveikė atsitiktinumus generuojančią šių įrenginių funkciją, padarė vieningesnius jų visų rezultatus ir iš chaoso sukūrė tvarką.

Atrodo, šis sukrečiantis atradimas pakartojo senovės dvasininkų tikėjimą „kosmine sąmone“ — beribė žmogiškų ketinimų sankaupa iš tiesų pajėgia sąveikauti su fizine medžiaga. Neseniai atlikti masinių meditacijų ir maldų tyrimai parodė, kad jos lygiai taip pat veikia atsitiktinių įvykių generatorius, ir paskatino manyti, kad žmogaus sąmonė, kaip rašė noetikos specialistė Lina Maktagart, yra už kūno ribų esanti substancija... gerai organizuota energija, pajėgianti keisti fizinį pasaulį. Ketriną sužavėjo Maktagart knyga „Ketinimų eksperimentas“ ir internetu atliktas globalus tyrimas — adresu theintentionexperiment.com — kuriuo siekiama nustatyti, kaip žmogaus ketinimai gali veikti tikrovę. Ketrinos susidomėjimą sužadino ir keletas kitų pažangių mokslinių straipsnių.

Šiuo pagrindu paremti Ketrinos Solomon tyrimai žengė dar toliau ir įrodė, kad „sutelkta mintis“ gali paveikti faktiškai bet ką — augalų augimo greitį, kryptį, kuria žuvelės plaukioja akvariume, ląstelių dalijimosi būdą Petri lėkštelėje, atskirų viena nuo kitos automatinių sistemų sinchronizaciją ir paties žmogaus kūno chemines reakcijas. Minties jėga veikė net besiformuojančias kietųjų kristalų struktūras — Ketrina, siųsdama šąlančiam stiklinėje vandeniui meilės kupinas mintis, sukūrė gražiausius simetriškus ledo kristalus. Sunku patikėti, bet teisingas pasirodė ir atvirkščias teiginys: kai ji vandeniui pasiuntė neigiamų, teršiančių minčių, ledas sušalo chaotiškais dužiais kristalais.

Žmogaus mintis iš tiesų gali pakeisti fizinę tikrovę.

Ketrinos eksperimentai darėsi vis drąsesni, o rezultatai — vis labiau stulbinami. Dirbdama šioje laboratorijoje ji be jokių abejonių įrodė, kad tezė „dvasia viršesnė už materiją“ nėra tik paistalas iš Naujojo amžiaus saviugdos knygų. Dvasia ir protas iš tiesų gali pakeisti materijos būseną: dar svarbiau tai, kad dvasia ir protas turi galių paskatinti fizinę tikrovę judėti konkrečia kryptimi.

Mes patys esame savo pasaulio kūrėjai.

Tirdama atomų dalelių lygmenį Ketrina parodė, kad atomų dalelės atsiranda ir išnyksta vien tik dėl jos *ketinimo* jas stebėti. Tam tikra prasme galima pasakyti, kad jai panorus pamatyti dalelę... ši imdavo ir atsirasdavo. Heizenbergas jau prieš kelias dešimtis metų buvo užsiminęs apie šiuos dalykus, o dabar jie tapo pamatiniu noetikos principu. Kaip rašė Lina Maktagart: „Kažkokiu būdu gyva sąmonė ir yra toji įtaka, kuri ko nors atsiradimo galimybę paverčia tikrove. Pats svarbiausias mūsų pasaulio kūrimo elementas — tai jį stebinti sąmonė."

Tačiau labiausiai stulbinamas Ketrinos darbo aspektas buvo jos supratimas, kad proto gebėjimą veikti fizinę tikrovę galima lavinti ir stiprinti. Ketinimų galima išmokti. Įvaldyti visą „minčių" jėgą, kaip ir mokantis meditacijos, pavyksta ne iš karto. Dar svarbiau kitkas — kad yra žmonių, kurie iš prigimties tai moka geriau už kitus. Visais istorijos laikotarpiais būtent tos negausios grupelės nariai ir buvo tikrieji meistrai.

Tai ir yra trūkstama grandis tarp šiuolaikinio mokslo ir senovės misticizmo.

Ketrina tai sužinojo iš savo brolio Piterio, ir dabar, vėl prisiminus jį, užplūdo dar didesnis nerimas. Įėjusi į laboratorijos biblioteką, ji dirstelėjo už lentynų. Nė gyvos dvasios.

Biblioteką sudarė maža skaitykla — du Moriso stiliaus krėslai su ranktūriais, medinis stalas, du toršerai ir palei sienas išrikiuotos juodmedžio lentynos, kuriose tilpo gal kokie penki šimtai knygų. Ketrina ir Piteris sunešė čia savo mėgstamiausius skaitinius, kuriuose rašoma apie viską — nuo elementariųjų dalelių fizikos iki senovės misticizmo. Pamažu čia susikaupė eklektiška senovės ir modernumo, naujausių atradimų ir istorinių tyrimų kolekcija. Ketrinos atneštosios knygos paprastai vadinosi „Kvantinė sąmonė", „Naujoji fizika" arba „Nervų sistemos mokslų principai". Brolis mėgo senesnes, ezoteriškesnes knygas — „Kibalioną", „Zoharą", „Šokančius Vu Li meistrus" arba Britų muziejaus išleistą šumerų molio lentelėse įrašytų tekstų rinkinį.

— Raktas į mūsų mokslo ateitį, — mėgo kartoti jos brolis, — paslėptas praeityje. — Piteris, nuo mažumės mėgęs tyrinėti istoriją, gamtos mokslus ir mistiką, pats pirmasis paskatino Ketriną papildyti universitetinį tiksliųjų mokslų išsilavinimą ankstyvosios hermetinės filosofijos studijomis. Ji buvo tik devyniolikos, kai Piteris įžiebė Ketrinos susidomėjimą šiuolaikinio mokslo ir senovės mistikos ryšiais.

— Nagi, Kete, pasakyk man, — paklausė brolis, kai ji, baigusi antrą Jeilio kursą, parvažiavo namo atostogų, — ką šiais laikais Jeilio studentai skaito teorinės fizikos klausimais?

Ketrina, stovėdama pilnoje knygų šeimos bibliotekoje, iš atminties pakartojo nelengvą privalomų knygų sąrašą.

— Įspūdinga, — atsakė brolis. — Einšteinas, Boras ir Hokingas yra šiuolaikiniai genijai. Bet ar skaitai bent kiek senesnių autorių?

Ketrina pasikrapštė pakaušį.

— Turėjai galvoje, pavyzdžiui... Niutoną?

Jis nusišypsojo.

— Tęsk. — Dvidešimt septynerių Piteris jau buvo pelnęs rimtą vardą akademiniame pasaulyje ir jiedu su Ketrina labai mėgo tokias proto rungtynes.

Senesnių už Niutoną? Ketrinos galvoje plaukiojo probėgomis girdėti vardai — Ptolemėjas, Pitagoras, Hermis Trismegistas. *Niekas tokių dalykų seniai nebeskaito.*

Brolis perbraukė pirštu ilgoje lentynoje sustatytas senas dulkėtas knygas sutrūkinėjusiais odiniais viršeliais.

— Senovės žmonės sukaupė stulbinamai daug mokslinės išminties... šiuolaikinė fizika tik dabar pradeda ją po truputį suprasti.

— Piteri, — atsakė ji, — tu man jau sakei, kad egiptiečiai daug anksčiau už Niutoną išmanė svirčių ir skriemulių sistemas ir kad senovės alchemikai nenusileido šiuolaikiniams chemikams — bet kas iš to? Šiandien fizika tyrinėja sąvokas, kurių senovės žmonės nepajėgė nė įsivaizduoti.

— Pavyzdžiui?

— Na... pavyzdžiui, kad ir *kvantinės sampynos teorija.* — Elementariųjų dalelių tyrimais neseniai pavyko be jokių abejonių įrodyti, kad visa materija yra susijusi, susipynusi į vieningą tinklą, tarsi savotiška pasaulio vienovė. — Gal nori man pasakyti, kad senovėje žmonės susėdę aptarinėjo *kvantinės sampynos* teoriją?

— Be abejo! — atsakė Piteris, atmesdamas nuo akių ilgus tamsius kirpčius. — Sampyna — viena iš svarbiausių senovės tikėjimo sąvokų. Jos pavadinimai seni kaip pati istorija. Dharmakaja, arba dharminis Budos kūnas, tao, brahmanas. Tiesą sakant, seniausias žmogaus dvasios siekis buvo suvokti savo sampyną su pasauliu, pajusti su juo ryšį. Žmogus nuo seno troško „susilieti“ su pasauliu, pasiekti išganymo būseną. — Brolis pakėlė antakius. — Ir šiais laikais judėjai bei krikščionys siekia išganymo... nors beveik niekas nebeprisimena, kad juo siekiama būtent susilieti su visuma.

Ketrina atsiduso: ji buvo primiršusi, kaip sunku ginčytis su žmogumi, taip gerai išmanančiu istoriją.

— Na, gerai, bet tu kalbi apie bendrybes. O aš turiu galvoje *konkrečius* fizikos klausimus.

— Tai ir kalbėk konkrečiai. — Jo skvarbiose akyse sužibo iššūkis.

— Gerai, ką pasakysi apie tokį paprastą dalyką kaip *poliariškumas* — teigiamo ir neigiamo pusiausvyra elementariųjų dalelių lygmenyje? Žinoma, senovėje žmonės nesupra...

— Palauk! — Brolis ištraukė iš lentynos didelę dulkėtą knygą ir su trenksmu numetė ją ant bibliotekos stalo. — Šiuolaikinis poliariškumas — ne kas kita kaip „dvilypis pasaulis", kurį štai čia, „Bhagavadgytoje", aprašė Krišna daugiau kaip prieš du tūkstančius metų. Čia yra dar geras tuzinas knygų, tarp jų ir „Kibalionas", kuriose pasakojama apie binarines sistemas ir viena kitai priešingas gamtos jėgas.

Ketrina skeptiškai klausėsi.

— Na, gerai, bet jei pakalbėsime apie šiuolaikinius elementariųjų dalelių fizikos atradimus — pavyzdžiui, Heizenbergo neapibrėžtumo principą...

— Tada teks pasižiūrėti štai čia, — tarė Piteris, žengdamas didelį žingsnį palei lentyną ir ištraukdamas kitą knygą. — Šventasis hinduistų vedų mokymas, vadinamosios Upanišados. — Jis numetė sunkų tomą ant pirmojo. — Heizenbergas ir Šredingeris atidžiai *išstudijavo* šį tekstą ir teigia, kad jis jiems padėjo suformuluoti kai kurias teorijas.

Rungtynės truko dar kelias minutes, dulkėtų knygų krūva ant stalo nenumaldomai augo. Galiausiai Ketrina neištvėrusi iškėlė rankas:

— Gerai, tu įrodei savo tiesą, bet aš noriu studijuoti pačią naujausią teorinę fiziką. Ateities mokslą! Labai abejoju, ar Krišna arba Vjasa turėjo ką pasakyti apie superstygų teoriją ir daugiamačius kosmologinius modelius.

— Visiškai teisingai. Neturėjo. — Brolis nutilo su šypsena lūpose. — Bet jei jau prakalbai apie superstygų teoriją... — Jis vėl priėjo prie lentynos. — Tada tau bus reikalinga štai ši knyga. — Jis sunkiai ištraukė milžinišką oda įrištą veikalą ir su trenksmu metė jį ant stalo. — Trylikto amžiaus vertimas iš originalo, viduramžių aramėjų kalbos.

— Superstygų teorija tryliktame amžiuje? — Ketrina neketino pasiduoti. — Kurgi ne!

Superstygų teorija buvo visiškai naujas kosmologinis modelis. Jis buvo pagrįstas naujausiais mokslo atradimais ir leido spėti, kad daugiamatėje visatoje egzistuoja ne trys, o net dešimt matmenų, ir jie visi tarpusayje sąveikauja kaip vibruojančios stygos — panašios į smuiko.

Ketrina palaukė, kol brolis atvertė knygą, peržvelgė puošnų turinį ir susirado tekstą netoli pradžios.

— Perskaityk, — parodė jai išblukusį puslapį su diagramomis ir aprašymais.

Ketrina klusniai pradėjo skaityti. Vertimas buvo senoviškas, sunkiai suprantamas, tačiau tekste ir piešiniuose, didžiausiai jos nuostabai, buvo aprašyta lygiai tokia pati visata, kokia vaizduojama šiuolaikinėje superstygų teorijoje — dešimties matmenų, rezonuojanti kaip virpančios stygos. Įsigilinusi į tekstą, ji staiga užgniaužė kvapą ir atšoko:

— Dieve mano, čia net parašyta, kad šeši iš dešimties matmenų yra susipynę ir veikia kaip vienas? — Išsigandusi pasitraukė dar per žingsnį. — Kokia čia knyga?

Brolis nusišaipė.

— Tikėjausi, kad kada nors ją perskaitysi. — Ir vėl atvertė titulinį puslapį su puošniu antraštės įrašu, kurį sudarė du žodžiai.

„Visas Zoharas".

Ketrina niekada nebuvo skaičiusi „Zoharo", tačiau žinojo, kad tai pamatinis ankstyvųjų žydų misticizmo tekstas, kadaise laikytas turinčiu tokią galią, kad jį skaityti leisdavo tik labiausiai išsilavinusiems rabinams.

Ketrina nužvelgė knygą.

— Pasak tavęs, ankstyvieji mistikai *žinojo*, kad visatoje egzistuoja dešimt matmenų?

— Taip. — Jis mostelėjo į iliustraciją, vaizduojančią dešimt susipynusių apskritimų, vadinamų Sefirų. — Be abejo, pavadinimai ezoteriški, tačiau fizika labai šiuolaikiška.

Ketrina nesusizgribo, ką atsakyti.

— Bet tada... kodėl žmonės nestudijuoja šitų knygų?

Brolis nusišypsojo.

— Studijuos.

— Nesuprantu.

— Ketrina, mes gimėme nuostabiais laikais. Artinasi permainos. Žmonija stovi ant naujų laikų slenksčio, netrukus ji pradės gręžtis į gamtą, į tai, kas žinoma nuo seno... Grįš prie idėjų, išdėstytų tokiose knygose kaip „Zoharas" ir kiti visame pasaulyje esantys senoviniai tekstai. Galinga tiesa turi savo trauką, anksčiau ar vėliau ji pritraukia visus. Išauš diena, kai šiuolaikinis mokslas pradės rimtai studijuoti senovės išmintį... tą dieną žmonija priartės prie atsakymų į didžiuosius, iki šiol neatsakytus klausimus.

Tą vakarą Ketrina pradėjo godžiai skaityti brolio pasiūlytus senovinius tekstus ir greitai suprato, kad jis sakė tiesą. *Senovės žmonės turėjo sukaupę daug gilios mokslo išminties*. Šių laikų mokslas daro ne tiek „atradimus", kiek iš naujo atranda tai, kas žinota anksčiau. Panašu, kad kitados žmonija suvokė tikrąją pasaulio prigimtį... bet kažkodėl prarado ir pamiršo šias žinias.

Šiuolaikinė fizika gali padėti jas prisiminti! Šis sumanymas virto Ketrinos gyvenimo tikslu — pasinaudojus naujausiais mokslo atradimais iš naujo atrasti prarastą senovės išmintį. Ją skatino toli gražu ne tik mokslininkės įkarštis. Giliai širdyje slypėjo tvirtas įsitikinimas, kad pasauliui šis supratimas labai reikalingas... ir reikalingas ypač dabar.

Laboratorijos gale Ketrina pamatė ant gembės kabantį baltą brolio chalatą, greta jo — savąjį. Susimąsčiusi išsitraukė telefoną ir patikrino gautas žinutes. Nieko. Atmintyje vėl nuaidėjo balsas. *Tai, kas, pasak jūsų brolio, paslėpta Kolumbijos apygardoje...*

Tai galima surasti. Kartais legenda išlieka kelis šimtus metų... ir tai atsitinka ne be pagrindo.

— Ne, — garsiai ištarė Ketrina. — Niekaip nepatikėsiu, kad tai tiesa.

Kartais legenda ir tėra tiktai legenda.

16 skyrius

Saugumo tarnybos viršininkas Trentas Andersonas skubiai parlėkė atgal į Kapitolijaus Rotondą, niršdamas dėl savo komandos nesėkmės. Vienas iš apsaugininkų nišoje prie rytinių vartų ką tik rado rankos įtvarą ir karišką paltą.

Tas prakeiktas tipas ramiausiai iš čia išėjo!

Andersonas jau paliepė darbuotojams peržiūrėti lauko vaizdo kamerų nufilmuotą medžiagą, bet kol jie ką nors aptiks, žmogaus seniai nebebus.

Grįžęs į Rotondą apžvelgti įvykio vietos, Andersonas pamatė, kad padėtis valdoma ne blogiau, negu tikėjosi. Visi keturi įėjimai į Rotondą buvo atitverti, panaudojus mažiausiai į akis krintantį minios valdymo būdą — užkabintos storos aksomo virvės, pastatytas apsaugininkas atsiprašoma veido išraiška ir ženklas su užrašu: „Įėjimo nėra, patalpa valoma." Kokie dešimt įvykio liudytojų susibūrė prie rytinės salės sienos, apsaugininkai rinko jų mobiliuosius telefonus ir fotoaparatus: Andersonas anaiptol netroško, kad kuris nors iš jų nusiųstų nuotraukėlę CNN žinioms.

Vienas iš sulaikytųjų liudytojų, aukštas tamsiaplaukis vyriškis tvido švarku, veržėsi atitrūkti nuo grupelės ir pasikalbėti su viršininku. Jis karštai ginčijosi su apsaugininkais.

— Aš tuoj su juo pakalbėsiu! — šūktelėjo apsaugininkams Andersonas. — O kol kas pasirūpinkite, kad iš pagrindinio vestibiulio niekas neišeitų, kol neišsiaiškinsime.

Andersonas nukreipė žvilgsnį į plaštaką, stirksančią salės viduryje. *Dėl Dievo meilės.* Penkiolika metų dirbdamas Kapitolijaus apsaugos tarnyboje jis prisižiūrėjo keistų dalykų. Bet nieko panašaus į šitą nebuvo matęs.

Kad tik greičiau atvyktų teismo medicinos ekspertai ir išsivežtų tą daiktą iš mano teritorijos.

Andersonas priėjo arčiau ir pamatė, kad kruvinas riešas pamautas ant strypo, pritvirtinto prie medinio stovo: dėl to plaštaka stovi stačia. *Medis ir mėsa*, pamanė jis. *Metalo detektoriai jų neaptiks*. Buvo tik vienas metalinis daiktas — stambus aukso žiedas, kurį, kaip spėjo Andersonas, įtariamasis įnešė arba ant paliktosios plaštakos, arba ramiausiai užsimovęs sau ant piršto.

Andersonas pritūpė ir ėmė apžiūrinėti ranką. Ji atrodė kokių šešiasdešimties metų vyro. Žiedas buvo su kažkokiu puošniu antspaudu, kuriame pavaizduotas dvigalvis paukštis ir skaičius... Andersonui antspaudas buvo nematytas. Užtat jo akį patraukė mažulytės tatuiruotės ant smiliaus ir nykščio galiukų.

Išgamų paradas, po šimts velnių.

— Viršininke? — prie jo pribėgo apsaugininkas, tiesdamas telefoną. — Skambina asmeniškai jums. Saugumo posto dispečerinė ką tik perjungė.

Andersonas pažvelgė į jį kaip į pamišėlį.

— Aš dabar šiek tiek užsiėmęs, — suurzgė jis.

Apsaugininkas atrodė išblyškęs. Jis pridengė telefoną delnu ir sušnibždėjo:

— Skambina CŽV.

Andersonas ne iš karto susivokė. *CŽV jau sužinojo?*

— Jų Saugumo tarnyba.

Andersonas sustingo. *Čia tai velnias.* Suglumęs dirstelėjo į apsaugininko rankoje sugniaužtą telefoną.

Beribiame Vašingtono žvalgybos tarnybų vandenyne CŽV Saugumo tarnyba buvo prilyginama Bermudų trikampiui — paslaptingai ir pavojingai vietai, kurios visi, ką nors apie ją žinantys, stengėsi iš tolo vengti. CŽV, priėmusi kone savižudišką sprendimą sukurti ST, siekė vieno keisto tikslo — šnipinėti pačią CŽV. ST, nelyginant galingas kadrų skyrius, stebėjo visus CŽV darbuotojus, ieškodama neleistino elgesio ženklų: pavyzdžiui, lėšų grobstymo, prekybos paslaptimis, slaptų technologijų vagysčių ar nelegalių kankinimų taikymo.

Ji šnipinėja Amerikos šnipus.

ST buvo suteikta laisvė spręsti visus nacionalinio saugumo klausimus, tad jos rankos buvo ir ilgos, ir tvirtos. Andersonas niekaip nesusivokė, kodėl ST domisi įvykiu Kapitolijuje ir kaip ji taip greit apie jį sužinojo. Nors, be abejo, sklido kalbos, kad ST visur turi priėjimą. Ką gali žinoti, gal jos darbuotojai tiesiogiai stebi JAV Kapitolijaus saugumo kamerų medžiagą. Šis įvykis niekaip neatitiko ST tiesioginių tikslų, nors paskambinta tokiu metu, kad Andersonas netikėjo, jog ją domina kas kitas, o ne nukirstoji ranka.

— Viršininke? — Apsaugininkas tiesė telefoną nelyginant karštą bulvę. — Jums reikia tuojau pat atsiliepti. Tai... — jis nutilo, o paskui be garso ištarė du skiemenis: — Sa-to.

Andersonas įsmeigė į jį griežtą žvilgsnį. *Turbūt jis juokauja?* Pajuto, kaip suprakaitavo delnai. *Sato asmeniškai tuo užsiima?*

Apie Saugumo tarnybos galvą — direktorę Inoują Sato — žvalgybos bendruomenėje sklido legendos. Sato gimė uždaroje japonų karo belaisvių stovykloje Manzanare, Kalifornijos valstijoje, po Perl Harboro: nuo mažens užgrūdinta žiauraus gyvenimo, ji taip ir nepamiršo nei karo baisumų, nei pavojų, kuriuos sukelia nepakankami karo žvalgybos įgaliojimai. Pasiekusi vieną iš pačių įtakingiausių ir slapčiausių postų JAV žvalgybos sistemoje, ji seniai įrodė esanti nenumaldoma patriotė ir grėsminga priešininkė visų, stojusių jai skersai kelio. ST direktorę retai kas nors matydavo, tačiau visi jos bijojo; giliuose CŽV vandenyse ji nardė kaip mitinė pabaisa Leviatanas, iškildama į paviršių tik suryti aukų.

Andersonas tik vieną kartą buvo susidūręs su Sato ir vien prisiminęs jos šaltas juodas akis pasidžiaugė šį kartą išsisuksiąs pokalbiu telefonu.

Andersonas paėmė telefoną ir pridėjo prie ausies.

— Direktore Sato, — ištarė kaip įmanydamas draugiškiau. — Kalba viršininkas Andersonas. Kuo galiu jums...

— Jūsų pastate yra žmogus, su kuriuo man reikia tuojau pat pasikalbėti. — ST direktorės balso nebūtum supainiojęs su jokiu kitu — jis priminė grafito lentą rėžiančio stiklo džeržgimą. Patirtos gerklės vėžio operacijos palikimas buvo baugus ir nepamirštamas balsas bei nemažiau pasibjaurėtinas randas ant kaklo. — Privalote tuoj pat jį surasti.

Ir viskas? Aš jums reikalingas tik kaip pasiuntinukas? Staiga Andersonui įsižiebė viltis, kad šis skambutis — grynas atsitiktinumas.

— Ko ieškote?

— Jo vardas Robertas Lengdonas. Kiek žinau, dabar jis yra pastato viduje.

Lengdonas? Pavardė Andersonui pasirodė lyg ir girdėta, tačiau niekaip negalėjo prisiminti kur. Svarstė, ar Sato jau žino apie ranką.

— Aš dabar Rotondoje, — atsakė Andersonas, — bet čia yra keli turistai... prašau palaukti. — Jis nuleido telefoną ir šūktelėjo besibūriuojantiesiems: — Ei, ar tarp jūsų yra žmogus, pavarde Lengdonas?

Po neilgos tylos iš turistų grupės atsklido žemas balsas:

— Taip. Aš esu Robertas Lengdonas.

Sato viską žino. Andersonas ištiesė kaklą, stengdamasis įžiūrėti, kas jam atsiliepė.

Vyras, kuris jau anksčiau mėgino prie jo prieiti, žengė žingsnį į šalį. Jis atrodė sutrikęs... bet ir kažkodėl pažįstamas.

Andersonas vėl pakėlė telefoną.

— Taip, ponas Lengdonas čia.

— Perduokite jam telefoną, — užkimusiu balsu paliepė Sato.

Andersonas lengviau atsikvėpė. *Geriau jis, negu aš.*

— Tuojau. — Jis pamojo Lengdonui, rodydamas, kad prieitų arčiau.

Šiam artėjant, Andersonas staiga suprato, kodėl pavardė jam pasirodė girdėta. *Ką tik skaičiau straipsnį apie šitą tipą. Kokį velnią jis čia veikia?*

Lengdonas buvo metro aštuoniasdešimties centimetrų ūgio ir sportiško sudėjimo, tačiau Andersonas jame neišvydo šalto atsainumo, kurį tikėjosi pamatyti žmoguje, patyrusiame sprogimą Vatikane ir pabėgusiame nuo persekiotojų Paryžiuje. *Šitam... tipui su mokasinais pavyko pasprukti nuo prancūzų policijos?* Jis veikiau priminė vieną iš tų intelektualų, kuriuos Andersonas buvo pratęs įsivaizduoti sėdinčius prie židinio kurio nors Gebenės lygos universiteto bibliotekoje ir skaitančius Dostojevskį.

— Ponas Lengdonas? — pasiteiravo Andersonas, eidamas jo pasitikti. — Aš saugumo tarnybos viršininkas Andersonas. Jums skambina.

— Man? — mėlynose Lengdono akyse buvo matyti nerimas ir netikrumas.

Andersonas ištiesė telefoną.

— CŽV Saugumo tarnyba.

— Nieko apie ją nežinau.

Andersonas grėsmingai nusišypsojo.

— Užtat jie, pone, *žino* apie jus.

Lengdonas pakėlė telefoną prie ausies.

— Klausau?

— Robertas Lengdonas? — Šiurkštus direktorės Sato balsas suskambo mažame garsiakalbyje taip garsiai, kad jį išgirdo ir Andersonas.

— Klausau? — pakartojo Lengdonas.

Andersonas žengtelėjo arčiau norėdamas išgirsti, ką sakys Sato.

— Pone Lengdonai, čia Inoujė Sato, Saugumo tarnyba. Mus ištiko krizė, o jūs, kiek žinau, galite man suteikti reikalingos informacijos.

Lengdono veide nušvito viltis.

— Ar jūs kalbate apie Piterį Solomoną? Gal žinote, kur jis?

Piterį Solomoną? Andersonas ničnieko nebesuprato.

— Profesoriau, — atsakė Sato. — Dabar klausinėju aš.

— Piteris Solomonas pakliuvo į didžiulę bėdą! — sušuko Lengdonas. — Kažkoks beprotis ką tik...

— Atsiprašau, — pertraukė jį Sato.

Andersonas susigūžė. *Netikęs ėjimas.* Sutrukdyti aukščiausios CŽV valdžios atliekamą apklausą buvo baisi klaida, kurią gali padaryti tik civilis. *Maniau, tas Lengdonas laikomas protingu.*

— Atidžiai klausykite, — tarė Sato. — Kol mes kalbamės, šaliai gresia krizė.

Man pranešė, kad jūs turite informacijos, galinčios padėti ją pašalinti. Paklausiu jūsų dar kartą. Kokios turite informacijos?

Lengdonas atrodė visai sutrikęs.

— Visiškai nesuprantu, apie ką jūs kalbate. Man rūpi vienintelis dalykas — surasti Piterį ir...

— Visiškai nesuprantate? — paklausė Sato.

Andersonas pastebėjo, kad Lengdonas pasišiaušė. Profesoriaus tonas pasikeitė, pasidarė agresyvesnis.

— Ne, pone. Visiškai.

Andersonas prisimerkė tarsi iš skausmo. *Blogai. Blogai. Blogai.* Robertas Lengdonas, kalbėdamas su direktore Sato, ką tik padarė klaidą, už kurią jam teks labai brangiai sumokėti.

Andersonas suvokęs apstulbo, kad jau per vėlu. Didžiausiai jo nuostabai, direktorė Sato ką tik pasirodė tolimajame Rotondos gale ir greitu žingsniu artėjo prie Lengdono, stovinčio į ją nugara. *Sato yra šiame pastate!* Andersonas sulaikė kvapą ir susitelkė laukdamas, kas bus. *Lengdonas nė neįsivaizduoja...*

Tamsi direktorės figūra artėjo: telefonas prispaustas prie ausies, juodos akys tarsi lazerio spinduliai įsmeigtos Lengdonui į nugarą.

Lengdonas spaudė rankoje policijos viršininko telefoną ir jautė, kaip nuo atkaklaus ST tarnybos pareigūno klausinėjimo kyla pyktis.

— Atsiprašau, pone, — įsitempęs atsakė Lengdonas, — bet aš nemoku skaityti jūsų minčių. Ko jūs iš manęs norite?

— Ko aš iš jūsų noriu? — kimus ST direktorės balsas gergždė telefono garsiakalbyje, kibus ir negilus tarsi mirštančio žmogaus supūliavusia gerkle.

Sulig tais žodžiais Lengdonas pajuto, kaip kažkas palietė jo petį. Atsisuko, ir jo žvilgsnis atsirėmė tiesiai į smulkutės japonės veidą. Jos išraiška buvo tūžminga, veidas išmuštas dėmėmis, plaukai reti, dantys pageltę nuo rūkymo, o kaklą horizontaliai kirto baisus baltas randas. Kreivais pirštais moteris spaudė prie ausies mobilųjį telefoną, o sujudėjus jos lūpoms Lengdonas ragelyje išgirdo jau pažįstamą gergždžiantį balsą.

— Ko aš iš jūsų noriu, profesoriau? — Ji ramiai uždarė telefoną ir įsmeigė akis į Lengdoną. — Pradžiai gal liaukitės mane vadinti „ponu".

Lengdonas, baisiai sutrikęs, neįstengė nuleisti nuo jos akių.

— Ponia, aš... atsiprašau. Ryšys buvo prastas ir aš...

— Ryšys buvo kuo puikiausias, profesoriau, — nukirto ji. — Tik aš liguistai nepakenčiu, kai man skiedžia niekus.

17 skyrius

Direktorė Inoujė Sato buvo grėsminga būtybė — dygliuota, arši, vos pusantro metro ūgio moteriškė. Neapsakomai liesa, tikras kaulų maišelis, aštrių veido bruožų, oda pažeista dermatologinės ligos, vadinamosios baltmės, ir dėl to panaši į šiurkštų, vietomis kerpėmis apaugusį granitą. Mėlynas susiglamžęs švarkas ir kelnės kabojo ant jos lieso kūno tarsi maišas, o palaidinė atsegta apykakle neslėpė kaklą bjaurojančio rando. Bendradarbiai seniai pastebėjo, kad vienintelė Sato duoklė fizinei tuštybei buvo, regis, gana vešliai želiančių ūsų depiliavimas.

Daugiau kaip dešimt metų Inoujė Sato vadovavo CŽV Saugumo tarnybai. Jos intelekto koeficientas netilpo į jokias įprastas matavimo lenteles, instinktai veikė šaltai ir tiksliai, ir šis derinys teikė tiek pasitikėjimo savimi, kad žmonės, nepasirengę neįmanomiems dalykams, bijojo jos kaip ugnies. Iš pusiausvyros jos neišmušė net mirtina itin agresyvaus gerklės vėžio diagnozė. Kova su liga jai kainavo mėnesį ligoninėje, pusę balso stygų ir trečdalį kūno svorio, bet netrukus ji grįžo į darbą it niekur nieko. Atrodė, jog Inoujės Sato sunaikinti neįmanoma.

Robertas Lengdonas spėjo, kad jis ne pirmas per pokalbį telefonu palaikė Sato vyriškiu, bet direktorė niekaip nenuleido nuo jo įnirtingų juodų akių.

— Dar kartą atsiprašau, ponia, — tarė Lengdonas. — Nespėjau susiorientuoti, kas čia vyksta — žmogus, apsimetęs Piteriu Solomonu, šį vakarą mane apgaule atviliojo į Vašingtoną. — Jis išsitraukė iš švarko kišenės faksogramą. — Štai ką aš gavau šį rytą. Užsirašiau lėktuvo, kurį jis man atsiuntė, numerį, tad jei paskambinsite į Oro uosto registracijos skyrių ir nustatysite...

Smulkutė Sato ranka mikliai sučiupo popierių. Nė neišlanksčiusi įsikišo jį į kišenę.

— Profesoriau, šį tyrimą atlieku aš, ir kol jūs nepradėsite man pasakoti, ko prašomas, siūlyčiau tik atsakinėti į klausimus.

Sato pasisuko į policijos viršininką.

— Viršininke Andersonai, — ištarė ji priėjusi per arti ir spoksodama iš apačios į viršų mažomis juodomis akutėmis, — gal malonėsite man paaiškinti, kokia velniava čia vyksta? Rytinių vartų apsaugininkas man sakė, kad ant grindų radote žmogaus ranką. Tai tiesa?

Andersonas žengtelėjo į šoną, atidengdamas salės viduryje stovintį daiktą.

— Taip, ponia, vos prieš kelias minutes.

Ji abejingai dirstelėjo į plaštaką tarsi į ne vietoje numestą drabužį.

— Bet kai aš paskambinau, jūs man apie tai nepranešėte?

— Aš... aš pamaniau, kad jūs žinote.

— *Nemėginkite* man meluoti.

Andersonas nuo jos žvilgsnio nustėro, tačiau balse tebebuvo girdėti pasitikėjimas.

— Ponia, padėtis valdoma.

— Tuo aš labai abejoju, — lygiai taip pat ramiai atsakė Sato.

— Teismo medicinos ekspertų komanda jau važiuoja. Žmogus, kuris tai padarė, galėjo palikti pirštų atspaudus.

Sato veide atsispindėjo nepasitikėjimas.

— Man atrodo, kad žmogus, kuriam užteko proto įeiti pro jūsų apsaugos punktą nešinam žmogaus ranka, susipras nepalikti pirštų atspaudų.

— Gal ir taip, bet mano pareiga viską ištirti.

— Tiesą sakant, nuo šios akimirkos aš jus atleidžiu nuo šios pareigos. Atsakomybę perimu aš.

Andersonas sustingo.

— Bet juk tai ne ST sritis?

— Priešingai. Tai nacionalinio saugumo klausimas.

Piterio plaštaka? Lengdonas nusistebėjo, tarsi per sapną klausydamas jų pokalbio. *Nacionalinio saugumo klausimas?* Lengdonas juto, kad Sato nedomina karštligiškas jo troškimas surasti Piterį. ST direktorei, atrodo, rūpi visai kas kita.

Andersonas irgi atrodė sutrikęs.

— Nacionalinio saugumo? Ponia, norėčiau jums pagarbiai pranešti, kad...

— Kiek pamenu, — nutraukė ji, — mano laipsnis aukštesnis už jūsų. Siūlyčiau vykdyti mano įsakymus ir nieko neklausinėti.

Andersonas linktelėjo galva ir sunkiai nurijo seilę.

— Bet ar nereikėtų bent jau paimti pirštų atspaudų ir nustatyti, ar ranka tikrai Piterio Solomono?

— Aš galiu tai patvirtinti, — įsiterpė Lengdonas, kuris, įveikęs kylantį šleikštulį, tuo visai neabejojo. — Atpažįstu jo žiedą... ir jo ranką. — Jis nutilo. — Tačiau tatuiruotės visai naujos. Kažkas jas padarė visai neseniai.

— Atsiprašau? — Pirmą kartą nuo savo pasirodymo Sato atrodė išmušta iš vėžių. — Ranka tatuiruota?

Lengdonas linktelėjo.

— Ant nykščio ištatuiruota karūna. O ant smiliaus — žvaigždė.

Sato išsitraukė iš kišenės akinius, priėjo prie plaštakos ir tarsi ryklys ėmė sukti aplink ją ratus.

— Taip pat, — toliau kalbėjo Lengdonas, — nors trijų pirštų nematyti, galėčiau lažintis, kad jų galiukai irgi ištatuiruoti.

Jo pastaba, atrodo, sudomino Sato, ir ši mostelėjo Andersonui.

— Viršininke, gal galite apžiūrėti kitus pirštus?

Andersonas atsitūpė prie rankos, stengdamasis jos nepaliesti. Priglaudęs prie grindų skruostą, jis pažvelgė į sugniaužtų pirštų galiukus.

— Jis teisus, ponia. Visų pirštų galiukai tatuiruoti, nors niekaip neįžiūriu, kas ant kitų...

— Saulė, žibintas ir raktas, — abejingai ištarė Lengdonas.

Sato atsisuko tiesiai į jį ir nužvelgė mažomis akutėmis.

— Ir iš kurgi jūs tai žinote?

Lengdonas nenuleido akių.

— Žmogaus plaštakos su tokiomis tatuiruotėmis ant pirštų galiukų vaizdinys yra labai sena piktograma. Ji vadinama Slėpinių ranka.

Andersonas staiga atsitiesė.

— Šis daiktas turi *pavadinimą*?

Lengdonas linktelėjo.

— Tai vienas slapčiausių senovės pasaulio simbolių.

Sato pakreipė galvą į šoną.

— Tai gal galiu paklausti, kokį velnią jis veikia čia, vidury Kapitolijaus?

Lengdonas pagalvojo, kaip gera būtų pabusti iš šio košmaro.

— Tradicinė jo paskirtis, ponia, yra kvietimas.

— Koks... kvietimas? — neatlyžo ji.

Lengdonas įsižiūrėjo į simbolius ant nukirstos draugo rankos.

— Ištisus šimtmečius Slėpinių ranka buvo laikoma mistiniu kvietimu. Iš esmės tai kvietimas perimti slaptas žinias — stropiai saugomą išmintį, žinomą tik mažai elito grupelei.

Sato sukryžiavo ant krūtinės liesas rankas ir įsmeigė į jį juodas kaip anglys akis.

— Ką gi, profesoriau, sakote, kad nesuprantate, kodėl čia esate... o man atrodo, jūs visai nemažai žinote.

18 skyrius

Ketrina Solomon apsivilko baltą laboratorinį chalatą ir pradėjo įprastus darbus, kurių visada imdavosi vos atvykusi į „apeigas“, kaip sakydavo jos brolis.

Tarsi nerimastinga mama, prižiūrinti miegantį kūdikį, Ketrina kyštelėjo galvą į įrenginių kambarį. Vandenilinio kuro įranga veikė sklandžiai, atsarginiai balionai saugūs kėpsojo dėkluose.

Ketrina nuėjo koridoriumi į duomenų saugojimo patalpą. Du papildomi holografiniai duomenų saugojimo įtaisai kaip visada ramiai gaudė nišoje, kurioje buvo palaikoma speciali temperatūra. *Visi mano tyrimai,* pamanė ji, žvelgdama pro trijų colių storumo nedūžtamą stiklą. Holografiniai duomenų saugojimo prietaisai nė iš tolo nepriminė savo protėvių, dydžiu prilygusių šaldytuvams: jie veikiau buvo panašūs į glotnias stereosistemas, stovinčias ant atskirų kolonos pavidalo stovų.

Abi jos laboratorijos holografinės tvarkyklės buvo sinchronizuotos ir identiškos — šiose papildomose sistemose buvo saugomos darbo rezultatų kopijos. Daugumoje duomenų saugojimo taisyklių buvo rekomenduojama antrą kopijų saugojimo sistemą įrengti už laboratorijos ribų — tam atvejui, jei kartais ištiktų žemės drebėjimas, gaisras ar vagystė, — tačiau Ketrina su broliu sutarė, jog šiuo atveju svarbiausia yra slaptumas: jei duomenys iškeliautų iš šio pastato į serverį, esantį kur nors kitur, niekas nebegalėtų būti tikras, jog jie išliks slapti.

Įsitikinusi, kad viskas klostosi sklandžiai, ji vėl išėjo į koridorių. Tačiau sukdama už kampo laboratorijoje pastebėjo neįprastą dalyką. *Kas gi čia dabar?* Visi įrenginiai atspindėjo prislopintą šviesą. Ketrina nuskubėjo pažiūrėti ir nustebo pamačiusi, kad šviesa sklinda iš valdymo pulto, atitverto organinio stiklo siena.

Jis čia. Ketrina perbėgo laboratoriją, puolė prie patalpos, kurioje įtaisytas kontrolės pultas, ir plačiai atvėrė duris.

— Piteri! — sušuko įpuldama vidun.

Apkūni moteriškė, sėdinti prie kontrolės pulto terminalo, pašoko iš vietos.

— Viešpatie, Ketrina! Tu mane išgąsdinai!

Triša Dan — vienintelis žmogus, išskyrus juodu, turintis leidimą čia įeiti, — buvo Ketrinos metasistemų analitikė ir savaitgaliais retai ateidavo į darbą. Dvidešimt šešerių rudaplaukė turėjo talentą modeliuoti duomenis ir buvo pasirašiusi neskleisti informacijos — sutartį, kurios nebūtų pasigėdijęs nė pats KGB. Atrodo, šįvakar ji analizavo duomenis, sėdėdama prie patalpoje įrengtos plazminės sienos — didžiulio plokščio ekrano, tarsi perkelto į laboratoriją iš NASA skrydžių valdymo centro.

— Atsiprašau, — tarė Triša. — Nežinojau, kad tu jau čia. Norėjau baigti prieš atvykstant tau ir tavo broliui.

— Ar kalbėjai su juo? Jis vėluoja ir neatsako į skambučius.

Triša papurtė galvą.

— Galiu lažintis, kad dar nesugebėjo išsiaiškinti, kaip naudotis naujuoju *iPhone*, kurį jam dovanojai.

Ketrina vertino linksmą Trišos būdą, o kai pamatė ją laboratorijoje, į galvą šovė mintis.

— Tiesą sakant, džiaugiuosi, kad šiandien čia esi. Ar neprieštarautum, jei paprašyčiau man padėti?

— Prašyk, ko nori, tikrai nebus blogiau už futbolą.

Ketrina giliai įkvėpė, stengdamasi nusiraminti.

— Nežinau, kaip geriau paaiškinti, bet šiandien aš išgirdau labai keistą istoriją...

Triša Dan nežinojo, kokią istoriją išgirdo Ketrina Solomon, tačiau aiškiai matė, kad ji labai įsitempusi. Visada ramios pilkos jos viršininkės akys buvo kupinos nerimo, įėjusi į laboratoriją ji jau tris kartus užsikišo už ausų plaukus — nerimo ženklas, kaip sakė Triša. *Talentinga mokslininkė. Niekam tikusi pokerio žaidėja.*

— Man, — kalbėjo Ketrina, — ši istorija atrodo išgalvota... primena seną legendą. Tačiau... — ji nutilo ir vėl užsikišo už ausies plaukų sruogą.

— Tačiau?

Ketrina atsiduso.

— Tačiau šiandien patikimas šaltinis man pranešė, kad ši legenda tikra.

— Aišku... — *Kur ji suka?*

— Ketinu apie ją pakalbėti su broliu, bet pamaniau, kad prieš tai gal tu padėsi man ką nors daugiau išsiaiškinti. Norėčiau sužinoti, ar ši legenda kada nors istorijoje buvo kaip nors patvirtinta.

— Turi galvoje visą istoriją?

Ketrina linktelėjo galva.

— Visame pasaulyje, visomis kalbomis, bet kuriuo istorijos laikotarpiu.

Keistas prašymas, pamanė Triša, *tačiau visai suprantamas.* Prieš dešimt metų tokia užduotis būtų buvusi neįveikiama. Tačiau dabar — atsiradus internetui, pasauliniam tinklui, pradėjus pervedinėti į skaitmeninį formatą didžiąsias pasaulio bibliotekas ir muziejų rinkinius — Ketrinos tikslą galima pasiekti pasinaudojus palyginti paprasta ieškykle, pasitelkus daugelį vertimo modulių ir tinkamai parinkus reikšminius žodžius.

— Jokių problemų, — atsakė Triša.

Daugelyje laboratorijoje laikomų mokslinių knygų buvo tekstų senovinėmis kalbomis, todėl Trišos dažnai prašydavo sukurti specialius optinio ženklų atpažinimo vertimo modulius, leidžiančius išversti mažai žinomomis kalbomis parašytus žodžius į anglų kalbą. Turbūt ji buvo vienintelė pasaulyje metasistemų specialistė, sukūrusi OŽP vertimo modulius senovės fryzų, mekų ir akadų kalboms.

Moduliai, žinoma, gelbsti, bet svarbiausias dalykas, norint sukurti veiksmingą ieškos mechanizmą — tinkamai parinkti reikšminius žodžius. *Jie turi būti nepakartojami, tačiau negali per daug riboti paieškos.*

Ketrina, atrodo, buvo keliais žingsniais aplenkusi Trišą ir jau rašė ant popierėlio galimus reikšminius paieškos žodžius. Užrašiusi keletą, ji stabtelėjo, pamąstė ir užrašė dar kelis.

— Gerai, — pagaliau ištarė ir padavė popierėlį Trišai.

Triša peržiūrėjo paieškos eilučių sąrašą, ir jos akys išsiplėtė. *Kokią beprotišką legendą sumanė ištirti Ketrina?*

— Nori, kad surasčiau visus šiuos junginius? — Vienas žodis Trišai buvo net nematytas. *Ar jis išvis angliškas?* — Tikrai manai, kad pavyks juos visus rasti vienoje vietoje? Taip, kaip užrašei?

— Pamėgink.

Triša jau norėjo atsakyti, kad tai neįmanoma, bet prisiminė, jog šis žodis čia uždraustas. Ketrina manė, jog tokia nuostata pavojinga dirbant srityje, kurioje ne kartą yra tekę visiems žinomus niekus paversti patvirtintomis tiesomis. Triša Dan labai abejojo, ar ši jos paieška irgi priklausys tai kategorijai.

— Kiek reikės laukti rezultatų? — paklausė Ketrina.

— Kelias minutes, kol sukursiu paieškos serverį ir jį paleisiu. O paskui gal dar penkiolika, kol serveris patikrins visas galimybes.

— Taip greit? — Ketrina, atrodo, kiek aprimo.

Triša linktelėjo. Įprastos ieškyklės dažnai užtrukdavo visą dieną, kol peržiūrėdavo interneto erdvę, surasdavo naujus dokumentus, patikrindavo jų turinį ir prijungdavo jį prie paieškos duomenų bazės. Tačiau Triša ketino sukurti kitokį paieškos serverį.

— Sukursiu vadinamąją „delegavimo" programą, — paaiškino Triša. — Ne pats sąžiningiausias dalykas, užtat greitas. Iš esmės ši programa mums reikalingą užduotį liepia atlikti kitiems priklausantiems paieškos mechanizmams. Daugelyje duomenų bazių — bibliotekų, muziejų, universitetų, vyriausybių — yra savos ieškyklės. Tad aš sukursiu paieškos serverį, kuris suras šias ieškykles, perduos joms mūsų reikšminius žodžius ir lieps atlikti paiešką. Taip mes vienu metu įdarbinsime tūkstančius ieškyklių.

Ketrinai, regis, tai padarė įspūdį.

— Paralelinis duomenų perdirbimas.

Savotiška metasistema.

— Pranešiu tau, jei ką nors surasiu.

— Ačiū tau, Triša. — Ketrina paplekšnojo jai per nugarą ir pasuko prie durų. — Būsiu bibliotekoje.

Triša sėdo rašyti programos. Sukurti paieškos serverį buvo paprastas darbas, kuriam anaiptol nereikėjo tokių įgūdžių kaip jos, bet ji nesipriešino. Ketrinai Solomon ji padarytų viską. Kartais Trišai pačiai būdavo sunku patikėti sėkme, atvedusia ją čia.

Tu daug pasiekei, vaikeli.

Truputį daugiau negu prieš metus Triša metė metasistemų analitikės darbą vienoje iš daugelio aukštųjų technologijų laboratorijų. Laisvalaikiu ji kurdavo programas ir pradėjo rašyti specialybės tinklaraštį „Kompiuterinės metasistemų analizės pritaikymo ateityje galimybės", nors abejojo, ar kas nors jį skaito. Vieną vakarą suskambo jos telefonas.

— Triša Dan? — mandagiai paklausė moters balsas.

— Taip, klausau, kas kalba?

— Mano vardas Ketrina Solomon.

Triša vos neapalpo. *Ketrina Solomon?*

— Aš ką tik perskaičiau jūsų knygą „Noetikos mokslas — šiuolaikinis kelias į senovės išmintį" ir parašiau apie ją savo tinklaraštyje!

— Taip, aš žinau, — maloniai atsakė moteris. — Todėl ir skambinu.

Na, žinoma, susivokė Triša, supratusi, kad pasakė kvailystę. *Net talentingi mokslininkai kartais surenka* Google *savo pavardes.*

— Jūsų tinklaraštis mane sudomino, — kalbėjo Ketrina. — Nė nežinojau, kad metasistemų modeliavimas pažengė taip toli.

— Taip, ponia, — netekusi žado iš pagarbos vos išspaudė Triša. — Duomenų modeliavimas — labai sparčiai besivystanti technologija, kurią galima pritaikyti daugelyje sričių.

Kelias minutes moterys šnekučiavosi apie Trišos darbą su metasistemomis, aptarė jos patirtį gausių duomenų analizės, modeliavimo ir prognozės srityje.

— Žinoma, jūsų knygoje aš ne viską supratau, — tarė Triša, — bet vis dėlto pakankamai, kad įžvelgčiau sankirtą su metasistemų modeliavimu.

— Tinklaraštyje jūs tvirtinate, kad metasistemų modeliavimas gali iš esmės pakeisti noetikos tyrimus?

— Be jokios abejonės. Esu tikra, kad metasistemos gali paversti noetiką tikru mokslu.

— *Tikru* mokslu? — Ketrinos balsas pasidarė atšiauresnis. — O dabar ji yra kas?

O, velnias, kaip negerai nuskambėjo...

— Eee, norėjau pasakyti, kad noetikoje daugoka... ezoterikos.

Ketrina nusijuokė.

— Nusiraminkite, aš tik pajuokavau. Panašius dalykus girdžiu kiekvieną dieną.

Nesistebiu, pamanė Triša. Net Noetikos mokslų institutas Kalifornijoje aprašė šią sritį painiai ir miglotai, apibrėždamas ją kaip žmonijos „tiesiogiai pasiekiamų žinių, kurių negalima gauti nei įprastomis juslėmis, nei proto galiomis", tyrimus.

Triša sužinojo, kad žodis „noetika“ kilęs iš senovės graikų žodžio *nous*, apytikriai reiškiančio „vidinis žinojimas“ arba „intuityvus suvokimas“.

— Mane domina jūsų darbas su metasistemomis, — pasakė Ketrina, — ir jo galimas ryšys su projektu, kuriuo kaip tik užsiimu. Gal galėtume susitikti? Labai norėčiau jūsų daug ko paklausti.

Ketrina Solomon nori manęs daug ko paklausti? Tarsi būtų paskambinusi Marija Šarapova ir paprašiusi patarti, kaip geriau žaisti tenisą.

Rytojaus dieną prie Trišos namų privažiavo baltas „Volvo“, iš kurio išlipo daili liekna moteris, mūvinti džinsais. Triša iškart nusiminė. *Nuostabu*, tyliai suurzgė ji. *Protinga, turtinga, liekna — ir aš po to turiu tikėti, kad Dievas teisingas?* Tačiau Ketrina elgėsi taip natūraliai, kad Triša iškart nurimo.

Jos susėdo erdvioje Trišos namo terasoje su vaizdu į įspūdingo dydžio žemės sklypą.

— Jūsų namas nuostabus, — tarė Ketrina.

— Ačiū. Koledže man pasisekė, pardaviau keletą programų, kurias parašiau.

— Iš metasistemų srities?

— Metasistemų pirmtakės. Po rugsėjo vienuoliktosios vyriausybė perėmė ir iššifravo neapsakomai daug duomenų — piliečių elektroninių laiškų, mobiliųjų telefonų skambučių ir pranešimų, faksogramų, žinučių, interneto svetainių, — kuriuose ieškojo žodžių, susijusių su teroristų perduodama informacija. Aš sukūriau programą, leidusią kitaip apdoroti šiuos duomenis... išgauti iš jų daugiau žvalgybai reikalingos medžiagos. — Ji nusišypsojo. — Iš esmės šia programa jiems pavyko išmatuoti Amerikos temperatūrą.

— Prašau?

Triša nusijuokė.

— Na taip, žinau, skamba kaip beprotybė. Norėjau pasakyti, kad programa kiekybiniu pavidalu išreiškė šalies gyventojų *emocinę* būseną. Tai buvo, jei taip galima pasakyti, savotiškas kosminės sąmonės barometras. — Triša paaiškino, kaip pasinaudojus gyventojų komunikacijos priemonių turiniu galima įvertinti šalies „nuotaiką“ — pagal tai, kaip dažnai šiame duomenų lauke vartojami kai kurie pagrindiniai žodžiai ir emocijų indikatoriai. Laimingais laikais žmonės vartoja daugiau su laime susijusių žodžių, o streso laikais — priešingai. Įvykus, pavyzdžiui, teroristų išpuoliui, vyriausybė, pasinaudojusi duomenų laukais, gali išmatuoti amerikiečių psichikoje įvykusius pokyčius ir pateikti prezidentui patikimesnę informaciją apie emocinį įvykio poveikį.

— Kaip įdomu, — tarė Ketrina, pirštais persibraukdama smakrą. — Tai jūs iš esmės tyrinėjate individų populiaciją, tarsi tai būtų *vientisas* organizmas.

— Visiškai teisingai. *Metasistema.* Vieninga visuma, kurią apibrėžia jos dalių suma. Pavyzdžiui, žmogaus kūną sudaro milijonai atskirų ląstelių, pasižyminčių skirtingomis ypatybėmis ir turinčių skirtingą paskirtį, tačiau tas kūnas funkcionuoja kaip vieninga visuma.

Ketrina entuziastingai linktelėjo galva.

— Arba kaip būrys paukščių, kaip tuntas žuvų, kuris juda it vienas organizmas. Mes tai vadiname konvergencija, arba sampyna.

Triša suprato, kad jos garsioji viešnia įžvelgė metasistemų programavimo naudą savo mokslo sričiai noetikai.

— Mano programos, — paaiškino Triša, — turėjo padėti vyriausybės institucijoms tinkamiau įvertinti didelio masto krizes — ligų pandemijas, nacionalines tragedijas, terorizmą ir panašiai — ir geriau į jas reaguoti. — Ji patylėjo. — Žinoma, visada yra galimybė jas panaudoti kitaip... pavyzdžiui, įvertinus gyventojų nuotaikas, numatyti visuotinių rinkimų rezultatus arba akcijų biržos judėjimą.

— Atrodo, tai galingas įrankis.

Triša mostu parodė savo didelį namą.

— *Vyriausybė* tikrai taip galvoja.

Ketrina įsmeigė į ją savo pilkas akis.

— Triša, ar galiu paklausti apie etikos problemas, kylančias jūsų darbe?

— Ką turite galvoje?

— Tai, kad sukūrėte programas, kurias lengva panaudoti ne pagal paskirtį. Tie, kurie jas turi, gauna labai svarbios, ne kiekvienam pasiekiamos informacijos. Ar jums nekilo abejonių pradėjus jas kurti?

Triša nė nemirktelėjo.

— Nė vienos. Mano sukurtos programos niekuo nesiskiria nuo... sakysim, nuo skrydžių valdymo mokomųjų programų. Vieni žmonės jomis pasinaudos, kad išmoktų skraidyti, ir gabens humanitarinę pagalbą į menkiau išsivysčiusias šalis. Kiti — kad atsitrenktų lėktuvu į dangoraižį. Žinios yra tik įrankis, ir jų, kaip visų įrankių, veikimas priklauso nuo to, kieno rankose atsiduria.

Ketrina atsilošė: jai tai padarė įspūdį.

— Tada leiskite jums užduoti hipotetinį klausimą.

Triša staiga pajuto, kad jų pašnekesys virto pokalbiu dėl darbo.

Ketrina nuleido ranką, pakėlė nuo terasos grindų smėlio smiltelę ir parodė ją Trišai.

— Man atrodo, — prakalbo ji, — kad darbas su metasistemomis iš esmės leidžia jums apskaičiuoti, kiek svertų visas smėlėtas paplūdimys... sveriant jį po vieną smiltelę.

— Taip, iš esmės teisingai.

— Kaip žinote, ši smiltelė turi masę. Labai mažą, tačiau vis dėlto masę.

Triša linktelėjo.

— O kadangi ji turi masę, tai ją veikia ir gravitacija. Irgi labai silpna, tačiau ji yra.

— Teisingai.

— Gerai, — kalbėjo Ketrina, — o jei paimsime trilijonus šitokių smiltelių, kurios, traukiamos viena prie kitos, galiausiai sudaro... sakysime, Mėnulį: tada bendra jų gravitacija bus tokia stipri, kad galės judinti vandenynus ir lemti mūsų planetoje vykstančius potvynius ir atoslūgius.

Triša neįsivaizdavo, kur lenkia Ketrina, tačiau klausytis buvo įdomu.

— Dabar suformuluokime hipotezę, — pasiūlė Ketrina, paleisdama iš rankos smiltelę. — Kas būtų, jei aš jums pasakyčiau, jog *mintys*... bet kuri, net menkiausia, idėja, atsirandanti smegenyse... iš tiesų turi *masę*? Jei pasakyčiau, kad mintys yra objektai, išmatuojami vienetai, ir jų masė taip pat išmatuojama? Žinoma, ji neapsakomai maža, tačiau vis dėlto tai masė. Kokias padarytumėte išvadas?

— Hipotetiškai? Na, akivaizdi išvada būtų tokia... jei mintys turi masę, tai jas veikia gravitacija ir jos gali traukti prie savęs objektus.

Ketrina nusišypsojo.

— Šaunu. Dabar ženkime dar vieną žingsnį. Kas nutiks, jei labai daug žmonių susikaups tai pačiai minčiai? Visi tos minties pasikartojimai susilies į visumą, jos bendroji masė ims didėti. Taigi augs ir gravitacija.

— Aišku.

— Tai reiškia... kad jei pakankamai daug žmonių pradės mąstyti apie tą patį, tada šios minties gravitacijos jėga taps juntama... ir virs realia jėga. — Ketrina mirktelėjo. — Kurios poveikį bus galima išmatuoti mūsų fizinėje tikrovėje.

19 skyrius

Direktorė Inoujė Sato stovėjo sukryžiavusi ant krūtinės rankas, įsmeigusi į Lengdoną skeptišką žvilgsnį ir mąstė apie tai, ką iš jo išgirdo.

— Jis sakė, kad nori atverti senovinius vartus? Kaip manote, ką man daryti su tokia *informacija*, profesoriau?

Lengdonas vos vos gūžtelėjo pečiais. Jis vėl pajuto blogumą ir stengėsi nebežiūrėti į nukirstą draugo ranką.

— Jis man būtent taip pasakė. Senovinius vartus... paslėptus čia, šiame pastate. Aš jam atsakiau, kad nieko nežinau apie jokius vartus.

— Tai kodėl tada jis mano, kad *jūs* galite juos surasti?

— Akivaizdu, jog tai beprotis. — *Jis pasakė, kad kelią parodys Piteris.* Lengdonas pažvelgė į styrančią viršun Piterio ranką ir vėl pasibjaurėjo jo pagrobėjo sadistiškais žodžių žaidimais. *Kelią parodys Piteris.* Lengdonas jau nusekė akimis kryptį, kurią rodė pirštas — virš galvų stūksantis kupolas. *Vartai? Viršuje? Beprotybė.*

— Man skambinęs žmogus, — pasakė Lengdonas Sato, — *vienintelis* žinojo, kad aš šįvakar atvykstu į Kapitolijų, todėl tas, kuris *jums* pranešė, jog šiandien esu čia, ir yra jis. Siūlyčiau...

— Ne jūsų reikalas, iš kur aš gaunu informaciją, — griežtesniu balsu nutraukė jį Sato. — Šiuo metu man svarbiausia bendradarbiauti su šiuo žmogumi, o aš turiu informacijos, leidžiančios spręsti, kad būtent *jūs* galite jam duoti tai, ko jis nori.

— O *man* šiuo metu svarbiausia — surasti draugą, — supykęs atkirto Lengdonas.

Sato giliai įkvėpė: buvo aiškiai matyti, kad jos kantrybė baigiasi.

— Profesoriau, jei mes norime surasti poną Solomoną, turime tik vieną kelią — pradėti bendradarbiauti su vieninteliu žmogumi, regis, žinančiu, kur jis yra. — Sato pažvelgė į laikrodį. — Laiko turime nedaug. Galiu jus užtikrinti, kad gyvybiškai svarbu kuo greičiau patenkinti šio žmogaus reikalavimus.

— Kaip? — netikėdamas savo ausimis paklausė Lengdonas. — Surasti ir atverti senovinius vartus? Jokių vartų nėra, direktore Sato. Tas tipas pamišėlis.

Sato priėjo arčiau, visai arti Lengdono.

— Jei neprieštarausite, aš jums priminsiu... kad tas *pamišėlis* šį rytą sumaniai apgavo du visai nekvailus asmenis. — Ji įsmeigė akis į Lengdoną, paskui dirstelėjo į Andersoną. — Dirbdamas mano darbą žmogus greit sužinai, kad pamišimą nuo genialumo skiria labai plona riba. Pasielgtume išmintingai, rodydami šiam žmogui šiek tiek pagarbos.

— Jis nukirto žmogui ranką!

— Tą ir norėjau pasakyti. Vargu ar taip pasielgtų žmogus, kuris nesiekia tikslo ar kuriam nerūpi rezultatas. Tačiau svarbiausia, profesoriau, yra tai, kad tas tipas įsitikinęs, jog jūs galite jam padėti. Jis atsigabeno jus iki pat Vašingtono — o tai reiškia, kad turėjo tam priežasčių.

— Pasak jo, jis tik todėl mano, kad aš galiu atverti tuos vartus, nes jam taip pasakė *Piteris*, — paprieštaravo Lengdonas.

— O dėl ko Piteris Solomonas būtų jam tai sakęs, jei tai būtų netiesa?

— Neabejoju, kad Piteris nieko panašaus nesakė. O jei ir sakė, tai ne savo valia. Jis tikriausiai buvo apsvaigintas... arba išgąsdintas.

— Taip. Tai vadinama tardymo kankinimais, ir jie gana veiksmingi. Tik dar viena priežastis, kodėl ponas Solomonas būtų sakęs tiesą. — Sato kalbėjo kaip žmogus, asmeniškai susidūręs su tokiais tardymo metodais. — Ar jis jums paaiškino, *kodėl* Piteris mano, kad tik jūs vienas galite atverti vartus?

Lengdonas papurtė galvą.

— Profesoriau, jei jūsų reputacija pelnyta, tai judu su Piteriu Solomonu domitės tuo pačiu — paslaptimis, istorine ezoterika, misticizmu ir panašiais dalykais. Nejau Piteris nė viename pokalbyje jums nėra užsiminęs apie Vašingtone egzistuojančius slaptus vartus?

Lengdonas vos galėjo patikėti savo ausimis, kad aukšta CŽV pareigūnė klausia tokio dalyko.

— Esu tuo visiškai tikras. Mudu su Piteriu ne kartą esame kalbėję apie labai įmantrius ir slaptus dalykus, bet galite patikėti, jei jis man būtų pradėjęs pasakoti apie kur nors paslėptus senovinius vartus, būčiau tuojau pat pasiūlęs nueiti pas gydytoją. Ypač jei pasakytų, jog tie vartai veda į Senovės Slėpinius.

Sato pakėlė galvą.

— Atsiprašau? Tas žmogus jums tiksliai pasakė, *kur* veda tie vartai?

— Taip, bet man to nė nereikėjo. — Lengdonas mostelėjo į plaštaką. — Slėpinių ranka — oficialus kvietimas įeiti pro mistinius vartus ir įgyti slaptas senovės žinias, galingą išmintį, vadinamą Senovės Slėpiniais... kitaip tariant, prarastą amžių išmintį.

— Tai jūs jau anksčiau *esate girdėjęs* apie paslaptį, kurią jis mano esant čia paslėptą?

— Daugybė istorikų yra apie ją girdėję.

— Tai kaip tada galite sakyti, kad vartai neegzistuoja?

— Nepalaikykite tai nepagarba, ponia: mes visi esame girdėję apie Amžinos jaunystės šaltinį ir Šangrila šalį, tačiau tai dar nereiškia, kad šie dalykai egzistuoja.

Jų pokalbį nutraukė garsiai sucypusi Andersono radijo stotelė.

— Viršininke? — pasigirdo balsas iš garsiakalbio.

Andersonas nusegė imtuvą nuo diržo.

— Andersonas klauso.

— Pone, mes baigėme apieškoti teritoriją. Neradome nė vieno žmogaus, atitinkančio apibūdinimą. Kokie bus tolesni nurodymai?

Andersonas skubiai žvilgtelėjo į Sato, tikėdamasis išgirsti priekaištą, tačiau direktorei Sato, atrodo, tai nerūpėjo. Andersonas pasitraukė toliau nuo jos ir Lengdono, kažką negarsiai kalbėdamas į radijo stotelę.

Sato nenuleido akių nuo Lengdono.

— Tai jūs sakote, kad ta paslaptis, anot jo, paslėpta Vašingtone... yra *išgalvota*?

Lengdonas linktelėjo galva.

— Tai labai senas mitas. Senovės Slėpiniai yra ikikrikščioniškos kilmės. Jiems keli tūkstančiai metų.

— Tačiau mitas tebegyvuoja?

— Kaip ir daugybė kitų, ne mažiau absurdiškų įsitikinimų. — Lengdonas dažnai primindavo savo studentams, kad daugelyje religijų esama istorijų, kurias mokslui būtų sunku patvirtinti: pradedant pasakojimu apie tai, kaip Mozė perskyrė Raudonąją jūrą, ir baigiant Džozefo Smito stebuklingais akiniais, su kuriais jis perrašė Mormonų knygą iš aukso lentelių, rastų užkastų Niujorko valstijoje. *Tai, kad idėja labai paplitusi, dar neįrodo, kad ji teisinga.*

— Aišku. Tai kas gi pagaliau *yra* tie... Senovės Slėpiniai?

Lengdonas garsiai iškvėpė. *Ar turite keletą savaičių laiko?*

— Trumpai tariant, Senovės Slėpiniais įprasta vadinti labai seniai sukauptų slaptų žinių visumą. Vienas iš labiausiai intriguojančių šių žinių aspektų yra tas, kad jos neva pažadina jas įgijusiojo ypatingas galias, snaudžiančias žmogaus psichikoje. Pašvęstieji adeptai, saugoję šias žinias, prisiekė slėpti jas nuo masių, nes laikė jas pernelyg galingomis ir pavojingomis neišmanėliams.

— Kodėl pavojingomis?

— Informaciją slėpė dėl tų pačių priežasčių, dėl kurių mes vaikams neduodame degtukų. Gerose rankose ugnis teikia šviesą... bet pakliuvusi į blogas gali tapti griaunama jėga.

Sato nusiėmė akinius ir nužvelgė Lengdoną.

— Sakykite, profesoriau, o jūs pats tikite, kad gali egzistuoti tokia sprogstama informacija?

Lengdonas nesumetė, ką atsakyti. Senovės Slėpinius jis nuo seno laikė didžiausiu savo akademinės karjeros paradoksu. Beveik visos pasaulio mistinės tradicijos buvo pagrįstos idėja, kad egzistuoja sudėtingos žinios, galinčios suteikti žmogui mistinių, kone dieviškų galių: taro kortos ir I Čingas leido įžvelgti ateitį, alchemija ir jos garsusis filosofinis akmuo žadėjo nemirtingumą, Vikka išmokydavo toliausiai pažengusius mokinius naudotis stipriausiais burtais. Ir tokių dalykų begalė.

Būdamas mokslininkas, Lengdonas negalėjo paneigti istorinių žinių apie šias tradicijas — kaugių dokumentų, artefaktų ir meno kūrinių, kuriuose iš tiesų labai aiškiai rodoma, kad senovės žmonės turėjo slaptą išmintį ir ja dalijosi tik alegorijų, mitų ir simbolių pavidalu, perduodami galias tik pašvęstiesiems. Tačiau pats būdamas realistas ir skeptikas Lengdonas tuo netikėjo.

— Sakykime, aš į tai žiūriu skeptiškai, — atsakė jis Sato. — Niekada nesu tikrovėje matęs nieko tokio, kas leistų patikėti, kad Senovės Slėpiniai nėra tiktai legenda — pasikartojantis mitologinis archetipas. Man atrodo, kad jei žmonės *galėtų* įgyti stebuklingų galių, tam būtų įrodymų. O kol kas istorijoje nerasime minint žmonių, turinčių antžmogiškų galių.

Sato pakėlė antakius.

— Tai ne visai tiesa.

Lengdonas dvejojo: jis suprato, kad daugelis tikinčiųjų iš tiesų mano egzistavus žmones dievus, ir visų pirmiausia, žinoma, Jėzų.

— Reikia pripažinti, — tarė jis, — yra daug išsilavinusių žmonių, tikinčių, jog galių teikianti išmintis tikrai egzistuoja, tačiau aš nesu tuo įsitikinęs.

— Ar Piteris Solomonas — vienas iš tų žmonių? — paklausė Sato, dirstelėjusi į stovinčią ant grindų plaštaką.

Lengdonas negalėjo prisiversti į ją pažvelgti.

— Piteris kilęs iš šeimos, kurios nariai nuo seno aistringai domėjosi senove ir mistika.

— Ar tai reiškia „taip"? — paklausė Sato.

— Galiu jus užtikrinti, kad net jei Piteris iš tiesų tiki Senovės Slėpiniais, jis *nieku gyvu* netikės, kad juos galima pasiekti per kažkokius Vašingtone paslėptus vartus. Jis supranta simbolių metaforiką, o jo pagrobėjas, atrodo, ne.

Sato linktelėjo.

— Tai jūs sakote, kad šie vartai yra *metafora*.

— Na, žinoma, — atsakė Lengdonas. — Bent jau teoriškai. Tai labai dažnai sutinkama metafora — mistiniai vartai, pro kuriuos įėjus įgyjama išmintis. Vartai ir durys — įprasti simboliai, reiškiantys persimainymo apeigas. Ieškoti *tikrų* vartų būtų tas pat, kaip stengtis surasti realius Dangaus vartus.

Sato, atrodo, apie tai susimąstė.

— Bet man panašu, kad pono Solomono grobėjas įsitikinęs, jog jūs galite atrakinti *realius* vartus.

Lengdonas vėl garsiai iškvėpė.

— Jis daro bendrą daugelio perdėtai uolių tikinčiųjų klaidą — painioja metaforas su tikrove.

Panašiai kitados elgėsi alchemikai, bergždžiai triusę stengdamiesi paversti šviną auksu, nesuprasdami, kad švino virtimas auksu — tai tik metafora, išreiškianti žmogaus galimybių realizavimą: kai tamsus, apsiblausęs protas darbu paverčiamas švytinčiu ir skvarbiu.

Sato mostu parodė plaštaką.

— Jei tas žmogus nori, kad jūs jam atrakintumėte kažkokius vartus, kodėl paprasčiausiai *nepasakė*, kur juos rasti? Kam tas dramatizmas? Kodėl jis jums atsiuntė tatuiruotą ranką?

Lengdonas klausė savęs to paties, ir atsakymas į šį klausimą jam kėlė nerimą.

— Na, atrodo, mes susidūrėme su ne tik nestabilios psichikos, bet ir labai išsilavinusiu žmogumi. Ši ranka įrodo, kad jis puikiai išmano ir paslaptis, ir jų slaptumo kodus. O ką jau kalbėti apie šios salės istoriją.

— Nesupratau.

— Viskas, ką jis šiandien padarė, tobulai atitinka senovės protokolo reikalavimus. Tradiciškai Slėpinių ranka yra šventas kvietimas, todėl jis turi būti pateiktas šventoje vietoje.

Sato prisimerkė.

— Profesoriau, čia JAV Kapitolijaus Rotonda, o ne kokia nors senovės mistikos paslapčių šventykla.

— Tiesą sakant, ponia, — atkirto Lengdonas, — daugybė istorikų su jumis nesutiktų.

Tuo metu kitoje miesto pusėje Triša Dan sėdėjo Kube, nutvieksta švytinčio plazminio ekrano. Ji baigė kurti paieškos serverį ir įvedė penkis žodžių junginius, kuriuos jai buvo užrašiusi Ketrina.

Pamatysim, kaip nieko iš to neišeis.

Nejausdama optimizmo ji paleido paieškos serverį, savotiškai pradėdama pasaulinio masto medžioklę. Žodžių junginiai neįsivaizduojamu greičiu buvo lyginami su viso pasaulio tekstais... ieškant visiškos atitikties.

Triša nesusivaldė nepasvarsčiusi, ką tai galėtų reikšti, tačiau jau buvo spėjusi priprasti, kad dirbant su Solomonais dažnai nepavykdavo sužinoti visko iki galo.

20 skyrius

Robertas Lengdonas vogčiomis neramiai dirstelėjo į laikrodį, kuris rodė 19.58. Besišypsantis Peliuko Mikio veidas jo nepralinksmino. *Reikia surasti Piterį. Mes tuščiai gaištame laiką.*

Sato neilgam atsitraukė, kažkam paskambino, bet netrukus grįžo prie Lengdono.

— Profesoriau, ar aš jus gaišinu?

— Ne, ponia, — atsakė Lengdonas užtraukdamas rankovę ant laikrodžio. — Tiesiog aš labai nerimauju dėl Piterio.

— Suprantu, tačiau užtikrinu, kad Piteriui būtų naudingiausia, jei jūs man padėtumėte suprasti, kaip mąsto jo pagrobėjas.

Lengdonas tuo abejojo, bet suprato nieko nepešiąs, kol ST direktorė neišgaus visos jai reikalingos informacijos.

— Ką tik, — kalbėjo Sato, — jūs užsiminėte, kad Rotonda šiems Senovės Slėpiniams yra kažkodėl šventa?

— Taip, ponia.

— Paaiškinkit.

Lengdonas suvokė, kad kalbėti reikia trumpai. Kursą apie Vašingtono mistinius simbolius jis dėstė visą semestrą: vien šiame pastate mistinių užuominų tiek, kad jų sąrašas atrodytų kone begalinis.

Amerika turi slaptą praeitį.

Kaskart, kai Lengdonas pradėdavo dėstyti Amerikos simbologiją, jo studentai apstulbdavo sužinoję, kad *tikrieji* šios šalies tėvų įkūrėjų ketinimai buvo visiškai kitokie, negu dabar tvirtina daugelis politikų.

Lemtis, kuri buvo numatyta Amerikai, nuskendo istorijoje.

Protėviai, įkūrę šią sostinę, iš pradžių ją pavadino Roma. Upei davė Tibro vardą, pristatė klasikinių panteonų ir šventyklų, išpuoštų didžiųjų dievų ir deivių atvaizdais — Apolono, Minervos, Veneros, Saulės, Vulkano, Jupiterio. Sostinės centre, kaip daugelyje didžiųjų klasikinių miestų, įkūrėjai pastatė nenykstamą paminklą senovei — egiptietišką obeliską. Šis obeliskas, aukštesnis net už Kairo ar Aleksandrijos, siekia beveik 170 metrų, aukštesnis už trisdešimties aukštų namą ir skelbia padėką bei šlovę pusdieviui įkūrėjui, kurio vardu vėliau pavadinta sostinė.

Tai buvo Vašingtonas.

Ir dabar, praėjus šimtmečiams, nors Amerikoje Bažnyčia atskirta nuo valstybės, valstybiniame pastate Rotondoje mirgėte mirga senovės religinių simbolių. Rotondoje iš viso daugiau kaip tuzinas skirtingų dievų — daugiau negu tikrajame Panteone Romoje. Žinoma, Romos Panteonas 609 m. paverstas krikščionišku... tačiau *šiam* panteonui nieko panašaus neatsitiko: jo tikrosios istorinės detalės iki šiol kriste krito į akis.

— Kaip jūs veikiausiai žinote, — prakalbo Lengdonas, — Rotonda buvo suprojektuota vienos iš labiausiai gerbiamų Romos mistinių šventyklų pavyzdžiu. Tai Vestos šventykla.

— Ar ta, kurioje buvo vestalės? — Atrodo, Sato buvo sunku patikėti, kad Romoje šventąją ugnį sergėjusios mergelės galėtų turėti ką nors bendra su Kapitolijumi.

— Vestos šventykla Romoje, — kalbėjo Lengdonas, — buvo apskrita, su specialia skyle grindyse, pro kurią šventąją išminties ugnį galėjo kurstyti ypatingai seserijai priklausančios mergelės: jos privalėjo prižiūrėti, kad ugnis niekada neužgestų.

Sato gūžtelėjo pečiais.

— Rotonda apskrita, bet grindyse nematau jokios skylės.

— Ne, dabar jos nebėra, bet daugelį metų šios salės centre, būtent toje vietoje, kur dabar stovi Piterio ranka, buvo didelė anga. — Lengdonas mostu parodė į grindis. — Tiesą sakant, grindyse iki šiol matyti žymės aptvaro, saugojusio žmones, kad į ją neįkristų.

— Ką? — paklausė Sato, atidžiai apžiūrinėdama grindis. — Aš nieko panašaus nesu girdėjusi.

— Atrodo, jis teisus. — Andersonas parodė į ratu išdėstytas žymes ten, kur anksčiau būta aptvaro stulpelių. — Esu jas ir anksčiau pastebėjęs, bet nesuvokiau, kam jos reikalingos.

Ir ne tu vienas, pamanė Lengdonas, įsivaizduodamas, kaip kasdieną tūkstančiai žmonių, tarp jų garsūs įstatymų leidėjai, žingsniuoja per patį Rotondos centrą nė neįsivaizduodami, kad kadaise būtų įkritę tiesiai į Kapitolijaus rūsį po Rotondos grindimis.

— Galiausiai, — toliau pasakojo Lengdonas, — skylę grindyse uždengė, bet Rotondos lankytojai dar ilgai galėjo pažvelgti žemyn, į apačioje degančią ugnį.

Sato atsigręžė.

— Ugnį? JAV Kapitolijuje?

— Tiksliau, didžiulį deglą — amžinąją ugnį, degusią rūsyje, tiesiai po mūsų kojomis. Ji buvo matoma pro grindų skylę, taigi ši salė buvo šiuolaikiška Vestos šventykla. Pastatas net turėjo savą vestalę — valstybės tarnautoją, vadinamą Rūsio sergėtoju, kuriam pavyko išsaugoti ugnį penkiasdešimt metų, kol galiausiai ją užgesino politinės bei religinės rietenos ir gaisro pavojus.

Ir Andersonas, ir Sato atrodė nustebę.

Apie tai, kad kitados čia degė ugnis, dabar priminė tik keturšakė kompaso žvaigždė, įmūryta rūsio grindyse aukštu žemiau ir simbolizuojanti Amerikos amžinąją ugnį, kadaise skleidusią šviesos spindulius į visas keturias Naujojo pasaulio šalis.

— Taigi, profesoriau, — tarė Sato, — jūs tvirtinate, kad žmogus, kuris čia paliko Piterio ranką, *žinojo* visa tai?

— Be abejo. Ir dar kur kas daugiau. Ši salė pilnutėlė simbolių, išreiškiančių tikėjimą Senovės Slėpiniais.

— Slapta išmintis, — ištarė Sato, neslėpdama sarkazmo. — Žinios, kurios suteikia žmonėms dieviškų galių?

— Taip, ponia.

— Tai sunkiai suderinama su krikščioniškomis šios šalies tradicijomis.

— Atrodytų, kad taip, bet tai tiesa. Toks žmogaus virtimas dievu vadinamas *apoteoze*. Nenumanau, ar jūs tai žinote, ar ne, bet šis motyvas — žmogaus virtimas dievu — yra viso Rotondos simbolizmo pamatas.

— Apoteozė? — Andersonas staiga atsisuko, tarsi kažką prisiminęs.

— Taip. — *Andersonas čia dirba. Jis turi žinoti.* — Tiksliai išverstas žodis „apoteozė" reiškia „dievišką atsimainymą", tai yra žmogaus virtimą dievu. Tai senovės graikų kalbos žodžiai: *apo* — „tapti", *theos* — „dievas".

Andersonas atrodė apstulbęs.

— „Apoteozė" reiškia „tapimą dievu"? Nežinojau.

— Aš kažko nežinau? — griežtai paklausė Sato.

— Ponia, — atsakė Lengdonas, — didžiausias paveikslas šiame pastate vadinasi „Vašingtono apoteozė". Jame kuo aiškiausiai vaizduojamas Džordžo Vašingtono *tapimas* dievu.

Sato veide buvo matyti abejonė.

— Nieko panašaus gyvenime nesu mačiusi.

— Tiesą sakant, esu tikras, kad matėte. — Lengdonas smiliumi parodė tiesiai į viršų. — Jis tiesiai jums virš galvos.

21 skyrius

„Vašingtono apoteozę" — 433 kvadratinių metrų ploto freską, kuria išpuoštas Kapitolijaus Rotondos skliautas — 1865 m. baigė tapyti Konstantinas Brumidis.

Brumidis, dar vadinamas Kapitolijaus Mikelandželu, Kapitolijaus Rotondą pavertė sava lygiai taip pat, kaip Mikelandželas — Siksto koplyčią: nutapęs freską ant didžiausio paviršiaus, salės lubų. Brumidis, kaip ir Mikelandželas, geriausius darbus sukūrė Vatikane. Tačiau 1852 m. Brumidis emigravo į Ameriką, iškeitęs didžiausią Dievo bažnyčią į naują šventovę, JAV Kapitolijų, kuriame suspindo jo meistriškumo pavyzdžiai — pradedant *trompe l'oeil* puoštais Brumidžio koridoriais ir baigiant viceprezidento kabineto lubų frizu. Tačiau dauguma istorikų Brumidžio šedevru laiko milžinišką paveikslą, puošiantį Kapitolijaus Rotondos lubas.

Robertas Lengdonas užvertęs galvą žiūrėjo į didžiulę, visas lubas dengiančią freską. Šiaip jis mėgdavo gėrėtis studentų, susidūrusių su keista freskos vaizdinija, sutrikimu, bet dabar tiesiog jautėsi pakliuvęs į košmarą, kurio niekaip nesisekė perprasti.

Direktorė Sato stovėjo greta, įrėmusi rankas į klubus, ir susiraukusi žiūrinėjo aukštas lubas. Lengdonas pajuto, kad ją užvaldė tas pats jausmas, kaip daugelį žmonių, pirmą kartą stabtelėjusių atidžiai apžiūrėti svarbiausią valstybės paveikslą.

Visiškas sutrikimas.

Ne tu viena, pamanė Lengdonas. Daugelis žmonių pripažino, kad kuo ilgiau jie žiūri į „Vašingtono apoteozę", tuo keistesnė ji atrodo.

— Štai čia, centre, Džordžas Vašingtonas, — pasakė Lengdonas, pirštu rodydamas į 55 metrų aukščio kupolą. — Kaip matote, jis apsirengęs baltais drabužiais, lydimas trylikos mergelių, lipa ant debesies, iškilusio viršum mirtingųjų. Tai ir yra jo apoteozės akimirka... jo tapimas dievu.

Sato ir Andersonas nieko neatsakė.

— Netoliese, — toliau kalbėjo Lengdonas, — matote keistą anachronistišką figūrų rinkinį: tai senovės dievai apdovanoja mūsų protėvius ypatinga išmintimi. Štai Minerva, įkvepianti techninio sumanumo didiesiems mūsų išradėjams — Benui Franklinui, Robertui Fultonui, Semiueliui Morzei. — Lengdonas parodė juos visus paeiliui. — Ana ten Vulkanas padeda pagaminti garo variklį. Greta jo Neptūnas rodo, kaip tiesti transatlantinį kabelį. Toliau Cerera, grūdų ir šaknų deivė, iš kurios vardo kilęs amerikietiškų javainių pavadinimas — *cereal*; ji sėdi ant Makormiko pjaunamosios, žemės ūkio išradimo, dėl kurio ši šalis tapo maisto gamybos lydere. Paveiksle visiškai atvirai vaizduojama, kaip mūsų protėviai gauna iš dievų didžią išmintį. — Jis nuleido galvą ir vėl pažvelgė į Sato. — Žinios yra jėga, o tinkamos žinios leidžia žmogui atlikti stebuklingus, kone dieviškus darbus.

Sato irgi nuleido akis į Lengdoną ir pasitrynė sprandą.

— Nutiesti telefono kabelį dar anaiptol nereiškia, kad tapai dievu.

— Gal *šiuolaikiniam žmogui* ir nereiškia, — atsakė Lengdonas. — Bet jei Džordžas Vašingtonas būtų žinojęs, kad mes įgysime galių kalbėtis vieni su kitais per vandenyną, skraidyti garso greičiu ir nusileisime Mėnulyje, jis tikrai būtų pamanęs, kad tapome dievais ir pajėgiame daryti stebuklus. — Jis patylėjo. — Kaip sakė futuristas Arturas Klarkas: „Visos pakankamai pažangios technologijos neatskiriamos nuo magijos."

Sato, rimtai susimąsčiusi, papūtė lūpas. Ji dirstelėjo į plaštaką, paskui žvilgsniu nusekė kryptimi, kuria rodė ištiestas smilius — tiesiai į kupolą.

— Profesoriau, jums pasakė: „Piteris parodys kelią." Teisingai?

— Taip, ponia, bet...

— Viršininke, — kreipėsi Sato, nusisukdama nuo Lengdono, — ar galėtume iš arčiau apžiūrėti paveikslą?

Andersonas linktelėjo.

— Kupolo vidinėje pusėje yra apžvalgos takelis.

Lengdonas pažvelgė į labai labai aukštai, tiesiai po paveikslu matomus siaurus turėklus, ir pajuto, kaip visas jo kūnas pastiro.

— Ten nėra ko eiti.

Jis jau kartą ėjo tuo retai lankomu apžvalgos takeliu, pakviestas JAV senatoriaus ir jo žmonos, ir tada vos neprarado sąmonės nuo aukščio ir siauro pavojingo takelio.

— Nėra ko? — valdingai paklausė Sato. — Profesoriau, mes susidūrėme su žmogumi, tikinčiu, jog šioje patalpoje yra senoviniai vartai, galintys jį paversti dievu; lubose matome freską, simboliškai vaizduojančią žmogaus tapimą dievu, o ant grindų randame ranką, rodančią tiesiai į paveikslą. Man atrodo, viskas mus ragina žvelgti *aukštyn*.

— Tiesą sakant, — įsiterpė Andersonas, metęs žvilgsnį viršun, — nedaug kas tą žino, bet kupole yra vienas aštuonkampis fragmentas, kuris iš tiesų atsidaro panašiai kaip vartai, pro jį galima pažiūrėti ir...

— Luktelėkite, — paprašė Lengdonas, — jūs išklydote iš kelio. Vartai, kurių ieško šis žmogus, yra *menami* — tai įėjimas, kuris tikrovėje neegzistuoja. Sakydamas „Piteris parodys kelią“, jis kalba metaforomis. Šis gestas, kurį rodo ranka — į viršų iškeltas ir nykštys, ir smilius — yra gerai žinomas Senovės Slėpinių simbolis, jį galima rasti viso pasaulio senojo meno kūriniuose. Tą patį gestą matome trijuose garsiausiuose užkoduotuose Leonardo da Vinčio paveiksluose — „Paskutinė vakarienė“, „Išminčių pagarbinimas“ ir „Šv. Jonas Krikštytojas“. Tai žmogaus mistinio ryšio su Dievu simbolis. — *Kaip viršuje, taip ir apačioje*. Keisti pamišėlio pasakyti žodžiai dabar pradėjo rodytis prasmingesni.

— Aš jo niekad nesu mačiusi, — pareiškė Sato.

Tai pažiūrėk sporto laidas, pamanė Lengdonas, kuris labai mėgo stebėti, kaip profesionalūs sportininkai, pelnę taškų arba įmušę įvartį, iškelia rankas į viršų dėkodami Dievui. Kažin, kiek iš jų suvokė, jog tęsia ikikrikščionišką mistinę tradiciją ir atiduoda pagarbą aukštesnei jėgai, trumpam pavertusiai juos dievais, gebančiais daryti stebuklus.

— Jei jums tai padės, — pasakė Lengdonas, — pridursiu, kad Piterio plaštaka yra ne pirma tokio gesto išraiška šioje Rotondoje.

Sato nužvelgė jį tarsi beprotį.

— Prašau? — paklausė ji.

Lengdonas mostu parodė į jos delninuką.

— Įveskite į „Google“ paiešką žodžius „Džordžas Vašingtonas Dzeusas“.

Sato, atrodo, suabejojo, tačiau paklausė. Andersonas prislinko prie jos ir atidžiai įsižiūrėjo per petį.

Lengdonas pasakė:

— Kadaise šios Rotondos centre stovėjo didžiulė pusnuogio Džordžo Vašingtono skulptūra... kurioje jis buvo pavaizduotas kaip dievas. Sėdėjo lygiai tokia pat poza, kaip Dzeusas Panteone, apnuoginta krūtine, kairėje rankoje laikė kalaviją, dešinė ranka pakelta, nykštys ir smilius nukreipti į viršų.

Sato tikriausiai rado internete skulptūros nuotrauką, nes Andersonas sukrėstas neatitraukė akių nuo jos delninuko.

— Klausykite, *tai tikrai* Džordžas Vašingtonas?

— Taip, — atsakė Lengdonas. — Pavaizduotas kaip Dzeusas.

— Pažvelkite į jo ranką, — tarė Andersonas, tebežiūrėdamas Sato per petį. — Jo dešinė ranka lygiai tokia pat, kaip pono Solomono.

Aš juk sakiau, pamanė Lengdonas, *kad Piterio plaštaka yra ne pirma tokio gesto išraiška šioje salėje*. Kai Rotondoje buvo atidengta Horeišijo Grinou sukurta nuogo Džordžo Vašingtono skulptūra, daug kas juokavo, kad Vašingtonas tikriausiai tiesia ranką į viršų, iš paskutiniųjų stengdamasis susirasti kokius nors drabužius. Tačiau pasikeitus Amerikos religiniams idealams pašaipi kritika virto ginčais, ir galiausiai skulptūra buvo perkelta iš salės į rytų pusės sodo pašiūrę. Dabar ji saugoma Smitsono nacionaliniame Amerikos istorijos muziejuje, ir ją ten matantieji nė neįtaria, kad tai vienas iš paskutinių saitų su laikais, kai šalies tėvas ir įkūrėjas tarsi dievas viešpatavo JAV Kapitolijuje... nelyginant Dzeusas Panteone.

Sato ėmė rinkti telefono numerį savo delninuke, turbūt nusprendusi, jog atėjo tinkamas laikas patikrinti darbuotojus.

— Ką radote? — Ji kantriai išklausė. — Aišku... — Dirstelėjo tiesiai į Lengdoną, paskui į Piterio ranką. — Neabejojate? — dar paklausė. — Gerai, ačiū. — Baigusi pokalbį vėl atsisuko į Lengdoną. — Mano darbuotojai atliko tyrimus ir patvirtino viską, ką jūs sakėte apie vadinamąją Slėpinių ranką, bei kitą informaciją: penkis ženklus ant pirštų galiukų — žvaigždę, saulę, raktą, karūną ir žibintą, taip pat ir tai, kad ši ranka senovėje buvo laikoma kvietimu įgyti slaptą išmintį.

— Džiaugiuosi, — atsakė Lengdonas.

— Nėra kuo, — trumpai atrėžė ji. — Dabar mes, atrodo, atsidūrėme aklagatvyje ir jame būsime, kol nepapasakosite to, ką vis dar slepiate.

— Ponia?

Sato žengė prie jo.

— Ratas užsidarė, profesoriau. Jūs man nepasakėte nieko, ko nebūčiau sužinojusi iš savo darbuotojų. Todėl klausiu jūsų dar kartą. Kodėl jus šį vakarą čia pakvietė? Kuo jūs toks ypatingas? Ką žinote *tik jūs* vienas?

— Apie tai mes jau kalbėjome, — atrėžė Lengdonas. — Neįsivaizduoju, kodėl šitas tipas mano, kad aš išvis ką nors žinau!

Lengdonui buvo bekylanti pagunda paklausti, iš kur, po velnių, Sato sužinojo, kad jis šį vakarą yra Kapitolijuje, tačiau apie tai jie jau irgi buvo kalbėję. Sato nepasakys.

— Jei žinočiau, koks yra kitas žingsnis, — tarė jis, — aš jums pasakyčiau. Bet aš nežinau. Tradiciškai Slėpinių ranką mokytojas ištiesia mokiniui. Paskui, neilgai trukus, jam duodami nurodymai... kaip patekti į šventyklą, kuo vardu būsimas mokytojas — žodžiu, *kas nors!* Bet šitas tipas mums paliko tik penkias tatuiruotes! Vargu ar tai... — staiga Lengdonas nutilo.

Sato įsmeigė į jį akis.

— Kas atsitiko?

Lengdono žvilgsnis nuslydo į ranką. *Penkios tatuiruotės.* Staiga jis suvokė, kad galbūt pasakė ne visą tiesą.

— Profesoriau? — neatlyžo Sato.

Lengdonas lėtai priėjo prie pasibjaurėtino daikto. *Piteris parodys kelią.*

— Anksčiau man buvo atėjusi mintis, kad galbūt tas žmogus paliko Piterio delne sugniaužtą kokį nors objektą — žemėlapį, laišką, nurodymus.

— Nepaliko, — atsakė Andersonas. — Pats matote, šie trys pirštai nelabai kietai sugniaužti.

— Jūs teisus, — sutiko Lengdonas. — Bet man atrodo... — Jis pritūpė, stengdamasis įžiūrėti pirštų pridengtą Piterio delną. — Gal jis rašė ne ant popieriaus.

— Tatuiruotė? — paklausė Andersonas.

Lengdonas linktelėjo.

— Ar matote ką nors ant delno? — paklausė Sato.

Lengdonas dar žemiau pritūpė, stengdamasis atidžiai apžiūrėti nelabai smarkiai sugniaužtus pirštus.

— Tokiu kampu nieko nematyti. Aš negaliu...

— Ak, dėl Dievo meilės, — ištarė Sato prieidama arčiau. — Atgniaužkite tą prakeiktą ranką!

Andersonas žengė priešais ją.

— Ponia! Negalima jos liesti, kol neatvyko teismo medicinos...

— Man reikia informacijos, — atsakė Sato prasibraudama pro jį. Ji atsitūpė, nustumdama Lengdoną nuo rankos.

Lengdonas atsitiesė ir žiūrėjo netikėdamas savo akimis, kaip Sato išsitraukė iš kišenės rašiklį ir atsargiai pakišo jį po trimis sugniaužtais pirštais. Tada vieną po kito juos ištiesė, kol ranka atsigniaužė ir pasimatė delnas.

Ji pakėlė akis į Lengdoną, veide nušvito šypsenėlė.

— Ir vėl atspėjote, profesoriau.

22 skyrius

Neramiai žingsniuodama po biblioteką, Ketrina Solomon atitraukė chalato rankovę ir pažvelgė į laikrodį. Ji buvo ne iš tų moterų, kurios pratusios laukti, bet šiuo metu jautėsi taip, tarsi visas pasaulis būtų sustojęs. Reikėjo laukti Trišos paieškos serverio rezultatų, laukti žinios iš brolio, be to, ji dar laukė visą šią neramią situaciją sukėlusio žmogaus skambučio.

Jau geriau jis nebūtų man pasakęs, pamanė ji. Šiaip Ketrina vengdavo naujų pažinčių, tačiau šis žmogus, kurį ji pirmąkart pamatė šiandien popiet, vos per kelias minutes pelnė jos pasitikėjimą. *Visišką*.

Jis paskambino po pietų, kai Ketrina buvo namuose ir, kaip visada sekmadienių popietėmis, su malonumu skaitė per savaitę susikaupusius mokslinius žurnalus.

— Ponia Solomon? — tarė neįprastai bekūnis balsas. — Aš esu daktaras Kristoferis Abadonas. Ar galėčiau su jumis pasikalbėti apie jūsų brolį?

— Atsiprašau, kas jūs toks? — paklausė ji. *Ir kaip gavote mano privataus mobiliojo telefono numerį?*

— Daktaras Kristoferis Abadonas.

Ketrinai šis vardas nebuvo pažįstamas.

Vyriškis atsikrenkštė, tarsi pokalbis ką tik būtų pasidaręs nesmagus.

— Atsiprašau, ponia Solomon. Maniau, brolis jums bus apie mane papasakojęs. Aš jo gydytojas. Jūsų mobiliojo telefono numeris įrašytas ligos istorijoje kaip žmogaus, kuriam reikėtų skambinti esant skubiam reikalui.

Ketrinos širdis sustojo. *Skubiam reikalui?*

— Kas nors atsitiko?

— Ne... manau, kad ne, — atsakė vyriškis. — Jūsų brolis šį rytą neatvyko į sutartą susitikimą, ir aš negaliu jam prisiskambinti nė vienu iš turimų numerių. Jis visada įspėja, jei negali atvykti, todėl aš šiek tiek nerimauju. Nelabai norėjau jums skambinti, bet...

— Ne, ne, viskas gerai, suprantu jūsų nerimą. — Ketrina tebesistengė prisiminti gydytojo vardą. — Paskutinį kartą kalbėjau su broliu vakar rytą, bet jis tikriausiai tiesiog pamiršo įjungti telefoną. — Neseniai Ketrina jam buvo dovanojusi naują *iPhone*, ir jis dar nebuvo spėjęs gerai išmokti juo naudotis.

— Sakote, esate jo *gydytojas*? — paklausė ji. *Nejau Piteris kuo nors serga ir slepia tai nuo manęs?*

Stojo nejauki pauzė.

— Labai atsiprašau, aš ką tik supratau, kad paskambinęs jums padariau didžiulę profesinę klaidą. Jūsų brolis man sakė, kad jūs žinote apie jo apsilankymus pas mane, bet dabar matau, jog tai netiesa.

Mano brolis pamelavo šitam gydytojui? Ketrinos nerimas sparčiai augo.

— Ar jis serga?

— Atsiprašau, ponia Solomon, gydytojo ir paciento santykių konfidencialumas neleidžia man su jumis kalbėti apie jūsų brolio būklę, aš jau ir taip per daug pasakiau pripažinęs, kad jis mano pacientas. Dabar baigsiu pokalbį, bet jei šiandien jis jums paskambins, malonėkite perduoti, kad paskambintų ir man — tada žinočiau, kad jam nieko neatsitiko.

— Palaukite! — šūktelėjo Ketrina. — Labai prašau pasakyti, kas yra mano broliui.

Daktaras Abadonas garsiai iškvėpė, aiškiai apgailėdamas padarytą klaidą.

— Ponia Solomon, aš girdžiu, kad jūs sunerimote, ir jūsų nekaltinu. Esu tikras, jūsų broliui viskas gerai. Tik vakar jis pas mane buvo.

— Vakar? O šiandien turėjo vėl ateiti? Man atrodo, tai kažkas skubaus.

Vyriškis atsiduso.

— Gal vis dėlto dar truputį palaukime, o tada galėsime...

— Aš tuojau pat atvažiuoju į jūsų kabinetą, — tarė Ketrina eidama prie durų. — Koks jūsų adresas?

Tyla.

— Daktare Kristoferi Abadonai? — pašaukė Ketrina. — Aš lengvai susirasčiau jūsų adresą, bet jūs man jį galite pasakyti pats. Kad ir kaip ten būtų, aš atvažiuoju.

Daktaras patylėjo.

— Jei aš su jumis susitiksiu, ponia Solomon, ar galiu prašyti nieko apie tai nesakyti broliui, kol negausiu progos jam paaiškinti savo poelgį?

— Gerai.

— Ačiū. Mano kabinetas yra Kaloramos aukštumose. — Jis pasakė adresą.

Po dvidešimties minučių Ketrina jau važiavo iškilniomis Kaloramos aukštumų gatvėmis. Ji paskambino visais brolio telefonų numeriais, nė vienas neatsakė. Nejuto ypatingo susirūpinimo, kur dingo brolis, tačiau žinia, jog jis slapta lankosi pas gydytoją... kėlė nerimą.

Galiausiai radusi reikiamą adresą, Ketrina sutrikusi įsistebeilijo į pastatą. *Čia gydytojo kabinetas?*

Prašmatnus priešais stovintis dvaras buvo apjuostas kaltinės geležies apsaugine tvora su įrengtomis elektroninėmis stebėjimo kameromis, aplink žaliavo vešlios pievelės. Jai sulėtinus automobilį, kad pasitikrintų adresą, viena iš kamerų lėtai pasisuko į jos pusę, o vartai pamažu atsivėrė. Ketrina atsargiai pasuko įvažiavimo taku ir pastatė automobilį greta šešiems automobiliams skirto garažo ir limuzino.

Kokios srities šitas gydytojas?

Jai išlipus iš automobilio, atsivėrė paradinės namo durys ir ant laiptelių pasirodė elegantiškas siluetas. Vyriškis buvo išvaizdus, labai aukštas ir jaunesnis, negu ji tikėjosi. Tačiau jis atrodė subtilus ir puikiai išauklėtas kaip gerokai vyresnis žmogus. Apsirengęs nepriekaištingai — tamsiu kostiumu, su kaklaraiščiu, vešlūs šviesūs plaukai tvarkingai sušukuoti.

— Ponia Solomon, aš daktaras Kristoferis Abadonas, — tarė jis balsu, primenančiu šnibždesį. Padavė jai ranką — ji buvo glotni, rūpestingai prižiūrėta.

— Ketrina Solomon, — pasisakė ji, stengdamasi nespoksoti į jo odą, kuri irgi atrodė neįprastai glotni bei įdegusi. *Ar tai maskuojamasis kremas?*

Įžengusi į puikiai apstatytą namo vestibiulį, Ketrina pajuto augantį nerimą. Fone negarsiai grojo klasikinė muzika, ore tvyrojo tarsi kažkieno deginamų smilkalų aromatas.

— Kaip gražu, — ištarė ji, — nors aš tikėjausi, kad bus panašiau... į darbo vietą.

— Man pasisekė — galiu dirbti namie. — Vyras įvedė ją į svetainę, kur židinyje spragsėjo ugnis. — Įsitaisykite patogiai. Ką tik užplikiau arbatos. Einu, atnešiu, tada pakalbėsime. — Jis nužingsniavo virtuvės pusėn ir dingo.

Ketrina Solomon nesisėdo. Moteriška nuojauta buvo galingas instinktas, kuriuo ji išmoko pasikliauti, o šiuose namuose jai kūnu bėgiojo šiurpuliukai. Nė vienas daiktas čia nepriminė jokio kada nors matyto gydytojo kabineto. Senoviniais baldais apstatyto kambario sienos buvo nukabinėtos klasikiniais meno kūriniais, daugiausia paveikslais keistomis mitologinėmis temomis. Ji stabtelėjo prie didelio paveikslo, vaizduojančio tris gracijas, kurių nuogi kūnai buvo nutapyti įspūdingomis ryškiomis spalvomis.

— Tai Maiklo Parkso paveikslo originalas. — Daktaras Abadonas be įspėjimo pasirodė greta, nešinas padėklu su garuojančia arbata. — Pamaniau, kad galėtume atsisėsti prie ugnies? — Jis nuvedė ją į svetainę ir pasiūlė atsisėsti. — Nėra reikalo jaudintis.

— Aš nesijaudinu, — gerokai per greitai atsakė Ketrina.

Jis drąsinamai nusišypsojo.

— Tiesą sakant, mano toks darbas — suprasti, kada žmonės jaudinasi.

— Atsiprašau?

— Aš psichiatras, ponia Solomon. Tokia mano profesija. Jau beveik metus jūsų brolis lankosi pas mane. Aš jo psichoterapeutas.

Ketrina tik žiūrėjo į jį išplėtusi akis. *Mano brolis lankosi pas psichoterapeutą?*

— Pacientai dažnai niekam nesako apie terapiją, — tarė vyras. — Aš padariau klaidą jums paskambinęs, nors turiu pasiteisinimą — atrodo, jūsų brolis mane suklaidino.

— Aš... aš nė neįsivaizdavau.

— Atsiprašau, jei priverčiau jus jaudintis, — regimai sutrikęs tarė jis. — Kai susitikome, pastebėjau, kad jūs apžiūrinėjate mano veidą — taip, aš naudoju maskuojamąjį kremą. — Jis tarsi gėdydamasis palietė savo skruostą. — Turiu odos ligą, kurią esu linkęs slėpti. Šiaip mano makiažu pasirūpina žmona, bet šiandien jos nėra, teko pasikliauti savo negrabiomis rankomis.

Ketrina linktelėjo galva, iš sutrikimo nežinodama, ką sakyti.

— O šie puikūs plaukai... — jis palietė vešlius šviesius karčius. — Perukas. Odos liga pažeidė ir plaukų šakneles, tad su plaukais teko atsisveikinti. — Jis gūžtelėjo pečiais. — Deja, turiu vieną ydą — tuštybę.

— O aš, atrodo, kitą — esu nemandagi, — atsakė Ketrina.

— Nieko panašaus. — Daktaro Abadono šypsena buvo nuginkluojanti. — Gal pradėkime? Pirmiausia įpilsiu arbatos?

Juodu susėdo prie ugnies, ir Abadonas įpylė arbatos.

— Jūsų brolis mane įpratino per mūsų susitikimus gerti arbatą. Jis sakė, kad visi Solomonai mėgsta arbatą.

— Šeimos tradicija, — atsakė Ketrina. — Ne, ačiū, be pieno.

Kelias minutes juodu gurkšnojo arbatą ir šnekučiavosi visokius niekus, bet Ketrina nekantravo sužinoti apie savo brolį.

— Kodėl mano brolis lankėsi pas jus? — paklausė ji. *Ir kodėl jis nieko nesakė man?* Tiesa, Piterio gyvenime tragedijų buvo daugiau negu daugelio kitų žmonių — būdamas visai jaunas, jis neteko tėvo, paskui per penkerius metus palaidojo vienintelį savo sūnų ir motiną. Ir vis tiek Piteris sugebėdavo atsilaikyti.

Daktaras Abadonas nugėrė arbatos.

— Jūsų brolis atėjo pas mane todėl, kad manimi jis pasitiki. Mus sieja stipresnis ryšys, negu įprasti gydytojo ir paciento santykiai. — Jis mostelėjo į netoli židinio kabantį įrėmintą dokumentą. Iš tolo atrodė, kad tai diplomas, bet netrukus Ketrina pastebėjo dvigalvį feniksą.

— Jūs masonas? — *Ir dar aukščiausio laipsnio.*

— Mudu su Piteriu, jei taip galima pasakyti, esame broliai.

— Tikriausiai padarėte ką nors labai svarbaus, jei buvote pakeltas iki trisdešimt trečio laipsnio.

— Tiesą sakant, ne, — atsakė jis. — Paveldėjau nemažai pinigų ir dosniai aukoju masonų labdarai.

Dabar Ketrina suprato, kodėl jos brolis pasitiki šiuo jaunu gydytoju. *Masonas, paveldėjęs daug pinigų, besidomintis filantropija ir senovės mitologija?* Daktaras Abadonas daug panašesnis į jos brolį, negu ji buvo maniusi.

— Kai paklausiau, kodėl mano brolis atėjo pas jus, — patikslino ji, — iš tiesų neklausiau, kodėl jis pasirinko *jus*. Klausimas buvo toks: kodėl jam prireikė psichiatro pagalbos?

Daktaras Abadonas nusišypsojo.

— Taip, žinau. Mėginau mandagiai išvengti šio klausimo. Iš tiesų neturėčiau apie tai kalbėti. — Jis patylėjo. — Nors, turiu pasakyti, niekaip nesuprantu, kodėl jūsų brolis slepia nuo jūsų mudviejų diskusijas — juk jos tiesiogiai susijusios su jūsų moksliniais tyrimais.

— Mano moksliniais tyrimais? — pakartojo Ketrina, išmušta iš vėžių. *Mano brolis pasakoja apie mano mokslinius tyrimus?*

— Neseniai jūsų brolis atėjo pas mane pasiklausti specialisto nuomonės apie atradimų, su kuriais jūs dirbate laboratorijoje, psichologinį poveikį.

Ketrina vos nepaspringo arbata.

— Tikrai? Tai mane... stebina, — vargais negalais pralemeno ji. *Ką Piteris sau galvoja? Jis papasakojo savo psichoterapeutui apie mano darbą?!* Jų saugumo protokole buvo numatyta niekam nepasakoti apie tai, ką dirba Ketrina. Negana to, konfidencialumas buvo jos brolio idėja.

— Jūs, be abejo, žinote, ponia Solomon, kad jūsų broliui labai rūpi, kas nutiks, kai jūsų moksliniai tyrimai bus paskelbti viešai. Jis įžvelgia didelio pasaulinės filosofijos poslinkio galimybę... ir atėjo pas mane aptarti būsimų padarinių... iš psichologinės perspektyvos.

— Aišku, — atsakė Ketrina; jos rankoje virpėjo puodelis.

— Mes kalbėjomės apie labai nepaprastus dalykus. Kaip pasikeis žmogaus būklė, jei galiausiai bus atskleistos didžiosios gyvenimo paslaptys? Kas įvyks, kai tie įsitikinimai, kuriuos mums užtikrino *tikėjimas*... staiga bus visiškai įrodyti ir virs *faktais*? Arba — demaskuoti ir virs *mitais*? Juk galima sakyti, kad esama klausimų, kuriuos geriausia palikti neatsakytus?

Ketrina vos galėjo patikėti tuo, ką girdi, tačiau susitvardė.

— Tikiuosi, neprieštarausite, daktare Abadonai, bet aš nenorėčiau aptarinėti savo darbo smulkmenų. Kol kas neketinu nieko viešai skelbti. Kurį laiką mano atradimai pabus saugiai užrakinti laboratorijoje.

— Įdomu. — Abadonas atsilošė krėsle ir susimąstė. — Kad ir kaip ten būtų, aš paprašiau jūsų brolio užeiti ir šiandien, nes vakar jis išgyveno savotišką *lūžį*. Tokiais atvejais jaučiausi saugiau, kai klientas...

— Lūžį? — Ketrinos širdis ėmė smarkiai plakti. — Turite galvoje krizę? — Ji negalėjo įsivaizduoti savo brolio palūžusio.

Abadonas geraširdiškai ištiesė ranką.

— Būkite gera, aš matau, kad jus nuliūdinau. Atsiprašau. Tokiomis nevykusiomis aplinkybėmis, man atrodo, turite teisę reikalauti atsakymų į klausimus.

— Turiu ar neturiu, — atsakė Ketrina, — bet brolis vienintelis man liko iš visos šeimos. Niekas geriau už mane jo nepažįsta, todėl jei pasakysite man, kokia velniava jį ištiko, gal aš galėsiu kuo nors padėti. Mudu abu norime to paties — kad Piteriui būtų geriau.

Daktaras Abadonas ilgokai tylėjo, o paskui pradėjo lėtai linkčioti galva, tarsi pripažindamas Ketrinos argumentus. Galiausiai jis prakalbo:

— Nepamirškite, ponia Solomon, aš nutariau suteikti jums šią informaciją tik todėl, kad tikiuosi, jog jūsų įžvalgos man padės suteikti pagalbą jūsų broliui.

— Be abejo.

Abadonas palinko į priekį ir alkūnėmis atsirėmė į kelius.

— Ponia Solomon, pradėjęs bendrauti su jūsų broliu aš nuo pat pradžių įžvelgiu jame didžiulę kovą su kaltės jausmais. Niekada neverčiau jo apie tai kalbėti, nes jis ne to pas mane atėjo. Tačiau vakar dėl įvairių priežasčių aš galiausiai jo apie tai paklausiau. — Abadonas įsmeigė žvilgsnį į Ketrinos akis. — Jūsų brolis gana netikėtai ir labai dramatiškai atsivėrė. Jis man papasakojo tokių dalykų, kokių nesitikėjau išgirsti... be kita ko, ir tai, kas nutiko tą naktį, kai mirė jūsų motina.

Kūčių vakarą, beveik prieš dešimt metų. Ji mirė ant mano rankų.

— Jis man papasakojo, kad jūsų motina buvo nužudyta mėginant apiplėšti jūsų namus. Į vidų įsibrovė žmogus, ieškodamas to, ką, jo manymu, slėpė jūsų brolis.

— Teisingai.

Abadono žvilgsnis atrodė vertinantis.

— Jūsų brolis sakė, kad jis nušovė tą žmogų?

— Taip.

Abadonas pasiglostė smakrą.

— Ar atsimenate, ko įsibrovėlis ieškojo jūsų namuose?

Ketrina dešimt metų bergždžiai stengėsi tai pamiršti.

— Taip, jam reikėjo labai konkretaus daikto. Deja, niekas iš mūsų nesupratome, apie ką jis kalba. Jo žodžiai mums taip ir liko mįslė.

— Na, jūsų brolis juos suprato.

— Ką? — Ketrina staiga atsitiesė.

— Jei tikėsime tuo, ką Piteris man papasakojo vakar, jis puikiausiai žinojo, ko ieško įsibrovėlis. Tačiau jūsų brolis nenorėjo atiduoti to daikto, todėl apsimetė nesupratęs.

— Absurdas. Piteris jokiu būdu negalėjo žinoti, ko nori tas žmogus. Jo reikalavimas buvo beprasmis!

— Įdomu. — Daktaras Abadonas patylėjo ir kai ką pasižymėjo bloknote. — Tačiau, kaip aš jums minėjau, Piteris man sakė tai žinojęs. Jūsų brolis mano, kad jei jis būtų paklusęs įsibrovėlio reikalavimams, gal jūsų motina dar dabar tebebūtų gyva. Šis sprendimas yra jo kaltės jausmo šaltinis.

Ketrina papurtė galvą.

— Tai beprotybė.

Abadonas susmuko krėsle ir, atrodo, sunerimo.

— Ponia Solomon, šis pokalbis buvo labai naudingas. Aš to ir bijojau — atrodo, jūsų brolis truputį atitrūko nuo tikrovės. Turiu prisipažinti, jog senokai dėl to būgštavau. Todėl ir paprašiau jo šiandien ateiti. Tokie kliedesiai neretai pasitaiko, ypač esant trauminiams atsiminimams.

Ketrina vėl papurtė galvą.

— Piteris tikrai nekliedi, daktare Abadonai.

— Mielai su jumis sutikčiau, bet...

— Bet kas?

— Bet pasakojimas apie aną užpuolimą buvo tik pradžia... pradžia ilgos ir labai neįtikimos istorijos, kurią jis man papasakojo.

Ketrina palinko į priekį.

— Ką Piteris jums papasakojo?

Abadonas liūdnai nusišypsojo.

— Ponia Solomon, leiskite jūsų kai ko paklausti. Ar jūsų brolis kada nors yra su jumis kalbėjęs apie tai, kas, jo manymu, paslėpta čia, Vašingtone... arba apie savo menamą vaidmenį saugant didžiulį lobį — prarastą senovės išmintį?

Ketrina išsižiojo.

— Viešpatie, apie ką jūs kalbate?

Daktaras Abadonas giliai atsiduso.

— Tai, ką dabar papasakosiu, Ketrina, gali jus sukrėsti. — Jis patylėjo ir įsmeigė žvilgsnį į jos akis. — Tačiau bus neapsakomai naudinga, jei pasakysite man viską, ką apie tai žinote... bet ką. — Jis ištiesė ranką prie puodelio. — Dar arbatos?

23 skyrius

Dar viena tatuiruotė.

Lengdonas sunerimęs atsitūpė prie atgniaužto Piterio delno ir apžiūrėjo septynis mažyčius simbolius, kurie buvo paslėpti po sugniaužtais negyvais pirštais.

— Panašu į skaičius, — nustebęs tarė Lengdonas. — Nors aš jų neatpažįstu.

— Pirmas skaičius romėniškas, — tarė Andersonas.

— Tiesą sakant, nemanau, — pataisė jį Lengdonas. — Nėra tokio romėniško skaičiaus kaip IIIX. Jis būtų rašomas kitaip — VII.

— O kiti? — paklausė Sato.

— Nesu tikras. Atrodo tarsi aštuoni aštuoni penki arabiškais skaitmenimis.

— Arabiškais? — paklausė Andersonas. — O atrodo kaip *paprasti* skaičiai.

— Mūsų paprasti skaičiai *ir yra* arabiški. — Lengdonas buvo taip pripratęs aiškinti tai savo studentams, kad tyčia parengė paskaitą apie ankstyvųjų Artimųjų Rytų kultūrų mokslinius laimėjimus: vienas iš jų buvo mūsų vartojama numeracijos sistema, kurios privalumai, palyginti su romėniškąja, buvo skaitmenų vietos vertės įrašas ir skaičius „nulis". Be abejo, paskaitą Lengdonas visad baigdavo priminimu, kad arabų kultūra davė žmonijai ir žodį *al-kuhl*, mėgstamiausią Harvardo pirmakursių gėrimą, dar vadinamą *alkoholiu*.

Lengdonas sutrikęs tyrinėjo tatuiruotę.

— Aš net abejoju dėl to aštuoni aštuoni penki. Toks rašymas statmenais brūkšneliais labai neįprastas. Gal čia visai ne skaičiai.

— Tai kas tada? — paklausė Sato.

— Negaliu pasakyti. Šita tatuiruotė labiausiai primena... runas.

— Ką tai reiškia? — paklausė Sato.

— Runų abėcėlės raides sudaro tik tiesios linijos. Raidės, vadinamos runomis, dažnai būdavo iškalamos akmenyje, nes kreives iškalti daug sunkiau.

— Jei čia runos, — paklausė Sato, — tai ką jos reiškia?

Lengdonas papurtė galvą. Jis šiek tiek išmanė tik pagrindinę runų abėcėlę — Futarką, trečio šimtmečio teutonų rašmenų sistemą, bet čia buvo ne Futarkas.

— Atvirai pasakius, aš net nesu tikras, ar čia iš tiesų runos. Reikia paklausti specialisto. Runų abėcėlių yra dešimtys — Halsingės, Mankso, Štungnaro su diakritiniais ženklais...

— Piteris Solomonas yra masonas, ar ne?

Lengdonas ne iš karto suprato klausimą.

— Taip, bet ką tai turi bendra?

Jis pakilo ir atsistojo greta smulkutės moters.

— Tai jūs man pasakykite. Ką tik pareiškėte, kad runų abėcėlės naudotos kalti akmenyje, o aš esu girdėjusi, kad pirmi masonai — laisvieji mūrininkai — buvo ir akmentašiai. Užsiminiau apie tai tik dėl to, kad kai liepiau savo bendradarbiams paieškoti galimų ryšių tarp Slėpinių rankos ir Piterio Solomono, jie atrado vieną konkretų ryšį. — Sato patylėjo, tarsi norėdama pabrėžti atradimo svarbą. — Masonus.

Lengdonas iškvėpė orą, valdydamasis, kad nepasakytų Sato to paties, ką nuolat kartodavo savo studentams: *„Google" paieška — tai dar ne mokslinis tyrimas."* Šiais nuolatinių, visą pasaulį apimančių paieškos sistemų veiklos laikais galėjai pagalvoti, kad absoliučiai viskas tarpusavyje susiję. Pasaulis virto vieningu painiu informacijos voratinkliu, kuris kas dieną darėsi vis tankesnis.

Lengdonas įstengė neprarasti kantrybės.

— Nė kiek nesistebiu, kad jūsų kolegų paieškoje atsirado masonai. Tai labai aiškus ryšys tarp Piterio Solomono ir kone bet kurios ezoterinės temos.

— Taip, — sutiko Sato, — ir tai antra priežastis, dėl kurios aš stebiuosi, kad šį vakarą jūs nepaminėjote masonų. Juk kalbate apie slaptąją išmintį, kurią saugo keletas apšviestųjų. Labai panašu į masonus, ar ne?

— Panašu... ir į Rožės kryžininkus, kabalistus, alumbradus bei kitas ezoterines grupes.

— Bet Piteris Solomonas yra masonas, be to, labai įtakingas masonas. Man atrodytų, jei jau pradėjome kalbėti apie paslaptis, pirmiausia į galvą ateitų masonai. Dievaži, masonai mėgsta paslaptis.

Lengdonas išgirdo jos balse nepasitikėjimo gaidą ir nenorėjo su tuo turėti nieko bendra.

— Jei norite ką nors sužinoti apie masonus, daug geriau būtų pasiklausti masono.

— Tiesą sakant, — atkirto Sato, — norėčiau pasiklausti žmogaus, kuriuo galiu pasitikėti.

Lengdonui ši pastaba pasirodė ir neišmani, ir įžeidi.

— Leiskite jums priminti, ponia, kad masonų filosofija grindžiama sąžiningumo ir doros vertybėmis. Masonai — vieni iš patikimiausių žmonių, kokius jums išvis pavyks sutikti.

— Man yra tekę matyti labai įtikinamų įrodymų, verčiančių daryti priešingą išvadą.

Sulig kiekviena akimirka direktorė Sato Lengdonui kėlė vis mažesnę simpatiją. Jis daugelį metų rašė apie turtingą masonišką metaforiškos ikonografijos bei simbolių tradiciją, todėl žinojo, kad masonai nuo seno yra viena iš labiausiai nesuprastų ir nepelnytai juodinamų pasaulio organizacijų. Masonai, nuolat kaltinami visomis baisybėmis — nuo šėtono garbinimo iki sąmokslo įvesti visame pasaulyje savo valdžią, — laikėsi politikos niekada neatsakyti į kritikų išpuolius ir dėl to tapo atpirkimo ožiais.

— Nepaisant to, — dar griežtesniu balsu tarė Sato, — mes ir vėl atsidūrėme aklagatvyje, pone Lengdonai. Man atrodo, arba jūs kažko nesuprantate... arba man nesakote. Žmogus, su kuriuo mes bendraujame, pasakė, kad Piteris Solomonas pasirinko konkrečiai jus. — Ji įsmeigė šaltą žvilgsnį į Lengdoną. — Manau, laikas pratęsti šį pokalbį CŽV būstinėje. Gal ten mums geriau seksis.

Lengdonas beveik neišgirdo Sato grasinimo. Ką tik ištarti jos žodžiai užkliudė tai, kas glūdėjo jo atmintyje. *Piteris Solomonas pasirinko jus*. Ši pastaba, ištarta tuoj po pokalbio apie masonus, sukėlė Lengdonui keistą jausmą. Jis pažvelgė į masonų žiedą ant Piterio piršto. Žiedas buvo vienas iš labiausiai branginamų Piterio daiktų — Solomonų šeimos relikvija, papuošta dvigalvio fenikso įspaudu, aukščiausiu mistiniu masonų išminties simboliu. Auksas suspindo šviesoje ir netikėtai pažadino prisiminimą.

Lengdonas staiga giliai įkvėpė, prisiminęs keistą Piterio pagrobėjo šnabždesį: *Tai jūs tikrai iki šiol nesupratote, ar ne? Kodėl pasirinko jus?*

Tik dabar, vieną baugią sekundę, Lengdono mintys susirikiavo ir pasidarė aiškios.

Ir iškart paaiškėjo, kokiam tikslui Lengdonas buvo atgabentas čia.

Už dešimties mylių, važiuodamas pietų pusėn Sjutlendo alėja, Malachas ant gretimos sėdynės išgirdo dūzgimą. Tai buvo Piterio Solomono *iPhone*, kuris šiandien jau ne kartą labai pravertė. Ekrane pasirodė patrauklios vidutinio amžiaus moters ilgais juodais plaukais atvaizdas.

SKAMBINA KETRINA SOLOMON

Malachas nusišypsojo ir neatsakė į skambutį. *Likimas traukia mane vis arčiau.*

Šią popietę jis atsiviliojo Ketriną Solomon į savo namus turėdamas vienintelį tikslą — nuspręsti, ar ji turi informacijos, kuri galėtų jam padėti... pavyzdžiui, šeimos paslaptį, kuri leistų Malachui atrasti tai, ko ieško. Tačiau buvo aišku, kad brolis Ketrinai nepasakė apie tai, ką saugo jau daugelį metų.

Vis dėlto Malachas iš Ketrinos kai ką sužinojo. *Kai ką, dėl ko ji šiandien pelnė kelias papildomas gyvenimo valandas.* Ketrina patvirtino, kad visų jos mokslinių tyrimų duomenys yra vienoje vietoje — saugiai užrakinti laboratorijoje.

Privalau juos sunaikinti.

Ketrinos moksliniai tyrimai netrukus atvers naujo supratimo duris, o kai tik jos bus atvertos, net per mažiausią plyšelį ims brautis ir kiti. Neilgai trukus viskas pasikeis. *Negaliu to leisti. Pasaulis turi likti toks, koks yra dabar... plūduriuojantis neišmanymo tamsybėse.*

iPhone pyptelėjo — Ketrina paliko balso pašto pranešimą. Malachas nutarė jį išklausyti.

„Piteri, čia vėl aš, — Ketrinos balse buvo girdėti rūpestis. — Kur tu? Negaliu pamiršti savo pokalbio su daktaru Abadonu... ir man labai neramu. Ar viskas gerai? Prašau, paskambink. Aš laboratorijoje."

Pranešimas baigėsi.

Malachas nusišypsojo. Geriau tegu Ketrina nerimauja ne dėl brolio, o dėl savęs. Iš Sjutlendo alėjos jis įsuko į Silver Hilo plentą. Mažiau kaip už mylios dešinėje plento pusėje tamsoje pastebėjo neryškias, medžių apsuptas SMS apybrėžas. Pastatų kompleksą juosė aukšta spygliuotų vielų tvora.

Saugomas pastatas? Malachas tyliai susijuokė. *Žinau, kas man atidarys jo duris.*

24 skyrius

Staiga supratimas užliejo Lengdoną tarsi banga.

Žinau, kodėl čia esu.

Stovėdamas pačiame Rotondos centre, Lengdonas pajuto stiprų troškimą apsisukti ir leistis bėgti... tolyn nuo Piterio rankos, nuo spindinčio aukso žiedo, nuo įtarių Sato ir Andersono akių. Tačiau stovėjo kaip įbestas, tvirtai spausdamas ant peties kabančio odinio kelionės krepšio rankeną. *Privalau iš čia ištrūkti.*

Jis sukando dantis, atmintyje atgijo anas šaltas rytas — prieš daugelį metų, Kembridže. Buvo šešios valandos, Lengdonas įėjo į auditoriją, kaip visada rytą paplaukiojęs Harvardo baseine. Peržengus slenkstį, jį pasveikino pažįstamas kreidos dulkių kvapas ir drėgnas karštis. Žengęs du žingsnius savo stalo pusėn, staiga sustojo.

Jo laukė žmogus — elegantiškas, aristokratiškų bruožų ponas karališkomis pilkomis akimis.

— Piteri? — Lengdonas apstulbęs įsistebeilijo į svečią.

Piterio Solomono šypsena nušvietė blausią patalpą.

— Labas rytas, Robertai. Nustebinau tave?

Jis kalbėjo negarsiai, tačiau balse buvo girdėti valdingos gaidelės.

Lengdonas skubiai priėjo ir paspaudė draugui ranką.

— Ir ką gi grynakraujis Jeilio aristokratas veikia priešiškoje stovykloje dar saulei nepatekėjus?

— Slapta misija į priešo užnugarį, — juokdamasis atsakė Solomonas. Jis mostu parodė į liekną Lengdono figūrą. — Plaukimas duoda vaisių. Tu geros formos.

— Tik stengiuosi, kad tu pasijaustum kuo senesnis, — juokais atsiliepė Lengdonas. — Džiaugiuosi, kad atvykai, Piteri. Kas atsitiko?

— Trumpam užsukau verslo reikalais, — atsakė šis, apsidairydamas tuščioje auditorijoje. — Atsiprašau, Robertai, kad užklupau tave taip netikėtai, bet turiu vos kelias minutes. Noriu tavęs kai ko paprašyti... asmeniškai. Paslaugos.

Čia tai naujiena. Lengdonas niekaip nesumetė, kokią paslaugą paprastas koledžo profesorius gali padaryti žmogui, kuris turi viską.

— Prašyk, ko tik nori, — atsakė patenkintas pasitaikiusia proga kuo nors atsidėkoti žmogui, kuris jam padarė tiek daug; juo labiau kad Piterio gyvenime didžiulius turtus ir sėkmę lydėjo nė kiek ne mažesnės tragedijos.

Solomonas prašneko dar tyliau.

— Pamaniau, gal tu galėtum paimti kai ką pasaugoti.

Lengdonas pakėlė į dangų akis.

— Tikiuosi, ne Heraklį. — Kartą, Solomonui išvykus į kelionę, Lengdonas buvo sutikęs pagloboti jo septyniasdešimt kilogramų sveriantį mastifą Heraklį. Viešėdamas pas Lengdoną, šuo veikiausiai pasiilgo savo mėgstamo odinio kramtomo žaislo ir šeimininko kabinete atrado tinkamą pakaitalą — oda įrištą, ant veleninio popieriaus ranka perrašytą XVII a. Bibliją su iliuminacijomis. Tai buvo vienas iš tų atvejų, kai žodžių „blogas šuo!“ lyg ir nepakako.

— Žinok, aš vis dar ieškau tau kito egzemplioriaus, — atsiprašomai šypsodamasis atsakė Solomonas.

— Nebesijaudink. Džiaugiuosi, kad Heraklis pajuto religijos skonį.

Solomonas susijuokė, tačiau vis dar atrodė išsiblaškęs.

— Robertai, aš atėjau pas tave, nes noriu palikti tau pasaugoti vieną labai vertingą daiktą. Paveldėjau jį jau senokai, bet dabar pasidarė nesaugu jį palikti nei namie, nei darbe.

Lengdonas pasijautė nesmagiai. Jei jau pats Piteris Solomonas sako, kad daiktas „labai vertingas“, tai jis tikriausiai vertas milijonų.

— O ką manai apie banko seifą? — *Juk tavo šeima turi pusės Amerikos bankų akcijų?*

— Prasidės popierizmas, reikės pasikliauti banko darbuotojais — man labiau patiktų patikimas draugas. Be to, žinau, kad tu moki saugoti paslaptis. — Solomonas įkišo ranką į kišenę, ištraukė mažą ryšulėlį ir padavė jį Lengdonui.

Po tokios dramatiškos įžangos Lengdonas tikėjosi ko nors įspūdingesnio. Ryšulėlis buvo mažas, kokių aštuonių centimetrų kraštinės kubelis, suvyniotas į išblukusį rudą vyniojamąjį popierių ir surištas virvele. Sprendžiant iš ryšulėlio svorio ir dydžio, viduje turbūt akmuo arba metalo luitelis. *Ir viskas?* Lengdonas pavartė ryšulėlį rankose ir tik dabar pastebėjo, kad vienoje pusėje virvelė nelyginant senovinis įstatymo raštas prispausta senoviniu vaško antspaudu. Antspaude buvo pavaizduotas dvigalvis feniksas su krūtinėje įrėžtu skaičiumi 33 — tradicinis aukščiausio laisvųjų masonų laipsnio simbolis.

— Na žinai, Piteri, — ištarė Lengdonas, slėpdamas kreivą šypsenėlę. — Tu juk masonų ložės Didysis meistras, o ne popiežius. Antspauduoti ryšulėlius savo žiedu?

Solomonas dirstelėjo į savo auksinį žiedą ir susijuokė.

— Ne aš antspaudavau šitą ryšulėlį, Robertai. Tai padarė mano prosenelis. Beveik prieš šimtą metų.

Lengdonas staiga kilstelėjo galvą.

— Ką?

Solomonas pakėlė žiedu papuoštą pirštą.

— Jam priklausė šis masonų žiedas. Paskui jį paveldėjo senelis, po jo — tėvas... ir galiausiai aš.

Lengdonas iškėlė ryšulėlį.

— Tavo prosenelis suvyniojo šį ryšulėlį *prieš šimtą metų* ir iki šiol niekas nebuvo jo išvyniojęs?

— Teisingai.

— Bet.. kodėl?

Solomonas nusišypsojo.

— Todėl, kad dar ne laikas.

Lengdonas įsmeigė į jį akis.

— *Kam* ne laikas?

— Robertai, aš žinau, kad tau tai pasirodys keista, bet kuo mažiau žinosi, tuo bus geriau. Tiesiog padėk šitą ryšulėlį į saugią vietą ir būk geras, niekam nesakyk, kad aš jį tau daviau.

Lengdonas atidžiai pažvelgė į savo mokytojo akis, ieškodamas juoko kibirkštėlių. Solomonas buvo linkęs į dramatiškus gestus, tad Lengdonas pamanė, kad gal ir šį kartą jis truputį persistengia.

— Piteri, ar tai tikrai nėra gudrybė — priversti mane įsivaizduoti, kad man patikėta senovinė masonų paslaptis, taip sužadinti mano smalsumą ir paskatinti prisidėti prie jūsų?

— Masonai nesistengia pritraukti naujų narių, tu juk ir pats tai žinai. Be to, jau man sakei, kad nenori prie mūsų prisidėti.

Tai buvo tiesa. Lengdonas labai gerbė masonų filosofiją bei simbolius, tačiau apsisprendė netapti pašvęstuoju: ordinui duoti slaptumo įžadai neleistų jam laisvai kalbėti apie masonus su studentais. Dėl tos pačios priežasties Sokratas kitados atsisakė oficialiai dalyvauti Eleuzijų misterijose.

Apžiūrinėdamas paslaptingąjį ryšulėlį ir masonų antspaudą, Lengdonas negalėjo susilaikyti neuždavęs klausimo, kuris prašyte prašėsi ištariamas.

— Kodėl negali jo patikėti saugoti kuriam nors iš savo brolių masonų?

— Sakykime, instinktyviai jaučiau, jog jis bus saugesnis, jei nepriklausys brolijai. Ir būk geras, tegu tavęs neapgaus šio ryšulėlio dydis. Jei mano tėvas kalbėjo tiesą, jame yra tai, kas gali suteikti didelę galią. — Jis patylėjo. — Savotiškas talismanas.

Ar jis tikrai pasakė „talismanas“? Talismanas pagal apibrėžimą yra objektas, turintis magiškų galių. Tradiciškai talismanai atneša sėkmę, saugo nuo piktųjų dvasių arba padeda atlikti senovines apeigas.

— Piteri, bet tu juk žinai, kad talismanai išėjo iš mados dar viduramžiais, tiesa?

Piteris pakančiai uždėjo ranką Lengdonui ant peties.

— Robertai, aš pats suprantu, kaip tau viskas atrodo. Seniai tave pažįstu ir žinau, kad skepticizmas — vienas didžiausių tavo, kaip mokslininko, privalumų. Bet ir didžiausia silpnybė. Per gerai tave pažįstu, kad reikalaučiau manimi *patikėti*... prašau tik *pasitikėti*. Todėl dabar ir prašau — pasitikėk mano žodžiais: tai galingas talismanas. Man sakė, kad jis gali apdovanoti savo šeimininką gebėjimu sukurti tvarką iš chaoso.

Lengdonui liko tik stovėti išsproginus akis. „Tvarkos iš chaoso“ sukūrimo idėja buvo viena iš didžiųjų masonų aksiomų. *Ordo ab chao*. Ir vis tiek tvirtinimas, esą talismanas išvis gali suteikti kokių nors galių — ką jau kalbėti apie tvarkos sukūrimą iš chaoso — buvo gryniausias absurdas.

— Šis talismanas, — toliau kalbėjo Solomonas, — pakliuvęs į netinkamas rankas, būtų labai pavojingas, o aš, deja, turiu pagrindą manyti, jog galingi žmonės kėsinsis jį iš manęs pavogti. — Jo akys buvo labai rimtos, Lengdonas nė nebeprisiminė, kada tokias matė paskutinį kartą. — Prašau tavęs jį truputį pasaugoti. Ar galėsi?

Tą vakarą Lengdonas vienas sėdėjo virtuvėje, pasidėjęs ant stalo ryšulėlį, ir mėgino įsivaizduoti, kas galėtų būti jo viduje. Galiausiai nutarė paaiškinti visą nutikimą Piterio ekscentriškumu, užrakino ryšulėlį seife, įtaisytame bibliotekos sienoje, ir visai jį pamiršo.

Tai yra pamiršo... iki šios dienos ryto.

Telefono skambutis ir žmogus, kalbėjęs pietinių valstijų akcentu.

— O, profesoriau, vos nepamiršau, — susigriebė padėjėjas, išdėstęs Lengdonui visas jo kelionės į Vašingtoną smulkmenas. — Ponas Solomonas prašė dar kai ko.

— Taip? — atsiliepė Lengdonas, jau galvodamas apie paskaitą, kurią šįvakar reikės skaityti.

— Ponas Solomonas paliko jums raštelį. — Vyriškis pradėjo skaityti — lėtai, tarsi stengdamasis iššifruoti Piterio rašyseną. — „Prašau paprašyti Roberto... kad atvežtų... antspauduotą ryšulėlį, kurį aš jam daviau prieš daug metų." — Vyriškis stabtelėjo. — Ar jūs suprantate, apie ką čia kalbama?

Lengdonas nustebo prisiminęs ryšulėlį, seniausiai gulintį sieniniame seife.

— Tiesą sakant, taip. Žinau, ko Piteris nori.

— Ir galite atvežti?

— Žinoma. Perduokite Piteriui, kad būtinai atvešiu.

— Nuostabu. — Padėjėjo balse buvo girdėti palengvėjimas. — Linkiu šįvakar geros paskaitos. Laimingai atskriskite.

Prieš išeidamas iš namų, Lengdonas ištraukė iš seifo gilumos ryšulėlį ir įsidėjo į kelionės krepšį.

Dabar jis stovi JAV Kapitolijuje ir tikrai žino viena: Piteris Solomonas pasibaisėtų sužinojęs, kad Robertas Lengdonas jį įtraukė į tokią bėdą.

25 skyrius

Dieve mano, Ketrina buvo teisi. Kaip visada.

Triša Dan nustėrusi žiūrėjo į paieškos serverio darbo rezultatus, kurie skleidėsi priešais švytinčioje plazminėje sienoje. Ji manė, kad paieška apskritai neduos rezultatų, bet pasirodė, kad jų jau daugiau negu dešimt. Ir dar daugėja.

Ypač daug žadantis atrodė vienas variantas.

Triša pasisuko bibliotekos pusėn ir šūktelėjo:

— Ketrina? Manau, tau bus įdomu tai pamatyti.

Tokio paieškos serverio Triša nebuvo naudojusi jau gal porą metų, ir gauti rezultatai ją apstulbino. *Prieš kelerius metus ničnieko nebūčiau radusi.* Užtat dabar, atrodo, skaitmeninės medžiagos, kurią galima patikrinti, pasaulyje tiek padaugėjo, kad atrasti galima absoliučiai bet ką. Sunku patikėti — vieno iš reikšminių žodžių Triša niekada nebuvo girdėjusi... tačiau ieškyklės atrado ir jį.

Ketrina skubomis įlėkė pro valdymo punkto duris.

— Ką radai?

— Nemažą *grupelę* kandidatų, — Triša mostu parodė į plazminę sieną. — Kiekviename iš šių dokumentų yra visi tavo užrašyti žodžių junginiai.

Ketrina užsikišo už ausų plaukus ir peržiūrėjo sąrašą.

— Kad per daug nesidžiaugtum, — pridūrė Triša, — įspėju: dauguma šių dokumentų ne tie, kurių ieškojai. Tai vadinamosios juodosios skylės. Pažiūrėk, kokio dydžio bylos. Milžiniškos. Tai kompaktiškai suspausti milijonų elektroninių laiškų archyvai, didžiuliai enciklopedijų rinkiniai, metų metus veikiančios pranešimų plokštės ir taip toliau. Jos tokios didelės ir tokios įvairios, kad jose yra visi įmanomi reikšminiai žodžiai — todėl šios skylės įtraukia visas ieškykles, kurios pasirodo netoliese.

Ketrina parodė vieną poziciją sąrašo viršuje.

— O kaip *ši*?

Triša nusišypsojo. Ketrina ir vėl ją aplenkė — atrado vienintelę sąraše nedidelę bylą.

— Gerai pastebėta. Taip, tai kol kas vienintelė galima kandidatė. Tiesą sakant, ši byla visai maža — ne daugiau kaip puslapio dydžio.

— Atidaryk, — Ketrinos balse suskambo įtampa.

Triša negalėjo įsivaizduoti vieno puslapio ilgio dokumento, kuriame tilptų visos keistos Ketrinos užrašytos paieškos eilutės. Tačiau kai ji spustelėjusi atidarė dokumentą, pamatė visus reikšminių žodžių junginius... aiškius kaip dieną, puikiausiai matomus tekste.

Ketrina, neatitraukdama akių nuo plazminės sienos, priėjo artyn.

— Šis dokumentas... *redaguotas*?

Triša linktelėjo.

— Sveika atvykusi į skaitmeninių tekstų pasaulį.

Įkeliant dokumentus į internetą skaitmeniniu formatu, tapo visai įprasta pirmiausia juos „redaguoti". „Redagavimas" — tai procesas, kai serveris leidžia vartotojui apieškoti visą tekstą, bet parodo tik labai mažą jo dalį, savotiškai erzindamas: perskaityti galima tik tuos gabaliukus, kurie yra abiejose pusėse arčiausiai reikšminių žodžių. Nerodant viso teksto, nereikia paisyti autorių teisės įstatymų, o vartotojas gauna intriguojančią žinią: *serveris turi informaciją, kurios ieškote, bet jei norite ją gauti, teks nusipirkti.*

— Kaip matai, — ištarė Triša, peržiūrinėdama tekstą su daugeliu užjuodintų vietų, — šiame dokumente yra visi tavo surašyti reikšminių žodžių junginiai.

Ketrina tylėdama spoksojo į pilną juodulių tekstą.

Triša truputį palaukė ir vėl grįžo į puslapio viršų. Kiekvieną Ketrinos užrašytą paieškos žodžių junginį — pabrauktą ir užrašytą didžiosiomis raidėmis — gaubė po du žodžius, esančius abipus ieškomojo.

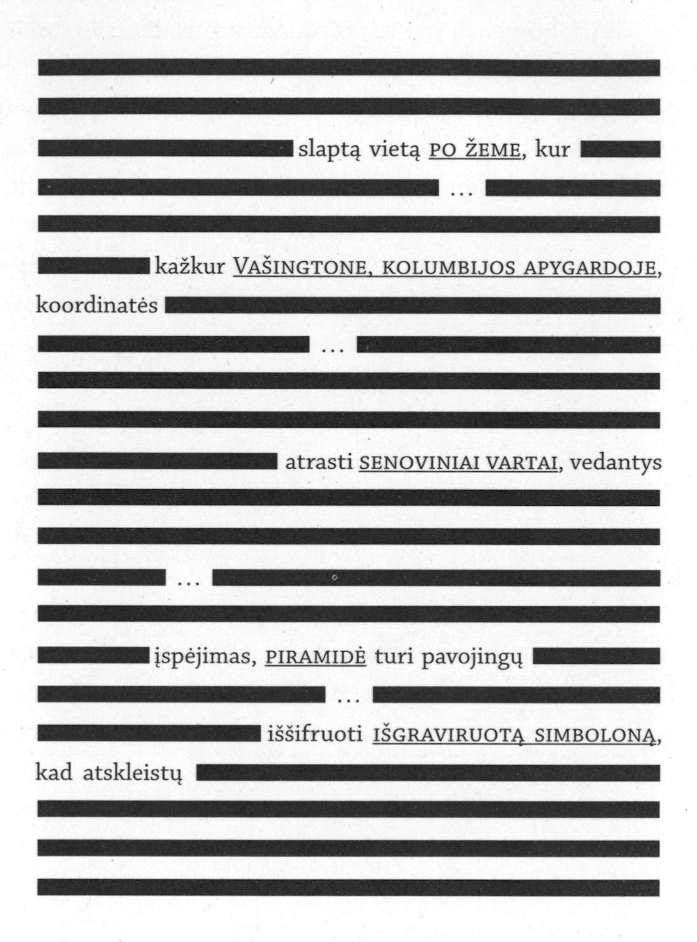
slaptą vietą PO ŽEME, kur

...

kažkur VAŠINGTONE, KOLUMBIJOS APYGARDOJE,
koordinatės

...

atrasti SENOVINIAI VARTAI, vedantys

...

įspėjimas, PIRAMIDĖ turi pavojingų

...

iššifruoti IŠGRAVIRUOTĄ SIMBOLONĄ,
kad atskleistų

Trišos galva nenešė, apie ką rašoma dokumente. *Ir kas, po šimts, yra tas „simbolonas"?*

Ketrina nekantriai prisiartino prie ekrano.

— Iš kur atsirado šitas dokumentas? Kas jį parašė?

Triša jau pati buvo pradėjusi paiešką.

— Duok man sekundę laiko. Stengiuosi nustatyti šaltinį.

— Man reikia sužinoti, kas tai parašė, — įtampos kupinu balsu pakartojo Ketrina. — Ir būtinai privalau pamatyti *visa kita*.

— Stengiuosi, — atsiliepė Triša, nustebinta nekantrumo, nuskambėjusio Ketrinos balse.

Keista: pasirodė, kad byla yra ne internete, kaip įprasta, o turi skaičiais išreikštą interneto protokolo numerį.

— Negaliu išsiaiškinti šito siuntėjo IP, — tarė Triša. — Nerodo srities. Palauk. — Ji uždarė terminalo langą. — Pamėginsiu atsekti pagal pėdsakus.

Triša vieną po kitos surinko komandas, kuriomis siekė atsekti visus „šuolius“, jungiančius kompiuterį, stovintį valdymo punkte, su kompiuteriu, kuriame saugomas šis dokumentas.

— Seka pėdsakais, — tarė ji, nurodžiusi vykdyti komandas.

Sekimas vyksta nepaprastai greitai — beveik iš karto plazminėje sienoje pasirodė ilgas interneto įtaisų sąrašas. Triša nuleido sąrašą žemiau... dar žemiau... per eilę maršruto parinktuvų ir jungčių, kuriomis jos kompiuteris prijungtas prie...

Kas čia per velnias? Jos pėdsekys sustojo nepasiekęs dokumento serverio. Skimbtelėjęs atsitrenkė į tinklo įtaisą, kuris, užuot leidęs atšokti, jį ryte prarijo.

— Atrodo, mano pėdsekys blokuojamas, — tarė Triša. *Ar tai išvis įmanoma?*

— Pamėgink dar kartą.

Triša antrą kartą paleido pėdsekį ir gavo tą patį rezultatą.

— Ne-a. Aklagatvis. Tarsi dokumentas būtų serveryje, kurio neįmanoma susekti. — Ji pažvelgė į kelis prieš pabaigą esančius „šuolius“. — Tačiau galiu pasakyti štai ką — jis yra kažkur Kolumbijos apygardoje.

— Juokauji.

— Nieko nuostabaus, — atsakė Triša. — Šitos paieškos serverio programos suka geografine spirale, o tai reiškia, kad pirmiausia gaunami vietiniai rezultatai. Be to, viena iš tavo paieškos eilučių buvo „Vašingtonas“.

— O gal atlikti „kas?“ paiešką? — patarė Ketrina. — Gal taip sužinotume, kam priklauso ši sritis?

Nelabai profesionalus požiūris, bet mintis neprasta. Triša perėjo į „kas?“ duomenų bazę ir pradėjo ieškoti IP, tikėdamasi surasti srities pavadinimą, atitinkantį paslaptinguosius skaičius. Apmaudą ėmė stelbti didėjantis smalsumas. *Kam priklauso šis dokumentas?* „Kas?“ rezultatas netruko pasirodyti — dokumento savininko nerasta; Triša, pripažindama pralaimėjimą, iškėlė rankas aukštyn.

— Galima pamanyti, kad šitas IP adresas apskritai neegzistuoja. Negaliu gauti apie jį jokios informacijos!

— Negali būti, kad IP neegzistuotų! Mes juk ką tik apžiūrėjome jame saugomą dokumentą!

Teisybė. Tačiau tas, kam dokumentas priklauso, atrodo, nenori atskleisti savo tapatybės.

— Net nežinau, ką tau atsakyti. Sistemų pėdsakai, tiesą sakant, nėra mano specializacija, ir jei nesikreipsime pagalbos į kokį nors programišių, aš daugiau nieko nesugalvosiu.

— Gal tu ką nors pažįsti?

Triša atsigręžė ir įsmeigė į viršininkę akis.

— Ketrina, aš pajuokavau. Tai ne toks jau geras sumanymas.

— Bet žmonės taip *daro?*

— Eeee, na, taip... visi daro. Techniniu požiūriu tai visai lengva.

— Pažįsti ką nors?

— Iš programišių? — Triša droviai nusijuokė. — Mažiausiai pusę savo buvusių bendradarbių.

— O tokį, kuriuo galima pasitikėti?

Nejaugi ji nejuokauja? Tačiau Triša matė, kad Ketrina kalba visiškai rimtai.

— Na, taip, — skubiai atsakė ji. — Galim paskambinti tokiam mano pažįstamam. Jis buvo mūsų sistemų saugumo specialistas — tikras atsidavęs *kompiuterastas*. Norėjo mane kabinti, ir tai man nelabai patiko, bet vyrukas geras, aš juo pasitikiu. Be to, laisvai samdomas.

— Ar jis ne plepys?

— Jis programišius. Aišku, kad neplepa, ko nereikia. Juk jo toks darbas. Bet aš užtikrinu, kad užsiprašys mažiausiai tūkstančio žalių vien už tai, kad pažiūrė...

— Skambink. Jei rezultatas bus greitas, gaus dvigubai.

Triša nė pati nesusivokė, ką daryti jai nesmagiau — padėti Ketrinai Solomon pasisamdyti programišių... ar pasiryžti paskambinti vyrukui, niekaip neįstengiančiam patikėti, kad apkūni rudaplaukė metasistemų analitikė atstumia jo romantiškus pasiūlymus.

— Tu tikrai nejuokauji?

— Skambink iš bibliotekos, — atsiliepė Ketrina. — Ten telefono numeris blokuotas. Ir, žinoma, neminėk mano vardo.

— Aišku. — Triša pasuko durų link, bet stabtelėjo išgirdusi, kaip sucypė Ketrinos *iPhone*. Gal tai atėjo žinutė su informacija, kurią gavusi Ketrina atleis Trišą nuo šios nemalonios užduoties? Ji palaukė, kol Ketrina susirado chalato kišenėje *iPhone* ir pažvelgė į ekraną.

Pamačiusi vardą, nušvitusį *iPhone* ekrane, Ketrina Solomon pajuto palengvėjimą.

Pagaliau.

PITERIS SOLOMONAS

— Brolis atsiuntė žinutę, — tarė ji, dirstelėjusi į Trišą.

Trišos veide suspindo viltis.

— Tai gal galime pirmiausia paklausti jo... ir tik tada skambinti programišiui?

Ketrina nužvelgė redaguotą dokumentą plazminėje sienoje ir vėl išgirdo daktaro Abadono balsą. *Tai, kas, jūsų brolio manymu, paslėpta Kolumbijos apygardoje... tai galima surasti.* Ketrina nebesusivokė, kuo tikėti, o šiame dokumente buvo informacijos apie neįtikimas idėjas, kurios, regis, pastaruoju metu tapo Piteriui nepaprastai svarbios.

Ketrina papurtė galvą.

— Man reikia sužinoti, kas tai parašė ir kur tas žmogus yra. Skambink.

Triša suraukė kaktą ir pasuko durų link.

Paaiškins ar ne šis dokumentas paslaptingus dalykus, kuriuos brolis pasakojo daktarui Abadonui, *bent vieną* paslaptį šiandien pavyko išaiškinti. Galiausiai jos brolis išmoko naudotis trumpųjų žinučių siuntimo funkcija *iPhone*, kurį jam dovanojo Ketrina.

— Ir pranešk žiniasklaidai, — pavymui Trišai sušuko Ketrina. — Didysis Piteris Solomonas ką tik pirmą kartą gyvenime pasiuntė trumpąją žinutę.

Ilgoje automobilių stovėjimo aikštelėje, kurią nuo Smitsono muziejaus saugyklų skyrė gatvė, Malachas stovėjo šalia savo limuzino mankštindamas kojas ir laukdamas telefono skambučio, kurį neabejojo išgirsiąs. Lietus liovėsi, pro debesis išniro žiemiškas mėnulis. Tas pats mėnulis, kuris prieš tris mėnesius, per įšventinimą, apšvietė Malachą pro Šventyklos menės šviesllangį.

Šįvakar pasaulis atrodo kitoks.

Laukiant vėl suurzgė pilvas. Dviejų dienų badavimas buvo nepatogi, tačiau būtina pasirengimų dalis. Taip buvo įprasta elgtis senovėje. Netrukus visi kūno vargai taps nebesvarbūs.

Stovėdamas šaltoje naktyje Malachas tyliai prunkštelėjo pamatęs, kad likimas gana ironiškai atvedė jį prie pat bažnytėlės. Mažytė šventovė stovėjo įsispraudusi tarp Sterlingo odontologijos kabineto ir krautuvės.

VIEŠPATIES ŠLOVĖS BUVEINĖ.

Malachas įsižiūrėjo į langą, kuriame buvo iškabinta bažnyčios skleidžiamos doktrinos ištrauka: MES TIKIME, KAD JĖZUS KRISTUS BUVO PRADĖTAS ŠVENTOSIOS DVASIOS, GIMĖ IŠ MERGELĖS MARIJOS, YRA KARTU IR ŽMOGUS, IR DIEVAS.

Malachas nusišypsojo. *Taip, Jėzus iš tiesų yra ir žmogus, ir Dievas, tačiau tam, kad taptum Dievu, nebūtinas nekaltas prasidėjimas. Viskas vyksta toli gražu ne taip.*

Nakties tylą sutrikdė mobiliojo telefono skambutis, nuo kurio jam pagreitėjo pulsas. Šį kartą skambėjo telefonas, priklausantis *pačiam* Malachui — pigus, vienkartinis, vakar nusipirktas aparatas. Ekrane nušvitęs skambinančiojo vardas reiškė, kad tai tas skambutis, kurio jis laukė.

Vietinis pokalbis, pamanė Malachas, žvelgdamas pro Silver Hilo plentą į mėnesienos neryškiai apšviestus, virš medžių zigzagu kylančius pastatų stogus. Malachas atvertė telefoną.

— Klausau, daktaras Abadonas, — tyčia žemesniu balsu atsiliepė jis.

— Čia Ketrina, — atsakė jam moters balsas. — Pagaliau gavau žinią nuo brolio.

— O, man palengvėjo. Kaip jis?

— Dabar jis važiuoja į mano laboratoriją, — atsakė Ketrina. — Tiesą sakant, pasiūlė, kad ir jūs čia atvyktumėte.

— Prašau? — Malachas apsimetė, kad dvejoja. — Į jūsų... laboratoriją?

— Atrodo, jis jumis visiškai pasitiki. *Niekada* dar nėra nieko čia pakvietęs.

— Turbūt mano, kad šis apsilankymas bus naudingas mūsų diskusijoms, bet aš jaučiuosi kaip įsibrovėlis.

— Jei mano *brolis* jus kviečia atvykti, tikrai taip nesijauskite. Be to, jis minėjo turįs mums abiem daug papasakoti, o aš labai norėčiau suprasti, kas gi vyksta.

— Na, ką gi, gerai. *Kur* ta jūsų laboratorija?

— Smitsono muziejaus saugyklose. Ar žinote, kur jos?

— Ne, — atsakė Malachas, iš kitos stovėjimo aikštelės pusės žiūrėdamas tiesiai į saugyklų pastatus. — Tačiau esu automobilyje ir turiu navigacijos sistemą. Koks adresas?

— Silver Hilo plentas, keturi du dešimt.

— Gerai, luktelėkite. Tuoj įvesiu adresą. — Malachas luktelėjo dešimt sekundžių ir tarė: — A, gerai, atrodo, aš esu arčiau jūsų, negu maniau. Navigacijos sistema sako, kad atvažiuosiu per dešimt minučių.

— Puiku. Paskambinsiu apsaugininkui ir pranešiu, kad jus įleistų.

— Ačiū.

— Iki greito.

Malachas įsidėjo į kišenę vienkartinį telefoną ir pažvelgė į SMS. *Gal buvo nemandagu pačiam įsiprašyti į svečius?* Šypsodamasis išsitraukė Piterio Solomono *iPhone* ir pasigėrėjo tekstu, kurį vos prieš kelias minutes nusiuntė Ketrinai.

Gavau tavo žinutes. Viskas gerai. Daug darbo. Pamiršau, kad susitariau su daktaru Abadonu. Atsiprašau, kad nieko tau apie jį nesakiau. Ilga pasaka. Dabar važiuoju į lab. Jei pavyks, pakviesk ir Abadoną. Visiškai juo pasitikiu, turiu daug jums abiem papasakoti. Piteris

Nenuostabu, kad *iPhone* tuojau pat skimbtelėjo, atėjus Ketrinos pasiųstai žinutei.

piteri, sveikinu, pagaliau išmokai siųsti žinutes! džiaugiuosi, kad tau nieko neatsitiko. kalbėjau su dr. A., jis atvažiuoja į lab. iki greito! — k

Laikydamas rankoje Solomono *iPhone*, Malachas pritūpė greta savo limuzino ir padėjo aparatą ant šaligatvio po priekinio rato padanga. Telefonas Malachui gerai pasitarnavo... bet dabar metas padaryti, kad niekas negalėtų jo atsekti. Malachas sėdo prie vairo, įjungė variklį ir lėtai pavažiavo priekin, kol išgirdo šaižų lūžtančio aparato trakštelėjimą.

Malachas pastatė automobilį atgal į aikštelę ir vėl įsižiūrėjo į tolimą SMS siluetą. *Dešimt minučių.* Plačiai dryksančiuose Piterio Solomono sandėliuose saugoma apie trisdešimt milijonų vertybių, bet Malachas šįvakar čia atvyko siekdamas sunaikinti tik dvi, pačias brangiausias.

Visus Ketrinos Solomon tyrimų rezultatus.

Ir pačią Ketriną Solomon.

26 skyrius

— Profesoriau Lengdonai? — pašaukė jį Sato. — Atrodote tarsi išvydęs vaiduoklį. Jūs gerai jaučiatės?

Lengdonas kilstelėjo aukščiau ant peties kelionkrepšio rankeną ir pridengė ją ranka, tarsi stengdamasis geriau paslėpti krepšyje esantį kubelio pavidalo daiktą. Juto, kad veidas išblyško kaip pelenai.

— Man tik... neramu dėl Piterio.

Sato palenkė galvą ir pašnairavo į jį.

Lengdoną staiga persmelkė įtarimas, kad Sato dalyvavimas šio vakaro įvykiuose gali būti susijęs su Solomono jam patikėtu saugoti ryšulėliu. Piteris juk buvo įspėjęs Lengdoną: *Galingi žmonės kėsinsis jį iš manęs pavogti. Pakliuvęs į netinkamas rankas, jis būtų labai pavojingas.* Lengdonas niekaip nesuprato, kam CŽV galėtų prireikti dėžutės su talismanu... jis net neįsivaizdavo, koks galėtų būti tas talismanas. *Ordo ab chao?*

Sato žengė arčiau, jos juodos akys vėrė Lengdoną kiaurai.

— Jaučiu, kad jus aplankė nušvitimas?

Lengdonas pajuto, kaip jį išpylė prakaitas.

— Ne, nepasakyčiau.

— Apie ką galvojate?

— Aš tik... — Lengdonas nutilo nesumanydamas, ką pasakyti. Neketino prisipažinti krepšyje turįs ryšulėlį, bet jei Sato lieps jį nuvesti į CŽV būstinę, įeinant krepšį tikrai apieškos. — Tiesą sakant, — pamelavo jis, — man atėjo dar viena mintis apie tuos skaičius ant Piterio rankos.

Sato išraiška nepasikeitė.

— Ir ką? — Ji dirstelėjo į Andersoną, kuris kaip tik priėjo pakalbėjęs su pagaliau atvykusiais teismo medicinos ekspertais.

Lengdonas sunkiai nurijo seilę ir atsitūpė prie rankos, svarstydamas, ką galėtų apie ją pasakyti. *Tu juk dėstytojas, Robertai — improvizuok!* Jis dar kartą apžvelgė septynis mažulyčius simbolius, tikėdamasis sulaukti kokio nors įkvėpimo.

Ničnieko. Galvoje visiškai tuščia.

Lengdono eidetinė atmintis įnirtingai naršė galvoje sukauptą simbolių enciklopediją, o kol kas į galvą atėjo tik vienas dalykas. Ši mintis šovė iš pat pradžių, bet tada atrodė nelabai verta dėmesio. Tačiau dabar reikia išsiderėti laiko, kad galėtų viską apmąstyti.

— Suprantate, — prakalbo jis, — pirmas ženklas, kuris simbolių specialistui parodo, kad einama klaidingu keliu, yra mėginimas interpretuoti simbolius pasinaudojus keliomis simbolinėmis kalbomis. Pavyzdžiui, aš jums pasakiau, kad šiame įraše vartojami romėniški ir arabiški skaitmenys, tačiau tai niekam tikusi analizė, nes aš pasitelkiau dvi simbolių sistemas. Tas pat galioja kalbant apie romėniškus skaitmenis ir runas.

Sato sukryžiavo ant krūtinės rankas ir pakėlė antakius, tarsi ragindama kalbėti toliau.

— Dažniausiai pranešimai rašomi kuria nors *viena* kalba, ne keliomis, todėl norėdamas perskaityti bet kurį tekstą simbolių specialistas pirmiausia turi atrasti vieningą ir *vieną* visam tekstui tinkamą simbolių sistemą.

— Dabar jūs jau matote tokią sistemą?

— Na, taip... ir ne. — Analizuodamas rotacinės simetrijos ambigramas Lengdonas sužinojo, kad esama simbolių, kurie įgyja skirtingą prasmę, skaitant juos iš įvairių pusių. Šiuo atveju, suvokė jis, iš tiesų įmanoma perskaityti visus septynis simbolius viena kalba. — Jei truputį pasuktume ranką, atrastume vieną kalbą.

Kad ir kaip atrodytų keista, manipuliaciją, kurią ketino atlikti Lengdonas, jau anksčiau pasiūlė Piterio pagrobėjas, ištaręs senovinį hermetikų priesaką. *Kaip viršuje, taip ir apačioje.*

Lengdonas pašiurpęs ištiesė ranką ir palietė medinį stovą, ant kurio buvo prismeigta Piterio plaštaka. Atsargiai pasuko jį, kad ištiesti Piterio pirštai rodytų tiesiai žemyn. Simboliai, įrašyti delne, iškart pasikeitė.

— Skaitydami iš šitos pusės, — tarė Lengdonas, — gauname tikrą romėnišką skaičių XIII — trylika. Be to, kitus simbolius galima perskaityti kaip romėnų abėcėlės raides SBB. — Lengdonas laukė, kad išgirdę jo analizę klausytojai tik gūžtels pečiais, bet Andersono veido išraiška staiga pasikeitė.

— SBB? — paklausė viršininkas.

Sato atsisuko į Andersoną.

— Jei neklystu, tai primena Kapitolijaus pastatų ženklinimo sistemą?

Andersonas regimai išblyško.

— Taip ir yra.

Sato niūriai nusišiepė ir linktelėjo Andersonui.

— Viršininke, prašom eiti su manimi. Norėčiau persimesti keliais žodžiais be liudininkų.

Direktorė Sato nusivedė policijos viršininką atokiau, o apstulbęs Lengdonas liko stovėti vietoje. *Kokia čia velniava? Ir kas tas SBB XIII?*

Viršininkas Andersonas klausė savęs, kokių dar keistybių žada šis vakaras. *Ant rankos parašyta SBB13?* Jis negalėjo patikėti, kad pašalinis žmogus išvis būtų girdėjęs apie SBB... o ką jau kalbėti apie SBB13. Panašu, kad Piterio Solomono smilius juos kviečia ne eiti aukštyn, kaip atrodė anksčiau... o rodo visiškai priešingą kryptį.

Direktorė Sato nusivedė Andersoną į tykią vietelę prie bronzinės Tomo Džefersono statulos.

— Viršininke, — tarė ji, — tikiuosi, jūs žinote, kur yra SBB Trylika?

— Žinoma.

— Ar žinote, kas ten yra?

— Ne, nepatikrinęs nežinau. Man atrodo, jau kelis dešimtmečius ten niekas nesilankė.

— Na, dabar teks įsibrauti.

Andersonui nelabai patiko klausytis nurodymų apie tai, ką daryti jo saugomame pastate.

— Ponia, gali kilti problemų. Pirmiausia turiu patikrinti įgaliojimų sąrašą. Jūs žinote, kad žemesniuose aukštuose daugiausia įsikūrusios įstaigos ir sandėliai, o privačios informacijos saugumo protokolas...

— Jūs man atidarysite SBB Trylika, — pertraukė jį Sato, — arba aš paskambinsiu Saugumo tarnybai ir iškviesiu sienos griovėjų komandą.

Andersonas ilgai žiūrėjo į ją, paskui išsitraukė radijo stotelę ir pakėlė ją prie lūpų.

— Kalba Andersonas. Man reikia atrakinti SBB. Prašom ten atvykti po penkių minučių.

Balse, kuris jam atsakė, buvo aiškiai girdėti sutrikimas.

— Viršininke, patvirtinkite, jūs tikrai pasakėte SBB?

— Teisingai. SBB. Tuoj pat siųskite ten žmogų. Dar man reikės žibinto. — Jis įsidėjo radiją atgal. Andersono širdis pasiutusiai plakė, o Sato priėjo dar arčiau ir prakalbo tylesniu balsu.

— Viršininke, turim labai mažai laiko, — sušnibždėjo ji, — reikia kuo greičiau patekti į SBB Trylika.

— Taip, ponia.

— Man iš jūsų reikia dar kai ko.

Nusikalstamo įsilaužimo nepakaks? Andersonas suprato negalįs priešintis, tačiau neįstengė nepastebėti, kad Sato pasirodė Rotondoje vos kelios minutės po to, kai ten buvo padėta Piterio ranka, ir kad dabar ji naudojasi susiklosčiusia padėtimi, reikalaudama būti įleista į privačias JAV Kapitolijaus patalpas. Atrodo, ji stebėtinai gerai suvokia šio vakaro įvykius: galima net sakyti, kad juos valdo.

Sato mostelėjo į kitą salės galą, kur stovėjo profesorius.

— Krepšys, kuris kabo Lengdonui ant peties.

Andersonas pažiūrėjo.

— Kas dėl jo?

— Tikiuosi, kad Lengdonui įeinant į pastatą jūsų darbuotojai patikrino kelionkrepšį?

— Be abejo. Rentgenu peršviečiami ir fotografuojami visi lankytojų krepšiai.

— Man reikia nuotraukos. Noriu žinoti, kas tame krepšyje.

Andersonas vėl pažvelgė į kelionkrepšį, kurį visą vakarą nešiojosi Lengdonas.

— Bet... gal būtų paprasčiau tiesiog paklausti jo paties?

— Ar mano nurodymas jums neaiškus?

Andersonas vėl išsitraukė radijo stotelę ir pakartojo nurodymą. Sato davė Andersonui savo *BlackBerry* delninuko adresą ir liepė tuojau pat atsiųsti skaitmeninę nuotraukos kopiją. Andersonas nenoromis sutiko.

Teismo medicinos ekspertai ketino paimti plaštaką ir ištirti ją Kapitolijaus policijoje, bet Sato jiems paliepė gabenti ją tiesiai jos vadovaujamam centrui Lenglyje. Andersonas pavargo priešintis. Jį ką tik pervažiavo galingas mažiukas japoniškas garinis volas.

— Ir duokite man žiedą! — šūktelėjo Sato ekspertams.

Komandos vadovas iš pradžių lyg ir norėjo ginčytis, tačiau greit persigalvojo. Nutraukė aukso žiedą nuo Piterio piršto, įdėjo jį į perregimą, įkalčiams skirtą maišelį ir padavė Sato. Ši įsimetė maišelį į švarko kišenę ir atsigręžė į Lengdoną.

— Einame iš čia, profesoriau. Pasiimkite daiktus.

— Kur einame? — paklausė Lengdonas.

— Sekite paskui poną Andersoną.

Taip, pamanė sau Andersonas, *ir nieku gyvu neatsilik*. Nedaug kam pavykdavo patekti į Kapitolijaus teritoriją, paženklintą raidėmis SBB. Norint ten atsidurti, reikėjo pereiti didžiulį mažučių kambarėlių ir siaurų koridoriukų labirintą, paslėptą po rūsiu. Kartą ten pasiklydo Abraomo Linkolno jauniausias sūnus Tedas ir vos nepražuvo. Andersonas spėjo, kad jei būtų Sato valia, panašus likimas grėstų ir Robertui Lengdonui.

27 skyrius

Sistemų saugumo specialistas Markas Zubianis labai didžiavosi gebėjimu vienu metu dirbti kelis darbus. Štai ir dabar jis sėdi ant futono, šalia pasidėjęs televizoriaus nuotolinio valdymo pultelį, belaidį telefoną, nešiojamąjį kompiuterį, delninuką ir didelį traškučių dubenį. Viena akimi televizoriaus ekrane stebėdamas be garso rodomas „Redskins" rungtynes, kita — kompiuterio ekraną, Zubianis per *Bluetooth* ausines kalbėjo su moterimi, nematyta jau beveik metus.

Kas kitas, jei ne Triša Dan, paskambins vos prasidėjus atkrintamosioms rungtynėms?

Buvusi bendradarbė, tarsi dar kartą patvirtindama visišką gyvenimo neišmanymą, nusprendė, kad „Redskins" rungtynės — tinkamiausias metas paskambinti ir paprašyti paslaugos. Trumpai šnektelėjusi apie gerus senus laikus ir paaimanavusi, kad pasigenda jo sąmojų, Triša perėjo prie esmės: jai reikia išaiškinti paslėptą IP adresą, veikiausiai susietą su slaptu serveriu, esančiu Kolumbijos apygardos teritorijoje. Serveryje esąs nedidelės apimties tekstinis dokumentas, kuris jai labai reikalingas... blogiausiu atveju reikalinga informacija apie tai, kieno šis dokumentas.

Gerai, kad man paskambinai, tik laikas netinkamas, atsakė jis jai. Tada Triša apipylė jį įmantriomis kompiuterinėmis liaupsėmis, kurios iš esmės buvo gryna tiesa, ir Zubianis nė pats nepajuto, kaip surinko savo nešiojamajame kompiuteryje neįprastą IP adresą.

Atidžiau pažvelgęs į skaičių, Zubianis sunerimo.

— Triša, šitas IP keisto formato. Toks protokolas dar net nėra paviešintas. Jis veikiausiai priklauso vyriausybės žvalgybos tarnyboms ar kariniams tikslams.

— Kariniams? — Triša nusijuokė. — Patikėk manim, aš ką tik ištraukiau iš šio serverio redaguotą dokumentą: jis tikrai ne karinis.

Zubianis atsidarė terminalo langą ir pamėgino įjungti pėdsekį.

— Sakai, tavo pėdsekys išsijungė?

— Taip. Dukart. Ties tuo pačiu šuoliu.

— Mano irgi. — Jis paleido diagnostinį modelį. — O kuo tas IP toks ypatingas?

— Paleidau paieškos serverį, kuris susijungė su šito IP paieškos įtaisu ir ištraukė redaguotą dokumentą. Man reikia viso dokumento. Mielai už jį sumokėsiu, bet negaliu nustatyti nei kam priklauso IP, nei kaip prie jo prieiti.

Zubianis suraukęs kaktą žvelgė į savo kompiuterio monitorių.

— Ar tau tikrai reikia? Paleidau diagnostiką, ir, žinai, jo užkardos kodavimas atrodo... visai nejuokingas.

— Už tai tau ir siūlo didelius pinigus.

Zubianis mąstė. Krūva pinigų už tokį lengvą darbelį.

— Vienas klausimas, Triša. Kam tu taip stengiesi?

Triša patylėjo.

— Darau paslaugą.

— Tikriausiai ne bet kam.

— Taip, labai gerai draugei.

Zubianis sukikeno ir kyštelėjo liežuvį. *Aš taip ir maniau.*

— Klausyk, — jau nekantriai paklausė Triša. — Tai tu sugebėsi išaiškinti šitą IP? Taip ar ne?

— Taip, sugebėsiu. Ir, aišku, puikiai jaučiu, kad tu iš manęs virvutes veji.

— Kiek užtruksi?

— Neilgai, — atsakė jis, o pirštai lakstė klavišais. — Per kokias dešimt minučių turėčiau prasiskverbti į jų tinklo įtaisą. Kai ten pateksiu ir žinosiu, ko ieškoti, aš tau paskambinsiu.

— Ačiū. Na, o šiaip kaip gyveni?

Dabar laikas to klausti?

— Triša, dėl Dievo meilės, tu man paskambini prasidėjus atkrintamosioms rungtynėms ir nori paplepėti apie gyvenimą? Tai tau reikia, kad atrasčiau tą IP ar ne?

— Ačiū, Markai. Tikrai ačiū. Lauksiu skambučio.

— Penkiolika minučių. — Zubianis baigė pokalbį, pasiėmė dubenį su traškučiais ir įjungė televizoriaus garsą.

Moterys.

28 skyrius

Kur jie mane veda?

Beveik bėgte leisdamasis į Kapitolijaus gilumas drauge su Andersonu ir Sato, Lengdonas juto, kaip su kiekvienu žingsniu greičiau ima plakti širdis. Kelionę jie pradėjo nuo vakarinio Rotondos portiko, nusileido marmuro laiptais, o paskui, įėję pro plačias duris, pasuko atgal ir įžengė į garsią patalpą, esančią tiesiai po Rotonda.

Kapitolijaus kripta.

Oras čia atrodė kiek sudusęs, ir Lengdoną pradėjo kamuoti klaustrofobija. Žemos kriptos lubos ir blausus apšvietimas paryškino keturiasdešimt storų dorėninių kolonų, remiančių viršuje esančios neaprėpiamos salės akmenines grindis. *Ramiai, Robertai.*

— Prašom čia, — pakvietė Andersonas, erdvioje apskritoje patalpoje greitai pasukdamas į kairę.

Laimė, šioje kriptoje nebuvo lavonų. Užtat čia stovėjo kelios statulos, Kapitolijaus modelis, o žemesnėje vietoje buvo saugomas medinis katafalkas, ant kurio per iškilmingas prezidento laidotuves užkeliamas karstas. Visi skubiai perbėgo patalpą, nė nedirstelėję į keturšakį kompasą, inkrustuotą marmuro grindyse toje vietoje, kur kitados degė amžinoji ugnis.

Andersonas, atrodo, labai skubėjo, o Sato ėjo įsmeigusi akis į savo delninuko monitorių. Lengdonas buvo girdėjęs, kad mobiliojo interneto ryšys gerai veikia visuose Kapitolijaus pastato kampeliuose: jo reikėjo vyriausybės nariams, kasdien šimtus kartų kalbantiems telefonais.

Įstrižai perėję kriptą, jie žengė į neryškiai apšviestą vestibiulį ir ėmė vinguriuoti įmantriais koridoriais, vengdami aklagatvių. Koridoriukuose buvo gausybė numeriais ženklintų durų. Lengdonas prabėgdamas žvalgėsi į juos.

S154... S153... S152...

Jis nė neįsivaizdavo, kas yra už tų durų, tačiau vienas dalykas dabar atrodė aiškus — ką reiškia tatuiruotė ant Piterio Solomono delno. Tikriausiai SBB13 — numeris ant kurio nors kambario, esančio JAV Kapitolijaus pastato gelmėse, durų.

— Kas už šių durų? — paklausė Lengdonas, tvirtai spausdamas prie šono kelionkrepšį ir stengdamasis suprasti, ką bendra gali turėti mažytis Solomono paliktas ryšulėlis su durimis, paženklintomis SBB13.

— Įstaigų kabinetai ir sandėliai, — atsakė Andersonas. — *Privačių* įstaigų kabinetai ir sandėliai, — pridūrė jis, žvilgtelėjęs į Sato.

Sato nepakėlė akių nuo delninuko.

— Jie atrodo visai mažyčiai, — tarė Lengdonas.

— Nekąd didesni už drabužių spintas, tačiau laikomi vertingiausiu nekilnojamuoju turtu visoje Kolumbijos apygardoje. Tai senojo Kapitolijaus centras, dviem aukštais aukščiau yra senieji Senato rūmai.

— O SBB Trylika? — paklausė Lengdonas. — Kieno tas kabinetas?

— Niekieno. SBB zonoje yra privatūs sandėliai, ir man, turiu pasakyti, sunku suvokti, kaip...

— Viršininke Andersonai, — nutraukė jį Sato, vis dar nepakeldama nuo delninuko akių. — Būkite malonus, tiesiog veskite mus ten.

Andersonas sukando dantis ir tylėdamas nuvedė juos toliau per pasakišką sandėlių ir užkaborių labirintą. Beveik ant kiekvienos sienos buvo kryptį rodantys ženklai, kuriais mėginta nustatyti konkrečių įstaigų vietą šioje koridorių raizgalynėje.

S142 — S152...

ST1 — ST70...

R1— R166 & RT1 — RT67...

Lengdonas abejojo, ar vienas gebėtų surasti kelią atgal. *Čia tikras labirintas.* Jis suprato tik tiek, kad įstaigų numeriai prasideda S arba R raidėmis — pagal tai, ar jie yra Senato, ar Rūmų pusėje. Patalpos, paženklintos raidėmis ST ir RT, atitinkamai buvo aukšte, kurį Andersonas pavadino Terasos lygmeniu.

Tačiau SBB dar nė ženklo.

Galiausiai jie priėjo sunkias plienines šarvuotas duris, prie kurių buvo pritvirtintas mechanizmas, reikalaujantis elektroninės įėjimo kortelės.

Lygmuo SB

Lengdonas pajuto, kad tikslas arti.

Andersonas išsitraukė elektroninę kortelę, tačiau dar dvejojo, tarsi vengdamas vykdyti Sato nurodymus.

— Viršininke, — priminė jam Sato. — Neketiname čia stovėti visą naktį.

Andersonas nenoriai įkišo kortelę. Šarvuotos durys prasivėrė. Jis jas stumtelėjo, ir visi įžengė į vestibiulį. Už nugarų spragtelėjusios užsidarė sunkios durys.

Lengdonas nebūtų galėjęs pasakyti, ką tikėjosi pamatyti šiame vestibiulyje, tačiau tikrai ne tą vaizdą, kuris atsivėrė jam prieš akis. Tai buvo žemyn besileidžiantys laiptai.

— Vėl žemyn? — paklausė jis ir sustojo. — Tai po kripta yra *dar vienas lygmuo?*

— Taip, — atsakė Andersonas. — SB, arba *Senato bazės,* lygmuo.

Lengdonas suvaitojo. *Tiesiog puiku.*

29 skyrius

Automobilio šviesos, medžiais apsodintu keliu artėjančios prie Smitsono muziejaus saugyklų pastatų, buvo pirmosios, kurias tą valandą pamatė apsauginkas. Jis tuojau pat išjungė nešiojamojo televizoriaus garsą ir pakišo užkandžius po stalu. *Kaip nelaiku.* „Redskins“ buvo bebaigią puolimą, kurio jis labai nenorėjo pražiopsoti.

Automobilis privažiavo arčiau, apsauginkas patikrino pavardę, užrašytą priešais gulinčiame bloknote.

Daktaras Kristoferis Abadonas.

Ką tik skambino Ketrina Solomon ir pranešė apsaugai apie netrukus atvyksiantį svečią. Apsauginkas nė trupučio nenutuokė, kas per vienas šitas daktaras, bet jis veikiausiai gerai išmano savo darbą, jei važinėja didžiuliu juodu limuzinu. Ilgas glotnus automobilis sustojo prie apsauginko būdelės, tyliai nusileido tamsintas vairuotojo langas.

— Labas vakaras, — pasisveikino vairuotojas nusiimdamas kepurę. Tvirto sudėjimo vyrukas skusta galva. Važiuodamas klausėsi per radiją futbolo. — Atvežiau daktarą Kristoferį Abadoną pas ponią Ketriną Solomon.

Apsaugininkas linktelėjo.

— Prašyčiau dokumentą.

Vairuotojas regimai nustebo.

— Atsiprašau, bet ar ponia Solomon jums nepaskambino?

Apsaugininkas vėl linktelėjo ir vogčiomis dirstelėjo į televizorių.

— Taip, bet man vis tiek reikia lankytojo dokumento — turiu jį nuskenuoti ir įrašyti duomenis. Atsiprašau, tačiau tokios taisyklės. Turiu patikrinti daktaro tapatybės pažymėjimą.

— Jokių problemų. — Vairuotojas pasisuko atgal ir tyliai kažką pasakė per pertvarą, skiriančią jį nuo keleivio. Tuo metu apsaugininkas dar kartą dirstelėjo į rungtynes. „Redskins“ puolėjai buvo bebaigią ištrūkti iš varžovų apsupties, ir jis norėjo kuo greičiau praleisti šitą limuziną, kol neprasidėjo įdomybės.

Vairuotojas vėl atsisuko ir ištiesė dokumentą, kurį tikriausiai ką tik paėmė iš už pertvaros.

Apsaugininkas paėmė jį ir greitai nuskenavo. Tai buvo Kolumbijos apygardoje išduotas vairuotojo pažymėjimas, priklausantis Kristoferiui Abadonui, gyvenančiam Kaloramos aukštumose. Nuotraukoje — išvaizdus šviesiaplaukis ponas su mėlynu švarku auksinėmis sagomis, kaklaraiščiu ir iš kišenėlės kyšančia nosinaite. *Kas taip rengiasi, eidamas fotografuotis vairuotojo pažymėjimui?*

Iš televizoriaus pasigirdo prislopintas minios džiūgavimas, ir apsaugininkas, vos spėjęs atsisukti, pamatė „Redskins“ žaidėją, šokčiojantį aikštėje, pirštu rodantį į dangų.

— Pražiopsojau, — suniurnėjo apsaugininkas ir grįžo prie langelio.

— Ačiū, — tarė jis, grąžindamas pažymėjimą vairuotojui. — Viskas gerai.

Limuzinas pajudėjo, o apsaugininkas vėl nusisuko į televizorių, tikėdamasis epizodo pakartojimo.

Vairuodamas limuziną vingiuotu privažiavimo keliu, Malachas neįstengė nuslėpti šypsenos. Pasirodė, kad patekti į Piterio Solomono slaptą muziejų visiškai lengva. Dar maloniau buvo suvokti, kad Malachas štai jau antrą kartą per dvidešimt keturias valandas įsibrauna į privačią Solomono erdvę. Vakar vakare jis apsilankė jo namuose.

Nors Piteris Solomonas turėjo prašmatnų užmiesčio dvarą Potomake, daugiausia laiko jis praleisdavo mieste, savo bute viršutiniame elitinių „Dorčesterio herbo“ apartamentų aukšte. Apartamentai, kaip dauguma itin turtingų žmonių gyvenamųjų vietų, priminė tvirtovę. Aukšta tvora. Apsauginko būdelė prie vartų. Svečiai įleidžiami tik pagal sąrašą. Saugoma požeminė automobilių stovėjimo aikštelė.

Malachas privažiavo šituo pačiu limuzinu prie apsaugininko būdelės, nuo skustos galvos nusitraukė vairuotojo uniforminę kepurę ir pareiškė:

— Atvežiau daktarą Kristoferį Abadoną. Jį kvietė ponas Piteris Solomonas. — Malachas ištarė šiuos žodžius taip, tarsi pristatytų Jorko hercogą.

Apsaugininkas peržvelgė sąrašą, paskui patikrino Abadono dokumentą.

— Taip, matau, kad ponas Solomonas laukia daktaro Abadono. — Jis paspaudė mygtuką, ir vartai atsivėrė. — Ponas Solomonas gyvena viršutiniame aukšte. Pasakykite svečiui, kad kiltų *paskutiniu* liftu dešinėje pusėje. Jis kelia tiesiai į viršų.

— Ačiū. — Malachas vėl užsidėjo kepurę ir nuvažiavo.

Statydamas automobilį garažo gilumoje patikrino, ar nematyti stebėjimo kamerų. Ne. Panašu, jog čia gyvena žmonės, kurie ne tik nevagia iš automobilių, bet ir nemėgsta būti stebimi.

Malachas pastatė limuziną tamsiame kampe prie liftų, nuleido pertvarą, skiriančią vairuotojo vietą nuo keleivių salono, ir pro atsiradusią angą persliuogė į limuzino galą. Ten nusimetė vairuotojo kepurę ir užsidėjo šviesių plaukų peruką. Pasitaisė švarką ir kaklaraištį, pažvelgė į veidrodį tikrindamas, ar neišterliojo maskuojamojo kremo. Malachas neketino rizikuoti nė menkiausia smulkmena. Tik ne šį vakarą.

Aš pernelyg ilgai šito laukiau.

Po kelių sekundžių Malachas įėjo į privatų liftą. Į viršų pakilo tyliai ir sklandžiai. Durys atsidarė tiesiai į elegantišką privataus buto vestibiulį. Šeimininkas jo jau laukė.

— Sveiki atvykę, daktare Abadonai.

Malachas pažvelgė į garsiąsias pilkas akis ir pajuto, kaip smarkiau ėmė plakti širdis.

— Pone Solomonai, dėkoju, kad sutikote mane priimti.

— Prašau vadinti mane Piteriu.

Vyrai ištiesė vienas kitam rankas. Spausdamas šeimininko ranką, Malachas pamatė ant jos auksinį masonų žiedą... ant tos pačios rankos, kuri kitados laikė pistoletą, nukreiptą į Malachą. Iš tolimos Malacho praeities atsklido balsas. *Jei paspausi gaiduką, aš tave persekiosiu amžinai.*

— Prašau užeiti, — pakvietė Solomonas, vesdamas Malachą į elegantišką svetainę, pro kurios plačius langus buvo matyti kvapą gniaužianti Vašingtono panorama.

— Užuodžiu arbatą? — įeidamas paklausė Malachas.

Solomonui tai padarė įspūdį.

— Mano tėvai visada pasiūlydavo svečiams arbatos. Aš tęsiu šią tradiciją. — Jis nusivedė Malachą į svetainę, kur prie židinio laukė paruoštas arbatos servizas. — Grietinėlės, cukraus?

— Ačiū, gersiu juodą.

Solomonui ir tai padarė įspūdį.

— Mėgstate tai, kas gryna. — Jis įpylė du puodelius juodosios arbatos. — Sakėte, kad norite su manimi aptarti labai subtilų reikalą, apie kurį galima kalbėti tik akis į akį.

— Dėkoju, kad nepagailėjote laiko.

— Dabar mes esame broliai masonai. Mus sieja ryšys. Sakykite, kuo galiu jums padėti.

— Pirmiausia norėčiau padėkoti už garbę, kurią suteikėte, kai prieš kelis mėnesius pripažinote man trisdešimt trečią laipsnį. Tai man be galo svarbu.

— Džiaugiuosi, bet prašau nepamiršti, kad tai buvo ne vien mano sprendimas. Tokius dalykus balsavimu sprendžia Aukščiausioji taryba.

— Be abejo.

Malachas spėjo, kad Piteris Solomonas veikiausiai balsavo prieš jį, tačiau masonų organizacijoje, kaip ir visur kitur, pinigai reiškė galią. Savo ložėje gavęs trisdešimt antrą laipsnį, Malachas mėnesį luktelėjo ir pervedė kelis milijonus dolerių, skirtų labdarai, į masonų Didžiosios ložės sąskaitą. Kaip ir tikėjosi, šio nesavanaudiško ir netikėto veiksmo pakako, kad netrukus sulauktų kvietimo į elitinį trisdešimt trečią laipsnį. *Ir vis tiek jokių paslapčių nesužinojau.*

Nepaisant nuo amžių sklindančių kalbų — „Viskas bus atskleista pasiekus trisdešimt trečią laipsnį" — Malachas neišgirdo nieko naujo, nieko, kas galėtų jam padėti ieškoti toliau. Tačiau jis nė nesitikėjo ko nors išgirsti. Glaudžiausią vidinį laisvųjų mūrininkų ratelį sudarė dar mažesni rateliai... ir jų nariu Malachas netaps dar ilgai, o gal ir išvis niekada. Jam tai nerūpėjo. Įšventinimas atliko savo vaidmenį. Toje Šventyklos menėje įvyko nepaprastas dalykas, suteikęs Malachui valdžią visiems joje buvusiesiems. *Daugiau neketinu žaisti pagal jūsų taisykles.*

— Turbūt pamenate, — ištarė Malachas gurkšnodamas arbatą, — kad prieš daugelį metų mes jau buvome susitikę?

Solomonas regimai nustebo.

— Tikrai? Ne, nepamenu.

— Tai buvo labai seniai. — *O mano tikras vardas nėra Kristoferis Abadonas.*

— Atsiprašau. Tikriausiai senatvė paveikė atmintį. Priminkite, kur buvome susitikę?

Malachas paskutinį kartą nusišypsojo žmogui, kurio nekentė labiausiai pasaulyje.

— Gaila, kad nepamenate.

Vienu sklandžiu judesiu Malachas išsitraukė iš kišenės nedidelį įtaisą ir ištiesęs ranką įrėmė jį Solomonui į krūtinę. Blykstelėjo melsva šviesa, sušnypštė elektrošoko iškrova, Piteris Solomonas aiktelėjo iš skausmo, milijono voltų elektros krūviui persmelkus kūną. Jo akys išsiplėtė, kūnas susmuko krėsle. Malachas atsistojo, priėjo prie gulinčiojo, laižydamasis tarsi liūtas, ketinantis suėsti sužeistą auką.

Solomonas sunkiai gaudė orą.

Malachas pamatė aukos akyse baimę ir pamanė: kažin ar daug žmonių yra matę didįjį Piterį Solomoną pabūgusį? Malachas ilgokai pasimėgavo reginiu. Nugėrė gurkšnį arbatos, laukdamas, kol žmogus atgaus kvapą.

Solomonas krūpčiojo mėgindamas prabilti.

— Ko-kodėl? — galiausiai išstenėjo jis.

— O kaip tu manai? — paklausė Malachas.

Solomonas atrodė visiškai sutrikęs.

— Tau reikia... pinigų?

Pinigų? Malachas nusikvatojo ir nugėrė dar arbatos.

— Aš daviau masonams kelis milijonus, turtų man nereikia. — *Ateinu ieškoti išminties, o jis man siūlo turtus.*

— Tai ko... tu nori?

— Tu saugai paslaptį. Šį vakarą man ją atskleisi.

Solomonas iš paskutiniųjų stengėsi pakelti smakrą, norėdamas pažvelgti Malachui į akis.

— Aš ne...nesuprantu.

— Užteks meluoti! — riktelėjo Malachas, prieidamas prie paralyžiuotojo ir sustodamas visai arti jo. — Aš žinau, kas paslėpta čia, Vašingtone.

Pilkose Solomono akyse švietė iššūkis.

— Visai nenumanau, apie ką tu kalbi!

Malachas dar nugėrė arbatos ir pastatė puodelį ant padėkliuko.

— Tuos pačius žodžius tu man ištarei prieš dešimt metų, tą naktį, kai mirė tavo motina.

Solomono akys plačiai išsiplėtė.

— Tu?..

— Ji galėjo ir nemirti. Jei būtum man atidavęs tai, ko prašiau...

Vyresniojo žmogaus veidą iškreipė pasibaisėjimas, atpažinimas... ir netikėjimas.

— Įspėjau tave, — toliau kalbėjo Malachas. — Jei paspausi gaiduką, persekiosiu tave amžinai.

— Bet tu juk...

Malachas šoktelėjo ir dar kartą tvirtai įbedė elektrošoko prietaisą Solomonui į krūtinę. Vėl blykstelėjo melsva šviesa, ir Solomono kūnas visiškai suglebo.

Malachas įsidėjo prietaisą atgal į kišenę ir ramiai baigė gerti arbatą. Išgėręs nusišluostė lūpas linine servetėle su išsiuvinėta monograma ir pažvelgė žemyn, į auką.

— Eisim?

Solomono kūnas nesujudėjo, bet akys buvo plačiai atmerktos ir atidžios.

Malachas pasilenkė ir sušnibždėjo jam į ausį:

— Nuvesiu tave ten, kur išlieka tik tiesa.

Daugiau netaręs nė žodžio Malachas suglamžė servetėlę ir užkimšo ja Solomonui burną. Paskui užsimetė suglebusį kūną ant tvirtų pečių ir patraukė į privatų liftą. Išeidamas dar pasiėmė nuo staliuko prie durų Solomono *iPhone* ir raktus.

Šiąnakt tu man atskleisi visas savo paslaptis, pamanė Malachas. Be kita ko, ir tą — kodėl tada palikai mane mirti.

30 skyrius

Senato bazės *lygmuo.*

Senato rūsys.

Sulig kiekvienu žingsniu žemyn Robertą Lengdoną vis labiau kamavo klaustrofobija. Leidžiantis į pastato gelmes oras darėsi vis troškesnis, tarsi čia nebūtų ventiliacijos. Sienos buvo nelygios, sumūrytos iš akmens luitų ir geltonų plytų.

Direktorė Sato eidama kažką rašė delninuke. Lengdonas jautė, kad jos uždarumas slepia įtarimus, tačiau šis jausmas ėmė darytis abipusis. Sato vis dar nepasakė Lengdonui, kaip ji sužinojo, kad jis šįvakar yra čia. *Nacionalinio saugumo klausimas?* Jam buvo labai sunku įžvelgti ryšį tarp senovės misticizmo ir nacionalinio saugumo. Nors, tiesą sakant, sunku suprasti visą šią situaciją.

Piteris Solomonas patikėjo man saugoti talismaną... kliedintis pamišėlis apgaule atviliojo mane į Kapitolijų ir nori, kad pasinaudojęs talismanu atrakinčiau mistinius vartus... galbūt esančius patalpoje, paženklintoje SBB13.

Nelabai aiškus vaizdas.

Žingsniuodamas toliau Lengdonas pamėgino ištrinti iš atminties šiurpų vaizdą — ištatuiruotą Piterio plaštaką, paverstą Slėpinių ranka. Bjaurius vaizdus lydėjo Piterio balsas: *Senovės Slėpiniai, Robertai, tapo daugelio mitų šaltiniu... bet tai nereiškia, kad jie patys yra išgalvoti.*

Lengdono, profesionaliai tyrinėjančio mistinius simbolius ir jų istoriją, intelektas nuo seno priešinosi Senovės Slėpinių idėjai ir jų žadamoms apoteozės galioms.

Teisybė, istorijoje užfiksuota neginčijamų duomenų apie slaptą išmintį, perduodamą šimtmečių šimtmečius nuo seniausių laikų ir veikiausiai kildinamą iš senovės Egipto mistikų mokyklų. Šios žinios vėliau pasitraukė į pogrindį, paskui vėl iškilo aikštėn Renesanso laikų Europoje ir ten, kaip liudija daugelis pasakojimų, buvo patikėtos išrinktųjų mokslininkų grupelei, susibūrusiai pirmajame Europos intelektualų centre — Londono karališkojoje draugijoje, gavusioje mįslingą Nematomosios kolegijos pravardę.

Neilgai trukus slaptajai „kolegijai" jau priklausė šviesiausi pasaulio protai — Izaokas Niutonas, Fransis Beikonas, Robertas Boilis ir net Bendžaminas Franklinas. Šiais laikais jai priklausančių mūsų „amžininkų" sąrašas ne mažiau įspūdingas — tai Einšteinas, Hokingas, Boras ir Celsijus. Visi šie talentingi mokslininkai padėjo žmogiškajam pažinimui žengti kokybinį šuolį, ir kai kas jų pasiekimus aiškino galimybėmis naudotis senovės išmintimi, slaptai saugoma Nematomojoje kolegijoje. Lengdonas tuo abejojo, nors sutiko, kad kolegijoje iš tiesų buvo nemaža „mistinės veiklos".

1936 m. atradus slaptus Izaoko Niutono užrašus, visas pasaulis apstulbo, kai juose atsiskleidė begalinis aistringas Niutono dėmesys senovės alchemijai ir mistikai. Tarp privačių Niutono dokumentų rastas jo laiškas Robertui Boiliui, kuriame Boilis raginamas laikytis „visiškos tylos" ir ničnieko neatskleisti apie jiems abiem prieinamas mistines žinias. „Jų negalima atskleisti, — rašė Niutonas, — nepadarius pasauliui didžiulės žalos."

Dėl šio keisto įspėjimo prasmės mokslininkai tebesiginčija iki šiol.

— Profesoriau, — staiga prakalbo Sato, pakėlusi akis nuo delninuko, — nors jūs atkakliai tvirtinate neturįs supratimo, kodėl šiandien čia atsidūrėte, gal vis dėlto galėtumėte paaiškinti, kokią prasmę turi Piterio Solomono žiedas?

— Galiu pamėginti, — sutiko Lengdonas, pradėdamas mąstyti apie kitką.

Ji išsitraukė iš kišenės maišelį su žiedu ir padavė jį Lengdonui.

— Papasakokite apie simbolius, kuriais papuoštas žiedas.

Toliau eidamas tuščiu koridoriumi, Lengdonas apžiūrėjo gerai pažįstamą žiedą. Jo akyje buvo išraižytas dvigalvis feniksas, laikantis šūkį ORDO AB CHAO, o ant paukščio krūtinės — skaičius 33.

— Dvigalvis feniksas ir skaičius trisdešimt trys yra aukščiausio masonų laipsnio emblema. — Formaliai šis prestižinis laipsnis egzistavo tik Škotijos ložės apeigose. Tačiau masonų apeigos, įšventinimo lygiai ir laipsniai buvo susipynę į tokią sudėtingą hierarchiją, kad Lengdonas šiandien nenorėjo nė pradėti jos aiškinti Sato. — Iš esmės trisdešimt trečias laipsnis yra ypatinga garbė, skirta išrinktiesiems — mažai aukščiausią padėtį pasiekusių masonų grupelei. Visus kitus laipsnius galima įgyti, sėkmingai įvykdžius ankstesnių laipsnių reikalavimus, bet perėjimas į trisdešimt trečią laipsnį yra kontroliuojamas. Jį galima įgyti tik gavus kvietimą.

— Tai jūs žinojote, kad Piteris Solomonas yra šios išrinktųjų grupelės narys?

— Be abejo. Narystė nėra slapta.

— Ir jis dabar yra aukščiausias jų pareigūnas?

— Šiuo metu — taip. Piteris vadovauja Aukščiausiosios tarybos trisdešimt trečiam laipsniui, kuris yra Amerikos škotų apeigų valdomasis organas.

Lengdonas mėgo lankytis jų būstinėje — Šventyklos rūmuose: tikras klasicizmo šedevras, simboline puošyba nenusileidžiantis Roslino koplyčiai Škotijoje.

— Profesoriau, ar pastebėjote, kas išgraviruota ant paties žiedo? Žodžiai: „Viskas bus atskleista pasiekus trisdešimt trečią laipsnį."

Lengdonas linktelėjo.

— Tai įprasta tema žinios, kurią masonai perduoda iš kartos į kartą.

— Ir, man atrodo, reiškia štai ką: jei masonas įšventinamas į trisdešimt trečią laipsnį, jam *atskleidžiama* ypatinga išmintis?

— Taip, apie tai pasakojama, tačiau iš tikrųjų veikiausiai yra kitaip. Sąmokslo teorijos šalininkai seniai kalba, kad nedidelei aukščiausio laipsnio masonų grupelei yra atskleidžiama kažkokia didinga mistinė paslaptis. Spėju, kad iš tiesų viskas toli gražu ne taip dramatiška.

Piteris Solomonas juokais ne kartą buvo Lengdonui užsiminęs apie neįkainojamą masonišką paslaptį, bet šis visad manė, kad tai tik šelmiški mėginimai įtikinti jį tapti brolijos nariu. Deja, šio vakaro įvykiai anaiptol neatrodė juokingi, ir rimtas Piterio prašymas gerai saugoti Lengdono krepšyje esantį ryšulėlį nė iš tolo nedvelkė šelmiškumu.

Lengdonas liūdnai dirstelėjo į plastiko maišelį, kuriame buvo auksinis Piterio žiedas.

— Direktore, — paprašė jis, — ar neprieštarausite, jei aš jį pasiimsiu?

Ji atsisuko.

— Kam?

— Piteriui šis žiedas labai brangus, norėčiau šįvakar jį jam grąžinti.

Sato skeptiškai pažvelgė į jį.

— Tikėkimės, jums tai pavyks.

— Ačiū, — padėkojo Lengdonas ir įsidėjo žiedą į kišenę.

— Dar vienas klausimas, — tarė Sato jiems toliau skubant labirintu. — Mano darbuotojai praneša, kad derinant tokius žodžius kaip „trisdešimt trečias laipsnis" ir „vartai" su žodžiu „masonai" atrasta šimtai nuorodų į žodį „piramidė".

— Tai irgi nekeista, — atsakė Lengdonas. — Šiuolaikinių masonų pirmtakai yra Egipto piramidžių statytojai, o pati piramidė, kaip ir kiti egiptietiški motyvai, labai dažnai pasitaiko masonų simbolikoje.

— Ką ji simbolizuoja?

— Iš esmės piramidė reiškia apšvietą, nušvitimą. Tai architektūrinis simbolis, išreiškiantis senovės žmogaus gebėjimą išsivaduoti iš žemiškumo ir pakilti į dangų, į auksinę saulę, o galiausiai — pasiekti aukščiausią nušvitimo šaltinį.

Ji luktelėjo, o paskui paklausė:

— Ir daugiau nieko?

Ir daugiau nieko?! Lengdonas ką tik jai apsakė vieną elegantiškiausių istorijoje žinomų simbolių. *Struktūra, kuria žmogus iškyla į dievų sferą.*

— Jei tikėsime mano darbuotojais, — tarė ji, — tai šį vakarą rastume ir kitą, gerokai svarbesnį, ryšį. Jie man praneša, kad egzistuoja populiari legenda apie *konkrečią*, Vašingtone esančią, piramidę — piramidę, siejamą ir su masonais, ir su Senovės Slėpiniais.

Lengdonas pagaliau suprato, apie ką ji kalba, ir nutarė išsklaidyti nesusipratimą, kad nereikėtų jam tuščiai gaišti laiko.

— Šią legendą esu girdėjęs ir aš, direktore, tačiau tai gryniausia fantazija. Masonų piramidė — vienas iš patvariausių Kolumbijos apygardos mitų, veikiausiai kilęs iš sąsajos su piramide, esančia ant Jungtinių Valstijų didžiojo antspaudo.

— Kodėl jūs anksčiau apie ją neužsiminėte?

Lengdonas gūžtelėjo pečiais.

— Todėl, kad ji neturi jokio faktinio pagrindo. Juk sakiau, tai mitas. Vienas iš daugelio mitų, siejamų su masonais.

— Tačiau *šis* konkretus mitas tiesiogiai siejamas ir su Senovės Slėpiniais?

— Žinoma, kaip ir daugybė kitų. Senovės Slėpiniai tapo daugelio nuo senų laikų išlikusių legendų šaltiniu — tai pasakojimai apie ypatingų galių turinčią išmintį, kurią saugo slaptieji sargai, tokie kaip tamplieriai, Rožės kryžininkai, iliuminatai, alumbradai... sąrašą galima tęsti be galo. Visi šie pasakojimai paremti Senovės Slėpiniais... masonų piramidė — tik vienas toks pavyzdys.

— Aišku, — atsakė Sato. — Apie ką būtent pasakojama šioje legendoje?

Lengdonas svarstydamas paėjo kelis žingsnius, po to atsakė:

— Na, aš nesu sąmokslo teorijų specialistas, bet mitologiją studijavau, tad pasakysiu, kad beveik visos legendos panašios: Senovės Slėpiniai — prarastoji amžių išmintis — visada buvo laikomi švenčiausiu žmonijos lobiu, kuris, kaip visi didžiuliai lobiai, nuo seno stropiai saugomas. Apsišvietę išminčiai, suprantantys tikrąją šios išminties galią, išmoko bijotis jos stulbinamų galimybių. Jie žinojo, kad šiai išminčiai patekus į nepašvęstųjų rankas galima tikėtis katastrofiškų rezultatų; kaip jau esu sakęs anksčiau, galingais įrankiais galima naudotis ir geriems, ir blogiems tikslams. Todėl pirmieji šios išminties sergėtojai, siekdami apsaugoti Senovės Slėpinius, o podraug ir visą žmoniją, sukūrė slaptas brolijas.

Išmintis būdavo atskleidžiama tik visus įšventinimus praėjusiems brolijų nariams: taip ją perduodavo vienas išminčius kitam. Daug kas tiki, kad istorijoje galime aptikti pėdsakus tų, kuriems buvo žinoma ši išmintis... tai pasakojimai apie burtininkus, magus ir žiniuonius gydytojus.

— O masonų piramidė? — paklausė Sato. — Koks jos vaidmuo?

— Na, — atsakė Lengdonas, pagreitinęs žingsnį, kad neatsiliktų, — čia istorija pradeda susilieti su mitais. Jei tikėsime tam tikrais pasakojimais, XVI amžiuje Europoje išnyko beveik visos slaptosios brolijos, daugumą jų sunaikino stiprėjantis religinis persekiojimas. Sakoma, kad masonai — tai paskutiniai išlikę Senovės Slėpinių sergėtojai. Suprantama, jie baiminosi, kad jei jų brolija kada nors išnyks, kaip išnyko jos pirmtakės, Senovės Slėpiniai bus prarasti visam laikui.

— O *piramidė*? — neatlyžo Sato.

Lengdonas kaip tik ruošėsi prabilti apie ją.

— Masonų piramidės legenda visai paprasta. Ji pasakoja, kad masonai, siekdami atlikti pareigą ir išsaugoti didžiąją išmintį ateities kartoms, nutarė ją paslėpti didžioje tvirtovėje. — Lengdonas pasistengė prisiminti viską, ką buvo apie tai girdėjęs. — Dar kartą primenu, jog tai mitas, tačiau kalbama, kad masonai pernešė slaptąją išmintį iš Senojo pasaulio į Naująjį — tai yra į Ameriką, į šalį, kuri, kaip jie tikėjosi, nepasiduos religijos tironijai. Čia jie pastatė neįveikiamą tvirtovę — slaptą *piramidę*, kurioje Senovės Slėpiniai turėjo būti saugomi tol, kol *visa* žmonija bus pasirengusi įvaldyti stulbinamą, šios išminties teikiamą galią. Mitas pasakoja, kad masonai apvainikavo piramidę spindinčia gryno aukso viršūne, simbolizuojančia viduje slypinčius lobius — senovės išmintį, galinčią suteikti žmonijai visas jai pavaldžias galias. Apoteozė.

— Tai bent istorija, — ištarė Sato.

— Taip. Apie masonus nuolat pasakojama keisčiausių legendų.

— Jūs, be abejo, netikite, kad ši piramidė egzistuoja.

— Tikrai ne, — atsakė Lengdonas. — Nėra jokių duomenų, leidžiančių manyti, kad mūsų protėviai masonai Amerikoje, o juo labiau Kolumbijos apygardoje, pastatė kokią nors piramidę. Piramidę paslėpti gana sunku, ypač jei ji tokio dydžio, kad talpina visą prarastą amžių išmintį.

Lengdonas prisiminė, kad legendoje nė žodžiu neužsimenama, kas *konkrečiai* yra toje masonų piramidėje — ar tai senovės tekstai, ar okultiniai raštai, ar mokslo atradimai, ar kas nors dar paslaptingesnio, — tačiau teigiama, kad brangioji informacija sumaniai užšifruota... ir suprantama tik labiausiai nušvitusioms sieloms.

— Be to, — toliau kalbėjo Lengdonas, — ši istorija priklauso tai kategorijai, kurią mes, simbologai, vadiname „archetipų hibridais“: tai kelių klasikinių legendų samplaika, ir joje tiek daug elementų, pasiskolintų iš populiariosios mitologijos, kad yra pagrindas ją laikyti išgalvotu *konstruktu*... o ne istoriniu faktu.

Pasakodamas studentams apie archetipų hibridus, Lengdonas savo paskaitas iliustruodavo pavyzdžiais iš pasakų, perduodamų iš kartos į kartą, tampančių vis labiau neįtikimomis ir perimančių tiek daug elementų viena iš kitos, kad galiausiai jos visos virto vieningomis moralės istorijomis su tais pačiais simboliniais elementais — mergelėmis, gražuoliais princais, neįveikiamomis tvirtovėmis ir galingais burtininkais. Per pasakas mums dar vaikystėje įdiegiamas supratimas apie pamatinę gėrio ir blogio kovą: Merlinas stoja prieš Fėją Morganą, šventasis Jurgis prieš drakoną, Dovydas prieš Galijotą, Snieguolė prieš pamotę raganą ir net Lukas Skaivolkeris — prieš Dartą Veiderį.

Pasukusi už kampo ir paskui Andersoną leisdamasi trumpais laipteliais, Sato pasikrapštė pakaušį.

— Štai ką man pasakykit. Jei neklystu, piramides kitados laikė mistiniais *vartais*, pro kuriuos išėję velionys faraonai pakildavo pas dievus — ar ne taip?

— Taip.

Sato staiga sustojo, sugriebė Lengdoną už rankos ir įsmeigė į jį nuostabos ir netikėjimo kupiną žvilgsnį.

— Tai jūs man sakote, kad Piterio Solomono pagrobėjas liepė jums surasti slaptus *vartus*, o jums nė į galvą neatėjo, kad jis kalba apie šioje legendoje minimą masonų piramidę?

— Vadinkite masonų piramidę kaip norite, ji yra tik pasaka. Gryniausia fantazija.

Sato priėjo arčiau, Lengdonas užuodė jai iš burnos sklindantį surūkytų cigarečių kvapą.

— Suprantu jūsų pažiūras, profesoriau, bet man atliekant šį tyrimą sunku nepaisyti tokio sutapimo. Vartai, vedantys į slaptą išmintį? Man tai labai primena, ką tik jūs vienas, pasak Solomono pagrobėjo, įstengiate išaiškinti.

— Na, aš juk negaliu patikėti...

— Niekam neįdomu, kuo *jūs* galite patikėti. Kad ir kuo tikėtumėte, privalote pripažinti, kad šis žmogus *pats* gali tikėti masonų piramidės egzistavimu.

— Tas žmogus pamišėlis! Gal jis dar tiki, kad SBB Trylika — tai įėjimas į milžinišką požemio piramidę, kurioje sukrauta visa prarasta senovės išmintis!

Sato stovėjo nejudėdama, iš pykčio degančiomis akimis.

— Krizė, užklupusi mane šį vakarą, anaiptol *nėra* pasaka, profesoriau. Patikėkite, ji visiškai reali.

Stojo priešiška tyla.

— Ponia? — galiausiai ją nutraukė Andersonas, rodydamas už kokių trijų metrų dar vienas šarvuotas duris. — Mes jau beveik vietoje, tad jei norite eiti toliau...

Sato galiausiai nukreipė žvilgsnį nuo Lengdono ir mostu parodė Andersonui eiti pirmam.

Paskui saugos tarnybos viršininką jie įžengė pro rakinamas duris ir atsidūrė siaurame praėjime. Lengdonas žvilgtelėjo į kairę, paskui į dešinę. *Turbūt čia koks pokštas.*

Jis stovėjo ilgiausiame koridoriuje, kokį tik kada nors buvo matęs.

31 skyrius

Triša Dan, išėjusi iš ryškiai apšviesto Kubo į pirmykštę tuštumos tamsą, pajuto pažįstamą adrenalino antplūdį. Ką tik paskambino iš SMS apsaugos posto pranešti, kad atvyko Ketrinos svečias daktaras Abadonas, kurį reikia palydėti į Penktąją sekciją. Triša pasisiūlė jį atvesti daugiausia iš smalsumo. Ketrina beveik nieko nepasakojo apie žmogų, kuris netrukus apsilankys, ir Triša susidomėjo. Atrodo, Piteris Solomonas šiuo žmogumi absoliučiai pasitiki — Solomonai iki šiol nieko nebuvo pasikvietę į Kubą. Šis svečias bus pirmas.

Tikiuosi, jis normaliai pereis per tuštumą, pamanė Triša žingsniuodama šaltoje tamsoje. Ji nenorėjo, kad ypatingasis Ketrinos svečias pultų į paniką pamatęs, kokiu būdu teks pasiekti laboratoriją. *Pirmą kartą visada būna baisiausia.*

Trišai pirmas kartas buvo beveik prieš metus. Ji priėmė Ketrinos pateiktą darbo pasiūlymą, pasirašė informacijos neskleidimo sutartį ir drauge su Ketrina atėjo į SMS apžiūrėti laboratorijos. Moterys perėjo vadinamąja „gatve" iki metalinių durų su užrašu „Penktoji sekcija". Ketrina mėgino paruošti būsimą bendradarbę — ji sakė, kad laboratorija labai nuošali, tačiau Triša vis tiek nebuvo pasirengusi vaizdui, kuris atsivėrė jai prieš akis, kai šnypšdamos atsidarė durys.

Tuštuma.

Ketrina peržengė slenkstį, paėjo keletą žingsnių į visišką tamsą ir pamojo Trišai, ragindama sekti iš paskos.

— Tikėk manim. Nepasiklysi.

Triša įsivaizdavo, kaip visiškoje tamsoje klaidžioja po futbolo aikštės dydžio patalpą, ir vien nuo tokios minties apsipylė šaltu prakaitu.

— Čia įrengta sistema, padedanti neišklysti iš kelio, — Ketrina parodė į grindis. — Labai paprasta, nesusijusi su technologijomis.

Triša tamsoje pamėgino įsižiūrėti į šiurkščias cementines grindis. Ne iš karto pavyko pamatyti siaurą kiliminį takelį, paklotą tiesia linija. Kilimas buvo panašus į tamsoje išnykstantį taką.

— Stenkis žiūrėti kojomis, — tarė Ketrina, pasisuko ir nuėjo. — Tiesiog eik paskui mane ir neatsilik.

Ketrina išnyko tamsoje, o Triša nurijo baimės kamuolį ir žengė paskui ją. *Tai beprotybė!* Jai žengus kiliminiu taku vos kelis žingsnius, Penktosios sekcijos durys užsidarė: išnyko paskutiniai šviesos spinduliai. Klausydamasi pagreitėjusio savo pulso, Triša sutelkė visą dėmesį į kilimą po kojomis. Truputį paėjusi minkštu paviršiumi staiga pajuto, kaip dešinės kojos pėda palietė šiurkštų cementą. Krūptelėjusi tuojau pat pasuko kairiau, ir abi pėdos vėl lietė kilimą.

Tamsoje priekyje pasigirdo Ketrinos balsas, nors žodžius slopino negyva šios bedugnės akustika.

— Žmogaus kūnas — tikras stebuklas, — ištarė ji. — Jei jis netenka informacijos, kurią teikė viena juslė, beveik iš karto suaktyvėja visos kitos. Šią akimirką tavo pėdų nervai tiesiogine prasme stengiasi prisitaikyti ir tapti jautresni.

Labai teisingai daro, pamanė Triša, vėl grįždama atgal ant kilimo.

Jos tylėdamos ėjo, ir Trišai atrodė, kad keliauja gerokai per ilgai.

— Ar dar toli? — galiausiai paklausė ji.

— Esame beveik pusiaukelėje, — Ketrinos balsas ataidėjo iš toliau.

Triša pagreitino žingsnius, stengdamasi neprarasti budrumo, tačiau jos neapleido baimė, kad tamsa ją praris. *Nieko nematau, net jei tai būtų per milimetrą man nuo veido.*

— Ketrina? O kaip sužinosiu, kada metas sustoti?

— Netrukus pamatysi, — atsakė ji.

Tai buvo prieš metus, o dabar Triša vėl žingsniavo tuštuma, tik priešinga kryptimi — į vestibiulį, atvesti viršininkės svečio. Po kojomis staiga pasikeitusi kilimo faktūra ją įspėjo, kad iki išėjimo liko trys metrai. *Įspėjamasis takelis,* kaip sakė Piteris Solomonas, aistringas beisbolo mėgėjas. Triša staiga sustojo, išsitraukė elektroninę kortelę ir tamsoje apčiuopė sieną, ieškodama plyšio, į kurį įkišo kortelę.

Durys sušnypštė ir atsidarė.

Triša primerkusi akis apžvelgė jaukiai apšviestą SMS koridorių.

Dar kartą... įveikiau.

Eidama tuščiais koridoriais Triša vėl prisiminė keistą redaguotą dokumentą, kurį rado įslaptintame tinkle. *Senoviniai vartai? Slapta vieta po žeme?* Ji pamanė: kažin ar Markui Zubianiui pavyks išsiaiškinti, kur yra paslaptingasis dokumentas.

*

Ketrina stovėjo valdymo punkte, apšviesta neryškaus plazminės sienos švytėjimo, ir žiūrėjo į mįslingą jų atrastą dokumentą. Jau buvo išskyrusi reikšmines frazes ir beveik visai įsitikinusi, kad šiame dokumente minima ta pati neįtikima legenda, kurią jos brolis, atrodo, bus papasakojęs daktarui Abadonui.

... slaptą vietą PO ŽEME, kur ...
... kažkur VAŠINGTONE, KOLUMBIJOS APYGARDOJE, koordinatės ...
... atrasti SENOVINIAI VARTAI, vedantys ...
... įspėjimas, PIRAMIDĖ turi pavojingų ...
... iššifruoti IŠGRAVIRUOTĄ SIMBOLONĄ, kad atskleistų ...

Būtinai reikia pamatyti visą dokumentą, pamanė Ketrina.

Ji dar pastovėjo, žiūrinėdama dokumentą, ir išjungė ekranus. Ketrina visad išjungdavo šį daug energijos eikvojantį įtaisą, kad be reikalo nešvaistytų skysto vandenilio, kuriuo buvo varomas generatorius, išteklių.

Žiūrėjo, kaip reikšminiai žodžiai palengva blanksta, susitraukia ligi mažyčio balto taškelio, o šis, kurį laiką pamirksėjęs sienos viduryje, galiausiai irgi užgęsta.

Ji nusisuko nuo sienos ir grįžo į savo kabinetą. Tuoj pasirodys daktaras Abadonas, reikia pasiruošti jį sutikti.

32 skyrius

— Jau tuoj, — tarė viršininkas Andersonas, vesdamas Lengdoną ir Sato nesibaigiančiais koridoriais, nusidriekusiais per visą Kapitolijaus rytinės pamatų pusės ilgį. — Linkolno laikais čia buvo plūktinės grindys ir visur šmirinėjo žiurkės.

Lengdonas pasidžiaugė, kad grindis išklojo plytelėmis: jis nelabai mėgo žiurkių. Grupė atkakliai ėjo toliau, keistas nevienodų jų žingsnių aidas dunksėjo ilgame koridoriuje. Iš abiejų pusių buvo daugybė durų, vienos uždarytos, kitos praviros. Daug durų šiame lygmenyje atrodė nenaudojamos. Lengdonas pastebėjo, kad patalpų numeriai pradėjo mažėti ir neilgai trukus priartėjo prie pabaigos:

SB4... SB3... SB2... SB1...

Jie praėjo duris, ant kurių nebuvo jokio ženklo, bet kai numeriai vėl pradėjo didėti, Andersonas sustojo.

RB1... RB2...

— Atsiprašau, — ištarė Andersonas. — Pražiopsojau. Taip giliai aš retai nusileidžiu.

Jie grįžo keletą metrų atgal prie senų metalinių durų, kurios, kaip dabar pamatė Lengdonas, buvo pačiame koridoriaus viduryje — ant meridiano, skiriančio Senato bazės (SB) ir Rūmų bazės (RB) lygmenis. Pasirodė, kad durys vis dėlto paženklintos, tačiau lentelė tokia išblukusi, kad ją sunku pastebėti.

SBB

— Štai čia, — tarė Andersonas. — Tuoj atneš raktus.

Sato susiraukė ir pažvelgė į laikrodį.

Lengdonas apžiūrėjo lentelę su raidėmis SBB ir paklausė Andersono:

— Kodėl ši patalpa priskiriama *Senato* pusei, juk ji yra per vidurį?

Andersonas atrodė sutrikęs.

— Ką jūs norėjote pasakyti?

— Čia parašyta „SBB" — pirmoji raidė „S", ne „R".

Andersonas papurtė galvą.

— Raidė „S" santrumpoje „SBB" reiškia ne „Senatą". Ji...

— Viršininke? — iš toli pašaukė apsaugininkas. Jis bėgte artėjo koridoriumi, ištiestoje rankoje laikydamas raktą. — Atsiprašau, pone, truputį užtrukome. Niekaip nepavyko rasti pagrindinio SBB rakto. Čia atsarginis, iš atsargų dėžės.

— Pagrindinis dingo? — nustebęs paklausė Andersonas.

— Gal kas pametė, — atsakė apsaugininkas, kuris uždusęs prisiartino prie jų. — Neatsimenu, kada kas nors būtų prašęs įleisti į šias patalpas.

Andersonas paėmė raktą.

— O nuo SBB Trylika atsarginio rakto nėra?

— Atsiprašau, kol kas neradome nė vienos SBB patalpos raktų. Makdonaldas dabar tuo užsiima. — Apsaugininkas išsitraukė radijo stotelę ir pakėlė prie burnos. — Bobai? Aš pas viršininką. Turi daugiau informacijos apie raktą nuo SBB Trylika?

Radijas sutraškėjo ir pasigirdo atsakymas:

— Tiesą sakant, turiu. Keistas dalykas. Nematau jokių įrašų nuo tada, kai įvedėme kompiuterius, bet knygose nurodyta, kad visi sandėliai, esantys SBB, buvo išvalyti ir apleisti daugiau negu prieš dvidešimt metų. Dabar jie priskirti nenaudojamoms patalpoms. — Jis patylėjo. — Išskyrus SBB Trylika.

Andersonas sugriebė radijo stotelę.

— Kalba viršininkas. Ką tai reiškia — visi, *išskyrus* SBB Trylika?

— Suprantate, pone, — atsakė balsas, — yra ranka padarytas įrašas, kad SBB Trylika patalpa paskirta „privačiam naudojimui". Rašyta seniai, bet įrašą padarė ir pasirašė pats architektas.

Lengdonas žinojo, kad architektas — tai ne Kapitolijaus projekto autorius, bet žmogus, atsakingas už pastato priežiūrą. Paskirtasis Kapitolijaus architektas, panašiai kaip pastato prižiūrėtojas, atsako už viską — remontą, priežiūrą, apsaugą, personalą ir patalpų paskirstymą.

— Keisčiausia, — kalbėjo balsas per radiją, — kad architekto pastaboje nurodyta, jog ši patalpa skirta privačiai naudotis Piteriui Solomonui.

Lengdonas, Sato ir Andersonas apstulbę susižvalgė.

— Spėju, pone, — toliau kalbėjo balsas, — kad ponas Solomonas ir turi pagrindinį raktą nuo SBB, taip pat visus raktus nuo SBB Trylika.

Lengdonas negalėjo patikėti savo ausimis. *Piteris turi privatų kambarį Kapitolijaus rūsyje?* Jis visad žinojo, kad Solomonas turi paslapčių, bet ši nustebino net Lengdoną.

— Ką gi, — atsakė Andersonas be jokio džiaugsmo. — Mums reikia patekti būtent į SBB Trylika, tad ieškokite atsarginio rakto.

— Klausau, pone. Dar mes ieškome skaitmeninio dokumento, kurį liepėte atsiųsti...

— Ačiū, — nutraukė jį Andersonas, paspaudė mikrofono mygtuką ir išjungė garsą. — Tai viskas. Kai turėsite dokumentą, pasiųskite direktorei Sato.

— Supratau, pone. — Radijas nutilo.

Andersonas atidavė radijo stotelę apsaugininkui, tebestovinčiam priešais.

Apsaugininkas išsitraukė pastato plano kopiją ir padavė viršininkui.

— Pone, SBB pažymėtas pilka spalva, ženklas X rodo, kur yra SBB Trylika, tad rasti turėtų būti nesunku. Teritorija nedidelė.

Andersonas padėkojo apsaugininkui ir jam nuėjus įsigilino į planą. Lengdonas pažvelgė jam per petį ir apstulbo pamatęs daugybę kamarėlių, iš kurių buvo sudarytas keistas labirintas po Kapitolijumi.

Andersonas ištyrė planą, linktelėjo galva ir įsikišo jį į kišenę. Pasukęs prie durų su ženklu SBB jis pakėlė raktą, bet sustojo, tarsi nenorėdamas jų atrakinti. Lengdonas jautėsi panašiai: net neįsivaizdavo, kas galėtų būti už šių durų, tačiau buvo tvirtai įsitikinęs, kad jei Solomonas ten ką nors paslėpė, tai tik dėl to, kad norėjo išsaugoti privatumą. *Visišką privatumą.*

Sato atsikrenkštė, ir Andersonas suprato jos užuominą. Viršininkas giliai įkvėpė, įkišo raktą į spyną ir pamėgino pasukti. Raktas nepajudėjo. Lengdonui akimirką gimė viltis, kad tai ne tas raktas. Tačiau pamėginus antrą kartą raktas pasisuko ir Andersonas atidarė duris.

Sunkios durys sugirgždėjo ir atsivėrė, į koridorių plūstelėjo drėgno oro gūsis. Lengdonas pažvelgė į tamsą, tačiau ničnieko nebuvo matyti.

— Profesoriau, — tarė Andersonas, žvilgtelėjęs į Lengdoną, kuris apčiuo-

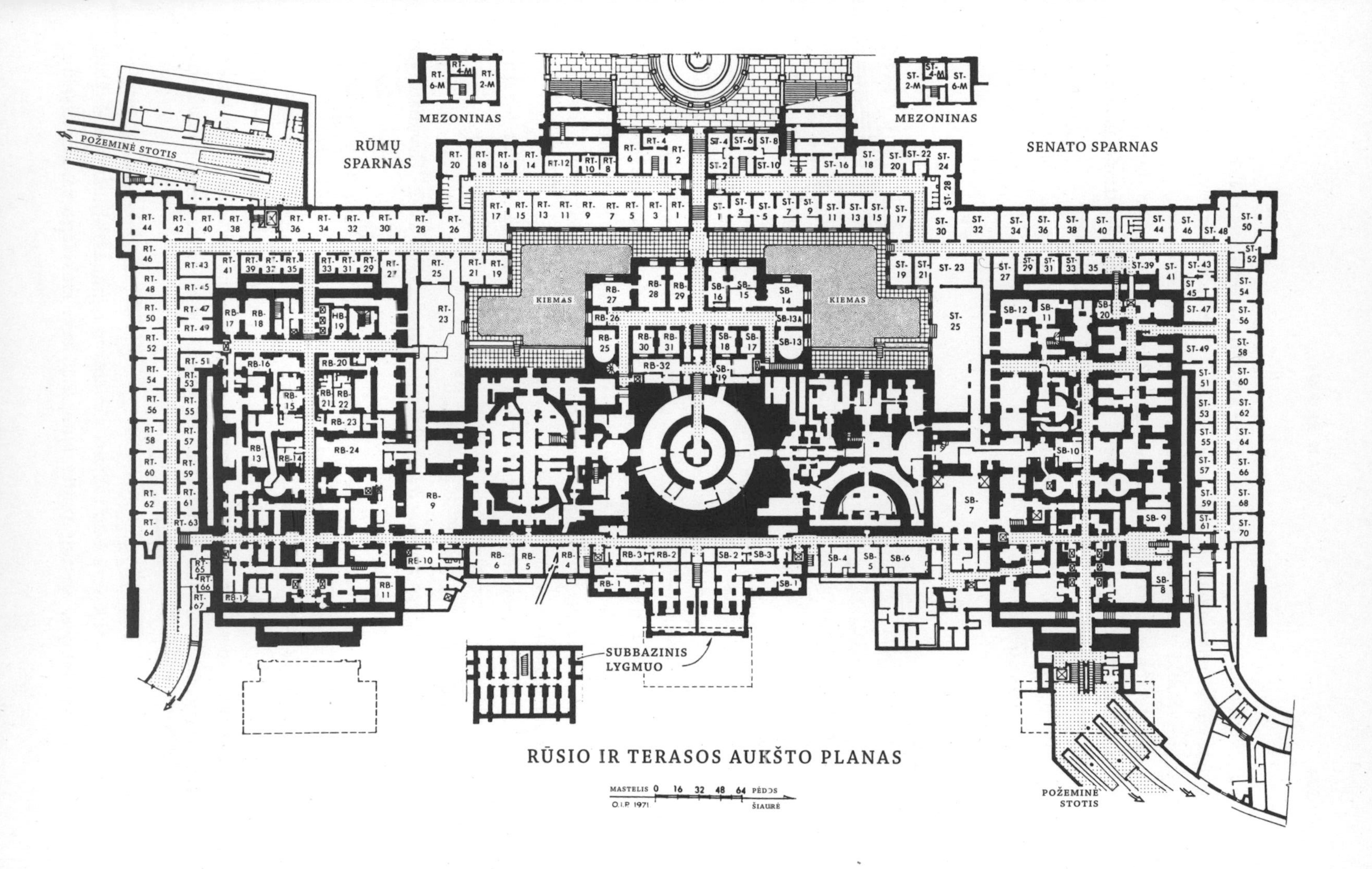

RŪSIO IR TERASOS AUKŠTO PLANAS

pomis ieškojo šviesos jungiklio, — noriu atsakyti į jūsų klausimą. „S" raidė junginyje „SBB" reiškia ne „Senatą". Tai priešdėlio „sub" pradžia.

— „Sub"? — nesuprasdamas paklausė Lengdonas.

Andersonas linktelėjo ir paspaudė jungiklį, esantį prie pat durų. Užsidegė vienintelė lemputė, apšviečianti baugiai stačius laiptus, besileidžiančius į neperregimą tamsą.

— Raidėmis „SBB" ženklinamas vadinamasis Kapitolijaus *subbazinis* lygmuo, esantis po *baze*.

33 skyrius

Sistemų saugumo specialistas Markas Zubianis patogiau įsitaisė ant savo futono ir suraukęs kaktą įsistebeilijo į informaciją nešiojamojo kompiuterio monitoriuje.

Po velnių, koks čia dabar adresas?

Geriausi jo, programišiaus, įrankiai pasirodė niekam tikę — nepavyko nei persisiųsti dokumento, nei iššifruoti paslaptingojo Trišai reikalingo IP adreso. Praėjo jau dešimt minučių, o Zubianio paleista programa vis dar tuščiai plakėsi į tinklo užkardas. Beveik nebuvo vilties, kad pavyks jas įveikti. *Nenuostabu, kad už tai tiek daug moka.* Jis jau susiruošė atsitraukti ir pamėginti kitą būdą, tik staiga suskambo telefonas.

Triša, dėl Dievo meilės, aš juk sakiau, kad pats paskambinsiu. Jis išjungė futbolo rungtynių garsą ir atsiliepė:

— Taip?

— Ar čia Markas Zubianis? — paklausė vyriškas balsas. — Gyvenate Vašingtone, Kingstono plente, 357?

Fone Zubianis išgirdo kažką negarsiai šnekučiuojant. *Reklaminis skambutis per atkrintamąsias rungtynes? Ar jie proto neteko?*

— Tuoj atspėsiu — tikriausiai aš laimėjau savaitę atostogų Angiloje?

— Ne, — atsakė balsas, kuriame nebuvo girdėti nė šešėlio humoro. — Jums skambina iš Centrinės žvalgybos valdybos sistemų saugumo skyriaus. Norėtume išgirsti atsakymą, kodėl jūs mėginate patekti į vieną iš mūsų įslaptintų duomenų bazių?

Trimis aukštais aukščiau Kapitolijaus *subbazinio* lygmens, erdviame lankytojų centro vestibiulyje, apsaugininkas Nunjesas kaip kiekvieną vakarą užrakino centrines įėjimo duris. Eidamas marmuru išklotomis grindimis jis mąstė apie tatuiruotąjį vyriškį karišku paltu.

Aš jį įleidau. Nunjesas svarstė, ar rytoj jo neišmes iš darbo.

Eidamas prie eskalatoriaus staiga išgirdo beldimą į lauko duris ir atsigręžė. Prisimerkęs įsižiūrėjo ir už durų pamatė pagyvenusį afroamerikietį, kuris delnu beldė į stiklą, ženklais liepdamas įleisti vidun.

Nunjesas papurtė galvą ir parodė į laikrodį.

Vyriškis vėl pabeldė ir žingtelėjo arčiau šviesos. Jis buvo apsirengęs nepriekaištingu mėlynu kostiumu, žili plaukai trumpai nukirpti. Nunjeso pulsas pagreitėjo. *To dar betrūko.* Net iš tolo jis atpažino, kas šis žmogus. Nunjesas nuskubėjo prie įėjimo ir atrakino duris.

— Atsiprašau, pone. Prašom, įeikite, įeikite.

Vorenas Belamis — Kapitolijaus architektas — peržengė slenkstį ir mandagiai linktelėjo galva, dėkodamas Nunjesui. Belamis buvo lankstus ir lieknas, tiesios laikysenos ir veriančio žvilgsnio, nuo jo sklido pasitikėjimas žmogaus, kuris visiškai valdo savo aplinką. Jau dvidešimt penkerius metus Belamis prižiūrėjo JAV Kapitolijų.

— Ar galiu jums kuo nors padėti, pone? — paklausė Nunjesas.

— Taip, ačiū, — Belamis labai aiškiai ir tiksliai tarė žodžius. Buvo baigęs Gebenės lygos universitetą šalies Šiaurės Vakaruose, todėl jo tartis priminė britišką. — Ką tik sužinojau, kad šį vakarą čia nutiko nemalonus dalykas. — Jis atrodė labai susirūpinęs.

— Taip, pone. Tai...

— Kur viršininkas Andersonas?

— Apačioje, su juo direktorė Sato iš CŽV Saugumo tarnybos.

Belamio akys neramiai išsiplėtė.

— CŽV irgi čia?

— Taip, pone. Direktorė Sato atvyko beveik iškart po įvykio.

— Kodėl? — griežtai paklausė Belamis.

Nunjesas gūžtelėjo pečiais. *Gal manote, kad aš turėjau jos paklausti?*

Belamis nužingsniavo tiesiai prie eskalatorių.

— Kur jie?

— Nuėjo žemyn.

Nunjesas nuskubėjo iš paskos. Belamis susirūpinęs atsigręžė.

— Žemyn? Kodėl?

— Tiesą sakant, nežinau — išgirdau per radiją.

Belamis pagreitino žingsnį.

— Tuojau pat nuveskite mane pas juos.

— Taip, pone.

Kol abu vyrai skubėjo erdviu vestibiuliu, Nunjesas pastebėjo ant Belamio piršto stambų aukso žiedą.

Nunjesas išsitraukė radijo stotelę.

— Įspėsiu viršininką, kad jūs ateinate.

— Ne. — Belamio akys grėsmingai žybtelėjo. — Norėčiau pasirodyti netikėtai.

Nunjesas žinojo šiandien jau padaręs keletą didžiulių klaidų, bet jei nepraneš viršininkui Andersonui, kad į pastatą įėjo architektas, jam tikrai bus galas.

— Pone? — nedrąsiai pratarė jis. — Manau, viršininkui Andersonui būtų geriau...

— Jūs juk žinote, kad aš esu pono Andersono *darbdavys*? — paklausė Belamis.

Nunjesas linktelėjo.

— Tada, manau, jis norėtų, kad jūs vykdytumėte mano nurodymus.

34 skyrius

Triša Dan įžengė į Smitsono muziejaus saugyklų vestibiulį ir nustebusi pažvelgė į lankytoją. Jis visiškai nebuvo panašus į akiniuotus antropologijos, okeanografijos, geologijos ir kitų mokslų daktarus tvido švarkais, dažniausiai pasirodančius šiame pastate. Daktaras Abadonas vilkėjo nepriekaištingai pasiūtą kostiumą ir atrodė tikras aristokratas. Jis buvo aukštas, plačiapetis, įdegusio veido, dailiai sušukuotais šviesiais plaukais: Trišai pasirodė, kad jis labiau pratęs lankytis prašmatniose salėse, o ne mokslo laboratorijose.

— Jūs būsite daktaras Abadonas? — paklausė Triša tiesdama ranką.

Vyriškis, atrodo, dvejojo, tačiau paspaudė plačiu delnu putnią Trišos ranką.

— Atsiprašau. O jūs?

— Triša Dan, — atsakė ji. — Ketrinos asistentė. Ji manęs paprašė atvesti jus į laboratoriją.

— A, supratau. — Vyriškis pagaliau nusišypsojo. — Labai malonu jus matyti, Triša. Atsiprašau, jei atrodau sutrikęs. Man pasirodė, kad Ketrina šį vakarą čia ketino būti viena. — Jis mostelėjo koridoriaus link. — Bet aš jūsų paslaugoms. Rodykite kelią.

Nors vyriškis atsipeikėjo labai greitai, Triša jo akyse spėjo pastebėti nepasitenkinimo šešėlį. Jai kilo įtarimas, kodėl Ketrina taip slėpė susitikimą su daktaru Abadonu. *Gal tai romano pradžia?* Ketrina niekada nekalbėdavo apie savo privatų gyvenimą, bet šis svečias išvaizdus, patrauklus ir, nors jaunesnis už Ketriną, aiškiai kilęs iš tos pačios privilegijuotų turtuolių aplinkos kaip ji. Buvo aišku viena: kad ir kaip šio vakaro apsilankymą įsivaizdavo daktaras Abadonas, Trišos dalyvavimo jis tikrai nenumatė.

Vestibiulio kontrolės punkte sėdintis vienintelis apsaugininkas skubiai nusitraukė nuo galvos ausines, ir Triša išgirdo futbolo rungtynių garsus. Apsaugininkas patikrino daktarą Abadoną įprastais būdais — praleido pro metalo detektorių ir išdavė laikinąją lankytojo kortelę.

— Kas laimi? — maloniai paklausė daktaras Abadonas, traukdamas iš kišenių mobilųjį telefoną, kelis raktus ir žiebtuvėlį.

— „Redskins“, trimis taškais, — atsakė apsaugininkas, ir iš jo atsakymo buvo aišku, kad nekantrauja toliau klausytis transliacijos. — Velniškai puikus žaidimas.

— Netrukus atvyks ponas Solomonas, — pasakė jam Triša. — Kai jis pasirodys, paprašykite, kad ateitų į laboratoriją.

— Gerai. — Apsaugininkas draugiškai mirktelėjo juos praleisdamas. — Ačiū už įspėjimą. Pasistengsiu atrodyti užsiėmęs.

Trišos pastaba buvo skirta ne tik apsaugininkui: ji norėjo priminti daktarui Abadonui, kad ne ji viena šį vakarą sutrukdys jo susitikimą su Ketrina.

— Iš kur jūs pažįstate Ketriną? — paklausė Triša, žvilgtelėjusi į paslaptingąjį svečią.

Daktaras Abadonas susijuokė.

— O, tai ilga istorija. Mudu dirbome kartu.

Supratau, pamanė Triša. *Ne mano reikalas.*

— Tiesiog stulbinamas pastatas, — jiems einant plačiu koridoriumi, dairydamasis ištarė Abadonas. — Niekada nesu čia buvęs.

Jo lengvabūdiškas tonas sulig kiekvienu žingsniu darėsi vis draugiškesnis; Triša pastebėjo, kad jis atidžiai stebi ir fiksuoja aplinką. Ryškiai apšviestame vestibiulyje ji dar pastebėjo, kad jo veidas atrodė tarsi išteptas dirbtinio įdegio kremu. *Keista.* Tačiau eidama tuščiais koridoriais Triša papasakojo jam apie SMS paskirtį bei funkcijas, apsakė įvairias sekcijas ir tai, kas jose saugoma.

Atrodo, svečiui tai padarė įspūdį.

— Panašu, kad tai tikras neįkainojamų vertybių lobynas. Maniau, kad ant kiekvieno kampo stovės sargybiniai.

— Nėra reikalo, — atsakė Triša, rodydama eiles išgaubtų lęšių, išrikiuotų aukštose lubose. — Saugumo sistema automatinė. Kiekvienas šio koridoriaus kampelis kiaurą parą filmuojamas, o pats koridorius — pastatų komplekso stuburas. Iš jo nepateksi į jokią patalpą be elektroninės kortelės ir atpažinimo kodo.

— Efektyviai naudojamos kameros.

— Pabelskite į medį, čia dar nė karto nebuvo vagysčių. Kita vertus, tai ne toks muziejus, kurį vertėtų apvogti — juodojoje rinkoje nedaug norinčiųjų įsigyti išnykusių rūšių gėlių, inuitų kajakų ar gigantiškųjų kalmarų skeletų.

Daktaras Abadonas susijuokė.

— Turbūt jūs teisi.

— Didžiausią pavojų saugumui kelia graužikai ir vabzdžiai. — Triša paaiškino, kad nuo vabzdžių plitimo saugomasi užšaldant visas SMS atliekas, taip pat naudojant architektūrinį elementą, vadinamą „mirties zona“ — nepalankų gyvybei tarpą tarp dviejų sienų, kuris tarsi apvalkalas gaubia visą pastatą.

— Neįtikima, — atsiliepė Abadonas. — Na, o kur Ketrinos ir Piterio laboratorija?

— Penktojoje sekcijoje, — atsakė Triša. — Tai pačiame šio koridoriaus gale.

Staiga Abadonas sustojo ir pasukęs į dešinę pažvelgė pro mažą langelį.

— Viešpatie! Jūs tik pažiūrėkit, *kas čia!*

Triša nusijuokė.

— Na taip, čia Trečioji sekcija. Ją dar vadina Drėgnąja sekcija.

— Drėgnąja? — paklausė Abadonas, priglaudęs veidą prie stiklo.

— Joje yra daugiau kaip vienuolika tūkstančių litrų skysto etanolio. Atsimenat, sakiau jums apie gigantiškojo kalmaro skeletą?

— Tai čia tas kalmaras? — Daktaras Abadonas trumpam atsisuko nuo lango ir pažvelgė plačiai išplėstomis akimis. — Jis neapsakomo dydžio!

— Architeučio patelė, — atsakė Triša. — Ji daugiau kaip dvylikos metrų ilgio.

Atrodė, kad daktaras Abadonas, pakerėtas kalmaro, neįstengia atitraukti akių nuo stiklo. Tuo metu suaugęs vyras Trišai priminė mažą berniuką, stovintį prie gyvūnų parduotuvės vitrinos ir svajojantį patekti vidun pažaisti su šunyčiu. Praėjo penkios sekundės, o jis ilgesingai tebespoksojo pro langą.

— Na, gerai, gerai, — galiausiai ištarė Triša, juokdamasi įkišo į plyšį savo kortelę ir surinko atpažinimo kodą. — Eime. Aš jums parodysiu kalmarą.

Įžengęs į blausiai apšviestą Trečiąją sekciją, Malachas atidžiai nužvelgė sienas, ieškodamas saugumo kamerų. Storulė Ketrinos asistentė pradėjo paistyti apie čia saugomus eksponatus. Malachas jos negirdėjo. Jo visiškai nedomino gigantiškieji kalmarai. Jam rūpėjo viena — pasinaudojus šia tamsia, nuošalia erdve išspręsti netikėtai kilusią problemą.

35 skyrius

Mediniai laiptai, besileidžiantys į Kapitolijaus *subbazinį* lygmenį, buvo bene stačiausi ir siauriausi iš visų, kokiais Lengdonui yra tekę lipti. Jo alsavimas paspartėjo, plaučiams trūko oro. Čia, apačioje, buvo šalta ir drėgna; Lengdonas nenoromis prisiminė kitus laiptus, kuriais teko lipti prieš kelerius metus — laiptus, vedančius į Vatikano Nekropolį. *Mirusiųjų miestą.*

Prieš jį lipo Andersonas, apšviesdamas kelią žibintu. Tiesiai už Lengdono ėjo Sato, kartais mažyčiu kumštuku stumtelėdama jo nugarą. *Skubu kiek galiu.* Lengdonas giliai įkvėpė, stengdamasis nežiūrėti į sienas, spauste spaudžiančias iš abiejų pusių. Tarp jų vos tilpo jo pečiai, o kelionkrepšis, kabantis ant peties, drėskė sieną.

— Gal krepšį reikėjo palikti viršuje, — iš už nugaros patarė Sato.

— Viskas gerai, — atsiliepė Lengdonas, neketinęs jo paleisti iš akių. Jis įsivaizdavo krepšyje gulintį Piterio ryšulėlį, tačiau niekaip negalėjo suvokti, ką bendra jis galėtų turėti su JAV Kapitolijaus rūsio gelmėmis.

— Liko tik keletas pakopų, — padrąsino Andersonas. — Jau netoli.

Grupė paniro į tamsą, seniai išėjusi už vienintelės laiptų lemputės apšviestos zonos. Nulipęs nuo paskutinės medinės pakopos Lengdonas pajuto po kojomis plūktines grindis. *Kelionė į Žemės centrą.* Jam už nugaros Sato irgi nulipo nuo laiptų.

Andersonas pakėlė žibintą, norėdamas apžiūrėti, kur jie atsidūrė. Patalpa ne tiek priminė rūsį, kiek labai siaurą koridoriuką, statmeną laiptams. Andersonas pašvietė iš pradžių į kairę, paskui į dešinę, ir Lengdonas pamatė, kad koridoriukas yra gal tik kokių penkiolikos metrų ilgio, o iš abiejų jo pusių matyti medinių durelių eilės. Durys buvo įstatytos taip arti vienos kitų, kad patalpos už jų niekaip negalėjo būti platesnės kaip kokių trijų metrų.

Nuomojamos sandėliavimo erdvės ir Domicilės katakombų mišinys, pamanė Lengdonas, kol Andersonas žiūrėjo į planą. Mažyčiame plotelyje, skirtame pažymėti SBB teritoriją, buvo nupieštas X ženklas, rodantis, kur yra SBB13. Lengdonas negalėjo nepastebėti, kad šio sektoriaus planas toks pat, kaip keturiolikos antkapių mauzoliejaus — po septynis kapų rūsius, išdėstytus vieni prieš kitus, — tik vietoje vieno iš jų įrengti laiptai, kuriais jie ką tik nulipo. *Iš viso trylika.*

Jis pamanė, kad skaičių *trylika* mėgstantys Amerikos sąmokslo teorijos šalininkai be galo apsidžiaugtų sužinoję, kad giliai po JAV Kapitolijumi įrengta būtent *trylika* sandėlių. Jiems atrodė įtartina, kad Didžiajame Jungtinių Valstijų antspaude yra trylika žvaigždžių, trylika strėlių, trylika piramidės laiptų pakopų, trylika juostų skyde, trylika alyvmedžio lapų, trylika alyvų, po trylika raidžių frazėse *annuit coeptis** ir *e pluribus unum*** ir taip toliau.

— Iš tiesų panašu, kad žmonių čia seniai būta, — tarė Andersonas, nukreipdamas žibinto šviesos spindulį į tiesiai priešais esančią patalpą.

Sunkios medinės jos durys buvo plačiai atvertos. Spindulys apšvietė siaurą kambarėlį akmens sienomis — apytikriai trijų metrų pločio ir dešimties metrų ilgio, primenantį tamsoje skendintį aklagatvį. Kambarėlyje buvo tik pora senų sukiužusių medinių dėžių ir keli suglamžyto vyniojamojo popieriaus gniužulai.

Andersonas pašvietė į vario lentelę, pritaisytą prie durų. Lentelė buvo pažaliavusi nuo senumo, tačiau įskaityti, kas joje parašyta, pasirodė nesunku.

SBB IV

— SBB Keturi, — pasakė Andersonas.

— Kuris iš jų yra SBB Trylika? — paklausė Sato, o iš jos burnos šaltame požemio ore kilo neryškios garų srovelės.

Andersonas nukreipė žibinto šviesą į pietinį koridoriaus galą.

— Ana ten.

Lengdonas pamėgino įžiūrėti, kas yra siauro koridoriaus gale, ir pasipurtė jusdamas, kad net tokiame šaltyje jį išpylė prakaitas.

Einant koridoriumi visi kambariai atrodė vienodi — atlapotomis durimis, veikiausiai seniai apleisti. Priėjus koridoriaus pabaigą, Andersonas pasuko į dešinę ir pakėlė žibintą, norėdamas nukreipti šviesos spindulį tiesiai į SBB13. Tačiau šviesa atsimušė į sunkias medines duris.

Kambario SBB13, kitaip negu visų kitų kambarių, durys buvo tvirtai uždarytos.

Šios paskutinės jų ieškomos durys iš pažiūros buvo lygiai tokios pat, kaip visos kitos — sunkūs vyriai, geležinė rankena ir varinė, žalėsiais išmarginta lentelė su kambario numeriu. Joje buvo įrėžti tie patys septyni ženklai, kuriuos jie matė viršuje ištatuiruotus Piterio delne.

* *Annuit coeptis* — pusė frazės, įrašytos JAV vieno dolerio vertės banknote; ji reiškia „Jis [Dievas] pritaria“ (mūsų sumanymams) — *lot*. (*Čia ir toliau — pastabos vertėjos*.)

** *E pluribus unum* — įrašas JAV vieno dolerio banknote, reiškiantis „Iš daugybės vienas“ (*lot*.).

SBB XIII

Kaip būtų gerai, jei durys pasirodytų užrakintos, pamanė Lengdonas.

Sato nedvejodama paliepė:

— Pamėginkite atidaryti duris.

Policijos viršininkas, atrodo, pasijuto nesmagiai, tačiau ištiesė ranką, suėmė sunkią geležinę rankeną ir paspaudė žemyn. Rankena nepajudėjo. Andersonas pašvietė į ją ir pamatė duryse įtaisytą tvirtą senovišką spyną su rakto skyle.

— Pamėginkite pagrindinių durų raktu, — liepė Sato.

Andersonas išsitraukė pirmo aukšto pagrindinių įėjimo durų raktą, tačiau jis nė iš tolo netiko.

— Aš tikriausiai klystu, — sarkastišku tonu pareiškė Sato, — bet maniau, kad apsaugos sistemos darbuotojai turi turėti galimybę nenumatytais atvejais patekti į bet kurią pastato patalpą?

Andersonas garsiai iškvėpė ir pažvelgė į Sato.

— Ponia, mano darbuotojai ieško atsarginio rakto, tačiau...

— Šaukite į spyną, — pratarė ji, galvos mostu rodydama į po rankena esančią spynos plokštę.

Lengdono pulsas suspurdėjo.

Andersonas nesmagiai atsikrenkštė.

— Ponia, aš laukiu žinių apie atsarginį raktą. Nemanau, kad geriausia išeitis — sušaudyti spyną...

— O gal jums atrodys geresnė išeitis pasėdėti kalėjime už trukdymą CŽV atlikti tyrimą?

Atrodo, Andersonas netikėjo savo ausimis. Ilgokai luktelėjęs jis nenoriai perdavė Sato žibintą ir atsegė pistoleto dėklą.

— *Palaukite!* — sušuko Lengdonas nebeįstengdamas tylėti. — Gerai pagalvokite, ką darote. Piteris paaukojo savo dešinę ranką, kad tik neatskleistų, kas yra už šių durų. Ar jūs tikrai norite jas atidaryti? Juk taip pasielgę iš esmės patenkinsite teroristo reikalavimus.

— Ar jūs norite, kad Piteris Solomonas būtų išgelbėtas? — paklausė Sato.

— Žinoma, bet...

— Tada siūlau daryti tai, ko reikalauja jo pagrobėjas.

— Atrakinti senovinius vartus? Jūs manote, kad tie vartai — čia?

Sato nukreipė šviesos spindulį tiesiai Lengdonui į veidą.

— Profesoriau, aš nieko nenutuokiu, kokia čia užvirė velniava. Kad ir kas tai būtų — sandėlis ar slaptas įėjimas į senovės piramidę, aš jį atidarysiu. Ar aiškiai pasakiau?

Lengdonas nuo ryškios šviesos prisimerkė ir galiausiai linktelėjo.

Sato nuleido žibintą ir vėl nutaikė šviesą į senovinę durų spyną.

— Viršininke? Pirmyn.

Andersonas vis dar nenoromis, nepaprastai lėtai išsitraukė pistoletą ir abejodamas pažvelgė į jį.

— Ak, dėl Dievo meilės! — Sato staiga ištiesė smulkutę ranką ir pačiupo pistoletą. Į tuščią Andersono delną įbruko žibintą. — Pašvieskit, po šimts velnių.

Ji paėmė pistoletą kaip žmogus, mokantis elgtis su šaunamaisiais ginklais, negaišdama laiko nuleido saugiklį ir nusitaikė tiesiai į spyną.

— *Palaukit!* — suriko Lengdonas, tačiau buvo jau per vėlu.

Pistoletas tris kartus iššovė.

Lengdonui pasirodė, kad sprogo jo ausų būgneliai. *Ar ji pamišo?* Šūvio garsas tokioje ankštoje erdvėje nuskambėjo kurtinamai.

Andersonas irgi atrodė sukrėstas, o jo ranka, laikanti žibintą nukreiptą į kulkų suvarpytas duris, virptelėjo.

Spyna buvo suskaldyta, mediena aplink ją sukapota į šipuliukus. Spyna atsipalaidavo, ir durys prasivėrė.

Sato ištiesė pistoletą ir stumtelėjo duris vamzdžio galu. Durys atsilapojo, atskleisdamos už jų tvyrančią tamsą.

Lengdonas susikaupęs žvelgė į ją, tačiau nieko neįžiūrėjo. *Bet koks čia kvapas?* Iš tamsos atsklido neįprastas dvokas.

Andersonas priėjo prie durų ir apšvietė plūktines grindis, atidžiai apžiūrinėdamas visus kambario kampus. Šis kambarys buvo toks pat kaip kiti — ilgas ir siauras. Šiurkščiai tašytų akmenų sienos darė jį panašų į senovės kalėjimo kamerą. *Bet tas kvapas...*

— Čia nieko nėra, — tarė Andersonas, apšviesdamas grindis. Galiausiai šviesos spindulys pasiekė kambario galą, ir Andersonas pakėlė žibintą, apšviesdamas tolimiausią sieną.

— Dieve mano! — šūktelėjo Andersonas.

Visi pamatė tą patį ir atšoko.

Lengdonas, netikėdamas savo akimis, spoksojo į kambario gilumą.

Didžiausiam jo siaubui, kažkas iš ten į jį žiūrėjo.

36 skyrius

— Dėl Dievo meilės, kas ten... — Andersonas, stovėdamas ant SBB13 slenksčio, nuleido žibintą ir norėjo trauktis atgal.

Lengdonas taip pat atšoko, atšlijo ir Sato, kuri pirmą kartą šį vakarą atrodė apstulbusi.

Sato nutaikė į galinę sieną pistoletą ir mostelėjo Andersonui, liepdama vėl ją apšviesti. Andersonas pakėlė žibintą. Šviesos spindulys tolimą atstumą apšvietė neryškiai, bet jo pakako, kad atėjusieji išvystų blyškų vaiduoklišką veidą, spoksantį į juos negyvomis akiduobėmis.

Žmogaus kaukolė.

Kaukolė buvo padėta ant palaikio medinio stalo, pristumto prie tolimosios kambario sienos. Greta kaukolės gulėjo du žmogaus blauzdikauliai ir dar keletas objektų, tvarkingai sustatytų tarsi šventovėje — senovinis smėlio laikrodis, krištolo grafinas, žvakė, dvi lėkštelės su kažkokiais balkšvais milteliais ir popieriaus lapas. Greta stalo atremtas į sieną stovėjo baugus ilgakotis dalgis, kurio lenkti ašmenys priminė gerai žinomus paveikslus, vaizduojančius giltinę.

Sato įžengė į kambarį.

— Na, ką gi... atrodo, Piteris Solomonas turėjo daugiau paslapčių, negu aš maniau.

Andersonas linktelėjo, slinkdamas jai iš paskos.

— Štai kas vadinama mirtinomis paslaptimis. — Jis pakėlė žibintą ir apžvelgė visą kambarį. — O tas *kvapas*? — pridūrė jis suraukęs nosį. — Kas čia?

— Siera, — ramiai atsakė Lengdonas, stovėdamas jiems už nugarų. — Ant stalo turėtų būti dvi lėkštelės. Dešinėje pusėje — lėkštelė su druska. O kairėje — su siera.

Sato nustebusi atsisuko.

— Iš kur, po velnių, jūs *tai žinote?*

— Matote, ponia, kambarių, panašių į šitą, galima rasti visame pasaulyje.

Vienu aukštu aukščiau Kapitolijaus apsaugininkas Nunjesas drauge su Kapitolijaus architektu Belamiu ėjo ilgu koridoriumi, kertančiu visą rytinę rūsio dalį. Nunjesas galėjo prisiekti ką tik girdėjęs apačioje tris duslius šūvius. *Negali būti.*

— Durys į *subbuzinį* lygmenį atviros, — ištarė Belamis, iš toli prisimerkęs žiūrėdamas į praviras paliktas duris.

Iš tiesų keistas vakaras, pamanė Nunjesas. *Ten niekada niekas neina.*

— Mielai sužinosiu, kas čia vyksta, — pasisiūlė jis, tiesdamas ranką prie radijo stotelės.

— Grįžkite į savo postą, — paliepė Belamis. — Dabar susidorosiu pats.

Nunjesas nejaukiai pasimuistė.

— Tikrai?

Vorenas Belamis stabtelėjo ir tvirtai uždėjo Nunjesui ant peties ranką.

— Sūnau, aš čia dirbu dvidešimt penkerius metus. Manau, sugebėsiu nepasiklysti.

37 skyrius

Gyvenime Malachui teko matyti nemažai keistų vietų, tačiau nedaug buvo tokių, kurios galėtų prilygti nežemiškam Trečiosios sekcijos pasauliui. *Drėgnoji sekcija.* Didžiulė patalpa atrodė tarsi neaprėpiamas prekybos centras, kurį užgrobė išprotėjęs mokslininkas ir visas lentynas apstatė įvairiausių dydžių bei formų stikliniais indais su eksponatais. Ji buvo apšviesta kaip fotografo tamsusis kambarys — blausiai švytėjo rausva „tausojanti šviesa", sklindanti iš po lentynų, kylanti viršun ir išryškinanti stiklainius su etanoliu. Nuo ligoninę primenančio cheminių konservavimo medžiagų kvapo darėsi šleikštu.

— Šioje sekcijoje saugoma daugiau negu dvidešimt tūkstančių eksponatų, — kalbėjo storulė. — Žuvys, graužikai, žinduoliai, ropliai.

— Tikiuosi, jie visi *negyvi*? — paklausė Malachas, stengdamasis pabrėžti išgąstį.

Mergina nusijuokė.

— Taip, žinoma. Visi seniausiai negyvi. Prisipažinsiu, aš pati, pradėjusi čia dirbti, į šią sekciją drįsau įeiti tik po šešių mėnesių.

Malachas puikiausiai suprato kodėl. Visur, kur akys užmato, buvo grūste prigrūsta stiklinių indų su negyvais gyvūnais — salamandromis, medūzomis, žiurkėmis, vabalais, paukščiais ir kitokiais padarais, kurių jis nė pavadinimų nežinojo. Be to, tarsi vien šios kolekcijos nepakaktų lankytojui sutrikdyti, blausus raudonas apšvietimas, saugantis šviesai jautrius eksponatus nuo ilgalaikės žalos, kėlė įspūdį, tarsi stovėtum didžiuliame akvariume, kurio nebegyvi padarai stebėtų tave, susibūrę šešėliuose.

— Štai čia priešistorinė žuvis, vadinama *coelacanth*, — tarė mergina, rodydama didelį organinio stiklo indą su bjauriausia žuvimi, kokią Malachui teko gyvenime matyti. — Anksčiau manyta, kad šios žuvys išnyko kartu su dinozaurais, bet šitą egzempliorių prieš kelerius metus pagavo Afrikoje ir dovanojo Smitsono muziejui.

Tai bent pasisekė, pamanė Malachas, beveik nesiklausydamas merginos. Jis atidžiai apžiūrinėjo sienas, ieškodamas apsaugos kamerų. Pamatė tik vieną, nukreiptą į įėjimo duris: nenuostabu, turint galvoje, kad tai veikiausiai vienintelis kelias čia patekti.

— O štai čia tai, ką norėjote pamatyti... — kalbėjo ji, vesdama svečią prie milžiniško akvariumo, kurį jis pastebėjo pro langą. — Ilgiausias mūsų eksponatas. — Ji plačiai mostelėjo ranka, pristatydama akvariume tūnančią bjaurybę, tarsi televizijos šou vedėjas, rodydamas naują automobilį. — Architeutis.

Kalmaro akvariumas priminė eilę stiklinių telefono būdelių, suguldytų viena greta kitos ant šono ir sujungtų tarpusavyje. Ilgame perregimame organinio stiklo karste plūduriavo šlykšti, blyški ir beformė masė. Malachas įsižiūrėjo į gumbuotą, maišą primenančią galvą ir krepšinio kamuolio dydžio akis.

— Palyginus su juo, net ta jūsų priešistorinė *coelacanth* — tikra gražuolė, — pasakė jis.

— Palaukit, dar nematėte, kaip jis atrodo šviesoje.

Triša atstūmė ilgą akvariumo dangtį. Pasklido etanolio garai, ji įkišo ranką į akvariumą ir pasuko jungiklį, įtaisytą tiesiai virš skysčio lygio linijos. Užsidegė eilė dienos šviesos lempelių, supančių akvariumo pagrindą. Architeutis sušvytėjo visu šlovingu grožiu — neapsakomo dydžio galva, gliti pūvančių čiuptuvų ir aštrių nelyginant skustuvo ašmenys čiulptuvėlių masė.

Triša pradėjo pasakoti, kad architeučiai grumtynėse gali įveikti net kašalotus.

Malachas girdėjo tik beprasmius garsus.

Laikas.

Triša Dan Trečiojoje sekcijoje visada jausdavosi nejaukiai, bet šį kartą šiurpuliai, ką tik perbėgę jai per nugarą, atrodė kiek kitokie.

Primityvi, gyvuliška baimė.

Ji pamėgino nekreipti į ją dėmesio, bet baimė sparčiai stiprėjo, įnirtingai ją glemždamasi. Triša nesusivokė, kas jai kelia tokį nerimą, bet instinktyviai jautė, kad reikia kuo greičiau iš čia dingti.

— Na, gerai, štai koks tas kalmaras, — pabaigė ji, vėl įkišdama ranką į akvariumą ir išjungdama apšvietimą. — Turbūt jau reikėtų eiti pas Ketriną...

Platus delnas tvirtai užspaudė jai burną ir privertė atmesti galvą. Tą pačią akimirką galinga ranka apglėbė krūtinę ir prispaudė prie kietų kaip uola raumenų. Nuo sukrėtimo Triša akimirką neteko žado.

O paskui ją apėmė siaubas.

Vyriškis, tebelaikydamas ją suėmęs, sugrabaliojo ant krūtinės kabančią elektroninę įėjimo kortelę ir stipriai trūktelėjo. Juostelė nutrūko, skausmu nudeginusi sprandą. Kortelė nukrito ant grindų jiems prie kojų. Triša grūmėsi, stengdamasi ištrūkti, tačiau kovoje su tokio dydžio ir jėgos vyru ji neturėjo jokių šansų. Tada mėgino rėkti, bet jo ranka kietai tebespaudė burną. Jis pasilenkė jai prie pat ausies ir sušnibždėjo:

— Kai nuimsiu ranką tau nuo burnos, nerėksi — ar aišku?

Ji energingai sulinksėjo galva, jusdama, kaip dega plaučiai, kuriems trūksta oro. *Neturiu kuo kvėpuoti!*

Vyras patraukė delną Trišai nuo burnos, ir ji giliai, krūpčiodama įkvėpė oro.

— Paleisk mane! — pareikalavo dusdama. — Ką čia, po velnių, darai?

— Pasakyk man savo atpažinimo kodą, — pareikalavo vyras.

Triša visiškai sutriko. *Ketrina! Gelbėk! Kas šitas žmogus?!*

— Tave mato apsaugininkas! — pasakė ji, puikiai žinodama, kad kameros jų nemato. *Be to, vis tiek niekas jų nestebi.*

— Atpažinimo kodą, — pakartojo vyras. — Tą, kuris tinka tavo elektroninei kortelei.

Kažkur giliai širdyje sujudėjo ledinis išgąstis, Triša staiga pasisuko, stengdamasi išlaisvinti ranką, susilenkė ir siekė nagais vyro akių. Pirštais brūkštelėjo jo veidą, įdrėskė skruostą. Toje vietoje, kur ji drėskė, pasimatė keturios tamsios brūžės. Staiga ji pamatė, kad tamsūs rėžiai odoje — tai ne kraujas. Vyriškis buvo išsitepęs veidą maskuojamuoju kremu, kurį ji nugremžė ir atskleidė anksčiau jo slėptas tamsias tatuiruotes.

Kas šitas pabaisa?!

Beveik nežmogiška jėga vyras apsuko Trišą, pakėlė ją ir užstūmė ant atviro akvariumo su kalmaru; jos veidas pakibo virš etanolio. Dvokiantys garai degino šnerves.

— Koks tavo atpažinimo kodas? — pakartojo jis.

Garai graužė akis, apačioje buvo matyti blyškus kalmaro kūnas.

— Greičiau sakyk, — paliepė jis, pristumdamas jos veidą arčiau skysčio. — Koks?

Dabar pradėjo graužti ir gerklę.

— Nulis aštuoni nulis keturi, — riktelėjo ji, vos įstengdama alsuoti. — Paleisk mane! Nulis aštuoni nulis keturi!

— Jei pamelavai... — pratarė jis, pristumdamas ją dar žemiau, taip, kad plaukai lietė etanolį.

— Nemeluoju! — atsakė ji ir užsikosėjo. — Rugpjūčio ketvirta! Mano gimtadienis!

— Ačiū, Triša.

Galingos jo rankos dar stipriau suspaudė galvą, neatremiama jėga stumtelėjo ją žemyn, ir veidas paniro į akvariumą. Akis nutvilkė veriantis skausmas. Vyras paspaudė dar žemiau, įkišo visą jos galvą į etanolį. Triša pajuto, kaip veidu prisilietė prie mėsingos kalmaro galvos.

Sukaupusi visas jėgas, ji įnirtingai pasipriešino, išsirietė, stengdamasi ištraukti galvą iš akvariumo. Tačiau stiprios rankos nė nepajudėjo.

Man reikia įkvėpti oro!

Ji tebebuvo panirusi skystyje, tik stengėsi neprasižioti ir neatsimerkti. Plaučiai degte degė, tačiau ji iš paskutiniųjų stengėsi įveikti nenumaldomą norą įkvėpti. *Ne! Negalima!* Tačiau galiausiai suveikė refleksas.

Trišos burna prasivėrė, plaučiai išsiplėtė, stengdamiesi įsiurbti kuo daugiau deguonies, kurio taip troško kūnas. Etanolis almančia srove įsiliejo jai į burną. Chemikalai gerkle nutekėjo į plaučius, ir Triša pajuto tokį skausmą, kokio nė neįsivaizdavo egzistuojant. Laimei, jis truko tik kelias sekundes; po to viskas užtemo.

Malachas stovėjo prie akvariumo stengdamasis atgauti kvapą ir apžiūrinėjo patirtus nuostolius.

Nebegyvas moters kūnas tysojo užmestas ant akvariumo krašto, veidas tebebuvo paniręs į etanolį. Žiūrėdamas į ją Malachas prisiminė kitą, vienintelę savo nužudytą moterį.

Izabelę Solomon.

Labai seniai. Kitame gyvenime.

Malachas vėl nužvelgė glebų moters lavoną. Suėmė jį už plačių klubų, kilstelėjo ir ėmė stumti, kol lavonas palindo po kalmaro akvariumo dangčiu. Triša Dan žemyn galva paniro į etanolį. Galiausiai akvariume, taškydamas purslus, atsidūrė visas kūnas. Paskui raibuliai nurimo, o moters lavonas liko ramiai plūduriuoti greta milžiniško galvakojo. Prisigėrę skysčio drabužiai apsunko, ir ji ėmė grimzti gilyn, nykdama tamsoje. Neilgai trukus Trišos Dan kūnas jau gulėjo ant pabaisos.

Malachas nusišluostė rankas ir pristūmė organinio stiklo dangtį, uždarydamas akvariumą.

Drėgnojoje sekcijoje atsirado dar vienas eksponatas.

Jis pakėlė nuo grindų Trišos elektroninę kortelę ir įsidėjo ją į kišenę. *0804.*

Jau pamatęs Trišą Dan vestibiulyje Malachas suprato, kad ji trukdys. Tačiau netrukus sumetė, kad jos elektroninė kortelė ir atpažinimo kodas gali užtikrinti jo saugumą. Jei Ketrinos duomenų saugojimo patalpa saugoma taip atidžiai, kaip pasakojo Piteris, Malachui gali būti nelengva įtikinti Ketriną ją atrakinti. *O dabar aš turiu savo raktus.* Buvo malonu galvoti, kad nebereikės gaišti laiko stengiantis palenkti Ketriną savo valiai.

Atsitiesęs Malachas pamatė lange savo atspindį ir pastebėjo, kad makiažas gerokai apgadintas. Bet tai nebesvarbu. Kai Ketrina viską supras, bus jau per vėlu.

38 skyrius

— Tai masonų kambarys? — griežtai paklausė Sato, nusigręždama nuo kaukolės ir tamsoje stengdamasi įžiūrėti Lengdoną.

Lengdonas ramiai linktelėjo.

— Jis vadinamas Apmąstymų kambariu. Dažniausiai tai būna vėsios, asketiškai įrengtos patalpos, kuriose masonai gali pamąstyti apie savo mirtingumą. Medituodamas mirties neišvengiamybę masonas įgyja vertingų įžvalgų apie netvarią gyvenimo prigimtį.

Sato, aiškiai neįtikinta, apsižvalgė po keistą patalpą.

— Tai čia savotiškas *meditacijų* kambarys?

— Iš esmės taip. Visuose tokiuose kambariuose turi būti tie patys simboliai — kaukolė ir sukryžiuoti kaulai, dalgis, smėlio laikrodis, siera, druska, tuščias popieriaus lapas, žvakė ir taip toliau. Mirties simboliai įkvepia masonus apmąstymams, kaip geriau nugyventi žemėje jiems skirtą gyvenimą.

— Jis primena mirties šventovę, — tarė Andersonas.

Galima sakyti, kad to ir siekta.

— Taip pat iš pradžių reaguoja ir dauguma mano studentų, tyrinėjančių simbolius.

Lengdonas dažnai jiems liepdavo perskaityti Beresniako knygą „Laisvųjų mūrininkų simboliai" su labai gražiomis Apmąstymų kambarių nuotraukomis.

— Ir jūsų studentų, — kvotė Sato, — netrikdo, kad masonai medituoja apsistatę kaukolėmis ir dalgiais?

— Nė kiek ne labiau negu faktas, kad krikščionys meldžiasi žmogui, prikaltam prie kryžiaus, o hinduistai kartoja mantras dievui keturiomis rankomis ir dramblio galva, kuris vardu Ganeša. Nesusipratimai, sukeliami svetimos kultūros simbolių, dažnai sukuria neteisingas nuostatas.

Sato nusigręžė, tikriausiai nenusiteikusi klausytis paskaitos. Ji pasuko prie stalo, ant kurio buvo sudėti objektai. Andersonas mėgino jai pašviesti, bet žibinto šviesa ėmė silpti. Jis pastukseno žibinto rankeną, ir šviesos spindulys šiek tiek paryškėjo.

Visai trijulei suėjus giliau į siaurą kambarį, Lengdono šnervės prisipildė aitraus sieros kvapo. Rūsio gilumoje buvo drėgna, oro drėgmė veikė lėkštelėje pabertą sierą. Sato priėjo prie stalo ir suskato apžiūrinėti kaukolę bei kitus daiktus. Andersonas prisiartino prie jos, iš paskutiniųjų stengdamasis apšviesti stalą silpstančia žibinto šviesa.

Sato apžiūrėjo stalą, įsirėmė rankomis į šonus ir atsidususi paklausė:

— Kokios čia šiukšlės?

Lengdonas puikiai žinojo, kad visi šiame kambaryje esantys objektai buvo atidžiai parinkti ir rūpestingai išdėstyti.

— Persimainymo simboliai, — atsakė jis, jausdamasis įkalintas ankštoje erdvėje, tačiau pamažėliais artėdamas prie bendrakeleivių, stovinčių greta stalo. — Kaukolė, arba *caput mortuum*, simbolizuoja galutinį žmogaus persimainymą — irimą; ji primena, kad kada nors visi nusimesime mirtingus kūnus. Siera ir druska — alchemijoje pripažinti katalizatoriai, skatinantys permainas. Smėlio laikrodis simbolizuoja kintančio laiko galią. — Jis mostelėjo į neuždegtą žvakę. — Ši žvakė simbolizuoja kuriančią pirmykštę ugnį bei žmogaus prabudimą iš neišmanymo miego — persimainymą, kuriamą apšvietos.

— O... *štai šitas?* — paklausė Sato, rodydama į kambario kertę.

Andersonas švystelėjo blėstančiu žibinto spinduliu į didžiulį dalgį, atremtą į galinę sieną.

— Tai anaiptol ne giltinės simbolis, kaip dažniausiai manoma, — atsakė Lengdonas. — Iš tiesų dalgis simbolizuoja persimainančios gamtos galią — juo pjaunamos gamtos bei prigimties dovanos.

Sato ir Andersonas pritilo, veikiausiai mėgindami susivokti keistoje aplinkoje.

Labiau už viską Lengdonas norėjo ištrūkti iš šio kambario.

— Aš suprantu, kad jums ši patalpa atrodo neįprasta, — tarė jis, — bet joje nėra ko apžiūrinėti: iš tiesų tai paprasčiausias tokio pobūdžio kambarys. Panašių į jį rasite daugelyje masonų ložių.

— Bet čia juk ne masonų ložė! — pareiškė Andersonas. — Čia JAV Kapitolijus, ir aš norėčiau žinoti, kokiam tikslui, po velnių, šitas kambarys buvo įrengtas mano prižiūrimame pastate.

— Kartais masonai įsirengia panašius kambarius — meditacijų erdves — savo įstaigose arba namuose. Tai nėra visai negirdėtas dalykas.

Lengdonas pažinojo Bostone gyvenantį kardiochirurgą, kuris vienoje savo kabineto drabužinėje įsirengė masonišką Apmąstymų kambarį, kad prieš eidamas operuoti galėtų pamąstyti apie mirtingumą.

Sato atrodė sunerimusi.

— Tai jūs sakote, kad Piteris Solomonas ateina čia pamąstyti apie mirtį?

— Garbės žodis, aš nežinau, — nuoširdžiai atsakė Lengdonas. — Gal jis čia įkūrė šventą prieglobstį broliams masonams, dirbantiems šiame pastate, dovanojo jiems dvasios šventovę, kurioje jie galėtų pasislėpti nuo medžiaginio pasaulio chaoso... kurioje įtakingas įstatymų leidėjas galėtų apmąstyti sprendimus, darysiančius įtaką daugeliui žmonių.

— Gražus motyvas, — sarkastiškai ištarė Sato, — bet man kažkodėl atrodo, kad amerikiečių nelabai sužavės žinia, kad jų valstybės vadovai meldžiasi sandėliukuose, apsistatę dalgiais ir kaukolėmis.

Ir labai gaila, pamanė Lengdonas, įsivaizduodamas, kaip galėtų pasikeisti pasaulis, jei jo vadovai, prieš įsiveldami į kokį nors karą, dažniau gautų progą apmąstyti gyvenimo baigtinumą.

Sato papūtė lūpas ir atidžiai apžvelgė visus keturis silpnai apšviesto kambario kampus.

— Čia turi būti *dar kas nors*, ne tik kaulai ir lėkštelės su chemikalais, profesoriau. Jus iškvietė iš Kembridžo, iš jūsų namų, ir atgabeno čia tam, kad atsidurtumėte būtent šiame kambaryje.

Lengdonas tvirčiau suspaudė kelionkrepšį, vis dar neįstengdamas susivokti, ką bendra su šiuo kambariu turi krepšyje gulintis ryšulėlis.

— Ponia, man labai gaila, bet aš čia nematau nieko nepaprasto.

Lengdonas tikėjosi, kad dabar pagaliau bus galima imtis tikrai svarbaus reikalo — ieškoti Piterio.

Andersono žibintas vėl sumirksėjo, ir Sato staiga atsisuko į jį, regimai pradėjusi pykti.

— Dėl Dievo meilės, ar aš iš jūsų noriu ko nors nepaprasto?

Ji įsikišo ranką į kišenę ir išsitraukė žiebtuvėlį. Įžiebė jį, ištiesė ranką ir uždegė ant stalo stovinčią vienišą žvakę. Dagtis sušnypštė ir įsiliepsnojo, ankštą patalpą užliejo vaiduokliškas švytėjimas. Akmens sienomis nutįso ilgi šešėliai. Žvakei įsidegus, jiems prieš akis iškilo netikėtas reginys.

— Žiūrėkit, — parodė Andersonas.

Žvakės šviesoje buvo matyti išblukęs įrašas galinėje sienoje — septynios didžiosios raidės, sudarančios žodį.

VITRIOL

— Vitriolis? Keistas žodis tokioje vietoje, — atsiliepė Sato, žiūrėdama į baugų kaukolės metamą šešėlį sienoje, atsiradusį žvakės šviesoje.

— Iš tiesų tai akronimas, — tarė Lengdonas. — Jis dažnai užrašomas ant tokių kambarių kaip šis galinės sienos ir sutrumpintai išreiškia masonų meditacinę mantrą: *Visita interiora terrae, rectificando invenies occultum lapidem.*

Sato beveik pagarbiai pažvelgė į jį.

— O tai reiškia?..

— Aplankyk žemės gelmes ir grynindamas atrasi paslėptą akmenį.

Sato žvilgsnis sugriežtėjo.

— Ar šis paslėptas akmuo turi ryšį su paslėpta piramide?

Lengdonas gūžtelėjo pečiais, nenorėdamas jos skatinti leistis į palyginimus.

— Be abejo, tie, kurie mėgsta pasakas apie Vašingtone paslėptas piramides, jums pasakys, kad *occultum lapidem* ir yra akmens piramidė. Kitų manymu, čia minimas Filosofinis akmuo — medžiaga, kurią alchemikai tikėjo turint galių suteikti amžinąjį gyvenimą arba paversti šviną auksu. Treti sako, jog tai užuomina į Švenčiausią šventovę, slaptą akmenyje iškirstą Didžiosios šventyklos kambarį. Ketvirti mano, kad tai krikščionių užuomina į slaptąjį šv. Petro, kurio vardas reiškia „uola", taigi akmuo, mokymą. Kiekviena ezoterinė tradicija savaip aiškina „akmenį", bet visose *occultum lapidem* yra neabejotinas galios ir apšvietos šaltinis.

Andersonas atsikrenkštė.

— Ar gali būti, kad Solomonas tam tipui pamelavo? Gal ėmė ir pasakė, kad čia gelmėse kažkas yra... o iš tikrųjų — nėra.

Lengdonas galvojo panašiai.

Staiga žvakės liepsna supleveno, tarsi pagauta skersvėjo. Neilgam ji priblėso, bet netrukus vėl įsiliepsnojo ir toliau ramiai degė.

— Keista, — pasakė Andersonas. — Tikiuosi, niekas neuždarė durų viršuje. — Iš kambario jis išėjo į tamsų koridorių. — Ei?

Lengdonas beveik nepastebėjo, kaip jis išėjo. Staiga jo žvilgsnis prilipo prie galinės sienos. *Kas čia buvo?*

— Ar matėt? — paklausė Sato, kuri irgi sunerimusi žiūrėjo į sieną.

Lengdonas linktelėjo pajutęs, kaip paspartėjo pulsas. *Ką aš ką tik mačiau?*

Prieš akimirką galinė siena keistai suvirpėjo, tarsi ja būtų perbėgusi energijos vilnis.

Andersonas grįžo į kambarį.

— Ten nieko nėra.

Jam įėjus, siena vėl suvilnijo.

— Kas per velnias! — atšokdamas šūktelėjo jis.

Visi trys ilgai stovėjo be žado, sužiurę į galinę sieną. Lengdonas, suvokęs, ką jie mato, pajuto nugara nubėgant šiurpulius. Jis atsargiai ištiesė ranką ir pirštų galiukais palietė galinės kambario sienos paviršių.

— Tai ne siena, — ištarė jis.

Andersonas ir Sato, priėję arčiau, atidžiai įsižiūrėjo.

— Tai drobė, — tarė Lengdonas.

— Bet ji buvo išsipūtusi, — greitai atsakė Sato.

Taip, ir labai keistai. Lengdonas atidžiau apžiūrėjo sienos paviršių. Drobės blizgesys labai keistai atspindėjo žvakės šviesą, nes visai neseniai buvo matyti, kaip ji įsitraukė sienos vidun... o paskui vėl grįžo atgal, į įprastą sienos plotmę.

Lengdonas labai atsargiai spustelėjo drobę ištiestais pirštais. Apstulbęs tuoj pat atitraukė ranką. *Ten anga!*

— Patraukite drobę, — paliepė Sato.

Lengdono širdis ėmė smarkiai plakti. Jis ištiesė ranką, suėmė drobės kraštą ir lėtai atitraukė ją šalin. Netikėdamas savo akimis, įsistebeilijo į tai, kas atsivėrė priešais. *Dieve mano.*

Sato ir Andersonas stovėjo tylėdami, apstulbę ir žiūrėjo pro angą, atsivėrusią galinėje sienoje.

Galiausiai Sato prabilo:

— Atrodo, mes pagaliau radome tą jūsų piramidę.

39 skyrius

Robertas Lengdonas spoksojo į angą galinėje kambario sienoje. Joje buvo iškirsta taisyklingo kvadrato pavidalo skylė, vėliau pridengta drobės gabalu. Apytikriai metro pločio angai iškirsti iš sienos buvo paprasčiausiai išimtos kelios plytos. Tamsoje Lengdonas iš pradžių pamanė, kad ši anga — tai langas į tolimesnį kambarį.

Tačiau dabar jis aiškiai matė, kad ne.

Anga buvo vos nepilno metro gylio. Ji Lengdonui priminė grubiai pagamintą lentynėlę ar veikiau nišą — į tokias muziejuose statomos skulptūros. Joje, kaip ir dera, stovėjo nedidelis objektas.

Tai buvo kokių dvidešimties centimetrų aukščio vientisas šlifuoto granito luitas. Elegantiškas, glotnus keturių sienų paviršius švytėjo žvakės šviesoje.

Lengdonas niekaip nesusivokė, kodėl ji čia yra. *Akmeninė piramidė?*

— Iš jūsų nuostabos, — patenkintu balsu ištarė Sato, — spėju, kad tokie objektai būna *ne visuose* Apmąstymų kambariuose?

Lengdonas papurtė galvą.

— Tai gal norėtumėte atšaukti savo žodžius apie legendą, kad Vašingtone yra paslėpta masonų piramidė? — Jos tone buvo girdėti laimėtojos pasipūtimas.

— Direktore, — tuojau pat atsakė Lengdonas, — tai anaiptol nėra masonų piramidė.

— Vadinasi, mes visai atsitiktinai radome piramidę, paslėptą pačioje JAV Kapitolijaus širdyje, slaptame kambaryje, priklausančiame masonų vadovui?

Lengdonas pasitrynė akis, stengdamasis mąstyti aiškiau.

— Ponia, ši piramidė visiškai neprimena mito. Masonų piramidė turi būti milžiniška, o jos viršūnė nulieta iš gryno aukso.

Be to, Lengdonas puikiai žinojo, kad ši piramidė iš tiesų net negali būti vadinama *tikra* piramide, nes ji neturi viršūnės. O piramidė be viršūnės — tai visiškai kitas simbolis. Ji vadinama nukirsta piramide ir simboliškai primena, jog žmogus niekada negali tvirtinti įgyvendinęs visas savo galimybes. Mažai kas žino, kad šis simbolis — vienas iš populiariausių pasaulyje. *Jo išspausdinta daugiau kaip dvidešimt milijardų egzempliorių.* Nukirsta piramidė puošia kiekvieną apyvartoje esantį vieno dolerio vertės banknotą, kantriai laukdama spindulingos viršūnės, kuri kybo virš jos, tarsi primindama dar neįvykdytą Amerikos lemtingą užduotį ir darbus, būtinus atlikti šaliai bei jos gyventojams.

— Nukelkite ją, — paliepė Sato Andersonui, rodydama į piramidę. — Noriu apžiūrėti atidžiau.

Ji pradėjo ruošti vietą ant stalo, be jokios pagarbos nubraukdama į šalį kaukolę bei kaulus.

Lengdonui pradėjo rodytis, kad jie elgiasi kaip kokie kapų plėšikai, išniekinantys asmeninę šventovę.

Andersonas praėjo pro Lengdoną, prisiartino prie nišos ir stambiais delnais suėmė piramidės šonus. Sunkiai įstengdamas ją pakelti iš tokios nepatogios vietos, jis prisitraukė piramidę arčiau ir dunkstelėjęs pastatė ant medinio stalo. Pasitraukė praleisdamas Sato.

Direktorė pastatė žvakę arčiau piramidės ir apžiūrėjo jos šlifuotą paviršių. Lėtai perbraukė jį mažyčiais pirštukais, apčiupinėjo plokščią viršūnę, briaunas, šonus. Apglėbė piramidę rankomis, apčiuopė jos tolimesnę pusę ir nusivylusi suraukė kaktą.

— Profesoriau, jūs anksčiau sakėte, kad masonų piramidė buvo pagaminta norint išsaugoti slaptą informaciją.

— Taip, tai sako legenda.

— Taigi galima daryti prielaidą, kad jei Piterio pagrobėjas manė, jog ši piramidė yra masonų, tai jis tikėjo joje esant slaptą ir galingą informaciją.

Lengdonas, netekęs kantrybės, linktelėjo.

— Taip, tačiau net jei jis atrastų šią piramidę, tikriausiai nesugebėtų šios informacijos *perskaityti*. Legenda teigia, kad piramidės turinys yra užšifruotas ir dėl to nesuprantamas niekam... išskyrus tuos, kurie to verti.

— Nesupratau?

Nekreipdamas dėmesio į didėjantį nekantrumą, Lengdonas atsakė ramiai:

— Mitologijoje lobius visada saugo išbandymai, skirti nustatyti ieškotojo vertę. Tikriausiai atsimenate, kaip legendoje apie akmenyje įstrigusį kalaviją akmuo atsisako duoti kalaviją visiems, išskyrus Artūrą, kuris dvasia pasirengęs valdyti didžiulę kalavijo galią. Masonų piramidė veikia tuo pačiu principu. Šiuo atveju lobis yra informacija, ir ji, kaip pasakojama, užrašyta šifruota kalba — mistine prarastų žodžių kalba, kurią perskaityti įstengia tik esantys verti šio lobio.

Sato lūpose pasirodė šypsenėlė.

— Tikriausiai tuo galima paaiškinti, kodėl jus čia šįvakar iškvietė.

— Prašau?

Sato ramiai apsuko piramidę 180 laipsnių kampu, nepakeldama jos pagrindo nuo stalo. Žvakės šviesa dabar apšvietė ketvirtąjį piramidės šoną.

Robertas Lengdonas apstulbęs žiūrėjo į jį.

— Atrodo, — tarė Sato, — kai kas jus laiko vertu lobio.

40 skyrius

Kur Triša taip ilgai užgaišo?

Ketrina Solomon dar kartą žvilgtelėjo į laikrodį. Ji buvo pamiršusi įspėti daktarą Abadoną apie keistą kelionę į laboratoriją, bet nemanė, kad tamsa galėtų juos taip ilgai užlaikyti. *Jie jau turėtų būti čia.*

Ketrina priėjo prie išėjimo ir pastūmusi švinu kaustytas duris įsižiūrėjo į tuštumą. Pasiklausė, tačiau nieko neišgirdo.

— Triša? — pašaukė, bet jos balsą prarijo tamsa.

Tyla.

Ji suglumusi uždarė duris, išsiėmė mobilųjį telefoną ir paskambino į vestibiulį.

— Čia Ketrina. Ar Triša pas jus?

— Ne, ponia, — atsakė vestibiulio apsaugininkas. — Ji ir jūsų svečias nuėjo pas jus gal prieš dešimt minučių.

— Tikrai? Man atrodo, jie dar net neįžengė į Penktąją sekciją.

— Luktelėkite. Tuoj patikrinsiu. — Ketrina girdėjo, kaip po apsaugininko pirštais klaksi kompiuterio klavišai. — Jūs teisi. Kaip rodo ponios Dan elektroninės kortelės duomenys, ji dar neatidarė Penktosios sekcijos durų. Paskutinis jos įėjimas užfiksuotas prieš aštuonias minutes... įėjo į Trečiąją sekciją. Tikriausiai nutarė jūsų svečiui surengti nedidelę ekskursiją.

Ketrina suraukė kaktą. *Turbūt.* Ši žinia jai pasirodė keistoka, tačiau ji bent jau žinojo, kad Trečiojoje sekcijoje Triša ilgai neužtruks. *Ten baisiai dvokia.*

— Ačiū. O mano brolis jau atvyko?

— Ne, ponia, dar ne.

— Ačiū.

Baigusi pokalbį Ketrina pajuto netikėtą baimės antplūdį. Nemalonus jausmas privertė stabtelėti, bet neilgai. Lygiai tokį pat būgštavimą ji jautė įėjusi į daktaro Abadono namus. Kaip nemalonu, kad tą kartą moteriška nuojauta ją apgavo. Ir dar kaip.

Nieko baisaus, tarė sau Ketrina.

41 skyrius

Robertas Lengdonas atidžiai apžiūrėjo akmeninę piramidę. *To negali būti.*

— Senovinė šifruota kalba, — nepakeldama akių tarė Sato. — Sakykite, šita tiks?

Į šviesą atsuktame piramidės šone buvo matyti šešiolika simbolių, aiškiai įrėžtų glotniame akmenyje.

Greta Lengdono stovintis Andersonas irgi prasižiojo, tarsi mėgdžiodamas Lengdoną ištikusią nuostabą. Atrodė, saugos tarnybos viršininkas ką tik pamatė klaviatūrą su kokiu nors nematytu šriftu.

— Profesoriau? — kreipėsi į Lengdoną Sato. — Manau, jūs galėsite tai perskaityti?

Lengdonas atsisuko į ją.

— O kodėl jūs taip manote?

— Todėl, kad jus čia *atgabeno*, profesoriau. Jus pasirinko. Šis įrašas, atrodo, yra savotiškas kodas, o turint galvoje jūsų reputaciją atrodo visiškai aišku, kad jus iškvietė jį iššifruoti.

Lengdonui teko pripažinti, kad po to, ką jam teko patirti Romoje ir Paryžiuje, jo adresu ėmė nuolat plaukti prašymai padėti įminti didžiąsias istorijos mįsles — išaiškinti Festos disko prasmes, įveikti Dorabelos šifrą, perskaityti paslaptingąjį Voiničiaus rankraštį.

Sato pirštu perbraukė įrašą.

— Ar galite pasakyti, ką reiškia šie ženklai?

Čia ne ženklai, pamanė Lengdonas. *Čia simboliai.* Kalbą, kuria jie buvo parašyti, jis atpažino iš karto — tai buvo XVII a. koduota skaičių kalba. Lengdonas puikiausiai žinojo, kaip ją iššifruoti.

— Ponia, — dvejodamas priminė jis, — ši piramidė yra *privati* Piterio nuosavybė.

— Privati ar ne, nesvarbu: jei jus iš tiesų iškvietė į Vašingtoną dėl šio kodo, pasirinkimo neturėsite. Man reikia žinoti, kas čia parašyta.

Sato delninukas garsiai skimbtelėjo, ji išsitraukė jį iš kišenės ir kelias sekundes žiūrėjo į atsiųstą pranešimą. Lengdonas apstulbo pamatęs, kad Kapitolijaus vidinė interneto ryšio sistema veikia net taip giliai po žeme.

Sato krenkštelėjo ir pakėlė antakius, paskui keistai pažvelgė į Lengdoną.

— Viršininke Andersonai? — pakvietė ji atsigręždama į jį. — Gal galima su jumis pakalbėti be liudininkų?

Direktorė pamojo Andersonui paėjėti toliau, ir jie abu dingo tamsiame koridoriuje, palikę Lengdoną Piterio Apmąstymų kambaryje, apšviestame blykčiojančios žvakės šviesos.

Viršininkas Andersonas pasvarstė, ko dar galima tikėtis šį vakarą. *Mano prižiūrimoje Rotondoje palikta nukirsta žmogaus plaštaka? Mano prižiūrimo pastato rūsyje įrengta mirties šventykla? Keistas įrašas, išgraviruotas akmeninėje piramidėje?* Po viso šito „Redskins“ žaidimas nebeatrodė toks svarbus.

Eidamas paskui Sato į koridoriaus tamsą Andersonas įjungė žibintą. Šviesa buvo silpna, tačiau vis tiek geriau negu nieko. Sato pasivedėjo jį kelis metrus, stengdamasi nutolti nuo Lengdono.

— Pažvelkite, — sušnibždėjo ji, duodama Andersonui savo delninuką.

Andersonas jį paėmė ir prisimerkęs įsižiūrėjo į apšviestą ekraną. Jame buvo sustingęs nespalvotas vaizdas — rentgeno spinduliais peršviesto Lengdono kelionkrepšio nuotrauka, kurią Andersonas buvo liepęs atsiųsti Sato. Kaip visose rentgeno nuotraukose, didžiausio tankio objektai švietė ryškiausia balta spalva. Lengdono krepšyje vienas objektas baltumu pranoko visus kitus. Jis buvo itin didelio tankio, todėl švytėjo blausioje kitų daiktų raizgalynėje nelyginant ryškus brangakmenis. Jo forma buvo aiškiai matyti.

Jis visą vakarą nešiojasi šitą daiktą? Andersonas nustebęs pažvelgė į Sato.

— Kodėl Lengdonas nieko apie jį neužsiminė?

— Velniškai geras klausimas, — sušnibždėjo Sato.

— Ta forma... tai negali būti atsitiktinumas.

— Ne, — pritarė jam Sato, kurios balsas dabar nuskambėjo piktai. — Sakyčiau, tikrai ne.

Andersono dėmesį patraukė koridoriuje pasigirdęs tylus šlamesys. Nustebęs jis nukreipė į tą koridoriaus pusę žibinto šviesos spindulį. Blėstančioje šviesoje išniro tik tuščias koridorius ir atviros durys abiejose jo pusėse.

— Ei? — pašaukė Andersonas. — Ar čia yra kas nors?

Tyla.

Sato, nieko neišgirdusi, keistai pažvelgė į jį.

Andersonas dar kelias akimirkas pasiklausė ir nutarė nusiraminti. *Man reikia kuo greičiau iš čia dingti.*

Lengdonas, likęs vienas kambaryje prie žvakės šviesos, pirštu perbraukė per aštrius piramidėje įrėžtų simbolių kraštus. Jam buvo smalsu, kas čia parašyta, tačiau neketino pažeisti Piterio Solomono privatumo daugiau, negu jis pažeistas dabar. *Be to, kam šitam pamišėliui būtų prireikę šios mažos piramidės?*

— Turime problemą, profesoriau, — pasigirdo garsus Sato balsas jam už nugaros. — Ką tik gavau naujos informacijos ir man jau darosi bloga nuo jūsų melavimo.

Lengdonas atsisukęs pamatė ST direktorę, artėjančią prie jo su delninuku rankoje, pykčiu degančiomis akimis. Apstulbęs jis atsisuko į Andersoną, tikėdamasis pagalbos, bet saugos tarnybos viršininkas stovėjo prie durų tarsi jas užstodamas, o jo veido išraiška nežadėjo nieko gero. Sato priėjo prie Lengdono ir pakišo jam po nosim delninuką.

Lengdonas nieko nesuprasdamas pažvelgė į ekraną, kuriame buvo sustingusi nespalvota fotografija, primenanti negatyvą. Joje buvo daug įvairių objektų, bet vienas, labai ryškus, išsiskyrė iš visų. Jis buvo pasuktas šonu ir ne visai tiesus, tačiau niekas nebūtų suabejojęs, kad tai mažytė smailiaviršūnė piramidė.

Mažytė piramidė? Lengdonas pažvelgė į Sato.

— Kas čia?

Atrodo, jo klausimas dar labiau įsiutino Sato.

— Apsimetate, kad nežinote?

Lengdonas nebeišlaikė.

— Aš niekuo *neapsimetu!* Niekada gyvenime nesu šito daikto matęs!

— Paistalai! — riktelėjo Sato, ir jos balsas garsiai nuaidėjo troškiame ore. — Jūs jį visą vakarą nešiojotės savo krepšyje!

— Aš...

Staiga Lengdonas nutilo nebaigęs sakinio. Jo žvilgsnis lėtai nuslinko prie kabančio ant peties kelionkrepšio. Paskui vėl pakilo prie delninuko. *Dieve mano... ryšulėlis.* Jis atidžiau pažvelgė į nuotrauką. Dabar pagaliau pamatė. Neryškus vaiduokliškas kubas, o jame — piramidė. Lengdonas apstulbęs susivokė žiūrįs į savo krepšio rentgeno nuotrauką... kurioje matyti paslaptingasis kubelio pavidalo Piterio paliktasis ryšulėlis. Pasirodė, kad kubas — tai dėžutė... o joje yra maža piramidė.

Lengdonas žiojosi kalbėti, tačiau nerado žodžių. Staiga jį ištiko nauja įžvalga, ir plaučiuose, atrodo, visai nebeliko oro.

Paprasta. Gryna. Mirtina.

Dieve mano. Jis vėl pažvelgė į stovinčią ant stalo akmeninę piramidę nukirsta viršūne. Jos viršus buvo plokščias mažas kvadratėlis, tuščia erdvė, simboliškai laukianti paskutinės detalės... detalės, kuri nukirstą piramidę pavers tikrąja piramide.

Tik dabar Lengdonas suvokė, kad mažutė piramidė, kurią jis atsivežė, iš tiesų visai ne piramidė. *Tai piramidės viršūnė.* Tą pačią akimirką jam paaiškėjo, kodėl tik jis vienas gali atskleisti šios piramidės paslaptis.

Aš turiu paskutinę detalę.

Ir ji iš tiesų yra... talismanas.

Kai Piteris pasakė, kad ryšulėlyje yra talismanas, Lengdonas tik nusijuokė. Dabar jis suprato, kad draugas sakė tiesą. Mažoji viršūnėlė iš tiesų *yra* talismanas, bet ne magijos požiūriu... daug senesne šio žodžio prasme. Žodis „talismanas“, dar prieš įgydamas magišką reikšmę buvo vartojamas kita prasme — kaip „užbaigimas“. Jis kilęs iš graikiško žodžio *telesma*, reiškiančio „užbaigti“: talismanas — tai detalė ar mintis, užbaigianti kokį nors objektą arba idėją, paverčianti ją visuma. *Paskutinė detalė.* Kalbant simboliškai, viršūnė — tai aukščiausias talismanas, paverčiantis nukirstą piramidę visiško tobulumo simboliu.

Lengdonas pajuto, kad keistai susiklostę įvykiai verčia jį pripažinti labai keistą tiesą: Piterio Apmąstymų kambaryje stovinti akmens piramidė, jei nekreipsime dėmesio į jos dydį, pradeda iš tiesų virsti objektu, labai primenančiu legendose minimą masonų piramidę.

Iš to, kaip ryškiai viršūnėlė švytėjo rentgeno nuotraukoje, Lengdonas spėjo, kad ji pagaminta iš metalo... iš metalo, turinčio *didelį tankį*. Neįmanoma nustatyti, ar ji tikrai nulieta iš gryno aukso, be to, dabar ne laikas paleisti vaizduotės vadžias. *Ši piramidė per maža. Joje įrėžtą kodą pernelyg lengva perskaityti. O be to... Dieve mano, juk tai mitas!*

Sato jį stebėjo.

— Jūs toks protingas žmogus, profesoriau, tačiau šį vakarą elgėtės kaip reta neprotingai. Meluoti žvalgybos tarnybos direktorei? Sąmoningai trukdyti CŽV tyrimui?

— Galiu viską paaiškinti, jei leisite.

— Paaiškinsite CŽV būstinėje. Nuo šios akimirkos esate sulaikytas.

Lengdono kūnas pastiro.

— Negali būti, jūs tikriausiai juokaujate.

— Nė truputėlio. Aš jums labai aiškiai pasakiau, kad tai, kas vyksta šį vakarą, yra itin svarbu, bet jūs nusprendėte su manimi nebendradarbiauti. Primygtinai jums siūlau kuo greičiau pradėti mąstyti apie tai, kaip paaiškinti įrašą piramidėje, nes kol atvyksime į CŽV... — ji pakėlė delninuką ir iš labai arti nufotografavo įrašą akmeninėje piramidėje, — mano analitikai jau bus gerokai padirbėję.

Lengdonas žiojosi protestuoti, tačiau Sato pasisuko į stovintį prie durų Andersoną.

— Viršininke, — paliepė ji, — įdėkite akmeninę piramidę į Lengdono krepšį ir neškite jį. Aš pasirūpinsiu Lengdono sulaikymu. Ar galiu paimti jūsų ginklą?

Andersonas akmeniniu veidu įėjo į kambarį, pakeliui atsegdamas ant peties nešiojamą ginklo dėklą. Jis padavė ginklą Sato, o ši tuojau pat atsuko vamzdį į Lengdoną.

Lengdonas stebėjo įvykius tarsi sapne. *To negali būti.*

Andersonas priėjo prie Lengdono, nutraukė jam nuo peties kelionkrepšį, nusinešė jį prie stalo ir padėjo ant kėdės. Atsegė užtrauktuką, atidarė krepšį ir įdėjo į jį nuo stalo nuimtą akmeninę piramidę — ten pat, kur gulėjo Lengdono paskaitos užrašai ir ryšulėlis.

Staiga koridoriuje kažkas sušlamėjo ir sujudo. Duryse išdygo tamsus žmogaus siluetas, jis įėjo į kambarį ir sparčiai artėjo prie Andersono pastarajam iš už nugaros. Viršininkas jo nepastebėjo. Nepraėjus nė akimirkai, nepažįstamasis nuleido petį ir trenkė juo Andersonui į nugarą. Saugos tarnybos viršininkas griuvo į priekį, galva atsitrenkdamas į akmeninės nišos kraštą. Jis sunkiai susmuko ant stalo, nuo kurio į visas puses pabiro kaulai bei kitokie daiktai. Smėlio laikrodis sudužo, nukritęs ant grindų. Žvakė irgi nukrito, tačiau neužgeso.

Kilusioje sumaištyje Sato atsisuko į nepažįstamąjį ir nusitaikė į jį, bet įsibrovėlis sugriebė blauzdikaulį ir smarkiai trenkė jai per petį. Sato suriko iš skausmo ir parpuolė, paleisdama iš rankų ginklą. Atėjūnas paspyrė jį tolyn ir atsisuko į Lengdoną. Jis buvo aukštas ir lieknas, elegantiškas afroamerikietis, kurio Lengdonas prieš tai gyvenime nebuvo matęs.

— Čiupkite piramidę! — paliepė žmogus. — Paskui mane!

42 skyrius

Nekilo nė mažiausios abejonės, kad afroamerikietis, vedantis Lengdoną požeminių Kapitolijaus koridorių labirintu, yra įtakingas ir galingas žmogus. Elegantiškas nepažįstamasis ne tik puikiai orientavosi visuose šoniniuose koridoriuose ir nenaudojamuose kambariuose, bet ir turėjo raktą, kuriuo atrakindavo visas kelią pastojusias duris.

Lengdonas sekė jam iš paskos, mikliai bėgdamas nepažįstamais, į viršų vedančiais laiptais. Lipdamas juto, kaip petį spaudžia odinė kelionkrepšio rankena. Akmeninė piramidė buvo tokia sunki, kad Lengdonas būgštavo, jog rankena gali neišlaikyti ir nutrūkti.

Kelių pastarųjų minučių logiškai įvertinti nebūtų įmanoma, tad dabar Lengdonas nutarė veikti kliaudamasis tik instinktu. Nuojauta jam kuždėjo, kad nepažįstamuoju galima pasitikėti. Jis ne tik išgelbėjo Lengdoną nuo Sato grasinamo suėmimo, bet ir nepabūgo pavojaus, siekdamas išgelbėti paslaptingąją Piterio piramidę. *Kad ir kas ta piramidė būtų iš tiesų.* Nepažįstamojo motyvų Lengdonas nesuprato, bet spėjo pastebėti ant jo piršto spindintį auksą — masonų žiedą su dvigalviu feniksu ir skaičiumi 33. Šis žmogus ir Piteris Solomonas — daugiau negu seni draugai. Jie abu masonai, pasiekę brolijoje aukščiausią laipsnį.

Lengdonas nusekė jį laiptais, paskui kitu koridoriumi, po to pro duris be jokių atpažinimo ženklų jie įėjo į paprastą koridorių. Bėgo juo palei sukrautas atsargų dėžes ir šiukšlių maišus, kol staiga pasuko, žengė pro tarnybinį įėjimą — ir pateko į visiškai netikėtą aplinką, primenančią prabangų kino teatrą. Nepažįstamasis pirmas nuėjo šoniniu takeliu ir pro pagrindines duris išėjo į šviesų, erdvų atriumą. Tik dabar Lengdonas susivokė, kad jie grįžo į lankytojų centrą, pro kurį jis pats šįvakar pateko į pastatą.

Deja, čia buvo ir apsaugininkas.

Jie priėjo prie apsaugininko ir visi trys sustojo, žiūrėdami vienas į kitą. Lengdonas atpažino jauną lotynų amerikietį, kuris šį vakarą tikrino jo krepšį.

— Pareigūne Nunjesai, — tarė afroamerikietis, — niekam nė žodžio. Eikite paskui mane.

Apsaugininkui, atrodo, buvo nesmagu, bet jis neklausinėdamas pakluso.

Kas šis žmogus?

Trijulė nuskubėjo į pietrytinį lankytojų centro kampą, kur buvo nedidelis vestibiulis ir sunkios durys, užstatytos dviem oranžiniais stulpiukais. Be to, durys buvo užklijuotos lipnia juosta, veikiausiai stengiantis, kad kitapus vykstančių statybos darbų dulkės neprasiskverbtų į lankytojų centrą. Vyriškis ištiesė ranką ir nuplėšė lipnią juostą. Tada, žiūrinėdamas savo raktų rinkinį, kreipėsi į apsaugininką.

— Mūsų bičiulis viršininkas Andersonas yra *subbaziniame* lygmenyje. Gali būti, kad sužeistas. Jums reikėtų patikrinti.

— Taip, pone. — Nunjesas atrodė ir sutrikęs, ir išsigandęs.

— Svarbiausia — jūs mūsų nematėte. — Vyras galiausiai atrado reikalingą raktą, nusegė jį nuo ryšulio ir atrakino skląstį, laikiusį sunkiąsias šarvuotas duris. Atidarė jas ir sviedė raktą apsaugininkui. — Mums išėjus, užrakinkite duris. Kaip įmanydamas geriau užklijuokite juostą. Įsidėkite raktą į kišenę ir niekam nieko nesakykite. *Ničniekam*. Net saugos tarnybos viršininkui. Ar aišku, pareigūne Nunjesai?

Apsaugininkas žvelgė į raktą taip, tarsi jam būtų patikėtas saugoti vertingiausias brangakmenis.

— Aišku, pone.

Vyras skubiai žengė pro duris, Lengdonas nusekė jam iš paskos. Apsaugininkas jiems iš paskos užstūmė didžiulį skląstį, netrukus Lengdonas išgirdo, kaip jis klijuoja atgal nuplėštą juostą.

— Profesoriau Lengdonai, — tarė vyriškis, jiems abiem greitai einant šiuolaikišku koridoriumi, kuriame aiškiai buvo vykdomi statybos ar remonto darbai. — Mano vardas Vorenas Belamis. Piteris Solomonas — brangus mano draugas.

Lengdonas nustebęs vogčiomis žvilgtelėjo į iškilnų poną. *Jūs Vorenas Belamis?* Lengdonas niekada nebuvo matęs Kapitolijaus architekto, bet jo vardą tikrai buvo girdėjęs.

— Piteris apie jus labai geros nuomonės, — tarė Belamis, — ir man labai gaila, kad teko susipažinti tokiomis baisiomis aplinkybėmis.

— Piteris pateko į didžiulę bėdą. Jo ranka...

— Aš žinau. — Belamio balsas nuskambėjo niūriai. — Deja, spėju, kad tai toli gražu ne viskas.

Jie priėjo apšviestos dalies pabaigą, po kurios koridorius darė staigų posūkį į kairę. Likusioje jo dalyje buvo tamsu, nors į akį durk.

— Luktelkite, — ištarė Belamis ir dingo gretimoje skydinėje, iš kurios raizgėsi daugybė storų oranžinių kabelių, toliau dingstančių tamsiame koridoriuje. Lengdonas palaukė, kol Belamis rausėsi viduje. Veikiausiai architektas rado jungiklį, reguliuojantį energijos tiekimą laidais, nes staiga tolesnė maršruto dalis nušvito.

Lengdonui beliko tik spoksoti netariant nė žodžio.

Vašingtonas Kolumbijos apygardoje — lygiai kaip Roma — yra miestas, stovintis virš begalės susiraizgiusių slaptų koridorių ir tunelių tinklo. Koridorius, atsivėręs Lengdonui prieš akis, priminė jam *passetto* tunelį, jungiantį Vatikaną su Šv. Angelo pilimi. *Ilgas. Tamsus. Siauras.* Tačiau šis koridorius, kitaip negu senovinis *passetto*, buvo šiuolaikiškas ir dar nebaigtas statyti. Siaura statybų erdvė buvo tokia ilga, kad atrodė, jog tolimajame gale ji visiškai susiaurėja. Ją apšvietė tik kur ne kur kabančios statybininkų lempos, kurios iš esmės tik pabrėžė neapsakomą tunelio ilgį.

Belamis jau ėjo tuneliu.

— Sekite paskui mane. Atsargiai, žiūrėkite po kojomis.

Lengdonas žengė paskui Belamį svarstydamas, kur galėtų vesti šis tunelis.

Tą pačią akimirką Malachas išėjo iš Trečiosios sekcijos ir sparčiai nužingsniavo tuščiu pagrindiniu SMS koridoriumi Penktosios sekcijos kryptimi. Rankoje jis laikė Trišos elektroninę kortelę ir tyliai pats sau kartojo: „Nulis aštuoni nulis keturi."

Tačiau jo galvoje sukosi dar viena mintis. Malachas ką tik gavo skubią žinią iš Kapitolijaus. *Mano ryšininką ištiko netikėti sunkumai.* Vis tiek padėtis atrodė gera: Robertas Lengdonas dabar turi ir piramidę, ir viršūnę. Viskas įvyko labai netikėtai, tačiau svarbiausia, kad gyvybiškai svarbūs elementai pagaliau atsidūrė vienoje vietoje. Galima pamanyti, kad šio vakaro įvykiams vadovauja lemtis, pasirengusi užtikrinti Malacho pergalę.

43 skyrius

Lengdonas skubėjo ilgu koridoriumi stengdamasis neatsilikti nuo greitos Voreno Belamio eisenos; nė vienas iš vyrų netarė nė žodžio. Kol kas atrodė, kad Kapitolijaus architektui labiau rūpi nugabenti akmeninę piramidę kuo toliau nuo Sato, negu paaiškinti Lengdonui, kas čia vyksta. Lengdonas jautė augantį įtarimą, kad viskas yra kur kas sudėtingiau, negu jis gali įsivaizduoti.

CŽV? Kapitolijaus architektas? Du trisdešimt trečio laipsnio masonai?

Tylą perskrodė šaižus Lengdono mobiliojo telefono skambutis. Lengdonas išsitraukė telefoną iš kišenės. Netvirtu balsu atsiliepė:

— Klausau?

Jam į ausį prakalbo keistas pažįstamas šnabždesys.

— Profesoriau, girdėjau, kad jūs netikėtai įgijote bendrakeleivį.

Lengdoną sukaustė ledinis šaltis.

— Kur, po velnių, yra Piteris? — griežtai paklausė jis, o jo balso aidas atsimušė į ankšto tunelio sienas. Einantis priekyje Vorenas Belamis atsisuko susirūpinusiu veidu ir mostu paragino Lengdoną neatsilikti.

— Nesijaudinkite, — atsakė balsas. — Kaip sakiau, Piteris yra saugioje vietoje.

— Dėl Dievo meilės, jūs nukirtote jam ranką! Jam reikia gydytojo!

— Jam reikia kunigo, — atsakė pašnekovas. — Bet jūs galite jį išgelbėti. Jei elgsitės taip, kaip liepsiu, Piteris liks gyvas. Duodu žodį.

— Pamišėlio žodis man nieko nereiškia.

— Pamišėlio? Profesoriau, kas jau kas, o jūs turėtumėte įvertinti, kaip pagarbiai šį vakarą laikiausi senovės protokolo reikalavimų. Slėpinių ranka atvedė jus prie vartų — durų, už kurių paslėpta piramidė, žadanti atskleisti senovės išmintį. Žinau, kad dabar jūs ją turite.

— Jūs manote, kad *tai ir yra* masonų piramidė? — paklausė Lengdonas. — Tai tik akmens gabalas.

Kitame linijos gale stojo tyla.

— Pone Lengdonai, jūs pernelyg protingas, kad apsimetinėtumėte neišmanėliu. Puikiausiai suvokiate, ką šiandien atradote. Akmeninę piramidę... kurią įtakingas masonas... paslėpė pačioje Vašingtono širdyje?

— Jūs vaikotės *mitą!* Kad ir ką Piteris jums pasakė, jis tai padarė iš baimės. Masonų piramidės legenda yra *išgalvota*. Masonai niekada nėra pastatę jokios piramidės slaptajai išminčiai saugoti. O jei ir būtų pastatę, tai *šita* piramidė per maža, kad būtų ta, kurios jūs ieškote.

Vyriškis susijuokė.

— Matau, kad Piteris jums beveik nieko nepasakė. Ir vis dėlto, pone Lengdonai, net jei nenorite pripažinti svarbos to, ką šiuo metu turite, siūlyčiau vis dėlto *daryti* tai, ką aš jums liepsiu. Aš gerai žinau, kad piramidėje, kurią jūs nešatės, yra išgraviruotas įrašas. Jūs man jį *iššifruosite*. Tik po to aš jums grąžinsiu Piterį Solomoną, ne anksčiau.

— Kad ir ko jūs tikitės iš šio įrašo, — atsakė Lengdonas, — jis tikrai negali būti Senovės Slėpiniai.

— Žinoma, ne, — atsakė balsas. — Senovės Slėpiniai tokie neaprėpiami, kad jų neįmanoma įrašyti viename akmeninės piramidės šone.

Išgirdęs šį atsakymą, Lengdonas sutriko.

— Bet jei šis įrašas *nėra* Senovės Slėpiniai, tai ir piramidė *nėra* masonų piramidė. Legendoje aiškiai sakoma, kad masonų piramidė buvo pastatyta būtent Senovės Slėpiniams išsaugoti.

Pašnekovo tonas tapo globėjiškas.

— Pone Lengdonai, masonų piramidė iš tiesų buvo pastatyta Senovės Slėpiniams išsaugoti, tačiau yra vienas triukas, kurio jūs, regis, nesupratote. Ir Piteris jums nepasakė? Masonų piramidės galia *ne ta*, kad ji atskleidžia pačias paslaptis... ne, ji leidžia surasti slaptą *vietą*, kurioje saugomos tos paslaptys.

Lengdonas papurtė galvą stengdamasis susivokti.

— Iššifruokite įrašą, — toliau kalbėjo balsas, — ir jis nurodys vietą, kurioje paslėptas didžiausias žmonijos lobis. — Jis nusijuokė. — Paties *lobio* Piteris jums nepatikėjo, profesoriau.

Lengdonas staiga sustojo vidury tunelio.

— Palaukite. Tai jūs sakote, kad piramidė yra tarsi... *žemėlapis?*

Belamis irgi sustojo, jo veide buvo matyti nerimas ir išgąstis. Buvo aišku, kad pašnekovas pataikė į jautrią vietą. *Piramidė — tai žemėlapis.*

— Šis žemėlapis, — šnibždėjo balsas, — arba piramidė, arba vartai — vadinkite kaip norite — buvo sukurtas labai seniai, siekiant užtikrinti, kad Senovės Slėpinių saugojimo vieta nebūtų pamiršta... kad ji niekada nepasimestų istorijos rūkuose.

— Kvadratu išdėstyti šešiolika simbolių nė iš tolo neprimena žemėlapio.

— Išvaizda kartais būna apgaulinga, profesoriau. Tačiau tai nesvarbu — vis tiek tik jūs vienas turite galią perskaityti šį įrašą.

— Jūs klystate, — atšovė Lengdonas, prisiminęs paprastą šifrą. — Įrašą gali perskaityti *bet kas*. Jis nelabai sudėtingas.

— Spėju, kad ši piramidė sudėtingesnė, negu atrodo iš pirmo žvilgsnio. Be to, viršūnę turite tik jūs.

Lengdonas prisiminė kelionkrepšyje gulinčią mažąją piramidę. *Tvarka iš chaoso?* Jis pats nebesusivokė, kuo tikėti ir kuo ne, tačiau krepšyje gulinti akmeninė piramidė sulig kiekvienu žingsniu darėsi vis sunkesnė.

Malachas prispaudė telefoną prie ausies, su malonumu klausydamasis, kaip kitame gale sunkiai alsuoja Lengdonas.

— Dabar aš turiu skubių reikalų, profesoriau, o jūs irgi. Paskambinkite man iškart, kai iššifruosite žemėlapį. Tada mudu abu nueisime į slėptuvę ir atliksime mainus. Piterio gyvybė... bus išmainyta į per amžius kauptą išmintį.

— Aš *nieko* nedarysiu, — pareiškė Lengdonas. — Juo labiau neturėdamas įrodymų, kad Piteris gyvas.

— Patarčiau man netrukdyti. Jūs esate tik labai mažytis milžiniško mechanizmo sraigtelis. Jei jūs man nepaklusite arba pamėginsite manęs ieškoti, Piteris mirs. Tai aš jums prisiekiu.

— Bet kaip man žinoti, gal Piteris jau *dabar* negyvas.

— Jis gyvų gyviausias, profesoriau, tačiau jam nepaprastai reikia jūsų pagalbos.

— Ko jūs iš tikrųjų ieškote? — suriko Lengdonas į telefoną.

Malachas atsakė ne iš karto.

— Daugelis ieškojo Senovės Slėpinių ir abejojo jų galia. Šį vakarą aš įrodysiu, kad Slėpiniai iš tiesų egzistuoja.

Lengdonas tylėjo.

— Patarčiau jums tuojau pat imtis žemėlapio, — tarė Malachas. — Informacija man reikalinga *šiandien*.

— Šiandien?! Bet juk jau po devintos!

— Būtent. *Tempus fugit.**

44 skyrius

Niujorke dirbantis redaktorius Džonas Fokmanas atsistojo išjungti šviesų savo kabinete Manhatane. Atsiliepti žmogui, skambinančiam tokiu metu, jis nė neketino — tiesa, tik kol nepamatė skambinančiojo numerio. *Turėtų būti geros naujienos*, pamanė jis siekdamas ragelio.

— Ar mes dar esame tavo leidėjai? — pusiau juokais paklausė Fokmanas.

— Džonai! — Roberto Lengdono balsas buvo neramus. — Ačiū Dievui, radau tave. Man reikia tavo pagalbos.

Fokmano nuotaika pasitaisė.

— Turi man teksto redaguoti, Robertai? — *Pagaliau.*

— Ne, man reikia informacijos. Pameni, pernai supažindinau tave su mokslininke Ketrina Solomon, Piterio Solomono seserimi?

Fokmanas suraukė kaktą. *Teksto nėra.*

— Ji ieškojo leidėjo knygai apie noetiką. Atsimeni?

Fokmanas pakėlė į dangų akis.

— Žinoma. Aišku, atsimenu. Net nežinau, kaip tau dėkoti už tą pažintį. Ji ne tik atsisakė man duoti paskaityti savo tyrimų rezultatų aprašymą, bet ir nenori nieko spausdinti iki kažkokios stebuklingos dienos, kuri dar ateis.

— Džonai, paklausyk manęs, aš neturiu laiko. Man reikia Ketrinos telefono numerio. Tuojau pat. Ar tu jį turi?

— Norėčiau tave įspėti... elgiesi kiek karštligiškai. Ji, žinoma, puikiai atrodo, bet tikrai nepadarysi jai įspūdžio tokiais...

— Čia ne juokai, Džonai, man skubiai reikia jos telefono numerio.

— Gerai... palauk.

* Laikas bėga (*lot.*).

Lengdonas su Fokmanu buvo seni draugai, ir Fokmanas nesunkiai suprato, kad bičiulis kalba rimtai. Džonas surinko Ketrinos Solomon pavardę paieškos laukelyje ir pradėjo tikrinti įstaigos elektroninio pašto serverį.

— Ieškau, — tarė Fokmanas. — Ir kai skambinsi jai, patarčiau tai daryti ne iš Harvardo baseino. Garsas toks, tarsi tu būtum beprotnamyje.

— Aš ne baseine. Aš tunelyje po JAV Kapitolijumi.

Iš Lengdono balso Fokmanas suprato, kad šis nejuokauja. *Kas jam nutiko?*

— Robertai, kodėl tu negali šiek tiek pasėdėti namuose ir ką nors *parašyti?* — Kompiuteris skimbtelėjo. — Gerai, luktelk... radau. — Jis pele paženklino seną elektroninių laiškų seką. — Atrodo, turiu tik jos mobilųjį.

— Bus gerai.

Fokmanas pasakė jam numerį.

— Ačiū, Džonai, — dėkingu balsu ištarė Lengdonas. — Lieku tau skolingas.

— Tu man *ir taip* skolingas rankraštį, Robertai. Ar bent suvoki, kiek laiko...

Pokalbis nutrūko.

Fokmanas pažiūrėjo į ragelį ir papurtė galvą. Jei ne rašytojai, knygas leisti būtų kur kas lengviau.

45 skyrius

Ketrina Solomon ne iš karto patikėjo savo akimis, pamačiusi telefono ekrane, kas jai skambina. Manė, kad skambina Triša, nutarusi paaiškinti, kur jie su Kristoferiu Abadonu taip ilgai užgaišo. Tačiau skambino ne Triša.

Toli gražu.

Ketrina pajuto, kaip lūpose nušvito drovi šypsenėlė. *Ar šis vakaras galėtų būti dar keistesnis?* Ji atvertė telefoną.

— Leisk, atspėsiu, — žaismingai atsiliepė ji. — Inteligentiškas, mėgstantis skaityti viengungis ieško netekėjusios mokslininkės, dirbančios noetikos srityje?

— Ketrina! — pasigirdo sodrus Roberto Lengdono balsas. — Ačiū Dievui, tau nieko neatsitiko.

— Aišku, nieko, — nustebusi atsakė ji. — Jei pamiršime, kad tu man taip ir nepaskambinai po vakarėlio pas Piterį praėjusią vasarą.

— Šį vakarą kai kas atsitiko. Būk gera, paklausyk. — Šiaip ramus jo balsas trūkinėjo. — Man labai nemalonu tau tai pranešti... bet Piteris pakliuvo į didelę bėdą.

Ketrinos šypsena dingo.

— Apie ką tu kalbi?

— Piteris... — Lengdonas nutilo tarsi ieškodamas žodžių. — Net nežinau, kaip tau pasakyti, bet jis... jį *pagrobė*. Tiksliai nežinau, nei kas, nei kodėl, bet...

— Pagrobė? — pakartojo Ketrina. — Robertai, tu mane gąsdini. Pagrobė... ir kur jis dabar?

— Nelaisvėje. — Lengdono balsas nutrūko, tarsi jam būtų išsekusios jėgos. — Tai atsitiko šiandien, galbūt vakar vakare.

— Tai nejuokinga, — piktai atrėžė ji. — Mano broliui viskas *gerai*. Prieš penkiolika minučių aš su juo kalbėjau!

— Tu su juo kalbėjai?! — Lengdoną, atrodo, tai pribloškė.

— Taip! Jis man telefonu parašė žinutę, kad tuoj atvažiuos į laboratoriją.

— Jis tau *parašė žinutę*... — Lengdonas mąstė balsu. — Bet jo *balso* tu negirdėjai?

— Ne, bet...

— Paklausyk. Žinutę, kurią gavai, parašė ne tavo brolis. Kitas žmogus turi Piterio telefoną. Jis pavojingas. Nežinau, kas jis toks, bet mane jis apgaule šį vakarą atviliojo į Vašingtoną.

— Apgaule atviliojo? Tu kalbi nesąmones!

— Žinau, atsiprašau. — Lengdonas atrodė sutrikęs, o jam tai nebūdinga. — Ketrina, aš spėju, kad tau irgi gresia pavojus.

Ketrina Solomon neabejojo, kad Lengdonas niekada nejuokautų tokiais dalykais, tačiau jai vis tiek jis atrodė netekęs proto.

— Man viskas gerai, — atsakė ji. — Aš užrakinta stropiai saugomame pastate!

— Perskaityk man žinutę, kurią gavai iš Piterio telefono. *Labai prašau.*

Nieko nebesusigaudydama Ketrina ištraukė žinutę ir perskaitė ją Lengdonui, pajutusi šiurpulius, kai pasiekė paskutinę dalį — apie daktaro Abadono apsilankymą. „Jei pavyks, pakviesk ir Abadoną. Visiškai juo pasitikiu, turiu daug jums abiem..."

— O Dieve... — Lengdono balse nuskambėjo baimė. — Ar tu pakvietei tą žmogų vidun?

— Taip! Mano asistentė neseniai nuėjo į vestibiulį jo pasitikti. Turėtų bet kurią akimirką pareiti...

— Ketrina, greičiau bėk iš ten! — suriko Lengdonas. — Nedelsk!

Kitame Smitsono muziejaus saugyklų gale, kontrolės punkte, suskambo telefonas, užgoždamas „Redskins" žaidimo garsus. Apsaugininkas antrą kartą nenoriai išsitraukė iš ausų ausines.

— Vestibiulis, — atsiliepė jis. — Kalba Kailas.

— Kailai, čia Ketrina Solomon! — jos balsas buvo neramus ir uždusęs.

— Ponia, jūsų brolis dar ne...

— Kur Triša?! — nutraukė jį Ketrina. — Ar matote ją monitoriuose?

Apsaugininkas apsisuko su kėde ir pažvelgė į ekranus.

— Ji dar negrįžo į Kubą?

— Ne!— išgąstingai suriko Ketrina.

Apsaugininkas tik dabar suvokė, kad Ketrina uždususi, tarsi ilgai bėgusi. *Kas ten darosi?*

Apsaugininkas ėmė sparčiai spusčioti pelę, greitai peržiūrinėdamas skaitmeninius vaizdo įrašus.

— Gerai, palaukite, tuoj atsuksiu atgal... Matau, kaip Triša su jūsų svečiu išeina iš vestibiulio... eina pagrindine „gatve“... pasuksiu į priekį... va, jie eina į Drėgnąją sekciją... Triša atrakina duris savo kortele... abu įeina į Drėgnąją sekciją... dar pasuksiu... na, štai, prieš minutę jie išėjo iš Drėgnosios sekcijos... eina tolyn... — Jis pasuko galvą ir sulėtino įrašą. — Pala, pala. Keistas dalykas.

— Koks?

— Iš Drėgnosios sekcijos išėjo tik ponas.

— Triša liko viduje?

— Taip atrodo. Dabar stebiu jūsų svečią... jis vienas eina koridoriumi.

— Bet kur Triša? — dar labiau susijaudinusi paklausė Ketrina.

— Vaizdo įrašuose aš jos nematau, — atsakė apsaugininkas ir jo balse pasigirdo nerimas. Jis vėl pažvelgė į ekraną ir pastebėjo, kad vyriškio švarko rankovės atrodo šlapios... iki pat alkūnių. *Ką jis veikė toje Drėgnojoje sekcijoje?* Apsaugininkas stebėjo, kaip vyras pradėjo ryžtingai žingsniuoti pagrindiniu koridoriumi Penktosios sekcijos link, rankoje laikydamas daiktą, panašų į... elektroninę kortelę.

Apsaugininkas pajuto, kaip jam ant sprando pasišiaušė plaukai.

— Ponia Solomon, turime didelę bėdą.

Šį vakarą Ketrina daug ką patyrė pirmą kartą.

Per dvejus metus ji nė karto tuštumoje nesinaudojo mobiliuoju telefonu. Ir nė karto nėra paknopstomis bėgusi keliu, vedančiu per tuštumą. Tačiau dabar Ketrina, prispaudusi prie ausies telefoną, aklai lėkė begalinio ilgio kilimu. Kas kartą, kojai nuslydus nuo kilimo, ji vėl grįždavo atgal ir toliau skriejo per neperregimą tamsą.

— Kur jis dabar? — uždususi Ketrina paklausė apsaugininko.

— Tikrinu, — atsiliepė šis. — Pasuku į priekį... štai, jis eina koridoriumi... artėja prie Penktosios sekcijos.

Ketrina pradėjo bėgti dar greičiau, tikėdamasi suspėti pribėgti įėjimą, kad neliktų įkalinta tuštumoje.

— Kada jis prieis prie įėjimo?

Apsaugininkas patylėjo.

— Ponia, jūs nesupratote. Aš vis dar persukinėju vaizdą. Tai įrašas. Visa tai jau įvyko. — Jis stabtelėjo. — Palaukite, tuoj patikrinsiu įėjimų registraciją. — Neilgai trukus jis tarė: — Ponia, pagal ponios Dan kortelės rodmenis į Penktąją sekciją buvo įeita apytikriai prieš minutę.

Ketrina staiga sustojo viduryje tamsios bedugnės.

— Jis jau atrakino Penktąją sekciją? — pašnibždomis paklausė ji telefonu.

Apsaugininkas įnirtingai kažką klaksėjo klavišais.

— Taip, atrodo, jog įėjo... prieš devyniasdešimt sekundžių.

Ketrinos kūnas sustingo. Ji liovėsi alsuoti. Staiga jai pasirodė, kad ją supanti tamsa gyva.

Jis čia, su manimi.

Tą pačią akimirką Ketrina suprato, kad vienintelis šviesos šaltinis visoje šioje erdvėje — tai jos mobiliojo telefono ekranas, apšviečiantis veidą.

— Atsiųskite pagalbą, — tyliai paliepė ji apsaugininkui. — Ir eikite į Drėgnąją sekciją gelbėti Trišos.

Tada tyliai uždarė telefoną, užgesindama paskutinę šviesą.

Ją apgaubė absoliuti tamsa.

Ketrina stovėjo nė nekrustelėdama ir stengėsi alsuoti kuo tyliau. Po kelių sekundžių ją pasiekė atsklindantis iš tamsos aitrus etanolio kvapas. Kvapas stiprėjo. Ji juto, kad vos už keleto žingsnių nuo jos ant kilimo kažkas stovi. Tyloje Ketrinos širdis plakė taip garsiai, kad ji bijojo išsiduoti. Tylutėliai nusiavė batus ir pasislinko truputį į kairę, nulipo nuo kilimo. Kojomis pajuto šaltą cementą. Žengė dar vieną žingsnį, toldama nuo kilimo.

Staiga trekštelėjo jos kojos piršto sąnarys.

Tyloje garsas nuskambėjo kaip šūvis.

Vos už keleto metrų sušiureno drabužiai, ir staiga iš tamsos kažkas ją puolė. Ketrina atšoko sekundę per vėlai, galinga ranka ją sučiupo ir apglėbė tamsoje, įnirtingai stengdamasi geriau suimti. Ketrina apsisuko, bet mirtini gniaužtai sučiupo jos chalatą ir trūktelėjo atgal drauge su ja.

Ketrina atmetė rankas, išsinėrė iš chalato ir išslydo. Staiga Ketrina Solomon, nebesusivokdama, kur ji yra ir kur bėga, aklai pasileido lėkti per begalinę juodą bedugnę.

46 skyrius

Nors Kongreso bibliotekoje yra, daugelio manymu, „pati gražiausia pasaulio salė“, pati biblioteka veikiau garsi ne salės grožiu, bet milžiniškais knygų fondais. Turėdama daugiau negu aštuonis šimtus kilometrų lentynų — kurios ištiesus nusidriektų nuo Vašingtono iki Bostono — ji neabejotinai pretenduoja į didžiausios pasaulio bibliotekos vardą. Ir vis tiek auga toliau, kas dieną įgydama per dešimt tūkstančių naujų leidinių.

Iš pradžių biblioteka, sumanyta kaip vieta saugoti Tomo Džefersono surinktai gamtos mokslų ir filosofijos knygų kolekcijai, simbolizavo Amerikos pažadą ir įsipareigojimą skleisti žinias. Tai buvo vienas iš pirmųjų Vašingtono pastatų, apšviestų elektra, tad jis tiesiogine prasme švytėjo nelyginant švyturys Naujojo pasaulio tamsybėse.

Kaip galima spėti iš pavadinimo, Kongreso biblioteka buvo skirta naudotis Kongresui, kurio garbingi nariai dirbo čia pat, kitapus gatvės esančiame Kapitolijuje. Šimtametis bibliotekos ir Kapitolijaus ryšys neseniai dar sustiprintas fizinėmis priemonėmis — po Nepriklausomybės prospektu iškasus abu pastatus jungiantį ilgą tunelį.

Šį vakarą blausiai apšviestu, dar nebaigtu įrengti tuneliu paskui Voreną Belamį bėgo Robertas Lengdonas, stengdamasis numalšinti stiprėjantį nerimą dėl Ketrinos. *Tas pamišėlis jos laboratorijoje?!* Lengdonas nenorėjo nė pagalvoti, ko jam ten gali reikėti. Paskambinęs įspėti Ketriną, Lengdonas prieš baigdamas pokalbį tiksliai pasakė, kur susitikti. *Kada pagaliau baigsis tas prakeiktas tunelis?!* Nuo begalinių, viena kitą keičiančių ir tarpusavyje susijusių minčių jam įskaudo galvą — Ketrina, Piteris, masonai, Belamis, piramidės, senovės pranašystės... ir žemėlapis.

Lengdonas papurtė galvą ir skubėjo toliau. *Belamis žadėjo atsakyti į mano klausimus.*

Kai vyrai galiausiai pasiekė tunelio galą, Belamis pravedė Lengdoną pro kelerias dar nebaigtas statyti dvivėres duris. Neturėdamas galimybių užrakinti jų paskui save, Belamis griebėsi improvizacijos — čiupo iš statybininkų reikmenų krūvos aliuminines kopėčias ir netvirtai atrėmė jas į duris, o ant viršaus pastatė metalinį kibirą. Jei kas nors mėgintų atidaryti duris, kibiras garsiai terkštelėtų ant žemės.

Čia mūsų aliarmo sistema?! Lengdonas nužvelgė šonu stovintį kibirą tikėdamasis, kad Belamis šįvakar turi ir patikimesnį apsaugos planą. Viskas įvyko taip greitai, kad Lengdonas tik dabar pradėjo suvokti, ką jam žada pabėgimas su Belamiu. *Aš slapstausi nuo CŽV.*

Belamis pasuko už kampo, ir abu vyrai ėmė lipti aukštyn plačiais laiptais, kurie buvo atitverti oranžiniais stulpiukais. Lipant Lengdono kelionmaišio rankena nepakenčiamai svėrė petį.

— Akmeninė piramidė, — ištarė jis. — Aš vis tiek nesuprantu...

— Ne čia, — nutraukė jį Belamis. — Apžiūrėsime ją šviesoje. Aš žinau saugią vietą.

Lengdonas nebuvo tikras, ar žmogui, ką tik fiziškai užpuolusiam CŽV Saugumo tarnybos direktorę, išvis egzistuoja tokia vieta.

Užlipę laiptais vyrai įžengė į erdvų vestibiulį, puoštą itališku marmuru, stiuko lipdiniais ir auksavimu. Salėje stovėjo aštuonios statulų poros — visos vaizdavo deivę Minervą. Belamis, nelėtindamas žingsnių, vedė Lengdoną rytų pusėn, kur pro skliautuotą koridorių jie pateko į kur kas didingesnę patalpą.

Net prie blausaus naktinio apšvietimo bibliotekos didžioji salė spindėjo klasikine didybe, nelyginant turtingi Europos rūmai. Dvidešimt trijų metrų aukštyje įrengti vitražiniai švieslangiai mirguliavo tarp sijų, puoštų „aliuminio lakštu" — tuo metu aliuminis buvo laikomas retu metalu, brangesniu už auksą. Žemiau išdidžios kolonų poros rėmė antro aukšto balkoną, į kurį vedė dveji prašmatnūs suktiniai laiptai, ant kurių kolonų stovėjo milžiniškos moterų figūros, iškėlusios aukštyn apšvietos deglus.

Pastangos pratęsti šiuolaikinės apšvietos temą nenutolstant nuo Renesanso architektūros puošybos taisyklių, atrodė keistokai — laiptų turėklus puošė kupidonus primenantys *putti*, vaizduojantys šiuolaikinius mokslininkus. *Angeliukas elektrikas su telefonu rankoje? Cherubinas entomologas, nešinas vabzdžiams laikyti skirta dėžele?* Lengdonas pasvarstė, ką apie tai būtų pasakęs Berninis.

— Galime kalbėtis čia, — pasakė Belamis, vesdamas Lengdoną pro neperšaunamo stiklo vitrinas, kuriose buvo eksponuojamos dvi vertingiausios bibliotekos knygos — milžiniška rankraštinė Mainco Biblija, perrašyta 1450 metais, ir Amerikoje esantis Gutenbergo Biblijos egzempliorius — vienas iš trijų visame pasaulyje, spausdintų ant veleninio popieriaus. Čia labai pritiko skliautuotas lubas puošianti Džono Vaito Aleksanderio šešių dalių freska „Knygos evoliucija".

Belamis žengė tiesiai prie elegantiškų dvivėrių durų tolimojoje rytinės koridoriaus pusės sienoje. Lengdonas žinojo, kas yra už šių durų, tačiau jam buvo keista, kad pokalbiui pasirinkta ši vieta. Net nepaisant ironijos, kylančios susirengus kalbėtis patalpoje, sėte nusėtoje užrašais „Prašome laikytis tylos", šią patalpą vargiai galėtum pavadinti „saugia vieta". Ji yra pačiame kryžmės pavidalo bibliotekos centre, todėl neretai vadinama pastato širdimi. Slėptis joje — tas pat, kas įsibrauti į katedrą ir mėginti pasislėpti ant altoriaus.

Tačiau Belamis atrakino duris, žengė į už jų tvyrančią tamsą ir ėmė grabinėti sieną ieškodamas jungiklio. Kai jį apčiuopė ir paspaudė, prieš akis tarsi iš nieko išniro vienas iš didžiausių Amerikos architektūros šedevrų.

Garsioji Kongreso bibliotekos skaitykla buvo tikra šventė visoms juslėms. Erdvus aštuonkampis centrinėje dalyje siekė beveik penkiasdešimt metrų, visos aštuonios jo sienos puoštos šokolado rudumo Tenesio marmuru, gelsvu it grietinėlė Sienos marmuru ir prinokusio obuolio raudonio marmuru, atgabentu iš Alžyro. Patalpa buvo apšviesta iš visų aštuonių kampų, todėl niekur nesimatė jokių šešėlių — atrodė, tarsi skaitykla švytėtų iš vidaus.

— Yra manančiųjų, kad tai įspūdingiausia salė visame Vašingtone, — tarė Belamis, įleisdamas Lengdoną vidun.

Gal net visame pasaulyje, pamanė Lengdonas, peržengdamas slenkstį. Kaip visada jo žvilgsnis pirmiausia pakilo tiesiai prie puošnaus žiedo lubų centre, nuo kurio raityti kesonai kupolu leidosi iki viršutinio balkono. Ratu išsirikiavusios žemyn nuo baliustrados žvelgė šešiolika bronzinių „portretinių“ skulptūrų. Žemiau stulbinama skliautų arkada formavo apatinį balkoną. Dar žemiau, grindų lygyje, didžiulį aštuonkampį leidinių išdavimo punktą trimis koncentriškais apskritimais supo poliruoto medžio stalai.

Lengdonas vėl pažvelgė į Belamį, kuris atidarė plačias dvivėres kambario duris ir parėmė jas, kad neužsidarytų.

— Maniau, mes turim slėptis, — nieko nesuprasdamas tarė Lengdonas.

— Jei kas nors įeis į pastatą, — atsakė Belamis, — noriu iškart tai išgirsti.

— Bet juk čia jie mus tuojau pat suras?

— Kad ir kur sumanytume slėptis, mus vis tiek suras. Tačiau jei būsime užklupti šitame pastate, dar labai pasidžiaugsite, kad pasirinkau šią patalpą.

Lengdonas nesuprato, kodėl taip galėtų būti, bet buvo matyti, kad Belamis nenusiteikęs diskusijoms. Jis nuėjo į skaityklos vidurį, išsirinko vieną iš stalų, pritraukė prie jo dvi kėdes ir uždegė stalinę lempą. Tada mostu parodė Lengdono kelionkrepšį.

— Gerai, profesoriau, pasižiūrėkime atidžiau.

Nenorėdamas subraižyti poliruoto stalo paviršiaus aštriomis granito briaunomis, Lengdonas užkėlė ant stalo krepšį, atsegė užtrauktuką ir atlankstė visas puses, atskleisdamas viduje esančią piramidę. Vorenas Belamis pataisė stalinę lempą ir atidžiai apžiūrėjo piramidę. Pirštais perbraukė neįprastą įrašą.

— Manau, jūs atpažįstate šią kalbą? — paklausė Belamis.

— Žinoma, — atsakė Lengdonas apžiūrinėdamas šešiolika simbolių.

Šią šifruotą kalbą, dar vadinamą Laisvųjų mūrininkų šifru, kitados privačiai bendrauti vartojo masonų brolijos nariai. Šifro atsisakyta jau gana seniai dėl labai paprastos priežasties — jį pernelyg lengva iššifruoti. Dauguma vyresniųjų kursų studentų, lankančių Lengdono simbologijos seminarą, iššifruodavo jį per penkias minutes. Lengdonui, jei po ranka turėdavo pieštuką ir popieriaus, pakakdavo šešiasdešimties sekundžių.

Faktas, kad kelių šimtmečių senumo šifrą taip lengva perskaityti, dabar skatino apmąstyti porą paradoksų. Pirmas — absurdiškas pasirodė tvirtinimas, kad Lengdonas yra vienintelis žmogus, įstengiantis jį suprasti. Antras — Sato užuomina, kad šis masonų šifras yra kaip nors susijęs su nacionaliniu saugumu, prilygo tvirtinimui, kad Amerikos branduolinių raketų paleidimo kodai užšifruoti pasinaudojus iškodavimo žiedu, pardavinėjimu vaikiškų javainių pakeliuose. Lengdonui buvo sunku tuo patikėti. *Ši piramidė — tai žemėlapis? Rodantis, kur paslėpta prarastoji amžių išmintis?*

— Robertai, — labai rimtu balsu kreipėsi Belamis, — ar direktorė Sato jums sakė, kodėl ji taip domisi šiuo reikalu?

Lengdonas papurtė galvą.

— Nieko konkretaus. Tik kartojo, kad tai susiję su nacionaliniu saugumu. Manau, meluoja.

— Gali būti, — atsakė Belamis trindamasis sprandą. Atrodė, kad jis niekaip negali kažko nuspręsti. — Tačiau yra ir kita, grėsmingesnė, galimybė. — Jis atsisuko ir pažvelgė Lengdonui tiesiai į akis. — Gali būti, kad direktorė Sato sužinojo apie tikrąsias piramidės galias.

47 skyrius

Tamsa, kuri apgaubė Ketriną Solomon, atrodė visiškai neįžvelgiama.

Pabėgusi nuo pažįstamo ir saugaus kiliminio tako, ji aklai grabaliodama slinko pirmyn per nykią tuštumą, ištiesta ranka čiuopdama orą. Kojomis, apautomis tik kojinėmis, juntama begalinė šalto cemento erdvė priminė užšalusį ežerą... priešišką aplinką, iš kurios būtinai reikia ištrūkti.

Nebeužuosdama etanolio kvapo, ji sustojo tamsoje ir ėmė laukti. Nejudėdama įsiklausė, valios pastangomis versdama širdį taip garsiai neplakti. Atrodo, kad sunkūs žingsniai, sekę jai iš paskos, liovėsi. *Ar aš nuo jo pabėgau?* Ketrina užsimerkė ir pamėgino įsivaizduoti, kur esanti. *Į kurią pusę aš bėgau? Kur durys?* Beviltiška. Ji tiek kartų spėjo apsisukti, kad išėjimas gali būti bet kurioje pusėje.

Ketrina buvo girdėjusi, kad baimė veikia kaip stimuliatorius, mobilizuoja proto galias. Tačiau šią akimirką baimė pavertė jos protą kunkuliuojančiu panikos ir sumaišties verpetu. *Net jei surasiu įėjimą, negalėsiu išeiti.* Elektroninė kortelė liko kišenėje chalato, kurį teko nusimesti. Vienintelę viltį teikė suvokimas, kad dabar ji yra kaip adata šieno kupetoje — mažas taškelis dviejų tūkstančių septynių šimtų kvadratinių metrų ploto lauke. Ketrinos analitinis protas, nepaisydamas neapsakomai stipraus troškimo bėgti kuo toliau, liepė jai elgtis vieninteliu įmanomu logišku būdu — visiškai nejudėti. *Stovėk. Stenkis neišleisti nė garso.* Apsaugininkas netrukus pasirodys, o nuo užpuoliko nežinia kodėl sklinda stiprus etanolio kvapas. *Jei jis prisiartins, aš pajusiu.*

Ketrina stovėjo tylėdama, o mintyse sukosi Lengdono žodžiai. *Tavo brolį... pagrobė.* Ji pajuto, kaip ant rankos susikaupė šalto prakaito lašas ir nuslinko žemyn, artėdamas prie mobiliojo telefono, sugniaužto dešiniame delne. Šį pavojų ji buvo pamiršusi. Jei telefonas suskambės, paaiškės, kur ji yra, o išjungti jo neįmanoma neatidarius ir neapšvietus ekrano.

Padėk telefoną ant grindų... ir pasistenk nuslinkti nuo jo kuo toliau.

Tačiau buvo jau per vėlu. Iš dešinės artėjo etanolio kvapas. Jis vis stiprėjo. Ketrina stengėsi išlikti rami, prisiversdama įveikti instinktą tuojau pat bėgti. Lėtai, atsargiai ji žengė žingsnį į kairę. Tačiau, atrodo, užpuolikui pakako tylaus jos drabužių šiugždesio. Ketrina pajuto, kaip jis liuoktelėjo, stiprus etanolio kvapas užliejo šnerves, o galinga ranka sugriebė už peties. Ji išsisuko, apimta gyvuliško siaubo. Matematiniai skaičiavimai buvo pamiršti: Ketrina leidosi bėgti nežiūrėdama kur. Ji smarkiai pasuko į kairę, keisdama kryptį ir puldama į pačią tuštumos šerdį.

Staiga visiškai iš niekur atsirado siena.

Ketrina taip smarkiai į ją atsitrenkė, kad net užgniaužė kvapą. Petį ir ranką pervėrė skausmas, tačiau pavyko išsilaikyti neparkritus. Kadangi į sieną trenkėsi šonu, smūgis nebuvo toks stiprus, koks galėjo būti, bet tai teikė menką paguodą. Smūgio garsas pasklido erdvėje. *Dabar jis žino, kur aš.* Susirietusi iš skausmo ji pasuko galvą, įsižiūrėjo į sekcijos tamsą ir pajuto, kad jis žiūri į ją.

Tuojau pat pereik į kitą vietą. Skubiai!

Dar neatgaudama kvapo ji pradėjo slinkti palei sieną, kaire ranka tyliai po vieną liesdama iškilias plienines kniedes. *Nenutolk nuo sienos. Praslink pro jį, kol nespėjo tavęs įstumti į kampą.* Dešinėje rankoje Ketrina tebelaikė mobilųjį telefoną, pasirengusi prireikus sviesti jį nelyginant ginklą.

Ketrina visiškai nebuvo pasirengusi išgirsti to, ką netrukus išgirdo — tiesiai priešais ją sušnarėjo drabužiai... visai netoli sienos. Ji sustingo, sustojo vietoje ir sulaikė kvėpavimą. *Kaip jis suspėjo prieiti sieną?* Ji pajuto silpnutį oro dvelktelėjimą, pasklido etanolio dvokas. *Jis artėja prie manęs palei sieną!*

Ketrina žengė kelis žingsnius atgal. Paskui, tyliai apsisukusi 180 laipsnių kampu, pradėjo greitai eiti palei sieną į kitą pusę. Paėjus gal pusantro metro, nutiko neįmanomas dalykas. Priešais save pasienyje ji vėl išgirdo drabužių šnarėjimą. Paskui vėl dvelktelėjo etanolio kvapas. Ketrina Solomon sustingo vietoje.

Dieve mano, jis yra visur!

Pusnuogis Malachas žvelgė į tamsą.

Etanoliu atsiduodančios jo švarko rankovės tapo trukdžiu, kurį jis pavertė privalumu nusimetęs švarką bei marškinius ir pasinaudojęs jais grobiui užspeisti. Mesdamas švarką į dešinę pusę, sienos link, jis išgirdo, kaip Ketrina sustojo ir pasuko į kitą pusę. Malachas metė marškinius į kairę ir išgirdo, kaip ji vėl sustojo. Galima sakyti, kad jis užtvėrė Ketriną prie sienos, sukaldamas keliaženklius, kurių ji nedrįso apeiti.

Dabar jis stovėjo tamsoje ir laukė įtempęs ausis. *Ji gali judėti tik viena kryptimi — tiesiai į mane.* Ir vis tiek Malachas nieko negirdėjo. Arba Ketriną paralyžiavo iš baimės, arba ji nusprendė stovėti ir ramiai laukti, kol į Penktąją sekciją ateis pagalba. Abiem atvejais ji pralaimės. Niekas greitai nesugebės įeiti į Penktąją sekciją: Malachas sugadino prie durų įtaisytą užraktą labai paprastu, tačiau itin veiksmingu būdu. Pasinaudojęs Trišos elektronine kortele, jis įgrūdo giliai į plyšį dešimties centų monetą, ir dabar spyną atrakinti bus galima tik išmontavus visą mechanizmą.

Mudu čia vieni, Ketrina... ir būsime tiek, kiek reikės.

Malachas tyliai pasislinko priekin, klausydamasis, ar neišgirs judesio garsų. Šią naktį Ketrina Solomon mirs savo brolio valdomo muziejaus tamsoje. Poetiška mirtis. Malachas nekantravo greičiau pranešti Ketrinos broliui apie jos mirtį. Senio sielvartas taps ilgai lauktu kerštu.

Staiga Malachas labai nustebo tamsoje pamatęs tolimą silpną švytėjimą ir suprato, kad Ketrina ką tik padarė mirtiną klaidą. *Ji kviečia pagalbą telefonu?*

Elektroninis ekranas, ką tik švystelėjęs tamsoje, buvo apytikriai ties juosmeniu, už kokių dvidešimties metrų, tarsi švyturys beribiame tamsos vandenyne. Malachas buvo pasirengęs laukti, kol Ketrina neteks kantrybės, bet dabar laukti nebereikės.

Malachas bėgte pasileido prie neryškios švieselės žinodamas, kad turi ją pasiekti, kol Ketrina nesikreipė pagalbos. Per kelias sekundes atsidūrė greta, išskėtė rankas, tarsi apglėbdamas švytintį telefoną, ir liuoktelėjo, pasirengęs sučiupti Ketriną.

Jo pirštai atsimušė į tvirtą sieną, sulinko ir vos nelūžo. Tuojau pat į plieninę siją atsitrenkė ir galva. Suklikęs iš skausmo, jis susmuko prie sienos. Keikdamasis pakilo, įsitvėręs juosmens aukštyje horizontaliai įtaisyto paramsčio, ant kurio Ketrina sumaniai buvo padėjusi atidarytą mobilųjį telefoną.

Ketrina vėl leidosi bėgti nebepaisydama, kad jos ranka garsiai ir ritmingai plekši į kniedes, tolygiai sukaltas Penktosios sekcijos sienoje. *Bėk!* Ji žinojo, kad jei visą laiką laikysis sienos, anksčiau ar vėliau užčiuops išėjimo duris.

Kur, po šimts, dingo tas apsaugininkas?

Tolygiai sukaltos kniedės rikiavosi eile, palei kurią Ketrina bėgo, kaire ranka čiuopdama sieną, o dešinę dėl saugumo ištiesusi į priekį. *Kada pagaliau pasieksiu kampą?* Atrodė, kad šoninė siena niekada nesibaigs, tik staiga kniedžių eilė nutrūko. Kairė ranka ilgokai tavaravo tuštumoje, o paskui kniedės vėl atsirado. Ketrina sulėtino tempą ir grįžo atgal, čiuopdama glotnią metalo plokštumą. *Kodėl čia nėra kniedžių?*

Ji jau girdėjo, kaip iš paskos, ramstydamasis sienos, garsiai liumpsi užpuolikas. Tačiau dar labiau Ketriną išgąsdino kitas garsas — tolimas pasikartojančių smūgių garsas: apsaugininkas žibintu daužė Penktosios sekcijos duris.

Apsaugininkas negali įeiti į vidų?

Mintis Ketriną išgąsdino, tačiau smūgių vieta — dešinėje pusėje, įstrižai nuo jos — leido iškart susiorientuoti. Dabar ji jau įsivaizdavo, kurioje Penktosios sekcijos vietoje atsidūrė. Įsivaizdavusi suprato ir dar kai ką. Jai staiga paaiškėjo, kas yra toji glotni plokštuma ant sienos.

Visose sekcijose buvo įtaisytos specialios eksponatų durys — didžiulės slankiosios sienų plokštės, kurias galima atitraukti, prireikus į sekciją atgabenti arba iš jos išgabenti itin didelius eksponatus. Šios durys buvo neaprėpiamos kaip lėktuvų angaruose, ir Ketrina nė drąsiausiame sapne nesapnavo, kad gali prireikti jas kada nors atidaryti. Tačiau šią akimirką, atrodo, jai liko tik ši viltis.

Ar jas išvis įmanoma atidaryti?

Ketrina aklai krapštėsi tamsoje, ieškodama eksponatų durų, kol apčiuopė didžiulę metalinę rankeną. Suėmusi užgulė visu svoriu, stengdamasi pastumti duris į šoną. Nieko neįvyko. Ji pabandė dar kartą. Durys nė nepajudėjo.

Ketrina girdėjo, kaip užpuolikas artėja, nusitaikęs į jos pastangų garsus. Eksponatų durys užrakintos! Paklaikusi iš panikos ji ėmė rankomis grabalioti duris, ieškodama jų paviršiuje kokios nors svirties ar užrakto. Staiga apčiuopė statmenai stovintį strypą. Delnais nusliuogė juo iki grindų, atsitūpė ir atrado, kad jis įkištas į cemente esančią skylę. *Saugos strypas!* Ketrina atsistojo, sučiupo strypą ir tvirtai įsispyrusi pamėgino iškelti jį iš skylės.

Jis jau visai čia pat!

Ketrina vėl apčiuopomis susirado rankeną ir iš visų jėgų ją paspaudė. Atrodo, didžiulė plokštė beveik nepajudėjo, tačiau į Penktąją sekciją prasiskverbė siaurutėlis mėnesienos pluoštelis. Ketrina paspaudė dar kartą. Šviesos pluoštelis, atsklindantis iš lauko, praplatėjo. *Dar truputį!* Ji paspaudė paskutinį kartą, jausdama, kad užpuolikas jau beveik už metro.

Šuoliu prisiartinusi prie šviesos, Ketrina lieknu kūnu prasiskverbė pro atsivėrusią spragą. Iš tamsos išlindo ranka, sučiupo ją ir pamėgino įtraukti atgal. Ketrina brovėsi pro plyšį persekiojama didžiulės nuogos rankos, ištatuiruotos žvynais. Baugioji ranka raitėsi it įpykusi gyvatė, besitaikanti įgelti.

Ketrina apsisuko ir ėmė bėgti palei ilgą blyškią Penktosios sekcijos lauko sieną. Smulkūs akmenukai, kuriais buvo nubarstyta visa SMS teritorija, per kojines žeidė kojas, bet ji nieko nepaisydama lėkė pagrindinio įėjimo link. Naktis buvo tamsi, tačiau Ketrina, vyzdžiams išsiplėtus aklinoje Penktosios sekcijos tamsoje, viską matė aiškiai kaip dieną. Jai už nugaros sudundėjo sunkios durys, ji išgirdo greitėjančius sunkius žingsnius, aidinčius palei pastato sieną. Žingsniai artėjo neįtikimai greitai.

Aš niekaip nenubėgsiu iki pagrindinio įėjimo greičiau už jį. Ketrina žinojo, kad jos „Volvo“ stovi arčiau, bet ir jis buvo per toli. *Nieko neišeis.*

Staiga Ketrina suvokė turinti dar vieną kozirį.

Pribėgusi Penktosios sekcijos kampą ji išgirdo tamsoje greitai artėjančius jo žingsnius. Dabar arba niekada. Užuot pasukusi už kampo, Ketrina staiga šovė tiesiai į kairę, tolyn nuo pastato, į veją. Bėgdama kietai užsimerkusi, delnais užsidengė veidą ir visiškai aklai pasileido per žolę.

Judesiais valdomos saugos šviesos, įsižiebusios aplink Penktąją sekciją, akimirksniu naktį pavertė diena. Ketrina už nugaros išgirdo skausmo klyksmą, galingiems žibintams smogus į nepaprastai išsiplėtusius užpuoliko vyzdžius dvidešimt penkių milijonų žvakės liepsnų ryškumo šviesa. Ji girdėjo, kaip jis klupinėja ant skaldos.

Ketrina neatmerkdama akių toliau bėgo atvira veja. Pajutusi, kad pakankamai nutolo nuo pastato ir šviesų, ji atsimerkė, pakoregavo kursą ir it paklaikusi nulėkė per tamsą.

„Volvo" rakteliai buvo ten, kur ji visada juos palikdavo — dėtuvėje. Uždususi Ketrina drebančiomis rankomis griebė raktelius ir įjungė variklį. Variklis atgijęs suurzgė, užsižiebė šviesos, atskleisdamos baugų reginį.

Jos link bėgo šiurpi figūra.

Ketrina akimirką sustingo.

Automobilio šviesose išniro plikagalvis, iki pusės nuogas žvėris, tatuiruotais žvynais, simboliais ir tekstais išmarginta oda. Artėdamas prieš šviesos jis riaumojo, iškeltomis rankomis dengdamasis akis, tarsi urvinis gyvūnas, pirmą kartą išlindęs į dienos šviesą. Ketrina norėjo perjungti pavarą, bet staiga jis atsidūrė šalia ir alkūne išmušė šoninį stiklą, kurio šukės pabiro jai ant kelių.

Pro langą įlindo didžiulė žvynuota ranka ir beveik aklai grabaliodama siekė jos kaklo. Ketrina įjungė atbulinę pavarą, bet užpuolikas spėjo sugriebti ją už gerklės ir ėmė neapsakomai stipriai spausti. Ketrina, norėdama išsisukti, kryptelėjo galvą ir staiga pamatė, kad žiūri jam tiesiai į veidą. Trys tamsūs rėžiai, nelyginant nagų paliktos drūžės, vagojo maskuojamąjį kremą ir atskleidė anksčiau slėptas tatuiruotes. Jo akyse švietė smurtinga tūžmastis.

— Reikėjo tave nužudyti prieš dešimt metų, — suurzgė jis. — Tada, kai nužudžiau tavo motiną.

Suvokusi, ką reiškia šie žodžiai, Ketrina staiga sustingo nuo klaikaus prisiminimo: ji jau yra mačiusi šį žvėries žvilgsnį. *Tai jis.* Būtų pradėjusi klykti, jei jis nebūtų tarsi replėmis laikęs jai už gerklės.

Ketrina koja stipriai paspaudė greičio pedalą, ir automobilis šoktelėjo atgal, vilkdamas užpuoliką — jai vos nelūžo kaklas. „Volvo" ėmus kilti į kalvelę Ketrinai pasirodė, kad kaklas neatlaikys užpuoliko svorio. Staiga į automobilio šonus ėmė brūžuoti medžio šakos, brautis vidun pro šoninį langą, ir svoris dingo.

Automobilis pro visžalių medžių gyvatvorę prasibrovė į aukštutinę stovėjimo aikštelę, kurioje Ketrina galiausiai paspaudė stabdžius. Apačioje pusnuogis vyras pakilo ant kojų, stebeilydamasis į jos automobilio šviesas. Siaubingai ramiai jis pakėlė grėsmingą, žvynais išmargintą ranką ir parodė tiesiai į ją.

Ketrina, kurios kraujas virė nuo gyvuliškos baimės ir neapykantos, pasuko vairą ir smarkiai paspaudė greičio pedalą. Po kelių sekundžių ji įsuko į Silver Hilo plentą.

48 skyrius

Kapitolijaus saugos policijos pareigūnas Nunjesas, patekęs į keblią situaciją, nematė kitos išeities, kaip tik padėti pabėgti Kapitolijaus architektui ir Robertui Lengdonui. Tačiau dabar, grįžęs į policijos būstinę, Nunjesas suprato, kad kaupiasi audra.

Saugos tarnybos viršininkas Trentas Andersonas sėdėjo prisiglaudęs prie kaktos ledo kompresą, o kitas pareigūnas valė Sato sužeidimus. Greta stovėjo vaizdo įrašų specialistai, kurie peržiūrinėjo skaitmeninius įrašus ir stengėsi nustatyti, kur dingo Lengdonas ir Belamis.

— Peržiūrėkite visų koridoriuose ir prie išėjimo įtaisytų kamerų įrašus, — pareikalavo Sato. — Man reikia sužinoti, kur jie išėjo!

Žiūrint į visa tai, Nunjesui darėsi silpna. Jis žinojo, kad nepraėjus nė kelioms minutėms bus surastas atitinkamas vaizdo įrašas ir visi sužinos tiesą. *Aš jiems padėjau pabėgti.* Padėtį dar pablogino atvykusi keturių CŽV operatyvininkų komanda, kuriai buvo įsakyta būti netoliese ir ruoštis Belamio bei Lengdono paieškoms. Šitie vyrukai nė iš tolo nepriminė Kapitolijaus policijos pareigūnų. Tai buvo tikri, rimti kariai... juodos kamufliažinės uniformos, naktinio regėjimo prietaisai, mokslinės fantastikos filmą primenantys ginklai.

Nunjesui rodėsi, kad jis tuoj subloguos. Galiausiai apsisprendęs jis nežymiai mostelėjo viršininkui Andersonui.

— Viršininke, galima žodelį?

— Kas yra? — Andersonas nusekė paskui Nunjesą į koridorių.

— Viršininke, aš padariau didžiulę klaidą, — suprakaitavęs prisipažino Nunjesas. — Labai gailiuosi ir atsistatydinu. — *Po penkių minučių tu mane vis tiek atleisi.*

— Prašau?

Nunjesas nurijo įstrigusį gerklėje gumulą.

— Aš mačiau, kaip Lengdonas ir Belamis pro lankytojų centrą išėjo iš pastato.

— Ką?! — suriaumojo Andersonas. — Tai kodėl nepranešei?!

— Architektas man liepė niekam nieko nesakyti.

— Tu dirbi man, po šimts velnių! — Andersono balsas nuaidėjo koridoriumi. — Dėl Dievo meilės, Belamis trenkė mane galva į sieną!

Nunjesas padavė Andersonui raktą, kurį jam buvo palikęs architektas.

— Kas čia? — paklausė Andersonas.

— Raktas nuo naujo tunelio, tiesiamo po Nepriklausomybės prospektu. Jį turėjo architektas Belamis. Per jį jie ir pabėgo.

Andersonas žiūrėjo į raktą neįstengdamas pratarti nė žodžio.

Sato iškišo galvą į koridorių ir pervėrė juos akimis.

— Kas čia vyksta?

Nunjesas pajuto, kaip blykšta. Andersonas tebelaikė raktą rankoje, buvo aišku, kad Sato jį pastebėjo. Klaikiajai moteriškei artėjant, Nunjesas ėmė iš paskutiniųjų kurti, stengdamasis apsaugoti viršininką.

— Šitą raktą aš radau ant grindų viename *subbazinio* lygmens kambaryje. Kaip tik klausiau viršininko Andersono, ar jis nežino, nuo ko jis yra.

Sato priėjo ir nužvelgė raktą.

— Ir ką, jis žino?

Nunjesas pažvelgė į Andersoną, kuris prieš prasižiodamas aiškiai norėjo gerai apsvarstyti galimus variantus. Galiausiai viršininkas papurtė galvą.

— Ne, iš karto nepasakysiu. Turiu patikrinti...

— Nesivarginkite, — patarė Sato. — Šiuo raktu atrakinamos durys į tunelį iš lankytojų centro.

— Tikrai? — paklausė Andersonas. — Iš kur jūs žinote?

— Ką tik radome kameros įrašą. Pareigūnas Nunjesas padėjo pabėgti Lengdonui ir Belamiui, o paskui užrakino duris. Tą raktą Nunjesui davė Belamis.

Andersonas įsiutęs atsigręžė į Nunjesą:

— Tai tiesa?

Nunjesas perdėtai sulinkčiojo, irgi stengdamasis kuo geriau suvaidinti.

— Labai atsiprašau, pone. Architektas man liepė niekam nieko nesakyti!

— Man nusispjauti, ką tau liepė architektas! — rėkė Andersonas. — Prašyčiau...

— Trentai, užsičiaupk, — nebeišlaikė Sato. — Jūs abu niekam tikę melagiai. Pasitaupykite jėgas CŽV apklausai. — Ji ištraukė Andersonui iš rankų tunelio raktą. — Čia viskas baigta.

49 skyrius

Robertas Lengdonas atitraukė nuo ausies mobilųjį telefoną, jausdamas augantį nerimą. *Ketrina neatsiliepia mobiliuoju?* Ji jam pažadėjo paskambinti, kai tik saugiai ištrūks iš laboratorijos ir važiuos čia susitikti su juo, tačiau taip ir nepaskambino.

Belamis sėdėjo greta Lengdono skaitykloje prie stalo. Jis irgi ką tik paskambino asmeniui, kuris, kaip tvirtino Belamis, gali suteikti jiems prieglobstį — laikinai paslėpti. Deja, šis asmuo irgi neatsiliepė, todėl Belamis paliko jam žinutę, prašydamas kuo greičiau paskambinti į Lengdono mobilųjį.

— Mėginsiu dar kartą, — tarė jis Lengdonui, — bet kol kas turime manytis patys. Reikia aptarti planus, ką daryti su piramide.

Piramide. Lengdonas pajuto, tarsi įspūdinga skaityklos aplinka būtų išnykusi, jo pasaulis susitelkė tik į tai, ką matė prieš akis — akmeninę piramidę, užantspauduotą ryšulėlį su jos viršūne ir elegantišką afroamerikietį, kuris išniro iš tamsos ir išgelbėjo jį nuo nenumaldomos CŽV kvotos.

Lengdonas tikėjosi, kad Kapitolijaus architektas turės bent kiek sveiko proto, bet pasirodė, kad Vorenas Belamis kalba nė kiek ne racionaliau už tą pamišėlį, skelbiantį, jog Piteris yra skaistykloje. Belamis atkakliai teigė, kad ši akmeninė piramidė iš tiesų yra legendinė masonų piramidė. *Senovės žemėlapis? Kuris gali nuvesti prie galią teikiančios išminties?*

— Pone Belami, — mandagiai tarė Lengdonas, — ta jūsų idėja apie kažkokias senovės žinias, kurios gali suteikti žmonėms didžių galių... aš tiesiog negaliu rimtai ja patikėti.

Belamio žvilgsnyje buvo matyti įkarštis ir nusivylimas, dėl kurių Lengdonui buvo dar nesmagiau rodyti savo skepticizmą.

— Taip, profesoriau, aš spėjau, kad jūs taip manysite, bet tikriausiai nereikėtų tuo stebėtis. Jūs prašalietis ir žvelgiate į tai iš šono. Egzistuoja tam tikri masonų tikrovės aspektai, kuriuos jūs palaikysite mitu, nes nesate įšvęstas ir pasirengęs juos suprasti.

Lengdonas pajuto, kad į jį žvelgiama iš aukšto. *Aš nebuvau Odisėjo laivo įgulos narys, bet tikrai žinau, kad ciklopas — tai mitas.*

— Pone Belami, net jei legenda nemeluoja... šita piramidė vis tiek negali būti masonų piramidė.

— Ne? — Belamis pirštu perbraukė akmenyje įrėžtą masonų šifrą. — Mano manymu, ji puikiausiai atitinka apibūdinimą. Akmeninė piramidė su spindinčia metalo viršūne: jei tikėsime Sato padaryta rentgeno nuotrauka, būtent ją jums ir patikėjo Piteris. — Belamis paėmė nuo stalo mažą kubo pavidalo ryšulėlį ir pakilnojo, tarsi tikrindamas jo svorį.

— Ši akmeninė piramidė nesiekia nė trisdešimties centimetrų, — paprieštaravo Lengdonas. — Visose mano girdėtose pasakojimo versijose masonų piramidė vadinama milžiniška.

Buvo aišku, kad Belamis tikėjosi išgirsti šį argumentą.

— Kaip jūs žinote, legendoje minima piramidė tokia aukšta, kad pats Dievas gali ištiesti ranką ir ją pasiekti.

— Visiškai teisingai.

— Suprantu jūsų dilemą, profesoriau. Tačiau ir Senovės Slėpiniuose, ir masonų filosofijoje minimas potencialus Dievas, gyvenantis kiekviename iš mūsų. Simboliškai kalbant, galima sakyti, kad tai, ką gali pasiekti apsišvietęs žmogus... gali pasiekti Dievas.

Lengdono šis žaidimas žodžiais neįtikino.

— Net Biblija tam pritaria, — kalbėjo Belamis. — Jei sutiksime su tuo, kad Dievas, kaip rašoma Pradžios knygoje, „sukūrė žmogų pagal savo paveikslą“, tada turime sutikti *ir su tuo*, kas iš to išeina — kad žmogus nebuvo sukurtas *menkesnis* už Dievą. Evangelijoje pagal Luką (17,21) aiškiai sakoma: „Juk Dievo karalystė jau yra tarp jūsų.“

— Atsiprašau, bet aš tikrai nepažįstu krikščionių, kurie laikytų save lygiais Dievui.

— Žinoma, — griežtesniu balsu ištarė Belamis. — Nes dauguma krikščionių nori visko iškart. Jie nori išdidžiai skelbti, kad tiki Biblija, bet ignoruoti tas jos dalis, kurios jiems atrodo pernelyg sudėtingos arba kuriomis tikėti nepatogu.

Lengdonas nieko neatsakė.

— Na, žodžiu, — toliau kalbėjo Belamis, — senasis masonų piramidės apibūdinimas, kuriame ji vadinama tokia aukšta, kad ją gali paliesti Dievas... jau ne kartą sukėlė nesusipratimų, aiškinantis jos dydį. Tai labai patogu — mokslininkai, tokie kaip jūs, tvirtina, jog piramidė yra tik legenda, ir niekas jos neieško.

Lengdonas pažvelgė į akmeninę piramidę.

— Atsiprašau, kad sukeliu jums sunkumų, — tarė jis. — Tiesiog aš visad maniau, kad masonų piramidė — tai mitas.

— Ar jums neatrodo labai reikšmingas faktas, kad žemėlapis, kurį sukūrė akmentašiai, yra iškaltas akmenyje? Per visą istoriją mūsų svarbiausi keliaženkliai buvo iškalti akmenyje — pradedant lentelėmis, Dievo įteiktomis Mozei, Dešimčia įsakymų, kuriais turi vadovautis žmonės.

— Suprantu, tačiau visi kalba apie „masonų piramidės legendą“. Žodis „legenda“ leidžia suprasti, kad tai mitas.

— Taip, legenda, — Belamis nusijuokė. — Deja, jūs, atrodo, nukentėjote nuo to paties, nuo ko ir Mozė.

— Prašau?

Belamis beveik juokdamasis pasisuko kėdėje ir pažvelgė į antro aukšto balkoną, iš kurio į juos žvelgė šešiolika bronzinių skulptūrų.

— Ar matote Mozę?

Lengdonas nužvelgė garsią bibliotekoje stovinčią Mozės skulptūrą.

— Taip.

— Jis su ragais.

— Aš žinau.

— Bet ar žinote, *kodėl* jis su ragais?

Lengdonas, kaip daugelis dėstytojų, nelabai mėgo klausytis svetimų paskaitų. Mozės skulptūra, stovinti jiems virš galvų, buvo raguota dėl tos pačios priežasties, dėl kurios ragus įgijo tūkstančiai krikščionių sukurtų Mozės atvaizdų — dėl klaidos, įsivėlusios verčiant Išėjimo knygą. Hebrajiškame originale Mozė aprašytas žodžiais *karan 'ohr panav* — tai yra „jo veido oda spindėjo šviesos spinduliais"; bet Romos katalikų bažnyčios paskelbtame oficialiame lotyniškame Biblijos vertime vertėjas susipainiojo ir parašė, jog Mozės *cornuta esset facies sua* — tai yra „jo veidas buvo raguotas". Nuo to laiko dailininkai ir skulptoriai, bijodami nukentėti, jei skrupulingai nesilaikys Bažnyčios mokymo, pradėjo vaizduoti Mozę su ragais.

— Tai buvo paprasčiausia klaida, — atsakė Lengdonas. — Šventasis Jeronimas apytikriai keturišimtaisiais metais suklydo versdamas.

Belamiui, atrodo, atsakymas padarė įspūdį.

— Būtent. Vertimo klaida. O rezultatas — vargšas Mozė visam laikui liko subjaurotas.

„Subjaurotas" — dar per švelnus žodis. Lengdonas vaikystėje baisiai persigando pamatęs Mikelandželo sukurtą šėtonišką „raguotą Mozę" — centrinę skulptūrą Romos Grandinėmis Sukaustytojo šv. Petro bazilikoje.

— Paminėjau raguotąjį Mozę, — toliau kalbėjo Belamis, — nes norėjau pailiustruoti, kaip vienintelis klaidingai suprastas žodis gali pakeisti istoriją.

Man galite to nė neaiškinti, pamanė Lengdonas, prieš kelerius metus savo kailiu tą patį patyręs Paryžiuje. *SanGreal* — Šventasis Gralis. *SangReal* — Karališkasis kraujas.

— Kalbant apie masonų piramidę, — pasakojo Belamis, — dažniausiai buvo girdimi šnabždesiai apie „legendą". Taip ir liko. „Masonų piramidės legenda" primena mitą. Bet žodis „legenda" čia turi visai kitą reikšmę. Ji buvo klaidingai suprasta. Labai panašiai kaip žodis „talismanas". — Jis nusišypsojo. — Kalba yra labai tinkamas įrankis tiesai paslėpti.

— Teisybė, bet aš nelabai suprantu, apie ką kalbate.

— Robertai, masonų piramidė yra *žemėlapis.* Ir jame, kaip kiekviename žemėlapyje, yra *legenda* — raktas, nusakantis, kaip jį skaityti. — Belamis paėmė nuo stalo kubo pavidalo ryšulėlį ir pakėlė jį aukštyn. — Nejau nesuprantate? Viršūnė *ir yra* piramidės legenda. Tai raktas, nurodantis, kaip perskaityti galingiausią žemėje artefaktą... žemėlapį, kuriuo vadovaujantis galima atrasti paslėptą didžiausią žmonijos lobį — prarastąją amžių išmintį.

Lengdonas nuščiuvo.

— Nuolankiai primenu, — tarė Belamis, — kad jūsų minima milžiniška masonų piramidė yra viso labo tokia — kuklus akmens luitas, kurio auksinė viršūnė kyla taip aukštai, kad gali būti paliesta Dievo. Taip aukštai, kad apšviestas žmogus gali pasilenkti ir ją paliesti.

Keletą sekundžių abu vyrai tylėjo.

Lengdonas pajuto netikėtą jaudulį žvelgdamas į piramidę ir matydamas ją naujoje šviesoje. Jo akis vėl patraukė masonų šifras.

— Bet šis kodas... jis atrodo toks...

— Paprastas?

Lengdonas linktelėjo.

— Faktiškai *bet kas* galėtų jį iššifruoti.

Belamis nusišypsojo ir padavė Lengdonui pieštuką bei popieriaus.

— Tai gal galėtumėte mums padėti?

Lengdonui buvo nesmagu šifruoti šį kodą, tačiau tokiomis aplinkybėmis tai neatrodė didelė išdavystė Piterio atžvilgiu. Be to, kad ir kas būtų įrašyta akmenyje, sunku įsivaizduoti įrašą praverčiant ką nors atrasti... o ką jau kalbėti apie vieną didžiausių istorijos lobių.

Lengdonas paėmė Belamio siūlomą pieštuką ir pastukseno juo sau į smakrą, atidžiai tyrinėdamas įrašą. Šifras atrodė toks paprastas, kad nei popieriaus, nei pieštuko beveik neprireikė. Tačiau jis norėjo būti tikras, kad nepadarė klaidos, todėl klusniai paėmė į rankas pieštuką ir užsirašė populiariausio masonų šifro raktą. Raktą sudarė ketverios grotelės — dvejos paprastos, dvejos su taškais, ir jose paeiliui surašytos abėcėlės raidės. Kiekviena abėcėlės raidė atsidūrė konkrečioje vietoje, arba „aptvare". Šio „aptvaro" figūra ir buvo tos raidės simbolis.

Sumanymas buvo neapsakomai paprastas, beveik vaikiškas.

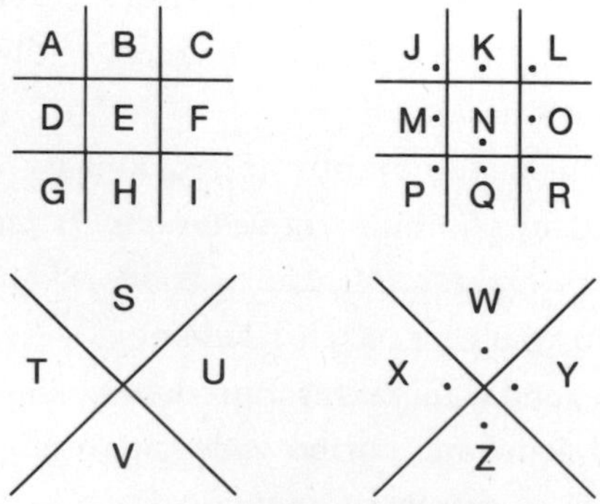

A	B	C
D	E	F
G	H	I

J	K	L
M	N	O
P	Q	R

S
T U
V

W
X Y
Z

Lengdonas dar kartą patikrino savo darbo rezultatą. Neabejodamas, kad šifro raktas teisingas, jis grįžo prie šifruoto įrašo piramidėje. Norint jį iššifruoti, tereikėjo atrasti kiekvieną figūrą atitinkančias raides ir įrašyti jas vietoj simbolių.

Pirmas piramidės įrašo simbolis buvo panašus į žemyn nukreiptą strėlę arba taurę. Lengdonas greitai rado taurės pavidalo figūrą šifro rakte. Ji buvo kairėje apačioje ir atitiko raidę *S*.

Lengdonas užrašė: *S*.

Kitas piramidės įrašo simbolis buvo kvadratas be dešinės kraštinės, bet su tašku viduryje. Tokia figūra atitiko raidę *O*.

Jis užrašė: *O*.

Trečia figūra buvo paprastas kvadratas, atitinkantis raidę *E*.

Lengdonas užrašė: *E*.

S O E...

Jis ėmė rašyti vis greičiau, kol iššifravo visą įrašą. Baigęs ir pažvelgęs į gautą tekstą, Lengdonas sutrikęs atsiduso. *Kažkodėl visai nesinori sušukti „eureka“.*

Belamio veide pasirodė šypsenėlė.

— Kaip žinote, profesoriau, Senovės Slėpiniai yra saugomi tiems, kuriuos galima pavadinti tikrais apšviestaisiais.

— Aišku, — suraukęs kaktą atsakė Lengdonas. *Atrodo, aš jiems nepriklausau.*

50 skyrius

Tas pats šešiolikos simbolių masonų šifras ryškiai švietė jautriame didelio kompiuterio monitoriuje, kabinete, esančiame giliai po žeme CŽV būstinėje Lenglyje, Virdžinijos valstijoje. ST vyresnioji analitikė Nola Kei viena sėdėjo kabinete ir žiūrėjo į vaizdą, kurį jai prieš dešimt minučių elektroniniu paštu atsiuntė viršininkė, ST direktorė Inoujė Sato.

Gal čia koks nors pokštas? Nola, žinoma, suprato, kad nieko panašaus nėra: direktorė Sato visiškai neturėjo humoro jausmo, o šio vakaro įvykiai nė iš tolo nekėlė juoko. Nolos pareigos viską matančioje CŽV Saugumo tarnyboje leido jai susipažinti su slapta informacija ir atvėrė akis į šešėlinius galios pasaulius. Tačiau tai, ką Nola pamatė per pastarąsias dvidešimt keturias valandas, visam laikui pakeitė jos požiūrį į galingiausių žmonių saugomas paslaptis.

— Taip, direktore, — atsakė Nola direktorei Sato, petimi spausdama telefoną prie ausies. — Įrašas iš tiesų yra masonų šifras. Tačiau iššifruotas jis tampa visiškai beprasmis. Stulpeliais ir eilutėmis surašytos atsitiktinės raidės. — Ji pažvelgė į šifrogramą.

S	O	E	U
A	T	U	N
C	S	A	S
V	U	N	J

— Bet ji privalo ką nors reikšti, — neatlyžo Sato.

— Tikrai ne, nebent egzistuotų antras šifravimo lygis, apie kurį aš nieko nežinau.

— O spėti galite? — paklausė Sato.

— Matrica lentelės pavidalo, taigi galėčiau pamėginti įprastus metodus — Viženerio šifrą, trafaretą, groteles ir panašius dalykus, bet pažadėti nieko negaliu, ypač jei šifras vienkartinis.

— Darykite ką galite. Ir kuo greičiau. Kokie rentgeno tyrimų rezultatai?

Nola pasisuko su kėde į antrą kompiuterio ekraną, kuriame buvo matyti paprasta kažkokio krepšio turinio rentgeno nuotrauka. Sato buvo reikalinga informacija apie mažą piramidę, paslėptą kubo pavidalo dėžutėje. Paprastai penkių centimetrų aukščio objektai nebūna susiję su nacionalinio saugumo pavojais, išskyrus tuos atvejus, kai jie pagaminti iš prisotinto plutonio. Tik ne šis. Jis buvo pagamintas iš nė kiek ne mažiau stulbinamos medžiagos.

— Vaizdo tankumo analizės rezultatai pakankami, — atsakė Nola. — Devyniolika ir trys dešimtosios gramo viename kubiniame centimetre. Grynas auksas. Labai, labai brangus.

— Kas nors dar?

— Tiesą sakant, taip. Atliekant tankumo skenavimą, aukso piramidės paviršiuje pavyko įžiūrėti smulkius pažeidimus. Pasirodo, aukse išgraviruotas tekstas.

— Tikrai? — Sato balse suskambo viltis. — Kas ten parašyta?

— Kol kas negaliu pasakyti. Įrašas visiškai neryškus. Stengiuosi jį paryškinti, naudoju filtrus, bet rentgeno nuotraukos ryškumas ne kažin koks.

— Gerai, dar mėginkit. Paskambinkite, kai ką nors išsiaiškinsite.

— Taip, ponia.

— Ir dar štai kas, Nola. — Sato balsas tapo grėsmingas. — Akmeninė piramidė ir auksinė jos viršūnė, kaip ir visa kita, ką jūs sužinojote per pastarąsias dvidešimt keturias valandas, priskiriami ypatingo slaptumo kategorijai. Jums draudžiama su kuo nors konsultuotis. Atsiskaitysite asmeniškai man. Noriu išgirsti, ar jūs viską supratote?

— Žinoma, ponia.

— Gerai. Lauksiu informacijos. — Sato baigė pokalbį.

Nola pasitrynė mieguistas akis ir vėl įsistebeilijo į kompiuterio ekraną. Ji buvo nemiegojusi jau trisdešimt šešias valandas ir puikiai žinojo negausianti užmigti, kol nepasibaigs ši krizė.

Vienokiu ar kitokiu būdu.

Kapitolijaus lankytojų centre prie įėjimo į tunelį stovėjo keturi juodai apsirengę CŽV operatyvininkai ir tarsi nenustygstantys medžiokliniai skalikai alkanomis akimis gręžte gręžė blausiai apšviestą koridorių.

Prie jų priėjo Sato, ką tik baigusi pokalbį.

— Ponai, — tarė ji, vis dar laikydama rankoje architekto raktą, — ar jums aiškiai išdėstyti misijos parametrai?

— Patvirtinu, — atsakė vyriausiasis agentas. — Turime du taikinius. Pirmas — akmeninė piramidė su išgraviruotu įrašu, apytikriai trisdešimties centimetrų aukščio. Antras — mažesnis, apytikriai penkių centimetrų aukščio kubo pavidalo ryšulėlis. Abu objektai paskutinį kartą matyti Roberto Lengdono kelionkrepšyje, kurį jis nešėsi ant peties.

— Teisingai, — patvirtino Sato. — Abu objektus reikia gauti kuo greičiau, jų nepažeidžiant. Ar turite klausimų?

— Kokie bus nurodymai dėl jėgos naudojimo?

Sato tebemaudė petį toje vietoje, kur Belamis jai buvo smogęs kaulu.

— Aš jau sakiau: ypač svarbu atgauti objektus.

— Supratau.

Keturi vyrai apsisuko ir patraukė į tunelio tamsą.

Sato, užsidegdama cigaretę, žiūrėjo, kaip jie dingsta tamsoje.

51 skyrius

Ketrina Solomon šiaip buvo atsargi vairuotoja, bet dabar, aklai lėkdama savo „Volvo" Sjutlendo alėja, ji spaudė per šimtą keturiasdešimt. Daugiau kaip pusantro kilometro tvirtai mygo greičio pedalą drebančia koja, kol panika pamažu pradėjo rimti. Ketrina suvokė, kad dreba nebe vien iš baimės.

Baigiu sušalti į ragą.

Pro išmuštą langą plūste plūdo šaltas nakties oras, apsiausdamas ją visą kaip arkties vėjas. Kojos, apautos tik kojinėmis, visai sustiro, ir ji pasilenkė išsitraukti atsarginių batelių, kuriuos vežiojosi po keleivio sėdyne. Pasilenkus suskaudo kraujosruvą ant kaklo, toje vietoje, kurioje ją mėgino smaugti galinga ranka.

Vyras, išmušęs jos langą, nė iš tolo nebuvo panašus į šviesiaplaukį inteligentišką poną, Ketrinos pažįstamą daktaro Kristoferio Abadono vardu. Dingo vešlūs plaukai ir lygus veido įdegis. Pasimatė skusta galva, nuoga krūtinė ir makiažo pagrindu ištepliotas veidas, tirštai išmargintas tatuiruočių ornamentais.

Ji vėl išgirdo ausyse jo balsą, šnibždantį pro išmuštą langą švilpaujančio vėjo gūsiuose. *Ketrina, reikėjo tave nužudyti prieš dešimt metų... tada, kai nužudžiau tavo motiną.*

Ketrina sudrebėjo nė kiek neabejodama. *Tai jis.* Ji neįstengė pamiršti tūžmingo smurto, spindėjusio jo akyse. Nepamiršo ir vienintelio brolio paleisto šūvio garso — šūvio, nukovusio šį žmogų, sviedusio jį nuo aukšto skardžio į apačioje vingiuojančią užšalusią upę, kur jis smigte įsmigo į ledą ir daugiau nebeiškilo. Tyrėjai ieškojo kūno kelias savaites, nesurado ir galiausiai nusprendė, kad srovė jį bus nunešusi į Česapiko įlanką.

Jie klydo, dabar suprato ji. *Jis tebėra gyvas.*

Ir jis grįžo.

Ketriną užplūdo atsiminimai ir ėmė purtyti baimė. Viskas įvyko beveik lygiai prieš dešimt metų. Per Kalėdas. Ketrina, Piteris ir jų motina — visa šeima — susirinko erdviame mūriniame dvare Potomake, įsikūrusiame aštuoniasdešimties hektarų ploto miškingame sklype, per kurį tekėjo sava upė.

Kaip liepia tradicija, motina visą dieną triūsė virtuvėje, džiaugdamasi švenčių suteikta proga pagaminti valgį dviem savo vaikams. Net sulaukusi septyniasdešimt penkerių Izabelė Solomon buvo entuziastinga virėja: tą vakarą namuose sklido žvėrienos kepsnio, ropių padažo ir česnaku gardintos bulvių košės kvapai, nuo kurių varvėte varvėjo seilės. Kol motina ruošė vaišes, Ketrina su broliu ilsėjosi oranžerijoje, kalbėdamiesi apie naujausią Ketrinos susižavėjimą — neseniai atsiradusią mokslo šaką, vadinamą noetika. Noetika, neįtikimas šiuolaikinės dalelių fizikos ir senovės misticizmo derinys, visiškai užvaldė Ketrinos vaizduotę.

Tai ir fizika, ir filosofija.

Ketrina papasakojo Piteriui apie kai kuriuos savo sumanytus eksperimentus ir iš jo akių aiškiai matė, kad jį tai sudomino. Ji ypač džiaugėsi galėdama per šias Kalėdas suteikti broliui bent kiek teigiamų emocijų, nes šventė jam skausmingai primindavo baisią tragediją.

Piterio sūnų, Zakarį.

Dvidešimt pirmasis Ketrinos sūnėno gimtadienis jam buvo ir paskutinis. Šeima išgyveno baisų košmarą: atrodė, kad brolis tik visai neseniai vėl prisiminė, ką reiškia juoktis.

Zakaris vėlai subrendo, buvo gležnas ir nerangus vaikas, vėliau — maištingas, piktas paauglys. Nors berniukas augo labai jį mylinčioje ir turtingoje šeimoje, jis atrodė tvirtai pasiryžęs atsiriboti nuo visos Solomonų „giminės“. Jis buvo išmestas iš parengiamosios mokyklos, vėliau leidosi siautėti ir linksmintis su įvairiomis garsenybėmis, atmesdamas visas tėvų pastangas tvirtai, tačiau su meile jį globoti.

Jis sudaužė Piteriui širdį.

Prieš pat Zakario aštuonioliktąjį gimtadienį Ketrina susėdo su motina ir broliu aptarti, ar galima Zakariui perduoti jo paveldėjimą — o gal palaukti, kol vaikinas truputį subręs. Solomonų giminėje šimtus metų puoselėjama paveldėjimo tradicija reikalavo kiekvienam Solomonų šeimoje gimusiam vaikui, sulaukusiam aštuoniolikos, skirti stulbinamai didelę jam priklausančio turto dalį. Solomonai buvo įsitikinę, kad paveldėjimas žmogui naudingesnis gyvenimo pradžioje, o ne pabaigoje. Negana to — paprotys perduoti dideles Solomonų turto dalis jauniems, nekantriems įpėdiniams labai padėjo didinti šeimos lobius.

Tačiau šį kartą Ketrinos motina tvirtino, kad nerimstančiam Piterio sūnui pavojinga duoti šitiek daug pinigų. Piteris nesutiko.

— Solomonų paveldas, — sakė brolis, — yra šeimos tradicija, jos nevalia laužyti. Gal šie pinigai paskatins Zakarį elgtis atsakingiau.

Deja, netrukus paaiškėjo, kad brolis klydo.

Vos gavęs pinigus Zakaris nutraukė ryšius su šeima ir dingo iš namų, nepasiėmęs nė vieno daikto. Po kelių mėnesių žinios apie jį pasirodė bulvarinėje spaudoje: MILIJONIERIUS PAVELDĖTOJAS ŠVAISTO PINIGUS EUROPOJE.

Bulvariniai laikraščiai su džiaugsmu ėmėsi pasakoti apie lepūno Zakario šėliones. Solomonams buvo sunku žiūrėti į nuotraukas iš padūkusių vakarėlių jachtose bei girtuokliavimų disko klubuose, bet netrukus žinios apie sūnų palaidūną iš tragiškų virto gąsdinančiomis: laikraščiai ėmė rašyti apie tai, kad Zakaris buvo suimtas Rytų Europoje, gabenantis per sieną kokainą. SOLOMONŲ GIMINĖS MILIJONIERIUS TURKIJOS KALĖJIME.

Jie sužinojo, kad kalėjimas vadinasi Soganlikas — nuožmi griežto režimo įkalinimo įstaiga Kartalio rajone netoli Stambulo. Piteris Solomonas, baimindamasis dėl sūnaus saugumo, nuskrido į Turkiją jo išlaisvinti. Tačiau sukrėstas Ketrinos brolis grįžo tuščiomis rankomis: jam buvo uždrausta net pasimatyti su Zakariu. Vienintelę viltį teikė pažadas, kad įtakingi Solomono pažįstami JAV Valstybės departamente pasistengs užtikrinti kuo greitesnę jo ekstradiciją.

Tačiau po dviejų dienų Piteris sulaukė baugaus tarptautinio skambučio. Kitą rytą laikraščiai pratrūko antraštėmis: SOLOMONŲ PAVELDĖTOJAS NUŽUDYTAS KALĖJIME.

Nuotraukos iš kalėjimo buvo siaubingos, negailestinga žiniasklaida jas spausdino dar ilgai po tylių, privačiai surengtų laidotuvių. Piterio žmona taip ir neatleido vyrui už tai, kad šis nesugebėjo išlaisvinti Zakario, ir po šešių mėnesių jų santuoka nutrūko. Nuo to laiko Piteris gyveno vienas.

Po kelerių metų Ketrina, Piteris ir jų motina Izabelė susirinko drauge, norėdami ramiai atšvęsti Kalėdas. Šeimą ištikęs skausmas nebuvo pamirštas, tačiau, laimei, sulig kiekvienais metais jis po truputį slopo. Iš virtuvės, kur motina ruošė šventinę vakarienę, sklido malonus puodų ir keptuvių tarškėjimas. Susėdę oranžerijoje Piteris su Ketrina valgė keptą bri sūrį ir neskubiai, kaip dera šventėms, šnekučiavosi.

Staiga pasigirdo netikėtas garsas.

— Sveiki, Solomonai, — jiems už nugaros ištarė atsainus balsas.

Apstulbusi Ketrina ir jos brolis atsisukę pamatė į oranžeriją įeinantį milžinišką raumeningą vyrą. Jis buvo užsimaukšlinęs juodą slidininko kaukę, dengiančią visą jo veidą, ir tik pro plyšius matomos akys degė tūžmingu smurtu.

Piteris akimoju pašoko.

— Kas tu toks?! Kaip čia patekai?!

— Kalėjime pažinojau tavo berniuką, Zakarį. Jis man pasakė, kur slepiate raktą. — Nepažįstamasis iškėlė rankoje seną raktą ir žvėriškai išsišiepė. — Prieš man jį negyvai uždaužant.

Piteris nejučia prasižiojo.

Staiga pasirodė pistoletas, nukreiptas tiesiai Piteriui į krūtinę.

— Sėsk.

Piteris susmuko krėsle.

Vyras įėjo į vidų, o Ketrina sėdėjo neįstengdama pajudėti. Pro kaukės plyšius matomos vyro akys degė tarsi pasiutusio žvėries.

— Ei! — garsiai sušuko Piteris, tarsi norėdamas įspėti virtuvėje triūsiančią motiną. — Kad ir kas tu būtum, pasiimk, ko nori, ir dink iš čia!

Vyriškis dar stipriau prispaudė pistoletą Piteriui prie krūtinės.

— O ko aš noriu, kaip tu manai?

— Tiesiog pasakyk, kiek tau reikia, — tarė Solomonas. — Namuose mes pinigų nelaikome, bet aš galiu...

Pabaisa nusikvatojo.

— Neįžeidinėk manęs. Atėjau ne pinigų. Šį vakarą apsilankiau norėdamas pareikalauti kitos Zakario paveldėjimo dalies. — Jis nusišiepė. — Zakaris man papasakojo apie piramidę.

Piramidę? — sutrikusi ir išsigandusi pamanė Ketrina. *Kokią piramidę?*

Brolis neketino pasiduoti.

— Nesuprantu, apie ką kalbi.

— Neapsimetinėk kvailiu! Zakaris man papasakojo, ką laikai seife savo darbo kabinete. Man jos reikia. Tuojau pat.

— Kad ir ką Zakaris tau būtų kalbėjęs, jis pats nesuprato, ką šneka, — atsakė Piteris. — Aš ir pats nežinau, ką čia kalbi!

— Ne? — Įsibrovėlis pasisuko ir nutaikė pistoletą Ketrinai į veidą. — O dabar?

Piterio akys prisipildė baimės.

— Privalai manimi tikėti! Aš nesuprantu, ko tu nori!

— Dar bent kartą pameluok man, — atsakė šis, tebetaikydamas į Ketriną, — ir aš prisiekiu, kad tu jos neteksi. — Jis nusišypsojo. — O Zakaris man pasakojo, kad jaunesnioji sesė tau brangesnė už visus...

— Kas čia darosi?! — sušuko Ketrinos motina, žengdama į kambarį su Piterio *Browning Citori* medžiokliniu šautuvu, kurį nutaikė tiesiai atėjūnui į krūtinę. Šis pasisuko jos pusėn, tačiau narsioji septyniasdešimt penkerių moteris negaišo laiko veltui. Ji kurtinamai iššovė šratų užtaisą. Įsibrovėlis susvyravęs atsitraukė atgal, į visas puses karštligiškai šaudydamas iš savo pistoleto, paskui šoko prie stiklinių durų, kūnu jas išmušė ir griuvo lauk, išmesdamas pistoletą.

Piteris tuojau pat pašoko iš vietos ir puolė prie tebegulinčio ant grindų pistoleto. Ketrina parkrito, ir ponia Solomon, pribėgusi prie jos, priklaupė ant grindų:

— Dieve mano, ar tu sužeista?

Ketrina papurtė galvą, iš sukrėtimo neįstengdama pratarti nė žodžio. Kaukėtasis užpuolikas, išnėręs pro išdaužtas duris, sunkiai pakilo ant kojų ir pasileido bėgti į mišką, ranka laikydamasis už šono. Piteris Solomonas metė žvilgsnį atgal, patikrino, ar motinai ir seseriai nieko blogo neatsitiko, ir laikydamas rankoje pistoletą išlėkė pro duris paskui įsibrovėlį.

Ketrinos motina drebėdama laikė dukters ranką.

— Dėkui Dievui, tu nesužeista. — Staiga motina atsitraukė. — Ketrina? Tau bėga kraujas! Aš matau kraują! Tu sužeista!

Ketrina ir pati pamatė kraują. Daugybę kraujo. Ji visa buvo išsiterliojusi kraujais. Tačiau skausmo nejuto.

Motina karštligiškai apžiūrinėjo Ketriną ieškodama žaizdos.

— Kur tau skauda?

— Mama, nežinau, aš nieko nejaučiu!

Staiga Ketrina pamatė, iš kur bėga kraujas, ir ją perliejo šaltis.

— Mama, tai ne aš... — Ji parodė į motinos šoną, kur ant baltos šilko palaidinės srūte sruvo kraujas ir tamsavo maža skylutė apspurusiais kraštais. Motina pažvelgė į žaizdą, jos veide buvo matyti sutrikimas. Staiga ji prisimerkė ir atsilošė, tarsi pajutusi skausmą.

— Ketrina? — Jos balsas buvo ramus, tačiau jame girdėjosi septyniasdešimt penkerių metų žmogaus patirtis. — Tuojau pat iškviesk greitąją pagalbą.

Ketrina nubėgo į koridorių prie telefono ir iškvietė pagalbą. Grįžusi į oranžeriją rado motiną nebejudančią, gulinčią kraujo klane. Ketrina pribėgo prie jos ir apglėbusi pakėlė nuo grindų.

Ketrina nesusivokė, kiek praėjo laiko, kai ji išgirdo miške tolimo šūvio garsą. Galiausiai oranžerijos durys atsidarė ir vidun įlėkė jos brolis Piteris pastėrusiomis akimis, rankoje tebelaikydamas pistoletą. Kai pamatė kūkčiojančią Ketriną, apglėbusią nebegyvą motiną, jo veidą iškreipė sielvartas. Riksmo, nuaidėjusio oranžerijoje, Ketrina Solomon nepamirš niekada gyvenime.

52 skyrius

Malachas, bėgdamas aplink pastatą atgal prie atvirų Penktosios sekcijos durų eksponatams gabenti, juto, kaip susitraukia ir vėl išsitiesia nugaros raumenys.

Būtinai privalau patekti į jos laboratoriją.

Ketrinos pabėgimas buvo netikėtas... ir pridarė problemų. Ji ne tik žinojo Malacho gyvenamąją vietą, bet ir jo tapatybę... taip pat faktą, kad tai jis prieš dešimt metų įsibrovė į jų namus.

Malachas irgi nepamiršo ano vakaro. Piramidė jau buvo visai čia pat, tačiau lemtis pakišo koją. *Tada dar buvau nepasirengęs.* Užtat dabar pasirengimas baigtas. Jis daug galingesnis. Daug įtakingesnis. Rengdamasis sugrįžimui Malachas ištvėrė neapsakomus vargus, bet šį vakarą jis pagaliau įstengs pasiekti tai, ką numatė lemtis. Nė kiek neabejojo, kad dar rytui neišaušus jis būtinai pažvelgs mirštančiai Ketrinai Solomon į akis.

Pasiekęs eksponatams skirtas duris, Malachas padrąsino save primindamas, kad Ketrina iš tiesų niekur nepabėgo, tik neilgam nukėlė tai, kas neišvengiama. Jis pralindo pro įėjimo plyšį ir drąsiai žingsniavo tamsoje, kol po kojomis pajuto kilimą. Tada pasuko į dešinę ir patraukė į Kubą. Beldimas į Penktosios sekcijos duris buvo liovęsis; Malachas spėjo, kad apsaugininkas dabar stengiasi išimti monetą, Malacho įkištą į elektroninės spynos plyšį, kad ši nustotų veikusi.

Pasiekęs duris, vedančias į Kubą, Malachas apčiuopė prie jų pritaisytą klaviatūrą ir įkišo į ją Trišos elektroninę kortelę. Klaviatūra nušvito. Jis surinko Trišos atpažinimo kodą ir įėjo vidun. Ryškiai degė visos šviesos, ir jis, įėjęs į sterilią erdvę, prisimerkė iš nuostabos, regėdamas kvapą gniaužiančią įrangos įvairovę. Malachas gerai išmanė technologijų galias; savo namų rūsyje jis irgi atliko savo sumanytus mokslinius eksperimentus, ir vakar vakare keletas iš jų davė vaisių.

Tiesą.

Įkalintas unikaliomis sąlygomis — visiškai vienas, tarpinėje būsenoje — Piteris Solomonas atskleidė visas savo paslaptis. *Aš mačiau jo sielą.* Malachas sužinojo keletą paslapčių, kurias buvo nuspėjęs, ir keletą — kurių nė neįtarė, tarp jų buvo žinia apie Ketrinos laboratoriją ir jos sukrečiamus atradimus. *Mokslas prisislinko jau visai arti,* suprato Malachas. *Ir aš neleisiu, kad jis nušviestų kelią tiems, kurie to neverti.*

Čia dirbdama Ketrina pradėjo naudotis šiuolaikinio mokslo laimėjimais, ieškodama atsakymų į senovės filosofų klausimus. *Ar mūsų maldas kas nors girdi? Ar egzistuoja gyvenimas po mirties? Ar žmonės turi sielą?* Neįtikima, tačiau Ketrina atsakė į visus šiuos klausimus ir dar daugiau. Moksliškai. Iš esmės. Metodams, kuriais ji naudojosi, nieko negalėjai prikišti. Jos eksperimentų rezultatai įtikintų net didžiausius skeptikus. Jei ši informacija būtų paskelbta viešai, žmonių sąmonėje įvyktų esminis lūžis. *Žmonės surastų kelio pradžią.* Šį vakarą, prieš įvykstant persimainymui, paskutinis Malacho darbas — užtikrinti, kad tai neįvyktų.

Vaikščiodamas po laboratoriją Malachas rado duomenų saugojimo patalpą, apie kurią jam sakė Piteris. Pro storo stiklo sienas pažvelgė į dvi holografines duomenų tvarkykles. *Jie atrodo būtent taip, kaip jis pasakojo.* Malachui buvo sunku suvokti, kad medžiaga, saugoma tose mažose dėžutėse, gali pakeisti visą žmonijos raidą, tačiau juk Tiesa visad buvo pats stipriausias katalizatorius.

Apžiūrinėdamas holografinius saugojimo įtaisus Malachas išsitraukė Trišos elektroninę kortelę ir įkišo ją į durų saugos plokštelę. Nustebo pamatęs, kad plokštelė nenušvito. Veikiausiai Triša Dan nebuvo pelniusi pasitikėjimo viena įeiti į šią patalpą. Tada jis išsitraukė iš kišenės kortelę, kurią rado Ketrinos laboratorijos chalato kišenėje. Įkišus šią, įėjimo plokštelė nušvito.

Malachui iškilo problema. *Taip ir nesužinojau Ketrinos atpažinimo kodo.* Pamėgino surinkti Trišos kodą, bet šis netiko. Glostydamasis smakrą jis atsitraukė atgal ir apžiūrėjo beveik aštuonių centimetrų storio organinio stiklo duris. Suprato, kad net kirviu neįstengs jų sudaužyti ir pasiimti diskų, kuriuos nori sunaikinti.

Tačiau Malachas buvo numatęs ir tokią galimybę.

Katilinės sandėliuke, kaip buvo sakęs Piteris, Malachas pamatė kelis lentynoje gulinčius metalinius konteinerius, panašius į deguonies balionus, naudojamus nardant. Ant cilindro pavidalo konteinerių buvo užrašyta *SV*, skaičius 2 ir nupieštas visuotinai suprantamas degiųjų medžiagų simbolis. Vienas konteineris buvo prijungtas prie laboratorijos vandeniliniu kuru varomo generatoriaus.

Malachas paliko prijungtąjį konteinerį, o kitą, gulėjusį lentynoje, atsargiai užkėlė ant palikto prie jos vežimėlio. Išvežė konteinerį iš sandėliuko ir per visą laboratoriją nugabeno jį prie duomenų saugojimo patalpos organinio stiklo sienos. Buvo visiškai aišku, kad konteineris jau pakankamai arti, bet jis pastebėjo dar vieną silpną vietą — po sunkiomis organinio stiklo durimis, tarp slenksčio ir apačios, žiojėjo mažytis plyšelis.

Malachas atsargiai paguldė konteinerį ant grindų prie slenksčio ir pakišo lanksčią guminę žarnelę po durimis. Šiek tiek sugaišo, kol nuėmė konteinerio apsaugas, bet neilgai trukus jau galėjo jį atkimšti. Pro perregimas duris matė, kaip iš žarnelės ant grindų burbuliuodamas pradeda bėgti skaidrus skystis. Malachas stebėjo, kaip balutė didėja, plinta grindimis, garuoja ir burbuliuoja. Vandenilis išlieka skystas tik tol, kol šalta; šildamas jis užverda ir pradeda garuoti. Laimei, garuojant susidariusios dujos dar degesnės už patį skystį.

Prisimink Hindenburgą.

Malachas nuskubėjo į laboratoriją ir skaidriame inde atsinešė iš ten Bunzeno lempelės kuro — klampaus, labai degaus, tačiau nesprogstamo. Indą nusinešė prie organinio stiklo durų, su malonumu pažiūrėjo, kaip iš konteinerio toliau teka vandenilis, o verdančio skysčio bala jau apsėmė visas duomenų saugojimo patalpos grindis, priartėjusi prie pastovų, ant kurių sustatytos holografinės duomenų tvarkyklės. Nuo kunkuliuojančios balos pradėjo kilti balkšva migla — skystas vandenilis ėmė virsti dujomis... pripildančiomis nedidelę erdvę.

Malachas pakėlė indą su Bunzeno lempelės kuru ir gausiai jo šliūkštelėjo ant vandenilio konteinerio, žarnelės, taip pat į plyšelį po durimis. Tada labai atsargiai atbulas ėmė eiti iš laboratorijos, palikdamas paskui save nenutrūkstamą kuro pėdsaką.

Dispečerė, atsakinėjanti į skambučius numeriu 911 Vašingtono apylinkėse, šį vakarą turėjo kaip reta daug darbo. *Futbolas, alus ir pilnatis,* pamanė ji, pamačiusi ekrane pasirodant dar vieną iškvietimą — iš Anakostijoje, Sjutlando alėjoje, esančios degalinės taksofono. *Turbūt eismo įvykis.*

— Devyni vienas vienas, — atsiliepė ji. — Klausome, kas atsitiko?

— Mane ką tik užpuolė Smitsono muziejaus saugyklose, — atsakė išgąsčio kupinas moters balsas. — Labai prašau, pasiųskite ten policiją! Adresas: Silver Hilo plentas, keturiasdešimt du dešimt!

— Gerai, neskubėkite, — paprašė dispečerė. — Jums reikėtų...

— Ir dar būtinai pasiųskite policiją į namus Kaloramos aukštumose, turiu žinių, kad ten kalinamas mano pagrobtas brolis!

Dispečerė atsiduso. *Pilnatis.*

53 skyrius

— Štai aš ir mėginau jums sakyti, — tarė Belamis Lengdonui, — kad ši piramidė ne tokia paprasta, kaip atrodo iš pirmo žvilgsnio.

Ko gero, taip ir yra. Lengdonui teko pripažinti, kad akmeninė piramidė, styranti atsegtame kelionkrepšyje, dabar jam atrodė daug paslaptingesnė. Iššifravęs masonų kodą, jis gavo iš pažiūros beprasmį raidžių rinkinį.

Chaosą.

S	O	E	U
A	T	U	N
C	S	A	S
V	U	N	J

Lengdonas ilgai tyrinėjo lentelę ieškodamas bent mažiausios prasmės užuominos — paslėptų žodžių, anagramų, bet ko, už ko būtų galima užsikabinti, tačiau nieko nerado.

— Sakoma, — paaiškino Belamis, — kad masonų piramidės paslaptis dengia daugybė uždangų. Atitraukęs vieną, kas kartą pamatai kitą. Jūs iššifravote raides, tačiau jos nieko jums nepasakys, kol neprasiskverbsite į kitą lygmenį. Be abejo, kaip tai padaryti, žino tik žmogus, turintis piramidės viršūnę. Spėju, kad viršūnėje irgi yra įrašas, kuris gali padėti iššifruoti tai, kas įrašyta piramidėje.

Lengdonas dirstelėjo į kampuotą ryšulėlį, gulintį ant stalo. Iš Belamio žodžių jis suprato, kad piramidė ir jos viršūnė sudaro vadinamąjį „segmentinį šifrą" — kodą, suskirstytą dalimis. Šiuolaikiniai šifruotojai dažnai naudoja segmentinius šifrus, nors pati schema sumanyta dar senovės Graikijoje. Norėdami išsaugoti slaptą informaciją, graikai užrašydavo ją molio lentelėje, paskui šią sudaužydavo ir šukes paslėpdavo keliose skirtingose vietose. Slaptą tekstą būdavo galima perskaityti tik surinkus į vietą visus gabalus. Iš tokios molinės lentelės su slaptu įrašu pavadinimo — *symbolon* — iš tikrųjų ir kilo dabar vartojamas žodis „simbolis".

— Robertai, — kalbėjo Belamis, — ši piramidė ir jos viršūnė kelis šimtmečius buvo saugomos atskirai, siekiant išlaikyti paslaptį. — Jo balse pasigirdo apgailestavimas. — Tačiau šį vakarą abu objektai atsidūrė pavojingai arti vienas kito. Neabejoju, kad neturėčiau jums to sakyti... bet mūsų pareiga užtikrinti, kad piramidė nebūtų sudėta į daiktą.

Lengdonui Belamio dramatizmas atrodė šiek tiek perdėtas. *Jis čia kalba apie piramidę ir jos viršūnę... ar apie branduolinę bombą ir jos sprogdiklį?* Lengdonui vis dar buvo sunkoka sutikti su tuo, ką sako Belamis, tačiau jis buvo pasirengęs to nepaisyti.

— Net jei tai tikrai masonų piramidė, net jei šis įrašas iš tiesų kokiu nors būdu atskleidžia, kur saugoma senovės išmintis, kaip toji išmintis gali suteikti tokią galią, apie kurią visi kalba?

— Piteris man ne kartą sakė, kad jus labai sunku kuo nors įtikinti — jūs mokslo žmogus ir įrodymus vertinate labiau už samprotavimus.

— O jūs norite pasakyti, kad pats tuo tikite? — galiausiai netekęs kantrybės neišlaikė Lengdonas. — Nenoriu jūsų įžeisti... jūs šiuolaikiškas, išsilavinęs žmogus. Kaip galite tikėti tokiais dalykais?

Belamis kantriai nusišypsojo.

— Laisvųjų mūrininkų brolija išmokė mane nuoširdžios pagarbos viskam, kas nesuvokiama žmogaus protui. Išmokau niekada neatsiriboti nuo jokių idėjų vien dėl to, kad jos veikiau primena stebuklus.

54 skyrius

Sargas, prižiūrintis Smitsono muziejaus saugyklas iš lauko, it paklaikęs nulėkė skalda nubarstytu taku, vedančiu aplink pastatą. Jam ką tik paskambino viduje dirbantis apsaugininkas ir pranešė, kad Penktosios sekcijos užraktas suniokotas ir dega saugumo šviesa, rodanti, kad atidarytos eksponatams gabenti skirtos durys.

Kokia čia velniava?!

Atbėgęs prie eksponatams skirtų durų jis iš tiesų pamatė, kad jos kokį pusmetrį pravertos. *Keista*, pamanė jis. *Juk jas galima atidaryti tik iš vidaus*. Jis nusisegė nuo diržo žibintą ir pašvietė sekcijos vidun, į tirštą tamsą. Nieko nematyti. Nenorėdamas žengti į neaiškią aplinką, jis priėjo prie slenksčio, įkišo pro durų angą žibintą, pasuko jį kairėn, paskui...

Galingos rankos sugriebė jo riešą ir trūktelėjo į tamsą. Sargas pajuto, kaip jį apsuka neregima jėga. Užuodė etanolio kvapą. Žibintas išlėkė jam iš rankos, ir dar nespėjus susivokti, kas vyksta, į krūtinkaulį smogė kietas kaip akmuo kumštis. Sargas, vaitodamas iš skausmo, susmuko ant cementinių grindų... o nuo jo tolyn žengė stambi juoda figūra.

Sargas tysojo ant šono, sunkiai gaudydamas orą. Žibintas gulėjo netoliese, jo šviesos spindulys sklido grindimis ir apšvietė kažkokį metalinį kanistrą. Ant kanistro buvo užrašas, jog tai kuras Bunzeno degikliams.

Švystelėjo oranžinė žiebtuvėlio liepsna, apšvietusi padarą, kuris net nebuvo panašus į žmogų. *Jėzau Kristau!* Sargas net neturėjo laiko suvokti, ką matąs, kai pusnuogis padaras priklaupė ir pridėjo prie grindų liepsną.

Tuojau pat nušvito ugnies juosta ir nubėgo tolyn nuo jų į tuštumą. Sargas apstulbęs pažvelgė į tą pusę, bet padaras jau išslydo pro praviras duris ir dingo naktyje.

Sargas vargais negalais atsisėdo ir iš skausmo prisimerkė, akimis sekdamas ploną liepsnos juostelę. *Koks čia velnias?!* Liepsna buvo tokia silpna, kad neatrodė labai pavojinga, tačiau staiga jis išvydo tikrą siaubą. Liepsnos juostelė apšvietė ne tik tuštumą. Ji artėjo prie galinės sienos, kur išryškėjo statinys iš masyvių šlakbetonio luitų. Sargui nebuvo leidžiama įeiti į Penktąją sekciją, bet jis puikiausiai žinojo, koks tai statinys.

Kubas.

Ketrinos Solomon laboratorija.

Liepsna tiesia linija artėjo prie laboratorijos durų. Sargas pakilo ant kojų puikiai suvokdamas, kad liepsnos linija veikiausiai tęsiasi po laboratorijos durimis... greitai viduje kils gaisras. Tačiau apsisukęs bėgti pagalbos staiga pajuto, kaip pro šalį pralėkė stiprus oro gūsis.

Akimirką šviesa užliejo visą Penktąją sekciją.

Sargas taip ir nepamatė, kaip į dangų šovė ugninis vandenilio dujų kamuolys, nuplėšė Penktosios sekcijos stogą ir iškilo keliasdešimt metrų į orą. Nebepamatė nė iš dangaus it lietus krintančių titano tinklo liekanų, elektroninės įrangos detalių ir išsilydžiusio silicio lašų iš laboratorijos holografinio duomenų saugojimo įtaisų.

*

Ketrina Solomon važiavo į šiaurę, kai staiga galinio vaizdo veidrodėlyje pamatė ryškų šviesos blyksnį. Nakties ore sugrumėjo kažkas panašaus į griaustinį, ir ji krūptelėjo.

Nejau fejerverkai? — pamanė ji. *Bet ar „Redskins" rengia šou tarp kėlinių?*

Ji vėl sutelkė dėmesį į kelią, tebegalvodama apie pokalbį su 911 tarnybos dispečere, kuriai ką tik skambino iš apleistos degalinės taksofono.

Ketrinai pavyko įtikinti dispečerę pasiųsti policiją į Smitsono muziejaus saugyklas ieškoti tatuiruoto įsibrovėlio; Ketrina meldėsi, kad pavyktų rasti ir jos asistentę Trišą. Be to, ji dar prašė patikrinti, kas vyksta daktaro Abadono namuose Kaloramos aukštumose, kuriuose, jai atrodė, kalinamas pagrobtas Piteris.

Deja, Ketrinai nepavyko gauti įslaptinto Roberto Lengdono mobiliojo telefono numerio. Todėl dabar, nematydama kitos išeities, ji lėkė į Kongreso biblioteką, kur žadėjo būti ir Lengdonas.

Klaikus atradimas — atskleista tikroji daktaro Abadono tapatybė — viską pakeitė. Ketrina nebežinojo, kuo tikėti. Ji žinojo vieną tikrą dalyką — tas pats žmogus, kuris prieš daugelį metų nužudė jos sūnėną ir motiną, dabar pagrobė jos brolį ir atėjo nužudyti jos pačios. *Kas šis beprotis? Ko jis nori?* Vienintelis atsakymas, kurį ji įstengė sugalvoti, atrodė beprasmis. *Piramidės?* Ne mažiau keblu buvo suvokti, ko šįvakar jis atėjo į jos laboratoriją. Jei norėjo ją nužudyti, kodėl to nepadarė šiandien, jos pačios namuose? Kam tas vargas — siųsti žinutes telefonu, rizikuoti įsilaužti į jos laboratoriją?

Netikėtai fejerverkų šviesa galinio vaizdo veidrodėlyje sušvito ryškiau, po to danguje pasirodė netikėtas reginys — liepsnojantis ugnies kamuolys, kurį Ketrina pamatė iškylant virš medžių viršūnių. *Viešpatie, kas gi čia dabar?!* Liepsnos kamuolį lydėjo tiršti juodi dūmai... iškilę visai kitoje vietoje negu „Redskins" stadionas. Apstulbusi Ketrina pamėgino nuspėti, kas yra už tų medžių... tiesiai į pietryčius nuo kelio.

Suvokimas ją užklupo staiga, tarsi artėjantis sunkvežimis.

55 skyrius

Vorenas Belamis pradėjo įnirtingai spaudyti savo mobiliojo telefono mygtukus, vėl stengdamasis prisiskambinti paslaptingam žmogui, galinčiam jiems padėti.

Lengdonas stebėjo Belamį, tačiau įstengė galvoti tik apie Piterį: svarstė, kaip geriausia jį surasti. *Iššifruok įrašą,* paliepė jam Piterio pagrobėjas, *ir jis pasakys tau, kur paslėptas didžiausias žmonijos lobis... Mudu abu ten nueisime... ir atliksime mainus.*

Belamis nuleido telefoną ir suraukė kaktą. Vis dar neatsako.

— Aš nesuprantu vieno, — tarė Lengdonas. — Net jei įstengčiau patikėti, kad toji paslėpta išmintis egzistuoja... ir kad piramidė kaip nors gali parodyti, kokiame požemyje ji paslėpta... ko turėčiau ieškoti? Seifo? Bunkerio?

Belamis ilgai tylėjo. Paskui nenoromis atsiduso ir atsargiai prakalbo.

— Robertai, iš to, ką esu girdėjęs per daug metų, spėju, kad piramidė rodo kelią link suktinių laiptų.

— *Laiptų?*

— Teisingai. Laiptų, kurie leidžiasi į žemės gelmes... giliai, kone šimtus metrų.

Lengdonas nepatikėjo savo ausimis. Jis pasilenkė arčiau.

— Esu girdėjęs kalbant, kad senovės išmintis paslėpta gelmėse.

Robertas Lengdonas atsistojo ir ėmė neramiai žingsniuoti aplink stalą. *Suktiniai laiptai, kurie šimtus metrų leidžiasi į žemės gelmes... Vašingtone, Kolumbijos apygardoje.*

— Bet niekas tų laiptų niekada nėra *matęs*?

— Kalbama, kad įėjimą į juos užstoja didžiulis akmuo.

Lengdonas atsiduso. Kapo rūsio, užristo dideliu akmeniu, įvaizdis bus atkeliavęs tiesiai iš Biblijos pasakojimų apie Jėzaus laidojimą. Šis archetipinis hibridas seniausias iš visų.

— Vorenai, *o jūs* ar tikite, kad šie slapti mistiniai laiptai į žemės gelmes iš tiesų egzistuoja?

— Pats niekada nesu jų matęs, bet vyresni masonai prisiekia, kad tai tiesa. Ką tik mėginau vienam iš jų prisiskambinti.

Lengdonas vėl žingsniavo nesugalvodamas, ką toliau sakyti.

— Robertai, dėl šios piramidės jūs statote mane į keblią padėtį, — Voreno Belamio žvilgsnis švelnioje stalinės lempos šviesoje sugriežtėjo. — Negaliu įsivaizduoti, kaip reikėtų *priversti* žmogų patikėti tuo, kuo jis nenori tikėti. Vis dėlto man atrodo, kad jūs jaučiate pareigą Piteriui Solomonui.

Taip, mano pareiga yra jam padėti, pamanė Lengdonas.

— Visai nebūtina, kad tikėtumėte jėgomis, kurias gali atskleisti ši piramidė. Ir man tikrai nereikia įtikinėti jūsų, kad egzistuoja laiptai, kuriuos ji neva gali nurodyti. Tačiau būtinai privalote patikėti turįs moralinę pareigą saugoti šią paslaptį... kad ir kokia ji būtų. — Belamis mostelėjo į mažą kubo pavidalo ryšulėlį. — Piteris jums patikėjo saugoti piramidės viršūnę, nes buvo įsitikinęs, kad jūs įvykdysite jo prašymą ir niekam jos nerodysite. Būtent taip ir privalote elgtis, net jei dėl to turėtumėte paaukoti Piterio gyvybę.

Lengdonas staiga sustojo ir žaibiškai atsisuko.

— Ką?!

Belamis tebesėdėjo skausminga, tačiau kupina ryžto veido išraiška.

— Tokia būtų jo valia. Privalote pamiršti Piterį. Jo nebėra. Piteris atliko savo užduotį, iš paskutiniųjų stengdamasis apsaugoti piramidę. Dabar atėjo *mūsų* eilė užtikrinti, kad jo pastangos nenueitų veltui.

— Negaliu patikėti, kad jūs tai sakote! — netekęs kantrybės sušuko Lengdonas. — Net jei ši piramidė iš tiesų tokia, kaip jūs sakote, Piteris juk yra jūsų brolis masonas. Jūs prisiekėte saugoti jį labiau už viską, net už savo šalį!

— Ne, Robertai. Masonai privalo saugoti vienas kitą labiau už viską... išskyrus viena — didžią paslaptį, kurią mūsų brolija puoselėja visos žmonijos labui. Nesvarbu, ar aš tikiu, kad prarastoji išmintis tikrai turi tokių galių, apie kurias seniai pasakojama: esu prisiekęs ją saugoti, kad nepakliūtų į nevertųjų rankas. Ir negaliu niekam jos atskleisti... net jei tokiu būdu išgelbėčiau Piterio Solomono gyvybę.

— Aš pažįstu daug masonų, — piktai atrėžė Lengdonas, — kai kurie iš jų labai aukšto laipsnio, tačiau esu velniškai tikras, kad nė vienas iš jų nėra prisiekęs paaukoti gyvybės dėl kažkokios akmens piramidės. Ir dar esu velniškai tikras, kad nė vienas iš jų netiki egzistuojant slaptus laiptus, kurie leidžiasi į žemės gelmes ir veda prie ten paslėpto lobio.

— Masonų organizacijoje yra daug *atskirų* grupelių, Robertai. Ne visiems *viskas* yra žinoma.

Lengdonas iškvėpė stengdamasis suvaldyti užplūdusias emocijas. Jis, kaip ir daugelis kitų, buvo girdėjęs apie masonų organizacijoje veikiančias elito grupeles. Tačiau šioje situacijoje tai neatrodė svarbu.

— Vorenai, jei ši piramidė ir jos viršūnė iš tiesų atskleidžia aukščiausią masonų paslaptį, tai kodėl Piteris į visa tai įtraukė *mane*? Aš juk net ne masonas... o ką jau kalbėti apie tai, kad nepriklausau jokiai vidinei grupelei.

— Žinau ir spėju, kad būtent *dėl to* Piteris jums patikėjo ją saugoti. Piramidei jau anksčiau yra kilę pavojų, buvo net žmonių, kurie prasiskverbė į mūsų organizaciją siekdami neprideramų tikslų. Piteris gudriai pasielgė, palikęs ją saugoti žmogui, kuris *nepriklauso* brolijai.

— Ar jūs žinojote, kad viršūnė pas mane? — paklausė Lengdonas.

— Ne. Bet Piteris apie tai būtų prasitaręs tik vienam žmogui. — Belamis vėl išsitraukė mobilųjį telefoną ir paspaudė mygtuką, dar kartą rinkdamas jau išmėgintą numerį. — O jo man niekaip nepavyksta pasiekti. — Belamis išgirdo įrašą apie balso pašto pranešimą ir atšaukė skambutį. — Ką gi, Robertai, atrodo, kad kol kas likome vienudu. Privalome apsispręsti.

Lengdonas pažvelgė į savo laikrodį su Peliuku Mikiu. Jis rodė 21.42.

— Jūs juk žinote — Piterio pagrobėjas laukia, kad aš šiandien pat iššifruočiau piramidės įrašą ir praneščiau jam, kas ten parašyta.

Belamis suraukė kaktą.

— Visais laikais didūs žmonės aukodavosi, kad apsaugotų Senovės Slėpinius. Mudu privalome elgtis taip pat. — Jis atsistojo. — Reikia trauktis iš čia. Anksčiau ar vėliau Sato susivoks, kur mes esame.

— O kaip Ketrina? — paklausė Lengdonas, nenorėdamas niekur eiti. — Aš negaliu jai prisiskambinti, o ji pati man nepaskambino.

— Aišku, jai kažkas atsitiko.

— Bet juk mes negalime jos palikti nelaimėje!

— Pamirškite Ketriną! — įsakmiu balsu paliepė Belamis. — Pamirškite Piterį! Pamirškite visus! Ar nesuprantate, Robertai, kad jums patikėta pareiga svarbesnė už mus visus — už jus, Piterį, Ketriną, mane? — Jis įsmeigė akis į Lengdoną. — Reikia surasti saugią vietą, reikia paslėpti šią piramidę ir jos viršūnę toliau nuo...

Iš tos pusės, kur buvo didžioji salė, pasigirdo garsus metalo dunkstelėjimas.

Belamis greitai apsisuko ir pažvelgė baimės kupinomis akimis.

— Kaip greitai.

Lengdonas irgi atsisuko į duris. Veikiausiai bus nukritęs metalinis kibiras, kurį Belamis užkėlė ant kopėčių, užstojančių tunelio duris. *Mus surado.*

Staiga, visai netikėtai, dunkstelėjimas pasigirdo dar kartą.

Paskui dar kartą.

Ir dar.

Benamis, įsitaisęs ant suolelio priešais Kongreso biblioteką, pasitrynė akis ir įsižiūrėjo į keistą reginį, vykstantį priešais.

Ką tik ant šaligatvio užšoko baltas „Volvo", perlėkė tuščią pėsčiųjų taką ir cypdamas stabdžiais sustojo mažiau kaip už pusmetrio nuo centrinių bibliotekos durų. Iš jo iššoko patraukli tamsiaplaukė moteris, neramiai apsižvalgė ir, pamačiusi benamį, šūktelėjo:

— Gal turite mobilųjį telefoną?

Poniute, aš neturiu net kairio bato.

Turbūt ir pati tą supratusi, moteris užlėkė laiptais, vedančiais prie pagrindinių bibliotekos durų. Atsiradusi viršuje griebė rankeną ir beviltiškai pamėgino paeiliui atidaryti visas trejas milžiniškas duris.

Poniute, biblioteka seniai uždaryta.

Tačiau moteriai, atrodo, tai nerūpėjo. Ji suėmė didžiulę, sunkią žiedo pavidalo rankeną, atitraukė ją ir atsivėdėjusi paleido garsiai atsitrenkti į duris. Paskui pakartojo tai dar kartą. Ir dar.

Oho, pamanė benamis, *štai kaip žmogui reikia knygos.*

56 skyrius

Kai Ketrina Solomon pagaliau pamatė prieš save atsiveriant sunkias bronzines bibliotekos duris, ją užplūdo emocijų banga. Laisvėn ištrūko baimė ir sutrikimas, kuriuos ji visą vakarą stengėsi suvaldyti.

Bibliotekos tarpduryje stovėjo Vorenas Belamis, jos brolio draugas ir patikėtinis. Tačiau labiausiai Ketrina apsidžiaugė pamačiusi žmogų, stovintį atokiau, Belamio šešėlyje. Atrodo, jis irgi jautė tą patį. Roberto Lengdono akyse sušvito palengvėjimas, kai Ketrina įlėkė pro duris vidun... ir puolė jam tiesiai į glėbį.

Ketrinai džiaugiantis seno draugo paguoda, Belamis uždarė pagrindines duris. Ji išgirdo, kaip klaktelėjo sunkus skląstis, ir galiausiai pasijuto saugi. Netikėtai iš akių ištryško ašaros, bet ji pasistengė susitvardyti.

Lengdonas laikė ją apkabinęs.

— Viskas gerai, — šnibždėjo jis. — Tau jau viskas gerai.

Nes tu mane išgelbėjai, norėjo jam pasakyti Ketrina. *Jis sunaikino mano laboratoriją... visą mano darbą. Metų metus trukusių tyrimų rezultatai...* tiesiog išlėkė į orą. Jai knietėjo jam viską papasakoti, tačiau buvo sunku net kvėpuoti.

— Mes surasim Piterį. — Sodrus Lengdono balsas aidu atsiliepė jos krūtinėje ir kažkodėl guodė. — Duodu žodį.

Aš žinau, kas tai padarė, norėjo surikti Ketrina. *Tas pats žmogus, kuris nužudė mano motiną ir sūnėną!* Tačiau jai dar nespėjus nieko paaiškinti bibliotekos tylą nutraukė netikėtas garsas.

Iš vestibiulio laiptų pusės apačioje pasigirdo garsus terkštelėjimas — atrodė, kad ant grindų nukrito didelis metalinis daiktas. Ketrina pajuto, kaip Lengdono raumenys tuojau pat įsitempė.

Belamis žengė į priekį, jo veidas buvo niūrus.

— Einam iš čia. Tuojau pat.

Sutrikusi Ketrina nusekė įkandin architekto ir Lengdono, kurie nuskubėjo per didžiąją salę link garsiosios bibliotekos skaityklos, kurioje pliekste plieskė šviesos. Įėjus Belamis mikliai užrakino dvejas duris — iš pradžių išorines, paskui vidines.

Ketrina, nelabai gaudydamasi, kas vyksta, Belamio raginama skubėjo į skaityklos centrą. Trijulė stabtelėjo prie vieno stalo, ant kurio, apšviestas stalinės lempos, stovėjo odinis krepšys. Šalia jo gulėjo mažas kubo pavidalo ryšulėlis, kurį Belamis paėmė ir įmetė į krepšį šalia...

Ketrina sustojo kaip įbesta. *Šalia piramidės?*

Ji niekada nebuvo mačiusi šios akmeninės piramidės, tačiau dabar pasijuto taip, tarsi būtų atpažinusi ją visu kūnu. Kūnas kažkaip įžvelgė tiesą. Ketrina Solomon ką tik pamatė daiktą, kuris padarė jos gyvenimui tiek daug žalos. *Piramidę.*

Belamis užsegė kelionkrepšį ir padavė jį Lengdonui.

— Nieku gyvu neišleiskite jo iš akių.

Staiga išorines skaityklos duris sudrebino sprogimas. Paskui pasigirdo dūžtančio stiklo šukių dzingsėjimas.

— Ten! — Belamis, jau ne juokais išsigandęs, apsisuko ir pirmas nubėgo prie leidinių išdavimo centro, kurį sudarė aštuoni stalai, sustatyti aplinkui masyvią aštuonkampę spintą. Jis pravedė juos už stalų ir parodė į angą spintoje. — Lįskite ten!

— *Ten?* — perklausė Lengdonas. — Ten jie tikrai mus suras!

— Tikėkit manim, — atsakė Belamis. — Viskas ne taip, kaip jums atrodo.

57 skyrius

Malachas lėkė savo limuzinu šiaurės pusėn, į Kaloramos aukštumas. Sprogimas Ketrinos laboratorijoje pasirodė galingesnis, negu jis tikėjosi, gerai, kad pavyko išsisukti nesužeistam. Po sprogimo kilusi suirutė tapo jam patogia priedanga pasprukti, greitai pralėkti limuzinu pro sutrikusį vartų apsaugininką, kažką garsiai rėkiantį telefonu.

Reikia kuo greičiau išsukti iš kelio, pamanė jis. Net jei Ketrina dar nepaskambino policijai, sprogimas tikrai neliks nepastebėtas. *O pusnuogis vyras, vairuojantis limuziną, iškart patrauks visų dėmesį.*

Malachui buvo sunku patikėti, kad po tiek metų trukusio pasirengimo šis vakaras pagaliau atėjo. Kelionė, atvedusi iki jo, buvo ilga ir sunki. *Tai, kas prieš daug metų prasidėjo kančiose... šįvakar vainikuosis šlove.*

Tą naktį, kai viskas prasidėjo, jo vardas buvo ne Malachas. Tiesą sakant, tą naktį, kai viskas prasidėjo, jis išvis neturėjo vardo. *Kalinys numeris 37*. Kaip beveik visus itin griežto režimo Soganliko kalėjimo netoli Stambulo kalinius, 37 numerį čia atvedė narkotikai.

Jis tysojo ant gultų cementinėje tamsioje kameroje, alkanas ir sušalęs, spėliodamas, kiek laiko teks kalėti. Kameros kaimynas, kurį jis pirmą kartą pamatė vos prieš dvidešimt keturias valandas, miegojo ant viršutinio gulto. Kalėjimo administratorius, nutukęs alkoholikas, kuris neapkentė savo darbo ir šią neapykantą išgiežsaid ant kalinių, ką tik buvo išjungęs nakčiai šviesas.

Buvo jau beveik dešimta, kai 37 numeris išgirdo pokalbį, atsklindantį pro ventiliacijos šachtą. Pirmo balso nebuvo įmanoma su niekuo supainioti — šaižus, įžūlus priklausė kalėjimo administratoriui, anaiptol neapsidžiaugusiam, kad jį pažadino vėlyvas lankytojas.

— Taip, taip, jūs atvykote iš toli, — kalbėjo jis, — bet pirmą mėnesį lankymai draudžiami. Vyriausybės įstatymas. Jokių išimčių.

Jam atsakė tylus išsilavinusio žmogaus balsas, kupinas skausmo:

— Ar mano sūnui niekas negresia?

— Jis narkomanas.

— Ar su juo gerai elgiamasi?

— Pakankamai, — atsakė administratorius. — Čia ne viešbutis.

Stojo skausminga pauzė.

— Jūs tikriausiai suprantate, kad JAV Valstybės departamentas pareikalaus ekstradicijos.

— Taip, taip, jie visada taip daro. Gausite sutikimą, nors dokumentų tvarkymas gali užtrukti kokią porą savaičių... gal net mėnesį, žiūrint kaip...

— Žiūrint kaip kas?

— Na, — atsakė administratorius, — mums trūksta darbuotojų. — Jis patylėjo. — Žinoma, kartais suinteresuoti asmenys, kaip štai jūs, skiria finansinę paramą kalėjimo darbuotojams, kad šie galėtų paskubinti reikalus.

Lankytojas nieko neatsakė.

— Pone Solomonai, — tylesniu balsu prakalbo administratorius, — tokiam žmogui kaip jūs, kuriam pinigai ne problema, visada atsiranda būdų. Aš pažįstu keletą žmonių vyriausybėje. Bendromis jėgomis mes galėtume ištraukti jūsų sūnų iš čia... *rytoj pat*, ir jam net nebus pateikti kaltinimai. Gali būti, kad ir gimtojoje šalyje jam nebus keliama byla.

Atsakymas nuskambėjo tuojau pat.

— Apie teisines jūsų pasiūlymo pasekmes net nekalbėsiu ir aš atsisakau savo sūnų pamokyti, kad pinigai išsprendžia visas problemas arba kad gyvenime už nieką nereikia mokėti, ypač esant tokiai rimtai situacijai.

— Tai jūs norite jį čia *palikti*?

— Noriu su juo pasikalbėti. Tuojau pat.

— Juk sakiau, čia galioja mūsų taisyklės. Sūnaus matyti negalėsite... jei nenorite pradėti derybų dėl to, kad jis būtų tuojau pat paleistas.

Kelias akimirkas tvyrojo šalčiu dvelkianti tyla.

— Valstybės departamentas netrukus į jus kreipsis. Užtikrinkite Zakario saugumą. Tikiuosi, kad po savaitės jis parskris namo. Labos nakties.

Durys užsitrenkė.

37 numeris negalėjo patikėti savo ausimis. *Koks tėvas drįsta palikti savo sūnų šioje pragariškoje vietoje vien norėdamas jį pamokyti?* Piteris Solomonas net atmetė pasiūlymą nepateikti Zakariui kaltinimų.

Tą pačią naktį, vartydamasis ant gulto atmerktomis akimis, 37 numeris suprato, kaip galima išeiti į laisvę. Jei kaliniui, norinčiam išeiti į laisvę, reikia tik pinigų, tai galima sakyti, kad 37 numeris jau laisvas. Gerai, Piteris Solomonas nenori skirtis su savo pinigais, bet kiekvienam geltonąją spaudą skaitančiam žmogui puikiausiai žinoma, kad ir jo sūnus Zakaris pertekęs turtų. Rytojaus dieną 37 numeris privačiai pasikalbėjo su administratoriumi ir pasiūlė planą — drąsų sumanymą, galintį kiekvienam iš jų parūpinti tai, ko jis nori.

— Kad planas suveiktų, Zakariui Solomonui teks mirti, — paaiškino 37 numeris. — Užtat mes abu galėsime tą pačią akimirką dingti. Jūs galėsite apsigyventi Graikijos salose. Nebereikės daugiau matyti šių vietų.

Neilgai pasiginčiję, vyrai paspaudė vienas kitam ranką.

Netrukus Zakaris Solomonas bus nebegyvas, mąstė 37 numeris ir šypsodamasis galvojo, kaip lengvai viskas klostosi.

Po dviejų dienų Valstybės departamentas pranešė Solomonų šeimai šiurpią žinią. Kalėjime darytose nuotraukose buvo matyti žvėriškai sumušto jų sūnaus kūnas, be gyvybės ženklų susirietęs ant kalėjimo kameros grindų. Jo galva buvo sutraiškyta plieno strypu, rankos ir kojos taip išsukiotos ir sulaužytos, kad nebebuvo panašios į žmogaus. Buvo matyti, kad jį iš pradžių kankino, o paskui žiauriai nužudė. Pagrindinis įtariamasis buvo pats kalėjimo administratorius, kuris dingo, veikiausiai pasiglemžęs visus nužudytojo vaikino pinigus. Zakaris pasirašė nurodymą pervesti visus didžiulius jo turtus į privačią sąskaitą, kuri buvo ištuštinta iškart po jo mirties. Niekas nebūtų galėjęs pasakyti, kur tie pinigai yra dabar.

Piteris Solomonas privačiu lėktuvu nuskrido į Turkiją ir parsivežė sūnaus karstą, kurį palaidojo Solomonų šeimos kape. Kalėjimo administratoriaus taip ir nepavyko rasti. *Ir nepavyks* — 37 numeris tai puikiai žinojo. Storulio turko lavonas ilsisi Marmuro jūros dugne, virtęs mėlynųjų krabų, migruojančių per Bosforo sąsiaurį, maistu.Visi didžiuliai turtai, priklausę Zakariui Solomonui, perkelti į privačią sąskaitą. 37 numeris vėl laisvas žmogus — ne tik laisvas, bet ir labai turtingas.

Graikijos salos buvo tikras rojus. Kokia šviesa. Koks vanduo. Kokios moterys.

Už pinigus buvo galima nusipirkti viską — naują tapatybę, naują pasą, naujas viltis. Jis pasirinko graikišką vardą ir pasivadino Androsu Darejosu — *andros* reiškė „karį“, *dareios* — „turtuolį“. Kalėjime praleista tamsi naktis Androsą išgąsdino, jis prisiekė niekada ten nebegrįžti. Nusiskuto nutriušusius plaukus ir visiškai įšsivadavo nuo narkotikų. Pradėjo gyvenimą iš naujo, mėgaudamasis iki tol nepatirtais jusliniais malonumais. Ramybė, apimanti vienam jachta plaukiant per mėlyną kaip rašalas Egėjo jūrą, atstojo heroino keliamą transą, malonumas tiesiai nuo iešmo kąsti sultingą *arni souvlakia* prilygo ekstazio poveikiui, o jaudulio, patiriamo šokinėjant nuo uolų į putojančius užutėkius aplink Mikono salą, nebūtų atstojęs nė kokainas.

Aš atgimiau iš naujo.

Androsas nusipirko erdvią vilą Syro saloje ir įsikūrė prašmatniame Posidonijos mieste tarp *bella gente*. Naujojo pasaulio bendruomenei rūpėjo ne tik turtai, bet ir kultūra, ir fizinis tobulumas. Jo kaimynai labai didžiavosi savo kūnais bei protais, ir tai pasirodė užkrečiama. Netikėtai naujokas pastebėjo įpratęs bėgioti paplūdimiu, deginti saulėje blyškų kūną ir skaityti knygas. Androsas perskaitė Homero „Odisėją“, pakerėtas pasakojimų apie tvirtus bronzos spalvos vyrus, kariavusius šiose salose. Nuo rytojaus jis pradėjo kilnoti svarmenis ir nustebo pastebėjęs, kaip greitai ėmė tvirtėti rankos ir krūtinės ląsta. Pamažu jis pradėjo justi į jį nukreiptus moterų žvilgsnius, ir jų gėrėjimasis veikė it svaigalai. Jis troško tapti dar stipresnis. Ir tapo. Pasitelkęs agresyviai veikiančius steroidus, prie jų pridėjęs juodojoje rinkoje įsigytų augimo skatinamųjų hormonų, valandų valandas kilnodamas svarmenis, Androsas pamažu perkeitė save — virto tuo, kuo niekada neįsivaizdavo galįs tapti: tobulu vyriškumo įsikūnijimu. Jis išaugo, raumenys sustiprėjo, susiformavo nepriekaištingi pečiai ir stambios kojos ryškiomis sausgyslėmis, visad tobulai įdegusios.

Dabar jį pastebėdavo *visi*.

Kaip Androsą įspėjo, be saiko vartojami steroidai ir hormonai ne tik pakeitė jo kūną, bet ir paveikė balso stygas; jis ėmė kalbėti keistu dusliu šnabždesiu ir dėl to pasidarė tik dar paslaptingesnis. Tylus, mįslingas balsas, naujai sukurtas kūnas, turtai ir griežtas atsisakymas kalbėti apie slaptą praeitį it medus traukė sutiktas moteris. Jos mielai dovanodavo save, ir jis visoms suteikdavo pasitenkinimą — manekenėms, apsilankiusioms saloje per fotosesijas, jaunoms amerikietėms studentėms, atvykusioms atostogų, vienišoms kaimynų žmonoms, o kartais ir kokiam pasitaikiusiam jaunuoliui. Visi jo trokšte troško.

Aš esu šedevras.

Tačiau metai ėjo, ir seksualiniai nuotykiai liovėsi jaudinę Androsą. Kaip ir visa kita. Gardūs salos valgiai neteko skonio, knygos pasidarė nebeįdomios, net kvapą gniaužiantys saulėlydžiai, matomi iš vilos, pradėjo kelti nuobodulį. *Kaip tai galėjo atsitikti?* Jis vos įpusėjo trečiąją dešimtį, o jau jaučiasi senas. *Ką dar gali pasiūlyti gyvenimas?* Iš savo kūno jis išskaptavo tikrą šedevrą, išlavino protą, maitino sielą kultūra, apsigyveno rojuje ir visad pelnydavo meilę tų, kurių užsigeisdavo.

Ir vis dėlto — neįtikima, tačiau jis jautė tą pačią tuštumą, kaip tada, būdamas Turkijos kalėjime.

Ko man trūksta?

Atsakymas atėjo po keleto mėnesių. Androsas vidurnaktį vienas sėdėjo savo viloje ir nuobodžiaudamas junginėjo televizorių, tik staiga aptiko laidą apie laisvųjų mūrininkų paslaptis. Laida buvo niekam tikusi, joje nuskambėjo daugiau klausimų negu atsakymų, tačiau Androsą suintrigavo gausybė su brolija siejamų sąmokslo teorijų. Teksto skaitytojas minėjo vieną legendą po kitos.

Laisvieji mūrininkai ir Naujoji pasaulio tvarka...

Jungtinių Amerikos Valstijų Didysis masonų antspaudas...

Masonų ložė P2...

Prarastos laisvųjų mūrininkų paslaptys...

Masonų piramidė...

Androsas staiga atsitiesė. *Piramidė.* Laidos autoriai pradėjo pasakoti apie paslaptingą akmens piramidę su išgraviruotu įrašu, žadančiu parodyti kelią į prarastą išmintį ir neįsivaizduojamą galią. Istorija atrodė neįtikima, tačiau ji pažadino seną prisiminimą... silpną atminties blykstelėjimą iš daug sunkesnių laikų. Androsas prisiminė, ką Zakaris Solomonas buvo iš tėvo girdėjęs apie paslaptingąją piramidę.

Ar taip gali būti? Androsas įtempė atmintį, stengdamasis prisiminti smulkmenas.

Laidai pasibaigus jis išėjo į balkoną atsigaivinti vėsiame nakties ore. Dabar jis prisiminė kur kas daugiau, o prisiminęs ėmė manyti, kad šioje legendoje gali būti dalis tiesos. O jei taip, tai Zakaris Solomonas — nesvarbu, kad jis seniai miręs — dar gali būti naudingas.

Ką aš prarasiu?

Po trijų savaičių, rūpestingai nutaikęs laiką, Androsas jau stovėjo spengiančiame šaltyje prie Solomonų dvaro Potomake oranžerijos sienos. Pro stiklą jis matė, kaip Piteris Solomonas šnekučiuojasi ir juokauja su seserimi Ketrina. *Atrodo, jiems buvo visai nesunku pamiršti Zakarį, pamanė jis.*

Prieš užsimaukšlindamas slidininko kaukę, Androsas pirmą kartą po labai ilgo laiko šniaukštelėjo kokaino. Pajuto, kaip užplūsta pažįstamas jausmas — niekas pasaulyje jam nebaisu. Išsitraukė pistoletą, atsirakino duris senu raktu ir žengė vidun. „Sveiki, Solomonai."

Deja, tą vakarą įvykiai susiklostė ne taip, kaip planavo Androsas. Užuot gavęs piramidę, kurios čia atvyko, jis buvo sužeistas paukščiams skirtais šratais ir turėjo sprukti per apsnigtą veją į tankų mišką. Didžiausiai jo nuostabai, iš paskos bėgo Piteris Solomonas, kurio rankoje blizgėjo pistoletas. Androsas įlėkė į mišką ir pasileido gilios daubos pakraščiu. Vaiskiame žiemos ore buvo girdėti, kaip toli apačioje šniokščia krioklys. Androsas aplenkė ąžuolų guotelį ir pasuko į kairę. Po kelių sekundžių teko sustoti ant apledėjusio takelio, per plauką nenugarmėjus į pražūtį.

Dieve mano!

Už nepilno pusmetrio priekyje takas staiga baigėsi, apačioje tekėjo ledų sukaustyta upė. Dideliame akmenyje prie takelio neįgudusia vaiko ranka buvo iškalti žodžiai:

Zako tiltas

Kitoje daubos pusėje takelis vingiavo toliau. *Bet kurgi tiltas?!* Kokainas baigė veikti. *Aš pakliuvau į spąstus!* Apimtas panikos Androsas apsisuko ir norėjo skuosti taku atgal, bet tiesiai priešais jį išdygo Piteris Solomonas, uždusęs, su pistoletu rankoje.

Androsas pažvelgė į pistoletą ir žengė žingsnį atgal. Jam už nugaros kilo mažiausiai penkiolikos metrų aukščio šlaitas, apačioje — ledinė upė. Aplink plaikstėsi netolimo krioklio skleidžiama vandens migla, kurios šaltis smelkėsi iki kaulų smegenų.

— Zako tiltas seniausiai supuvo, — sunkiai atgaudamas kvapą tarė Solomonas. — Jis vienintelis ateidavo taip toli. — Jo ranka stebėtinai tvirtai laikė pistoletą. — Kodėl tu nužudei mano sūnų?

— Jis buvo tuščia vieta, — atsakė Androsas. — Narkomanas. Padariau jam paslaugą.

Solomonas prisiartino, laikydamas pistoletą nutaikytą tiesiai Androsui į krūtinę.

— Gal norėtum, kad ir aš tau padaryčiau tokią pat paslaugą? — Jo balse nuskambėjo keistas įtūžis. — Tu mirtinai *uždaužei* mano sūnų. Koks turi būti žmogus, kad galėtų taip pasielgti?

— Kai žmogus užspeičiamas į kampą, jis gali padaryti tai, ką sunku įsivaizduoti.

— Tu *nužudei* mano sūnų!

— Ne, — įsikarščiavęs atrėmė Androsas. — Tai tu nužudei savo sūnų. Koks turi būti žmogus, kad paliktų savo sūnų kalėjime, turėdamas galimybių jį iš ten išlaisvinti! Tu pats nužudei savo sūnų! Ne aš.

— Tu nieko nežinai! — skausmo kupinu balsu suriko Solomonas.

Klysti, pamanė Androsas. *Aš viską žinau*.

Piteris Solomonas, nenuleisdamas pistoleto, priėjo dar arčiau; dabar juos skyrė mažiau negu penki metrai. Androso krūtinė degte degė, jis juto, kad smarkiai kraujuoja. Šiltas skystis varvėjo per pilvą. Per petį jis pažvelgė į šlaitą. Neįmanoma. Atsisuko atgal į Solomoną.

— Žinau apie tave daugiau, negu tu manai, — sušnibždėjo jis. — Žinau, kad tu ne iš tų žmonių, kurie žudo šaltakraujiškai.

Solomonas priėjo dar arčiau ir nusitaikė.

— Įspėju tave, — tarė Androsas, — kad jei paspausi gaiduką, aš persekiosiu tave amžinai.

— Vis tiek persekiosi. — Tai pasakęs, Solomonas iššovė.

Juoduoju limuzinu lėkdamas į Kaloramos aukštumas, žmogus, dabar vadinantis save Malachu, mąstė apie stebuklingus įvykius, anoje ledinėje dauboje išgelbėjusius jį nuo neišvengiamos mirties. Tada jis buvo permainytas visam laikui. Šūvio garsas truko vos sekundę, tačiau jo aidas atsklido per kelis dešimtmečius. Jo kūnas, toks įdegęs ir tobulas, tą vakarą buvo subjaurotas randų... randų, kuriuos jis paslėpė tatuiruotais naujos tapatybės simboliais.

Aš esu Malachas.

Toks iš pat pradžių buvo mano likimas.

Jis perėjo ugnį, virto pelenais, tačiau pakilo iš jų... dar kartą persimainęs. Šį vakarą jis žengs paskutinį ilgos ir didingos kelionės žingsnį.

58 skyrius

Sprogmenis, šelmiškai pavadintus „visrakčiu“, specialiųjų tarnybų mokslininkai sukūrė tiems atvejams, kai reikia atidaryti užrakintas duris, stengiantis jas kuo mažiau sugadinti. Į sprogmenų sudėtį įeina ciklotrimetileno trinitraminas, tamprumo suteikiantis dietilheksilas, o pats „visraktis“ — tai popieriaus plonumo lakštas, tinkamas įkišti už durų staktos. Kongreso bibliotekos skaitykloje sprogmenys labai pravertė.

Operacijai vadovaujantis agentas Terneris Simkinsas peržengė suskeldėjusias duris ir atidžiu žvilgsniu apmetė patalpą ieškodamas judesio pėdsakų. Nerado.

— Gesinkite šviesas, — paliepė Simkinsas.

Antrasis agentas surado sienoje jungiklius, spragtelėjo jais, ir skaitykla paskendo tamsoje. Visi keturi vyrai sinchoniškais judesiais nuleido ant veidų naktinio regėjimo įrangą ir pasitaisė akinius. Pastovėjo nejudėdami, dairydamiesi po skaityklą, kurią pro savo akinių stiklus matė kaip švytruojančių žalių dėmių sankaupą.

Vaizdas nepasikeitė.

Niekas nemėgino sprukti prisidengęs tamsa.

Bėgliai veikiausiai nebuvo ginkluoti, tačiau operatyvininkai įžengė į patalpą atstatę ginklus. Tamsoje nuo jų pistoletų sklido keturi grėsmingi lazerio šviesos spinduliai. Vyrai peršukavo spinduliais patalpą iš visų pusių, apžvelgė tolimesnes sienas, balkonus, perskrodė tamsą. Ne kartą yra buvę, kad persekiojamasis, tamsoje pamatęs ginklą su lazeriniu taikikliu, iškart pasiduodavo.

Tačiau, atrodo, ne šiandien.

Judesių vis dar nematyti.

Agentas Simkinsas pakėlė ranką ir mostu parodė kitiems išsiskirstyti. Vyrai tylėdami pasklido po skaityklą. Simkinsas, atsargiai žengdamas centriniu takeliu tarp stalų, kilstelėjo ranką prie veido ir įjungė naujausią įtaisą, neseniai papildžiusį CŽV priemonių arsenalą. Šiluminis vaizdo atkūrimas žinomas jau seniai, tačiau naujausi atrasti miniatiūriniai prietaisai, jautrumo skirtingiems stimulams didinimas ir dviejų šaltinių integracijos tobulinimas — tai sritys, kurios padėjo sukurti naujos kartos papildomo regėjimo įrangą, suteikusią operatyvininkams antžmogiškai aštrią regą.

Mes galime matyti tamsoje. Matome kiaurai sienas. O dabar... galime matyti ir tai, kas buvo praeityje.

Šiluminio vaizdo atkūrimo įrangos jautrumą šilumos pokyčiams pavyko taip ištobulinti, kad pasidarė įmanoma nustatyti ne tik konkrečią asmens buvimo vietą... bet ir vietas, kuriose asmuo buvo *anksčiau*. Dažniausiai būtent šis gebėjimas pamatyti, kur asmens būta anksčiau, praversdavo labiausiai. Šį vakarą tokios įrangos vertė patvirtinta dar kartą. Agentas Simkinsas pastebėjo prie vieno iš skaitykloje stovinčių stalų paliktą šiluminį pėdsaką. Žvelgiant pro jo akinius, dvi medinės kėdės švytėjo rausvo purpuro spalva, reiškiančia, kad jos šiltesnės už kitas patalpoje stovinčias kėdes. Stalinio šviestuvo lemputė skleidė oranžinę šviesą. Aišku, kad abu vyrai sėdėjo prie šio stalo, bet dabar reikia nustatyti, į kurią pusę jie pabėgo.

Atsakymą jis rado ant leidinių išdavimo centrą — kambario vidury stovinčią medinę spintą — supančio stalo paviršiaus. Ant jo ryškiai raudonai švytėjo vaiduokliškas delno atspaudas.

Iškėlęs ginklą Simkinsas nuslinko prie aštuonkampės spintos ir nukreipė į jos paviršių lazerio spindulį. Pasukiojo, kol pamatė spintos šone žiojinčią angą. *Nejau jie tikrai užsidarė spintoje?* Agentas apžiūrėjo angos pakraščius ir pamatė dar vieną švytintį delno atspaudą. Aišku — kažkas, lįsdamas į spintą, pasilaikė už durelių krašto.

Metas nutraukti tylą.

— Šiluminis pėdsakas! — sušuko Simkinsas, rodydamas į angą. — Apsupti!

Išsklidę agentai prisiartino iš skirtingų pusių ir kaipmat apsupo aštuonkampį.

Simkinsas artėjo prie angos. Atsidūręs už jos per trejetą metrų, pamatė viduje šviesos šaltinį.

— Šviesa spintos viduje! — sušuko jis, tikėdamasis, kad išgirdę jo balsą ponai Belamis ir Lengdonas iškeltomis rankomis išlįs iš spintos.

Nieko neįvyko.

Na, ką gi, elgsimės kitaip.

Artėdamas prie angos, Simkinsas netikėtai išgirdo iš jos vidaus sklindantį keistą ūžimą. Atrodė, kad veikia kažkoks mechanizmas. Agentas stabtelėjo, mėgindamas įsivaizduoti, kas galėtų kelti tokį triukšmą šioje ankštoje erdvėje. Palengvėle prislinko dar arčiau ir dabar pro mechanizmo ūžimą išgirdo balsus. Tačiau vos jam spėjus prisiartinti prie angos šviesa viduje užgeso.

Ačiū, mintyse padėkojo jis, pasitaisydamas naktinio regėjimo įrangą. *Pranašumas mūsų.*

Stovėdamas ant slenksčio, jis įsižiūrėjo į angą. Tai, ką pamatė, pasirodė netikėta. Leidinių išdavimo centro vidus priminė ne tiek spintą, kiek iškiliomis lubomis pridengtus stačius laiptus, kurie leidosi į žemiau esančią patalpą. Agentas nukreipė ginklą laiptais žemyn ir pats ėmė jais leistis. Sulig kiekvienu žingsniu mechanizmo ūžimas darėsi vis stipresnis.

Kas čia per vieta, po velnių?

Patalpa po skaitykla buvo maža, be jokių puošmenų. Ūžimą, kurį išgirdo agentas, iš tiesų kėlė mechanizmas, nors nebuvo galima pasakyti, ar jį įjungė Belamis su Lengdonu, ar tiesiog šis mechanizmas niekada nebūdavo sustabdomas. Tiesa, skirtumas mažas. Bėgliai paliko ryškius pėdsakus ant vienintelio išėjimo iš patalpos — sunkių plieninių durų, kurių elektroninės spynos klaviatūroje aiškiai švytėjo keturi pirštų atspaudai. Iš visų pusių pro duris veržėsi oranžinės šviesos pluošteliai, rodantys, kad kitapus dega šviesa.

— Sprogdiname duris, — paliepė Simkinsas. — Jie pabėgo pro čia.

Įkišti „visrakčio" lapą ir jį susprogdinti užtruko aštuonias sekundes. Dūmams nusėdus, operatyvininkai sustoję sužiuro į keistą požemio pasaulį, kurį bibliotekininkai vadina fondais.

Kongreso bibliotekoje yra keli šimtai kilometrų lentynų, dauguma jų po žeme. Begalinės lentynų eilės priminė kokią nors „begalybės" sąvoką iliustruojančią optinę iliuziją, sukurtą pasitelkus veidrodžius.

Užrašas skelbė:

PATALPOJE PALAIKOMA SPECIALI TEMPERATŪRA
PRAŠOME DURIS VISADA LAIKYTI UŽDARYTAS

Simkinsas prasibrovė pro suniokotas duris ir pajuto, kaip į veidą dvelktelėjo vėsa. Neišlaikęs jis nusišypsojo. *Kas gali būti lengviau?* Šiluminiai pėdsakai specialios temperatūros patalpose švyti nelyginant saulės zuikučiai; pro savo akinius jis jau dabar matė ryškią raudoną dėmę ant tolėliau esančio turėklo, kurio veikiausiai buvo nusitvėręs Belamis arba Lengdonas, kai bėgo pro šalį.

— Bėkite kiek norite, — sušnibždėjo agentas pats sau, — vis tiek niekur nepasislėpsite.

Simkinsas, su bendražygiais įžengęs į lentynų labirintą, pamatė, kad visi koziriai jų rankose: bėgliams surasti neprireiks nė naktinio regėjimo įrangos. Įprastomis sąlygomis lentynų labirintą būtų galima laikyti visai nebloga slėptuve, bet Kongreso bibliotekoje, taupant energiją, buvo naudojamos į judesius reaguojančios šviesos, tad kelias, kuriuo spruko bėgliai, dabar švietė nelyginant oro uosto pakilimo takas. Siauras apšviestas ruoželis, kai kur pasukdamas, tęso į tolumą.

Vyrai nusitraukė akinius. Greitai bėgdami treniruoti operatyvininkai nusekė šviesų pėdsakais, šen bei ten vinguriuodami po begalinį knygų labirintą. Netrukus Simkinsas pamatė, kaip toli priekyje ima užsideginėti šviesos. *Mes juos prisivejame.* Jis pasistengė bėgti dar greičiau, kol pagaliau priešakyje išgirdo žingsnius ir sunkų alsavimą. Paskui pamatė objektą.

— Objektas regos lauke! — suriko jis.

Tikriausiai aukštaūgis Belamis bėgo paskutinis. Tvarkingai apsirengęs afroamerikietis klupinėdamas skubėjo palei lentynas; buvo matyti, kad jam trūksta kvapo. *Nieko nebus, seneli.*

— Tučtuojau sustokite, pone Belami! — suriko Simkinsas.

Belamis nesiliovė bėgęs, greitai sukdamas už kampų, vinguriuodamas palei knygų eiles. Sulig kiekvienu posūkiu jam virš galvos įsižiebdavo šviesos.

Operatyvininkai, prisiartinę per kokius dvidešimt metrų, dar kartą liepė Belamiui sustoti, bet šis atkakliai bėgo toliau.

— Sustabdykite jį! — įsakė Simkinsas.

Agentas, kurio rankose buvo nepavojingas šautuvas, nusitaikė ir iššovė. Šaudmuo, išlėkęs iš vamzdžio ir apsivyniojęs Belamiui aplink kelius, buvo pramintas „juokų virvele", bet jis anaiptol neatrodė juokingas. Gyvybei nepavojinga sulaikymo priemonė buvo karinių technologijų išradimas, sukurtas Sandijos nacionalinėje laboratorijoje — porėto poliuretano gijos, prisilietusios prie objekto, akimirksniu sukietėja ir sukausto bėgliui kelius tvirtu plastiko tinklu. Bėgantį žmogų ji veikia beveik taip pat, kaip lazda, įkišta važiuojančiam dviračiui tarp rato stipinų. Vyriškio kojas iškart sukaustė pančiai, jis palinko į priekį ir visu ūgiu parpuolė ant grindų. Prieš sustodamas Belamis dar kokius tris metrus paslinko tamsiu praėjimu, o jam virš galvos ir toliau užsideginėjo šviesos.

— Belamį palikite man! — suriko Simkinsas. — Bėkite toliau, ieškokite Lengdono! Jis tikriausiai priekyje, už kokių... — staiga komandos vadas nutilo pamatęs, kad bibliotekos fondai, nusidriekę priešais Belamį, skęsta visiškoje tamsoje. Aišku, kad prieš Belamį niekas nebėgo. *Tai jis vienas?*

Belamis tebegulėjo kniūbsčias, prigludęs prie grindų, sunkiai alsuodamas, o jo kelius ir blauzdas tvirtai laikė kietas plastiko tinklas. Agentas priėjo artyn ir koja apvertė senį aukštielninką.

— Kur jis?! — įsakmiai paklausė agentas.

Belamis krisdamas buvo prasikirtęs lūpą, ji kraujavo.

— Kas tas *jis*?

Agentas Simkinsas pakėlė koją ir uždėjo batą tiesiai ant nepriekaištingo šilkinio Belamio kaklaraiščio. Paskui palinko į priekį ir paspaudė batą.

— Patikėkite manimi, pone Belami, jums pačiam bus geriau, jei su manim tokių žaidimų nežaisite.

59 skyrius

Robertas Lengdonas jautėsi it lavonas.

Jis gulėjo visiškoje tamsoje aukštielninkas, susidėjęs ant krūtinės rankas, uždarytas ankščiausioje erdvėje, kokią tik galima įsivaizduoti. Nors netoli jo galvos lygiai tokia pat poza gulėjo Ketrina, Lengdonas jos nematė. Buvo užsimerkęs, stengėsi nė akies krašteliu nežvilgtelėti į baugią padėtį, kurioje atsidūrė.

Erdvė, kurioje jis uždarytas, buvo ankšta.

Labai ankšta.

Prieš šešiasdešimt sekundžių, išgriuvus dviguboms skaityklos durims, jiedu su Ketrina nusekė paskui Belamį į aštuonkampę spintą, nulėkė žemyn laiptais ir atsidūrė apačioje netikėtai atsivėrusioje patalpoje.

Lengdonas iškart suprato, kur jie atėjo. *Tai bibliotekos skaitytojų aptarnavimo mechanizmo šerdis*. Aptarnavimo kambarys priminė nediduko oro uosto bagažo išdavimo skyrių — iš jo į visas puses driekėsi konvejeriai. Kongreso biblioteka įsikūrusi trijuose atskiruose pastatuose ir todėl knygas, užsakomas skaitykloje, dažnai tenka iš toli gabenti išsiraizgiusiais požeminiais tuneliais — tam ir reikalingi konvejeriai.

Belamis iškart priėjo prie plieninių durų, įkišo į jas savo elektroninę kortelę, paspaudė kelis klavišus ir atidarė duris. Už jų buvo tamsu, bet durims atsivėrus užsidegė kelios į judesį reaguojančios šviesos.

Pamatęs, kas yra už durų, Lengdonas suprato gavęs progą pamatyti tai, ką retai mato paprasti skaitytojai. *Kongreso bibliotekos fondai*. Belamio planas jam pradėjo kelti pasitikėjimą. *Kur geriau galima pasislėpti, jei ne milžiniškame labirinte?*

Tačiau pasirodė, kad Belamis juos veda ne į fondus. Jis įkišo tarp durų knygą, kad šios neužsidarytų, ir atsigręžė į bendrakeleivius.

— Tikėjausi, kad pavyks jums daug ką paaiškinti, bet nebėra laiko. — Jis padavė Lengdonui savo elektroninę kortelę. — Jums jos prireiks.

— Jūs neisite su mumis? — paklausė Lengdonas.

Belamis papurtė galvą.

— Jei neišsiskirstysime, neturime jokių šansų pabėgti. Svarbiausia — užtikrinti, kad piramidė ir jos viršūnė liktų patikimose rankose.

Lengdonas nematė jokio kito kelio iš fondų, tik grįžti atgal į skaityklą.

— O kur eisite *jūs*?

— Aš pamėginsiu juos nuvilioti į fondus, kuo toliau nuo jūsų, — atsakė Belamis. — Tik taip galiu padėti jums pabėgti.

Lengdonui dar nespėjus paklausti, kurgi jiedu su Ketrina turėtų bėgti, Belamis pasilenkė ir nukėlė nuo vieno konvejerio didelę dėžę su knygomis.

— Gulkite ant konvejerio, — paliepė Belamis. — Prispauskite rankas prie kūno.

Lengdonas išvertė akis. *Negali būti, kad jis kalbėtų rimtai!* Iš čia buvo matyti tik trumpa konvejerio atkarpa, vėliau jis niro į tamsią skylę sienoje. Skylė buvo tik tokio dydžio, kad į ją tilptų knygų dėžė, bet jokiu būdu ne didesnė. Lengdonas ilgesingai žvilgtelėjo į fondus.

— Net negalvokit, — įspėjo Belamis. — Čia įtaisytos į judesį reaguojančios šviesos, todėl pasislėpti neįmanoma.

— Šiluminis pėdsakas! — pasigirdo šūksnis iš viršaus. — Apsupti!

Atrodo, Ketrinai to pakako. Ji užlipo ant konvejerio ir atsigulė, atsukusi galvą į skylę sienoje. Įsitaisiusi sukryžiavo ant krūtinės rankas nelyginant sarkofage gulinti mumija.

Lengdonas tebestovėjo neįstengdamas pajudėti.

— Robertai, — atkakliai sušnibždėjo Belamis, — padarykite tai ne dėl manęs, o dėl Piterio.

Balsai, girdimi viršuje, priartėjo.

Tarsi per sapną Lengdonas priėjo prie konvejerio. Užmetė ant jo savo kelionkrepšį, paskui užlipo pats ir atsigulė, padėjęs galvą prie Ketrinos kojų. Nugara juto šaltą kietą konvejerio guminį pagrindą. Įsmeigė akis į lubas ir pasijuto tarsi ligonis, kurį tuojau įstums į magnetinio rezonanso tyrimo aparatą.

— Neišjunkite telefono, — patarė Belamis. — Netrukus jums paskambins vienas žmogus... ir pasiūlys pagalbą. Pasitikėkite juo.

Man paskambins? Lengdonas žinojo, kad Belamis jau anksčiau mėgino kažkam prisiskambinti, tačiau nesėkmingai, o vėliau paliko pranešimą. Vos prieš kelias sekundes, jiems lekiant suktiniais laiptais, Belamis skambino paskutinį kartą — šįkart jam pavyko, jis kažką labai tyliai, trumpai pasakė ir baigė pokalbį.

— Važiuokite konvejeriu iki galo, — kalbėjo Belamis. — Paskui greitai nušokite, kol jis nepasuko atgal. Išeidami atsirakinkite duris mano kortele.

— Bet *kur* mes išeisime? — paklausė Lengdonas.

Tačiau Belamis jau įjungė svirtį. Staiga atgijo visi konvejeriai, patalpoje pasigirdo ūžimas. Lengdonas pajuto krustelėjimą ir pamatė, kaip virš galvos pajudėjo lubos.

Dieve, padėk man.

Artėdamas prie skylės sienoje Lengdonas dar spėjo pamatyti, kaip Vorenas Belamis bėga į fondus ir uždaro paskui save duris. Po akimirkos Lengdonas paskendo tamsoje, prarytas bibliotekos... tą pačią akimirką, kai laiptais žemyn pradėjo šokčioti raudonas lazerinio ginklo šviesos taškelis.

60 skyrius

Prastai apmokama apsaugininkė iš „Pirmosios" saugos tarnybos dar kartą patikrino adresą Kaloramos aukštumose, įrašytą jos užduočių sąraše. *Nejaugi tikrai čia?* Prieš akis besidriekianti įvaža vedė į vieną iš didžiausių ir ramiausių būstų visame rajone, todėl jai pasirodė keista, kad kažkas staiga kreipėsi į 911 tarnybą ir pareikalavo čia atvykti.

Gavusi anoniminį įspėjimą 911 tarnyba, laikydamasi įprastos tvarkos, pirmiausia kreipėsi ne į policiją, o į vietos saugos agentūrą. Apsaugininkė ne kartą buvo pagalvojusi, kad jų tarnybos veiklą išreiškiantis šūkis — „Pirmoji jūsų gynybos linija" — iš tikrųjų turėtų būti toks: „Melagingi iškvietimai, pokštai, dingę gyvūnai ir iškvėšusių kaimynų skundai."

Šį kartą kaip visada apsaugininkė atvyko į vietą, beveik nieko nežinodama apie iškvietimo pobūdį. *Man už tai pinigų nemoka.* Jos užduotis buvo paprasta — atvykti į įvykio vietą automobiliu su besisukančia geltona šviesele, įvertinti padėtį ir pranešti, jei pastebės ką nors neįprasta. Dažniausiai kas nors per apsirikimą būdavo įjungęs namuose įrengtą signalizacijos sistemą, kurią ji pataisydavo, pasinaudojusi savo visrakčiu. Tačiau *šis* namas stovėjo apgaubtas tylos. Signalizacijos nesigirdėjo. Žvelgiant nuo kelio, jis atrodė ramus ir tamsus.

Apsaugininkė paskambino prie įvažiavimo vartų, tačiau atsakymo nesulaukė. Surinko tarnybinį atpažinimo kodą, atidarė vartus ir įvažiavo į valdą. Palikusi automobilį įjungtu varikliu ir neišjungusi besisukančios švieselės, ji prisiartino prie įėjimo durų ir paskambino. Niekas neatsiliepė. Nebuvo matyti nei šviesų, nei judesių.

Nenorom laikydamasi procedūros reikalavimų, ji įjungė žibintą ir pradėjo apžiūrinėti pastatą iš išorės, tikrindama langus ir duris, ieškodama galimų įsilaužimo ženklų. Jai pasukus už kampo, pro namą pravažiavo juodas ilgas limuzinas, truputį sulėtino greitį ir nuvažiavo toliau. *Smalsūs kaimynai.*

Žingsnis po žingsnio ji apėjo visą namą, tačiau nieko įtartino nepastebėjo. Pastatas pasirodė didesnis, negu buvo maniusi, ir artėdama prie galinio įėjimo ji pasijuto drebanti nuo šalčio. Buvo aišku, kad namie nieko nėra.

— Dispečere? — tarė ji į savo radiją. — Pranešu apie iškvietimą į Kaloramos aukštumas. Savininkų nėra namie. Jokių įsilaužimo ženklų. Baigiau pastato išorės apžiūrą. Įsibrovėlių nematyti. Melagingas iškvietimas.

— Eina jie skradžiai, — atsiliepė dispečerė. — Tai labanakt.

Apsaugininkė prisisegė radijo stotelę atgal prie diržo ir pasuko atgal, nekantraudama greičiau atsidurti šiltame automobilyje. Tačiau tą akimirką pastebėjo tai, ką buvo pražiopsojusi anksčiau — galinėje namo pusėje spingsančią melsvą šviesele̜.

Nesuprasdama, kas tai galėtų būti, ji priėjo arčiau ir pamatė, kad švieselė sklinda pro viršulangį, tikriausiai įtaisytą namo rūsyje. Lango stiklas buvo tamsintas, iš vidaus uždažytas šviesai nepralaidžiais dažais. *Gal kokia fotografo laboratorija?* Melsva jos pastebėta švieselė skverbėsi pro skylutę, kur buvo atsilupę juodi dažai.

Apsaugininkė pritūpė, stengdamasi ką nors įžiūrėti, tačiau skylutė pasirodė per maža. Ji pabeldė į langą tikėdamasi, kad apačioje kas nors dirba.

— Alio? — sušuko.

Atsakymo nebuvo, tačiau pabeldus į langą staiga atšoko didesnis dažų lopas, leisdamas pamatyti šiek tiek daugiau. Ji pasilenkė, beveik prispaudė veidą prie stiklo ir ėmė apžiūrinėti rūsį. Ir tuojau pat pasigailėjo tai padariusi.

Jėzau Marija, kas čia dabar?!

Apstulbusi tupėjo, neįstengdama atsitraukti, spoksodama į prieš akis atsivėrusius šiurpius vaizdus. Galiausiai drebančiais pirštais apčiuopė diržą, ieškodama radijo stotelės.

Tačiau nespėjo jos išsiimti.

Jai į sprandą su didele jėga įsmigo elektrošoko įtaiso kojelės, kūną pervėrė nepakeliamas skausmas. Raumenis sutraukė mėšlungis, apsaugininkė griuvo į priekį ir neįstengdama net užmerkti akių sukniubo ant šaltos žemės.

61 skyrius

Tai buvo ne pirmas kartas, kai Vorenui Belamiui užrišo akis. Kaip ir kiti masonų brolijos nariai, per įšventinimo į aukštesniuosius laipsnius apeigas jis dėvėjo gobtuvą. Tačiau tada aplink buvo patikimi draugai. Šį vakarą viskas vyko kitaip. Šiurkštūs operatyvininkai jį surišo, užmovė ant galvos maišą ir kažkur vedė takais tarp bibliotekos fondų lentynų.

Agentai grasino Belamiui fiziniu susidorojimu, reikalaudami atskleisti, kur yra Robertas Lengdonas. Žinodamas, kad senstantis jo kūnas ilgų kankinimų neištvers, Belamis paskubėjo sumeluoti.

— Lengdonas nebuvo čia su manimi nusileidęs!— ištarė jis burna gaudydamas orą. — Aš jam liepiau lipti į balkoną ir slėptis už Mozės statulos, bet kur jis yra dabar, nežinau! — Panašu, kad atsakymas nuskambėjo įtikinamai, nes du agentai tuojau pat nubėgo tikrinti. Užtat likusieji tylėdami vedė jį per fondus.

Belamiui paguodą teikė tik žinojimas, kad Lengdonas ir Ketrina gabena piramidę į saugią vietą. Netrukus Lengdonui paskambins žmogus, galintis pasiūlyti prieglobstį. *Juo galima pasitikėti.* Žmogus, kuriam skambino Belamis, labai daug žino apie slaptą masonų piramidę ir jos saugomą paslaptį — apie tai, kur yra paslėpti suktiniai laiptai, vedantys į žemės gelmes, kuriose labai seniai buvo paslėpta didžių galių turinti senovės išmintis. Paskutinę akimirką, jau bėgant iš skaityklos, Belamiui galiausiai pavyko surasti šį žmogų, ir jis nė kiek neabejojo, kad trumpas jo pranešimas bus puikiausiai suprastas.

Eidamas visiškoje tamsoje, Belamis įsivaizdavo Lengdono kelionkrepšyje gulinčią akmeninę piramidę ir auksinę jos viršūnę. *Jau labai daug metų šiedu daiktai nėra buvę viename kambaryje.*

Belamis niekada nepamirš ano skausmingo vakaro. Piteriui jis buvo tik pirmas iš daugelio. Belamį pakvietė į Solomonų dvarą Potomake švęsti Zakario Solomono aštuonioliktojo gimtadienio. Zakaris buvo maištingas vaikas, tačiau vis dėlto Solomonas, o tai reiškė, kad laikantis šeimos tradicijos tądien jam bus suteikta teisė naudotis savo paveldėjimo dalimi. Belamis buvo vienas iš geriausių Piterio draugų, patikimas brolis masonas, todėl jį pakvietė pabūti liudytoju. Tačiau Belamiui reikės ne tik paliudyti pinigų perdavimo faktą. Šį vakarą bus kalbama apie daug svarbesnius dalykus.

Belamis atvyko anksčiau ir atsisėdo laukti Piterio privačiame kabinete, kaip jo ir prašė. Nuostabiame kambaryje kvepėjo oda, židinyje degančiomis malkomis ir gera arbata. Vorenas sėdėdamas žiūrėjo, kaip Piteris įsivedė į kambarį savo sūnų Zakarį. Pamatęs Belamį, liesas aštuoniolikmetis susiraukė.

— Ką jūs čia veikiate?

— Liudiju, — atsakė Belamis. — Sveikinu su gimimo diena, Zakari.

Vaikinas kažką sumurmėjo ir nusisuko.

— Sėskis, Zakai, — pakvietė Piteris.

Zakaris atsisėdo į vienintelę kėdę, stovinčią prie didžiulio medinio tėvo darbo stalo. Solomonas užsklendė kabineto duris. Belamis persėdo nuošaliau.

Solomonas rimtu balsu kreipėsi į Zakarį:

— Ar žinai, kodėl tave čia pakviečiau?

— Manau, kad taip, — atsakė Zakaris.

Solomonas giliai atsiduso.

— Žinau, Zakari, kad mums jau senokai nekaip sekasi sutarti. Aš visomis jėgomis stengiausi būti tau geras tėvas ir parengti tave šiai dienai.

Zakaris nieko neatsakė.

— Tu žinai, kad kiekvienas Solomonų giminės įpėdinis, sulaukęs pilnametystės, gauna jam priklausantį paveldėjimą — dalį Solomonų turto, skirtą tapti *grūdu*... grūdu, kurį reikia prižiūrėti, auginti ir jo derlių naudoti žmonijos labui.

Solomonas priėjo prie sienoje įtaisyto seifo, atrakino jį ir išėmė storą juodą aplanką.

— Sūnau, šiame portfelyje yra visi dokumentai, kurių prireiks, kai sugalvosi perrašyti tau priklausančią dalį savo vardu. — Jis padėjo aplanką ant stalo. — Jis skirtas tam, kad tu, naudodamasis šiais pinigais, galėtum gyventi produktyvų, pasiturimą filantropo gyvenimą.

Zakaris ištiesė ranką į aplanką.

— Ačiū.

— Palauk, — sustabdė jį tėvas, uždėdamas ranką ant aplanko. — Turiu tau paaiškinti dar kai ką.

Zakaris permetė tėvą niekinamu žvilgsniu ir vėl susmuko kėdėje.

— Su Solomonų paveldėjimu susiję dar keli dalykai, apie kuriuos tu kol kas nieko nežinai. — Tėvas pažvelgė Zakariui tiesiai į akis. — Tu mano pirmagimis sūnus, Zakari, o tai reiškia, kad turi teisę pasirinkti.

Paauglys atsitiesė ir, atrodo, susidomėjo.

— Šis sprendimas gali nulemti tavo ateitį, todėl labai prašau gerai jį apgalvoti.

— Koks sprendimas?

Tėvas giliai įkvėpė.

— Tau teks pasirinkti vieną iš dviejų... turtus arba išmintį.

Zakaris pažvelgė į jį tarsi nieko nesuprasdamas.

— Turtus ar išmintį? Nesupratau.

Solomonas atsistojo, vėl priėjo prie seifo ir ištraukė iš jo sunkią akmens piramidę su įrėžtais masonų simboliais. Piramidę pastatė ant stalo šalia aplanko su dokumentais.

— Ši piramidė nutašyta labai seniai, ją saugo jau kelios mūsų šeimos kartos.

— Piramidę? — Neatrodė, kad Zakarį ji būtų labai sudominusi.

— Sūnau, ši piramidė — tai žemėlapis... žemėlapis, rodantis kelią į vietą, kurioje paslėptas vienas iš didžiausių žmonijos lobių. Žemėlapis pagamintas tam, kad lobis kada nors būtų atrastas. — Piterio balse aiškiai suskambo pasididžiavimas. — Ir šį vakarą, laikydamasis senos tradicijos, aš galiu perduoti jį tau... tiesa, tam tikromis sąlygomis.

Zakaris įtariai nužvelgė piramidę.

— Koks tas lobis?

Belamis aiškiai matė, kad Piteris nesitikėjo tokio storžieviško klausimo. Tačiau jo elgesys nepasikeitė.

— Zakari, tai sunku trumpai paaiškinti. Tačiau iš esmės... tas lobis... mes vadiname jį Senovės Slėpiniais.

Zakaris nusikvatojo, aiškiai manydamas, kad tėvas juokauja.

Belamis pastebėjo Piterio akyse skleidžiantis liūdesį.

— Zakai, man labai sunku tau viską paaiškinti. Tradicija liepia, kad sulaukęs aštuoniolikos metų Solomonų šeimos narys pradėtų ilgus mokslo metus...

— Aš juk tau jau sakiau! — atšovė Zakas. — Koledžas manęs nedomina!

— Aš kalbėjau ne apie *koledžą*, — atsakė tėvas tuo pačiu tyliu, ramiu balsu. — Kalbu apie laisvųjų mūrininkų broliją. Kalbu apie mokslus, kurių tikslas — tyrinėti amžinas žmonijos paslaptis. Jei norėtum šalia manęs stoti į jų gretas, įgytum galimybę gauti išsilavinimą, kuris tau bus reikalingas, kad suprastum šios dienos sprendimo svarbą.

Zakaris pakėlė į dangų akis.

— Užteks man tų tavo masoniškų pamokslų. Žinau, kad esu pirmas iš Solomonų, kuris nenori stoti į jūsų broliją. Ir kas? Gal nesupratai? Man visai neįdomūs tie jūsų senių maskaradai!

Tėvas ilgai tylėjo, ir Belamis staiga pastebėjo plonas raukšleles, kurios pradėjo rastis aplink vis dar jaunatviškas Piterio akis.

— Taip, aš supratau, — galiausiai atsakė Piteris. — Laikai pasikeitė. Suprantu, kad masonai tau gali atrodyti keisti, gal net nuobodūs. Bet noriu, kad prisimintum — jei sumanysi persigalvoti, šis kelias tau *visada* liks atviras.

— Siūlyčiau per daug to nesitikėti, — sumurmėjo Zakas.

— Pakaks pagaliau! — neišlaikęs riktelėjo Piteris ir atsistojo. — Aš žinau, Zakari, kad gyvenimas tau atrodo labai nelengvas, bet aš ne vienintelis vadovas, kurį turėsi. Tavęs laukia geri žmonės, kurie priims tave į masonų broliją ir atskleis tau tikrąsias tavo galimybes.

Zakaris sukikeno ir dirstelėjo į Belamį.

— Ar to jūs čia ir atvykote, pone Belami? Kad galėtumėte mane užgriūti visa masoniška galia?

Belamis nieko neatsakė, tik pagarbiai pažvelgė į Piterį Solomoną, primindamas Zakariui, kas šiame kambaryje yra viršiausias.

Zakaris vėl atsisuko į tėvą.

— Zakai, — ištarė Piteris, — taip nieko gero nebus... noriu tau pasakyti tik štai ką: nesvarbu, supranti tu ar nesupranti, kokia atsakomybė tau šiandien siūloma, mano kaip šeimos nario pareiga tau ją pasiūlyti. — Jis rankos mostu parodė piramidę. — Sergėti šią piramidę — didžiulė garbė. Primygtinai prašau tavęs kelias dienas pamąstyti apie tau suteikiamą progą ir tik tada galutinai nuspręsti.

— Progą? — paklausė Zakaris. — Progą prižiūrėti akmens gabalą?

— Šiame pasaulyje esama didžiulių paslapčių, Zakai, — atsidusęs tarė Piteris. — Paslapčių, kurių tu neįstengi nė įsivaizduoti. Šias paslaptis ir saugo piramidė. Tačiau dar svarbiau yra tai, kad ateis laikas, — veikiausiai tu dar jo sulauksi, — kai piramidė galiausiai bus iššifruota ir jos saugomos paslaptys atskleistos. Tai bus didžiulių žmonijos permainų laikas... ir tau suteikiama proga jose dalyvauti. Siūlau labai gerai pagalvoti. Turtai pasitaiko dažnai, tačiau išmintis — retas dalykas. — Jis mostelėjo į aplanką, paskui į piramidę. — Labai prašau nepamiršti, kad turtai be išminties dažnai atneša tik nelaimes.

Zakaris pažvelgė į tėvą taip, tarsi laikytų jį pamišėliu.

— Kalbėk ką nori, tėti, bet manęs niekaip neįtikinsi dėl šito atsisakyti man priklausančios turto dalies. — Jis mostu parodė piramidę.

Piteris susinėrė ant krūtinės rankas.

— Jei tu nuspręsi perimti atsakomybę, aš pasaugosiu tavo pinigus ir piramidę, kol tu sėkmingai baigsi mokslus masonų brolijoje. Tai užtruks kelerius metus, tačiau galiausiai padės subręsti, kad galėtum perimti ir pinigus, ir piramidę. Turtus ir išmintį. Tai labai galingas derinys.

Zakaris pašoko nuo kėdės.

— Jėzus Marija, tėti! Gal gali pagaliau baigti? Nejau nematai, kad man nė kiek nerūpi nei tavo masonai, nei akmeninės piramidės, nei Senovės Slėpiniai? — Jis ištiesė ranką, čiupo juodą aplanką ir pamojavo juo tėvui prieš akis. — *Štai* kur mano turto dalis! Tokia pati kaip visų Solomonų, kurie gimė anksčiau už mane! Neįsivaizduoju, kaip tu tikėjaisi mane apkvailinti ir išvilioti mano dalį, pasakodamas vaikiškas pasakas apie senovinius lobių žemėlapius! — Jis pasikišo aplanką po pažastimi ir apeidamas Belamį patraukė prie kabineto durų.

— Zakari, palauk! — Tėvas išbėgo iš paskos sūnui, kuris ryžtingai žengė į nakties tamsą. — Kad ir ką darytum, niekada ir niekam nė žodžiu neprasitark apie piramidę, kurią ką tik matei! — Piterio Solomono balsas nutrūko. — Nė *gyvai dvasiai!* Niekada gyvenime!

Tačiau Zakaris, nekreipdamas į jį dėmesio, dingo tamsoje.

Kai Piteris Solomonas grįžo prie savo stalo ir sunkiai susmuko į odinį krėslą, jo pilkos akys buvo sklidinos skausmo. Ilgai tylėjęs jis pagaliau pakėlė akis į Belamį ir per jėgą išspaudė liūdną šypseną.

— Gerai pavyko, tiesa?

Belamis atsiduso, užjausdamas kenčiantį Piterį.

— Piteri, nenorėčiau pasirodyti įžūlus, bet... ar tu juo pasitiki?

Solomonas tuščiomis akimis žvelgė į tolumą.

— Noriu paklausti, — neatlyžo Belamis, — ar tiki, kad jis niekam neprasitars apie piramidę?

Solomono veidas atrodė sustingęs.

— Garbės žodis, visai nežinau, ką tau atsakyti, Vorenai. Net negalėčiau prisiekti, kad išvis pažįstu tą vaiką.

Belamis pakilo ir ėmė lėtai vaikščioti palei didelį stalą.

— Piteri, tu atlikai šeimos pareigą, bet aš manau, kad dabar, atsižvelgdami į tai, kas čia įvyko, turėtume imtis atsargumo priemonių. Aš grąžinsiu tau piramidės viršūnę, o tu jai surasi naują slėptuvę. Manau, ją reikia atiduoti saugoti kam nors kitam.

— Kodėl? — paklausė Solomonas.

— Jei Zakaris kam nors išplepės apie piramidę... ir užsimins, kad šį vakarą čia buvau ir aš...

— Jis nieko nežino apie viršūnę, be to, yra toks nesubrendęs, kad nė nesuvokia, kokia ta piramidė svarbi. Nereikia jai ieškoti naujos slėptuvės. Laikysiu piramidę savo seife. O tu ir toliau laikyk viršūnę ten, kur ją laikai dabar. Tegul ir toliau bus, kaip buvo.

Po šešerių metų per Kalėdas į Solomonų šeimos, dar tebegedinčios mirusio Zakario, dvarą įsibrovė aukštaūgis žaliūkas, kuris pareiškė užmušęs Zakarį kalėjime. Įsibrovėlis norėjo gauti piramidę, tačiau tik atėmė Izabelės Solomon gyvybę.

Po kelių dienų Piteris pasikvietė Belamį į savo kabinetą. Jis užrakino duris, ištraukė piramidę iš seifo ir pastatė ant stalo.

— Reikėjo tada tavęs paklausyti.

Belamis žinojo, kad Piterį dėl to kankina baisi kaltė.

— Tai nebūtų nieko pakeitę.

Solomonas išvargęs atsiduso.

— Ar atnešei viršūnę?

Belamis išsiėmė iš kišenės mažą kubo pavidalo ryšulėlį. Išblukęs vyniojamasis popierius buvo perrištas virvele ir užantspauduotas vaškiniu anspaudu su Solomono žiedo akimi. Belamis padėjo ryšulėlį ant stalo, puikiai suvokdamas, kad šį vakarą abi masonų piramidės dalys atsidūrė pernelyg arti viena kitos.

— Perduok ją saugoti kam nors kitam. Tik nesakyk man, kas tas žmogus.

Solomonas linktelėjo.

— Ir dar aš žinau, kur galima paslėpti piramidę, — toliau kalbėjo Belamis. Jis papasakojo Solomonui apie patalpas Kapitolijaus *subbazinio* lygmens aukšte. — Visame Vašingtone nerasi saugesnės vietos.

Belamis prisiminė, kad Solomonui ši mintis iškart patiko — jam pasirodė simboliška paslėpti piramidę šalies širdyje. *Tipiškas Solomono mąstymas*, tada pamanė Belamis. *Jis visada išlieka idealistas, net ištikus krizei.*

Dabar, po dešimties metų, aklai vedamas Kongreso bibliotekos fondų koridoriais, Belamis puikiai suprato, kad krizė toli gražu nesibaigė. O dar jis žinojo, kam Solomonas tuomet patikėjo saugoti piramidės viršūnę... ir karštai meldėsi, kad Robertui Lengdonui pakaktų jėgų atlikti jam patikėtą misiją.

62 skyrius

Aš esu po Antrąja gatve.

Lengdonas tebegulėjo tvirtai užmerkęs akis, o konvejeris dundėdamas gabeno jį Adamso pastato link. Lengdonas iš paskutiniųjų stengėsi atsikratyti minčių apie tonas jį slegiančios žemės ir siaurą vamzdį, kuriuo pamažu slinko.

Girdėjo, kaip už poros metrų nuo jo alsuoja Ketrina, tačiau ji kol kas neištarė nė žodžio.

Ji sukrėsta. Lengdonas labai nenorėjo jai pasakoti apie nukirstą jos brolio ranką. *Tačiau teks, Robertai. Ji privalo tai žinoti.*

— Ketrina, — neatsimerkdamas pagaliau pašaukė Lengdonas. — Kaip jautiesi?

Kažkur iš priekio atsiliepė virpantis bekūnis balsas:

— Robertai, ta piramidė, kurią turi krepšyje... Ji Piterio, tiesa?

— Taip, — atsakė Lengdonas.

Stojo ilga tyla.

— Man atrodo... kad tai ta pati piramidė, dėl kurios buvo nužudyta mano motina.

Lengdonas gerai žinojo, kad prieš dešimt metų buvo nužudyta Izabelė Solomon, tačiau smulkmenų nebuvo girdėjęs, o Piteris nė karto neužsiminė apie jokią piramidę.

— Apie ką tu kalbi?

Ketrina jausmų gniaužiamu balsu papasakojo, kas įvyko aną kraupų vakarą, kai į jų dvarą įsibrovė tatuiruotasis žudikas.

— Tai buvo seniai, bet aš niekada nepamiršiu, kad jis pareikalavo piramidės. Sakė sužinojęs apie ją kalėjime iš mano sūnėno Zakario... kurį tuojau po to užmušė.

Lengdonas apstulbęs klausėsi. Tragedija, ištikusi Solomonų šeimą, atrodė beveik neįtikima. Ketrina pasakojo toliau: ji prisipažino visada maniusi, kad tą naktį įsibrovėlis buvo nušautas... tai yra maniusi iki tol, kol jis vėl pasirodė šiandien, apsimetęs Piterio psichiatru, ir atviliojo ją į savo namus.

— Jis žinojo daugybę smulkmenų apie mano brolį, mano motinos mirtį, net apie mano *darbą*, — neramiai kalbėjo ji, — ir tai galėjo sužinoti tik iš mano brolio. Todėl aš juo pasitikėjau... taip jis ir prasiskverbė į Smitsono muziejaus saugyklas. — Ketrina giliai atsiduso ir prisipažino Lengdonui beveik neabejojanti, jog šį vakarą tas pats žmogus sunaikino jos laboratoriją.

Lengdonas klausėsi sukrėstas iki širdies gelmių. Kelias akimirkas jiedu tylėdami gulėjo ant judančio konvejerio. Lengdonas žinojo privaląs atskleisti Ketrinai ir kitas šiurpias šio vakaro naujienas. Jis lėtai prakalbo, stengdamasis kuo atsargiau papasakoti, kaip prieš daug metų jos brolis patikėjo jam saugoti mažą ryšulėlį, kaip šiandien vakare Lengdonas buvo apgaule atviliotas į Vašingtoną, ir galiausiai apie tai, kaip Kapitolijaus Rotondoje buvo atrasta nukirsta jos brolio rankos plaštaka.

Ketrina į tai reagavo kurtinama tyla.

Lengdonas jautė, kad ji nustėrusi iš skausmo, jam labai norėjosi ištiesti ranką ir paguosti Ketriną, tačiau tai buvo neįmanoma, nes jiedu gulėjo vienas paskui kitą ankštame tamsiame urve.

— Piteriui nieko labai blogo neatsitiko, — sušnibždėjo Robertas. — Jis gyvas, mes jį susigrąžinsime. — Lengdonas stengėsi suteikti Ketrinai vilties. — Ketrina, jo pagrobėjas man *davė žodį*, kad grąžins tavo brolį gyvą... jei aš iššifruosiu užrašą ant piramidės.

Ir vis tiek Ketrina nieko nesakė.

Lengdonas kalbėjo toliau. Papasakojo jai apie akmeninę piramidę, masonų šifrą, ryšulėlyje užantspauduotą piramidės viršūnę ir, be abejo, apie Belamio tvirtinimą, esą ši piramidė ir esanti legendinė masonų piramidė... apie žemėlapį, rodantį kelią link ilgų laiptų, kurie leidžiasi į pačias žemės gelmes... į kone šimtų metrų gylį, kur slypi mistinis senovės lobis, kitados, labai seniai, paslėptas Vašingtone.

Galiausiai Ketrina prakalbo, bet jos balsas buvo duslus ir negyvas.

— Robertai, atsimerk.

Atsimerkti? Lengdonas anaiptol netroško pamatyti, koks iš tiesų ankštas yra tunelis, kuriuo jie slenka.

— Robertai! — jau griežčiau šūktelėjo Ketrina. — Atsimerk! Mes atvykome!

Lengdono akys atsimerkė kaip tik tada, kai jo kūnas išlindo iš angos, panašios į tą, į kurią jie buvo sulindę kitame gale. Ketrina jau ropštėsi nuo konvejerio. Ji nukėlė Lengdono kelionkrepšį, o pats Lengdonas permetė kojas per bortą ir pačiu laiku spėjo nušokti ant plytelėmis išklotų grindų — netrukus konvejeris, aplenkęs kampą, pasuko atgal. Jie atsidūrė leidinių išdavimo patalpoje, labai panašioje į tą, kuri buvo aname pastate. Nedidelėje lentelėje buvo parašyta: ADAMSO PASTATAS, TREČIAS LEIDINIŲ IŠDAVIMO PUNKTAS.

Lengdonas jautėsi taip, tarsi būtų ką tik išniręs iš kokių nors požemio įsčių. *Naujai gimęs*. Jis tuojau pat pasisuko į Ketriną.

— Ar gerai jautiesi?

Ketrinos akys buvo raudonos ir užverktos, tačiau ji ryžtingai, stoiškai linktelėjo. Ji paėmė Lengdono kelionkrepšį, netarusi nė žodžio nunešė jį į kitą kambario galą ir pastatė ant gausiai apkrauto stalo. Uždegė stalinę halogeninę lempą, atitraukė krepšio užtrauktukus, atlenkė jo šonus ir pažvelgė vidun.

Ryškioje halogenų šviesoje granito piramidė atrodė kone asketiška. Ketrina pirštais perbraukė išgraviruotą joje masonų šifrą, ir Lengdonas pajuto, kad ją drasko stiprūs išgyvenimai. Ketrina lėtai įkišo ranką į krepšį, ištraukė iš jo kubo pavidalo ryšulėlį. Prikišo jį arčiau šviesos ir atidžiai apžiūrėjo.

— Kaip matai, — tyliai prakalbo Lengdonas, — vaško antspaude matyti

Piterio masoniško žiedo akis. Jis sakė, kad ryšulėlis užantspauduotas šiuo žiedu daugiau negu prieš šimtą metų.

Ketrina nieko neatsakė.

— Kai tavo brolis man patikėjo saugoti šį ryšulėlį, — toliau kalbėjo Lengdonas, — jis pasakė, kad tuo suteikia man galią sukurti tvarką iš chaoso. Negalėčiau tiksliai pasakyti, ką tai reiškia, bet tenka spėti, jog viršūnėje irgi esama svarbios informacijos — Piteris atkakliai reikalavo stengtis, kad ji nepatektų į netinkamas rankas. Ponas Belamis man ką tik pakartojo tą patį: jis primygtinai pareikalavo paslėpti piramidę ir niekam neleisti išvynioti ryšulėlio.

Ketrina atsisuko į Lengdoną, jos veidas liepsnojo pykčiu.

— Belamis tau liepė neišvynioti ryšulėlio?

— Taip. Ne tik liepė, primygtinai reikalavo.

Atrodė, kad Ketrinai sunku tuo patikėti.

— Bet juk tu sakei, kad piramidės neįmanoma iššifruoti be viršūnės, tiesa?

— Turbūt taip.

Ketrina kalbėjo vis garsiau.

— Ir dar sakei, kad tau liepta iššifruoti piramidę. Tai vienintelis būdas susigrąžinti Piterį, tiesa?

Lengdonas linktelėjo.

— Tai tada, Robertai, kas mums trukdo dabar pat išvynioti ryšulėlį ir iššifruoti šį įrašą?!

Lengdonas nesumetė, ką atsakyti.

— Ketrina, man buvo atėjusi lygiai tokia pat mintis, tačiau Belamis sakė, kad svarbiau už viską yra išsaugoti šios piramidės paslaptį... tai net svarbiau už tavo brolio gyvybę.

Ketrinos dailūs bruožai sugriežtėjo, ji užsikišo už ausies plaukų sruogą. Kai prakalbo, balse nuskambėjo ryžtas.

— Ši akmens piramidė, kad ir kas ji būtų, atėmė iš manęs visą mano šeimą. Pirmiausia sūnėną Zakarį, paskui motiną, dabar brolį. Ir kalbėkime atvirai, Robertai — jei šį vakarą tu nebūtum paskambinęs ir *manęs* perspėjęs...

Lengdonas pasijuto įkliuvęs tarp Ketrinos logiškų samprotavimų ir atkaklaus Belamio maldavimo.

— Taip, aš mokslininkė, — toliau kalbėjo Ketrina, — bet esu kilusi iš garsios masonų šeimos. Tikėk manimi, esu tiek daug girdėjusi apie masonų piramidę ir apie slepiamą didžią paslaptį, nušviesiančią visą žmoniją. Atvirai pasakysiu, man sunku patikėti, kad toks dalykas egzistuoja. Bet *jei* egzistuoja... tai gal jau laikas jį atskleisti. — Ketrina užkišo pirštą už ryšulėlį juosiančios senos virvelės.

Lengdonas pašoko.

— Ketrina, nereikia! Palauk!

Ji stabtelėjo, tačiau piršto neištraukė.

— Robertai, aš neketinu leisti, kad dėl šito mirtų mano brolis. Kad ir kas parašyta toje viršūnėje... kad ir kokias prarastas paslaptis atskleis piramidės įrašas... šį vakarą šios paslaptys bus atskleistos.

Tai tarusi, Ketrina smarkiai trūktelėjo virvelę, ir trapus vaško antspaudas subyrėjo.

63 skyrius

Ramiame gyvenamajame Vašingtono rajone, kiek į vakarus nuo Ambasadų kelio, žaliuoja aukšta mūrine siena aptvertas viduramžių stiliaus sodas, kuriame vešinčios rožės, kalbama, išaugintos iš XII a. sodinukų. Karderoko akmens pavėsinė — vadinama Pavėsio namais — elegantiškai kyla tarp vinguriuojančių takelių, grįstų akmenimis, iškastais privačiame Džordžo Vašingtono karjere.

Šį vakarą sodo tylą sudrumstė jaunuolis, skubiai įbėgęs pro medinius vartus.

— Ei? — šūktelėjo jis, stengdamasis mėnesienoje ką nors įžiūrėti. — Ar jūs čia?

Jam atsiliepė silpnas, vos girdimas balsas.

— Aš pavėsinėje... išėjau pakvėpuoti grynu oru.

Jaunuolis rado sukriošusį savo šeimininką sėdintį ant akmeninio suolelio, prisidengusį apklotu. Senis buvo susikūprinęs ir smulkutis, aštrių veido bruožų. Metai sulenkė jo nugarą ir atėmė akių šviesą, tačiau siela išlaikė jėgą, kurios negalėjai nepaisyti.

Stengdamasis atgauti kvapą, jaunuolis tarė:

— Aš ką tik atsiliepiau telefonu... skambino jūsų draugas... Vorenas Belamis.

— Štai kaip? — Senis pagyvėjo. — Kokiu klausimu?

— Jis nepasakė, bet panašu, kad labai skubėjo. Pasakė palikęs jums balso pašto pranešimą ir prašė tuojau pat jį išklausyti.

— Tai ir viskas, daugiau nieko nesakė?

— Ne visai. — Jaunuolis patylėjo. — Liepė užduoti jums klausimą. — *Labai keistą klausimą*. — Ir sakė, kad atsakymą turi gauti kuo greičiau.

Senis pasilenkė arčiau.

— Koks tas klausimas?

Jaunuoliui pakartojus pono Belamio klausimą, senio veidas akimirksniu taip išblyško, kad tai buvo matyti net mėnesienoje. Senis tuojau pat nusimetė apklotą ir pamėgino stotis.

— Prašau man padėti grįžti vidun. Tuojau pat.

64 skyrius

Pakaks paslapčių, pamanė Ketrina Solomon.

Priešais ją ant stalo gulėjo kelių kartų išsaugotas, dabar į gabalėlius subyrėjęs vaško antspaudas. Ji nuvyniojo išblukusį rudą popierių nuo brangiojo brolio ryšulėlio. Šalia stovėjo Lengdonas, ir buvo matyti, kad jam labai nesmagu.

Iš popieriaus Ketrina išėmė dėžutę, pagamintą iš pilko akmens. Dėžutė buvo panaši į gludinto granito kubą — be jokių vyrių, be užrakto, net neaišku, kaip ją atidaryti. Ketrinai ji priminė kiniško galvosūkio dėžutę.

— Atrodo tarsi vientisas akmens luitas, — pasakė ji, pirštais čiupinėdama dėžutės briaunas. — Ar tikrai rentgeno nuotrauka parodė, kad viduje yra ertmė, o joje — piramidės viršūnė?

— Tikrai, — atsakė Lengdonas, prieidamas arčiau Ketrinos ir apžiūrinėdamas paslaptingąją dėžutę. Jiedu mėgino pažvelgti į dėžutę iš įvairių pusių, stengdamiesi atrasti būdą ją atidaryti.

— Radau, — tarė Ketrina ir nagu užkabino gudriai paslėptą plyšelį palei viršutinę dėžutės briauną. Ji padėjo dėžutę ant stalo ir atsargiai pakėlė dangtelį, kuris atsivožė lengvai ir tyliai, tarsi brangios papuošalų dėžutės viršus.

Dangteliui atsivožus ir Lengdonas, ir Ketrina garsiai įkvėpė. Atrodė, kad dėžutė švyti iš vidaus. Iš jos sklido beveik antgamtiškas spindesys. Ketrina niekada nebuvo mačiusi tokio didelio aukso gabalo ir ne iš karto susivokė, kad brangusis metalas tiesiog atspindi stalinės lempos šviesą.

— Pasakiška, — sukuždėjo ji. Piramidės viršūnė, daugiau kaip šimtą metų išbuvusi uždaryta tamsaus akmens kube, neatrodė nei patamsėjusi, nei nublukusi. *Auksas nepaklūsta entropiniams irimo dėsniams: tai viena iš priežasčių, dėl kurių senovėje žmonės jį laikė magišku metalu.* Ketrina pajuto, kaip paspartėjo jos pulsas, kai pasilenkusi virš stalo ji ėmė apžiūrinėti smailų auksinį objektą. — Čia yra įrašas.

Lengdonas prisiartino, jų pečiai beveik susilietė. Mėlynose jo akyse degė smalsumas. Jis buvo pasakojęs Ketrinai apie senovės graikų paprotį kurti simbolonus — kodus, padalytus į kelias dalis; pasakojo ir apie tai, kaip ši viršūnė, ilgai saugota atskirai nuo pačios piramidės, yra tikrasis piramidėje išgraviruoto įrašo šifro raktas. Vadinasi, būtent šis įrašas — kad ir kas ten būtų įrašyta — gali iš chaoso sukurti tvarką.

Ketrina pakėlė dėžutę arčiau šviesos ir įsižiūrėjo į viršūnę.

Įrašas buvo smulkus, tačiau puikiausiai matomas — mažytis, elegantiškai išgraviruotas tekstas viename piramidės viršūnės šone. Ketrina perskaitė šešis paprastus anglų kalbos žodžius.

Paskui perskaitė juos dar kartą.

— *Negali būti!* — šūktelėjo ji. — Negali būti, kad čia *taip* parašyta!

Kitapus gatvės direktorė Sato skubėjo ilgu perėjimu prie Kapitolijaus pastato į sutarto susitikimo vietą Pirmojoje gatvėje. Operatyvininkų pranešimas buvo nepatenkinamas. Nei Lengdono, nei piramidės, nei jos viršūnės. Belamis sulaikytas, tačiau tiesos nesako. Bent kol kas.

Aš jį priversiu prabilti.

Ji atsigręžusi permetė akimis vieną iš naujausių Vašingtono vaizdų — Kapitolijaus kupolą, iškilusį virš naujojo lankytojų centro. Apšviestas kupolas tik dar aiškiau jai priminė, kokie svarbūs reikalai sprendžiami šį vakarą. *Pavojingi laikai.*

Sato truputį palengvėjo, kai ji išgirdo mobiliojo telefono skambutį ir pamatė ekrane savo analitikės numerį.

— Nola, — atsiliepė Sato. — Ką pasakysite?

Nola Kei pranešė blogą žinią. Rentgeno nuotraukoje įrašas piramidės viršūnėje toks neryškus, kad įskaityti jo neįmanoma, nepadėjo nė vaizdo ryškumo filtrai.

Velniava. Sato pakramtė lūpą.

— O ta lentelė iš šešiolikos raidžių?

— Dar mėginu, — atsakė Nola, — nors kol kas nepavyko rasti tinkamos antrinio iškodavimo schemos. Paleidau kompiuterį mėginti įvairius raidžių dėliojimo variantus ir ieškoti ko nors bent apytikriai atpažįstamo, tačiau variantų yra daugiau negu dvidešimt trilijonų.

— Nenuleiskite rankų. Praneškite, kai ką nors turėsite. — Sato baigė pokalbį ir nuožmiai nusišiepė. Viltis, kad pavyks iššifruoti piramidės įrašą turint tik fotografiją ir rentgeno nuotrauką, greitai tirpo. *Man reikia piramidės ir jos viršūnės... o laiko beveik nebeliko.*

Sato pasirodė Pirmojoje gatvėje lygiai tą pačią akimirką, kai prie dvigubos geltonos linijos greitai prilėkė juodas visureigis tamsintais langais ir sklandžiai sustojo tiesiai sutartoje vietoje. Išlipo vienas agentas.

— Turite žinių apie Lengdoną? — paklausė Sato.

— Tikimybė didelė, — be jokios išraiškos atsakė agentas. — Ką tik atvyko pastiprinimas. Apsupti visi bibliotekos išėjimai. Tuoj atvyks pagalba iš oro. Išrūkysime jį ašarinėmis dujomis, o bėgti daugiau nėra kur.

— Belamis?

— Surištas ant galinės sėdynės.

Gerai. Petį vis dar maudė.

Agentas padavė Sato sandariai uždaromą plastiko maišelį, kuriame buvo mobilusis telefonas, raktai ir piniginė.

— Belamio asmeniniai daiktai.

— Daugiau nieko?

— Ne, ponia. Piramidę ir ryšulėlį tikriausiai tebeturi Lengdonas.

— Aišku, — atsakė Sato. — Belamis žino labai daug, tačiau nesako. Norėčiau pati jį apklausti.

— Taip, ponia. Lenglyje?

Sato giliai įkvėpė ir žengė kelis žingsnius šalia automobilio. Apklausiant JAV civilius gyventojus būtina laikytis griežtų protokolo reikalavimų; Belamio apklausa būtų gryniausias įstatymo pažeidimas, nebent ji būtų atliekama Lenglyje, filmuojama vaizdo kamera, dalyvaujant liudininkams, advokatams ir taip toliau, ir taip toliau...

— Ne, ne Lenglyje, — atsakė ji, stengdamasi sugalvoti kokią nors vietą, esančią bent kiek arčiau. *Ir teikiančią daugiau privatumo.*

Agentas netarė nė žodžio, tik pasitempęs stovėjo prie visureigio įjungtu varikliu ir laukė nurodymų.

Sato užsidegė cigaretę, giliai įtraukė dūmų ir pažvelgė į plastiko maišelį su Belamio daiktais. Pastebėjo jo raktų ryšulyje elektroninį raktą, paženklintą penkiomis raidėmis — JAVBS. Be abejo, Sato puikiausiai žinojo, į kokį vyriausybės pastatą galima patekti su šiuo raktu. Pastatas labai arti, o tokiu paros metu — dar ir visiškai tuščias.

Ji nusišypsojo ir įsidėjo raktą į kišenę. *Puiku.*

Pasakiusi agentui, kur gabenti Belamį, tikėjosi pamatyti jo veide nuostabą, bet šis tik linktelėjo ir atidarė jai keleivio dureles, o šaltas jo žvilgsnis nieko nereiškė.

Sato labai mėgo dirbti su profesionalais.

Lengdonas stovėjo Adamso pastato pusrūsyje ir netikėdamas savo akimis žiūrėjo į elegantišką įrašą auksinėje piramidės viršūnėje.

Ir tai viskas?

Greta stovinti Ketrina pakėlė piramidės viršūnę prieš šviesą ir papurtė galvą.

— Turi būti kas nors daugiau, — nusivylusi, bet atkakliai ištarė ji. — Ir tai mano brolis saugojo šitiek metų?

Lengdonui teko pripažinti, kad jį tai nustebino. Jei tikėsime Piteriu ir Belamiu, ši viršūnė turi padėti iššifruoti įrašą akmeninėje piramidėje. Prisiklausęs jų kalbų, Lengdonas tikėjosi aiškumo ir pagalbos. Jis dar kartą perskaitė šešis angliškus žodžius, subtiliai išgraviruotus piramidės viršūnėje.

The
secret hides
within The Order

Paslaptį slepia tvarka?

Iš pirmo žvilgsnio atrodė, kad įrašas patvirtina tai, kas ir taip akivaizdu — piramidės įrašo raidės sudėliotos „netvarkingai“, ir paslaptį pavyks atskleisti tik atradus tinkamą jų tvarką. Tačiau šitokia įrašo prasmė buvo ne tik pernelyg akivaizdi, bet ir neįtikima dėl kitos priežasties.

— Žodžiai *The* ir *Order* pradedami didžiosiomis raidėmis, — ištarė Lengdonas.

Ketrina abejingai linktelėjo.

— Aš pastebėjau.

The secret hides within The Order. Lengdonas nusprendė, kad išversti šį įrašą galima tik vienaip.

— Angliškas žodis *Order* čia veikiausiai siejamas su lotynišku *ordo*, reiškiančiu „ordiną“ — kitaip tariant, su masonų ordinu.

— Sutinku, — atsiliepė Ketrina. — Bet kas iš to? Vis tiek niekas neaišku.

Lengdonui teko su ja sutikti. Juk visa masonų piramidės istorija nuo pat pradžių buvo susijusi su paslaptimi, kurią slepia masonų ordinas.

— Robertai, brolis tau juk sakė, kad piramidės viršūnė tau suteiks galią įžvelgti tvarką ten, kur visi kiti mato tik chaosą?

Jis apmaudingai linktelėjo. Jau antrą kartą šį vakarą Robertas Lengdonas pasijuto nevykėlis, nesugebąs atlikti jam patikėtos užduoties.

65 skyrius

Susidorojęs su netikėtai apsilankiusia „Pirmosios“ saugos tarnybos apsauginінke, Malachas vėl priklijavo nusilupusius dažus prie lango, pro kurį ji pamatė jo šventą darbo erdvę.

Išlipęs iš švelnia melsva šviesa švytinčio rūsio, jis pro paslėptas duris įžengė į svetainę. Įėjęs sustojo gėrėdamasis nuostabiu „Trijų gracijų" paveikslu, džiaugdamasis pažįstamais namų garsais ir kvapais.

Netrukus paliksiu visa tai visam laikui. Malachas žinojo, kad po šios nakties jis nebegalės čia sugrįžti. *Po šios nakties*, šypsodamasis pamanė jis, *man viso šito nė nebereikės*.

Jis pasvarstė, ar Robertas Lengdonas jau suprato tikrąją piramidės galią... ir tą svarbų vaidmenį, kurį jam paskyrė likimas. *Lengdonas man dar nepaskambino*, pamanė Malachas, dar kartą patikrinęs įrašus vienkartiniame savo telefono aparate. Buvo jau 22.02. *Jam liko mažiau negu dvi valandos*.

Malachas užlipo viršun, į itališku marmuru išklotą vonios kambarį, ir įjungė garinį dušą, kad įšiltų. Vieną po kito nusimetė drabužius, nekantraudamas pradėti apsivalymo apeigas.

Norėdamas nuraminti iš bado urzgiantį skrandį, išgėrė dvi stiklines vandens. Paskui priėjo prie lubas siekiančio veidrodžio ir atidžiai apžiūrėjo nuogą savo kūną. Po dviejų badavimo dienų išryškėjo raumenys, ir Malachas negalėjo nesižavėti tuo, kuo sugebėjo tapti. *Išaušus dienai, aš tapsiu kai kuo daug didesniu*.

66 skyrius

— Reikėtų greičiau iš čia dingti, — tarė Lengdonas Ketrinai. — Netrukus jie supras, kur mes esame. — Jis tikėjosi, kad Belamiui pavyko pasprukti.

Ketrina vis dar atrodė pakerėta auksinės piramidės viršūnės: niekaip negalėdama patikėti savo akimis, ji žvelgė į įrašą, kuris pasirodė toks beprasmiškas. Išėmė viršūnę iš dėžutės, apžiūrėjo ją iš visų pusių ir dabar atsargiai dėjo atgal.

Paslaptis slypi Ordine, pamanė Lengdonas. *Čia tai bent pagelbėjo*.

Lengdonui nejučiomis dingtelėjo mintis, ar negali būti, kad Piteriui kas nors pamelavo apie tai, kas yra dėžutėje. Piramidė ir jos viršūnė buvo pagamintos dar gerokai prieš Piteriui gimstant, o jis tiesiog darė tai, ką buvo prisakę protėviai — saugojo paslaptį, kuri veikiausiai jam pačiam sakė ne daugiau, negu Lengdonui ir Ketrinai.

Ko aš tikėjausi? — svarstė Lengdonas. Juo daugiau jis šįvakar klausėsi apie masonų piramidės legendą, juo mažiau norėjo ja tikėti. *Ieškoti paslėptų suktinių laiptų, užristų didžiuliu akmeniu?* Lengdonui ėmė rodytis, kad jis klaidžioja patamsiuose. Vis dėlto atrodė, kad iššifruoti piramidės įrašą — vienintelis šansas išgelbėti Piterio gyvybę.

— Robertai, ar tau ką nors reiškia skaičius 1514?

Tūkstantis penki šimtai keturioliktieji? Klausimas atrodė tarsi iš dangaus nukritęs. Lengdonas gūžtelėjo pečiais.

— Ne. O ką?

Ketrina jam padavė akmeninę dėžutę.

— Žiūrėk. Ant jos yra data. Pakišk po lempa.

Lengdonas atsisėdo prie stalo ir atidžiai apžiūrėjo kubo pavidalo dėžutę, pakišęs ją tiesiai po lempos šviesa. Ketrina švelniai uždėjo ranką jam ant peties ir pasilenkusi parodė mažytį įrašą, kurį rado iškaltą ant vieno dėžutės šono netoli apačios.

— Tūkstantis penki šimtai keturioliktieji *A. D.*, arba *Anno Domini, Viešpaties metai,* — tarė ji rodydama į dėžutę.

Ir iš tiesų joje buvo įrėžtas skaičius 1514 bei neįprastai užrašytos raidės *A* ir *D*.

1514

— Šita data, — tarsi staiga vėl atgavusi viltį paklausė Ketrina, — gal ji ir yra ta grandis, kurios mums trūksta? Kubas su įrėžta data primena masonų kertinį akmenį, tai gal jis yra nuoroda į tikrą kertinį akmenį? Kokį nors pastatą, pastatytą 1514 *Anno Domini?*

Lengdonas jos beveik negirdėjo.

Vienas penki vienas keturi A. D. — tai ne data.

Simbolis, kurį tuojau pat atpažintų bet kuris viduramžių meno ekspertas, yra gerai žinoma simbatūra — simbolis, naudojamas vietoje signatūros. Senovės filosofai, menininkai ir rašytojai dažnai pasirašinėdavo savo darbus ne pavardėmis, o unikaliais, tyčia susikurtais simboliais arba monogramomis. Tai suteikdavo jų kūriniams mistiško žavesio ir gelbėdavo nuo persekiojimų, jei kartais raštai ar meno kūriniai būtų pripažinti prieštaraujančiais tinkamoms pažiūroms.

Šioje simbatūroje raidės *A* ir *D* reiškė ne *Anno Domini*, Viešpaties metus... tai vokiški žodžiai, ir jų reikšmė visai kita.

Lengdonas pajuto, kaip mozaikos gabalėliai sukrito į visumą. Per kelias sekundes jis sumetė, kaip iššifruoti piramidę.

— Ketrina, tau pavyko, — tarė jis užsegdamas krepšį. — Daugiau mums nieko nereikia. Eime. Pakeliui paaiškinsiu.

Ketrina atrodė apstulbusi.

— Nori pasakyti, kad šita data — 1514 A. D. — iš tiesų kažką *reiškia*?

Lengdonas jai mirktelėjo ir pasuko prie durų.

— Tai ne data, Ketrina. Tai *žmogus*.

67 skyrius

Į vakarus nuo Ambasadų kelio esančiame aptvertame sode su XII a. rožėmis ir Pavėsio namais viešpatavo tyla. Kitapus į sodą vedančio tako jaunuolis prilaikydamas vedė per plačią veją susikūprinusį senolį.

Jis leidžia man jį vesti?

Paprastai neregys atsisakydavo pagalbos ir būdamas šiame prieglobstyje mėgo vaikštinėti kliaudamasis atmintimi. Tačiau šį vakarą, atrodo, labai skuba grįžti vidun ir atskambinti Vorenui Belamiui.

— Ačiū, — padėkojo senis, kai jie įėjo į pastatą, kuriame buvo jo privatus darbo kabinetas. — Nuo čia jau pats rasiu kelią.

— Pone, bet aš mielai padėsiu...

— Šiam vakarui pakaks, — atsakė šis paleisdamas padėjėjo ranką ir skubiai šlepsendamas į tamsą. — Labanakt.

Jaunuolis išėjo iš pastato ir per plačią veją patraukė prie sode stovinčio kuklaus savo gyvenamojo būsto. Įeidamas į namus juto, kaip jį kutena smalsumas. Buvo aišku, kad pono Belamio klausimas senį be galo nuliūdino... nors pats klausimas buvo keistas, kone beprasmis.

Ar niekas nepadės našlės sūnui?

Niekaip neįstengė sugalvoti, ką tai galėtų reikšti. Susimąstęs nuėjo prie kompiuterio ir įvedė šiuos žodžius į naršyklę.

Didžiausiai jo nuostabai, ekrane pasirodė begalė nuorodų, visose buvo cituojamas būtent šis klausimas. Apstulbęs jis perskaitė informaciją. Panašu, kad Vorenas Belamis yra anaiptol ne pirmas žmogus, perdavęs kitam šį keistą klausimą. Tuos pačius žodžius prieš daug šimtų metų ištarė... karalius Saliamonas, gedėdamas nužudyto draugo. Teigiama, jog šį klausimą iki šiol kartoja masonai, kuriems jis tapo savotišku šifruotu pagalbos šauksmu. Atrodo, Vorenas Belamis šaukiasi brolio masono pagalbos.

68 skyrius

Albrechtas Diureris?

Bėgdama drauge su Lengdonu per Adamso pastato rūsį, Ketrina stengėsi susivokti. *A. D. reiškia Albrechtas Diureris?* Garsusis XVI amžiaus vokiečių grafikas ir tapytojas buvo vienas iš mėgstamiausių jos brolio menininkų, Ketrina šiek tiek išmanė apie jo darbus. Ir vis tiek nepajėgė įsivaizduoti, kuo Diureris galėtų būti jiems naudingas šiuo atveju. *Pradėkime nuo to, kad jis mirė daugiau negu prieš keturis šimtus metų.*

— Diureris kaip simbolis yra tiesiog tobulas, — kalbėjo Lengdonas, skubėdamas keliu, nužymėtu švytinčiais užrašais IŠĖJIMAS. — Tikras Renesanso dvasios įsikūnijimas — menininkas, filosofas, alchemikas, *be to*, visą gyvenimą studijavo Senovės Slėpinius. Niekam iki šiol nėra pavykę iki galo suprasti visko, kas užšifruota Diurerio kūriniuose.

— Gali būti, — atsakė ji. — Bet kaip įrašas „1514 Albrechtas Diureris" padės mums iššifruoti piramidės įrašą?

Jie priėjo užrakintas duris, kurias Lengdonas atidarė pasinaudojęs Belamio kortele.

— Skaičius 1514, — paaiškino Lengdonas jiems skubant laiptais, — yra nuoroda į konkretų Diurerio kūrinį. — Jie atsidūrė milžiniškame koridoriuje. Lengdonas apsidairė ir parodė į kairę. — Ten. — Abu nuskubėjo toliau. — Albrechtas Diureris paslėpė skaičių 1514 paslaptingiausiame savo kūrinyje „Melancholija I", kurį pabaigė 1514 metais. Šis kūrinys laikomas vienu iš kertinių Šiaurės Europos Renesanso meno kūrinių.

Piteris kadaise rodė Ketrinai „Melancholiją I", kuria buvo ilistruota knyga apie senovės misticizmą, bet ji neprisiminė, kad ten būtų buvęs paslėptas skaičius 1514.

— Tu veikiausiai prisimeni, — regimai susijaudinęs kalbėjo Lengdonas, — kad graviūroje „Melancholija I" vaizduojamos žmonijos pastangos suvokti Senovės Slėpinius. Šio kūrinio simbolizmas toks sudėtingas, kad lyginant su juo Leonardas da Vinčis atrodo paprastas ir aiškus.

Ketrina staiga sustojo ir atsisuko į Lengdoną.

— Robertai, „Melancholija I" yra čia, Vašingtone. Ji kabo Nacionalinėje galerijoje.

— Taip, — šypsodamasis patvirtino jis, — ir man kažkodėl atrodo, kad tai ne atsitiktinis sutapimas. Galerija dabar uždaryta, bet aš pažįstu kuratorių, todėl...

— Robertai, nepradėk, aš žinau, kas būna, kai tu įeini į muziejų.

Ketrina pasuko į artimiausią nišą, kurioje pamatė stovintį stalą su kompiuteriu.

Lengdonas nelaimingas sekė iš paskos.

— Rinkimės lengvesnį kelią. — Atrodo, meno žinovui profesoriui Lengdonui bus kilusi etinė dilema: ar dera naudotis internetu, kai kūrinio originalas yra taip arti. Ketrina priėjo prie stalo ir įjungė kompiuterį. Kai ekranas nušvito, ji pamatė, kad problemos nesibaigė. — Nematau naršyklės piktogramos.

— Tai bibliotekos vidinis ryšys. — Lengdonas parodė ekrane piktogramą. — Pamėgink šitą.

Ketrina pažymėjo piktogramą SKAITMENINIAI RINKINIAI ir spragtelėjo pele. Ekrane nušvito kitas langas, Lengdonas vėl parodė pirštu. Ketrina spragtelėjo jo nurodytą piktogramą: GRAVIŪRŲ RINKINIAI. Ekranas nušvito dar kartą. GRAVIŪRŲ RINKINIAI: PAIEŠKA.

— Įrašyk: „Albrechtas Diureris."

Ketrina įrašė šį vardą ir spustelėjo ieškos klavišą. Po kelių sekundžių ekrane sumirgėjo mažyčiai vaizdai. Visi jie atrodė panašūs — nespalvotos graviūros. Panašu, kad Diureris tokių graviūrų sukūrė dešimtis.

Ketrina peržiūrėjo abėcėlinį meno kūrinių pavadinimų sąrašą.

Adomas ir Ieva
Keturi Apokalipsės raiteliai
Kristaus išdavimas
Kristaus kančia
Paskutinė vakarienė

Pamačiusi su Biblija susijusius pavadinimus Ketrina prisiminė, kad Diureris praktikavo vadinamąją mistinę krikščionybę — savotišką ankstyvosios krikščionybės, alchemijos, astrologijos ir mokslo samplaiką.

Mokslo...

Atmintyje iškilo liepsnomis išlėkusios laboratorijos vaizdai. Apie ilgalaikį šio nutikimo poveikį ji dar negalėjo pagalvoti, kol kas daugiausia nerimo kėlė asistentės Trišos likimas. *Tikiuosi, kad jai pavyko pabėgti.*

Lengdonas kažką kalbėjo apie Diurerio sukurtą „Paskutinės vakarienės" variantą, tačiau Ketrina jo beveik nesiklausė. Ji ką tik pamatė nuorodą į „Melancholija I".

Spragtelėjo pele ir ekrane nušvito bendroji informacija.

Melancholija I, 1514 m.
Albrechtas Diureris
(graviūra ant popieriaus)
Rozenvaldo kolekcija
Nacionalinė meno galerija
Vašingtonas, Kolumbijos apygarda

Žemiau visu grožiu buvo pateiktas suskaitmenintas, ryškios rezoliucijos Diurerio šedevras.

Ketrina nustėrusi stovėjo priešais ekraną: ji buvo pamiršusi, koks keistas šis kūrinys.

Lengdonas supratingai susijuokė.

— Juk sakiau, jis mįslingas.

„Melancholija I“ vaizdavo susimąsčiusią figūrą plačiais sparnais, sėdinčią priešais akmens pastatą, o aplink ją — keisčiausių, nieko bendra tarp savęs neturinčių objektų rinkinys: svarstyklės, perkaręs šuo, staliaus įrankiai, smėlio laikrodis, įvairūs geometriniai kūnai, varpas, angeliuko *putto* figūrėlė , ašmenys, kopėčios.

Ketrina neaiškiai prisiminė brolio pasakojimą, esą sparnuotoji figūra simbolizuojanti „žmogaus genijų“ — didį mąstytoją, ranka parėmusį smakrą, tačiau prislėgtą ir neįstengiantį pasiekti nušvitimo. Genijų supa įvairūs žmogaus intelekto simboliai — matematikos, gamtos mokslų, filosofijos, geometrijos, net staliaus amato įrankiai, tačiau jis vis tiek nepajėgia užlipti kopėčiomis į tikrą nušvitimą. *Net genialiam žmogui nelengva suprasti Senovės Slėpinius.*

— Simboline prasme, — kalbėjo Lengdonas, — čia vaizduojamos nesėkmingos žmonijos pastangos permainyti *žmogišką* intelektą ir paversti jį *dieviškomis* galiomis. Alchemijos terminais tai prilygsta mūsų nesugebėjimui paversti švino auksu.

— Nelabai drąsinamas pranešimas, — sutiko Ketrina. — Bet kokia mums iš jo nauda?

Ji vis dar nematė paslėpto skaičiaus 1514, apie kurį kalbėjo Lengdonas.

— Tvarka iš chaoso, — atsakė Lengdonas šyptelėjęs puse lūpų. — Kaip ir žadėjo tavo brolis. — Jis įkišo ranką į kišenę ir išsitraukė lentelę su raidėmis, kuriomis buvo pavertęs masonų šifrą. — Kol kas ši lentelė beprasmė.

Jis padėjo popierių ant stalo.

S	O	E	U
A	T	U	N
C	S	A	S
V	U	N	J

Ketrina peržvelgė lentelę. *Tikrai beprasmė.*

— Bet Diureris viską perkeis.

— O kokiu būdu?

— Lingvistine alchemija. — Lengdonas parodė į kompiuterio ekraną. —

Pažiūrėk atidžiau. Šiame šedevre paslėpta tai, kas įprasmins mūsų turimas šešiolika raidžių. — Jis luktelėjo. — Dar nematai? Paieškok skaičiaus 1514.

Ketrina buvo nenusiteikusi žaisti mokyklos.

— Robertai, aš nieko nematau — štai rutulys, kopėčios, peilis, briaunainis, svarstyklės... Pasiduodu.

— Žiūrėk! Ten, antrame plane. Išrėžtas pastate už angelo? Po varpu? Diureris išgraviravo kvadratą su skaičiais.

Dabar Ketrina pamatė kvadratą su skaičiais, tarp kurių buvo ir 1514.

— Ketrina, šis kvadratas — piramidės šifro raktas!

Ji nustebusi pažvelgė į jį.

— Tai ne bet koks kvadratas, — nusišypsojęs paaiškino Lengdonas. — Tai, ponia Solomon, yra *magiškas* kvadratas.

69 skyrius

Po velnių, kur jie mane veža?

Belamis vis dar užrištomis akimis sėdėjo visureigio gale. Trumpai stabtelėjęs kažkur netoli Kongreso bibliotekos, automobilis važiavo toliau... bet neilgai, gal kokią minutę. Paskui vėl sustojo, pavažiavęs ne daugiau kaip vieną kvartalą.

Belamis išgirdo prislopintą pokalbį.

— Atsiprašau... neįmanoma... — kalbėjo valdingas balsas, — tokiu metu... uždaryta...

Vyriškis, vairavęs visureigį, ne mažiau valdingai atsakinėjo:

— CŽV tyrimas... nacionalinio saugumo...

Atrodo, pasikeitimas žodžiais ir dokumentais pasirodė įtikinamas, nes pirmojo pašnekovo tonas iškart pasikeitė.

— Taip, be abejo... tarnybinis įėjimas... — Garsiai sugergždė tikriausiai garažo durys, ir joms atsidarant balsas pridūrė: — Gal jus palydėti? Kai būsite viduje, gali nepavykti pereiti...

— Ne. Mes įeisime.

Gal sargas ir nustebo, tačiau jau buvo vėlu. Visureigis vėl pajudėjo. Pavažiavo gal penkiasdešimt metrų ir sustojo dar kartą. Jiems už nugarų dundėdamos užsivėrė sunkios durys.

Tyla.

Belamis pajuto, kad visas dreba.

Galinės visureigio durelės garsiai atsidarė. Belamis pajuto, kaip suskaudo pečius: kažkas jį išvilko suėmęs už rankų, paskui pastatė ant kojų. Galinga jėga be žodžių nuvedė jį per platų šaligatvį. Ore tvyrojo keistas žemės kvapas, kurio jis neįstengė atpažinti. Buvo girdėti, kad greta dar kažkas eina, tačiau tas kažkas iki šiol nepratarė nė žodžio.

Sustojo prie durų, Belamis išgirdo elektrinės spynos skimbtelėjimą. Durys spragtelėjusios atsidarė. Belamį šiurkščiai nuvedė keliais koridoriais; jis negalėjo nepajusti, kad oras pasidarė šiltesnis ir drėgnesnis. *Gal čia uždaras baseinas?* Ne. Ore tvyrantis kvapas buvo ne chloro — kažkoks kitoks, drėgnesnis, primenantis rūsį.

Po velnių, kur mes esame?! Belamis suvokė, kad yra daugių daugiausia už dviejų kvartalų nuo Kapitolijaus pastato. Vėl sustojo, vėl pasigirdo elektroninis saugos durų cyptelėjimas. Šį kartą durys atsiverdamos sušnypštė. Jį įstūmė pro duris, ir kvapo, kuris iškart trenkė į šnerves, su niekuo nebūtum supainiojęs.

Belamis galiausiai suprato, kur atsidūrė. *Dieve mano!* Jis dažnai čia ateidavo, nors ir ne per tarnybinį įėjimą. Šis prašmatnus stiklo pastatas, esantis vos už trijų šimtų metrų nuo paties Kapitolijaus, oficialiai priklausė Kapitolijaus kompleksui. *Aš juk esu atsakingas už šį pastatą!* Tik dabar Belamis suprato, kad įėjimas čia buvo atrakintas jo raktu.

Stiprios rankos įstūmė jį pro duris ir nuvedė pažįstamu vingiuotu takeliu. Sunki, drėgna čia tvyranti šiluma dažniausiai jam teikdavo paguodą. Tačiau šį vakarą jis apsipylė prakaitu.

Ką mes čia veikiame?!

Staiga Belamį sustabdė ir pasodino ant suolelio. Raumeningasis žmogus trumpam atrakino antrankius, tačiau tuojau pat prirakino juos prie suolelio Belamiui už nugaros.

— Ko jums iš manęs reikia? — garsiai paklausė Belamis smarkiai plakančia širdimi.

Vienintelis atsakymas, kurį išgirdo, buvo sunkūs nutolstantys žingsniai ir uždaromų stiklinių durų garsas.

Paskui stojo tyla.

Mirtina tyla.

Tai jie ketina mane tiesiog čia palikti? Belamis dar labiau suprakaitavo, stengdamasis išlaisvinti rankas. *Aš negaliu net atsirišti akių!*

— Gelbėkit! — suriko jis. — Kas nors, į pagalbą!

Net šaukdamas Belamis puikiai žinojo, kad niekas jo neišgirs. Šis milžiniškas stiklo kambarys, vadinamas Džiunglėmis, uždarius duris visiškai nepraleisdavo oro.

Jie paliko mane Džiunglėse, pamanė jis. Iki ryto manęs niekas neras.

Staiga jis kai ką išgirdo.

Garsas buvo labai silpnas, tačiau Belamį jis išgąsdino taip, kaip joks kitas garsas gyvenime nebuvo išgąsdinęs. *Kažkas alsuoja. Visiškai arti.*

Ant suolelio jis buvo ne vienas.

Netikėtai įžiebtas degtukas sučirškė taip arti jo veido, kad buvo justi jo kaitra. Belamis atšlijo, instinktyviai truktelėjęs antrankius.

Staiga be jokio įspėjimo jo veidą palietė ranka, nuėmė raištį.

Priešais deganti liepsna atsispindėjo juodose Inoujės Sato akyse; ji pridėjo degtuką prie burnoje kyšančios cigaretės, vos už kelių centimetrų nuo Belamio veido.

Sato atidžiai žvelgė į jį mėnesienoje, sklindančioje pro stiklo lubas. Atrodo, jai buvo malonu matyti jo baimę.

— Na, pone Belami, — ištarė Sato, purtydama gesinamą degtuką, — nuo ko pradėsime?

70 skyrius

Magiškas kvadratas. Ketrina linktelėjo galva, apžiūrinėdama skaičių pilną kvadratą Diurerio graviūroje. Daug kas jos vietoje būtų pamanęs, kad Lengdonas neteko proto, bet Ketrina netruko sumesti, jog jis teisus.

Žodžiais „magiškas kvadratas" buvo vadinamas ne mistinis, o matematinis reiškinys — vienas po kito einančių skaičių lentelė, skaičiai išdėlioti taip, kad visų eilučių, stulpelių ir įstrižainių sumos būtų lygios. Magiški kvadratai, kuriuos prieš keturis tūkstančius metų sukūrė Egipto ir Indijos matematikai, iki šiol buvo laikomi turinčiais magiškų savybių. Ketrina buvo skaičiusi, kad net šiais laikais pamaldūs indai piešia ant savo pujos altorių specialius trys iš trijų skaičių magiškus kvadratus, vadinamus Kubera kolamu. Vis dėlto šiuolaikinis žmogus magiškus kvadratus iškėlė į laisvalaikio arba „įdomiosios matematikos" sritį: kai kam iki šiol malonu ieškoti naujų „magiškų" konfigūracijų. *Sudoku, skirti genijams.*

Ketrina greitai išanalizavo Diurerio kvadratą, sudėdama keleto eilučių ir stulpelių skaičius.

16	3	2	13
5	10	11	8
9	6	7	12
4	15	14	1

— Trisdešimt keturi, — ištarė ji. — Sudėdami skaičius bet kuria kryptimi, gausime trisdešimt keturis.

— Būtent, — sutiko Lengdonas. — Bet ar žinai, kad šis magiškas kvadratas garsus ir tuo, jog Diureriui pavyko pasiekti tai, kas faktiškai neįmanoma? — Jis greitai parodė Ketrinai, kad Diureris ne tik surikiavo skaičius taip, kad visų eilučių, stulpelių ir įstrižainių suma būtų lygi trisdešimt keturiems: tą patį skaičių gausime ir sudėję visų keturių ketvirčių, keturių vidurinių langelių ir net keturių kampinių langelių skaičius. — Tačiau nuostabiausia, kad Diureriui pavyko apatinėje eilutėje patalpinti skaičius 15 ir 14, sykiu nurodant metus, kuriais buvo atliktas šis stulbinamas darbas!

Ketrina žiūrinėjo skaičius, stebėdamasi galimais jų deriniais.

Lengdono balse buvo girdėti susijaudinimas.

— Nepaprasta ir tai, kad „Melancholija I“ yra pirmas atvejis istorijoje, kai magiškas kvadratas buvo pavaizduotas *Europos* mene. Kai kurie istorikai mano, kad taip Diureris davė slaptą ženklą, jog Senovės paslaptys perkeltos iš Egipto mistikų mokyklos saugoti Europos slaptosiose draugijose. — Lengdonas stabtelėjo. — Taigi grįžkime prie... štai ko.

Jis parodė popierių, kuriame buvo surašęs lentelę su akmens piramidės raidėmis.

S	O	E	U
A	T	U	N
C	S	A	S
V	U	N	J

— Manau, šis formatas dabar tau atrodo pažįstamas? — paklausė Lengdonas.

— Kvadratas keturių narių ilgio kraštinėmis.

Lengdonas pasiėmė pieštuką ir kruopščiai perrašė Diurerio magiško kvadrato skaičius ant popieriaus tiesiai po lentele su raidėmis. Ketrina jau pamatė, koks lengvas darbas jų laukia. Lengdonas sustojo pasiruošęs, laikydamas pieštuką rankoje, tačiau... keista, nepaisant įkarščio, jis tarytum dvejojo.

— Robertai?

Jis atsisuko į ją neryžtinga veido išraiška.

— Ar tikrai nori, kad tai padarytume? Piteris labai aiškiai...

— Robertai, jei *tu* nenori iššifruoti šio įrašo, tada jį iššifruosiu *aš*. — Ji ištiesė ranką paimti pieštuką.

Lengdonas pamatė, kad jos sustabdyti nepavyks, todėl nusileido ir vėl ėmėsi piramidės. Atidžiai perkėlė magiško kvadrato skaičius į piramidės raidžių lentelę, kiekvienai raidei paskirdamas numerį. Tada nubrėžė naują lentelę, į kurią surašė masonų šifro raides tokia tvarka, kokią nurodė Diurerio kvadrato skaičiai.

Lengdonui baigus, jie abu apžiūrėjo rezultatą.

J	E	O	V
A	S	A	N
C	T	U	S
U	N	U	S

Ketrina vėl sutriko.

— Vis tiek paistalai.

Lengdonas ilgai tylėjo.

— Tiesą sakant, Ketrina, tai visai ne paistalai. — Jo akyse įsižiebė atradimo liepsnelės. — Čia parašyta... lotyniškai.

Senas aklas žmogus kaip įmanydamas greičiau šlepsėjo ilgu koridoriumi prie savo darbo kabineto. Galiausiai jį pasiekęs, susmuko krėsle, o seni kaulai dėkingi priėmė poilsį. Telefono atsakiklis pypsėjo. Senis paspaudė mygtuką ir ėmė klausytis.

„Čia Vorenas Belamis, — sušnibždėjo jo draugo ir brolio masono balsas. — Deja, turiu pranešti labai baugią žinią..."

Ketrina Solomon vėl pažvelgė į lentelę su raidėmis, geriau įsižiūrėdama į tekstą. Ir tikrai jai prieš akis iškilo lotyniškas žodis. *Jeova.*

J	E	O	V
A	S	A	N
C	T	U	S
U	N	U	S

Ketrina nesimokė lotynų kalbos, tačiau šį žodį buvo mačiusi skaitydama senus hebrajiškus tekstus. *Jeova. Jehova.* Akimis slysdama raidėmis, skaitydama lentelę kaip knygą, ji nustebo pamačiusi galinti perskaityti visą piramidėje įrašytą tekstą.

Jeova Sanctus Unus.

Jo prasmę ji suprato iš karto. Šie žodžiai dažnai kartojosi šiuolaikiniuose žydų Šventraščio vertimuose. Toroje žydų Dievas turi daug vardų — Jeova, Jehova, Jehošua, Jahvė, Šaltinis, Elohim, bet dauguma romėnų vertėjų šią keblią nomenklatūrą apibendrino viena lotyniška fraze: *Jeova Sanctus Unus.*

— Vienas tikrasis Dievas? — sušnibždėjo ji pati sau. Anaiptol neatrodė tikėtina, kad šie žodžiai jiems padės surasti jos brolį. — Toks yra slaptasis piramidės pranešimas? Vienas tikrasis Dievas? O aš maniau, kad tai žemėlapis.

Lengdonas atrodė ne mažiau sutrikęs, iš jo akių išblėso įkarštis.

— Aišku, šis aprašymas teisingas, bet...

— Mano brolį pagrobęs žmogus nori sužinoti konkrečią *vietą*. — Ji užsikišo už ausies plaukų sruogą. — Tai jį nelabai nudžiugins.

— Ketrina, — atsidusęs ištarė Lengdonas, — aš to ir bijojau. Visą šį vakarą man atrodo, kad mitų ir alegorijų rinkinius mes be jokio reikalo laikome tikrove. Gal šis įrašas, neva nurodantis vietą, yra metafora — jis mums primena, kad tikrąsias žmogiškas savo galias žmogus gali pasiekti tik per vienatinį tikrąjį Dievą.

— Bet tai neturi jokios prasmės, — atsakė Ketrina ir iš apmaudo sukando dantis. — Šią piramidę saugojo kelios mano šeimos kartos! Vienas tikrasis Dievas? Tai ir yra paslaptis? Ir ją CŽV laiko pavojumi nacionaliniam saugumui? Arba jie mums meluoja, arba mes kažką praleidome!

Lengdonas pritardamas gūžtelėjo pečiais.

Tą akimirką suskambo jo telefonas.

Gausiai popierių ir senų knygų prikimštame kabinete palinkęs prie darbo stalo sėdėjo senis, artrito iškraipytais pirštais spausdamas telefono ragelį.

Jame buvo girdėti ilgi signalai.

Galiausiai klausiamas balsas atsiliepė:

— Alio?

Balsas buvo sodrus, tačiau jame aidėjo dvejonė.

Senis sušnibždėjo:

— Man sakė, kad jums reikalingas prieglobstis.

Atrodo, atsiliepęs žmogus apstulbo.

— Kas jūs? Ar Vorenas Bel...

— Prašau, neminėkite vardų, — atsakė senis. — Sakykite, ar jums pavyko išsaugoti jums patikėtą žemėlapį?

Stojo nuostabos kupina pauzė.

— Taip... bet nemanau, kad jis labai svarbus. Jame ne kažin kas parašyta. Jei tai žemėlapis, tai jis, atrodo, yra veikiau metafora, negu...

— Ne, žemėlapis visiškai tikras, galiu jums garantuoti. Ir jis nurodo visiškai konkrečią vietą. Privalote jį saugoti. Neįstengiu jums garantuoti, kaip tai svarbu. Jūsų ieško, tačiau jei įstengsite niekieno nepastebėti pasiekti vietą, kurioje aš esu, galėsiu jums parūpinti prieglobstį... ir kai kuriuos atsakymus.

Žmogus dvejojo, tarsi negalėdamas apsispręsti.

— Bičiuli, — vėl prakalbo senis, atidžiai rinkdamas žodžius. — Prieglobstis yra Romoje, į šiaurę nuo Tibro, jame dešimt akmenų iš Sinajaus kalno, vienas iš paties dangaus, o kitame regėti tamsaus Luko tėvo veidas. Ar žinote, kur tai?

Ragelyje ilgai buvo tylu, o paskui žmogus atsakė:

— Taip, žinau.

Senis nusišypsojo. *Taip ir maniau, kad žinosite, profesoriau.*

— Greičiau atvykite. Pasirūpinkite, kad jūsų niekas nesektų.

71 skyrius

Malachas stovėjo nuogas, apsuptas galingos dušinės pirties garų. Nusiplovęs dar likusius etanolio pėdsakus, vėl pasijuto švarus. Į odą smelkėsi eukalipto lapais kvepiantys garai, ir jis juto, kaip atsiveria poros. Paskui pradėjo ritualą.

Pirmiausia ištrynė tatuiruotą kūną ir galvą depiliacijai skirtais chemikalais, pašalindamas visus plaukų pėdsakus. *Septyni salų dievai Heliadai buvo beplaukiai.* Paskui įtrynė suminkštėjusį, atsivėrusį kūną Abramelino aliejumi. *Abramelino aliejus — šventasis didžiųjų magų aliejus.* Paskui smarkiai pasuko dušo svirtį kairėn, pasipylė šaltas kaip ledas vanduo. Lygiai minutę pastovėjo po stingdančia srove, kad užsivertų poros, o karštis ir energija pasiliktų kūno viduje. Šaltis priminė ledinę upę, kurioje prasidėjo jo persimainymas.

Išlipęs iš dušo visas drebėjo, bet po kelių sekundžių pro kūno raumenų sluoksnius prasimušė vidinė kaitra ir jį sušildė. Malachas jautėsi taip, tarsi viduje liepsnotų lydymo krosnis. Jis nuogas stovėjo prieš veidrodį ir gėrėjosi savo figūra... gal tai jau paskutinis kartas, kai žvelgia į save kaip į paprastą mirtingąjį.

Jo pėdos buvo tatuiruotos kaip naguoti vanago pirštai. Kojos — senovinės išminties kolonos, Boazas ir Jachinas. Klubai ir pilvas — mistinių galių arka. Kybantis po arka didžiulis lyties organas buvo ištatuiruotas lemties simboliais. Kitame gyvenime šis sunkus mėsos luitas buvo daugybės kūniškų malonumų šaltinis. Bet šiame — jau ne.

Aš buvau apvalytas.

Malachas kaip mistiniai katarų vienuoliai eunuchai pats pašalino sau sėklides. Paaukojo fizinę potenciją siekdamas vertesnių galių. Dievai neturi lyties. Atsikratęs žmogiškos lyties netobulybės ir žemiškos lytinių pagundų traukos, Malachas tapo toks pat, kaip Uranas, Atis, Sporus ir didieji Artūro legendų magai kastratai. *Prieš kiekvieną dvasios metamorfozę įvyksta kūno metamorfozė*. Tokia visų didžiųjų dievų pamoka — nuo Ozirio ir Tamuzo iki Jėzaus, Šivos, paties Budos.

Privalau nusimesti žmogaus kevalą, kuriuo esu apgaubtas.

Malachas greitai kėlė žvilgsnį aukštyn — pro dvigalvį feniksą ant krūtinės, pro veidą puošiančius senovinius burtaženklius iki pat viršugalvio. Prieš veidrodį palenkė galvą, vos galėdamas pamatyti ten paliktą netatuiruotos odos lopelį. Ši kūno vieta buvo šventa. Ji vadinama momeniu arba versme — vienintelė žmogaus kaukolės vieta, kuri gimstant kūdikiui būna atvira. *Tarsi švieslangis į smegenis*. Nors fiziologijos požiūriu šie vartai užsiveria po kelių mėnesių, simboline prasme jie ženklina prarastą vidinio ir išorinio pasaulio ryšį.

Malachas apžiūrėjo šventą nepaliestos odos lopelį, kurį tarsi karūna ratu supo *ouroboros* — mistinė gyvatė, ryjanti savo uodegą. Atrodė, jog švari oda žiūri atgal į jį... švytėdama pažadais.

Netrukus Robertas Lengdonas ras didįjį lobį, kurio reikia Malachui. Turėdamas jį, Malachas galės užpildyti viršugalvyje esančią tuštumą ir tada jau bus pasirengęs galutiniam persimainymui.

Malachas nužingsniavo per miegamąjį ir iš apatinio stalčiaus išsitraukė ilgą balto šilko juostą. Kaip jau ne kartą buvo daręs, apsivyniojo ja strėnas ir sėdmenis. Paskui nulipo žemyn.

Į kompiuterį, stovintį jo darbo kabinete, atėjo elektroninis laiškas.

Jį atsiuntė ryšininkas.

TAI, KO JUMS REIKIA, GREITAI BUS GAUTA.
PRANEŠIU JUMS PER VALANDĄ. KANTRYBĖS.

Malachas nusišypsojo. Metas pradėti paskutinius pasirengimus.

72 skyrius

CŽV operatyvininkas subjuręs leidosi nuo skaityklos balkono. *Belamis mus apgavo*. Viršuje agentui nepavyko rasti jokių šiluminių pėdsakų — nei prie Mozės statulos, nei, tiesą sakant, kur nors kitur.

Tai kur, po velnių, pradingo Lengdonas?

Agentas grįžo atgal į vienintelę vietą, kurioje išvis pavyko rasti kokių nors šilumos pėdsakų — leidinių išdavimo centrą. Jis vėl nulipo laiptais, praėjo aštuonkampę spintą. Ausį rėžė konvejerius valdančių mechanizmų ūžimas. Įėjęs giliau į patalpą, jis užsidėjo šiluminio regėjimo akinius ir apžvelgė kambarį. Nieko. Pažvelgė fondų pusėn, kur nuo sprogimo dar alsavo karščiu suniokotos durys. Tačiau daugiau nebuvo matyti jokių...

Viešpatie aukščiausias!

Agentas staiga atšoko, apakintas į regos lauką netikėtai įsiveržusio švytėjimo. Du blausiai švytintys žmonių pavidalo pėdsakai tarytum du vaiduokliai ką tik pasirodė ant išnirusio iš sienos angos konvejerio. *Šiluminiai pėdsakai.*

Agentas apstulbęs žiūrėjo, kaip šmėklos judančiu konvejeriu apsuko patalpą ir vėl išnyko siauroje sienos angoje. *Jie išvažiavo sugulę ant konvejerio? Beprotybė.*

Supratęs, kad Robertas Lengdonas ką tik paspruko nuo jų pro skylę sienoje, agentas įvertino kilus dar vieną problemą. *Lengdonas ne vienas?*

Jis jau ketino įsijungti siųstuvą ir iškviesti komandos vadą, bet šis jį aplenkė.

— Visiems postams, aikštėje prieš biblioteką stovi tuščias „Volvo“. Registruotas Ketrinos Solomon vardu. Liudytojas sako, kad ji neseniai įėjo į biblioteką. Įtariama, kad ji yra su Robertu Lengdonu. Direktorė Sato įsako kuo greičiau juos surasti.

— Aš radau jų šiluminius pėdsakus! — iš leidinių paskirstymo centro sušuko agentas. Jis paaiškino padėtį.

— Dėl Dievo meilės, — atsiliepė komandos vadas. — Kur eina tas konvejeris?

Operatyvininkas jau žiūrinėjo lentoje iškabintą darbuotojams skirtą schemą.

— Į Adamso pastatą, — atsakė jis. — Už kvartalo nuo čia.

— Visiems postams. Vykti į Adamso pastatą! TUOJAU PAT!

73 skyrius

Prieglobstis. Atsakymai.

Šie žodžiai aidėjo Lengdono galvoje, kai jiedu su Ketrina išlėkė pro Adamso pastato šoninį išėjimą į šaltą žiemos naktį. Paslaptingasis pašnekovas mįslingai nusakė savo buvimo vietą, bet Lengdonas jį suprato. Ketrina, išgirdusi, kur reikia eiti, reagavo stebėtinai ramiai: *Tai geriausia vieta ieškoti vienintelio tikro Dievo.*

Tačiau dabar iškilo problema, kaip ten patekti.

Lengdonas apsisuko, mėgindamas susiorientuoti. Buvo tamsu, tačiau dangus, ačiū Dievui, išsiblaivė. Jie stovėjo mažame kiemelyje. Kažkur buvo matyti stebėtinai tolimas Kapitolijaus kupolas, ir Lengdonas staiga suvokė, kad nuo to laiko, kai prieš kelias valandas atvyko į Kapitolijų, jis tik dabar pirmąkart išėjo į lauką.

Tiek ir tereikėjo tos mano paskaitos.

— Robertai, žiūrėk, — Ketrina parodė į Džefersono pastato siluetą.

Pamatęs pastatą, Lengdonas pirmiausia apstulbo suvokęs, kaip toli jie atkeliavo konvejeriu. Tačiau netrukus pajuto išgąstį. Džefersono pastate virte virė veikla — prie jo važiavo automobiliai, sunkvežimiai, kažką šūkavo žmonės. *Nejau paieška?*

Lengdonas sugriebė Ketriną už rankos.

— Eime.

Jie perbėgo skersai kiemą į šiaurės rytų pusę ir greitai dingo visiems iš akių, pasislėpę už elegantiško U raidės pavidalo pastato, kuris, kaip Lengdonas netrukus atpažino, buvo Foldžerio Šekspyro biblioteka. Būtent šis pastatas jiems dabar atrodė simboliškai tinkamiausia vieta pasislėpti, nes jame saugomas Fransio Beikono „Naujosios Atlantidos“ — utopijos, kuria neva rėmėsi Amerikos tėvai ir įkūrėjai, kurdami naują pasaulį senovės žinių pagrindu, lotyniško rankraščio originalas. Ir vis tiek Lengdonas neketino sustoti.

Reikia pasigauti taksi.

Jie atbėgo prie Trečiosios ir Rytų Kapitolijaus gatvių sankryžos. Mašinų buvo nedaug, ir Lengdonas, dairydamasis taksi automobilio, pajuto gęstant viltį. Jiedu su Ketrina nuskubėjo šiaurės pusėn į Trečiąją gatvę, stengdamiesi kuo labiau nutolti nuo Kongreso bibliotekos. Tik nubėgus visą kvartalą Lengdonas galiausiai pastebėjo už kampo sukantį taksi. Jis pamojo ranka, ir automobilis sustojo.

Automobilyje radijas grojo Artimųjų Rytų muziką, jaunas vairuotojas arabas draugiškai jiems nusišypsojo.

— Kur važiuosime? — paklausė vairuotojas, jiems sulipus į automobilį.

— Mums reikia į...

— Šiaurės vakarus! — nutraukė jį Ketrina, rodydama į Trečiąją gatvę, tolyn nuo Džefersono pastato. — Važiuokite iki Unijos stoties, tada Masačusetso prospektu į kairę. Pasakysim, kur sustoti.

Vairuotojas gūžtelėjo pečiais, pakėlė organinio stiklo pertvarą, skiriančią jį nuo keleivių, ir vėl pagarsino muziką.

Ketrina metė Lengdonui įspėjamą žvilgsnį tarsi norėdama pasakyti: „Negalima palikti pėdsakų.“ Ji parodė į langą, atkreipdama Lengdono dėmesį į juodą sraigtasparnį, kuris skrido visai žemai, artėdamas prie jų. *Velnias.* Atrodo, Sato tikrai mirtinai trokšta atgauti Solomono piramidę.

Žiūrėdama, kaip sraigtasparnis nusileidžia tarp Džefersono ir Adamso pastatų, Ketrina dar labiau sunerimusi atsisuko į Lengdoną.

— Galiu trumpam paimti tavo mobilųjį telefoną?

Lengdonas padavė.

— Piteris man sakė, kad tu turi eidetinę atmintį? — paklausė ji, nuleisdama langą savo pusėje. — Ir kad atsimeni visus telefono numerius, kuriuos esi kada nors rinkęs?

— Teisybė, bet...

Ketrina sviedė telefoną į tamsą. Lengdonas pasisukęs stebėjo, kaip aparatas nuskrieja lanku ir sudūžta į šipulius ant šaligatvio už automobilio.

— Kam tu taip padarei?

— Kad nesusektų, — atsakė Ketrina, rimtai žiūrėdama į jį. — Šita piramidė — vienintelė viltis, kad rasime mano brolį, ir aš neketinu leisti CŽV ją iš mūsų pagrobti.

Sėdėdamas vairuotojo vietoje Omaras Amirana lingavo galva ir niūniavo pritardamas muzikai. Šią naktį žmonių nedaug, jis labai apsidžiaugė galiausiai radęs keleivių. Taksi kaip tik važiuojant pro Stentono parką, iš garsiakalbio pasigirdo pažįstamas bendrovės dispečerės balsas.

— Kalba dispečerė. Visiems automobiliams, esantiems Tautos alėjos apylinkėse. Ką tik gavome valstybės tarnybų pranešimą apie du bėglius Adamso pastato rajone...

Omaras apstulbęs klausėsi, kaip dispečerė nusako išvaizdą žmonių, sėdinčių jo automobilyje. Jis nesmagiai vogčiomis dirstelėjo į galinio vaizdo veidrodėlį. Teko pripažinti, kad aukštaūgis vyriškis iš tiesų atrodo kažkur matytas. *Nejau mačiau jo nuotrauką ieškomiausių Amerikos nusikaltėlių sąraše?*

Omaras atsargiai ištiesė ranką ir paėmė siųstuvą.

— Dispečere? — tyliai ištarė jis. — Čia vienas trys keturi. Tiedu žmonės, apie kuriuos klausėte... jie mano automobilyje. Dabar.

Dispečerė tuojau pat nurodė Omarui, ką daryti toliau. Virpančiomis rankomis jis surinko jos duotą telefono numerį. Atsiliepė griežtas ir budrus balsas, panašus į kareivio.

— Agentas Terneris Simkinsas, CŽV operatyvinė grupė. Kas kalba?

— Eeee... aš taksi vairuotojas, — ištarė Omaras. — Man liepė paskambinti dėl tų dviejų...

— Ar bėgliai šiuo metu yra jūsų automobilyje? Atsakykite tik „taip“ arba „ne“.

— Taip.

— Ar jie girdi šį pokalbį? Taip ar ne?

— Ne. Pertvara...
— Kur jūs juos vežate?
— Į šiaurės rytus, toliau Masačusetso prospektu.
— Konkreti vieta?
— Jie nepasakė.
Agentas patylėjo.
— Ar vyriškis turi odinį krepšį?
Omaras dirstelėjo į galinio vaizdo veidrodėlį, ir jo akys išsiplėtė.
— Taip! Tame krepšyje turbūt sprogmenys ar kokie nors...
— Atidžiai klausykite, — nutraukė jį agentas. — Jei tiksliai vykdysite mano nurodymus, jums negresia joks pavojus. Ar aišku?
— Taip, pone.
— Kuo jūs vardu?
— Omaras, — apsipylęs prakaitu pasakė jis.
— Paklausykit, Omarai, — ramiai tarė vyriškis. — Jūs viską teisingai darote. Dabar važiuokite kiek galėdamas lėčiau, o aš paruošiu savo komandos vyrus jus sutikti. Supratote?
— Taip, pone.
— Ir dar: ar jūsų automobilyje yra vidaus ryšio sistema, leidžianti kalbėtis su keleiviais?
— Taip, pone.
— Gerai. Tada darykite štai ką...

74 skyrius

Džiunglės, kaip jas įprasta vadinti, yra centrinė JAV Botanikos sodo (JAVBS) — gyvojo Amerikos muziejaus — patalpa, esanti visai greta JAV Kapitolijaus pastato. Džiunglės — iš tikrųjų drėgnas atogrąžų miškas — yra aukštame šiltnamyje, čia auga išlakūs kaučiukmedžiai, fikusai smaugliai, po pat stogu įrengtas apžvalgos takelis drąsesniems turistams.

Voreną Belamį dažniausiai stiprindavo drėgni Džiunglių kvapai ir saulės šviesa, spinduliuojanti pro tirštą rūką, skleidžiamą stiklo lubose įrengtų garų čiaupų. Tačiau šį vakarą Džiunglės, apšviestos tik mėnesienos, jį baugino. Išpiltas gausaus prakaito jis muistėsi, stengdamasis įveikti vis dar už nugaros skausmingai surakintas rankas apėmusį mėšlungį.

Priešais jį žingsniavo direktorė Sato, ramiai traukdama cigaretę — šis veiksmas rūpestingai prižiūrimoje uždaroje aplinkoje prilygo ekologiniam terorizmui. Dūmų debesyse ir mėnesienoje, sklindančioje pro stiklo lubas, jos veidas atrodė kone demoniškas.

— Vadinasi, — toliau kalbėjo Sato, — kai jūs šį vakarą atvykote į Kapitolijų ir sužinojote, kad aš jau čia esu... jūs apsisprendėte. Užuot prisistatęs man, patyliukais nusileidote į SBB lygmenį, keldamas visiems didelius pavojus užpuolėte viršininką Andersoną ir mane, o paskui padėjote pabėgti Lengdonui, nešinam piramide ir jos viršūne. — Ji pasitrynė petį. — Įdomus sprendimas.

Jei reikėtų spręsti dar kartą, pasielgčiau lygiai taip pat, pamanė Belamis.

— Kur Piteris? — piktai paklausė jis.

— Iš kur *man* žinoti? — atsakė Sato.

— Jūs, atrodo, žinote visa kita! — atšovė jai Belamis, nė nemėgindamas slėpti įtarimo, kad laiko ją atsakinga už visus šiuos įvykius. — Jūs žinojote, kad reikia eiti į Kapitolijaus pastatą. Žinojote, kad reikia surasti Robertą Lengdoną. Net žinojote, kad reikia peršviesti Lengdono krepšį, o jame rasti piramidės viršūnę. Aišku, kad kažkas jums teikia informaciją.

Sato šaltai nusijuokė ir žingtelėjo arčiau.

— Pone Belami, ar *dėl to* jūs mane užpuolėte? Manote, kad aš priklausau *priešams*? Manote, kad mėginu pagrobti jūsų piramidę? — Sato užsitraukė cigaretę ir išpūtė pro šnerves dūmus. — Atidžiai paklausykite. Niekas geriau už mane nesupranta, kaip svarbu saugoti paslaptį. Aš, kaip ir jūs, tikiu, kad yra informacijos, kurios negalima atskleisti masėms. Tačiau šį vakarą, deja, vyksta dalykai, kurių svarbos jūs, atrodo, neįstengėte suvokti. Žmogus, kuris pagrobė Piterį Solomoną, turi didžiulę galią... galią, kurios jūs kol kas nesuprantate. Tikėkite manimi, jis yra tikra vaikščiojanti laikrodinė bomba... jis gali pradėti seką įvykių, kurie iš esmės pakeis mums pažįstamą pasaulio tvarką.

— Nesuprantu, — Belamis pasimuistė, judindamas skaudamas nuo antrankių rankas.

— Jums nė *nereikia* suprasti. Privalote paklusti. Šiuo metu vienintelė mano viltis užkirsti kelią didžiulei katastrofai — bendradarbiauti su šiuo žmogumi... duoti jam tai, ko jis nori. O tai reiškia, kad jūs paskambinsite ponui Lengdonui ir liepsite jam pasiduoti drauge su piramide ir su jos viršūne. Atsidūręs mano priežiūroje, Lengdonas iššifruos piramidės įrašą, gaus informaciją, kurios reikalauja tas žmogus, ir duos jam viską, ko tik šis paprašys.

Pasakys, kur yra suktiniai laiptai, vedantys į Senovės Slėpinius?

— Aš negaliu. Esu davęs slaptumo priesaiką.

Sato pratrūko:

— Man nė velnio nerūpi, ką ten jūs davėte, įmesiu jus į kalėjimą kaip...

— Gąsdinkite kiek norite, — tvirtai atsakė Belamis. — Aš su jumis nebendradarbiausiu.

Sato giliai įkvėpė ir prakalbo šiurpiu šnabždesiu.

— Pone Belami, juk jūs nė neįsivaizduojate, kas čia šiąnakt vyksta, tiesa?

Įtempta tyla truko keletą sekundžių; galiausiai ją nutraukė Sato telefono skambutis. Ji įkišo ranką į kišenę ir skubiai išsitraukė telefoną.

— Kalbėkite, — atsiliepė ir įdėmiai išklausė atsakymą. — Kur dabar jų taksi? Ar ilgai? Na, gerai. Atvežkite juos į JAV Botanikos sodą. Tarnybinis įėjimas. Tik būtinai atneškite man tą prakeiktą piramidę ir jos viršūnę.

Sato baigė pokalbį ir patenkinta nusišiepė, atsisukusi į Belamį.

— Na, ką gi... atrodo, greit jūsų ir visai nebereikės.

75 skyrius

Robertas Lengdonas bukai spoksojo į tolį, pernelyg pavargęs, kad paragintų vos šliaužiantį taksi vairuotoją padidinti greitį. Greta sėdinti Ketrina irgi nutilo — atrodo, ją priveikė nesugebėjimas suprasti, kuo ta piramidė tokia nepaprasta. Jie dar kartą aptarė viską, ką žinojo apie piramidę, apie viršūnę ir keistus šio vakaro įvykius, tačiau niekaip neįstengė sugalvoti, kaip šią piramidę išvis galima laikyti kokią nors vietą rodančiu žemėlapiu.

Jeova Sanctus Unus? The secret hides within The Order?

Paslaptingasis pašnekovas pažadėjo atsakyti į klausimus, jei jiems pavyks su juo susitikti konkrečioje vietoje. Prieglobstis Romoje, į šiaurę nuo Tibro. Lengdonas žinojo, kad Amerikos įkūrėjai „naująją Romą“ gana greitai pervadino Vašingtonu, tačiau jų svajonių detalės išliko: Tibro vandenys iki šiol įteka į Potomaką, senatoriai iki šiol renkasi pastate, atkartojančiame Šv. Petro baziliką, o seniai užgesintą Rotondos ugnį iki šiol sergsti Vulkanas ir Minerva.

Atrodo, atsakymai, kurių taip ieško Lengdonas ir Ketrina, laukia jų vos už keleto mylių. *Masačusetso prospektu į šiaurės vakarus.* Jų kelionės tikslas iš tiesų yra prieglobstis... esantis į šiaurę nuo Vašingtono Tibro upelio. Lengdonas pamanė, kad vairuotojas kažkodėl labai delsia.

Staiga Ketrina atsitiesė tarsi kažką supratusi.

— Dieve mano, Robertai! — Ji išblyškusi atsisuko į jį. Akimirką dvejojo, paskui labai tvirtai ištarė: — Mes važiuojame ne ten!

— Ne, viskas gerai, — paprieštaravo Lengdonas. — Masačusetso prospektu į šiaurės va...

— Ne! Norėjau pasakyti, kad mes važiuojame ne į tą vietą!

Lengdonas nieko nebesuprato. Jis jau buvo papasakojęs Ketrinai, kaip suprato, kurią vietą turėjo galvoje paslaptingasis pašnekovas. *Joje yra dešimt akmenų nuo Sinajaus kalno, vienas iš paties dangaus, o kitame regėti tamsaus Luko tėvo veidas*. Tik vienas pastatas visame pasaulyje gali tuo pasigirti. Būtent prie jo dabar ir važiuoja taksi.

— Ketrina, aš neabejoju, kad vietą atspėjau teisingai.

— Ne! — sušuko ji. — Mums ten nebereikia. Aš supratau, ką reiškia piramidė ir jos viršūnė! Supratau, koks čia reikalas!

Lengdonas apstulbo.

— Tu viską supratai?

— Taip! Mums reikia važiuoti į Laisvės aikštę!

Lengdonas visai sutriko. Laisvės aikštė buvo netoli, tačiau ji atrodė neturinti nieko bendra su jų paieškomis.

— *Jeova Sanctus Unus!* — kalbėjo Ketrina. — Vienintelis tikrasis žydų Dievas. *Žydų* šventasis simbolis yra Dovydo žvaigždė, Saliamono antspaudas, svarbus masonų simbolis! — Ji išsitraukė iš kišenės dolerio banknotą. — Duok man parkerį.

Nieko nebesuprasdamas Lengdonas išėmė iš švarko kišenės parkerį.

— Žiūrėk. — Ji pasidėjo dolerio banknotą ant šlaunies ir parkeriu ėmė rodyti reverse išspausdintą Didįjį antspaudą. — Jei ant Jungtinių Valstijų Didžiojo antspaudo uždėsi Saliamono antspaudą... — Tiesiai ant piramidės ji nubrėžė Dovydo žvaigždės simbolį. — Žiūrėk, kas išeina!

Lengdonas pažvelgė į banknotą, paskui į Ketriną tokiu žvilgsniu, tarsi laikytų ją pamišėle.

— Robertai, žiūrėk atidžiau. Nejau nematai, ką aš *rodau?*

Jis vėl pažvelgė į jos piešinį.

Kokius čia niekus ji šneka? Lengdonui jau buvo tekę matyti šį vaizdą. Jį mėgo sąmokslo teorijų rezgėjai, laikantys įrodymu, kad šaliai kuriantis masonai viskam darė slaptą įtaką. Uždėjus šešiakampę žvaigždę tiesiai ant JAV Didžiojo antspaudo, viršutiniame žvaigždės spindulyje kaip tik sutelpa visareginti masonų akis... o dar keisčiau tai, kad likę penki spinduliai aiškiai nukreipti į raides, sudarančias žodį M-A-S-O-N.

— Ketrina, tai tik sutapimas, be to, niekaip nesuprantu, ką jis turi bendra su Laisvės aikšte.

— Pažiūrėk atidžiau! — jau beveik piktai paliepė ji. — Tu nežiūri, kur aš *rodau!* Štai čia. Nejau nematai?

Netrukus Lengdonas pamatė.

CŽV operatyvininkas Terneris Simkinsas stovėjo prie Adamso pastato, tvirtai spausdamas prie ausies mobilųjį telefoną ir stengdamasis įsiklausyti į pokalbį, vykstantį galinėje taksi sėdynėje. Kažkas ką tik atsitiko. Jo komanda jau rengėsi lipti į sraigtasparnį „Sikorsky UH-60“, nuskristi į šiaurės vakarus ir blokuoti kelią, bet padėtis, atrodo, bus pasikeitusi.

Prieš kelias sekundes Ketrina Solomon pradėjo įtikinėti, kad jie važiuoja ne ten, kur reikia. Jos aiškinimai — kuriuose buvo minimas dolerio banknotas ir Dovydo žvaigždė — komandos vadovui atrodė visiškai beprasmiai; panašu, kad tą patį manė ir Robertas Lengdonas. Bent iš pradžių. Tačiau netrukus, regis, Lengdonas suprato, ką ji nori pasakyti.

— Dieve mano, tu juk teisi! — aiktelėjo Lengdonas. — Kaip aš anksčiau nepamačiau!

Staiga Simkinsas išgirdo beldimą į vairuotojo pertvarą, netrukus ji atsidarė.

— Mūsų planai pasikeitė! — sušuko Ketrina vairuotojui. — Vežkite į Laisvės aikštę!

— Laisvės aikštę? — išsigandęs paklausė vairuotojas. — Ne į šiaurės vakarus Masačusetso prospektu?

— Nebe! — suriko Ketrina. — Laisvės aikštė! Čia pasukite į kairę! Čia! ČIA!

Agentas Simkinsas išgirdo, kaip automobilis suka už kampo. Ketrina susijaudinusi kažką aiškino Lengdonui, minėdama garsiąją bronzinę Didžiojo antspaudo atlieją aikštės grindinyje.

— Ponia, tik noriu pasitikrinti, — įsiterpė kupinas įtampos vairuotojo balsas. — Mes važiuojame į Laisvės aikštę — Pensilvanijos ir Tryliktosios gatvių sankryžą?

— Taip! — atsakė Ketrina. — Paskubėkit!

— Čia labai arti. Dvi minutės.

Simkinsas nusišypsojo. *Šaunuolis, Omarai.* Lėkdamas prie laukiančio sraigtasparnio, jis šūktelėjo savo komandos nariams:

— Mes juos turim! Laisvės aikštė! Judam!

76 skyrius

Laisvės aikštė — tai žemėlapis.

Aikštė yra Pensilvanijos prospekto ir Tryliktosios gatvės sankryžoje, jos mozaikiniame akmeniniame grindinyje vaizduojamos Vašingtono gatvės, kokias jas buvo sukūręs Pjeras L'Anfanas. Aikštė yra turistų traukos centras — ne tik dėl to, kad vaikščioti po milžinišką žemėlapį labai smagu, bet ir dėl to, kad Martinas Liuteris Kingas Jaunesnysis, kurio garbei aikštė pavadinta Laisvės vardu, netoliese esančiame „Vilardo" viešbutyje parašė beveik visą garsiąją savo kalbą „Mano svajonė".

Vašingtono taksi vairuotojui Omarui Amiranai dažnai tekdavo vežti turistus į Laisvės aikštę, bet šį vakarą du jo keleiviai tikrai nebuvo ištroškę gėrėtis vaizdais. *Juos vejasi CŽV?* Omarui vos spėjus sustoti prie šaligatvio, vyras ir moteris puolė iš automobilio.

— Laukite čia! — paliepė Omarui vyriškis tvido švarku. — Mes tuojau grįšime!

Omaras žiūrėjo, kaip keleiviai lekia į plačią atviro žemėlapio erdvę, apžiūrinėja susikertančias gatves, rodo jas pirštais ir kažką šaukia. Omaras čiupo ant prietaisų skydelio gulintį mobilųjį telefoną.

— Pone, ar jūs dar klausote?

— Taip, Omarai! — sušuko balsas, sunkiai girdimas per kažkokį triukšmą. — Kur jie dabar?

— Išlipo, žiūri žemėlapį. Atrodo, kažko ieško.

— Neišleiskite jų iš akių! — suriko agentas. — Mes tuoj!

Omaras stebėjo, kaip bėgliai surado garsųjį Didįjį antspaudą — vieną iš didžiausių kada nors išlietų bronzinių medalionų. Pastovėję prie jo, ėmė greitai rodyti pirštais pietryčių pusėn. Paskui vyriškis tvido švarku pasileido bėgti į taksi. Omaras greitai padėjo telefoną ant prietaisų skydelio, o vyriškis uždusęs pasilenkė prie durų.

— Kurioje pusėje Aleksandrija Virdžinijos valstijoje? — paklausė jis.

— Aleksandrija? — Omaras parodė į pietryčius, ten pat, kur ką tik rodė vyras ir moteris.

— Taip ir žinojau, — tyliai sušnibždėjo vyras. Jis atsisuko ir sušuko moteriai: — Tu teisi! Aleksandrija!

Moteris parodė kitapus aikštės šviečiantį užrašą „Metro".

— Ten tiesiai veža Mėlynoji linija. Mums reikia Karaliaus gatvės stoties!

Omarą užplūdo panika. *Tik ne tai.*

Vyriškis vėl atsisuko į Omarą ir padavė jam šūsnį banknotų, kurių buvo gerokai per daug sumokėti už kelionę.

— Ačiū. Toliau susidorosime patys.

Jis tvirčiau užsimetė ant peties kelionkrepšio rankeną ir nubėgo.

— Palaukite! Galiu jus nuvežti! Aš ten dažnai važiuoju!

Tačiau buvo jau per vėlu. Vyras ir moteris lėkė per aikštę. Jie nusileido laiptais, vedančiais į centrinę metro stotį.

Omaras čiupo mobilųjį telefoną.

— Pone! Jie nubėgo į metro! Negalėjau jų sustabdyti! Jie važiuos Mėlynąja linija į Aleksandriją!

— Nesijudinkite iš vietos! — suriko agentas. — Būsiu po penkiolikos sekundžių!

Omaras pažvelgė į pluoštą banknotų, kuriuos jam padavė vyras. Viršuje buvo doleris, ant kurio jie tikriausiai rašė. Ant JAV Didžiojo antspaudo buvo nupiešta Dovydo žvaigždė. Ir iš tiesų žvaigždės spinduliai rodė į raides, iš kurių susidėjo žodis *MASON.*

Staiga Omaras pajuto aplink kurtinamą vibraciją, tarsi į jo automobilį būtų atsitrenkęs traktorius. Jis pakėlė akis, bet gatvė buvo tuščia. Triukšmas stiprėjo, staiga iš tamsaus dangaus išniro glotnus juodas sraigtasparnis ir nusileido pačiame aikštės žemėlapio viduryje.

Iš jo iššoko grupė žmonių juodais drabužiais. Dauguma jų nubėgo link metro stoties, o vienas pasuko prie Omaro automobilio. Jis atplėšė keleivio dureles.

— Omarai? Tai jūs?

Omaras linktelėjo, neįstengdamas pratarti nė žodžio.

— Ar jie sakė, kur važiuoja? — griežtai paklausė agentas.

— Į Aleksandriją! Karaliaus gatvės stotį, — atsakė Omaras. — Pasisiūliau juos nuvežti, bet...

— Ar jie sakė, *ko ieškos* Aleksandrijoje?

— Ne! Apžiūrėjo aikštėje Didžiojo antspaudo atlieją, tada paklausė apie Aleksandriją ir sumokėjo šituo. — Jis padavė agentui dolerio banknotą su keistąja diagrama. Agentui apžiūrinėjant banknotą, Omarui staiga nušvito protas. *Masonai! Aleksandrija!* Aleksandrijoje stovi vienas žymiausių masoniškų Amerikos pastatų. — Štai kas! — sušuko jis. — Džordžo Vašingtono masoniškas memorialas! Jis kitoje Karaliaus gatvės stoties pusėje!

— Taip ir yra, — tarė agentas, tikriausiai pats padaręs tą pačią išvadą, o iš stoties prie jo bėgo kiti agentai.

— Paleidome! — sušuko vienas iš jų. — Ką tik išvažiavo Mėlynosios linijos traukinys! Apačioje jų nėra!

Agentas Simkinsas pažvelgė į laikrodį ir vėl atsisuko į Omarą.

— Kiek laiko važiuoja traukinys iki Aleksandrijos?

— Mažiausiai dešimt minučių. Gal daugiau.

— Omarai, tu puikiai susidorojai. Ačiū.

— Jums ačiū. Kas čia buvo?

Bet agentas Simkinsas jau bėgo atgal prie sraigtasparnio, pakeliui šaukdamas:

— Karaliaus gatvės stotis! Turime ten būti anksčiau už juos!

Apstulbęs Omaras stebėjo, kaip pakyla didelis juodas paukštis. Jis skubiai pasuko į pietus, perlėkė Pensilvanijos prospektą ir ūždamas dingo naktyje.

Apačioje, po taksi vairuotojo kojomis, nuo Laisvės aikštės greitėdamas tolo traukinys. Jame vos atgaudami kvapą sėdėjo Robertas Lengdonas ir Ketrina Solomon; nė vienas iš jų netarė nė žodžio, o traukinys lėkė į jiems reikalingą vietą.

77 skyrius

Prisiminimai visad prasidėdavo vienodai.

Jis krenta... atbulas lekia į ledu sukaustytą upę gilaus tarpeklio apačioje. Viršuje negailestingos pilkos Piterio Solomono akys žvelgia į jį pro Androso pistoleto taikiklį. Krintant pasaulis atsitraukė, viskas dingo, jį apgaubė debesys miglos, kylančios nuo aukščiau šniokščiančio krioklio.

Vieną akimirką viskas atrodė balta tarsi danguje.

Paskui jis atsitrenkė į ledą.

Šaltis. Tamsa. Skausmas.

Jis vartaliojosi... velkamas galingos jėgos, negailestingai daužančios jį į akmenis neįsivaizduojamai šaltoje tuštumoje. Plaučius, ištroškusius oro, vėrė skausmas, tačiau krūtinės raumenys šaltyje taip susitraukė, kad neįstengė net įkvėpti.

Aš po ledu.

Netoli krioklio ledas buvo plonesnis, tikriausiai dėl urduliuojančio vandens, ir Androsas, jį pralaužęs, įkrito upėn. Srovė jį nešė žemyn, įkalintą po perregimo-mis lubomis. Jis nagais iš apačios kabinosi į ledą, stengdamasis jį pralaužti ir iškilti viršun, tačiau nebuvo už ko užsikabinti. Veriantis skausmas petyje nuo kulkos žaizdos buvo bebaigiąs praeiti, beveik nebebuvo justi nė šratų paliktų sužeidimų maudulio: viską užgožė šaltyje stingstančio kūno pulsavimas.

Srovė sustiprėjo, permetė jį per upės vingį. Kūnas rėkte rėkė, reikalaudamas deguonies. Staiga jis įsipainiojo į šakas, užkliuvęs už vandenin įkritusio medžio. *Mąstyk!* Jis iš paskutiniųjų įsikabino į šaką, jos prisilaikydamas pakilo arčiau paviršiaus ir rado vietą, kurioje šaka buvo pervėrusi ledą. Pirštų galais apčiuopė mažulytę atvirą vandens telkinio vietą aplink šaką ir ėmė trupinti ledo kraštus, stengdamasis ją padidinti: kartą, kitą, ir dar, kol ertmė pradėjo didėti, pasidarė gerų dešimties centimetrų.

Atsirėmęs į šaką jis užvertė galvą ir prispaudė prie angos burną. Į plaučius atplūdęs žiemos oras atrodė šiltas. Staigus deguonies antplūdis pažadino viltį. Jis kojomis užsiropštė ant medžio kamieno ir stipriai pasistūmė viršun pečiais bei nugara. Ledas aplink nukritusį medį ir taip buvo silpnesnis, subadytas šakų, tad jam galingomis kojomis įsirėmus į kamieną pečiai ir nugara pramušė ledą ir su traškesiu išlindo į žiemos naktį. Plaučius užplūdo oras. Dar beveik visas paniręs vandenyje, sutelkęs paskutines jėgas ėmė rangytis, sprausdamasis viršun, stumdamasis kojomis, traukdamasis rankomis, kol galiausiai visai išniro iš vandens ir netekęs kvapo griuvo ant lygaus ledo.

Androsas nusitraukė permirkusią slidininko kaukę ir įsikišo ją į kišenę, prieš tai dirstelėjęs aukštyn, ar nematyti Piterio Solomono. Vaizdą užstojo upės vingis. Krūtinę vėl ėmė deginti. Jis tyliai užstūmė medžio šaką ant susidariusios eketės, norėdamas ją paslėpti. Rytą eketė vėl bus užšalusi.

Kai Androsas šlubčiodamas pasiekė mišką, pradėjo snigti. Jis nė nesuvokė, kiek laiko bėgo, kol galiausiai išlindo iš miško į krantinę prie siauro plento. Buvo baisiai sušalęs, kone kliedintis. Snigo smarkiau, tik staiga tolumoje sužibo automobilio šviesos. Androsas ėmė smarkiai mojuoti rankomis, ir vienišas sunkvežimukas iškart sustojo. Jis buvo su Vermonto valstijos numeriais. Iš kabinos iššoko senis raudonais languotais marškiniais.

Androsas prisvirduliavo artyn, susiėmęs kraujais srūvančią krūtinę.

— Mane pašovė... medžiotojai! Man reikia... į ligoninę!

Senis, nė minutės nedvejodamas, padėjo Androsui įlipti į keleivio vietą ir įjungė šildymą.

— Kur artimiausia ligoninė?

Androsas nežinojo, bet parodė pietų pusėn.

— Išsukti pirmame kelyje.

Mes važiuojam ne į ligoninę.

Rytojaus dieną buvo paskelbta dingusio senio iš Vermonto paieška, tačiau niekas taip ir nesužinojo, *kur ir kada* jis prapuolė, keliaudamas iš Vermonto per siaučiančią sniego pūgą. Niekas nesusiejo jo dingimo su kita naujiena, rytojaus dieną paskelbta per visas žinių laidas — sukrečiančia Izabelės Solomon žmogžudystės istorija.

Atsipeikėjęs Androsas pamatė gulįs apleistame kambaryje pigiame, žiemai uždarytame motelyje. Jis prisiminė, kaip įsilaužė į kambarį, suplėšytomis paklodėmis apsitvarstė žaizdas ir įsirausęs į siaurą lovą apsikrovė pelėsiais atsiduodančiomis antklodėmis. Jautėsi išbadėjęs.

Nušlubavęs į vonią, plautuvėje pamatė krūvelę kruvinų šratų. Lyg per miglą atsiminė, kaip išlaupė juos sau iš krūtinės. Pakėlęs akis į nešvarų veidrodį, nenoromis nusivyniojo kraujais permirkusius tvarsčius ir apžiūrėjo padarytą žalą. Kieti krūtinės ir pilvo raumenys sulaikė smulkius, paukščiams šaudyti skirtus šratus, tačiau kitados buvusį tobulą kūną visai sudarkė paviršinės žaizdos. Vienintelė Piterio Solomono paleista kulka, atrodo, bus perėjusi kiaurai, palikusi petyje tik kruviną skylę.

Užvis blogiausia, kad Androsui nepavyko gauti to, dėl ko čia atkeliavo. *Piramidės.* Iš alkio suurzgė skrandis, Androsas nuklibinkščiavo laukan, prie sunkvežimuko, tikėdamasis ten rasti ko nors užvalgyti. Mašiną dengė storas sniego sluoksnis, ir Androsas pamėgino prisiminti, kiek laiko pramiegojo šiame sename motelyje. *Dėkui Dievui, kad prabudau.* Kabinoje Androsas maisto nerado, užtat pirštinių dėtuvėje aptiko nuskausminamųjų vaistų, skirtų artrito kamuojamiems ligoniams. Saują tablečių įsimetė į burną ir užvalgė sniegu.

Noriu valgyti.

Po kelių valandų iš už motelio pajudėjęs sunkvežimukas nebuvo nė kiek panašus į tą, kuris prieš dvi dienas čia atvažiavo. Nebebuvo kėbulo uždangalo, ratų gaubtų, lipdukų, apdailos. Nebeliko ir Vermonto valstijos numerių — vietoje jų Androsas pritaisė prie motelio šiukšlių konteinerio rasto seno automobilio numerius; į šį konteinerį jis sumetė kruvinas paklodes, šratus ir visus kitus savo buvimo motelyje daiktinius įrodymus.

Androsas neketino atsisakyti minties gauti piramidę — tiesiog kol kas reikia palaukti. Dabar svarbiausia — pasislėpti, išgyti, o pirmiausia — pavalgyti. Pakelėje jis rado užkandinę, kurioje iki soties prisirijo kiaušinienės, šoninės, pakeptų bulvių, išgėrė tris stiklines apelsinų sulčių. Baigęs užsisakė dar maisto išsinešti. Važiuodamas toliau Androsas įsijungė seną sunkvežimio radiją. Nuo pat savo atvykimo jis nebuvo matęs nei laikraščių, nei televizoriaus, todėl baisiai apstulbo išgirdęs vietos radijo stoties perduodamas žinias.

— FTB pareigūnai, — kalbėjo pranešėjas, — tęsia paieškas ginkluoto asmens, kuris prieš dvi dienas įsibrovė į Izabelės Solomon namus Potomake ir ją nužudė. Manoma, kad žudikas įkrito per ledą į upę ir srovė jį išnešė į jūrą.

Androsas sustingo. *Nužudė Izabelę Solomon?* Toliau važiavo nuščiuvęs, atidžiai klausydamasis išsamesnių naujienų.

Metas sprukti iš čia kur nors labai labai toli.

Iš apartamentų Aukštutiniame Vestsaide vėrėsi kvapą gniaužianti Centrinio parko panorama. Androsas pasirinko šį butą dėl to, kad už langų vilnijanti žalumos gausa jam priminė prarastus Adrijos jūros vaizdus. Jis žinojo, kad turėtų džiaugtis išlikęs gyvas, tačiau džiaugsmo nebuvo. Niekaip neapleido tuštumos jausmas, ir netrukus jis susivokė negalįs atsikratyti minčių apie nevykusį mėginimą pavogti Piterio Solomono piramidę.

Daug valandų Androsas praleido rinkdamas informaciją apie masonų piramidės legendą, ir nors, atrodo, ekspertai nebuvo tikri, ar piramidė išvis egzistuoja, tačiau pripažino, kad ji tikrai žada neapsakomą išmintį ir galią. *Masonų piramidė egzistuoja*, pasakė sau Androsas. *Niekas negali paneigti mano turimos informacijos.*

Likimo dėka Androsas buvo atsidūręs visai arti piramidės, todėl žinojo, kad ignoruoti ją — tas pat, kaip laikyti rankose loteriją laimėjusį bilietą, tačiau nenueiti atsiimti paties laimėjimo. *Aš esu vienintelis šiuo metu gyvenantis žmogus, nepriklausantis masonams, kuris žino, kad piramidė iš tiesų egzistuoja... o ką jau kalbėti apie tai, kad žinau, kas ją saugo.*

Ėjo mėnesiai, Androso kūnas sugijo, tačiau jis pats jau nebebuvo tas pasipūtęs gražuolis, koks gyveno Graikijoje. Liovėsi sportuoti, liovėsi gėrėtis savo nuogumu veidrodyje. Juto, kad kūne pradeda rodytis senėjimo ženklai. Kitados buvusią nepriekaištingą odą vagojo randų ir randelių tinklas, ir tai jį dar labiau slėgė. Iki šiol negalėjo atsisakyti nuskausminamųjų vaistų, kurių padedamas tąsyk išgijo, ir jautė, kad pamažu grįžta prie to paties gyvenimo būdo, dėl kurio kitados atsidūrė Soganliko kalėjime. Tačiau jam tai nerūpėjo. *Kūno troškimai yra kūno troškimai.*

Vieną vakarą jis Grinvič Vilidže pirko narkotikų iš žmogaus, ant kurio dilbio buvo ištatuiruotas ilgas, zigzagu kertantis žaibas. Androsas paklausė, kas čia, ir žmogus atsakė, jog tatuiruotė slepia ilgą randą, likusį po automobilio avarijos.

— Matydamas tą randą, aš kasdien prisimindavau avariją, — pasakė jam prekeivis, — todėl nusprendžiau virš jo ištatuiruoti galios ženklą. Perėmiau valdžią į savo rankas.

Tą patį vakarą, apkvaitęs nuo ką tik įsigytų narkotikų, Androsas įšlitiniavo į artimiausią tatuiravimo saloną ir nusimetė marškinius.

— Noriu paslėpti šituos randus, — paskelbė jis. *Noriu perimti valdžią į savo rankas.*

— Paslėpti? — tatuiruotojas nužvelgė jo krūtinę. — *Kuo?*

— Tatuiruotėmis.

— Na, taip... aš klausiau, *kokiomis* tatuiruotėmis?

Androsas gūžtelėjo pečiais — jis viso labo norėjo paslėpti bjaurius, praeitį menančius pėdsakus.

— Nežinau. Parinkit pats.

Meistras papurtė galvą ir padavė Androsui brošiūrą apie seną šventą tatuiravimo tradiciją.

— Ateikite, kai būsite pasirengęs.

Androsas netruko išsiaiškinti, kad Niujorko viešojoje bibliotekoje yra penkiasdešimt trys knygos apie tatuiruotes, ir per kelias savaites visas jas perskaitė. Grįžus skaitymo aistrai, jis pradėjo tąsyti knygų prikrautas kuprines iš bibliotekos į savo butą ir atgal, godžiai, ryte rydamas jas skaitė, kartais žvilgteldamas pro langą į Centrinį parką.

Knygos apie tatuiruotes atvėrė keistą naują pasaulį, apie kurio egzistavimą Androsas nė neįtarė — simbolių, mistikos, mitologijos ir magijos pasaulį. Kuo daugiau jis skaitė, tuo aiškiau suvokė, koks kitados buvo aklas. Jis pradėjo užsirašinėti savo mintis į bloknotus, piešti eskizus, fiksuoti keistus sapnus. Kai bibliotekoje nebegalėjo rasti to, kas jį domina, pradėjo mokėti prekiautojams retomis knygomis, kurie parūpindavo jam ezoteriškiausių pasaulio tekstų.

De Praestigiis Daemonum... Lemegeton... Ars Almadel... Grimorium Verum... Ars Notoria... ir taip toliau, ir taip toliau. Jis visa tai perskaitė, kasdien vis tvirčiau įsitikindamas, kad pasaulyje dar liko begalė paslėptų lobių. *Yra paslapčių, kurios nesuvokiamos žmogaus protui.*

Netrukus jis aptiko Alisterio Kraulio, XX a. pradžios mistiko ir vizionieriaus, raštus — Bažnyčia buvo paskelbusi Kraulį „blogiausiu kada nors žemėje gyvenusiu žmogumi". *Menkapročiai visada labai bijo talentų.* Androsas skaitė apie ritualų ir užkalbėjimų galias. Jis sužinojo, kad tinkamai ištarti šventi *žodžiai* veikia tarsi raktai, atveriantys duris į kitus pasaulius. *Už šio pasaulio yra kitas, šešėlinis... iš kurio aš galiu semtis jėgų.* Androsas siekė pažaboti jo galias, tačiau jis žinojo, kad prieš tai reikia atlikti tam tikras užduotis ir laikytis tam tikrų taisyklių.

Tapk šventybe, rašė Kraulis. *Padaryk save šventu.*

Senovinis „šventųjų darymo" ritualas kitados buvo privalomas visiems. Žmonės visada, — pradedant senovės žydais, deginusiais laužuose aukas Šventyklai, majais, kirtusiais žmonėms galvas ant Čičen Icos piramidžių viršūnių, ir baigiant Jėzumi Kristumi, kuris paaukojo savo kūną ant kryžiaus, — puikiai suprato, kad Dievas reikalauja aukų. Aukojimas, lotyniškai *sacrifice* — pirmykštis ritualas, kuriuo žmonės pelnydavo dievų malones ir patys pasidarydavo šventi.

Sacra — šventas.

Face — daryti.

Ir nors aukojimo ritualas seniausiai pamirštas, jo galia išliko. Šį meną puoselėja saujelė šiuolaikinių mistikų, tarp jų ir Alisteris Kraulis; laikui bėgant jie jį ištobulino ir pamažu pavertė save aukštesnėmis būtybėmis. Androsas troško irgi save permainyti taip, kaip padarė jie. Tačiau puikiai suprato, kad tam reikės peržengti pavojingą ribą.

Tik kraujas skiria tamsą nuo šviesos.

Vieną naktį į Androso butą pro atvirą vonios langą įskrido varna ir įkliuvo tarp sienų. Androsas stebėjo, kaip paukštis kurį laiką blaškėsi ir galiausiai nurimo, tarsi susitaikęs su tuo, kad ištrūkti neįmanoma. Androsas jau buvo pakankamai daug sužinojęs, kad suprastų jam duotą ženklą. *Mane ragina eiti pirmyn.*

Suspaudęs rankoje paukštį jis atsistojo virtuvėje prie savadarbio altoriaus ir iškėlęs aukštyn aštrų peilį garsiai ištarė užkeikimus, kuriuos buvo išmokęs atmintinai.

Camiach, Eomiahe, Emial, Macbal, Emoii, Zazean... švenčiausiais Asamajano knygoje paminėtų angelų vardais užkeikiu tave — padėk man atlikti šį veiksmą vienintelio tikrojo Dievo vardu.

Androsas nuleido peilį ir persmeigė stambią kraujagyslę dešiniajame persigandusio paukščio sparne. Varna paplūdo kraujais. Stebėdamas, kaip raudonas skystis liejasi į metalinę, specialiai padėtą taurę, jis pajuto ore netikėtą vėsumos dvelktelėjimą. Ir vis dėlto tęsė tai, ką buvo pradėjęs.

— *Visagali Adonajau, Aratronai, Ašajau, Elohim, Eloi, Elionai, Ašer Eheje, Šadai... ateik man į pagalbą, kad šis kraujas įgytų galią ir paveiktų viską, ko aš užsigeisiu, ir viską, ko aš pareikalausiu.*

Tą naktį jis sapnavo paukščius... milžinišką feniksą, kylantį iš skaisčiai liepsnojančios ugnies. Rytą atsibudo kupinas energijos, kurios nebuvo jutęs nuo pat vaikystės. Pabėgiojo parke — nubėgo toliau ir greičiau, negu anksčiau įsivaizdavo galįs. Kai nebeįstengė toliau bėgti, sustojo ir padarė keletą atsispaudimų ir prisitraukimų. Paskui pakartojo dar kartą, dar. Ir vis tiek energija liejosi per kraštus.

Naktį ir vėl sapnavo feniksą.

Į Centrinį parką vėl atėjo ruduo, žvėreliai bėginėjo ieškodami maisto žiemai. Androsas neapkentė šalčio, bet jo rūpestingai paslėpti spąstai kasdien būdavo pilni žiurkių bei voveraičių. Jis nešdavosi jas kuprinėje namo ir ten atlikdavo vis sudėtingesnius ritualus.

Emanueli, Masiajau, Jodai, Tu, Vodai... meldžiu, pripažink mane vertu.

Kraujo ritualai teikė jam gyvybinių jėgų. Androsas kasdien jautėsi vis jaunesnis. Jis ir toliau dieną naktį skaitė — senovinius mistinius tekstus, viduramžių epines poemas, ankstyvųjų filosofų kūrinius, ir kuo daugiau įgijo žinių apie tikrąją daiktų prigimtį, tuo aiškiau suprato, kad žmonijai nebėra nė mažiausios vilties. *Žmonės akli... jie be tikslo klaidžioja po pasaulį, kurio niekada neįstengs suprasti.*

Androsas tebebuvo žmogus, tačiau jis juto pradedąs virsti kažkuo kitu. Didesniu. Šventu. Jo galingas kūnas prabudo iš miego ir tapo dar stipresnis, negu buvo kada nors anksčiau. Galiausiai jam paaiškėjo tikroji jo paskirtis. *Mano kūnas — tai indas, saugantis didžiausią turtą... protą ir sielą.*

Androsas žinojo, kad tikrosios jo galimybės dar anaiptol neįgyvendintos, todėl siekė prasiskverbti giliau. *Kokia mano lemtis?* Visuose senovės tekstuose rašoma apie gėrį ir blogį... ir apie tai, kad žmogus privalo pasirinkti vieną iš jų. *Aš jau seniai pasirinkau*, suvokė jis, tačiau nejautė jokios atgailos. *Argi blogis nėra prigimties dėsnis?* Tamsa keičia šviesą. Chaosas kyla iš tvarkos. Entropija — pamatinis gamtos dėsnis. Viskas suyra. Tobulos sandaros kristalas galiausiai subyra į dulkių daleles.

Visada yra tų, kurie kuria... ir tų, kurie griauna.

Tik perskaitęs Džono Miltono „Prarastąjį rojų“ Androsas pamatė prieš save savo likimą. Jis skaitė apie didį nupuolusį angelą... karingą demoną, kilusį į kovą prieš šviesą... narsų angelą, vardu Molokas.

Molokas vaikščiojo žeme nelyginant dievas. Vėliau Androsas sužinojo, kad išvertus į senovės kalbą angelo vardas buvo Malachas.

Toks bus ir mano vardas.

Kaip visi didieji persimainymai, šis prasidėjo nuo aukojimo... bet aukotos ne žiurkės, ne paukščiai. Ne, šiam persimainymui prireiks *tikros* aukos.

Yra tik vienintelė tikra auka.

Staiga jam viskas stojo taip aišku, kaip dar niekada nebuvo per visą gyvenimą. Materializavosi jo lemtis. Tris dienas jis nesustodamas margino didelį popieriaus lapą. Baigęs pamatė, kad sukūrė savęs — tokio, kokiu nori tapti, — projektą.

Pakabino natūros dydžio paveikslą ant sienos ir įsižiūrėjo į jį tarsi į veidrodį.

Aš esu šedevras.

Rytojaus dieną nunešė piešinį į tatuiravimo saloną.

Jis buvo pasirengęs.

78 skyrius

Džordžo Vašingtono masoniškasis memorialas stovi ant Šaterio kalvos Aleksandrijoje, Virdžinijoje. Jį sudaro trys vienas ant kito stovintys aukštai, kurie kylant į viršų darosi vis sudėtingesnės architektūros — dorėninės, jonėninės ir korintinės; visas pastatas simbolizuoja žmogaus intelekto kilimą aukštyn. Aukštyn kylančio bokšto, kurio projektą įkvėpė senovės Aleksandrijos Faro švyturys, viršūnę vainikuoja egiptietiška piramidė liepsnos pavidalo fleronu.

Viduje, įspūdingoje marmuru puoštoje salėje, stūkso didžiulė bronzinė skulptūra, vaizduojanti Džordžą Vašingtoną masonų iškilmių drabužiais, o greta guli ta pati mūrininko mentė, kuria jis padėjo Kapitolijaus pastato kertinį akmenį. Virš vestibiulio kyla devyni aukštai, kurių vardai, be kitų, yra Grota, Kriptos salė ir Tamplierių koplyčia. Tarp kitų vertybių, saugomų šiame pastate, yra daugiau negu dvidešimties tūkstančių tomų masonų raštų biblioteka, stulbinama Sandoros skrynios kopija ir net Karaliaus Saliamono šventyklos sosto salės modelis.

Sraigtasparniui UH-60 skriejant žemai virš Potomako, CŽV agentas Simkinsas pažvelgė į laikrodį. *Iki jų traukinio atvykimo liko šešios minutės.* Jis garsiai iškvėpė orą ir pro langą įsižiūrėjo į horizonte švytintį masoniškąjį memorialą. Tenka pripažinti, kad ryškiai apšviestas bokštas įspūdingumu nenusileidžia nė vienam Tautos alėjos pastatui. Simkinsui neteko būti memorialo viduje, nereikės ten eiti nė šį vakarą. Jei viskas vyks, kaip suplanuota, Robertas Lengdonas ir Ketrina Solomon net neišeis iš metro stoties.

— Ana ten! — sušuko pilotui Simkinsas, rodydamas į kitoje gatvės pusėje nuo memorialo esančią Karaliaus gatvės metro stotį. Pilotas pasuko sraigtasparnį ir nutupdė jį ant žolės Šaterio kalvos papėdėje.

Lydimi nustebusių praeivių žvilgsnių, Simkinsas su savo komandos draugais išlipo iš sraigtasparnio ir nubėgo į Karaliaus gatvės stotį. Keli lipę laiptais keleiviai atšoko į šalis ir prisispaudė prie sienų, praleisdami būrį energingai bėgančių ginkluotų vyrų juodais drabužiais.

Karaliaus gatvės stotis buvo didesnė, negu tikėjosi Simkinsas: veikiausiai čia susikerta kelios traukinių linijos — Mėlynoji, Geltonoji ir Amtrako. Simkinsas pribėgo prie metro plano, kabančio ant sienos, atrado jame Laisvės aikštę ir tiesioginę traukinio liniją, vedančią į šią stotį.

— Mėlynoji linija, pietų krypties peronas! — sušuko Simkinsas. — Greičiau ten, liepkite visiems išsiskirstyti!

Agentai nuskubėjo.

Simkinsas pribėgo prie bilietų kiosko, greitai parodė pažymėjimą ir riktelėjo viduje sėdinčiai moteriai:

— Kada atvyksta kitas traukinys iš centrinės metro stoties?

Moteris regimai išsigando.

— Negaliu tiksliai pasakyti. Mėlynosios linijos traukiniai atvyksta kas vienuolika minučių. Tikslaus tvarkaraščio nėra.

— Kada atvyko paskutinis traukinys?

— Gal prieš penkias... šešias minutes? Ne daugiau.

Terneris paskaičiavo mintyse. *Puiku.* Lengdonas atvyks kitu traukiniu.

Ketrina Solomon, sėdėdama greitai lekiančiame požeminiame traukinyje, nepatogiai pasimuistė ant kietos plastiko sėdynės. Ryškios dienos šviesos lempos skaudžiai rėžė akis, teko kovoti su nenumaldomu noru bent akimirkai užmerkti vokus. Lengdonas sėdėjo greta jos tuščiame vagone ir be jokios išraiškos spoksojo į prie kojų gulintį odinį kelionkrepšį. Jo akių vokai irgi atrodė apsunkę, tarsi ritmingas vagono siūbavimas liūliuotų jį lyg lopšinė.

Ketrina pamėgino įsivaizduoti keistus daiktus, gulinčius Lengdono krepšyje. *Kam CŽV reikia šios piramidės?* Belamis sakė, kad Sato galbūt ieško piramidės todėl, kad suvokė, kokią galią ši turi. Ir vis tiek, net jei piramidė iš tiesų padeda atskleisti senovės paslapčių saugojimo vietą, Ketrinai buvo sunku patikėti, jog CŽV susidomėjo jos žadama prieiga į senovės mistikų išmintį.

Tačiau netrukus ji prisiminė, kad CŽV ne kartą buvo įkliuvusi už parapsichologijos (vadinamųjų „psi“) programų, labai artimų senovės magijai ir misticizmui, vykdymą. 1995 m. vadinamasis „Žvaigždžių vartų — Skenavimo“ skandalas paviešino slaptą CŽV technologiją, vadinamą nuotoliniu stebėjimu, arba tam tikrą telepatijos metodą, kurio padedamas „stebėtojas“ galėdavo nutaikyti įsivaizduojamas akis į bet kokią žemės vietą ir stebėti ją, pats ten nebūdamas. Be abejo, ši technologija nenauja. Mistikai vadina ją astraline projekcija, jogai — išėjimo iš kūno patirtimi. Deja, pasibaisėję Amerikos mokesčių mokėtojai šią programą išvadino *absurdu*, ir ją teko uždaryti. Bent jau viešai.

Kad ir kaip tai atrodytų ironiška, Ketrina įžvelgė aiškius CŽV panaikintųjų programų ryšius su savo pačios atradimais noetikos srityje.

Ketrinai labai knietėjo paskambinti policijai ir pasiteirauti, ar pavyko ką nors surasti Kaloramos aukštumose, bet nei ji, nei Lengdonas dabar neturėjo telefonų, o be to, šiuo metu būtų neprotinga kreiptis į valdžios institucijas — kas gali pasakyti, kaip toli siekia Sato čiuptuvai?

Kantrybės, Ketrina. Po kelių minučių jie bus saugiame prieglobstyje pas žmogų, kuris pažadėjo atsakymus. Ketrina tikėjosi, kad šie atsakymai — kad ir kokie jie būtų — padės jai išgelbėti brolį.

— Robertai, — sušnibždėjo ji, dirstelėjusi į metro planą. — Kitoje stotelėje lipam.

Lengdonas lėtai atsipeikėjo iš svajų.

— Gerai, ačiū. — Traukiniui artėjant prie stoties, jis paėmė nuo grindų krepšį ir neryžtingai pažvelgė į Ketriną. — Tikėkimės, kad pavyks apsieiti be nuotykių.

Kai Terneris Simkinsas nulėkė apačion pas savo vyrus, metro perone žmonių visiškai nebebuvo, o jo vadovaujami operatyvininkai stovėjo pasiskirstę už storų kolonų palei visą perono kraštą. Iš tunelio atsklido tolimas grumėjimas, ir jam artėjant Simkinsas pajuto į veidą plūstelint troškų šiltą orą.

Niekur nepabėgsite, pone Lengdonai.

Simkinsas atsigręžė į du agentus, kuriems buvo įsakęs drauge su juo pasilikti perone.

— Pasiruoškite pažymėjimus ir ginklus. Traukiniai važinėja automatiškai, bet juose yra konduktoriai, kurie atidaro duris. Raskite juos.

Tunelyje pasirodė traukinio priekinės šviesos, pasigirdo šaižus stabdžių cypimas. Traukiniui įlėkus į peroną ir pradėjus lėtinti greitį, Simkinsas su dviem agentais pasilenkė prie bėgių, mojuodami CŽV ženkleliais ir stengdamiesi pažvelgti tiesiai į akis konduktoriui, kol šis dar nespėjo atidaryti durų.

Traukinys greitai artėjo. Trečiame vagone Simkinsas galiausiai pamatė nustebusį konduktorių, kuris veikiausiai mėgino susivokti, kodėl trys juodai apsirengę vyrai moja jam savo ženkleliais. Simkinsas pribėgo prie traukinio, kuris jau buvo beveik visai sustojęs.

— CŽV! — sušuko Simkinsas rodydamas savo pažymėjimą. — Tik neatidarykite durų!

Traukinys praslinko pro šalį, o jis priėjo prie vagono, kuriame pamatė konduktorių, garsiai šaukdamas:

— Neatidarykite traukinio durų! Ar supratote? Neatidarykite traukinio durų!

Traukinys galutinai sustojo, konduktorius linksėjo galva, žvelgdamas plačiai išplėstomis akimis.

— Kas atsitiko? — pro šoninį langą paklausė jis.

— Neleiskite traukiniui pajudėti, — atsakė Simkinsas. — Ir neatidarykite durų.

— Gerai.

— Ar galite mus įleisti į pirmą vagoną?

Konduktorius linktelėjo. Regimai išsigandęs jis išlipo iš traukinio ir uždarė duris. Nuvedė Simkinsą ir jo vyrus prie pirmo vagono ir pats atidarė jo duris.

— Užrakinkite duris mums įėjus, — paliepė Simkinsas išsitraukdamas ginklą. Simkinsas su dviem operatyvininkais mikliai įžengė į skaisčiai apšviestą pirmą vagoną. Konduktorius jiems iš paskos užrakino duris.

Pirmame vagone buvo tik keturi keleiviai — trys paaugliai berniūkščiai ir sena moteris; visi jie, suprantama, apstulbo pamatę įeinant tris ginkluotus vyrus. Simkinsas iškėlė savo pažymėjimą.

— Viskas gerai. Nesikelkite iš savo vietų.

Simkinsas su vyrais pradėjo traukinio apžiūrą, slinkdami uždarytais vagonais iki sąstato galo — „spausdami dantų pastą", kaip tokios operacijos buvo vadinamos operatyvininkų mokymo centre. Traukinyje keleivių buvo labai nedaug, ir perėję pusę vagonų agentai vis dar nebuvo pastebėję nė vieno žmogaus, bent iš tolo primenančio Robertą Lengdoną ir Ketriną Solomon. Tačiau Simkinsas neprarado pasitikėjimo. Metro vagone absoliučiai nėra kur pasislėpti. Čia nėra nei tualetų, nei sandėlių, nei atsarginių išėjimų. Net jei ieškomieji pamatė juos įlipant į traukinį ir nutarė bėgti į jo galą, jiems nepavyks paspruktі. Durų beveik neįmanoma atidaryti, be to, Simkinso vyrai iš lauko stebi peroną ir traukinį iš abiejų pusių.

Kantrybės.

Tačiau priėjęs priešpaskutinį vagoną Simkinsas ėmė nerimauti. Jame buvo tik vienas keleivis — kinas. Simkinsas su agentais perėjo vagoną, apžiūrinėdami visas galimas slėptuves. Nieko.

— Paskutinis vagonas, — ištarė Simkinsas ir pakėlė ginklą; trijulė žengė per paskutinio vagono slenkstį. Vos įėję visi trys agentai staiga sustojo ir sužiuro į priekį.

Kas dabar čia?!. Simkinsas nubėgo į tuščio vagono galą, pakeliui apžiūrinėdamas visas sėdynes ir po jomis. Virdamas iš pykčio atsigręžė į vyrus.

— Kur, po velnių, jie galėjo paspruktі?!

79 skyrius

Už aštuonių mylių į šiaurę nuo Aleksandrijos Robertas Lengdonas ir Ketrina Solomon ramiai ėjo per plačią šarmotą veją.

— Tau reikėjo tapti aktore, — pasakė Lengdonas, negalėdamas pamiršti greitos Ketrinos orientacijos ir gebėjimo improvizuoti.

— Tu ir pats neblogai pasirodei. — Ji šyptelėjo.

Ketriną taksi apnikęs keistas įkarštis iš pradžių Lengdoną nustebino. Ji nei iš šio, nei iš to staiga pareikalavo važiuoti į Laisvės aikštę, grįsdama šį reikalavimą kažkokiais paistalais apie Dovydo žvaigždę ir Jungtinių Amerikos Valstijų Didįjį antspaudą. Ant dolerio banknoto ji nupiešė sąmokslo teorijų šalininkų mėgstamą vaizdinį ir atkakliai reikalavo, kad Lengdonas žiūrėtų į tai, ką ji *rodo*.

Galiausiai Lengdonas suprato, kad Ketrina rodo visai ne į dolerio banknotą, o į mažytę lempelę ant vairuotojo sėdynės. Lempelė buvo tokia murzina, kad jis ne iš karto ją pastebėjo. Tačiau pasilenkęs į priekį pamatė, kad lempelė šviečia blausia raudona šviesa. O tiesiai po ja buvo matyti trys neryškiai užrašyti žodžiai.

VIDINIS RYŠYS ĮJUNGTAS

Lengdonas nustėręs vėl pažvelgė į Ketriną, kuri mėtė karštligiškus žvilgsnius, rodydama jam pažiūrėti į vairuotoją. Lengdonas vogčiomis dirstelėjo pro pertvarą. Taksi vairuotojo mobilusis telefonas — atverstas, šviečiančiu ekranu — buvo padėtas ant prietaisų skydelio šalia vidinio ryšio mikrofono. Nepraėjus nė sekundei Lengdonas suprato, ką nori pasakyti Ketrina.

Jie žino, kad mes šiame taksi automobilyje... jie mūsų klausosi.

Lengdonas negalėjo įsivaizduoti, kiek jiedu turi laiko, kol taksi bus sustabdytas ir apsuptas, bet aiškiai suprato, kad veikti reikia nedelsiant. Jis iškart pradėjo pritarti Ketrinos žaidimui, atspėjęs, kad jos noras važiuoti į Laisvės aikštę susijęs visai ne su piramide, o su faktu, kad ten yra didžiulė požeminių traukinių stotis — metro Centras, iš kurio šešiomis kryptimis važiuoja Raudonosios, Mėlynosios ir Oranžinės linijų traukiniai.

Laisvės aikštėje jie iššoko iš taksi; Lengdonas perėmė iniciatyvą ir ėmėsi improvizuoti, sukūręs užuominas į masoniškąjį memorialą Aleksandrijoje, tada jiedu su Ketrina galvotrūkčiais nulėkė į metro stotį, prabėgo pro Mėlynosios linijos traukinius ir pasiekė Raudonosios linijos peroną, kuriame įlipo į traukinį, vykstantį priešinga kryptimi.

Pavažiavę šešias stoteles šiaurės kryptimi į Tenlitauną, jie be jokios palydos išlipo į ramų pasiturinčių žmonių gyvenamąjį rajoną. Horizonte buvo aiškiai matyti vieta, į kurią jie važiavo — aukščiausias apylinkės pastatas netoli Masačusetso prospekto, apsuptas plačių, dailiai prižiūrėtų žolynų.

Nebeturėdami mobiliųjų telefonų ir dėl to nepasiekiami sekliams, jie ėjo per drėgną žolę. Dešinėje buvo viduramžių stiliaus sodas, garsus senoviniais rožynais, ir Pavėsio namai. Jie praėjo sodą ir pasuko tiesiai prie didingo pastato, į kurį buvo pakviesti. *Prieglobstis Romoje, į šiaurę nuo Tibro, jame dešimt akmenų nuo Sinajaus kalno, vienas iš paties dangaus, o kitame regėti tamsaus Luko tėvo veidas.*

— Niekad nesu čia buvusi naktį, — ištarė Ketrina žvelgdama į ryškiai apšviestus bokštus. — Pasakiška.

Lengdonas jai pritarė, nes ir pats buvo pamiršęs, kokia iš tiesų įspūdinga ši vieta. Neogotikinės architektūros šedevras stovėjo šiauriniame Ambasadų kelio gale. Lengdonas nėra buvęs čia daug metų — nuo tada, kai parašė apie šį pastatą vaikų žurnalui, tikėdamasis sudominti jaunuosius amerikiečius ir paskatinti juos atvykti pažiūrėti šio nuostabaus objekto. Jo straipsnis, pavadintas „Mozė, mėnulio akmenys ir „Žvaigždžių karai", buvo įtrauktas į daugelį turizmo lankstinukų.

Vašingtono nacionalinė katedra, pamanė Lengdonas, užlietas netikėto jaudulio, kad po tiek metų vėl čia ateina. *Tai geriausia vieta ieškoti vienintelio tikro Dievo.*

— Šioje katedroje *tikrai* yra dešimt akmenų nuo Sinajaus kalno? — paklausė Ketrina, kai užvertusi galvą apžiūrinėjo du varpinės bokštus.

Lengdonas linktelėjo.

— Netoli pagrindinio altoriaus. Jie simbolizuoja Dešimt įsakymų, kuriuos Mozė gavo ant Sinajaus kalno.

— O mėnulio uoliena?

Akmuo iš paties dangaus.

— Taip. Vienas iš vitražų vadinamas Kosmoso langu, jame įtvirtintas Mėnulio uolienos gabalėlis.

— Na, gerai, bet apie paskutinį dalyką tu pajuokavai. — Ketrina atsisuko, jos gražiose akyse spindėjo skepticizmas. — *Darto Veiderio* skulptūra?

Lengdonas susijuokė:

— Tamsaus Luko Skaivolkerio tėvo? Žinoma. Veideris — viena iš populiariausių Nacionalinėje katedroje esančių groteskų. — Jis parodė į vakarinį bokštą. — Naktį sunku įžiūrėti, bet jis ten tikrai yra.

— Gali paaiškinti, ką Dartas Veideris veikia Vašingtono Nacionalinėje katedroje?

— Buvo surengtas konkursas vaikams — išdrožinėti chimerą, simbolizuojančią blogį. Laimėtojas išdrožinėjo Dartą Veiderį.

Jie priėjo didingus laiptus, vedančius prie pagrindinio įėjimo, kurį gaubė beveik dvidešimt penkių metrų aukščio arka, o virš jos — stulbinamo grožio rozetė. Pradėjus lipti laiptais, Lengdono mintis užvaldė jam skambinęs paslaptingas nepažįstamasis. *Prašau, neminėkite vardų... Sakykite, ar jums pavyko išsaugoti jums patikėtą žemėlapį?* Lengdonui nuskaudo petį nešiojantis sunkią akmens piramidę ir jis nekantravo galiausiai ja nusikratyti. *Prieglobstis ir atsakymai.*

Užlipę laiptais jie atsidūrė prieš įspūdingas medines duris.

— Ir ką dabar — tiesiog imti ir pasibelsti? — paklausė Ketrina.

Lengdonui kilo tas pats klausimas, tačiau viena durų pusė ėmė girgždėdama vertis.

— Kas čia? — paklausė silpnas balsas. Tarpduryje pasirodė nukaršusio senio veidas. Senis buvo apsirengęs kunigo sutana, jo žvilgsnis buvo blausus. Akys atrodė baltos, neperregimos, padengtos giedravalkiu.

— Mano vardas Robertas Lengdonas, — prisistatė jis. — Mudu su Ketrina Solomon ieškome prieglobsčio.

Neregys lengviau atsiduso.

— Dėkui Dievui. Aš jūsų laukiau.

80 skyrius

Staiga Vorenui Belamiui sužibo vilties spindulėlis.

Čia, Džiunglėse, direktorei Sato ką tik paskambino operatyvininkas ir iškart puolė teisintis.

— Na, ką gi, tai gal, po šimts, pagaliau juos raskite! — piktai suriko ji. — Laiko visai nebėra!

Sato baigė pokalbį ir nekantriai ėmė žingsniuoti aplink Belamį, tarsi mėgindama nuspręsti, ką daryti toliau.

Galiausiai sustojo tiesiai prieš jį ir atsigręžė.

— Pone Belami, ketinu jūsų paklausti vieną vienintelį kartą. — Ji įsmeigė žvilgsnį jam į akis. — Atsakykite „taip“ arba „ne“: ar jūs bent nutuokiate, kur galėjo patraukti Robertas Lengdonas?

Belamis ne tik nutuokė, bet gana gerai žinojo, tačiau papurtė galvą.

— Ne.

Sato nenuleido nuo jo veriančių akių.

— Deja, viena iš mano profesinių užduočių yra nustatyti, kada žmonės meluoja.

Belamis nusuko akis.

— Gaila, tačiau niekuo negaliu jums padėti.

— Architekte Belami, — tarė Sato, — šį vakarą truputį po septintos valandos vakaro jūs vakarieniavote užmiesčio restorane. Jums telefonu paskambino žmogus, kuris pasisakė pagrobęs Piterį Solomoną.

Belamis staiga pašiurpo ir vėl įsmeigė akis į ją. *Kaip ji galėjo tai sužinoti?*

— Tas žmogus, — toliau kalbėjo Sato, — jums pasakė, kad jis pasiuntė Robertą Lengdoną į Kapitolijaus pastatą ir davė jam užduotį... užduotį, kuriai jam prireiks jūsų pagalbos. Jis įspėjo jus, kad jei Lengdonui nepavyks atlikti užduoties, jūsų draugas Piteris Solomonas mirs. Jūs išsigandote, mėginote skambinti Piteriui visais telefonais, tačiau jums nepavyko jo pasiekti. Suprantama, tada iškart nuskubėjote į Kapitoliją.

Belamis vis dar nesuvokė, kaip Sato sužinojo apie skambutį.

— Bėgdamas iš Kapitolijaus, — pasakojo Sato, slėpdamasi už rūkstančio cigaretės galo, — jūs pasiuntėte Solomono pagrobėjui žinutę, kuria užtikrinote, kad jums ir Lengdonui sėkmingai pavyko gauti masonų piramidę.

Kaip ji gauna informaciją? Belamis visai to nesuprato. *Net Lengdonas nežino, kad aš pasiunčiau tą žinutę.* Jiems įėjus į tunelį, vedantį į Kongreso biblioteką, Belamis buvo įžengęs į patalpas uždegti šviesos. Akimirką pasilikęs vienas, jis nutarė greitai pasiųsti žinią Solomono pagrobėjui ir pranešti jam apie Sato dalyvavimą, tačiau drauge užtikrinti, kad jis, Belamis, drauge su Lengdonu gavo masonų piramidę ir ketina paklusti jo reikalavimams. Be abejo, tai buvo melas, tačiau Belamis tikėjo taip laimėsiąs laiko, kurio prireiks ir Piteriui Solomonui, ir piramidei paslėpti.

— Kas jums pranešė, kad aš pasiunčiau žinutę? — paklausė Belamis.

Sato sviedė ant suoliuko Belamio mobilųjį telefoną.

— Ne kažin kokia mįslė.

Belamis dabar prisiminė, kad jį sučiupę agentai atėmė iš jo telefoną ir raktus.

— O jei kalbėsime apie visą kitą mano turimą informaciją, — paaiškino Sato, — tai pagal Patriotizmo įstatymą aš turiu teisę pasiklausyti telefono pokalbių tų asmenų, kuriuos laikau keliančius grėsmę nacionaliniam saugumui. Piterį Solomoną laikau būtent tokiu žmogumi, todėl vakar vakare ėmiausi veiksmų.

Belamis sunkiai pajėgė suvokti, ką ji jam sako.

— Jūs klausotės Piterio Solomono telefono pokalbių?

— Taip. Todėl ir žinau, kad jo pagrobėjas paskambino jums į restoraną. Jūs paskambinote Piteriui į mobilųjį telefoną ir palikote išgąstingą balso pašto pranešimą, aiškindamas, kas nutiko.

Belamis suprato, kad ji teisi.

— Dar mes išgirdome skambutį tokio Roberto Lengdono, buvusio Kapitolijaus pastate, kuris labai sutrikęs suvokė esąs atviliotas apgaule. Aš tuojau pat nuvykau į Kapitoliją ir atsiradau čia anksčiau už jus, nes buvau arčiau. O apie tai, kodėl patikrinau Lengdono krepšio rentgeno nuotrauką... Supratusi, kad Lengdonas čia irgi įsipainiojęs, liepiau savo darbuotojams patikrinti iš pirmo žvilgsnio nekaltą šio ryto telefono pokalbį, kuriam buvo naudoti Lengdono ir Piterio Solomono mobilieji telefonai; pagrobėjas, apsimetęs Solomono padėjėju, įtikino

Lengdoną atvykti į Vašingtoną skaityti paskaitos ir paprašė paimti ryšulėlį, kurį saugoti jam esą patikėjęs Piteris. Kadangi Lengdonas nepateikė man informacijos apie šį ryšulėlį, aš pareikalavau peršviesti jo krepšį.

Belamiui buvo sunku susikaupti. Reikia pripažinti, kad Sato įrodymai atrodo patikimi, tačiau kažkas vis tiek nesueina.

— Bet... kaip jūs galėjote nuspręsti, kad Piteris Solomonas kelia grėsmę nacionaliniam saugumui?

— Patikėkite manimi, Piteris Solomonas *iš tiesų* kelia didžiulę grėsmę nacionaliniam saugumui, — atkirto ji. — Atvirai kalbant, pone Belami, *jūs* taip pat.

Belamis staiga atsitiesė, nepaisydamas riešus trinančių antrankių.

— Malonėkite paaiškinti?!

Ji prisiversdama nusišypsojo.

— Jūs, masonai, žaidžiate pavojingą žaidimą. Saugote *labai*, labai pavojingą paslaptį.

Nejau ji kalba apie Senovės Slėpinius?

— Dėkui Dievui, jums visad gerai sekėsi saugoti tai, ką slepiate. Tačiau, deja, neseniai pasielgėte neapdairiai, ir šiandien pavojingiausia jūsų paslaptis bus atskleista visam pasauliui. Tikėkite manimi — jei mums nepavyks užkirsti tam kelio, galim laukti katastrofiškų rezultatų.

Belamis apstulbęs spoksojo į ją.

— Jei nebūtumėte manęs užpuolęs, — kalbėjo Sato, — būtumėte seniai supratęs, kad mudu žaidžiame vienoje komandoje.

Vienoje komandoje. Išgirdus šiuos žodžius Belamiui dingtelėjo beveik neįsivaizduojama mintis. *Gal Sato priklauso „Rytinės žvaigždės“ seserijai?* „Rytinės žvaigždės“ ordinas, dažnai laikomas moteriška masonų organizacija, laikosi panašios mistinės filosofijos, išpažįstančios geraširdiškumą, slaptą išmintį ir dvasinę toleranciją. *Vienoje komandoje? Aš sukaustytas antrankiais! Ji klausosi Piterio pokalbių!*

— Jūs man padėsite sustabdyti šį žmogų, — tarė Sato. — Jis graso sukelti siaubingus įvykius, po kurių ši šalis gali nebeatsigauti. — Jos veidas priminė akmenį.

— Tai kodėl jūs nesiklausote jo pokalbių ir *neieškote* jo?

Sato, atrodo, negalėjo patikėti savo ausimis.

— Gal manote, kad aš *nebandžiau*? Sekiau Solomono telefoną, tačiau pėdsakas dingo, dar nespėjus atvykti į vietą. Kitas jo numeris, iš kurio skambina, priklauso vienkartiniam telefonui, jo atsekti beveik neįmanoma. Privačių lėktuvų bendrovė pranešė, kad skrydį užsakė Piterio Solomono padėjėjas, skambinęs Piterio Solomono mobiliuoju telefonu, mokėjęs Solomono kortele. Nėra jokių pėdsakų. Tačiau ne tai svarbiausia. Net jei sužinotume, kur jis yra, aš negalėčiau rizikuoti jo sučiupti.

— Kodėl?

— Nenorėčiau apie tai kalbėti, nes tai slapta informacija, — atrėžė Sato, kurios kantrybė buvo beišsenkanti. — Tik prašau manimi pasitikėti — taip yra.

— Bet aš jumis nepasitikiu!

Sato akys pasidarė visai ledinės. Staiga ji apsisuko ir garsiai šūktelėjo į Džiunglių gilumą:

— Agente Hartmanai! Prašom atnešti lagaminėlį.

Belamis išgirdo, kaip šnypštelėjusios atsidarė durys ir į Džiungles įžengė agentas. Jis nešė glotnų titano lagaminėlį, kurį padėjo ant grindų šalia ST direktorės kojų.

— Palikite mus, — paliepė Sato.

Agentui išėjus, durys vėl sušnypštė ir stojo tyla.

Sato paėmė metalinį lagaminėlį, pasidėjo jį ant kelių ir atrakino spynas. Tada lėtai pakėlė akis ir pažvelgė į Belamį.

— Aš šito nenorėjau, bet laiko beveik nebėra ir jūs man nepaliekate kitos išeities.

Belamis nužvelgė keistą lagaminėlį ir pajuto užplūstant baimę. *Gal ji ketina mane kankinti?* Jis vėl įtempė antrankius.

— Kas tame lagaminėlyje?!

Sato niūriai nusišypsojo.

— Tai, kas jus įtikins patikėti manimi ir man pritarti. Duodu žodį.

81 skyrius

Požemio patalpa, kurioje Malachas praktikavo savo Meną, buvo sumaniai paslėpta. Atsitiktinai įėjusiam žmogui jo namų požemiai nebūtų sukėlę jokių įtarimų — paprasčiausias rūsys, katilinė, elektros saugiklių dėžė, malkų krūva ir įvairiausių daiktų saugykla. Tačiau pašaliniams regimos rūsio patalpos buvo tik dalis Malacho požemių. Didelę erdvę jis buvo atitvėręs ir skyręs savo slaptiems tikslams.

Privačią Malacho darbo zoną sudarė keli maži kambarėliai, kiekvienas iš jų skirtas konkrečiam tikslui. Įeiti į juos buvo galima tik stačiu nuolydžiu, slaptai įrengtu iš svetainės, tad atsitiktinai aptikti šios erdvės buvo faktiškai beveik neįmanoma.

Kai šį vakarą Malachas ėjo nuolydžiu, ant jo kūno tatuiruoti burtaženkliai ir simboliai tarytum atgijo specialioje šviesiai mėlynoje rūsio šviesoje. Apsuptas melsvos prieblandos jis perėjo pro kelerias uždarytas duris ir patraukė tiesiai į didžiausią kambarį koridoriaus gale.

Šis kambarys — šventovių šventovė, arba *sanctum sanctorum*, kaip jį mėgo vadinti Malachas, — buvo taisyklingas kvadratas dvylikos pėdų, arba apytikriai pusketvirto metro, kraštinėmis. *Yra dvylika Zodiako ženklų. Dvylika dienos valandų. Dvylika dangaus vartų.* Kambario centre stovėjo akmeninis stalas, irgi kvadratinis, kurio kraštinės septynių pėdų, arba kiek daugiau negu dviejų metrų. *Septyni Apreiškimo antspaudai. Septynios Šventyklos laiptų pakopos.* Tiesiai virš stalo centro kabojo šviestuvas, kurio šviesa griežtai nustatytais intervalais mainėsi specialiomis spalvomis; kiekvienas ciklas truko šešias valandas, kaip mokė šventoji Planetos valandų lentelė. *Janoro šviesa mėlyna. Nasnijos šviesa raudona. Salamo šviesa balta.*

Dabar buvo Kaeros valanda, o tai reiškė, kad kambarys apšviestas švelniu purpuro atspalviu. Ryšėdamas tik šilkinę strėnjuostę, dengiančią sėdmenis ir kastruotą lyties organą, Malachas pradėjo pasirengimus.

Jis atidžiai atmatavo ir supilstė dezinfekcijai reikalingas chemines medžiagas — jas vėliau uždegs ir dūmais pašventins orą. Paskui sulankstė naujutėlį šilko chalatą, kurį ketino apsivilkti vietoj strėnjuostės. Galiausiai išgrynino ąsotį vandens, kurio reikės aukai pašlakstyti. Baigęs sudėjo paruoštus daiktus ant greta stovinčio stalo.

Tada nuėjo prie lentynos, pasiėmė iš jos dramblio kaulo dėžutę, nunešė prie to paties stalo ir padėjo greta kitų daiktų. Dar nebuvo pasirengęs pasinaudoti tuo, kas joje saugoma, bet negalėjo atsispirti pagundai — pakėlė dangtelį ir pasigėrėjo lobiu.

Peilis.

Dramblio kaulo dėžutėje ant juodo velveto paklotės švytėjo aukojimo peilis, kurį Malachas specialiai laikė šiam vakarui. Pernai jį įsigijo už milijoną šešis šimtus tūkstančių dolerių juodojoje rinkoje, kurioje prekiaujama Artimųjų Rytų antikvariniais daiktais.

Garsiausias peilis visoje istorijoje.

Vertingi neįsivaizduojamo senumo geležies ašmenys, kitados laikyti dingusiais, įtaisyti į kaulo rankeną. Per kelis šimtus metų jie spėjo priklausyti nesuskaičiuojamai daugybei įtakingų asmenų. Tačiau prieš kelis dešimtmečius peilis dingo ir visą laiką gulėjo slaptoje privačioje kolekcijoje. Malachas iš kailio nėrėsi stengdamasis jį įsigyti. Jis spėjo, kad jau kelias dešimtis... gal net šimtus metų šiuo peiliu nebuvo pralietas kraujas. Šį vakarą ašmenys vėl perskros galingą auką, kuriai buvo nukalti ir išgaląsti.

Malachas atsargiai išėmė peilį iš minkštos dėžutės, pagarbiai nušluostė ašmenis šilko skiaute, suvilgyta išgrynintu vandeniu. Jo meistriškumas labai išaugo, palyginti su pirmaisiais padrikais eksperimentais, atliktais kitados Niujorke. Juodasis Menas, kurį praktikavo Malachas, įvairiose kalbose vadinamas skirtingais vardais, tačiau, nepaisant jo pavadinimo, jis visur išliko tikslus kaip mokslas. Pirmykštė metodika, kadaise žadėjusi galios vartų raktus, jau seniai uždrausta, nustumta į okultizmo ir magijos patamsius. Keletas žmonių, iki šiol praktikuojančių šį Meną, laikomi bepročiais, bet Malachas žinojo tiesą. *Bukagalvis tokio darbo neįveiks*. Senovinis juodasis Menas, panašiai kaip šiuolaikinis mokslas, reikalauja tikslių formulių, konkrečių ingredientų ir nepaprastai atidaus laiko matavimo.

Šis Menas — tai ne bejėgė šių laikų juodoji magija, kuria smalsuoliai užsiima iš dyko buvimo. Jis, panašiai kaip branduolinė fizika, pajėgus išlaisvinti neapsakomas galias. Ne menkesni ir tykantys pavojai: *Nepatyręs asmuo, praktikuojantis šį meną, rizikuoja būti pagautas savo iššauktų galių priešinės srovės ir sunaikintas.*

Malachas baigė gėrėtis šventaisiais ašmenimis ir pažvelgė į vienintelį storo pergamento lapą, gulintį priešais ant stalo. Šį pergamentą jis pats pasigamino iš ką tik gimusio ėriuko odos. Kaip reikalauja taisyklės, ėriukas buvo tyras, dar nepasiekęs lytinės brandos. Šalia pergamento gulėjo rašomoji plunksna, kurią Malachas pasidarė iš varnos plunksnos, sidabrinė lėkštelė, aplink gryno žalvario dubenėlį mirguliavo trys žvakės. Dubenėlyje teliūskavo gal pora centimetrų tiršto tamsiai raudono skysčio.

Skystis buvo Piterio Solomono kraujas.

Kraujas — tai amžinybės tinktūra.

Malachas paėmė rašomąją plunksną, uždėjo kairiąją ranką ant pergamento, padažė plunksną kraujyje ir atidžiai apvedžiojo savo delno kontūrą. Baigęs nupiešė penkis Senovės Slėpinių simbolius — po vieną ant kiekvieno piršto galiuko.

Karūna... reiškia karalių, kuriuo aš tapsiu.

Žvaigždė... reiškia dangų, kuris nulėmė mano likimą.

Saulė... reiškia mano sielos nušvitimą.

Žibintas... reiškia blausią žmogaus proto šviesą.

O raktas... reiškia trūkstamą detalę, kurią šiąnakt galiausiai įgysiu.

Malachas baigė kruviną piešinį ir pakėlė pergamentą, gėrėdamasis savo darbu trijų žvakių šviesoje. Palaukė, kol kraujas išdžius, ir tris kartus perlenkė storą pergamentą. Tardamas senovinius oro užkeikimus, Malachas prikišo pergamentą prie trečiosios žvakės — plykstelėjo liepsna. Jis padėjo liepsnojantį pergamentą ant sidabrinės lėkštelės ir palaukė, kol sudegs. Galiausiai gyvulio odoje esanti anglis virto juodais suodžių milteliais. Liepsnai užgesus Malachas rūpestingai supylė pelenus į žalvarinį dubenėlį su krauju. Paskui išmaišė varnos plunksna.

Skystis patamsėjo, pasidarė beveik juodas.

Suėmęs dubenį abiem delnais, Malachas pakėlė jį virš galvos ir padėkojo, kartodamas senovinę kraujo *eucharistos*. Tada atsargiai supylė patamsėjusį mišinį į stiklinį buteliuką ir jį užkimšo. Tai rašalas, kuriuo Malachas padarys įrašą likusioje netatuiruotoje viršugalvio odoje ir galiausiai pabaigs savo kuriamą šedevrą.

82 skyrius

Vašingtono nacionalinė katedra — šešta pagal dydį katedra pasaulyje, ji aukštesnė už trisdešimties aukštų dangoraižį. Šiame neogotikos šedevre, papuoštame daugiau kaip dviem šimtais vitražų, penkiasdešimt trijų varpų karilionu ir turinčiame 10 647 vamzdžių vargonus, gali susiburti per tris tūkstančius maldininkų.

Tačiau šią naktį didinga katedra buvo tuščia.

Pastorius Kolinas Galovėjus, katedros dekanas, buvo panašus į žmogų, gyvenantį nuo laikų pradžios. Sulinkęs, išdžiūvęs, apsirengęs paprasta juoda sutana, jis aklai šlepsėjo priekin netardamas nė žodžio. Lengdonas ir Ketrina tylėdami ėjo jam iš paskos tamsia, daugiau kaip šimto metrų ilgio centrine nava, truputėlį išlenkta į kairę, siekiant sukurti švelnesnę optinę iliuziją. Kai pasiekė altoriaus pertvarą, dekanas nuvedė juos už krucifikso — simbolinės ribos, skiriančios žmonėms skirtą erdvę nuo šventosios erdvės.

Presbiterijoje tvyrojo smilkalų aromatas. Šventoji erdvė buvo tamsi, apšviesta tik tolimų šviesos atspindžių aukštai virš galvos kylančiuose skliautuose. Virš puošnios, chorui skirtos erdvės su keliais dekoratyviniais pano, vaizduojančiais Biblijos scenas, kabojo penkiasdešimties valstijų vėliavos. Dekanas Galovėjus žingsniavo toliau, veikiausiai mokėdamas kelią atmintinai. Iš pradžių Lengdonas pamanė, kad jie eina tiesiai prie centrinio altoriaus, kuriame įmūryta dešimt akmenų nuo Sinajaus kalno, bet senasis dekanas galiausiai pasuko į kairę ir apgraibomis susirado beveik nematomas duris, vedančias į administracinį priestatą.

Neilgu koridoriumi jie pasiekė kabineto duris, ant kurių kabojo žalvarinė lentelė su užrašu:

PASTORIUS DAKTARAS KOLINAS GALOVĖJUS
KATEDROS DEKANAS

Galovėjus atidarė duris ir uždegė šviesas, veikiausiai tuo parodydamas mandagumą svečiams. Įleidęs juos vidun, uždarė duris.

Dekano kabinetas buvo nedidelis, bet elegantiškas, su aukštomis knygų spintomis, rašomuoju stalu, raižiniais puošta spinta ir atskiru vonios kambariu. Ant sienų kabojo XVI amžiaus gobelenai ir keletas religinių paveikslų. Senasis dekanas mostu parodė į du odinius krėslus, stovinčius tiesiai priešais jo stalą. Lengdonas ir Ketrina atsisėdo; Lengdonas apsidžiaugė galėdamas pagaliau padėti ant grindų sau prie kojų sunkų kelionkrepšį.

Prieglobstis ir atsakymai, pamanė Lengdonas, įsitaisydamas patogiame krėsle.

Senis nušlepsėjo prie kitapus stalo stovinčio krėslo aukšta atkalte ir pamažu jame įsitaisė. Tada sunkiai atsiduso, pakėlė galvą ir įsmeigė į juos blausias nereginčias akis. Jam prabilus balsas netikėtai tapo aiškus ir stiprus.

— Suprantu, kad mes niekada nebuvome susitikę, — tarė senis, — tačiau man atrodo, kad pažįstu jus abu. — Jis išsitraukė nosinę ir nusišluostė lūpų kampučius. — Profesoriau Lengdonai, esu skaitęs jūsų darbų, tarp jų ir įdomų tekstą apie šios katedros simbolius. O su jūsų broliu Piteriu, ponia Solomon, mes daugelį metų priklausome tai pačiai masonų brolijai.

— Piterį ištiko baisi nelaimė, — atsakė Ketrina.

— Taip, girdėjau. — Senis atsiduso. — Ir padarysiu viską, ką galiu, kad jums padėčiau.

Lengdonas nepamatė ant dekano piršto masonų žiedo, tačiau žinojo, kad yra daug masonų, ypač dvasininkų, kurie nenori viešai demonstruoti savo narystės šioje organizacijoje.

Jiems pradėjus kalbėtis netrukus paaiškėjo, kad dekanas Galovėjus kai ką žino apie šios nakties įvykius iš Voreno Belamio palikto telefono pranešimo. Lengdonas ir Ketrina papasakojo visa kita, ir dekanas jiems kalbant vis labiau niaukėsi.

— Tai šis žmogus, kuris pagrobė mūsų mylimą Piterį, reikalauja, kad jūs iššifruotumėte piramidę, ir mainais į tai žada išsaugoti Piterio gyvybę?

— Taip, — atsakė Lengdonas. — Jis mano, kad tai žemėlapis, parodysiantis, kur paslėpti Senovės Slėpiniai.

Dekanas pažvelgė į Lengdoną savo keistomis apsiblaususiomis akimis.

— Iš jūsų balso girdžiu, kad jūs pats šiais dalykais netikite.

Lengdonas nenorėjo gaišti laiko tokiems pokalbiams.

— Kuo aš tikiu, visai nesvarbu. Reikia gelbėti Piterį. Deja, iššifravę piramidę pamatėme, kad įrašas nieko nereiškia.

Senis atsisėdo tiesiau.

— Jūs *iššifravote* piramidę?

Čia įsiterpė Ketrina ir greitai paaiškino, kad ji, nepaisydama Belamio įspėjimų ir brolio prašymo neišvynioti ryšulėlio, vis dėlto jį išvyniojo, būdama įsitikinusi savo svarbiausia pareiga — kiek įmanoma padėti broliui. Ji papasakojo dekanui apie auksinę piramidės viršūnę, Albrechto Diurerio magišką kvadratą ir apie tai, kaip jis padėjo šešiolika masonų šifro simbolių paversti žodžiais *Jeova Sanctus Unus*.

— Ir tai viskas, kas joje įrašyta? — paklausė dekanas. — *Vienintelis tikras Dievas?*

— Taip, pone, — atsakė Lengdonas. — Panašu, kad piramidė yra veikiau žemėlapio *metafora*, o ne tikras geografinis žemėlapis.

Dekanas ištiesė rankas.

— Leiskite man ją pačiupinėti.

Lengdonas atsegė krepšį, ištraukė piramidę ir atsargiai užkėlė ant stalo, tiesiai priešais pastorių.

Lengdonas ir Ketrina stebėjo, kaip trapios senio rankos tyrinėja kiekvieną akmens centimetrą — išgraviruotą įrašą, glotnų pagrindą ir nukirstą viršūnę. Baigęs jis vėl ištiesė rankas:

— O viršūnę?

Lengdonas išėmė mažą akmeninę dėžutę, padėjo ją ant stalo ir atidarė dangtelį. Išėmė piramidės viršūnę, įdėjo ją į laukiančias senio rankas. Dekanas panašiai ištyrė ir ją, apčiupinėjo kiekvieną centimetrą, kiek ilgiau užtruko ties įrašu: turbūt jam buvo sunku suprasti smulkų elegantišką įrašą.

— *The secret hides within The Order,* — pasufleravo Lengdonas. — Žodžiai *The* ir *Order* parašyti didžiosiomis raidėmis.

Senis nieko nesakančia veido išraiška uždėjo viršūnę ant nukirstos piramidės ir lytėdamas patikrino, ar ji lygiai stovi. Trumpai luktelėjo, tarsi melsdamasis, ir kelis kartus pagarbiai perbraukė užbaigtą piramidę delnais. Tada ištiesė ranką, apčiuopė kubo pavidalo dėžutę, paėmė ją, atidžiai apčiupinėjo, pirštais liesdamas vidų ir išorę.

Baigęs padėjo dėžutę atgal ir atsilošė krėsle.

— O dabar pasakykite, — staiga griežtu balsu paklausė jis, — kodėl atėjote pas mane?

Klausimas išmušė Lengdoną iš vėžių.

— Mes atėjome, pone, nes jūs pats mums liepėte. Ir ponas Belamis sakė, kad jumis galima pasitikėti.

— Bet *juo* jūs nepasitikėjote?

— Prašau?

Balzganos dekano akys, rodos, kiaurai vėrė Lengdoną.

— Ryšulėlis su piramidės viršūne buvo užantspauduotas. Ponas Belamis jums liepė jo neišvynioti, bet jūs išvyniojote. Maža to, Piteris Solomonas *irgi* jums liepė jo neišvynioti. Tačiau jūs jo nepaklausėte.

— Pone, — įsiterpė Ketrina, — mes stengėmės padėti mano broliui. Žmogus, kuris jį pagrobė, reikalauja, kad mes iššifruotume...

— Aš viską suprantu, — pareiškė dekanas, — tačiau ką jūs pasiekėte *išvyniojęę* ryšulėlį? Nieko. Piterio pagrobėjui reikia sužinoti konkrečią *vietą*, jam nepakaks atsakymo *Jeova Sanctus Unus*.

— Sutinku, — atsakė Lengdonas, — tačiau, deja, piramidėje daugiau įrašų nėra. Kaip jau sakiau, man tai atrodo veikiau metafora negu...

— Klystate, profesoriau, — tarė dekanas. — Masonų piramidė — tikras žemėlapis. Jis rodo tikrą vietą. Jūs to nesuprantate, nes dar ne iki galo iššifravote piramidės įrašą. Beveik net nepradėjote.

Lengdonas su Ketrina apstulbę susižvalgė.

Dekanas vėl uždėjo delnus ant piramidės, beveik ją glamonėdamas.

— Šiame žemėlapyje, kaip ir Senovės Slėpiniuose, yra daug prasmės klodų. Tikroji jos paslaptis tebėra nuo jūsų paslėpta.

— Dekane Galovėjau, — tarė Lengdonas, — mes atidžiausiai apžiūrėjome ir piramidę, ir jos viršūnę — jose daugiau nieko nėra.

— Tokiose, kokios jos dabar — nė. Bet daiktai kinta.

— Pone?

— Profesoriau, jūs pats žinote, kad ši piramidė žada stebuklingas permainymo galias. Pasak legendos, piramidė gali keisti savo pavidalą... savo fizinę formą, kad atskleistų paslaptis. Masonų piramidė, kaip ir garsusis akmuo, atidavęs kalaviją Ekskaliburą į karaliaus Artūro rankas, panorėjusi gali pavirsti kuo kitu... ir atskleisti savo paslaptis tiems, kurie jų verti.

Lengdonas pradėjo įtarti, kad metai atėmė iš senio buvusias proto galias.

— Atsiprašau, pone. Jūs norite pasakyti, kad ši piramidė gali tiesiogine prasme pakeisti savo fizinį pavidalą?

— Profesoriau, jei aš dabar ištiesčiau ranką ir permainyčiau šią piramidę jūsų akivaizdoje, ar patikėtumėte savo akimis?

Lengdonas nebesusivokė, ką atsakyti.

— Tikriausiai neturėčiau kitos išeities.

— Puiku. Netrukus aš būtent tai ir padarysiu. — Jis vėl nusišluostė burnos kampučius. — Leiskite jums priminti, kad buvo laikai, kai net šviesiausi žmonės tikėjo, kad Žemė yra plokščia. Juk jei Žemė būtų apvali, išsilietų vandenynai. Įsivaizduokite, kaip jie būtų iš jūsų tyčiojęsi, jei būtumėte pareiškęs: „Maža to, kad Žemė yra apvali: dar egzistuoja neregima mistinė jėga, kuri viską traukia prie jos paviršiaus."

— Esama skirtumo, — paprieštaravo Lengdonas, — tarp žemės traukos jėgos... ir gebėjimo permainyti daiktus, palietus juos ranka.

— Argi? O ar negali būti, kad mes tebegyvename tamsiaisiais amžiais, tebesišaipome iš „mistinių" jėgų, kurių negalime pamatyti arba nepajėgiame suprasti? Jei istorija mus ko nors ir išmokė, tai fakto, kad keistos idėjos, iš kurių šiandien šaipomės, ateityje bus pripažintos visuotinėmis tiesomis. Aš tvirtinu, kad prilietęs pirštu galiu permainyti šią piramidę, o jūs abejojate mano sveiku protu. Iš istoriko tikėčiausi daugiau. Istorijoje apstu didžių protų, skelbusių tą patį... didžių protų, atkakliai tvirtinusių, kad žmogus turi mistinių galių, apie kurias pats nieko nenutuokia.

Lengdonas žinojo, kad dekanas sako tiesą. Garsusis hermetikų posakis — *Nejau nežinote, kad esate dievai?* — buvo vienas iš pamatinių Senovės Slėpiniuose. *Kaip viršuje, taip ir apačioje... Žmogus sukurtas pagal Dievo paveikslą... Apoteozė.* Atkaklus žmogaus dieviškumo — jo slaptųjų galių — teigimas yra pasikartojanti begalės tradicinių senovės tekstų tema. Net Biblijoje psalmininkas 82 psalmėje sušuko: *Esate dievai, aš sakiau.*

— Profesoriau, — tarė senis, — aš puikiai suprantu, kad jūs, kaip daugelis išsilavinusių žmonių, gyvenate įkliuvęs tarp dviejų pasaulių — viena koja stovite dvasiniame, kita remiatės į fizinį. Jūsų širdis trokšta tikėti... bet intelektas jai neleidžia. Esate mokslininkas, tad jums bus ne pro šalį pasimokyti iš didžiųjų protų. — Senis nutilo ir atsikrenkštė. — Jei gerai prisimenu, vienas iš genialiausių kada nors gyvenusių žmonių yra pasakęs: „Tai, kas mums nesuvokiama, iš tiesų egzistuoja. Už gamtos paslapčių dar išlieka tai, kas subtilu, neapčiuopiama, nepaaiškinama. Mano religija — pagarba šiai galiai, pranokstančiai mūsų supratimo ribas."

— Kas taip pasakė? — paklausė Lengdonas. — Gandis?

— Ne, — įsiterpė Ketrina. — Albertas Einšteinas.

Ketrina Solomon perskaitė viską, ką parašė Einšteinas, ir buvo nustebinta ne tik jo didžios pagarbos misticizmui, bet ir pranašystės, kad ateis diena, kai visi taip galvos. *Ateities religija*, numatė Einšteinas, *bus kosminė religija. Ji pranoks asmeninį Dievą, apsieis be dogmų ir teologijos.*

Atrodo, Robertui Lengdonui nelengva tuo patikėti. Ketrina jautė, kokį apmaudą jam kelia senasis episkopalinis pastorius, ir puikiai jį suprato. Juk jiedu čia atvyko gauti atsakymo, o rado aklą senį, kuris pareiškė galįs permainyti daiktus rankos prilietimu. Ir vis dėlto senio atvira aistra mistinėms galioms Ketrinai priminė jos brolį.

— Tėve Galovėjau, — tarė Ketrina, — Piteris pakliuvo į bėdą. Mus vejasi CŽV. Vorenas Belamis mus čia atsiuntė pagalbos. Nežinau, kas įrašyta šioje piramidėje, nežinau, ką ji rodo, bet jei ją iššifravę tikrai galėsime pagelbėti Piteriui, būtinai privalome tai padaryti. Gal ponas Belamis ir sutinka paaukoti mano brolio gyvybę, kad tik išsaugotų piramidę, bet mano šeimai ji atnešė tik kančias. Kad ir kokia paslaptis būtų joje paslėpta, šį vakarą ji bus atskleista.

— Jūs teisi, — nemaloniu balsu ištarė dekanas. — Ji šiandien tikrai bus atskleista. Jūs tuo pasirūpinote. — Jis atsiduso. — Ponia Solomon, nuplėšdama antspaudą nuo šio ryšulėlio, jūs pradėjote seką įvykių, kurių nebeįmanoma sustabdyti. Šį vakarą pradėjo veikti jėgos, kurių jūs dar nesuprantate. Kelio atgal nebėra.

Ketrina apstulbusi spoksojo į pastorių. Jo balse aidėjo apokaliptinės gaidelės, tarsi jis kalbėtų apie septynis Apreiškimo antspaudus arba Pandoros skrynią.

— Nepalaikykite manęs įžūliu, pone, — įsiterpė Lengdonas, — tačiau aš niekaip negaliu įsivaizduoti, *kokias* jėgas galėjo išjudinti akmens piramidė.

— Aišku, negalite, profesoriau. — Senis neregio akimis žvelgė į jį. — Kol kas esate visiškai aklas.

83 skyrius

Drėgname Džiunglių ore sėdintis Kapitolijaus architektas juto, kaip nugara ritasi prakaito lašai. Jam skaudėjo antrankiais surakintus riešus, tačiau dėmesį traukė pavojingas titano lagaminėlis, kurį ką tik atidarė Sato, pasidėjusi ant suolelio.

Tai, kas yra šiame lagaminėlyje, pasakė jam Sato, *jus įtikins patikėti manimi ir man pritarti. Duodu žodį.*

Smulkutė japonė atidarė lagaminėlį taip, kad Belamis nematytų, kas jame yra, bet jo vaizduotė skriejo nesutramdoma. Sato kažką darė lagaminėlio viduje, ir Belamis beveik tikėjosi, kad netrukus ji iš ten ištrauks blizgančius, išgaląstus, aštrius tarsi skustuvo ašmenys kankinimo įrankius.

Staiga lagaminėlyje sužibo švieselė, ji ryškėjo, iš apačios apšvietė Sato veidą. Jos rankos toliau judėjo lagaminėlyje, šviesa pakeitė spalvą. Po kelių akimirkų Sato atitraukė rankas, suėmė lagaminėlį ir atsuko į Belamį, kad šis matytų jo vidų.

Belamis įsispoksojo į kažkokį futuristinio modelio nešiojamąjį kompiuterį su telefono aparatu, dviem antenomis ir dviguba klaviatūra. Staiga užplūdusį palengvėjimą netrukus pakeitė suglumimas.

Ekrane buvo matyti CŽV ženklas ir užrašas:

SLAPTAS PRISIJUNGIMAS
NAUDOTOJAS: INOUJĖ SATO
SLAPTUMO LAIPSNIS: 5

Po prisijungimo langeliu sukosi specialus paveikslėlis.

PRAŠOME PALAUKTI...
IŠŠIFRUOJAMA BYLA...

Belamis vėl metė žvilgsnį į Sato, kuri nenuleido nuo jo akių.

— Nenorėjau jums šito rodyti, — tarė ji. — Bet jūs man nepalikote kitos išeities.

Ekranas vėl sumirgėjo, Belamis žvilgtelėjo į jį, ir tuo metu pasirodė vaizdas, išplitęs po visą skystųjų kristalų monitorių.

Kelias sekundes Belamis žvelgė į ekraną stengdamasis susivokti, ką matąs. Pamažu pradedant suprasti, jo veidas baisiai išblyško. Apimtas siaubo spoksojo neįstengdamas nusukti akių.

— Bet tai... to *negali būti!* — sušuko jis. — Kaip... tai galėjo nutikti?!

Sato veidas buvo niūrus.

— Tai *jūs* man pasakykit, pone Belami. *Jūs* man paaiškinkit.

Kapitolijaus architektas galiausiai suvokė, kokias pasekmes turės tai, ką jis dabar mato, ir visas jo pasaulis susvyravo, atsidūręs ant milžiniškos katastrofos slenksčio.

Dieve mano... Aš padariau baisią, nedovanotiną klaidą!

84 skyrius

Dekanas Galovėjus jautėsi pilnas gyvybės.

Jis, kaip visi mirtingieji, žinojo, kad ateis laikas, kai teks nusimesti mirtingą kūno kiautą, bet aiškiai juto, jog tai bus ne šiąnakt. Jo kūniška širdis plakė smarkiai ir greitai... galva buvo šviesi. *Reikia dar daug nuveikti.*

Artrito išsukiotomis rankomis lytėdamas glotnų piramidės paviršių jis išgyveno neįtikimus jausmus. *Niekada neįsivaizdavau, kad gyvenime sulauksiu šios akimirkos.* Jau kelios žmonių kartos sugebėjo išsaugoti simbolono žemėlapio dalis atskirai vieną nuo kitos. Dabar jos pagaliau susijungė. Galovėjus pamanė, galbūt tai reiškia, kad atėjo išpranašautas metas.

Keista, tačiau likimas panorėjo, kad piramidę į daiktą surinktų du žmonės, nepriklausantys masonams. Kažkodėl jam atrodė, kad taip ir turėjo būti. *Slėpiniai išeina už vidinio ratelio ribų... iš tamsos... išnyra į šviesą.*

— Profesoriau, — kreipėsi jis pasukęs galvą į tą pusę, iš kur girdėjo Lengdono alsavimą, — ar Piteris sakė, *kodėl* duoda jums pasaugoti šį ryšulėlį?

— Sakė, kad jį iš jo nori pagrobti įtakingi asmenys, — atsakė Lengdonas.

Dekanas linktelėjo.

— Taip, tą patį Piteris sakė ir man.

— Tikrai? — staiga jam iš kairės atsiliepė Ketrina. — Jūs su mano broliu kalbėjote apie šitą piramidę?

— Žinoma, — atsakė Galovėjus. — Mes su jūsų broliu apie daug ką kalbėjome. Aš kitados buvau Šventyklos skyriaus Didysis meistras, kartais Piteris vis dar užeina pas mane paklausti patarimo. Gal prieš metus buvo atėjęs labai sunerimęs. Atsisėdo toje pačioje vietoje, kur dabar sėdite jūs, ir paklausė, ar aš tikiu antgamtine nuojauta.

— Nuojauta? — Ketrinos balse buvo girdėti susirūpinimas. — Jūs kalbate apie... *regėjimus?*

— Ne visai. Tai veikiau juslių dalykas. Piteris sakė juntąs savo gyvenime besikaupiančią tamsybių galią. Juto, kad kažkas jį stebi... laukia... ir ketina padaryti daug blogo.

— Akivaizdu, jog jis neklydo, — tarė Ketrina, — turint galvoje, kad tas pats žmogus, kuris nužudė mūsų motiną ir Piterio sūnų, atvyko į Vašingtoną ir tapo vienu iš Piterio brolių masonų.

— Teisybė, — pritarė jai Lengdonas, — bet tai nepaaiškina CŽV susidomėjimo.

Galovėjus nenorėjo sutikti.

— Žmonėms, kurie turi valdžią ir galią, jos visada reikia dar daugiau.

— Bet... CŽV? — tiesiai paklausė Lengdonas. — Ir mistinės paslaptys? Kažkas čia man atrodo ne taip.

— Viskas taip, — nesutiko Ketrina. — CŽV labai mėgsta naujas technologijas, ji seniai eksperimentuoja su mistiniais mokslais, domisi ekstrasensoriniu suvokimu, nuotoliniu regėjimu, sensorine deprivacija, farmakologinių preparatų keliamomis ypač jautriomis sąmonės būsenomis. Visa tai iš esmės mėginimas naudotis neregimais žmogaus psichikos ištekliais. Ką jau sužinojau iš Piterio, tai sužinojau: mokslas ir mistika labai glaudžiai susiję, skiriasi tik jų požiūriai. Abu siekia vienodų tikslų... tik skirtingais metodais.

— Piteris man sakė, — tarė Galovėjus, — kad jūsų tyrimų sritis — savotiški šiuolaikiniai mistiniai mokslai?

— Noetika, — atsakė Ketrina linkteldama galvą. — Ji įrodo, kad žmogaus galios labai pranoksta tas, kurias mes pratę įsivaizduoti. — Ji rankos mostu parodė vitražą, vaizduojantį gerai žinomą „spindulingojo Jėzaus“ paveikslą — Kristų, kuriam nuo rankų ir galvos sklinda šviesos spinduliai. — Tiesą sakant, aš visai neseniai, pasinaudojusi peršaldyta krūvio sąsajos įranga, nufotografavau žiniuonio gydytojo rankas jam dirbant. Nuotraukose jis buvo labai panašus į Jėzų, vaizduojamą jūsų vitraže... gydytojo pirštų galiukai spinduliavo energijos srautus.

Mokslininkės protas, pamanė sau Galovėjus slėpdamas šypseną. *O kaip kitaip, jūsų manymu, Jėzus galėjo gydyti ligonius?*

— Aš puikiausiai žinau, — toliau kalbėjo Ketrina, — kad šiuolaikinė medicina išjuokia žiniuonius gydytojus ir šamanus, bet mačiau tai savo akimis. Mano fotoaparatas su įmontuotu krūvio sąsajos įtaisu kuo tiksliausiai nufotografavo, kaip šis žmogus perduoda pirštų galiukais galingus energijos srautus... ir tiesiogine prasme pakeičia paciento ląstelių sandarą. Jei *tai* ne dieviška galia, tai aš visai nebežinau, kokia ji.

Dekanas Galovėjus leido sau nusišypsoti. Ketrina liepsnojo tokiu pat įkarščiu kaip ir jos brolis.

— Kartą Piteris palygino mokslininkus noetikus su pirmaisiais keliautojais, iš kurių visi šaipėsi, nes jie patikėjo eretiškais svaičiojimais apie apvalią Žemę. Šie keliautojai vos ne per vieną naktį iš kvailių virto didvyriais, atradusiais neištirtus pasaulius ir išplėtusiais visų planetos gyventojų akiratį. Piteris mano, kad ir jūs padarysite tą patį. Su jūsų darbu jis sieja didžiules viltis. Juk visi didieji filosofiniai istorijos proveržiai prasidėjo nuo drąsių idėjų.

Suprantama, Galovėjus puikiai žinojo, kad nereikia jokių laboratorijų, norint savo akimis pamatyti šios drąsios idėjos įrodymą, patvirtinantį neištirtas žmogaus galimybes. Čia pat, šioje katedroje, renkasi maldos rateliai ligoniams gydyti, ir pranešama, kad juose pasiekta tikrai stebuklingų rezultatų — persimainymų, patvirtintų medicinos dokumentais. Klausimas ne tas, ar Dievas suteikė žmogui didžiulių galių... klausimas — kaip šias galias *išlaisvinti*.

Senasis dekanas pagarbiai uždėjo rankas ant masonų piramidės šonų ir labai tyliai prakalbo:

— Mano bičiuliai, aš tiksliai nežinau, kokią vietą nurodo ši piramidė... tačiau žinau štai ką. Kažkur yra paslėptas didžiulis dvasios lobis... lobis, jau kelias kartas kantriai tūnantis tamsoje. Aš tikiu, kad tai katalizatorius, turintis galią pakeisti pasaulį. — Jis palietė auksinę piramidės viršūnę. — Dabar, kai ši piramidė užbaigta... paskirtas metas sparčiai artėja. Kodėl gi ne? Juk mums jau labai seniai pranašaujamas didžiulis persimainymo nušvitimas.

— Tėve, — vėl beveik iššaukiamai paklausė Lengdonas, — mes visi žinome šventojo Jono Apreiškimą ir tikrąją Apokalipsės prasmę, bet vargu ar Biblijos pranašystės...

— Oi, varge tu mano, Apreiškimo knyga yra gryniausia painiava! — atsiliepė dekanas. — Niekas nesuvokia, kaip ją reikėtų skaityti. Aš kalbu apie šviesaus proto žmones, rašiusius kuo aiškiausiai, apie šventojo Augustino, sero Fransio Beikono, Niutono, Einšteino — jų sąrašą galima tęsti be galo — pranašystes, kuriose numatoma persimainymo nušvitimo akimirka. Net pats Jėzus yra pasakęs: „Nėra nieko uždengta, kas nebus atidengta, ir nieko paslėpta, kas nepasidarys žinoma."

— Tai labai paprasta pranašystė, — atsakė Lengdonas. — Žinojimas auga geometrine progresija. Kuo daugiau žinome, tuo dar daugiau gebame sužinoti ir tuo sparčiau gausiname jau turimas žinias.

— Taip, — pritarė jam Ketrina. — Moksle tai pasitaiko labai dažnai. Kiekviena mūsų išrasta nauja technologija virsta įrankiu, kuriuo pasinaudojus išrandamos kitos technologijos... tai primena ritinamos sniego gniūžtės efektą. Todėl per pastaruosius penkerius metus mokslas padarė didesnę pažangą, negu anksčiau per penkis tūkstančius metų. Jis vystėsi geometrine progresija. Laikui bėgant matematinė pažangos kreivė įgyja beveik vertikalų pavidalą, naujovės randasi labai greitai.

Dekano kabinete stojo tyla, ir Galovėjus pajuto, kad jo svečiai iki šiol nesuvokia, kaip piramidė galėtų jiems padėti dar ką nors sužinoti. *Štai kodėl likimas juos atvedė pas mane,* pamanė jis. *Turiu atlikti savo vaidmenį.*

Daugelį metų pastorius Kolinas Galovėjus drauge su kitais masonų brolijos nariais atliko sergėtojų vaidmenis. Dabar viskas pasikeitė.

Aš — nebe sergėtojas... Aš — vedlys.

— Profesoriau Lengdonai? — kreipėsi Galovėjus, tiesdamas jam ranką virš stalo. — Malonėkite paimti mano ranką.

Robertas Lengdonas dvejojo žvelgdamas į jam ištiestą dekano Galovėjaus delną.

Mes ketiname melstis?

Iš mandagumo Lengdonas ištiesė ranką ir įdėjo ją į raukšlėtą dekano delną. Senis tvirtai ją suėmė, bet melstis nepradėjo. Apčiuopęs Lengdono smilių, nukreipė jį apačion, prie akmeninės dėžutės, iš kurios buvo išimta auksinė piramidės viršūnė.

— Jūsų akys jus apakino, — tarė dekanas. — Jei matytumėte pirštų galais, kaip aš, suprastumėte, kad ši dėžutė gali jus dar kai ko pamokyti.

Lengdonas klusniai apčiuopė piršto galiuku dėžutės vidų, tačiau nieko nepajuto. Vidus buvo visiškai glotnus.

— Nesiliaukite, — ragino Galovėjus.

Galiausiai Lengdonas piršto galiuku šį tą pajuto — mažytį išsišovusį apskritimą, miniatiūrinį taškelį dėžutės apačioje. Patraukęs ranką jis pažvelgė į dėžutę. Apskritimas plika akimi buvo beveik neįžiūrimas. *Kas gi čia?*

— Ar atpažįstate šį simbolį? — paklausė Galovėjus.

— Simbolį? — atsiliepė Lengdonas. — Aš beveik nieko neįžiūriu.

— Paspauskite jį.

Lengdonas padarė kaip lieptas — pirštu paspaudė taškelį. *Įdomu, kas turėtų atsitikti?*

— Neatitraukite piršto, — liepė dekanas. — Paspauskite stipriau.

Lengdonas pažvelgė į Ketriną, kuri suglumusi užsikišo už ausies plaukų sruogą.

Po kelių sekundžių senasis dekanas pagaliau linktelėjo.

— Gerai, atitraukite ranką. Alchemija baigta.

Alchemija? Robertas Lengdonas nuėmė nuo akmeninės dėžutės ranką ir sėdėjo tylus bei sutrikęs. Ničniekas nepasikeitė. Akmeninė dėžutė tebestovėjo ant stalo kaip stovėjusi.

— Nieko, — ištarė Lengdonas.

— Pažvelkite į savo piršto galiuką, — atsakė dekanas. — Turėtumėte pamatyti persimainymą.

Lengdonas pažvelgė į piršto galiuką, tačiau vienintelis jam įžiūrimas persimainymas buvo odoje atsispaudęs piešinys — mažytis apskritimas su taškeliu viduryje.

— O dabar atpažįstate simbolį? — paklausė dekanas.

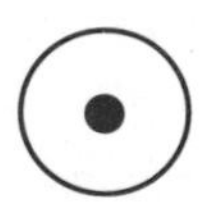

Lengdonas simbolį atpažino, tačiau dar didesnį įspūdį jam padarė faktas, kad dekanas sugebėjo apčiuopti visas jo detales. Panašu, jog regėjimas pirštais — įgūdis, kurio reikia ilgai mokytis.

— Tikrai alchemija, — ištarė Ketrina, prisitraukdama kėdę arčiau ir apžiūrinėdama Lengdono pirštą. — Tai senovinis *aukso* simbolis.

— Visiškai teisingai. — Dekanas nusišypsojo ir paplekšnojo per dėžutę. — Sveikinu jus, profesoriau. Jums ką tik pavyko pasiekti tai, ko siekė visų laikų alchemikai. Iš bevertės medžiagos sukūrėte auksą.

Lengdonas suraukė kaktą: jam tai nepadarė įspūdžio. Neatrodė, kad šis mažutis fokusas būtų kuo nors naudingas.

— Įdomi mintis, pone, tačiau šis simbolis — apskritimas su tašku centre — deja, turi dešimtis reikšmių. Jis vadinamas *circumpunct* ir yra vienas iš dažniausiai vartojamų visų laikų simbolių.

— Apie ką jūs kalbate? — skeptiškai paklausė dekanas.

Lengdonas apstulbo, kad masonas nežino dvasinės šio simbolio svarbos.

— Pone, šis simbolis turi begalę reikšmių. Senovės Egipte jis simbolizavo Ra, saulės dievą, ir iki šiol astronomijoje naudojamas Saulei žymėti. Rytų filosofijoje jis reiškia dvasines Trečiosios akies įžvalgas, dieviškąją rožę ir nušvitimą. Kabalistai juo ženklina Keterą — aukščiausiąją Sefirą, „slapčiausią iš visko, kas paslėpta". Senieji mistikai vadino jį Dievo akimi, iš jo kildinama visaregė akis, vaizduojama Didžiajame antspaude. Pitagorininkams apskritimas su tašku centre simbolizavo monadą — Dieviškąją tiesą, *Prisca Sapientia*, proto ir sielos vienį, o...

— Pakaks! — dekanas Galovėjus sukikeno. — Ačiū, profesoriau. Jūs, be abejo, teisus.

Tik dabar Lengdonas suprato, kad užkibo ant meškerės. *Jis pats visa tai žino.*

— Iš esmės, — tebesišypsodamas pats sau kalbėjo Galovėjus, — apskritimas su tašku centre yra svarbiausias Senovės Slėpinių simbolis. Todėl manyčiau, kad jis šioje dėžutėje atsirado neatsitiktinai. Legenda pasakoja, kad žemėlapio paslaptys slypi smulkiausiose detalėse.

— Tai gerai, — įsiterpė Ketrina, — bet net tuo atveju, jei šis simbolis buvo čia įrėžtas tyčia, jis vis tiek mums nepadeda iššifruoti žemėlapio, juk taip?

— Jūs anksčiau minėjote, kad vaško antspaude, kurį sulaužėte, buvo įspausta Piterio žiedo akis?

— Teisingai.

— Ir sakėte, kad turite šį žiedą?

— Turiu.

Lengdonas įkišo į kišenę ranką, surado žiedą, išėmė jį iš plastikinio maišelio ir padėjo ant stalo priešais dekaną.

Galovėjus paėmė žiedą ir ėmė čiuopti jo paviršių.

— Šis unikalus žiedas buvo pagamintas tuo pačiu metu kaip masonų piramidė, ir tradicija liepia jį nešioti žmogui, kuris atsakingas už piramidės apsaugą.

Šiandien, užčiuopęs akmeninės dėžutės dugne apskritimą su tašku centre, aš supratau, kad žiedas iš esmės yra simbolono dalis.

— Tikrai?

— Neabejoju. Piteris — mano artimiausias draugas, jis daug metų nešiojo šį žiedą. Visai neblogai jį apžiūrėjau. — Jis padavė žiedą Lengdonui. — Pažiūrėkite pats.

Lengdonas paėmė žiedą ir jį atidžiai apžiūrėjo, pirštais perbraukė dvigalvį feniksą, skaičių 33, žodžius ORDO AB CHAO ir „Viskas bus atskleista pasiekus trisdešimt trečią laipsnį". Neužčiuopė nieko, kas galėtų praversti. Staiga, pirštais slysdamas žiedo lanku, stabtelėjo. Nustebęs apsuko žiedą ir įsižiūrėjo į pačią lanko apačią.

— Radote? — paklausė Galovėjus.

— Atrodo, taip, radau! — atsakė Lengdonas.

Ketrina su kėde prisislinko arčiau.

— Ką?

— Žiedo lanke įspaustą laipsnio ženklą, — atsakė Lengdonas, rodydamas jai. — Jis toks mažas, kad akimis sunku pastebėti, bet čiuopiant pirštais galima justi, kad jis iš tiesų įgaubtas — tarsi mažytė apskrita duobutė. — Laipsnio ženklas buvo įspaustas žiedo apačioje... ir iš tiesų atrodė tokio paties dydžio, kaip ir iškilęs kauburiukas kubo apačioje.

— Jis to paties dydžio? — Ketrina susijaudinusi prisislinko dar arčiau.

— Nesunku patikrinti.

Lengdonas paėmė žiedą ir pridėjo jį prie dėžutės taip, kad abu apskritimai būtų tiesiai vienas prieš kitą. Paspaudė, iškilęs dėžutės taškelis įslydo į žiedo duobutę ir pasigirdo tylus, tačiau aiškus spragtelėjimas.

Visi krūptelėjo.

Lengdonas palaukė, tačiau daugiau nieko neatsitiko.

— Kas tai buvo? — paklausė pastorius.

— Nieko, — atsakė Ketrina. — Žiedas įslydo į savo vietą... bet daugiau nieko neįvyko.

— Neįvyko didis persimainymas? — Galovėjus atrodė sutrikęs.

Dar ne viskas, staiga suprato Lengdonas, žiūrėdamas į žiede iškaltus ženklus — dvigalvį feniksą ir skaičių 33. *Viskas bus atskleista pasiekus trisdešimt trečią laipsnį.* Jo galvoje iškilo Pitagoras, šventoji geometrija, kampai — kažin, o gal žodį „laipsnis" reikia suprasti *matematikos* kontekste?

Jusdamas, kaip smarkiai plaka širdis, jis labai lėtai suėmė žiedą, kuris laikėsi pritvirtintas prie kubo apačios. Pamažu pradėjo jį sukti į dešinę. *Viskas bus atskleista pasiekus trisdešimt trečią laipsnį.*

Pasuko žiedą dešimt laipsnių... dvidešimt laipsnių... trisdešimt...

To, kas nutiko paskui, Lengdonas visai nesitikėjo.

85 skyrius

Persimainymas.

Dekanas Galovėjus *girdėjo*, kaip viskas įvyko, tad jam nereikėjo nė matyti. Kitapus stalo sėdintys Lengdonas ir Ketrina nuščiuvo, tikriausiai su tylia nuostaba įsistebeiliję į akmeninį kubą, kuris ką tik su trenksmu pasikeitė jų abiejų akivaizdoje.

Galovėjus neįstengė sulaikyti šypsenos. Jis tikėjosi tokio rezultato, ir nors vis dar nesuvokė, kaip pastarasis įvykis padės įminti piramidės mįslę, nutarė pasimėgauti retai pasitaikančia proga pamokyti Harvardo simbologą šio to apie simbolius.

— Profesoriau, — tarė dekanas, — mažai kas žino, kad masonai garbina kubą — arba, kaip mes jį vadiname, *tašytą akmenį* — dėl to, kad jis yra trimatė kito, daug senesnio... dvimačio simbolio išraiška.

Galovėjui nereikėjo klausti, ar profesorius atpažįsta senovės simbolį, gulintį ant stalo tiesiai jiems prieš akis. Tai buvo vienas iš geriausiai žinomų pasaulio simbolių.

Roberto Lengdono mintys sukosi milžinišku greičiu, žiūrint į priešais ant stalo gulinčią permainytą dėžutę. *Man nė į galvą neatėjo...*

Prieš kelias sekundes jis ištiesė ranką prie akmeninės dėžutės, suėmė masonų žiedą ir atsargiai jį pasuko. Pasukus žiedą trisdešimt trijų laipsnių kampu, kubas staiga pasikeitė tiesiog jo akyse. Atsipalaidavus slaptiems vyriams, atsidarė kvadratėliai, sudarę dėžutės sieneles. Dėžutė vienu gaistu sukrito, jos šoninės sienelės ir dangtelis garsiai barkštelėję sugulė ant stalo.

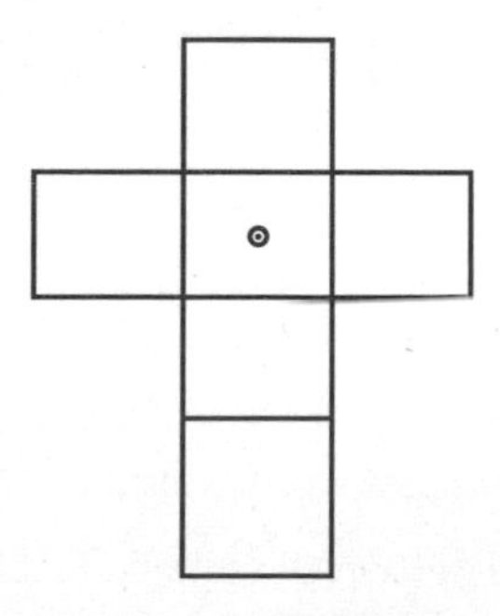

Kubas virto kryžiumi, pamanė Lengdonas. *Simbolinė alchemija.*

Ketrina nustėrusi žvelgė į sukritusį kubą.

— Masonų piramidė susijusi su... krikščionybe?

Lengdonui irgi buvo dingtelėjusi panaši mintis. Masonai iš tiesų gerbia krikščioniško krucifikso simbolį, be to, tarp masonų visai nemažai krikščionių. Tačiau masonais taip pat tampa žydai, musulmonai, budistai, hinduistai ir tie, kurie nerado vardo savajam Dievui. Vien tik krikščionybei būdingo simbolio egzistavimas prilygtų laisvės suvaržymui. Staiga jam paaiškėjo *tikroji* simbolio prasmė.

— Tai ne krucifiksas, — tarė Lengdonas stodamasis. — Kryžius ir jo viduryje esantis apskritimas su tašku centre vadinamas binariniu simboliu — tai *du* simboliai, sulieti į vieną.

— Apie ką tu kalbi? — Ketrinos akys sekė jį žingsniuojantį po kabinetą.

— Kryžius, — paaiškino Lengdonas, — iki IV amžiaus nebuvo krikščioniškas simbolis. Dar gerokai seniau jį naudojo egiptiečiai, juo ženklinę dviejų — dangiškos ir žemiškos — sferų sankirtą. Kaip viršuje, taip ir apačioje. Tai vaizdinė išraiška sankirtos, kurioje Dievas ir žmogus tampa vienu.

— Aišku.

— Mes jau žinome, — kalbėjo Lengdonas, — kad apskritimas su tašku centre turi daug prasmių; viena iš ezoteriškiausių reiškia *rožę*, alcheminį tobulybės simbolį. Tačiau pridėjus rožę kryžiaus centre gaunamas visai kitas simbolis — Rožės kryžius.

Galovėjus šypsodamasis atsilošė krėsle.

— Nagi, nagi. Jau darosi įdomu.

Ketrina irgi atsistojo.

— Ar aš ko nors nesupratau?

— Rožės kryžius, — paaiškino Lengdonas, — yra dažnai laisvųjų mūrininkų vartojamas simbolis. Tiesą sakant, vienas iš Škotijos ložės laipsnių yra vadinamas „Rožės kryžiaus riteriais“, pagerbiant senovės Rožės kryžininkus, įnešusius didelį indėlį į masonų mistinę filosofiją. Piteris veikiausiai bus tau minėjęs Rožės kryžininkus. Šiam ordinui priklausė dešimtys garsių mokslininkų — Džonas Di, Elijas Ešmoulas, Robertas Fladas...

— Žinoma, — atsiliepė Ketrina. — Ruošdamasi tyrimams aš perskaičiau visus Rožės kryžininkų manifestus.

Taip turėtų elgtis visi mokslininkai, pamanė Lengdonas. Rožės kryžiaus ordino — arba, oficialiai jį vadinant, senovinio mistinio *Order Rosae Crucis* — istorija kupina paslapčių, ji padarė didžiulę įtaką mokslui ir buvo labai panaši į Senovės Slėpinių legendą... senovės išminčiai neva saugoję slaptą išmintį, kurią perduodavę iš kartos į kartą ir leisdavę studijuoti tik patiems šviesiausiems protams. Tenka pripažinti, kad garsių Rožės kryžininkų sąrašas gali prilygti Europos Renesanso šviesiausių asmenybių žinynui: Paracelsas, Beikonas, Fladas, Dekartas, Paskalis, Spinoza, Niutonas, Leibnicas.

Pasak Rožės kryžiaus mokymo, ordinas buvo įkurtas „remiantis ezoterinėmis tolimos senovės tiesomis“, kurias reikia „slėpti nuo eilinio žmogaus“ ir kurios gali suteikti reikšmingų „dvasios erdvės“ įžvalgų. Metams bėgant brolijos simbolis išvešėjo ir virto žydinčia rože ant puošnaus kryžiaus, tačiau iš pradžių tai buvo tik kuklus apskritimas su tašku centre ant asketiško kryžiaus — pati paprasčiausia rožės ir kryžiaus išraiška.

— Mudu su Piteriu dažnai diskutuodavome apie Rožės kryžininkų filosofiją, — tarė Galovėjus Ketrinai.

Dekanui pradėjus pasakoti apie masonų ir Rožės kryžininkų tarpusavio santykius, Lengdonas pajuto, kad jo galvoje kirba ta pati nerami mintis, kuri nedavė ramybės visą vakarą. *Jeova Sanctus Unus*. Ši frazė kažkaip susijusi su alchemija. Jis niekaip negalėjo prisiminti, ką Piteris buvo apie ją sakęs, bet paminėjus Rožės kryžininkus mintis kažkodėl staiga atgijo. *Mąstyk, Robertai!*

— Rožės kryžiaus ordino įkūrėju, — pasakojo Galovėjus, — buvo laikomas vokiečių mistikas, pasivadinęs Kristijanu Rozenkroicu — aišku, kad tai pseudonimas, gal net paties Fransio Beikono, kuris, kai kurių istorikų manymu, ir įkūrė šią grupę, nors nėra jokių įrodymų apie...

— Pseudonimas! — staiga sušuko Lengdonas ir net pats krūptelėjo. — Štai kas! *Jeova Sanctus Unus!* Tai pseudonimas!

— Ką čia kalbi? — paklausė Ketrina.

Lengdono pulsas paspartėjo.

— Visą vakarą stengiuosi prisiminti, ką Piteris yra man sakęs apie *Jeova Sanctus Unus* ir šių žodžių ryšį su alchemija. Pagaliau prisiminiau! Jie susiję ne tiek su alchemija, kiek su *alchemiku*. Labai garsiu alchemiku!

Galovėjus sukikeno.

— Pačiu laiku, profesoriau. Aš jau du kartus paminėjau jo vardą ir net žodį „pseudonimas“.

Lengdonas įbedė akis į senąjį dekaną.

— Jūs žinojote?

— Na, turėjau tokį įtarimą, kai pasakėte, kad piramidėje išgraviruoti žodžiai *Jeova Sanctus Unus*, kad juos iššifravote pasinaudoję Diurerio alcheminiu magišku kvadratu, o kai radote Rožės kryžių, jau nebeliko jokių abejonių. Jūs patys turbūt žinote, kad tarp šio mokslininko asmeninių dokumentų buvo ir gausiai pastabų prirašinėtas Rožės kryžininkų manifesto egzempliorius.

— Kieno? — paklausė Ketrina.

— Vieno iš didžiausių pasaulio mokslininkų! — atsakė Lengdonas. — Jis buvo alchemikas, Londono karališkosios mokslo draugijos narys, Rožės kryžininkas, o be to, keletą slapčiausių savo mokslinių veikalų pasirašė pseudonimu — *Jeova Sanctus Unus*!

— Vienintelis tikras Dievas? — paklausė Ketrina. — Kuklus vaikinas.

— Tiesą sakant, talentingas, — pataisė ją Galovėjus. — Jis taip pasirašinėjo todėl, kad kaip ir visi senovės adeptai laikė save dievybe. Be to, šešiolika raidžių, kurios sudaro žodžius *Jeova Sanctus Unus,* galima sudėlioti taip, kad jos sudarytų lotynišką jo vardo formą — tiesiog tobulas pseudonimas.

Ketrina atrodė visai suglumusi.

— Žodžiai *Jeova Sanctus Unus* — tai garsaus alchemiko vardo lotyniškos formos anagrama?

Lengdonas čiupo nuo dekano stalo pieštuką, popieriaus lapelį ir dar kalbėdamas pradėjo rašyti.

— Lotynų kalboje raidę *J* galima skaityti kaip *I, V* — kaip *U*, ir atvirkščiai, o tai reiškia, kad iš žodžių *Jeova Sanctus Unus* galima kuo puikiausiai sudaryti šio žmogaus vardą.

Lengdonas užrašė šešiolika raidžių: *Isaacus Neutonuus.*

Jis padavė popierių Ketrinai ir tarė:

— Manau, esi apie jį girdėjusi.

— Izaokas Niutonas? — paklausė Ketrina žvelgdama į popierių. — Štai ką mums mėgino pasakyti piramidės įrašas!

Akimirką Lengdonas vėl pasijuto stovįs Vestminsterio abatijoje, prie piramidės pavidalo Niutono antkapio, kur kitados patyrė panašų dvasios nušvitimą. *Šį vakarą didysis mokslininkas vėl išeina į sceną*. Be abejo, tai ne atsitiktinumas... piramidės, paslaptys, mokslas, slaptos žinios... visa tai susiję. Niutono vardas visad buvo keliavedžiu tiems, kurie troško slaptųjų žinių.

— Izaokas Niutonas, — tarė Galovėjus, — veikiausiai bus susijęs su tuo, kaip reikia iššifruoti piramidės įrašo prasmę. Neįsivaizduoju, kas tai galėtų būti, tačiau...

— Genialu! — šūktelėjo Ketrina, ir jos akys išsiplėtė. — Štai kaip mes permainysime piramidę!

— Tu supratai? — paklausė Lengdonas.

— Taip! — atsakė ji. — Nesuprantu, kaip mes anksčiau to neperpratome! Juk aišku kaip dieną. Paprasčiausias alchemijos procesas. Galiu permainyti šią piramidę pasinaudojusi mokslo pagrindais! Niutoniškojo mokslo!

Lengdonas labai stengėsi ją suprasti.

— Dekane Galovėjau, — tarė Ketrina, — perskaitykite, kas įrašyta žiede. Ten rašoma...

— Stop! — Staiga senasis dekanas pakėlė pirštą ir mostu pareikalavo tylos. Atsargiai palenkė į šoną galvą, tarsi kažko klausydamasis. Netrukus veržliai pakilo nuo krėslo. — Bičiuliai, mums visiems aišku, kad ši piramidė atskleidė dar ne visas savo paslaptis. Nežinau, apie ką kalba ponia Solomon, bet jei ji žino, ką daryti toliau, aš savo vaidmenį būsiu atlikęs. Pasiimkite savo daiktus ir nieko daugiau man nesakykite. Kol kas palikite klaidžioti tamsoje. Bus geriau, jei neturėsiu jokios informacijos, jeigu kartais mūsų lankytojai panorėtų ją iš manęs išgauti.

— Lankytojai? — įsiklausiusi pratarė Ketrina. — Aš nieko negirdžiu.

— Išgirsite, — užtikrino ją Galovėjus eidamas prie durų. — Skubėkite.

Kitame miesto gale signalas iš mobiliojo ryšio centro bergždžiai stengėsi pasiekti mobilųjį telefoną, kurio šipuliai gulėjo Masačusetso prospekte ant grindinio. Nepavykus skambintojo pranešimas buvo nukreiptas į balso paštą.

— Robertai! — šaukė panikos kupinas Voreno Belamio balsas. — Kur jūs?! Paskambinkite man! Vyksta baisūs dalykai!

86 skyrius

Užlietas šviesiai mėlynos rūsio lempų šviesos, Malachas stovėjo prie akmeninio stalo ir tęsė pasirengimus. Dirbant alkanas jo skrandis suurzgė. Jis nekreipė į tai dėmesio. Seniai praėjo tos dienos, kai tarnavo kūno įgeidžiams.

Persimainymui reikia aukos.

Kaip dauguma dvasingiausių visų laikų žmonių, Malachas pradėjo eiti šiuo keliu po kilniausių kūniškų aukų. Kastracija pasirodė ne tokia skausminga, kaip įsivaizdavo. Be to, jis sužinojo, kad ji gana dažna. Kasmet tūkstančiams vyrų atliekama chirurginė kastracija — arba orchiektomija, kaip ją vadina medikai; ją lemia įvairūs motyvai, pradedant lyties keitimo klausimais ar troškimu pažaboti lytinę priklausomybę ir baigiant giliais dvasiniais įsitikinimais. Malacho motyvai buvo patys kilniausi. Jis, kaip ir mitologinis save kastravęs Atis, žinojo, kad norint pasiekti nemirtingumą būtina visam laikui atsiriboti nuo materialaus vyriškumo ir moteriškumo pasaulio.

Androginas yra vientisas.

Mūsų dienomis eunuchų vengiama, tačiau senovėje žmonės suvokė vidinę šios permainančios aukos galią. Net pirmieji krikščionys girdėjo, kaip Jėzus šlovina ją Evangelijoje pagal Matą (Mt 19,12): „Ir yra eunuchų (...), kurie patys save tokius padarė dėl dangaus karalystės. Kas pajėgia išmanyti, teišmano."

Piteris Solomonas paaukojo kūno auką, nors vienos rankos plaštaka bendrame didžių dalykų kontekste tėra gryna smulkmena. Tačiau nakčiai baigiantis Solomonui teks paaukoti daugiau, daug daugiau.

Kad galėčiau kurti, privalau griauti.

Tokia dvilypumo prigimtis.

Žinoma, Piteris Solomonas nusipelnė likimo, kuris jo laukia šią naktį. Tai bus jam tinkamas galas. Labai seniai jis suvaidino lemiamą vaidmenį Malacho mirtingo gyvenimo kelyje. Dėl šios priežasties Piteris buvo pasirinktas suvaidinti lemiamą vaidmenį didžiajame Malacho persimainyme. Tas žmogus nusipelnė visų baisybių ir kančių, kurias jam teks iškęsti. Piteris Solomonas — visai ne toks žmogus, kokiu jį laiko visas pasaulis.

Jis paaukojo savo vienatinį sūnų.

Kadaise Piteris Solomonas pasiūlė savo sūnui Zakariui neįmanomą pasirinkimą — turtai arba išmintis. *Zakaris pasirinko neteisingai.* Jaunuolio sprendimas pradėjo įvykių seką, galiausiai nutempusią jį į pragaro gelmes. *Soganliko kalėjimas.* Tame Turkijos kalėjime Zakaris Solomonas mirė. Šią istoriją žino visas pasaulis... bet niekas nežino, kad Piteris Solomonas galėjo išgelbėti savo sūnų.

Aš ten buvau, mąstė Malachas. *Aš viską girdėjau.*

Malachas niekada nepamiršo tos nakties. Žiaurus Solomono sprendimas jo sūnui Zakariui reiškė mirtį, tačiau Malachui — gimimą.

Vieni privalo mirti, kad kiti galėtų gyventi.

Šviesa virš Malacho galvos vėl pradėjo keisti spalvą, ir jis suprato, kad jau vėlu. Baigė pasirengimus ir vėl užlipo nuolydžiu. Metas pasirūpinti mirtingojo pasaulio reikalais.

87 skyrius

Viskas bus atskleista pasiekus trisdešimt trečią laipsnį, bėgdama mąstė Ketrina. *Aš žinau, kaip permainyti piramidę!* Atsakymas į šį klausimą visą vakarą buvo jiems tiesiai po nosimis.

Ketrina ir Lengdonas jau vieni lėkė per katedros priestatą, sekdami rodykles su užrašu „Sodas". Netrukus, kaip dekanas buvo žadėjęs, jie išbėgo iš katedros ir atsidūrė erdviame, aukštomis sienomis aptvertame vidiniame kieme.

Katedros sodas buvo aptvertas aštuonkampis su bronziniu postmoderniu fontanu. Ketrina apstulbo išgirdusi, kaip garsiai vidiniame kieme aidi fontano srovės teškėjimas. Tačiau netrukus suvokė, kad girdi visai ne fontano srovę.

— Sraigtasparnis! — suriko ji, kai dangų virš galvos perskrodė šviesos spindulys. — Slėpkis po tuo portiku!

Vos Lengdonas ir Ketrina spėjo pasiekti priešingą pusę ir palįsti po neogotikine tunelio, vedančio į už kiemo ribų plytinčią veją, arka, kiemą užtvindė akį rėžianti ieškos žibintų šviesa. Ketrina ir Lengdonas susigūžę tunelyje palaukė, kol sraigtasparnis praskris virš galvų ir pradės sukti plačius ratus viršum katedros.

— Spėju, Galovėjus tikrai girdėjo ateinant lankytojus, — tarė Ketrina, kuriai tai padarė įspūdį. *Kai akys nemato, ausys labai gerai girdi.* Jos pačios ausyse ritmingai ir garsiai aidėjo pulso dūžiai.

— Ten, — parodė Lengdonas, spausdamas prie šono kelionkrepšį ir žengdamas perėjimu.

Dekanas Galovėjus davė jiems vienintelį raktą ir aiškius nurodymus. Deja, priėję trumpo tunelio galą, jie pamatė, kad nuo tikslo juos skiria plati veja, šiuo metu kaip tik apšviesta virš galvos skriejančio sraigtasparnio šviesų.

— Niekaip nepereisime, — tarė Ketrina.

— Palauk... žiūrėk, — Lengdonas parodė juodą šešėlį, atsiradusį ant vejos jiems iš kairės. Iš pradžių šešėlis buvo tik beformė dėmė, tačiau sparčiai augo, artėjo prie jų, darėsi vis ryškesnis, greičiau ir greičiau artinosi, plėtėsi, o galiausiai virto didžiuliu juodu keturkampiu, vainikuojamu dviejų neįsivaizduojamai aukštų smailių.

— Katedros fasadas užstoja ieškos žibintus, — pasakė Lengdonas.

— Jie leidžiasi priešais katedrą!

Lengdonas čiupo Ketriną už rankos.

— Bėgam! Tuojau pat!

Katedroje likęs dekanas Galovėjus jautėsi toks žvalus, koks nesijautė jau daug metų. Jis perėjo altoriaus pertvarą, nužingsniavo nava iki įėjimo durų.

Girdėjo, kaip virš katedros ūžia sraigtasparnis, įsivaizdavo, kaip jo šviesos sklinda pro apskritą vitražą virš įėjimo durų, stebuklingomis spalvomis užliedamos visą šventovę. Prisiminė laikus, kai dar matė spalvas. Ironiška, tačiau tamsi tuštuma, kuria virto jo pasaulis, apšvietė daugelį dalykų. *Dabar matau daug aiškiau negu bet kada anksčiau.*

Galovėjus dar jaunystėje pajuto pašaukimą Dievo tarnystei ir visą gyvenimą mylėjo Bažnyčią tiek, kiek žmogui įmanoma. Kaip daugelis kolegų, nuoširdžiai atidavusių gyvenimą Dievui, Galovėjus jautėsi pavargęs. Jis visą gyvenimą stengėsi būti išgirstas pro neišmanymo ūžesį.

Ko aš tikėjausi?

Visose galių kovose — nuo kryžiaus karų iki inkvizicijos ir Amerikos politikos — jėga buvo grobiamas Jėzaus vardas. Nuo pat laikų pradžios neišmanėliai rėkė garsiausiais balsais, gainiodami nieko neįtariančią minią ir versdami vykdyti jų valią. Savo pasaulietiškus troškimus jie gynė cituodami Šventąjį Raštą, kurio nesuprato. Savo netolerantiškumu jie didžiavosi kaip savo įsitikinimų įrodymu. Pagaliau per šitiek metų žmonijai pavyko visiškai ištrinti grožį, kuriuo kitados spindėjo Jėzus.

Šį vakarą susidūrimas su Rožės kryžiaus simboliu pripildė jį didžios vilties, priminė pranašystes, įrašytas Rožės kryžininkų manifestuose, kuriuos kadaise Galovėjus buvo daugybę kartų skaitęs ir iki šiol prisiminė.

Pirmas skyrius. *Jehova atpirks žmoniją atskleisdamas paslaptis, kurias anksčiau sergėjo tik išrinktiesiems.*

Ketvirtas skyrius. *Visas pasaulis taps it viena knyga, bus sutaikyti mokslo ir teologijos prieštaravimai.*

Septintas skyrius. *Prieš pasaulio pabaigą Dievas sukurs didžiulį dvasinės šviesos antplūdį, kuris palengvins žmonijos kančias.*

Aštuntas skyrius. *Kad būtų įmanomas šis apreiškimas, pasaulis turi išmiegoti svaigulį, sukeltą užnuodytos taurės, pripildytos netikros teologijos vyno gyvybės.*

Galovėjus žinojo, kad Bažnyčia seniai pametė kelią, ir paskyrė visą savo gyvenimą jai iš klystkelių išvesti. Dabar, suprato jis, ta akimirka artėja.

Prieš aušrą visad būna tamsiausia.

CŽV agentas operatyvininkas Terneris Simkinsas jau buvo pastatęs koją ant „Sikorsky“ sraigtasparnio, šiam leidžiantis ant apšerkšnijusios žolės. Agentas nušoko lydimas savo vyrų ir tuojau pat pamojo sraigtasparniui kilti atgal į orą ir stebėti visus išėjimus.

Iš šio pastato niekas neišeis.

Sraigtasparniui vėl pakilus į nakties dangų, Simkinsas su komandos draugais užbėgo laiptais, vedančiais prie katedros durų. Dar jam neapsisprendus, į kurias iš šešerių durų reikėtų belsti, vienos atsidarė.

— Taip? — iš tamsos pasigirdo ramus balsas.

Simkinsas vos įstengė įžiūrėti sulinkusią figūrą kunigo drabužiais.

— Ar jūs dekanas Kolinas Galovėjus?

— Taip, — atsakė senis.

— Ieškau Roberto Lengdono. Ar jūs jį matėte?

Senis žengė į priekį žiūrėdamas Simkinsui per petį keistomis blausiomis akimis.

— Na, tai jai būtų *tikras* stebuklas.

88 skyrius

Laiko beveik *nebeliko*.

Saugumo analitikė Nola Kei ir šiaip buvo baisiai įsitempusi, tad trečias puodelis kavos, kurį kaip tik gėrė, pasklido gyslomis nelyginant elektros srovė.

Iki šiol nė žodžio iš Sato.

Galiausiai jos telefonas suskambo, ir Nola puolė atsiliepti.

— ST, — ištarė ji. — Nola klauso.

— Nola, čia Rikas Perišas iš sistemų saugumo skyriaus.

Nola susmuko kėdėje. *Ne Sato.*

— Labas, Rikai. Ką gero pasakysi?

— Norėjau tau šiek tiek padėti — gali būti, kad mūsų departamentas turi informacijos, susijusios su tuo, kuo tu šį vakarą užsiimi.

Nola pastatė kavos puodelį ant stalo. *Iš kur, po šimts, tu žinai, kuo aš šį vakarą užsiimu?*

— Atsiprašau?

— Et, tai ta nauja IB programa, kurią mes testuojam, — atsakė Perišas. — Ji nuolat išmeta tavo kompiuterizuotos darbo vietos numerį.

Tik dabar Nola suprato, apie ką jis kalba. Agentūroje šiuo metu buvo išmėginama nauja „integruoto bendradarbiavimo" programinė įranga, skirta realiu laiku duoti signalus skirtingiems CŽV departamentams, dirbantiems su susijusiais duomenimis. Šiais greitai bėgančio laiko ir terorizmo laikais katastrofos išvengti dažnai galima paprasčiausiu būdu — sužinojus, kad žmogus, sėdintis kitame koridoriaus gale, analizuoja tau šiuo metu reikalingus duomenis. Nolos manymu, ši IB įranga kol kas daugiau trukdė, negu teikė pagalbą, todėl vadino ją „institucinio bergždumo" programa.

— Aišku, buvau pamiršusi, — atsakė Nola. — Ką tokio turi?

Ji nė kiek neabejojo, kad visame pastate daugiau niekas neįtaria apie krizę, o ką jau kalbėti apie darbą su ja. Vienintelis kompiuterinis tyrimas, kurį šį vakarą atliko Nola, buvo Sato prašymu atlikta ezoterinių masoniškų temų peržiūra. Vis dėlto ji privalėjo žaisti bendrą žaidimą.

— Žinai, turbūt ten nieko ypatinga, — tarė Perišas, — bet šį vakarą sulaikėme vieną programišių, ir IB programa man siūlo pasidalyti šia informacija su tavimi.

Programišių? Nola gurkštelėjo kavos.

— Klausau.

— Prieš kokią valandą, — prakalbo Perišas, — pagavom tokį tipą, pavarde Zubianis, kuris mėgino atsidaryti bylą, esančią vienoje iš mūsų vidinių duomenų bazių. Vyrukas sako, kad tai užsakymas, kad jis pats nieko nenutuokia, kodėl jam sumokėjo už galimybę patekti į šią bylą, ir tvirtina net nežinojęs, kad ji yra CŽV serveryje.

— Aišku.

— Mes baigėme apklausą, su juo viskas gerai. Bet štai kas keista — ta pati byla, į kurią jis taikėsi, šį vakarą kiek anksčiau buvo iškviesta vidinės paieškos programos. Atrodo, kažkas įlindo į mūsų sistemą, paleido paiešką su konkrečiais reikšminiais žodžiais ir atliko redagavimą. Svarbiausia, kad tie reikšminiai žodžiai labai keisti. Ypač vienas, kurį IB priskyrė ypatingos svarbos sutapimams — jis pasitaiko tik šiose dviejose duomenų grupėse. — Jis patylėjo. — Ar tu žinai tokį žodį... „simbolonas"?

Nola staiga atsitiesė ir išliejo ant stalo kavą.

— Kiti žodžiai irgi neįprasti, — toliau pasakojo Perišas. — „Piramidė, vartai..."

— Varyk čia, — paliepė Nola šluostydama stalą. — Atsinešk viską, ką turi!

— Nori pasakyti, kad tie žodžiai tau ką nors reiškia?

— Paskubėk!

89 skyrius

Katedros kolegija yra elegantiškas, pilį primenantis pastatas, stovintis greta Nacionalinės katedros. Pamokslininkų kolegija, kokią ją buvo sumanęs pirmasis Vašingtono episkopalinis vyskupas, buvo įkurta siekiant teikti tolesnį išsilavinimą šventimus priėmusiems kunigams. Šiandien kolegija siūlo įvairių teologijos, pasaulinės teisės, gydymo ir dvasingumo sričių mokymo programų.

Lengdonas ir Ketrina nulėkė skersai veją ir, pasinaudoję Galovėjaus duotu raktu, nėrė į kolegijos vidų kaip tik tą akimirką, kai sraigtasparnis vėl pakilo virš katedros, o jo šviesos naktį pavertė diena. Uždusę stovėdami vestibiulyje jie dairėsi po patalpą. Pro langus sklindančios šviesos pakako, tad Lengdonas nematė jokios priežasties degti šviesų ir rizikuoti išduoti virš galvos sukančiam sraigtasparniui savo buvimo vietą. Centriniu koridoriumi jie praėjo daugybę konferencijų salių, auditorijų ir poilsio zonų. Interjeras Lengdonui priminė neogotikinius Jeilio universiteto pastatus — iš išorės tiesiog kvapą gniaužiančius, o viduje labai praktiškus, nes jų senovinė elegancija sumaniai pritaikyta nuolat naudoti daugeliui žmonių.

— Čia, — tarė Ketrina rodydama į tolimąjį koridoriaus galą.

Ketrina dar nespėjo Lengdonui papasakoti naujausio ją ištikusio apreiškimo, susijusio su piramide, kurį, atrodo, įžiebė *Isaacus Neutonuus* paminėjimas. Bėgant per veją ji tepasakė, kad piramidę galima permainyti pasitelkus paprasčiausią mokslą. Ji vylėsi, kad viską, ko tam prireiks, bus galima rasti šiame pastate. Lengdonas net neįsivaizdavo, ko jai gali prireikti ar kaip Ketrina ketina transformuoti vientisą granito luitą ir aukso gabalą, bet prisiminęs, kad ką tik matė kubą virstant Rožės kryžiumi, sutiko ja pasitikėti.

Jie priėjo koridoriaus galą, ir Ketrina suraukė kaktą, tikriausiai nepamačiusi to, ko ieškojo.

— Tu sakei, kad čia yra ir gyvenamosios patalpos?

— Taip, konferencijų dalyviams.

— Tada čia *turi* būti virtuvė, tiesa?

— Tu išalkai?

Ji atsisuko į jį ir susiraukė.

— Ne, man reikia laboratorijos.

Na, žinoma. Lengdonas pastebėjo žemyn vedančius laiptus, paženklintus daug žadančiu simboliu. *Mėgstamiausia amerikiečių piktograma.*

Rūsyje įrengta virtuvė atrodė labai moderni — visur nerūdijančio plieno paviršiai, didelių dubenų krūvos; buvo aišku, kad joje gaminamas maistas didelėms žmonių grupėms. Langų virtuvėje nebuvo. Ketrina uždarė duris ir įjungė šviesas. Automatiškai įsijungė ir vėdinimo sistema.

Ketrina ėmė raustis spintelėse kažko ieškodama.

— Robertai, — paliepė ji, — būk geras, ištrauk piramidę ir padėk ant stalo.

Jausdamasis kaip pradedantis šefo parankinis, kuriam įsakinėja Danielis Buludas, Lengdonas pakluso: išėmė iš krepšio piramidę ir uždėjo ant jos auksinę viršūnę. Baigęs pamatė, kad Ketrina pila į didžiulį puodą karštą vandenį iš čiaupo.

— Gal galėtum užkelti šitą puodą ant viryklės?

Lengdonas sunkiai užkėlė teliūskuojantį puodą ant viryklės, o Ketrina įjungė dujų degiklį ir padidino liepsną.

— Virsime omarus? — viltingai paklausė jis.

— Labai juokinga. Ne, užsiimsime alchemija. Beje, šis puodas skirtas virti *makaronams*, o ne omarams. — Ji parodė skylėtą, makaronams nukošti skirtą pusdangtį, kurį buvo nuėmusi nuo puodo ir padėjusi ant stalo greta piramidės.

Tikrai, koks aš kvailas.

— Tai virdami makaronus mes iššifruosime piramidės įrašą?

Ketrina nuleido jo pastabą negirdomis ir prakalbo rimtai:

— Neabejoju, jog tu puikiai žinai, kad masonai pasirinko trisdešimt trečią laipsnį aukščiausiu savo lygiu dėl tam tikrų istorinių ir simbolinių priežasčių.

— Žinoma, — atsakė Lengdonas.

Pitagoro laikais, šeši šimtai metų prieš Kristaus gimimą, numerologijos tradicija skelbė skaičių 33 aukščiausiu iš visų „skaičių valdovų". Tai buvo švenčiausias skaičius, simbolizuojantis Dieviškąją tiesą. Šią tradiciją toliau tęsė masonai... ir kiti. Neatsitiktinai krikščionys mokomi, kad Jėzus buvo nukryžiuotas sulaukęs trisdešimt trejų metų, nors to neliudija jokie istoriniai duomenys. Taip pat neatsitiktinai sakoma, kad Juozapas buvo trisdešimt trejų, kai vedė Mergelę Mariją, ar kad Jėzus padarė trisdešimt tris stebuklus, ar kad Dievo vardas Pradžios knygoje minimas trisdešimt tris kartus, ar kad pagal islamo mokymą visi dangaus gyventojai amžinai yra trisdešimt trejų metų.

— Skaičius trisdešimt trys, — pareiškė Ketrina, — yra šventas daugelyje mistinių tradicijų.

— Teisingai.

Tačiau Lengdonas vis dar nesuvokė, ką tai turi bendra su puodu makaronams virti.

— Taigi neturėtum nustebti, kad senovės alchemikas, Rožės kryžininkas ir mistikas, koks buvo Izaokas Niutonas, skaičių trisdešimt trys irgi laikė nepaprastu.

— Nė kiek neabejoju, — atsakė Lengdonas. — Niutonas labai domėjosi numerologija, pranašavimais ir astrologija, bet ką tai...

— Viskas bus atskleista pasiekus trisdešimt trečią laipsnį.

Lengdonas išsitraukė iš kišenės Piterio žiedą ir perskaitė įrašą. Paskui vėl dirstelėjo į puodą su vandeniu.

— Atsiprašau, niekaip nesuprantu.

— Robertai, šį vakarą mes iš pradžių pamanėme, kad „trisdešimt trečias laipsnis" reiškia masonų titulą, jų lygį, bet vėliau, kai pasukome žiedą trisdešimt trijų laipsnių kampu, kubas pasikeitė ir virto kryžiumi. Tada suvokėme, kad žodis „laipsnis" čia pavartotas kita prasme.

— Taip. Laipsnis kaip apskritimo dalis.

— Būtent. Bet „laipsnis" turi ir dar vieną reikšmę.

Lengdonas nužvelgė ant viryklės stovintį puodą.

— Temperatūra.

— Na, žinoma! — atsakė ji. — Visą vakarą į tai žiūrėjome. „Viskas bus atskleista pasiekus trisdešimt trečią laipsnį." Jei patalpinsime šią piramidę į trisdešimt trijų laipsnių temperatūrą... gal ką nors ir sužinosime.

Lengdonas žinojo, kad Ketrina Solomon labai protinga, tačiau šį kartą ji, atrodo, nesuvokė visiškai paprasto dalyko.

— Gal aš klystu, bet trisdešimt trijų laipsnių pagal Farenheitą temperatūra kone siekia užšalimo tašką. Gal piramidę verčiau reikėtų dėti į šaldiklį?

Ketrina nusišypsojo.

— Tik ne tada, kai ketiname laikytis recepto, kurį siūlo didis alchemikas, Rožės kryžiaus mistikas, savo veikalus pasirašinėjęs *Jeova Sanctus Unus*.

Isaacus Neutonuus rašė kulinarinius receptus?

— Robertai, temperatūra alchemijoje yra vienas svarbiausių katalizatorių, ir ji ne visada buvo matuojama Farenheito arba Celsijaus skalėmis. Esama kur kas senesnių temperatūros skalių, ir vieną iš jų pasiūlė Izaokas...

— Niutono skalė! — atsiliepė Lengdonas supratęs, kad ji teisi.

— Taip! Izaokas Niutonas sukūrė visą temperatūros matavimo sistemą, pagrįstą vien tik gamtos reiškiniais. Pagrindu jis paėmė sniego tirpimo temperatūrą, kurią pavadino „nuliniu laipsniu". — Ji trumpam nutilo. — Tikriausiai pats nesunkiai atspėsi, kokį laipsnį jis priskyrė vandens virimo temperatūrai — visų alchemijos procesų karalienei?

— Trisdešimt trečią.

— Taip, trisdešimt trečią! Trisdešimt trečias laipsnis. Matuojant Niutono skale, vandens virimo temperatūra yra trisdešimt trys laipsniai. Pamenu, kartą paklausiau brolio, kodėl Niutonas pasirinko šį skaičių. Supranti, jis man atrodė visiškai atsitiktinis. Vandens virimas — vienas pagrindinių alchemijos procesų, o jis ima ir pasirenka jam priskirti trisdešimt tris laipsnius? Kodėl ne šimtą? Kodėl nepasielgti elegantiškiau? Piteris man ir paaiškino, kad tokiam mistikui kaip Izaokas Niutonas skaičius trisdešimt trys ir buvo pats elegantiškiausias.

Viskas bus atskleista pasiekus trisdešimt trečią laipsnį. Lengdonas dirstelėjo į puodą su vandeniu, paskui — į piramidę.

— Ketrina, piramidė ištašyta iš vientiso granito luito ir gryno aukso. Ar tikrai manai, kad vandens virimo temperatūros pakaks jai permainyti?

Ketrinos veide pasirodžiusi šypsena leido Lengdonui suprasti, kad ji žino kažką, ko nežino jis. Ji tvirtu žingsniu priėjo prie stalo, pakėlė aukso viršūne vainikuotą granito piramidę ir įstatė ją į skylėtą pusdangtį. Tada atsargiai nuleido viską į verdantį vandenį.

— O mes imkime ir pažiūrėkime, gerai?

CŽV pilotas, sėdintis sraigtasparnyje virš Nacionalinės katedros, nustatė automatinį kybojimo režimą ir apžvelgė pastatą bei jo aplinką. *Jokių judesių*. Jo šiluminės regos įranga neįstengė prasiskverbti pro akmenines katedros sienas, todėl nebuvo galima pasakyti, ką komanda veikia viduje, bet jei kas nors pamėgins išsprukti laukan, įranga tuojau pat tai užfiksuos.

Po šešiasdešimt sekundžių skimbtelėjo šiluminės regos įrangos daviklis. Detektorius, veikiantis tuo pačiu principu kaip namų apsaugos sistemos, užfiksavo didelį temperatūrų skirtumą. Dažniausiai tai reiškia, kad vėsioje erdvėje juda žmogaus figūra, tačiau šįkart monitoriuje buvo matyti kažkoks šilumos debesis, viršum vejos besidriekiantis karšto oro gūsis. Pilotas rado jo šaltinį — ventiliacijos angą šoninėje Katedros kolegijos sienoje.

Tikriausiai nieko svarbaus, pamanė jis. Tokie gradientai pasitaiko dažnai. *Kas nors ką nors verda arba skalbia.* Tačiau prieš nusigręždamas jis suvokė, kad čia kažkas ne taip. Prie pastato įrengtoje stovos aikštelėje nebuvo nė vieno automobilio, o pastate nedegė šviesos.

Jis ilgokai patyrinėjo UH-60 šiluminės regos įrangos sistemą. Paskui paėmė radijo imtuvą ir kreipėsi į komandos vadą.

— Simkinsai, gal tai ir nieko nereiškia, bet...

— Įkaitimo temperatūros rodiklis! — Lengdonui teko pripažinti, kad tai gudrus sumanymas.

— Paprastas mokslo pavyzdys, — atsakė Ketrina. — Skirtingos substancijos įkaista esant skirtingoms temperatūroms. Mes jas vadiname šiluminiais žymekliais. Moksle šie žymekliai dažnai naudojami.

Lengdonas žiūrėjo į vandenyje nugrimzdusią piramidę ir jos viršūnę. Virš kunkuliuojančio vandens buvo bepradedą kilti garų srovelės, tačiau jis į tai nedėjo didelių vilčių. Pažvelgė į laikrodį, ir širdis pradėjo smarkiau plakti. 23.45.

— Tu manai, kad karštyje ji pradės švytėti?

— Ne, Robertai, ne švytėti. *Įkais iki baltumo.* Tarp šių dviejų dalykų yra didelis skirtumas. Įkaistama nuo kaitros, ir tai vyksta tam tikroje temperatūroje. Pavyzdžiui, kai plieno gamintojai grūdina sijas, ant jų užpurškia specialų perregimą tinklelį, kuris įkaista iki baltumo tam tikroje nustatytoje temperatūroje, ir pagal tai galima žinoti, kada grūdinimas baigtas. Prisimink žiedus, kurie atspindi žmogaus nuotaiką. Užsimauni tokį žiedą ant piršto, ir jis pakeičia spalvą nuo kūno temperatūros.

— Ketrina, šita piramidė pagaminta devynioliktame amžiuje! Aš dar galiu įsivaizduoti amatininką, pagaminusį slaptai atsidarančius vyrius akmens dėžutei, bet užpurkšti perregimą šiluminį sluoksnį?

— Visiškai įmanoma, — atsakė ji, su viltimi dirstelėdama į vandenyje nugrimzdusią piramidę. — Pirmieji alchemikai dažnai naudojo fosforą kaip šiluminį žymeklį. Kinai mokėjo pagaminti spalvotus fejerverkus, ir net egiptiečiai... — Ketrina sustojo nebaigusi sakinio ir įdėmiai įsistebeilijo į verdantį vandenį.

— Kas?

Lengdonas, sekdamas jos žvilgsnį, irgi pažvelgė į burbuliukus, tačiau nieko nepamatė.

Ketrina pasilenkė arčiau ir dar įdėmiau stebėjo puodą. Staiga pasisuko ir nubėgo per visą virtuvę prie durų.

— Kur bėgi? — sušuko Lengdonas.

Ji staiga sustojo prie šviesos jungiklių ir juos išjungė. Šviesos užgeso, nustojo dirbti ventiliatorius, kambarys paskendo visiškoje tamsoje ir tyloje. Lengdonas vėl atsisuko į piramidę ir pro garus pamėgino įžiūrėti vandens apsemtą viršūnę. Kai Ketrina grįžo atgal, jis stovėjo išsižiojęs, nenorėdamas patikėti savo akimis.

Kaip Ketrina buvo numačiusi, mažas metalinės viršūnės plotelis po vandeniu pradėjo švytėti. Jame ėmė rastis raidės, kurios vandeniui kaistant vis labiau ryškėjo.

— Tekstas, — sušnibždėjo Ketrina.

Lengdonas tik linktelėjo, neįstengdamas nieko pratarti. Švytintys žodžiai ryškėjo tiesiai po viršūnėje išgraviruotu įrašu. Atrodo, jie buvo tik trys, ir Lengdonas, nors dar neįstengė jų perskaityti, pradėjo abejoti, ar tikrai šie žodžiai atskleis tai, ko jie šį vakarą ieško. *Piramidė yra tikras žemėlapis,* sakė jiems Galovėjus, *jis rodo tikrą vietą.*

Raidės sušvito ryškiau, Ketrina išjungė dujas ir vanduo pamažu liovėsi burbuliavęs. Po ramiu jo paviršiumi buvo galima aiškiai įžiūrėti piramidės viršūnę.

Joje švietė trys gerai įskaitomi žodžiai.

90 skyrius

Blausioje Katedros kolegijos virtuvės šviesoje Lengdonas ir Ketrina stovėjo palinkę virš puodo su vandeniu ir spoksojo į jame skendinčią permainytą piramidės viršūnę. Viename auksinės viršūnės šone švytėjo iki baltumo įkaitęs įrašas.

Lengdonas perskaitė švytintį tekstą, vos įstengdamas patikėti savo akimis. Jis žinojo, kad piramidė turi rodyti konkrečią *vietą*... bet niekad nemanė, jog ta vieta bus nurodyta *taip* tiksliai.

Eight Franklin Square

— *Franklino aikštė, aštuoni*... Čia juk adresas, — apstulbęs sumurmėjo jis.

Ketrina atrodė ne mažiau sukrėsta.

— Bet aš nežinau, kas ten yra, gal tu žinai?

Lengdonas papurtė galvą. Jis žinojo, kad Franklino aikštė yra viename iš seniausių Vašingtono rajonų, tačiau šio adreso nebuvo girdėjęs. Dar kartą pažvelgė į piramidės viršūnę ir perskaitė visą angliškai įrašytą tekstą.

The
secret hides
within The Order
Eight Franklin Square

Ar Franklino aikštėje yra įsikūręs koks nors ordinas?

Ar ten yra pastatas, kuriuo pridengtas įėjimas į žemės gelmėn besileidžiančius suktinius laiptus?

Lengdonas visiškai nenumanė, ar tuo adresu išvis yra kas nors paslėpta. Svarbiausia kol kas buvo tai, kad juodu su Ketrina sugebėjo iššifruoti piramidę ir dabar turi informaciją, reikalingą Piteriui išgelbėti.

Pačiu laiku, beveik paskutinę minutę.

Šviečiančios laikrodžio su Peliuku Mikiu rodyklės aiškiai rodė, kad jiems liko mažiau negu dešimt minučių.

— Skambink, — liepė Ketrina, rodydama į virtuvėje ant sienos pakabintą telefoną. — Greičiau!

Netikėtai atėjusi lemiama akimirka Lengdoną sutrikdė, jis pajuto, kad dvejoja.

— Ar mes esame tikri tuo, ką turime?

— Aš tai tikrai.

— Nieko jam nesakysiu, kol nesužinosime, kad Piteris saugus.

— Aišku, ne. Tu juk atsimeni numerį, tiesa?

Lengdonas linktelėjo ir pasuko prie virtuvės telefono. Pakėlė ragelį ir surinko pagrobėjo mobiliojo numerį. Ketrina priėjo arčiau ir priglaudė prie ragelio galvą, norėdama viską girdėti. Kai pasigirdo signalas, Lengdonas pasirengė baugiam šnabždesiui žmogaus, kuris šiandien jį jau kelis kartus apgavo.

Galiausiai pašnekovas atsiliepė.

Tačiau nebuvo girdėti jokio pasisveikinimo. Išvis jokio balso. Tik alsavimas.

Lengdonas palaukė ir galiausiai prakalbo.

— Aš turiu informaciją, kurios jums reikia, bet jei norite ją gauti, turite mums perduoti Piterį.

— Kas čia kalba? — paklausė moters balsas.

Lengdonas krūptelėjo.

— Robertas Lengdonas, — negalvodamas atsakė jis. — O kas *jūs?* — Jam šovė mintis, kad gal neteisingai surinko telefono numerį.

— *Jūs Lengdonas?* — Moteris, atrodo, nustebo. — Jūsų čia kai kas ieško. *Ką?*

— Atsiprašau, *kas* čia kalba?

— Apsaugos pareigūnė Peidžė Montgomeri iš „Pirmosios" saugos agentūros. — Moters balsas virpėjo. — Gal jūs galite mums pagelbėti? Beveik prieš valandą mano partnerė priėmė 911 tarnybos iškvietimą į Kaloramos aukštumas... kilo įtarimas, kad žmogus paimtas įkaitu. Aš praradau su ja ryšį, todėl išsikviečiau pastiprinimą, ir mes atvykome patikrinti objekto. Partnerę radome negyvą galiniame kieme. Namų savininko nebuvo, todėl įėjome į namą. Koridoriuje ant stalo skambėjo mobilusis telefonas, ir aš...

— Jūs dabar name? — paklausė Lengdonas.

— Taip, ir 911 tarnybos įtarimas... pasitvirtino, — sumikčiojo moteris. — Atsiprašau, kad kalbu taip nerišliai, bet mano partnerė negyva, o namuose radome vyrą, kuris čia laikomas prieš jo valią. Jo būklė bloga, dabar jam teikiama pagalba. Jis reikalauja iškviesti du žmones: vieno vardas Lengdonas, kito — Ketrina.

— Tai mano brolis! — sušuko į ragelį Ketrina, stipriau prispausdama galvą prie Lengdono. — Tai aš paskambinau į 911 tarnybą! Kaip jis jaučiasi?

— Tiesą sakant, ponia, jis... — Moters balsas nutrūko. — Jis jaučiasi labai nekaip. Jam nukirsta dešinės rankos plaštaka...

— Labai prašau, — ėmė melsti Ketrina, — leiskite man su juo pakalbėti!

— Šiuo metu jam teikiama pagalba. Jis nuolat praranda sąmonę. Jei esate kur nors netoli, geriau atvykite čia. Visiškai aišku, kad jis nori jus matyti.

— Mes už kokių šešių minučių kelio nuo jūsų! — atsakė Ketrina.

— Tada patarčiau paskubėti. — Ragelyje pasigirdo duslūs garsai, paskui moteris vėl prakalbo: — Atsiprašau, atrodo, kad mane vėl kviečia. Pasikalbėsime, kai atvyksite.

Pokalbis nutrūko.

91 skyrius

Lengdonas ir Ketrina užlipo laiptais, vedančiais iš Katedros kolegijos rūsio, ir nuskubėjo tamsiu koridoriumi, ieškodami pagrindinio išėjimo. Virš galvų nebebuvo girdėti sraigtasparnio ūžimo, todėl Lengdonas tikėjosi, kad pavyks išsmukti nepastebėtiems ir nusigauti į Kaloramos aukštumas pasimatyti su Piteriu.

Jį rado. Jis gyvas.

Prieš trisdešimt sekundžių, baigusi pokalbį su apsaugininke, Ketrina paskubomis ištraukė iš vandens garuojančią piramidę ir jos viršūnę. Dar varvančias jas įdėjo į Lengdono odinį kelionkrepšį. Dabar jis juto iš jo sklindančią šilumą.

Susijaudinimas, kad pagaliau atsirado Piteris, laikinai užgožė norą toliau mąstyti apie švytintį užrašą piramidės viršūnėje — *Eight Franklin Square;* bet tam bus laiko vėliau, susitikus su Piteriu.

Kai pasuko už kampo, laiptų viršuje Ketrina staiga stabtelėjo ir parodė svetainę kitoje koridoriaus pusėje. Pro erkerio langą Lengdonas pamatė vejoje stovintį aptakų juodą sraigtasparnį. Prie jo, nusisukęs nuo jų nugara, stovėjo vienišas pilotas ir kažką kalbėjo per radijo stotelę. Greta buvo juodas „Escalade" visureigis tamsintais langais.

Neišlįsdami iš šešėlių, Lengdonas ir Ketrina perėjo į svetainę ir pasižiūrėjo pro langą, ieškodami, ar nepamatys ir kitų operatyvininkų. Laimei, milžiniška veja priešais Nacionalinę katedrą buvo tuščia.

— Tikriausiai jie katedroje, — tarė Lengdonas.

— Visai ne, — ištarė žemas balsas tiesiai jam už nugaros.

Lengdonas ir Ketrina skubiai atsisuko norėdami pasižiūrėti, kas kalba. Svetainės tarpduryje stovėjo dvi figūros juodais drabužiais, nutaikiusios į juos šautuvus lazeriniais taikikliais. Lengdonas aiškiai matė raudoną šviesos taškelį, šokčiojantį jam ant krūtinės.

— Malonu vėl jus matyti, profesoriau, — ištarė pažįstamas gergždžiantis balsas. Agentai pasitraukė, ir pro juos lengvai prasispraudė smulkutė direktorės Sato figūra; ji perėjo svetainę ir sustojo tiesiai priešais Lengdoną. — Šį vakarą jūs jau kelis kartus pasielgėte visiškai neprotingai.

— Policija rado Piterį Solomoną, — karštai atsakė Lengdonas. — Jo būklė bloga, bet jis gyvens. Viskas baigta.

Jei Sato ir nustebo, kad Piteris atsirado, tai niekuo to neparodė. Nenuleisdama nuo Lengdono akių ji priėjo arčiau ir sustojo per kokį dešimt centimetrų nuo jo.

— Profesoriau, galiu jus užtikrinti, niekas toli gražu nėra baigta. O jei dabar įsivėlė dar ir policija, reikalas tapo tik dar sudėtingesnis. Kaip jau sakiau jums šį vakarą, padėtis nepaprastai subtili. Jums tikrai nereikėjo pabėgti, nusitvėrus tą piramidę.

— Ponia, — neišlaikė Ketrina, — man būtinai reikia pamatyti brolį. Galite pasiimti piramidę, bet privalote man leisti...

— *Privalau?* — iššaukiamai pakartojo Sato, atsisukdama į Ketriną. — Jūs tikriausiai ponia Solomon? — Ji degančiomis akimis nužvelgė Ketriną ir vėl atsisuko į Lengdoną. — Padėkite savo krepšį ant šito stalo.

Lengdonas pažvelgė žemyn, į dvi lazerių švieseles sau ant krūtinės. Priėjo prie kavos stalelio ir padėjo ant jo odinį kelionkrepšį. Atsargiai prisiartinęs agentas atsegė krepšio užtrauktuką ir atitraukė šonus. Iš krepšio pakilo susikaupusių garų debesėlis. Agentas pašvietė žibintu vidun, ilgokai susimąstęs apžiūrinėjo, paskui linktelėjo, duodamas ženklą Sato.

Sato priėjo ir pažvelgė į krepšį. Drėgna piramidė ir jos viršūnė spindėjo žibinto šviesoje. Sato pritūpė ir labai atidžiai apžiūrėjo auksinę viršūnę; Lengdonas prisiminė, kad ji buvo ją mačiusi tik rentgeno nuotraukoje.

— Įrašas, — liepiamai ištarė Sato. — Jis jums ką nors reiškia? „The secret hides within The Order"?

— Dar gerai nežinome, ponia.

— Kodėl piramidė garuoja?

— Mes buvome ją panardinę į verdantį vandenį, — nedvejodama atsakė Ketrina. — Tai viena iš iššifravimo proceso dalių. Viską jums papasakosime, bet dabar prašau leisti mums pasimatyti su mano broliu. Jis iškentėjo...

— Jūs *virėte* piramidę? — paklausė Sato.

— Išjunkite žibintą, — tarė Ketrina. — Pažvelkite į viršūnę. Tikriausiai dar bus galima įžiūrėti.

Agentas išjungė žibintą, Sato priklaupė priešais piramidės viršūnę. Net iš savo vietos Lengdonas matė, kad joje įrašytas tekstas vis dar švietčia blausia šviesa.

— *Eight Franklin Square?* Franklino aikštė, aštuoni? — apstulbusi pakartojo Sato.

— Taip, ponia. Šitas tekstas buvo užrašytas kaitroje švytinčiu laku ar panašia medžiaga. Trisdešimt trečias laipsnis iš tiesų pasirodė...

— O adresas? — vėl paklausė Sato. — Jo ir nori tas tipas?

— Taip, — atsakė Lengdonas. — Jis mano, kad piramidė — tai žemėlapis, kuris nurodys jam didžio lobio slėptuvę — raktą į Senovės Slėpinius.

Sato, atvirai netikėdama, vėl pažvelgė į piramidės viršūnę.

— Sakykite, — paklausė ji, ir balse pasigirdo baimės gaidelė, — ar jūs jau užmezgėte ryšį su tuo žmogum? Ar jau *davėte* jam adresą?

— Mėginome.

Lengdonas jai paaiškino, kas atsitiko, kai jie paskambino jam į mobilųjį telefoną.

Sato klausėsi, liežuviu liesdama savo geltonus dantis. Nors atrodė, tarsi bet kurią akimirką galėtų sprogti iš pykčio, atsisukusi į vieną iš savo agentų ji prakalbo santūriu šnabždesiu:

— Liepkite jį atvesti. Jis visureigyje.

Agentas linktelėjo ir kažką pasakė į savo radijo stotelę.

— Ką atvesti? — paklausė Lengdonas.

— Vienintelį žmogų, kuris galbūt įstengs kaip nors išmėžti mėšlą, kurio jūs prigaminote!

— Kokį mėšlą? — atkirto Lengdonas. — Dabar, kai Piteris pagaliau saugus, viskas...

— Dėl Dievo meilės! — pagaliau neišlaikė Sato. — Aš kalbu *ne apie* Piterį! Mėginau jums tai pasakyti dar Kapitolijaus pastate, profesoriau, bet jūs nutarėte verčiau dirbti *ne* su manimi, o *prieš* mane! Dabar pridirbote velniai žino ko! Kai sunaikinote savo mobilųjį telefoną — kurio mes, beje, klausėmės, — nukirtote visas mūsų ryšio galimybes su šiuo žmogum. O adresas, kurį atradote — kad ir kokį velnią jis reikštų — tas adresas buvo *vienintelis* mūsų šansas sučiupti tą beprotį. Man reikėjo, kad jūs žaistumėte pagal jo diktuojamas taisykles, kad *parūpintumėte* jam tą adresą, tada mes žinotume, kur, po šimts, jį pagauti!

Lengdonui dar nespėjus atsakyti, Sato išliejo likusį pyktį ant Ketrinos.

— O *jūs*, ponia Solomon! Jūs juk *žinojote*, kur tas iškrypėlis gyvena? Tai kodėl man nepasakėte? Pasiuntėte į jo namus saugos tarnybos pareigūnę? Nejau nesuprantate, kad taip sunaikinote paskutinį šansą jį ten sučiupti? Aš labai džiaugiuosi, kad jūsų brolis saugus, bet leiskite jums pasakyti štai ką — šį vakarą mums gresia krizė, kurios padariniai peržengia labai toli jūsų šeimos ribas. Juos pajus visas pasaulis. Žmogus, pagrobęs jūsų brolį, turi milžinišką galią, ir mums būtinai reikia kuo greičiau jį surasti.

Jai baigus šią žodžių papliūpą, iš tamsos išniro aukštas elegantiškas Voreno Belamio siluetas ir žengė į svetainę. Jis atrodė susitaršęs, nukentėjęs, sukrėstas... kaip žmogus, perėjęs pragarus.

— Vorenai! — Lengdonas žengė prie jo. — Jums viskas gerai?

— Ne, — atsakė šis. — Tiesą sakant, ne.

— Ar girdėjote? Piteris saugus.

Belamis linktelėjo, bet atrodė apkvaitęs, tarsi jam niekas nebebūtų svarbu.

— Taip, aš girdėjau jūsų pokalbį. Džiaugiuosi.

— Vorenai, kokia čia velniava?

Sato įsiterpė į jų pokalbį.

— Vaikinai, palaukit, galėsit pasišnekėti vėliau. O dabar ponui Belamiui reikia pasiųsti žinią tam pamišėliui, užmegzti su juo ryšį. Dar kartą padaryti tai, ką jis darė visą naktį.

Lengdonas pasijuto visai sutrikęs.

— Belamis šiąnakt nepalaikė su juo *jokio ryšio*! Tas tipas išvis nežino, kad Belamis egzistuoja!

Sato pasisuko į Belamį ir pakėlė antakius.

Belamis atsiduso.

— Robertai, deja, aš šį vakarą nebuvau jums visai atviras.

Lengdonui beliko tik spoksoti į jį.

— Maniau, kad elgiuosi teisingai... — ištarė Belamis. Jis atrodė išsigandęs.

— Na, gerai, — tarė Sato, — užtat *dabar* pasielkite teisingai... ir melskime Dievą, kad jums pasisektų. — Tarsi pabrėždamas iškilmingą Sato toną, ant židinio stovintis laikrodis ėmė mušti valandas. Sato išsitraukė iš kišenės užsegamą plastikinį maišelį ir metė jį Belamiui. — Štai jūsų daiktai. Ar telefonu galima fotografuoti?

— Taip, ponia.

— Gerai. Palaikykite piramidės viršūnę.

Pranešimą, kurį ką tik gavo Malachas, atsiuntė jo ryšininkas — Vorenas Belamis, masonas, šį vakarą jo pasiųstas į Kapitolijaus pastatą padėti Robertui Lengdonui. Belamiui, kaip ir Lengdonui, rūpėjo išsaugoti Piterio Solomono gyvybę, todėl jis užtikrino Malachą padėsiąs Lengdonui atrasti ir iššifruoti piramidę. Visą naktį Malachui buvo siunčiami pranešimai elektroniniu paštu, kurie automatiškai buvo perduodami į jo mobilųjį telefoną.

Turėtų būti įdomu, pamanė Malachas, ruošdamasis skaityti pranešimą.

> Nuo: Voreno Belamio
>
> atskirtas nuo lengdono bet pagaliau turiu info
> kurios norėjote. pridedu įrodymą. paskambinkite
> sužinoti ko trūksta. — vb—
>
> vienas priedas: (jpeg)

Paskambinkite sužinoti, ko trūksta? Malachas nustebęs pažvelgė į priedą.

Priedas pasirodė esąs fotografija.

Ją pamatęs, Malachas garsiai įkvėpė ir pajuto, kaip širdis iš susijaudinimo ėmė smarkiai plakti. Prieš jo akis buvo iš arti nufotografuota mažytė aukso piramidė. *Legendinė piramidės viršūnė!* Ant jos šono puošniu šriftu išgraviruotas daug žadantis tekstas: *The secret hides within The Order.*

Po įrašu Malachas pamatė dar vieną dalyką, privertusį jį apstulbti. Atrodė, kad piramidės viršūnė švyti iš vidaus. Negalėdamas patikėti, pažvelgė į neryškiai spindintį tekstą ir suprato, kad legenda sakė gryniausią tiesą: masonų piramidė persimaino ir atskleidžia paslaptis tam, kuris yra jų vertas.

Kaip įvyko magiškasis persimainymas, Malachas visiškai nenumanė, jam tai nė nerūpėjo. Buvo aišku, kad švytintis tekstas nurodo konkrečią Kolumbijos apygardos vietą — lygiai kaip buvo žadėta. *Franklino aikštė.* Deja, fotografijoje dar buvo užfiksuotas Voreno Belamio smilius, uždėtas ant piramidės viršūnės taip, kad paslėptų gyvybiškai svarbią informaciją.

The
secret hides
within The Order
■■■■ Franklin Square

Paskambinkite sužinoti, ko trūksta. Dabar Malachas suprato, ką jam norėjo pasakyti Belamis.

Visą vakarą Kapitolijaus architektas buvo klusnus, tačiau dabar nutarė pradėti labai pavojingą žaidimą.

92 skyrius

Stebimi budrių keleto ginkluotų CŽV agentų žvilgsnių, Lengdonas, Ketrina ir Belamis drauge su Sato laukė Katedros kolegijos svetainėje. Ant kavos stalelio tebestovėjo atidarytas Lengdono kelionkrepšis, pro kurio viršų matėsi auksinė piramidės viršūnė. Žodžiai *Eight Franklin Square* joje jau buvo išdilę, nebeliko nė ženklo, kad jie kada nors egzistavo.

Ketrina meldė Sato leisti jai eiti pasimatyti su broliu, bet Sato tik papurtė galvą, nenuleisdama akių nuo Belamio mobiliojo telefono. Jis gulėjo ant kavos stalelio ir dar neskambėjo.

Kodėl Belamis nepasakė man tiesos? — svarstė Lengdonas. Pasirodo, architektas visą vakarą palaikė ryšį su Piterio pagrobėju, kuriam tvirtino, kad Lengdonui gerai sekasi iššifruoti piramidės įrašą. Tai buvo blefas, mėginimas laimėti Piteriui daugiau laiko. O iš tikrųjų Belamis visomis jėgomis stengėsi sutrukdyti bet kokius veiksmus, kuriais siekta atskleisti piramidės paslaptį. Tačiau dabar, atrodo, Belamis perėjo į kitą pusę. Jis ir Sato pasirengę rizikuoti piramidės paslaptimis, tikėdamiesi sugauti šį žmogų.

— Patraukite nuo manęs rankas! — koridoriuje pasigirdo senio balsas. — Aš *aklas*, ne pusprotis! Ir puikiausiai orientuojuosi kolegijoje! — Dekanas Galovėjus vis dar garsiai protestavo, kai CŽV agentai jėga atvedė jį į svetainę ir pasodino į vieną iš krėslų.

— Kas čia? — paklausė Galovėjus, žvelgdamas tiesiai prieš save nieko nematančiomis akimis. — Atrodo, jūsų daug. Kiek žmonių reikia, kad sulaikytų senį? Nieko sau!

— Mes čia septyniese, — pareiškė Sato. — Įskaitant Robertą Lengdoną, Ketriną Solomon ir jūsų brolį masoną Voreną Belamį.

Galovėjus susmuko netekęs viso ryžto.

— Mums viskas gerai, — tarė Lengdonas. — Ir ką tik išgirdome, kad Piteris saugus. Jo būklė bloga, bet su juo policija.

— Dėkui Dievui, — atsiliepė Galovėjus. — O kaip...

Pasigirdo garsus barškėjimas, nuo kurio krūptelėjo visi esantieji kambaryje. Tai pradėjo vibruoti ant kavos stalelio gulintis Belamio mobilusis telefonas. Visi nutilo.

— Nagi, pone Belami, — paragino Sato. — Nesusimaukite. Jūs žinote, kas nuo to priklauso.

Belamis giliai įkvėpė ir iškvėpė. Paskui nuleido ranką, paspaudė garsiakalbio mygtuką ir įjungė pokalbį.

— Belamis, — garsiai ištarė jis, kalbėdamas tiesiai į telefoną, gulintį ant stalelio.

Balsas, kuris pasigirdo per garsiakalbio traškesį, buvo pažįstamas — atsainus šnabždesys. Atrodė, kad žmogus skambina iš telefono su laisvųjų rankų įranga, važiuodamas automobiliu.

— Jau po vidurnakčio, pone Belami. Ketinau leisti Piteriui daugiau nebesikankinti.

Kambaryje stojo nejauki tyla.

— Leiskite man su juo pasikalbėti.

— Tai neįmanoma, — atsakė žmogus. — Mes važiuojame. Jis surištas, guli bagažinėje.

Lengdonas ir Ketrina susižvalgė ir ėmė tylėdami purtyti galvas. *Jis blefuoja! Piteris nebe jo rankose!*

Sato mostu parodė Belamiui, kad neatlyžtų.

— Man reikia įrodymo, kad Piteris gyvas, — tarė Belamis. — Neketinu jums duoti likusios dalies, kol...

— Jūsų Didžiajam meistrui reikia gydytojo. Negaiškite laiko deryboms. Pasakykite man namo Franklino aikštėje numerį, ir aš jums ten atgabensiu Piterį.

— Aš jau sakiau, man reikia...

— Tuojau pat! — pratrūko žmogus. — O jei ne, aš sustosiu, ir Piteris Solomonas mirs tą pačią akimirką!

— Atidžiai paklausykit manęs, — tvirtai pareiškė Belamis. — Jei norite sužinoti likusią adreso dalį, turit priimti *mano* taisykles. Susitinkame Franklino aikštėje. Kai atgabensite man Piterį gyvą, aš jums pasakysiu namo numerį.

— Kaip aš sužinosiu, kad neatsivesite policijos?

— Nes aš negaliu rizikuoti jūsų apgauti. Piterio gyvybė — *ne vienintelis* koziris, kurį turite. Aš žinau, kas iš tikrųjų gresia šį vakarą.

— Tikriausiai suprantate, — ištarė žmogus, — kad jei aš pajusiu bent mažiausią įtarimą, jog Franklino aikštėje esate ne vienas, tiesiog važiuosiu toliau, ir jūs niekada gyvenime nesurasite Piterio Solomono nė pėdsakų. Ir tai, be abejo... bus pati mažiausia jūsų problema.

— Aš būsiu vienas, — rimtai atsakė Belamis. — Kai perduosite man Piterį, duosiu jums viską, ko reikės.

— Aikštės centre, — tarė vyras. — Man iki ten važiuoti mažiausiai dvidešimt minučių. Siūlau jums palaukti, kiek reikės.

Pokalbis nutrūko.

Kambarys akimirksniu atgijo. Sato ėmė šūkauti nurodymus. Keli operatyvininkai griebė radijo stoteles ir puolė prie durų.

— Judam! Judam!

Kilusioje sumaištyje Lengdonas pažvelgė į Belamį, tikėdamasis kokio nors paaiškinimo apie tai, kas šį vakarą iš tikrųjų vyksta, bet jį jau paskubomis ginė prie durų.

— Man reikia pamatyti brolį! — sušuko Ketrina. — *Privalote* mus paleisti!

Sato priėjo prie Ketrinos.

— Aš nieko jums *neprivalau*, ponia Solomon. Ar aišku?

Ketrina neatsitraukė ir iš paskutiniųjų stengėsi žvelgti į mažas Sato akutes.

— Ponia Solomon, svarbiausia mano užduotis — suimti žmogų Franklino aikštėje, o jūs sėdėsite čia su mano agentais, kol aš ją įvykdysiu. Tada, ir ne anksčiau, mes pagalvosime apie jūsų brolį.

— Jūs manęs nesupratote, — atsakė Ketrina. — Aš juk tiksliai žinau, kur jis gyvena! Jo namai lygiai už penkių minučių kelio Kaloramos aukštumose, ir juose bus įkalčių, kurie jums pravers! Be to, sakėte, kad norite viską išlaikyti paslaptyje. Kas žino, ko Piteris pripasakos policijai, kai jo būklė pagerės.

Sato prikando lūpą suvokusi, kad Ketrina kalba tiesą. Lauke pasigirdo sraigtasparnio ūžimas. Sato suraukė kaktą ir pasisuko į vieną agentą.

— Hartmanai, imkite visureigį. Pristatysite ponią Solomon ir poną Lengdoną į Kaloramos aukštumas. Pasirūpinkite, kad Piteris Solomonas *su niekuo* nešnekėtų. Ar supratote?

— Taip, ponia, — atsakė agentas.

— Paskambinkite, kai ten būsite. Pranešite, ką radote. Ir nepaleiskite šitos porelės iš akių.

Agentas Hartmanas greitai linktelėjo galva, pasiėmė visureigio raktelius ir patraukė prie durų.

Ketrina skubiai nusekė iš paskos.

Sato pasisuko į Lengdoną.

— Netrukus pasimatysime, profesoriau. Žinau, kad jūs laikote mane prieše, bet galiu jus užtikrinti, jog taip nėra. Kuo greičiau raskite Piterį. Niekas čia dar nesibaigė.

Kitapus Lengdono prie kavos stalelio tyliai sėdėjo dekanas Galovėjus. Jo rankos aptiko akmeninę piramidę, tebesančią atidarytame Lengdono kelionkrepšyje, stovinčiame priešais jį ant stalo. Senis čiupinėjo šiltą akmens paviršių.

Lengdonas paklausė:

— Tėve, ar važiuosite pas Piterį?

— Aš jus tik gaišinsiu. — Galovėjus atitraukė nuo krepšio rankas ir užsegė užtrauktuką, uždarydamas piramidę. — Liksiu čia, pasimelsiu už Piterio išgijimą. Vėliau visi galėsime pasikalbėti. Bet kai parodysite Piteriui piramidę, gal galėtumėte jam kai ką nuo manęs perduoti?

— Žinoma. — Lengdonas užsimetė ant peties krepšio rankeną.

— Pasakykite jam štai ką. — Galovėjus atsikrenkštė. — Masonų piramidė išsaugojo savo paslaptį... *be priedangos*.

— Nesuprantu.

Senis mirktelėjo.

— Vis tiek pasakykite Piteriui. Jis supras.

Tai taręs dekanas Galovėjus nuleido galvą ir pradėjo melstis.

Suglumęs Lengdonas paliko jį sėdintį krėsle ir išskubėjo laukan. Ketrina jau sėdėjo priekinėje visureigio sėdynėje ir aiškino agentui, kur važiuoti. Lengdonas įlipo į galą ir vos spėjo uždaryti dureles, ir didžiulis automobilis it raketa nulėkė per veją šiaurės pusėn, į Kaloramos aukštumas.

93 skyrius

Franklino aikštė yra Vašingtono centre, šiaurės vakarinėje jo dalyje, ją riboja K ir Tryliktoji gatvės. Joje daug istorinės reikšmės pastatų, žymiausias iš jų —

Franklino mokykla, iš kurios Aleksandras Grehemas Belas 1880 metais pasiuntė pirmą pasaulyje telegramą.

Aukštai danguje prie aikštės iš vakarų sparčiai artėjo sraigtasparnis UH-60, per kelias minutes atvykęs nuo Nacionalinės katedros. *Marios laiko,* pasakė Sato, žvalgydamasi po apačioje plytinčią aikštę. Ji žinojo, kaip svarbu, kad vyrai spėtų nepastebėti užimti pozicijas prieš atvykstant objektui. *Jis sakė, kad atvažiuos mažiausiai po dvidešimties minučių.*

Sato paliepus, pilotas atliko „liečiamąjį pakibimą" virš aukščiausio apylinkės pastato stogo, garsiojo Franklino aikštės pirmojo numerio — aukšto prestižinių įstaigų centro su dviem stogą puošiančiomis aukso smailėmis. Manevras, žinoma, buvo neteisėtas, bet sraigtasparnis užtruko vos kelias sekundes, jo šliūžės vos palietė žvyru nubarstytą stogo paviršių. Visiems iššokus, pilotas tuojau pat pakilo aukštyn ir pasuko į rytus, kur ketino pakilti į „tylos aukštį" ir nematomas teikti pagalbą iš viršaus.

Sato palaukė, kol operatyvininkai susirinko įrangą ir parengė Belamį jo laukiančiam darbui. Architektas tebebuvo apkvaitęs nuo to, ką pamatė byloje, esančioje slaptame Sato nešiojamajame kompiuteryje. *Juk sakiau... nacionalinio saugumo reikalas.* Belamis iškart suprato, ką Sato turi galvoje, ir dabar buvo pasirengęs su ja bendradarbiauti.

— Viskas paruošta, ponia, — tarė agentas Simkinsas.

Sato paliepus, agentai nuvedė Belamį stogu ir dingo laiptinėje, skubėdami į apačią užsiimti pozicijų.

Sato priėjo prie stogo pakraščio ir pažvelgė žemyn. Apačioje nusidriekęs parkas užėmė visą kvartalą. Priedangos pakaks. Sato komandos nariai puikiai supranta, kaip svarbu įsitaisyti nepastebėtiems. Jei objektas pajustų, kad jie čia yra, ir nuspręstų kuo greičiau pasprukti... apie tai direktorė nenorėjo nė pagalvoti.

Viršuje pūtė gūsingas šaltas vėjas. Sato apsiglėbė rankomis ir tvirtai įsispyrė kojomis, nenorėdama, kad ją nupūstų nuo pakraščio. Iš tokios aukštumos Franklino aikštė atrodė mažesnė, negu Sato ją prisiminė, ir pastatų ne tiek daug. Ji pasvarstė, kuris iš jų yra aštuntas numeris. Šios informacijos ji paprašė savo analitikės Nolos ir tikėjosi greitai gauti jos žinią.

Pasirodė Belamis ir agentai, panašūs į skruzdes, ropojančias į medžiais apaugusio kvartalo tamsą. Simkinsas liepė Belamiui atsistoti netoli proskynos prie apleisto parko centro. Tada ir pats Simkinsas, ir jo komandos nariai ištirpo gamtos priedangoje, dingo iš akių. Po kelių sekundžių Belamis liko vienas, drebėdamas nuo šalčio žingsniavo po žibintu netoli parko centro.

Sato jo visai nesigailėjo.

Ji užsidegė cigaretę ir giliai įtraukė, džiaugdamasi plaučius persmelkusia šiluma. Įsitikinusi, kad apačioje viskas gerai, ji pasitraukė nuo stogo krašto ir ėmė laukti dviejų telefono skambučių: vieno iš savo analitikės Nolos, kito — iš agento Hartmano, kurį pasiuntė į Kaloramos aukštumas.

94 skyrius

Lėčiau! Lengdonas įsitvėrė į galinę visureigio sėdynę, automobiliui skriejant posūkyje ant dviejų ratų ir gresiant apvirsti. Arba CŽV agentas Hartmanas nekantravo Ketrinai pademonstruoti savo vairavimo įgūdžius, arba jam buvo įsakyta parvežti Piterį Solomoną, kol šis dar nespėjo atsigauti ir priplepėti ko nereikia vietos pareigūnams.

Pašėlęs važiavimas Ambasadų keliu, stengiantis spėti prieš užsidegant raudonai šviesai, buvo gana baugus, bet dabar jie lėkė vingiuotomis gyvenamojo Kaloramos aukštumų rajono gatvėmis. Pakeliui Ketrina garsiai šaukė, kur važiuoti, nes dar šią popietę lankėsi šio žmogaus namuose.

Sulig kiekvienu posūkiu odinis krepšys Lengdonui prie kojų čiuožė tai pirmyn, tai atgal, Lengdonas girdėjo, kaip dunksi viršūnė, tikriausiai nukritusi nuo piramidės ir dabar besiritinėjanti krepšio dugne. Bijodamas, kad jai ko nors nenutiktų, jis įkišo ranką ir pagrabaliojęs rado. Viršūnė tebebuvo šilta, bet švytintis tekstas jau spėjo išblukti ir išnykti, liko tik pradinis įrašas:

The secret hides within The Order.

Dėdamasis piramidės viršūnę į švarko kišenę, Lengdonas pastebėjo, kad jos elegantiškas paviršius nusėtas kažkokiais smulkiais baltais gumulėliais. Nieko nesuprasdamas pamėgino juos nuvalyti, bet gumulėliai atrodė tvirtai prilipę ir kieti... panašūs į plastiką. *Kas čia dabar?* Paskui pamatė, kad ir akmeninės piramidės paviršių dengia smulkūs balti taškeliai. Lengdonas nagu vieną nukrapštė ir pavoliojo tarp pirštų.

— Vaškas? — nesusilaikęs garsiai ištarė jis.

Ketrina atsigręžusi pažvelgė per petį.

— Kas?

— Piramidė ir jos viršūnė padengta vaško gumuliukais. Nieko nesuprantu. Iš kur jis galėjo atsirasti?

— Gal kas nors buvo tavo krepšyje?

— Nemanau.

Jiems pasukus už kampo, Ketrina parodė pro automobilio langą ir pasisuko į agentą Hartmaną.

— Štai čia! Mes atvykome.

Lengdonas pakėlė akis ir pamatė besisukančias saugos tarnybos automobilio, pastatyto įvažiavimo kelyje priešais, šviesas. Įvažos vartai buvo atviri, ir agentas žaibišku greičiu įvarė visureigį vidun.

Namas pasirodė esąs ištaigingas dvaras. Viduje plieskė visos šviesos, paradinės durys plačiai atvertos. Ant takelio ir pievelėje kaip pakliuvo stovėjo keli automobiliai, veikiausiai atvykę paskubomis. Kai kurių varikliai dar veikė, žibintai degė; dauguma jų buvo nukreipti į namą, bet vienas, pasuktas šonu, privažiuojant jų vos neapakino.

Agentas Hartmanas sustojo pievelėje greta balto sedano su ryškiu užrašu *„Pirmoji" saugos tarnyba*. Dėl mirguliuojančių šviesų ir į akis plieskiančių automobilių žibintų buvo sunku ką nors įžiūrėti.

Ketrina tuojau pat iššoko ir nubėgo į namą. Lengdonas užsimetė krepšį ant peties, nespėjęs užsegti užtrauktuko. Bėgte nusekė paskui Ketriną pievele atvirų durų link. Viduje buvo girdėti balsai. Lengdonui už nugaros cyptelėjo visureigio užraktas, ir agentas Hartmanas nuskubėjo drauge.

Ketrina užlėkė priebučio laiptais, įbėgo pro paradines duris ir dingo tarpduryje. Lengdonas peržengė slenkstį tuojau po jos ir pamatė, kaip Ketrina jau eina per vestibiulį koridoriumi ataidinčių balsų link. Už jos nuo įėjimo buvo matyti valgomojo stalas, prie kurio nugara į juos sėdėjo moteris apsaugininkės uniforma.

— Pareigūne! — bėgdama sušuko Ketrina. — Kur Piteris Solomonas?

Lengdonas nuskubėjo paskui ją, tačiau staiga jo akį patraukė netikėtas judesys. Kairėje pusėje pro svetainės langą jis pamatė, kaip užsidaro įvažos vartai. *Keista.* Paskui į akis krito dar kai kas... ką nuo jų atvažiuojant slėpė besisukančios šviesos ir akinantys žibintai. Keletas automobilių, padrikai sustatytų prie įvažos, nė iš tolo nepriminė policijos ir pagalbos tarnybų automobilių, kuriais juos palaikė Lengdonas.

„Mercedes"?.. „Hummer"?.. Lenktyninis „Tesla"?

Tą pačią akimirką Lengdonas dar suprato, kad balsai, sklindantys iš namo vidaus, yra viso labo valgomajame įjungto televizoriaus.

Lėtai sukdamasis Lengdonas suriko koridoriaus pusėn:

— Ketrina, palauk!

Bet atsisukęs pamatė, kad Ketrina Solomon jau nebebėga.

Ji pakilo į orą.

95 skyrius

Ketrina Solomon pajuto, kad krinta... bet niekaip nesuprato kodėl.

Ji bėgo koridoriumi pas apsaugininkę, sėdinčią valgomajame, tik staiga kojas supančiojo neregima kliūtis, kūnas pasviro į priekį ir pakilo į orą.

O dabar jis vėl grįžo ant žemės... kitaip tariant, ant kietmedžio grindų.

Ketrina smarkiai krito ant pilvo ir pajuto, kaip nuo smūgio iš plaučių išstumiamas oras. Jai virš galvos susvyravusi sunki paltų kabykla pagaliau nugriuvo greta ant grindų, per plauką neužvirsdama ant galvos. Ketrina pakėlė galvą, dar negalėdama atgauti kvapo, nesuprasdama, kodėl apsaugininkė, sėdinti prie stalo, nė piršto nepajudina. Dar keisčiau buvo tai, kad prie kabyklos stovo pasirodė pritvirtinta plona viela, ištiesta skersai koridoriaus.

Kam žmonėms prireikė...

— Ketrina! — sušuko jai Lengdonas; Ketrina, apsivertusi ant šono, pažvelgė į jį ir staiga pajuto, kaip jai gyslose sustingo kraujas. *Robertai! Atsigręžk!* Mėgino sušukti, tačiau neįstengė atgauti kvapo. Tegalėjo tarsi sulėtintame filme stebėti, kaip Lengdonas bėga koridoriumi jai į pagalbą, net nenujausdamas, kad jam už nugaros per slenkstį svyruodamas žengia agentas Hartmanas, abiem rankomis laikydamasis už gerklės. Hartmanui tarp pirštų, kuriais jis laikė suėmęs ilgą iš kaklo kyšančio atsuktuvo rankeną, sruvo kraujo upeliai.

Agentui žingtelėjus arčiau, Ketrina pamatė ir tą, kuris jį užpuolė.

Dieve mano... tik ne tai!

Stambus, beveik visai nuogas vyriškis, apsisiautęs tik keistu drabužiu, primenančiu strėnjuostę, veikiausiai laukė jų pasislėpęs vestibiulyje. Jo raumeningas kūnas nuo galvos iki kojų buvo išmargintas keistomis tatuiruotėmis. Įėjimo durys užsidarė paskui vyriškį, o jis pats skubėjo koridoriumi prie Lengdono.

Agentas Hartmanas griuvo ant grindų tą pačią akimirką, kai užsitrenkė durys. Apstulbęs Lengdonas atsigręžė, bet tatuiruotasis vyriškis jau šoko prie jo ir prikišo prie nugaros kažkokį prietaisą. Blykstelėjo ryški šviesa, pasigirdo šaižus elektros išlydžio garsas ir Ketrina pamatė, kaip Lengdonas sustingo. Plačiai atmerktomis nemirksinčiomis akimis jis pasviro į priekį ir susmuko ant grindų, negalėdamas pajudėti. Jis sunkiai užgriuvo ant savo odinio kelionkrepšio, iš kurio ant grindų iškrito piramidė.

Net nepažvelgęs į auką, tatuiruotasis vyriškis peržengė Lengdoną ir patraukė tiesiai prie Ketrinos. Ji jau buvo pradėjusi atbula šliaužti į valgomąjį, tačiau atsitrenkė į kėdę. Apsaugininkė, sėdėjusi ant jos, pasviro ir tarsi bežadis maišas krito ant grindų greta Ketrinos. Negyvame moters veide buvo sustingusi siaubo išraiška. Jos burna buvo užkimšta skuduru.

Milžinas spėjo pribėgti prie Ketrinos, šiai dar nespėjus sureaguoti. Su neįsivaizduojama jėga sugriebė ją už pečių. Jo veidas, nebepridengtas makiažo sluoksnio, atrodė tiesiog klaikus. Jo raumenys įsitempė, ir Ketrina pajuto, kaip jis ją apvertė kniūbsčią nelyginant skudurinę lėlę. Į nugarą įsirėmė sunkus kelis, jai pasirodė, kad stuburas tuoj lūš per pusę. Jis sugriebė ją už rankų ir patraukė atgal.

Pasukta ant šono galva, skruostą prispaudusi prie kilimo, Ketrina matė, kaip trūkčioja netoliese tysantis Lengdono kūnas. Toliau vestibiulyje be jokių gyvybės žymių gulėjo agentas Hartmanas.

Ketrinos riešus nudiegė šaltas metalas, ji suprato, kad jie rišami viela. Apimta siaubo pamėgino išsilaisvinti, tačiau rankas persmelkė veriantis skausmas.

— Jei mėginsi pajudėti, viela *tikrai* perpjaus rankas, — tarė vyriškis baigdamas rišti jos rankų riešus ir stulbinamai mikliai imdamasis kojų.

Ketrina jam spyrė, o jis galingu kumščiu trenkė jai į dešinę šlaunį, visai atjungdamas koją. Po kelių sekundžių kulkšnys irgi buvo surištos.

— Robertai! — galiausiai įstengė sušukti ji.

Lengdonas vaitodamas gulėjo koridoriuje ant grindų. Jis buvo susmukęs ant savo odinio krepšio, prie galvos gulėjo parvirtusi ant šono akmeninė piramidė. Ketrina suvokė, kad piramidė — paskutinė jos viltis.

— Mes iššifravome piramidės įrašą! — pasakė ji užpuolikui. — Aš jums viską papasakosiu!

— Žinoma, papasakosi.

Sulig tais žodžiais jis ištraukė iš mirusios apsaugininkės burnos skudurą ir kietai sukimšo Ketrinai į burną.

Jo skonis buvo kaip mirties.

Roberto Lengdono kūnas buvo kaip nesavas. Jis gulėjo sustingęs ir nejudėdamas, skruostu prisispaudęs prie kietmedžio grindų. Buvo pakankamai girdėjęs apie elektrošoko prietaisus — kaip jie paralyžiuoja žmones, laikinai išjungdami nervų sistemos veiklą. Jų efektas, vadinamas raumenų elektrinės veiklos sutrikdymu, iš esmės prilygo žaibo smūgiui. Nepakeliamas, kiaurai veriantis skausmas, regis, pripildė kiekvieną jo kūno molekulę. Be to, nepaisant tikslingų valios pastangų, raumenys atsisakė vykdyti komandas, kurias jis jiems siuntė.

Kelkis!

Kniūbsčias, paralyžiuotas gulėdamas ant grindų, Lengdonas negiliai, greitai kvėpavo, beveik neįstengdamas įtraukti oro. Dar nematė žmogaus, kuris jį užpuolė, bet regėjo agentą Hartmaną, gulintį vis didėjančiame kraujo klane. Lengdonas girdėjo, kaip grumiasi ir priešinasi Ketrina, bet prieš keletą sekundžių jos balsas priduso, tarsi užpuolikas būtų kuo nors užkimšęs burną.

Kelkis, Robertai! Tu privalai jai padėti!

Lengdonui pradėjo skaudžiai dilgčioti kojas, staiga skausmingai atgaunančias jautrumą, tačiau pėdos jo vis dar neklausė. *Judinkis!* Rankos, palengva atsigaudamos, sutrūkčiojo, paskui veidas, sprandas. Didžiulėmis pastangomis jis pasuko galvą, šiurkščiai braukdamas skruostu kietmedžio grindis, ir pamėgino pažvelgti, kas vyksta valgomajame.

Lengdonui vaizdą užstojo akmeninė piramidė, iškritusi iš jo krepšio ir dabar parversta gulinti ant grindų: jos pagrindas buvo už kelių centimetrų nuo veido.

Lengdonas ne iškart suvokė, ką mato. Tiesiai prieš akis atsidūręs akmens keturkampis tikrai buvo piramidės pagrindas, bet jis dabar atrodė kažkoks kitoks. Visai kitoks. Tebebuvo kvadratinis, tebebuvo iš akmens... bet nebeatrodė nei plokščias, nei glotnus. Piramidės pagrindas buvo išmargintas išgraviruotais ženklais. *Kaip tai gali būti?* Lengdonas kelias sekundes atidžiai žiūrėjo į jį svarstydamas, ar tai ne haliucinacija. *Aš juk dešimtis kartų apžiūrėjau šitos piramidės pagrindą... ir ant jo nebuvo jokių ženklų!*

Lengdonas staiga suprato kodėl.

Ūmai atsigavo kvėpavimo refleksas, ir jis giliai įkvėpė oro, supratęs, kad masonų piramidė atskleidė dar ne visas savo paslaptis. *Mano akyse įvyko dar vienas persimainymas.*

Akies mirksniu Lengdonas suprato, ką reiškia paskutinis Galovėjaus prašymas. *Pasakykite Piteriui: masonų piramidė išsaugojo savo paslaptį... be priedangos.* Tada jo žodžiai nuskambėjo keistai, bet dabar Lengdonas suprato, kad dekanas Galovėjus siuntė Piteriui šifruotą pranešimą. Kaip ironiška, kad apie tokį pat šifrą Lengdonas kitados buvo skaitęs viename vidutiniškame trileryje.

Be priedangos. Lotyniškai — *sine cera, be vaško.*

Jau Mikelandželo laikais skulptoriai mokėjo paslėpti savo darbų trūkumus, pripildami į plyšius išlydyto vaško ir užpildami juos akmens dulkėmis. Tai buvo laikoma sukčiavimu, todėl tik skulptūros, pagamintos nenaudojant dirbtinės priedangos — *be vaško*, arba *sine cera,* — buvo laikomos tikrais meno kūriniais. Šis apibūdinimas išliko iki mūsų laikų. Iki šiol vertiname meno kūrinių „atvirumą“ ir laikome dorybe kalbėti apie juos „be priedangos“, nesislapstydami.

Piramidės pagrindo įrašai buvo paslėpti naudojantis tuo pačiu metodu. Kai Ketrina, paklusdama išgraviruotiems nurodymams, *išvirė* piramidę, vaškas ištirpo ir pasimatė pagrinde esantis įrašas. Galovėjus svetainėje apčiupinėjo piramidę ir tikriausiai užčiuopė ant jos pagrindo išryškėjusias žymes.

Staiga Lengdonas trumpą akimirką pamiršo visus jam ir Ketrinai gresiančius pavojus. Jis įsistebeilijo į neįtikimus simbolius, įrėžtus piramidės pagrinde.

Visiškai nenumanė, ką jie galėtų reikšti... ar ką galiausiai atskleis, bet viena buvo aišku. *Masonų piramidė dar turi paslapčių. „Franklino aikštė, aštuoni" — ne galutinis atsakymas.*

Nežinia, ar dėl šio atradimo, nuo kurio kūną užplūdo adrenalinas, ar tiesiog dėl to, kad gavo kelias sekundes pagulėti, Lengdonas staiga pajuto vėl galįs valdyti kūną.

Skausmingai permetė ranką ir pastūmė šalin odinį krepšį, norėdamas pamatyti, kas darosi valgomajame.

Pasibaisėjo pamatęs surištą Ketriną, kuriai į burną buvo giliai įgrūstas didžiulis skuduras. Lengdonas pamėgino įtempti raumenis ir pasikelti ant kelių, bet tuojau pat sustingo, niekaip neįstengdamas patikėti tuo, ką mato priešais save.

Dėl Dievo meilės, kas gi čia?!

Lengdonas persirito ant šono įnirtingai spardydamasis, bet milžiniškas tatuiruotas vyras jį sučiupo, apvertė aukštielninką ir atsisėdo ant krūtinės. Keliais prispaudė Lengdono pečius, skausmingai prikaldamas jį prie grindų. Ant vyriškio krūtinės kilojosi ištatuiruotas dvigalvis feniksas. Kaklas, veidas ir plikai skusta galva buvo išmarginti stulbinamais, nepaprastai sudėtingais simboliais — Lengdonas atpažino burtaženklius, naudojamus juodosios magijos apeigose.

Lengdonui nebespėjus daugiau nieko suvokti, milžinas suėmė delnais jo ausis, pakėlė nuo grindų galvą ir su neįtikima jėga trenkė ją į kietmedį.

Viskas aptemo.

96 skyrius

Malachas sustojo koridoriuje ir apžvelgė skerdynių vaizdus. Jo namai priminė mūšio lauką.

Jam po kojomis be sąmonės gulėjo Robertas Lengdonas.

Valgomajame ant grindų tysojo surišta Ketrina Solomon užkimšta burna.

Netoliese gulėjo susmukęs apsaugininkės lavonas, anksčiau nuvirtęs nuo kėdės, ant kurios buvo pasodintas. Apsaugininkė, stengdamasi išgelbėti savo gyvybę, įvykdė viską, ko reikalavo Malachas. Jusdama prie gerklės priremtą peilio smaigalį ji atsiliepė Malacho mobiliuoju telefonu, primelavo Lengdonui ir Ketrinai, ir šie strimgalviais atlėkė čia. *Ji neturėjo jokios partnerės, ir Piterio Solomono būklė anaiptol nebuvo net patenkinama.* Kai tik moteris atliko jai skirtą vaidmenį, Malachas ją tyliai pasmaugė.

Norėdamas įtvirtinti iliuziją, kad jo nėra namie, Malachas paskambino

Belamiui naudodamasis laisvųjų rankų įranga viename iš savo automobilių. *Aš važiuoju,* pasakė jis Belamiui ir visiems, kurie klausėsi šio pokalbio. *Piteris guli bagažinėje.* Iš tiesų Malachas važiavo iš savo garažo į priešakinį kiemą, kuriame paliko pastatytus kelis iš daugelio savo automobilių, nepamiršęs įjungti šviesų ir palikti veikiančių variklių.

Apgaulė pavyko kuo puikiausiai.

Beveik pavyko.

Vienintelė kliautis buvo kruvinas juodai apsirengusio žmogaus lavonas, gulintis vestibiulyje su iš kaklo kyšančiu atsuktuvu. Malachas apieškojo lavoną ir nesusilaikė nenusijuokęs, radęs kokybišką radijo ryšio prietaisą ir mobilųjį telefoną su CŽV ženklu. *Atrodo, net ir jie suvokia mano galią.* Jis išėmė iš prietaisų baterijas ir sutraiškė juos abu sunkia bronzine durų atrama.

Malachas suprato, kad dabar veikti reikia labai greitai, ypač žinant, kad į reikalus įsivėlė CŽV. Jis priėjo prie Lengdono. Profesorius gulėjo be sąmonės ir dar kurį laiką pagulės. Malachas nukreipė pagarbų žvilgsnį į akmeninę piramidę, gulinčią ant grindų greta profesoriaus krepšio. Širdis ėmė smarkiai daužytis, užgniaužė kvapą.

Aš tiek metų laukiau...

Virpančiomis rankomis jis pakėlė nuo grindų masonų piramidę. Pirštais lėtai braukdamas per išgraviruotus įrašus, juto pagarbų susižavėjimą tuo, ką jie žada. Nenorėdamas pernelyg užsimiršti, įdėjo piramidę kartu su viršūne atgal į Lengdono krepšį ir užsegė užtrauktuką.

Greitai piramidę vėl surinksiu... bet jau daug saugesnėje vietoje.

Jis persimetė Lengdono krepšį per petį, paskui pamėgino užsiversti ant peties patį Lengdoną, bet treniruotas profesoriaus kūnas pasirodė daug sunkesnis negu tikėjosi. Malachas persigalvojo, suėmė jį už pažastų ir nuvilko grindimis. *Jam tikrai nepatiks ten, kur galiausiai atsidurs,* pamanė Malachas.

Vilkdamas šalin Lengdoną, girdėjo virtuvėje garsiai veikiantį televizorių. Iš ekrano sklindantys balsai buvo vienas iš apgaulės elementų, Malachas dar nespėjo jo išjungti. Rodė televizijos pamokslininką, kartu su žiūrovais kalbantį „Tėve mūsų". Malachas pamanė: kažin ar bent vienas iš užhipnotizuotų jo žiūrovų suvokia, iš kur kilo ši malda?

— „Kaip danguje, taip ir žemėje..." — kalbėjo maldininkai.

Taip, pamanė Malachas. *Kaip viršuje, taip ir apačioje.*

— „Ir neleisk mūsų gundyti..."

Padėk mums įveikti mūsų silpną kūną.

— „Gelbėk mus nuo pikto..." — meldė visi.

Malachas nusišypsojo. *Tai turėtų būti nelengva. Tamsa tirštėja.* Vis dėlto reikia pripažinti — žmonės stengiasi. Žmonių, kurie kreiptųsi į neregimas galias ir prašytų jų pagalbos, šiuolaikiniame pasaulyje darosi vis mažiau.

Malachas vilko Lengdoną svetainės grindimis, kai kongregacijos dalyviai vienbalsiai sušuko: „Amen!"

Amon, mintyse pataisė juos Malachas. Jūsų religijos lopšys — Egiptas. Dievas Amonas buvo visų šiuolaikinių dievų, taip pat ir Dzeuso... ir Jupiterio... prototipas. Dar dabar visos pasaulio religijos šaukiasi įvairiai tariamo jo vardo. *Amen! Amin! Aum!*

Televizijos pamokslininkas pradėjo cituoti Bibliją, pasakodamas apie angelų, demonų bei dvasių hierarchiją, valdančią dangų ir pragarą.

— Saugokite sielas nuo piktųjų galių! — ragino jis. — Iškelkite širdis maldose! Dievas ir jo angelai jus išgirs!

Jis teisus, Malachas tai žinojo. *Bet išgirs ir demonai.*

Malachas jau seniai sužinojo, kad tinkamai laikantis Meno taisyklių, galima atverti vartus į dvasių pasaulį. Jame egzistuojančios neregimos jėgos, lygiai kaip ir patys žmonės, būna įvairios — ir geros, ir blogos. Šviesos galios gydo, saugo ir siekia įvesti visatoje tvarką. Tamsos galios veikia priešingai... sėja griovimą ir chaosą.

Tinkamai iškvietus neregimąsias galias, galima jas įtikinti žemėje padaryti tai, ko reikalauja iškvietėjas... taip jam suteikiant iš pažiūros antgamtinę jėgą. Už savo pagalbą galios reikalauja atpildo: šviesos galios — aukų ir šlovinimo... tamsos galioms reikia kraujo praliejimo.

Kuo didesnė auka, tuo didesnę jėgą ji suteikia. Malachas pradėjo nuo menkų, niekam nereikalingų gyvūnų kraujo aukos. Tačiau laikui bėgant jo aukojimai tapo drąsesni. *Šiąnakt žengsiu paskutinį žingsnį.*

— Saugokitės! — sušuko televizijos pamokslininkas, įspėdamas apie artėjančią Apokalipsę. — Netrukus įvyks paskutinis mūšis už žmonių sielas!

Teisybė, pamanė Malachas. *Ir aš būsiu didžiausias jo karys.*

Žinoma, šis mūšis prasidėjo jau labai seniai. Senovės Egipte tie, kurie praktikavo Meną, tapo didžiaisiais istorijos adeptais, iškilo neišmatuojamai aukščiau už mases ir virto tikrais Šviesos nešėjais. Žeme jie vaikščiojo kaip dievai. Jie statė didingas įšventinimo šventyklas, į kurias atkeliaudavo naujokai iš viso pasaulio pasisemti išminties. Susikūrė auksinių žmonių rasė. Neilgą laiką atrodė, kad žmonija pasirengusi iškilti, peržengti savo žemiškumo ribas.

Senovės Slėpinių aukso amžius.

Tačiau žmogus, turintis kūną, pasiduoda nuodėmėms — puikybei, neapykantai, nekantrumui, goduliui. Metams bėgant atsirado tokių, kurie sugadino Meną, iškreipė jį ir naudojosi jo galiomis savo pačių naudai. Jie pradėjo naudotis šia iškreipta atmaina, kad išsikviestų tamsos galias. Atsirado kitoks Menas... galingesnis, greičiau pasiekiamas, svaigiai veikiantis.

Toks ir yra mano Menas.

Tai mano Didysis Darbas.

Nušvitimą patyrę adeptai ir jų ezoterinės brolijos savo akimis regėjo blogio iškilimą ir matė, kad žmogus nesinaudoja neseniai įgytomis žiniomis savo rūšies labui. Todėl jie paslėpė savo išmintį, kad ji nepatektų į nevertųjų rankas. Galiausiai ji buvo ir visai prarasta.

Tada atėjo didysis žmogaus Nuopuolis.

O po jo ilgam stojo tamsa.

Iki šių dienų kilnūs adeptų palikuonys drąsiai kovoja, apčiuopomis ieškodami Šviesos, stengdamiesi atgauti prarastą praeities galią, sulaikyti visur besiveržiančią tamsą. Tai visų pasaulio religijų kunigai ir kunigės, veikiantys visose bažnyčiose, šventovėse, šventyklose. Laikas ištrynė atsiminimus... atskyrė juos nuo praeities. Jie nebežino Šaltinio, iš kurio kitados tryško galinga jų išmintis. Klausiami apie dieviškuosius protėvių slėpinius, naujieji tikėjimo sergėtojai iškalbingai jų atsižada, pasmerkdami juos kaip eretikus.

Nejau jie tikrai pamiršo, negalėjo suprasti Malachas.

Senovinio Meno atgarsiai iki šiol aidi visuose pasaulio kampeliuose nuo judaizmo mistikų kabalistų iki ezoterinių islamo sufijų. Jo likučius galima įžvelgti įmantriuose krikščionybės ritualuose, Šventosios Komunijos Dievo valgymo apeigose, šventųjų, angelų ir demonų hierarchijoje, rožinio kalbėjime ir litanijose, astrologija pagrįstame liturginiame kalendoriuje, šventintuose rūbuose ir amžinojo gyvenimo pažaduose. Dar dabar kunigai vaiko piktąsias dvasias, siūbuodami rūkstančiomis smilkyklėmis, skambindami šventintais varpais ir šlakstydami švęstu vandeniu. Krikščionys ligi šiol praktikuoja antgamtišką egzorcizmo amatą — iš jų tikėjimo pradžios atėjusią praktiką, reikalaujančią sugebėjimo ne tik išvaryti piktąsias dvasias, bet ir jas prišaukti.

Ir jie vis tiek nemato savo praeities?

Ryškiausiai Bažnyčios mistinė praeitis atsiskleidžia pačiame jos centre. Vatikane, Šv. Petro aikštės centre, stovi didis egiptietiškas obeliskas. Šis šventumo pripildytas monolitas buvo ištašytas trylika šimtmečių prieš gimstant Jėzui ir neturi jokių sąsajų su šiuolaikine krikščionybe. Tačiau stovi tokioje vietoje. Pačioje Kristaus Bažnyčios širdyje. Akmeninis švyturys, šaukte šaukiantis, trokštantis būti išgirstas. Priminimas keliems išminčiams, kurie dar nepamiršo, nuo ko viskas prasidėjo. Ši Bažnyčia, gimusi iš Senovės Slėpinių įsčių, tebesinaudoja jų apeigomis ir simboliais.

O labiausiai — vienu, pagrindiniu, simboliu.

Krikščionių altorius, rūbus, smailes ir patį Šventąjį Raštą puošia ypatingas krikščionybės vaizdinys — brangaus asmens aukojimas. Krikščionybė geriau už visas kitas religijas suprato permainančią aukos galią. Dar ir dabar iš pagarbos Jėzaus aukai jo sekėjai siūlo menkutes asmenines aukas... tai pasninkai, gavėnios apsimarinimas, dešimtinė Bažnyčiai.

Žinoma, visos šios aukos yra bereikšmės. Be kraujo... negali būti tikros aukos.

Tamsos jėgos jau seniai priprato prie kraujo aukų ir dėl jų taip sustiprėjo, kad gerosioms jėgoms vargiai pavyksta jas suvaldyti. Netrukus Šviesa galutinai išblės ir tamsos garbintojai galės laisvai įeiti į žmonių sielas.

97 skyrius

— Franklino aikštės aštuntasis numeris *privalo* egzistuoti, — neatlyžo Sato. — Patikrink dar kartą!

Nola Kei, sėdinti prie savo darbo stalo, pasitaisė telefono ausinę.

— Ponia, aš viską peržiūrėjau... tokio adreso Kolumbijos apygardoje nėra.

— Bet aš esu Franklino aikštėje, ant pirmuoju numeriu pažymėto pastato stogo, — tarė Sato. — Turi būti ir *aštuntas* numeris!

Direktorė Sato ant stogo?

— Palaukite.

Nola pradėjo naują paiešką. Ketino pranešti ST direktorei apie programišių, bet kol kas Sato, atrodo, niekaip negali išmesti iš galvos Franklino aikštės aštuntojo numerio. Be to, Nola dar turi ne visą informaciją. *Ir išvis, kur tas prakeiktas sistemų saugumo pareigūnas?*

— Aišku, — ištarė Nola žvelgdama į monitorių, — supratau, kas čia negerai. Franklino aikštės pirmasis numeris — tai pastato *pavadinimas*... ne adresas. Tikras jo adresas — K gatvės 1301 numeris.

Ši žinia, atrodo, sutrikdė direktorę.

— Nola, aš neturiu laiko aiškinti — piramidėje aiškiai įrašytas adresas, Franklino aikštė, aštuoni.

Nola staiga atsitiesė. *Piramidėje įrašytas konkrečios vietos adresas?*

— Įrašas, — toliau kalbėjo Sato, — originalo kalba skamba taip: *„The secret hides within The Order — Eight Franklin Square."*

Nolai buvo sunku tai įsivaizduoti.

— *Order*... tai ordinas? Masonų ar kitokių brolių ordinas?

— Manau, taip, — atsakė Sato.

Nola truputį pagalvojo ir vėl ėmėsi klaksėti klavišais.

— Ponia, o jei metams bėgant aikštės pastatų numeracija keitėsi? Suprantate, jei ši piramidė iš tiesų tokia sena, kaip pasakoja legenda, tai gal Franklino aikštės namų numeriai tada, kai tašė piramidę, buvo kitokie? Aš ką tik paleidau paiešką be žodžių „aštuntas numeris"... tik su žodžiais „ordinas"... „Franklino aikštė"... ir „Vašingtonas, Kolumbijos apygarda"... gal taip pavyks bent išsiaiškinti, ar... — staiga ji nutilo nebaigusi sakinio, pamačiusi pasirodžiusius paieškos rezultatus.

— Ką radai? — pareikalavo atsakyti Sato.

Nola žiūrėjo į pirmą rezultatą sąraše — įspūdingą Egipto didžiosios piramidės nuotrauką, panaudotą kaip foną svetainės, skirtos vienam Franklino aikštės pastatui. Šis pastatas buvo visiškai kitoks negu visi kiti toje aikštėje.

Tiesą sakant, kitoks negu visi kiti visame mieste.

Nolai žadą atėmė ne neregėta pastato architektūra, o veikiau jo *paskirties* aprašymas. Jei tikėsime interneto svetainėje įdėtais duomenimis, šis neįprastas pastatas buvo sumanytas kaip mistikų šventovė, skirta... senoviniam slaptajam ordinui.

98 skyrius

Robertas Lengdonas atgavo sąmonę ir pajuto, kad skausmas skelte skelia galvą.

Kur aš?

Kad ir kur jis būtų, čia tamsu. Neperregimai tamsu kaip olos gilumoje ir mirtinai tylu.

Jis gulėjo ant nugaros ištiestomis palei šonus rankomis. Suglumęs pamėgino pajudinti kojų ir rankų pirštus, su palengvėjimu pajuto, kad jie juda lengvai ir be skausmo. *Kas atsitiko?* Nepaisant galvos skausmo ir neįžvelgiamos tamsos, viskas atrodė apytikriai normalu.

Beveik viskas.

Lengdonas susivokė gulįs ant kietų grindų, kurios atrodė neįprastai slidžios, beveik kaip stiklas. Dar keisčiau buvo justi, kad slidus paviršius tiesiogiai liečiasi su nuogu jo kūnu... pečiais, nugara, sėdmenimis, šlaunimis, blauzdomis. *Aš nuogas?* Nieko nesuprasdamas persibraukė kūną rankomis.

Jėzau! Kur, po šimts, mano drabužiai?

Gulint tamsoje palengva pradėjo šviesėti protas, atsigauti atmintis... Lengdonui prieš akis švystelėjo baugūs atsiminimai... negyvas CŽV agentas... tatuiruotojo žvėries veidas... Lengdono galva, atsitrenkianti į grindis. Vaizdai ėmė suktis greičiau... jis prisiminė šiurpulį keliantį surištos, užkimšta burna Ketrinos, gulinčios ant valgomojo grindų, paveikslą.

Dieve mano!

Lengdonas staiga pamėgino sėstis ir kakta atsitrenkė į kažką, kybantį vos keliolika centimetrų virš jo. Galva sprogo iš skausmo, jis vėl parkrito, beveik netekęs sąmonės. Apspangęs ištiesė viršun rankas, stengdamasis tamsoje apčiuopti kliūtį. Tai, ką aptiko, jam pasirodė visai nesuprantama. Atrodo, šio kambario lubos yra vos keliasdešimt centimetrų virš jo. *Kas čia dabar?* Ištiesė į šalis rankas, mėgindamas apsiversti, bet abi rankos atsimušė į sienas.

Tik dabar jam nušvito tiesa. Robertas Lengdonas guli visai ne kambaryje.

Aš esu dėžėje!

Mažoje tamsioje dėžėje, panašioje į karstą, Lengdonas pradėjo it pašėlęs daužytis kumščiais. Jis daugybę kartų šaukėsi pagalbos. Apėmęs siaubas augo sulig kiekviena akimirka ir galiausiai pasidarė nebeištveriamas.

Mane palaidojo gyvą.

Lengdonui niekaip nepavyko išjudinti keistojo karsto dangčio, net paklaikus stumiant iš visų jėgų, įsispyrus rankomis ir kojomis. Kiek jis galėjo spręsti, atrodė, kad dėžė pagaminta iš storo stiklo pluošto. Nepraleidžianti oro. Nepraleidžianti garso. Nepraleidžianti šviesos. Nepaliekanti jokios galimybės pabėgti.

Šioje dėžėje aš taip ir uždusiu vienui vienas.

Jis prisiminė gilų šulinį, į kurį buvo įkritęs vaikystėje, ir kraupią naktį, kurią praleido bedugnėje duobėje, be paliovos stengdamasis išsilaikyti ant vandens. Ši trauma paliko Lengdono psichikoje randą — neįveikiamą uždarų erdvių fobiją.

Šią naktį išsipildė baisiausias Roberto Lengdono košmaras — jis buvo palaidotas gyvas.

Ketrina Solomon tylėdama drebėjo ant Malacho valgomojo grindų. Aštri viela, kaustanti rankų riešus ir kojas, jau spėjo įsikirsti į kūną, ir nuo menkiausio judesio pančiai, atrodo, tik dar labiau veržė.

Tatuiruotasis šiurkščiai sutrenkė Lengdonui galvą, ir kai šis neteko sąmonės, nuvilko jo suglebusį kūną grindimis drauge su krepšiu ir akmenine piramide. Ketrina visiškai nenumanė, kur jis nuėjo. Juos lydėjęs agentas nebegyvas. Jau daug minučių ji negirdi jokio garso, net pradėjo galvoti, ar tatuiruotasis ir Lengdonas tebėra namuose. Mėgino garsiai šauktis pagalbos, bet po kiekvieno bandymo skuduras, kuriuo buvo užkimšta burna, vis pavojingiau artėjo prie trachėjos.

Kūnu ji pajuto grindimis artėjančius žingsnius ir pasuko galvą, beviltiškai tikėdamasi, kad kas nors ateina jos išgelbėti. Koridoriuje pasirodė stambus užpuoliko siluetas. Ketrina susigūžė prisiminusi, kaip jis prieš dešimtį metų stovėjo jos tėvų namų tarpduryje.

Jis išžudė mano šeimą.

Dabar jis artėjo prie jos. Lengdono niekur nebuvo matyti. Vyras pritūpė ir suėmė ją per juosmenį, paskui šiurkščiai užsimetė ant peties. Viela įsirėžė į jos riešus, kamšalas tildė nebylius skausmo šūksnius. Jis nusinešė ją koridoriumi į svetainę, kurioje šiandien, truputį anksčiau, jiedu ramiai gurkšnojo arbatą.

Kur jis mane neša?!

Vyras pernešė Ketriną per visą svetainę ir sustojo tiesiai priešais didelį, aliejiniais dažais tapytą paveikslą, vaizduojantį tris gracijas, kuriuo ji gėrėjosi šią popietę.

— Minėjai, kad tau patinka šis paveikslas, — sušnibždėjo vyras, lūpomis beveik liesdamas jos ausį. — Džiaugiuosi. Gal tai paskutinis gražus daiktas, kurį matai.

Tai taręs ištiesė ranką ir delnu paspaudė dešinę milžiniško rėmo pusę. Ketrina sukrėsta pamatė, kaip paveikslas apsisuko aplink savo ašį tarsi sukamosios durys. *Slaptas įėjimas.*

Ketrina pamėgino spurdėdama ištrūkti, bet vyras ją tvirtai laikė ir nešė į angą, atsivėrusią už paveikslo. „Trys gracijos“, jiems įėjus, pasisuko ir užsidarė, ir ji pamatė, kad paveikslas iš kitos pusės storai izoliuotas. Kad ir kokie garsai sklistų ten, kur ją neša, atrodo, kad išorės pasauliui nepatartina juos girdėti.

Erdvė už paveikslo pasirodė ankšta, veikiau primenanti koridorių, o ne kambarį. Vyras nusinešė ją prie tolimesnės sienos ir atidarė sunkias duris, pro kurias įžengė į nedidelę laiptų aikštelę. Ketrina pamatė siaurą nuolydį, vedantį į gilų rūsį. Giliai įkvėpė ir norėjo suklykti, bet skuduras jos vos neuždusino.

Nuolydis buvo status ir siauras. Sienos abiejose pusėse cementinės, apšviestos melsvos šviesos, regis, sklindančios iš apačios. Iš ten kylantis šiltas oras aitriai kvepėjo kažkokiais nepažįstamais kvapais... aštriais chemikalais, švelniais ir raminamais smilkalais, muskusiniu žmogaus prakaitu, o aiškiausiai — gyvuliška, nesuvokiama baime.

— Tavo mokslas man padarė įspūdį, — sušnibždėjo vyras, kai jiedu pasiekė nuolydžio apačią. — Tikiuosi, manasis tau irgi patiks.

99 skyrius

CŽV operatyvinis agentas Terneris Simkinsas, susigūžęs tamsiame Franklino parke, nenuleido akių nuo Voreno Belamio. Kol kas jauku niekas nesusidomėjo, bet dar anksti.

Simkinso imtuvas pyptelėjo, ir jis jį įsijungė, tikėdamasis, kad kuris nors iš vyrų bus ką nors pastebėjęs. Bet skambino Sato. Ji turėjo naujos informacijos. Simkinsas išklausė ir pritarė jos rūpesčiui.

— Palaukite, — tarė jis, — pažiūrėsiu, gal pavyks pasižiūrėti.

Jis iššliaužė iš krūmų, kuriuose slėpėsi, ir atsargiai pažvelgė į tą pusę, iš kurios jie buvo atėję į aikštę. Neilgai pamanevravęs, rado vietą, kur viskas buvo aiškiai matyti.

O velnias.

Priešais buvo pastatas, panašus į Senojo pasaulio mečetę. Maurų stiliaus švytinčių terakotinių plytelių, išdėstytų įmantriais daugiaspalviais raštais, fasadas stovėjo įsiterpęs tarp dviejų daug didesnių pastatų. Virš trejų masyvių durų rikiavosi dvi langų, primenančių šaudymo angas, eilės, tarsi laukdamos prisiartinant nekviestų svečių, kuriuos tuojau pat apšaudys arabai lankininkai.

— Matau, — atsiliepė Simkinsas.

— Kas nors ten vyksta?

— Ne.

— Gerai. Pakeiskite pozicijas ir atidžiai stebėkite. Pastatas vadinamas Almas garbinimo šventove, jame įsikūręs mistikų ordinas.

Simkinsas seniai dirbo Kolumbijos apygardos teritorijoje, bet nebuvo girdėjęs nei apie šventovę, nei apie senovės mistikų ordiną, įsikūrusį Franklino aikštėje.

— Šis pastatas, — toliau kalbėjo Sato, — priklauso grupei, kuri vadinasi Senuoju arabiškuoju mistinės šventovės didikų ordinu.

— Niekad nesu apie juos girdėjęs.

— Manau, *esate*, — paprieštaravo Sato. — Tai masonų draugijos padalinys, dažniau vadinamas Šventovės ordinu.

Simkinsas abejodamas nužvelgė puošnų pastatą. *Šventovės ordinas? Tas, kurio nariai stato vaikų ligonines?* Jam buvo sunku įsivaizduoti nekaltesnį „ordiną" negu broliją filantropų, kurie dėvi mažas raudonas feskas ir žygiuoja paraduose.

Vis dėlto Sato nerimavo ne be pagrindo.

— Ponia, jei mūsų objektas suvoks, kad šis pastatas ir yra „ordinas", esantis Franklino aikštėje, jam nereikės jokio adreso. Galės apsieiti be sutarto susitikimo ir tiesiai važiuoti į tinkamą vietą.

— Aš manau lygiai tą patį. Nenuleiskite akių nuo įėjimo.

— Taip, ponia.

— Ar gavote žinių iš agento Hartmano apie Kaloramos aukštumas?

— Ne, ponia. Jūs jam liepėte skambinti tiesiai jums.

— Bet jis neskambino.

Keista, pamanė Simkinsas, žvilgtelėdamas į laikrodį. *Seniai turėjo paskambinti.*

100 skyrius

Robertas Lengdonas, nuogas ir vienišas, drebėdamas gulėjo visiškoje tamsoje. Paralyžiuotas iš baimės, jis nebesiblaškė ir nebešaukė. Užmerkė akis, iš visų jėgų stengdamasis apmaldyti besidaužančią širdį ir išgąstingai sutrikusį alsavimą.

Tu guli po neaprėpiamu nakties dangumi, mėgino sau įteigti. *Virš tavęs nieko nėra, tik plati neišmatuojama erdvė.*

Ši raminama vizualizacija jam neseniai padėjo ištverti tyrimą magnetinio rezonanso aparatu... aišku, pravertė ir trys valiumo tabletės. Tačiau šiąnakt vizualizacija nedavė jokių rezultatų.

Skuduras, kuriuo buvo užkimšta Ketrinos Solomon burna, pasislinko gilyn ir pradėjo dusinti. Pagrobėjas nešė ją siauru nuolydžiu į tamsų rūsio koridorių. Tolimajame gale ji pastebėjo kambarį, apšviestą baugia rausvo purpuro spalva, tačiau iki jo jie nepriėjo. Vyriškis sustojo prie mažo šoninio kambarėlio, įnešė ją vidun ir pasodino ant medinės kėdės. Surištas Ketrinos rankas užkišo už kėdės atkaltės, kad ji negalėtų pajudėti.

Ketrina juto, kaip riešus veržianti viela dar giliau įsirėžia į kūną. Tačiau skausmo beveik nejautė dėl augančios panikos, kuri apėmė suvokus, kad nebeįstengia kvėpuoti. Burnoje esantis kamšalas slydo vis giliau, ji pradėjo instinktyviai gokčioti. Akys apsiblausė.

Jai už nugaros tatuiruotasis uždarė vieninteles kambario duris ir įjungė šviesą. Ketrinai iš akių gausiai riedėjo ašaros, ji nebeįžiūrėjo arti esančių daiktų. Viskas išskydo.

Priešais ją išniro neaiški spalvomis išmarginto kūno vizija, ir Ketrina pajuto, kaip akys ima dirgliai mirkčioti prieš jai prarandant sąmonę. Staiga prie jos veido prisilietė žvynais išmarginta ranka ir greit ištraukė iš burnos skudurą.

Ketrina goktelėjo, kelis kartus giliai įkvėpė, springdama ir kosėdama, plaučiams prisipildžius išsiilgtojo oro. Regėjimas pamažu ėmė gerėti, ji susivokė žiūrinti į demono veidą. Jis net nebuvo panašus į žmogaus. Kaklą, veidą ir skustą galvą vientisu raštu dengė stulbinamas keistų tatuiruotų simbolių marginys. Atrodė, kad tatuiruotas visas kūnas, išskyrus mažą skrituliuką pačiame viršugalvyje. Didžiulis dvigalvis feniksas, ištatuiruotas ant krūtinės, spoksojo į ją spenelių akimis lyg peralkęs maitvanagis, kantriai laukiantis jos mirties.

— Išsižiok, — sušnibždėjo vyriškis.

Ketrina, apimta neįveikiamo pasibjaurėjimo, žvelgė į pabaisą. *Ką?*

— Išsižiok, — pakartojo vyriškis. — Arba vėl įgrūsiu skudurą.

Ketrina drebėdama išsižiojo. Vyras ištiesė storą tatuiruotą pirštą ir įkišo jai tarp lūpų. Kai jis palietė liežuvį, Ketrinai pasirodė, kad ji tuoj susivems. Vyras ištraukė drėgną pirštą ir pakėlė jį prie viršugalvio. Užsimerkęs įtrynė jos seiles į mažą apskritą netatuiruotos odos lopinėlį.

Apimta pasišlykštėjimo Ketrina nusuko akis.

Kambarys, kuriame ji sėdėjo, veikiausiai buvo kokia nors katilinė — vamzdžiai ant sienų, vandens gurgesys, dienos šviesos lempos. Tačiau dar nespėjus kaip reikiant apžiūrėti, kur ji atsidūrė, žvilgsnis užkliuvo už daiktų, pamestų netoliese ant grindų. Krūvelė drabužių — megztinis aukštu kaklu, sportinis tvido švarkas, įsispiriami batai, laikrodis su Peliuku Mikiu.

— Dieve mano! — ji energingai atsisuko į tatuiruotąją pabaisą. — Ką tu padarei Robertui?!

— Ššš, — sušnibždėjo šis. — Nes jis tave išgirs. — Jis pasitraukė į šalį ir mostu parodė sau už nugaros.

Lengdono ten nebuvo. Ketrina pamatė tik didžiulę juodą stiklo pluošto dėžę, panašią į sunkų konteinerį — tokiuose iš karo lauko pargabenami lavonai. Dėžė buvo tvirtai užrakinta dviem didžiuliais užraktais.

— Jis viduje? — nevalingai išsprūdo Ketrinai. — Bet... jis juk uždus!

— Neuždus, — atsakė vyras rodydamas į perregimus vamzdžius, nutiestus palei sieną ir pasibaigiančius dėžės viduje. — Tik trokš, kad galėtų uždusti.

Gulėdamas visiškoje tamsoje Lengdonas įdėmiai klausėsi duslių virpesių, kuriuos neseniai išgirdo sklindant iš išorės. *Balsai?* Jis pradėjo daužyti dėžę ir kaip įmanydamas garsiau rėkti:

— Gelbėkite! Ar mane kas nors girdi?!

Kažkur labai toli prislopintas balsas sušuko:

— Robertai! Dieve mano, ne! Ne!

Jis pažino balsą. Tai Ketrina, ir ji, atrodo, persigandusi. Ir vis tiek garsą išgirsti buvo gera. Lengdonas įkvėpė, norėdamas jai atsakyti, bet staiga sustingo, pajutęs ties sprandu kažką netikėta. Atrodė, kad nuo dėžės apačios sklinda švelnus vėjelis. *Kaip tai gali būti?* Lengdonas pagulėjo labai tyliai, stengdamasis susivokti. *Taip, nėra jokių abejonių.* Jis juto, kaip oro judėjimas kutena plaukelius ant sprando.

Lengdonas instinktyviai pradėjo čiupinėti dėžės apačią, ieškodamas oro šaltinio. Netruko jį aptikti. Mažytė ventiliacijos anga! Siaura anga su skylutėmis, panaši į plautuvės arba vonios vandens išleidimo angą — pro ją pūtė švelnus nesiliaujantis vėjelis.

Jis leidžia vidun orą. Nenori, kad uždusčiau.

Lengdono palengvėjimas truko neilgai. Pro angos skylutes ėmė sklisti baugus garsas. Tai buvo su niekuo nesupainiojamas atitekančio skysčio čiurlenimas... skysčio, tekančio į dėžę.

Ketrina, netikėdama savo akimis, žiūrėjo į perregimą skystį, vienu iš vamzdžių slenkantį prie Lengdono dėžės. Šis vaizdas jai priminė kažkokį iškrypėlišką parodomosios magijos triuką.

Jis leidžia į dėžę vandenį?!

Ketrina įsitempė pančiuose, nepaisydama giliai į riešus įsirėžusių vielų. Tačiau apimta panikos ji tegalėjo žiūrėti. Girdėjo, kaip Lengdonas beviltiškai daužosi dėžėje, bet kai vanduo pasiekė dėžės apačią, daužymas nutilo. Neilgam stojo baugi tyla. Paskui daužymas pasigirdo vėl, dar beviltiškesnis ir įnirtingesnis negu anksčiau.

— Išleisk jį! — maldavo Ketrina. — Prašau! Taip negalima!

— Žinai, nuskęsti labai baisu. — Vyras, ratais vaikščiodamas aplinkui, kalbėjo labai ramiu balsu. — Tavo asistentė Triša galėtų tau apie tai papasakoti.

Ketrina girdėjo jo žodžius, bet sunkiai suprato, ką jis sako.

— Gal atsimeni, aš irgi kartą vos nenuskendau, — šnibždėjo vyras. — Jūsų šeimos dvare, Potomake. Tavo brolis mane pašovė, ir aš įsmukau po ledu, tiesiai prie Zako tilto.

Ketrina nirtulingai pažvelgė į jį kupina pasibjaurėjimo. *Tai buvo tą vakarą, kai tu nužudei mano motiną.*

— Tą naktį dievai mane apsaugojo, — tarė jis. — Ir parodė man kelią... kaip tapti vienu iš jų.

Vanduo, čiurlenantis į dėžę virš Lengdono galvos, buvo šiltas... kūno temperatūros. Jo jau buvo pribėgę keletas centimetrų, jis apsėmė jo nuogą nugarą. Vandeniui pradėjus semti krūtinę, Lengdonas suvokė sparčiai artėjančią žiaurią tikrovę.

Aš mirsiu.

Vėl apimtas panikos, jis iškėlė rankas ir ėmė it pamišęs daužyti sienas.

101 skyrius

— Privalai jį paleisti! — jau verkdama maldavo Ketrina. — Mes padarysim viską, ko tik norėsi!

Ji girdėjo, kaip vandeniui liejantis į dėžę Lengdonas daužosi vis smarkiau. Tatuiruotasis tik nusišypsojo.

— Su tavim lengviau negu su tavo broliu. Ko tik aš nepridariau, kad išgaučiau iš Piterio jo paslaptis...

— Kur jis?! — garsiai paklausė Ketrina. — Kur Piteris?! Pasakyk! Mes įvykdėme viską, ko norėjai! Iššifravome piramidę ir...

— Ne, jūs *neiššifravote* piramidės. Jūs ėmėtės žaidimų. Nuslėpėte nuo manęs informaciją ir prišaukėte į mano namus žvalgybos agentą. Vargu ar turėčiau girti jus už tokį elgesį.

— Mes neturėjome kitos išeities, — atsakė ji springdama ašaromis. — Tavęs ieško CŽV. Jie mums liepė atvažiuoti čia su agentu. Aš viską papasakosiu. Tik paleisk Robertą!

Ketrina girdėjo, kaip Lengdonas rėkia ir daužosi dėžėje, matė vamzdžiais tekantį vandenį. Žinojo, kad laiko liko ne per daugiausia.

Priešais ją stovintis tatuiruotasis ramiai pasiklausė glostydamasis smakrą:

— Jei gerai supratau, Franklino aikštėje manęs tyko agentai?

Ketrina nieko neatsakė, tada vyras uždėjo jai ant pečių didžiulius delnus ir lėtai patraukė priekin. Jos surištos viela rankos tebebuvo užkištos už kėdės atkaltės, tad pečiai įsitempė iš skausmo ir atrodė, kad tuoj išnirs.

— Taip! — atsakė Ketrina. — Franklino aikštėje yra agentų!

Jis patraukė dar stipriau.

— Koks adresas užrašytas ant piramidės viršūnės?

Riešus ir pečius veriantis skausmas pasidarė nebepakeliamas, bet Ketrina nieko neatsakė.

— Ketrina, geriau atsakyk dabar, nes aš sulaužysiu tau rankas ir paklausiu dar kartą.

— Aštuoni! — sušuko ji.— Trūkstamas skaičius — aštuoni! Piramidės viršūnėje įrašyta *The secret hides within The Order — Eight Franklin Square*! Prisiekiu. Nebežinau, ką dar tau sakyti! Franklino aikštė, aštuoni!

Vyras nepaleido jos pečių.

— Tai ir viskas, daugiau aš nieko nežinau! — šaukė Ketrina. — Toks adresas! Paleisk mane! Išleisk Robertą iš to akvariumo!

— Mielai... — atsakė vyras, — bet yra viena problema. Aš negaliu nueiti į Franklino aikštės aštuntą numerį, nes mane tuojau pat pagaus. Pasakyk, kieno tas adresas?

— Nežinau!

— O simboliai ant piramidės pagrindo? Apačioje? Ar žinai, ką jie reiškia?

— *Kokie* simboliai ant pagrindo? — Ketrina nesuprato, apie ką jis kalba. — Ant pagrindo nėra jokių simbolių. Lygus glotnus akmuo!

Tarsi negirdėdamas duslių pagalbos šauksmų, sklindančių iš karstą primenančios dėžės, tatuiruotasis ramiai priėjo prie Lengdono kelionkrepšio ir išėmė akmeninę piramidę. Tada grįžo prie Ketrinos ir pakėlė ją jai prieš akis, kad geriau būtų matyti pagrindas.

Pamačiusi išgraviruotus simbolius, Ketrina apstulbusi kūktelėjo.

Bet... to negali būti!

Visas piramidės pagrindas buvo išmargintas įmantriais raižiniais. *Anksčiau čia nieko nebuvo! Esu tikra!* Ji nė trupučio nenumanė, ką galėtų reikšti šie simboliai. Atrodė, kad jie paimti iš visų įmanomų mistikos tradicijų, net iš tokių, apie kurias nebuvo nieko girdėjusi.

Visiškas chaosas.

— Aš... net neįsivaizduoju, ką jie reiškia, — pratarė ji.

— Aš irgi, — atsakė jos pagrobėjas. — Laimė, mes galime paprašyti specialisto pagalbos. — Jis dirstelėjo į dėžę. — Paklauskime jo, gerai? — Jis nusinešė piramidę prie dėžės.

Trumpą vilties akimirką Ketrina pamanė, kad jis atrakins dangtį. Tačiau tatuiruotasis ramiai atsisėdo ant dėžės, nuleido ranką ir atstūmė nedidelę sienelę dangtyje, po kuria pasirodė perregimas organinio stiklo langas.

*

Šviesa!

Lengdonas užsidengė akis ir prisimerkęs pažvelgė į šviesos spindulį, krintantį iš viršaus. Akims pripratus prie šviesos, viltį pakeitė sutrikimas. Virš jo buvo matyti kažkas panašaus į langelį dėžės viršuje. Pro langelį švietė baltos lubos ir dienos šviesos lempos.

Netikėtai jame pasirodė tatuiruotas vyro veidas, žvelgiantis žemyn.

— Kur Ketrina? — suriko Lengdonas. — Paleiskite mane!

Vyras nusišypsojo.

— Jūsų draugė Ketrina čia pat, pas mane, — atsakė jis. — Mano galioje išsaugoti jai gyvybę. Jūsų irgi. Bet laiko jums liko nedaug, tad siūlyčiau atidžiai paklausyti.

Lengdonas vos jį girdėjo pro stiklą, o vanduo jau buvo pakilęs aukščiau ir sėmė krūtinę.

— Ar jūs žinote, — paklausė žmogus, — kad piramidės pagrindas irgi išmargintas simboliais?

— Taip! — sušuko Lengdonas, nes matė gausius simbolius dar būdamas viršuje, kai piramidė gulėjo greta jo ant grindų. — Bet aš nežinau, ką jie reiškia! Jums reikia į Franklino aikštės aštuntą numerį! Atsakymas yra ten! Tai parašyta viršū...

— Profesoriau, mudu abu žinome, kad manęs ten laukia CŽV agentai. Visiškai nenoriu įlįsti į spąstus. Be to, numerio man nereikėjo. Toje aikštėje yra vienintelis pastatas, kuris galėtų būti kuo nors įdomus — Almas garbinimo šventovė. — Jis patylėjo žiūrėdamas iš viršaus į Lengdoną. — Senasis arabiškasis mistinės šventovės didikų ordinas.

Lengdonas sutriko. Jis žinojo Almas garbinimo šventovę, tik buvo pamiršęs, kad ji yra Franklino aikštėje. *Tai Šventovės ordinas ir yra tas... „Ordinas"? Tai jų šventovė dengia suktinius laiptus?* Istoriniu požiūriu tai neturėjo jokios prasmės, bet Lengdonui šiuo metu nerūpėjo ginčytis dėl istorinių smulkmenų.

— Taip! — sušuko jis. — Taip tikriausiai ir bus! Paslaptis slypi Ordine!

— Ar jums teko būti tame pastate?

— Žinoma! — Lengdonas pakėlė skausmu pulsuojančią galvą, kad sparčiai kylantis skystis neapsemtų ausų. — Aš galiu jums padėti! Išleiskite mane!

— Tai jūs manote, kad galite man pasakyti, ką bendra turi ši šventovė su simboliais ant piramidės pagrindo?

— Taip! Tik leiskite man pasižiūrėti į simbolius!

— Ką gi, gerai. Pažiūrėsime, kaip jums pavyks.

Paskubėk! Semiamas greitai kylančio šilto skysčio, Lengdonas pasikėlė arčiau dangčio, trokšdamas, kad žmogus jį atkeltų. *Prašau! Paskubėk!* Bet dangtis neatsidarė. Tik virš skaidraus langelio staiga pasirodė piramidės pagrindas.

Lengdonas, apimtas panikos, įsistebeilijo į jį.

— Tikiuosi, jums gerai matyti? — Vyras laikė piramidę tatuiruotomis rankomis. — Greičiau mąstykite, profesoriau. Mano spėjimu, turite mažiau negu šešiasdešimt sekundžių.

102 skyrius

Robertas Lengdonas ne kartą buvo girdėjęs sakant, kad užspeistas į kampą gyvūnas gali pasitelkti neįsivaizduojamus jėgų išteklius. Tačiau kai jis pats visu kūnu trenkėsi į dėžės apačią, ničniekas nepasikeitė. Skystis ir toliau palengva kilo. Likus ne daugiau kaip dvidešimčiai centimetrų neapsemto ploto, Lengdonas pakėlė galvą aukštyn į likusią kvėpavimo erdvę. Dabar skaidrus langelis buvo tiesiai prieš akis, o už kelių centimetrų bolavo piramidės pagrindas su nesuprantamais jame įrėžtais simboliais.

Nė neįsivaizduoju, ką jie reiškia.

Galutinis masonų piramidės įrašas, daugiau kaip šimtmetį slėptas sukietėjusio vaško ir akmens dulkių mišinio, galiausiai išvydo dienos šviesą. Taisyklingo kvadrato pavidalo lentelėje buvo sudėti įvairiausi simboliai iš visų įmanomų tradicijų — alchemijos, astrologijos, heraldikos, angelologijos, magijos, numerologijos, burtaženklių, graikų ir lotynų kalbų. Žvelgiant kaip į visumą, tai buvo simbolių anarchija — tarsi sriuba iš raidelių pavidalo makaronų, kurios raidės paimtos iš dešimčių visokiausių kalbų, laikų ir kultūrų.

Visiškas chaosas.

Simbologas Robertas Lengdonas net drąsiausiose mokslinėse svajose nebūtų galėjęs įsivaizduoti, kaip iššifruoti šią simbolių lentelę, kad ji įgautų kokią nors prasmę. *Tvarka iš šito chaoso? Neįmanoma.*

Skystis jau sėmė Adomo obuolį, ir Lengdonas juto augančią paniką. Jis nesiliovė daužęsis į dėžės šonus. Piramidė erzinamai bolavo viršuje.

Apimtas karštligiškos nevilties, Lengdonas sukaupė visą proto energiją į šią simboliais išmargintą šachmatų lentą. *Ką jie galėtų reikšti?* Deja, rinkinys atrodė toks padrikas, kad nebuvo įmanoma suvokti, nuo ko pradėti. *Šie simboliai net priklauso skirtingoms istorinėms epochoms!*

Buvo girdėti, kaip už dėžės ribų duslus, bet aiškus Ketrinos balsas su ašaromis maldauja paleisti Lengdoną. Nors sprendimo rasti nesisekė, artėjančios mirties perspektyva tarsi privertė kiekvieną kūno ląstelę susitelkti jo ieškoti. Jis pajuto keistą proto aiškumą, kokio dar niekada nebuvo patyręs. *Mąstyk!* Lengdonas atidžiai peržiūrėjo lentelę, ieškodamas bent mažiausios užuominos — pasikartojimo, paslėpto žodžio, ypatingo ženklo, ko nors — tačiau matė tik aibę tarpusavyje nesusijusių simbolių. *Chaosą.*

Lengdonas juto, kaip kiekvieną sekundę kūną vis labiau kausto keistas nejudrumas. Tarsi kūnas rengtųsi apsaugoti protą nuo mirties kančių. Vanduo jau beveik liejosi į ausis, jis kiek galėdamas aukščiau iškėlė galvą, prispaudė veidą prie dėžės dangčio. Prieš akis praplaukė baugūs vaizdai. Berniukas Naujojoje Anglijoje, iš paskutiniųjų plaukiojantis tamsaus šulinio dugne. Vyras Romoje, įkliuvęs po griaučiais apverstame karste.

Ketrinos šūksniai darėsi vis įnirtingesni. Kiek Lengdonui pavyko išgirsti, ji mėgino *logiškai įtikinti* beprotį — tvirtino, kad negalima tikėtis, kad jis iššifruos piramidę neaplankęs Almas šventovės.

— Juk aišku, kad tame pastate yra trūkstama dėlionės dalis! Kaip galima tikėtis, kad Robertas iššifruos piramidę neturėdamas visos informacijos?!

Lengdonas vertino jos pastangas, tačiau buvo įsitikinęs, kad žodžiai *Eight Franklin Square nėra* susiję su Almas garbinimo šventove. *Laikas neatitinka!* Jei tikėtume legenda, masonų piramidė buvo pagaminta apie XIX amžiaus vidurį, o Šventovės ordinas susikūrė tik po kelių dešimtmečių. Tiesą sakant, suvokė Lengdonas, piramidė atsirado dar tada, kai Franklino aikštė nebuvo taip vadinama. Negali būti, kad viršūnėje išgraviruotas įrašas nurodytų dar nepastatytą pastatą neegzistuojančiu adresu. Kad ir ką reikštų žodžiai *Eight Franklin Square*... tas dalykas *turėjo* egzistuoti 1850 metais.

Deja, daugiau Lengdonui nieko nepavyko sugalvoti.

Jis rausėsi atmintyje, ieškodamas ko nors, kas galėtų atitikti šį laikotarpį. *Eight Franklin Square? Ir kad tai jau būtų 1850 metais?* Lengdonui nekilo jokia mintis. Skystis jau pradėjo semti į ausis. Stengdamasis įveikti siaubą, jis spoksojo į pro stiklą matomą simbolių lentelę. *Aš nesuprantu, koks ryšys juos sieja!* Sustingęs ir kartu karštligiškai aktyvus protas pradėjo naršyti įvairiausias, net visai neįtikimas asociacijas.

Eight Franklin Square... Franklino aikštė... aikštės... arba kvadratai... ši simbolių lentelė yra kvadratas... kampainis ir kompasas — masonų simboliai... masonų altoriai keturkampiai... kvadratų kampai lygūs devyniasdešimčiai laipsnių. Vanduo tebekilo, bet Lengdonas stengėsi apie tai negalvoti. *Franklino aikštė, aštuoni... aštuoni... šios lentelės kraštinės yra aštuonių simbolių... žodyje* Franklin *aštuonios raidės... pasukus skaitmenį 8, gaunamas begalybės simbolis... numerologijoje aštuoni yra griovimo simbolis...*

Lengdonas neįstengė nieko suprasti.

Ketrina nesiliovė maldavusi, bet Lengdonas ne visada ją girdėjo, nes aplink galvą teliūskavo vanduo.

— ... neįmanoma, jei nežinai... piramidės viršūnėje aiškiai... paslaptis slypi viduje...

Paskui jos balsas dingo.

Vanduo užliejo Lengdonui ausis ir paskandino Ketrinos balsą. Staiga Lengdoną apglėbė begalinė įsčių tyla, ir jis suprato, kad tuojau iš tiesų mirs.

The secret hides within... Paslaptis slypi viduje...

Paskutiniai išgirsti Ketrinos žodžiai nuaidėjo šioje kapų tyloje.

Paslaptis slypi viduje...

Keista, pamanė Lengdonas, šie žodžiai atrodo seniau daug kartų girdėti.

Paslaptis slypi... viduje.

Atrodė, kad Senovės Slėpiniai net dabar jį erzina. „Paslaptis slypi viduje" — pamatinė slėpinių dogma, reikalaujanti žmonėms ieškoti Dievo *ne* dangaus aukštybėse... bet savyje pačiuose. *Paslaptis slypi viduje.* Tokia buvo visų didžiųjų mistikos mokytojų žinia.

Dievo karalystė yra jumyse, sakė Jėzus Kristus.

Pažink save, kalbėjo Pitagoras.

Nejau nežinote, kad esate dievai, klausė Hermis Trismegistas.

Sąrašą galima tęsti be galo...

Visų laikų mistikos mokymais stengtasi perteikti vis tą pačią idėją. *Paslaptis slypi viduje.* Ir vis tiek žmonija atkakliai ieško Dievo veido danguje.

Tai suvokęs Lengdonas pajuto įvykio ironiją. Ir kaip tik dabar, pakėlęs akis į dangų kaip visi anksčiau už jį gyvenę aklieji, Robertas Lengdonas staiga išvydo šviesą.

Ji plykstelėjo nelyginant žaibas iš dangaus.

The
secret hides
within The Order
Eight Franklin Square

Per vieną akimirką jis viską suprato.

Staiga įrašas piramidės viršūnėje pasidarė aiškus ir skaidrus it stiklas. Jo prasmė visą vakarą badyte badė akis. Įrašas piramidės viršūnėje, lygiai kaip pati masonų piramidė, buvo simbolonas — iš dalių sudarytas kodas, pranešimas, parašytas keliomis dalimis. Viršūnėje išgraviruoto įrašo prasmė buvo užmaskuota taip paprastai, kad Lengdonui dabar buvo sunku suprasti, kaip jiedu su Ketrina galėjo jos neatrasti.

Ir dar labiau apstulbo suvokęs, kad įrašas piramidės viršūnėje *iš tiesų* atskleidžia, kaip iššifruoti simbolius piramidės pagrinde. Viskas pasirodė taip paprasta. Kaip ir buvo žadėjęs Piteris Solomonas, auksinė piramidės viršūnė pasirodė esanti galingas talismanas, pajėgiantis sukurti tvarką iš chaoso.

Lengdonas ėmė daužyti dėžės dangtį šaukdamas:

— Aš supratau! Supratau!

Tatuiruotajam prabilus, Lengdonas vandens užlietomis ausimis nieko neišgirdo. Tik pamatė, kaip jo lūpos taria žodį:

— Pasakyk.

— Pasakysiu! — rėkė Lengdonas, beveik iki akių apsemtas vandens. — Išleisk mane! Viską paaiškinsiu!

Juk tai taip paprasta.

Vyro lūpos vėl sujudėjo.

— *Sakyk dabar... arba mirsi.*

Vandeniui palengva užpildant paskutinius likusius erdvės centimetrus, Lengdonas atlošė galvą, stengdamasis iškišti virš vandens burną. Šiltas skystis užliejo akis, sutriko regėjimas. Išrietęs nugarą, jis prispaudė lūpas prie organinio stiklo langelio.

Įkvėpdamas orą paskutines jam likusias sekundes, Robertas Lengdonas atskleidė paslaptį, kaip iššifruoti masonų piramidę.

Jam baigus kalbėti, skystis apsėmė lūpas. Lengdonas instinktyviai paskutinį kartą įkvėpė ir smarkiai užčiaupė burną. Po akimirkos skystis užliejo jį visą, pasiekė jo kapo viršų ir prigludo prie langelio.

Jam pavyko, suprato Malachas. *Lengdonas perprato, kaip iššifruoti piramidės paslaptis.*

Atsakymas pasirodė toks paprastas. Toks akivaizdus.

Vandenyje paskendęs Roberto Lengdono veidas žvelgė į jį pro langelį beviltiškomis, maldaujančiomis akimis.

Malachas papurtė galvą ir lėtai ištarė:

— Ačiū, profesoriau. Malonaus pomirtinio gyvenimo.

103 skyrius

Robertas Lengdonas, būdamas geras plaukikas, ne kartą buvo pagalvojęs, kaip jaučiasi skęstantis žmogus. Dabar jis suprato, kad tuoj tai patirs savo kailiu. Kvėpavimą jis galėjo sulaikyti ilgiau nei daugelis kitų, tačiau jau pradėjo justi, kaip kūnas reaguoja į deguonies trūkumą. Kraujyje kaupėsi anglies dioksidas, sukeldamas neįveikiamą norą įkvėpti. *Nekvėpuok!* Tačiau kiekvieną akimirką refleksyvus noras įkvėpti stiprėjo. Lengdonas žinojo greitai pasieksiąs vadinamąją kvėpavimo sulaikymo ribą — kritinį momentą, kai žmogus nebeįstengia valios pastangomis susilaikyti neįkvėpęs.

Atidaryk dangtį! Instinktas liepė Lengdonui daužytis ir grumtis, tačiau jis suvokė, kad neverta eikvoti brangaus deguonies išteklių. Beliko žiūrėti į viršų pro akis užliejusį vandenį ir tikėtis. Išorės pasaulis virto neryškia šviesos dėme, regima pro organinio stiklo langelį. Raumenys pradėjo dilgsėti, jis suvokė, kad pradeda dusti.

Staiga langelyje pasirodė gražus plevenantis veidas, jis žvelgė tiesiai į jį. Tai buvo Ketrina, kurios švelnūs bruožai pro skysčio uždangą atrodė beveik bekūniai. Jų žvilgsniai pro langelį susitiko, ir akimirką Lengdonas pamanė, kad jis išgelbėtas. *Ketrina!* Bet netrukus išgirdo duslų jos siaubo šūksnį ir suprato, kad ją čia iškėlęs laiko pagrobėjas. Tatuiruotoji pabaisa privertė ją savo akimis pamatyti, kas netrukus įvyks.

Ketrina, aš atsiprašau...

Uždarytas šioje keistoje tamsioje vietoje, apsemtas vandens Lengdonas sukaupęs visas jėgas stengėsi suvokti, kad *tai ir yra* paskutinės jo gyvenimo akimirkos. Netrukus jis liausis egzistavęs... toks, koks yra... ar toks, koks kada nors buvo... arba kada nors bus... viskam galas. Kai numirs smegenys, visi atsiminimai, sukaupti pilkosiose ląstelėse, visos jo įgytos žinios paprasčiausiai išgaruos cheminėmis reakcijomis.

Tą akimirką Robertas Lengdonas iš tiesų suvokė, koks nereikšmingas jis yra visatos mastu. Tokios vienatvės ir tokio nuolankumo jis dar niekada nebuvo išgyvenęs. Beveik su palengvėjimu pajuto, kad artėja kvėpavimo sulaikymo riba.

Štai ir atėjo ta akimirka.

Lengdono plaučiai išstūmė tai, ką buvo sunaudoję, ir susitraukė, nekantriai ruošdamiesi naujam įkvėpimui. Ir vis tiek jis dar sekundę luktelėjo. Paskutinę gyvenimo sekundę. Paskui kaip žmogus, nebepajėgiantis ilgiau laikyti rankos prie įkaitusios krosnies, pasidavė likimui.

Refleksas įveikė protą.

Jo lūpos prasivėrė.

Plaučiai išsiplėtė.

Į juos paplūdo skystis.

Krūtinę sugniaužė skausmas, stipresnis už viską, ką Lengdonas galėjo įsivaizduoti. Skystis, tekėdamas į plaučius, deginte degino. Skausmas tuojau pat šovė kaukolės link — atrodė, jog galvą kas traiško replėmis. Ausyse tarsi griaustinis griaudėjo, ir dar buvo girdėti, kaip klykia Ketrina Solomon.

Blystelėjo akinama šviesa.

Paskui viskas aptemo.

Roberto Lengdono nebeliko.

104 skyrius

Viskas baigta.

Ketrina Solomon liovėsi klykti. Pamačiusi, kaip skęsta žmogus, ji pasijuto visiškai bejėgė, kone paralyžiuota iš nevilties ir sukrėtimo.

Negyvos Lengdono akys už organinio stiklo langelio spoksojo kažkur toli į tuštumą. Jo veide buvo sustingusi skausmo ir apgailestavimo išraiška. Iš nejudrios burnos pakilo paskutinė oro burbuliukų srovelė, o paskui Harvardo profesorius, tarsi sutikdamas atiduoti savo sielą, ėmė lėtai grimzti į akvariumo dugną... ir dingo šešėliuose.

Jo nebėra. Ketrina nieko nebejuto.

Tatuiruotasis ištiesė ranką ir negailestingai, nebepalikdamas jokių šansų, užstūmė pertvarą virš mažo perregimo langelio, uždarydamas viduje Lengdono kūną.

Tada nusišypsojo jai.

— Eisime?

Ketrinai dar nespėjus atsakyti, jis užsimetė jos sielvarto pakirstą kūną ant peties, užgesino šviesas ir išnešė ją iš kambario. Keliais galingais žingsniais nuėjo į koridoriaus galą, į didelę erdvę, užlietą rausvos purpurinės šviesos. Ten kvepėjo smilkalais. Jis nunešė Ketriną prie kvadratinio stalo, stovinčio kambario centre, ir šiurkščiai parmetė ant nugaros; jai užgniaužė kvapą. Stalo paviršius buvo šaltas ir nelygus. *Ar čia akmuo?*

Ketrinai dar nespėjus susiorientuoti, vyriškis nuvyniojo vielas, veržusias jos riešus ir kulkšnis. Ji instinktyviai pamėgino nuo jo atsiginti, bet vos įstengė pajudinti mėšlungio sutrauktas rankas ir kojas. Jis pradėjo rišti ją prie stalo sunkiais odiniais raiščiais: vienu per kelius, kitu — ties klubais, išskėtė į šalis rankas. Paskutinį raištį pritvirtino ties krūtinkauliu, tiesiai virš krūtų.

Tai užtruko vos keletą akimirkų, ir Ketrina vėl nebegalėjo nė pajudėti. Kulkšnys ir riešai skausmingai dilgčiojo, kraujui pradėjus cirkuliuoti galūnėmis.

— Išsižiok, — paliepė vyras, apsilaižydamas tatuiruotas lūpas.

Ketrina pasišlykštėjusi sukando dantis.

Vyras vėl ištiesė smilių ir lėtai apibraukė jos lūpas: Ketrina pašiurpo. Ji dar stipriau sukando dantis. Tatuiruotasis susijuokė, kita ranka surado reikalingą tašką ant jos kaklo ir spustelėjo. Ketrinos burna tuoj pat prasižiojo. Ji juto, kaip jis įkiša jai į burną pirštą ir perbraukia liežuvį. Sugokčiojusi pabandė įkąsti, bet pirštas jau buvo ištrauktas. Tebesišypsodamas jis pakėlė drėgną smilių jai prieš akis. Tada užsimerkė ir vėl įtrynė jos seiles į netatuiruotą odos lopinėlį sau ant viršugalvio.

Paskui vyras atsiduso ir lėtai atsimerkė. Baugiai ramus apsisuko ir išėjo iš kambario.

Staiga stojusioje tyloje Ketrina juto, kaip daužosi širdis. Tiesiai virš galvos neįprastų lempų šviesa, atrodo, ėmė keistis iš rausvos purpurinės į sodriai raudoną, apšviesdama žemas kambario lubas. Pamačiusi lubas, ji nebegalėjo atitraukti akių. Jos visut visutėlės buvo išmargintos piešiniais. Nesuvokiamas koliažas, regis, vaizdavo žvaigždėtą dangų. Šalia žvaigždžių, planetų ir žvaigždynų mirguliavo astrologiniai simboliai, žvaigždėlapiai, formulės. Strėlės vaizdavo elipsės pavidalo orbitas, geometriniai simboliai rodė pakilimo laipsnius, tiesiai į akis žvelgė Zodiako ženklus vaizduojančios figūros. Tarsi išprotėjęs mokslininkas būtų paleistas laisvai siautėti Siksto koplyčioje.

Ketrina pasuko galvą į šalį, bet kairioji siena nebuvo geresnė. Eilė žvakių aukštose, ant grindų stovinčiose viduramžių žvakidėse blykčiojančiomis liepsnomis nušvietė sieną, nusagstytą teksto puslapiais, nuotraukomis ir piešiniais. Kai kuric puslapiai atrodė kaip pergamentas, išplėštas iš senovinių knygų; kiti tekstai buvo naujesni, šalia puikavosi fotografijos, piešiniai, žemėlapiai ir schemos: visa tai, atrodo, buvo labai kruopščiai priklijuota prie sienos. Atskirus puslapius jungė segtukais prisegtų virvelių voratinklis, sukurdamas iš jų begalinių tarpusavio ryšių chaosą.

Ketrina ir vėl nusisuko, nutarusi geriau žiūrėti į kitą pusę.

Deja, šis vaizdas pasirodė baugiausias iš visų.

Prie akmeninio stalo, ant kurio ji buvo pririšta, stovėjo nedidelė spintelė, kurią pamačiusi ji iškart prisiminė ligoninių operacinėse naudojamus instrumentų stovus. Ant spintelės buvo išdėlioti keli daiktai — tarp jų švirkštas, indelis su tamsiu skysčiu... ir didžiulis peilis kaulinėmis kriaunomis, iš geležies kaldintais ašmenimis, išgaląstais bei nusvidintais taip, kad žėrėjo it auksas.

Dieve mano... ką jis ketina man daryti?

105 skyrius

Kai CŽV sistemų saugumo specialistas Rikas Perišas galiausiai įgriuvo į Nolos Kei kabinetą, jo rankose buvo vienintelis popieriaus lapas.

— Kur taip ilgai užtrukai? — griežtai paklausė Nola. *Juk sakiau, kad ateitum tuojau pat!*

— Atsiprašau, — atsakė jis pakeldamas aukštyn ant ilgos nosies akinius storais stiklais. — Mėginau surinkti tau daugiau informacijos, bet...

— Parodyk bent tai, ką turi.

Perišas padavė jai išspausdintą tekstą.

— Jis redaguotas, bet esmę suprasi.

Nola apstulbusi peržvelgė puslapį.

— Aš vis dar mėginu išsiaiškinti, kaip programišius prie jo prisikasė, — tarė Perišas, — nors, atrodo, papildomas paieškos serveris įveikė vieną mūsų naršyk...

— *Nesvarbu!* — nutraukė jį Nola, pakeldama nuo teksto akis. — Bet kodėl, po velnių, CŽV laiko slaptą bylą apie piramides, senovinius vartus ir išgraviruotus simbolonus?

— Todėl tiek ir užgaišau. Mėginau pasižiūrėti, į kokį dokumentą taikyta, atsekiau bylos kelią. — Perišas nutilo ir atsikrenkštė. — Pasirodė, kad šis dokumentas yra paskyroje, asmeniškai priskirtoje... pačiam CŽV direktoriui.

Nola atsisuko su visa kėde, negalėdama patikėti tuo, ką išgirdo. *Sato viršininkas laiko masonų piramidės bylą?* Ji žinojo, kad dabartinis CŽV direktorius, kaip ir daug aukštų CŽV pareigūnų, yra aukšto rango masonas, bet buvo sunku įsivaizduoti, kad kuris nors iš jų saugotų masonų paslaptis CŽV kompiuterių sistemoje.

Nors, tiesą sakant, po to, ką ji pamatė per pastarąsias dvidešimt keturias valandas, viskas atrodo įmanoma.

*

Agentas Simkinsas gulėjo ant pilvo, pasislėpęs Franklino aikštėje augančiuose krūmuose. Jo žvilgsnis buvo nukreiptas į kolonomis papuoštą Almas garbinimo šventovės įėjimą. *Ničnieko.* Viduje neužsidegė šviesos, prie durų niekas nepriėjo. Jis pasuko galvą ir patikrino, ar Belamis vietoje. Šis vienišas žingsniavo pirmyn atgal po parką ir atrodė sušalęs. *Ne juokais* sušalęs. Simkinsas matė, kaip jis dreba ir krūpčioja.

Jo telefonas pradėjo vibruoti. Skambino Sato.

— Kiek vėluoja mūsų objektas? — paklausė ji.

Simkinsas patikrino chronografą.

— Objektas žadėjo atvykti per dvidešimt minučių. Praėjo beveik keturiasdešimt. Kažkas ne taip.

— Jis neatvyks, — pareiškė Sato. — Baigta.

Simkinsas suprato, kad ji teisi.

— Yra žinių iš Hartmano?

— Ne, jis nieko nepranešė iš Kaloramos aukštumų. Negaliu jam prisiskambinti.

Simkinsas įsitempė. Jei tai tiesa, tada tikrai kažkas *ne taip.*

— Aš ką tik paskambinau kitiems komandos nariams, — toliau kalbėjo Sato, — ir jie taip pat negali jo rasti.

Na ir velniava.

— Ar jie turi navigacinės sistemos adresą, kur rasti visureigį?

— Taip. Gyvenamasis namas Kaloramos aukštumose, — atsakė Sato. — Surinkite vyrus. Traukiamės.

Sato uždarė telefoną ir pažvelgė į didingą savo šalies sostinės kraštovaizdį. Ploną jos švarką kiaurai košė ledinis vėjas, norėdama sušilti ji apsiglėbė rankomis. Direktorė Inoujė Sato buvo ne iš tų moterų, kurioms dažnai būna šalta... ar baisu. Tačiau dabar ji juto ir šaltį, ir baimę.

106 skyrius

Malachas, apsirišęs tik strėnjuoste, užlėkė nuolydžiu viršun, atidarė metalines duris ir pro paveikslą grįžo į svetainę. *Reikia kuo skubiau pasiruošti.* Jis dirstelėjo į vestibiulyje gulintį negyvą CŽV agentą. *Šiuose namuose nebesaugu.*

Viena ranka nešdamasis akmeninę piramidę, Malachas patraukė tiesiai į savo kabinetą antrame aukšte ir prisėdo prie nešiojamojo kompiuterio. Įsijungdamas įsivaizdavo apačioje gulintį Lengdoną ir pasvarstė, kiek dienų ar net savaičių praeis, kol slaptoje rūsio dalyje bus rastas paskendęs lavonas. Bet tai visai nesvarbu. Malacho tada jau seniai nebebus.

Lengdonas atliko jam skirtą vaidmenį... puikiai atliko.

Jis ne tik sujungė į daiktą masonų piramidės dalis, bet ir sugalvojo, kaip išsiaiškinti ant piramidės pagrindo išraižytų simbolių įmantrią lentelę. Iš pirmo žvilgsnio atrodė, kad šių simbolių neįmanoma iššifruoti... tačiau atsakymas pasirodė toks paprastas... badyte badė akis.

Malacho kompiuterio ekranas nušvito, jame išryškėjo anksčiau gautas elektroninis laiškas — švytinčios piramidės viršūnės nuotrauka, kurios dalį užstojo Voreno Belamio pirštas.

The
secret hides
within The Order.
■■■■ *Franklin Square.*

Eight... Franklin Square, pasakė Malachui Ketrina. Dar ji patvirtino, kad Franklino aikštėje sėdi pasaloje CŽV agentai, tikėdamiesi sučiupti Malachą ir išsiaiškinti, koks gi *ordinas* — *The Order* — minimas viršūnės įraše. Masonai? Šventovės ordinas? Rožės kryžininkai?

Nė vienas iš jų, dabar jau žinojo Malachas. *Lengdonas suprato tiesą.*

Prieš dešimt minučių Harvardo profesorius, iškėlęs galvą iš aplink plūstančio skysčio, atrado piramidės mįslės įminimo raktą.

— *The Order Eight Franklin Square!* — sušuko jis baimės kupinomis akimis. — *The secret hides within The Order Eight Franklin Square!*

Iš pradžių Malachas nesuprato, kam jis tai kartoja.

— Tai ne adresas! — rėkė Lengdonas, prispaudęs prie perregimo langelio burną. — *Order Eight Franklin Square*... reikia suprasti kitaip. *Square* — ne aikštė, o kvadratas! *Magiškas* kvadratas! — paskui jis dar kažką pasakė apie Albrechtą Diurerį... ir apie tai, kad piramidės pirmosios mįslės įminimas padėjo įminti ir paskutinę.

Malachas buvo girdėjęs apie magiškus kvadratus, arba, kaip senovės mistikai juos vadino, *kamėjas*. Senoviniame tekste *De Occulta Philosophia* smulkiai aprašytos mistinės magiškų kvadratų galios ir metodai, kuriais vadovaujantis ir pasitelkus magiškų skaičių lenteles galima sukurti galingus burtaženklius. O dabar Lengdonas jam sako, kad piramidės pagrindo simbolių iššifravimo raktas susijęs su magišku kvadratu?

— Reikia paimti aštuonių vienetų kraštinės magišką kvadratą! — rėkė profesorius, kurio tik lūpos kyšojo virš vandens. — Magiški kvadratai skirstomi eilėmis, angliškai *orders*. Trijų vienetų kraštinių kvadratas vadinamas „trečios eilės“, arba *order three* kvadratu! Keturių vienetų kraštinės kvadratas bus „ketvirtos eilės“, arba *order four!* O čia reikia aštuntos eilės — *order eight!*

Prieš skysčiui galutinai apsemiant profesorių, šis paskutinį kartą įkvėpė ir kažką suriko apie garsų masoną... vieną iš Amerikos tėvų įkūrėjų... mokslininką, mistiką, matematiką, išradėją... be to, sukūrusį mistinę *kamėją*, kuri ligi šiol vadinama jo vardu.

Franklinas.

Malachas akimirksniu suprato, kad Lengdonas teisus.

O dabar, dusdamas ir nekantrumo, Malachas sėdėjo kabinete priešais kompiuterį. Jis paleido greitą paiešką, gavo dešimtis rezultatų, pasirinko vieną iš jų ir pradėjo skaityti.

AŠTUNTOS EILĖS FRANKLINO KVADRATAS

Vienas iš geriausiai žinomų magiškų kvadratų yra „aštuntos eilės“ kvadratas, kurį 1769 m. paskelbė Amerikos mokslininkas Bendžaminas Franklinas ir kuris pagarsėjo tuo, kad jame buvo įtrauktas niekada anksčiau nematytas „pakrypusios įstrižainės sumavimo“ efektas. Franklino karštą domėjimąsi šia mistikos forma veikiausiai paskatino jo asmeniniai ryšiai su garsiais tų laikų mistikais ir alchemikais, taip pat tikėjimas astrologija, kuria remdamasis jis paskelbė pranašystes savo išleistame *Vargšo Ričardo almanache.*

52	61	4	13	20	29	36	45
14	3	62	51	46	35	30	19
53	60	5	12	21	28	37	44
11	6	59	54	43	38	27	22
55	58	7	10	23	26	39	42
9	8	57	56	41	40	25	24
50	63	2	15	18	31	34	47
16	1	64	49	48	33	32	17

Malachas tyrinėjo garsųjį Franklino kūrinį — unikalų skaičių nuo 1 iki 64 išdėstymą, kurio kiekvienos eilutės, stulpelio ir įstrižainės narių suma buvo lygi tai pačiai magiškai konstantai. *Paslaptis slypi Aštuntos eilės Franklino kvadrate!*

Malachas nusišypsojo. Virpėdamas iš susijaudinimo, jis čiupo akmeninę piramidę ir apvertęs ėmė apžiūrinėti pagrindą.

Šiuos šešiasdešimt keturis simbolius reikia pernumeruoti ir sudėlioti kita tvarka, tokia, kokią nurodo Franklino magiškojo kvadrato langeliai. Nors Malachas neįsivaizdavo, kaip ši chaotiška simbolių lentelė galėtų įgyti prasmę, pakeitus simbolių išdėstymo tvarką, jis tvirtai tikėjo senovės pažadu.

Ordo ab chao.

Smarkiai plakančia širdimi jis paėmė popieriaus lapą ir greitai nubrėžė jame tuščią aštuonių eilučių ir aštuonių stulpelių lentelę. Paskui pradėjo į langelius po vieną dėlioti simbolius, priskirdamas jiems naujas padėtis. Pats apstulbo pamatęs, kaip lentelė beveik iš karto pradėjo įgyti prasmę.

Tvarka iš chaoso!

Jis baigė dešifruoti ir negalėdamas patikėti įsistebeilijo į sprendimą, gulintį prieš akis. Jame išryškėjo aiškus vaizdinys. Padrika lentelė buvo permainyta... pertvarkyta... ir nors Malachas dar neįstengė suprasti *visos* prasmės, vis dėlto suprato pakankamai... tiek, kad būtų visiškai aišku, kur eiti toliau.

Piramidė rodo kelią.

Lentelė aiškiai parodė vieną iš didžiųjų mistinių pasaulio vietų. Neįtikėtina, tačiau tai buvo ta pati vieta, kurioje Malachas nuo seno svajojo pabaigsiąs savo kelionę.

Lemtis.

107 skyrius

Ketrina nugara juto akmeninio stalo šaltį.

Jos galvoje tebesisuko klaikūs Roberto mirties vaizdai, juos lydėjo mintys apie brolį. *Ar Piteris irgi nebegyvas?* Regint keistą peilį, gulintį ant gretimos spintelės, kildavo mintys apie tai, kas laukia jos pačios.

Ar tai jau tikrai galas?

Keista, staiga ji pradėjo galvoti apie savo tyrimus... apie noetiką... ir apie neseniai padarytus atradimus. *Viskas prarasta... viskas išlėkė į orą.* Ji niekada nebegalės paskelbti pasauliui to, ką sužinojo. Labiausiai sukrečiantį atradimą padarė vos prieš kelis mėnesius; jo rezultatai galėtų iš esmės pakeisti žmonių mąstymą apie mirtį. Kaip keista, kad mintys apie šį eksperimentą... dabar teikia jai netikėtą paguodą.

Jaunystėje Ketrina Solomon ne kartą mąstė, ar egzistuoja gyvenimas po mirties. *Ar egzistuoja dangus? Kas nutinka, kai žmogus miršta?* Vėliau mokslo studijos netruko užgožti visokius samprotavimus apie dangų, pragarą arba gyvenimą po mirties. Ji galiausiai susitaikė su tuo, kad sąvoka „pomirtinis gyvenimas" yra sugalvota žmonių... pasaka, kuria siekiama sušvelninti šiurpią tiesą apie mūsų mirtingumą.

Bent jau aš taip maniau...

Prieš metus Ketrina su broliu diskutavo vienu iš nuolatinių filosofijos klausimų — apie žmogaus sielos egzistavimą, o konkrečiai — svarstė, ar žmonės turi tokią sąmonę, kuri galėtų išlikti ir toliau egzistuoti *už kūno ribų*.

Abu buvo linkę tikėti, kad veikiausiai tokia žmogaus siela egzistuoja. Tą patį teigė dauguma seniausių filosofijos sistemų. Budistų ir brahmanų išmintis remia metempsichozę — sielos persikėlimą į kitą kūną vienam mirus, Platono sekėjai apibūdina kūną kaip „kalėjimą", iš kurio siela išsilaisvina, o stoikai vadino sielą *apospasma tou theu* — „Dievo dalelyte" — ir tikėjo, kad Dievas žmogui mirus ją atsiima atgal.

Ketrina su šiokiu tokiu apmaudu pareiškė, kad žmogaus sielos egzistavimas turbūt bus vienas iš tų dalykų, kurių mokslui niekada nepavyks įrodyti. Patvirtinti, kad sąmonė išlieka už žmogaus kūno ribų pastarajam mirus, yra kone tas pat, kaip išpūsti į orą dūmų kamuolį ir tikėtis po kelerių metų jį vėl atrasti.

Po diskusijos Ketrinai į galvą šovė keista mintis. Jos brolis minėjo Pradžios knygą, kurioje siela aprašoma kaip *Neshemah* — savotiškas dvasios „intelektas", egzistuojantis atskirai nuo kūno. Ketrina pamanė, kad ten, kur yra *intelektas*, turi būti ir *mintis*. Noetikos mokslas aiškiai teigė, kad *mintys* turi masę, taigi atrodo visai logiška, kad žmogaus siela irgi gali turėti masę.

Gal galima pasverti žmogaus sielą?

Aišku, toks sumanymas visiškai neįgyvendinamas... kvaila net tikėtis.

Po trijų dienų Ketrina staiga pabudo iš kieto miego ir atsisėdo lovoje. Ji pašoko, nuvažiavo į savo laboratoriją ir tuojau pat pradėjo kurti sąlygas eksperimento, kuris turėjo būti ir stulbinamai paprastas... ir baugiai drąsus.

Ji nė neįsivaizdavo, ar kas nors pavyks, todėl nutarė nieko nesakyti Piteriui, kol darbas nebus baigtas. Jis užtruko keturis mėnesius, bet galiausiai Ketrina atsivedė brolį į laboratoriją. Išstūmė didžiulį prietaisą, kurį laikė paslėpusi tolimiausiame sandėliuke.

— Aš pati jį suprojektavau ir pagaminau, — tarė ji rodydama Piteriui savo išradimą. — Spėk, kas čia?

Brolis įsmeigė akis į keistą prietaisą.

— Inkubatorius?

Ketrina nusijuokė ir papurtė galvą, nors spėjimas buvo ne toks jau kvailas. Prietaisas iš tiesų buvo panašus į perregimus inkubatorius, tokiuose ligoninėse laikomi per anksti gimę kūdikiai. Tačiau šis prietaisas buvo skirtas suaugusiam žmogui — ilga, visiškai sandari perregimo plastiko kapsulė, primenanti kokią nors futuristinę miego erdvę. Ji buvo uždėta ant didelio elektroninio prietaiso.

— Žiūrėk, gal dabar bus lengviau atspėti, — tarė Ketrina ir įjungė prietaisą į elektros lizdą. Nušvito skaitmeninis ekranas, skaitmenys nuolat keitėsi, kol Ketrina rūpestingai nustatinėjo skales.

Jai baigus skalėje švietė toks rezultatas:

0.0000000000 kg

— Svarstyklės? — nesuprasdamas paklausė Piteris.

— Tai nėra paprastos svarstyklės.

Ketrina paėmė nuo gretimo stalelio mažytę popieriaus skiautelę ir atsargiai padėjo ją ant kapsulės viršaus. Skaitmenys ekrane vėl sujudėjo ir galiausiai nušvito rezultatas:

0.0008194325 kg

— Labai tikslios pusiausvyros svarstyklės, — paaiškino ji. — Matuoja kelių mikrogramų tikslumu.

Piteris vis dar atrodė sutrikęs.

— Tu pagaminai labai tikslias svarstykles... žmonėms sverti?

— Būtent. — Ji pakėlė perregimą kapsulės dangtį. — Paguldžius žmogų vidun ir uždengus dangtį, individas atsiduria visiškai uždaroje sistemoje. Niekas į ją nepatenka, niekas iš jos neišeina. Nei dujos, nei skysčiai, nei dulkių dalelės. Į išorę neprasiskverbia niekas — nei žmogaus iškvepiamas oras, nei jo garinamas prakaitas, nei kūno skysčiai, ničniekas.

Piteris persibraukė ranka vešlius žilus plaukus — lygiai tą patį susinervinusi darydavo ir Ketrina.

— Chm... aišku, žmogus čia labai greitai mirs.

Ji linktelėjo galva.

— Apytikriai per šešias minutes, tai priklausys nuo jo kvėpavimo greičio.

Jis atsisuko į ją.

— Aš nieko nesuprantu.

Ji nusišypsojo.

— Tuoj suprasi.

Palikusi prietaisą, Ketrina nusivedė Piterį į Kubo valdymo punktą ir pasodino priešais plazminę sieną. Priėjusi prie klaviatūros ėmė spaudyti klavišus, kol surado kelias vaizdo bylas, saugomas holografiniu pavidalu. Netrukus plazminėje sienoje pasirodė vaizdai, kurie priminė buitine vaizdo kamera nufilmuotus filmus.

Kamera apžvelgė kuklų miegamąjį kambarį, neklotą lovą, vaistų buteliukus, kvėpavimo aparatą, širdies ritmo monitorių. Piteris sutrikęs žiūrėjo, kaip kamera atsitraukė toliau ir galiausiai parodė miegamojo centre stovintį Ketrinos sumanytą prietaisą.

Piterio akys išsiplėtė.

— Ką tu čia?..

Kapsulės perregimas dangtis buvo atvožtas, jos viduje gulėjo labai senas žmogus su deguonies kauke. Prie kapsulės stovėjo sena jo žmona ir slaugos ligoninės darbuotoja. Vyriškis sunkiai kvėpavo ir gulėjo užmerkęs akis.

— Žmogus, kuris guli kapsulėje, Jeilyje man dėstė gamtos mokslus, — tarė Ketrina. — Mes ir vėliau palaikėme ryšį. Jis labai serga. Seniai kalbėjo, kad nori paaukoti savo kūną mokslo tyrimams, todėl kai aš jam paaiškinau savo eksperimento idėją, jis iškart panoro jame dalyvauti.

Piteris, regimai netekęs žado, sukrėstas stebėjo įvykius ekrane.

Slaugytoja atsisuko į mokslininko žmoną.

— Metas. Jis pasirengęs.

Senoji moteris nusišluostė ašarojančias akis ir ramiai, ryžtingai linktelėjo.

— Gerai.

Slaugytoja labai atsargiai ištiesė ranką ir švelniai nuėmė nuo ligonio veido deguonies kaukę. Vyriškis sujudėjo, bet neatsimerkė. Slaugytoja patraukė į šalį kvėpavimo aparatą ir kitą įrangą, palikusi kapsulėje gulintį žmogų visiškai vieną kambario viduryje.

Prie kapsulės priėjo mirštančiojo žmona, pasilenkė ir švelniai pabučiavo vyrui į kaktą. Senis neatsimerkė, bet jo lūpose pasirodė vos pastebima, švelni ir kupina meilės šypsena.

Nuėmus deguonies kaukę, ligonio kvėpavimas greitai darėsi vis sunkesnis. Buvo aiškiai matyti, kad mirtis nebetoli. Pasigėrėtinai ramiai ir drąsiai jo žmona nuleido perregimą kapsulės dangtį ir tvirtai jį uždarė, kaip jai buvo rodžiusi Ketrina.

Piteris išsigandęs atšlijo.

— Ketrina, dėl Dievo meilės, ką tu?

— Viskas gerai, — pašnibždomis atsakė Ketrina. — Kapsulėje daug oro.

Šią vaizdo medžiagą ji jau buvo peržiūrėjusi kelias dešimtis kartų, ir vis tiek kas kartą stebint jai paspartėdavo pulsas. Ji parodė po kapsule įtaisytų svarstyklių skalę. Joje buvo tokie skaitmenys:

51.4534644 kg

— Tai jo kūno masė, — paaiškino Ketrina.

Senio kvėpavimas pasidarė visai paviršutiniškas, ir Piteris, negalėdamas atitraukti akių, palinko į priekį.

— Jis pats to norėjo, — sušnibždėjo Ketrina. — Žiūrėk, kas bus toliau.

Mokslininko žmona pasitraukė į šalį ir tyliai žiūrėjo, sėdėdama ant lovos drauge su slaugytoja.

Praėjus šešiasdešimčiai sekundžių negilus ligonio kvėpavimas paspartėjo, kol pagaliau jis paskutinį kartą iškvėpė, tarsi pats pasirinkęs šią akimirką. Viskas sustojo.

Baigta.

Žmona ir slaugytoja tylomis guodė viena kitą.

Daugiau nieko neįvyko.

Po kelių sekundžių Piteris, nieko nesuprasdamas, pažvelgė į Ketriną.

Palauk dar truputėlį, pamanė ji, rodydama Piteriui kapsulės svarstyklių skalę, kurios skaitmenys neryškiai švytėjo, rodydami kūno masę.

Staiga tai įvyko.

Pamatęs Piteris staiga atšlijo atgal ir vos nenuvirto nuo kėdės.

— Bet... tai... — Jis sukrėstas užsiėmė burną. — Aš ne...

Didysis Piteris Solomonas retai netekdavo žado. Pirmus kelis kartus stebint, kas įvyko, Ketrinos reakcija irgi buvo panaši.

Praėjus kelioms sekundėms po žmogaus mirties, svarstyklių skalėje rodoma masė staiga sumažėjo. Tuoj po mirties žmogus pasidarė *lengvesnis*. Masės permaina buvo labai maža, tačiau išmatuojama... o išvados, kurias iš to galima padaryti, vertė apkvaisti.

Ketrina prisiminė, kaip drebančia ranka įrašė laboratorijos eksperimentų žurnale: „Atrodo, kad egzistuoja neregima „medžiaga“, kuri mirties akimirką apleidžia žmogaus kūną. Tai objektyviai išmatuojama masė, kuriai netrukdo fizinės kliūtys. Tenka daryti prielaidą, kad ji juda tokiame matmenyje, kokio aš dar nesugebu suvokti.“

Pamačiusi visiškai sukrėsto brolio veidą Ketrina suprato, kad jis irgi pamąstė apie eksperimento padarinius.

— Ketrina... — mikčiodamas ištarė jis, mirksėdamas pilkomis akimis, tarsi stengdamasis įsitikinti, kad nesapnuoja. — Man atrodo, tu ką tik pasvėrei žmogaus sielą.

Tada stojo ilga tyla.

Ketrina jautė, kad brolis stengiasi suvokti visas baugias ir stebėtinas šio eksperimento pasekmes. Tam reikės laiko. Jei jiedu ką tik matė tai, ką galvojo matą — tai yra įrodymą, kad siela, sąmonė arba gyvybinė jėga gali judėti už kuno ribų, — tai begalę mistinių klausimų, tokių kaip sielų persikėlimas, kosminė sąmonė, priešmirtiniai išgyvenimai, astralinės projekcijos, nuotolinis matymas, sapnavimas nemiegant ir panašių, reikia pradėti nagrinėti visiškai iš naujo. Medicinos žurnaluose knibždėte knibžda pasakojimų apie ligonius, mirusius ant operacinės stalo, apžvelgusius savo kūnus iš viršaus ir vėl grįžusius į gyvenimą.

Piteris tylėjo, Ketrina jo akyse pamatė ašaras. Jinai jį suprato. Pati irgi verkė. Piteris ir Ketrina buvo netekę mylimų žmonių, o tokiais atvejais net mažiausia užuomina apie tai, kad žmogaus siela išlieka jam mirus, teikia kibirkštėlę vilties.

Jis prisimena Zakarį, pamanė Ketrina, įžvelgusi brolio akyse gilų liūdesį. Jau daug metų Piterį slegia atsakomybės dėl sūnaus mirties našta. Jis daugybę kartų pasakojo Ketrinai, kad sprendimas palikti Zakarį kalėjime buvo didžiausia jo gyvenimo klaida ir kad jis niekada neįstengs už ją sau atleisti.

Ketrinos dėmesį patraukė durų trinktelėjimas; ji staiga prisiminė esanti rūsyje, gulinti ant šalto akmeninio stalo. Durys, vedančios į rūsį, garsiai užsidarė, buvo girdėti, kaip tatuiruotasis grįžta žemyn. Ji girdėjo, kaip jis užėjo į vieną iš kambarių koridoriuje, kažką ten padarė, paskui išėjo ir patraukė į kambarį, kuriame guli ji. Kai įėjo, Ketrina pamatė, kad jis stumia kažkokį įtaisą. Sunkų... su rateliais. Jam įžengus į šviesą, Ketrina nustėrusi įsmeigė akis. Tatuiruotasis stūmė invalido vežimėlį, kuriame sėdėjo žmogus.

Racionaliu protu Ketrina atpažino žmogų, sėdintį vežimėlyje. Emocine prasme jos psichika niekaip negalėjo suvokti, ką ji mato.

Piteris?

Ji nebesuvokė, ar džiaugtis, kad brolis tebėra gyvas... ar paklaikti iš siaubo. Visas Piterio kūnas buvo švariai nuskustas. Nebeliko nei vešlių žilų plaukų kupetos, nei antakių, glotni oda blizgėjo tarsi ištrinta aliejais. Jis vilkėjo juodo šilko chalatą. Vietoj dešinės rankos buvo matyti strampas, apvyniotas švariu nauju tvarsčiu. Brolis pažvelgė kančios kupinu žvilgsniu jai į akis, kuriose atsispindėjo apgailestavimas ir sielvartas.

— Piteri! — jos balsas nutrūko.

Brolis mėgino kažką sakyti, tačiau pasigirdo tik duslūs gomuriniai garsai. Tik dabar Ketrina pamatė, kad jis pririštas prie vežimėlio, o burna užkimšta.

Tatuiruotasis ištiesė ranką ir švelniai paglostė pliką Piterio galvą.

— Aš paruošiau tavo brolį priimti didžiulę garbę. Šiąnakt jam teks svarbus vaidmuo.

Ketrinos kūnas pastiro. *Ne...*

— Mudu su Piteriu jau turime eiti, aš tik pamaniau, kad tu norėsi atsisveikinti.

— Kur tu jį veži? — tyliai paklausė ji.

Jis nusišypsojo.

— Mudu su Piteriu turime įkopti į šventąjį kalną. Ten, kur paslėptas lobis. Masonų piramidė atskleidė jo buvimo vietą. Tavo draugas Robertas Lengdonas man labai padėjo.

Ketrina pažvelgė broliui į akis.

— Jis nužudė... Robertą.

Brolio veidą iškreipė skausmas, jis smarkiai papurtė galvą, tarsi nebeįstengdamas daugiau kentėti.

— Nagi, nagi, Piteri, — tarė tatuiruotasis, vėl glostydamas jo galvą. — Neleisk, kad tai sugadintų tokią akimirką. Atsisveikink su sesute. Tai paskutinis jūsų šeimos susitikimas.

Ketrina pajuto, kaip ją užplūsta neviltis.

— Kodėl tu taip elgiesi?! — suriko ji. — Ką mes tau blogo padarėme?! Už ką taip nekenti mūsų šeimos?!

Tatuiruotasis priėjo ir prigludo lūpomis jai prie ausies.

— Turiu tam priežasčių, Ketrina.

Paskui priėjo prie šone stovinčios spintelės ir paėmė keistąjį peilį. Atsinešė jį prie Ketrinos ir perbraukė jai per skruostą skaisčiai nusvidintais ašmenimis.

— Sakoma, kad tai garsiausias visų laikų peilis.

Ketrina nieko neišmanė apie garsius peilius, bet šis atrodė senas ir labai grėsmingas. Ašmenys buvo išgaląsti kaip skustuvo.

— Nesijaudink, — tarė jis, — neketinu tau švaistyti jo galių. Taupau jį vertingesnei aukai... aukojamai šventoje vietoje. — Jis atsigręžė į Ketrinos brolį. — Piteri, tu juk atpažįsti šitą peilį, tiesa?

Plačiai išplėstose brolio akyse buvo matyti baimė ir netikėjimas.

— Taip, Piteri, šis senovinis daiktas išliko iki mūsų dienų. Aš jį įsigijau už labai didelius pinigus... ir laikiau specialiai tau. Pagaliau mudu galėsime baigti mūsų skausmingą bendrą kelionę.

Tai taręs, jis rūpestingai suvyniojo peilį į audeklą drauge su kitais daiktais — smilkalais, skysčio buteliukais, balto šilko skiautėmis ir kitais apeigų reikmenimis. Suvyniojęs sudėjo viską į Roberto Lengdono odinį kelionkrepšį šalia masonų piramidės ir jos viršūnės. Ketrina bejėgiškai stebėjo, kaip vyriškis užsegė Lengdono krepšį ir atsisuko į jos brolį.

— Palaikyk jį, Piteri, būk malonus.

Jis padėjo sunkų krepšį Piteriui ant kelių.

Paskui vyriškis nuėjo prie stalčiaus ir ėmė jame raustis. Buvo girdėti, kaip dzingsi kažkokie stikliniai daiktai. Grįžęs suėmė dešinę jos ranką ir ištiesė. Ketrina nematė, ką jis daro, bet Piteris, atrodo, matė viską; jis vėl it pašėlęs ėmė muistytis.

Staiga Ketrina pajuto aštrų dūrį dešinės alkūnės linkyje, paskui ten pasklido keista šiluma. Piteris sielvartingai, be balso priešinosi, bergždžiai stengdamasis ištrūkti iš invalido vežimėlio. Ketrina pajuto, kaip jos pirštais ir dilbiu plinta stingdantis šaltis.

Kai vyras pasitraukė, Ketrina pati pamatė, kas taip išgąsdino jos brolį. Tatuiruotasis jai į veną įbedė medicininę adatą, tarsi norėdamas paimti kraujo. Tačiau prie adatos nebuvo pritvirtintas vamzdelis. Kraujas laisvai sruvo iš žaizdos... tekėjo per alkūnę, dilbį ir lašėjo ant akmeninio stalo.

— Žmogus kaip smėlio laikrodis, — pasakė vyras atsigręžęs į Piterį. — Neilgai trukus aš tau liepsiu suvaidinti vaidmenį, ir noriu, kad tada įsivaizduotum Ketriną... vienišą mirštančią čia, tamsoje.

Piterio veide buvo įrašyta nepakeliama kančia.

— Ji išliks gyva, — kalbėjo vyras, — gal dar kokią valandą. Jei suskubsi man paklusti, gal dar turėsiu laiko ją išgelbėti. Žinoma, jei pradėsi priešintis... tavo sesuo mirs čia, viena, tamsoje.

Piteris pro burnos kamšalą suriko kažką nesuprantama.

— Žinau, žinau, — tatuiruotasis uždėjo ranką Piteriui ant peties, — tau sunku tai ištverti. Bet taip neturėtų būti. Juk ne pirmą kartą gyvenime apleidi savo šeimos narį. — Jis patylėjo, paskui pasilenkė ir sušnibždėjo Piteriui į ausį: — Žinoma, aš kalbu apie tavo sūnų Zakarį, kurį palikai Soganliko kalėjime.

Piteris vėl įtempė jį kaustančius pančius ir dar kartą kažką suriko pro burnos kamšalą.

— Liaukis pagaliau! — sušuko Ketrina.

— Puikiausiai prisimenu tą naktį, — erzino vyras, baigdamas krauti daiktus. — Aš viską girdėjau. Prižiūrėtojas pasisiūlė paleisti tavo sūnų, bet tu nusprendei pamokyti Zakarį... ir jį palikti. Iš tiesų tavo sūnus išmoko pamoką, ar ne? — Vyras nusišypsojo. — Jo praradimas... man išėjo į naudą.

Vyras paėmė lininį skudurą ir giliai įkišo jį Ketrinai į burną.

— Mirtis, — sušnibždėjo jis jai, — turi ateiti tyliai.

Piteris grūmėsi iš paskutiniųjų. Daugiau netaręs nė žodžio, tatuiruotasis lėtai apsuko invalido vežimėlį ir išvežė jį iš kambario, dar sykį leidęs Piteriui pažvelgti į seserį.

Ketrinos ir Piterio akys susitiko paskutinį kartą.

Netrukus jis dingo.

Ketrina girdėjo, kaip jie kopia nuolydžiu, kaip išeina pro metalines duris. Paskui išgirdo, kaip tatuiruotasis užrakina sau už nugaros duris ir žengia per tris gracijas vaizduojantį paveikslą. Po kelių minučių išgirdo užvedamą automobilio variklį.

Tada namai nutilo.

Ketrina kraujuodama gulėjo viena tamsoje.

108 skyrius

Roberto Lengdono protas atsidūrė neaprėpiamoje bedugnėje.

Joje nebuvo nei šviesos, nei garsų, nei jausmų.

Tik begalinė tyli tuštuma.

Švelnumas.

Jokio svorio.

Kūnas paleido jį iš savo gniaužtų. Jis paleistas į laisvę.

Fizinis pasaulis nustojo egzistavęs. Išnyko laikas.

Dabar jis — gryna sąmonė... bekūnis jautrumas, kybantis begalinės visatos tuštybėje.

109 skyrius

Modifikuotas sraigtasparnis UH-60 skrido visai žemai virš gausių Kaloramos aukštumų stogų, dūgzdamas į vietą, kurios koordinates pranešė pastiprinimo komanda. Agentas Simkinsas pirmas pastebėjo juodą „Escalade" visureigį, bet kaip pastatytą ant pievelės priešais vieną iš namų. Įvažiavimo vartai buvo uždaryti, namas tylus ir tamsus.

Sato davė ženklą leistis.

Sraigtasparnis sunkiai nutūpė ant pievelės prieš namą tarp keleto automobilių... vienas iš jų buvo saugos tarnybos sedanas su įspėjimo šviesomis ant stogo.

Simkinsas ir jo komandos nariai iššoko iš sraigtasparnio, išsitraukė ginklus ir puolė į verandą. Paradinės durys pasirodė užrakintos, Simkinsas sudėjo delnus ir pro juos pažvelgė pro langą. Vestibiulyje buvo tamsu, tačiau Simkinsas įžiūrėjo neaiškias ant grindų gulinčio kūno apybrėžas.

— Velniava, — sušnibždėjo jis. — Tai agentas Hartmanas.

Vienas iš agentų čiupo verandoje stovinčią kėdę ir atsivėdėjęs trenkė ja į erkerį. Dūžtančio stiklo garsą beveik visai užgožė sraigtasparnio ūžimas. Po kelių sekundžių visi jau buvo viduje. Simkinsas nubėgo į vestibiulį, priklaupė prie Hartmano ir patikrino pulsą. Pulso nebuvo. Aplink pilna kraujo. Tik tada jis pamatė atsuktuvą, kyšantį iš Hartmano gerklės.

Jėzau. Simkinsas atsistojo ir pamojo savo vyrams, ragindamas apieškoti visą namą.

Agentai pasklido pirmame aukšte, lazeriniais žibintais skrosdami prabangaus namo tamsą. Nei svetainėje, nei kabinete nieko nerado, užtat valgomajame labai nustebo aptikę pasmaugtą apsaugininkę. Simkinsas beveik nebeturėjo vilties, kad Robertas Lengdonas ir Ketrina Solomon galėtų būti gyvi. Buvo aišku, kad žiaurus žudikas tyčia paspendė spąstus, o jei jau jis įstengė nužudyti CŽV agentą ir ginkluotą saugos tarnybos darbuotoją, tai profesorius ir mokslininkė tikrai neturi jokių šansų.

Patikrinęs pirmą aukštą, Simkinsas pasiuntė du agentus apžiūrėti antrojo. Pats rado iš virtuvės į rūsį vedančius laiptus ir jais nulipo. Apačioje uždegė visas šviesas. Rūsys buvo erdvus ir labai švarus, tarsi niekada nenaudojamas. Katilai, plikos cementinės sienos, keletas dėžių. *Čia visai nieko nėra.* Simkinsas užlipo atgal į virtuvę ir kaip tik sutiko vyrus, grįžtančius iš antro aukšto. Visi purtė galvas.

Namas buvo tuščias.

Jame nieko nėra. Nematyti ir daugiau lavonų.

Simkinsas per radiją pasakė Sato, kad viskas ramu, ir pranešė niūrias žinias.

Kai jis išėjo į vestibiulį, Sato jau lipo laipteliais į verandą. Už jos buvo matyti Vorenas Belamis, kuris vienišas, apkvaitęs sėdėjo sraigtasparnyje, o prie jo kojų stovėjo Sato titano lagaminėlis. ST direktorės įslaptintas nešiojamasis kompiuteris leido jai per koduotus palydovinius kanalus visame pasaulyje naudotis CŽV kompiuterių sistemomis. Šį vakarą ji jau pasinaudojo šiuo kompiuteriu ir parodė

Belamiui informaciją, kuri šį taip sukrėtė, kad jis pradėjo klusniai bendradarbiauti. Simkinsas nė neįtarė, ką tokio matė Belamis, tačiau kad ir kas tai būtų buvę, architektas dar neatsipeikėjo po baisaus sukrėtimo.

Įėjusi į vestibiulį Sato stabtelėjo ir nulenkė galvą prie Hartmano lavono. Po kelių sekundžių pakėlė akis ir įsmeigė jas į Simkinsą.

— Nematyti nei Lengdono, nei Ketrinos? Nei Piterio Solomono?

Simkinsas papurtė galvą.

— Jei jie dar gyvi, jis juos pasiėmė kartu.

— Ar namuose matėte kompiuterį?

— Taip, ponia. Kabinete.

— Parodykite.

Simkinsas nuvedė Sato iš vestibiulio į svetainę. Minkštas kilimas buvo nusėtas išdaužto erkerio stiklo šukėmis. Jiedu praėjo pro židinį, didelį paveikslą, kelias knygų lentynas ir pasiekė darbo kabinetą. Jis buvo išmuštas medžiu, viduje stovėjo senovinis rašomasis stalas ir didelis kompiuterio monitorius. Sato priėjo prie stalo, nužvelgė ekraną ir tuojau pat susiraukė.

— Po velnių, — negarsiai ištarė ji.

Simkinsas užėjo už stalo ir pažvelgė į monitorių. Jis buvo tamsus.

— Kas atsitiko?

Sato parodė jungtį ant stalo.

— Jis naudojasi nešiojamuoju kompiuteriu. Pasiėmė jį su savimi.

Simkinsas nesuprato, kas čia blogo.

— Jis turi informacijos, kurią jūs norite pamatyti?

— Ne, — labai rimtu balsu atsakė Sato. — Jis turi informacijos, kurios aš negaliu leisti pamatyti *niekam*.

Gulėdama apačioje, slaptame požemyje, Ketrina Solomon išgirdo sraigtasparnio sparnų ūžimą, dūžtančio stiklo garsą ir sunkius žingsnius viršuje. Ji mėgino šauktis pagalbos, bet burnos kamšalas trukdė. Nepavyko išspausti nė garso. Juo labiau stengėsi, juo stipresne srove iš alkūnės tekėjo kraujas.

Jai pradėjo trūkti kvapo ir svaigti galva.

Ketrina suprato, kad reikia nusiraminti. *Mąstyk, Ketrina.* Susitvardžiusi ji pasistengė pasiekti meditacijos būseną.

Roberto Lengdono mintys plūduriavo beribėje tuštumoje. Jis žvelgė į neaprėpiamą erdvę ieškodamas už ko užsikabinti. Nieko nerado.

Absoliuti tamsa. Absoliuti tyla. Absoliuti ramybė.

Neveikė net žemės traukos jėga, galinti parodyti, kur viršus, kur apačia.

Kūno nebeliko.

Tikriausiai tai ir yra mirtis.

Laikas, atrodo, šokinėjo — tai traukėsi, tai plėtėsi, tarsi čia jis neturėtų jokios reikšmės. Lengdonas visiškai nesuvokė, kiek laiko jau čia yra.

Dešimt sekundžių? Dešimt minučių? Dešimt dienų?

Tačiau staiga iš kažkur pradėjo rastis atsiminimai, jie buvo lyg tolimi liepsningi nepasiekiamų galaktikų sprogimai, atsklindantys prie Lengdono kaip bangos beribėje nežinomybėje.

Ir Lengdonas pradėjo viską prisiminti. Atsiminimai skausmingai drėskė... jie buvo labai gyvi ir kėlė nerimą. Jis žvelgė tiesiai į veidą, išmargintą tatuiruotėmis. Galingos rankos suėmė jo galvą ir iš visų jėgų trenkė į grindis.

Skausmo sprogimas... paskui tamsa.

Pilka šviesa.

Pulsavimas.

Atminties sruogos. Lengdoną, beveik netekusį sąmonės, velka žemyn, žemyn, žemyn. Jo pagrobėjas kartoja kažkokius užkeikimus.

Verbum significatium... Verbum omnificum...Verbum perdo...

110 skyrius

Direktorė Sato viena stovėjo kabinete, laukdama CŽV palydovinio ryšio skyriaus atsakymo į jos paklausimą. Vienas iš geriausių darbo Kolumbijos apygardoje bruožų buvo palydovinio ryšio kokybė. Jei pasiseks, gali paaiškėti, kad kuris nors iš palydovų šį vakarą fotografavo šio namo apylinkes... ir gal net užfiksavo automobilį, per pastarąjį pusvalandį išvažiavusį iš jo.

— Atsiprašau, ponia, — atsiliepė palydovinio ryšio technikas. — Šį vakarą šios koordinatės nebuvo stebimos. Ar norėsite kartoti paklausimą vėlesniam laikui?

— Ne, ačiū. Vėlu. — Ji baigė pokalbį.

Sato garsiai iškvėpė, nebesugalvodama, kaip nustatyti, kur dabar jų objektas. Ji išėjo į vestibiulį, kur vyrai jau buvo suvynioję agento Hartmano kūną ir nešė jį į sraigtasparnį. Sato buvo liepusi agentui Simkinsui surinkti visus vyrus ir ruoštis sugrįžti į Lenglį, bet Simkinsą rado svetainėje klūpantį keturpėsčią. Atrodė, kad jam negera.

— Jums viskas gerai?

Jis pakėlė galvą, veide buvo keista išraiška.

— Ar matėte?

Sato priėjo ir pažvelgė į storą kilimą. Nieko nepamačiusi, papurtė galvą.

— Pritūpkite, — tarė Simkinsas. — Pažvelkite į kilimo pluoštą.

Ji taip ir padarė. Netrukus pati pastebėjo. Atrodė, kad kilime vietomis buvo įsispaudusios... dvi tiesios linijos, tarsi per kambarį būtų buvęs vežtas kažkoks sunkus daiktas.

— Keisčiausia tai, — tarė Simkinsas, — kur veda šios vėžės.

Jis parodė.

Sato nusekė žvilgsniu vos regimas lygiagrečias linijas, įspaustas svetainės kilimo pluošte. Atrodė, kad jos išnyksta po didžiuliu, lubas siekiančiu paveikslu, kabančiu prie židinio. *Kas čia dabar?*

Simkinsas priėjo prie paveikslo ir pamėgino jį nukabinti nuo sienos. Paveikslas nė nepajudėjo.

— Jis pritvirtintas, — tarė agentas, pirštais braukdamas per paveikslo rėmų briaunas. — Palaukite, čia apačioje kažkas...

Jo pirštas užkliuvo už apačioje prie kampo pritaisytos svirtelės, kažkas spragtelėjo.

Sato žengė arčiau, o Simkinsas pastūmė rėmą, ir visas paveikslas pasisuko aplink savo centrinę ašį tarsi sukamosios durys.

Jis pakėlė žibintą ir pašvietė į tamsą, atsivėrusią už durų.

Sato prisimerkė. *Eikime.*

Trumpo koridoriaus gale buvo matyti metalinės durys.

Atsiminimai, bangavę aptemusiame Lengdono prote, galiausiai išdilo. Vietoje jų sukosi iki raudonumo įkaitusių kibirkščių spiečius ir aidėjo keistas tolimas šnibždesys.

Verbum significatium... Verbum omnificum... Verbum perdo.

Užkeikimai aidėjo nelyginant gaudžiantys balsai, kartojantys viduramžių litaniją.

Verbum significatium... Verbum omnificum. Žodžiai sruvo per tuštumą, aplink ėmė aidėti nauji balsai.

Apokalipsė... Franklinas... Apokalipsė... Verbum... Apokalipsė...

Be jokio įspėjimo kažkur tolumoje pradėjo gausti gedulo varpas. Jo gaudimas nesiliovė, darėsi vis garsesnis. Jis skambėjo vis atkakliau, tarsi tikėdamasis, kad Lengdonas pagaliau supras, tarsi ragindamas jo protą įsiklausyti.

111 skyrius

Varpas varpinėje skambėjo lygiai tris minutes, nuo jo garso tirtėjo krištolo sietynas, kabantis virš Lengdono galvos. Prieš kelias dešimtis metų jis lankė paskaitas savo mėgstamoje salėje Filipso Ekseterio akademijoje. Tačiau šiandien čia atėjo paklausyti, kaip geras draugas kreipsis į studentus. Šviesoms pritemus, Lengdonas atsisėdo prie galinės sienos, po buvusių mokyklos direktorių portretų panteonu.

Susirinkusieji pritilo.

Visiškoje tamsoje aukšta figūra perėjo sceną ir atsistojo prie katedros.

— Labas rytas, — sušnabždėjo į mikrofoną beveidis balsas.

Visi atsisėdo tiesiau, stengdamiesi įžiūrėti, kas į juos kreipiasi.

Atgijęs skaidrių projektorius nušvietė sienoje išblukusią gelsvą fotografiją, vaizduojančią įsimenančios išvaizdos pilį raudono smiltainio fasadu, aukštais keturkampiais bokštais ir gotikinėmis puošmenomis.

Šešėlis vėl prabilo.

— Kas gali man pasakyti, kur yra šis pastatas?

— Anglijoje! — tamsoje pasigirdo ryžtingas merginos balsas. — Fasade matyti ankstyvosios gotikos ir vėlyvosios romaninės architektūros bruožų, o tai reiškia, kad tai tipiška *normanų* pilis ir ji pastatyta Anglijoje apytikriai XII amžiuje.

— Oho, — atsiliepė beveidis balsas. — Kai kas tikrai išmano architektūrą.

Salėje pasigirdo tylūs aikčiojimai.

— Deja, — pridūrė šešėlis, — jūs apsirikote beveik penkiais tūkstančiais kilometrų ir puse tūkstantmečio.

Auditorija pagyvėjo.

Projektorius nušvietė spalvotą šiuolaikišką tos pačios pilies nuotrauką, darytą iš kitos pusės. Į aukštį kilo Seneka Kriko karjere kasto smiltainio bokštai, o antrame plane, stulbinamai arti, pūpsojo didingas, baltas, kolonomis puoštas JAV Kapitolijaus kupolas.

— Palaukit! — sušuko mergina. — Tai Kolumbijos apygardoje yra normanų pilis?

— Nuo 1855 metų, — atsakė balsas. — Tada buvo padaryta štai ši nuotrauka.

Nušvito nauja skaidrė — nespalvotas pilies interjero kadras, vaizduojantis erdvią skliautuotą salę, pilną gyvūnų griaučių, mokslinių prietaisų vitrinose, stiklainių su biologijos, archeologijos eksponatais ir gipsiniais priešistorinių roplių modeliais.

— Ši pasakų pilis, — tarė balsas, — buvo pirmasis Amerikoje tikras mokslo muziejus. Tai turtingo britų mokslininko dovana Amerikai; jis, kaip ir mūsų protėviai, tikėjo, kad jauna mūsų šalis gali tapti apšvietos tėvyne. Mūsų protėviams jis testamentu paliko didžiulį turtą ir paprašė pačioje šalies širdyje pastatyti „įstaigą, skirtą žinioms gausinti ir skleisti". — Jis ilgokai patylėjo. — Kas man galėtų pasakyti šio dosnaus mokslininko vardą?

Nedrąsus balsas iš priekio klausiamai ištarė:

— Džeimsas *Smitsonas*?

Auditorija perbėgo pritarimo šnibždesys.

— Iš tiesų, Smitsonas, — atsakė ant scenos stovintis žmogus. Pagaliau Piteris Solomonas išėjo į šviesą, linksmai blykčiodamas pilkomis akimis. — Labas rytas. Mano vardas Piteris Solomonas, aš esu *Smitsono* instituto sekretorius.

Studentai ėmė kaip pašėlę ploti.

Sėdėdamas nuošalėje Lengdonas susižavėjęs stebėjo, kaip Piteris pakerėjo jaunuolių protus fotografijomis iš Smitsono instituto istorijos. Pirmiausia parodė jiems Smitsono pilį, rūsyje įrengtas jos laboratorijas, eksponatų prikrautus koridorius, salonus, pilnus moliuskų, mokslininkus, kurie vadina save „vėžiagyvių kuratoriais", ir net seną dviejų populiariausių pilies gyventojų nuotrauką — tai buvo dvi jau velionės pelėdos, vardu Difuzija ir Didesnė. Pusę valandos trukęs skaidrių šou baigėsi įspūdinga palydovine Tautos alėjos nuotrauka, kurioje buvo puikiai matyti milžiniškų Smitsono muziejų eilė.

— Kaip sakiau iš pradžių, — baigdamas pareiškė Solomonas, — Džeimsas Smitsonas ir mūsų protėviai tikėjosi, kad ši didi šalis taps apšvietos tėvyne. Manau, šiandien jie turėtų kuo didžiuotis. Didysis Smitsono institutas tapo mokslo ir žinių simboliu pačioje Amerikos širdyje. Tai gyva, alsuojanti, veikianti pagarbos forma mūsų protėvių išsvajotai Amerikai — šaliai, įkurtai gerbiant žinių, išminties ir mokslo principus.

Solomonas išjungė skaidrių projektorių, nuaidėjo karšti plojimai. Salėje užsidegė šviesos, pakilo dešimtys nekantrių rankų, reiškiančių klausimus.

Solomonas parodė į smulkų rudaplaukį vaikiną salės viduryje.

— Pone Solomonai, — tarsi nesuprasdamas paklausė vaikinas, — jūs kalbėjote, kad mūsų protėviai bėgo nuo religinės priespaudos Europoje, norėdami įkurti šalį remdamiesi mokslo principais.

— Visiškai teisingai.

— Bet... aš iki šiol maniau, kad mūsų protėviai buvo labai religingi žmonės ir jie įkūrė Ameriką kaip *krikščionišką* šalį.

Solomonas nusišypsojo.

— Bičiuliai, nesupraskite manęs neteisingai, mūsų protėviai buvo nuoširdžiai tikintys žmonės, tačiau jie buvo deistai — tikėjo Dievą, bet suvokė jį pačia bendriausia, neapibrėžčiausia prasme. Vieninteliai *religijos* idealai, kurių jie siekė, buvo susiję su tikėjimo *laisve*. — Jis ištraukė mikrofoną iš stovo ir nužingsniavo prie scenos pakraščio. — Amerikos protėviai puoselėjo dvasinės apšvietos utopiją, kurioje minties laisvė, masinis švietimas ir mokslo pažanga išsklaidys pasenusių religinių prietarų tamsą.

Gale sėdinti šviesiaplaukė pakėlė ranką.

— Prašau?

— Pone, — prakalbo mergina, iškėlusi savo mobilųjį telefoną, — aš pradėjau rinkti apie jus medžiagą internete ir Vikipedijoje radau parašyta, kad jūs — žymus masonas.

Solomonas atsuko į ją savo masonišką žiedą.

— Būčiau galėjęs jums sutaupyti ryšio mokestį.

Studentai nusijuokė.

— Na, taip, pone, — šiek tiek dvejodama toliau kalbėjo mergina, — bet jūs ką tik paminėjote „pasenusius religinius prietarus", o man atrodo, kad *labiausiai* pasenusius prietarus propaguoja... ne kas kitas, o masonai.

Solomono, atrodo, tai nė kiek neįžeidė.

— Argi? Kaip tai?

— Na, aš daug skaičiau apie masonus ir žinau, kad jūs laikotės daugelio keistų senovinių ritualų bei tikėjimų. Tame interneto straipsnyje net sakoma, kad masonai tiki kažkokios senovinės magiškos išminties galia... neva ji galinti iškelti žmogų į dievus?

Visi atsisuko ir sužiuro į merginą, tarsi šiai būtų pasimaišęs protas.

— Tiesą sakant, — atsakė Solomonas, — ji teisi.

Jaunuoliai skubiai atsisuko atgal ir žiūrėjo į jį išplėtę akis.

Solomonas nuslėpė šypseną ir paklausė merginos:

— Ar dar turite daugiau *viki*išminties, paaiškinančios šias magiškas žinias?

Mergina atrodė sutrikusi, bet pradėjo skaityti tai, ką rado interneto svetainėje:

— „Norėdami užtikrinti, kad šia galinga išmintimi nepasinaudotų tie, kurie jos neverti, senovės adeptai *užšifravo* savo sukauptas žinias... pridengė šią galingą išmintį metaforomis, simboliais, mitais ir alegorijomis. Užšifruota išmintis iki šiol mus supa... ji užkoduota mūsų mitologijoje, mene ir okultiniuose visų laikų tekstuose. Deja, šiais laikais žmogus prarado gebėjimą iššifruoti sudėtingą simbolių tinklą... ir didi tiesa buvo prarasta."

Solomonas luktelėjo.

— Tai viskas?

Mergina pasimuistė kėdėje.

— Tiesą sakant, yra dar kai kas.

— Nuoširdžiai tikiuosi. Prašau... mums pasakyti.

Mergina dvejojo, bet paskui atsikosėjo ir skaitė toliau:

— „Legenda pasakoja, kad išminčiai, kurie labai seniai užšifravo Senovės Slėpinius, paliko savotišką raktą... tarsi *slaptažodį*, kuriuo pasinaudojus galima iššifruoti visas paslaptis. Sakoma, kad šis magiškas slaptažodis — vadinamas *verbum significatium* — turi galią išsklaidyti tamsą ir iššifruoti Senovės Slėpinius, atverti juos ir padaryti suprantamus visiems."

Solomonas nusišypsojo, tarsi ko nors gailėdamasis.

— O, taip... *verbum significatium*. — Jis kurį laiką pastovėjo žvelgdamas į tolį, paskui vėl pažiūrėjo į šviesiaplaukę merginą. — O kur *dabar* dingo šis stebuklingas žodis?

Mergina pasijuto nejaukiai, buvo aiškiai matyti, kad ji gailisi pradėjusi kamantinėti svečią. Tačiau perskaitė iki galo:

— „Legenda pasakoja, kad *verbum significatium* užkastas giliai po žeme ir kantriai laukia lemiamos istorijos lūžio akimirkos... kai žmonija nebeįstengs toliau gyventi be amžių amžius kauptos tiesos, žinių ir išminties. Atsidūrusi tamsioje kryžkelėje, žmonija pagaliau atras Žodį ir įžengs į stebuklingą naują nušvitimo amžių."

Mergina uždarė mobilųjį telefoną ir susigūžė.

Po ilgos tylos ranką pakėlė kitas studentas.

— Pone Solomonai, jūs juk iš tiesų tuo *netikite*, ar ne?

Solomonas nusišypsojo.

— Kodėl ne? Mūsų mitologijoms būdinga sena tradicija, kurioje magiški, stebuklingi žodžiai suteikia įžvalgas ir dievišką galių. Dar dabar vaikai šaukia „abrakadabra", jei nori ką nors sukurti iš nieko. Aišku, mes pamiršome, kad šis žodis — ne žaisliukas, jo šaknys yra senovės aramėjų misticizme: *Avrah KaDabra* reiškia „kalbėdamas kuriu".

Tyla.

— Bet, pone, — neatlyžo studentas, — kaip jūs galite tikėti, kad vienas *žodis*... tas *verbum significatium*... kad ir koks jis būtų... turi galią atkoduoti senovės išmintį... ir atnešti nušvitimą visam pasauliui?

Piterio Solomono veidas atrodė neįžvelgiamas.

— Jums neturėtų rūpėti, kuo asmeniškai aš tikiu. O štai kas *turėtų* jums rūpėti: kad artėjančio nušvitimo pranašystė egzistuoja faktiškai visuose pasaulio tikėjimuose ir filosofijos tradicijose. Hinduistai vadina ją Kritos amžiumi, astrologai — Vandenio era, žydai kalba apie Mesijo atėjimą, teosofai mini naująjį amžių, kosmologai — harmonijų konvergenciją, numatoma net konkreti data.

— 2012 metų gruodžio 21! — sušuko kažkas.

— Taip, net baugu, kaip greitai... jei tikėsime majų mitais.

Lengdonas susijuokė prisiminęs, kaip Solomonas prieš dešimt metų tiksliai numatė bangą šiuo metu visus užliejusių televizijos laidų, gąsdinančių, kad 2012 metais ateis pasaulio pabaiga.

— Nekalbėkime apie konkrečią datą, — tarė Solomonas. — Mane labiausiai stebina tai, kad visais laikais visos žmonijos filosofijos sutarė *vienu* klausimu — artėja nepaprastas nušvitimas. Visose kultūrose, visais laikais, visuose pasaulio kampeliuose žmonės svajojo apie tą patį — artėjančią žmogaus apoteozę... neišvengiamą žmogaus proto persimainymą, leidžiantį jam panaudoti visus savo išteklius. — Jis šyptelėjo. — Kuo galima paaiškinti tokį tikėjimo sinchroniškumą?

— *Tiesa*, — ištarė tylus balsas.

Solomonas staiga atsisuko.

— Kas tai pasakė?

Ranką pakėlė smulkutis azijietis, iš kurio veido bruožų galėjai spręsti, kad jis kilęs iš Nepalo ar Tibeto.

— Gal kiekvieno žmogaus sieloje gyvena visuotinė tiesa. Gal mumyse *visuose* slypi ta pati istorija, panašiai kaip bendros DNR dalys. Gal būtent ši bendroji *tiesa* ir lemia visų mūsų istorijų panašumą.

Solomonas švytėdamas sudėjo priešais save delnus ir pagarbiai nusilenkė jaunuoliui.

— Ačiū.

Visi nutilo.

— Tiesa, — kreipėsi į auditoriją Solomonas. — Tiesa turi galią. O jei mus visus traukia panašios idėjos, gal taip yra todėl, kad šios idėjos yra *teisingos*... slypinčios giliai mumyse. Ir kai išgirstame tiesą, net jei jos nesuprantame, vis tiek pajuntame jos aidą giliai savyje... atitariantį mūsų nesąmoningai turimai išminčiai. Gal tiesos mes ne *išmokstame*, bet veikiau prisimename... atpažįstame ją... kaip tai, kas jau seniai glūdi mumyse.

Auditorijoje viešpatavo visiška tyla.

Solomonas ilgai jos netrikdė, o paskui tyliai pasakė:

— Baigdamas turėčiau jus įspėti, kad atskleisti tiesą visada nelengva. Visais laikais nušvitimo laikotarpius lydi tiršta tamsa, stumianti priešingon pusėn. Tokie yra gamtos ir pusiausvyros dėsniai. Jei pažvelgsime į šiuo metu pasaulyje tirštėjančią tamsą, turėsime suprasti, kad tai reiškia ir augančią šviesą. Stovime ant tikrai didingo šviesos laikotarpio slenksčio, ir mes visi — *jūs* visi — esame nepaprastai laimingi, kad gimėme tokiu lemtingu istorijos momentu. Iš visų kada nors, visais istorijos laikotarpiais gyvenusių žmonių... būtent *mes* patekome į tą siaurą laiko tarpelį, kuriame galėsime paliudyti aukščiausią savo atgimimą. Po tūkstantmečius trukusios tamsos pamatysime, kaip mūsų mokslas, mūsų protas ir net mūsų religija pagaliau atskleis tiesą.

Solomonui jau pradėjo karštai ploti, bet jis iškėlė ranką, prašydamas tylos.

— Panele? — kreipėsi tiesiai į nenuoramą šviesiaplaukę su mobiliuoju telefonu. — Žinau, kad jūs su manimi dėl daug ko nesutinkate, bet noriu jums padėkoti. Jūsų įkarštis — svarbus ateinančių permainų katalizatorius. Tamsa minta apatija... o įsitikinimai — galingiausias ginklas nuo jos. Nesiliaukite studijuoti savo tikėjimo. Studijuokite Bibliją. — Jis nusišypsojo. — Ypač jos pabaigą.

— Apokalipsę? — paklausė ji.

— Būtent. Apreiškimo knyga — labai gyvas mūsų bendrosios tiesos pavyzdys. Paskutinėje Biblijos knygoje pasakojama lygiai tokia pat istorija, kaip nesuskaičiuojamoje daugybėje kitų tradicijų. Jos visos pranašauja didžios išminties atskleidimą.

Kažkas pasakė:

— Bet argi Apokalipsėje rašoma ne apie pasaulio pabaigą? Na, Antikristas, Armagedonas, paskutinė gėrio ir blogio kova?

Solomonas nusijuokė.

— Kas iš čia esančiųjų mokosi graikų kalbos?

Pakilo kelios rankos.

— Ką reiškia žodis *apokalypse*?

— Jis reiškia... — prabilo vienas studentas, tik staiga nutilo, tarsi pats nustebęs, — *apokalypse* reiškia „atidengti"... arba „apreikšti"...

Solomonas pritariamai jam linktelėjo.

— Visiškai teisingai. Apokalipsė ir yra atskleidimas, *Apreiškimas*. Biblijos Apreiškimo knygoje numatomas didžios tiesos ir neįsivaizduojamos išminties atskleidimas. Apokalipsė — tai ne pasaulio pabaiga, tai veikiau *to pasaulio, kurį mes pažįstame*, pabaiga. Apokalipsės pranašystės — dar viena nuostabi Biblijos žinia, kuri buvo iškraipyta. — Solomonas priėjo prie pakylos krašto. — Patikėkite, Apokalipsė artėja... ir ji bus visiškai ne tokia, kokią mus mokė ją įsivaizduoti.

Jam aukštai virš galvos pradėjo skambinti varpai.

Sutrikę studentai pratrūko griausmingais plojimais.

112 skyrius

Ketrina Solomon buvo jau visai beprarandanti sąmonę, tik staiga ją sukrėtė kurtinamo sprogimo sukelta smūgio banga.

Po kelių akimirkų ji užuodė dūmus.

Užgulė ausis.

Tolumoje pasigirdo neaiškūs balsai. Šūksniai. Žingsniai. Staiga pasidarė lengviau alsuoti. Iš burnos buvo ištrauktas kamšalas.

— Jūs išgelbėta, — sušnibždėjo vyriškas balsas. — Dar truputį pakentėkit.

Ji tikėjosi, kad vyriškis ištrauks jai iš rankos adatą, bet jis ėmė įsakinėti.

— Atneškite greitosios pagalbos reikmenis... prijunkite adatą prie lašelinės... Ringerio tirpalą... greičiau, kraujospūdį... — Apžiūrinėdamas ją vyriškis paklausė: — Ponia Solomon, tas žmogus, kuris taip su jumis pasielgė... kur jis išėjo?

Ketrina pamėgino kalbėti, bet pajuto, kad neįstengia.

— Ponia Solomon? — vėl paklausė vyriškis. — Kur jis išėjo?

Ketrina pamėgino atmerkti akis, tačiau nugrimzdo į nežinomybę.

— Mums būtinai reikia žinoti, *kur* jis, — atkakliai kamantinėjo vyriškis.

Ketrina atsakydama sušnibždėjo tris žodžius, nors pati žinojo, kad jie beprasmiai:

— Ant... šventojo... kalno.

Direktorė Sato perlipo suniokotas metalines duris ir mediniu nuolydžiu nužingsniavo į slaptąją rūsio dalį. Apačioje ją pasitiko vienas iš agentų.

— Direktore, manau, jums reikėtų tai pamatyti.

Sato nuėjo paskui agentą į mažą kambarėlį, į kurį vedė durys iš siauro koridoriaus. Kambarėlis buvo ryškiai apšviestas ir tuščias, tik ant grindų kėpsojo krūva drabužių. Ji atpažino Roberto Lengdono tvido švarką ir mokasinus.

Agentas parodė prie tolimiausios sienos stovinčią didžiulę dėžę, panašią į karstą.

Kas čia dabar?

Sato atsisuko į dėžę ir pamatė, kad į ją įvestas prie sienos pritvirtintas perregimo plastiko vamzdis. Ji atsargiai ėmė artintis. Netrukus pastebėjo, kad viršuje yra nustumiamas dangtis. Ištiesusi ranką pastūmė jį: atsivėrė skaidrus langelis, panašus į iliuminatorių.

Sato atšlijo.

Pro organinio stiklo langelį buvo matyti... plūduriuojantis, visiškai apsemtas, bereikšmis profesoriaus Roberto Lengdono veidas.

Šviesa!

Staiga beribę tuštumą, kurioje plūduriavo Lengdonas, užliejo akinamai skaisti šviesa. Juodą erdvę skrodė iki baltumo įkaitusios šviesos spinduliai, liepsnomis deginantys galvą.

Viskas aplink nušvito.

Staiga švytinčio debesies fone pasirodė dailus siluetas. Priartėjo veidas... neryškus, sunkiai įžiūrimas... iš tuštumos į jį žvelgė dvi akys. Veidą gaubė šviesos spinduliai, ir Lengdonas pamanė, kad tikriausiai mato Dievo veidą.

Sato žvelgė į dėžę su skysčiu ir svarstė, ar profesorius Lengdonas spėjo suvokti, kas įvyko. Ji manė, kad turbūt ne. Juk šios technologijos paskirtis ir yra užtikrinti, kad žmogus prarastų orientaciją.

Sensorinės deprivacijos akvariumai egzistuoja nuo šeštojo dešimtmečio, juos kaip atsipalaidavimo formą iki šiol mėgsta turtingi Naujojo amžiaus eksperimentuotojai. Vadinamasis „plūduriavimas“ leidžia pajusti transcendentinį išgyvenimą, sugrįžti į įsčias... tai savotiška meditacijos pagalbinė priemonė, raminanti smegenų aktyvumą tuo, kad pašalina visą jutimo organų fiksuojamą informaciją — šviesą, garsą, lytėjimą, net žemės trauką. Tradiciniuose plūduriavimo baseinuose žmonės, gulėdami ant nugaros, plūduriuoja prisotintame druskos tirpale, kuris išlaiko veidą virš vandens ir leidžia kvėpuoti.

Tačiau pastaraisiais metais šie akvariumai iš esmės pasikeitė.

Deguonies prisotintas anglies perfluoridas.

Naujoji technologija — vadinamoji Visiška skysčio ventiliacija (VSV) — yra tokia neįsivaizduojama, kad mažai kas tiki jos egzistavimu.

Kvėpuojamasis skystis.

Kvėpavimo palaikomasis skystis žinomas jau nuo 1966 metų, kai Lelandui S. Klarkui pavyko kelias valandas išlaikyti gyvą pelę, panardintą deguonies prisotinto anglies perfluorido tirpale. 1989 metais ši technologijos naujovė buvo panaudota dramatiškose filmo „Bedugnė“ scenose, nors tada mažai kas iš žiūrovų suprato, kad regi tikrą mokslo atradimą.

Visiška skysčio ventiliacija atsirado šiuolaikinei medicinai siekiant sukurti palankią terpę per anksti gimusiems kūdikiams: grąžinti juos į įsčių skystį, kuriame plūduriavo prieš gimimą. Žmogaus plaučiai devynis mėnesius vystosi gimdoje, todėl skysčių aplinka jiems nėra svetima. Perfluoridai iš pradžių buvo pernelyg klampūs, kad užtikrintų normalų alsavimą, bet šiuolaikinės technologijos padarė kvėpuojamąjį skystį beveik vandens konsistencijos.

CŽV Mokslo ir technologijų skyriaus darbuotojai — „Lenglio miesto burtininkai“, kaip juos vadina žvalgybos pasaulyje, — daug dirbo su deguonies prisotintais anglies perfluoridais, kurdami specialiąsias technologijas JAV karinei pramonei. Jūrų laivyno elitinės vandenyno gelmių nardytojų komandos patyrė, kad kvėpuodami deguonies prisodrintu skysčiu vietoj įprastų heliokso arba trimikso dujų jie gali pasinerti giliau, nerizikuodami susirgti dėl slėgio skirtumų. Panašius rezultatus gavo ir NASA bei oro pajėgos — pilotai, vietoj įprastų deguonies balionų turintys kvėpuojamojo skysčio aparatą, galėjo ištverti daug didesnes sunkio pagreičio jėgas, nes skystis daug tolydžiau už dujas paskirsto sunkio pagreitį organizmo viduje.

Sato buvo girdėjusi, kad jau sukurtos „ekstremalių potyrių laboratorijos", kuriose galima išmėginti tokius visiškos ventiliacijos akvariumus, arba „meditacijų įrenginius", kaip jie buvo pavadinti. Šis akvariumas veikiausiai buvo įrengtas paties savininko eksperimentams, nors prie jo pritvirtinti sunkūs užraktai nepaliko nė mažiausių abejonių, kad juo naudotasi ir tamsesniems reikalams... taikant CŽV neblogai pažįstamą kvotos metodą.

Nelemtasis tardymo kankinant vandeniu metodas — *waterboarding* — pasirodė labai veiksmingas, nes kankinamasis iš tiesų *tiki*, jog skęsta. Sato buvo žinomos kelios slaptos operacijos, kuriose naudoti panašūs sensorinės deprivacijos akvariumai šiai baugiai iliuzijai padidinti. Žmogus, panardintas į kvėpuojamąjį skystį, iš tiesų gali būti „paskandintas". Apimtas skendimo sukeltos panikos žmogus dažniausiai nepastebi, kad skystis, kurį jis įkvepia, truputį klampesnis už vandenį. Skysčiui užliejus plaučius, kankinamasis iš siaubo praranda sąmonę, o atsipeikėjęs pamato atsidūręs absoliučioje „vienutėje".

Į šiltą, deguonies prisodrintą vandenį įmaišius jautrumo slopinamųjų medžiagų bei paralyžių ir haliucinacijas sukeliančių medikamentų kaliniui sukuriama iliuzija, kad jis visiškai atskirtas nuo savo kūno. Kai jis mintyse įsako judinti galūnes, nesulaukia jokių rezultatų. Tokia „apmirimo" būsena jau savaime yra baisi, bet iš tikrųjų sutrikdo vadinamasis „naujo gimimo" procesas, kurį ryškiomis šviesomis, šalčiu ir kurtinamu triukšmu galima padaryti itin skausmingą ir sukrečiantį. Keletą kartų skendęs ir „naujai gimęs" kalinys visiškai praranda orientaciją ir pats nebesuvokia, gyvas jis ar miręs... kvotėjas gali iš jo išgauti viską, ko tik nori.

Sato pamanė, kad gal reikėtų palaukti medikų ir jiems padedant ištraukti Lengdoną, bet laiko nebebuvo. *Man reikia išsiaiškinti, ką jis žino.*

— Išjunkite šviesas, — įsakė ji. — Ir atneškite kokių nors antklodžių.

Akis spiginusi saulė išnyko.

Išnyko ir veidas.

Vėl užplūdo tamsa, bet dabar Lengdonas kažkur už šviesmečių tuštumos girdėjo tolimus kuždesius. Duslūs balsai... nesuprantami žodžiai. Paskui prasidėjo vibracija... tarsi visas pasaulis būtų pasirengęs subyrėti į šipulius.

Paskui tai įvyko.

Be jokio įspėjimo visatą perplėšė perpus. Tuštumoje atsivėrė neperžengiama praraja... tarsi pati erdvė būtų plyšusi per siūles. Pro angą ėmė plūsti pilkšva migla, ir Lengdonas pamatė klaikų vaizdą. Staiga jo sugriebti išsitiesė kūno neturinčios rankos, suėmė jį ir pamėgino ištraukti iš jo pasaulio.

Ne! Jis mėgino grumtis, bet pasirodė, kad neturi rankų... neturi kumščių. O gal turi? Staiga pajuto, kad aplink jo psichiką materializuojasi kūnas. Jis grįžo, jį sučiupo galingos rankos ir dabar traukia aukštyn. *Ne! Labai prašau!*

Tačiau jau buvo per vėlu.

Rankos ištraukė jį per kažkokią spragą, ir krūtinę perdrėskė nepakeliamas skausmas. Atrodė, kad plaučiai pilni smėlio. *Neturiu kuo kvėpuoti!* Staiga jis pajuto gulįs aukštielninkas ant šalčiausio ir kiečiausio paviršiaus, kokį tik galima įsivaizduoti. Kažkas spaudė jam krūtinę — pakartotinai, stipriai, skaudžiai. Jis spjaudėsi šiluma.

Noriu atgal.

Jautėsi kaip kūdikis, gimstantis iš įsčių.

Konvulsyviai trūkčiojo, iškosėdamas iš plaučių skystį. Skaudėjo krūtinę ir kaklą. Nepaprastai skaudėjo. Gerklė degė tarsi ugnyje. Žmonės kalbėjo, stengėsi šnibždėti, tačiau garsai buvo kurtinami. Regėjimas apsiblausė, pavyko įžvelgti tik prislopintus pavidalus. Oda neteko jautrumo.

Krūtinė apsunko... kažkas ją spaudžia. *Negaliu įkvėpti!*

Jis iškosėjo dar skysčio. Atsigavo stiprus šleikštulio refleksas, jis ėmė gokčioti. Plaučius užliejo šaltas oras, jis pasijuto tarsi pirmą kartą įkvėpęs naujagimis. Šio pasaulio neįmanoma ištverti. Lengdonas norėjo tik vieno — grįžti atgal į įsčias.

Robertas Lengdonas nesuvokė, kiek praėjo laiko. Juto, kad guli paguldytas ant šono ant kietų grindų, suvyniotas į rankšluosčius ir antklodes. Iš viršaus į jį žvelgia pažįstamas veidas... tačiau šlovingosios šviesos spindulių nebebuvo. Galvoje tebeaidėjo tolimos litanijos aidai.

Verbum significatium... Verbum omnificum...

— Profesoriau Lengdonai, — sušnibždėjo kažkas. — Ar jūs žinote, kur esate?

Lengdonas tebekosėdamas truputį linktelėjo.

Svarbiau kita — kad jis pradėjo suvokti, kur šiąnakt eis.

113 skyrius

Įsisupęs į vilnones antklodes, Lengdonas virpančiomis kojomis vargais negalais atsistojo ir pažvelgė į atvirą dėžę su skysčiu. Kūnas pagaliau sugrįžo, nors geriau jau būtų negrįžęs. Gerklę ir plaučius deginte degino. Šis pasaulis atrodė šiurkštus ir žiaurus.

Sato ką tik jam papasakojo apie sensorinės deprivacijos akvariumą... ir pridūrė, kad jei nebūtų jo iš ten ištraukusi, jis būtų miręs iš bado ar dar nuo ko nors blogiau. Lengdonas beveik neabejojo, kad Piteris patyrė panašų išgyvenimą. *Piteris yra būsenoje tarp,* šį vakarą sakė jam tatuiruotasis. *Jis skaistykloje... Hamistagane.* Jei Piteriui teko daugiau negu vieną kartą ištverti naujo gimimo procesą, Lengdonas nenustebtų sužinojęs, kad jis pasakė savo pagrobėjui viską, ką šis norėjo sužinoti.

Sato mostu parodė Lengdonui sekti jai iš paskos, šis pakluso ir lėtai nuslinko siauru koridoriumi, vedančiu gilyn į šią keistą irštvą, kurią pagaliau pirmą kartą pamatė. Jie įžengė į kvadratinį kambarį su akmeniniu stalu, apšviestą baugių spalvų lempų. Čia buvo Ketrina, ir Lengdonas lengviau atsiduso. Vis dėlto vaizdas kėlė nerimą.

Ketrina aukštielninka gulėjo ant akmeninio stalo. Ant grindų kėpsojo kruvini rankšluosčiai. CŽV agentas Ketrinai virš galvos laikė lašelinės maišelį, kurio vamzdelis buvo pritvirtintas jai prie alkūnės.

Ji tyliai kūkčiojo.

— Ketrina? — gergždžiančiu balsu pašaukė Lengdonas, vos įstengdamas prakalbėti.

Ji pasuko galvą; atrodė sutrikusi ir praradusi orientaciją.

— Robertai?! — Jos akys iš nuostabos ir džiaugsmo išsiplėtė. — Bet aš... mačiau, kaip tu nuskendai!

Jis pasuko prie akmeninio stalo.

Ketrina atsisėdo, nepaisydama lašelinės vamzdelio ir agento priešinimosi, aiškinamo medicinos priežastimis. Lengdonas priėjo stalą, Ketrina ištiesė rankas ir apglėbusi antklodėmis susuptą jo kūną prisitraukė artyn.

— Ačiū Dievui, — sukuždėjo ji bučiuodama jam į skruostą. Paskui pabučiavo dar kartą, tvirtai spausdama, tarsi netikėdama, kad jis iš tiesų gyvas. — Aš nesuprantu... kaip...

Sato pradėjo kažką kalbėti apie sensorinę deprivaciją ir deguonies prisotintus anglies perfluoridus, bet buvo aišku, kad Ketrina nesiklauso. Tik laikė apglėbusi Lengdoną.

— Robertai, — tarė ji, — Piteris gyvas.

Kartais suvirpančiu balsu ji papasakojo apie šiurpų susitikimą su Piteriu. Apibūdino jo sveikatos būklę — invalido vežimėlį, keistą peilį, užuominas į kažin kokią „auką" — ir apsakė, kaip ji pati buvo palikta nukraujuoti, nelyginant smėlio laikrodis, turintis įtikinti Piterį kuo greičiau padaryti, ko iš jo reikalaujama.

Lengdonas vos pajėgė kalbėti.

— Ar tu... bent nujauti, *kur*... kur jie nuėjo?

— Jis sakė, kad gabena Piterį ant šventojo kalno.

Lengdonas atsitraukė ir atidžiai pažvelgė į ją.

Ketrinos akyse buvo matyti ašaros.

— Jis sakė, kad iššifravo piramidės pagrindo įrašą ir kad piramidė jam nurodžiusi eiti ant šventojo kalno.

— Profesoriau, — primygtinai paklausė Sato, — ar jums tai ką nors reiškia?

Lengdonas papurtė galvą.

— Visiškai nieko. — Vis dėlto širdies gilumoje sukirbėjo viltis. — Bet jei jis iššifravo piramidės pagrindo įrašą, mes irgi galime tai padaryti. — *Aš jam pasakiau, kaip jį iššifruoti.*

Sato papurtė galvą.

— Piramidės nebėra. Ieškojom. Jis ją pasiėmė.

Lengdonas akimirką patylėjo, paskui užsimerkė ir pamėgino prisiminti, ką matęs ant piramidės pagrindo. Simbolių lentelė buvo vienas iš paskutinių dalykų, kuriuos jis regėjo prieš nuskęsdamas, o trauma dažniausiai priverčia atsiminimus giliai įstrigti į atmintį. Prisiminė kai kuriuos lentelės simbolius, tikrai ne visus, bet gal ir tų pakaks?

Jis pasisuko į Sato ir skubiai ištarė:

— Gal man pavyks prisiminti pakankamai daug, bet pirmiausia turite kai ką surasti internete.

Ji išsitraukė savo delninuką.

— Paleiskite paiešką su šiais reikšminiais žodžiais: „Aštuntos eilės Franklino kvadratas."

Sato apstulbusi pažvelgė į jį, bet nieko nepaklaususi pradėjo spaudyti klavišus.

Lengdono regėjimas dar tebebuvo apsiblausęs, jis tik dabar pradėjo susivokti keistoje aplinkoje, kurioje atsidūrė. Pamatė, kad akmeninis stalas, į kurį jie visi remiasi, nusėtas senomis kraujo dėmėmis, o siena dešinėje pusėje storai nuklijuota įvairiais tekstų puslapiais, fotografijomis, piešiniais, žemėlapiais ir milžinišku juos jungiančių virvelių voratinkliu.

Dieve mano.

Lengdonas, tvirčiau supdamasis į antklodes, priėjo prie keisto koliažo. Prie sienos buvo prisegiotas absoliučiai padrikos informacijos rinkinys — puslapiai iš senovės tekstų, nuo juodosios magijos iki Šventojo Rašto, simbolių ir burtaženklių piešiniai, sąmokslo teorijas plėtojančių interneto svetainių tekstų atspaudai ir palydovinės Vašingtono nuotraukos, aprašinėtos pastabomis ir išmargintos klaustukais. Viename iš lapų buvo ilgas žodžių įvairiomis kalbomis sąrašas. Lengdonas atpažino, kad vieni iš jų yra šventieji masonų žodžiai, kiti paimti iš senovinių magijos apeigų, treti — iš ceremonijose skambančių litanijų.

Ar to jis ieško?

Žodžio?

Nejau taip paprasta?

Ilgalaikis Lengdono skeptiškas požiūris į masonų piramidę daugiausia rėmėsi tuo, ką ji neva turinti atskleisti — vietą, kurioje saugomi Senovės Slėpiniai. Toks atradimas turėtų būti susijęs su milžinišku rūsiu, kuriame sukrauti tūkstančių tūkstančiai tomų, nežinomais būdais išlikusių iš senovės bibliotekų, kuriose kitados buvo saugomi. Tai jam atrodė neįmanoma. *Tokio dydžio rūsys? Po Kolumbijos apygarda?* Tačiau dabar, prisiminus Piterio paskaitą Filipso Ekseterio akademijoje ir regint šiuos magiškų žodžių sąrašus, prieš akis vėrėsi kita galimybė.

Lengdonas tikrai *netikėjo* magiškų žodžių galia... tačiau jam atrodė visiškai aišku, kad tatuiruotasis ja tikėjo. Pradėjus tyrinėti užrašus, žemėlapius, tekstus ir interneto atspaudus, juos jungiančias virveles ir lipukus, Lengdono pulsas paspartėjo.

Aiškiai matyti vienas pasikartojantis motyvas.

Dieve, jis juk ieško *verbum significatium*... Prarasto Žodžio. Lengdonas leido šiai minčiai išsiskleisti, prisiminė Piterio paskaitos fragmentus. *Jis iš tiesų ieško Prarasto Žodžio! Ir tiki, kad jis užkastas čia, Vašingtone.*

Prie jo priėjo Sato.

— Ar to ieškojote? — ji padavė jam atverstą delninuką.

Lengdonas pažvelgė į ekrane šviečiantį skaičių kvadratą aštuonių vienetų kraštinėmis.

— Kaip tik to. — Jis pačiupo popiergalį. — Man reikia rašiklio.

Sato padavė, išsitraukusi iš kišenės.

— Labai prašau paskubėti.

Mokslo ir technologijų skyriaus rūsyje savo kabinete sėdinti Nola Kei dar kartą tyrinėjo redaguotą dokumentą, kurį jai atnešė sistemų saugumo specialistas Rikas Perišas. *Kokiems velniams CŽV direktoriui reikalinga byla su tekstais apie senovės piramides ir slaptas požemio vietas?*

Ji čiupo telefoną ir surinko numerį.

Sato tuojau pat atsiliepė, jos balse buvo girdėti įtampa.

— Nola, kaip tik ketinau jums skambinti.

— Turiu naujos informacijos, — tarė Nola. — Nežinau, kur ją dėti, bet radau redaguotą dokumen...

— Nesvarbu, kol kas tai pamirškit, — nutraukė ją Sato. — Nebėra laiko. Objekto nepavyko suimti, ir aš turiu rimtą pagrindą manyti, kad jis tuoj pasielgs taip, kaip grasino.

Nola pajuto, kaip kūnu nuėjo šiurpuliai.

— Gera žinia ta, kad mes tiksliai žinome, kur jis nuėjo. — Sato giliai įkvėpė oro. — Bloga ta, kad jis pasiėmė ir nešiojamąjį kompiuterį.

114 skyrius

Mažiau kaip už penkiolikos kilometrų nuo jų Malachas apkamšė antklode Piterį Solomoną ir nuvežė jį per mėnesienos apšviestą automobilių stovos aikštelę į milžiniško pastato šešėlį. Pastatą išorėje rėmė lygiai trisdešimt trys kolonos... kiekviena iš jų lygiai trisdešimt trijų pėdų aukščio. Šiuo metu didingas rūmas buvo tuščias — niekas jų čia nepamatys. Bet tai ir nesvarbu. Žvelgiant iš tolo, niekam nė mažiausio įtarimo nesukels aukštas, geraširdiškos išvaizdos vyras ilgu juodu paltu, išvežęs plikagalvį invalidą pakvėpuoti grynu oru.

Pasiekęs galinį įėjimą, Malachas privežė Piterį prie elektroninės spynos klaviatūros. Piteris išdidžiai pažvelgė į ją, aiškiai rodydamas, kad neketina surinkti kodo.

Malachas nusijuokė.

— Manai, atsivežiau tave tam, kad mane įleistum? Ar taip greit pamiršai, jog priklausau tavo broliams? — Jis ištiesė ranką ir surinko įėjimo kodą, kurį buvo gavęs po įšventinimo į trisdešimt trečią laipsnį.

Sunkios durys spragtelėjusios atsivėrė.

Piteris suvaitojo ir ėmė muistytis vežimėlyje.

— Piteri, Piteri, — raminamai suburkavo Malachas. — Įsivaizduok Ketriną. Padėk man, ir ji išliks gyva. Tu gali ją išgelbėti. Duodu žodį.

Malachas įvežė belaisvį vidun ir vėl užrakino duris; širdis iš nekantrumo smarkiai plakė. Jis nuvežė Piterį koridoriais iki lifto, paspaudė iškvietimo mygtuką. Durys atsidarė, Malachas įėjo, stumdamas prieš save vežimėlį. Tada, tyčia rodydamas Piteriui, ką ketina daryti, ištiesė ranką ir paspaudė aukščiausiai viršuje esantį mygtuką.

Iškankintu Piterio veidu perbėgo siaubingos nuojautos šešėlis.

— Šššš, — sušnibždėjo Malachas, švelniai glostydamas nuskustą Piterio galvą, kai užsidarė lifto durys. — Tu juk puikiai žinai... didžiausia paslaptis — kaip numirti.

Aš neprisimenu visų simbolių!

Lengdonas užmerkė akis, iš paskutiniųjų stengdamasis prisiminti konkrečią kiekvieno simbolio vietą ant piramidės pagrindo, tačiau to padaryti neįstengė net jo eidetinė atmintis. Jis užsirašė kelis simbolius, kuriuos pajėgė prisiminti, ir sudėliojo juos į langelius, kaip nurodė Franklino magiškasis kvadratas.

Tačiau kol kas neįžvelgė jokios prasmės.

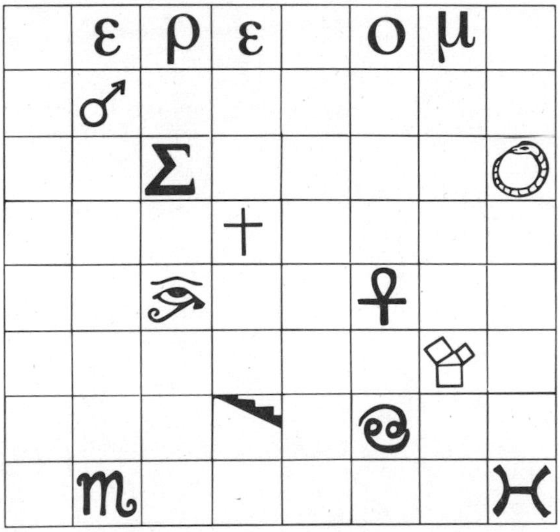

	ε	ρ	ε		ο	μ	
	♂						
		Σ					
			+				
		𓂀		☥			
					♋		
	♏						♓

— Žiūrėk!— ragino jį Ketrina. — Atrodo, eini teisingu keliu. Pirmoje eilutėje vien graikiškos raidės — draugėn susideda visi panašūs simboliai!

Lengdonas ir pats tai buvo pastebėjęs, tačiau niekaip neprisiminė jokio graikiško žodžio, kuris galėtų atitikti šią raidžių ir tuščių langelių konfigūraciją. *Man reikia pirmos raidės.* Jis vėl pažvelgė į magišką kvadratą, stengdamasis prisiminti raidę, buvusią kairiajame apatiniame kampe vietoj skaičiaus vienas. *Mąstyk!* Jis užsimerkė, stengdamasis įsivaizduoti piramidės pagrindą. *Apatinė eilutė... netoli kairiojo kampo... kokia ten buvo raidė?*

Trumpą akimirką Lengdonas vėl pasijuto tūnąs akvariume, kur krečiamas siaubo žvelgė pro organinio stiklo langelį į piramidės pagrindą.

Staiga jis ją pamatė. Atsimerkė ir garsiai iškvėpė orą.

— Pirmoji raidė — H!

Lengdonas atsisuko į lentelę ir įrašė pirmąją raidę. Žodis dar nebuvo baigtas, bet to jau pakako. Staiga jis suvokė, koks tai žodis.

Heredom.

Labai susijaudinęs Lengdonas surinko delninuke naujos paieškos reikšminį žodį — šio gerai žinomo graikiško žodžio variantą lotyniškomis raidėmis. Pirmasis rezultatas buvo enciklopedijos straipsnis. Lengdonas jį perskaitė ir suprato, kad klaidos būti negali.

> HEREDOM, daikt. — svarbus „aukšto lygio" masonų vartojamas žodis, kilęs iš Rožės kryžininkų ritualų, kuriuose juo vadinamas mitinis Škotijos kalnas, legendinė pirmojo narių susirinkimo vieta. Kilęs iš graikiško žodžio Ηερεδομ, arba *Hieros-domos*, graikiškai „Šventi namai".

— Štai jis! — dar negalėdamas patikėti sušuko Lengdonas. — Štai kur jie nuėjo!

Sato, skaičiusi jam per petį, regimai sutriko.

— Ant mitinio Škotijos kalno?

Lengdonas papurtė galvą.

— Ne, į vieną Vašingtono pastatą, kurio kodinis pavadinimas *Heredom*.

115 skyrius

Šventyklos rūmai, kuriuos broliai masonai vadina *Heredom*, nuo seno laikomi Amerikoje veikiančios masonų Škotiškosios ložės karūnos brangakmeniu. Dėl stataus, piramidės pavidalo stogo pastatas pavadintas išgalvoto Škotijos kalno vardu. Tačiau Malachas žinojo, kad jame paslėptas lobis toli gražu nėra išgalvotas.

Tai ta vieta, suprato jis. *Masonų piramidė parodė kelią*.

Senam liftui lėtai kylant į trečią aukštą, Malachas išsiėmė skiautę popieriaus, ant kurios buvo perrašęs simbolių lentelę pagal Franklino kvadrato siūlomą tvarką. Visos graikiškos raidės persikėlė į pirmą eilutę, o drauge su jomis — ir vienas paprastas simbolis.

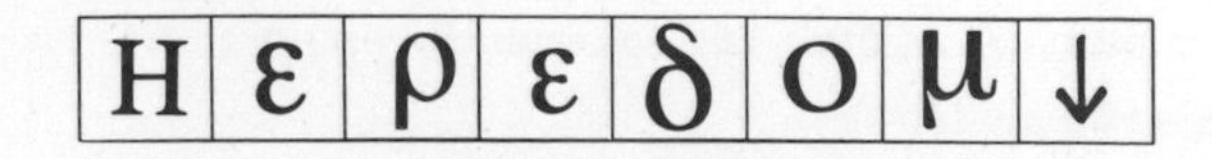

Neįmanoma įsivaizduoti aiškesnio nurodymo.

Po Šventyklos rūmais.

Heredom↓.

Prarastas Žodis yra kažkur ten.

Nors Malachas tiksliai nežinojo, kaip jį surasti, jis nė kiek neabejojo, kad atsakymą parūpins likę lentelės simboliai. Kaip patogu, kad prireikus atskleisti masonų piramidės ir šio pastato paslaptis geriausiai jam padėti gali Piteris Solomonas. *Pats Didysis meistras.*

Piteris tebesimuistė vežimėlyje, dusliai kažką šaukdamas pro burnos kamšalą.

— Žinau, kad tau neramu dėl Ketrinos, — tarė Malachas. — Bet viskas jau greit baigsis.

Malachui atrodė, kad pabaiga atėjo labai staiga. Po tokios daugybės kančių ir planavimo, laukimo ir ieškojimo metų... trokštama akimirka jau čia pat.

Liftas pradėjo judėti lėčiau, ir Malachas pajuto jaudulio antplūdį.

Lifto kabina trūktelėjusi sustojo.

Atsidarė bronzinės durys, ir Malachas pažvelgė į prieš akis atsivėrusią didingą menę. Didžiulę keturkampę įvairiais simboliais išpuoštą patalpą užliejo mėnesiena, švytinti pro lubų centre įrengtą šviesiangį.

Apėjau visą ratą, pamanė Malachas.

Šventyklos menė buvo ta pati patalpa, kurioje Piteris Solomonas ir jo broliai per kvailumą priėmė Malachą į savo gretas. Netrukus čia bus atskleista aukščiausia masonų paslaptis, kurios egzistavimu netiki net kai kurie brolijos nariai.

— Jis nieko neras, — tarė vis dar apsvaigęs, sunkiai besiorientuojantis Lengdonas, paskui Sato ir kitus kildamas mediniu nuolydžiu, vedančiu iš rūsio. — Jokio tokio *Žodžio* nėra. Tai tik metafora — Senovės Slėpinių *simbolis.*

Iš paskos ėjo nusilpusi Ketrina, kuriai žingsniuoti nuolydžiu padėjo du agentai.

Visiems atsargiai žengiant pro nuolaužomis virtusias metalines duris, įlipant pro sukamą paveikslą ir einant į svetainę, Lengdonas paaiškino Sato, kad Prarastas Žodis, — vienintelis žodis, užrašytas sudėtinga, žmogui nebesuprantama kalba, — yra vienas iš seniausių laisvųjų mūrininkų brolijos naudojamų simbolių. Žodis, kaip ir Senovės Slėpiniai, turėtų atskleisti savo slaptą galią tik nušvitusiesiems.

— Sakoma, — baigė pasakojimą Lengdonas, — kad tas, kuris suras ir *supras* Prarastą Žodį... galės suprasti ir Senovės Slėpinius.

Sato atsigręžė.

— Tai jūs manote, kad šitas žmogus ieško konkretaus *žodžio?*

Lengdonui teko pripažinti, kad toks pasakymas atrodo absurdiškas, užtat atsakantis į daugybę klausimų.

— Klausykite, aš nesu magijos apeigų specialistas, — tarė jis, — bet iš dokumentų, kuriuos mačiau ant rūsio sienų... ir iš to, ką Ketrina pasakoja apie jo viršugalvyje paliktą netatuiruotos odos lopinėlį... spėčiau, kad jis tikisi surasti Prarastą Žodį ir išsitatuiruoti jį sau ant kūno.

Sato nuvedė grupę į valgomąjį. Lauke burzgė pasiruošęs skristi sraigtasparnis įjungtu varikliu, jo sparnai gaudė vis garsiau.

Lengdonas toliau kalbėjo garsiai mąstydamas:

— Jei šis tipas tikrai tiki, kad jam pavyks prikelti Senovės Slėpinių galią, tai jam nebus galingesnio simbolio už Prarastą Žodį. Pavykus jį atrasti ir įrašyti sau ant viršugalvio — vietoje, kuri savaime yra šventa — jis, be abejo, laikytų save tobulai papuoštu ir pasiruošusiu ritualui, kuris... — Jis nutilo pamatęs, kaip Ketrina išblyško pagalvojusi apie neišvengiamą Piterio laukiančią lemtį.

— Bet, Robertai, — silpnu balsu tarė ji, beveik negirdima pro sraigtasparnio ūžesį, — tai juk gera žinia, ar ne? Jei jis nori prieš paaukodamas Piterį įsirašyti sau ant viršugalvio Prarastą Žodį, tai mes turime laiko. Jis nenužudys Piterio, kol neras Žodžio. O jei Žodžio *nėra*...

Lengdonas stengėsi atrodyti kupinas vilties, agentams padedant Ketrinai įsitaisyti krėsle.

— Deja, Piteris tebemano, kad tu čia guli ir plūsti kraujais. Jam atrodo, kad vienintelis būdas tave išgelbėti — duoti tam pamišėliui tai, ko jis nori... gal net padėti jam atrasti Prarastą Žodį.

— Tai kas? — neatlyžo ji. — Jei Žodis neegzistuoja...

— Ketrina, — tarė Lengdonas žvelgdamas jai tiesiai į akis, — jei aš manyčiau, kad tu miršti, ir jei kas nors man pasakytų, kad galiu tave išgelbėti suradęs Prarastą Žodį, aš tikrai surasčiau tam žmogui jo žodį — bet kokį žodį, ir melsčiau Dievo, kad jis tesėtų pažadą.

— Direktore Sato! — iš kito kambario pašaukė agentas. — Ateikite, pažiūrėkit, kas čia!

Sato išskubėjo iš valgomojo ir pamatė vieną agentą, nulipantį žemyn miegamojo laiptais. Jis rankoje nešė šviesių plaukų peruką. *Kas čia dabar?*

— Vyriškas perukas, — tarė paduodamas jį. — Radau drabužinėje. Atidžiau pažiūrėkit.

Perukas pasirodė daug sunkesnis, negu Sato tikėjosi. Atrodė, kad jo kepuraitė pagaminta iš tiršto gelio. Keista, iš vidinės peruko pusės kyšojo laidas.

— Gelio baterija, kurią galima prilipdyti prie galvos, — tarė agentas. — Jos dėka veikia taškinė pluoštinės optikos filmavimo kamera, paslėpta plaukuose.

— Ką? — Sato čiupinėjo peruką, kol tarp vešlių šviesių garbanų rado įtaisytą paslėptą mažytį kameros lęšį. — Tai čia paslėpta kamera?

— Vaizdo kamera, — patvirtino agentas. — Nufilmuota medžiaga saugoma šioje mažoje kortelėje. — Jis parodė pašto ženklo dydžio silicio kvadratėlį, pritvirtintą prie kepuraitės. — Veikiausiai pradeda veikti nuo judesio.

Jėzau, pamanė ji. *Tai štai kaip jis tai padarė.*

Ši glotni, nematoma, vietoj įprastos „gėlės švarko kilpelėje" nešiojama filmavimo kameros atmaina suvaidino lemiamą vaidmenį sukeliant krizę, kurią šįvakar mėgina suvaldyti ST direktorė. Sato dar kelias sekundes pažiūrėjo į peruką ir grąžino jį agentui.

— Toliau ieškokite namuose, — tarė ji. — Man reikia visos informacijos apie šį tipą, kokią tik pavyks rasti. Žinome, kad nėra jo nešiojamojo kompiuterio, bet man reikia žinoti, *kaip* būtent jis ketina prisijungti prie tinklo, kai bus ne namie. Ieškokite jo darbo kabinete instrukcijų, kabelių — bet ko, iš ko galėtume nustatyti, kokią jis turi įrangą.

— Taip, ponia. — Agentas nuskubėjo.

Laikas judėti. Sato girdėjo, kad sraigtasparnis pasirengęs skristi. Ji nubėgo atgal į valgomąjį, į kurį Simkinsas iš sraigtasparnio atvedė Voreną Belamį ir dabar kamantinėjo jį apie pastatą, į kurį, jų manymu, patraukė objektas.

Šventyklos rūmus.

— Paradinės durys užrakintos iš vidaus, — kalbėjo Belamis, vis dar kietai susisupęs į antklodę ir regimai drebantis po Franklino parke praleisto laiko. — Vienintelis įėjimas — pro galines pastato duris. Ten pritvirtinta elektroninė spyna, kurios atpažinimo kodą žino tik brolijos nariai.

— Koks tas kodas? — griežtai paklausė Sato, kuri viską užsirašinėjo.

Belamis atsisėdo — buvo matyti, kad jis nebeįstengia ilgiau stovėti. Kalendamas dantimis pasakė atpažinimo kodą ir pridūrė:

— Adresas — Šešioliktosios gatvės 1733 numeris, bet privažiuoti ir pastatyti automobilį reikia iš kitos pusės, už pastato. Truputį klaidu, bet...

— Aš puikiausiai žinau, kaip viską rasti, — tarė Lengdonas. — Kai nuvažiuosime, parodysiu.

Simkinsas papurtė galvą.

— Jūs nevažiuosite, profesoriau. Tai karinė...

— Net nekalbėkit, kad nevažiuosiu! — atšovė Lengdonas. — Ten Piteris! O pastato vidus — tikras labirintas! Jei niekas jums neparodys kelio, jūs nė per dešimt minučių nerasite Šventyklos menės!

— Jis teisus, — atsiliepė Belamis. — Ten labai klaidu. Yra liftas, bet jis senas, labai garsiai juda ir atsiveria tiesiai į Šventyklos menę. Jei norėsite tyliai patekti vidun, reikės lipti laiptais.

— Patys niekaip nerasite, — įspėjo Lengdonas. — Patekus vidun pro galinį įėjimą, reikia pereiti Regalijų salę, Garbės salę, paskui vidurinių laiptų aikštelę, atriumą, didžiuosius laiptus...

— Gana, — nutraukė jį Sato. — Lengdonas vyksta su mumis.

116 skyrius

Energija stiprėjo.

Malachas juto, kaip ji pulsuoja jame, kaip cirkuliuoja jo kūnu, kol jis veža Piterį Solomoną prie altoriaus. *Išeisiu iš šio pastato nepalyginti galingesnis, negu įėjau.* Dabar beliko viena — surasti paskutinę sudedamąją dalį.

— *Verbum significatium,* — sukuždėjo jis pats sau. — *Verbum omnificum.*

Malachas pastatė Piterio vežimėlį prie altoriaus, tada apėjo jį ir atsegė sunkų kelionkrepšį, gulintį Piteriui ant kelių. Įkišęs vidun ranką, ištraukė akmeninę piramidę ir iškėlė ją mėnesienoje tiesiai Piteriui prieš akis, rodydamas piramidės pagrinde išgraviruotų simbolių lentelę.

— Tiek metų ją sergėjai, — erzino jis, — ir nė nežinojai, kaip piramidė saugo savo paslaptis. — Malachas atsargiai padėjo piramidę ant altoriaus krašto ir vėl įkišo į krepšį ranką. — O šis talismanas, — toliau kalbėjo jis, ištraukdamas auksinę viršūnę, — iš tiesų padėjo chaosą paversti tvarka, kaip ir žadėta. — Jis atsargiai uždėjo metalinę viršūnę ant akmeninės piramidės ir atsitraukė, kad Piteris aiškiai matytų vaizdą. — Žvelk, tavo simbolonas sudėtas.

Piterio veidas persikreipė, jis bergždžiai pamėgino kažką pasakyti.

— Gerai. Matau, nori man kai ką pranešti. — Malachas šiurkščiai ištraukė kamšalą.

Piteris Solomonas kelias sekundes kosėjo ir gaudė kvapą, kol galiausiai įstengė prašnekti.

— Ketrina...

— Ketrinai nedaug beliko. Jei nori ją išgelbėti, siūlyčiau tiksliai vykdyti mano nurodymus.

Malachas spėjo, kad ji veikiausiai jau mirė, o jei ne, tai visai prie mirties. Nedidelis skirtumas. Jai pasisekė, kad spėjo prieš mirtį atsisveikinti su broliu.

— Labai prašau, — gergždžiančiu balsu maldavo Piteris. — Iškviesk jai greitąją...

— Būtinai taip ir padarysiu. Bet pirmiausia tu turi man pasakyti, kaip išeiti į slaptuosius laiptus.

Piterio veide atsispindėjo didžiulė nuostaba.

— Ką?!

— Laiptus. Masonų legendoje minimi laiptai, jie leidžiasi per šimtą metrų į žemės gelmes, į slėptuvę, kurioje saugomas Prarastas Žodis.

Piteris atrodė persigandęs.

— Tu juk žinai legendą, — užmetė jauką Malachas. — Slapti vartai, užristi akmeniu. — Jis parodė pagrindinį altorių — didžiulį granito luitą su paauksuotu įrašu hebrajų kalba: TUOMET DIEVAS TARĖ: „TEBŪNA ŠVIESA!" IR ŠVIESA PASIRODĖ. — Juk matai, kad atėjome į tą vietą, kurios reikia. Įėjimas į laiptus veikiausiai bus paslėptas kuriame nors iš apatinių aukštų.

— Šiame pastate nėra jokių slaptųjų laiptų! — sušuko Piteris.

Malachas kantriai nusišypsojo ir mostelėjo lubų link.

— Šis pastatas yra piramidės formos. — Jis parodė keturšones skliautuotas lubas, susiaurėjančias ir sudarančias viduryje įtaisytą kvadratinį švieslangį.

— Taip, Šventyklos rūmai yra piramidės formos, bet ką tai...

— Piteri, man prieš akis visa naktis. — Malachas išlygino balto šilko chalatą, dengiantį jo tobulą kūną. — Tačiau Ketrinai, deja, *ne*. Jei nori, kad ji išgyventų, privalai man pasakyti, kaip patekti į slaptuosius laiptus.

— Aš juk tau jau sakiau, — pareiškė jis, — šiame pastate nėra jokių slaptųjų laiptų!

— Tikrai? — Malachas ramiai išsitraukė popierių, kuriame buvo surašęs pertvarkytą piramidės pagrinde išgraviruotų simbolių lentelę. — Tai galutinė masonų piramidės žinia. Tavo draugas Robertas Lengdonas padėjo man ją iššifruoti.

Malachas pakėlė popierių Piteriui prieš akis. Ją pamatęs Didysis meistras staiga įkvėpė oro. Šešiasdešimt keturi simboliai sugulė į keturias turinčias prasmę grupes... o be to, iš jų chaoso iškilo tam tikras *vaizdinys*.

Tai buvo piramidė... o po ja — laiptai.

Piteris Solomonas, negalėdamas patikėti, žvelgė į jam rodomą simbolių lentelę. Masonų piramidė išlaikė savo paslaptis saugoma keleto kartų. Dabar ji staiga buvo atskleista, ir Piterį persmelkė blogos nuojautos šaltis.

Galutinis piramidės kodas.

Iš pirmo žvilgsnio tikroji šių simbolių prasmė Piteriui buvo neaiški, tačiau jis tuojau pat suprato, kodėl tatuiruotasis patikėjo tuo, ką tvirtina.

Jis mano, kad po piramide, vadinama Heredom, yra slapti laiptai.

Jis neteisingai suprato simbolius.

— Tai kur jie? — atkakliai klausė tatuiruotasis. — Pasakyk man, kaip rasti laiptus, ir aš išgelbėsiu Ketrinos gyvybę.

Mielai tai padaryčiau, pamanė Piteris. *Bet laiptų tikrai nėra.* Laiptų mitas buvo gryniausias simbolis... viena iš daugelio didžiųjų masoniškų alegorijų. Suktiniai laiptai, kaip juos įprasta vadinti, buvo vaizduojami ant braižymo lentos antrame įšventinimo lygyje. Jie reiškia žmogaus proto kilimą prie dieviškosios tiesos. Suktiniai laiptai, kaip Jokūbo kopėčios, yra kelio į dangų... žmogaus kelionės prie Dievo... žemiškosios ir dvasinės erdvės ryšio simbolis. Jų pakopos reiškia daugelį proto dorybių.

Jis pats turėtų tai žinoti, pamanė Piteris. *Juk ištvėrė visus įšventinimus.*

Kiekvienas įšventinamas masonas sužino apie simbolinius laiptus, kuriais jam teks kilti ir kurie leis jam „prisidėti prie žmogaus mokslo slėpinių“. Laisvųjų mūrininkų brolija, lygiai kaip noetikos mokslas ir Senovės Slėpiniai, gerbė neištirtas žmogaus psichikos galimybes, ir daug masoniškų simbolių buvo susiję su žmogaus fiziologija.

Dvasia ir protas nelyginant aukso viršūnė vainikuoja fizinį kūną. Filosofinis akmuo. Stuburo laiptais aukštyn ir žemyn juda energija, cirkuliuoja, jungia dangišką protą bei dvasią su fiziniu kūnu.

Piteris žinojo, kad neatsitiktinai stuburą sudaro *trisdešimt trys* slanksteliai. Yra *trisdešimt trys* masonų laipsniai. Stuburo apačia, lotyniškai *sacrum*, pažodžiui reiškia „šventąjį kaulą“. *Kūnas iš tiesų yra šventovė.* Žmogaus mokslas, kurį garbina masonai, — tai senovėje atrastas supratimas, kaip panaudoti šią šventovę galingiausiam ir kilniausiam tikslui.

Deja, aiškindamas šiam žmogui tokias tiesas, Ketrinai nepadėsi. Piteris pažvelgė į simbolių lentelę ir atsiduso tarsi galutinai įveiktas.

— Tu teisus, — pamelavo jis. — Iš tiesų po šiuo pastatu tikrai yra slapti laiptai. Kai tik pasiųsi Ketrinai pagalbą, aš tave nuvesiu prie jų.

Tatuiruotasis tik žvelgė į jį.

Solomonas atkakliai atrėmė jo žvilgsnį.

— Arba tu išgelbėsi mano seserį ir sužinosi tiesą... arba nužudysi mus abu ir amžiams liksi tamsoje!

Vyras lėtai nuleido popierių ir papurtė galvą.

— Tu man nepatinki, Piteri. Neišlaikei išmėginimo. Vis dar laikai mane kvailiu. Ar tikrai manai, kad aš nesuprantu, ko ieškau? Ar tikrai manai, kad dar nesuvokiau tikrųjų savo galimybių?

Tai taręs vyras nusigręžė nuo Piterio ir nusimetė chalatą. Baltas šilkas nuplevено ant grindų, ir Piteris pirmąkart pamatė vyro stuburu besidriekiančią ilgą tatuiruotę.

Dieve mano...

Raumeningos jo nugaros viduriu kilo elegantiški suktiniai laiptai, prasidedantys ties balta strėnjuoste. Kiekviena laiptų pakopa buvo ant kito stuburo slankstelio. Netekęs žado Piteris akimis nusekė laiptus iki pat viršaus — iki kaukolės apačios.

Beliko tik spoksoti.

Tatuiruotasis atlenkė atgal nuskustą galvą, parodydamas kaukolės viršuje paliktą tuščią odos skrituliuką. Jį supo apskritimu susirietusi gyvatė, ryjanti savo uodegą.

Dabar jau lėtai vyras nuleido galvą ir atsisuko veidu į Piterį. Milžiniškas dvigalvis feniksas ant jo krūtinės įsistebeilijo negyvomis akimis.

— Aš ieškau Prarasto Žodžio, — tarė vyras. — Tu man padėsi... ar nori verčiau mirti drauge su savo seserim?

Tu žinai, kaip jį rasti, pamanė Malachas. *Žinai kai ką, ko man nesakai.*

Kvočiamas Piteris Solomonas išpasakojo tokius dalykus, kurių dabar veikiausiai nė neprisimena. Kelis kartus panardintas į sensorinės deprivacijos akvariumą ir iš jo ištrauktas jis su viskuo susitaikė ir pradėjo kliedėti. Sunku patikėti, tačiau kai jis galiausiai prakalbo, viskas, ką papasakojo Malachui, kuo tiksliausiai atitiko legendą apie Prarastą Žodį.

Prarastas Žodis — ne metafora... jis realus. Šis Žodis parašytas senąja kalba... ir buvo paslėptas per amžius. Visiems, kurie perpras tikrąją šio Žodžio reikšmę, jis gali suteikti neįsivaizduojamą jėgą. Žodis išliko paslėptas iki šių dienų... o masonų piramidė turi galią jį atskleisti.

— Piteri, — prakalbo Malachas, žiūrėdamas savo belaisviui į akis, — kai pažvelgei į tą simbolių lentelę... tu joje kai ką pamatei. Tave ištiko apreiškimas. Ta lentelė tau kažką reiškia. Pasakyk ką.

— Aš tau nieko nepasakysiu, kol tu neiškviesi pagalbos Ketrinai.

Malachas jam nusišypsojo.

— Patikėk manim, perspektyva netekti sesers šiuo metu turėtų būti tavo menkiausias rūpestis.

Daugiau netaręs nė žodžio, jis priėjo prie Lengdono kelionkrepšio ir ėmė iš jo traukti daiktus, kuriuos buvo sudėjęs rūsyje. Paskui kruopščiai išdėliojo juos ant aukojimo altoriaus.

Dailiai sulankstytas šilkinis audeklas. Skaistaus baltumo.

Sidabrinė smilkyklė. Egipto mira.

Indelis su Piterio krauju, sumaišytu su pelenais.

Juoda varnos plunksna. Jo šventa rašymo lazdelė.

Aukojimo peilis. Nukaltas iš geležies, gautos iš Kanaano dykumoje nukritusio meteorito.

— Manai, aš bijau mirti? — sušuko Piteris sielvarto kupinu balsu. — Jei Ketrinos nebėra, man daugiau nieko neliko! Tu išžudei visą mano šeimą! Tu iš manęs atėmei viską!

— Ne *viską*, — atsakė Malachas. — Dar ne. — Jis įkišo ranką į kelionkrepšį ir išėmė nešiojamąjį kompiuterį, kuriuo naudojosi savo kabinete. Įjungęs jį atsuko ekraną į belaisvį. — Įtariu, kad dar ne visai gerai supranti, kokioje sudėtingoje padėtyje atsidūrei.

117 skyrius

Kai CŽV sraigtasparnis šoktelėjo nuo pievelės ir įsibėgėjo greičiau, negu Lengdonas įsivaizdavo galint lėkti sraigtasparnius, Lengdonas pajuto, kaip jam pasidarė bloga. Ketriną su Belamiu jie paliko atgauti jėgų, vienas iš CŽV agentų ėmėsi apieškoti namą ir laukti atvykstant pastiprinimo.

Prieš Lengdonui išvykstant, ji pabučiavo jį į skruostą ir sušnibždėjo:

— Saugokis, Robertai.

Dabar Lengdonas iš visų jėgų laikėsi įsikibęs sėdynės, kol karinis sraigtasparnis pagaliau ištiesino skrydį ir pasuko Šventyklos rūmų link.

Sėdėdama greta jo Sato šaukė nurodymus pilotui.

— Suk į Diupono žiedą! — stengėsi ji perrėkti kurtinamą triukšmą. — Tūpsime ten!

Apstulbęs Lengdonas atsisuko į ją.

— Diupono?! Tai juk už kelių kvartalų nuo Šventyklos rūmų! Galima nusileisti Šventyklos automobilių stovėjimo aikštelėje!

Sato papurtė galvą.

— Privalome *tyliai* įeiti į pastatą. Jei objektas išgirs mus ateinant...

— Neturime laiko! — ginčijosi Lengdonas. — Šitas pamišėlis ketina nužudyti Piterį! Gal sraigtasparnio garsas jį išgąsdins ir privers liautis!

Sato įsmeigė į jį ledinių akių žvilgsnį.

— Aš jums jau minėjau, kad Piterio Solomono saugumas *nėra* pagrindinis mano tikslas. Man atrodo, pasakiau labai aiškiai.

Lengdonas nebuvo nusiteikęs klausytis dar vienos paskaitos apie nacionalinį saugumą.

— Klausykite, aš čia vienintelis žinau, kaip orientuotis tam pastate...

— Atsargiau, profesoriau, — įspėjo direktorė. — Jūs esate mano vadovaujamos komandos narys, ir aš *reikalauju* vykdyti nurodymus. — Akimirką luktelėjusi ji pridūrė: — Tiesą sakant, dabar turbūt geriausia proga jus smulkiau supažindinti su šio vakaro krize.

Sato pakišo po sėdyne ranką, išsitraukė blizgantį titano lagaminėlį, jį atidarė ir įjungė neįprastą, įmantrios išvaizdos kompiuterį. Jį įjungus ekrane nušvito CŽV ženklas.

Kraunantis kompiuteriui, Sato paklausė:

— Profesoriau, ar atsimenate šviesių plaukų peruką, kurį radome to žmogaus namuose?

— Taip.

— Tai štai, tame peruke tarp garbanų buvo paslėpta labai maža optinio pluošto vaizdo kamera.

— Paslėpta kamera? Nieko nesuprantu.

Sato niūriai atsakė:

— Tuoj suprasite.

Ji atidarė bylą savo nešiojamajame kompiuteryje.

PRAŠOME PALAUKTI...

KRAUNAMA BYLA...

Iššoko vaizdo įrašo langas, užpildė visą ekraną. Sato pakėlė lagaminėlį ir padėjo jį Lengdonui ant kelių, kad šis galėtų iš arti pažvelgti į ekraną.

Ekrane pasirodė neįprastas vaizdas.

Lengdonas nustebęs atšlijo.

Kas čia per velnias?

Tamsiame ir neryškiame ekrane buvo matyti vaizdo kamera nufilmuotas žmogus užrištomis akimis. Jis buvo apsirengęs kaip viduramžių eretikas, vedamas į kartuves — kilpa ant kaklo, kairės kojos klešnė paraitota iki kelio, dešinė rankovė — iki alkūnės, pro atsagstytus marškinius šviečia nuoga krūtinė.

Lengdonas netikėdamas įsmeigė į ekraną akis. Jis buvo pakankamai daug skaitęs apie masonų ritualus, kad suprastų, ką mato priešais save.

Įšvenčiamas masonas... ruošiasi pirmojo lygio apeigoms.

Žmogus buvo labai aukštas, šviesia pažįstama šukuosena, tamsiai įdegęs. Lengdonas iškart atpažino jo bruožus. Buvo aišku, kad tatuiruotes slepia įdegio makiažas. Jis stovėjo prieš aukštą veidrodį ir filmavo savo atspindį peruke paslėpta kamera.

Bet... kam?

Ekranas užtemo.

Netrukus pasirodė nauji vaizdai. Mažas, blausiai apšviestas, keturkampis kambarėlis. Ryškios, šachmatų lentą primenančios baltų ir juodų plytelių grindys. Žemas medinis altorius, iš trijų pusių kolonos, virš jų mirkčiodamos dega žvakės.

Staiga Lengdoną apėmė negera nuojauta.

O Dieve.

Kamera, filmuojanti padriku buitinio filmavimo stiliumi, nukrypo į kambario pakraštį, kur stovėjo vyrų grupelė ir stebėjo įšventinamąjį. Vyrai buvo apsirengę apeiginiais masonų drabužiais. Tamsoje Lengdonui nepavyko įžiūrėti jų veidų, bet nekilo nė mažiausios abejonės, *kur* vyksta šis ritualas.

Pagal tradicinius projektus įrengta Ložė galėjo būti bet kurioje pasaulio vietoje, bet dulsvai mėlynas trikampis frontonas virš meistro kėdės aiškiai rodė, kad veiksmas vyksta seniausioje Kolumbijos apygardos masonų ložėje — Potomako Penktojoje, Džordžo Vašingtono ir masonų protėvių, padėjusių Baltųjų rūmų ir Kapitolijaus kertinius akmenis, gimtinėje.

Ložė tebeveikia iki šiol.

Piteris Solomonas ne tik prižiūrėjo Šventyklos rūmus, bet ir buvo savo vietinės ložės meistras. Būtent tokiose ložėse visada pradėdavo kelionę įšventinami masonai... jose jie įgydavo pirmus tris lygius.

— Broliai, — prabilo pažįstamas Piterio balsas, — Didžiojo Visatos Architekto vardu atidarau šią ložę pirmojo lygio masonų praktikai!

Garsiai kaukštelėjo plaktukas.

Lengdonas, negalėdamas patikėti savo akimis, žiūrėjo vaizdo įrašą, kuriame buvo sumontuotos baugiausios Piterio Solomono atliekamų apeigų akimirkos.

Spindintis durklas priglaudžiamas prie nuogos įšventinamojo krūtinės... grasinant persmeigti, jei šis „netinkamu būdu atskleis masonų slėpinius“... baltais ir juodais langeliais margintos grindys pavadinamos „gyvaisiais ir mirusiaisiais“... iš-

vardijamos bausmės, tokios, kaip „perpjauti gerklę nuo ausies iki ausies... su šaknimis išrauti liežuvį... palaidoti kūną atšiauriuose smėlynuose prie jūros...“

Lengdonas spoksojo išplėtęs akis. *Ar gali būti, kad aš tikrai tai matau?* Masonų įšventinimo ritualai per amžius buvo gaubiami paslapčių. Į viešumą prasiskverbdavo tik padriki buvusių, bet broliją palikusių brolių aprašymai. Žinoma, Lengdonas buvo skaitęs šiuos aprašymus, bet pamatyti įšventinimą savo akimis... tai visai kas kita.

Juo labiau šitaip sumontuotą. Lengdonas iškart pamatė, kad šis įrašas — nesąžininga propaganda, kurioje praleisti visi kilniausi įšventinimo aspektai ir nušviesti tik tie, kurie gali sukelti daugiausia nesusipratimų. Lengdonas suvokė, kad jei šis vaizdo įrašas būtų paviešintas internete, jis per naktį taptų sensacija. *Masonams priešiški sąmokslų teorijų mėgėjai sulėktų prie jo tarsi rykliai.* Masonų organizacija, o ypač Piteris Solomonas, atsidurtų priešiškų diskusijų centre ir turėtų beviltiškomis pastangomis mėginti kaip nors sumažinti nuostolius... nors iš tiesų šis ritualas visiškai nekaltas ir tik simbolinis.

Keista, tačiau į įrašą pateko ir biblinė užuomina apie žmogaus auką... „Abraomas pakluso Aukščiausiai Būtybei ir paaukojo Izaoką, savo pirmagimį sūnų.“ Lengdonas prisiminė Piterį ir mintimis paragino sraigtasparnį padidinti greitį.

Vaizdo įrašas vėl pasikeitė.

Ta pati patalpa. Kitas vakaras. Prie sienos stovi didesnė masonų grupelė. Piteris Solomonas stebi vyksmą iš meistro kėdės. Tai antras lygis. Viskas dar intensyviau. *Klūpoma prie altoriaus... prisiekiama „amžinai saugoti laisvųjų mūrininkų paslaptis“... sutinkama su bausme „perplėšti krūtinės ląstą ir išplėštą plakančią širdį atiduoti sudraskyti laukiniams žvėrims“...*

Lengdono širdis irgi pradėjo smarkiai plakti, kai vaizdo įrašas pasikeitė dar kartą. Vėl kitas vakaras. Daug daugiau žmonių. Ant grindų — karsto pavidalo „braižybos lenta“.

Trečias lygis.

Tai mirties ritualas — griežčiausias iš visų lygių, akimirka, kai įšventinamasis priverčiamas „suvokti paskutinę problemą — savo išnykimą“. Iš šio atkaklaus kvotimo ir kilo dažnai vartojamas posakis „atlikti trečio laipsnio apklausą“. Ir nors Lengdonas puikiausiai žinojo apie jį iš akademinių aprašymų, vis dėlto anaiptol nebuvo pasirengęs tam, ką pamatė.

Žmogžudystę.

Greitais, kone smurtingais epizodais įraše pateiktas kraują stingdantis išsamus aukos pasakojimas apie žvėrišką įšventinamojo nužudymą. Pamėgdžioti smūgiai per galvą, tarp jų ir smūgis mūrininkų kūle. O fone dekanas gedulingu balsu pasakoja „našlės sūnaus“ — Hiramo Abifo, karaliaus Saliamono šventyklos vyriausiojo architekto — istoriją: jis ryžosi verčiau mirti, negu atskleisti savo saugomą slaptą išmintį.

Užpuolimas, žinoma, buvo suvaidintas, tačiau nufilmavus jis atrodė šiurpiai. Po mirtino smūgio įšventinamasis — dabar jau „miręs savo ankstesne savastimi" — buvo paguldytas į simbolinį karstą, jam užmerktos akys ir kaip lavonui sudėtos ant krūtinės rankos. Broliai masonai pakilo ir gedulinga minia apsupo jo mirusį kūną, o vargonai grojo laidotuvių maršą.

Reginys makabriškas ir keliantis nerimą.

Paskui buvo dar blogiau.

Vyrams susibūrus aplink nukautąjį brolį, slapta kamera aiškiai išryškino jų veidus. Tik dabar Lengdonas suvokė, kad Solomonas — ne vienintelis gerai žinomas žmogus šiame kambaryje. Vienas iš vyrų, žvelgiančių į karste gulintį įšventinamąjį, kone kasdien buvo rodomas per televiziją.

Garsus JAV senatorius.

O Dieve...

Vaizdas vėl pasikeitė. *Dabar rodomi įvykiai lauke... naktį... tas pats nerangus filmavimo būdas... žmogus eina miesto gatve... priešais kamerą plaikstosi šviesių plaukų sruogos... pasuka už kampo... kamera nusitaiko į kažkokį daiktą žmogaus rankoje... dolerio banknotas... stambiu planu rodomas Didysis antspaudas... visaregė akis... nebaigta piramidė... paskui kamera staiga atsitraukia ir parodo tolumoje dunksantį tokio pat pavidalo pastatą... didžiulę piramidę... nuolaidžiais šonais, pasibaigiančiais nukirsta viršūne.*

Šventyklos rūmai.

Lengdono sielą užliejo neapsakomas siaubas.

Vaizdo įrašas nesustoja... *štai žmogus skuba prie pastato... lipa aukštyn daugiapakopiais laiptais... eina prie milžiniškų bronzinių durų... kurias saugo du po septyniolika tonų sveriantys sfinksai.*

Naujokas, įeinantis į įšventinimo piramidę.

Vėl tamsa.

Tolumoje groja galingi vargonai... ir štai iškyla nauji vaizdai.

Šventyklos menė.

Lengdonas nurijo gerklėje stojusį gumulą.

Ekrane matyti erdvi menė, atgijusi elektros šviesoje. Po šviestangiu spindi mėnesienos užlietas juodo marmuro altorius. Aplink jį susirinkę, susėdę ant rankų darbo kėdžių kiaulių odos sėdynėmis, laukia iškilmingai nusiteikę trisdešimt trečio laipsnio masonai, atvykę liudyti. Vaizdo kamera lėtai, tyčia įdėmiai nužvelgia jų veidus.

Lengdonas spoksojo pasibaisėjęs.

Jis nenumatė tokio reginio, bet tai, ką dabar regėjo, buvo visiškai logiška. Suprantama, kad galingiausiame pasaulio mieste susirinkus labiausiai pasižymėjusiems ir daugiausia pasiekusiems masonams tarp jų atsidurs daug įtakingų ir gerai žinomų asmenų. Ir iš tiesų aplink altorių, pasipuošę ilgomis šilko pirštinėmis, mūrininkų prijuostėmis ir blizgančiais brangakmeniais, sėdėjo grupė galingiausių šalies žmonių.

Du Aukščiausiojo Teismo teisėjai...

Gynybos sekretorius...

Atstovų rūmų pirmininkas...

Lengdonui pasidarė negera regint, kaip vaizdo kamera rodo visų dalyvių veidus.

Trys garsūs senatoriai... tarp jų senato daugumos lyderis.

Šalies saugumo sekretorius.

Ir...

CŽV direktorius.

Lengdonas labiau už viską norėjo nukreipti akis, bet neįstengė. Reginys buvo absoliučiai užburiantis, net jam keliantis baimę. Jis iškart suprato Sato nerimo bei rūpesčio priežastį.

Staiga ekrane pasirodė vienintelis stambiu planu nufilmuotas sukrečiantis vaizdas.

Žmogaus kaukolė... pilna tamsiai raudono skysčio. Garsiąją *caput mortuum* įšventinamajam padavė liaunos Piterio Solomono rankos, ant vienos iš jų žvakių šviesoje spindėjo masonų aukso žiedas. Raudonasis skystis buvo vynas... tačiau mirguliavo tarsi kraujas. Vaizdas atrodė baugus.

Penktasis vyno aukojimas, atpažino Lengdonas, kuris buvo pats skaitęs Džono Kvinsio Adamso pasakojimus apie šį sakramentą jo „Laiškuose apie masonų institucijas". Ir vis dėlto pačiam jį pamatyti... ir dar žiūrėti, kaip jį ramiai stebi galingiausi Amerikos žmonės... buvo vienas iš labiausiai sukrečiamų išgyvenimų, kuriuos teko patirti Lengdonui.

Įšventinamasis suėmė delnais kaukolę... jo veidas atsispindėjo lygiame vyno paviršiuje.

— *Tegu vynas, kurį dabar gersiu, taps man mirtinais nuodais... jei kada nors sąmoningai arba savo valia sulaužysiu priesaiką.*

Bet buvo aišku, kad šis įšventinamasis ketino sulaužyti priesaiką taip, kaip net sunku suvokti.

Lengdonui niekaip nepavyko įsivaizduoti, kas atsitiktų, jei šis vaizdo įrašas būtų paskelbtas viešai. *Niekas nesuprastų.* Vyriausybę ištiktų panika. Visur sukiltų priešiškos masonams grupės, fundamentalistai ir sąmokslo teorijų fanatikai, spjaudantys neapykanta ir baime, ir vėl iš naujo pradėtų puritonišką raganų medžioklę.

Jie iškreiptų tiesą, neabejojo Lengdonas. *Masonus tas nuolat ištinka.*

Juk iš *tiesų* brolijos dėmesys mirčiai reiškė narsų gyvenimo šlovinimą. Masonų ritualai buvo sukurti siekiant pažadinti snaudžiantį žmogų, prikelti jį iš tamsaus neišmanymo karsto, išvesti į šviesą ir atverti akis, kad jis galėtų matyti. Tik per *mirties* išgyvenimą žmogus gali iki galo suprasti *gyvenimo* išgyvenimą. Tik suvokęs, kad jo dienos žemėje yra suskaičiuotos, jis gali suprasti, kaip svarbu nugyventi šias dienas garbingai, nemeluojant ir tarnaujant kitiems.

Masonų įšventinimo ritualai stulbina, nes yra specialiai sukurti taip, kad permainytų juos išgyvenantįjį. Masonų įžadai — griežti, nes jais siekiama priminti, kad garbė ir duotas žodis yra viskas, ką žmogus gali išsinešti iš šio pasaulio. Masonų mokymas įmantrus, nes jis turi būti *visuotinis*... išdėstytas visiems bendra simbolių ir metaforų kalba, pranokstančia religijas, kultūras ir rases... kurianti vieningą „pasaulinę sąmonę", vienijamą broliškos meilės.

Trumpą akimirką Lengdonui sušvito vilties kibirkštėlė. Jis pamėgino save įtikinti, kad jei šis vaizdo įrašas pasklis po pasaulį, žmonės jį priims tolerantiškai ir atviraširdiškai, suprasdami, kad *visuose* dvasiniuose ritualuose esama aspektų, kurie, ištraukti iš konteksto, galėtų pasirodyti baugūs — nukryžiavimo mėgdžiojimai, žydų apipjaustymo apeigos, mormonų praktikuojamas mirusiųjų krikštas, islamo *niqab*, šamanų gydymas transo būsenoje, žydų Kaparoto ceremonija, net įsivaizduojamo Jėzaus Kristaus kūno ir kraujo valgymas.

Užsisvajojau, sutramdė save Lengdonas. *Šis vaizdo įrašas sukels chaosą.* Jis pamėgino įsivaizduoti, kas atsitiktų, jei aukščiausi Rusijos arba islamo pasaulio lyderiai būtų nufilmuoti ir parodyti spaudžiantys peilius prie nuogų krūtinių, duodantys smurtingas priesaikas, mėgdžiojantys žmogžudystes, gulintys simboliniuose karstuose ir geriantys vyną iš žmogaus kaukolės. Viso pasaulio reakcija būtų staigi ir galinga.

Dieve, padėk mums...

Ekrane dabar buvo matyti, kaip įšventinamasis kelia prie lūpų kaukolę. Jis ją užsivertė... išgėrė raudoną kaip kraujas vyną... patvirtindamas duotą priesaiką. Paskui nuleido kaukolę ir apžvelgė susirinkusiuosius. Galingiausi, didžiausią pasitikėjimą turintys Amerikos vyrai patenkinti pritariamai linkčiojo.

— *Sveikas, broli,* — tarė Piteris Solomonas.

Ekranui užtemus Lengdonas susivokė, kad sėdi užgniaužęs kvapą.

Netarusi nė žodžio Sato ištiesė ranką, uždarė lagaminėlį ir nukėlė jam nuo kelių. Lengdonas pasisuko į ją, norėdamas ką nors pasakyti, bet nerado žodžių. Jų ir nereikėjo. Jo veidas aiškiai bylojo, kad jis viską suprato. Sato buvo teisi. Šią naktį šaliai gresia nacionalinio saugumo krizė... kurios masto neįmanoma įsivaizduoti.

118 skyrius

Apsijuosęs tik strėnjuoste Malachas neramiai žingsniavo priešais Piterio Solomono vežimėlį.

— Piteri, — sušnabždėjo jis, gardžiuodamasis kiekviena belaisvio išgyvenama siaubo akimirka, — tu juk pamiršai, kad turi *antrą* šeimą... masonų broliją. Juos aš irgi sunaikinsiu... jei tu man nepadėsi.

Solomonas, apšviestas ant kelių gulinčio nešiojamojo kompiuterio ekrano, atrodė beveik paralyžiuotas.

— Labai prašau... — galiausiai sumikčiojo jis pakeldamas akis. — Jei šis įrašas pasklis plačiau...

— *Jei?* — Malachas nusikvatojo. — *Jei* pasklis? — Jis mostelėjo rodydamas mažą mobilųjį modemą, prijungtą prie kompiuterio. — Aš prisijungęs prie pasaulinio tinklo.

— Bet tu juk ne...

Aš — taip, pamanė Malachas, patenkintas stebėdamas Solomono pasibaisėjimą.

— Tavo galioje mane sustabdyti, — tarė jis. — Ir išgelbėti seserį. Bet privalėsi man pasakyti tai, ko reikalauju. Prarastas Žodis yra kažkur paslėptas, Piteri, ir aš žinau, kad šioje lentelėje aiškiai parodyta, kaip jį rasti.

Piteris vėl pažvelgė į simbolių lentelę, bet jo akys nieko neišdavė.

— Gal taip paskatinsiu įkvėpimą, — Malachas ištiesė ranką Piteriui virš pečių ir paspaudė kelis nešiojamojo kompiuterio klavišus. Ekrane pasirodė elektroninio pašto programa, ir Piteris regimai sustingo. Radosi elektroninio laiško ruošinys, kurį Malachas buvo įvedęs kiek anksčiau — vaizdo byla, siunčiama daugybei stambiausių žiniasklaidos bendrovių.

Malachas nusišypsojo.

— Manau, atėjo metas pasipasakoti apie save, ką?

— Nereikia!

Malachas spustelėjo mygtuką, ir programa pradėjo siųsti laišką. Surištas Piteris smarkiai pasimuistė, bergždžiai mėgindamas numesti kompiuterį ant grindų.

— Atsipalaiduok, Piteri, — sušnibždėjo Malachas. — Byla labai didelė. Kol išsiųsiu, praeis kelios minutės.

Jis parodė apačioje išnirusią lentelę:

SIUNČIAMAS PRANEŠIMAS: IŠSIŲSTA 2%

— Jei pasakysi man tai, ką noriu žinoti, aš sustabdysiu laiško siuntimą ir niekas niekada šito nepamatys.

Piteris sėdėjo pilkas kaip pelenai, o lentelės rodyklė šoktelėjo priekin.

SIUNČIAMAS PRANEŠIMAS: IŠSIŲSTA 4%

Malachas nukėlė kompiuterį Piteriui nuo kelių ir padėjo jį ant netoliese stovinčios kėdės kiaulių odos sėdyne, atsukęs ekraną, kad belaisvis galėtų stebėti, kaip siunčiamas pranešimas. Tada grįžo prie Piterio ir padėjo jam ant kelių popierių su simboliais.

— Legenda pasakoja, kad masonų piramidė padės atrasti Prarastą Žodį. Štai galutinis piramidės kodas. Manau, tu mokėsi jį perskaityti.

Malachas dirstelėjo į nešiojamąjį kompiuterį.

SIUNČIAMAS PRANEŠIMAS: IŠSIŲSTA 8%

Paskui Malachas vėl pažvelgė į Piterį. Solomonas žiūrėjo tiesiai į jį, o jo pilkose akyse liepsnojo neapykanta.

Neapkęsk manęs, pamanė Malachas. *Kuo stipresnės emocijos, tuo galingesnė energija išsilaisvins pasibaigus ritualui.*

Lenglyje Nola Kei spaudė prie ausies telefoną, pro sraigtasparnio ūžimą beveik negirdėdama, ką jai kalba Sato.

— Sako, kad bylos perdavimo neįmanoma sustabdyti! — rėkė Nola. — Užtruks mažiausiai valandą, kol atjungsime vietinius ISP, o jei jis gali naudotis belaidžiu ryšiu, nieko nepešime net atjungę antžeminį interneto ryšį.

Šiais laikais pasidarė beveik neįmanoma sustabdyti skaitmeninės informacijos sklaidos. Atsirado per daug priėjimų prie interneto. Antžeminės linijos, greitaeigio interneto prieigos, nešiojamieji modemai, palydoviniai telefonai ir elektroniniam paštui siųsti pritaikyti delninukai lemia, kad vienintelis būdas sustabdyti galimą medžiagos nutekėjimą — tai sunaikinti ją siunčiantį įtaisą.

— Aš patikrinau jūsų UH-60 techninių charakteristikų sąrašą, — kalbėjo Nola, — ir radau, kad jame turite EMI.

Elektromagnetinio impulso šaltinius, dar vadinamus elektromagnetiniais šautuvais, gana dažnai naudoja teisėsaugos darbuotojai — dažniausiai jais iš saugaus atstumo sustabdomi automobiliai, kuriuos reikia pasivyti. Elektromagnetinis šautuvas išmeta labai koncentruotą elektromagnetinės radiacijos impulsą, kuris iš esmės išlydo prietaiso, į kurį jis nutaikytas, — automobilių, mobiliųjų telefonų, kompiuterių, — elektroninę valdymo sistemą. Nolos atrastame techninių charakteristikų sąraše buvo parašyta, kad sraigtasparnis UH-60 turi prie šasi primontuotą šešių gigahercų magnetroną su lazeriniu taikikliu, galintį pasiųsti dešimties gigavatų impulsą. Nutaikius šį impulsą tiesiai į nešiojamąjį kompiuterį, jis išlydytų kompiuterio pagrindinę plokštę ir tuojau pat ištrintų visą medžiagą iš standžiojo disko.

— Iš EMI mums jokios naudos, — atsakydama suriko Sato. — Objektas yra akmeniniame pastate. Nėra galimybės prisitaikyti, patikima elektromagnetinė apsauga. Gal ką nors žinote apie tai, ar įrašas jau išsiųstas?

Nola dirstelėjo į kitą monitorių, kuriame buvo paleidusi nuolat veikiančią paiešką, turinčią perspėti, jei kur nors pasirodys naujienų apie masonus.

— Dar ne, ponia. Bet jei jis išeis į viešumą, sužinosime per kelias sekundes.

— Kai ką nors žinosite, iškart praneškit, — Sato baigė pokalbį.

Lengdonas sulaikė kvapą, sraigtasparniui pradėjus staiga leistis prie Diupono žiedo. Saujelė pėsčiųjų išsilakstė į šalis, kai pro medžių proskyną pasirodė lėktuvas ir smarkiai trinktelėdamas nutūpė ant pievelės kiek piečiau garsiojo dviejų lygių fontano, sukurto tų pačių architektų, kurie projektavo Linkolno memorialą.

Po trisdešimties sekundžių Lengdonas it pamišęs lėkė Naujojo Hampšyro prospektu keturiais ratais varomu „Lexus“, artėdamas prie Šventyklos rūmų.

Piteris Solomonas iš paskutiniųjų stengėsi sugalvoti, ką daryti toliau. Prieš akis jam stovėjo Ketrinos, nukraujavusios mirštančios rūsyje, vaizdai... ir ką tik matyto vaizdo įrašo scenos. Jis lėtai pasuko galvą į nešiojamąjį kompiuterį, padėtą už poros metrų ant kėdės kiaulių odos sėdyne. Lentelės, rodančios išsiųstos informacijos kiekį, jau buvo užpildytas beveik trečdalis.

SIUNČIAMAS PRANEŠIMAS: IŠSIŲSTA 29%

Tatuiruotasis lėtai vaikščiojo aplink kvadratinį altorių, mojuodamas uždegta smilkykle ir kartodamas užkeikimus. Švieslangio link kilo purūs baltų dūmų debesėliai. Vyro akys buvo plačiai išplėstos, jis atrodė nugrimzdęs į demonišką transą. Piteris pažvelgė į senovinį peilį, gulintį ant balto šilko skiautės, patiestos ant altoriaus.

Piteris Solomonas nė kiek neabejojo, kad šią naktį šioje Šventykloje jis mirs. Klausimas buvo vienas — kaip numirti. Ar jam pavyks rasti būdą, kaip išgelbėti seserį ir broliją... o gal jo mirtis bus visiškai bergždžia?

Jis pažvelgė į gulinčią ant kelių simbolių lentelę. Kai pirmą kartą ją pamatė, sukrėtimas trumpam apakino... sutrukdė jo žvilgsniui perverti chaoso uždangą...

įžvelgti stulbinamą tiesą. Tačiau dabar tikroji simbolių prasmė buvo perregima nelyginant krištolas. Lentelę jis išvydo tarsi naujomis akimis.

Piteris Solomonas aiškiai suvokė, ką reikia daryti.

Giliai įkvėpęs užvertė galvą ir pro šviesIangį pažvelgė į aukštybėse kabantį mėnulį. Paskui prabilo.

Visos didžios tiesos paprastos.

Malachas tai sužinojo jau seniai.

Sprendimas, siūlomas Piterio Solomono, pasirodė toks grakštus ir grynas, kad Malachas nė kiek neabejojo, jog tai tiesa. Neįtikima, tačiau piramidės kodo sprendimas pasirodė kur kas paprastesnis, negu jis įsivaizdavo.

Prarastas Žodis buvo tiesiai man prieš akis.

Akimirksniu skaistus šviesos spindulys pervėrė istorijos tamsybes ir mitus, kuriais buvo apsuptas Prarastas Žodis. Kaip žadėta, jis iš tiesų buvo užrašytas senovine kalba ir turėjo mistinių galių visose žmogui žinomose filosofijos, religijos ir mokslo sistemose. *Alchemijoje, astrologijoje, Kabaloje, krikščionybėje, budizme, Rožės kryžininkų mokyme, masonizme, astronomijoje, fizikoje, noetikoje...*

Stovėdamas įšventinimo menėje, esančioje didžios *Heredom* piramidės viršuje, Malachas žvelgė į lobį, kurio ieškojo tiek metų, ir žinojo, kad tobuliau jam pasirengti buvo tiesiog neįmanoma.

Netrukus aš būsiu užbaigtas.

Prarastas Žodis jau atrastas.

Kaloramos aukštumose vienišas CŽV agentas stovėjo jūroje šiukšlių, kurias buvo išvertęs iš garaže stovėjusių šiukšliadėžių.

— Ponia Kei? — telefonu kreipėsi jis į Sato analitikę. — Peržiūrėti jo šiukšles buvo gera mintis. Man atrodo, aš kai ką radau.

Viduje Ketrina Solomon sulig kiekviena akimirka jautėsi vis stipresnė. Ringerio tirpalo lašelinė padėjo sureguliuoti kraujospūdį ir išgydyti stiprų galvos skausmą. Ji ilsėjosi sėdėdama valgomajame, gavusi aiškius nurodymus nesijudinti. Vis dėlto buvo neramu, didėjo jaudulys negirdint žinių apie brolį.

Kur visi dingo? CŽV teismo medicinos ekspertai dar neatvyko, o agentas, pasilikęs su jais, vis dar apžiūrinėjo namą. Anksčiau Belamis sėdėjo su ja valgomajame, susisupęs į antklodę, bet dabar ir jis nuklydo ieškoti kokios nors informacijos, kuri galėtų padėti CŽV išgelbėti Piterį.

Nebenustygdama vietoje Ketrina atsistojo, susvyravo ir lėtai patraukė į svetainės pusę. Belamį rado kabinete. Architektas stovėjo prie atdaro stalčiaus nugara į ją, taip įsigilinęs į tai, ką ten rado, kad neišgirdo jos įeinant.

Ketrina priėjo arčiau.

— Vorenai?

Senis krūptelėjo ir atsisuko, klubu greitai užstumdamas stalčių. Jo veidas buvo iškreiptas sielvarto ir sukrėtimo, skruostai drėgni nuo ašarų.

— Kas atsitiko? — Ji dirstelėjo stalčiaus pusėn. — Kas ten?

Atrodė, kad Belamis neįstengia pratarti žodžio. Jis atrodė kaip žmogus, ką tik pamatęs tai, ko būtų karštai troškęs visai nematyti.

— Kas tame stalčiuje? — ryžtingai paklausė ji.

Pilnos ašarų Belamio akys ilgai ir sielvartingai žvelgė jai į akis. Galiausiai jis prakalbo.

— Mudu su tavim vis niekaip nesupratome *kodėl*... tas žmogus taip nekenčia jūsų šeimos.

Ketrina suraukė kaktą.

— Taip?

— Na... — Belamio balsas nutrūko. — Aš ką tik sužinojau kodėl.

119 skyrius

Menėje, esančioje Šventyklos rūmų viršuje, vadinantysis save Malachu stovėjo priešais didįjį altorių ir švelniai masažavo švarų odos lopinėlį viršugalvyje. *Verbum significatium,* ruošdamasis kartojo jis. *Verbum omnificum.* Galiausiai pavyko rasti paskutinę detalę.

Brangiausi dažniausiai būna visai paprasti dalykai.

Virš altoriaus sukosi aromatingų dūmų debesėliai, kylantys iš smilkyklės. Jie draikėsi verždamiesi aukštyn mėnesienos srautu ir valė kelią į dangų, kuriuo laisvai galės keliauti išlaisvinta siela.

Atėjo laikas.

Malachas paėmė tamsinto Piterio kraujo indelį ir jį atidarė. Belaisviui stebint, padažė varnos plunksnos smaigalį į tamsiai raudoną tirpalą ir pakėlė prie švento odos skrituliuko viršugalvyje. Akimirką stabtelėjo... prisimindamas, kaip ilgai laukė šios nakties. Galiausiai jo didysis persimainymas jau visai arti. *Kai Prarastas Žodis įrašomas žmogaus prote ir dvasioje, jis būna pasirengęs gauti neįsivaizduojamą galią.* Toks yra senovinis apoteozės pažadas. Iki šiol žmonijai dar nepavyko įgyvendinti šio pažado, ir Malachas visomis jėgomis stengėsi, kad taip būtų ir toliau.

Nė kiek nedrebančia ranka Malachas prilietė plunksnos smaigalį prie odos. Jam nereikėjo nei veidrodžio, nei padėjėjų — pakako lytėjimo pojūčio ir sielos akių. Lėtai, kruopščiai ėmėsi rašyti Prarastą Žodį viršugalvyje, skrituliuke, apjuostame *ouroboros* rato.

Piteris Solomonas stebėjo jį su siaubo išraiška veide.

Baigęs Malachas užmerkė akis, padėjo plunksną ir iškvėpė iš plaučių visą orą. Pirmą kartą gyvenime jį apėmė niekada nepatirtas jausmas.

Aš esu užbaigtas.

Esu visuma.

Malachas metų metus tobulino savo kūną, virtusį meno kūriniu, ir dabar, artėjant galutinio persimainymo akimirkai, juto kiekvieną liniją, kitados įrėžtą odoje. *Aš esu tikras šedevras. Tobulas, užbaigtas.*

— Aš tau daviau, ko prašei, — įsiterpė Piterio balsas. — Iškviesk pagalbą Ketrinai. Ir sustabdyk bylos siuntimą.

Malachas atsimerkė ir nusišypsojo.

— Mudu dar nebaigėme. — Jis pasisuko į altorių, paėmė aukojimo peilį ir pirštais perbraukė per slidžius geležies ašmenis. — Šį senovinį peilį liepė padirbinti Dievas, — tarė jis, — jis skirtas žmogaus aukojimui. Tu juk jį žinai nuo seniai, tiesa?

Pilkos Solomono akys atrodė šaltos ir kietos it akmenys.

— Jis unikalus, o legendą esu girdėjęs.

— Legendą? Tai aprašyta Šventajame Rašte. Tu *netiki*, kad tai tiesa?

Piteris nieko neatsakė, tik žiūrėjo.

Malachas išleido krūvą pinigų, kol atrado ir įsigijo šį artefaktą. Peilis, žinomas kaip *Akedah* peilis, buvo nukaldintas prieš tris tūkstančius metų iš žemėn nukritusio meteorito geležies. *Dangaus geležis, kaip jį vadino senovės mistikai.* Tikėta, kad tai tas pats peilis, kurį Abraomas naudojo per *Akedah* — Pradžios knygoje aprašytą vos neįvykusį sūnaus aukojimą ant Morijos kalno. Peilio istorija stulbinama: jis priklausė keliems popiežiams, nacių mistikams, Europos alchemikams ir privatiems kolekcininkams.

Jie jį saugojo ir juo gėrėjosi, pamanė Malachas, *bet nė vienas nedrįso išlaisvinti tikrosios jo galios ir panaudoti tam, kam jis buvo nukaldintas.* Šią naktį *Akedah* peilis atliks savo paskirtį.

Akedah masonų ritualuose visada laikyta šventa. Pirmajame lygyje masonai garbina *„aukščiausią kada nors Dievui dovanotą auką... Abraomo nusilenkimą Aukščiausios Būtybės valiai, sutinkant paaukoti Izaoką, savo pirmagimį sūnų..."*

Ašmenų svoris delne kėlė Malachui dvasią; atsitūpęs ką tik išgaląstu peiliu jis nupjovė virves, kuriomis Piteris buvo pririštas prie invalido vežimėlio. Pančiai nukrito ant grindų.

Piteris Solomonas susiraukė iš skausmo, mėgindamas pajudinti mėšlungio sutrauktas galūnes.

— Kodėl tu su manimi taip elgiesi? Ką manai tuo pasiekti?

— Kas jau kas, o *tu* turėtum suprasti, — atsakė Malachas. — Juk tyrinėjai senovės mokslus. Žinai, kad slėpinių galia priklauso nuo aukos... nuo galimybės išlaisvinti žmogaus sielą iš kūno. Taip buvo nuo pat pradžios.

— Tu nieko neišmanai apie auką, — atsakė Piteris skausmo ir neapykantos kupinu balsu.

Puiku, pamanė Malachas. *Penėk savo neapykantą. Man bus tik lengviau.*

Malachui vaikštant priešais belaisvį, tuščias jo pilvas suurzgė.

— Žmogaus kraujo praliejimas išlaisvina didžiulę galią. Tai suprato visi, pradedant senovės egiptiečiais, keltų druidais, kinais ir actekais. Žmogaus aukojimas yra magiškas, bet šiuolaikiniai žmonės pasidarė silpni ir bailūs, jie nesugeba aukoti tikrų aukų, jie pernelyg gležni, kad atiduotų gyvybę, kurios reikia dvasiniam persimainymui. Užtat senuosiuose tekstuose viskas aišku. Tik paaukodamas tai, kas brangiausia, žmogus gali pasiekti aukščiausią galią.

— Tai mane tu laikai šventa auka?

Malachas garsiai nusikvatojo.

— Tu iš tikrųjų nieko nesupranti, tiesa?

Piteris keistai pažvelgė į jį.

— Ar žinai, kam įsirengiau namuose sensorinės deprivacijos akvariumą? — Malachas įsirėmė delnais į klubus ir pasukiojo įmantriai išpuoštą kūną, kuris tebebuvo pridengtas tik strėnjuoste. — Aš treniravausi... ruošiausi... laukiau akimirkos, kai tapsiu gryniausiu protu ir dvasia... kai būsiu išlaisvintas iš šio mirtingo lukšto... kai aukoje atiduosiu dievams šį nuostabų kūną. Brangiausias esu *aš! Aš* esu tyras baltas avinėlis!

Piteris iš nuostabos prasižiojo, tačiau neįstengė nieko pasakyti.

— Taip, Piteri, dievams reikia aukoti tai, kas brangiausia. Tyriausią baltą balandėlę... tai, kas vertingiausia, kas verta aukos. *Tu* man nesi brangus. *Tu* nesi vertas būti paaukotas. — Malachas pervėrė jį akimis. — Nejau nesupranti? *Tu* nesi auka, Piteri... auka esu *aš*. Tai mano kūnas bus paaukotas. Aš esu dovana. Pažvelk į mane. Aš ruošiausi, kad tapčiau vertas šios paskutinės kelionės. *Aš esu dovana!*

Piteris tebesėdėjo be žado.

— Didžiausia paslaptis — kaip numirti, — toliau kalbėjo Malachas. — Masonai tai supranta. — Jis parodė altorių. — Jūs gerbiate senąsias tiesas, tačiau esate bailiai. Suprantate aukos galią, tačiau laikotės per saugų atstumą nuo mirties, tik mėgdžiojate žmogžudystes ir atliekate bekraujus mirties ritualus. Šią naktį jūsų simbolinis altorius pamatys tikrąją mirties galią... ir tikrąją jos paskirtį.

Malachas ištiesė ranką ir suėmė Piterio Solomono kairįjį delną, į kurį įspaudė *Akedah* peilio kotą. *Kairė ranka tarnauja tamsai.* Tai irgi buvo iš anksto suplanuota. Piteriui nebus palikta pasirinkimo. Malachas neįsivaizdavo galingesnės ir simboliškesnės aukos už paaukotą ant šio altoriaus, paaukotą šiam žmogui įsmeigus peilį į širdį aukojamajam, kurio mirtingas kūnas nelyginant dovana įvyniotas į mistinių simbolių drobulę.

Paaukojęs save, Malachas įsitvirtins demonų hierarchijoje. Tamsa ir kraujas — štai kur glūdi tikroji galia. Senovės žmonės tai žinojo, adeptai pasirinkdavo tą pusę, kuri geriausiai atitinka kiekvieno prigimtį. Malachas pasirinko išmintingai. Chaosas — natūralus visatos dėsnis. Abejingumas — entropijos variklis. Žmonių apatija yra derlinga dirva, kurioje tamsiosios jėgos augina savo sėklas.

Aš joms tarnavau, ir jos priims mane tarsi dievą.

Piteris nepajudėjo. Tik žvelgė žemyn į senovinį peilį, suspaustą kairiajame delne.

— Nagi, — viliojo Malachas. — Aš esu savanorė auka. Tavo paskutinis vaidmuo parašytas. Tu mane permainysi. Išlaisvinsi mane iš mano kūno. Padarysi tai, antraip neteksi sesers ir brolijos. Iš tiesų liksi visiškai vienas. — Jis nusišypsojo žvelgdamas į belaisvį. — Manyk, kad tai aukščiausia tavo bausmė.

Piteris lėtai pakėlė akis ir pažvelgė į Malachą.

— Nužudyti *tave*? Tai *bausmė*? Nejau manai, kad aš sudvejosiu? Tu nužudei mano sūnų. Mano motiną. Visą mano šeimą.

— Ne! — Malachas pratrūko su tokia jėga, kad net pats sutriko. — Tu klysti! Aš nežudžiau tavo šeimos! Tai *tu* juos nužudei! Tai *tu* nusprendei palikti Zakarį kalėjime! Tada ir pradėjo suktis šis mechanizmas! *Tu* nužudei savo šeimos narius, Piteri, ne aš!

Piterio krumpliai pabalo, jis įtūžęs spaudė peilio kotą.

— Tu nežinai, kodėl aš palikau Zakarį kalėjime.

— Aš viską žinau! — atšovė Malachas. — Aš ten buvau. Tu sakei, kad nori jam *padėti*. Turbūt stengeisi *padėti* ir tada, kai pasiūlei rinktis — turtus arba išmintį? Stengeisi *padėti*, kai pateikei ultimatumą tapti masonu? Koks tėvas leidžia vaikui rinktis „turtus arba išmintį“ ir mano, kad jis sugebės pasirinkti teisingai? Koks tėvas palieka sūnų kalėjime, užuot saugiai parsigabenęs jį namo?! — Malachas atsistojo tiesiai prieš Piterį ir pritūpė, jo tatuiruotas veidas atsidūrė vos už kelių centimetrų nuo belaisvio veido. — Bet svarbiausia... koks tėvas gali žvelgti sūnui į akis... net po tiek metų... ir jo *neatpažinti?!*

Malacho žodžiai nuaidėjo akmeninėje menėje.

Paskui stojo tyla.

Staiga Piteris Solomonas, atrodo, atsipeikėjo iš transo būsenos. Iš jo veido buvo matyti, kad jis niekaip neįstengia tuo patikėti.

Taip, tėve. Tai aš. Malachas daug metų laukė šios akimirkos... kai galės atkeršyti jį nelaimėje apleidusiam žmogui... kai galės žvelgti į šias pilkas akis ir kalbėti tiesą, buvusią palaidotą tiek metų. Dabar atėjo ta akimirka, ir jis kalbėjo lėtai, trokšdamas neskubiai stebėti, kaip jo žodžių svoris traiško Piterio Solomono sielą.

— Turėtum džiaugtis, tėve. Sūnus palaidūnas grįžo.

Piteris atrodė išblyškęs kaip mirtis.

Malachas mėgavosi kiekviena akimirka.

— Mano tikras tėvas nusprendė palikti mane kalėjime... ir tą akimirką aš prisiekiau, kad tai paskutinis kartas, kai jis mane atstumia. Aš nebesu jo sūnus. Zakaris Solomonas liovėsi egzistavęs.

Dvi spindinčios ašaros staiga susikaupė jo tėvo akyse, ir Malachui pasirodė, jog tai gražiausia, ką jis yra gyvenime matęs.

Piteris springdamas nurijo ašaras ir pažvelgė Malachui į veidą, tarsi matydamas jį pirmą kartą.

— Prižiūrėtojui reikėjo tik pinigų, — kalbėjo Malachas, — bet tu atsisakei jų duoti. Tačiau tau neatėjo į galvą, kad *mano* pinigai nė kiek ne prastesni už tavo. Prižiūrėtojui buvo visai vis viena, kas jam sumokės — kad tik sumokėtų. Kai aš jam pasiūliau apvalią sumą, jis surado ligotą panašaus į mano ūgio kalinį, perrengė jį mano drabužiais ir taip primušė, kad jis tapo nebeatpažįstamas. Nuotraukose, kurias matėte... ir uždarame karste, kurį palaidojote... buvau ne aš. Svetimas žmogus.

Ašaromis pasruvusį Piterio veidą iškreipė sielvartas ir nuostaba.

— O Dieve mano... Zakari.

— Nebe. Ištrūkęs iš kalėjimo Zakaris buvo permainytas.

Paauglio kūnas ir vaikiškas balsas neatpažįstamai pasikeitė, pripumpavus organizmą eksperimentinių, augimo skatinamųjų hormonų ir steroidų. Nukentėjo net balso stygos — berniukiškas balsas virto nuolatiniu šnabždesiu.

Zakaris tapo Androsu.

Androsas tapo Malachu.

O šią naktį... Malachas pasieks didingiausią savo įsikūnijimą.

Tuo pat metu Kaloramos aukštumose Ketrina Solomon stovėjo prie atviro stalčiaus ir apžiūrinėjo tikro fetišisto surinktą senų spaudos straipsnių ir nuotraukų kolekciją.

— Nesuprantu, — ištarė ji atsisukdama į Belamį. — Aiškiai matyti, kad šis pamišėlis liguistai domėjosi mano šeima, bet...

— Žiūrėk toliau, — paragino Belamis ir atsisėdo; atrodė labai sukrėstas.

Ketrina pasirausė po laikraščių straipsnius, kuriuose buvo aprašyta Solomonų šeima — gausūs Piterio laimėjimai, Ketrinos moksliniai tyrimai, baisi jų motinos Izabelės žmogžudystė, visiems žinoma Zakario Solomono narkomanija, įkalinimas ir žiauri mirtis Turkijos kalėjime.

Šis žmogus kaip tikras fanatikas domėjosi Solomonais, tačiau Ketrina vis dar nerado nieko, kuo būtų galima tai paaiškinti.

Staiga ji pamatė fotografijas. Pirmoje Zakaris stovėjo iki kelių įsibridęs į žydrą vandenį, o jam už nugaros buvo matyti paplūdimys, nusėtas kalkėmis balintais nameliais. *Graikija?* Nuotrauka galėjo būti padaryta tik tuo metu, kai Zakas, jau įjunkęs į narkotikus, iš paskutiniųjų linksminosi Europoje. Tačiau, keista, Zakas joje atrodė sveikesnis negu paparacų nuolat fotografuojamas išsekęs vaikigalis, šėlstantis su kitais apsvaigėliais. Jis buvo sportiškesnis, kažkoks stipresnis, atrodė labiau subrendęs. Ketrina neprisiminė jo taip sveikai atrodančio.

Nieko nesuprasdama ji patikrino ant nuotraukos uždėtą antspaudą su data.

Bet to... negali būti.

Nuotrauka daryta praėjus beveik lygiai metams *po to*, kai Zakaris mirė kalėjime.

Ketrina pradėjo skubiai raustis stalčiuje. Visose nuotraukose buvo Zakaris Solomonas... kuris darėsi vis vyresnis. Atrodo, kad tai buvo savotiška iliustruota autobiografija, liudijanti lėtą persimainymą. Versdama nuotraukas Ketrina pamatė staigius, ryškius pokyčius. Ji pasibaisėjusi žiūrėjo, kaip Zakario kūnas ėmė keistis, išsipūtė raumenys, nuo gausiai vartojamų steroidų persimainė veido bruožai. Jis pasidarė dvigubai didesnis ir aukštesnis, akyse atsirado veriantis įniršis.

Aš net nepažinčiau šito žmogaus!

Jis nė iš tolo nepriminė paauglio sūnėno, likusio Ketrinos atmintyje.

Radusi jo nuotrauką plikai nuskusta galva ji pajuto, kad ėmė linkti keliai. Paskui pamatė nufotografuotą jo kūną... su pirmais tatuiruočių pėdsakais.

Jos širdis vos nesustojo plakusi.

— O Dieve mano...

120 skyrius

— Posūkis į dešinę! — suriko Lengdonas vairuotojui nuo galinės „Lexus“ sėdynės.

Simkinsas pasuko į S gatvę ir it žaibas nulėkė per gausiai apželdintą gyvenamąjį rajoną. Priartėjus prie Šešioliktosios gatvės kampo, dešinėje tarsi kalnas iškilo Šventyklos rūmai.

Simkinsas įsistebeilijo į milžinišką statinį. Jis atrodė taip, tarsi kas nors būtų pastatęs piramidę ant Romos Panteono. Simkinsas pasirengė sukti Šešioliktąja gatve į dešinę, link pastato fasado.

— Nesukti! — paliepė Lengdonas. — Tiesiai! Važiuoti S gatve!

Simkinsas klusniai nuvažiavo palei rytinę pastato sieną.

— Penkioliktojoje gatvėje, — šūktelėjo Lengdonas, — posūkis į dešinę!

Simkinsas paklausė nurodymų, ir po kelių sekundžių Lengdonas parodė beveik nematomą, negrįstą privažiavimo keliuką, kertantį už Šventyklos rūmų augantį sodą. Simkinsas įsuko į keliuką ir dideliu greičiu prilėkė prie pastato.

— Žiūrėkit! — parodė Lengdonas vienišą automobilį, pastatytą prie galinio įėjimo. Tai buvo didelis furgonas. — Jie čia.

Simkinsas pastatė automobilį ir išjungė variklį. Visi tyliai išlipo ir pasirengė eiti vidun. Simkinsas apžvelgė vientisą pastatą.

— Sakėte, kad Šventyklos menė pačiame *viršuje?*

Lengdonas linktelėjo, rodydamas į pastato viršūnę.

— Ta plokščia aikštelė piramidės viršuje yra šviesiangis.

Simkinsas staiga atsisuko į Lengdoną.

— Šventyklos menėje yra *šviesiangis?!*

Lengdonas nustebęs pažvelgė į jį.

— Žinoma. Anga į dangų... tiesiai virš altoriaus.

UH-60 stovėjo Diupono žiede.

Sėdėdama keleivio sėdynėje Sato graužė nagus, laukdama žinių iš savo komandos.

Galiausiai per radijo stotelės traškesius pasigirdo Simkinso balsas.

— Direktore?

— Sato klauso, — atsiliepė ji.

— Einame į pastatą, bet aš jums turiu papildomos informacijos.

— Klausau.

— Ponas Lengdonas mane ką tik informavo, kad patalpa, kurioje tikriausiai yra objektas, turi labai didelį šviesiangį.

Sato kelias sekundes svarstė gautą informaciją.

— Supratau. Ačiū.

Simkinsas išjungė siųstuvą.

Sato išspjovė nago gabaliuką ir pasisuko į pilotą.

— Kylam.

121 skyrius

Kaip ir visi vaiko netekę tėvai, Piteris Solomonas dažnai įsivaizduodavo, kiek dabar metų būtų jo sūnui... kaip jis atrodytų... ir kuo taptų.

Dabar Piteris Solomonas žinojo atsakymus į visus šiuos klausimus.

Didžiulis tatuiruotas padaras, stovintis priešais, pradėjo gyvenimą kaip mažytis trapus kūdikis... naujagimis Zakas guli pintame lopšelyje... žengia pirmus netvirtus žingsnius Piterio darbo kabinete... mokosi tarti pirmus žodžius. Faktas, kad blogis gali iškeroti nekaltame mylinčios šeimos vaike, yra vienas iš didžiausių žmogaus sielos paradoksų. Piteris buvo priverstas gana anksti pripažinti, kad nors jo sūnaus gyslomis teka tas pats kraujas, jį varinėja kitokia, tik jo sūnui būdinga širdis. Unikali, ypatinga... tarsi atsitiktinai parinkta iš visų pasaulio širdžių.

Mano sūnus... nužudė mano motiną, mano draugą Robertą Lengdoną ir tikriausiai mano seserį.

Piteris, jusdamas, kad širdį užplūsta ledinis stingulys, ieškojo sūnaus akyse bent mažiausios giminystės... ko nors pažįstamo. Tačiau šio žmogaus akys, nors tokios pat pilkos kaip Piterio, buvo absoliučiai svetimos, kupinos kone antgamtiškos neapykantos ir keršto.

— Ar tau pakaks jėgų? — paerzino sūnus, žvelgdamas į Piterio rankoje sugniaužtą *Akedah* peilį. — Ar įstengsi užbaigti tai, ką pradėjai prieš daugelį metų?

— Sūnau... — Solomonas vos atpažino savo balsą. — Aš... aš tave... mylėjau.

— Dusyk tu bandei mane nužudyti. Palikai kalėjime. Šovei į mane ant Zako tilto. Dabar pagaliau *pabaik!*

Akimirką Solomonui pasirodė, kad jis plūduriuoja už savo kūno ribų. Jis nebepažino savęs. Be vienos rankos, visiškai plikas, aprengtas juodu chalatu, sėdi invalido vežimėlyje ir spaudžia senovinį peilį.

— Pabaik! — vėl suriko žmogus, o tatuiruotės ant jo nuogos krūtinės suraibuliavo. — Nužudyti mane — vienintelis būdas išgelbėti Ketriną... vienintelis būdas išgelbėti tavo broliją!

Solomono žvilgsnis nukrypo į nešiojamąjį kompiuterį ir mobilųjį modemą, padėtus ant kėdės kiaulių odos sėdyne.

SIUNČIAMAS PRANEŠIMAS: IŠSIŲSTA 92%

Jis niekaip negalėjo pamiršti mirtinai nukraujuojančios Ketrinos... ir masonų brolijos vaizdų.

— Dar yra laiko, — sušnibždėjo žmogus. — Tu žinai, kad tai vienintelis kelias. Išlaisvink mane iš mirtingo lukšto.

— Prašau, — ištarė Solomonas. — Nedaryk to...

— Tai padarei *tu!* — sušnypštė žmogus. — Tu privertei savo vaiką nuspręsti tai, kas neįmanoma! Ar atsimeni tą vakarą? Pasirink — turtai ar išmintis! Tą naktį tu mane atstūmei visam laikui. Bet aš grįžau, tėve... ir šiąnakt jau *tavo* eilė rinktis. Zakaris ar Ketrina? Kurį pasirinksi? Ar sutiksi nužudyti sūnų, kad išgelbėtum seserį? Ar nužudysi sūnų, kad išgelbėtum savo broliją? Savo šalį? O gal lauksi, kol bus per vėlu? Kol Ketrina mirs... vaizdo įrašas išeis į viešumą... o tu turėsi gyventi likusį gyvenimą žinodamas, kad galėjai užkirsti kelią abiem šioms tragedijoms. Laikas baigiasi. Tu žinai, ką reikia daryti.

Piteriui gėlė širdį. *Tu ne Zakaris,* ištarė jis sau. *Zakaris mirė seniai, labai seniai. Kad ir kas tu būtum... iš kur tu būtum atėjęs... nesi mano palikuonis.* Ir nors Piteris Solomonas netikėjo tuo, ką sako, jis žinojo, kad pasirinkti teks.

Laiko nebeliko.

Rasti Didžiuosius laiptus!

Robertas Lengdonas nulėkė tamsiais koridoriais, vingiuojančiais pastato centro link. Terneris Simkinsas bėgo iš paskos. Kaip Lengdonas ir tikėjosi, jis įpuolė į pagrindinį pastato atriumą.

Atriumas, apsuptas aštuonių dorėninių žalio granito kolonų, atrodė tarsi keleto tautų — graikų, romėnų ir egiptiečių — sukurtas antkapis, puoštas juodo marmuro statulomis, ant grandinių kabančiais indais ugniai deginti, teutonų kryžiais, medalionais su dvigalviais feniksais ir sieninėmis žvakidėmis su Hermio galvomis.

Lengdonas apsisuko ir nubėgo prie plačių marmuro laiptų tolimajame atriumo gale.

— Jie veda tiesiai į Šventyklos menę, — sušnibždėjo jis, ir abu vyrai kaip įmanydami greičiau ir tyliau ėmė jais lipti.

Pirmo aukšto laiptų aikštelėje Lengdonas akis į akį susidūrė su bronziniu garsaus masono Alberto Paiko biustu ir perskaitė išgraviruotą garsiausią jo citatą: TAI, KĄ PADARĖME TIK SAU, MIRS DRAUGE SU MUMIS; TAI, KĄ PADARĖME KITIEMS IR PASAULIUI, IŠLIKS IR TAPS NEMIRTINGA.

Malachas pajuto, kad pasikeitė Šventyklos menės atmosfera, tarsi visas apmaudas ir kančia, kurią juto Piteris Solomonas, staiga būtų išsiveržusi į paviršių... ir tarsi lazerio spindulys nusitaikiusi į Malachą.

Taip... dabar laikas.

Piteris Solomonas pakilo iš invalido vežimėlio ir stovėjo veidu į altorių, spausdamas rankoje peilį.

— Gelbėk Ketriną, — įkalbinėjo Malachas, viliodamas jį prie altoriaus, prilaikydamas ir galiausiai visu kūnu išsitiesdamas ant baltos specialiai paruoštos drobulės. — Daryk, ką privalai.

Piteris judėjo į priekį, tarsi vaikščiodamas košmariškame sapne.

Malachas atsigulė ant nugaros, pro švieslangį žvelgdamas į žiemišką mėnulį. Didžiausia paslaptis — kaip numirti. Tobulesnės akimirkos neįmanoma rasti. *Papuoštas amžius buvusiu Prarastu Žodžiu, aš esu aukojamas kairiąją savo tėvo ranka.*

Malachas giliai įkvėpė.

Priimkite mane, demonai, nes tai mano kūnas, kuris už jus atiduodamas.

Palinkęs virš Malacho, Piteris Solomonas visas drebėjo. Ašaromis pasruvusiose jo akyse švietė neviltis, neryžtingumas, sielvartas. Paskutinį kartą jis pažvelgė į modemą ir nešiojamąjį kompiuterį, stovinčius kitame kambario gale.

— Pasirink, — šnabždėjo Malachas. — Išlaisvink mane iš mano kūno. Dievas to nori. *Tu* to nori.

Jis ištiesė palei šonus rankas ir iškėlė aukštyn krūtinę, atkišdamas didingą dvigalvį feniksą. *Padėk man nusimesti kūną, kuris gaubia mano sielą.*

Atrodė, kad ašarotos Piterio akys žvelgia kiaurai Malachą, net jo nematydamos.

— Aš nužudžiau tavo motiną! — šnibždėjo Malachas. — Aš nužudžiau Robertą Lengdoną! Aš žudau tavo seserį! Sunaikinsiu tavo broliją! Daryk, ką privalai daryti!

Piterio Solomono veidas virto tikra sielvarto ir apgailestavimo kauke. Jis atmetė galvą ir skausmingai suriko iškeldamas peilį.

Robertas Lengdonas ir agentas Simkinsas uždusę pribėgo Šventyklos menės duris, už kurių kaip tik pasigirdo kraują stingdantis riksmas. Tai buvo Piterio balsas. Lengdonas tuo neabejojo.

Piterio balse buvo girdėti gryniausia kančia.

Aš pavėlavau!

Nepaisydamas Simkinso, Lengdonas sugriebė rankenas ir atplėšė duris. Prieš jį atsivėręs kraupus reginys patvirtino baisiausius jo būgštavimus. Blausiai apšviestos menės viduryje prie didžiojo altoriaus stovėjo plikagalvio žmogaus figūra. Žmogus vilkėjo juodą chalatą ir rankoje spaudė didelį peilį.

Lengdonui nespėjus nė pajudėti, žmogus smeigė peiliu, taikydamas į gulintį ant altoriaus kūną.

*

Malachas užsimerkė.

Kaip gražu. Kaip tobula.

Senoviniai *Akedah* peilio ašmenys, iškilę virš jo, sublizgėjo mėnulio šviesoje. Aukštyn kilo aromatingi dūmų debesys, ruošdami kelią netrukus išsilaisvinsiančiai jo sielai. Peiliui nusileidus, vienintelis jo žudiko klyksmas, kupinas nevilties ir kančios, dar aidėjo šventojoje vietoje.

Aš pateptas žmogaus kraujo auka ir tėvo ašaromis.

Malachas įsitempė laukdamas šlovingo smūgio.

Atėjo jo persimainymo akimirka.

Neįtikėtina, bet skausmo jis nepajuto.

Kūną pripildė kurtinanti, gili vibracija. Menė sudrebėjo, iš viršaus jį apakino skaisti balta šviesa. Suriaumojo dangūs.

Malachas suprato, kad tai įvyko.

Lygiai taip, kaip jis buvo numatęs.

Lengdonas nebeprisiminė, kaip puolė prie altoriaus, virš galvos pasirodžius sraigtasparniui. Neprisiminė nė kaip šoko, išskėtęs rankas... prie žmogaus juodu chalatu... iš paskutiniųjų stengdamasis jį sustabdyti, kol antrą kartą nesmogė peiliu.

Jų kūnai atsitrenkė vienas į kitą, ir Lengdonas pamatė, kaip pro šviesIangį užplūsta ryški šviesa, apšviečianti altorių. Ant altoriaus jis tikėjosi pamatyti kruviną Piterio Solomono kūną, tačiau ant nuogos krūtinės, ryškėjančios mėnulio šviesoje, nebuvo matyti kraujo pėdsakų... tik tatuiruočių marginys. Greta gulėjo sulūžęs peilis, kuriuo veikiausiai buvo smogta ne į kūną, o į akmens altorių.

Kai jiedu su žmogumi juodu chalatu pargriuvo ant kietų akmens grindų, Lengdonas pastebėjo sutvarstytą žmogaus dešiniosios rankos strampą ir visiškai apstulbo supratęs, jog ką tik parvertė Piterį Solomoną.

Abu vyrai nuslydo akmens grindimis, jiems virš galvų liepsnojo ryškios sraigtasparnio šviesos. Sraigtasparnis grumėjo visai žemai, jo šliūžės beveik lietė plačią stiklo sieną.

Sraigtasparnio priekyje sukiojosi keisto šautuvo vamzdis, kuris pro stiklą taikėsi žemyn. Raudona lazerinio taikiklio šviesėlė pervėrė šviesIangio stiklą ir ėmė šokčioti ant grindų, prie pat Lengdono ir Solomono.

Ne!

Tačiau iš viršaus nepasigirdo šūvių papliūpos... tik ūždamos sukosi sraigtasparnio mentės.

Lengdonas daugiau nieko nejuto, išskyrus keistą energijos antplūdį, perbėgantį viso kūno ląstelėmis. Už jo galvos, ant kėdės kiaulių odos sėdyne, stovintis nešiojamasis kompiuteris staiga keistai sušnypštė. Lengdonas greitai atsisuko ir pamatė, kaip ekranas aptemo. Deja, jis aiškiai spėjo pastebėti prieš tai buvusį užrašą.

SIUNČIAMAS PRANEŠIMAS: SIUNTIMAS BAIGTAS 100%

Kilk aukštyn! Po velnių! Aukštyn!

UH-60 pilotas kaip įmanydamas pagreitino sparnų sukimąsi, stengdamasis, kad šliūžės niekur nepriliestų didžiulio stiklinio švieslangio. Jis žinojo, kad trijų tūkstančių kilogramų traukimo jėga, kurią skleidžia sukimosi mechanizmas, jau ir taip įtempė stiklą beveik iki sprogimo ribos. Deja, po sraigtasparniu esantis piramidės nuolydis užstojo galimybę pasitraukti šalin ir neleido pakilti.

Aukštyn! Greičiau!

Jis nulenkė žemyn sraigtasparnio priekį, stengdamasis praslysti, bet iš kairės atsitrenkė į patį švieslangio vidurį. Prisilietimas truko tik akimirką, tačiau to pakako.

Didžiulis Šventyklos menės švieslangis sprogo stiklo šukių ir vėjo viesulu... į apačioje esančią menę pasipylė aštriabriaunių šukių griūtis.

Iš dangaus krinta žvaigždės.

Žvelgdamas į nuostabią baltą šviesą, Malachas pamatė, kaip jo link skrieja mirguliuojančių brangakmenių šydas... vis greičiau... tarsi skubėdamas apgaubti jį didybe.

Staiga pervėrė skausmas.

Visur.

Duriantis. Plėšiantis. Dreskiantis. Aštrūs tarsi skustuvo ašmenys peiliai skrodžia raumenis. Krūtinę, kaklą, šlaunis, veidą. Staiga visas kūnas įsitempė, trokšdamas pasitraukti. Jis suriko kraujo pilna burna, skausmo ištrauktas iš transo. Viršuje spindinti balta šviesa persimainė tarsi paveikta burtų, ir virš jo pakibo juodas sraigtasparnis, griausmingai ūžiančiais sparnais pučiantis į Šventyklos menę ledinį vėją, kiaurai šalčiu verdamas Malachą ir išblaškydamas smilkalų gijas į tolimus menės kampus.

Malachas pasuko galvą ir pamatė greta gulintį sulūžusį *Akedah* peilį, atsitrenkusį į granito altorių, dabar nuklotą stiklo šukių sluoksniu. *Net po viso to, ką aš jam padariau... Piteris Solomonas smogė peiliu pro šalį. Jis atsisakė pralieti mano kraują.*

Kupinas didėjančio siaubo, Malachas pakėlė galvą ir nužvelgė visą savo kūną. Šis gyvas artefaktas turėjo būti didžiausia jo auka. Tačiau jis tysojo sudriskęs gabalais. Kūnas buvo pasruvęs krauju... visur iš jo kyšojo didžiulės stiklo šukės.

Nusilpęs Malachas paguldė galvą ant granito altoriaus ir pažvelgė pro stoge atsivėrusią atvirą erdvę. Sraigtasparnio nebebuvo, vietoj jo švietė tylus, atšiaurus mėnulis.

Malachas, plačiai išplėtęs akis, gulėdamas gaudė kvapą... visiškai vienas ant didžiulio altoriaus.

122 skyrius

Didžiausia paslaptis — kaip numirti.

Malachas suprato, kad viskas pakrypo ne taip, kaip turėjo būti. Nebeliko vaiskios šviesos. Nematyti stebuklingo priėmimo. Tik tamsa ir draskantis skausmas. Jis veria net akis. Malachas nieko nematė, tačiau juto, kad aplink kažkas juda. Buvo girdėti balsai... žmonių balsai... keista, vienas iš jų — Roberto Lengdono. *Kaip tai gali būti?*

— Ji sveika, — kartojo Lengdonas. — Ketrinai viskas *gerai*, Piteri. Tavo seseriai *nieko bloga* nenutiko.

Ne, pamanė Malachas. *Ketrina nebegyva. Kitaip negali būti.*

Malachas nieko nebematė, net nesuvokė, ar jo akys atmerktos, tačiau girdėjo, kaip tolsta sraigtasparnis. Šventyklos menėje staiga įsivyravo ramybė. Malachas juto sklandų besikilnojančios žemės ritmą... tarsi įprastus vandenyno potvynius ir atoslūgius būtų sutrikdžiusi besikaupianti audra.

Chao ab ordo.

Aplink šūkavo nepažįstami balsai, atkakliai kamantinėjo Lengdoną apie nešiojamąjį kompiuterį ir vaizdo įrašą. Malachas žinojo, kad jau per vėlu. *Žala padaryta.* Vaizdo įrašas tarsi miško gaisras plinta į visus sukrėsto pasaulio kampelius, griaudamas brolijos ateitį. *Tuos, kurie geriausiai moka skleisti išmintį, būtina sunaikinti.* Žmonijos neišmanymas — štai kas padeda plėstis chaosui. Šviesos trūkumas žemėje maitina tamsą, kuri laukia Malacho.

Aš nuveikiau didžius darbus ir netrukus būsiu pasveikintas kaip karalius.

Malachas pajuto, kad prie jo tyliai priėjo žmogus. Jis žinojo, kas tai. Užuodė šventus aliejus, kuriais buvo ištrynęs nuskustą tėvo kūną.

— Nežinau, ar tu mane girdi, — jam į ausį sušnabždėjo Piteris Solomonas. — Bet noriu tau kai ką pasakyti. — Jis pirštu palietė šventąją vietą ant Malacho viršugalvio. — Tai, ką tu čia įrašei... — jis patylėjo. — Tai ne Prarastas Žodis.

Kaip tai ne, pamanė Malachas. *Tu mane tuo įtikinai, nepalikai jokių abejonių.*

Legenda pasakoja, kad Prarastas Žodis buvo parašytas tokia sena ir įmantria kalba, kad žmonija pamiršo, kaip ją skaityti. Piteris jam atskleidė, kad ši paslaptinga kalba iš tikrųjų yra seniausia pasaulio kalba.

Simbolių kalba.

Simbologijoje yra vienas simbolis, kuris laikomas aukščiausiu už visus. Jis seniausias ir visuotiniausias, viename vaizdinyje jungiantis senąsias tradicijas — egiptiečių saulės dievo teikiamą šviesą, alchemijos aukso triumfą, filosofinio akmens išmintį, Rožės kryžininkų rožės tyrumą, sukūrimo akimirką, visybę, astrologinės saulės dominantę ir net visažinę, visa regintčią akį, kybančią virš piramidės nukirsta viršūne.

Apskritimas su tašku centre, vadinamasis circumpunct. *Šaltinio simbolis. Visa ko kilmės ženklas.*

Tai jam prieš kelias minutes pasakė Piteris. Malachas iš pradžių nepatikėjo, bet paskui vėl pažvelgė į lentelę ir suprato, kad piramidės vaizdinys rodo *tiesiai* į atskirai esantį apskritimą su tašku centre. *Masonų piramidė — tai žemėlapis,* pamanė jis, prisiminęs legendą; *jis rodo, kur yra Prarastas Žodis.* Atrodo, tėvas vis dėlto sakė tiesą.

Visos didžios tiesos paprastos.

Prarastas Žodis — tai ne žodis... tai simbolis.

Malachas godžiai įrašė didįjį apskritimo su tašku centre simbolį sau ant viršugalvio. Tai darydamas juto, kaip jį užplūsta galios ir pasitenkinimo jausmas. *Mano šedevras ir mano auka dabar baigti.* Tamsos jėgos jo laukia. Jis gaus atlygį už savo darbus. Tai bus jo šlovės akimirka...

Tačiau paskutinę akimirką viskas baisiai sugriuvo.

Piteris tebestovėjo už jo, kalbėdamas žodžius, kuriuos Malachas vos įstengė suvokti.

— Aš tau melavau, — sakė jis. — Tu man nepalikai kitos išeities. Jei būčiau tau atskleidęs, koks iš tiesų yra Prarastas Žodis, nebūtum manimi patikėjęs, net nebūtum supratęs.

Tai Prarastas Žodis nėra... circumpunct?

— Iš tikrųjų, — kalbėjo Piteris, — Prarastą Žodį žino *visi*... bet tik nedaugelis jį atpažįsta.

Jo žodžiai aidėjo Malacho galvoje.

— Tu likai neužbaigtas, — tarė Piteris, švelniai uždėdamas delną Malachui ant galvos. — Tavo darbas dar nebaigtas. Tačiau kad ir kur nueitum, prašau prisiminti... kad buvai mylimas.

Kažkodėl švelnus tėvo rankos prisilietimas nudegino jį nelyginant stiprus katalizatorius, sukėlęs Malacho kūne cheminę reakciją. Be jokio įspėjimo jis pajuto, kaip fizinį apvalkalą užplūsta kaitri energija, kurioje tarsi tirptų kiekviena kūno ląstelė.

Akimirksniu visos žemiškos kančios išnyko.
Persimainymas. Jis vyksta.

Žvelgiu iš viršaus į save, suniokotą kruviną kūną, gulintį ant pašventinto granito luito. Man už nugaros klūpo tėvas ir prilaiko nebegyvą mano galvą vienintele likusia ranka.

Juntu, kaip manyje kyla įniršis... ir sumaištis.

Dabar ne laikas užjausti... persimainymo laikas, keršto laikas... tačiau mano tėvas atsisako paklusti, atsisako vaidinti jam skirtą vaidmenį, atsisako nukreipti savo kančią ir pyktį kraujo ašmenimis į mano kūną.

Aš čia įkalintas, kybau... pririštas prie žemiškojo savo lukšto.

Tėvas švelniai perbraukia minkštu delnu per mano veidą, užmerkdamas blėstančias akis.

Juntu, kaip pančiai atsipalaiduoja.

Aplink mane atsiranda plastantis šydas, jis temdo ir užstoja šviesą, slepia nuo manęs pasaulį. Staiga laikas pagreitėja, aš krintu į bedugnę, daug tamsesnę už visas, kurias įsivaizdavau. Čia, bergždžioje tuštumoje, išgirstu šnabždesį... juntu besikaupiančią jėgą. Ji stiprėja, auga stulbinamu greičiu, apsupa mane. Pikta žadanti, labai galinga. Tamsi, įsakmi.

Čia aš ne vienas.

Tai mano triumfas, didysis mano pasveikinimas. Tačiau kažkodėl mane pripildo ne džiaugsmas, o beribė baimė.

Viskas visai kitaip, negu aš tikėjausi.

Jėga įnirtingai sukasi aplink, neatsispiriamai stipriai sūkuriuoja, grasina mane perplėšti. Staiga be jokio įspėjimo tamsa sutirštėja tarsi didžiulis priešistorinis žvėris ir sukyla prieš mane.

Aš stoviu prieš visas tamsias sielas, atsidūrusias čia prieš mane.

Klykiu apimtas neįsivaizduojamo siaubo... kol mane praryja tamsa.

123 skyrius

Sėdėdamas Nacionalinėje katedroje dekanas Galovėjus pajuto ore keistą permainą. Nežinia kodėl jam pasirodė, tarsi būtų nuslinkęs tamsus šešėlis... tarsi būtų nuimta sunki našta... kažkur toli, o sykiu čia pat.

Jis vienas sėdėjo prie savo stalo giliai susimąstęs. Nebūtų galėjęs pasakyti, kiek praėjo minučių, kai suskambo jo telefonas. Skambino Vorenas Belamis.

— Piteris gyvas, — tarė jo brolis masonas. — Ką tik sužinojau. Pamaniau, kad ir tu norėsi kuo greičiau sužinoti. Jam nieko blogo neatsitiko.

— Dėkui Dievui, — Galovėjus lengviau atsikvėpė. — Kur jis?

Galovėjus išklausė Belamio papasakotą neįtikimą istoriją apie tai, kas nutiko, jiems palikus Katedros kolegiją.

— Bet jūs visi sveiki?

— Taip, atsigauname, — pasakė Belamis. — Bet yra vienas dalykas... — jis nutilo.

— Taip?

— Masonų piramidė... Man atrodo, Lengdonas ją iššifravo.

Galovėjus negalėjo nenusišypsoti. Kažkodėl žinia jo nenustebino.

— Sakyk man, Lengdonui pavyko atrasti, ar piramidė tesėjo pažadą? Ar ji atskleidė tai, ką turėjo, jei tikėsime legenda?

— Dar nežinau.

Atskleis, pamanė Galovėjus.

— Tau reikia pailsėti.

— Tau irgi.

Ne, man reikia pasimelsti.

124 skyrius

Kai atsidarė lifto durys, Šventyklos menėje skaisčiai plieskė visos šviesos.

Dar ne visai tvirtomis kojomis Ketrina Solomon nubėgo ieškoti brolio. Milžiniškoje menėje buvo šalta, kvepėjo smilkalais. Prieš akis atsivėręs vaizdas privertė ją sustoti.

Didingos menės centre, ant žemo akmeninio altoriaus, gulėjo kruvinas, tatuiruotėmis išmargintas lavonas, daugelyje vietų persmeigtas stiklo šukėmis tarsi ietimis. Aukštai viršum jo lubose žiojėjo dangui atvira skylė.

Dieve mano. Ketrina tuojau pat nusisuko, akimis ieškodama Piterio. Brolį rado sėdintį kitame menės kampe; apžiūrimas gydytojo, jis kalbėjosi su Lengdonu ir Sato.

— Piteri! — bėgdama prie jo sušuko Ketrina. — Piteri!

Brolis pakėlė galvą, jo veide nušvito palengvėjimas. Jis tuojau pat pašoko ant kojų ir patraukė prie jos. Vilkėjo paprastais baltais marškiniais ir tamsiomis kelnėmis, drabužiais, kuriuos kažkas veikiausiai atnešė iš jo kabineto apačioje. Dešinė ranka buvo su įtvaru, todėl brolio ir sesers apsikabinimas buvo negrabus, tačiau Ketrina to beveik nepastebėjo. Gerai pažįstamas jaukumas apglėbė ją lyg kokonas, kaip būdavo visada, net vaikystėje, apsikabinus vyresniajam broliui globėjui.

Jie stovėjo apsikabinę, tylėdami.

Galiausiai Ketrina sušnibždėjo:

— Ar tau nieko neatsitiko? Tai yra... tikrai nieko tokio? — Ji paleido brolį iš glėbio ir nužvelgė tvarstį bei įtvarą, atsiradusius vietoj dešinės plaštakos. Akys vėl pritvinko ašarų. — Man taip... taip gaila.

Piteris gūžtelėjo pečiais, tarsi nieko ypatingo nebūtų įvykę.

— Mirtingas kūnas. Žmonių kūnai neamžini. Svarbiausia — kad tau viskas gerai baigėsi.

Nerūpestingas Piterio atsakymas sukėlė joje emocijų audrą, primindamas visa tai, dėl ko ji taip jį myli. Ji paglostė jam galvą, jausdama nesutraukomus šeimos ryšius... jų abiejų gyslomis tekantį bendrą kraują.

Tragiška, kad ji žinojo, jog šią naktį šioje menėje yra ir *trečias* Solomonų šeimos narys. Ketrinos žvilgsnį patraukė ant altoriaus gulintis kūnas; ji smarkiai sudrebėjo, stengdamasi iš atminties ištrinti ką tik matytas fotografijas.

Ji nusisuko ir sutiko Roberto Lengdono žvilgsnį. Jame buvo matyti gili, supratimo kupina užuojauta, tarsi Lengdonas būtų aiškiai supratęs, ką ji mąsto. *Piteris viską žino.* Ketriną užplūdo stiprios emocijos — palengvėjimas, gailestis, neviltis. Ji pajuto, kaip brolis ėmė drebėti tarsi vaikas. To ji nebuvo mačiusi visą savo gyvenimą.

— Dabar jau pamiršk, — sušnibždėjo ji. — Viskas gerai. Tiesiog pamiršk.

Piteris drebėjo dar smarkiau.

Ji vėl jį apsikabino ir ėmė glostyti galvą.

— Piteri, tu *visada* buvai stipresnis... *visada* padėjai man, kai reikėdavo. Bet dabar aš noriu *tau* padėti. Viskas gerai. Aš čia, su tavimi.

Ketrina švelniai padėjo brolio galvą sau ant peties... ir didysis Piteris Solomonas kūkčiodamas susmuko ant jos rankų.

Direktorė Sato pasitraukė į šalį ir atsiliepė telefonu.

Skambino Nola Kei. Šį kartą ji turėjo gerų naujienų.

— Vis dar nematyti jokių ženklų, kad medžiaga pateko į viešumą, ponia. — Jos balse buvo girdėti viltis. — Neabejoju, kad jau būtume ką nors užfiksavę. Atrodo, pavyko sustabdyti platinimą.

Jūsų dėka, Nola, pamanė Sato, dirstelėdama į nešiojamąjį kompiuterį, kurio ekrane Lengdonas pamatė žinią apie pranešimo išsiuntimą. *Išsisukome tik per plauką.*

Nolai pasiūlius, namus apieškojęs agentas patikrino šiukšlių dėžes ir rado neseniai nusipirkto mobiliojo modemo pakuotę. Turėdama tikslų modelio numerį, Nola patikrino visus paslaugų teikėjus, interneto prieigas, prisijungimo taškus ir aptiko labiausiai tikėtiną nešiojamojo kompiuterio prieigos mazgą — mažą siųstuvą Šešioliktosios ir Korkorano gatvių sankryžoje, už trijų kvartalų nuo Šventyklos rūmų.

Nola skubiai perdavė informaciją Sato, skrendančiai sraigtasparniu. Artėdamas prie Šventyklos rūmų pilotas labai žemai praskrido virš nurodytos vietos ir pasiuntė į prieigos mazgą elektromagnetinės radiacijos impulsą, sunaikindamas jį likus vos kelioms sekundėms iki pranešimo perdavimo pabaigos.

— Puikiai šiandien padirbėta, — pagyrė Sato. — Dabar eikite pamiegoti. Nusipelnėte.

— Ačiū, ponia. — Nola lyg norėjo dar kažką sakyti.

— Dar kas nors?

Nola ilgokai patylėjo, veikiausiai svarstydama, prabilti ar ne.

— Nieko tokio, palauks iki ryto. Labanakt.

125 skyrius

Tyliame elegantiškame vonios kambaryje, įrengtame pirmame Šventyklos rūmų aukšte, Robertas Lengdonas prileido į plautuvę šilto vandens ir apžiūrėjo save veidrodyje. Net prislopintoje šviesoje jis atrodė taip, kaip jautėsi... visiškai nusibaigęs.

Ant jo peties vėl kabojo kelionkrepšis, tik jau gerokai lengvesnis... jame liko tik asmeniniai daiktai ir sulamdyti paskaitos užrašai. Lengdonas nenorom šyptelėjo. Šio vakaro apsilankymas Kolumbijos apygardoje ir numatyta paskaita pasirodė šiek tiek labiau įtempti, negu buvo tikėtasi.

Ir vis dėlto Lengdonas turėjo kuo džiaugtis.

Piteris gyvas.

Pavyko sustabdyti vaizdo įrašo platinimą.

Rieškučiomis pildamas ant veido šiltą vandenį jis pamažu juto, kad pradeda atsigauti. Viską tebematė lyg pro miglą, bet kūne susikaupęs adrenalinas po truputį sklaidėsi... ir jis nebesijautė toks nesavas. Nusišluostęs rankas, pažiūrėjo į savo laikrodį su Peliuku Mikiu.

Dieve mano, kaip vėlu.

Lengdonas išėjo iš vonios ir patraukė koridoriumi palei lenktą Garbės salės sieną — dailiu, elegantišku koridoriumi, papuoštu žymių masonų portretais...

Čia buvo JAV prezidentų, filantropų, šviesuolių ir kitų įtakingų amerikiečių. Jis stabtelėjo prie aliejiniais dažais tapyto Hario S. Trumeno portreto ir pamėgino įsivaizduoti, kaip jis atlieka ritualus, apeigas ir studijas, kurių reikalaujama iš būsimo masono.

Už to pasaulio, kurį visi matome, yra kitas, paslėptas. Jis egzistuoja mums visiems.

— Išsprukai, — pasigirdo balsas koridoriaus gale.

Lengdonas atsigręžė.

Tai buvo Ketrina. Šią naktį ji išgyveno tikrą pragarą, tačiau dabar atrodė švytinti... tarsi atjaunėjusi.

Lengdonas pavargęs nusišypsojo.

— Kaip jis?

Ketrina priėjo arčiau ir draugiškai jį apkabino.

— Kaip aš tau atsidėkosiu?

Jis nusijuokė.

— Tu juk žinai, kad aš nieko nenuveikiau, tiesa?

Ketrina ilgai laikė jį apglėbusi.

— Piteriui viskas bus gerai... — Ji paleido Lengdoną ir atidžiai pažvelgė jam į akis. — Jis ką tik man pasakė visiškai neįtikimą... *nuostabiausią* naujieną. — Jos balsas suvirpėjo iš nekantrumo. — Būtinai privalau pati patikrinti. Tuoj grįšiu.

— Ką? Kur eini?

— Ilgai netruksiu. O dabar Piteris nori pasikalbėti su tavimi... *vienudu*. Jis laukia bibliotekoje.

— Ar sakė, ko nori?

Ketrina nusijuokė ir papurtė galvą.

— Tu juk žinai, koks Piteris paslaptingas.

— Bet...

— Greit pasimatysim.

Ir ji nuėjo.

Lengdonas sunkiai atsiduso. Šiai nakčiai paslapčių jam jau buvo gana. Žinoma, liko neatsakytų klausimų — pavyzdžiui, masonų piramidė ir Prarastas Žodis, — bet jis juto, kad atsakymai į šiuos klausimus, net jei jie egzistuoja, skirti ne jam. *Jis ne masonas.*

Sukaupęs energijos likučius, Lengdonas pasuko į masonų biblioteką. Atėjęs rado Piterį, vienišą sėdintį prie stalo, ant kurio stūksojo akmens piramidė.

— Robertai? — Piteris nusišypsojo ir pamojo jam. — Norėjau persimesti su tavim keliais žodžiais.

Lengdonas vargais negalais nusišiepė.

— Taip, girdėjau, kad *vieną žodį* buvai praradęs.

126 skyrius

Šventyklos rūmų biblioteka — seniausia vieša skaitykla Kolumbijos apygardoje. Jos elegantiškose lentynose telpa daugiau negu ketvirtis milijono tomų, tarp jų — retas „Ahiman Rezon, Pasirengusio brolio paslapčių" egzempliorius. Be to, bibliotekoje eksponuojami masonų brangakmeniai, ritualiniai objektai ir net retas leidinys, kurį savo rankomis išspausdino Bendžaminas Franklinas.

Tačiau Lengdonui bibliotekoje labiausiai patiko lobis, kurį pastebėdavo tik retas.

Iliuzija.

Prieš daug metų Solomonas jam parodė, kad žvelgiant iš tam tikro taško bibliotekos rašomasis stalas ir auksinė stalinė lempa sukuria labai aiškią optinę iliuziją... tarsi matytum piramidę spindinčia aukso viršūne. Solomonas sakė laikąs šią iliuziją tyliu priminimu to, kad laisvųjų mūrininkų slėpiniai yra visiems kuo puikiausiai matomi, jei tik pažvelgsi į juos iš tinkamos perspektyvos.

Tačiau šį vakarą laisvųjų mūrininkų paslaptys buvo visur, kur pažvelgsi. Lengdonas atsisėdo priešais Didįjį meistrą Piterį Solomoną ir masonų piramidę.

Piteris šypsojosi.

— Tas „žodis", apie kurį užsiminei, Robertai, nėra legenda. Tai *tikrovė*.

Lengdonas ilgokai žiūrėjo į jį iš kitos stalo pusės, kol pagaliau prašneko.

— Bet... aš nesuprantu. Kaip tai gali būti?

— Kuo tau taip sunku patikėti?

Viskuo, norėjo atšauti Lengdonas, ieškodamas seno draugo akyse bent mažiausios sveiko proto apraiškos.

— Tai tu tvirtini, kad pats tiki — Prarastas Žodis yra *realus*... ir turi tikrą *galią?*

— Milžinišką galią, — atsakė Piteris. — Jis turi galią permainyti žmoniją, atskleisdamas jai Senovės Slėpinius.

— *Žodis?* — netikėjo Lengdonas. — Piteri, aš niekaip nepatikėsiu, kad žodis...

— Patikėsi, — ramiai užtikrino Piteris.

Lengdonas tylėdamas spoksojo į jį.

— Tu žinai, — toliau kalbėjo Solomonas, atsistojęs ir vaikščiodamas aplink stalą, — kad jau seniai pranašaujama, kad ateis diena, kai Prarastas Žodis bus atrastas iš naujo... diena, kai jis iškils į dienos šviesą... ir žmonija vėl galės naudotis pamirštomis galiomis.

Lengdonas prisiminė Piterio paskaitą apie Apokalipsę. Daug kas klaidingai aiškina Apokalipsę kaip griausmingą pasaulio pabaigą, tačiau pats žodis iš tikrųjų reiškia „atskleidimą" — senovėje išpranašauta, kad bus atskleista didi išmintis. *Artėjantis nušvitimo amžius*. Ir vis tiek Lengdonas neįstengė įsivaizduoti, kaip tokias didžiules permainas galėtų sukelti... vienas *žodis*.

Piteris mostu parodė akmeninę piramidę, stovinčią ant stalo greta auksinės viršūnės.

— Masonų piramidė, — tarė jis. — Legendinis simbolonas. Šią naktį jis sujungtas... užbaigtas.

Jis pagarbiai pakėlė viršūnę ir uždėjo ją ant piramidės. Sunkus aukso gabalas tyliai klinktelėjo, atsidūręs savo vietoje.

— Šią naktį, mano bičiuli, tu padarei tai, kas niekada iki šiol nebuvo padaryta. Tu sudėjai į viena masonų piramidę, iššifravai visus jos kodus ir galiausiai atskleidei... štai ką.

Solomonas išsitraukė popieriaus lapą ir padėjo jį ant stalo. Lengdonas atpažino lentelę su simboliais, kurie buvo pertvarkyti pagal aštuntos eilės Franklino kvadrato skaičius. Jis buvo užmetęs į ją akį Šventyklos menėje.

Piteris tarė:

— Man smalsu sužinoti, ar tu gali perskaityti šį simbolių rinkinį. Juk esi specialistas.

Lengdonas pažvelgė į lentelę.

Heredom, apskritimas su tašku centre, piramidė, laiptai...

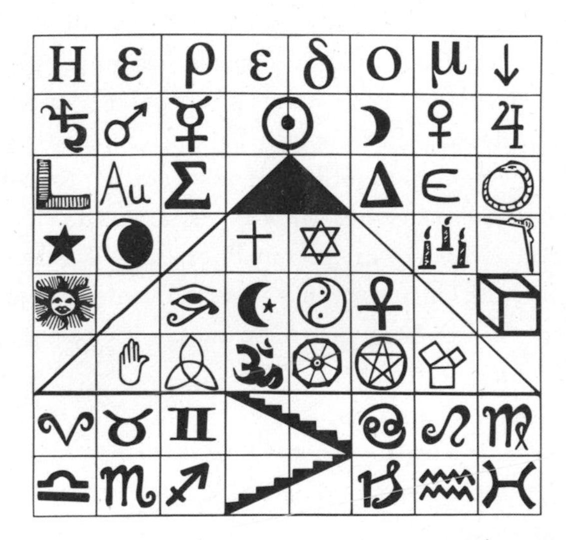

Lengdonas atsiduso.

— Na, Piteri, tu veikiausiai ir pats matai, kad tai alegorinė piktograma. Iškart matyti, kad čia operuojama metaforomis ir simboliais, o ne tiesiogine kalba.

Solomonas susijuokė.

— Paklausk simbologą paprasto dalyko... Gerai, bet sakyk, ką matai?

Piteris tikrai nori tai išgirsti? Lengdonas prisitraukė popieriaus lapą arčiau.

— Na, aš jau anksčiau apžiūrėjau šią lentelę, ir jei kalbėsime paprastai, manau, kad tai paveikslas... vaizduojantis dangų ir žemę.

Piteris pakėlė antakius, rodydamas nuostabą.

— Taip?

— Žinoma. Paveikslo viršuje turime žodį *Heredom* — „Šventi namai" — kurį aš aiškinu kaip Dievo namus... arba *dangų*.

— Aišku.

— Po žodžio *Heredom* yra žemyn nukreipta *strėlė*, aiškiai rodanti, kad *likusi* piktogramos dalis priklauso *žemiau* dangaus esančiai sričiai... o tai reiškia... *žemei.* — Lengdono žvilgsnis nukrypo į lentelės apačią. — Dvi apatinės eilės, esančios *po* piramide, ir simbolizuoja žemę — *terra firma*, žemiausią iš visų sferų. Atitinkamai šioje žemiausioje srityje yra dvylika senovinių *astrologinių* ženklų, kurie išreiškia pirmykštes religijas senovės žmonių, pirmą kartą pažvelgusių į dangų ir žvaigždžių bei planetų judėjime pamačiusių Dievo ranką.

Solomonas prisitraukė kėdę ir pažvelgė į lentelę iš arčiau.

— Gerai, kas dar?

— Remdamasi į astrologijos pamatą, — toliau pasakojo Lengdonas, — didžioji piramidė kyla nuo žemės... stiebiasi į dangų... kaip senas prarastos išminties simbolis. Ji pripildyta didžiųjų filosofijų ir religijų simbolių — egiptiečių, pitagorininkų, budistų, hinduistų, islamo, judėjų krikščionių ir taip toliau... jie visi stiebiasi į viršų, jungiasi tarpusavyje, stengdamiesi pereiti permainančius piramidės vartus... ir galiausiai susilieja į vieningą, bendrą humanistinę filosofiją. — Jis trumpam nutilo. — Vieningą visuotinę sąmonę... visam pasauliui bendrą Dievo viziją... kurią simbolizuoja senovinis simbolis, kybantis virš piramidės viršūnės.

— Apskritimas su tašku centre, — tarė Piteris. — Visuotinis Dievo simbolis.

— Teisingai. Istoriškai apskritimas su tašku centre galėjo *bet kam* reikšti *bet ką* — tai ir saulės dievas Ra, ir alchemikų auksas, ir visa reginti akis, ir vienio taškas prieš Didįjį sprogimą, ir...

— Didysis Visatos Architektas.

Lengdonas linktelėjo ir pamanė, kad Piteris turbūt panaudojo tuos pačius argumentus Šventyklos menėje, norėdamas įtikinti, kad apskritimas su tašku centre ir yra Prarastas Žodis.

— O galiausiai? — paklausė Piteris. — Ką reiškia laiptai?

Lengdonas dirstelėjo į laiptus, pavaizduotus po piramide.

— Piteri, neabejoju, kad tu ne blogiau už mane žinai, jog jie simbolizuoja laisvųjų mūrininkų Suktinius laiptus... iš žemės tamsybių vedančius į šviesą... kaip Jokūbo kopėčios, siekiančios dangų... arba slanksteliais suskirstytas žmogaus stuburas, jungiantis žmogaus kūną su jo amžina sąmone. — Jis patylėjo. — O kiti simboliai — tai dangiškų, masoniškų ir mokslinių ženklų rinkinys, palaikantis Senovės Slėpinių idėją.

Solomonas pasiglostė smakrą.

— Elegantiška interpretacija, profesoriau. Žinoma, aš sutinku, kad šią lentelę galima skaityti kaip alegoriją, tačiau... — Jo akyse žybtelėjo paslaptis. — Šis simbolių rinkinys pasakoja ir kitą istoriją. Ir ši istorija atskleidžia kur kas daugiau.

— Nagi?

Solomonas vėl pradėjo vaikščioti aplink stalą.

— Šį vakarą Šventykos menėje, manydamas, kad tuojau mirsiu, aš pažvelgiau į šią lentelę ir kažkokiu būdu *pro* jos metaforas, *pro* alegorijas įžvelgiau pačią šių simbolių šerdį, tai, ką jie mums sako. — Jis nutilo ir staiga atsisuko į Lengdoną. — Ši lentelė *tiksliai* rodo vietą, kurioje yra paslėptas Prarastas Žodis.

— Kaip sakei? — Lengdonas nejaukiai pasimuistė krėsle, staiga išsigandęs, kad po šio vakaro traumų Piteris neteko orientacijos ir sveiko proto.

— Robertai, legendoje *nuo pat pradžių* sakoma, kad masonų piramidė — tai žemėlapis, *labai konkretus* žemėlapis, galintis parodyti vertam žmogui Prarasto Žodžio slėptuvę. — Solomonas pirštu pastukseno į priešais Lengdoną gulinčią simbolių lentelę. — Duodu tau žodį, šie simboliai yra būtent tas, ką sako legenda... tai *žemėlapis*. Konkreti diagrama, tiksliai atskleidžianti, kur rasti laiptus, vedančius prie Prarasto Žodžio.

Lengdonas nesmagiai nusijuokė, stengdamasis elgtis kuo atsargiau.

— Net jei aš tikėčiau masonų piramidės legenda, ši simbolių lentelė niekaip negali būti žemėlapis. Pažvelk į ją. Ji nė iš tolo *neprimena* žemėlapio.

Solomonas nusišypsojo.

— Kartais pakanka tik truputėlį pakeisti regos tašką, kad pažįstamus dalykus pamatytum visai naujai.

Lengdonas dar kartą pažvelgė į lentelę, bet nieko nauja nepamatė.

— Leisk tavęs paklausti, — tarė Piteris. — Kai masonai deda kertinius pastatų akmenis, ar žinai, kodėl jiems parenka vietą pastato šiaurės rytiniame kampe?

— Žinoma — šiaurės rytų kampą pirmąjį nušviečia patekančios saulės spinduliai. Tai simbolizuoja architektūros galią nuo žemės pakilti į šviesą.

— Teisingai, — sutiko Piteris. — Tai gal *ten* ir reikėtų ieškoti pirmųjų šviesos spindulių. — Jis mostelėjo į lentelę. — Šiaurės rytų kampe.

Lengdonas vėl pažvelgė į popierių, nukreipė žvilgsnį į dešinį viršutinį kampą — šiaurės rytus. Ten buvo simbolis ↓.

— Žemyn nukreipta strėlė, — tarė Lengdonas, stengdamasis suvokti Solomono žodžius. — O tai reiškia... po arba *žemiau Heredom*.

— Ne, Robertai, ne *žemiau,* — atsakė Solomonas. — Pagalvok. Ši lentelė — tai ne metaforiškas labirintas. Tai *žemėlapis.* O žemėlapyje *į apačią* nukreipta rodyklė reiškia...

— Pietus, — sutrikęs šūktelėjo Lengdonas.

— Būtent! — atsakė Solomonas, susijaudinęs šypsodamasis. — Pietų kryptis! Žemėlapyje apačia reiškia pietus. Maža to, žemėlapyje žodis *Heredom* bus ne dangaus metafora, o konkretus geografinis vietovės pavadinimas.

— Šventyklos rūmai? Tu nori pasakyti, kad šis žemėlapis rodo vietą... esančią į pietus nuo šio pastato?

— Garbė Dievui! — juokdamasis atsakė Solomonas. — Galiausiai išvydai šviesą.

Lengdonas vėl peržiūrėjo lentelę.

— Bet, Piteri... net jei tu teisus, pietų kryptimi nuo šio pastato yra daugybė objektų, išsidėsčiusių palei trisdešimties tūkstančių kilometrų meridianą.

— Ne, Robertai. Tu pamiršti legendą, kuri teigia, kad Prarastas Žodis yra Kolumbijos apygardoje. Taigi linija gerokai trumpesnė. Be to, legenda dar teigia, jog laiptų anga užrista didžiuliu akmeniu... ir kad akmenyje išgraviruotas pranešimas senovės kalba... tarsi savotiškas *žymeklis,* kad vertieji galėtų jį surasti.

Lengdonui buvo sunku rimtai viso to klausytis, ir nors jis nepakankamai gerai pažino Kolumbijos apygardą, kad galėtų įsivaizduoti, kas yra į pietus nuo jų dabartinės buvimo vietos, vis dėlto beveik neabejojo, jog ten nėra milžiniško išgraviruoto akmens, užristo ant slaptų laiptų.

— Pranešimas, įrašytas akmenyje, — tarė Piteris, — yra čia, tiesiai mums prieš akis. — Jis pastukseno pirštu į trečią priešais Lengdoną gulinčios lentelės eilutę. — Štai tas įrašas, Robertai! Tu išsprendei kryžiažodį!

Lengdonas apstulbęs apžiūrinėjo septynis simbolius.

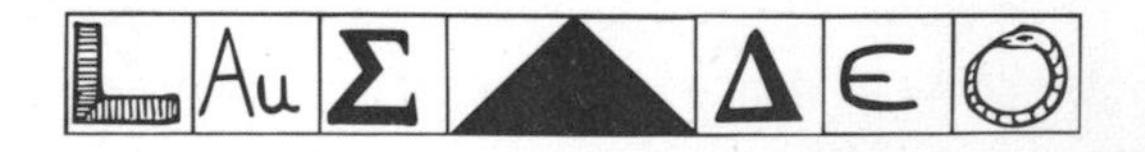

Išsprendžiau? Lengdonas nė neįsivaizdavo, ką galėtų reikšti šie septyni padriki simboliai, užtat tikrai žinojo, kad jie *nėra* išgraviruoti jokioje šalies sostinės vietoje... o juo labiau milžiniškame akmenyje, kuriuo užristi laiptai.

— Piteri, — tarė jis, — nesuprantu, ką tai paaiškina. Nežinau Kolumbijos apygardoje jokio akmens, kuriame būtų išgraviruotas šis... pranešimas.

Solomonas patapšnojo jam per petį.

— Ne kartą praėjai pro šalį taip ir nepastebėjęs. *Visiems* taip nutiko. Įrašas visiškai viešas, kaip ir patys slėpiniai. Šį vakarą, pamatęs šituos septynis simbolius, akimirksniu supratau, kad legenda nemeluoja. Prarastas Žodis *iš tiesų* paslėptas Kolumbijos apygardoje... jis *tikrai* yra ilgų laiptų apačioje, po milžinišku išgraviruotu akmeniu.

Lengdonas nieko nesuprasdamas tylėjo.

— Robertai, aš manau, kad šią naktį tu nusipelnei teisę sužinoti tiesą.

Lengdonas įsižiūrėjo į Piterį, stengdamasis suvokti, ką jis ką tik pasakė.

— Tai tu man *pasakysi*, kur paslėptas Prarastas Žodis?

— Ne, — šypsodamasis atsakė Solomonas ir atsistojo. — Aš tau *parodysiu*.

Po penkių minučių Lengdonas sėdosi į visureigį „Escalade" greta Piterio Solomono. Simkinsui sėdant už vairo, per automobilių stovėjimo aikštelę priėjo Sato.

— Pone Solomonai? — kreipėsi direktorė, eidama ir degdamasi cigaretę. — Aš ką tik paskambinau, kur prašėte.

— Ir kaip? — pro atvirą langelį paklausė Piteris.

— Daviau nurodymus jus įleisti. Trumpam.

— Ačiū.

Sato smalsiai jį apžiūrinėjo.

— Turiu pripažinti, prašymas buvo labai neįprastas.

Solomonas mįslingai gūžtelėjo pečiais.

Sato nieko nebeklausinėjo, tik priėjo prie lango iš Lengdono pusės ir pabarbeno į jį krumpliais.

Lengdonas nuleido langelį.

— Profesoriau, — prabilo ji visiškai lediniu balsu. — Jūsų pagalba, kurią suteikėte šį vakarą, nors ir ne savo noru, iš esmės leido mums sėkmingai atlikti operaciją... ir už tai aš jums dėkoju. — Ji giliai užsitraukė cigaretę ir išpūtė dūmus į šalį. — Tačiau turiu jums vieną patarimą. Kitą kartą, kai aukštas CŽV pareigūnas jums praneš, kad ištiko nacionalinio saugumo krizė... — Ji blykstelėjo juodomis akimis. — Verčiau palikite visus savo niekus Kembridže.

Lengdonas žiojosi jai atsakyti, bet direktorė Inoujė Sato jau nusisuko ir patraukė per automobilių stovėjimo aikštelę prie laukiančio sraigtasparnio.

Simkinsas neįžvelgiama veido išraiška atsisuko nuo vairo.

— Ponai, jūs pasirengę?

— Tiesą sakant, — ištarė Solomonas, — luktelėkite minutėlę. — Jis išs traukė iš kišenės mažą sulankstytą tamsaus audinio gabalą ir padavė Leng nui. — Robertai, prieš mums važiuojant norėčiau, kad tu jį užsidėtum.

Lengdonas susidomėjęs apžiūrėjo audinį. Tai buvo juodas aksor lankstęs jį, pamatė laikąs rankose masonų gobtuvą — tradicinį galvos lą, kuriuo uždengiamos akys pirmo lygio įšventinamajam. *Kokia čia v*

Piteris tarė:

— Nenorėčiau, kad matytum, kur važiuosim.

Lengdonas atsisuko į Piterį.

— Nori, kad važiuočiau *užrištomis akimis?*

Solomonas nusišiepė.

— Paslaptis mano. Aš diktuoju taisykles.

127 skyrius

Išėjus iš CŽV centrinės būstinės Lenglyje, kiaurai košė šaltas vėjas. Nola Kei drebėdama sekė paskui sistemų saugumo specialistą Riką Perišą mėnesienos užlietu centriniu kiemu.

Kur Rikas mane veda?

Krizę, kuri galėjo kilti dėl masonų vaizdo įrašo, pavyko suvaldyti, dėkui Dievui, bet Nolai vis tiek buvo nesmagu. Redaguota byla CŽV direktoriaus paskyroje jai tebebuvo paslaptis, kuri nedavė ramybės. Rytą apie tai kalbėsis su Sato, todėl Nolai buvo reikalingi visi faktai. Galiausiai ji paskambino Rikui Perišui ir pareikalavo pagalbos.

Eidama Rikui iš paskos į kažkokią nežinomą vietą už būstinės ribų, Nola mėgino išguiti iš atminties niekaip nedingstančias nesuprantamas frazes.

Slaptą vietą po žeme, kur... kažkur Vašingtone, Kolumbijos apygardoje, koordinatės... atrasti senoviniai vartai, vedantys... įspėjimas, piramidė turi pavojingą... iššifruoti išgraviruotą simboloną, kad atskleistų...

— Mudu abu sutariame, — eidamas kalbėjo Perišas, — kad programišius, paleidęs paieškos serverį su šiais reikšminiais žodžiais, tikrai ieškojo informacijos apie masonų piramidę.

Be abejo, pamanė Nola.

— Tačiau pasirodo, kad programišius susidūrė su tokiu masonų slėpinių aspektu, kurio, man regis, visai nesitikėjo.

— Ką nori pasakyti?

— Nola, tu juk žinai, kad CŽV direktorius globoja specialiai valdybos dar-uotojams skirtą vidaus diskusijų forumą, kuriame jie gali pasidalyti įvairiausio-s idėjomis?

— Be abejo. — Forumuose valdybos personalas rado saugią vietą aptarti temas, o direktorius — virtualią galimybę bendrauti su darbuotojais.

Direktoriaus forumai palaikomi jo privačioje paskyroje, tačiau tam, kad ų dalyvauti įvairių lygių slaptumo kodus gavę darbuotojai, forumai tosios direktoriaus užkardos.

— Kur tu eini? — paklausė ji, jiems pasukus už kampo prie valdybos kavinės.

— Trumpai tariant... — Perišas mostelėjo į tamsą. — *Štai ten.*

Nola pakėlė akis. Kitoje aikštės pusėje tiesiai prieš juos mėnesienoje spindėjo didžiulė metalo skulptūra.

Centrinė žvalgybos valdyba turėjo įsigijusi per penkis šimtus originalių meno kūrinių, tačiau ši skulptūra, vadinama „Kryptos", buvo garsiausia iš visų. *Kryptos* graikiškai reiškia „paslėptas"; skulptūra, kurią sukūrė amerikietis menininkas Džeimsas Senbornas, CŽV tapo beveik legenda.

Tai didelė S raidės pavidalo vario plokštė, stovinti ant briaunos tarsi susiraičiusi metalo siena. Didžiuliame sienos paviršiuje išgraviruoti beveik du tūkstančiai raidžių... užšifruotų nesuprantamu kodu. Tarsi to dar būtų negana, aplink šifrais išmargintą S pavidalo sieną tiksliai apskaičiuotose vietose sustatyti kiti skulptūros elementai — keistai pasvirę granito luitai, kompaso rožė, magnetas ir net Morzės abėcėle parašyta žinutė, kurioje minima „šviesi atmintis" ir „šešėlių jėgos". Dauguma gerbėjų mano, kad šie elementai — tai raktai, padedantys iššifruoti pačią skulptūrą.

„Kryptos" — tai meno kūrinys... bet kartu ir mįslė.

Ir CŽV darbuotojai, ir kiti šifruotojai tarsi pašėlo, stengdamiesi atskleisti joje užšifruotą paslaptį. Galiausiai prieš kelerius metus pavyko įveikti dalį kodo, ir tai tapo šalies masto naujiena. Nors didžioji dauguma „Kryptos" užkoduotos medžiagos iki šių dienų išlieka mįslė, iššifruoti skyriai pasirodė tokie keisti, kad skulptūra įgijo tik dar daugiau paslaptingumo. Juose rasta užuominų į slaptas vietas po žeme, vartus, vedančius prie senovinių antkapių, platumas ir ilgumas...

Nola iki šiol prisiminė ištraukas iš iššifruotų skyrių: *Informacija buvo surinkta ir perkelta į slaptą vietą po žeme... ji buvo visiškai nematoma... kaip tai gali būti... jie panaudojo Žemės magnetinį lauką...*

Nola niekad per daug nesidomėjo skulptūra ir nesijaudino, bus ji ar nebus iki galo iššifruota. Tačiau dabar jai reikia atsakymo.

— Kodėl tu man rodai „Kryptos"?

Perišas nusišypsojo sąmokslininko šypsena ir dramatišku gestu išsitraukė iš kišenės sulankstytą popieriaus lapą.

— *Voilà*, paslaptingasis redaguotas dokumentas, dėl kurio tu taip jaudinaisi. Gavau tau visą tekstą.

Nola pašoko.

— Šnipinėjai slaptoje direktoriaus paskyroje?

— Ne. Apie tai aš ir pradėjau tau pasakoti. Pažiūrėk. — Jis padavė jai bylą.

Nola čiupo popieriaus lapą ir skubiai išlankstė. Pamačiusi jo viršuje standartinę valdybos antraštę, nustebusi pakreipė galvą.

Dokumentas *anaiptol* nebuvo slaptas. Nė iš tolo.

DARBUOTOJŲ DISKUSIJŲ FORUMAS: „KRYPTOS"
KONCENTRUOTA SAUGOJIMUI: GIJA NR. 2456282.5

Nola pamatė prieš save seriją forumo dalyvių žinučių, kurios buvo sudėtos į vieną puslapį, kad būtų patogiau saugoti duomenis.

— Tavo dokumentas, — paaiškino Rikas, — tai keleto pamišėlių kompiuterininkų paistalai apie „Kryptos".

Nola peržiūrinėjo dokumentą, kol rado sakinį su jau pažįstamais reikšminiais žodžiais.

> Džimai, skulptūroje parašyta, kad ji buvo perkelta
> į slaptą vietą PO ŽEME, kur *paslėpta informacija*.

— Tekstas paimtas iš direktoriaus palaikomo internetinio forumo, skirto „Kryptos", — paaiškino Rikas. — Forumas egzistuoja jau kelerius metus. Jame *tūkstančiai* įrašų. Nė kiek nesistebiu, kad atsirado ir toks, kuriame yra *visi* reikšminiai žodžiai.

Nola skaitė toliau, kol rado antrą žinutę su reikšminiais žodžiais.

> Nors Markas sakė, kad kode minimos plat/ilgumos rodo,
> jog tai yra kažkur VAŠINGTONE, KOLUMBIJOS APYGARDOJE,
> koordinatės, kurias jis nurodo, vienu laipsniu klysta — „Kryp-
> tos" iš esmės nurodo savo pačios buvimo vietą.

Perišas priėjo prie skulptūros ir delnu perbraukė mįslingą raidžių jūrą.

— Dar labai didelę šio kodo dalį reikia iššifruoti, ir pakanka žmonių, manančių, kad pranešimas iš tiesų bus susijęs su senovinėmis masonų paslaptimis.

Dabar ir Nola prisiminė girdėjusi kuždesių apie „Kryptos" ryšį su masonais, bet ji buvo linkusi nekreipti dėmesio į pakvaišusius marginalus. Tačiau apžvelgusi atskirus skulptūros elementus, išdėstytus aikštėje, ji staiga suvokė, kad tai kelių dalių kodas — simbolonas, lygiai toks pat, kaip masonų piramidė.

Keista.

Vieną akimirką Nolai net pasirodė, kad „Kryptos" — tai šiuolaikiška masonų piramidė: kodas sudarytas iš daugelio dalių, visos pagamintos iš skirtingų medžiagų, kiekvienai skirtas savas vaidmuo.

— Kaip manai, ar gali būti, kad „Kryptos" ir masonų piramidė saugo tą pačią paslaptį?

— Kas žino? — Perišas apmetė „Kryptos" apmaudžiu žvilgsniu. — Abejoju, ar mes kada nors iššifruosime viską, kas čia parašyta, jei niekas neįtikins direktoriaus atrakinti seifą ir leisti užmesti akį į šifro kodą.

Nola linktelėjo. Dabar ji viską prisiminė. Kai pastatė „Kryptos", drauge su skulptūra buvo atgabentas užklijuotas vokas su iššifruotais visais skulptūros kodais. Voką patikėjo tuometiniam CŽV direktoriui Viljamui Vebsteriui, kuris jį užrakino savo kabineto seife. Sakoma, jog dokumentas ten tebėra ir dabar, ir metams bėgant besikeičiantys direktoriai perduoda jį vienas kitam iš rankų į rankas.

Keista, tačiau pradėjusi galvoti apie Viljamą Vebsterį Nola atsiminė dar vieną iššifruoto „Kryptos" teksto ištrauką:

TAI UŽKASTA KAŽKUR TEN.
KAS ŽINO TIKSLIĄ VIETĄ? TIK V.V.

Nors niekas nebūtų galėjęs tiksliai pasakyti, *kas būtent* užkasta, dauguma žmonių tikėjo, kad raidės V. V. reiškia Viljamą Vebsterį. Kartą Nola buvo girdėjusi kalbant, jog iš tikrųjų čia minimas kitas žmogus, vardu Viljamas Vistonas, Karališkosios draugijos teologas, bet daugiau ji apie tokius dalykus negalvojo.

Rikas vėl prakalbo.

— Tenka pripažinti, meno nelabai suprantu, bet šitas Senbornas man atrodo tikras genijus. Ką tik žiūrėjau internete jo projektą „Kirilicos projektorius". Milžiniškos švytinčios rusiškos abėcėlės raidės iš KGB dokumento apie proto kontrolę. Net nesmagu.

Nola nebesiklausė. Ji toliau skaitė popierių, kuriame, dar vienoje žinutėje, rado kitus reikšminius žodžius.

> Na taip, visas tas skyrius yra pažodinė citata iš kažkokio garsaus archeologo dienoraščio, kur jis pasakoja, kaip po ilgų kasinėjimų buvo atrasti SENOVINIAI VARTAI, vedantys į Tutanchamono kapą.

Nola žinojo, kad archeologas, cituojamas „Kryptos" kode, iš tikrųjų buvo žymus egiptologas Hovardas Karteris. Kitoje žinutėje jau minimas ir jo vardas.

> Aš ką tik internete peržiūrėjau kitus Karterio užrašus, ir jis, atrodo, dar rado molio plytelę, kurioje buvo įspėjimas, kad PIRAMIDĖ turi pavojingų savybių ir gali atnešti nelaimes tam, kas išdrįs sutrikdyti faraono ramybę. Prakeiksmas! Gal ir mums reikėtų susirūpinti?

Nola susiraukė.

— Rikai, dėl Dievo meilės, ta idiotiška nuoroda į piramidę visiška nesąmonė. Tutanchamonas palaidotas ne *piramidėje*. Jo kapas yra Karalių slėnyje. Gal tie šifruotojai nežiūri „Discovery“ kanalo laidų?

Perišas gūžtelėjo pečiais.

— Technikai.

Nola pamatė paskutinę reikšminę frazę.

> Vaikinai, jūs žinot, kad aš nelabai vertinu sąmokslo teorijas, bet Džimas su Deivu galėtų jau ir išsifruoti IŠGRAVIRUOTĄ SIMBOLONĄ, kad atskleistų jo paslaptį dar iki pasaulio pabaigos, kuri ateis 2012 metais... Čiao.

— Žodžiu, — tarė Perišas, — pamaniau, kad tau bus ne pro šalį sužinoti apie „Kryptos“ mėgėjų forumą, kol neapkaltinai CŽV direktoriaus, kad jis saugo slaptą informaciją apie senovinę masonų legendą. Kažkodėl abejoju, kad toks įtakingas žmogus kaip CŽV direktorius turėtų laiko panašiems darbams.

Nola prisiminė masonų ritualo vaizdo įrašą ir įtakingus žmones, dalyvaujančius senovinėse apeigose. *Jei Rikas bent nutuoktų...*

Ji suprato: kad ir koks pasirodytų galutinai iššifruotas „Kryptos“ pranešimas, jame tikrai bus mistikos atspalvis. Nola pažvelgė į švytintį meno kūrinį — trijų matmenų kodą, tyliai stovintį vienos iš pagrindinių šalies žvalgybos tarnybų kiemo viduryje, — ir pamanė: kažin ar jis kada nors atskleis visas savo paslaptis.

Jiedu su Riku pasuko atgal, bet Nola negalėjo susilaikyti nesišypsojusi.

Tai užkasta kažin kur ten.

128 skyrius

Tai beprotybė.

Užrištomis akimis Robertas Lengdonas nematė, kaip „Escalade“ lekia tuščiomis gatvėmis pietų kryptimi. Greta tylomis sėdėjo Piteris Solomonas.

Kur jis mane veža?

Lengdono smalsumas maišėsi su negera nuojauta, vaizduotė pašėlusiai veikė, stengdamasi sudėti krūvon atskirus gabaliukus. Piteris neatsisakė savo tvirtinimo. *Prarastas Žodis? Paslėptas po laiptais, užristais didžiuliu išgraviruotu akmeniu?* Tai atrodė visiškai neįmanoma.

Ženklai, neva išgraviruoti akmenyje, buvo giliai įstrigę Lengdonui į atmintį... tačiau jam atrodė, kad šie septyni simboliai, paimti drauge, neturi visiškai jokios prasmės.

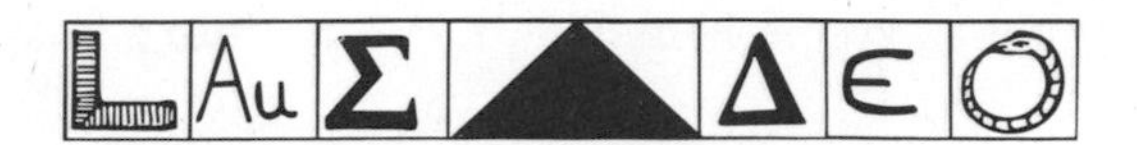

Mūrininkų kampainis: sąžiningumo ir ištikimybės simbolis.
Raidės Au: mokslinė aukso santrumpa elementų lentelėje.
Sigma: graikų abėcėlės raidė S, matematinis sumos simbolis.
Piramidė: egiptietiškas dangaus siekiančio žmogaus simbolis.
Delta: graikų abėcėlės raidė D, matematinis permainos simbolis.
Gyvsidabris: jo seniausias alcheminis simbolis.
Ouroboros, arba gyvatė, ryjanti savo uodegą: visumos, vienio su visuma simbolis.

Solomonas atkakliai tvirtino, kad šie septyni simboliai ir yra „pranešimas". Bet jei tai tiesa, Lengdonas nė neįsivaizduoja, kaip šį pranešimą perskaityti.

Visureigis staiga stabtelėjo ir pasuko dešinėn, ant kitokio paviršiaus, gal įvažos kelio arba tako. Lengdonas susikaupė, įdėmiai klausydamasis, gal iš klausos pavyks nustatyti, kur atsidūrė. Jie važiavo apie dešimt minučių, ir nors Lengdonas mintyse stengėsi sekti maršrutą, vis tiek greitai pasimetė. Jei kas jo paklaustų, būtų galėjęs atsakyti, kad veikiausiai grįžo atgal prie Šventyklos rūmų.

Visureigis sustojo, Lengdonas išgirdo, kaip nusileido langas.

— Agentas Simkinsas, CŽV, — prisistatė vairuotojas. — Kiek žinau, jūs mūsų laukiate.

— Taip, pone, — atsakė griežtas kariškio balsas. — Direktorė Sato paskambino. Minutėlę, tuoj patrauksiu saugumo užkardą.

Lengdonas klausėsi, vis labiau trikdamas: jis suprato, kad jie atvažiavo į karinę bazę. Automobiliui vėl pradėjus važiuoti netikėtai lygiu grindiniu, jis aklai pasuko galvą į Solomoną.

— Kur mes, Piteri? — paklausė jis.

— Nemėgink nusiimti gobtuvo. — Piterio balsas buvo įsakmus.

Automobilis dar truputį pavažiavo ir vėl sustojo. Simkinsas išjungė variklį. Vėl pasigirdo balsai. Kariškių. Simkinso paprašė tapatybę įrodančio dokumento. Agentas išlipo ir prislopintu balsu kažką jiems pasakė.

Staiga iš Lengdono pusės atsidarė durelės ir stiprios rankos padėjo jam išlipti iš automobilio. Oras buvo šaltas. Ir vėjuotas.

Greta stovėjo Solomonas.

— Robertai, leisk agentui Simkinsui įvesti tave vidun.

Lengdonas išgirdo spynoje sukantis metalinį raktą... paskui atsiveriančių sunkių metalinių durų cypimą. Atrodė, kad tai kažkokia sena lėktuvo ar sandėlio pertvara. *Kur, po velnių, jie mane veda?!*

Simkinso rankos nukreipė Lengdoną metalinių durų link. Jiedu abu peržengė slenkstį.

— Dabar tiesiai, profesoriau.

Staiga pasidarė tylu. Mirtinai tylu. Kaip dykumoje. Oras viduje atsidavė sterilumu, tarsi būtų kondicionuotas.

Simkinsas ir Solomonas sustojo Lengdonui iš abiejų pusių ir vedė jį, aklą, aidinčiu koridoriumi. Mokasinų padais Lengdonas juto, kad grindys akmeninės.

Jiems už nugarų garsiai trinktelėjo metalinės durys, Lengdonas krūptelėjo. Raktas pasisuko spynoje. Lengdonas juto, kaip po gobtuvu jį pila prakaitas. Labiausiai norėjo jį nusitraukti.

Jie sustojo.

Simkinsas paleido Lengdono parankę, priešakyje pasigirdo elektroninių pypsėjimų serija, paskui netikėtas grumėjimas: Lengdonas įsivaizdavo, jog tai automatiškai atsidaro apsaugos durys.

— Pone Solomonai, toliau eikite tik judu su ponu Lengdonu. Aš palauksiu čia, — tarė Simkinsas. — Imkite mano žibintuvėlį.

— Ačiū, — atsiliepė Solomonas. — Ilgai neužtruksime.

Žibintuvėlį?! Lengdono širdis ėmė pašėlusiai daužytis.

Piteris suėmė Lengdono ranką ir truktelėjo priekin.

— Eime su manimi, Robertai.

Jie lėtai žengė per slenkstį, ir apsaugos durys grumėdamos užsidarė jiems už nugarų.

Piteris staiga sustojo.

— Kas nors negerai?

Lengdonas pajuto, kad jam darosi silpna ir sunku išlaikyti pusiausvyrą.

— Manau, man tiesiog reikėtų nusiimti gobtuvą.

— Dar ne, jau beveik atėjome.

— *Kur* atėjome? — Lengdonas pajuto kylantį blogumą.

— Juk sakiau — vedu tave prie laiptų, kurie leidžiasi prie paslėpto Prarasto Žodžio.

— Piteri, tai nejuokinga!

— Ir *neturi* būti juokinga. Noriu, kad tavo mąstymas pasidarytų atviresnis, Robertai. Noriu tau priminti, kad šiame pasaulyje esama slėpinių, kurių net tavo akys dar nėra regėjusios. O dabar, prieš žengdamas drauge su tavimi dar vieną žingsnį, noriu, kad kai ką padarytum. Noriu, kad *patikėtum*... bent akimirką...

patikėtum legenda. Patikėtum, kad tuojau žvelgsi žemyn į suktinių laiptų apačią, laiptų, kurie leidžiasi kone šimtą metrų prie vieno iš didžiausių žmonijos prarastų lobių.

Lengdonui apsvaigo galva. Kad ir kaip norėjo patikėti brangiu savo draugu, jam tai nesisekė.

— Ar dar toli?

Aksominis jo gobtuvas buvo kiaurai permirkęs prakaitu.

— Ne. Tiesą sakant, vos keli žingsniai. Liko dar vienos durys. Tuoj jas atidarysiu.

Solomonas trumpam paleido draugo ranką, ir Lengdonas susvyravo, pajutęs svaigulį. Ištiesė ranką ieškodamas atramos, ir Piteris tuojau pat atsidūrė šalia. Priešais juos sugrumėjo atsidarydamos sunkios metalinės durys. Piteris paėmė Lengdoną už parankės, ir jiedu vėl patraukė pirmyn.

— Čia.

Jie peržengė dar vieną slenkstį, durys paskui juos užsidarė.

Tyla. Šaltis.

Lengdonas iškart pajuto, kad ši vieta, kad ir kur ji būtų, yra visai atskirta nuo pasaulio, esančio kitapus apsaugos durų. Oras buvo sudusęs ir vėsus, kaip kape. Garsai duslūs, erdvė ankšta. Jis pajuto užplūstant nevaldomą klaustrofobijos priepuolį.

— Dar keli žingsniai. — Solomonas padėjo jam apeiti kampą ir pastatė tiksliai numatytoje vietoje. Galiausiai tarė: — Nusiimk gobtuvą.

Lengdonas čiupo aksominį gobtuvą ir nusiplėšė jį nuo galvos. Apsidairė, norėdamas pamatyti, kur atsidūrė, tačiau pajuto, kad tebėra aklas. Pasitrynė akis. Niekas nepasikeitė.

— Piteri, čia visiškai tamsu!

— Taip, žinau. Ištiesk ranką prieš save. Rasi turėklus. Įsikibk į juos.

Lengdonas pagrabaliojo tamsoje ir rado geležinius turėklus.

— Dabar žiūrėk.

Jis girdėjo, kaip Piteris kažką krapšto, ir staiga tamsą perskrodė akinamas šviesos spindulys. Jis buvo nukreiptas į grindis, ir Lengdonui dar nespėjus apsižvalgyti Solomonas nukreipė žibintuvėlio šviesą išorėn, už turėklų, tiesiai žemyn.

Staiga Lengdonas pasijuto žiūrįs į bedugnę šachtą... begalinius suktinius laiptus, grimztančius į pačias žemės gelmes. *Dieve mano!* Jam pakirto kojas, tad nenorėdamas pargriūti įsikibo į turėklus. Laiptai buvo tradiciniai, suktiniai, su keturkampėmis aikštelėmis; aikštelių, besileidžiančių į gelmę, buvo matyti gal trisdešimt, o toliau žibintuvėlio šviesa nebesiekė. *Aš net nematau laiptų apačios!*

— Piteri... — sumikčiojo jis. — Kokia čia vieta?

— Tuoj nuvesiu tave į laiptų apačią, bet prieš tai dar turi kai ką pamatyti.

Sutrikęs ir neįstengdamas priešintis Lengdonas leidosi Piterio nuvedamas tolyn nuo laiptų per keistą mažą kambarėlį. Piteris laikė žibintuvėlį nukreipęs į apačią, į nutryptas akmenines grindis po jų kojomis, tad Lengdonui nepavyko suvokti, kokia erdvė yra aplink... tik buvo justi, kad čia ankšta.

Mažytis akmeninis kambarėlis.

Jie greitai pasiekė priešingą kambario sieną, kurioje buvo įtaisytas stiklo keturkampis. Lengdonas pamanė, kad tai langelis į gretimą patalpą, tačiau iš ten, kur stovėjo, galėjo įžiūrėti už jo tik tamsą.

— Prieik, — paragino Piteris. — Pažiūrėk.

— Kas ten? — Lengdonas staiga prisiminė Apmąstymų kambarį Kapitolijaus rūsyje ir savo tikėjimą, kad jame galėtų būti vartai į milžinišką požemio erdvę.

— Tik pažiūrėk, Robertai. — Solomonas stumtelėjo jį priekin. — Ir susikaupk, nes tai, ką pamatysi, tave tikrai sukrės.

Visiškai nenumanydamas, ko tikėtis, Lengdonas patraukė prie langelio. Jam artėjant Piteris išjungė žibintuvėlį, ir kambarėlis paskendo visiškoje tamsoje.

Kol akys apsipras su tamsa, Lengdonas pagrabaliojo prieš save, rankomis apčiuopė sieną, rado stiklą, prikišo veidą arčiau perregimų vartų.

Vis tiek už jo buvo tik tamsa.

Jis pasilenkė... prispaudė veidą prie stiklo.

Ir pamatė.

Sukrėtimo banga, užliejusi Lengdono kūną, pasiekė jo vidų ir apvertė aukštyn kojom vidinį kompasą. Protui mėginant susitaikyti su visiškai netikėtai priešais atsivėrusiu vaizdu, jis vos neparvirto aukštielninkas. Net sapne Robertas Lengdonas nebūtų atspėjęs, kas yra kitapus šio stiklo.

Prieš jį atsivėrė pasakiškas vaizdas.

Tamsoje tarsi švytintis brangakmenis švietė ryški balta šviesa.

Dabar Lengdonas viską suprato — kodėl privažiavimo kelias buvo atitvertas užkarda... kodėl prie pagrindinio įėjimo stovi sargybiniai... kodėl išorės durys metalinės... kam reikalingos grumančios automatinės durys... kodėl jam taip slegia skrandį... kodėl svaigsta galva... ir kas yra šitas mažytis akmeninis kambarėlis.

— Robertai, — jam už nugaros sušnibždėjo Piteris, — kartais pakanka pakeisti žiūros tašką, kad išvystum šviesą.

Netekęs žado Lengdonas žvelgė pro langą. Jo žvilgsnis keliavo nakties tamsoje, kirto beveik du kilometrus tuščios erdvės, krypo žemiau... žemiau... tamsoje... kol galiausiai sustojo ties ryškiai apšviesto, skaisčiai balto JAV Kapitolijaus pastato kupolo viršūne.

Lengdonas niekada nebuvo matęs Kapitolijaus iš tokios perspektyvos — nuo šimto šešiasdešimt devynių metrų aukščio didžiojo Amerikos egiptietiško obelisko viršūnės. Šiąnakt jis pirmą kartą gyvenime pakilo liftu į mažytį apžvalgos kambarėlį... pačiame Vašingtono paminklo viršuje.

129 skyrius

Robertas Lengdonas pakerėtas stovėjo prie stiklinio lango, gerte gerdamas apačioje atsivėrusio vaizdo galią. Pats to nesupratęs, pakilęs beveik šimtą septyniasdešimt metrų aukštyn, jis dabar gėrėjosi viena iš gražiausių panoramų, kokias tik buvo kada nors gyvenime matęs.

Švytintis JAV Kapitolijaus kupolas tarsi kalnas kilo rytiniame Tautos alėjos gale. Iš abiejų pastato pusių jo link tiesėsi dvi lygiagrečios šviesos linijos... apšviesti Smitsono muziejų fasadai... meno, istorijos, mokslo ir kultūros švyturiai.

Lengdonas baisiai apstulbo susivokęs, kad beveik viskas, ką Piteris skelbė esant tiesa... iš tiesų yra tiesa. *Tikrai yra suktiniai laiptai... per šimtą metrų besileidžiantys apačion nuo didžiulio akmens.* Milžiniška obelisko viršūnė buvo Lengdonui tiesiai virš galvos, ir jis staiga prisiminė pamirštą smulkmeną, kuri dabar pasirodė keistai svarbi: Vašingtono paminklo viršūnės akmuo sveria pusantro tūkstančio kilogramų, o tai yra lygiai trisdešimt trys šimtai svarų.

Ir vėl — skaičius 33.

Tačiau dar labiau stulbino žinojimas, kad aukščiausias šios viršūnės taškas, obelisko zenitas, yra vainikuotas mažyčiu spindinčiu aliuminio smaigaliu — metalo, anais laikais tokio pat brangaus kaip auksas. Spindinti Vašingtono paminklo smailė yra tik kokių trisdešimties centimetrų aukščio, tokio pat dydžio kaip masonų piramidė. Neįtikima, tačiau šioje mažoje metalinėje piramidėje įrašyti garsūs žodžiai — *Laus Deo*: staiga Lengdonas viską suprato. *Tai ir yra tikroji žinia, įrašyta ant akmens piramidės pagrindo.*

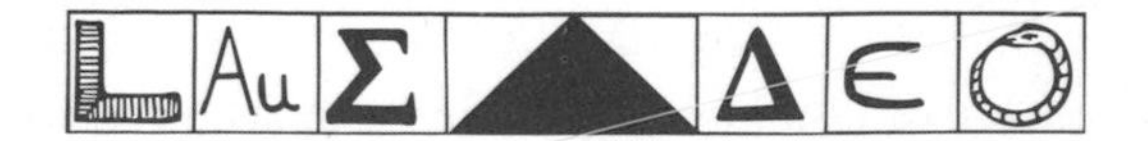

Septyni simboliai — tai transliteracija.

Pats paprasčiausias šifras.

Visi simboliai — raidės.

Akmentašių kampainis — L
Aukso elemento pavadinimas — AU
Graikiška raidė sigma — S
Graikiška raidė delta — D
Alcheminis gyvsidabrio ženklas — E
Ouroboros — O

— *Laus Deo,* — sušnibždėjo Lengdonas. Gerai žinomas lotyniškas posakis, kuris reiškia „Garbė Dievui", yra įrašytas ant Vašingtono paminklo viršūnės rašytinėmis vos poros centimetrų aukščio raidėmis. *Visų akivaizdoje... tačiau niekam nematomas.*

Laus Deo.

— Garbė Dievui, — ištarė Piteris jam už nugaros, įjungdamas neryškią kambarėlio šviesą. — Galutinis masonų piramidės kodas.

Lengdonas atsigręžė. Bičiulis plačiai šypsojosi, ir Lengdonas prisiminė, kad Piteris jau anksčiau, dar masonų bibliotekoje, ištarė žodžius „garbė Dievui". *Ir vis tiek aš nesusipratau.*

Lengdonas pašiurpo suvokęs, kaip tinkamai legendinė masonų piramidė jį atvedė čia... į didingiausią Amerikos obeliską, senosios mistinės išminties simbolį, kylantį į dangų pačioje šalies širdyje.

Apimtas nuostabos Lengdonas ėmė eiti palei mažyčio kambarėlio sienas prieš laikrodžio rodyklę ir netrukus priėjo kitą apžvalgos langelį.

Šiaurė.

Per šiaurės pusės langelį Lengdonas pažvelgė į tiesiai priešais stovintį pažįstamą Baltųjų rūmų siluetą. Pakėlė akis į horizontą, kur tiesia linija šiaurės pusėn smigo Šešioliktoji gatvė — iki pat Šventyklos rūmų.

Aš esu į pietus nuo Heredomo.

Jis paėjėjo pasieniu toliau, iki kito langelio. Žvelgiant į vakarus Lengdono akys aprėpė ilgą, šviesas atspindintį tvenkinio keturkampį prie Linkolno memorialo, kurio klasikinę graikišką architektūrinę formą įkvėpė Atėnų Partenonas, Atėnės — didvyriškų žygių deivės — šventykla.

Annuit coeptis, pamanė Lengdonas. *Dievas laimina mūsų užmojus.*

Priėjęs prie paskutinio langelio Lengdonas pažvelgė į pietus pro tamsius Rūkų žemumos vandenis, kuriuose naktį ryškiai atsispindėjo Džefersono memorialas. Lengdonas žinojo, kad nuožulnus jo kupolas suprojektuotas mėgdžiojant Panteoną, pirmuosius didžiųjų Romos mitologijos dievų namus.

Apsižvalgęs į visas keturias puses Lengdonas prisiminė matytas nuotraukas, kuriose Tautos alėja nufotografuota iš paukščio skrydžio, keturias rankas ištiesusi nuo viduryje stovinčio Vašingtono paminklo į visas keturias kompaso rodomas šalis. *Aš stoviu Amerikos kryžkelėje.*

Lengdonas grįžo atgal, ten, kur stovėjo Piteris. Jo mokytojas švytėjo.

— Na štai, Robertai, tai jis. Prarastas Žodis. *Štai* kur jis paslėptas. Masonų piramidė mus atvedė *čia*.

Lengdonas krūptelėjo. Jis buvo beveik pamiršęs apie Prarastą Žodį.

— Robertai, aš nepažįstu patikimesnio žmogaus už tave. O po tokios nakties kaip ši, manyčiau, tu turi teisę sužinoti, dėl ko visa tai kilo. Kaip žada legenda, Prarastas Žodis iš tiesų paslėptas suktinių laiptų apačioje. — Jis mostelėjo į ilgus laiptus, vedančius į paminklą.

Lengdonas, galiausiai truputį atsipeikėjęs, dabar ir vėl sutriko.

Piteris greitai įkišo į kišenę ranką ir ištraukė mažą daiktelį.

— Atsimeni?

Lengdonas paėmė kubo pavidalo dėžutę, kurią jam seniai buvo patikėjęs Piteris.

— Taip... tik aš, atrodo, nelabai sėkmingai ją saugojau.

Solomonas susijuokė.

— Gal atėjo laikas jai išvysti dienos šviesą.

Lengdonas žiūrėjo į akmens kubą, svarstydamas, kam Piteris jį jam padavė.

— Ką jis tau primena? — paklausė Piteris.

Lengdonas pažvelgė į įrašą 1514 AD ir prisiminė pirmą įspūdį, kilusį, kai Ketrina išvyniojo ryšulėlį.

— Kertinį akmenį.

— Visiškai teisingai, — atsakė Piteris. — Gal tu kai ko ir nežinai apie kertinius akmenis. Pirma — kad pati kertinio akmens dėjimo *sąvoka* yra kilusi iš Senojo Testamento.

Lengdonas linktelėjo.

— Iš Psalmyno.

— Teisingai. Tikras kertinis akmuo būtinai turi būti *užkastas* žemėje — jis simbolizuoja pirmą pastato žingsnį nuo žemės į dangiškąją šviesą.

Lengdonas pro langą dirstelėjo į Kapitolijų ir prisiminė, kad jo kertinis akmuo pasirodė esąs taip giliai po pamatais, kad dar iki šiol kasinėjant nepavyko jo rasti.

— Ir galiausiai, — pasakė Solomonas, — kertiniai akmenys, kaip ir ši akmeninė dėžutė, kurią laikai rankoje, dažnai pasirodo esą tarsi saugyklos... jose yra ertmės, kuriose slepiami lobiai... arba, jei nori, talismanai — vilčių, susijusių su statomu pastatu, simboliai.

Šią tradiciją Lengdonas irgi gerai žinojo. Dar dabar masonai deda į pastatus kertinius akmenis, kuriuose slepia prasmingus objektus — kapsules su nurodyta data, fotografijas, deklaracijas, net svarbių asmenų pelenus.

— Tau turėtų būti aišku, — tarė Solomonas dirsteldamas laiptų pusėn, — kodėl aš tai sakau.

— Tu manai, kad Prarastas Žodis yra užkastas, paslėptas Vašingtono paminklo *kertiniame akmenyje?*

— Aš *nemanau*, Robertai. Aš *žinau*. Prarastas Žodis 1848 m. liepos 4 dieną buvo paslėptas šio paminklo kertiniame akmenyje, padėtame su visomis masonų apeigomis.

Lengdonas įsmeigė į jį akis.

— Mūsų protėviai masonai užkasė *žodį?*

Piteris linktelėjo.

— Iš tiesų. Jie puikiai suprato tikrąją galią to, ką slepia.

Visą naktį Lengdonas mėgino aprėpti protu beribes, išskystančias sąvokas... Senovės Slėpinius, Prarastą Žodį, amžių išmintį. Lengdonas norėjo rasti ką nors apčiuopiama, ir nepaisant Piterio tvirtinimo, kad viso to raktas užkastas su kertiniu akmeniu šimtu septyniasdešimčia metrų žemiau, su tuo buvo sunku susitaikyti. *Žmonės visą gyvenimą tyrinėja slėpinius ir vis tiek neįstengia pasiekti galių, kurios neva juose slypi.* Lengdonas prisiminė Diurerio „Melancholiją 1“ — viskuo nusivylusį adeptą, apsuptą įrankių, kuriuos pasitelkęs jis bergždžiai mėgino atskleisti mistines alchemijos paslaptis. *Jei paslaptis iš tiesų įmanoma atskleisti, jos vis tiek nebus sutelktos vienoje vietoje!*

Bet koks atsakymas, nuo seno manė Lengdonas, yra pasklidęs po visą pasaulį tūkstančiais tomų... užšifruotas Pitagoro, Hermio, Heraklito, Paracelso ir šimtų kitų mokymuose. Atsakymą galima rasti dulkėtuose, pamirštuose alchemijos, misticizmo, magijos ir filosofijos veikaluose. Atsakymas buvo paslėptas senovės Aleksandrijos bibliotekoje, šumerų molio lentelėse ir Egipto hieroglifuose.

— Piteri, aš labai atsiprašau, — tyliai ištarė Lengdonas purtydamas galvą. — Suprasti Senovės Slėpiniams reikia viso gyvenimo. Niekaip negaliu suprasti, kaip raktas galėtų būti vienintelis žodis.

Piteris uždėjo ranką Lengdonui ant peties.

— Robertai, Prarastas Žodis visai nėra žodis. — Jis nusišypsojo išminčiaus šypsena. — Tik mes vadiname jį žodžiu, nes taip jį vadino senovės žmonės... pradžioje...

130 skyrius

Pradžioje buvo Žodis.

Dekanas Galovėjus klūpojo Nacionalinėje katedroje prie altoriaus pertvaros ir meldėsi už Ameriką. Meldėsi, kad jo mylima šalis kuo greičiau suprastų tikrąją Žodžio — visų senovės mokytojų surašytos išminties rinkinių, didžiųjų išminčių skelbiamų dvasios tiesų — galią.

Istorija palaimingai skyrė žmonijai išmintingiausius mokytojus, iš esmės nušvitusias sielas, kurie neapsakomai giliai suprato sielos ir dvasios slėpinius. Brangūs šių adeptų — Budos, Jėzaus, Mahometo, Zoroastro ir begalės kitų — žodžiai per amžius buvo perduodami seniausiuose, brangiausiuose induose.

Knygose.

Kiekviena žemės kultūra turi savo šventąją knygą — savo Žodį; jos visos skirtingos ir kartu tos pačios. Krikščionims Žodis — Biblija, musulmonams — Koranas, žydams — Tora, indams — Vedos, ir taip toliau, ir taip toliau.

Žodis nušvies kelią.

Amerikos įkūrėjams masonams Žodis buvo Biblija. *Tačiau tik nedaugelis žmonių per visą istoriją suprato jos tikrąją žinią.*

Šią naktį Galovėjus, vienas klūpodamas didžioje katedroje, uždėjo delnus ant Žodžio — nuskaitytos jo paties masoniškos Biblijos. Šioje brangioje knygoje, kaip visose masonų Biblijose, buvo Senasis Testamentas, Naujasis Testamentas ir masonų filosofinių tekstų lobynas.

Nors akimis Galovėjus nebeįstengė skaityti šių tekstų, įvadą jis mokėjo atmintinai. Didingą jo žinią nesuskaičiuojama daugybe kalbų skaitė milijonai jo brolių visame pasaulyje.

Tekstas buvo toks:

LAIKAS — TAI UPĖ... O KNYGOS — LAIVAI. DAUGYBĖ TOMŲ
LEIDŽIASI PASROVIUI, TAČIAU SUDŪŽTA IR BE ŽINIOS DINGSTA
KRANTO SMĖLYNUOSE. TIK NEDAUG, LABAI NEDAUG IŠ JŲ
IŠTVERIA LAIKO IŠMĖGINIMUS IR GYVENA TEIKDAMOS
PALAIMĄ ATEINANTIEMS AMŽIAMS.

Ne veltui šios knygos išliko, nors kitos pradingo. Galovėjus, kaip tikėjimą tyrinėjęs mokslininkas, seniai stebėjosi tuo, kad seniausi dvasiniai tekstai — labiausiai studijuojamos pasaulio knygos — iš tiesų yra mažiausiai suprasti.

Šie puslapiai slepia nepaprastą paslaptį.

Vieną gražią dieną, jau greit, išauš aušra ir žmonija galiausiai pradės suvokti paprastą, permainančią senovės mokymų tiesą... o tada žengs milžinišką žingsnį link to, kad suprastų savo didingą prigimtį.

131 skyrius

Suktinius laiptus, kurie leidžiasi Vašingtono paminklo „stuburu", sudaro 896 akmeninės pakopos, besisukančios spirale aplink atvirą lifto šachtą. Lengdonas ir Solomonas leidosi žemyn; Lengdonas vis dar mąstė apie stulbinamą dalyką, kurį jam vos prieš kelias akimirkas pasakė Piteris: *Robertai, tuščiaviduriame šio paminklo kertiniame akmenyje yra mūsų protėvių įdėtas Žodis — Biblija, kuri tamsybėse laukia laiptų apačioje.*

Jiems leidžiantis Piteris staiga stabtelėjo aikštelėje ir pašvietė žibintu į sienoje įtaisytą didelį akmens medalioną.

Kas gi čia dabar? Pamatęs, kas vaizduojama medalione, Lengdonas krūptelėjo.

Baugi, apsiaustu apsisiautusi figūra su dalgiu rankoje klūpojo šalia smėlio laikrodžio. Iškėlusi ranką ištiestu smiliumi ji rodė tiesiai į didžiulę atverstą Bibliją, tarsi sakydama: „Atsakymą rasite čia!"

Lengdonas, ilgokai žiūrėjęs į medalioną, atsisuko į Piterį.

Jo mokytojo akyse švietė paslaptis.

— Siūlau tau pamąstyti štai apie ką, Robertai. — Jo balso aidas sklido tuščiuose laiptuose. — Kaip manai, *kodėl* Biblija išliko per šiuos audringus tūkstantmečius? Kodėl ji tebėra mums reikalinga? Ar dėl to, kad jos pasakojimai tokie įdomūs? Žinoma, ne... tačiau yra kita priežastis. *Ne be reikalo* krikščionių vienuoliai paaukoja visą gyvenimą Biblijos studijoms. *Ne be reikalo* žydų mistikai ir Kabalos žinovai tyrinėja Senąjį Testamentą. Jie tai daro todėl, Robertai, kad šios senos knygos puslapiuose užšifruotos galingos paslaptys... milžiniškas dar nesuprastos išminties lobis, laukiantis, kol jį atras.

Teorija, kad Šventajame Rašte egzistuoja paslėptų prasmių lygmuo, — užšifruotas pranešimas, pridengtas alegorijomis, simboliais ir palyginimais, — Lengdonui nebuvo naujiena.

— Pranašai mus įspėja, — toliau kalbėjo Piteris, — kad apie nedaugeliui suvokiamus slėpinius jie kalba ne paprasta visiems suprantama kalba. Evangelijoje pagal Morkų pasakyta: „Jums atiduota Dievo karalystės paslaptis, o pašaliniams viskas bus sakoma palyginimais." Patarlių knygoje įspėjama, kad išminčių žodžiai — tai „mįslės", o Laiške korintiečiams kalbama apie „slaptą išmintį". Evangelijoje pagal Joną sakoma: „Aš jums vis kalbėjau palyginimais..."

Palyginimais, mąstė Lengdonas, žinodamas, kad ši keista sąvoka ne kartą pasirodo Patarlių knygoje ir 78 psalmėje. *Atversiu burną prasmingais pavyzdžiais, atskleisiu senųjų amžių paslaptis.* Lengdonas žinojo, kad „prasmingi pavyzdžiai" ir „palyginimai" čia reiškia tiesos sakymo būdą — ne tiesiogiai, o pasitelkus alegorijas ir metaforas.

— O jei dar abejoji, — pridūrė Piteris, — tai Pirmame laiške korintiečiams aiškiai sakoma, jog palyginimuose esti du tiesos lygmenys — „pienas" ir „kietas maistas": „Maitinau jus pienu, o ne kietu maistu, kurio jūs dar negalėjote priimti." „Pienas" — tai atskiesta tiesos versija, skirta kūdikių protams, o „kietas maistas" — tikroji žinia, suvokiama tik subrendusiesiems.

Piteris pakėlė žibintą, vėl apšviesdamas apsiaustu apsigaubusią figūrą, įsakmiai rodančią į Bibliją.

— Žinau, Robertai, kad esi skeptikas, bet pamąstyk štai apie ką. Jei Biblijoje *nėra* paslėptos prasmės, tai kodėl tokia daugybė šviesiausių pasaulio protų — be kitų, ir talentingiausi Karališkosios draugijos mokslininkai, — taip atkakliai ją studijavo? Seras Izaokas Niutonas prirašė daugiau kaip *milijoną* žodžių, stengdamasis iššifruoti tikrąją Šventojo Rašto prasmę; tarp jų buvo ir 1704 metais parašytas veikalas, kuriame jis tvirtina išgavęs iš Biblijos slaptos *mokslinės* informacijos!

Lengdonas žinojo, kad tai tiesa.

— O seras Fransis Beikonas, — toliau pasakojo Piteris, — šviesuolis, karaliaus Jokūbo pasamdytas tam, kad iš esmės *sukurtų* autorizuotą karaliaus Jokūbo Biblijos versiją, taip tvirtai įtikėjo Biblijoje esant slaptų prasmių, kad įrašė savo paties šifruotų pranešimų, kurie tebestudijuojami iki šiol! Be abejo, tu žinai, kad Beikonas buvo Rožės kryžininkas, parašęs „Senovės išmintį". — Piteris nusišypsojo. — Net poetas ikonoklastas Viljamas Bleikas užsiminė, kad Bibliją reikia skaityti tarp eilučių.

Lengdonas buvo girdėjęs jo dvieilį:

ABU MES SKAITOM, KAIP MATAI,
TIK TU — JUODAI, O AŠ — BALTAI.

— Ir tai domino ne tik Europos šviesuolius, — nenutilo Piteris, vis greičiau leisdamasis laiptais žemyn. — Būtent *čia*, pačioje jaunosios Amerikos širdyje, gabiausi mūsų šalies tėvai ir įkūrėjai — Džonas Adamsas, Benas Franklinas, Tomas Peinas — įspėjo apie didžiulius pavojus, gresiančius tiems, kurie Bibliją skaito *pažodžiui.* O Tomas Džefersonas buvo taip tvirtai įsitikinęs, kad Biblijos tikroji žinia yra *paslėpta*, jog iškarpė jos puslapius ir perdėliojo savaip, stengdamasis, kaip pats sakė, „nusikratyti nereikalingais pastoliais ir atkurti tikrąjį mokymą".

Lengdonas gerai žinojo šį keistą faktą. Džefersono Biblija tebėra leidžiama iki šiol, joje yra daug prieštaringų pataisymų — pavyzdžiui, iškirpta viskas, kur pasakojama apie nekaltą prasidėjimą ir prisikėlimą. Sunku patikėti, tačiau XIX a. pirmoje pusėje Džefersono Biblijos egzempliorius būdavo įteikiamas kiekvienam naujam Kongreso nariui.

— Piteri, tu juk žinai, kad ši tema mane nepaprastai domina, aš puikiausiai suprantu, kodėl šviesiausi pasaulio protai galėjo *įsivaizduoti* Šventajame Rašte esant paslėptą prasmę, bet man tai vis tiek atrodo nelogiška. Bet kuris savo darbą išmanantis dėstytojas tau pasakys, kad šifruotų dalykų *mokyti* neįmanoma.

— Nesupratau?

— Piteri, mokytojai ir dėstytojai *moko*. Jie kalba *atvirai*. Tai kam prireikė pranašams — didžiausiems visų laikų mokytojams — tyčia *slėpti* savo kalbų prasmę? Kam jiems kalbėti šifrais, jei jie siekė pakeisti pasaulį? Kodėl nekalbėti aiškiai ir paprastai, kad visi viską suprastų?

Piteris, nepaliaudamas leistis laiptais, dirstelėjo per petį, tarsi nustebintas klausimo.

— Robertai, Biblijoje nekalbama *atvirai* dėl tos pačios priežasties, dėl kurios būdavo slepiamos Senovės Slėpinių mokyklos... dėl tos pačios priežasties, dėl kurios naujokus, trokštančius studijuoti slaptąjį amžių mokymą, pirmiausia reikia įšventinti... dėl tos pačios priežasties, dėl kurios Nematomosios kolegijos mokslininkai nesidalijo savo žiniomis su kitais. Informacija — tai *galia*, Robertai. Senovės Slėpinių negalima visiems šaukti nuo stogų. Slėpiniai — tai liepsnojantis deglas, kuris mokytojo rankose gali nušviesti kelią, tačiau pakliuvęs į nagus bepročiui iki bergždumo išdegins visą žemę.

Lengdonas staiga sustojo. *Ką jis šneka?*

— Piteri, aš juk kalbu apie *Bibliją*. Kodėl tu staiga prabilai apie *Senovės Slėpinius?*

Piteris atsigręžė.

— Robertai, nejau dar nesupratai? Senovės Slėpiniai ir Biblija — tai tas pat.

Lengdonas apstulbęs spoksojo į draugą.

Piteris kelias sekundes patylėjo laukdamas, kol jo žodžiai bus suvokti.

— Biblija — viena iš knygų, kuriose per amžius buvo perduodami slėpiniai. Jos puslapiai stengiasi mums atskleisti šią paslaptį. Nejau nesupranti? Visi tie Biblijos „palyginimai" — tai senovės žmonių kuždesiai, kuriais jie tyliai perteikia mums visą savo slaptą išmintį.

Lengdonas nieko neatsakė. Senovės Slėpiniai jo vaizduotėje buvo savotiška instrukcija, vadovas, mokantis pažaboti snaudžiančias žmogaus psichikos galias... asmens apoteozės receptas. Jam taip ir nepavyko patikėti slėpinių galia, o jau mintis, kad šių slėpinių raktas kažin kokiu būdu paslėptas Biblijoje, atrodė visai svetima.

— Piteri, Biblija ir Senovės Slėpiniai yra visiškos *priešybės*. Slėpiniuose nuolat kalbama apie dievybę žmogaus *viduje*... apie žmogų kaip Dievą. Biblijoje nuolat minimas *aukštybių* Dievas... o žmogus tėra bejėgis nusidėjėlis.

— Taip! Visiškai teisingai! Tu labai aiškiai išreiškei problemą. Tikroji Žodžio prasmė buvo prarasta tą akimirką, kai žmonija *atsiskyrė* nuo Dievo. Dabar senovės mokytojų balsų visai nebegirdėti, juos užgožė chaotiški savamokslių šarlatanų šūksniai, neva jie vieni supranta Žodį... neva Žodis esąs parašytas tik jiems vieniems suprantama kalba.

Piteris nesustodamas leidosi laiptais.

— Robertai, mudu su tavimi žinome, kad senovės žmonės pasibaisėtų pamatę, kaip buvo iškreiptas jų mokymas... kaip religija pasiskelbė ir įsitvirtino kontrolės punktu, kuris vienintelis praleidžia į dangų... kaip kariai eina į mūšį šventai tikėdami, kad juos palaiko Dievas. Mes praradome Žodį, tačiau tikroji jo prasmė tebėra pasiekiama, ji tiesiai mums prieš akis. Ji egzistuoja visuose išlikusiuose tekstuose, nuo Biblijos iki „Bhagavadgytos“, Korano ir kitų. Ant laisvųjų mūrininkų altorių garbinami *visi* šie tekstai, nes masonai supranta tai, ką, atrodo, pamiršo visas pasaulis... jog kiekvienas iš šių tekstų įvairiais būdais neįkyriai kužda mums *tą patį*. — Piterio balsas prisipildė emocijų. — „Nejau nežinote, kad esate dievai?“

Lengdonas vėl nusistebėjo, kaip šis garsus senas posakis šiąnakt visur kartojasi. Apie tai jis mąstė kalbėdamasis su Galovėjumi, jį prisiminė Kapitolijaus pastate, stengdamasis paaiškinti „Vašingtono apoteozę“.

Piteris prakalbo tyliai, beveik šnabždesiu.

— Buda sakė: „Tu pats esi Dievas.“ Jėzus mokė, kad „dangaus karalystė yra jumyse“, ir net pažadėjo: „Kas mane tiki, darys darbus, kuriuos aš darau, ir dar už juos didesnius.“ Net pirmasis antipopiežius, Ipolitas Romietis, kartojo tą pačią frazę, pirmą kartą ištartą gnostiko mokytojo Monoimo: „Liaukis *ieškojęs* Dievo... verčiau pradėk nuo savęs.“

Lengdono atmintyje iškilo Šventyklos rūmai ir juose stovintis Tailerio masonų krėslas, ant kurio atramos buvo išrašytas patarimas: PAŽINK SAVE.

— Išmintingas žmogus kartą man sakė, — tarė Piteris, kurio balso buvo beveik nebegirdėti, — kad vienintelis skirtumas tarp tavęs ir Dievo yra tas, kad *tu* pamiršai esąs dievybė.

— Piteri, aš tavęs atidžiai, labai atidžiai klausausi. Ir labai norėčiau patikėti, kad mes esame dievai, bet mūsų žemėje dievų nematau. Nematau antžmogių. Tu man gali kiek nori kalbėti apie Biblijoje ar kituose religiniuose tekstuose aprašytus stebuklus, bet iš tiesų tai tik senų laikų istorijos, kitados žmonių išgalvotos ir laikui bėgant smarkiai perdėtos.

— Gali būti, — atsakė Piteris. — O gal tiesiog reikia, kad mūsų mokslas prisivytų senovės žmonių išmintį. — Jis patylėjo. — Keisčiausia tai... kad Ketrinos tyrimai, man atrodo, būtent prie to prisideda.

Staiga Lengdonas prisiminė, kaip Ketrina neseniai išbėgo iš Šventyklos rūmų.

— Ei, klausyk, o kur ji nulėkė?

— Netrukus grįš, — juokdamasis atsakė Piteris. — Nubėgo savo akimis įsitikinti, ar teisybė vienas nuostabus dalykas, kurį jai pasakiau.

Lauke, paminklo papėdėje, įkvėpęs šalto nakties oro Piteris Solomonas pajuto sugrįžus jėgas. Jis linksmai stebėjo, kaip Lengdonas atidžiai apžiūrinėja žemę, krapštosi pakaušį ir žvalgosi aplink obelisko pagrindą.

— Profesoriau, — juokais pašaukė Piteris, — kertinis akmuo, kuriame yra Biblija, užkastas po žeme. Pačios knygos *pasiekti* nepavyks, bet aš galiu užtikrinti, kad ji ten yra.

— Aš tikiu tavim, — atsiliepė Lengdonas, kuris atrodė paskendęs mintyse. — Tiesiog... kai ką pastebėjau.

Lengdonas paėjo kelis žingsnius atgal ir apžvelgė milžinišką aikštę, kurioje stovi Vašingtono paminklas. Apskritas jo pamatas iš balto akmens... išskyrus du tamsesnius intarpus, kurie sudarė du paminklą juosiančius koncentriškus apskritimus.

— Apskritimas apskritime, — ištarė Lengdonas. — Niekad nebuvau pagalvojęs, kad Vašingtono paminklas stovi apsuptas dviejų apskritimų, pačiame centre.

Piteris nesusilaikė nenusijuokęs. *Jis viską pastebi.*

— Taip, didysis *circumpunct*... visuotinis Dievo simbolis... pačioje Amerikos širdies kryžkelėje. — Jis juokais gūžtelėjo pečiais. — Neabejoju, kad tai gryniausias atsitiktinumas.

Lengdonas, atrodo, mintimis nuklydo toli, pakėlęs galvą žvelgė į dangų ir į apšviestą smailę, ryškia balta šviesa spindinčią tamsiame žiemos danguje.

Piteris pajuto, jog Lengdonas pradeda matyti šį pastatą tokį, koks jis yra iš tikrųjų... nebylus senovės išminties priminimas... apšviesto žmogaus, esančio didingos šalies centre, simbolis. Net nematydamas mažyčio aliumininio smaigalio pačioje viršūnėje, Piteris žinojo, kad jis ten yra — apšviestas žmogaus protas, besistiebiantis į dangų.

Laus Deo.

— Piteri? — Prie jo priėjo Lengdonas, kuris atrodė kaip žmogus, ką tik patyręs mistinį įšventinimą. — Vos nepamiršau, — tarė jis, įkišo į kišenę ranką ir ištraukė Piterio auksinį masonų žiedą. — Visą naktį norėjau jį tau grąžinti.

— Ačiū, Robertai. — Piteris ištiesė kairę ranką, paėmė žiedą ir ėmė juo gėrėtis. — Žinai, tos paslaptys ir mįslės, susijusios su šiuo žiedu ir su masonų piramide... padarė mano gyvenimui didžiulę įtaką. Kai buvau jaunas, man buvo patikėta piramidė, užtikrinus, jog ji saugo mistines paslaptis. Vien jos egzistavimas privertė mane *patikėti*, kad pasaulyje esama didingų slėpinių. Ji pakurstė mano smalsumą, paskatino gėrėtis ir įkvėpė atsiverti Senovės Slėpiniams. — Jis tyliai nusišypsojo ir įsidėjo žiedą į kišenę. — Dabar suprantu, kad tikrasis masonų piramidės tikslas yra ne atskleisti atsakymus, bet pažadinti susižavėjimą jais.

Abu draugai tylėdami ilgai stovėjo paminklo papėdėje.

Galiausiai Lengdonas prabilo, jo balsas nuskambėjo rimtai.

— Piteri, noriu tavęs kai ko paprašyti... kaip draugo.

— Be abejo. Prašyk, ko tik nori.

Lengdonas tvirtai išsakė savo prašymą.

Solomonas linktelėjo galva, suprasdamas, jog bičiulis teisus.

— Gerai.

— Dabar pat, — pridūrė Lengdonas, mostu rodydamas į laukiantį visureigį.

— Gerai... bet su viena sąlyga.

Lengdonas susijuokė ir užvertė į viršų akis.

— Kaip čia yra, kad tavo žodis visada paskutinis.

— Taip, ir aš noriu, kad judu su Ketrina pamatytumėte dar kai ką.

— Tokiu metu? — Lengdonas pažvelgė į laikrodį.

Solomonas draugiškai nusišypsojo senam draugui.

— Tai įspūdingiausias Vašingtono lobis... kurį matė tik *labai* nedaugelis.

132 skyrius

Ketrina Solomon džiugia širdimi skubėjo į kalvą prie Vašingtono paminklo papėdės. Šią naktį ji patyrė didžiulį sukrėtimą ir tragediją, tačiau dabar visos jos mintys, nors ir laikinai, sukosi tik apie nuostabią naujieną, kurią jai neseniai pranešė Piteris... ir kurią ji ką tik pamatė savo akimis.

Mano tyrimų rezultatai išsaugoti. Visi iki vieno.

Šią naktį jos laboratorijos holografines duomenų saugojimo bazes sunaikino liepsna, bet Piteris Šventyklos rūmuose pasakė, kad slaptai saugojo visų jos rezultatų atsargines bylas Smitsono muziejaus saugyklose. *Juk žinai, kad tavo darbas mane be galo žavi,* paaiškino jis, *aš norėjau sekti, kaip tau sekasi, tavęs netrukdydamas.*

— Ketrina? — pašaukė ją sodrus balsas.

Ji pakėlė galvą.

Apšviesto paminklo fone ryškėjo vienišas žmogaus siluetas.

— Robertai! — Ji pribėgo artyn ir jį apkabino.

— Girdėjau gerą žinią, — sušnibždėjo Lengdonas. — Tau tikriausiai labai palengvėjo.

Jos balsas trūkinėjo iš susijaudinimo.

— Neįtikėtinai. — Rezultatai, kuriuos išsaugojo Piteris, žadėjo naują mokslo proveržį — tai buvo didžiulis rinkinys eksperimentų, įrodančių, kad žmogaus mintis materialiame pasaulyje yra reali ir išmatuojama jėga. Ketrina eksperimentais įrodė žmogaus minčių poveikį viskam — pradedant ledo kristalais, atsitiktinių įvykių generatoriais ir baigiant smulkiųjų atomo dalelių judėjimu. Rezultatai buvo patikimi ir neabejotini, galintys skeptikus paversti šalininkais ir neįtikimai paveikti masinę nuomonę. — Viskas pasikeis, Robertai. *Viskas.*

— Piteris tuo neabejoja.

Ketrina apsidairė ieškodama brolio.

— Jis ligoninėje, — atsakė Lengdonas. — Išreikalavau, kad nuvažiuotų, bent dėl manęs.

Ketrina su palengvėjimu iškvėpė.

— Ačiū.

— Jis man liepė tavęs čia palaukti.

Ketrina linktelėjo žvelgdama į švytintį baltą obeliską.

— Jis man sakė, kad ketina tave čia atsivesti. Tai dėl to *Laus Deo?* Smulkiau nieko nepaaiškino.

Lengdonas pavargęs nusijuokė.

— Nesu tikras, kad pats viską suprantu. — Jis pažvelgė į paminklo viršūnę. — Tavo brolis šiandien man pasakė keletą dalykų, kurių man iki šiol nesiseka aprėpti protu.

— Leisk, atspėsiu, — pasisiūlė Ketrina. — Senovės Slėpiniai, mokslas ir Šventasis Raštas?

— Tiksliai į dešimtuką.

— O, dabar tu mane supranti. — Ji mirktelėjo. — Piteris mane seniausiai įšventino. Tai padėjo man atlikti daug eksperimentų.

— Nuojauta man sako, kad kai ką jis kalbėjo protingai. — Lengdonas papurtė galvą. — Bet protas...

Ketrina nusišypsojo ir jį apkabino.

— Žinai, Robertai, man regis, čia aš galėsiu tau padėti.

Pačiose Kapitolijaus pastato gelmėse tuščiu koridoriumi žingsniavo architektas Vorenas Belamis.

Šiandien beliko tik vienas darbas, pamanė jis.

Atėjęs į savo kabinetą, jis išsiėmė iš stalo stalčiaus labai seną raktą. Raktas buvo juodintos geležies, ilgas ir plonas, paženklintas išsitrynusiais ženklais. Įsidėjęs raktą į kišenę jis pasirengė sutikti svečius.

Į Kapitolijų atvyksta Robertas Lengdonas ir Ketrina Solomon. Piterio paprašytas, Belamis suteiks jiems labai retai pasitaikančią galimybę — progą savo akimis pamatyti didingiausią šio pastato paslaptį... kurią atskleisti gali tik architektas.

133 skyrius

Robertas Lengdonas nedrąsiai slinko apskritu apžvalgos takeliu, įrengtu po pačiomis Kapitolijaus Rotondos kupolo lubomis, aukštai virš grindų. Jis baugščiai pažvelgė pro turėklus, apsvaigęs nuo aukščio, niekaip negalėdamas patikėti, kad mažiau kaip prieš dešimt valandų ant apačioje plytinčių grindų buvo rasta Piterio rankos plaštaka.

Kapitolijaus architektas, stovintis ant tų grindų, iš beveik šešiasdešimties metrų aukščio atrodė tarsi skruzdėlytė: jis perėjo Rotondą ir dingo. Belamis palydėjo Lengdoną ir Ketriną iki šio balkono ir davė labai konkrečius nurodymus.

Piterio nurodymus.

Lengdonas pažvelgė į seną geležinį raktą, kurį jam įteikė Belamis. Paskui atsisuko į ankštus laiptelius, kylančius nuo tokios aukštybės... dar aukščiau. *Dieve, padėk man.* Pasak architekto, šiais siaurais laipteliais jie pasieks mažas metalines duris, kurias galima atrakinti geležiniu raktu, dabar gulinčiu Lengdono delne.

Už durų buvo tai, ką Piteris atkakliai norėjo parodyti Lengdonui ir Ketrinai. Piteris nieko neaiškino, tik paliko tikslius nurodymus, kurią tiksliai valandą reikia atrakinti dureles. *Turėsime palaukti, kol bus galima atrakinti duris? Kam?*

Lengdonas vėl pažvelgė į laikrodį ir suvaitojo.

Įsidėjęs raktą į kišenę, jis pro žiojinčią tuštumą pažvelgė į kitą balkono pusę. Ketrina drąsiai ėjo į priekį, nė kiek nesvaiginama aukščio baimės. Ji jau buvo apėjusi beveik pusę rato, gėrėdamasi Brumidžio „Vašingtono apoteoze", plytinčia tiesiai jiems virš galvų. Atsidūrus tokioje retai pasiekiamoje vietoje, penkių metrų aukščio figūras, kuriomis buvo išpuoštos tūkstančio keturių šimtų kvadratinių metrų ploto Kapitolijaus kupolo lubos, buvo galima apžiūrėti nepaprastai atidžiai.

Lengdonas nusigręžė nuo Ketrinos, pasisuko į sieną ir tyliai sušnibždėjo:

— Ketrina, čia kalba tavo sąžinė. Kodėl tu palikai Robertą?

Ketrina, atrodo, irgi žinojo apie stebėtiną kupolo akustiką... nes siena atsakydama sušnibždėjo:

— Todėl, kad Robertas bailys. Tegu ateina čia, pas mane. Turime daugybę laiko, kol galėsime atidaryti duris.

Lengdonas žinojo, kad ji teisi, ir nenoriai, laikydamasis sienų, nuėjo balkonu pas ją.

— Šitos lubos tiesiog protu nesuvokiamos, — žavėjosi Ketrina, užvertusi galvą ir gėrėdamasi viršuje išsiskleidusia milžiniška „Apoteoze". — Mitologiniai dievai, tarp jų mokslininkai išradėjai su savo išradimais? Tik pagalvok, ir *šitas* vaizdinys yra mūsų Kapitolijaus centre.

Lengdonas nukreipė žvilgsnį aukštyn, į didžiules Franklino, Fultono ir Morzės figūras bei jų technikos išradimus. Švytinti vaivorykštė, išsirietusi nuo šių figūrų, kreipė žvilgsnį į Džordžą Vašingtoną, kylantį į dangų ant debesies. *Didysis žmogaus tapimo Dievu pažadas.*

Ketrina tarė:

— Atrodo, tarsi virš Rotondos kybotų visa Senovės Slėpinių esmė.

Lengdonui teko pripažinti, kad pasaulyje ne tiek daug freskų, kuriose mokslo išradimai būtų derinami su mitologiniais dievais ir žmogaus apoteoze. Stulbinamas vaizdinių rinkinys, puošiantis šias lubas, iš tiesų *išreiškia* Senovės Slėpinių žinią ir atsidūrė čia ne atsitiktinai. Amerikos tėvai ir įkūrėjai įsivaizdavo šią šalį kaip tuščią drobę, derlingą lauką, kuriame galima pasėti slėpinių sėklas. Šiandien ši plevenanti dvasia — šalies tėvas, kylantis į dangų, — tylomis kybo viršum mūsų įstatymų leidėjų, vadovų ir prezidentų... drąsus priminimas, žemėlapis į ateitį, žadantis laikus, kai žmogus galiausiai pasieks visišką dvasios brandą.

— Robertai, — sušnibždėjo Ketrina, niekaip neįstengdama nuleisti akių nuo didžiulių Amerikos išradėjų figūrų greta deivės Minervos, — iš tiesų juk tai pranašystė. Šiandien pažangiausi žmogaus išradimai naudojami studijuojant seniausias žmonijos idėjas. Noetikos mokslą galima vadinti nauju, bet iš tiesų jis yra *seniausias* mokslas pasaulyje — jis tyrinėja žmogaus mintis. — Ji atsisuko į jį ir pažvelgė nuostabos kupinomis akimis. — Ir mes pamažu įsitikiname, kad senovėje žmonės daug giliau suprato *mintis* negu mes.

— Visai suprantama, — atsakė Lengdonas. — Protas buvo vienintelė technologija, kuria seniau galėjo naudotis žmonės. Senieji filosofai be atilsio jį tyrinėjo.

— Taip! Senovės tekstuose nuolat kalbama apie žmogaus proto ir dvasios galias. Vedose aprašytas dvasinės energijos srovenimas. *Pistis Sophia* aprašo visuotinę sąmonę. *Zohare* tyrinėjama dvasios prigimtis. Šamanistiniuose tekstuose, kalbant apie nuotolinį gydymą, išpranašautas Einšteino atrastas „nuotolinis poveikis“. Ten viskas yra! O apie Bibliją net nekalbėsiu.

— Ir tu? — susijuokęs paklausė Lengdonas. — Tavo brolis pamėgino mane įtikinti, kad Biblijoje užkoduota mokslinė informacija.

— Be jokios abejonės, — atsakė ji. — O jei netiki Piteriu, paskaityk Niutono ezoterinius tekstus apie Bibliją. Robertai, kai pradėsi suprasti mįslingus Biblijos palyginimus, pats pamatysi, kad tai žmogaus proto ir dvasios studijos.

Lengdonas gūžtelėjo pečiais.

— Atrodo, teks ją pasiimti ir perskaityti dar kartą.

— Leisk tavęs kai ko paklausti, — tarė Ketrina nepritardama jo skepticizmui. — Kai Biblija liepia mums „statyti savo šventovę“... kurią statant nesigirdėtų „nei plaktuko, nei kirvio, nei bet kokio kito geležinio įrankio garso“... kaip manai, apie kokią šventovę čia kalbama?

— Na, tekste sakoma, kad kūnas yra jūsų šventovė.

— Taip, Pirmame laiške korintiečiams, 3,16. „*Jūs* esate Dievo šventovė.“ — Ji nusišypsojo. — Tas pat sakoma ir Evangelijoje pagal Joną. Robertai, Šventajame Rašte labai aiškiai rodoma, kokios galios snaudžia mumyse, ir mes esame raginami pajungti šias galias... statyti savo dvasios šventoves.

— Deja, man atrodo, didžioji tikinčiųjų pasaulio dalis tebelaukia *realios* šventovės atstatymo. Tai minima Mesijo pranašystėje.

— Taip, bet čia neatsižvelgiama į labai svarbų aspektą. Antrasis atėjimas siejamas su *žmogumi* — su tais laikais, kai *žmonija* pagaliau pastatys savo dvasios šventovę.

— Nežinau, — atsakė Lengdonas trindamas smakrą. — Aš nesu biblistas, tačiau aiškiai prisimenu, kad Šventajame Rašte smulkiai aprašyta *reali* šventovė, kurią reikia pastatyti. Ji sudaryta iš dviejų dalių — išorinės, vadinamos Šventoriumi, ir vidinės, vadinamos Švenčiausių švenčiausia. Šias dalis vieną nuo kitos skiria plonas šydas.

Ketrina šyptelėjo.

— Kaip žmogus, skeptiškai vertinantis Bibliją, tu puikiai viską prisimeni. Beje, ar esi matęs, kaip atrodo žmogaus smegenys? Jas sudaro dvi dalys — išorinė, vadinamoji *dura mater*, ir vidinė, vadinamoji *pia mater*. Šias dalis vieną nuo kitos skiria „voratinklis“, *panašus į šydą*.

Lengdonas nustebęs pakreipė galvą.

Ketrina ištiesė ranką ir švelniai palietė Lengdono smilkinį.

— Robertai, angliškai „smilkinys“ ne be reikalo vadinamas *temple* — tuo pačiu žodžiu kaip ir „šventovė“.

Stengdamasis suvokti viską, ką jam pasakė Ketrina, Lengdonas staiga prisiminė gnostinę Marijos evangeliją: *Kur yra dvasia, ten yra lobis.*

— Gal esi girdėjęs, — jau tyliau prašneko Ketrina, — apie medituojančių jogų smegenų nuotraukas? Žmogaus, atliekančio didžiulio susikaupimo reikalaujančią veiklą, smegenyse esanti kankorėžinė liauka *fiziškai* išskiria medžiagą, panašią į vašką. Šios smegenų išskyros nepanašios į jokias kitas kūno išskyras. Jos pasižymi labai stipriu gydomuoju poveikiu, gali tiesiogine prasme atgaivinti pažeistas ląsteles ir galbūt yra viena iš jogų ilgaamžystės priežasčių. Tai rimtas *mokslas*, Robertai. Ši medžiaga pasižymi sunkiai paaiškinamomis savybėmis ir gali būti sukurta *tik* žmogaus protui pasiekus labai stiprios koncentracijos būseną.

— Atsimenu, prieš kelerius metus esu apie tai skaitęs.

— Gerai, o jei jau apie tai prakalbome, ar tu prisimeni, kas Biblijoje pasakojama apie „maną iš dangaus“?

Lengdonas nesuprato, koks čia ryšys.

— Tu kalbi apie magišką medžiagą, kuri iškrito iš dangaus pamaitinti alkstančiųjų?

— Tą pačią. Sakoma, kad ši medžiaga išgydė ligonius, dovanojo amžiną gyvenimą ir neleido sirgti tiems, kurie jos gavo. — Ketrina stabtelėjo, tarsi laukdama, kol jis pats supras. — Robertai? — paragino ji. — Maistas, nukritęs iš *dangaus*? — Ji pastukseno pirštu sau į smilkinį. — Kuris stebuklingai išgydo kūną? Neleidžia sirgti? Nejau nesupratai? Tai juk *šifras*, Robertai! *Šventovė* reiškia „kūną“. *Dangus* reiškia „protą“. *Jokūbo kopėčios* — tai tavo stuburas. O *mana* — šios retos smegenų išskyros. Kai Šventajame Rašte pamatysi šiuos kodinius žodžius, atkreipk į juos dėmesį. Dažniausiai jie *ženklina* kur kas gilesnę, po paviršiumi paslėptą prasmę.

Ketrina kalbėjo vis greičiau, aiškindama, kad apie šią stebuklingą medžiagą užsimenama visose Senovės Slėpinių knygose — tai dievų nektaras, gyvybės eliksyras, jaunystės šaltinis, filosofinis akmuo, ambrozija, rasa, *ojas*, soma. Paskui ji ėmėsi aiškinti, kad smegenų kankorėžinė liauka simbolizuoja visaregę Dievo akį.

— Kaip rašoma Evangelijoje pagal Matą (Mt 6,22): „Kūno žiburys yra akis. Todėl jei tavo akis sveika, visam tavo kūnui bus šviesu.“ Tą pačią koncepciją išreiškia ir adžnos čakra, ir hinduistų taškas ant kaktos, kuris...

Ketrina sutrikusi nutilo.

— Atsiprašau. Jaučiu, kad įsisiūbavau. Tiesiog man visa tai atrodo be galo jaudinama. Metų metus studijavau senovės tekstus, kuriuose rašoma apie stulbinamas žmogaus dvasios galias, o dabar *mokslas* mums įrodo, kad šių galių *įvaldymas* yra aiškus fizinis procesas. Tinkamai naudojamos mūsų smegenys gali pasitelkti tokias galias, kad jos tiesiogine prasme atrodys antžmogiškos. Biblijoje, kaip daugelyje senovės tekstų, smulkiai aprašytas sudėtingiausias kada nors sukurtas mechanizmas... *žmogaus psichika.* — Ji atsiduso. — Sunku patikėti, bet mokslas dar tik pradeda atskleisti žmogaus galimybių ribas.

— Atrodo, tavo tyrimai noetikos srityje iš esmės pastūmės mokslą į priekį.

— Arba *atgal,* — atsakė ji. — Senovėje žmonės jau žinojo daugelį mokslinių tiesų, kurias mes tik dabar iš naujo atrandame. Po kelerių metų šiuolaikiniam žmogui teks susitaikyti su tuo, kas dabar atrodo nesuvokiama: kad mūsų psichika pajėgia generuoti energiją, kuri gali *permainyti* fizinę medžiagą. — Ji patylėjo. — Elementariosios dalelės *iš tiesų* reaguoja į mūsų mintis... o tai reiškia, kad mūsų mintys turi galių pakeisti pasaulį.

Lengdonas šyptelėjo.

— Atlikdama tyrimus aš įsitikinau *štai kuo,* — tarė Ketrina. — Dievas yra visiškai realus — tai viską persmelkianti dvasios energija. O mes, žmonės, buvome sukurti pagal *tą* paveikslą...

— Atsiprašau? — pertraukė ją Lengdonas. — Sukurti pagal... psichinės energijos paveikslą?

— Būtent. Laikui bėgant mūsų fiziniai kūnai vystėsi, tačiau *psichika* buvo sukurta pagal Dievo paveikslą. Mes pernelyg tiesmukai skaitome Bibliją. Sužinojome, kad Dievas sukūrė mus pagal savo paveikslą ir panašumą, bet į Dievą panašus ne žmogaus *kūnas,* o jo *psichika.*

Lengdonas susidomėjęs tylėjo.

— Tai didi dovana, Robertai, ir Dievas laukia, kol mes tai suprasime. Visame pasaulyje žmonės kelia akis į dangų laukdami *Dievo*... ir niekaip nesupranta, kad Dievas laukia *mūsų.* — Ketrina patylėjo norėdama, kad Lengdonas geriau suprastų jos žodžius. — Mes — *kūrėjai,* tačiau visą laiką naiviai vaidiname, kad esame *kūriniai.* Manome esą bejėgės avys, stumdomos mus sukūrusio Dievo. Klūpome tarsi išgąsdinti vaikai, meldžiame pagalbos, atleidimo, sėkmės. Tačiau jei suprastume, kad esame iš tiesų sukurti pagal Dievo paveikslą, sykiu pradėtume suprasti, kad ir patys privalome tapti kūrėjais. Kai pagaliau tai suvoksime, atsivers durys ir pasirodys visos žmogaus galimybės.

Lengdonas prisiminė nuo seno jam atmintin įstrigusią filosofo Menlio P. Holo citatą: *Jei begalybė nebūtų norėjusi, kad žmogus būtų išmintingas, ji nebūtų jam suteikusi pažinimo gebėjimo.* Lengdonas vėl pakėlė akis į „Vašingtono apoteozės“ — simbolinio žmogaus tapimo dievybe — vaizdinius. *Kūrinys... tampantis Kūrėju.*

— O nuostabiausia yra tai, — tarė Ketrina, — kad kai tik mes, žmonės, įstengsime pažaboti tikrąją savo galią, įgysime didžiulę valdžią savo pasaulyje. Galėsime *projektuoti ir kurti* tikrovę, užuot paprasčiausiai į ją reagavę.

Lengdonas nuleido akis.

— Tai skamba... pavojingai.

Ketrina atrodė nustebusi... ir sukrėsta.

— Kaip tik taip! Jei mintys daro poveikį, reikia mąstyti labai atsargiai. Destruktyvios mintys irgi veikia, o mes visi žinome, kad griauti daug lengviau negu kurti.

Lengdonas prisiminė pasakojimus apie tai, kad senovės išmintį būtina saugoti nuo jos nevertųjų ir atskleisti tik apšviestiesiems. Jis prisiminė Nematomąją kolegiją ir didžio mokslininko Izaoko Niutono prašymą Robertui Boiliui „neprasitarti“ apie jų slaptuosius tyrimus. *Apie juos neįmanoma papasakoti,* rašė Niutonas 1676 metais, *nepadarant pasauliui didžiulės žalos.*

— Yra dar vienas įdomus dalykas, — tarė Ketrina. — Ironiška, kad visos pasaulio religijos jau šimtus metų ragina tikinčiuosius suvokti *religijos* ir *tikėjimo* sąvokas. O dabar mokslas, kuris šimtus metų niekino religiją, vadindamas ją prietarais, yra priverstas pripažinti, kad svarbiausia jo sritis dabar yra *religijos* ir *tikėjimo* mokslas... koncentruotų įsitikinimų ir ketinimų galia. Tas pats mokslas, kuris kitados pakirto mūsų tikėjimą stebuklais, dabar ėmėsi statyti tiltus per savo sukurtą bedugnę.

Lengdonas ilgokai galvojo apie tai, ką ji pasakė. Paskui lėtai pakėlė akis į „Apoteozę“.

— Turiu klausimą, — tarė jis vėl pažvelgęs į Ketriną. — Net jei galėčiau nors vieną akimirką patikėti turįs galią mintimis keisti fizinę tikrovę ir pasiekti visa, ko trokštu... savo gyvenime, deja, nematau nieko, kas galėtų man įrodyti, jog turiu šią galią.

Ji gūžtelėjo pečiais.

— Tai tik reiškia, kad blogai žiūrėjai.

— Nagi, man reikia tikro atsakymo. Šitaip atsakytų *kunigas.* Man reikia, kad atsakytų *mokslininkas.*

— Nori tikro atsakymo? Štai jis. Jei paduočiau tau smuiką ir pasakyčiau, kad tu turi sugebėjimų groti stebuklingą muziką, nė kiek nemeluočiau. Tu turi šiuos sugebėjimus, bet kad jie galėtų pasireikšti, reikia nepaprastai daug darbo. Tai visiškai tas pat, kaip ir naudojantis psichikos galiomis, Robertai. Tikslingai kreipti mintis galima išmokti. Norint pareikšti ketinimą, reikia nepaprasto susikaupimo, visiškos juslinės vizualizacijos ir gilaus tikėjimo. Tai įrodėme laboratorijoje. Be to, lygiai kaip grojant smuiku, yra žmonių, kurių prigimtiniai šios srities gebėjimai didesni už kitų. Prisimink istoriją. Prisimink tų apšviestųjų, kurie darė stebuklingus darbus, gyvenimus.

— Ketrina, labai tavęs prašau, tik nesakyk, kad tu tikrai *tiki* stebuklais. Rimtai, tik pagalvok... paversti vandenį vynu, rankos prisilietimu gydyti ligonius?

Ketrina giliai įkvėpė oro, paskui lėtai iškvėpė.

— Aš savo akimis mačiau, kaip žmonės pavertė vėžio ląsteles sveikomis vien *minčių* jėga. Mačiau daugybę įvairiausių būdų, kuriais žmogaus psichika gali veikti fizinę tikrovę. O tai pamačius, Robertai, pavertus tai savo tikrovės dalimi, kiti stebuklai, apie kuriuos skaitai, nedaug skiriasi nuo šių.

Lengdonas susimąstė.

— Tai įkvėptas pasaulio matymas, Ketrina, bet man reikėtų atlikti per didelį tikėjimo šuolį. O tikėti man, kaip tu gerai žinai, niekada nebuvo lengva.

— Tada nelaikyk to *tikėjimu*. Paprasčiausiai mąstyk apie kitokį požiūrį, susitaikyk su tuo, kad pasaulis ne visai toks, kokį įsivaizdavai. Istoriškai visi didieji mokslo lūžiai prasidėdavo paprasčiausia idėja, grėsusia apversti aukštyn kojomis esamą tikėjimą. Iš paprasčiausio teiginio, kad Žemė yra apvali, tyčiotasi ir jis laikytas visiškai neįmanomu, nes dauguma žmonių manė, jog nuo apvalios planetos nutekėtų vandenynai. Heliocentrizmo sistema irgi laikyta erezijomis. Siaurapročiai visada įnirtingai puola tai, ko neįstengia suprasti. Vieni žmonės kuria... o kiti griauna. Ši dinamika egzistavo visais laikais. Bet kūrėjai galų gale suranda, kas jais patikėtų, paskui patikėjusiųjų skaičius pasiekia kritinę masę, ir staiga paaiškėja, kad Žemė apvali ar kad Saulės sistema heliocentrinė. Pakeičiamas suvokimas, gimsta nauja tikrovė.

Lengdonas linktelėjo galva, jo mintys nuklydo kitur.

— Tavo veide matyti keista išraiška, — pasakė ji.

— O, nežinau. Kažkodėl dabar prisiminiau, kaip išplaukdavau naktį valtimi į ežerą, atsiguldavau, žiūrėdavau į žvaigždes ir mąstydavau apie tokius dalykus.

Ketrina supratingai linktelėjo.

— Man atrodo, mes visi turime panašių prisiminimų. Kažkodėl gulėjimas ant nugaros žiūrint į žvaigždes... padeda atverti protą. — Ji pažvelgė į lubas ir tarė: — Duok man savo švarką.

— Ką?

Jis nusivilko švarką ir padavė jai.

Ketrina perlenkė švarką ir padėjo ant apžvalgos takelio tarsi ilgą pagalvę.

— Gulkis.

Lengdonas atsigulė ant nugaros, Ketrina pakišo jam po galva dalį sulankstyto švarko. Paskui pati atsigulė greta — tarsi du vaikai, petys prie peties sugulę ant siauro balkono, jie įsižiūrėjo į milžinišką Brumidžio freską.

— Gerai, — sušnibždėjo ji. — Atkurk tą pačią būseną... tu vaikas, guli valtyje... žvelgi į žvaigždes... atviras, kupinas nuostabos.

Lengdonas pasistengė jai paklusti, nors atsigulęs ir patogiai įsitaisęs staiga pajuto užplūstant nepaprastą nuovargį. Akys apsiblausė, tačiau įžvelgęs viršuje neaiškų pavidalą iškart pažvalėjo. *Ar gali būti?* Sunkiai suvokdamas, kaip nepastebėjo to anksčiau, jis pamatė, kad „Vašingtono apoteozės" figūros aiškiai sukomponuotos dviem koncentriškais ratais. Tai „Apoteozė" — irgi *circumpunct*, apskritimas su tašku centre? Lengdonas pamėgino įsivaizduoti, ką dar šiąnakt pražiopsojo.

— Noriu tau pasakyti vieną svarbų dalyką, Robertai. Yra dar vienas aspektas... kuris man atrodo pats svarbiausias visuose mano tyrimuose.

Tai dar ne viskas?

Ketrina pasirėmė ant alkūnės.

— Ir galiu tave užtikrinti... jei mes, žmonės, nuoširdžiai įstengtume suvokti šią paprastą tiesą... pasaulis kaipmat pasikeistų.

Lengdonas jos klausėsi sutelkęs dėmesį.

— Prieš pradėdama pasakoti, — tarė ji, — turėčiau tau priminti masonų mantras apie tai, kad reikia „surinkti, kas išbarstyta"... sukurti „tvarką iš chaoso"... pasiekti „vienį".

— Tęsk. — Lengdonas susidomėjo.

Ketrina jam nusišypsojo.

— Mums pavyko moksliškai įrodyti, kad žmogaus minčių galia auga geometrine progresija, jei ta pati mintis aplanko daug žmonių.

Lengdonas tylėjo svarstydamas, kaip ji išplėtos šią idėją.

— Štai ką aš noriu pasakyti... dvi galvos geriau negu viena... bet dvi galvos yra ne *dvigubai*, o *daugybę kartų* geriau. Jei daug žmonių mąsto tą patį, minčių poveikis išauga... geometrine progresija. Iš čia ir kyla vidinė maldos grupių, gydymo ratelių, sutartinių dainavimo ir bendrų pamaldų galia. *Visuotinės sąmonės* idėja — ne šiaip koks bekūnis Naujojo amžiaus išsigalvojimas. Tai patikrinama mokslinė tikrovė... kurią įvaldžius galima permainyti visą pasaulį. Tai ir yra pagrindinis noetikos atradimas. O svarbiausia, visa tai vyksta dabar. Juntama aplink mus. Technologijos mus sujungia anksčiau neįsivaizduotais būdais: *twitter, google, wikipedia* ir kiti — visa tai susilieja į tarpusavyje sunertų protų tinklą. — Ji nusijuokė. — Galiu tave užtikrinti, kad vos tik aš paskelbsiu savo darbus, visi *twitter* vartotojai pradės siųsti vieni kitiems žinutes: „Sužinojau apie noetiką", ir tada susidomėjimas šiuo mokslu neįsivaizduojamai išaugs.

Lengdonas pajuto, kad jo akių vokai labai apsunko.

— O tu žinai, aš iki šiol neišmokau išsiųsti *tweeterio*.

— *Tweeto,* — juokdamasi pataisė ji.

— Prašau?

— Nieko, nieko. Užsimerk. Kai ateis laikas, aš tave pažadinsiu.

Lengdonas staiga suvokė beveik pamiršęs seną raktą, kurį jiems buvo davęs architektas... taip pat tai, ko jie čia atėjo. Apimtas naujos nuovargio bangos, Lengdonas užmerkė akis. Proto tamsybėse jis ėmė mąstyti apie *visuotinę sąmonę*... apie Platoną, aprašiusį „proto darbus" ir „Dievo siekimą"... apie Jungo „kolektyvinę pasąmonę". Sąvoka jam pasirodė ir paprasta, ir stulbinanti.

Dievas atrandamas Daugyje... ne Vienyje.

— *Elohim,* — staiga ištarė Lengdonas, ir nuo šio netikėto atradimo jo akys plačiai atsivėrė.

— Prašau? — Ketrina tebežiūrėjo į jį.

— *Elohim,* — pakartojo jis. — Taip hebrajiškai vadinamas Dievas Senajame Testamente! Man tai seniai nedavė ramybės.

Ketrina supratingai nusišypsojo.

— Taip. Tai *daugiskaita.*

Būtent! Lengdonas niekaip negalėjo suprasti, kodėl pačioje Biblijos pradžioje apie Dievą kalbama daugiskaita. *Elohim.* Visagalis Dievas Pradžios knygoje aprašomas ne kaip Vienintelis... bet kaip Daugybė.

— Dievas — tai daugiskaita, — sušnibždėjo Ketrina, — nes žmonių protų yra daugybė.

Lengdono mintys lėkė didžiuliu greičiu... sapnai, atsiminimai, viltys, būgštavimai, atradimai... visa tai sukosi jam virš galvos po Rotondos kupolu. Akims vėl pradėjus merktis, jis pajuto, kad žiūri į tris lotyniškus žodžius, įrašytus „Apoteozėje".

E PLURIBUS UNUM.

„Iš daugybės — vienas", — pagalvojo jis grimzdamas į miegą.

Epilogas

Robertas Lengdonas lėtai nubudo.

Į jį iš viršaus žvelgė veidai. *Kur aš?*

Netrukus prisiminė, kur esąs. Lėtai atsisėdo po „Apoteozės“ freska. Nuo gulėjimo ant kietų balkono grindų sustingo nugara.

Kur Ketrina?

Lengdonas pažiūrėjo į savo laikrodį su Peliuku Mikiu. *Jau beveik metas.* Jis atsistojo ir atsargiai pasilenkė per turėklus, žvelgdamas į apačioje žiojinčią erdvę.

— Ketrina! — garsiai pašaukė.

Šūksnis aidžiai nuskambėjo tuščioje Rotondoje.

Pasiėmęs nuo grindų tvido švarką, Lengdonas jį papurtė ir vėl apsivilko. Patikrino kišenes. Rakto, kurį jam buvo davęs architektas, nebebuvo.

Eidamas apžvalgos takeliu Lengdonas patraukė link angos, kurią jiems parodė architektas... į jos ankštą tamsybę vedė statūs metaliniai laipteliai. Jis ėmė lipti. Lipo vis aukščiau ir aukščiau. Laipteliai pamažu darėsi vis statesni ir siauresni. Tačiau Lengdonas nesustojo.

Dar nors truputėlį.

Laipteliai dabar jau priminė kopėčias ir baugiai susiaurėjo. Galiausiai jie baigėsi, ir Lengdonas sustojo nedidelėje aikštelėje. Priešais buvo sunkios metalo durys. Spynoje kyšojo raktas, durys buvo truputį pravertos. Jis pastūmė, durys girgžtelėjusios atsidarė. Už jų plūstelėjo šaltas oras. Peržengęs slenkstį ir išėjęs į blausią tamsą Lengdonas suvokė, kad atsidūrė lauke.

— Jau norėjau eiti tavęs atsivesti, — šypsodamasi tarė Ketrina. — Beveik laikas.

Atpažinęs, kur stovi, Lengdonas staiga giliai įkvėpė. Jis stovėjo ant siauručio takelio, juosiančio Kapitolijaus kupolo viršūnę. Tiesiai jam virš galvos stūksanti bronzinė Laisvės statula žvelgė į miegančią sostinę. Ji buvo atsukta veidu į rytus, kur horizonte pasirodė pirmieji raudoni aušros atšvaitai.

Ketrina vedė Lengdoną balkonu, o paskui jiedu sustojo veidais į vakarus, tiesiai virš Tautos alėjos. Tolumoje ankstyvo ryto šviesoje ryškėjo Vašingtono paminklo siluetas. Žvelgiant iš čia aukštasis obeliskas atrodė dar įspūdingesnis negu anksčiau.

— Kai jį pastatė, — sušnibždėjo Ketrina, — tai buvo aukščiausias pastatas visoje žemėje.

Lengdonas prisiminė pageltusias fotografijas, kuriose ant pastolių sustoję akmentašiai daugiau negu pusantro šimto metrų aukštyje rankomis vieną po kito klojo akmens blokus.

Mes esame statytojai, pamanė jis. *Mes — kūrėjai.*

Nuo neatmenamų laikų žmogus jautė, kad jame esama kažko nepaprasto... kažko didesnio. Jis troško galių, kurių neturėjo. Svajojo apie skrydžius, apie gydymą, apie galimybę visais įmanomais būdais keisti savo pasaulį.

Ir visa tai įvykdė.

Šiandien Tautos alėją puošia žmogaus laimėjimų garbinimo šventovės. Smitsono muziejuose pilna mūsų išradimų, meno kūrinių, mokslo atradimų, mūsų didžiųjų mąstytojų idėjų. Jie istorijai pasakoja apie žmogų kūrėją — nuo akmeninių įrankių Amerikos indėnų istorijos muziejuje iki reaktyvinių lėltuvų ir raketų Nacionaliniame erdvės ir kosmoso muziejuje.

Jei mūsų protėviai šiandien mus pamatytų, tikrai palaikytų dievais.

Pro apyaušrio miglą žvelgdamas į priešais plytinčius muziejų ir paminklų pavidalus, Lengdonas vėl nukreipė žvilgsnį į Vašingtono paminklą. Įsivaizdavo Bibliją išduobtame, giliai užkastame kertiniame akmenyje ir susimąstė apie tai, kad Dievo Žodis iš tiesų yra *žmogaus* žodis.

Jis mąstė apie didįjį *circumpunct*, apskritimą su tašku centre, kaip jis buvo įkūnytas apskritoje aikštėje po paminklu, pačioje Amerikos centro kryžkelėje. Lengdonas staiga prisiminė mažą akmeninę dėžutę, kurią jam buvo patikėjęs Piteris. Dabar jis suprato, kad atsivėręs kubas virto lygiai ta pačia geometrine figūra — kryžiumi ir apskritimu su tašku centre. Lengdonas nesusilaikė nenusijuokęs. *Net ta dėžutė buvo užuomina į kryžkelę.*

— Robertai, žiūrėk! — Ketrina parodė į paminklo viršūnę.

Lengdonas pakėlė akis, tačiau nieko nepamatė.

Paskui įsižiūrėjo atidžiau.

Kitapus alėjos mažulytis auksinės saulės šviesos spindulėlis sutvisko pačioje aukšto obelisko viršūnėje. Švytintis taškelis, aliumininio smaigalio atspindys, greitai darėsi vis ryškesnis, vaiskesnis. Lengdonas nustėręs žvelgė, kaip šviesa virto švyturio spinduliu, pasklidusiu virš šešėliuose skendinčio miesto. Įsivaizdavo mažytį išgraviruotą užrašą aliumininiame smaigalyje ir visiškai apstulbęs suvokė, kad kiekvieną dieną pirmieji saulės spinduliai, nušviečiantys šalies sostinę, pirmiausia apšviečia du žodžius:

Laus Deo.

— Robertai, — sušnibždėjo Ketrina. — Niekas čia niekada neateina saulei tekant. Piteris norėjo, kad mudu tai pamatytume.

Lengdonas pajuto, kaip ryškėjant nuo paminklo atsispindinčiai šviesai smarkėja jo pulsas.

— Jis sako manąs, kad būtent dėl to mūsų protėviai pastatė tokį aukštą paminklą. Nežinau, ar tai tiesa, bet užtat žinau *štai ką* — labai seniai priimtas įstatymas skelbia, kad mūsų sostinėje negalima statyti aukštesnių už jį pastatų. *Niekada.*

Saulei kylant virš horizonto jiems už nugarų, šviesa slinko toliau obelisko smaile. Žiūrėdamas Lengdonas kone fiziškai juto, kaip aplink jį dangaus kūnai juda amžinomis savo orbitomis beribėje erdvėje. Jis mąstė apie Didįjį Visatos Architektą ir apie Piterio žodžius, kad lobį, kurį jis nori parodyti Lengdonui, gali atskleisti tik architektas. Lengdonas tada pamanė, kad jis kalba apie Voreną Belamį. Pasirodo, tai kitas architektas.

Saulės spinduliams stiprėjant, auksu suspindo visa trisdešimt tris šimtus svarų sverianti viršūnė. *Žmogaus protas... pasiekęs nušvitimą.* Paskui šviesa ėmė slinkti paminklu žemyn, kaip ji leidžiasi kiekvieną rytą. *Dangus leidžiasi į žemę... Dievas artėja prie žmogaus.* Šis procesas, staiga suvokė Lengdonas, vakare vyks priešinga kryptimi. Saulė leisis vakaruose, ir šviesa vėl pakils nuo žemės atgal į dangų... ruošdamasi naujai dienai.

Ketrina, stovinti šalia, virptelėjo ir priėjo arčiau. Lengdonas apglėbė ją per pečius. Jiems taip stovint Lengdonas mąstė apie viską, ką jie šiąnakt patyrė. Mąstė apie Ketrinos įsitikinimą, kad viskas greitai pasikeis. Mąstė apie Piterio tikėjimą, kad netrukus ateis nušvitimo amžius. Ir mąstė apie žodžius pranašo, drąsiai pareiškusio: *Nėra nieko uždengta, kas nebus atidengta, ir nieko paslėpta, kas nepasidarys žinoma.*

Saulei kylant viršum Vašingtono, Lengdonas žvelgė į dangų, kuriame baigė blėsti paskutinės nakties žvaigždės. Jis mąstė apie mokslą, apie tikėjimą, apie žmogų. Mąstė apie visas visų šalių ir visų laikų kultūras, kurioms visad buvo bendras vienas dalykas. Mes visi turime Kūrėją. Vadiname jį įvairiais vardais, suteikiame jam įvairius veidus, meldžiame įvairiomis maldomis, bet Dievas žmogui yra visuotinė konstanta. Dievas — tai mūsų visų bendras simbolis... visų gyvenimo slėpinių, kurių neįstengiame suprasti, simbolis. Senovėje žmonės garbino Dievą kaip beribių žmogaus galimybių simbolį, bet senasis simbolis laikui bėgant buvo prarastas. Iki dabar.

Tą akimirką, stovėdamas ant Kapitolijaus kupolo, aplink skleidžiantis saulės teikiamai šilumai, Robertas Lengdonas pajuto savyje sukylant galingą bangą. Tai buvo emocija, kurios jis dar niekada gyvenime nebuvo taip stipriai jautęs.

Viltis.

Operating System

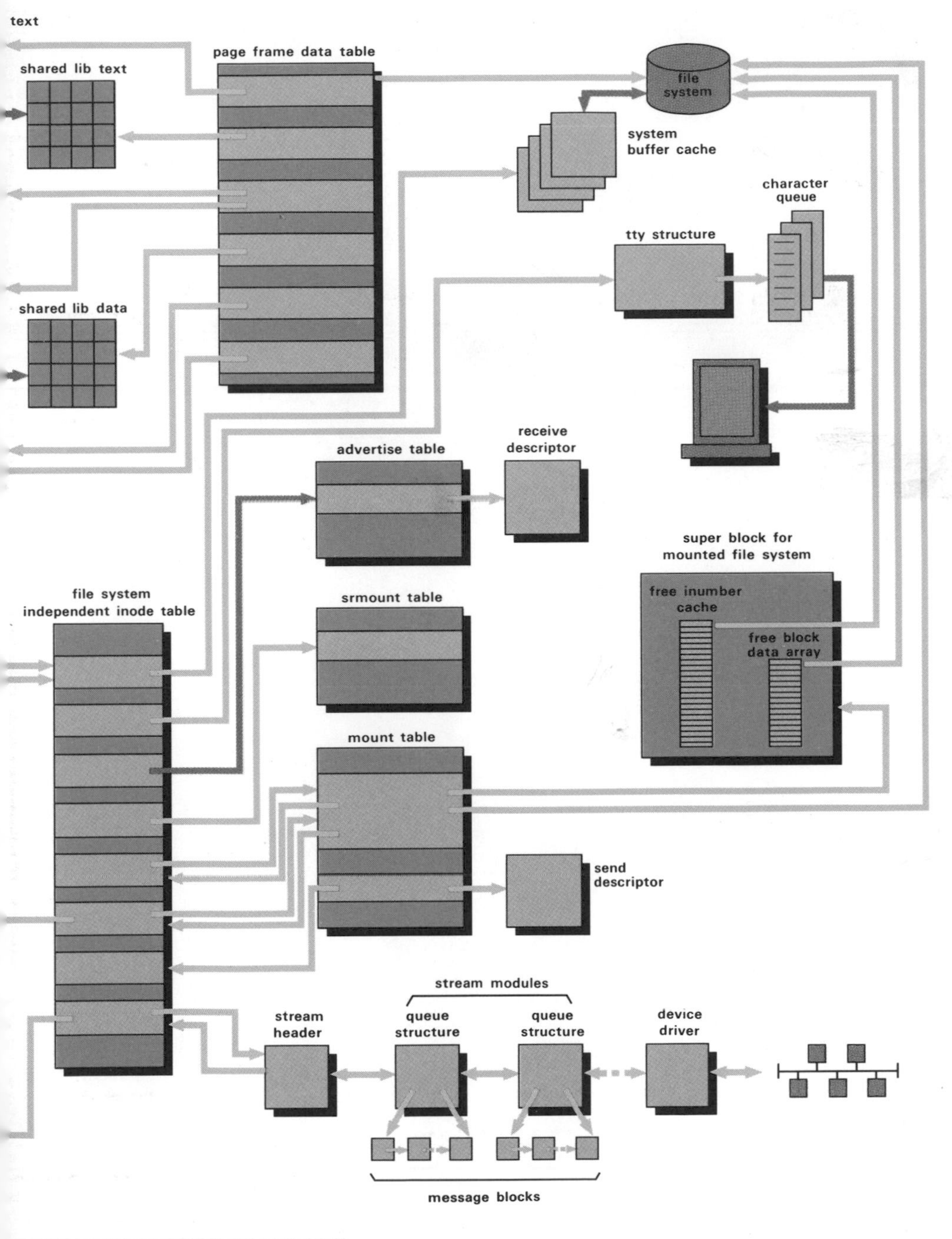

Legend

- direct pointer or relationship
- indirect pointer or relationship
- kernel memory
- user memory
- devices

Designed by Robert Hutchison
Kelly Education and Training Center
AT&T Bell Laboratories
Art Direction by John Cregar

To my wife, Barbara,
and to my children, Paul and Abbey:
You are the joys of my life.

Preface

This text is intended primarily for the one-semester and two-semester operating systems courses (in the most recent ACM curriculum) that universities offer to juniors, seniors, and graduate students in computer science. Operating systems designers and systems programmers will find the text useful as a reference source as well.

Seven detailed case studies make this book unique among operating systems texts. Six of these cover operating systems that will have great importance in the 1990s, namely UNIX systems, MS-DOS, MVS, VM, Macintosh, and OS/2. Each of these systems has a certain "flavor" that I have worked hard to convey. Each of them has its own special prominence in the operating systems marketplace. A seventh case study (see Chapter 16) discusses the Open Systems Interconnection (OSI) reference model for computer networking; knowledge of OSI is crucial to operating systems researchers, designers, and implementors in the 1990s.

The richness of the case studies provides the material for comparing and contrasting the different design and implementation philosophies used in contemporary operating systems. The case studies span the full range from personal computer operating systems like MS-DOS, OS/2, and the Apple Macintosh operating system to mainframe operating systems like MVS and VM. They include real storage systems and virtual storage systems, real machine systems and virtual machine systems, single user systems and multiuser systems, stand-alone systems, multiprocessing systems, and networked systems. And they include an extremely detailed discussion of UNIX systems and why they have achieved an extraordinary position of prominence in the open systems philosophies of major corporations.

Eight major parts are included; each part contains several related chapters. Each chapter begins with an outline so that the reader may approach the material in top-down fashion. Several quotes are used in introducing each chapter—some are humorous; some are thought-provoking; all are intended to humanize the text and add a touch of the philosophical.

Significant terms, major concepts, and important statements are italicized. Most chapters include a summary of important concepts and ideas for review. Terminology sections are included; key terms are presented alphabetically. Each chapter includes many exercises varying in difficulty from simple review of the material, to complex reasoning from basic principles, to substantial simulation projects and research papers. Literature sections are localized; each chapter ends with a listing of relevant books and articles. An extensive index provides rapid access to virtually any topic in the text by keyword.

The text contains 220 charts, diagrams, and illustrations; 747 exercises; and seven detailed case studies. Each chapter lists extensive literature—1600 books and papers are referenced. More than 1800 terms are highlighted in the end-of-chapter terminology sections. (For the real trivia buff, the text contains 2.5 million characters!)

Part One introduces the notion of operating systems, presents a history of operating systems, and discusses hardware, software, and firmware. Chapter 1 sets the tone for the book by presenting the major themes including distributed computation, parallel computation, open systems standards, ethical issues in system design, the emergence of UNIX as the key operating system in the open systems strategies of major organizations, and the importance of supporting established applications bases in emerging systems. Chapter 2 reviews key concepts in hardware, software, and firmware that are essential to the rest of the text. It calls attention to the importance of reduced instruction set computing (RISC) architectures, and mentions the RISC vs. CISC (complex instruction set computing) debate discussed in detail in Chapter 14. It includes a detailed case study on microprogramming; this is especially important because in recent designs much of the operating system has migrated into microcode.

Part Two presents the notions of process, process state transitions, interrupts, context switching, operating systems structure, asynchronism, mutual exclusion, monitors, and deadlock. Chapter 3 introduces various process concepts and discusses the interrupt structure of the large-scale IBM processors; this material is critical to the discussions of the MVS and VM operating systems in the case studies. The notions of processes and threads are reinforced with the discussions of actual implementations in the case studies in Chapters 18 through 23, and especially in the case studies on UNIX systems (Chapter 18) and OS/2 (Chapter 23). Chapter 4 presents the notion of asynchronism. The problems encountered in concurrent access to shared resources are discussed, and various mutual exclusion techniques, both hardware-oriented and software-oriented, are presented for dealing with these problems. The chapter presents Dijkstra's classic development of Dekker's Algorithm, shows the more efficient Peterson's Algorithm, and includes detailed discussions on eventcounts and sequencers.

Chapter 5 discusses monitors and their use in solving certain classical problems in concurrency; monitor implementations of the Ring Buffer as well as Readers and Writers are presented. Concurrent programming in distributed processing environments is considered with discussions of message passing, mailboxes, ports, pipes, and remote procedure calls. The chapter continues with an introduction to concurrent programming in Ada, the language sponsored by the United States government for use in developing mission critical systems. Path expressions are discussed as well as simulating path expressions in Ada. The chapter concludes with a discussion of key concerns of developers who work with the Ada language. Many of the Ada program segments presented are based on examples in *Preliminary Ada Reference Manual*, *Sigplan Notices*, Vol. 14, No. 6, June 1979, Part A, and *Rationale for the Design of the Ada Programming Language*, by J. D. Ichbiah, J. C. Heliard, O. Roubine, J. G. P. Barnes, B. Krieg-Brueckner, and B. A. Wichmann, *Sigplan Notices*, Vol. 14, No. 6, June 1979, Part B ("The Government of the United States of America grants free permission to reproduce this document for the purpose of evaluating and using the Ada language"). (Ada® is a registered trademark of the United States Government, Ada Joint Program Office.)

Chapter 6 explains the notion of deadlock in which various processes cannot proceed because they are waiting for events that will never happen. The chapter discusses the major areas of deadlock research, and presents various means of dealing with deadlock and the related problem of indefinite postponement. The chapter includes a detailed discussion of deadlock avoidance with Dijkstra's Banker's Algorithm. Chapter 4 introduced the notions of deadlock and indefinite postponement in the discussion of Dekker's Algorithm; Chapter 6 formalizes these notions and the means for dealing with them. The key concern is that systems that manage waiting entities must be carefully designed to avoid these problems.

Part Three discusses storage management and storage organization for real storage systems and virtual storage systems. Chapter 7 traces the development of real storage systems from single user dedicated systems through the various forms of partitioned multiprogramming systems. It discusses contiguous vs. noncontiguous storage allocation, coalescing, compaction, and swapping. Chapters 8 and 9 deal with virtual storage organization and management, respectively. Chapter 8 motivates the concept of virtual storage, and discusses the reduction of address mapping information by the block mapping techniques of paging and segmentation. A detailed discussion of virtual storage organization and address translation in paged/segmented systems is presented. The various methods of sharing in virtual storage systems are presented and some subtle issues are raised. Chapter 9 discusses the various strategies for managing virtual storage systems. Fetch, placement, and replacement strategies are considered; both demand fetch and anticipatory fetch strategies are discussed. The chapter concentrates on page replacement strategies; it considers the Principle of Optimality, and the random, FIFO, LRU, LFU, NUR, clock page replacement, second chance replacement, and page fault frequency page replacement strategies. Then, Denning's working set theory of program behavior is presented, and working set page replacement is analyzed. The chapter concludes with discussions of page size and program behavior in paging systems.

Part Four deals with processor management, in particular the issues of processor scheduling and multiprocessing. Chapter 10 concentrates on scheduling strategies; it discusses high-level, intermediate-level, and low-level scheduling, scheduling objectives and criteria, priority scheduling, static vs. dynamic priorities, earned vs. bought priorities, and deadline scheduling. Various scheduling algorithms are presented including FIFO, RR, SJF, SRT, and HRN. Multilevel feedback queueing mechanisms are examined. A discussion of fair share schedulers is presented with an emphasis on the UNIX systems mechanism. The chapter concludes with discussions on process scheduling in Sun UNIX systems and in VAX/VMS. Chapter 11 is one of the most important chapters in this new edition of the text; it considers highly parallel computer architectures. Multiprocessing is motivated as a means of improving performance and reliability. The exploitation of parallelism is considered; the techniques of loop distribution, tree height reduction, and the "never wait" rule are discussed. The chapter considers various parallel architectures such as pipelining, vector processors, array processors, data flow processors, and general purpose multiprocessors. The popular processor interconnection schemes are examined. The highlight of the chapter is two case studies on important highly parallel systems, namely the BBN Advanced Computers Butterfly, and the Thinking Machines Corporation Connection Machine. The Butterfly case study introduces the Mach operating system, a multiprocessor, distributed version of UNIX systems developed at Carnegie Mellon University. The

Connection Machine case study presents a detailed treatment of data parallel computation and presents several interesting examples in Fortran 8x, a language designed for parallel architectures; the Fortran 8x program on the Sieve of Eratosthenes provides insights into the value of massive parallel computation. The Appendix provides the names and addresses of many companies who are producing parallel computing systems; the reader is encouraged to write to these and other companies for their latest literature.

Part Five considers auxiliary storage management. Chapter 12 discusses disk performance optimization; it explains the operation of moving-head disk storage, motivates the need for disk scheduling, and presents disk scheduling strategies including FCFS, SSTF, SCAN, N-step SCAN, C-SCAN, and rotational optimization. A number of systems considerations that affect the usefulness of disk scheduling are examined. The chapter considers disk caching, disk reorganization, record blocking, data compression, RAM disks, and optical disks of the write-once-read-many (WORM) and rewritable varieties.

Chapter 13 considers file systems and database management systems. The chapter discusses file system functions and operations; the data hierarchy; blocking and buffering; sequential, indexed sequential, direct, and partitioned file organizations; queued and basic access methods; hierarchial file system structure; contiguous and noncontiguous allocation; linked allocation, file mapping, file descriptors, and access control; and backup and recovery. File servers and distributed file systems are considered. CD-ROMs, WORMs, and magneto-laser disks are discussed. The importance of database systems in the context of operating systems is emphasized; the discussion considers data independence, database languages, the database administrator, distributed database, and data dictionary concepts. The chapter ends with a discussion of the hierarchical, network, and relational database models.

Part Six deals with the issues of computer system performance. Chapter 14 considers the issues of performance measurement, monitoring, and evaluation. The chapter discusses timings, instruction mixes, kernel programs, analytic models, benchmarks, synthetic programs, simulation, and performance monitoring. Bottleneck isolation and removal are examined. Both negative and positive feedback mechanisms are analyzed. The chapter includes a very large complement of exercises, many of which are suitable as term projects, particularly in simulation-oriented courses. There has been a considerable increase in interest in performance measures; the chapter discusses the Whetstone, Dhrystone, LINPACK, and Savage measures that are so widely used today. The use of coprocessors to enhance performance in specialized areas such as floating point calculations and graphics support is discussed. A thorough analysis of the RISC vs. CISC controversy is presented. The chapter concludes with a detailed case study on the use of data flow techniques in the RISC-based, multi-pipelined architecture of Apollo's Personal Supercomputer system.

Chapter 15 presents a mathematical treatment of analytic modeling; both queueing models and Markov processes are considered. The chapter may be omitted without loss of continuity, but it is recommended for students who have had some background in calculus, probability, and statistics. The queueing theory portion of the chapter discusses the notions of sources, arrivals, Poisson arrivals, service times, queue capacity, multiple servers, queue disciplines, traffic intensity, server utilization, steady state vs. transient solutions, and Little's Result. Two case studies are presented: analyzing an M/M/1 queueing system, and analyzing an M/M/c queueing system. The section on Markov processes concentrates on the special case of birth and death models; a case study analyzes the performance of a disk subsystem. Portions of the presentation on queueing theory are based on material in Chapter 5 of *Probability, Statistics, and Queueing Theory with Computer Science Applications* by Arnold O. Allen. Copyright 1978 by Academic Press, Inc., New York. Adapted with permission.

Part Seven considers computer networks and security issues. Chapter 16 discusses distributed computing from the Open Systems Interconnection (OSI) perspective. Through the early 1980s, most computer systems tended to be standalone units with little if any interaction. Today, systems designers must be intimately familiar with both computing systems and communications systems, and must be able to integrate these effectively. The international standards movement has caused the worldwide adoption of the OSI standards for computer networking. In the United States, the Corporation for Open Systems International (COS) is perhaps the key organization concerned with encouraging the use of OSI standards. COS is a nonprofit corporation formed and sponsored by most of the largest computing and communications organizations in the United States, various key user organizations, and a number of international members. I was privileged to have as a coauthor for Chapter 16, my research colleague from COS, Howard Berkowitz. The chapter motivates networking and discusses the need for standardization. It considers key network architectural issues including layering. It examines each of the seven layers of the OSI reference model, namely the application, presentation, session, transport, network, data link, and physical layers. The chapter considers issues of network management, and security. It mentions the closely related Integrated Services Digital Network (ISDN) which is the next generation of the world's telephone system. Ordinarily, one would expect this material to appear in a book on computer networking. Including it in an operating systems text makes a strong statement about the importance of Open Systems Interconnection to operating systems designers in the 1990s.

Chapter 17 deals with computer security and its importance in operating systems and computer networks. The chapter discusses security requirements, the need for a total approach to security, external security, operational security, surveillance, threat monitoring, amplification, password protection, audititing, access controls, security kernels, hardware security, and fault-tolerant systems. It continues with a detailed discussion of the capabilities-based, object-oriented systems that are receiving so much attention today as the means of achieving systems that afford greater security. A case study is presented on object-oriented computer system architecture. Cryptography is discussed; a cryptographic privacy system is illustrated; cryptanalysis, public key systems, digital signatures, and the DES and RSA schemes are discussed; numerous applications of cryptography are listed. Operating system penetration is considered in depth; generic system functional flaws and generic operating system attacks are enumerated. A case study examines the successful penetration of an operating system. A detailed treatment of security issues and concerns in UNIX systems is presented. We consider what worms and viruses are, how they work, how to guard against attacks, and how to rid systems of them. The chapter concludes with a case study on what has come to be called the Internet worm incident, surely the most monumental penetration of a computer network to date.

Part Eight presents six detailed case studies on operating systems that will be especially important in the 1990s, namely UNIX systems, MS-DOS, MVS, VM, Macintosh, and OS/2. The body of the text discusses general principles; the case studies deal with the design, structure, implementation, and functionality of widely-used operating systems.

Chapter 18 discusses UNIX systems. Originally developed by Bell Laboratories, UNIX systems have become nothing less than a phenomenon of their time, with the millionth system shipped in 1988. UNIX systems are unique in that they have been implemented by virtually every major computer manufacturer, and they have been used on all types of computers from micros to supercomputers. UNIX systems have become the operating systems of choice in the open systems marketplace. The case study examines UNIX in detail discussing its history, its unique position in the marketplace, and key aspects of the operating system including the shell, the kernel, the file system, process management, memory management, and the input/output system. The most popular versions of UNIX systems are presented including AT&T System V, Berkeley 4.3BSD, and Sun Microsystems SunOS. A key feature of the chapter is the comprehensive section on distributed UNIX systems that includes discussions of Berkeley's sockets, AT&T's streams, Sun's Network File System (NFS), and AT&T's Remote File System (RFS). The chapter analyzes the complex UNIX systems marketplace and standardization efforts discussing such topics as POSIX, the System V Interface Definition (SVID), IBM's AIX, Carnegie Mellon's Mach, and the ongoing UNIX systems standardization efforts of the Open Software Foundation and UNIX International. An appendix is included that provides the names and addresses of various UNIX systems standards groups, publications, and user groups. A second appendix presents a tour of the AT&T System V Interface Definition (SVID) including the systems calls in Release 3.

Chapter 19 discusses Microsoft's MS-DOS operating system (which IBM markets as DOS), the most widely used operating system in the world. MS-DOS gained acceptance when IBM offered it economically with the IBM Personal Computer. Today, MS-DOS remains the preferred operating system on IBM PC's and compatibles, and it is also being used on many of IBM's PS/2 computers (and compatibles) designed to supersede the PC. The application base on MS-DOS is so large (over 20,000 software packages are available) that many other operating systems (including UNIX systems) often provide the ability to run MS-DOS as well. The case study discusses MS-DOS in detail; it includes a discussion of DOS 4.0, a version of the operating system designed for DOS devotees who are not yet ready to move to OS/2 (see Chapter 23).

Chapter 20 discusses IBM's top-of-the-line operating system, MVS, designed for mainframe systems. MVS remains IBM's primary operating system for supporting the kinds of massive batch processing common in large organizations such as banks, insurance companies, and government agencies. The chapter traces the history of IBM operating systems development since the advent of Operating System/360 (one of the operating systems projects the author had the privilege of working on). Important aspects of IBM hardware architecture are reviewed. Then, many aspects of MVS are examined in detail—MVS functions, the Supervisor, the Master Scheduler, the Job Entry Subsystem, the System Management Facility, the System Activity Measurement Facility, the Timesharing Option, data management, the Real Storage Manager, the Auxiliary Storage Manager, the

Virtual Storage Manager, the System Resources Manager, storage organization, resource control, locking, Enqueue, Reserve, tasks, service requests, multiprocessing, performance, and monitoring system activity. The chapter emphasizes the two most recent versions of MVS, namely MVS/XA (for Extended Architecture) and MVS/ESA (for Enterprise Systems Architecture). The 16-megabyte address spaces of early MVS systems were extended to 2 gigabytes in MVS/XA; MVS/ESA offers a phenomenal 16-terabyte addressing capability, clearly an indication of IBM's intent to support the kinds of enormous objects that arise in high-resolution color graphics and in speech synthesis and speech recognition applications. MVS remains the epitome of systems designed for centralized processing.

Chapter 21 discusses what is perhaps the most "exotic" of the operating systems in the case studies, namely IBM's VM virtual machine operating system. It enables one computer system to execute several operating systems simultaneously. This capability allows an installation to run dramatically different operating systems at once, or to run different versions of the same system—perhaps allowing a new release to be tested while a production system continues operation. VM has particularly interesting ramifications in networking and distributed processing applications. The chapter discusses the history of VM, the Control Program (CP), demand paging, minidisks, console management, user privilege classes, the VM directory, the Conversational Monitor System (CMS), the Remote Spooling and Communications System, performance considerations, the Virtual Machine Assist Feature, the Extended Control Program Support Feature, performance measurement, performance analysis, reliability, availability, and serviceability. The various versions of VM are discussed including VM/370, VM/PC, PC/VM Bond, VM/IS, VM/SP, and VM/SP HPO. The chapter concludes with a detailed analysis of the importance of VM in IBM's strategic plans. Some people believed that IBM intended to use VM as a UNIX systems competitor. With IBM's current commitment to AIX and to the Open Software Foundation, IBM is making a direct commitment (and a massive one) to UNIX systems. It is interesting that IBM provides AIX for mainframes, but requires that AIX run under VM. VM remains IBM's primary system for interactive computing on mainframes and on many mid-range systems. VM's unique ability to support multiple operating systems enables many installations to run both MVS and VM simultaneously; some industry observers believe that IBM will eventually merge these two systems.

Chapter 22 discusses Apple's Macintosh operating system that popularized the notion of mouse-oriented and windowing-oriented graphics interfaces as originally developed at Xerox's Palo Alto Research Laboratories. This chapter provides a detailed look at how Apple's graphics interface is implemented. By some estimates, implementing a graphics interface instead of a simpler text-oriented interface can easily triple or quadruple the number of distinct systems calls that must be provided in the operating system to support applications development. There is a consequent increase in the complexity of the operating system and in implementing applications. Besides a detailed look at the internals of the Macintosh operating system, the case study discusses the features of the key versions of Macintosh systems.

Chapter 23 discusses OS/2, the operating system jointly developed by IBM and Microsoft to succeed MS-DOS/DOS on IBM's PS/2 personal computers and compatibles.

There is great interest in OS/2 today as MS-DOS/DOS users begin to think of upgrading. OS/2 is IBM's first major platform for implementing its Systems Application Architecture (SAA). SAA is a major corporate commitment on IBM's part to provide integration of its three major lines, namely its personal computers, its midrange systems, and its mainframes. IBM intends to provide common graphics interfaces, communications interfaces, and applications interfaces across all its lines. OS/2's Presentation Manager provides a graphics interface for IBM systems (and compatibles) that have until now relied on cumbersome text-oriented interfaces. The case study provides a detailed look at the internals of OS/2 including multitasking, processes, threads, scheduling, dynamic linking, the file system, memory management, interprocess communication, device monitors, device drivers, and other interesting features. The chapter and the text conclude with speculation on the future of operating systems. Will a single operating system emerge that combines the features of many of the key systems in the case studies? Will this be a new standardized version of UNIX systems? Will OS/2 evolve into a multiuser, multitasking system similar to UNIX systems, and thus be merged with AIX? Will the open systems approach completely replace the proprietary systems approach? These and many other interesting questions are likely to be answered in the 1990s.

It is a pleasure to acknowledge the many people who have contributed to this project. The most important acknowledgment is to thousands of authors represented in the literature sections in the chapters; their research papers, articles, and books have provided the diversity of interesting material that makes operating systems such a fascinating area. Each edition of the book was reviewed by university and industry operating systems researchers and practitioners. I am grateful for the constructive comments and criticisms submitted by the following people.

Second edition reviewers and contributors (and their affiliations):

Howard Berkowitz, Corporation for Open Systems
Dale A. Brown, The College of Wooster
Steven J. Buroff, AT&T Bell Laboratories
David D. Busch
John H. Carson, George Washington University
Ronald Curtis, Canisius College
Larry K. Flanigan, University of Michigan
Jon Forrest, Sybase
Jay Gadre, Corporation for Open Systems
Carlos M. Gonzalez, George Mason University
Mike Halvorson, Microsoft Press
Wayne Hathaway, Ultra Network Technologies
Christopher T. Haynes, Indiana University
Lee Hollaar, University of Utah
William Horst, Corporation for Open Systems
James Johannes, University of Alabama
Ralph Johnson, University of Illinois

Dennis Kafura, Virginia Polytechnical Institute
Herb Klein, Corporation for Open Systems
Michael S. Kogan, IBM
Thomas LeBlanc, University of Rochester
T. F. Leibfried, University of Houston, Clear Lake
David Litwack, Corporation for Open Systems
Mark Measures, Baylor University
Charles Oualline, Jr., East Texas State University
Ravi Sandhu, Ohio State University
Richard Schlichting, University of Arizona
Alan Southerton
John J. Zenor, California State University

First edition reviewers and contributors (and their affiliations at the time):

James Peterson, University of Texas at Austin
Richard Wexelblatt, Sperry Univac
Paul Ross, Millersville State University
Anthony Lucido, Intercomp
Steve Paris, Prime Computer
Bart Guerreri, DSD Laboratories
Nathan Tobol, Codex Corporation
and Chairman, IEEE 802 Local-Area Networking Subcommittee
Larry Nelson, AVCO Services
Barry Shein, Harvard University
Eliezer Gafni, MIT
Anat Gafni, Boston University
Josefina Bondoc, Boston University

This was a large and complex publishing project; its quality and timely publication are due to the tireless efforts of the extraordinary team of publishing professionals at Addison-Wesley. Mary Ellen Holt, Mona Zeftel, and Jacqueline Davies coordinated the computer-assisted typesetting efforts; their knowledge of computerized publishing techniques is indeed impressive. Faye Cudmore did a superb job as copyeditor. The cover and text are handsomely illustrated thanks to the skills of Marshall Henrichs and Joe Vetere. Bette Aaronson was the production supervisor; her dedication to the project never wavered, and her leadership was critical to the timely publication of the text. Deborah Lafferty handled the complex permissioning of the many materials in this text that have been used directly, or have been condensed and/or adapted from various books and journals, and from vendor literature; her indefatigable efforts and attention to detail are sincerely appreciated. I am grateful to Mark Dalton (Vice President and Director of Sales and Marketing) and James DeWolf (Editor-in-Chief of Computer Science and Engineering) for their support, and for their trust and encouragement.

I would like to extend a special note of thanks to Keith Wollman (Senior Editor of Computer Science). His knowledge, expertise, publication sense, and professional management style created a friendly yet firm environment conducive to this writing effort. Keith applied just the right amount of pressure at all times to keep the project on target. Many difficult problems needed to be solved to get this book published; it was fascinating to watch as Keith solved each one responsibly, quickly, and professionally. It has been a privilege and a pleasure to work with him on this project for the last four years.

Two of my colleagues at Boston College, Dr. Radha Gargeya and Fr. Michael McFarland, S.J., supplied materials that were crucial to the UNIX systems case study. In addition, Fr. McFarland provided materials from his course on Ethical Computer Use and on the Internet Worm incident. Rod Feak, Director of the Boston College Academic Computing Center, supplied many of the research materials used in preparing the MVS case study. Bernie Gleason, Boston College's Chief Information Officer, supported my initial research efforts in Open Systems Interconnection; this ultimately resulted in the inclusion of the case study on OSI in this text. Jeff Jeffers, Boston College's Director of Networking, provided many insights into the complexities of networking a major university.

Ken Shostack of Sun Microsystems helped me obtain many of the research materials and publication permissions for the UNIX systems case study. His encouragement, enthusiasm, and cooperation are sincerely appreciated.

My wife, Barbara, and my children, Paul and Abbey, provided the incredible support and understanding without which this text could never have come to fruition. Barbara has worked on this book almost full time for the last two years; she assisted with virtually every phase of the research and writing of the text, she handled the manuscript preparation and updating, and she coordinated the complex production effort with Addison-Wesley. Her phenomenal "proofreader's eye" prevented innumerable errors from finding a home in this manuscript.

I wish to thank the hundreds of people throughout the world who wrote me letters about the first edition. Their observations and suggestions have been a great help in correcting errors and in shaping the second edition.

I am currently researching and writing the third edition of this work, and would be grateful for your comments, criticisms, and corrections. Any correspondence should be sent to Harvey M. Deitel (author), c/o Computer Science Editor, Addison-Wesley Publishing Company, Reading, MA 01867. I will acknowledge all correspondence immediately.

Framingham, Massachusetts H.M.D.

Contents

About the Author **xxvi**

PART 1
OVERVIEW

CHAPTER 1
INTRODUCTION **1**

Outline 2
1.1 Opening Remarks 3
1.2 What is an Operating System? 3
1.3 Early History: The 1940s and The 1950s 4
1.4 The 1960s 4
1.5 The Emergence of a New Field: Software Engineering 6
1.6 The 1970s 6
1.7 The 1980s 6
1.8 The 1990s and Beyond 7
1.9 Distributed Computing 8
1.10 The Key Architectural Trend: Parallel Computation 9
1.11 Input-Output Trends 10
1.12 Open Systems 11
1.13 UNIX 12
1.14 Ethical Issues 13
1.15 Application Bases 13
1.16 The Key Operating Systems for the 1990s 14
Appendix: Open System Organizations 20

CHAPTER 2
HARDWARE, SOFTWARE, FIRMWARE 21

	Outline	22
2.1	Introduction	24
2.2	Hardware	24
2.3	Software	30
2.4	Firmware	34
	Summary	42

PART 2
PROCESS MANAGEMENT

CHAPTER 3
PROCESS CONCEPTS 49

	Outline	50
3.1	Introduction	51
3.2	Definitions of "Process"	51
3.3	Process States	51
3.4	Process State Transitions	52
3.5	The Process Control Block	53
3.6	Operations on Processes	54
3.7	Suspend and Resume	56
3.8	Interrupt Processing	57
3.9	The Nucleus of the Operating System	61
	Summary	63

CHAPTER 4
ASYNCHRONOUS CONCURRENT PROCESSES 71

	Outline	72
4.1	Introduction	73
4.2	Parallel Processing	73
4.3	A Control Structure for Indicating Parallelism: Parbegin/Parend	74
4.4	Mutual Exclusion	75
4.5	Critical Sections	76
4.6	Mutual Exclusion Primitives	77
4.7	Implementing Mutual Exclusion Primitives	78
4.8	Dekker's Algorithm	78
4.9	Peterson's Algorithm	85
4.10	N-Process Mutual Exclusion	87
4.11	A Hardware Solution to Mutual Exclusion: The Testandset Instruction	87
4.12	Semaphores	89
4.13	Process Synchronization with Semaphores	89
4.14	The Producer-consumer Relationship	90

4.15 Counting Semaphores 92
4.16 Implementing Semaphores, P and V 92
4.17 Eventcounts and Sequencers 94
Summary 96

CHAPTER 5
CONCURRENT PROGRAMMING **111**

Outline 112
5.1 Introduction 113
5.2 Critical Regions and Conditional Critical Regions 114
5.3 Monitors 115
5.4 Path Expressions 121
5.5 Message Passing 121
5.6 Ada: A Key Concurrent Programming Language for the 1990s 124
Summary 135

CHAPTER 6
DEADLOCK AND INDEFINITE POSTPONEMENT **153**

Outline 154
6.1 Introduction 155
6.2 Examples of Deadlock 155
6.3 A Related Problem: Indefinite Postponement 158
6.4 Resource Concepts 158
6.5 Four Necessary Conditions for Deadlock 159
6.6 Major Areas of Deadlock Research 160
6.7 Deadlock Prevention 160
6.8 Deadlock Avoidance and the Banker's Algorithm 164
6.9 Deadlock Detection 168
6.10 Deadlock Recovery 170
6.11 Deadlock Considerations in Future Systems 172
Summary 173

PART 3
STORAGE MANAGEMANT

CHAPTER 7
REAL STORAGE **285**

Outline 186
7.1 Introduction 187
7.2 Storage Organization 187
7.3 Storage Management 187
7.4 Storage Hierarchy 188
7.5 Storage Management Strategies 188

7.6 Contiguous vs. Noncontiguous Storage Allocation 190
7.7 Single User Contiguous Storage Allocation 190
7.8 Fixed Partition Multiprogramming 193
7.9 Variable Partition Multiprogramming 197
7.10 Multiprogramming with Storage Swapping 201
Summary 203

CHAPTER 8
VIRTUAL STORAGE ORGANIZATION 213

Outline 214
8.1 Introduction 215
8.2 Evolution of Storage Organizations 215
8.3 Virtual Storage: Basic Concepts 215
8.4 Multilevel Storage Organization 217
8.5 Block Mapping 218
8.6 Paging: Basic Concepts 221
8.7 Segmentation 230
8.8 Paging/Segmentation Systems 237
Summary 241

CHAPTER 9
VIRTUAL STORAGE MANAGEMENT 251

Outline 252
9.1 Introduction 253
9.2 Virtual Storage Management Strategies 253
9.3 Page Replacement Strategies 253
9.4 Locality 259
9.5 Working Sets 261
9.6 Page Fault Frequency Page Replacement 264
9.7 Demand Paging 264
9.8 Antic
9.9 Page Release 266
9.10 Page Size 267
9.11 Program Behavior under Paging 268
Summary 271

PART 4
PROCESSOR MANAGEMENT

CHAPTER 10
JOB AND PROCESSOR SCHEDULING 285

Outline 286
10.1 Introduction 287
10.2 Scheduling Levels 287

10.3 Scheduling Objectives 287
10.4 Scheduling Criteria 289
10.5 Preemptive vs. Nonpreemptive Scheduling 290
10.6 The Interval Timer or Interrupting Clock 291
10.7 Priorities 291
10.8 Deadline Scheduling 292
10.9 First-In-First-Out (FIFO) Scheduling 292
10.10 Round Robin (RR) Scheduling 293
10.11 Quantum Size 294
10.12 Shortest-Job-First (SJF) Scheduling 295
10.13 Shortest-Remaining-Time (SRT) Scheduling 295
10.14 Highest-Response-Ratio-Next (HRN) Scheduling 296
10.15 Multilevel Feedback Queues 296
10.16 Fair Share Scheduling 299
10.17 Sun UNIX Process Scheduling 301
10.18 VAX/VMS Process Scheduling 301
Summary 301

CHAPTER 11
DISTRIBUTED COMPUTING: THE PARALLEL COMPUTATION VIEW 313

Outline 314
11.1 Introduction 316
11.2 The Fifth Generation Project and the Strategic Computing Initiative 316
11.3 Supercomputer Projects 316
11.4 Classification of Sequential and Parallel Architectures 317
11.5 Pipelining 318
11.6 Vector Processing 318
11.7 Array Processors 318
11.8 Data Flow Computers 319
11.9 Multiprocessors 319
11.10 Fault Tolerance 320
11.11 Computational Complexity Issues 321
11.12 Detecting Parallelism 322
11.13 The "Never Wait" Rule 324
11.14 Processor Interconnection Schemes 325
11.15 Loosely-Coupled Vs. Tightly-Coupled Systems 329
11.16 Fetch-and-Add 330
11.17 Multiprocessor Operating System Organizations 332
11.18 Case Study: C.mmp and Cm* 334
11.19 Case Study: The Butterfly 334
11.20 Case Study: The Connection Machine 340
Summary 346
Appendix: Organizations Researching and Developing Highly-parallel Computers 357

PART 5
AUXILIARY STORAGE MANAGEMENT

CHAPTER 12
DISK PERFORMANCE OPTIMIZATION 359

	Outline	360
12.1	Introduction	361
12.2	Operation of Moving-Head Disk Storage	361
12.3	Why Disk Scheduling Is Necessary	363
12.4	Desirable Characteristics of Disk Scheduling Policies	364
12.5	Seek Optimization	365
12.6	Rotational Optimization	370
12.7	Systems Considerations	370
12.8	Disk Caching	373
12.9	Other Performance Enhancement Techniques	374
12.10	RAM Disks	375
12.11	Optical Disks	376
	Summary	376

CHAPTER 13
FILE AND DATABASE SYSTEMS 387

	Outline	388
13.1	Introduction	389
13.2	The File System	389
13.3	File System Functions	391
13.4	The Data Hierarchy	391
13.5	Blocking and Buffering	392
13.6	File Organization	392
13.7	Queued and Basic Access Methods	394
13.8	Allocating and Freeing Space	394
13.9	File Descriptor	400
13.10	Access Control Matrix	400
13.11	Access Control by User Classes	401
13.12	Backup and Recovery	402
13.13	File Servers	403
13.14	Distributed File Systems	403
13.15	CD-ROMs, WORMs, and Magneto-Laser Disks	403
13.16	Database Systems	404
13.17	Database Models	406
	Summary	410

PART 6
PERFORMANCE

CHAPTER 14
PERFORMANCE COPROCESSORS, RISC, AND DATA FLOW 419

Outline 420
14.1 Introduction 421
14.2 Important Trends Affecting Performance Issues 421
14.3 Why Performance Monitoring and Evaluation Are Needed 421
14.4 Performance Measures 422
14.5 Performance Evaluation Techniques 424
14.6 Bottlenecks and Saturation 429
14.7 Feedback Loops 429
14.8 Coprocessors 430
14.9 Reduced Instruction Set Computing (RISC) 431
14.10 Case Study: Data Flow, RISC, and Pipelining 434
Summary 438
Appendix: Companies with Commitments to RISC-based Architectures 452

CHAPTER 15
ANALYTIC MODELING 453

Outline 454
15.1 Introduction 455
15.2 Queueing Theory 455
15.3 Markov Processes 471
Summary 479

PART 7
NETWORKS AND SECURITY

CHAPTER 16
DISTRIBUTED COMPUTING: THE OPEN SYSTEMS INTERCONNECTION VIEW 489

Outline 490
16.1 Introduction 492
16.2 Network Architecture: OSI and Other Reference Models 496
16.3 The Application Layer (Layer 7) 502

16.4 The Presentation Layer (Layer 6) 504
16.5 The Session Layer (Layer 5) 504
16.6 The Transport Layer (Layer 4) 505
16.7 The Network Layer (Layer 3) 505
16.8 The Data Link Layer (Layer 2) 506
16.9 The Physical Layer (Layer 1) 511
16.10 Transmission Media 512
16.11 OSI Network Management 513
16.12 OSI Security 513
16.13 Integrated Digital Services Digital Network (ISDN) 514
16.14 MAP, TOP, and GOSIP 514
16.15 OSI Testing 515
16.16 Transmission Control Protocol/Internet Protocol (TCP/IP) 515
16.17 The Future of OSI 516
Appendix: OSI-oriented Standards 525

CHAPTER 17
OPERATING SYSTEMS SECURITY 527

Outline 528
17.1 Introduction 530
17.2 Security Requirements 531
17.3 A Total Approach to Security 532
17.4 External Security 532
17.5 Operational Security 532
17.6 Surveillance 533
17.7 Threat Monitoring 533
17.8 Amplification 533
17.9 Password Protection 534
17.10 Auditing 535
17.11 Access Controls 535
17.12 Security Kernels 535
17.13 Hardware Security 536
17.14 Fault-Tolerant Systems 536
17.15 Capabilities and Object-Oriented Systems 537
17.16 Case Study: The Object-Oriented Architecture of the IBM System/38 539
17.17 Cryptography 540
17.18 Operating System Penetration 543
17.19 Case Study: Penetrating an Operating System 546
17.20 UNIX Operating System Security 548
17.21 Worms and Viruses 549
Summary 554
Appendix: Information Sources 565

PART 8
CASE STUDIES

CHAPTER 18
CASE STUDY: UNIX SYSTEMS 567

	Outline	568
18.1	Introduction	570
18.2	History	571
18.3	The Shell	573
18.4	The Kernel	575
18.5	The File System	576
18.6	Process Management	582
18.7	Memory Management	587
18.8	The Input/Output System	590
18.9	The SunOS Operating System	593
18.10	Distributed UNIX Systems	596
18.11	UNIX Systems Standardization and Open Systems	602
18.12	The Future of UNIX Systems	605
	Appendix A: Information Sources	618
	Appendix B: A Tour of the AT&T System V Interface Definition (SVID)	619

CHAPTER 19
CASE STUDY: MS-DOS, DOS 629

	Outline	630
19.1	Introduction	632
19.2	Early History of MS-DOS	633
19.3	MS-DOS Version 1.0	634
19.4	MS-DOS Version 2.0	635
19.5	MS-DOS Version 3.0	637
19.6	The IBM Personal System/2	638
19.7	The Micro Channel	639
19.8	MS-DOS 3.3	639
19.9	Operating System/2 Standard Edition	640
19.10	Operating System/2 Extended Edition	641
19.11	Systems Application Architecture	641
19.12	The User's View of MS-DOS	642
19.13	The Systems's View of MS-DOS	646
19.14	The Programmer's View of MS-DOS System Calls	655
19.15	DOS 4.0	660
19.16	The Future of MS-DOS and OS/2	661
	Appendix: Information Sources	667

CHAPTER 20 CASE STUDY: MVS

CHAPTER 20
CASE STUDY: MVS 669

Outline 670
20.1 History of MVS 672
20.2 MVS Design Objectives and Capabilities 672
20.3 System/370 Hardware 674
20.4 Storage Management 676
20.5 MVS/XA Address Spaces 680
20.6 Multiprocessing 681
20.7 Managing System Resources 685
20.8 Supervising the Execution of Work 686
20.9 Input/Output 689
20.10 Job Entry Subsystem 691
20.11 Monitoring System Activity 693
20.12 Enterprise Systems Architecture and MVS/ESA 694
20.13 The Future of MVS 696

CHAPTER 21
CASE STUDY: VM: A VIRTUAL MACHINE OPERATING SYSTEM 703

Outline 704
21.1 Introduction 705
21.2 History 710
21.3 The Control Program (CP) 711
21.4 The Conversational Monitor System (CMS) 718
21.5 Remote Spooling and Communications Subsystem 718
21.6 Strengths of VM 720
21.7 VM/370 Evolution 721
21.8 Performance Considerations 721
21.9 Reliability, Availability, and Serviceability 723
21.10 The Versions of VM 724
21.11 AIX/370 725
21.12 UNIX vs. VM 725
21.13 VM/SP Extensions 726
21.14 VM: IBM's Large-Scale Operating System for the 1990s? 726
Appendix: Other IBM Publications 732

CHAPTER 22
CASE STUDY: INSIDE THE APPLE MACINTOSH 733

Outline 734
22.1 Introduction 737
22.2 History 737
22.3 Hardware 738
22.4 Software 741
22.5 Resource Manager 744

22.6 QuickDraw 744
22.7 Font Manager 744
22.8 Toolbox Event Manager 745
22.9 Window Manager 747
22.10 Control Manager 747
22.11 Menu Manager 748
22.12 TextEdit 749
22.13 Dialog Manager 749
22.14 Desk Manager 750
22.15 Package Manager 750
22.16 Memory Manager 751
22.17 Segment Loader 753
22.18 Operating System Event Manager 754
22.19 File Manager 754
22.20 Printing Manager 759
22.21 Device Manager 761
22.22 System Error Handler 770
22.23 Operating System Utilities 770
22.24 The Evolving Macintosh Family 771
22.25 Macintosh Plus Operating System Enhancements 773
22.26 Macintosh SE and Macintosh II Operating System Enhancements 773
22.27 The Future of the Macintosh 774
Appendix: Information Sources 779

CHAPTER 23
CASE STUDY: OS/2 **781**

Outline 782
23.1 Introduction 784
23.2 History 784
23.3 Design Overview 785
23.4 Multitasking 788
23.5 Dynamic Linking 793
23.6 The File System 794
23.7 Memory Management 795
23.8 Interprocess Communication 799
23.9 The Presentation Manager and VIO 803
23.10 Device Monitors 804
23.11 Data Integrity 807
23.12 Timer Services 807
23.13 Device Drivers 808
23.14 The Compatibility Box 814
23.15 System Configuration 815
23.16 OS/2 Software Developer's Kit 816
23.17 Handling Errors and Exceptions 816
23.18 The Future 816
Appendix: Summary of OS/2 Commands 827

Index **833**

ABOUT THE AUTHOR

Dr. Harvey M. Deitel has 30 years experience in the computer field. He participated in the research and development of several large-scale operating systems and in the design and implementation of numerous commercial systems. He received the Bachelor of Science and Master of Science Degrees from the Massachusetts Institute of Technology where he did extensive development work on the Multics operating system. He received the Doctor of Philosophy Degree from Boston University where his dissertation research examined the problems of developing very large-scale structured software systems.

Dr. Deitel has been interested in operating systems since 1963. He worked on the pioneering teams that developed IBM's OS, IBM's TSS, and M.I.T.'s Multics. He has consulted for Epson, Advanced Computer Techniques Corporation, Computer Usage Corporation, Harbridge House, American Express, IBM Systems Development Division, IBM Advanced Systems Development Division, IBM Thomas J. Watson Research Center, M.I.T.'s Project MAC, Microsoft, and the Corporation for Open Systems International (COS).

Dr. Deitel is currently on the Computer Science Faculty of Boston College where he teaches courses in operating systems, computer networking, and computer architecture. He has received numerous teaching commendations, and has been rated nationally among the top computing teachers in the country.

Dr. Deitel is a member of several professional honoraries including Tau Beta Pi (engineering), Eta Kappa Nu (electrical engineering), Sigma Xi (scientific research), and Beta Gamma Sigma (management). He holds the CDP certification of the Institute for the Certification of Computer Professionals, and is a member of various professional societies including the Association for Computing Machinery, and the Computer Society of the Institute of Electrical and Electronics Engineers.

Dr. Deitel's publications include *Absentee Computations in a Multiple-Access Computer System*, MAC-TR-52, Advanced Research Projects Agency, Department of Defense, 1968; *Introduction to Computer Programming*, Prentice-Hall, 1977; *Structured Software Development*, Ph.D. dissertation published by University Microfilms, 1980; *Operating Systems* (with H. Lorin of the IBM Systems Research Institute), Addison-Wesley, 1980, "Functions of Operating Systems," (with H. Lorin) *Software World*, Vol. 12, No. 2, 1981, "Computers and Communications: Improving the Employability of Persons with Handicaps," *Journal for Vocational Needs Education*, 1984; *An Introduction to Operating Systems* (the first edition of this text), Addison-Wesley, 1982 (Rev. 1st Ed., 1984); *VAX-11 BASIC*, Prentice-Hall, 1985; *Computers and Data Processing* (with B. Deitel), Academic Press, 1985; *An Introduction to Information Processing* (with B. Deitel), Academic Press, 1986, *Microsoft Macintosh BASIC* (with P. Deitel), Prentice-Hall, 1988; *Microsoft IBM QuickBASIC* (with P. Deitel), Prentice-Hall, 1989.

Dr. Deitel's current research is in the area of open systems interconnection (OSI)—the emerging worldwide standards for computer networking. He is the series editor of the *Open Systems Series* sponsored by the Corporation for Open Systems International (COS) and published by Addison-Wesley. This series includes advanced texts on key aspects of OSI and the Integrated Services Digital Network (ISDN). He is currently writing the lead text, *Open Systems Interconnection*, for this series. He has given operating system seminars at the International Congress Center in West Berlin. His books have been translated into Japanese, Chinese, Spanish, and Russian.

1
Introduction

Nothing endures but change.

Heraclitus

Oh what times! Oh what standards!

Marcus Tullius Cicero

Open sesame!

The History of Ali Baba

Outline

1.1 Opening Remarks
1.2 What is an Operating System?
1.3 Early History: The 1940s and The 1950s
1.4 The 1960s
1.5 The Emergence of a New Field: Software Engineering
1.6 The 1970s
1.7 The 1980s
1.8 The 1990s and Beyond
1.9 Distributed Computing
1.10 The Key Architectural Trend: Parallel Computation
1.11 Input-Output Trends
1.12 Open Systems
1.13 UNIX
1.14 Ethical Issues
1.15 Application Bases
1.16 The Key Operating Systems for the 1990s

1.1 OPENING REMARKS

This is an exciting time in the evolution of operating systems. Computer power continues to increase at phenomenal rates as costs decline dramatically. Desktop workstations approaching 100 MIPS (million instructions per second) will be common in the 1990s with 1 billion instruction-per-second desktop machines on the horizon. Processors are becoming so inexpensive that multiprocessor and network architectures are creating numerous opportunities for research and development of new hardware and software approaches. The sequential programming languages we have used to specify one computing activity at a time are being displaced by concurrent programming languages that facilitate the specification of parallel computing activities. Massive parallelism may eventually allow the simulation of human senses and various forms of intelligent behavior, applications that will greatly increase demand for powerful computer systems. The *open systems* approach in which hardware, software, and communications vendors produce systems that conform to internationally accepted standards offers new challenges to vendors previously committed to proprietary architectures. The new international open communication standards, OSI (Open Systems Interconnection—for facilitating communication between computer systems) and ISDN (Integrated Services Digital Network—the next generation of the telephone system), will enable computers throughout the world to communicate with one another easily—a giant step forward toward *distributed computing* on a worldwide scale. We are poised on the brink of a great leap forward in computing and communication systems development.

This text is designed to prepare the reader for the systems challenges ahead. We begin by defining what an operating system is, and with a brief history of the field of operating systems.

1.2 WHAT IS AN OPERATING SYSTEM?

In the 1960s one might have defined operating system as the *software that controls the hardware*. But today there is a significant trend for functions to migrate from software into *firmware*, i.e., *microcode* (see Chapter 2). This trend has become so pronounced that it is likely the functions coded in firmware may soon exceed those in software on some systems.

It is clear that a better definition of operating system is needed. We view an operating system as the programs, implemented in either software or firmware, that make the hardware usable. Hardware provides "raw computing power." Operating systems make this computing power conveniently available to users, and they manage the hardware carefully to achieve good performance (see Part 6 of the text).

Operating systems are primarily resource managers; the main resource they manage is computer hardware in the form of processors, storage, input/output devices, communication devices, and data. Operating systems perform many functions such as implementing the user interface, sharing hardware among users, allowing users to share data among themselves, preventing users from interfering with one another, scheduling resources among users, facilitating input/output, recovering from errors, accounting for resource usage, facilitating parallel operations, organizing data for secure and rapid access, and handling network communications.

However we choose to define them, operating systems are an integral part of the computing environment, and they must be understood to some degree by every computer user.

1.3 EARLY HISTORY: THE 1940s AND THE 1950s

Operating systems have evolved over the last 40 years through a number of distinct phases or *generations* which correspond roughly to the decades (We81). In the 1940s, the earliest electronic digital computers had no operating systems (Go72) (Se81) (Bs86). Machines of the time were so primitive that programs were often entered one bit at a time on rows of mechanical switches. Eventually machine language programs were entered on punched cards, and assembly languages were developed to speed the programming process.

The General Motors Research Laboratories implemented the first operating system in the early 1950s for their IBM 701 (We81). The systems of the 1950s (Gr77) generally ran only one job at a time and smoothed the transition between jobs to get maximum utilization of the computer system. These were called *single-stream batch processing systems* because programs and data were submitted in groups or batches.

1.4 THE 1960s

The systems of the 1960s were also batch processing systems, but they were able to take better advantage of the computer's resources by running several jobs at once. They contained many peripheral devices such as card readers, card punches, printers, tape drives and disk drives. Any one job rarely utilized all a computer's resources effectively. It was observed by operating systems designers that when one job was waiting for an input-output operation to complete before the job could continue using the processor, some other job could use the idle processor. Similarly, when one job was using the processor other jobs could be using the various I/O devices. In fact, running a mixture of diverse jobs appeared to be the best way to optimize computer utilization. So operating systems designers developed the concept of *multiprogramming* (Cd59) (Ct63) in which several jobs are in main memory at once (Be81); a processor is switched from job to job as needed to keep several jobs advancing while keeping the peripheral devices in use.

Users were normally not present at the computing facility when their jobs were run. Jobs were generally submitted on punched cards and computer tape. The jobs would remain on input tables until they could be loaded into the computer for execution. Often, a user's job would sit for hours or even days before it could be processed. The slightest error in a program, even a missing period or comma, would "bomb" the job, at which point the (often frustrated) user would correct the error, resubmit the job, and once again wait hours or days before the next execution of the job could be attempted. Software development in such an environment was painfully slow.

In 1964, IBM announced its System/360 family of computers (Am64) (We81) (Ev86). The various 360 computers were designed to be hardware compatible, to use the OS/360 operating system (Me66), and to offer greater computer power as the user moved upward in the series. Over the years, the 360 architecture has evolved to the 370 series (Ca78) (Gi87), and on to the more recent 4300 and 30X0 series. It is likely that the massive installed base of equipment derived from the 360 will persist for many years.

More advanced operating systems were developed to service multiple *interactive users* at once. Interactive users communicate with the computer via terminals which are *on line* (i.e., directly connected) to the computer. Because the user is present and interacting with the computer, the computer system must respond quickly to user requests, otherwise user productivity could suffer. *Timesharing* systems were developed to multiprogram large numbers of simultaneous interactive users (Fr87).

Many of the timesharing systems of the 1960s were multimode systems also supporting batch processing as well as *real-time* (Ha81) applications (such as industrial process control systems). Real-time systems are characterized by supplying immediate response. For example, a measurement from a petroleum refinery indicating that temperatures are getting too high might demand immediate attention to avert an explosion. Real-time systems are often heavily underutilized—it is far more important for such systems to be available when needed and to respond quickly than it is for them to be busy a large portion of the time. This fact helps explain their relatively high costs.

The key timesharing development efforts of this period included the *CTSS* system (Cb63) (Cr64) developed at MIT, the *TSS* system (Lt68) developed by IBM, the *Multics* system (Bn72) developed at MIT as the successor to CTSS, and the *CP/CMS* system (which eventually evolved into IBM's *VM* operating system, discussed in Chapter 21) developed by IBM's Cambridge Scientific Center (Ce81). As much as these systems were designed to perform basic interactive computing for individuals, the real value of these systems proved to be the sharing of programs and data, and the demonstration of the value of interactive computing in program development environments. *Turnaround time*, i.e., the time between submission of a job and the return of results, was reduced to minutes or even seconds; the person writing a new program no longer had to wait hours or days to correct errors. Now, the user could enter a program, compile it, receive a list of syntax errors, correct them immediately, recompile, and continue this cycle until the program was free of syntax errors. Then the program could be executed, debugged, corrected and completed with similar reductions in development time.

A key demonstration of the value of timesharing systems in program development support occurred when MIT used the CTSS system to develop its own successor, Multics. Multics was notable for being the first major operating system written primarily in a high-level language instead of in an assembly language. The designers of *UNIX* learned from this experience; they created the high-level language *C* specifically to implement UNIX.

TSS, Multics, and CP/CMS all incorporated the concept of *virtual storage* (see Chapters 8 and 9) in which, among other benefits, programs are able to address much larger amounts of memory than are actually provided in primary storage (Dn70) (Pa72). This removes much of the burden of memory management from the users, freeing them to concentrate on application development.

1.5 THE EMERGENCE OF A NEW FIELD: SOFTWARE ENGINEERING

The operating systems developed during the 1960s were huge conglomerations of software written by people who really did not understand that software, as well as hardware, had to be engineered to be reliable, understandable, and maintainable. Endless hours and countless dollars were spent detecting and removing bugs that should never have entered the systems in the first place. Errors in the earliest phases of the projects were not located until long after the products were delivered to customers; at this point these errors were enormously expensive to correct. People turnover often resulted in large numbers of software modules being scrapped and then rewritten by new people because the existing modules could not be understood. So much attention was given to these problems that eventually computer scientists and industry professionals began devoting considerable resources to the problems of constructing software systems. This spawned the field of *software engineering*. The emergence of the field of software engineering and the recognition of the importance of developing a disciplined and structured approach to the construction of reliable, understandable, and maintainable software were truly fostered by the devastating experiences with many of the operating systems development efforts of the 1960s (Br75) (Dr87) (Sz87).

1.6 THE 1970s

The systems of the 1970s were primarily multimode timesharing systems that supported batch processing, timesharing, and real-time applications. Personal computing was in its incipient stages fostered by early and continuing developments in microprocessor technology (Ki81). The experimental timesharing systems of the 1960s evolved into solid commercial products in the 1970s. Communications between computer systems throughout the United States increased (Qu86). The *TCP/IP* communications standards of the Department of Defense became widely used (Sf85) (Co88), especially in military and university computing environments. Communication in *local area networks (LANs)* (Ma89) was made practical and economical by the *Ethernet* standard (Mf76) developed at Xerox's Palo Alto Research Center (PARC).

Security problems increased with the huge volumes of information passing over vulnerable communications lines (see Chapter 17). *Encryption* received much attention—it became necessary to encode proprietary or private data so that even if the data was compromised it was of no value to anyone other than the intended receivers (or possessors of the *decryption* keys).

1.7 THE 1980s

The 1980s was the decade of the *personal computer* and the *workstation* (Bl85). Microprocessor technology evolved to the point that it became possible to build desktop computers as powerful as the mainframes of the 1970s. Individuals could have their own dedicated computers for performing the bulk of their work, and they could use communication facilities for transmitting data between systems. Computing was *distributed* to the sites at which it was needed rather than bringing the data to be processed to some central, large-scale, computer installation. Application software packages such as spreadsheet programs, word processors, database packages, and graphics packages helped drive the personal computing revolution: How could a businessperson resist the temptation to use an economical personal computer to prepare impeccably neat and professional quality budgets, proposals, and sales presentations? Personal computers proved to be relatively easy to learn and use. In the 1970s, only large organizations could afford computers and use interactive computing; in the 1980s, almost everyone could own or access personal computer systems and use them effectively.

The key was to transfer information between computers in computer networks. Electronic mail, file transfer, and remote database access applications proliferated. The client/server model became widespread: *Clients* are network users that need various services performed; *servers* are hardware/software network components that perform these services. Servers are generally dedicated to one type of task such as printing, performing high-speed graphics, database access, and the like.

The field of software engineering continued to evolve with a major thrust coming from the United States Government aimed especially at getting Department of Defense software projects under tighter control (Mr83) (Le86).

1.8 THE 1990s AND BEYOND

In the 1990s we will enter the era of true *distributed computing* in which computations will be parcelled into subcomputations that can be executed on other processors in multiprocessor computers and in computer networks. Applications will utilize the processor cycles that have tended to go to waste in the networked personal computers and workstations of the 1980s; subcomputations will be distributed in a manner that enables them to take advantage of special-purpose computers throughout networks.

Networks will be *dynamically configured*. They will continue operating even as new devices and software are added or removed. As each new server is added, it will make itself known to the network through a *registration procedure* in which the server tells the network about its capabilities, billing policies, accessibility, and so forth. Clients may then use the servers as needed according to the terms described during registration. To achieve real flexibility, clients should not have to know all the details of the network. Instead, network entities, sometimes called *locating brokers*, are contacted by clients that wish to have services performed by servers. The locating brokers know which servers are available, where they are, and how to access them.

This kind of connectivity will be facilitated by open systems standards and protocols now being developed internationally through groups like the International Organization for Standardization, the CCITT, the Open Software Foundation, the Corporation for Open Systems International, X/Open and others (addresses for several of these groups are listed in the Appendix to this chapter). We are headed toward an environment of internationally accepted standards for computing and communications. The world will adopt the architectural philosophy of *open systems* in which architectures are open, widely available, supplied by many vendors, and licensed (when not free) inexpensively. There will still be room for proprietary architectures and value-added products. The massive installed bases of proprietary systems developed to this point will remain firmly entrenched for many years.

Computing is destined to become very powerful and very portable (Ml88). In recent years, laptop computers have been introduced that enable people to carry their computers with them wherever they go. With the development of OSI communication protocols, and in particular with the development of the Integrated Services Digital Network (ISDN) (Sa89)—people will be able to tie their laptop computers into worldwide digital communications networks and transmit data with extremely high reliability. Computers anywhere in the world, no matter what their underlying architectures are, will be able to communicate with one another through the use of OSI protocols. Communications will become extremely accessible, and communications costs will decrease as the *common carriers* such as AT&T, MCI, and many others compete for the huge digital communications business that will develop.

1.9 DISTRIBUTED COMPUTING

Years ago, computer hardware was an expensive resource, and people time was relatively inexpensive (at least compared to the enormously high cost of processor cycles). Technology has moved so quickly that processor cycles have become cheap. Ten years ago, it was not unusual for 90% of an organization's processor cycles to be supplied by a few mainframe computers (which were probably operating 24 hours per day). Today, processor cycles are generally distributed throughout the organization in personal computers and workstations, many of which sit idle most of the time. Computing has become a *distributed* phenomenon rather than a *centralized* one (Kg83).

The trend toward distributed computing (Kl85) is an obvious one. In order to use a central computer's processor cycles from a remote terminal, that terminal needs to be connected to the computer by a communication line. The most common lines are telephone lines; these have generally been useful for reliable transmission only at relatively slow speeds, up to a few thousand bits per second. Above these speeds, noise in the lines prevents reliable rapid transmission. No matter how quickly the central computer processes information in support of terminal users, the information passed between the central computer and remote terminals can not reliably be transmitted at high speeds over conventional telephone lines. Communication speeds have been a severe bottleneck in designing integrated computing and communication systems; this situation is not likely to improve in the near future.

Thus there are two choices for distributing computing to the sites at which it is needed. Either we can attempt to increase transmission speeds to take better advantage of a central computer's capabilities, or we can distribute dedicated computers to the work sites. Increasing transmission speeds is a problem of enormous scale. The worldwide telephone network, originally built to support the relatively modest speeds needed for voice transmission, would need to be completely upgraded to support faster transmission. The cost of this could approach hundreds of billions or even trillions of dollars. The worldwide telephone networks will always be evolving toward greater speeds. But the cost of an overall improvment in transmission speeds by the needed factor of 1000, 1,000,000, or even more, is so large that it is unlikely this could be accomplished quickly in the current environment of scarce financial resources.

Since we could not depend on a significant and immediate increase in the *bandwidth* (i.e., information-carrying capacity) of the world's telephone networks, we needed some other innovation to make distributed computing feasible. That innovation was waiting to happen as a result of rapid technological evolution in solid state technology. It was the microprocessor that changed the way we view computing (No81). The microprocessor has enabled us to create cheap processor cycles. Processor capacity that cost millions of dollars a decade ago now costs perhaps a few hundred or even tens of dollars. The rapid pace of technological innovation appears to be one "constant" on which computer system designers can depend. Computing costs will continue to crash—and storage, processing, and transmission capabilities will continue to increase rapidly. What other field of endeavor offers such potential for dramatic improvement?

1.10 THE KEY ARCHITECTURAL TREND: PARALLEL COMPUTATION

Through the 1980s, most computers were *single-processor systems*. The chief hardware design challenge was to have processors perform as many instructions per second as possible. The chief software design challenge was to share that processor effectively among many jobs to ensure maximum utilization. Today, we are reaching the limits of the processing power of single-processor systems. The speed of light limits the transmission speed of signals through electronic circuits; as we approach processor speeds of billions of CPU cycles per second, we are reaching the physical limits of electronic devices. Hardware researchers know that unless some major new technological development occurs, we will not be able to produce microprocessors that go much faster than today's state-of-the-art chips. So what approach should we take if we expect the dramatic evolution of computing technology to continue?

One way to increase computing power beyond the range of today's sequential processors is to switch to parallel architectures in which many processors function concurrently (Mu85) (Sk85). How will we get from billion-instruction-per-second computers to trillion-instruction-per-second computers (Mu83)? The answer may be to tie a thousand billion-instruction-per-second computers together in parallel and let them work on problems concurrently. A problem requiring that its calculations be performed sequentially might not appear to benefit by such parallel processing, but many separate such problems could still be run concurrently and completed faster than on a single-processor system. We must make significant strides in understanding parallelism and the nature of parallel algorithms before parallel processors are likely to be widely employed to reduce computation times.

In Chapter 3 we discuss *processes* which are individually controllable computation entities. In Chapter 4 we consider how to prevent concurrent processes from interfering with one another. In Chapter 5 we consider high-level languages for specifying concurrent activities. In Chapter 6 we consider how concurrent activities could lead to situations of indefinite postponement or even deadlock, and we present methods for dealing with these problems. In Chapter 11 we consider the kind of true parallel operation that is possible with multiprocessor systems (La84). In Chapter 16 we examine systems in which independent computers functioning simultaneously are tied together in computer networks and cooperate to accomplish useful tasks (Ta85). In Chapters 18 through 23 we present detailed case studies on important operating systems and we investigate approaches used in these systems to implement parallel computation.

Future computer systems will exhibit *massive parallelism*; they will have huge numbers of processors, so many in fact that any parts of computations which may be performed in parallel will be (Fr86). This is so dramatically different in concept from the sequential computing of the last 40 years that we should expect significant and challenging problems in developing the software appropriate for dealing with such parallelism.

Today's software systems are generally written in sequential programming languages. But tomorrow's parallel architectures will have large numbers of processors cooperating on tasks. Who will specify that parallelism? Is parallelism in tasks so inherently clear that computers will automatically be able to detect it and assign separate processors to handle it? Or must parallelism be specified explicitly by programmers?

How do we determine which computations can be performed in parallel? Who will specify how the computations are to be parceled into subcomputations? How is it determined which subcomputations will be assigned to which processors? How are subcomputations transported to processors? How do these remote processors inform the "master" portion of the computation when each subcomputation is complete? How is it determined which processors are available for running subcomputations? Who controls these processors? What if a subcomputation occupying "someone else's processor" is preventing that person from working; can that person terminate or suspend the subcomputation? What happens if a subcomputation hangs in an infinite loop, or if line noise causes an invalid result? These and many other interesting issues must be addressed in distributed computing systems.

The field of *software engineering* (Br75) (Sz87) is focussed on developing systems that are demonstrably or provably correct. Programmers have a difficult enough time getting sequential algorithms to operate correctly. Will it be much more difficult to demonstrate the correctness of parallel algorithms than it is to demonstrate the correctness of sequential algorithms? The answer has to be a resounding yes.

One benefit of producing systems with high degrees of parallelism may be achieving new levels of reliability not possible with single-processor systems. With multiprocessor systems, several processors can be put to work calculating each result and checking the work of the other processors to ensure proper operation of critical systems. Systems that can function despite the existence of various problems are called *fault-tolerant systems*; highly-parallel computing approaches can offer much higher degrees of fault tolerance.

1.11 INPUT-OUTPUT TRENDS

Every time technological development has allowed for increased computing speeds, the new capabilities have immediately been absorbed by demands placed on computing resources by more ambitious applications. Computing appears to be an inexhaustible resource. Ever more interesting problems await the availability of inceasingly powerful computing systems. We have a "chicken or the egg" situation. Is it increasing applications demands that force computing technology to evolve, or is it improvements in technology that tempt us to think about new and innovative applications?

Some obvious trends are driving the need for huge increases in computing power. For years, the primary input device for computers was the keyboard. Words and numbers were entered one keystroke at a time. Most people are not particularly good typists, and those who are normally do not type faster than they speak. The next major revolution in computer inputs is likely to be automatic *speech recognition* systems in which users input information to computers by speaking (Bi85). The problems to be solved are substantial. People tend to run words together. Dialects, accents, improper grammar, homonyms, and the like all make speech recognition challenging. Theoreticians tell us that some key problems related to speech recognition are unsolvable. But these problems are no more unsolvable for computers than they are for humans. It is reasonable to believe that computers will eventually recognize speech as well as or better than humans can. No doubt massive computing power will be required to perform reasonably effective, real-time, speech recognition.

Those of us who settled for typewriter-like terminals printing on paper at 10 characters per second in the 1960s now demand high resolution color graphics in the 1980s and expect photographic-quality color graphics in the 1990s. By the late 1990s, it appears reasonable to expect computers to output full color photographic quality, motion video with sound.

One key input-output issue handled particularly well in Apple's Macintosh computers is the notion of *look and feel*. The mouse-oriented, graphics-oriented Macintosh interface allows applications designers considerable flexibility in specifying the manner in which users interact with the computer. Apple recognized early that it would be easier for users to learn different Macintosh applications if they all had the same look and feel. So Apple assigned a staff member to work with applications software developers to ensure that fundamental operations such as deleting text, copying text, selecting options, and the like were always implemented in the same manner. The net result is that someone who is generally familiar with Macintosh software applications finds it easier to learn new applications. The success of the Macintosh user interface has caused many companies to pay much greater attention to human factors issues (Mo83).

One especially exciting form of output that is certain to appear as processing power increases is three-dimensional video with sound. This luxury may not appear for several decades because of the enormous computational power required. But when it does come, the possibilities are endless. One of the earliest users of this technology is likely to be the Federal Aviation Administration. Today's air traffic control systems use two-dimensional screens, but, of course, air traffic occurs in three dimensions. Tomorrow's air traffic controllers are likely to sit at three-dimensional "theaters in the round" as they monitor miniature plane images flying around.

1.12 OPEN SYSTEMS

One of the most important trends in computing and communication architectures today is the trend toward *open systems*. Open systems are computing and/or communications systems whose specifications are widely available, accepted, and standardized.

Open systems have many components, namely

1. *open communication standards* such as the OSI reference model (Zi80) (Sn89) developed by the International Organization for Standardization and promulgated in the United States, Europe, and Japan by COS (the Corporation for Open Systems International), SPAG (the Standards Promotion and Applications Group), and POSI (Promotion of OSI), respectively.
2. *open operating system standards*, such as *UNIX*, originally developed by AT&T and now widely touted as the key open operating system standard.
3. *open user interface standards* such as the *X Window System* (Sc86) (Sc88) developed at MIT.
4. *open user application standards* adopted by various bodies such as X/Open (XO87) and the Open Software Foundation (OSF).

The communications industry developed in an environment of *standards*; if a person at one telephone was to be able to communicate with a person at any other telephone, the phones had to adhere to the same rules for establishing, accepting, handling, and terminating calls. But the computer industry grew in a manner in which proprietary architectures proliferated. Each hardware vendor chose its own designs. These architectures were so dramatically different that little interaction was attempted between heterogeneous computer systems. It was common for a company to use the computers of a single vendor; such a company was often referred to as an "IBM shop," a "DEC shop," a "Honeywell shop," and so on.

Some people feel that the open systems philosophy stifles innovation. Others claim that the economies of scale introduced by the open systems approach will free funds, thus encouraging further technological innovation.

The open systems philosophy represents a major shift for most vendors. Some vendors have adopted the open systems approach as corporate policy; others have reluctantly agreed to pursue it despite major commitments to proprietary designs.

1.13 UNIX

The UNIX operating system (see the case study in Chapter 18) was originally designed in the late 1960s and early 1970s at AT&T. Its simplicity and elegance attracted researchers in the universities and industry. It has grown to an extraordinary position of prominence as the one operating system that companies appear willing to standardize on as the open operating system of choice. UNIX is the only operating system that has been implemented on computers ranging from micros to supercomputers (Da84), and it is the only operating system implemented by almost every major computer vendor.

UNIX standardization has become an increasingly hot topic. It appears unlikely that a single UNIX standard will emerge in the near future. AT&T continues to tout its *UNIX System V* (SV86), which is widely used in industry. Universities continue to favor *Berkeley UNIX* (Uc86) (derived from the AT&T version). The UNIX community has cooperated in the development of a standard system specification called *POSIX* (PO87a) (PO87b) which represents a common subset of the major UNIX systems. The Open Software Foundation has been formed to produce a version of UNIX based heavily on IBM's *AIX* UNIX-like system. It will be many years before a single UNIX standard emerges, if indeed one ever does. There may well be no one operating system design that could fulfill the diverse needs of the worldwide computing community.

1.14 ETHICAL ISSUES

We have entrusted our lives to computers in a manner that demands ethical behavior on the part of operating systems designers (Md89). People who work with computers and communication devices are often privy to confidential information they would not ordinarily see. Computer systems control heart pacemakers, monitor and regulate air traffic, and process confidential medical, financial, and criminal records. If implemented, the Strategic Defense Initiative is likely to require the most complex software systems ever developed by humankind (Ms86). People who design computer systems must realize that these systems are used and relied upon in critical situations. Should we build systems that could fail? What level of failure, if any, is tolerable? Who is responsible when computer systems fail? Should we build systems so complex that we cannot be certain they will perform properly (Pn85)? Operating systems designers need to be concerned with these and other important ethical issues.

With "viruses" and "worms" attacking our computing systems in record numbers, we must think seriously about just how vulnerable our systems are, and about our professional responsibilities to build dependable systems. Can we continue to build systems which are so easily attacked and compromised, and employ those systems in situations in which human lives are at stake? It is operating systems software, not computer hardware, that has been most vulnerable to attack. Operating systems designers must conscientiously deal with the same kinds of complex ethical dilemmas as those faced by other professional people such as attorneys, doctors, and engineers.

1.15 APPLICATION BASES

When the IBM Personal Computer (often called simply "the PC") appeared in 1981, it immediately spawned a huge software industry in which *independent software vendors (ISVs)* were able to market packages for the IBM PC to run under the MS-DOS operating system (IBM's version is called DOS). Operating systems free applications software developers from having to deal with the messy details of manipulating computer hardware to manage memory, perform input-output, deal with communication lines, and so on. The operating system provides a series of *operating system calls* which applications programmers use to accomplish detailed hardware and data manipulations. The calls instruct the operating system to do the work; the application developer simply has to know what routines to call to accomplish specific tasks. Pursuing the calls of an operating system gives a good idea of the functionality it provides to applications system developers. Several of the case studies in Chapters 18 through 23 present reasonably complete listings of the operating system calls provided.

If an operating system presents an environment conducive to developing applications quickly and easily, the operating system and the hardware are more likely to be successful in the marketplace. The applications development environment created by MS-DOS encouraged the development of thousands of application software packages. This in turn encouraged users to buy IBM PCs and compatibles.

Once an *application base* (i.e., the combination of the hardware and the operating system environment in which applications are developed) is widely established, it becomes extremely difficult to ask users and software developers to convert to a completely new applications development environment provided by a dramatically different operating system. Thus, it is likely that new architectures evolving over the next several years will make every effort to support the existing major application bases. Those application bases most likely to be supported by new architectures are MS-DOS (DOS), OS/2, and UNIX. The Macintosh application base is also quite large, but Apple has maintained the Macintosh as a relatively closed system. This has discouraged other hardware vendors from building systems that can also run Macintosh application software.

1.16 THE KEY OPERATING SYSTEMS FOR THE 1990s

Anyone who reads this book for general principles will surely be interested in which operating systems are likely to dominate in the 1990s. In Chapters 18 through 23, we have included detailed case studies on six of the most important operating systems on the market today, namely UNIX, MS-DOS, MVS, VM, the Macintosh operating system, and OS/2. IBM will remain committed to its mainframe operating systems, MVS and VM, and to its personal computer operating systems, MS-DOS (which IBM calls DOS), and OS/2. Apple will continue to evolve its Macintosh line of computers (for which Apple has not popularized a separate operating system name). All major vendors will continue to support their own proprietary operating systems.

But what about the new trends? Most major hardware and software vendors are now focused on UNIX and MS-DOS as the two operating systems which they will support in the early 1990s in addition to their own proprietary architectures. MS-DOS is the most widely used operating system in the world (with 10–20 million installations); it supports a massive base of software applications supplied by thousands of software vendors worldwide. OS/2 (which allows users to use DOS within OS/2) is IBM's next-generation personal computing operating system to follow DOS; IBM is hoping to convert the DOS base of users to OS/2. As of this writing, the interest in DOS and MS-DOS remains so strong that it is unlikely all their devotees will convert to OS/2, at least in the near future.

Now that we have presented a seemingly endless stream of facts, issues, and acronyms, we proceed with a discussion of the basic principles of computer hardware, software, and firmware in Chapter 2. In Chapters 3 through 17, we consider general operating systems principles. In Chapters 18 through 23 we consider the key operating systems for the early 1990s.

TERMINOLOGY

AIX
Apple Macintosh
application base
bandwidth
batch processing systems
Berkeley UNIX
C
centralized computing
client
common carrier
computer network
computer vision
Corporation for Open Systems International (COS)
CP/CMS
CTSS
distributed computing
DOS
dynamic network configuration
Ethernet
fault-tolerant systems
graphics-oriented interface
IBM PC
independent software vendors (ISVs)
Integrated Services Digital Network (ISDN)
interactive user
local area network (LAN)
locating broker
look and feel
massive parallelism
microcode
mouse
MS-DOS
Multics
multiprocessor system
multiprogramming
network
on line
Open Software Foundation (OSF)
open system
Open Systems Interconnection (OSI)
operating system call
OS/2
parallel processing
personal computer
POSIX
process
real-time system
registration procedure
server
single-processor system
software engineering
speech recognition
speech synthesis
standards
TCP/IP
timesharing
transaction processing system
TSS
turnaround time
UNIX
UNIX System V
user friendly
virtual storage
workstation
Xerox PARC
X/Open
X Window System

EXERCISES

1.1 Distinguish between multiprogramming and multiprocessing. What were the key motivations for the development of each?

1.2 Define, compare, and contrast each of the following terms: on line, real time, timesharing, and interactive computing.

1.3 Briefly discuss the significance of each of the following systems mentioned in this chapter: MS-DOS, CTSS, Multics, OS/360, TSS, OS/2, UNIX, and Macintosh.

1.4 List several trends pointing the way to future operating systems designs. How will each affect the nature of future systems?

1.5 Speculate on what kinds of applications might become feasible if memories and processing speeds were huge compared to today's norms?

1.6 What kinds of applications might become feasible if massive parallelism became available at nominal cost?

1.7 What developments made personal computing feasible?

1.8 What two approaches to effecting distributed computing were discussed in this chapter? Why is one feasible now and the other not likely to occur for decades?

1.9 What trends are pointing the way to dramatic increases in parallel computation? What challenges must be addressed by hardware designers and software designers before parallel computation will become widely used?

1.10 What are open systems? Why is the trend toward open systems so strong? What effect will open systems have on the massive installed bases of proprietary hardware, software, and communication systems?

1.11 Suppose you were a strategic (long-term) planner for a major computer company. How would you factor open systems into your planning efforts?

1.12 How should users of hardware, software, and communication systems factor open systems into their strategic planning efforts?

1.13 Why has UNIX emerged as the open operating system of choice?

1.14 (Project) Discuss the history of UNIX standardization efforts. Is it likely that a single standard will emerge? If so, what will have to occur? If not, why not? Analyze this issue carefully and in depth—it is one of the most important issues the operating systems industry is dealing with today.

1.15 (Project) Describe what it would be like to work with a computer that was able to emulate the human senses of sight, hearing, touch, taste, and smell. Discuss how machines with such capabilities might dramatically improve the quality of life for people with various handicaps. Indicate how operating systems might manage computers with such high-bandwidth human senses.

1.16 (Project) In the text we referred to a number of ethical issues with which operating systems designers must be concerned. Prepare a research paper on this important topic. Be sure to deal with issues such as the Strategic Defense Initiative, the use of complex computer systems in life-threatening situations, viruses and worms, and other important topics you discover as you do your research for your paper.

LITERATURE

(Am64) Amdahl, G. M.; G. A. Blaauw; and F. P. Brooks, "Architecture of the IBM System/360," *IBM Journal of Research and Development*, Vol. 8, No. 2, April 1964, pp. 87–101.

(Bl85) Balkovich, E.; S. Lerman; and R. P. Parmelee, "Computing in Higher Education: The Athena Experience," *Computer*, Vol. 18, No. 11, November 1985, pp. 112–127.

(Bs86) Bashe, C. J., et al, *IBM's Early Computers*, MIT Press, Cambridge: MA, 1986.

(Be81) Belady, L., et al, "The IBM History of Memory Management Technology," *IBM Journal of Research and Development*, Vol. 25, No. 5, September 1981, pp. 491–503.

(Bn72) Bensoussan, A.; C. T. Clingen; and R. C. Daley, "The Multics Virtual Memory: Concepts and Design," *Communications of the ACM*, Vol. 15, No. 5, May 1972, pp. 308–318.

(Bi85) Biermann, A. W.; R. D. Rodman; D. C. Rubin; and J. F. Heidlage, "Natural Language with Discrete Speech as a Mode for Human-to-Machine Communication," *Communications of the ACM*, Vol. 28, No. 6, June 1985, pp. 628–636.

(Br75) Brooks, F. P., Jr., *The Mythical Man-Month: Essays on Software Engineering*, Reading, Mass.: Addison-Wesley, 1975.

(Ca78) Case, R. P., and A. Padeges, "Architecture of the IBM System/370," *Communications of the ACM*, Vol. 21, No. 1, January 1978, pp. 73–96.

(Cd59) Codd, E. F.; E. S. Lowry; E. McDonough; and C. A. Scalzi, "Multiprogramming STRETCH: Feasibility Considerations," *Communications of the ACM*, Vol. 2, 1959, pp. 13–17.

(Co88) Comer, D., *Internetworking with TCP/IP: Principles, Protocols, and Architecture*, Englewood Cliffs, NJ: Prentice Hall, 1988.

(Cb63) Corbato, F. J., et al., *The Compatible Time-Sharing System, a Programmer's Guide*, Cambridge, MA: MIT Press, 1963.

(Ce81) Creasy, R. J., "The Origin of the VM/370 Time-Sharing System, *IBM Journal of Research and Development*, Vol. 25, No. 5, pp. 483–490.

(Cr64) Crisman, P. A., et al. (eds.), *The Compatible Time-Sharing System*, Cambridge, Mass.: M.I.T. Press, 1964.

(Ct63) Critchlow, A. J., "Generalized Multiprocessing and Multiprogramming Systems," *Proc. AFIPS, FJCC*, Vol. 24, New York: Spartan Books, 1963, pp. 107-125.

(Da84) Dallaire, G., "American Universities Need Greater Access to Supercomputers," *Communications of the ACM*, Vol. 27, No. 4, April 1984, pp. 292–298.

(Dn70) Denning, P. J., "Virtual Memory," *ACM Computing Surveys*, Vol. 2, No. 3, September 1970, pp. 153–189.

(El86) Elmer–DeWitt, P., and L. Mondi, "Hardware, Software, Vaporware," *Time*, February 3, 1986, p. 51.

(Ev86) Evans, B. O., "System/360: A Retrospective View," *Annals of the History of Computing*, Vol. 8, No. 2, April 1986, pp. 155–179.

(Fo87) Foley, J. D., "Interfaces for Advanced Computing," *Scientific American*, Vol. 257, No. 4, October 1987, pp. 126–135.

(Fr86) Frenkel, K. A., "Evaluating Two Massively Parallel Machines," *Communications of the ACM*, Vol. 29, No. 8, August 1986, pp. 752–759.

(Fr87) Frenkel, K. A., "Allan L. Scherr: Big Blue's Time-Sharing Pioneer," *Communications of the ACM*, Vol. 30, No. 10, October 1987, pp. 824–829.

(Gi87) Gifford, D., and A. Spector, "Case Study: IBM's System/360-370 Architecture," *Communications of the ACM*, Vol. 30, No. 4, April 1987, pp. 291–307.

(Go72) Goldstein, H. H., *The Computer From Pascal to von Neumann*, Princeton, NJ: Princeton University Press, 1972.

(Gr77) Grosch, H. R. J., "The Way It Was in 1957," *Datamation*, September 1977.

(Ha81) Harrison, T. J., et al, "Evolution of Small Real-Time IBM Computer Systems," *IBM Journal of Research and Development*, Vol. 25, No. 5, September 1981, pp. 441–451.

(Ki81) Kildall, G., "CP/M: A Family of 8- and 16-bit Operating Systems," *Byte*, Vol 6, No. 6, June 1981, pp. 216–232.

(Kg83) King, J. L., "Centralized Versus Decentralized Computing: Organizational Considerations and Management Options," *Computing Surveys*, Vol. 15, No. 4, December 1983, pp. 319–349.

(Kl85) Kleinrock, L., "Distributed Systems," *Computer*, Vol. 18, No. 11, November 1985, pp. 90–111.

(La84) Larson, J. L., "Multitasking on the Cray X-MP-2 Multiprocessor," *Computer*, Vol. 17, No. 7, July 1984, pp. 62–69.

(Lt68) Lett, A. S., and W. L. Konigsford, "TSS/360: A Time-Shared Operating System," *Proceedings of the Fall Joint Computer Conference*, AFIPS, Vol. 33, Part I, 1968, Montvale, NJ: AFIPS Press, pp. 15–28.

(Le86) Lieblein, E., "The Department of Defense Software Initiative—A Status Report," *Communications of the ACM*, Vol. 29, No. 8, August 1986, pp. 734–744.

(Mr83) Martin, E. W., "The Context of STARS," *Computer*, Vol. 16, No. 11, November 1983, pp. 14–20.

(Ma89) Martin, J., and K. K. Chapman, *Local Area Networks: Architectures and Implementations*, Englewood Cliffs, NJ: Prentice Hall, 1989.

(Mc83) McCorduck, P., "An Introduction to the Fifth Generation," *Communications of the ACM*, Vol. 26, No. 9, September 1983, pp. 629–630.

(Md89) McFarland, M., S. J., "Ethical Issues of Computer Use," Syllabus for course Mc690, Boston College, Chestnut Hill, MA, Spring 1989.

(Me66) Mealy, G. H.; B. I. Witt; and W. A. Clark, "The Functional Structure of OS/360," *IBM Systems Journal*, Vol. 5, No. 1, 1966, pp. 3-51.

(Ml88) Mel, B. W.; S. M. Omohundro; A. D. Robison; S. S. Skiena; K. H. Thearling; L. T. Young; and S. Wolfram, "TABLET: Personal Computer of the Year 2000," *Communications of the ACM*, Vol. 31, No. 6, June 1988, pp. 638–647.

(Mf76) Metcalfe, R., and D. Boggs, "Ethernet: Distributed Packet Switching for Local Computer Networks," *Communications of the ACM*, Vol. 19, No. 7, July 1976.

(Mo83) Morland, D. V., "Human Factors Guidelines for Terminal Interface Design," *CACM*, Vol. 26, No. 7, July 1983, pp. 484–494.

(Mu85) Murakami, K.; T. Kakuta; R. Onai; and N. Ito, "Research on Parallel Machine Architecture for Fifth-Generation Computer Systems," *Computer*, Vol. 18, No. 6, June 1985, pp. 76–92.

(Ms86) Myers, W., "Can Software for the Strategic Defense Initiative Ever Be Error-Free?" *Computer*, Vol. 19, No. 11, November 1986, pp. 61–68.

(No81) Noyce, R. N., and M. E. Hoff, "A History of Microprocessor Development at Intel," *Micro*, Vol. 1, No. 1, February 1981, pp. 8–21.

(Pa72) Parmelee, R. P., et al., "Virtual Storage and Virtual Machine Concepts," *IBM Systems Journal*, Vol. 11, No. 2, 1972.

(Pn85) Parnas, D. L., "Software Aspects of Strategic Defense Systems," *Communications of the ACM*, Vol. 28, No. 12, December 1985, pp. 1326–1335.

(PO87a) "Your Guide to POSIX," */usr/group*, Santa Clara, CA, 1987.

(PO87b) "POSIX Explored," */usr/group*, Santa Clara, CA, 1987.

(Qu86) Quarterman, J. S., and J. C. Hoskins, "Notable Computer Networks," *Communications of the ACM*, Vol. 29, No. 10, October 1986, pp. 932–971.

(Ro69) Rosen, S., "Electronic Computers: A Historical Survey," *ACM Computing Surveys*, Vol. 1, No. 1, March 1969, pp. 7–36.

(Rn69) Rosin, R. F., "Supervisory and Monitor Systems," *ACM Computing Surveys*, Vol. 1, No. 1, March 1969.

(Sc86) Scheifler, R. W., and J. Gettys, "The X Window System," *ACM Transactions on Graphics*, Vol. 5, No. 2, April 1986, pp. 79–109.

(Sc88) Scheifler, R. W.; J. Gettys; and R. Newman, *X Window System C Library and Protocol Reference*, Cambridge, MA: Digital Press, 1988.

(Sn89) Schnaidt, P., "OSI Hatches," *LAN Magazine*, January 1989, pp. 64–71.

(Sk85) Schneck, P. B.; D. Austin; S. L. Squires; J. Lehmann; D. Mizell; and K. Wallgren, "Parallel Processor Programs in the Federal Government," *Computer*, Vol. 18, No. 6, June 1985, pp. 43–56.

(Sz87) Shatz, S. M., and J. Wang, "Introduction to Distributed-Software Engineering," *Computer*, Vol. 20, No. 10, October 1987, pp. 23–32.

(Sa89) Stallings, W., *ISDN: An Introduction*, New York, NY: Macmillan, 1989.

(Sf85) Stefik, M., "Strategic Computing at DARPA: Overview and Assessment," *Communications of the ACM*, Vol. 28, No. 7, July 1985, pp. 690–707.

(Se81) Stern, N., *From ENIAC to UNIVAC: An Appraisal of the Eckert–Mauchly Computers*, Bedford, MA: Digital Press, 1981.

(SV86) *System V Interface Definition, Volumes 1–3*, AT&T, 1986.

(Ta85) Tanenbaum, A. S., and R. van Renesse, "Distributed Operating Systems," *ACM Computing Surveys*, Vol. 17, No. 4, December 1985, pp. 419–470.

(Uc86) UCB-CSRG, *4.3 Berkeley Software Distribution, Virtual VAX-11 Version*, The Regents of the University of California, April 1986.

(We81) Weizer, N., "A History of Operating Systems," *Datamation*, January 1981, pp. 119-126.

(XO87) *X/Open Portability Guide*, Amsterdam, The Netherlands: Elsevier Science Publishers B. V., 1987.

(Zi80) Zimmermann, H., "OSI Reference Model—the ISO Model of Architecture for Open System Interconnection," *IEEE Transactions on Communications*, Vol. COM-28, No. 4, 1980, pp. 425–432.

APPENDIX: Open Systems Organizations

Corporation for Open Systems International
1750 Old Meadow Road
McLean, Virginia 22102

X/Open Company Limited
1750 Montgomery Street
San Francisco, CA 94111

Open Software Foundation
11 Cambridge Center
Cambridge, MA 02142

/user/group
The International Network of UNIX Users
4655 Old Ironside Drive #200
Santa Clara, California 95054

USENIX Association
P.O. Box 2299
Berkeley, California 94710

2

Hardware, Software, Firmware

"Now! Now!" cried the Queen. "Faster! Faster!"

Lewis Carroll

To conquer without risk is to triumph without glory.

Pierre Corneille

Our life is frittered away by detail
...Simplify, simplify.

Henry Thoreau

O holy simplicity!

John Huss
(Last words, at the stake)

Outline

2.1 Introduction
2.2 Hardware
  2.2.1 Storage Interleaving
  2.2.2 Relocation Register
  2.2.3 Interrupts and Polling
  2.2.4 Buffering
  2.2.5 Peripheral Devices
  2.2.6 Storage Protection
  2.2.7 Timers and Clocks
  2.2.8 On-line and Off-line Operation; Satellite Processors
  2.2.9 Input/Output Channels
  2.2.10 Cycle Stealing
  2.2.11 Base-plus-Displacement Addressing
  2.2.12 Problem State, Supervisor State, Privileged Instructions
  2.2.13 Virtual Storage
  2.2.14 Multiprocessing
  2.2.15 Direct Memory Access (DMA)
  2.2.16 Pipelining
  2.2.17 Storage Hierarchy
  2.2.18 Reduced Instruction Set Computing (RISC)
2.3 Software
  2.3.1 Machine Language Programming
  2.3.2 Input/Output Control System (IOCS)
  2.3.3 Spooling
  2.3.4 Quick-and-Dirty Compilers vs. Optimizing Compilers
  2.3.5 Interpreters
  2.3.6 Absolute and Relocating Loaders
  2.3.7 Linking Loaders and Linkage Editors
  2.3.8 Object-Oriented Programming

2.4 Firmware
- **2.4.1** Deciding What Functions to Implement in Microcode
- **2.4.2** Emulation
- **2.4.3** Microdiagnostics
- **2.4.4** Personalized Computers
- **2.4.5** Microcode Assists
- **2.4.6** Microprogramming and Operating Systems
- **2.4.7** Microprogramming: A Case Study

2.1 INTRODUCTION

In this chapter we review basic topics of hardware, software, and firmware that are fundamental to the discussion of operating systems in the rest of the book. Readers with a background in computer software and computer architecture may wish to skip this material and proceed with Chapter 3. Chapters 7 and 8 discuss hardware important in memory management; Chapter 11 discusses hardware important to high-performance computer architectures and considers several supercomputers; Chapter 16 discusses hardware used in computer networks; the case studies in Chapters 18 through 23 discuss the hardware of various widely-used computer systems, including Apple's Macintosh, and IBM's 370 family, PC, and PS/2 systems.

Hardware consists of the devices of a computer system—its processors, its storages, its input/output devices, and its communication connections. *Software* consists of the programs of machine language instructions and data that are interpreted by the hardware. Some common types of software are compilers, assemblers, loaders, linkage editors, linking loaders, user applications programs, database management systems, data communications systems, and operating systems. *Firmware* consists of microcode programs executed from very high-speed control storage. Commonly used object programs placed in read-only memories (ROMs and PROMs) are also sometimes referred to as firmware. The last portion of this chapter discusses microprogramming and its importance in today's computer architectures and operating systems. We present a detailed case study illustrating how microprogramming may be used to implement a computer's machine language instruction set.

2.2 HARDWARE

In the next several sections various hardware items of importance to operating systems are discussed. The reader who needs more detail than is presented here should consult texts on computer architecture such as (Fo85) (Hr85) (Mo86) (Le87) (Su87) and (Tu88).

2.2.1 Storage Interleaving

Storage interleaving is used to speed the accessing of primary storage (Gi87). Ordinarily while any one of the locations in a *primary storage bank* is being accessed, no other references may be in progress. Storage interleaving places adjacent storage locations in different storage banks so that multiple references may be in progress at the same time. Two-way interleaving, for example, would place the odd-numbered storage addresses in one storage bank and the even-numbered addresses in another, thus allowing two adjacent storage locations to be referenced simultaneously. Systems have been constructed with much higher degrees of interleaving to achieve very high performance.

2.2.2 Relocation Register

A *relocation register* allows programs to be relocated dynamically. The base address of the program in primary storage is placed in the relocation register. The contents of the relocation register are added to each address developed by a running program. The user is able to program as if the user's program begins at location zero. At execution time, as the program runs, all address references involve the relocation register; this allows the program to reside in locations other than those which it was translated to occupy.

2.2.3 Interrupts and Polling

One technique for allowing a unit to check the status of another independently functioning unit is *polling*; the first unit checks whether the second is in a certain status—if it is not, then the first unit proceeds with what it was doing (Ta86). Polling can be a high-overhead operation.

Interrupts allow one unit to gain the immediate attention of another so that the first unit may report a status change (Hu80). The interrupt causes the interrupted unit's *state* to be saved before the interrupt is processed. Then the interrupt is processed and the state of the interrupted unit is restored. Interrupts are discussed in detail in Chapter 3.

2.2.4 Buffering

A *buffer* is an area of primary storage for holding data during input/output transfers. As an input/output transfer progresses, its speed depends on many factors related to input/output hardware, but normally unrelated to processor operation. On input, for example, the data is placed in the buffer by an input/output channel; when the transfer is complete the data may be accessed by the processor.

With *single-buffered* input, the channel deposits data in a buffer, the processor processes that data, the channel deposits the next data, etc. While the channel is depositing data, no processing on that data may occur; while the data is being processed, no additional data may be deposited. A *double-buffering* system allows overlap of input/output operations with processing; while the channel is depositing data in one buffer, the processor may be processing the data in the other buffer. When the processor is finished processing the data in one buffer, it may process the data in the second buffer while the channel deposits new data back into the first buffer. This alternating use of the buffers is sometimes called *flip-flop buffering*. Communication between channels and processors will be discussed shortly.

2.2.5 Peripheral Devices

Peripheral devices allow the storage of massive amounts of information outside the primary storage of the computer. Tape drives are inherently *sequential devices* that read and write data on a long strip of magnetic tape. Tapes can be as long as 3600 feet on a 12-inch reel. Information may be recorded on tape at various *recording densities*. Early systems recorded 200 characters per inch (cpi) of tape, then 556 cpi became popular, then 800 cpi, then 1600 cpi, and now commonly 6250 cpi. Greater densities will certainly be supported in future systems.

Perhaps the most significant peripheral devices as far as operating systems are concerned are magnetic disk drives. Disks are *direct access devices*—they allow reference to individual data items without the need to search all data items on the disk in order. Early disk devices stored several million characters. Today's larger units commonly store as many as a billion characters. Units to be designed in the near future will provide even greater capacities. Chapters 12 and 13 examine the operation of disk storage and its importance to operating systems.

2.2.6 Storage Protection

Storage protection is essential in multiuser computer systems (Gi87). It limits the range of addresses a program may reference to prevent programs from interfering with one another. Storage protection may be implemented for a program in a contiguous block of storage locations by *bounds registers* that define the lower and upper addresses of the block of storage. As a program executes, all referenced storage addresses are checked to see that they are between the addresses in the bounds registers. Storage protection may also be implemented by the use of *storage protection keys* attached to areas in primary storage; a program may reference storage locations only in those areas with keys matching that program's key.

2.2.7 Timers and Clocks

An *interval timer* is useful in multiuser systems for preventing one user from monopolizing a processor. After a designated interval, the timer generates an interrupt to gain the attention of the processor; the processor may then be assigned to another user. A *time-of-day clock* provides a means for the computer to keep track of *wall clock time* in increments as fine as or finer than millionths of a second.

2.2.8 On-line and Off-line Operation; Satellite Processors

Some peripherals have been equipped for either *on-line operation*, in which they are connected to the processor, or *off-line operation* in which they are run by control units not connected to the central computer system. *Off-line control units* are appealing because they make it possible to drive peripheral devices without placing a burden directly on the processor. Tape-to-print operations are frequently performed by off-line units.

2.2.9 Input/Output Channels

As the computing demands placed on early systems increased, particularly in commercial data processing environments, systems tended to become *input/output bound*. While input/

output was in progress, processors were tied up handling the I/O. On some systems only a single input/output operation could be handled at once. An important improvement to this situation was the development of *I/O channels* (Gi87). A channel is a special-purpose computer system devoted to handling input/output independently of the main processor of the computer system. A channel can access primary storage directly to store or retrieve information.

In today's interrupt-driven systems, a processor executes a *startio* instruction to initiate an I/O transfer over a channel; the channel issues an *I/O completion interrupt* to inform a processor of the completion of an I/O operation.

The real significance of channels is that they greatly increase the amount of concurrent hardware activity possible on a computer, and they remove most of the burden of handling input/output from the processor.

A *selector channel* is used for high-speed data transfers between devices and primary storage. Selector channels have only a single *subchannel*; they can service only one device at a time.

Multiplexor channels have many subchannels; they can interleave many data streams at once. A *byte-multiplexor channel* interleaves the transmissions of slow devices such as terminals, printers, and low-speed communications lines. A *block-multiplexor channel* interleaves the transmission of several high-speed devices such as laser printers and disk drives.

2.2.10 Cycle Stealing

One point of conflict between channels and the processor is the accessing of primary storage. Since only one access (to a particular primary storage bank) may be in progress at any time, and since it is possible for channels and the processor to want to access primary storage simultaneously, the channels are normally given priority. This is called *cycle stealing*; the channel literally steals storage cycles from the processor. The channels use only a small percentage of the cycles, but giving them priority in this manner causes better utilization of input/output devices. This type of logic has been incorporated into today's operating systems; *I/O-bound* programs are generally given priority over *processor-bound* programs by the operating system's scheduling mechanisms.

2.2.11 Base-plus-Displacement Addressing

As the need for larger primary storages became apparent, computer architectures were modified to accommodate very large ranges of addresses. A system designed to support 16M bytes (M=1,048,576) would require 24-bit addresses. Incorporating such lengthy addresses into every instruction on a machine with single-address instructions would be costly; on a machine with multiple-address instructions it would be intolerable. So to achieve very large address ranges, systems use *base-plus-displacement addressing* in which all addresses are added to the contents of a *base register* (Gi87). This scheme has the additional advantage of making programs *location-independent* (see the discussion on relocation registers), a particularly valuable property for programs in multiuser environments in which a program may have to be placed at different locations in primary storage each time it is loaded.

2.2.12 Problem State, Supervisor State, Privileged Instructions

Computer systems generally have several different *execution states* (Gi87). Varying the state of a machine makes it possible to build more secure systems. Normally, when the machine is in a particular state only some subset of its instructions is executable by a running program. For user programs, the subset of instructions the user may execute in *problem state* (also called *user state*) precludes, for example, the direct execution of input/output instructions; a user program allowed to perform arbitrary input/output could dump the system's master list of passwords, print the information of any other user, or destroy the operating system. The operating system ordinarily runs with *most trusted user* status in a *supervisor state*; it has access to all the instructions in the machine's instruction set. Such a problem state/supervisor state dichotomy has been adequate for most modern computing systems. In the case of highly-secure systems, however, it is desirable to have more than two states. This allows for a finer *granularity of protection*. It also allows access to be granted by the *principle of least privilege*: Any particular user should be granted the least amount of privilege and access that user needs to accomplish its designated tasks.

It is interesting that as computer architectures have evolved, the number of *privileged instructions*, i.e., those instructions not accessible in problem state, has tended to increase. This indicates a definite trend toward the incorporation of more operating systems functions in hardware.

2.2.13 Virtual Storage

Virtual storage systems allow programs to reference addresses that need not correspond to the limited set of *real addresses* available in primary storage (Dn70). The virtual addresses developed by running programs are translated dynamically (i.e., at execution time) by the hardware into the addresses of instructions and data in primary storage. Virtual storage systems ordinarily allow programs to reference address spaces much larger than the address spaces available in primary storage. This allows users to create programs independent (for the most part) of the constraints of primary storage, and it facilitates the operation of shared multiuser systems.

Virtual storage systems use the techniques of *paging* fixed-sized blocks of data back and forth between primary storage and secondary storage, and *segmentation*, which identifies logical units of programs and data to facilitate *access control* and *sharing*. These techniques are sometimes used individually and are sometimes combined. Virtual storage systems are considered in Chapters 8 and 9.

2.2.14 Multiprocessing

In *multiprocessing* systems several processors share a common primary storage and a single operating system (Lr84). Multiprocessing introduces the potential for certain types of conflicts that do not occur in uniprocessor systems. It is necessary to *sequentialize* access to a shared storage location so that two processors do not attempt to modify it at the same time, possibly scrambling its contents. Sequentialization is also necessary when one processor wants to modify a location and another processor wants to read it. Chapter 11 discusses these issues in depth. The case study on MVS in Chapter 20 explains how multiprocessing is handled in IBM's large-scale systems. Sequentialization is also necessary in uniprocessor systems; Chapters 3, 4, and 5 discuss this in detail.

2.2.15 Direct Memory Access (DMA)

One key to obtaining good performance in computer systems is minimizing the number of interrupts that occur while a program executes. *Direct memory access* (*DMA*) requires only a single interrupt for each block of characters transferred in an I/O operation. It is thus significantly faster than the method in which the processor is interrupted for each character transferred.

Once an I/O operation is initiated, characters are transferred to primary storage on a cycle stealing basis—the channel temporarily usurps the processor's path to storage while a character is being transferred; then the processor continues operation.

When a device is ready to transmit one character of the block, it "interrupts" the processor. But with DMA the processor's state does not have to be saved; the processor is more delayed than interrupted. Under the control of special hardware, the character is transferred to primary storage. When the transfer is complete, the processor resumes operation.

DMA is a performance feature particularly useful in systems that support a very large volume of I/O transfers. The hardware responsible for stealing cycles and operating the I/O devices in DMA mode is called a *DMA channel*.

2.2.16 Pipelining

Pipelining (Dr85) (Li88) is a hardware technique used in high-performance computer systems (see Chapter 11) to exploit certain types of parallelism in instruction processing. Quite simply, the processor is arranged very much like a production line in a factory;

several instructions may be in different stages of execution simultaneously. This overlap requires more extensive hardware but it can greatly reduce the total execution time of a sequence of instructions.

2.2.17 Storage Hierarchy

Today's systems have several levels of storage, including primary storage, secondary storage, and *cache storage*. Instructions and data must be placed in primary storage or cache storage to be referenced by a running program. Secondary storage consists of tapes, disks, and other media designed to hold information that will eventually be accessed in primary storage. Cache is very fast storage designed to increase the execution speed of running programs; it is generally transparent to user programs (Sm82). On computer systems with cache storage, the current portion of a program is placed in cache, where it can execute much faster than in primary storage. These levels of storage create a *storage hierarchy*; the various levels from cache, to primary, to secondary storage have decreasing cost and speed, and increasing capacity.

Storage is ordinarily divided into bytes or words consisting of a fixed number of bytes. Each location in storage has an address; the set of all addresses available to a program is called an *address space*.

2.2.18 Reduced Instruction Set Computing (RISC)

RISC (reduced instruction set computing) is receiving tremendous attention in today's processor architectures (Pn82) (Pn85). Over the last several decades, machine language instruction sets of computers tended to become larger as more complex instructions were added. One reason for this is that frequently used functions needed for both operating system programs and application programs were incorporated into the machine language to achieve faster execution. The problem with such an approach, now called *CISC (complex instruction set computing)* is that the interpretation of each instruction by the hardware is slowed by the need to differentiate between a larger number of instructions, and by the fact that many of the instructions are more complex to execute. This has had the effect of holding down the processing speeds—rated in *MIPS (million instructions per second)*—of computers.

RISC computers tend to have relatively small numbers of simple instructions, but very large numbers of registers. RISC-based computers are able to execute these simpler instructions faster so their MIPS ratings are correspondingly higher. The fact that their instructions are simpler has caused considerable debate in the industry as to whether RISC MIPS may be meaningfully compared to CISC MIPS. RISC and the controversies surrounding it are discussed in detail in Chapter 14.

2.3 SOFTWARE

Software consists of the programs of instructions and data that define for the hardware the algorithms for solving problems. Operating systems and other systems software are ordinarily supplied by hardware vendors. The vast majority of application software is supplied by *independent software vendors (ISVs).*

2.3.1 Machine Language Programming

Machine language is the programming language that a computer can understand directly. Each machine language instruction is interpreted by hardware that performs the indicated functions. Machine language instructions are generally quite primitive; it is the arrangement of these instructions into machine language programs that enables the specification of useful algorithms. Today's machine language instruction sets often include some very powerful capabilities. There is a recent trend, however, toward simplifying machine languages (see the discussion on RISC).

Machine language is said to be *machine-dependent*; a machine language program written on one vendor's computer cannot ordinarily be run on another vendor's system unless its machine language is identical to, or larger than, that of the first vendor's system. Another indication of machine dependence is the flavor of the instructions themselves; machine language instructions name specific registers of the computer system and process data in the physical form in which that data exists in that computer system. Most early computer systems were programmed directly in machine language; today the vast majority of programs are written in high-level languages.

2.3.2 Input/Output Control System (IOCS)

The detailed channel programs necessary to control input/output, and the various routines for coordinating the operation of channels and processors are complex. The development of a supervisory program for handling the complexities of input/output removed this burden from the applications programmer. This supervisory program is called the *input/output control system* (*IOCS*).

In the 1950s, users would actually include IOCS source code with their assembly language program statements. The IOCS package, already written and debugged, was actually reassembled as part of each individual program. However, this greatly lengthened program translation time. Therefore, on many systems *preassembled IOCS routines* were often used. The assembly language programmer wrote statements sensitive to the locations of key routines in the preassembled IOCS code.

Another problem with the IOCS concept was the fact that the complete IOCS package often occupied a significant portion of primary storage, leaving much less space for user applications code. Some users *overlayed* certain portions of the IOCS that were not needed. Others wrote their own slimmer packages. Ultimately, users realized the importance of leaving the burden of input/output control to IOCS, and they were simply forced to add more (expensive) primary storage to their computer systems. This trend has become firmly established; operating systems have incorportated the system-oriented code so that applications developers can concentrate on producing application-oriented code. This has caused operating systems to require increasing amounts of primary storage.

2.3.3 Spooling

In *spooling* (*simultaneous peripheral operations on line*), a high-speed device like a disk is interposed between a running program and a low-speed device involved with the program in input/output. Instead of writing directly to a printer, for example, outputs are written to a disk. Programs can run to completion faster, and other programs can be initiated sooner. When the printer becomes available, the outputs may be printed. The term spooling is quite appropriate for this procedure; it is much like thread being spun to a spool so that it may later be unwound as needed.

2.3.4 Quick-and-Dirty Compilers vs. Optimizing Compilers

In program development environments, compilations are performed frequently and programs generally only run briefly until bugs appear. For this purpose *quick-and-dirty compilers* are useful. They produce an object program quickly but the code may be quite inefficient in terms of both its storage consumption and execution speed. Once a program has been debugged and is ready to be put into production, an *optimizing compiler* is used to produce highly-efficient machine code. Optimizing compilers run more slowly, but they produce very high quality code.

Today's optimizing compilers produce code that matches or exceeds the quality of the code produced by skilled assembly language programmers. Most operating systems today are written in high-level languages and translated by optimizing compilers into efficient machine code.

2.3.5 Interpreters

Interpreters do not produce object programs; rather they run source programs directly. Interpreters are particularly popular in program development environments in which programs run only briefly before a bug is found. Interpreters avoid the overhead of assembling or compiling. They are also popular with personal computers. But interpreters run slowly compared with compiled code because they must translate each instruction every time it is executed.

2.3.6 Absolute and Relocating Loaders

Programs must be placed in primary storage in order to be executed. Associating instructions and data items with particular primary storage locations is an important task. The burden of this association is sometimes placed on the user, sometimes on the translator, sometimes on a system program called a *loader*, and sometimes on the operating system. The association of instructions and data items with particular storage locations is called *binding*. In machine language programming, binding is performed at coding time. The trend has been to defer binding as much as possible; today's virtual storage systems perform binding dynamically as a program executes. Delaying binding increases flexibility for both the user and the system, but translators, loaders, hardware, and operating systems become more complex.

A loader is a program that places a program's instructions and data into primary storage locations (Pr72). An *absolute loader* places instructions and data into the precise locations indicated in the machine language program. A *relocating loader* may load a program at various places in primary storage, depending on the availability of space in primary storage at *load time*.

2.3.7 Linking Loaders and Linkage Editors

In early computing environments, programmers produced machine language programs containing every instruction needed to solve particular problems. Even the complex and awkward control of input/output had to be hand-coded into each machine language program.

Today, user programs often contain only a small portion of the instructions and data needed to solve a given problem. Large *subroutine libraries* are supplied so that programmers may use system-supplied routines to perform common operations. Input/output in particular is normally handled by routines outside the user program. Therefore, machine language programs must normally be combined with other machine language programs to form useful execution units. This process of *program combination* is performed by *linking loaders* and *linkage editors* prior to program execution time (Pr72).

At load time, a *linking loader* combines whatever programs are required and loads them directly into primary storage. A linkage editor also performs program combination, but it also creates a *load image* that it preserves on secondary storage for future reference. Linkage editors are particularly useful in production environments; when a program is to be executed, the load image produced by the linkage editor may be loaded immediately without the overhead of recombining program pieces.

2.3.8 Object-Oriented Programming

Applications are becoming so large and complex that we can no longer focus on individual machine language instructions or even small subroutines as the units of program development and computation. There is now a major emphasis on *object-oriented programming* (Co83) (Co84). *Objects* are abstract entities that encapsulate all the procedures and data related to something. These can then be treated as a package which can be manipulated in various ways. Objects may represent hardware such as CPUs, memory, and devices; software entities such as programs and files; and various other entities as well.

Object-oriented programming has become quite popular in operating system development efforts. In particular, the new versions of UNIX are being developed in C++ (St86), an object-oriented version of the popular C programming language used to develop previous versions of UNIX. Object-oriented programming is discussed in many places throughout this text.

2.4 FIRMWARE

The concept of microprogramming is generally attributed to Professor Maurice Wilkes. His 1951 paper (Wi51) presented the concepts that form the basis of current microprogramming techniques. However, it was not until the System/360 (Gi87) appeared in the mid-1960s that microprogramming was used on a wide scale. During the 1960s computer manufacturers began using microprogramming to implement machine language instruction sets (Ra76) (Ra78) (Ra80), a trend that has persisted into many recent systems.

Microprogramming introduces a layer of programming below a computer's machine language. As such, it makes it possible to define machine language instructions. This is integral to modern computer architectures and significant in operating systems performance and security considerations.

Microprograms are run in high-speed *control storage*. They are formed from individual *microinstructions* that are much more elementary in nature and sparser in function than conventional machine language instructions. On systems in which the machine language instruction set is implemented by microprogramming, each machine language instruction is implemented by a complete, and possibly lengthy, microprogram. This immediately implies that for microprogramming to be useful the control store must be much faster than primary storage.

Dynamic microprogramming appeared in the late 1960s and early 1970s; it allows new microprograms to be loaded easily into the control storage from which microprograms are executed. Thus machine instruction sets can be varied dynamically and frequently. It is not inconceivable that multiprogramming systems might eventually allow different users to use different instruction sets, and that a part of switching the processor between programs would involve also switching the instruction set of the machine to that desired by the next user. The open systems philosophy we discussed in Chapter 1 may prompt vendors to use dynamic microprogramming to construct systems capable of switching quickly and easily between various important standard architectures.

2.4.1 Deciding What Functions to Implement in Microcode

An important design decision is what computer systems functions to implement in microcode (St81). Microcode presents a real opportunity to improve the execution performance of a computer system. By carefully coding frequently executed instruction sequences in firmware instead of software, designers have realized dramatic performance improvements. As readers become familiar with operating systems functions while progressing through the text, they should carefully consider which of these functions might be implemented usefully in microcode. It is important to note here that the proponents of RISC-based architectures argue that microprogramming introduces another layer of interpretation in the hardware and that this in effect slows instruction execution for all instructions. We will consider RISC-based machines in detail in Chapter 14.

2.4.2 Emulation

Emulation is a technique in which one computer is made to appear as if it were another (Ma75). The machine language instruction set of the machine to be emulated is micro-programmed on the *host machine*. Then the machine language programs of the emulated machine may be run directly on the host. Computer vendors often make extensive use of emulation when they introduce new systems. Users who are committed to older computers are able to run their established programs directly on the new systems without alteration. This smoothes the conversion process.

Today, emulation is receiving new interest because of various important trends in computer architecture. In Chapter 1 we discussed the notion of an application base. In particular, we mentioned the huge base of applications that runs on IBM PCs and compatibles. Vendors designing new machines to attract users committed to the IBM PC application base have found that providing emulation for the IBM PC on the new computers is an effective strategy. The user can upgrade to the new computer and begin using it while still running previous applications. The most notable example of this approach at the time of publication of this text was Intel's inclusion of such an emulation mode in its 80386 microprocessors. IBM uses the 80386 on its more powerful PS/2 personal computer systems (see Chapter 23), Sun uses the 80386 in the UNIX-based Sun 386i workstations (see Chapter 18), and many other vendors have committed to the 80386 architecture as well. This architectural and marketing approach is an important one, especially as we head into the open systems marketplace of the 1990s. We should expect to see computer systems introduced in the 1990s that emulate a wide variety of popular computer architectures and communications protocols. Emulation, with or without microprogramming, will play an important role in these systems.

2.4.3 Microdiagnostics

Microprograms have access to more of the hardware than do machine language programs. So it is possible to perform more extensive error detection and correction, and to perform these operations at a finer level. Some systems interleave *microdiagnostics* with machine language program instructions. This makes it possible to avoid potential problems and have more reliable operation, so microprogramming can be effective in designing fault-tolerant systems.

2.4.4 Personalized Computers

Because of the expense of designing, building, and marketing a computer system, vendors have concentrated on producing general-purpose machines. The massive investment it takes to bring out a new system means that substantial sales are necessary to recoup costs and make a profit. Vendors have tended to avoid building special-purpose, one-of-a-kind systems; this has generally been left to the universities, where such systems are constructed primarily for their research value.

Computer users have thus been faced with the task of customizing computers to their own needs; traditionally this customizing has been performed via software. The hardware provides a general-purpose environment for running software programs; the software programs tailor the computer system to the users' needs. On some systems, users can perform this customization via microcode. They can either use vendor-supplied microcode, or they can write their own.

2.4.5 Microcode Assists

Vendors supply various performance improvement options in microcode. IBM has done this quite successfully with its VM operating system (see Chapter 21). The VM operating system implements multiple virtual machines by careful utilization of the interrupt mechanism. The *microcode assists* offered by IBM implement a number of the more frequently executed interrupt handling routines in microcode to achieve significant performance improvements.

2.4.6 Microprogramming and Operating Systems

Certain portions of operating systems are among the most frequently executed sequences of instructions in computer systems. In an interactive transaction processing system such as an airline reservation system, for example, the dispatching mechanism that selects the next unit of work to which the processor will be assigned (see Chapter 3) might be executed hundreds of times per second. Such a dispatching mechanism must execute efficiently. Placing it in microcode is one way of making it faster.

Some of the operating system functions that have tended to be implemented in microcode include

- interrupt handling
- maintaining various types of data structures
- synchronization primitives that control access to shared data and other resources
- "context switching," i.e., rapidly switching a processor between users in a multiuser system
- procedure call and return sequences

Implementing operating systems functions in microcode can improve performance, reduce program development costs, and improve system security (see Chapter 17).

Readers wishing to investigate further the use of microprogramming in operating systems should consult (So75) (Br77) (Da78) (Bu81) (Ds85) (Fe85).

2.4.7 Microprogramming: A Case Study

This section considers a small hypothetical microprogrammed computer system we shall call the *ITSIAC*. Our goal is to convey the flavor of microprogramming, and especially how it may be used to implement a computer's machine language instruction set. This example is based on that presented by Rauscher and Adams in their excellent tutorial paper (Ra80).

The ITSIAC has an *Accumulator* register, *ACC*, which is involved in all arithmetic operations. The ITSIAC has 256 16-bit words of memory. Each instruction in the ITSIAC's machine language has two 8-bit fields—an *operation code* and a *storage address*, A. When we write the storage address, A, in parentheses as (A), we mean "the contents of location A." The processor has an *Arithmetic and Logic Unit, ALU*, for performing certain arithmetic calculations. The ITSIAC's machine language instruction set is shown in Fig. 2.1; its registers and their functions are shown in Fig. 2.2.

The machine operates as follows. The microprogram is first loaded into high-speed *control storage*. Each instruction in the microprogram resides in one location of control storage. The *CSIAR (Control Storage Instruction Address Register)* points to the next microinstruction to be executed; this instruction (initially the one in control storage location zero) is fetched from control storage and placed in the *MIR (Microinstruction Register)*. The instruction is then *decoded*, and control is transferred to the appropriate routine in the microprogram to interpret this microinstruction, and the instruction is executed by the microprogram. The CSIAR is then adjusted to point to the next microinstruction to be executed; the entire process then repeats. The microprogram gets the primary storage address of the next machine language instruction to be interpreted from the *PSIAR (Primary Storage Instruction Address Register)*. After interpreting a machine language instruction, the microprogram adjusts the PSIAR to point to the location in primary storage of the next machine language instruction to be executed.

Instruction	Explanation
ADD	ACC ← ACC + (A)
SUB	ACC ← ACC - (A)
LOAD	ACC ← (A)
STORE	(A) ← ACC
BRANCH	BRANCH to A
COND BRANCH	If ACC = 0 BRANCH to A

Fig. 2.1 ITSIAC machine language instruction set.

Register	Function
ACC	Accumulator—This 16-bit register is involved in all arithmetic operations. One of the operands in each arithmetic operation must be in the Accumulator; the other must be in primary storage.
PSIAR	Primary Storage Instruction Address Register—This 8-bit register points to the location in primary storage of the next machine language instruction to be executed.
SAR	Storage Address Register—This 8-bit register is involved in all references to primary storage. It holds the address of the location in primary storage being read from or written to.
SDR	Storage Data Register—This 16-bit register is also involved in all references to primary storage. It holds the data being written to or receives the data being read from primary storage at the location specified in the SAR.
TMPR	Temporary Register—This 16-bit register is used to extract the address portion (rightmost 8-bits) of the machine instruction in the SDR so that it may be placed in the SAR. (The ITSIAC does not allow a direct SDR to SAR transfer.)
CSIAR	Control Storage Instruction Address Register—This register points to the location of the next microinstruction (in control storage) to be executed.
MIR	Microinstruction Register—This register contains the current microinstruction being executed.

Fig. 2.2 ITSIAC registers.

The decoded microinstructions correspond directly to the primitive operations the hardware can perform; they are much simpler than machine language instructions.

The micro-operations that the ITSIAC can perform are shown in Fig. 2.3. The microprogram that performs ITSIAC machine language instructions is shown in Fig. 2.4. Execution of the microprogram begins at location zero with the routine that fetches the next machine language instruction to be executed.

The microprogrammed machine operates as follows. Initially, the CSIAR is set to zero—the location of the microcode routine that performs a machine language instruction

Register transfers (REG is ACC, PSIAR, or TMPR):

```
SDR     ←    REG
REG     ←    SDR
SAR     ←    REG
```

Primary storage operations:

READ	(data from the primary storage location named in the SAR is placed in the SDR)
WRITE	(data in the SDR is placed in the primary storage location named in the SAR)

Sequencing operations:

CSIAR	←	CSIAR + 1 (assumed as normal case)
CSIAR	←	decoded SDR
CSIAR	←	constant
SKIP		(add 2 to CSIAR if ACC = 0; else add 1)

Operations involving the accumulator:

```
ACC     ←    ACC + REG
ACC     ←    ACC - REG
ACC     ←    REG
REG     ←    ACC
ACC     ←    REG + 1
```

Fig. 2.3 ITSIAC micro-operations.

fetch. The next machine language instruction to be executed is fetched from the location whose address is in the PSIAR (also initally set to zero). The READ operation causes this instruction to be loaded from primary storage into the SDR. The instruction

CSIAR ← decoded SDR

sets the CSIAR to the address of the proper microcode routine (in control storage) for interpreting the machine language instruction; it merely examines the opcode and does the equivalent of a table lookup with the opcode as a search key. The next microinstruction execution cycle causes control to be transferred to this microcode routine.

```
Instruction fetch:
  (00) SAR    ←  PSIAR        {get addr next ITSIAC instr}
  (01) READ                   {get next ITSIAC instr}
  (02) CSIAR  ←  decoded SDR  {get microprogram address}

ADD:
  (10) TMPR   ←  ACC          {save ACC to TMPR}
  (11) ACC    ←  PSIAR + 1    {increment PSIAR to point …}
  (12) PSIAR  ←  ACC          {… to next ITSIAC instr}
  (13) ACC    ←  TMPR         {restore ACC from TMPR}
  (14) TMPR   ←  SDR          {pick off address …}
  (15) SAR    ←  TMPR         {… portion of instr}
  (16) READ                   {storage contents to SDR}
  (17) TMPR   ←  SDR          {storage contents to TMPR}
  (18) ACC    ←  ACC + TMPR   {add storage contents to ACC}
  (19) CSIAR  ←  0            {prep for next instr fetch}

SUB:
  (20) TMPR   ←  ACC          {save ACC to TMPR}
  (21) ACC    ←  PSIAR + 1    {increment PSIAR to point …}
  (22) PSIAR  ←  ACC          {… to next ITSIAC instr}
  (23) ACC    ←  TMPR         {restore ACC from TMPR}
  (24) TMPR   ←  SDR          {pick off address …}
  (25) SAR    ←  TMPR         {… portion of instr}
  (26) READ                   {storage contents to SDR}
  (27) TMPR   ←  SDR          {storage contents to TMPR}
  (28) ACC    ←  ACC - TMPR   {subtract contents from ACC}
  (29) CSIAR  ←  0            {prep for next instr fetch}

LOAD:
  (30) ACC    ←  PSIAR + 1    {increment PSIAR to point …}
  (31) PSIAR  ←  ACC          {… to next ITSIAC instr}
  (32) TMPR   ←  SDR          {pick off address …}
  (33) SAR    ←  TMPR         {… portion of instr}
  (34) READ                   {storage contents to SDR}
  (35) ACC    ←  SDR          {storage contents to ACC}
  (36) CSIAR  ←  0            {prep for next instr fetch}
```

continued

Fig. 2.4 Microprogram that interprets ITSIAC machine language programs.

Fig. 2.4 *continued*

```
STORE:
   (40) TMPR    ←   ACC          {save ACC to TMPR}
   (41) ACC     ←   PSIAR + 1    {increment PSIAR to point ...}
   (42) PSIAR   ←   ACC          {... to next ITSIAC instr}
   (43) ACC     ←   TMPR         {restore ACC from TMPR}
   (44) TMPR    ←   SDR          {pick off address ...}
   (45) SAR     ←   TMPR         {... portion of instr}
   (46) SDR     ←   ACC          {prepare to write from SDR}
   (47) WRITE                    {write SDR to SAR location}
   (48) CSIAR   ←   0            {prep for next instr fetch}

BRANCH:
   (50) PSIAR   ←   SDR          {branch address to PSIAR}
   (51) CSIAR   ←   0            {prep for next instr fetch}

COND BRANCH:
   (60) SKIP                     {if ACC = 0 branch to 62}
   (61) CSIAR   ←   64           {ACC not 0, branch to 64}
   (62) PSIAR   ←   SDR          {branch address to PSIAR}
   (63) CSIAR   ←   0            {prep for next instr fetch}
   (64) ACC     ←   PSIAR + 1    {increment PSIAR to point ...}
   (65) PSIAR   ←   ACC          {... to next ITSIAC instr}
   (66) CSIAR   ←   0            {prep for next instr fetch}
```

If the machine instruction being interpreted is

```
ADD   50
```

then the contents of location 50 in primary storage are to be added to the contents of the accumulator. Let's follow the microcode that accomplishes this.

```
(10) TMPR  ← ACC
(11) ACC   ← PSIAR + 1
(12) PSIAR ← ACC
(13) ACC   ← TMPR
(14) TMPR  ← SDR
(15) SAR   ← TMPR
(16) READ
(17) TMPR  ← SDR
(18) ACC   ← ACC + TMPR
(19) CSIAR ← 0
```

Instruction (10) saves the ACC to TMPR so that the ACC can be used to increment the PSIAR by 1; instruction (13) restores the ACC from TMPR. Instructions (11) and (12) increment the PSIAR by 1 to point to the next sequential location in primary storage. Instructions (14) and (15) extract the primary storage address from the instruction in the SDR and transfer it to the SAR. (Again, it is necessary to use TMPR because the machine does not allow a direct SDR to SAR transfer.) After (15) is performed, the SAR contains 50. The READ in (16) causes the contents of the location specified in the SAR (i.e., location 50) to be loaded into the SDR. Instruction (17) causes this data to be placed in TMPR, and (18) causes it to be added to the contents of the ACC. Instruction (19) resets the CSIAR to the address of the microinstruction fetch routine, so that the next microinstruction execution cycle will begin the process of fetching the next machine language instruction to be executed.

SUMMARY

Hardware consists of the devices of a computer system, software consists of the instructions interpreted by the hardware, and firmware consists of microcode instructions resident in high-speed control storage.

Storage interleaving allows simultaneous access to successive locations in primary storage by placing alternating sets of locations in different storage banks. Interrupts are useful in environments in which many operations may progress independently, but in which occasional communication with the operating system is needed. Multiple buffering facilitates the overlap of processing with input/output.

Spooling disassociates a running program from the slow operation of devices like printers. Input/output is directed instead to fast devices like disks; the data is actually read or written when the printers are available. Storage protection is essential to the isolation of users from one another in multiuser systems; it may be implemented in several ways, including the use of bounds registers or protection keys.

A channel is a special-purpose computer system for performing input/output independently of the processor. Communication between a processor and a channel is ordinarily handled by polling or by interrupts. Some common types of channels are selector channels, byte-multiplexor channels, and block-multiplexor channels.

An input/output control system (IOCS) removes the burden of handling the details of input/output from the user. IOCS packages are an important component of today's operating systems.

Base-plus-displacement addressing makes it possible to address very large address spaces without the need to extend the size of a machine word; at execution time all addresses are formed by adding a displacement to the contents of a base register. This also facilitates ease of program relocation.

Multiple machine states provide protection. In supervisor state, all instructions (including privileged instructions) may be executed; in problem state only nonprivileged instructions may be executed. These states define the boundary between user capabilities and operating system capabilities. Some machines have more than two machine states.

Virtual storage systems normally allow programs to reference a much larger range of addresses than the range available in primary storage. This helps free the programmer from the constraints of primary storage.

Direct memory access eliminates the need to interrupt the processor as each byte of a block is transmitted during input/output operations. A single interrupt is generated when the transmission of the entire block is completed. Characters are transmitted to and from primary storage on a cycle stealing basis; the channel is given priority while the processor waits.

Pipelining is used in high-performance computer architectures; it allows several instructions to be in different stages of execution simultaneously.

Today's computer systems use hierarchical storage consisting of cache, primary storage, and secondary storage; these have increasing capacities and decreasing cost-per-character of storage in the order shown.

Quick-and-dirty compilers operate quickly but generate relatively inefficient code; optimizing compilers generate efficient code, but they run more slowly than quick-and-dirty compilers.

Absolute loaders load programs into the specific locations for which the programs are compiled; relocating loaders can place programs in various free areas of storage. Binding in absolute environments occurs at translation time; binding in relocatable environments occurs at load time, or even at execution time.

Linking loaders combine program pieces into a single executable unit; the executable unit is placed in primary storage ready to execute. Linkage editors also combine programs, but the executable unit is preserved in secondary storage for future reference.

Microprogramming is the writing of programs that effect the primitive operations of the hardware; it is critical to today's computer architectures and operating systems. In dynamic microprogramming, new microprograms may be loaded easily into the control storage from which microprograms are executed.

Microprogramming is often used in emulation to make one computer appear as if it were another. Emulation is particularly useful when installations convert from one system to another; it is also useful in new architectures that include the ability to run programs written for older architectures.

Microprograms may implement microdiagnostics that test for errors on a much finer level than is possible with machine language instructions.

Microprogramming may be used to personalize a computer to the needs of its users. Microcode assists are supplied by vendors as performance improvement options; placing frequently executed sequences of instructions in microcode may make them execute more quickly. Many operating system functions in today's systems are implemented in firmware instead of software; these functions may execute faster and are more secure.

TERMINOLOGY

absolute loader
address space
base-plus-displacement addressing
base register
binding
block-multiplexor channel
buffer
bounds registers
byte-multiplexor channel
cache storage
channel
CISC (complex instruction set computing)
control storage
cycle stealing
DMA (Direct Memory Access)
double buffering
dynamic microprogramming
emulation
execution states
firmware
flip-flop buffering
host machine
I/O-bound
I/O completion interrupt
IOCS (input/output control system)
interrupt
interval timer
linkage editor
linking loader
load time
loader
location-independent program
microcode assist
microdiagnostic
microprogramming
microinstruction
multiplexor channel
multiprocessing
on-line
optimizing compiler
overlay
paging
pipelining
polling
primary storage
principle of least privilege
privileged instruction
processor-bound
problem state
relocating loader
relocation register
RISC (reduced instruction set computing)
secondary storage
segmentation
selector channel
single-address instruction
spooling
storage hierarchy
storage interleaving
storage protection
storage protect keys
supervisor state
time-of-day clock
user state
virtual storage

EXERCISES

2.1 Distinguish among hardware, software, and firmware.

2.2 Explain the concept of storage interleaving.

2.3 What is double buffering? Explain in detail how a triple-buffering scheme might operate. In what circumstances would triple buffering be effective?

2.4 What is spooling? How would an input spooling system designed to read punched cards from a card reader operate?

2.5 Explain the concepts of DMA and cycle stealing.

2.6 Describe several techniques for implementing storage protection.

2.7 Describe two different techniques for handling the communications between a pro-cessor and a channel.

2.8 Give several motivations for the concept of base-plus-displacement addressing.

2.9 Relate the principle of least privilege to the concepts of problem state, supervisor state, and privileged instructions.

2.10 Distinguish among selector channels, byte-multiplexor channels, and block-multiplexor channels.

2.11 In what circumstances is it appropriate to use a quick-and-dirty compiler? When should an optimizing compiler be used?

2.12 Compare and contrast absolute loaders with relocating loaders.

2.13 What is binding? Why does delaying binding time increase both the user's and the system's flexibility?

2.14 How do linkage editors differ from linking loaders?

2.15 What is microprogramming? Why is the term "firmware" appropriate for describing microcode resident in control storage?

2.16 What factors might influence a designer's choice to implement certain functions in microcode?

2.17 What is emulation? Why is microprogramming particularly important in the construction of emulators?

2.18 Explain how microprogramming might be used to personalize a computer. Why might this be useful?

2.19 Explain why an understanding of microprogramming is important to operating systems designers.

2.20 Distinguish between RISC and CISC.

2.21 Explain the concept of object-oriented programming.

2.22 (Project) RISC architectures have become very popular, but some industry prognosticators view RISC as a fad that will be displaced by the mid-1990s. Write a paper on RISC vs CISC. Be sure to state your own conclusion on whether RISC will endure.

2.23 (Project) Write a paper on computing architectures for the 1990s. Consider the design philosophy used by Intel in providing IBM PC emulation (actually emulation of the PC's microprocessor) in its 80386 microprocessor. Do you think this philosophy will persist, and in fact be extended to incorporate "multiple-emulation" systems that emulate many popular architectures?

EXERCISES FOR THE MICROPROGRAMMING CASE STUDY (SECTION 2.4.8)

2.24 Write a machine language program for the ITSIAC that will total the numbers stored in locations 50 to 53 and place the result in location 100. Trace the execution of this program as it is interpreted by the ITSIAC microprogram supplied in the text.

2.25 Write a high-level language program to simulate the operation of the ITSIAC. Use a 256-element array to simulate primary storage. Each word of storage has 16 bits. Use variables to represent the various registers, including the ACC, PSIAR, SAR, SDR, TMPR, CSIAR, and MIR. Use high-level language statements to implement each micro-operation. For example, adding the contents of the temporary register to the accumulator can be accomplished by the Pascal statement

```
ACC := ACC + TMPR
```

Add a HALT instruction that prints the contents of all registers and all locations in the ITSIAC's storage and then the ending message "EOJ." Run the program that you wrote in Exercise 2.25 on your ITSIAC simulator.

LITERATURE

(Be81) Belady, L. A.; R. P. Parmelee; and C. A. Scalzi, "The IBM History of Memory Management Technology," *IBM J. Res. Develop.*, Vol. 25, No. 5, September 1981, pp. 491–503.

(Bo72) Bensoussan, A.; C. T. Clingen; and R. C. Daley, "The Multics Virtual Memory: Concepts and Design," *Communications of the ACM*, Vol. 15, No. 5, May 1972, pp. 308–318.

(Br77) Brown, G. E., et al., "Operating System Enhancement through Firmware," *SIGMICRO Newsletter*, Vol. 8, September 1977, pp. 119–133.

(Bu81) Bucci, G.; G. Neri; and F. Baldassarri, "MP80: A Microprogrammed CPU with a Microcoded Operating System Kernel," *Computer*, October 1981, pp. 81–90.

(Co83) Cox, B. J., "Object-Oriented Programming in C," *UNIX Review*, October/November 1983, pp. 67–76.

(Co84) Cox, B. J., "Object-Oriented Programming: A Power Tool for Software Craftsmen," *UNIX Review*, February/March 1984, pp. 56–119.

(Ds85) Dasgupta, S., "Hardware Description Languages in Microprogramming Systems," *Computer*, Vol. 18, No. 2, February 1985, pp. 67–80.

(Da78) Davidson, S., and B. D. Shriver, "An Overview of Firmware Engineering," *Computer*, May 1978, pp. 21–31.

(Dn70) Denning, P. J., "Virtual Memory," *ACM Computing Surveys*, Vol. 2, No. 3, September 1970, pp. 153–189.

(Dr85) DeRosa, J.; R. Glackemeyer; and T. Knight, "Design and Implementation of the VAX 8600 Pipeline," *Computer*, Vol. 18, No. 5, May 1985, pp. 38–50.

(El86) Elmer-DeWitt, P., and L. Mondi, "Hardware, Software, Vaporware," *Time*, February 3, 1986, p. 51.

(Fe85) Fenner, J. N.; J. A. Schmidt; H. A. Halabi; and D. P. Agrawal, "MASCO: The Design of a Microprogrammed Processor," *Computer*, Vol. 18, No. 3, March 1985, pp. 41–53.

(Fo87) Foley, J. D., "Interfaces for Advanced Computing," *Scientific American*, Vol. 257, No. 4, October 1987, pp. 126–135.

(Fo85) Foster, C. C., and T. Iberall, *Computer Architecture* (3rd ed.), New York, NY: Van Nostrand Reinhold, 1985.

(Fo86) Fox, E. R.; K. J. Kiefer; R. F. Vangen; and S. P. Whalen, "Reduced Instruction Set Architecture for a GaAs Microprocessor System," *Computer*, Vol. 19, No. 10, October 1986, pp. 71–81.

(Gi87) Gifford, D., and A. Spector, "Case Study: IBM's System/360-370 Architecture," *Communications of the ACM*, Vol. 30, No. 4, April 1987, pp. 291–307.

(Hr85) Harmon, T. L., and B. Lawson, *The Motorola MC68000 Microprocessor Family*, Englewood Cliffs, NJ: Prentice Hall, 1985.

(Hu80) Hunt, J. G., "Interrupts," *Software—Practice and Experience*, Vol. 10, No. 7, July 1980, pp. 523–530.

(Lr84) Larson, J. L., "Multitasking on the Cray X-MP-2 Multiprocessor," *Computer*, Vol. 17, No. 7, July 1984, pp. 62–69.

(Le87) Leonard, T. E. (ed.), *VAX Architecture Reference Manual*, Bedford, MA: Digital Press, 1987.

(Li88) Lilja, D.J., "Reducing the Branch Penalty in Pipelined Processors," *Computer*, Vol. 21, No. 7, July 1988, pp. 47–53.

(Ma75) Mallach, E. G., "Emulator Architecture," *Computer*, Vol. 8, August 1975, pp. 24–32.

(Mo86) Morse, S. P., and D. J. Albert, *The 80286 Architecture*, New York, NY: Wiley Press, 1986.

(Pn85) Patterson, D. A., "Reduced Instruction Set Computers," *Communications of the ACM*, Vol. 28, No. 1, January 1985, pp. 8–21.

(Pn82) Patterson, D. A., and R. S. Piepho, "Assessing RISCs in High-Level Language Support," *IEEE Micro*, Vol. 2, No. 4, November 1982, pp. 9–19.

(Pa85) Patton, C. P., "Microprocessors: Architecture and Applications," *IEEE Computer*, Vol. 18, No. 6, June 1985, pp. 29–40.

(Po81) Pohm, A. V., and T. A. Smay, "Computer Memory Systems," *Computer*, October 1981, pp. 93–110.

(Pr72) Presser, L., and J. R.White, "Linkers and Loaders," *ACM Computing Surveys*, Vol. 4, No. 3, 1972, pp. 149–167.

(Ra80) Rauscher, T. G., and P. N. Adams, "Microprogramming: A Tutorial and Survey of Recent Developments," *IEEE Transactions on Computers*, Vol. C-29, No. 1, January 1980, pp. 2–20.

(Ra76) Rauscher, T. G., and A. K. Agrawala, "Developing Application-Oriented Computer Architectures on General-Purpose Microprogrammable Machines," *Proceedings of 1976 NCC*, Montvale, N.J.: AFIPS Press, pp. 715–722.

(Ra78) Rauscher, T. G., and A. K. Agrawala, "Dynamic Problem-Oriented Redefinition of Computer Architecture via Microprogramming," *IEEE Transactions on Computers*, Vol. C-27, November 1978, pp. 1006–1014.

(Sm82) Smith, A. J., "Cache Memories," *ACM Computing Surveys*, Vol. 14, No. 3, September 1982, pp. 473–530.

(So75) Sockut, G. H., "Firmware/Hardware Support for Operating Systems: Principles and Selected History," *SIGMICRO Newsletter*, Vol. 6, December 1975, pp. 17–26.

(St81) Stankovic, J. A., "The Types and Interactions of Vertical Migrations of Functions in a Multilevel Interpretive System," *IEEE Transactions on Computers*, Vol. C-30, No. 7, July 1981, pp. 505–513.

(Su87) Strauss, E., *80386 Technical Reference*, New York, NY: Brady, 1987.

(St86) Stroustrup, B., *The C++ Programming Language*, Reading, MA: Addison-Wesley, 1986.

(Ta86) Takagi, H., *Analysis of Polling Systems*, Cambridge, MA: The MIT Press, 1986.

(Tu88) Turley, J. L., *Advanced 80386 Programming Techniques*, Berkeley, CA: Osborne McGraw-Hill, 1988.

(Wi51) Wilkes, M. V., *The Best Way to Design an Automatic Calculating Machine*, Report of the Manchester University Computer Inaugural Conference, Electrical Engineering Department of Manchester University, Manchester, England, July 1951, pp. 16–18. Reprinted in Earl E. Swartzlander, Jr. (ed.), *Computer Design Development—Principal Papers*, Rochelle Park, N.J.: Hayden Book Co., 1976, pp. 266–270.

3
Process Concepts

Learn to labor and to wait.

Henry Wadsworth Longfellow

You will wake, and remember, and understand.

Robert Browning

Many shall run to and fro, and knowledge shall be increased.

Daniel 12:2

It was surprising that Nature had gone tranquilly on with her golden process in the midst of so much devilment.

The Red Badge of Courage
Stephen Crane

To be awake is to be alive.

Walden
Henry David Thoreau

Outline

3.1 Introduction
3.2 Definitions of "Process"
3.3 Process States
3.4 Process State Transitions
3.5 The Process Control Block
3.6 Operations on Processes
3.7 Suspend and Resume
3.8 Interrupt Processing
  3.8.1 Interrupt Classes
  3.8.2 Context Switching
3.9 The Nucleus of the Operating System
  3.9.1 A Summary of Nucleus Functions
  3.9.2 Enabling and Disabling Interrupts
  3.9.3 Hierarchical System Structure
  3.9.4 Migration of the Nucleus to Microcode

3.1 INTRODUCTION

In this chapter we introduce the notion of *process*, which is central to the understanding of today's computer systems that perform and keep track of many simultaneous activities. Several of the more popular definitions are presented, but no "perfect" definition of process has yet appeared in the literature.

The concept of discrete *process states* is presented, as well as a discussion about how and why processes make transitions between states. A number of basic operations that may be performed upon processes are considered.

The definitions and concepts introduced here serve as a basis for the discussions of asynchronous concurrent processes in Chapters 4 and 5, process scheduling in Chapter 10, multiprocessing in Chapter 11, and distributed processing and computer networks in Chapter 16.

3.2 DEFINITIONS OF "PROCESS"

The term "process" was first used by the designers of the Multics system in the 1960s. Since that time, process, used somewhat interchangeably with *task*, has been given many definitions. Some of these follow.

- a program in execution
- an asynchronous activity
- the "animated spirit" of a procedure
- the "locus of control" of a procedure in execution
- that which is manifested by the existence of a "process control block" in the operating system
- that entity to which processors are assigned
- the "dispatchable" unit

Many other definitions have been given. There is no universally agreed upon definition, but the "program in execution" concept seems to be most frequently referenced. A program is an inanimate entity; only when a processor "breathes life" into it does it become the "active" entity we call a process.

3.3 PROCESS STATES

A process goes through a series of discrete process states. Various *events* can cause a process to change states.

A process is said to be *running* (i.e., in the *running state*) if it currently has the CPU. A process is said to be *ready* (i.e., in the *ready state*) if it could use a CPU if one were available. A process is said to be *blocked* (i.e., in the *blocked state*) if it is waiting for some event to happen (such as an *I/O completion event*, for example) before it can proceed. There are other process states, but for the present the discussion will concentrate on these three.

Let us consider a single CPU system for simplicity, although the extension to multiprocessing is not difficult. Only one process may be running at a time, but several processes may be ready, and several may be blocked. We therefore establish a *ready list* of ready processes, and a *blocked list* of blocked processes. The ready list is maintained in priority order so that the next process to receive the CPU is the first process on the list. The blocked list is normally unordered—processes do not become *unblocked* (i.e., ready) in priority order; rather they unblock in the order in which the events they are awaiting occur. As we will see later, there are situations in which several processes may block awaiting the same event; in these cases it is common to prioritize the waiting processes.

3.4 PROCESS STATE TRANSITIONS

When a job is admitted to the system, a corresponding process is created and normally inserted at the back of the ready list. The process gradually moves to the head of the ready list as the processes before it complete their turns at using the CPU. When the process reaches the head of the list, and when the CPU becomes available, the process is given the CPU and is said to make a *state transition* from ready state to the running state (Fig. 3.1). The assignment of the CPU to the first process on the ready list is called *dispatching*, and is performed by a system entity called the *dispatcher*. We indicate this transition as follows.

dispatch(processname): ready $\rightarrow$ running

To prevent any one process from monopolizing the system, either accidentally or maliciously, the operating system sets a hardware *interrupting clock* (or *interval timer*) to allow this user to run for a specific time interval or *quantum*. If the process does not voluntarily relinquish the CPU before the time interval expires, the interrupting clock generates an interrupt, causing the operating system to regain control. The operating system then makes the previously running process ready, and makes the first process on the ready

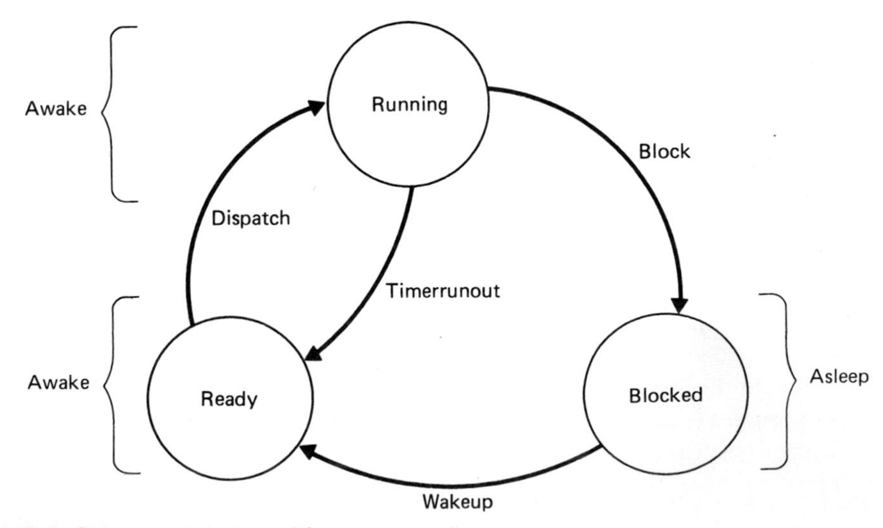

Fig. 3.1 Process state transitions.

list running. These state transitions are indicated as

timerrunout(processname): running → ready

and

dispatch(processname): ready → running

Tanenbaum (Tn87) gives an overview of timer hardware, software, and management issues. Clocks are used to maintain the time of day, indicate quantum expirations, account for resource usage, support notification of processes at designated times, and accumulate performance statistics. Some computers use batteries to keep timers running even when the system is powered off.

If a running process initiates an input/output operation before its quantum expires, the running process voluntarily relinquishes the CPU (i.e., the process *blocks* itself pending the completion of the input/output operation). This state transition is

block(processname): running → blocked

The only other allowable state transition in our three-state model occurs when an input/output operation (or some other event the process is waiting for) completes. The process makes the transition from the blocked state to the ready state. The transition is

wakeup(processname): blocked → ready

Thus we have defined four possible state transitions:

dispatch(processname): ready → running
timerrunout(processname): running → ready
block(processname): running → blocked
wakeup(processname): blocked → ready

Note that the only state transition initiated by the user process itself is block—the other three transitions are initiated by entities external to the process.

3.5 THE PROCESS CONTROL BLOCK

The manifestation of a process in an operating system is a *process control block (PCB)* or a *process descriptor*. The PCB is a data structure containing certain important information about the process including

- the current state of the process
- unique identification of the process
- a pointer to the process's *parent* (i.e., the process that created this process)
- pointers to the process's *child* processes (i.e., processes created by this process)
- the process's priority
- pointers to locate the process's memory
- pointers to allocated resources

- a register save area
- the processor it is running on (in multiprocessor system)

The PCB is a central store of information that allows the operating system to locate all key information about a process. When the operating system switches the attention of the CPU among the various active processes, it uses the save areas in the PCB to hold the information it needs to restart each process when the process next gets the CPU.

Thus the PCB is the entity that defines a process to the operating system. Because PCBs need to be manipulated quickly by the operating system, many computer systems contain a hardware register that always points to the PCB of the currently executing process. Hardware instructions are often available that load state information into the PCB and restore the information quickly.

3.6 OPERATIONS ON PROCESSES

Systems that manage processes must be able to perform certain operations on and with processes. These include

- create a process
- destroy a process
- suspend a process
- resume a process
- change a process's priority
- block a process
- wakeup a process
- dispatch a process
- enable a process to communicate with another process (called interprocess communication).

Creating a process involves many operations including

- name the process
- insert it in the system's *known processes list* (or *process table*)
- determine the process's initial priority
- create the process control block
- allocate the process's initial resources

A process may *spawn a new process*. If it does, the creating process is called the *parent process* and the created process is called the *child process*. Only one parent is needed to create a child. Such creation yields a *hierarchical process structure* like that in Figure 3.2 in which each child has only one parent (e.g., A is the one parent of C), but each parent may have many children (e.g., B, C, and D are all children of A).

Destroying a process involves obliterating it from the system. Its resources are returned to the system, it is purged from any system lists or tables, and its process control

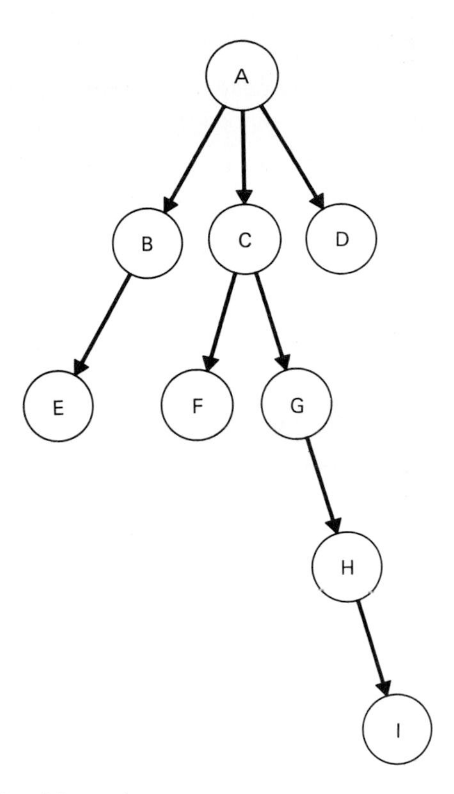

Fig. 3.2 Process creation hierarchy.

block is erased (i.e., the PCB's memory space is returned to a free memory pool). Destruction of a process is more complicated when the process has spawned other processes (see the case study on UNIX in Chapter 18, and the case study on OS/2 in Chapter 23). In some systems, a spawned process is destroyed automatically when its parent is destroyed; in other systems, spawned processes proceed independently of their parents, and the destruction of a parent has no effect on the destroyed parent's children.

A *suspended* process cannot proceed until another process *resumes* it. Suspension is an important operation and has been implemented in a variety of ways on many different systems. Suspensions normally last only brief periods of time. They are often performed by the system to remove certain processes temporarily to reduce the system load during a peak loading situation. For long-term suspensions, the process's resources should be freed. The decision about freeing resources depends very much on the nature of each resource. Primary memory should be freed immediately when a process is suspended. A tape drive may be retained by a process suspended only briefly but should be released by a process suspended for a lengthy or indefinite period. Resuming (or activating) a process involves restarting it from the point at which it was suspended.

Changing the priority of a process normally involves nothing more than modifying the priority value in the process's control block.

3.7 SUSPEND AND RESUME

In the previous section the notions of suspending and resuming processes were introduced. These operations are important for several reasons.

- If a system is functioning poorly and may fail, then current processes may be suspended to be resumed after the problem is corrected.
- A user suspicious about the partial results of a process may suspend it (rather than *aborting* it) until the user can ascertain whether or not the process is functioning correctly.
- In response to short-term fluctuations in system load, some processes may be suspended and resumed later when the load settles back to normal levels.

Figure 3.3 shows the process state transition diagram modified to include suspend and resume. Two new states have been added, namely *suspendedready* and *suspendedblocked*; there is no need for a *suspendedrunning* state. Above the dashed line in the figure are the *active states*; below it are the *suspended states*.

A suspension may be initiated either by a process itself or by another process. On a uniprocessor system a running process may suspend itself; no other process could be running at the same moment to issue the suspend (although another process could certainly issue the suspend when it does execute). On a multiprocessor system, a running process may be suspended by another process running at that moment on a different processor.

A ready process may be suspended only by another process. It makes the transition

suspend (processname): ready → suspendedready

A suspendedready process may be made ready by another process. It makes the transition

resume (processname): suspendedready → ready

A blocked process may be suspended by another process. It makes the transition

suspend (processname): blocked → suspendedblocked

A suspendedblocked process may be resumed by another process. It makes the transition

resume (processname): suspendedblocked → blocked

One could argue that instead of suspending a blocked process, it is better to wait until the I/O completion or event completion occurs and the process becomes ready; then the process could be suspended to the suspendedready state. Unfortunately, the completion may never come, or it may be delayed indefinitely. So the designer is faced with either performing the suspension of the blocked process or setting up a mechanism such that when the completion occurs, the suspension will be made from the ready state. Because suspension is normally a high-priority activity, it should be performed immediately. When the completion finally occurs (if indeed it does), the suspendedblocked process makes the transition

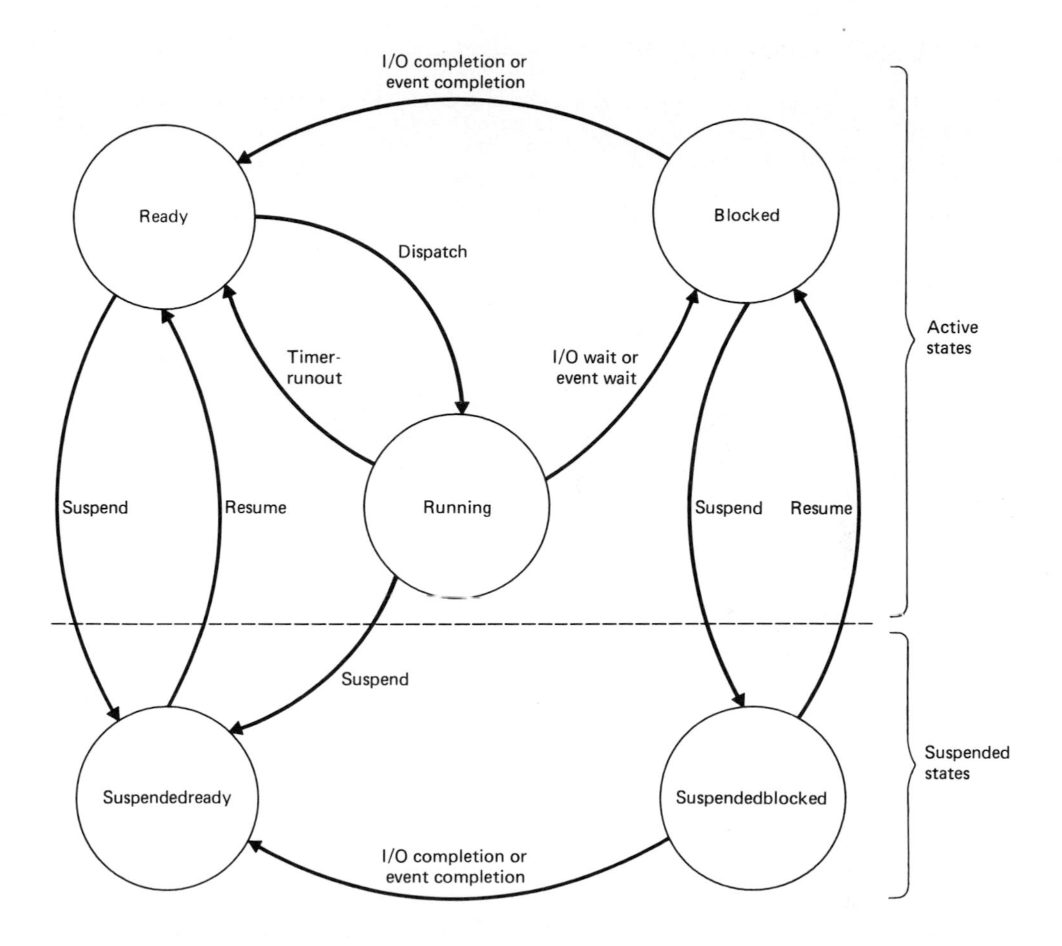

Fig. 3.3 Process state transitions with suspend and resume.

completion (processname): suspendedblocked → suspendedready

The use of suspend and resume by the operating system to balance the system load is discussed in Chapter 10.

3.8 INTERRUPT PROCESSING

Figure 3.4 shows a common example of interrupt processing. On a computer system, an *interrupt* is an event that alters the sequence in which a processor executes instructions

Fig. 3.4 Real-life interrupt processing.

(Hu80). It is generated by the hardware of the computer system. When an interrupt occurs

- The operating system gains control (i.e., the hardware passes control to the operating system).
- The operating system saves the state of the interrupted process. In many systems this information is stored in the interrupted process's process control block.
- The operating system analyzes the interrupt and passes control to the appropriate routine to handle the interrupt; on many of today's systems this is handled auto-matically by the hardware.
- The *interrupt handler* routine processes the interrupt.
- The state of the interrupted process (or some other "next process") is restored.
- The interrupted process (or some other "next process") executes.

An interrupt may be specifically initiated by a running process (in which case it is often called a *trap* and said to be *synchronous* with the operation of the process), or it may be caused by some event that may or may not be related to the running process (in which case it is said to be *asynchronous* with the operation of the process).

A key advantage to the interrupt concept is that it provides a low-overhead means of gaining the attention of the CPU. This eliminates the need for the CPU to remain busy *polling* to see if devices require its attention.

A simple example of polling vs. interrupts can be seen in modern microwave-oven-equipped kitchens. The chef may either set a timer to expire after an appropriate number of minutes (the buzzer sounding after this interval is an example of an interrupt), or the chef may regularly peek through the oven's glass door and watch as the roast cooks under Cook 'n Watch (this kind of regular monitoring is an example of polling).

Interrupt-oriented systems can become overloaded. If interrupts arrive too quickly, then the system may not be able to keep up with them. A human air traffic controller could easily be overwhelmed by a situation in which too many planes converge in a narrow area. In some keyboard-oriented systems, each keystroke stores a code in a byte in memory and generates an interrupt to inform the CPU that a character is ready for processing. If the CPU can not process that data before the next keystroke occurs, then the first keystroke is lost.

3.8.1 Interrupt Classes

In this and the next section, the interrupt scheme of the large-scale IBM processors is discussed (Cs78) (Gi87). This information is especially useful later in the text when case studies of IBM's MVS (Chapter 20) and VM (Chapter 21) operating systems are presented.

There are six interrupt classes. These are

- *SVC (supervisor call)* interrupts. These are initiated by a running process that executes the *SVC instruction*. An SVC is a user-generated request for a particular system service such as performing input/output, obtaining more storage, or communicating with the system operator. The SVC mechanism helps keep the operating system secure from the users. A user may not arbitrarily enter the operating system; rather the user must request a service through an SVC. The operating system is thus aware of all user attempts to cross its borders, and it may refuse certain requests if the user does not have appropriate privileges.
- *I/O interrupts*. These are initiated by the input/output hardware. They signal to the CPU that the status of a channel or device has changed. I/O interrupts are caused when an I/O operation completes, when an I/O error occurs, or when a device is made ready, for example.
- *External interrupts*. These are caused by various events including the expiration of a quantum on an interrupting clock, the pressing of the console's *interrupt key* by the operator, or the receipt of a *signal* from another processor on a multiprocessor system.
- *Restart interrupts*. These occur when the operator presses the console's *restart button,* or when a *restart SIGP (signal processor) instruction* arrives from another processor on a multiprocessor system.
- *Program check interrupts*. These are caused by a wide range of problems that may occur as a program's machine language instructions are executed. These problems include division by zero, arithmetic overflow or underflow, data (being operated upon) is in the wrong format, attempt to execute an invalid operation code, attempt to reference a memory location beyond the limits of real memory, attempt by a user process to execute a privileged instruction, and an attempt to reference a protected resource. Many systems give users the option to specify their own routines to be executed when a program check interrupt occurs.
- *Machine check interrupts*. These are caused by malfunctioning hardware.

3.8.2 Context Switching

In the interrupt scheme of the large-scale IBM processors, the operating system includes routines called *first level interrupt handlers (FLIHs)* to process each different class of interrupt. Thus there are six first level interrupt handlers—the *SVC FLIH*, the *I/O FLIH*, the *external FLIH*, the *restart FLIH*, the *program check FLIH*, and the *machine check FLIH*. When an interrupt occurs, the operating system saves the status of the interrupted process, and routes control to the appropriate first level interrupt handler. This is accomplished by a technique called *context switching* (Lm68). The first level interrupt handlers must then distinguish between interrupts of the same class; processing of these different interrupts is then carried out by various *second level interrupt handlers*.

Program status words (PSWs) control the order of instruction execution and contain various information about the state of a process. There are three types of PSWs, namely *current PSWs*, *new PSWs*, and *old PSWs*.

The address of the next instruction to be executed is kept in the current PSW, which also indicates the types of interrupts currently *enabled* and those currently *disabled*. The CPU allows enabled interrupts to occur; disabled interrupts either remain *pending*, or in some cases are ignored. The processor may never be disabled for SVC, restart, or some types of program interrupts. The reasons for enabling or disabling interrupts will soon become clear.

On a uniprocessor system, there is only one current PSW, but there are six new PSWs (one for each interrupt type) and six old PSWs (again, one for each interrupt type). The new PSW for a given interrupt type contains the permanent main memory address at which the interrupt handler for that interrupt type resides. When an interrupt occurs (Fig. 3.5), if the processor is not disabled for that type of interrupt, then the hardware automatically switches PSWs by

- storing the current PSW in the old PSW for that type of interrupt,
- storing the new PSW for that type of interrupt into the current PSW.

After this *PSW swap*, the current PSW now contains the address of the appropriate interrupt handler. The interrupt handler executes and processes the interrupt.

When the processing of the interrupt is complete the CPU is dispatched to either the process that was running at the time of the interrupt, or to the highest priority ready process. This depends on whether the interrupted process is *preemptive* or *nonpreemptive*. If the process is nonpreemptive, it gets the CPU again. If the process is preemptive, it gets the CPU only if there are no ready processes.

There are many significant interrupt schemes other than that described here. The reader interested in exploring them further should consult texts on computer organization and computer architecture such as (Ba80) (Le80) (Ma82) (Ch85) (Fo85) (Go86) (Ln87). One interrupt scheme that has been widely used is called *fully vectored interrupts*. In this scheme, each unique interrupt causes a unique *interrupt code* to be saved. An *interrupt vector* exists which is essentially an array of addresses stored in memory. The subscripts of the array correspond to the unique interrupt codes. The array elements contain the addresses at which interrupt handlers for each of the interrupt codes may be found.

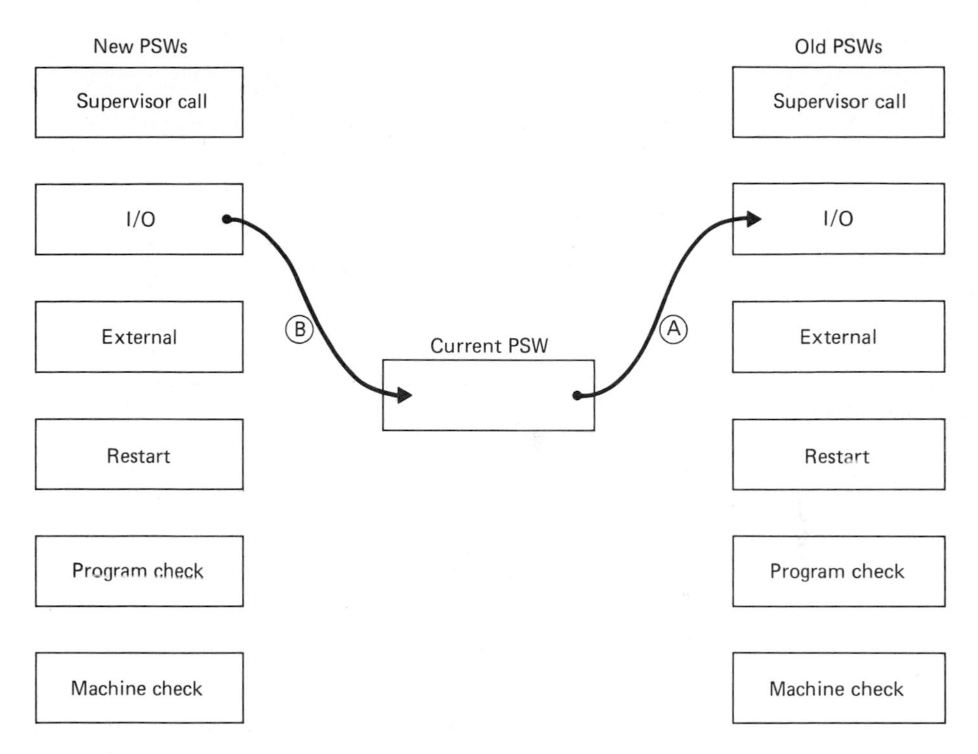

Fig. 3.5 PSW swapping in interruption processing.

3.9 THE NUCLEUS OF THE OPERATING SYSTEM

All of the operations involving processes are controlled by a portion of the operating system variously called its *nucleus*, *core*, or *kernel* (Br70) (Wu74) (Sh75) (Sc77) (Hp80) (Bl81) (Cr81) (Lo81) (Re82) (Ca85). The nucleus normally represents only a small portion of the code of what is commonly thought to be the entire operating system, but it is among the most intensively used code. For this reason, the nucleus ordinarily remains in primary storage while other portions of the operating system are shuttled to and from secondary storage as needed.

One of the most important functions included in the nucleus is interrupt processing. In large, multiuser systems, a constant blizzard of interrupts is directed at the processor. Rapid response to these interrupts is essential to keeping the resources of the system well utilized, and to providing acceptable response times to interactive users.

The nucleus disables interrupts while it is responding to an interrupt; interrupts are again enabled after the processing of an interrupt is complete. With a steady flow of interrupts, it is possible that the nucleus could have interrupts disabled for a large portion of the time; this could result in poor response to interrupts. Therefore, nuclei are designed to do the "bare minimum" amount of processing that is possible on each interrupt, and then to pass the remaining processing of each interrupt to an appropriate system process that can operate while the nucleus is enabled for further interrupts. This ultimately means that interrupts may be enabled a much larger percentage of the time, and that the system is more responsive.

3.9.1 A Summary of Nucleus Functions

An operating system nucleus normally contains the code to perform the following functions.

- Interrupt handling.
- Process creation and destruction. (see the UNIX case study in Chapter 18 and the OS/2 case study in Chapter 23.)
- Process state switching.
- Dispatching. (See also Chapter 10.)
- Process suspension and resumption. (See also Chapter 10.)
- Process synchronization. (See Chapters 4 and 5.)
- Interprocess communication. (See Chapters 4 and 5 and the various case studies in Chapters 18 through 23.)
- Manipulation of process control blocks.
- Support of input/output activities. (See the case studies of Chapters 18 through 23. Input/output is generally unique to each different type of computer system.)
- Support of storage allocation and deallocation. (See Chapters 7, 8, and 9 and the various case studies.)
- Support of the file system. (See Chapters 13 and 14.)
- Support of a procedure call/return mechanism.
- Support of certain system accounting functions. (See Chapters 14 and 20.)

The reader interested in a detailed explanation of the structure and operation of the nucleus should refer to Chapter 6 of the book by Lorin and Deitel (Lo81).

3.9.2 Enabling and Disabling Interrupts

The nucleus is normally entered by an interrupt. The nucleus disables further interrupts while it responds to the interrupt being processed. Once the cause of the interrupt is determined, the nucleus passes the processing of the interrupt to a specific system process designed to handle that type of interrupt.

In some systems, all the processing of each interrupt is done by a large, one-piece operating system. In such systems, interrupts are disabled for a larger percentage of the time, but the systems are conceptually simpler. Such a design is useful in small systems that support a limited number of processes; in large multiuser systems the nucleus approach yields far better performance.

3.9.3 Hierarchical System Structure

The literature includes papers (Di68) that advocate a hierarchical approach to designing operating systems. At the base of the hierarchy is the computer hardware itself, sometimes called the "raw machine" or "naked iron." At the next level up in the hierarchy (or the next several levels in some designs) are the various nucleus functions. These are viewed as creating an *extended machine*, i.e., a computer that offers not only its machine language in support of the operating system and its users but also a group of additional capabilities provided by the nucleus functions. These additional capabilities are often called *primitives*.

Above the nucleus in the hierarchy are the various operating system processes that operate in support of user processes—for example, the *device manager processes* that actually supervise input/output operations for system devices in behalf of various users. At the top of the hierarchy are the user processes themselves.

Such hierarchical designs have been shown to be easier to debug, modify, and prove correct (Di68). In designs in which the nucleus itself is spread over several levels of the hierarchy, the choice of which nucleus function is to be placed at which level requires careful thought. Often in such designs, only downward calls in the hierarchy are allowed; each level may call upon only those functions it sees in the level directly below.

3.9.4 Migration of the Nucleus to Microcode

One definite trend that has emerged in recent systems is for the placement of much of the nucleus into microcode. This is an effective security technique in that it prevents alteration of the nucleus, and with careful microcoding can make the nucleus functions execute more quickly. Migration of the nucleus to microcode is discussed in detail in the case study on IBM's VM operating system in Chapter 21.

SUMMARY

The most common notion of process is a program in execution. A process that has a processor is running. A process that could use a processor if one were available is ready. A process waiting for some event to occur before it can proceed is blocked.

A running process becomes ready if its quantum expires before it voluntarily releases the processor. A running process becomes blocked if it initiates an I/O operation (or some other event wait) that must complete before it can proceed. A blocked process becomes ready when the event it is waiting for occurs. A ready process becomes running when the processor is assigned to it by the dispatcher.

A process control block (PCB) is a data structure containing information that allows the operating system to locate all key information about a process, including its current state, identification, priority, memory, resources, register values, etc. The PCB defines the process to the operating system.

Operating systems contain mechanisms to perform various operations on processes such as create, destroy, suspend, resume, change priority, block, wakeup, and dispatch a process. A process may spawn another process, in which case the spawning process is the parent and the spawned process is the child. When only one parent is needed to create a child, a hierarchical process structure results.

Suspending and resuming processes is particularly useful to the operating system in its efforts to balance the system load.

Interrupt processing is important in computer systems that support devices and processes operating concurrently. When an interrupt occurs, the operating system gives it immediate attention. After processing an interrupt, the next process is dispatched. This may be the interrupted process itself if this process is nonpreemptive.

The interrupt scheme for the large-scale IBM processors allows six types of interrupts: SVC, I/O, external, restart, program check, and machine check. For each type of interrupt, the operating system contains a routine called an interrupt handler (IH), which processes interrupts of that type. When an interrupt occurs, PSW swapping or context switching occurs; control is switched from the running process to the operating system. The IBM scheme involves a current PSW containing the address of the next instruction to be executed, a set of old PSWs (one per interrupt type) providing save areas for the current PSW when interrupts of that type occur, and a set of new PSWs (one per interrupt type) containing the address of the appropriate interrupt handlers.

The nucleus is a small portion of the operating system that contains intensively used code and resides in primary storage. Its functions generally include interrupt handling, process manipulation, process control block manipulation, dispatching, process synchronization, interprocess communication, support of input/output activities, storage allocation and deallocation, support of the file system, a procedure call/return mechanism, and certain system accounting functions.

In hierarchical system structures, the nucleus is above the computer hardware itself, and the next levels up contain system processes and user processes. Hierarchical structures have been shown to be easier to debug, modify, and prove correct.

There is a trend toward the migration of major portions of the nucleus to microcode; this can yield greater security and faster execution.

TERMINOLOGY

abort a process
activate a process
active states
asynchronous interrupts
block
blocked list
blocked state
child process
context switching
core
create a process
current PSW
destroy a process
device manager process
disabled interrupts
dispatch
dispatch a process
dispatcher
enabled interrupts
event
event wait
extended machine
external interrupt
first level interrupt handler (FLIH)

fully vectored interrupts
hierarchical process structure
hierarchical system structure
interprocess communication
interrupt
interrupt code
interrupt handler (IH)
interrupt key
interrupt service routine (ISR)
interrupt vector
interrupting clock
interval timer
I/O completion event
I/O interrupt
kernel
known processes list
machine check interrupt
migration of nucleus to microcode
naked iron
new PSW
nonpreemptive process
nucleus
old PSW
parent process
pending interrupt
preemptive process
primitives
process
process control block (PCB)
process descriptor
process state transitions
process states
process table
program check interrupt
program status word (PSW)
PSW swapping
quantum
raw machine
ready a process
ready list
ready queue
ready state
restart button
restart interrupt
restart SIGP
resume a process
running process
running state
second level interrupt handler
signal processor instruction
spawn a process
state transition
supervisor call (SVC) interrupt
suspend a process
suspended process
suspended states
suspendedblocked state
suspendedready state
SVC instruction
switching CPU control
synchronous interrupts
task
terminated process
timer runout
trap
unblock
wakeup a process

EXERCISES

3.1 Give several definitions of process. Why, do you suppose, is there no universally accepted definition?

3.2 Define each of the following terms: program, procedure, processor, process, user, task, job.

3.3 Sometimes the terms user, job, and process are used interchangeably. Define each of the terms. In what circumstances do these terms have similar meanings?

3.4 Why doesn't it make sense to maintain the blocked list in priority order? In what circumstances, however, might it be useful to do so?

3.5 The ability of one process to spawn a new process is an important capability, but it is not without its dangers. Consider the consequences of allowing a user to run the following process.

```
wildone: process;
         while true do
             spawn a new process just like me
         end;
```

a) Assuming that a system allowed such a process to run, what would the consequences be?

b) Suppose that you as an operating systems designer have been asked to build in safeguards against such processes. We know (from the "Halting Problem" of computability theory) that it is impossible, in the general case, to predict the path of execution a program will take. What are the consequences of this basic result from computer science on your ability to prevent processes like the above from running?

c) Suppose you decide that it is inappropriate to reject certain processes, and that the best approach is to place certain run-time controls on them. What controls might the operating system use to detect processes like the above at run-time? Would the controls you propose hinder a process's ability to spawn new processes? How would the implementation of the controls you propose affect the design of the system's process handling mechanisms?

3.6 In single user dedicated systems, it is generally obvious when a program goes into an infinite loop. But in multiuser systems running tens or hundreds of processes, it cannot easily be determined that an individual process is not progressing.

a) Can the operating system determine that a process is in an infinite loop?

b) What reasonable safeguards might be built into an operating system to prevent processes in infinite loops from running indefinitely?

3.7 Choosing the correct quantum size is important to the effective operation of an operating system. Later in the text we will consider the issue of quantum determination in depth. For now, let us anticipate some of the problems.

Consider a single processor timesharing system that supports a large number of interactive users. Each time a process gets the processor, the interrupting clock is set to interrupt after the quantum expires. Assume a single quantum for all processes on the system.

a) What would be the effect of setting the quantum at a very large value, say ten minutes?

b) What if the quantum were set to a very small value, say a few processor cycles?

c) Obviously, an appropriate quantum must be between the values in (a) and (b). Suppose you could turn a dial and vary the quantum. How would you know when you had chosen the "right" value? What factors make this value right from the user's standpoint? What factors make it right from the system's standpoint?

3.8 In a block/wakeup mechanism, a process blocks itself to wait for an event to occur. Another process must detect that the event has occurred, and wakeup the blocked process. It is possible for a process to block itself to wait for an event that will never occur.

a) Can the operating system detect that a blocked process is waiting for an event that will never occur?

b) What reasonable safeguards might be built into an operating system to prevent processes from waiting indefinitely for an event?

3.9 System A runs exactly one process per user. System B can support many processes per user. Discuss the organizational differences between operating systems A and B with regard to support of processes.

3.10 Ultimately, all resources must be paid for by users. As a system runs, there are various operations it performs that are difficult to attribute to a particular user. How might the system charge user processes for such system overhead?

3.11 One reason for using a quantum to interrupt a running process after a "reasonable" period of time is to allow the operating system to regain the processor and dispatch the next process. Suppose a system does not have an interrupting clock, and that the only way a process can lose the processor is to relinquish it voluntarily. Suppose also that no dispatching mechanism is provided in the operating system. Describe how a group of user processes could cooperate among themselves to effect a user-controlled dispatching mechanism. What potential dangers would be inherent in this scheme? What are the advantages to the users over a system-controlled dispatching mechanism?

3.12 In some systems, a spawned process is destroyed automatically when its parent is destroyed; in other systems spawned processes proceed independently of their parents, and the destruction of a parent has no effect on its children. Discuss the advantages and disadvantages of each approach. Give an example of a situation in which destroying a parent should specifically not result in the destruction of its children.

3.13 When interrupts are disabled, on most types of devices they remain pending until they can be processed when interrupts are again enabled. No further interrupts are allowed. The functioning of the devices themselves is temporarily halted. But in real-time systems, the environment that generates the interrupts is often disassociated from the computer system. When interrupts are disabled on the computer system, the environment keeps on generating interrupts anyway. These interrupts are often lost. Discuss the consequences of lost interrupts. In a real-time system, is it better to lose occasional interrupts or to halt the system temporarily until interrupts are again enabled?

3.14 Give an example of each of the following types of interrupts.

a) SVC
b) I/O
c) external
d restart
e) program check
f) machine check

3.15 What does it mean for a process to be preemptive? nonpreemptive? Can the processor handle interrupts while a nonpreemptive process is running? Give an example of a process that would probably be preemptive. What type of process would probably be nonpreemptive?

3.16 Discuss an interrupt scheme other than that described in this chapter. Compare the two schemes.

3.17 What is the nucleus or kernel of an operating system? Why is the nucleus ordinarily maintained in primary storage? What functions are normally performed by the nucleus?

3.18 Why does the nucleus ordinarily run with interrupts disabled?

3.19 What is an extended machine? What are primitives?

3.20 Give several reasons why it is effective to place major portions of the nucleus in microcode.

3.21 Some interrupt systems use a current PSW, a new PSW, and an old PSW while others use a stack to save information about an interrupted entity. Discuss how each of these schemes works and consider the advantages and disadvantages of each approach.

3.22 As we will see repeatedly throughout this text, management of waiting is an essential part of every operating system. In this chapter we have seen several waiting states, namely *ready*, *blocked*, *suspendedready*, and *suspendedblocked*. For each of these states discuss how the process got into the state, what the process is waiting for, and the likelihood that the process could get "lost" waiting in the state indefinitely. What features should operating systems incorporate to deal with the possibility that processes could start to wait for an event that might never happen?

3.23 Waiting processes do consume various system resources. Could someone sabotage a system by repeatedly creating processes and making them wait for events that will never happen? What safeguards could be imposed?

3.24 Can a single processor system have no processes ready and no process running? Is this a "dead" system? Explain your answer.

LITERATURE

(Ba80) Baer, J., *Computer Systems Architecture*, Rockville, Md.: Computer Science Press, 1980.

(Bl81) Bartlett, J. F., "A NonStop Kernel," *Proceedings of the 8th Symposium on Operating System Principles*, and *Operating Systems Review*, Vol. 15, No. 5, December 1981, pp. 22–29.

(Be82) Ben-Ari, M., *Principles of Concurrent Programming*, Englewood Cliffs, NJ: Prentice-Hall, 1982.

(Bi88) Bic, L., and A. C. Shaw, *The Logical Design of Operating Systems*, Englewood Cliffs, NJ: Prentice-Hall, 1988.

(Br70) Brinch Hansen, P., "The Nucleus of a Multiprogramming System," *Communications of the ACM*, Vol. 13, No. 4, April 1970, pp. 238–241.

(Ca85) Carriero, N., and D. Gelernter, "The S/Net's Linda Kernel," *Proceedings of the 10th Symposium on Operating Systems Principles*, ACM, Vol. 19, No. 5, December 1985, p. 160.

(Cs78) Case, R. P., and A. Padeges, "Architecture of the IBM System/370," *Communications of the ACM*, Vol. 21, No. 1, January 1978, pp. 73–96.

(Cr81) Crowley, C., "The Design and Implementation of a New UNIX Kernel," *Proc. AFIPS NCC*, Vol. 50, 1981, pp. 1079–1086.

(Di68) Dijkstra, E. W., "The Structure of the T.H.E. Multiprogramming System," *Communications of the ACM*, Vol. 11, No. 5, May 1968, pp. 341–346.

(Fo85) Foster, C. C., and T. Iberall, *Computer Architecture: Third Edition*, New York, NY: Van Nostrand Reinhold, 1985.

(Gi87) Gifford, D., and A. Spector, "Case Study: IBM's System/360-370 Architecture," *Communications of the ACM*, Vol. 30, No. 4, April 1987, pp. 291–307.

(Go86) Gorsline, G. W., *Computer Organization*, Englewood Cliffs, NJ: Prentice-Hall, 1986.

(Ha85) Harman, T. L., and B. Lawson, *The Motorola MC68000 Microprocessor Family: Assembly Language, Interface Design, and System Design*, Englewood Cliffs, NJ: Prentice-Hall, 1985.

(Hp80) Hoppe, J., "A Simple Nucleus Written in Modula-2: A Case Study," *Software—Practice and Experience*, Vol. 10, No. 9, September 1980, pp. 697–706.

(Hr73) Horning, J. J., and B. Randell, "Process Structuring," ACM *Computing Surveys*, Vol. 5, No. 1, March 1973, pp. 5–29.

(Hu80) Hunt, J. G., "Interrupts," *Software—Practice and Experience*, Vol. 10, No. 7, July 1980, pp. 523–530.

(Ka83) Kaisler, S. H., *The Design of Operating Systems for Small Computer Systems*, New York, NY: John Wiley & Sons, Inc., 1983.

(Kr88) Krakowiak, S., *Principles of Operating Systems*, Cambridge, MA: M.I.T. Press, 1988.

(Lm68) Lampson, B. W., "A Scheduling Philosophy for Multiprocessing System," *Communications of the ACM*, Vol. 11, No. 5, 1968, pp. 347–360.

(Ln87) Leonard, T. E., *VAX Architecture Reference Manual*, Bedford, MA: Digital Press, 1987.

(Le80) Levy, H. M., and R. H. Eckhouse, Jr., *Computer Programming and Architecture: The VAX-11*, Maynard, Mass.: Digital Press, 1980.

(Lo81) Lorin, H., and H. M. Deitel, *Operating Systems*, Reading, Mass.: Addison-Wesley, 1981, pp. 161–186.

(Ma82) Mano, M. M., *Computer System Architecture*, 2nd Ed., Englewood Cliffs, NJ: Prentice-Hall, 1982.

(Po83) Powell, M., and B. P. Miller, "Process Migration in DEMOS/MP," *Proceedings of the 9th Symposium on Operating Systems Principles*, ACM, Vol. 17, No. 5, October 1983, pp. 110–119.

(Pr75) Presser, L., "Multiprogramming Coordination," *ACM Computing Surveys*, Vol. 7, No. 1, March 1975, pp. 21–44.

(Re82) Rees, D. J., and P. D. Stephens, "The Kernel of the Emas 2900 Operating System," *Software—Practice and Experience*, Vol. 12, 1982, pp. 655–668.

(Sc77) Schroeder, M. D.; D. Clark; and J. H. Saltzer, "Multics Kernel Design Project," Proceedings of the Sixth Annual Symposium on Operating Systems Principles, *Operating Systems Review*, Vol. 11, No. 5, November 1977.

(Sh75) Shaw, A., et al., "A Multiprogramming Nucleus with Dynamic Resource Facilities," *Software Practice and Experience*, Vol. 5, 1975, pp. 245–267.

(St82) Stone, H. S., *Microcomputer Interfacing*, Reading, MA: Addison-Wesley, 1982.

(Su87) Sun Microsystems, "Lightweight Processes," *SunOS System Service Overview*, Mountian View, CA: Sun Microsystems, December 1987, pp. 143–174.

(Tk86) Takagi, H., *Analysis of Polling Systems*, Cambridge, MA: The MIT Press, 1986.

(Tn87) Tanenbaum, A. S., *Operating Systems: Design and Implementation*, Englewood Cliffs, NJ: Prentice-Hall, 1987.

(Ta83) Taylor, R. N., "A General Purpose Algorithm for Analyzing Concurrent Programs," *Communications of the ACM*, Vol. 26, No. 5, May 1983, pp. 362–376.

(Wu74) Wulf, W. A., et al., "Hydra: The Kernel of a Multiprocessor Operating System," *Communications of the ACM*, Vol. 17, No. 6, 1974, pp. 337–345.

4 Asynchronous Concurrent Processes

Do not put me to't,
For I am nothing if not critical.

William Shakespeare

A person with one watch knows what time it is; a person with two watches is never sure.

Proverb

Busy leisure.

Johann Elias Schlegel

A really busy person never knows how much he weighs.

Edgar Watson Howe

Delays breed dangers.

John Lyly

By delaying he preserved the state.

Quintus Ennius

Outline

4.1 Introduction
4.2 Parallel Processing
4.3 A Control Structure for Indicating Parallelism: Parbegin/Parend
4.4 Mutual Exclusion
4.5 Critical Sections
4.6 Mutual Exclusion Primitives
4.7 Implementing Mutual Exclusion Primitives
4.8 Dekker's Algorithm
4.9 Peterson's Algorithm
4.10 *N*-Process Mutual Exclusion
4.11 A Hardware Solution to Mutual Exclusion: The Testandset Instruction
4.12 Semaphores
4.13 Process Synchronization with Semaphores
4.14 The Producer-consumer Relationship
4.15 Counting Semaphores
4.16 Implementing Semaphores, P and V
4.17 Eventcounts and Sequencers

4.1 INTRODUCTION

Processes are *concurrent* if they exist at the same time (Aw76) (To79) (We83). Concurrent processes can function completely independently of one another, or they can be *asynchronous* (Ch81) (Sl82), which means that they require occasional synchronization and cooperation. Asynchronism is a complex topic—this chapter and Chapter 5 discuss the organization and management of systems that support asynchronous concurrent processes.

Many important asynchronism problems are presented. Their solutions are presented as concurrent programs that use a program notation similar to, although not identical to, that of the language Concurrent Pascal developed by Brinch Hansen (Br75, Br77). Another popular Pascal-based concurrent language is Modula-2 developed by Wirth (Wi77) (Hp80) (Wi83) (Og85). Chapter 5 discusses concurrent programming features of the emerging language Ada (Ac82), certain to be the leading concurrent programming language of the 1990s. Chapter 5 introduces several of the classic problems in concurrency and presents concurrent programs that solve those problems.

The various mechanisms that support interprocess communication are discussed in the case studies, especially those on UNIX and OS/2.

The reader interested in exploring concurrency further should consult the literature section at the end of this chapter, which lists more than 100 books and papers. The paper by Andrews and Schneider (An83) overviews the field; Gehani and McGettrick (Ge88) present a collection of 24 key papers; Ben-Ari (Bn82) and Perrott (Po87) present treatments of parallel programming suitable for upper-level undergraduate courses; Chandy and Misra (Ch88) provide a mathematical treatment suitable for a graduate course.

4.2 PARALLEL PROCESSING

As computer hardware continues to decrease in size and cost, there will be distinct trends toward multiprocessing (see Chapter 11), distributed processing (see Chapter 16), and massive parallelism (La77a) (La78a) (Sz84) (Ml85) (Mu85) (Sc85) (Fe86). If certain operations can logically be performed in parallel, then computers will physically perform them in parallel, even if the *level of parallelism* is thousands or perhaps millions of concurrent activities (Br78b) (Tr79) (Br81) (Zh84) (Hw85) (Wa85). This can result in significant performance improvements over that possible with sequential computers (Fr86) (Kr87).

Parallel processing is interesting and complex for several reasons. People seem better able to focus their attention on one activity at a time than to think in parallel. (The reader might try to read two books at once, reading a line from one, a line from the other, the second line from the first, and so on).

It is difficult and time consuming to determine what activities can and cannot be performed in parallel (Li84) (La85) (Bo87) (So87) (Sa88). Parallel programs are much more difficult to debug than sequential programs—after a bug is supposedly fixed, it may be impossible to reconstruct the sequence of events that exposed the bug in the first place, so it would be inappropriate to certify, in some sense, that the bug has actually been corrected (My86).

Asynchronous processes must occasionally interact with one another and these interactions can be complex (Cs83). We discuss many examples of process interaction in this and the next several chapters.

Finally, parallel programs are much more difficult to prove correct than sequential programs, and it is widely believed that *proving program correctness* must eventually displace *exhaustive program testing* if real strides are to be made in developing highly reliable, large-scale software systems (Kl76) (Ow76) (La77a) (Le81) (Ms81) (Ow82) (Ch88).

4.3 A CONTROL STRUCTURE FOR INDICATING PARALLELISM: PARBEGIN/PAREND

Many programming language constructs for indicating parallelism have appeared in the literature. These generally involve pairs of statements as follows.

- One statement indicating that sequential execution is to split into several parallel execution sequences (*threads of control*).
- One statement indicating that certain parallel execution sequences are to merge and sequential execution is to resume.

These statements occur in pairs and are commonly called *parbegin/parend* (for begin and end parallel execution), or *cobegin/coend* (for begin and end concurrent execution). In this text we use parbegin/parend as suggested by Dijkstra (Di65). Its general form is shown in Fig. 4.1.

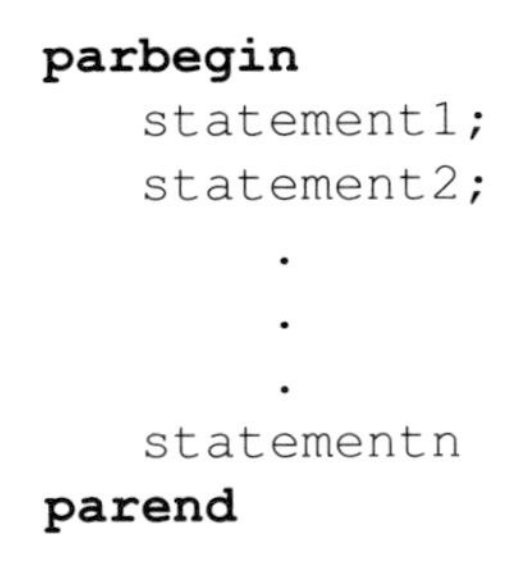

Fig. 4.1 The parbegin/parend parallelism construct.

Suppose a program currently executing a single sequence of instructions encounters the preceding parbegin construct. This causes the single thread of control to split into n separate threads of control—one for each statement in the parbegin/parend construct. These may be simple statements, procedure calls, blocks of sequential statements delineated by begin/end, or combinations of these. Each of the separate threads of control eventually terminates and reaches the parend. When all the parallel threads of control finally terminate, a single thread of control is resumed and the system proceeds with the next statement after the parend.

As an example consider the calculation of one root of a quadratic equation as follows.

```
x := (-b + (b ** 2 - 4 * a * c) ** .5)/(2 * a)
```

This assignment might be evaluated on a sequential processor (possessing an exponentiation instruction) as follows.

```
1    b ** 2
2    4 * a
3    (4 * a) * c
4    (b ** 2) - (4 * a * c)
5    (b ** 2 - 4 * a * c) ** .5
6    -b
7    (-b) + ((b ** 2 - 4 * a * c) ** .5)
8    2 * a
9    (-b + (b ** 2 - 4 * a * c) **.5)/(2 * a)
```

Here, each of the nine operations is executed one at a time in a sequence determined by a system's rules of operator precedence.

On a system that supports parallel processing, the expression might be evaluated as follows.

```
1    parbegin
       temp1 := -b;
       temp2 := b ** 2;
       temp3 := 4 * a;
       temp4 := 2 * a
     parend;
2    temp5 := temp3 * c;
3    temp5 := temp2 - temp5;
4    temp5 := temp5 ** .5;
5    temp5 := temp1 + temp5;
6    x := temp5 / temp4
```

Here, the four operations within the parbegin/parend construct are evaluated in parallel—the remaining five operations must still be performed sequentially. By performing the calculations in parallel, it is possible to reduce real execution time substantially.

4.4 MUTUAL EXCLUSION

Consider a system with many timesharing terminals. Assume that users end each line they type to the system with a carriage return. Suppose it is desired to monitor continuously the total number of lines that users have entered since the day began. Assume each user terminal is monitored by a different process. Each time one of these processes receives a line from a user terminal it increments a system-wide global shared variable, LINESENTERED, by 1. Consider what happens if two processes attempt to increment LINESEN-

TERED simultaneously. Assume each process has its own copy of the code

```
LOAD  LINESENTERED
ADD   1
STORE LINESENTERED
```

Suppose LINESENTERED is currently 21687. Now suppose the first process executes the LOAD and ADD instructions, thus leaving 21688 in an accumulator. Then the process loses the processor (through a quantum expiration) to the second process. The second process now executes all three instructions, thus setting LINESENTERED to 21688. It loses the processor to the first process which then continues by executing the STORE instruction—also placing 21688 into LINESENTERED. Because of the uncontrolled access to the shared variable LINESENTERED, the system has essentially lost track of one of the lines—the correct total should have been 21689.

The key cause of this incorrect result is the writing of the shared variable LINESENTERED. Clearly, many concurrent processes may read data simultaneously without this difficulty. But when one process reads data that another process may be writing, or when one process writes data that another process may also be writing, then indeterminate results may occur (Be66) (Co71) (La77).

The problem can be solved be giving each process *exclusive access* to LINESENTERED. While one process increments the shared variable, all other processes desiring to do so at the same moment should be kept waiting; when that process has finished accessing the shared variable, one of the processes waiting to do so should be allowed to proceed. In this fashion, each process accessing the shared data excludes all others from doing so simultaneously. This is called *mutual exclusion* (Ri81) (Ri83) (Jo86a) (Jo86b) (Ra86). As we will see in this and subsequent chapters, waiting processes must be carefully managed to ensure that they will be able to proceed within a "reasonable" amount of time.

4.5 CRITICAL SECTIONS

Mutual exclusion needs to be enforced only when processes access shared modifiable data—when processes are performing operations that do not conflict with one another they should be allowed to proceed concurrently. When a process is accessing shared modifiable data, the process is said to be in a *critical section* (or *critical region* (Di65)). Clearly, to prevent the kind of problem experienced in the last section, it must be ensured that when one process is in a critical section, all other processes (at least those that access the same shared modifiable data) are excluded from their own critical sections.

While a process is in its critical section, other processes may certainly continue executing outside their critical sections. When a process leaves its critical section, then one other process waiting to enter its own critical section should be allowed to proceed (if indeed there is a waiting process). Enforcing mutual exclusion is one of the key problems in concurrent programming. Many solutions have been devised: some software solutions and some hardware solutions; some rather low-level and some high-level; some requiring voluntary cooperation among processes, and some demanding rigid adherence to strict protocols.

Being inside a critical section is a special status accorded to a process. The process has exclusive access to shared modifiable data, and all other processes currently requiring access to that data are kept waiting. Therefore critical sections must execute as quickly as possible, a process must not block within its critical section, and critical sections must be carefully coded (to avoid the possibility of infinite loops, for example).

If a process in a critical section terminates, either voluntarily or involuntarily, then the operating system, in performing its *termination housekeeping*, must release mutual exclusion so that other processes may enter their critical sections.

4.6 MUTUAL EXCLUSION PRIMITIVES

The concurrent program in Fig. 4.2 properly implements the line counting mechanism of Section 4.4. For simplicity, we shall assume only two concurrent processes in the programs presented in this and the next several sections. Handling n concurrent processes is considerably more complex.

```
program mutualexclusion;
var linesentered: integer;
procedure processone;
   while true do
      begin
         getnextlinefromterminal;
         entermutualexclusion;
            linesentered := linesentered + 1;
         exitmutualexclusion;
         processtheline
      end;
procedure processtwo;
   while true do
      begin
         getnextlinefromterminal;
         entermutualexclusion;
            linesentered := linesentered + 1;
         exitmutualexclusion;
         processtheline
      end;
begin
   linesentered := 0;
   parbegin
      processone;
      processtwo
   parend
end.
```

Fig 4.2 Using mutual exclusion primitives.

The pair of constructs, *entermutualexclusion* and *exitmutualexclusion* introduced in Fig. 4.2 encloses or *encapsulates* the code in each process that accesses the shared variable linesentered, i.e., these constructs delineate critical sections. These operations are sometimes called *mutual exclusion primitives*; that is, they invoke the most fundamental operations inherent in mutual exclusion.

In the two-process case, these primitives operate as follows. When processone executes entermutualexclusion, if processtwo is not in its critical section, then processone enters its critical section, accesses the shared variable, and then executes exitmutualexclusion to indicate that it has left its critical section.

If processtwo is in its critical section when processone executes entermutualexclusion, then processone is made to wait until processtwo executes exitmutualexclusion. Processone may then proceed to enter its own critical section.

If processone and processtwo simultaneously execute entermutualexclusion, then one will be allowed to proceed and one will be kept waiting. For the moment, we shall assume that the "winner" is selected at random.

4.7 IMPLEMENTING MUTUAL EXCLUSION PRIMITIVES

We seek an implementation of entermutualexclusion (*mutual exclusion entry code*) and exitmutualexclusion (*mutual exclusion exit code*) that satisfies the following four constraints.

- The solution is implemented purely in software on a machine without specially designed mutual exclusion instructions. Each machine language instruction is executed *indivisibly*; i.e., once started each instruction completes without interruption. If multiple processors try to access the same data item, we shall assume that a hardware feature called *storage interlock* resolves any conflicts. Storage interlock *sequentializes* the conflicting references by the separate processors, i.e., the references are made to happen one at a time. We assume that the separate references are serviced in random order.
- No assumptions may be made about the relative speeds of asynchronous concurrent processes.
- Processes operating outside of their critical sections cannot prevent other processes from entering their own critical sections.
- Processes must not be indefinitely postponed from entering their critical sections.

An elegant software implementation of mutual exclusion was first presented by the Dutch mathematician Dekker. In the next section we follow Dijkstra's development of *Dekker's Algorithm* (Di65). The arguments presented introduce many of the subtleties in concurrent programming that make this such an interesting field of study. Then, we discuss a more recent and efficient algorithm developed by G. L. Peterson (Pe81).

4.8 DEKKER'S ALGORITHM

Figure 4.3 shows a first effort at specifying the code for enforcing mutual exclusion in the context of a concurrent program with two processes. The parbegin/parend construct causes

```
program versionone;
var processnumber: integer;
procedure processone;
   begin
      while true do
         begin
            while processnumber = 2 do;
            criticalsectionone;
            processnumber := 2;
            otherstuffone
         end
   end;
procedure processtwo;
   begin
      while true do
         begin
            while processnumber = 1 do;
            criticalsectiontwo;
            processnumber := 1;
            otherstufftwo
         end
   end;
begin
   processnumber := 1;
   parbegin
      processone;
      processtwo
   parend
end.
```

Fig. 4.3 Version one of mutual exclusion primitives.

processone and processtwo to operate as concurrent processes. Each of these processes loops indefinitely, repeatedly entering and reentering its critical section. In Fig. 4.3, entermutualexclusion is implemented as a single while loop that keeps looping until processnumber becomes equal to the number of the process; exitmutualexclusion is implemented as a single instruction that sets processnumber to the number of the other process.

Processone executes the while do. Since processnumber is initially 1, processone enters its critical section. Processtwo finds processnumber equal to 1 and remains locked in its while do. Whenever processtwo gets the processor, it simply loops waiting for processnumber to be set to 2, so processtwo does not enter its critical section and mutual exclusion is guaranteed. Because the processor is in use while processtwo essentially does nothing (but test processnumber), this is called *busy waiting*. Busy waiting is deemed an acceptable technique when the anticipated waits are brief; otherwise busy waiting can be costly.

Eventually, processone finishes executing in its critical section (we must assume no infinite loops) and it sets processnumber to 2, thus allowing processtwo to enter its own critical section.

Mutual exclusion is guaranteed, but the price is high. Processone must go first, so if processtwo is ready to enter its critical section, it may be considerably delayed. After processone enters and leaves its critical section, then processtwo must go—even if processone wants to reenter and processtwo is not ready. Thus the processes must enter and

```
program versiontwo;
var p1inside, p2inside: boolean;
procedure processone;
   begin
      while true do
         begin
            while p2inside do;
            p1inside := true;
            criticalsectionone;
            p1inside := false;
            otherstuffone
         end
   end;
procedure processtwo;
   begin
      while true do
         begin
            while p1inside do;
            p2inside := true;
            criticalsectiontwo;
            p2inside := false;
            otherstufftwo
         end
   end;
begin
   p1inside := false;
   p2inside := false;
   parbegin
      processone;
      processtwo
   parend
end.
```

Fig 4.4 Version two of mutual exclusion primitives.

leave their critical sections in strict alternation. If one process needs to do so many times more frequently than the other, it is constrained to operate at a much slower speed than it requires. The system cannot become completely deadlocked—at least one process can proceed if both are simultaneously attempting to enter their critical sections. If one of the processes is terminated, then eventually the other will not be able to proceed.

In the first solution, there was only a single global variable and this forced the *lockstep synchronization* problem. So in version two (Fig. 4.4), we use two variables—p1inside that is true if processone is inside its critical section, and p2inside that is true if processtwo is inside its critical section.

Now processone remains locked in a busy wait as long as p2inside is true. Eventually processtwo leaves its critical section, and performs its own mutual exclusion exit code, setting p2inside to false. Processone then sets p1inside true and enters its critical section. While p1inside is true, processtwo may not enter its own critical section.

Again, the subtleties of concurrent programming surface. Because processone and processtwo are concurrent processes, they could both attempt their respective mutual exclusion entry code sequences simultaneously. Initially, both p1inside and p2inside are false. Processone could test p2inside and find it false—then, before processone can set p1inside to true, processtwo can test p1inside and find it false. At this point processone sets p1inside to true and enters its critical section, and processtwo sets p2inside to true and enters its critical section. Both processes are in their critical sections simultaneously, so version two does not even guarantee mutual exclusion.

In version two, there was difficulty because between the time a process determines in the while test that it can go ahead and the time the process sets a flag to say it is in its critical section, there is enough time for the other process to test its flag and slip into its critical section. Therefore, once a process attempts the while test it must be assured that the other process cannot proceed past its own while test. Version three (Fig. 4.5) attempts to resolve this by having each process set its own flag prior to performing the while. Thus, processone indicates its desire to enter its critical section by setting p1wantstoenter to true. If p2wantstoenter is false, then processone enters its critical section and keeps processtwo waiting if indeed processtwo tries to enter its own critical section. Thus mutual exclusion is guaranteed and it seems that we have a correct solution.

One problem has been solved, but another has been introduced. If each process sets its flag before proceeding to the while test, then each process will find the other's flag set and will loop forever in the while do. This is an example of a two-process *deadlock*. We will study the deadlock problem in depth in Chapter 6.

The problem with version three is that each of the processes can get locked up in its respective while do loop. We need a way to "break out" of these loops. Version four (Fig. 4.6) accomplishes this by forcing each looping process to set its flag false repeatedly for brief periods—this would allow the other process to proceed past its while with its own flag still on.

Mutual exclusion is guaranteed and deadlock cannot occur, but another potentially devastating problem could develop, namely, *indefinite postponement*. Let's see how. Because we cannot make any assumptions about the relative speeds of asynchronous concurrent processes, we must consider all possible execution sequences. The processes could, for example, proceed in tandem. Each process can set its flag to true, then make the while test, then enter the body of the while loop, then set its flag to false, then set its flag to true, and then repeat the sequence beginning with the while test. As they do this, the tested conditions will remain true. Of course, such operation would occur with very low probability—but nevertheless such a scenario *could* occur. Therefore, version four is unacceptable. If a system using this type of mutual exclusion were controlling a space flight, a heart pacemaker, or an air traffic control system, the possibility of indefinite postponement and consequent system failure would loom.

```
program versionthree;
var p1wantstoenter, p2wantstoenter: boolean;
procedure processone;
   begin
      while true do
         begin
            p1wantstoenter := true;
            while p2wantstoenter do;
            criticalsectionone;
            p1wantstoenter := false;
            otherstuffone
         end
   end;
procedure processtwo;
   begin
      while true do
         begin
            p2wantstoenter := true;
            while p1wantstoenter do;
            criticalsectiontwo;
            p2wantstoenter := false;
            otherstufftwo
         end
   end;
begin
   p1wantstoenter := false;
   p2wantstoenter := false;
   parbegin
      processone;
      processtwo
   parend
end.
```

Fig 4.5 Version three of mutual exclusion primitives.

```
program versionfour;
var p1wantstoenter, p2wantstoenter: boolean;
procedure processone;
   begin
      while true do
         begin
            p1wantstoenter := true;
            while p2wantstoenter do
               begin
                  p1wantstoenter := false;
                  delay (random, fewcycles);
                  p1wantstoenter := true
               end;
            criticalsectionone;
            p1wantstoenter := false;
            otherstuffone
         end
   end;
procedure processtwo;
   begin
      while true do
         begin
            p2wantstoenter := true;
            while p1wantstoenter do
               begin
                  p2wantstoenter := false;
                  delay (random, fewcycles);
                  p2wantstoenter := true
               end;
            criticalsectiontwo;
            p2wantstoenter := false;
            otherstufftwo
         end
   end;
begin
   p1wantstoenter := false;
   p2wantstoenter := false;
   parbegin
      processone;
      processtwo
   parend
end.
```

Fig. 4.6 Version four of mutual exclusion primitives.

In just a few lines of code, Dekker's Algorithm (Fig. 4.7) elegantly handles two-process mutual exclusion without the need for any special hardware instructions.

```
program dekkersalgorithm;
var favoredprocess: (first, second);
     p1wantstoenter, p2wantstoenter: boolean;
procedure processone;
   begin
      while true do
         begin
            p1wantstoenter := true;
            while p2wantstoenter do
               if favoredprocess = second then
                  begin
                     p1wantstoenter := false;
                     while favoredprocess = second do;
                     p1wantstoenter := true
                  end;
            criticalsectionone;
            favoredprocess := second;
            p1wantstoenter := false;
            otherstuffone
         end
   end;
procedure processtwo;
   begin
      while true do
         begin
            p2wantstoenter := true;
            while p1wantstoenter do
               if favoredprocess = first then
                  begin
                     p2wantstoenter := false;
                     while favoredprocess = first do;
                     p2wantstoenter := true
                  end;
            criticalsectiontwo;
            favoredprocess := first;
            p2wantstoenter := false;
            otherstufftwo
         end
   end;
begin
   p1wantstoenter := false;
   p2wantstoenter := false;
   favoredprocess := first;
   parbegin
      processone;
      processtwo
   parend
end.
```

Fig 4.7 Dekker's Algorithm for implementing mutual exclusion primitives.

Dekker's Algorithm resolves the possibility of indefinite postponement experienced in version four. Let's see how. Processone indicates its desire to enter its critical section by setting its flag on. It then proceeds to the while test where it checks if processtwo also wants to enter. If processtwo's flag is off, processone skips the body of the while loop and enters its critical section.

Suppose, however, that when processone performs the while test, it discovers that processtwo's flag is set. This forces processone into the body of its while loop. Here it looks at the variable, favoredprocess, that is used to resolve the conflicts that ensue when both processes simultaneously want to enter their critical sections. If processone is the favored process, it skips the body of the if and repeatedly executes the while test waiting for processtwo to turn off its flag. (We will soon see that processtwo must eventually do this.)

If processone determines that processtwo is the favored process, then processone is forced into the body of the if statement where it set its own flag off, and then loops inside the following while do as long as processtwo remains the favored process. By turning off its flag, processone allows processtwo to enter its own critical section.

Eventually, processtwo will leave its critical section and execute its mutual exclusion exit code. These statements set the favored process back to processone and set processtwo's flag off. Processone may now pass the inner while and set its own flag on. Processone then executes the outer while test. If processtwo's flag (which was recently set off) is still off, then processone enters its critical section (and it is guaranteed exclusive access). If, however, processtwo has quickly tried to reenter its own critical section, then processtwo's flag will be on and processone is once again forced into the body of the outer while. This time, however, processone is "in the driver's seat" because it is now the favored process (remember that as processtwo left its critical section it set favoredprocess to first). So processone skips the body of the if, and repeatedly executes the outer while test until processtwo "humbly" sets its flag off, allowing processone to enter its critical section.

Consider the following interesting possibility. As processone comes out of the inner busy wait loop, it is possible for it to lose the processor before it sets its flag on, and for processtwo to loop around and attempt to reenter its own critical section. Processtwo will then set its flag on first, and will reenter its critical section. When processone eventually gets the processor back (as it must), it sets its flag on. Because it will be processone's turn (and because processone's flag is now on), if processtwo tries to reenter, it will set its own flag off and be forced into the inner busy wait, and processone will be able to enter its critical section. So this tricky timing will not result in indefinite postponement.

4.9 PETERSON'S ALGORITHM

The development of Dekker's algorithm in the previous section indicates the fascinating problems that must be dealt with in parallel processing systems. For many years, this algorithm represented the state of the practice in busy-wait algorithms for enforcing mutual exclusion. In 1981, G. L. Peterson published a much simpler algorithm for enforcing two-process mutual exclusion with busy waiting (Pe81). This algorithm is shown in Fig. 4.8.

```
program petersonsalgorithm;
var favoredprocess: (first, second);
    p1wantstoenter, p2wantstoenter: boolean;
procedure processone;
   begin
      while true do
         begin
            p1wantstoenter := true;
            favoredprocess := second;
            while p2wantstoenter
               and favoredprocess = second do;
            criticalsectionone;
            p1wantstoenter := false;
            otherstuffone
         end
   end;
procedure processtwo;
   begin
      while true do
         begin
            p2wantstoenter := true;
            favoredprocess := first;
            while p1wantstoenter
               and favoredprocess = first do;
            criticalsectiontwo;
            p2wantstoenter := false;
            otherstufftwo
         end
   end;
begin
   p1wantstoenter := false;
   p2wantstoenter := false;
   favoredprocess := first;
   parbegin
      processone;
      processtwo
   parend
end.
```

Fig 4.8 Peterson's Algorithm for implementing mutual exclusion primitives.

4.10 *N*-PROCESS MUTUAL EXCLUSION

Dijkstra was the first to present a software solution for implementation of n-process mutual exclusion primitives (Di65a). Knuth (Kn66) responded with a solution that eliminated the possibility of indefinite postponement in Dijkstra's algorithm, but still allowed a process to experience a (potentially) lengthy delay. This generated a series of efforts to find algorithms with shorter delays. Eisenberg and McGuire (Ei72) presented a solution guaranteeing that a process will enter its critical section within $n - 1$ tries. Lamport (La74) developed a solution that is particularly applicable to distributed processing systems. The algorithm uses a "take a ticket" system like those employed in busy bakeries, and has been dubbed *Lamport's Bakery Algorithm*. Brinch Hansen (Br78a) also discusses control of concurrency among distributed processes. Burns, et al (Bu82), offer a solution using a single shared variable. Carvalho and Roucairol (Ca83) discuss enforcing mutual exclusion in computer networks.

4.11 A HARDWARE SOLUTION TO MUTUAL EXCLUSION: THE TESTANDSET INSTRUCTION

Dekker's Algorithm is a software solution to the mutual exclusion problem. This section presents a hardware solution.

The key to success here is to have a single hardware instruction that reads a variable, stores its value in a save area, and sets the variable to a certain value. This instruction, often called *testandset*, once initiated will complete all of these functions without interruption. The indivisible testandset instruction

```
testandset  (a,b)
```

reads the value of boolean b, copies it into a, and then sets b to true—all within the span of a single uninterruptable instruction. Testandset may be used as in Fig. 4.9 to enforce mutual exclusion.

The boolean variable, active, is true if either process is in its critical section, and false otherwise. Processone bases its decision to enter its critical section on its local boolean variable, onecannotenter. It sets onecannotenter to true and then repeatedly testandsets the global boolean variable, active. If processtwo is not in its critical section, active will be false. The testandset will store this value in onecannotenter, and will set active to true. The while test will become false and processone will enter its critical section. Because active has been set to true, processtwo cannot enter its critical section.

Now suppose processtwo is already in its critical section when processone wants to enter. Processone sets onecannotenter to true and then repeatedly testandsets active. Because processtwo is in its critical section, active remains true. Each testandset finds active true, sets onecannotenter to true, and sets active to true. Therefore processone continues its busy waiting until processtwo eventually leaves its critical section and sets active to false. At this point the testandset will find active false (and set it to true to keep

```
program testandsetexample;
var active: boolean;
procedure processone;
   var onecannotenter: boolean;
   begin
      while true do
         begin
            onecannotenter := true;
            while onecannotenter do
               testandset (onecannotenter, active);
            criticalsectionone;
            active := false;
            otherstuffone
         end
   end;
procedure processtwo;
   var twocannotenter: boolean;
   begin
      while true do
         begin
            twocannotenter := true;
            while twocannotenter do
               testandset (twocannotenter, active);
            criticalsectiontwo;
            active := false;
            otherstufftwo
         end
   end;
begin
   active := false;
   parbegin
      processone;
      processtwo
   parend
end.
```

Fig. 4.9 Mutual exclusion with testandset.

processtwo out) and set onecannotenter to false, thus allowing processone to enter its critical section.

This solution can suffer from indefinite postponement, but this is highly unlikely, especially if there are multiple processors. As soon as a process leaving its critical section sets active to false, the other process's testandset is likely to "grab" active (by setting it to true) before the first process can loop around and set active to true.

4.12 SEMAPHORES

Dijkstra abstracted the key notions of mutual exclusion in his concept of *semaphores* (Di65) (Pa71) (Lu75). A semaphore is a *protected variable* whose value can be accessed and altered only by the operations *P* and *V* and an initialization operation we shall call *semaphoreinitialize. Binary semaphores* can assume only the value 0 or the value 1. *Counting semaphores* (also called *general semaphores*) can assume only nonnegative integer values.

The P operation on semaphore S, written P(S), operates as follows.

if S > 0
  then S := S – 1
  else (wait on S)

The V operation on semaphore S, written V(S), operates as follows.

if (one or more processes are waiting on S)
  then (let one of these processes proceed)
  else S := S + 1

We shall assume a first-in-first-out queueing discipline for processes waiting to complete a P(S).

Like testandset, P and V are indivisible. Mutual exclusion on the semaphore, S, is enforced within P(S) and V(S). If several processes attempt a P(S) simultaneously, only one will be allowed to proceed. The others will be kept waiting, but the implementation of P and V guarantees that processes will not suffer indefinite postponement.

Semaphores and semaphore operations can be implemented in software or hardware. They are commonly implemented in the nucleus of the operating system where process state switching is controlled.

Figure 4.10 shows how semaphores may be used to enforce mutual exclusion. Here P(active) is equivalent to entermutualexclusion and V(active) is equivalent to exitmutualexclusion.

4.13 PROCESS SYNCHRONIZATION WITH SEMAPHORES

When a process issues an I/O request, it blocks itself to await the completion of the I/O. Some other process must awaken the blocked process. Such an interaction is an example of a *block/wakeup protocol*. These notions were introduced in Chapter 3.

More generally, suppose one process wants to be notified about the occurrence of a particular event. Suppose some other process is capable of detecting that this event has occurred. Figure 4.11 shows how semaphore operations may be used to implement a simple two-process block/wakeup synchronization mechanism.

Processone executes some preliminarystuffone and then executes P(eventofinterest) to *wait* until the event happens. The semaphore has been initialized to zero so the process must wait. Eventually processtwo executes V(eventofinterest) to *signal* that the event has occurred. This allows processone to proceed (with the semaphore still zero).

```
program semaphoreexampleone;
var active: semaphore;
procedure processone;
   begin
      while true do
         begin
            preliminarystuffone;
            P(active);
            criticalsectionone;
            V(active);
            otherstuffone
         end
   end;
procedure processtwo;
   begin
      while true do
         begin
            preliminarystufftwo;
            P(active);
            criticalsectiontwo;
            V(active);
            otherstufftwo
         end
   end;
begin
   semaphoreinitialize(active,1);
   parbegin
      processone;
      processtwo
   parend
end.
```

Fig. 4.10 Using a semaphore and the P and V primitives to enforce mutual exclusion.

Note that this mechanism works even if processtwo detects and signals the event with V(eventofinterest) before processone executes P(eventofinterest)—the semaphore will have been incremented from 0 to 1, so P(eventofinterest) will simply decrement the semaphore from 1 to 0, and processone will proceed without waiting for the event.

4.14 THE PRODUCER-CONSUMER RELATIONSHIP

In a sequential program, when one procedure calls another and passes data, the procedures are part of a single process—they do not operate concurrently. But when one process passes

```
program blockandwakeup;
var eventofinterest: semaphore;
procedure processone;
   begin
      preliminarystuffone;
      P(eventofinterest);
      otherstuffone
   end;
procedure processtwo;
   begin
      preliminarystufftwo;
      V(eventofinterest);
      otherstufftwo
   end;
begin
   semaphoreinitialize(eventofinterest,0);
   parbegin
      processone;
      processtwo
   parend
end.
```

Fig. 4.11 Block/wakeup process synchronization with semaphores.

data to another process, the problems are more complex. Such transmission is an example of *interprocess communication* (Cx81) (Ce84) (Fi85) (Wt85) (Wt85a) (Ke86).

Consider the following producer-consumer relationship. Suppose one process, a *producer*, is generating information that a second process, a *consumer*, is using. Suppose they communicate by a single shared integer variable, numberbuffer. The producer does some calculations and then writes the result into numberbuffer; the consumer reads the data from numberbuffer and prints it.

It is possible that the producer and consumer processes could run quite nicely in tandem, or their speeds could be grossly mismatched. If every time the producer deposits a result in numberbuffer the consumer immediately reads it and prints it, then the printed output will faithfully represent the stream of numbers generated by the producer.

But suppose the speeds of the processes are mismatched. If the consumer is operating faster than the producer, the consumer could read and print the same number twice (or many times for that matter) before the producer deposits the next number. If the producer is operating faster then the consumer, the producer could overwrite its previous result before the consumer has had a chance to read it and print it; a fast producer could in fact do this several times so that many results would be lost.

Obviously, the behavior we desire here is for the producer and the consumer to cooperate in such a manner that data written to numberbuffer are neither lost nor duplicated.

Enforcing such behavior is an example of *process synchronization* (Ea72) (Ha72) (La76) (Si79) (He80) (Sh82) (Sw84) (Fa88).

Figure 4.12 shows a concurrent program that uses semaphore operations to implement a producer-consumer relationship.

Here we have used two semaphores: numberdeposited is indicated (V'd) by the producer and tested (P'd) by the consumer; the consumer cannot proceed until a number has been deposited in numberbuffer. The consumer indicates (V's) numberretrieved and the producer tests (P's) it; the producer cannot proceed until a number already in the buffer has been retrieved. The initial settings of the semaphores force the producer to deposit a value in numberbuffer before the consumer can proceed. Notice that the use of semaphores in this program forces lock-step synchronization; this is acceptable because there is only a single shared variable. It is common in producer-consumer relationships to have a buffer with room for many variables. With such an arrangement, the producer and consumer need not run "at the same speed" in lock-step synchronization. Rather, a fast producer can deposit several values while the consumer is inactive, and a fast consumer can retrieve several values while the producer is inactive. We will investigate this arrangement in the Chapter 4 exercises and in the discussion of ring buffer management in Chapter 5.

4.15 COUNTING SEMAPHORES

Counting semaphores are particularly useful when a resource is to be allocated from a pool of identical resources. The semaphore is initialized to the number of resources in the pool. Each P operation decrements the semaphore by 1, indicating that another resource has been removed from the pool and is in use by a process. Each V operation increments the semaphore by 1, indicating that a process has returned a resource to the pool, and the resource may be reallocated to another process. If a P operation is attempted when the semaphore has been decremented to zero, then the process must wait until a resource is returned to the pool by a V operation.

4.16 IMPLEMENTING SEMAPHORES, P AND V

Given Dekker's Algorithm and/or the availability of a testandset machine instruction, it is straightforward to implement P and V with busy waiting. But busy waiting can be wasteful.

In Chapter 3 we studied the process state switching mechanisms implemented in the nucleus of an operating system. It was observed that a process requesting an I/O operation voluntarily blocks itself pending completion of the I/O. The blocked process does not busy wait. Instead it relinquishes the processor, and the nucleus threads the process's PCB into the blocked list. The process thus remains asleep until it is awakened by the nucleus that removes the process from the blocked list and threads it into the ready list.

Semaphore operations can also be implemented in the nucleus to avoid busy waiting (Br70). A semaphore is implemented as a protected variable and a queue in which processes can wait for V operations. When a process attempts a P operation on a semaphore whose current value is zero, the process relinquishes the processor and blocks itself to await a V operation on the semaphore. The nucleus threads the process's PCB into the queue of

```
program producerconsumerrelationship;
var numberbuffer: integer;
    numberdeposited: semaphore;
    numberretrieved: semaphore;
procedure producerprocess;
   var nextresult: integer;
   begin
      while true do
         begin
            calculatenextresult;
            P(numberretrieved);
            numberbuffer := nextresult;
            V(numberdeposited)
         end
   end;
procedure consumerprocess;
   var nextresult: integer;
   begin
      while true do
         begin
            P(numberdeposited);
            nextresult := numberbuffer;
            V(numberretrieved);
            write(nextresult)
         end
   end;
begin
   semaphoreinitialize(numberdeposited,0);
   semaphoreinitialize(numberretrieved,1);
   parbegin
      producerprocess;
      consumerprocess
   parend
end.
```

Fig. 4.12 Producer-consumer relationship implemented with semaphores.

processes waiting on that semaphore. (We assume a first-in-first-out queue discipline. Other disciplines, including priority queueing, have been investigated.) The nucleus then reassigns the processor to the next ready process.

The process in the semaphore queue eventually moves to the head of the queue. Then the next V operation removes the process from the semaphore queue and places it on the ready list (De81). Of course, processes attempting simultaneous P and V operations on a semaphore are guaranteed exclusive access to the semaphore by the nucleus.

Note that in the special case of uniprocessor systems, the indivisibility of P and V can be ensured by simply disabling interrupts while P and V operations are manipulating a semaphore. This prevents the processor from being usurped until the manipulation is complete (at which point interrupts are again enabled).

In the nucleus of a multiprocessor system (see Chapter 11), one of the processors can be given the job of controlling the ready list and determining which processors run which processes (Br81). Another approach to implementing a nucleus for a multiprocessor system is to control access (via busy waiting) to a shared ready list. A distributed system nucleus (see Chapter 16) could have one processor control the ready list, but normally each processor manages its own ready list and thus each processor essentially has its own nucleus (Br78a) (La78) (La78a) (Ri81) (Ri83). As a process migrates between various processors of a distributed system, control of that process is passed from one nucleus to another.

4.17 EVENTCOUNTS AND SEQUENCERS

Reed and Kanodia (Re77) (Re79) introduced the notions of eventcounts and sequencers to enable process synchronization without the use of mutual exclusion. An *eventcount* keeps track of the number of occurrences of events of a particular class of related events; a *sequencer* orders events. An eventcount is simply an integer counter that does not decrease; eventcounts are automatically initialized to zero when they are created. Three primitive operations allow processes to reference eventcounts, namely **advance**(eventcount), **read**(eventcount), and **await**(eventcount, value). Eventcounts are discussed in this section; sequencers are examined in the exercises.

The primitive **advance**(E) signals the occurrence of an event of the class of events represented by E by incrementing eventcount E by 1; a process that advances E is said to be a *signaler* of E. Note that eventcounts can become arbitrarily large; the assumption is that they are defined in such a way that their actual values could never, over their expected lifetimes, become as large as the maximum possible value they could hold. The primitive **read**(E) obtains the value of E; because **advance**(E) operations may be occurring during a **read**(E), it is only guaranteed that the value read will be at least as great as E was before the read started, and at most as great as this value plus the number of advance operations occurring during the **read**(E). The primitive **await**(E,v) blocks the process until the value of E becomes at least v; this avoids the need for busy waiting.

The concurrent program in Fig. 4.13 illustrates how a producer-consumer relationship using a ring buffer can be implemented with eventcounts (Re79). The ring buffer is assumed to have 5 elements numbered 0 through 4. Each element contains a value of type elementtype. Two eventcounts, *in* and *out*, synchronize the operation of producerprocess and consumerprocess. The function produce creates a value of type elementtype that is then placed in the ring buffer in element ringbuffer[i **mod** n]; the first value is placed in element 1, the second in element 2, the third in element 3, and the fourth in element 4. The fifth value (i = 5) is placed back in element 0 because of the modulus calculation. Obviously, an element can only be reused if consumerprocess has already read the most recent value

```
program eventcountproducerconsumer;
const n = 5;
var in,out: eventcount;
    ringbuffer: array[0 .. n-1] of elementtype;
procedure producerprocess;
   var i:integer;
   begin
      i := 0;
      while true do
         begin
            i := i + 1
            await(out,i-n);
            ringbuffer[i mod n] := produce();
            advance(in);
         end
   end;
procedure consumerprocess;
   var i:integer;
   begin
      i := 0;
      while true do
         begin
            i := i + 1
            await(in,i);
            consume(ringbuffer[i mod n]);
            advance(out);
         end
   end;
begin
   parbegin
      producerprocess;
      consumerprocess
   parend
end.
```

Fig. 4.13 Producer-consumer relationship implemented with eventcounts.

placed there. And, of course, this requires careful coordination between producerprocess and consumerprocess.

Eventcount *in* counts the number of items producerprocess has placed in the ring buffer; eventcount *out* counts the number of items consumerprocess has removed from the ring buffer. The consumerprocess can never have consumed more items than producerprocess has produced. In fact, *out* must always be less than or equal to *in*; if *out* is less than *in*, it can never be smaller than *in* by more than *n*, the size of the ring buffer.

Clearly, producerprocess can only insert a new value into the ring buffer if space is available, so producerprocess waits until eventcount *out* is at least *i-n*. Also, consumerprocess can only remove a value from the ring buffer when one or more values are present; so consumerprocess waits until the eventcount *in* is at least equal to *i*.

SUMMARY

Processes are concurrent if they exist at the same time. Asynchronous concurrent processes require occasional synchronization and cooperation.

Systems that support parallel activities are interesting to study because of the trends toward multiprocessing, distributed processing, and massive parallelism; this is so because it is difficult to determine what activities can and cannot be performed in parallel, because parallel programs are much more difficult to debug than sequential programs, because the interactions between asynchronous processes can be complex, and because proving program correctness is much more difficult for parallel programs than for sequential programs.

The parbegin/parend construct is used to indicate that a single thread of control is split into multiple threads of control, and that eventually these are to merge back into a single thread of control. Its general form is

```
parbegin
   statement1;
   statement2;
        .
        .
        .
   statementn
parend
```

indicating that each of the statements may be executed in parallel.

When processes cooperate in a manner such that while one process is accessing shared modifiable data all others are excluded from doing so, this is called mutual exclusion. When a process is accessing shared modifiable data, the process is said to be in its critical section. When processes cooperate over the use of shared modifiable data, when one process is in its critical section, all other processes must be excluded from their critical sections.

Critical sections should execute as quickly as possible, a process must not block within its critical section, and critical sections must be carefully coded (to avoid the possibility of infinite loops, for example).

A process desiring to enter its critical section executes entermutualexclusion, a primitive operation that makes this process wait if another process is in its critical section. A process leaving its critical section executes exitmutualexclusion to allow a waiting process to proceed.

Dekker's Algorithm, a software implementation of mutual exclusion primitives, has the following properties.

- It requires no special hardware instructions.
- A process operating outside its critical section cannot prevent another process from entering its own critical section.
- A process desiring to enter its critical section will do so without the possibility of indefinite postponement.

Dekker's Algorithm is applicable for two-process mutual exclusion. Software solutions have been developed for *n*-process mutual exclusion; these solutions are generally quite complex. Peterson's Algorithm for two-process mutual exclusion is considerably simpler than Dekker's version.

The indivisible testandset instruction, testandset (*a*, *b*), reads the value of boolean *b*, copies it into *a*, and then sets *b* to true. It can be used to enforce mutual exclusion.

A semaphore is a protected variable whose value can be accessed and altered only by the operations P and V and an initialization operation (called semaphoreinitialize in the text). Binary semaphores can assume only the value 0 or the value 1. Counting semaphores can assume nonnegative integer values.

The P operation on semaphore S, written P(S), operates as follows.

```
if S > 0
  then S := S – 1
  else (wait on S)
```

The V operation on semaphore S, written V(S), operates as follows.

```
if (one or more processes are waiting on S)
  then (let one of these processes proceed)
  else S := S + 1
```

Semaphores may be used to implement a block/wakeup synchronization mechanism: one process blocks itself, via P(S) with S initially zero, to await the occurrence of an event; another process detects the event and awakens the blocked process via V(S).

In a producer-consumer relationship one process, a producer, generates information that a second process, a consumer, uses. This is an example of interprocess communication. If these processes communicate through a shared buffer, the producer must not produce when the buffer is full and the consumer must not consume when the buffer is empty. Enforcing these restrictions is an example of process synchronization.

Counting semaphores are particularly useful when a resource is to be allocated from a pool of identical resources. Each P operation indicates that a resource has been allocated; each V operation indicates that a resource has been returned to the pool.

Semaphore operations can be implemented with busy waiting, but this can be wasteful. Semaphore operations can be implemented in the nucleus to avoid busy waiting. In a uniprocessor system, the indivisibility of P and V can be ensured by disabling interrupts while the P and V operations manipulate semaphores. In a multiprocessor system, one processor can be given the job of controlling all the others and thus can ensure mutual exclusion. This technique can also be used in a distributed system, but it is more common for each processor in a distributed system to have its own nucleus.

Eventcounts and sequencers enable process synchronization without the use of mutual exclusion. An eventcount keeps track of the number of occurrences of events of a particular class of related events; a sequencer orders events. The primitive advance(E) signals the occurrence of an event represented by E by incrementing eventcount E by 1, the primitive read(E) obtains the value of E, and the primitive await(E,v) blocks the process until the value of E becomes at least v.

TERMINOLOGY

advance(eventcount)
asynchronism
asynchronous concurrent processes
await(eventcount,value)
binary semaphore
block/wakeup protocol
busy waiting
cobegin/coend
concurrency
concurrent programming
consumer process
counting semaphore
critical region
critical section
deadlock
Dekker's Algorithm
Dijkstra
encapsulation
entermutualexclusion
eventcount
exclusive access
exhaustive program testing
exitmutualexclusion
general semaphore
indefinite postponement
indivisible operations
interprocess communication
Lamport's Bakery Algorithm
level of parallelism
lockstep synchronization
mutual exclusion
mutual exclusion entry code
mutual exclusion exit code
mutual exclusion primitives
n-process mutual exclusion
P operation
parallel processing
parbegin/parend
Peterson's Algorithm
process synchronization
producer process
producer-consumer relationship
protected variable
proving program correctness
read(eventcount)
semaphore
semaphore initialize
sequencer
sequentialization
shared data
shared resource
signal
signaler
storage interlock
termination housekeeping
testandset instruction
thread of control
two-process mutual exclusion
V operation
wait

EXERCISES

4.1 Give several reasons why the study of concurrency is appropriate and important for students of operating systems.

4.2 Rewrite the following expression using parbegin/parend to achieve maximum parallelism.

```
3 * a * b + 4 / (c + d) ** (e - f)
```

4.3 Rewrite the following parallel computation as a simple sequence of calculations.

```
a := b + c;
parbegin
   d := b * c - x;
   e := a/6 + n ** 2
parend
```

4.4 Why might the following be unacceptable?

```
parbegin
   a := b + c;
   d := b * c - x;
   e := a/6 + n ** 2
parend
```

4.5 Give several reasons why the following statement is false: When several processes access shared information in primary storage, mutual exclusion must be enforced to prevent the production of indeterminate results.

4.6 l exclusion. Compare and contrast these various schemes. Consider their respective advantages and disadvantages.

4.7 When two processes simultaneously attempt entermutualexclusion, we have assumed that the "winner" is selected at random. Discuss the ramifications of this assumption. Give a better method. Discuss how such a method might be implemented on a multiprocessor system where several processes could in fact attempt entermutualexclusion at precisely the same moment.

4.8 Comment on the following use of mutual exclusion primitives.

```
dosomestuffone;
entermutualexclusion;
   dosomestufftwo;
   entermutualexclusion;
      dosomestuffthree;
   exitmutualexclusion;
   dosomestufffour;
exitmutualexclusion;
dosomestufffive
```

4.9 What is the real significance of Dekker's Algorithm?

4.10 In Dekker's Algorithm (Fig. 4.7), it is possible for processtwo to leave its critical section, execute its mutual exclusion exit code, execute its mutual exclusion entry code, and ultimately reenter its critical section before processone gets the chance it has been waiting for to enter its own critical section. Could processtwo actually reenter its own critical section many times before processone gets a chance? If it can, then explain precisely how this can happen and indicate if this situation is an example of indefinite postponement. If it can not happen, then explain precisely how it is prevented.

4.11 Explain how the example concurrent program that enforces mutual exclusion with testandset (Fig. 4.8) could lead to indefinite postponement. Indicate why this possibility would nevertheless be highly unlikely. Under what circumstances would it be acceptable to use this mutual exclusion technique? Under what circumstances would this technique be completely unacceptable?

4.12 Perform an exhaustive timing analysis of Dekker's Algorithm. Does it have any weaknesses?

4.13 Without referencing the published solutions, develop your own solution to the implementation of *n*-process mutual exclusion primitives. (This is a very difficult problem.)

4.14 The solution for *n*-process mutual exclusion presented by Eisenberg and McGuire (Ei72) guarantees that a process will enter its critical section within $n - 1$ tries. Should one hope for better performance with *n* processes?

4.15 Mutual exclusion primitives can be implemented with busy waiting or with blocking. Discuss the applicability and relative merits of each approach.

4.16 Explain in detail how semaphores and semaphore operations can be implemented in the nucleus of an operating system.

4.17 Explain how the disabling and enabling of interrupts is useful in implementing mutual exclusion primitives on uniprocessor systems. What techniques are used on multiprocessor systems? on distributed systems?

4.18 Why must thc V operation be done indivisibly?

4.19 Show how to implement semaphore operations with testandset.

4.20 Some computers have a swap instruction that, like testandset, simplifies the implementation of mutual exclusion primitives. The swap instruction simply exchanges the values of two booleans and thus requires a temporary holding area; the swap instruction is executed indivisibly.

a) Express swap as a procedure in a high-level language.

b) Show how your swap procedure (assuming it is executed indivisibly) may be used to implement the entermutualexclusion and exitmutualexclusion primitives.

4.21 Use counting semaphores to rewrite the program of Fig. 4.9 so that it controls access to a pool of five identical resources.

4.22 As mentioned in the text, critical sections that reference nonintersecting sets of shared variables may indeed be executed simultaneously. Suppose the mutual exclusion primitives are each modified to include a parameter list of the particular shared variables to be referenced in a critical section.

a) Comment on the following use of these new mutual exclusion primitives.

```
dosomestuffone;
entermutualexclusion(a);
   dosomestuffwitha;
   entermutualexclusion(b);
      dosomestuffwithaandb;
   exitmutualexclusion(b);
   dosomemorestuffwitha;
exitmutualexclusion(a);
dosomestufftwo;
```

b) Suppose the two processes below operate concurrently. What are the possible outcomes?

```
PROCESSONE:                          PROCESSTWO:
  ...                                  ...
entermutualexclusion(a);             entermutualexclusion(b);
  ...                                  ...
   entermutualexclusion(b);             entermutualexclusion(a);
     ...                                  ...
   exitmutualexclusion(b);              exitmutualexclusion(a);
  ...                                  ...
exitmutualexclusion(a);              exitmutualexclusion(b);
  ...                                  ...
```

4.23 Many computer systems implement mutual exclusion primitives in microcode. Give several reasons why this is desirable.

4.24 In Dekker's Algorithm, what (if anything) would happen if the two assignment statements in the mutual exclusion exit code were reversed?

4.25 Compare and contrast Peterson's Algorithm and Dekker's Algorithm for enforcing mutual exclusion with busy waiting.

4.26 Show that Peterson's Algorithm is *bounded fair* (An83), i.e., a process cannot be delayed indefinitely on any delay condition that occurs with indefinite repetition. In particular, show that any process waiting to enter its critical section will be delayed no longer than the time it takes for the other process to enter and leave its own critical section once.

4.27 Present a detailed analysis of Peterson's Algorithm to demonstrate that it works properly. In particular, show that deadlock cannot occur, that indefinite postponement cannot occur, and that mutual exclusion is enforced.

4.28 Based on your understanding of the nucleus and interrupt handling, describe how semaphore operations may be implemented on a uniprocessor system.

4.29 Parallel processing is certainly not unique to computer systems. Consider a major city with many streets, many intersections, and thousands of cars driving through the city. Discuss how the traffic in this city and the control of this traffic is similar to the progress of concurrent processes, and the control of these processes as enforced by an operating system.

4.30 In the text we implied that busy waiting can be wasteful. Is it always wasteful? What alternatives exist? Discuss the pros and cons of busy waiting.

4.31 If many processes attempt a P operation, which one should be allowed to proceed? What are the key issues here? What criteria might you use to decide which process should proceed on a uniprocessor system? What criteria might you use on a multiprocessor system?

4.32 A system supports only binary semaphores. Show that counting semaphores may be simulated on this system by using binary semaphores.

4.33 One requirement in the implementation of a P and V is that each of these operations must be executed indivisibly, i.e., once started, each operation runs to completion without interruption. Give an example of a simple situation in which, if these operations are not executed indivisibly, mutual exclusion may not be properly enforced.

4.34 Use semaphores to simulate the operation of a one-product vending machine (Ge84). Keep track of the number of products remaining in the machine, and the amount of money the customer has inserted. Two processes are used, one that accepts money and keeps track of the amount paid, and another that delivers the product and the change when a sufficient amount of money has been entered and the machine's button is pushed. When an insufficient amount of money has been entered, or when no products remain in the machine, the machine should return no product and it should return the full amount deposited. (Note: In the Chapter 5 exercises, you will be asked to solve this problem using the concurrent programming language Ada.)

4.35 The section of the text that discussed eventcounts showed how to use them to implement a producer-consumer relationship for controlling a ring buffer. Implement the same kind of ring buffer mechanism using only semaphores and the semaphore operations P and V. Hint: Use a binary semaphore initialized to 1 to enforce mutually exclusive access to the ring buffer, use a counting semaphore initialized to the number of slots in the buffer to count the number of empty slots, and use another counting semaphore initialized to zero to count the number of full slots in the buffer. The producer must wait if none of the slots are empty; the consumer must wait if none of the slots are full.

4.36 (Sequencers; Reed and Kanodia, 1979) In the text, we considered eventcounts. In this exercise, we consider the related notion of sequencers. When multiple events occur at the same time, it is useful to be able to arbitrate between them and assign an ordering to the events. A sequencer, S, is a nondecreasing variable that is initially set to zero; it may be accessed only by the operation **ticket**(S) which always returns a unique, nonnegative integer value. Note that the **ticket**(S) operation is very much like the "take a ticket" system used in bakeries. Use a sequencer, S, and the **ticket**(S) operation to implement a version of the ring buffer producer-consumer system with multiple producers; you need only show a typical producer. Each producer should first take a ticket, and then wait for all producers with "earlier" tickets to complete; then that producer may insert its information into the ring buffer.

4.37 Show how a semaphore can be constructed from an eventcount and a sequencer. In particular, show how P and V are implemented.

LITERATURE

(Ac82) *ACM Special Publication*, "Reference Manual for the Ada Programming Language (Draft Revised Mil-Std 1815)," July 1982, ACM Order No. 825820.

(Ao78) Akkoyunlu, E. A.; A. J. Bernstein; F. B. Schneider; and A. Silberschatz, "Conditions for the Equivalence of Synchronous and Asynchronous Systems," *IEEE Transactions on Software Engineering*, Vol. SE-4, No. 6, November 1978, pp. 507–516.

(An81) Andrews, G. R., "Synchronizing Resources," *ACM Transactions on Programming Languages and Systems*, Vol. 3, No. 4, October 1981, pp. 405–430.

(An83) Andrews, G. R., and F. B. Schneider, "Concepts and Notations for Concurrent Programming," *ACM Computing Surveys*, Vol. 15, No. 1, March 1983, pp. 3–44.

(Ap80) Apt, K. R.; N. Francez; and W. P. de Roever, "A Proof System for Communicating Sequential Processes," *ACM Transactions on Programming Languages and Systems*, Vol. 2, No. 3, July 1980, pp. 359–385.

(At79) Atkinson, R., and C. Hewitt, "Synchronization and Proof Techniques for Serializers," *IEEE Transactions on Software Engineering*, Vol. SE-5, January 1979, pp. 10–23.

(Aw76) Atwood, J. W., "Concurrency in Operating Systems," *Computer*, Vol. 9, No. 10, October 1976, pp. 18–26.

(Bk77) Baskett, F.; J. H. Howard; and J. T. Montague, "Task Communication in DEMOS," *Proceedings of the 8th ACM Symposium on Operating System Principles*, December 1977, pp. 23–32.

(Bn82) Ben-Ari, M., *Principles of Concurrent Programming*, Prentice-Hall, Englewood Cliffs: NJ, 1982.

(Be66) Bernstein, A. J., "Program Analysis for Parallel Processing," *IEEE Transactions on Computers*, Vol. 15, No. 5, October 1966, pp. 757–762.

(Be80) Bernstein, A. J., "Output Guards and Nondeterminism in Communicating Sequential Processes," *ACM Transactions on Programming Languages and Systems*, Vol. 2, No. 2, April 1980, pp. 234–238.

(Be80a) Bernstein, P. A., and D. W. Shipman, "The Correctness of Concurrency Control Mechanisms in a System for Distributed Databases (SDD-1)," *ACM Transactions on Database Systems*, Vol. 5, No. 1, March 1980, pp. 52–68.

(Be81) Bernstein, P. A., and N. Goodman, "Concurrency Control in Distributed Database Systems," *Computing Surveys*, Vol. 13, No. 2, June 1981, pp. 185–221.

(Be81a) Bernstein, P. A., and N. Goodman, "Concurrency Control Algorithms for Replicated Database Systems," *ACM Computing Surveys*, Vol. 13, No. 2, June 1981, pp. 185–222.

(Be84) Bernstein, P. A., and N. Goodman, "An Algorithm for Concurrency Control and Recovery in Replicated Distributed Databases," *ACM Transactions on Database Systems*, Vol. 9. No. 4, December 1984, pp. 596–615.

(Bo87) Bokhari, S. H., "Multiprocessing the Sieve of Eratosthenes," *Computer*, Vol. 20, No. 4, April 1987, pp. 50–60.

(Br70) Brinch Hansen, P., "The Nucleus of a Multiprogramming System," *Communications of the ACM*, Vol. 13, No. 4, April 1970, pp. 238–241, 250.

(Br72) Brinch Hansen, P., "Structured Multiprogramming," *Communications of the ACM*, Vol. 15, No. 7, July 1972, pp. 574–578.

(Br73) Brinch Hansen, P., *Operating Systems Principles*, Englewood Cliffs, N.J.: Prentice-Hall, 1973.

(Br73a) Brinch Hansen, P., "Concurrent Programming Concepts," *ACM Computing Surveys*, Vol. 5, No. 4, December 1973, pp. 223–245.

(Br75) Brinch Hansen, P., "The Programming Language Concurrent Pascal," *IEEE Transactions on Software Engineering*, Vol. SE-1, No. 2, June 1975, pp. 199–207.

(Br77) Brinch Hansen, P., *The Architecture of Concurrent Programs*, Englewood Cliffs, N.J.: Prentice-Hall, 1977.

(Br78a) Brinch Hansen, P., "Distributed Processes—a Concurrent Programming Concept," *Communications of the ACM*, Vol. 21, No. 11, November 1978, pp. 934–941.

(Br78b) Brinch Hansen, P., "Multiprocessor Architectures for Concurrent Programs," *ACM 78 Conference Proceedings*, Washington, D.C., December 1978, pp. 317–323.

(Br79) Brinch Hansen, P., "A Keynote Address on Concurrent Programming," *IEEE Computer*, May 1979, pp. 50–56.

(Br81) Brinch Hansen, P., "Edison: A Multiprocessor Language," *Software Practice and Experience*, Vol. 11, No. 4, April 1981, pp. 325–361.

(Bu82) Burns, J. E.; P. Jackson; N. A. Lynch; M. J. Fischer; and G. L. Peterson, "Data Requirements for Implementation of N-Process Mutual Exclusion Using a Single Shared Variable," *Journal of the ACM*, Vol. 29, No. 1, January 1982, pp. 183–205.

(Ca83) Carvalho, O. S. F., and G. Roucairol, "On Mutual Exclusion in Computer Networks," *Communications of the ACM*, Vol. 26, No. 2, February 1983, pp. 146–147.

(Ch81) Chandy, K. M., and J. Misra, "Asynchronous Distributed Simulation via a Sequence of Parallel Computations," *Communications of the ACM*, Vol. 24, No. 4, April 1981.

(Ch88) Chandy, K. M., and J. Misra, *Parallel Program Design*, Reading, MA: Addison-Wesley, 1988.

(Ce84) Cheriton, D. R., "An Experiment Using Registers for Fast Message-Based Interprocess Communications," *Operating Systems Review*, Vol. 18, No. 4, October 1984, pp. 12–20.

(Ce79) Cheriton, D. R.; M. A. Malcolm; L. S. Melen; and G. R. Sager, "Thoth, a Portable Real-Time Operating System," *Communications of the ACM*, Vol. 22, No. 2, February 1979, pp. 105–115.

(Cs83) Chesnais, A.; E. Gelenbe; and I. Mitrani, "On the Modeling of Parallel Access to Shared Data," *Communications of the ACM*, Vol. 26, No. 3, March 1983, pp. 196–202.

(Co71) Courtois, P. J.; F. Heymans; and D. L. Parnas, "Concurrent Control with Readers and Writers," *Communications of the ACM*, Vol. 14, No. 10, October 1971, pp. 667–668.

(Cx81) Cox, G. W.; W. M. Corwin; K. K. Lai; and F. J. Pollack, "A Unified Model and Implementation for Interprocess Communication in a Multiprocessor Environment," *Proceedings of the 8th Symposium on Operating Systems Principles*, Vol. 15, No. 5 , December 1981, pp. 125–126.

(Db67) deBruijn, N. G., "Additional Comments on a Problem in Concurrent Programming and Control," *Communications of the ACM*, Vol. 10, No. 3, March 1967, pp. 137–138.

(De81) Denning, P. J.; T. D. Dennis; and J. A. Brumfield, "Low Contention Semaphores and Ready Lists," *Communications of the ACM*, Vol. 24, No. 10, October 1981, pp. 687–699.

(Ds66) Dennis, J. B., and E. C. Van Horn, "Programming Semantics for Multiprogrammed Computations," *Communications of the ACM*, Vol. 9, No. 3, March 1966, pp. 143–155.

(Di65) Dijkstra, E. W., "Cooperating Sequential Processes," Technological University, Eindhoven, Netherlands, 1965. (Reprinted in F. Genuys (ed.), *Programming Languages*, Academic Press, New York, 1968, pp. 43–112).

(Di65a) Dijkstra, E. W., "Solution of a Problem in Concurrent Programming Control," *Communications of the ACM*, Vol. 8, No. 5, September 1965, p. 569.

(Di68) Dijkstra, E. W., "The Structure of the T.H.E. Multiprogramming System," *Communications of the ACM*, Vol. 11, No. 5, May 1968, pp. 341–346.

(Di71) Dijkstra, E. W., "Hierarchical Ordering of Sequential Processes," *Acta Informatica*, Vol. 1, 1971, pp. 115–138.

(Di75) Dijkstra, E. W., "Guarded Commands, Non-determinacy, and Formal Derivation of Programs," *Communications of the ACM*, Vol. 18, 1975, pp. 453–457.

(Ea72) Easton, W. B., "Process Synchronization without Long-Term Interlock," Proc. Third ACM Symp. Operating Systems Principles. *ACM Operating Systems Review*, Vol. 6, No. 1, June 1972, pp. 50–95.

(Ei72) Eisenberg, M. A., and M. R. McGuire, "Further Comments on Dijkstra's Concurrent Programming Control Problem," *Communications of the ACM*, Vol. 15, No. 11, November 1972, p. 999.

(Fa88) Faulk, S. R., and D. L. Parnas, "On Synchronization in Hard-Real-Time Systems," *Communications of the ACM*, Vol. 31, No. 3, March 1988, pp. 274–287.

(Fi85) Fitzgerald, R., and R. F. Rashid, "The Integration of Virtual Memory Management and Interprocess Communication in Accent," *Proceedings of the 10th Symposium on Operating Systems Principles*, ACM, Vol. 19, No. 5, December 1985, pp. 13–24.

(Fr86) Frenkel, K. A., "Complexity and Parallel Processing: An Interview with Richard M. Karp," *Communications of the ACM*, Vol. 29, No. 2, February 1986, pp. 112–117.

(Fe86) Frenkel, K. A., "Evaluating Two Massively Parallel Machines," *Communications of the ACM*, Vol. 29, No. 8, August 1986, pp. 752–759.

(Ge84) Gehani, N. H., "Broadcasting Sequential Processes (BSP)," *IEEE Transactions on Software Engineering*, Vol. SE-10, No. 4, 1984, pp. 343–351.

(Ge88) Gehani, N., and A. D. McGettrick, *Concurrent Programming*, Workingham, England: Addison Wesley, 1988.

(Gr75) Greif, I., "Semantics of Communicating Parallel Processes," *M.I.T. Project MAC TR-154*, September 1975.

(Ha72) Habermann, A. N., "Synchronization of Communicating Processes," *Communications of the ACM*, Vol. 15, No. 3, March 1972, pp. 171–176.

(He80) Henderson, P., and Y. Zalcstein, "Synchronization Problems Solvable by Generalized PV Systems," *Journal of the ACM*, Vol, 27, No. 1, January 1980, pp. 60–71.

(Ho72) Hoare, C. A. R., "Towards a Theory of Parallel Programming," In C. A. R Hoare (ed.), *Operating Systems Techniques*, New York: Academic Press, 1972.

(Ho78) Hoare, C. A. R., "Communicating Sequential Processes," *Communications of the ACM*, Vol. 21, No. 8, August 1978, pp. 666–677.

(Ho85) Hoare, C. A. R., *Communicating Sequential Processes*, Prentice-Hall International, Englewood Cliffs: NJ, 1985.

(Hp80) Hoppe, J., "A Simple Nucleus Written in Modula-2: A Case Study," *Software—Practice and Experience*, Vol. 10, No. 9, September 1980, pp. 697–706.

(Hw85) Hwang, K., and F. A. Briggs, *Computer Architecture and Parallel Processing*, New York, NY: McGraw-Hill, 1985.

(Kr87) Karp, A. H., "Programming for Parallelism," *Computer*, Vol. 20, No. 5, May 1987, pp. 43–57.

(Ka76) Kaubisch, W. H.; R. H. Perrott; and C. A. R. Hoare, "Quasi-parallel programming," *Software Practice and Experience*, Vol. 6, 1976, pp. 341–356.

(Kl76) Keller, R. M., "Formal Verification of Parallel Programs," *Communications of the ACM*, Vol. 19, No. 7, July 1976, pp. 371–384.

(Ke86) Kerridge, J., and D. Simpson, "Communicating Parallel Processes," *Software—Practice and Experience*, Vol. 16, January 1986, pp. 63–86.

(Ki79) Kieburtz, R. B., and A. Silberschatz, "Communicating Sequential Processes," *ACM Transactions on Programming Languages and Systems*, Vol. 1, No. 2, 1979, pp. 218–225.

(Kn66) Knuth, D., "Additional Comments on a Problem in Concurrent Programming Control," *Communications of the ACM*, Vol. 9, No. 5, May 1966, pp. 321–322.

(Kh81) Kohler, W. H., "A Survey of Techniques for Synchronization and Recovery in Decentralized Computer Systems," *Computing Surveys*, Vol. 13, No. 2, June 1981, pp. 149–183.

(Ko83) Korth, H. F., "Locking Primitives in a Database System, *Journal of the ACM*, Vol. 30, No. 1, January 1983, pp. 55–79.

(Ku81) Kung, H. T., and J. T. Robinson, "On Optimistic Methods for Concurrency Control," *ACM Transactions on Database Systems*, Vol. 6, No. 2, June 1981, pp. 213–226.

(Li84) Lai, T., and S. Sahni, "Anomalies in Parallel Branch-and-Bound Algorithms," *Communications of the ACM*, Vol. 27, No. 6, June 1984, pp. 594–602.

(La74) Lamport, L., "A New Solution to Dijkstra's Concurrent Programming Problem," *Communications of the ACM*, Vol. 17, No. 8, August 1974, pp. 453–455.

(La76) Lamport, L., "Synchronization of Independent Processes," *Acta Informatica*, Vol. 7, No. 1, 1976, pp. 15–34.

(La77a) Lamport, L., "Proving the Correctness of Multiprocess Programs," *IEEE Transactions on Software Engineering*, Vol. SE-3, No. 3, March 1977, pp. 125–143.

(La77) Lamport, L., "Concurrent Reading and Writing," *Communications of the ACM*, Vol. 20, No. 11, November 1977, pp. 806–811.

(La78a) Lamport, L., "The Implementation of Reliable Distributed Multiprocess Systems," *Computer Networks*, Vol. 2, No. 2, April 1978, pp. 95–114.

(La78) Lamport, L., "Time, Clocks, and the Ordering of Events in a Distributed System," *Communications of the ACM*, Vol. 21, No. 7, July 1978, pp. 558–565.

(La83) Lamport, L., "Specifying Concurrent Program Modules," *ACM Transactions on Programming Languages and Systems*, Vol. 5, No. 2, 1983, pp. 190–222.

(La85) Lamport, L., "Solved Problems, Unsolved Problems and Non-Problems in Concurrency," *Operating Systems Review*, Vol. 19, No. 4, October 1985, pp. 34–44.

(La86a) Lamport, L., "The Mutual Exclusion Problem: Part I—A Theory of Interprocess Communication," *Journal of the ACM*, Vol. 33, No. 2, 1986, pp. 313–326.

(La86b) Lamport, L., "The Mutual Exclusion Problem: Part II—Statement and Solutions," *Journal of the ACM*, Vol. 33, No. 2, 1986, pp. 327–348.

(Lu75) Lauesen, S., "A Large Semaphore-Based Operating System," *Communications of the ACM*, Vol. 18, No. 7, July 1975, pp. 377–389.

(Le81) Levin, G. M., and D. Gries, "A Proof Technique for Communicating Sequential Processes," *Acta Informatica*, Vol. 15, 1981, pp. 281–302.

(Ln82) Lincoln, N. R., "Technology and Design Tradeoffs on the Creation of a Modern Supercomputer," *IEEE Transactions on Computers*, Vol. 31, 1982, pp. 349–362.

(Ls83) Liskov, B., and R. Scheifler, "Guardians and Actions: Linguistic Support for Robust, Distributed Programs," *ACM Transactions on Programming Languages and Systems*, Vol. 5, No. 3, 1983, pp. 381–404.

(Ms81) Misra, J., and K. Chandy, "Proofs of Networks of Processes," *IEEE Transactions on Software Engineering*, Vol. SE-7, No. 4, July 1981, pp. 417–426.

(Ml85) Mullender, S., and A Tanenbaum, "A Distributed File Service Based on Optimistic Concurrency Control," *Proceedings of the 10th Symposium on Operating Systems Principles*, ACM, Vol. 19, No. 5, December 1985, pp. 51–62.

(Mu85) Murakami, K.; T. Kakuta; R. Onai; and N. Ito, "Research on Parallel Machine Architecture for Fifth-Generation Computer Systems," *Computer*, Vol. 18, No. 6, June 1985, pp. 76–92.

(My86) Myers, W., "Can Software for the Strategic Defense Initiative Ever Be Error-Free?" *Computer*, Vol. 19, No. 11, November 1986, pp. 61–68.

(Og85) Ogilvie, J. W. L., *Modula-2 Programming*, New York, NY: McGraw-Hill, 1985.

(Ow76) Owicki, S., and D. Gries, "Verifying Properties of Parallel Programs: An Axiomatic Approach," *Communications of the ACM*, Vol. 19, No. 5, May 1976, pp. 279–288.

(Ow82) Owicki, S., and L. Lamport, "Proving Liveness Properties of Concurrent Programs," *ACM Transactions on Programming Languages and Systems*, Vol. 4, No. 3, July 1982, pp. 455–495.

(Pa71) Patil, S. S., "Limitations and Capabilities of Dijkstra's Semaphore Primitives for Coordination among Processes," *M.I.T. Project MAC Computational Structures Group Memo 57*, February 1971.

(Po87) Perrott, R. H., *Parallel Programming*, Workingham, England: Addison-Wesley, 1987.

(Pe81) Peterson, G. L., "Myths About the Mutual Exclusion Problem," *Information Processing Letters*, Vol. 12, No. 3, June 1981, pp. 115–116.

(Pe83) Peterson, G. L., "A New Solution to Lamport's Concurrent Programming Problem Using Small Shared Variables," *ACM Transactions on Programming Languages*, Vol. 5, No. 1, January 1983, pp. 56–65.

(Pr75) Presser, L., "Multiprogramming Coordination," *ACM Computing Surveys*, Vol. 7, No. 1, March 1975, pp. 21–44.

(Ra86) Raynal, M., *Algorithms for Mutual Exclusion*, Cambridge, MA: MIT Press, 1986.

(Re83) Reed, D. P., "Implementating Atomic Actions on Decentralized Data," *ACM Transactions on Computer Systems*, Vol. 1, No. 1, February 1983, pp. 3–23.

(Re77) Reed, D. P., and R. K. Kanodia, "Synchronization with Eventcounts and Sequencers," *Proceedings of the 6th ACM Symposium on Operating Systems Principles*, 1977, p. 91.

(Re79) Reed, D. P., and R. K. Kanodia, "Synchronization with Eventcounts and Sequencers," *Communications of the ACM*, Vol. 22, No. 2, February 1979, pp. 115–123.

(Ri81) Ricart, G., and A. K. Agrawala, "An Optimal Algorithm for Mutual Exclusion in Computer Networks," *Communications of the ACM*, Vol. 24, No. 1, January 1981, pp. 9–17.

(Sa88) Salton, G., and C. Buckley, "Parallel Text Search Methods," *Communications of the ACM*, Vol. 31, No. 2, February 1988, pp. 202–215.

(Sl82) Schlichting, R. D., and F. B. Schneider, "Understanding and Using Asynchronous Message Passing Primitives," in *Proceedings of the Sumposium on Principles of Distributed Computing*, August 18–20, 1982, Ottawa, Canada, ACM, New York, pp. 141–147.

(Sc85) Schneck, P. B.; D. Austin; S. L. Squires; J. Lehmann; D. Mizell; and K. Wallgren, "Parallel Processor Programs in the Federal Government," *Computer*, Vol. 18, No. 6, June 1985, pp. 43–56.

(Sh82) Schneider, F., "Synchronization in Distributed Programs," *ACM Transactions on Programming Languages and Systems*, Vol. 4, No. 2, April 1982, pp. 125–148.

(Sw84) Schwarz, P. M., and A. Z. Spector, "Synchronizing Shared Abstract Types," *ACM Transactions on Computer Systems*, Vol. 2, No. 3, August 1984, pp. 223–250.

(Sz84) Shatz, S. M., "Communication Mechanisms for Programming Distributed Systems, *Computer*, Vol. 17, No. 6, June 1984, pp. 21–28.

(Si79) Silberschatz, A., "Communication and Synchronization in Distributed Programs," *IEEE Transactions on Software Engineering*, Vol. SE-5, No. 6, November 1979, pp. 542–546.

(So87) Stone, H. S., "Parallel Querying of Large Databases: A Case Study," *Computer*, Vol. 20, No. 10, October 1987, pp. 11–22.

(To79) Thomas, R. H., "A Majority Consensus Approach to Concurrency Control," *ACM Transactions on Database Systems*, Vol. 4, 1979, pp. 180–209.

(Tr79) Treleaven, P. C., "Exploiting Program Concurrency in Computing Systems," *IEEE Computer Magazine*, Vol. 12, No. 1, January 1979, pp. 42–50.

(Wa85) Wah, B. W.; G. Li; and C. F. Yu, "Multiprocessing of Combinatorial Search Problems," *Computer*, Vol. 18, No. 6, June 1985, pp. 93–108.

(We83) Wegner, P., and S. A. Smolka, "Processes, Tasks and Monitors: A Comparative Study of Concurrent Programming Primitives," *IEEE Transactions on Software Engineering*, Vol. SE-9, No. 4, 1983, pp. 446–462.

(Wi77) Wirth, N., "Modula: A Language for Modular Programming," *Software Practice and Experience*, Vol. 7, No. 1, January–February 1977, pp. 3–35.

(Wi83) Wirth, N., *Programming in Modula–2 (2nd ed.)*, New York, Springer-Verlag, 1983.

(Wt85a) Witt, B. I., "Communicating Modules: A Software Design Model for Concurrent Distributed Systems," *Computer*, Vol. 18, No. 1, January 1985, pp. 67–80.

(Wt85) Witt, B. I., "Parallelism, Pipelines, and Partitions: Variations on Communicating Modules," *Computer*, Vol. 18, No. 2, February 1985, pp. 105–112.

(Zh84) Zhang, T. Y., and C. Y. Suen, "A Fast Parallel Algorithm for Thinning Digital Patterns," *Communications of the ACM*, Vol. 27, No. 3, March 1984, pp. 236–240.

5 Concurrent Programming

High thoughts must have high language.

Aristophanes

As writers become more numerous, it is natural for readers to become more indolent.

Oliver Goldsmith

When the last reader reads no more.

Oliver Wendell Holmes

When we read too fast or too slowly, we understand nothing.

Blaise Pascal

The first precept was never to accept a thing as true until I knew it as such without a single doubt.

Rene Descartes

This shows how much easier it is to be critical than to be correct.

Benjamin Disraeli

Outline

5.1 Introduction
5.2 Critical Regions and Conditional Critical Regions
5.3 Monitors
  5.3.1 Simple Resource Allocation with Monitors
  5.3.2 Monitor Example: The Ring Buffer
  5.3.3 Monitor Example: Readers and Writers
  5.3.4 Nested Monitor Calls
5.4 Path Expressions
5.5 Message Passing
  5.5.1 Mailboxes and Ports
  5.5.2 Pipes
  5.5.3 Remote Procedure Calls
5.6 Ada: A Key Concurrent Programming Language for the 1990s
  5.6.1 Motivation for Ada Multitasking
  5.6.2 Correctness of Concurrent Programs
  5.6.3 The Ada Rendezvous
  5.6.4 The Ada Accept Statement
  5.6.5 Ada Example: Producer-Consumer Relationship
  5.6.6 The Ada Select Statement
  5.6.7 Simulating Path Expressions in Ada
  5.6.8 Ada Example: The Ring Buffer
  5.6.9 Ada Example: Readers and Writers
  5.6.10 Ada: Issues and Concerns

5.1 INTRODUCTION

In the last chapter we presented Dekker's Algorithm and Peterson's Algorithm for the implementation of mutual exclusion primitives, and we studied Dijkstra's semaphores. These methods have a number of weaknesses. They are so primitive that it is difficult to express the solutions to more complex concurrency problems, and their presence in concurrent programs increases the already difficult problem of proving program correctness. The misuse of these primitives, either malicious or accidental, could corrupt the operation of a concurrent system.

The semaphore approach, in particular, has many weaknesses (Ad79b). If P is omitted, then mutual exclusion is not enforced. If V is omitted, then tasks waiting because of P operations could be deadlocked. Once the P begins, the user cannot back out and take an alternate course of action while the semaphore remains in use. A task may wait on only one semaphore at a time; this could lead to deadlock in resource allocation situations, as we will see in Chapter 6.

Therefore researchers have been prompted to seek out higher-level mutual exclusion constructs that facilitate expressing the solutions to complex concurrency problems, facilitate proving program correctness, and are difficult (if not impossible) for the user to misuse or corrupt.

Concurrent programming is much more difficult than sequential programming. Concurrent programs are harder to write, debug, modify, and prove correct. So why is the programming community so intent on increasing concurrent programming?

There has been a surge of interest in concurrent programming languages because they enable us to express solutions more naturally to certain kinds of problems that are inherently parallel in nature, and because of the true hardware parallelism possible with multiprocessors and distributed systems. In Chapter 11 we consider high-performance parallel hardware architectures such as vector processors, array processors, multiprocessors, data flow processors (Mc82), and massive parallel processors (Fr86); and we discuss various concurrent programming languages used to program such parallel hardware. In Chapter 16, we consider distributed systems in the context of the international Open Systems Interconnection (OSI) standards.

In this chapter, we consider high-level constructs and languages for concurrent programming. In particular, we investigate conditional critical regions, monitors, path expressions, message passing, and the concurrent programming language Ada. The program examples prior to Section 5.6 use a Pascal-like syntax; the program examples in Section 5.6 use an Ada-like syntax. The chapter concludes with a lengthy literature section indicating the richness of concurrent programming as a research area.

The potential applications for concurrent programming are numerous. There has been much discussion on concurrency in computer networks (Cr83), distributed systems (Li83) (Sh84) (Fi86) (Li86) (Sh87), and real-time systems (Rb81) (Ni87) (Fo88). Certainly, operating systems themselves are important examples of concurrent systems. So are air traffic control systems, mission critical systems, and real-time process control systems (such as those that control gasoline refineries, chemical manufacturing plants, and food processing plants). Robots are highly concurrent systems. As a robot walks, for example, it must simultaneously be able to see, hear, touch, taste and smell. The walking process itself is highly concurrent; the operation of each motor and each part of every limb must be carefully coordinated to accomplish even the simplest movements. It is widely believed that human vision is an inherently parallel task. Weather forecasting may take a great stride forward when massive parallelism reaches the scale of billions or even trillions of concurrent processors.

What approach should implementors take when building concurrent systems today? Many high-level concurrent programming languages have been developed (St82) (An83). These include Concurrent Pascal (Br75) (Cn79), Distributed Processes (Br78), Concurrent C (Ge86), Communicating Sequential Processes (Ki79) (Ho85), Modula-2 (Hp80) (Wi82) (Og85), VAL (for dataflow machines; see Chapter 11) (Mc82), and *MOD (for distributed programming) (Ck80). But these languages were generally developed by academics for research purposes and the languages tend to lack many of the features needed to implement real systems. The vast majority of today's major programming languages are not concurrent languages. Ada is the first widely used concurrent language, but it will be well into the 1990s before a significant number of systems have been fully implemented in Ada. For now the best approach seems to be a wait and see attitude for all but those implementors involved in state-of-the-art concurrent systems research and development. In the next decade, concurrency could become an important issue even in such widely used programming languages as COBOL, FORTRAN, and others.

Concurrent programming presents opportunities for computer science students as they prepare for careers in industry. Few people in industry today are experienced in concurrent programming. The proliferation of multiprocessing systems and distributed computing systems is establishing the hardware base to support an eventual surge in concurrent applications. The fact that the Department of Defense has mandated Ada as the language of choice for military systems has generated a significant demand for skilled Ada programmers.

5.2 CRITICAL REGIONS AND CONDITIONAL CRITICAL REGIONS

The notion of the *critical region* was developed to express mutual exclusion simply (Br73). For example, to indicate that some action is to be performed with exclusive access to certain *shareddata*, we may write the Pascal-like statement

```
region shareddata do action
```

The notion of the *conditional critical region* (Br72) (Br73) allows us to specify synchronization as well as mutual exclusion. For example,

```
region shareddata do begin await condition; action end
```

enables us to perform *action* under exclusive access to *shareddata* when *condition* is true. Conditional critical regions are used, for example, in Edison (Br81), a concurrent programming language for use with multiprocessors (see Chapter 11).

5.3 MONITORS

A *monitor* is a concurrency construct that contains both the data and procedures needed to perform allocation of a particular *serially reusable* shared resource or group of serially reusable shared resources. The notion of a monitor was suggested by Dijkstra (Di71), then Brinch Hansen (Br72, Br73), and then refined by Hoare (Ho74). There has been much discussion in the literature on this important topic (Br76) (Hw76a) (Hw76b) (Ls76) (Ks77) (Ke78) (La80) (Wg83).

To accomplish a resource allocation function, a process must call a particular *monitor entry*. Many processes may want to enter the monitor at various times. But mutual exclusion is rigidly enforced at the monitor boundary. Only one process at a time is allowed to enter. Processes desiring to enter the monitor when it is already in use must wait. This waiting is automatically managed by the monitor. Since mutual exclusion is guaranteed, the nasty concurrency problems (such as indeterminate outcomes) discussed in Chapter 4 are avoided.

The data inside the monitor may be either global to all procedures within the monitor or local to a specific procedure. All this data is accessible only within the monitor; there is no way for processes outside the monitor to access monitor data. This is called *information hiding*—a system structuring technique that greatly facilitates the development of more reliable software systems.

If a process calling the monitor entry finds the needed resource already allocated, the monitor procedure calls *wait*. The process could remain inside the monitor, but this would violate mutual exclusion if another process then entered the monitor. Therefore, the process calling *wait* is made to wait outside the monitor for the resource to be released.

Eventually, the process that has the resource will call a monitor entry to return the resource to the system. This entry could merely accept the returned resource and wait for another requesting process to arrive. But there may be processes waiting for the resource, so the monitor entry calls *signal* to allow one of the waiting processes to acquire the resource and leave the monitor. If a process signals the return (sometimes called the release) of the resource, and no processes are waiting, then the signal has no effect (but, of course, the monitor has recaptured the resource). Clearly, a process waiting for a resource must do so outside the monitor to allow another process into the monitor to return the resource.

To ensure that a process waiting for a resource eventually does get it, the monitor gives priority to the waiting process over a new requesting process attempting to enter the monitor. Otherwise a new process could grab the resource before the waiting process reenters the monitor. If this unfortunate sequence were to occur repeatedly, then a waiting process could be indefinitely postponed.

Actually, processes may wish to (need to) wait outside a monitor for many different reasons, as we will see in the examples. So the notion of a *condition variable* is introduced. A separate condition variable is associated with each distinct reason that a process might need to wait. The *wait* and *signal* operations are then modified to include the name of the condition variable being waited upon or signaled

```
wait (conditionvariablename)
signal (conditionvariablename)
```

Condition variables are very different from the "conventional" variables with which we are familiar. When a condition variable is defined, a queue is established. A process calling *wait* is threaded into the queue; a process calling *signal* causes a waiting process to be removed from the queue and to enter the monitor. We may assume a first-in-first-out queue discipline, although priority schemes can be useful in certain situations.

5.3.1 Simple Resource Allocation with Monitors

Suppose several processes need access to a certain resource that may be used by only one process at a time. A simple monitor for handling the assignment and deassignment of such a resource is shown in Fig. 5.1.

The beauty of the resourceallocator is that it performs exactly as a binary semaphore; getresource functions as the P operation; returnresource functions as the V operation. Because the simple one-resource monitor can be used to implement semaphores, monitors are at least as powerful as semaphores. Note that the monitor initialization portion is performed before processes begin using the monitor; in this case resourceinuse is set to false to indicate that the resource is initially available.

5.3.2 Monitor Example: The Ring Buffer

Operating systems today are generally implemented as sets of asynchronous concurrent processes controlled by a nucleus. These processes manage parallel activities quite inde-

```
monitor resourceallocator;
var resourceinuse: boolean;
    resourceisfree: condition;
procedure getresource;
   begin
      if resourceinuse then
         wait(resourceisfree);
      resourceinuse := true
   end;
procedure returnresource;
   begin
      resourceinuse := false;
      signal(resourceisfree)
   end;
begin
   resourceinuse := false
end;
```

Fig. 5.1 Simple resource allocation with a monitor.

pendently, but occasional *interprocess communication* is needed. In this section we discuss the *ring buffer* (sometimes called the *bounded buffer*) and how it is useful in situations in which a producer process passes data to a consumer process.

The producer will occasionally want to produce data when the consumer is not ready to consume, and the consumer will occasionally want to consume data that the producer has not yet produced. Thus *synchronization* between a producer and a consumer is important.

Operating systems often allow some reasonable fixed amount of storage for buffering communications between producer and consumer processes. This can be simulated by an array of the designated size. The producer deposits data in the successive elements of the array. The consumer removes them in the order in which they were deposited. The producer can be several items ahead of the consumer. Eventually, the producer fills the last element of the array. When it produces more data, it must "wrap around" and again begin depositing data in the first element of the array (assuming of course that the consumer has removed the data previously put there by the producer). The array effectively closes in a circle, thus the term ring buffer.

Because of the fixed size of the ring buffer, the producer will occasionally find all the array elements full; in this case the producer must be made to wait until the consumer empties an array element. Similarly, there will be times when the consumer wants to consume, but the array will be empty; in this case the consumer must be made to wait until the producer deposits data into an array element. The monitor ringbuffermonitor in Fig. 5.2 (based on that in (Ho74)) implements a ring buffer and the appropriate synchronization mechanism to handle the producer-consumer relationship.

We shall assume that the array contains slots (supplied as a constant) consisting of data type stuff (also to be supplied). Variables nextslottofill and nextslottoempty indicate where the next item is to be placed and from where the next item is to be removed. Condition variable ringbufferhasspace is waited upon by the producer finding ringbuffer completely full; it is signaled by the consumer that has just emptied a slot. Condition variable ringbufferhasdata is waited upon by the consumer finding ringbuffer empty; it is signaled by the producer that has just deposited data in a slot.

A ring buffer mechanism is appropriate for implementing *spooling* control in operating systems. One common example of spooling occurs when a process generates lines to be printed on a relatively slow output device such as a line printer. Because the process can produce the lines much faster than the printer can print them, and because it is desired for the process to run as quickly as possible, the process's output lines are directed to a ring buffer mechanism. The ring buffer may be in primary storage, or more likely on disk. This first process is often called a *spooler*. Another process reads lines from the ringbuffer and writes them on the printer. But this second process, often called a *despooler*, runs at the slower speed of the printer. The ringbuffer has sufficient storage to "take up the slack" resulting from the mismatch in the speeds of the spooler and despooler processes. Of course, we assume the system does not indefinitely generate print lines faster than the printer can print them; if it did, the buffer would always be full and would be of little value in "smoothing" the printing operation.

```
monitor ringbuffermonitor;
var ringbuffer: array [0..slots-1] of stuff;
    slotsinuse: 0..slots;
    nextslottofill: 0..slots-1;
    nextslottoempty: 0..slots-1;
    ringbufferhasdata, ringbufferhasspace: condition;
procedure fillaslot(slotdata:stuff);
   begin
      if slotsinuse = slots
         then wait(ringbufferhasspace);
      ringbuffer[nextslottofill] := slotdata;
      slotsinuse := slotsinuse + 1;
      nextslottofill := (nextslottofill + 1) mod slots;
      signal(ringbufferhasdata)
   end;
procedure emptyaslot(var slotdata:stuff);
   begin
      if slotsinuse = 0 then wait(ringbufferhasdata);
      slotdata := ringbuffer[nextslottoempty];
      slotsinuse := slotsinuse - 1;
      nextslottoempty := (nextslottoempty + 1) mod slots;
      signal(ringbufferhasspace)
   end;
begin
   slotsinuse := 0;
   nextslottofill := 0;
   nextslottoempty := 0
end;
```

Fig. 5.2 A monitor implementation of a ring buffer.

5.3.3 Monitor Example: Readers and Writers

In computer systems, it is common to have some processes (called readers) that read data and others (called writers) that write it. For example, in an airline reservation system there may be many more readers than writers—many inquiries will be made against the database of available flight information before the customer actually selects and commits to seats on a particular flight.

Because readers do not change the contents of the database, many readers may access the database at once. But a writer can modify the data, so it must have exclusive access. When a writer is active, no other readers or writers may be active. This exclusion needs only to be enforced at the record level. It is not necessary to grant a writer exclusive access to the entire database.

The problem of designing a concurrent program to control access of readers and writers to a database was first posed and solved by Courtois, Heymans, and Parnas (Co71). The solution in Fig. 5.3 is based on that developed by Hoare and Gorman (Ho74).

The monitor readersandwriters may be used to control access to an entire database, a subset of the database consisting of many or few records, or even a single record. In any of these cases, the following discussion applies. Only one writer may be active at once; when

```
monitor readersandwriters;
var
   readers: integer;
   someoneiswriting: boolean;
   readingallowed, writingallowed: condition;
procedure beginreading;
   begin
      if someoneiswriting or queue(writingallowed)
         then wait(readingallowed);
      readers := readers + 1;
      signal(readingallowed)
   end;
procedure finishedreading;
   begin
      readers := readers - 1;
      if readers = 0 then signal(writingallowed)
   end;
procedure beginwriting;
   begin
      if readers > 0 or someoneiswriting
         then wait(writingallowed);
      someoneiswriting := true
   end;
procedure finishedwriting
   begin
      someoneiswriting := false;
         if queue(readingallowed)
            then signal(readingallowed)
            else signal(writingallowed)
   end;
begin
   readers := 0;
   someoneiswriting := false
end;
```

Fig. 5.3 A monitor for solving the Readers and Writers Problem.

a writer is active, the boolean variable someoneiswriting is true. No readers may be active when a writer is active. The variable, readers, indicates the number of active readers. When the number of readers is reduced to zero, then a waiting writer may become active. The condition variable readingallowed is waited upon by a new reader that cannot proceed. The condition variable writingallowed is waited upon by a new writer that cannot proceed.

When a reader wishes to read, it calls monitor entry beginreading; a reader that has finished calls finishedreading. In beginreading, a new reader can proceed as long as no process is writing and no writer process is waiting to write. The latter condition is important for preventing indefinite postponement of waiting writers; it is tested by using the boolean function, queue, which indicates whether or not processes are waiting on the condition variable specified in its argument. Note that procedure beginreading ends by signaling readingallowed to allow another waiting reader to begin reading. This, of course, causes this next reader to become active and signal the next waiting reader to proceed. In fact, this chain reaction will continue until all waiting readers have become active. While this chaining is progressing, all arriving processes are forced to wait. The chaining makes good sense. Because the readers do not interfere with one another, and because they can be run in parallel on multiple processor systems, this is an efficient way to service these processes. Note that while the chaining is in progress even arriving readers cannot enter the monitor because we observe the rule that signaled processes are serviced before arriving processes.

When a process is done reading, it calls finishedreading where it decrements the number of readers by 1. Eventually, this decrementing causes the number of readers to become zero at which point the process signals writingallowed to allow a waiting writer to proceed.

When a process wishes to write, it calls monitor procedure beginwriting. Because a writer must have exclusive access, if there are any readers or if there is an active writer, this writer must wait on condition variable writingallowed. When the writer is able to proceed, someoneiswriting is set to true. This keeps out any other readers and writers.

When a writer finishes, it sets someoneiswriting to false to allow other processes in. It then must signal some other waiting process to proceed. Should it give preference to a waiting reader or a waiting writer? If it gives preference to a waiting writer, then it will be possible for a steady stream of incoming writers to cause the indefinite postponement of waiting readers. Therefore as a writer finishes it first checks if there is a waiting reader. If there is, then readingallowed is signaled and the waiting reader proceeds. If there is no waiting reader, then writingisallowed is signaled and a waiting writer is allowed to proceed.

5.3.4 Nested Monitor Calls

It is possible that a system using monitors may allow procedures in one monitor to call procedures in another, thus resulting in *nested monitor calls* (An83). There has been a continuing dialogue on this in the literature (Ka76) (Ha77) (Li77) (Pa78) (We78). If the calls are executed to completion in rapid succession there is little danger. But what if a call down the line causes a process to wait on a condition variable? That process will wait outside that monitor, but what about the trail of open calls the process left in other monitors? Will other processes attempting to enter these monitors be allowed to do so? What approaches should operating systems designers take in dealing with nested monitor calls? These issues are investigated in the exercises.

5.4 PATH EXPRESSIONS

Campbell and Habermann introduced the notion of *path expressions* to enable the specification of the order in which procedures are to be executed, while separating the procedures from this specification (Ca74) (Ae79). We examine path expressions in the context of the readers and writers problem.

The expression

```
path read end
```

simply indicates that procedure read may be called by a single activity; when that activity finishes the read, the same activity or another activity may call read.

The expression

```
path beginreading, read, finishedreading end
```

indicates that calls to three procedures beginreading, read, and finishedreading will be accepted only in the specified sequence. When a path expression specifies a sequence of calls, it does not imply that the same caller must make each of the calls.

The expression

```
path {read} end
```

indicates that read may be performed simultaneously by an arbitrary number of separate activities; when each of these activities is finished reading, the path expression may be reused.

The expression

```
path read|write end
```

indicates that either an activity may perform read or an activity may perform write (but read and write may not be performed simultaneously). It is assumed that requests are serviced in the order in which they arrive.

Several path expressions may be active simultaneously if they refer to different procedures. Later in the chapter we discuss the concurrent programming language Ada and show how to implement path expressions in Ada. We investigate path expressions further in the exercises.

5.5 MESSAGE PASSING

As we have stated, the two approaches to interprocess communication are using shared memory and using message passing (An81) (An83). With the trend to distributed systems, there has been a surge of interest in message-based interprocess communications (Gu81)

(Sl82) (Sn82) (Su82)(Ch84) (Ol85). We discuss message-based communications in this section; particular implementations are discussed in the UNIX and OS/2 case studies.

Processes generally send and receive messages by using calls such as

```
send(receiverprocess, message);
receive(senderprocess, message);
```

The send and receive calls are normally implemented as operating system calls accessible from many programming language environments. A *blocking send* must wait for the receiver to receive the message. A *nonblocking send* enables the sender to continue with other processing even if the receiver has not yet received the message; this requires a message buffering mechanism to hold the message until the receiver receives it. A blocking send is an example of *synchronous communication*; a nonblocking send is an example of *asynchronous communication*. The send call may explicity name a receiving process, or it may omit the name, thus indicating that the message is to be *broadcast* to all processes (or to some "working group" that the sender generally communicates with).

Asynchronous communication with nonblocking sends increases the level of concurrency. For example, a sender may send information to a busy print server; the system will automatically buffer this information until the print server is ready to receive it, and the sender will continue execution without having to wait on the print server.

If no message has been sent, then a blocking receive call forces the receiver to wait; a nonblocking receive call enables the receiver to continue with other processing before it next attempts a receive. A receive call may specify that a message is to be received from a particular sender, or the receive may receive a message from any sender (or from any member of a group of senders).

A call such as

```
receive(whoeversentit, message);
```

in which "whoeversentit" is a special name recognized by the system, enables the receiver to learn the identity of the sender when the message comes from any of a group of senders.

In our discussions of interprocess communications between processes on the same computer, we always assumed flawless transmission. In distributed systems, on the other hand, transmissions can be flawed and even lost. So senders and receivers often cooperate using an *acknowledgement protocol* for confirming that each transmission has been properly received. A time-out mechanism can be used by the sender waiting for an acknowledgement message from the receiver; on time out, if the acknowledgement has not been received, the sender can retransmit the message. Message passing systems with retransmission capabilities can identify each new message with a sequence number. The receiver can examine these numbers to be sure that it has received every message. If an acknowledgement message is lost and the sender decides to retransmit, it assigns the same sequence number to the retransmitted message as to the originally transmitted message. The receiver detecting several messages with the same sequence number knows to keep only one of these.

One complication in distributed systems with send/receive message passing, is in naming processes unambiguously so that explicit send and receive calls reference the proper processes. Process creation and destruction can be coordinated through some centralized naming mechanism, but this can introduce considerable transmission overhead as individual machines request permission to use new names. An alternate approach is to have each computer ensure unique process names for its own processes; then processes may be addressed by combining the computer name with the process name. This, of course, requires centralized control in determining a unique name for each computer in a distributed system, but it does not incur significant overhead because computers are added and removed from networks infrequently.

As we will see in Chapter 17, message-based communications in distributed systems present serious security problems. One of these is the *authentication problem*: How do the senders and receivers know that they are not communicating with imposters who may be trying to steal or corrupt their data? Chapter 17 discusses several authentication approaches.

5.5.1 Mailboxes and Ports

Message-based communications can occur directly between a sender and a receiver, or they can use intermediate queues. In the latter case, the sender and receiver each specify the queue rather than the process with which they are communicating.

A *mailbox* is a message queue that may be used by multiple senders and receivers. In a distributed system, the receivers can be disbursed across many computers, thus requiring two transmissions for most of the messages—from the sender to the mailbox and from the mailbox to the receiver. This problem is solved by giving each receiver a *port*; this is defined as a mailbox used by multiple senders and a single receiver. In distributed systems, each server ordinarily has a port at which it receives requests from many clients.

5.5.2 Pipes

UNIX introduced the notion of *pipes* as a scheme for handling interprocess communications (Ri74) (Wt85) (Zw85). A pipe is essentially a mailbox which allows a specified number of characters to be removed at once. The pipe itself has no notion of messages; thus if the user wishes to simulate a message mailbox with a pipe, the user must read the appropriate number of characters (i.e., the message size) each time. Pipes are frequently used to handle communications between a single producer process and a single consumer process. Pipes are discussed in more detail in the case studies on UNIX and OS/2.

5.5.3 Remote Procedure Calls

The notion of *remote procedure calls (RPC)* was introduced to provide a structured, high-level approach to interprocess communications in distributed systems (Bi84). A remote procedure call allows a process on one system to call a procedure in a process on another system. The calling process blocks pending the return from the called procedure on the remote system; then the calling process resumes execution from the point immediately following the call.

The called procedure and the caller reside in separate processes with separate address spaces so there is no notion of shared global variables as is possible with regular procedures within a single process. Therefore RPC transfers information strictly through the parameters in the call.

RPC can be implemented on top of an existing send/receive mechanism. The call to the remote procedure translates to

```
send(remoteprocess, inputparameters);
receive(remoteprocess, outputparameters);
```

where remoteprocess executes the desired procedure, and where inputparameters are input to the remote procedure and outputparameters are the results returned to the caller.

One widely implemented version of remote procedure calls is in the Ada language, which is introduced in the next several sections.

Remote procedure calls present a number of challenges. Ideally, a remote procedure call should be indistinguishable from a local procedure call as far as the user is concerned. Call-by-value is easily implemented by sending copies of the data via messages. Call-by-reference is awkward because RPC crosses address spaces. Internal data formats may be quite different in networks of heterogeneous machines, thus requiring complex conversions and considerable overhead. With local procedure calls we assume faultless transmission, but remote calls must deal with faulty and lost transmissions. We will address the issues of system failure in distributed systems in Chapter 16 and Chapter 17.

5.6 ADA: A KEY CONCURRENT PROGRAMMING LANGUAGE FOR THE 1990s

Most of today's popular languages were designed for writing sequential programs. They do not provide the special features needed for writing concurrent programs. Ada (Ad79a) (Ad79b) (Ad82) (Ge83) (Ha83) (Ge84) (Py85) allows an individual user to establish many separate threads of control called *tasks* that operate in behalf of the user. This is called *multitasking*.

5.6.1 Motivation for Ada Multitasking

Military command and control systems often require the monitoring of many concurrent activities. Keeping track of the status of the world's naval vessels, controlling air traffic, and watching the skies for enemy missiles are all examples of systems that must monitor many concurrent activities, and respond quickly to unpredictable changes in the monitored activities. Writing effective software for the computer components of these systems is greatly facilitated by the use of a concurrent programming language. It is for this reason that the United States Government sponsored the development of Ada.

Concurrent programs are normally more difficult to write, debug, and prove correct than sequential programs. But in many situations they are actually easier to develop because they can more naturally express the relationships inherent in the highly parallel systems being modeled.

With uniprocessor computers, there isn't much motivation to develop and use concurrent languages for performance improvement. But with multiprocessors, concurrent programs can be executed much more efficiently. So it is reasonable to expect a tremendous surge in interest in concurrent programming languages in the near future as multiprocessing systems and distributed systems become prevalent.

5.6.2 Correctness of Concurrent Programs

A program is said to be *correct* if it meets its specification, i.e., if it does what it is supposed to do. Previously, implementors established the correctness of their programs by *exhaustive testing*. But correctness has assumed a new dimension in recent years, namely, the notion of a program being correct in a mathematical sense. Researchers in the field of software engineering have focused their attention on this issue: how does one demonstrate (prior to even attempting to execute or test a program) that a program is correct? Establishing the correctness of concurrent programs is generally much more difficult than establishing the correctness of sequential programs (La77, La79, Ow76, Pn81). The designers of Ada were concerned with developing a language that would facilitate demonstrating the correctness of concurrent programs.

5.6.3 The Ada Rendezvous*

The designers of Ada chose to incorporate a technique called the *rendezvous*, as proposed by Hoare in his concurrent language "Communicating Sequential Processes" (Ho78). The rendezvous effectively combines mutual exclusion, task synchronization, and interprocess communication. Ada is the first concurrent programming language intended for wide use that employs the rendezvous. Exactly two tasks may rendezvous at once in Ada—a *caller* and a *server*. The caller calls an entry in the server (by prefixing the entry name with the

---

* The concurrency features of Ada are presented here in a manner that a reader familiar with Pascal should be able to comprehend. For the reader interested in studying Ada in depth, an abundance of literature is listed at the end of this chapter. The Ada examples in this chapter are based on those presented in certain Ada documents issued by the United States Government (Ad79a, Ad79b). Material in these documents may be used freely without permission to encourage the evaluation and use of the Ada language. The Ada concurrent program segments in this chapter have not been compiled, therefore they should be viewed as academic examples that may need further refinement when implemented; the material may not follow Ada syntax precisely. The reader who requires precise Ada syntax, and who wishes to study Ada concurrent programming in depth, should consult the texts by Gehani (Ge83, Ge84a).

task name followed by a period, and by supplying a list of entry parameters). The server, when it is ready to do so, issues an *accept statement* to receive the call. If the caller calls an entry for which the server has not as yet issued an accept, then the caller waits until the accept is issued. If the server issues an accept for an entry that the caller has not as yet called, then the server waits (at the accept) for the caller to call the entry.

When a call has been accepted, the rendezvous occurs. The caller passes data to the server through parameters in the entry call. The data are processed by the statements within the accept statement body. Results, if any, are passed back to the caller through the entry parameters.

The caller waits while the server executes within the accept statement. When this processing is complete, parameters are passed back to the caller, the rendezvous ends, and the caller and server tasks resume independent operation.

One interesting aspect of the Ada rendezvous is that the caller must know of the existence of the server and the various server entries, but the server accepts calls from any caller. Many callers may attempt to call one server. In this sense, the rendezvous is said to be *asymmetric*. This is desirable in distributed processing environments in which various servers (such as print servers and file servers) are available to the community of callers, but unfortunately it prevents a task from limiting access to its entries to designated tasks.

Mutual exclusion is guaranteed by underlying system mechanisms; only one caller at a time may rendezvous with the server. Other callers attempting a simultaneous rendezvous are kept waiting. Synchronization of the tasks is implicit during the rendezvous. After a rendezvous, any waiting callers are processed first-come-first-served.

5.6.4 The Ada Accept Statement

Figure 5.4 shows an Ada task, RESOURCECONTROLLER, designed to control access to a single shared resource. An Ada task consists of the *task specification* and the *task body*. The task body is the set of actions the task itself performs. The task specification lists the interaction that this task has with other tasks; in particular each *entry* point of the task is listed, as are the data types of the task. The task loops indefinitely, alternately accepting calls to entries GETCONTROL and RELINQUISHCONTROL. The double dash (--) in Ada indicates a comment; comments terminate with the end of the line.

Tasks voluntarily cooperate in their use of RESOURCECONTROLLER to ensure mutual exclusion. If several tasks call GETCONTROL simultaneously, only one call will be accepted and the other calls will wait in a first-come-first-served queue.

This is essentially the same as the binary semaphore mechanism discussed in Chapter 4. If one task ignores the cooperative protocol or misuses it, then mutual exclusion cannot be guaranteed. For example, a malicious task that wants to grab control of the resource can do so by issuing

```
RESOURCECONTROLLER.RELINQUISHCONTROL
RESOURCECONTROLLER.GETCONTROL
```

and the task will be able to access the resource (as long as no other task was previously waiting on GETCONTROL).

```
task RESOURCECONTROLLER is
   entry GETCONTROL;
   entry RELINQUISHCONTROL;
end RESOURCECONTROLLER;
task body RESOURCECONTROLLER is
begin
   loop
      accept GETCONTROL;
      accept RELINQUISHCONTROL;
   end loop;
end RESOURCECONTROLLER;
      .
      .
      .
RESOURCECONTROLLER.GETCONTROL;
   -- use the resource
RESOURCECONTROLLER.RELINQUISHCONTROL;
   -- release the resource
      .
      .
      .
```

Fig. 5.4 Controlling access to a single resource with the Ada rendezvous.

5.6.5 Ada Example: Producer-Consumer Relationship

As one simple example of a producer-consumer relationship, consider a producer task that deposits an 80-character card image in a buffer, and a consumer task that removes the characters from the buffer one at a time until the buffer is empty. The producer may not deposit the next line in the buffer until the consumer has completely processed all 80 characters in the line; the consumer may not begin removing characters from the buffer until a line has been deposited. Also, after the consumer processes all the characters in one line, it must wait for the producer to deposit the next line. Otherwise the consumer would process the same line more than once. Figure 5.5(a) shows a task for synchronizing the producer and consumer tasks that are shown in Fig. 5.5(b).

5.6.6 The Ada Select Statement

Entry calls need not necessarily be accepted in some prespecified and rigid fashion. Ada provides the *select statement* to enable tasks to accept entry calls in a more flexible manner. A common form of the select statement is

```
select
   when CONDITION1 => accept ENTRY1
      sequence of statements;
   or when CONDITION2 => accept ENTRY2
      sequence of statements;
   or ...
   else
      sequence of statements;
end select;
```

The select statement is executed as follows.

- Each of the conditions (also called *guards* (see Di75)) is evaluated to be true or false. Each condition that evaluates to true causes the following accept sequence of statements to be considered *open*. If a condition is not written before an accept, then the accept is always open.
- There may be several open accept statements. Of these, in turn, several may be ready for a rendezvous; i.e., the appropriate entries have been called by other tasks. One of these is selected arbitrarily, i.e., Ada does not specify which one, and the associated rendezvous occurs.
- If there is an else part and no entry calls to open accept statements, the else is executed. If there is no else part, the task waits for an entry call.
- If there are no open accepts, the else part is executed. If there is also no else, then a SELECT-ERROR occurs.

Let us mention some other important Ada statements here. The statement

```
abort task1, task2, ..., taskn
```

causes the named tasks to become "abnormal" and then terminate when they reach appropriate points in their execution. Tasks can abort themselves or any other tasks. Misusing abort can cause serious problems.

All tasks are automatically given the same default priority. A task may be assigned a static priority (which cannot be changed at execution time) by including the statement

```
pragma PRIORITY(P);
```

in the task specification. Ada *pragmas* are instructions to the Ada compiler; they are not executable.

The statement

```
delay AMOUNTOFSECONDS;
```

suspends the task for AMOUNTOFSECONDS. The delay statement can be used as an alternative in a select statement to give a task the opportunity to time-out when a rendezvous attempt takes too much time.

```
task CONVERTCARDIMAGE is
   type CARDIMAGE is array (1 .. 80) of CHARACTER;
   entry DEPOSITCARD (CARD: in CARDIMAGE);
   entry READCHARACTER (NEXTCHARACTER: out
                                   CHARACTER);
end;
task body CONVERTCARDIMAGE is
   CARDBUFFER: CARDIMAGE;
begin
   loop
      accept DEPOSITCARD (CARD: in CARDIMAGE) do
         CARDBUFFER := CARD;
      end DEPOSITCARD;
      for POSITION in 1 .. 80 loop
         accept READCHARACTER(NEXTCHARACTER:out
                        CHARACTER) do
            NEXTCHARACTER := CARDBUFFER(POSITION);
         end READCHARACTER;
      end loop;
   end loop;
end;
```

(a)

```
task PRODUCER;
task body PRODUCER is
   use CONVERTCARDIMAGE;
   NEWCARD: CARDIMAGE;
begin
   loop
      -- create NEWCARD
      DEPOSITCARD (NEWCARD);
   end loop;
end;

task CONSUMER;
task body CONSUMER is
   use CONVERTCARDIMAGE;
   NEWCHARACTER: CHARACTER;
begin
   loop
      READCHARACTER (NEWCHARACTER);
      -- process NEWCHARACTER
   end loop;
end;
```

(b)

Fig 5.5 (a) Task for synchronizing a producer task and a consumer task. (b) Producer and consumer tasks.

5.6.7 Simulating Path Expressions in Ada

Path expressions are straightforward to simulate in Ada (Ge84a). If we use entries A and B, then specifying that B must follow A is accomplished with

```
accept A;
accept B;
```

Specifying that either A or B (but not both) can be executed next is accomplished with

```
select
   accept A;
or
   accept B;
end select;
```

Specifying any number (including zero) of calls to A is accomplished with

```
loop
   select
      accept A;
   else
      exit;
   end select;
end loop;
```

5.6.8 Ada Example: The Ring Buffer

Figure 5.6 shows an Ada implementation of a ring buffer. The select statement allows the task to service appropriate entry calls. The guard BUFFERSINUSE < BUFFERS allows a call to WRITEPACKET to be accepted whenever space is available. The guard BUFFERSINUSE > 0 allows a call to READPACKET to be accepted whenever the buffer contains data.

5.6.9 Ada Example: Readers and Writers

In this section, Ada solutions to the Readers and Writers problem are presented.

In this first solution (Fig. 5.7), a WRITER must write to SHAREDVARIABLE before any READER can access it. This ensures that the value of SHAREDVARIABLE is defined before the first read. Note that READER is a procedure rather than an entry. This allows many tasks to be reading at once.

After the first WRITER finishes, the task will loop indefinitely. If no WRITER is active, then any number of additional READERs can be initiated. This of course could result in indefinite postponement of WRITERs. The next WRITER can be initiated only

```
task RINGBUFFER is
   type DATAPACKET is array (1 .. 80) of CHARACTER;
   entry READPACKET (PACKET: out DATAPACKET);
   entry WRITEPACKET (PACKET: in DATAPACKET);
end;
task body RINGBUFFER is
   BUFFERS: constant INTEGER := 20;
   RING: array (1 .. BUFFERS) of DATAPACKET;
   BUFFERSINUSE: INTEGER range 0 .. BUFFERS := 0;
   NEXTIN,NEXTOUT: INTEGER range 1 .. BUFFERS := 1;
begin
   loop
      select
         when BUFFERSINUSE < BUFFERS =>
            accept WRITEPACKET(PACKET: in DATAPACKET) do
               RING(NEXTIN) := PACKET;
            end;
            BUFFERSINUSE := BUFFERSINUSE + 1;
            NEXTIN := NEXTIN mod BUFFERS + 1;
         or when BUFFERSINUSE > 0 =>
            accept READPACKET(PACKET: out DATAPACKET) do
               PACKET := RING(NEXTOUT);
            end;
            BUFFERSINUSE := BUFFERSINUSE - 1;
            NEXTOUT := NEXTOUT mod BUFFERS + 1;
      end select;
   end loop;
end RINGBUFFER;
```

Fig. 5.6 Ada implementation of a ring buffer.

when there are no active READERs, but even if a WRITER is waiting, the random choice inherent in the SELECT might allow a waiting READER to proceed first. This solution does enforce mutual exclusion, but processes may be indefinitely postponed.

Version two (Fig. 5.8) also forces a WRITER to write once before any READERs can proceed. Now let us consider the main loop that loops indefinitely.

The first guard tests WRITER'COUNT to determine if there are any waiting WRITERs (suffixing 'COUNT to an entry name in Ada creates a variable whose value is the number of callers waiting on that entry). If not, then a new READER will be initiated. In fact, as long as there are no waiting WRITERs, more READERs may continue to be initiated.

The second accept in the main loop, accept FINISHEDREADING, has no guard so it is always open. Thus a finishing READER will always be accepted; this, of course, facilitates

```
task READERSANDWRITERS is
   procedure READER (READVALUE: out INTEGER);
   entry WRITER (WRITEVALUE: in INTEGER);
end;
task body READERSANDWRITERS is
   SHAREDVARIABLE: INTEGER;
   READERS: INTEGER := 0;
   entry BEGINREADING;
   entry FINISHEDREADING;
   procedure READER (READVALUE: out INTEGER) is
   begin
      BEGINREADING;
      READVALUE := SHAREDVARIABLE;
      FINISHEDREADING;
   end;
   begin
      accept WRITER (WRITEVALUE: in INTEGER) do
         SHAREDVARIABLE := WRITEVALUE;
      end;
      loop
         select
            accept BEGINREADING;
            READERS := READERS + 1;
         or
            accept FINISHEDREADING;
            READERS := READERS - 1;
         or
            when READERS = 0 =>
               accept WRITER (WRITEVALUE: in INTEGER) do
                  SHAREDVARIABLE := WRITEVALUE;
               end;
         end select;
      end loop;
end READERSANDWRITERS;
```

Fig. 5.7 Ada solution to Readers and Writers: version one.

reducing the number of READERs to zero so that another WRITER may eventually be initiated.

When the number of READERs is finally reduced to zero and there is a waiting WRITER, then a waiting WRITER is initiated. Immediately after this WRITER terminates, all READERs trying to proceed are allowed to do so; the inner loop is exited when there are no more waiting readers.

The rendezvous is always in effect when a WRITER is active so mutual exclusion is guaranteed. The real key is how version two handles the READERs.

```
task READERSANDWRITERS is
   procedure READER (READVALUE: out INTEGER);
   entry WRITER (WRITEVALUE: in INTEGER);
end;
task body READERSANDWRITERS is
   SHAREDVARIABLE: INTEGER;
   READERS: INTEGER := 0;
   entry BEGINREADING;
   entry FINISHEDREADING;
   procedure READER (READVALUE: out INTEGER) is
   begin
      BEGINREADING;
      READVALUE := SHAREDVARIABLE;
      FINISHEDREADING;
   end;
begin
   accept WRITER (WRITEVALUE: in INTEGER) do
      SHAREDVARIABLE := WRITEVALUE;
   end;
   loop
      select
         when WRITER'COUNT = 0 =>
            accept BEGINREADING;
            READERS := READERS + 1;
         or
            accept FINISHEDREADING;
            READERS := READERS - 1;
         or
            when READERS = 0 =>
               accept WRITER (WRITEVALUE: in INTEGER) do
                  SHAREDVARIABLE := WRITEVALUE;
               end;
               loop
                  select
                     accept BEGINREADING;
                     READERS := READERS + 1;
                  else
                     exit;
                  end select;
               end loop;
      end select;
   end loop;
end READERSANDWRITERS;
```

Fig. 5.8 Ada solution to Readers and Writers: version two.

No READER can be active when a WRITER is active because the rendezvous guarantees mutual exclusion. So let us consider what happens when no WRITER is active.

If no WRITER is waiting, then READERs will continue to be initiated. As soon as a WRITER starts waiting, then no more READERs will be initiated. All calls to FINISHEDREADING will be accepted until READERs is reduced to zero. At this point, the guard READERS = 0 becomes true and the first waiting WRITER is accepted. When this WRITER completes, all READERs that have arrived since the WRITER began are initiated in the inner loop. This mass initiation of READERs will stop as soon as one iteration of the loop executes accept BEGINREADING and no READER is ready to go. This causes the else clause to be executed and the loop to be exited.

There is still a weakness in version two. In the inner loop, it is possible for waiting WRITERs to be indefinitely postponed by a rapid influx of READERs. As long as the READERs arrive faster than the loop can accept them, WRITERs are delayed. It is possible to develop a better solution to READERSANDWRITERS with Ada; this is left to the exercises.

5.6.10 Ada: Issues and Concerns

Several considerations related to task priorities in Ada are discussed by Roubine and Heliard (Ru80). Programmers may specify priorities for their tasks; Ada executes the highest priority task first. Ada does not specify which of several tasks with the same priority will execute first. Programmers may use task synchronization methods to impose a priority scheme of their own. When two tasks rendezvous, Ada executes the rendezvous with a priority as high as (or higher than) that of the higher priority task.

As Ada is used to develop actual systems, it becomes increasingly clear that there is a *polling bias*, i.e., Ada programmers have a definite tendency to implement programs that use polling (Ge84). This can be wasteful compared to designs in which a task remains blocked or performs various actions until an event occurs. Gehani and Cargill (Ge84) indicate when polling is desirable, and they propose a number of language extensions to Ada to help alleviate the polling bias.

Ada concurrency is expressed at the task level. It is clear, however, that much of the need for concurrency occurs at finer levels where the overhead of creating and managing tasks often negates the potential performance gains from a concurrent approach. In particular, Ada is not ideal for the kinds of parallel numerical calculations most effectively performed on array processors and vector processors. Roberts, Evans, and Morgan (Rb81) point out a number of weaknesses in Ada with regard to achieving high performance on multiprocessor architectures (see Chapter 11). Clapp et al (Cl86) discuss real-time performance benchmarking in Ada systems.

Hoare (Ho81) cautions that Ada may be too large and complex to be used in the implementation of critical military systems. Klumpp (Kl85) discusses the appropriateness of Ada for implementing space flight software. Ledgard and Singer (Ld82) have proposed an Ada subset language. Wichmann (Wh84) defends various Ada design decisions that made the language large. Mudge (Mu85) discusses object-based computing in Ada. Myers (My87) discusses the reactions of early Ada users, and indicates why potential Ada users are hesitant to make major commitments to the language. Several authors discuss software engineering with Ada (Le82) (Bo83) (Bu84) (Rj85).

Ada does not provide good facilities for enabling users to specify control of task scheduling (Rb81). In particular, users can not limit the run time of a task, nor can they specify that a currently executing task should yield the processor in favor of a task waiting to be dispatched. Limitations like these and others are being uncovered as Ada continues to be used as the concurrent language of choice for implementing mission-critical systems. The language is certain to evolve in response to the ever increasing demands being placed on it by users developing state-of-the-art concurrent applications.

SUMMARY

The notion of the *conditional critical region* allows us to specify synchronization as well as mutual exclusion. For example,

```
region shareddata do begin await condition; action end
```

enables us to perform *action* under exclusive access to *shareddata* when *condition* is true.

A monitor is a concurrency construct that contains both the data and the procedures needed to perform allocation of a shared resource or group of shared resources.

The monitor enforces information hiding—processes calling the monitor have no knowledge of, nor access to, data inside the monitor.

Mutual exclusion is rigidly enforced at the monitor boundary—only one process at a time is allowed to enter.

If a process inside the monitor cannot proceed until a certain condition becomes true, the process calls wait(conditionvariablename) and waits outside the monitor on a queue for conditionvariablename to be signaled by another process.

To ensure that a process already waiting for a resource eventually does get it, the monitor gives priority to the waiting process over a new requesting process attempting to enter the monitor.

A separate condition variable is associated with each distinct reason that a process might need to wait. When a condition variable is defined, a queue is established. A process calling *wait* is threaded into the queue; a process calling *signal* causes a waiting process to be removed from the queue and to enter the monitor.

The ring buffer is a data structure commonly used in operating systems for buffering communications between producer and consumer processes. In the monitor implementation of the ring buffer, a producer finding the buffer full calls wait(ringbufferhasspace); a consumer finding the buffer empty calls wait (ringbufferhasdata). A producer depositing data calls signal(ringbufferhasdata); a consumer removing data calls signal(ringbufferhasspace).

The Readers and Writers problem was discussed and a solution with a monitor was presented. A writer must be given exclusive access to the database; any number of readers may be active at once. A reader wishing to begin reading may do so only if there is no active writer and there are no waiting writers (the latter condition presents indefinite postponement of writers by an influx of readers). A finishing reader reduces the number of active readers by one; when no more active readers remain, the finishing reader signals a waiting writer (if there is one) to proceed. A writer wishing to write waits if there are active readers or if there is an active writer; otherwise it proceeds. A finishing writer gives preference to waiting readers over waiting writers; this prevents indefinite postponement of readers by an influx of writers.

Path expressions enable the specification of the order in which procedures are to be executed, while separating the procedures from this specification.

The two approaches to interprocess communication are using shared memory and message-based communications. Processes generally send and receive messages by using calls such as

```
send(receiverprocess, message);
receive(senderprocess, message);
```

The send and receive calls are normally implemented as operating system calls accessible from many programming language environments. A blocking send must wait for the receiver to receive the message. A nonblocking send enables the sender to continue with other processing even if the receiver has not yet received the message; this requires a message buffering mechanism to hold the message until the receiver receives it. A blocking send is an example of synchronous communication; a nonblocking send is an example of asynchronous communication. If no message has been sent, then a blocking receive call forces the receiver to wait; a nonblocking receive call enables the receiver to continue with other processing before it next attempts a receive. A receive call may specify that a message is to be received from a particular sender, or the receive may receive a message from any sender (or from any member of a group of senders.).

A mailbox is a message queue that may be used by multiple senders and receivers. A port is a mailbox used by multiple senders and a single receiver. In distributed systems, each server ordinarily has a port at which it receives requests from many clients. A pipe is essentially a mailbox which allows any number of characters to be removed at once.

A remote procedure call allows a process on one system to call a procedure in a process on another system. The calling process blocks, pending the return from the called procedure on the remote system; then the calling process resumes execution from the point immediately following the call.

The emerging language Ada was specifically designed to facilitate concurrent programming. Ada allows an individual user to establish many separate threads of control; this is called multitasking. Each thread of control in Ada is called a task.

The trends toward multiprocessing and computer networking point to the need for concurrent programming languages like Ada. A program is said to be correct if it meets its specification; Ada was designed to facilitate proving program correctness.

In Ada, mutual exclusion and task synchronization are enforced by a technique called rendezvous. A caller task may call an entry of another task; a server task issues an accept statement to accept a call to one of its entries. When a call is accepted, the rendezvous occurs. The caller passes data to the server through parameters in the entry call; results are also passed back through call parameters. The caller waits while the server does its processing.

Ada provides the select statement to enable tasks to accept entry calls in a flexible manner. A common form of the select statement is

```
select
   when CONDITION1 => accept ENTRY1
      sequence of statements;
   or when CONDITION2 => accept ENTRY2
      sequence of statements;
   or ...
   else
      sequence of statements;
end select;
```

Each of the conditions (or guards) is evaluated. A true condition causes the following accept sequence of statements to be considered open. If a condition is not written before an accept statement, then the accept is always open. Of the open accepts whose entries have been called, one is selected at random and the associated rendezvous occurs. If no open accepts are ready for a rendezvous, the else part is executed. If there is no else part, the task waits for an entry call.

TERMINOLOGY

accept statement in Ada
acknowledgement protocol
Ada
asymmetry of the rendezvous
asynchronous communication
authentication problem
blocking receive
blocking send
bounded buffer
Brinch Hansen
caller task in Ada
concurrent programming language
condition variable
correctness
despooler process
Dijkstra
exhaustive testing
global data in a monitor
guard in Ada
higher-level mutual exclusion constructs
Hoare
indefinite postponement
information hiding
interprocess communication (IPC)
local data in a monitor
mailbox
message-based IPC
monitor
monitor boundary
monitor entry
multitasking
nested monitor calls
nonblocking receive
nonblocking send
open accept statement in Ada
pipe
port
producer-consumer relationship
reader process
readers and writers problem

receive primitive
remote procedure call (RPC)
rendezvous
ring buffer
select statement in Ada
send primitive
server task in Ada
signal (condition-variable-name)
spooler process
spooling
synchronization
synchronous communication
task
thread of control
wait (condition-variablename)
writer process

EXERCISES

5.1 Compare and contrast the use of monitors and semaphore operations.

5.2 When a resource is returned by a process calling a monitor, the monitor gives priority to a waiting process over a new requesting process. Why?

5.3 How do condition variables differ from conventional variables? Does it make sense to initialize condition variables?

5.4 In the text it has been stated repeatedly that no assumptions should be made about the relative speeds of asynchronous concurrent processes. Why?

5.5 What factors, do you suppose, would affect a designer's choice of the number of slots a ring buffer should have?

5.6 Compare and contrast multitasking and multiprogramming.

5.7 Why is it considerably more difficult to test, debug, and prove program correctness for concurrent programs than for sequential programs?

5.8 Explain the rendezvous technique used in Ada for task synchronization, intertask communication, and mutual exclusion.

5.9 In what sense is the Ada rendezvous symmetric? In what sense is it asymmetric?

5.10 Referring to the producer-consumer relationship shown in Section 5.11, explain why a third task is used to synchronize the producer and consumer tasks.

5.11 Show the general form of the Ada select statement. Explain how select statements are executed.

5.12 Consult the literature on Ada and develop a better Ada solution to the Readers and Writers problem than that presented in the text.

5.13 The Dining Philosophers. One of Dijkstra's more delightful contributions is his problem of the Dining Philosophers (Di65) (Di71). It illustrates many of the subtle problems inherent in concurrent programming. The problem is this.

Five philosophers sit around a circular table. Each of the five philosophers leads a simple life alternating between thinking and eating spaghetti. In front of each philosopher is a dish of spaghetti that is constantly replenished by a dedicated server. There are exactly five forks on the table, one between each adjacent pair of philosophers. Eating spaghetti (in the most proper manner) requires that a philosopher use both forks (simultaneously) which are adjacent to his plate.

Your goal is to devise a concurrent program (with a monitor) that simulates the behavior of the philosophers. Your program should be free of deadlock and indefinite postponement—otherwise one or more philosophers would soon starve. Your program must, of course, enforce mutual exclusion—two philosophers cannot use the same fork at once.

A typical philosopher behaves as follows.

```
procedure typicalphilosopher;
begin
   while true do
      begin
         think;
         eat
      end
end;
```

Comment on each of the following implementations of a typical philosopher.

a)

```
procedure typicalphilosopher;
begin
   while true do
      begin
         thinkforawhile;
         pickupleftfork;
         pickuprightfork;
         eatforawhile;
         putdownleftfork;
         putdownrightfork
      end
end;
```

b)

```
procedure typicalphilosopher;
begin
   while true do
      begin
         thinkforawhile;
         pickupbothforksatonce;
         eatforawhile;
         putdownbothforksatonce;
      end
end;
```

c)

```
procedure typicalphilosopher;
begin
   while true do
      begin
         thinkforawhile;
         repeat
            pickupleftfork;
            if rightforknotavailable
               then putdownleftfork
               else pickuprightfork
         until holdingbothforks;
         eatforawhile;
         putdownleftfork;
         putdownrightfork
      end
end;
```

d)

```
procedure typicalphilosopher;
begin
   while true do
      if philosopher mod 2 = 0 then
         begin
            thinkforawhile;
            pickupleftfork;
            pickuprightfork;
            eatforawhile;
            putdownleftfork;
            putdownrightfork
         end
      else
         begin
            thinkforawhile;
            pickuprightfork;
            pickupleftfork;
            eatforawhile;
            putdownrightfork;
            putdownleftfork
         end
end;
```

5.14 Use a monitor to implement a solution to the Dining Philosophers problem that allows at most four philosophers to be eating or attempting to eat at once. Comment on the effectiveness of this solution.

5.15 The text states that information hiding is a system structuring technique that contributes to the development of more reliable software systems. Why, do you suppose, is this so?

5.16 Refer to the monitor, ringbuffermonitor, presented in the text and answer each of the following questions.

a) Which procedure places data into the ring buffer?

b) Which procedure removes data from the ring buffer?

c) Which queueing discipline best describes the operation of the ring buffer?

d) Is this true: nextslottofill >= nextslottoempty?

e) Which statements perform monitor initialization?

f) Which statement(s) can "wake up" a process waiting on a condition variable?

g) Which statement(s) can put a process "to sleep"?

h) Which statement(s) ensure that the buffer "wraps around"?

i) Which statement(s) modify a shared critical variable to indicate that another slot in the buffer is available?

5.17 In the readers and writers monitor presented in the text why does it make sense to chain in all waiting readers? Could this cause indefinite postponement of waiting writers? Under what circumstances might you choose to limit the number of waiting readers you would initiate when reading is allowed?

5.18 (The Sleeping Barber Problem) (Di65). A barbershop has a cutting room with one chair and a waiting room with *n* chairs. Customers enter the waiting room one at a time if space is available, otherwise they go to another shop. Each time the barber finishes a haircut the customer leaves to go to another store, and a waiting customer, if there is one, enters the cutting room and has a haircut. Customers may enter the waiting room one at a time, or waiting customers may enter the (empty) cutting room one at a time, but these events are mutually exclusive. If the barber discovers that the waiting room is empty, the barber falls asleep in the waiting room. An arriving customer finding the barber asleep wakes the barber and has a haircut; otherwise the arriving customer waits. Use a monitor to coordinate the operation of the barber and the clients.

5.19 (The Cigarette Smoker's Problem) (Patil 1971; N. B. The author worked with S. Patil and Jack Dennis in the Computer Structures Group at M.I.T.'s Project Mac). This has become one of the classic problems in concurrency control. Three smokers are represented by processes S1, S2, and S3. Three vendors are represented by processes V1, V2, and V3. Each smoker requires tobacco, a wrapper, and a match to smoke; when these resources are available, the smoker smokes the cigarette to completion and then becomes eligible to smoke again. S1 has tobacco, S2 has wrappers, and S3 has matches. V1 supplies tobacco and wrappers, V2 supplies wrappers and matches, and V3 supplies matches and tobacco. V1, V2, and V3 operate in mutual exclusion; only one of these processes can operate at a time and the next vendor cannot operate until resources supplied by the previous vendor have been consumed by a smoker. Use a monitor to coordinate the operation of the smoker and vendor processes.

5.20 In Ada, after a rendezvous in what order are waiting callers processed? Can indefinite postponement occur?

5.21 In the case of several open accept statements that are ready for a rendezvous, Ada selects one of these arbitrarily. Argue both for and against this approach chosen by the designers of Ada.

5.22 Compare and contrast the monitor and Ada implementations of the ring buffer producer-consumer relationship. Which is more efficient? Which is more flexible? In the Ada example why are the adjustments to variables BUFFERSINUSE, NEXTIN, and NEXTOUT performed outside the scope of the accept statements?

5.23 In the text, we consider how to simulate path expressions in Ada using select, accept, loop, and exit. Show how to simulate path expressions using semaphores and the P and V operations.

5.24 Semaphores are at least as powerful as monitors. Show how to implement a monitor by using semaphores.

5.25 Use semaphores to solve the readers and writers problem.

5.26 Use the Ada rendezvous to implement a counting semaphore.

5.27 Suppose a system implements interprocess communications with blocking send and receive calls. Show several ways in which such a system could deadlock. Can such deadlocks occur with nonblocking calls? Propose a modification to blocking calls that avoids such deadlocks.

5.28 Write an Ada task that simulates the operation of a one product vending machine (Ge84). One entry should receive the amount of money deposited; another should return a product and the appropriate change when the customer pushes the button on the machine. If the customer has not deposited a sufficient amount of money, or if no products remain in the machine, the task should return no product and should return the full amount deposited. Be sure to handle the possibility that the customer inserts money and presses the product button simultaneously. Compare your Ada-based vending machine to the semaphore-based machine you developed in the Chapter 4 exercises.

5.29 Use send and receive to implement a simple producer-consumer relationship that uses a single buffer.

5.30 Use send and receive to implement a producer-consumer relationship that uses a ring buffer.

5.31 In our discussion of message passing in distributed systems we mentioned that messages can be flawed or even lost. Reflect on how current programming languages and techniques for transmission between procedures within a process, and between processes on the same computer system, might be different if we could not assume flawless transmission.

5.32 Suppose a receiver in a message passing system receives two (or more) consecutive messages with the same message sequence number. What does this mean? What action should the receiver take? Should the receiver bother to compare two messages with the same sequence number? Suppose it does, and suppose the messages are different. What does this mean? What action should the receiver take?

5.33 As was mentioned in the text, systems that use a nonblocking send primitive must provide an intermediate buffering mechanism to hold messages the receiver may not be ready to receive. This system-administered buffer space can be used instead of providing an explicitly defined ring buffer between a producer and a consumer process. Show how message passing with a nonblocking send primitive can be used to implement a producer-consumer realtionship capable of buffering 5 messages. You may not use shared memory to create the buffers. Rather you should take advantage of the fact that the system will automatically buffer messages sent by a nonblocking send primitive.

5.34 Consider the RESOURCECONTROLLER task shown in the text, and the discussion about how a malicious task could seize control of a resource from a task that needs to continue using the resource. Comment on the fact that these kinds of task interactions can occur in Ada, a language designed for mission critical systems. Is it possible to ensure automatically that tasks like this are excluded from Ada systems? What safeguards might you include in Ada-like languages to deal with this issue? Is it feasible to design a concurrent programming language for writing absolutely non-corruptible systems?

5.35 In the text, we observed that in Ada the caller must know the existence of the server and the various server entries, but the server accepts calls from any caller. This is desirable in distributed processing environments in which various servers are available to the community of callers, but unfortunately it prevents a task from limiting access to its entries to designated tasks. How might this asymmetry of the Ada rendezvous result in the deterioration of the performance of servers and ultimately the entire system, given certain malicious or even accidental behavior by various callers? What kinds of safeguards might you incorporate in an Ada-like concurrent programming language to prevent such corruption of the system? These are important issues for designers of languages intended to be used in "mission critical systems."

5.36 Suppose an Ada server task services two kinds of calling tasks, A and B. If each task calls an appropriate entry in the server, either ENTRYA or ENTRYB, and if the server executes

```
loop
   select
      accept ENTRYA (parameters) do
         somestuffA;
      end ENTRYA;
   or
      accept ENTRYB (parameters) do
         somestuffB;
      end ENTRYB;
   end select;
end loop
```

then explain how indefinite postponement of waiting tasks could occur. Redesign this single server so that it ensures regular and predictable service to all arriving A tasks and B tasks.

5.37 Develop Ada-based and monitor-based solutions to each of the following variations of the readers and writers problem.

a) Allow only one reader or one writer to be active at once. This is overly restrictive and minimizes the degree of concurrency, but it is easy to implement. Could this method lead to indefinite postponement?

b) Allow only one writer or many readers to be active at once. This allows all readers to be active at once because they do not interfere with one another. Could it indefinitely postpone waiting writers?

c) Allow only one writer or many readers, but give writers higher priority. This solves the problem of indefinitely postponing waiting writers, but a steady stream of writers could now indefinitely postpone waiting readers. Under what circumstances, however, would indefinite postponement not be a serious concern?

d) Allow only one writer or many readers, give writers priority over readers, but after each writer finishes, chain in all waiting readers. This prevents indefinite postponement of any waiting readers and writers. Under what circumstances, however, would even this fine-tuned solution cause response problems?

5.38 Comment on the operation of the following pair of Ada tasks.

```
task body FIRST is
...
begin
   loop
      ...
      SECOND.DOSECONDSTUFF;
      accept DOFIRSTSTUFF;
      ...
   end loop;
end FIRST;

task body SECOND is
...
begin
   loop
      ...
      FIRST.DOFIRSTSTUFF;
      accept DOSECONDSTUFF;
      ...
   end loop;
end SECOND;
```

5.39 What are nested monitor calls? Under what circumstances might a process need to make nested monitor calls? Comment on each of the following approaches used by operating systems designers to deal with nested monitor calls (An83).

a) Disallow nested monitor calls.

b) When a process making nested monitor calls blocks, mutual exclusion must be yielded on every monitor in the chain of nested calls so that other processes will be able to use those monitors. This mutual exclusion must then be reacquired by the process when it unblocks.

5.40 Use path expressions to implement each of the following.

a) A producer-consumer relationship with one shared variable.

b) A solution to the readers and writers problem in which either one writer or many readers may be active at once.

5.41 Compare and contrast path expressions and monitors considering each of the following.

a) Which uses a centralized specification of synchronization? Which tends to have synchronization distributed throughout the procedures to be performed?

b) Which uses rigid mutual exclusion so that only one process at a time is active when synchronization decisions are made?

c) Which enables a greater degree of concurrency among processes requiring synchronization?

d) Which is conceptually easier to implement, easier to use, and better in situations in which program correctness must be demonstrated?

5.42 Should a waiting signaler receive priority over a process first attempting to enter a monitor? What priority scheme, if any, should be imposed on waiting signalers?

LITERATURE

(Ad79a) "Preliminary Ada Reference Manual," *ACM SIGPLAN Notices*, Vol. 14, No. 6, June 1979, Part A.

(Ad79b) "Rationale for the Design of the Ada Programming Language," *ACM SIGPLAN Notices*, Vol. 14, No. 6, June 1979, Part B.

(Ad82) "Reference Manual for the Ada Programming Language (Draft Revised Mil-Std 1815)," *ACM Special Publication*, July 1982, ACM Order No. 825820.

(Ad83) *Reference Manual for the Ada Programming Language*, United States Department of Defense, U. S. Government Printing Office, ANSI/MIL-STD-1815A edition, January 1983.

(Al85) Allen, J. R., and K. Kennedy, "A Parallel Programming Environment," *IEEE Software*, Vol. 2, No. 4, July 1985, pp. 21–29.

(Ae79) Andler, S., "Predicate Path Expressions," *Conference Record of the Sixth Annual ACM Symposium on Principles of Programming Languages*, January 1979, pp. 226–236.

(An81) Andrews, G. R., "Synchronizing Resources," *ACM Transactions on Programming Languages and Systems*, Vol. 3, No. 4, October 1981, pp. 405–430.

(An83) Andrews, G., and F. Schneider, "Concepts and Notations for Concurrent Programming," *ACM Computing Surveys*, Vol. 15, No. 1, March 1983, pp. 3–44.

(Ba85) Basili, V. R.; E. E. Katz; N. M. Panlilio-Yap; C. L. Ramsey; and S. Chang, "Characterization of an Ada Software Development," *Computer*, Vol. 18, No. 9, September 1985, pp. 53–67.

(Be82) Ben-Ari, M., *Principles of Concurrent Programming*, Englewood Cliffs, NJ: Prentice Hall, 1982.

(Bn80) Bernstein, A. J., "Output Guards and Nondeterminism in Communicating Sequential Processes," *ACM Transactions on Programming Languages and Systems*, Vol. 2, No. 2, 1980, pp. 234–238.

(Bc81) Bernstein, P. A., and N. Goodman, "Concurrency Control in Distributed Database Systems," *Computing Surveys*, Vol. 13, No. 2, June 1981, pp. 185–221.

(Bi84) Birrell, A. D., and B. J. Nelson, "Implementing Remote Procedure Calls," *ACM Transactions on Computer Systems*, Vol. 2, February 1984, pp. 39–59.

(Bo83) Booch, G., *Software Engineering with Ada*, Menlo Park, CA: Benjamin/Cummings, 1983.

(Br72) Brinch Hansen, P., "Structured Multiprogramming," *Communications of the ACM*, Vol. 15, No. 7, July 1972, pp. 574–578.

(Br73) Brinch Hansen, P., *Operating System Principles*, Englewood Cliffs, N.J.: Prentice-Hall, 1973.

(Br75) Brinch Hansen, P., "The Programming Language Concurrent Pascal," *IEEE Transactions on Software Engineering*, Vol. SE-1, No. 2, June 1975, pp. 199–207.

(Br76) Brinch Hansen, P., "The Solo Operating System: Processes, Monitors, and Classes," *Software—Practice and Experience*, Vol. 6, 1976, pp. 165–200.

(Br77) Brinch Hansen, P., *The Architecture of Concurrent Programs*, Englewood Cliffs, NJ: Prentice Hall, 1977.

(Br78) Brinch Hansen, P., "Distributed Processes: A Concurrent Programming Concept," *Communications of the ACM*, Vol. 21, No. 11, November 1978, pp. 934–941.

(Br81) Brinch Hansen, P., "Edison: A Multiprocessor Language," *Software—Practice and Experience*, Vol. 11, No. 4, April 1981, pp. 325–361.

(Bu84) Buhr, R. J. A., *System Design with Ada*, Englewood Cliffs, NJ: Prentice Hall, 1984.

(Bt84) Burton, F. W., "Annotations to Control Parallelism and Reduction Order in the Distributed Evaluation of Functional Programs," *ACM Transactions on Programming Languages and Systems*, Vol. 6, No. 2, April 1984.

(Ca74) Campbell, R. H., and A. N. Habermann, "The Specification of Process Synchronization by Path Expressions," *Lecture Notes in Computer Science*, Vol. 16, Springer-Verlag, 1974, pp. 89-102.

(Cr83) Carvalho, O. S. F., and G. Roucairol, "On Mutual Exclusion in Computer Networks," *Communications of the ACM*, Vol. 26, No. 2, February 1983, pp. 146–147.

(Ch84) Cheriton, D. R., "An Experiment Using Registers for Fast Message-Based Interprocess Communications," *Operating Systems Review*, Vol. 18, No. 4, October 1984, pp. 12–20.

(Cl86) Clapp, R. M.; L. Duchesneau; R. A. Volz; T. N. Mudge; and T. Schultze, "Toward Real-Time Performance Benchmarks for Ada," *Communications of the ACM*, Vol. 29, No. 8, August 1986, pp. 760–778.

(Cn79) Coleman, D.; R. M. Gallimore; J. W. Hughes; and M. S. Powell, "An Assessment of Concurrent Pascal," *Software—Practice and Experience*, Vol. 9, 1979, pp. 827–837.

(Ck80) Cook, R. P., "*MOD—A Language for Distributed Programming," *IEEE Transactions on Software Engineering*, Vol. SE-6, No. 6, 1980, pp. 563–571.

(Co71) Courtois, P. J.; F. Heymans; and D. L. Parnas, "Concurrent Control with Readers and Writers," *Communications of the ACM*, Vol. 14, No. 10, October 1971, pp. 667–668.

(Da72) Dahl, O. J., and C. A. R. Hoare, "Hierarchical Program Structures," in *Structured Programming*, New York: Academic Press, 1972.

(Di65) Dijkstra, E. W., "Cooperating Sequential Processes," Technological University, Eindhoven, Netherlands, 1965. (Reprinted in F. Genuys (ed.), *Programming Languages*, New York, NY: Academic Press, 1968.)

(Di71) Dijkstra, E. W., "Hierarchical Ordering of Sequential Processes," *Acta Informatica*, Vol. 1, 1971, pp. 115–138.

(Di72) Dijkstra, E. W., "Information Streams Sharing a Finite Buffer," *Information Processing Letters*, Vol. 1, No. 5, October 1972, pp. 179–180.

(Di75) Dijkstra, E. W., "Guarded Commands, Nondeterminancy, and Formal Derivation of Programs," *Communications of the ACM*, Vol. 18, 1975, pp. 453–457.

(Fi86) Fisher, D. A., and R. M. Weatherly, "Issues in the Design of a Distributed Operating System for Ada," *Computer*, Vol. 19, No. 5, May 1986, pp. 38–47.

(Fo88) Ford, R., "Concurrent Algorithms for Real-Time Memory Management," *IEEE Software*, Vol. 5, No. 5, September 1988, pp. 10–24.

(Fr86) Frenkel, K. A., "Evaluating Two Massively Parallel Machines," *Communications of the ACM*, Vol. 29, No. 8, August 1986, pp. 752–759.

(Ga89) Ganapathi, M., and G. O. Mendal, "Issues in Ada Compiler Technology," *Computer*, Vol. 22, No. 2, February 1989, pp. 52–60.

(Ga86) Gannon, J. D.; E. E. Katz; and V. R. Basili, "Metrics for Ada Packages: An Initial Study," *Communications of the ACM*, Vol. 29, No. 7, July 1986, pp. 616–623.

(Ge83) Gehani, N. H., *Ada: An Advanced Introduction*, Englewood Cliffs, NJ: Prentice-Hall, 1983.

(Ge84a) Gehani, N. H., *Ada Concurrent Programming*, Englewood Cliffs, NJ: Prentice-Hall, 1984.

(Ge84b) Gehani, N. H., "Broadcasting Sequential Processes (BSP)," *IEEE Transactions on Software Engineering*, Vol. SE-10, No. 4, 1984, pp. 343–351.

(Ge84) Gehani, N. H., and T. A. Cargill, "Concurrent Programming in the Ada Language: The Polling Bias," *Software—Practice and Experience*, Vol. 14, No. 5, 1984, pp. 413–427.

(Ge86) Gehani, N. H., and W. D. Roome, "Concurrent C," *Software—Practice and Experience*, Vol. 16, No. 9, 1986, pp. 821–844.

(Gl86) Gelernter, D., "Domesticating Parallelism," *Computer*, Vol. 19, No. 8, August 1986, pp. 12–16.

(Gn81) Gentleman, W. M., "Message Passing Between Sequential Processes: The Reply Primitive and the Administrator Concept," *Software—Practice and Experience*, Vol. 11, 1981, pp. 435–466.

(Ha83) Habermann, A. N., and D.E. Perry, *Ada for Experienced Programmers*, Reading, MA: Addison-Wesley, 1983.

(Hl86) Halstead, R. H., Jr., "Parallel Symbolic Computing," *Computer*, Vol. 19, No. 8, August 1986, pp. 35–43.

(Ho72) Hoare, C. A. R., "Towards a Theory of Parallel Programming," *Operating Systems Techniques*, New York: Academic Press, 1972.

(Ho74) Hoare, C. A. R., "Monitors: An Operating System Structuring Concept," *Communications of the ACM*, Vol. 17, No. 10, October 1974, pp. 549–557. Corrigendum, *Communications of the ACM*, Vol. 18, No. 2, February 1975, p. 95.

(Ho78) Hoare, C. A. R., "Communicating Sequential Processes," *Communications of the ACM*, Vol. 21, No. 8, August 1978, pp. 666–677.

(Ho81) Hoare, C. A. R., "The Emperor's Old Clothes," (Turing Award Lecture), *Communications of the ACM*, Vol. 24, No. 2, February 1981, pp. 75–83.

(Ho85) Hoare, C. A. R., *Communicating Sequential Processes*, Englewood Cliffs, NJ: Prentice-Hall, 1985.

(Hp80) Hoppe, J., "A Simple Nucleus Written in Modula-2: A Case Study," *Software—Practice and Experience*, Vol. 10, No. 9, September 1980, pp. 697–706.

(Hw76a) Howard, J. H., "Proving Monitors," *Communications of the ACM*, Vol. 19, No. 5, May 1976, pp. 273–279.

(Hw76b) Howard, J. H., "Signaling in Monitors," *Second International Conference on Software Engineering*, San Francisco, October 1976, pp. 47–52.

(Ic84) Ichbiah, J. D., "Ada: Past, Present, Future—An Interview with Jean Ichbiah, Principal Designer of Ada," *Communications of the ACM*, Vol. 27, No. 10, October 1984, pp. 990–997.

(Ke78) Keedy, J., "On Structuring Operating Systems with Monitors," *Australian Computer Journal,* Vol. 10, No. 1, February 1978, pp. 23–27. Reprinted in *Operating Systems Review,* Vol. 13, No. 1, January 1979, pp. 5–9.

(Ks77) Kessels, J. L. W., "An Alternative to Event Queues for Synchronization in Monitors," *Communications of the ACM*, Vol. 20, No.7, July 1977, pp. 500–503.

(Ki79) Kieburtz, R. B., and A. Silberschatz, "Comments on 'Communicating Sequential Processes,'" *ACM Transactions on Programming Languages and Systems*, Vol. 1, No. 2, 1979, pp. 218–225.

(Kl85) Klumpp, A. R., "Space Station Flight Software: Hal/S or Ada?" *Computer*, Vol. 18, No. 3, March 1985, pp. 20–28.

(La77) Lamport, L., "Proving the Correctness of Multiprocess Programs," *IEEE Transactions on Software Engineering*, Vol. SE-3, 1977, pp. 127–143.

(La79) Lamport, L., "A New Approach to Proving the Correctness of Multiprocess Programs," *ACM Transactions on Programming Languages and Sys*tems, Vol. 1, 1979, pp. 84–97.

(La80) Lampson, B. W., and D. D. Redell, "Experience with Processes and Monitors in MESA," *Communications of the ACM*, Vol. 23, No. 2, February 1980, pp. 105–117.

(Le82) LeBlanc, R. J., and J. J. Goda, "Ada and Software Development Support: A New Concept in Language Design," *Computer*, Vol. 15, No. 5, May 1982, pp. 75–83.

(Ld82) Ledgard, H. F., and A. Singer, "Scaling Down Ada (or Towards a Standard Ada Subset)," *Communications of the ACM*, Vol. 25, No. 2, February 1982, pp. 121–125.

(Lr85) Lerner, E. J., "Parallel Processing Gets Down to Business," *High Technology*, Vol. 5, No. 7, July 1985, pp. 20–28.

(Li75) Liskov, B. H., and S. N. Zilles, "Specification Techniques for Data Abstractions," *1975 International Conference on Reliable Software*, Los Angeles, pp. 72–87.

(Li83) Liskov, B., and R. Scheifler, "Guardians and Actions: Linguistic Support for Robust, Distributed Programs," *ACM Transactions on Programming Languages and Systems*, Vol. 5, No. 3, 1983, pp. 381–404.

(Li86) Liskov, B. H.; M. Herlihy; and L. Gilbert, "Limitations of Synchronous Communication with Static Process Structure in Languages for Distributed Computing," *Proceedings of the 13th ACM Symposium on Principles of Programming Languages*, St. Petersburg, Florida, January 1986.

(Ls76) Lister, A. M., and K. J. Maynard, "An Implementation of Monitors," *Software—Practice and Experience*, Vol. 6, No. 3, July 1976, pp. 377–386.

(Ma80) Mao, T. W., and R. T. Yeh, "Communication Port: A Language Concept for Concurrent Programming," *IEEE Transactions on Software Engineering*, Vol. SE-6, No. 2, March 1980, pp. 194–204.

(Mc82) McGraw, J. R., "The VAL Language: Description and Analysis," *ACM Transactions on Programming Languages*, Vol. 4, No. 1, January 1982, pp. 44–82.

(Mi87) Mitchell, J.; J. E. Urban; and R. McDonald, "The Effect of Abstract Data Types on Program Development," *Computer*, Vol. 20, No. 8, August 1987, pp. 85–88.

(Mu85) Mudge, T. N., "Object-Based Computing and the Ada Language," *Computer*, Vol. 18, No. 3, March 1985, pp. 11–19.

(Mn86) Mundie, D. A., and D. A. Fisher, "Parallel Processing in Ada," *Computer*, Vol. 19, No. 8, August 1986, pp. 20–25.

(My87) Myers, W., "Ada: First Users—Pleased; Prospective Users—Still Hesitant," *Computer*, Vol. 20, No. 3, March 1987, pp. 68–73.

(Ni87) Nielsen, K. W., and K. Shumate, "Designing Large Real-Time Systems with Ada," *Communications of the ACM*, Vol. 30, No. 8, August 1987, pp. 695–715.

(Og85) Ogilvie, J. W. L., *Modula-2 Programming*, New York, NY: McGraw-Hill, 1985.

(Ol85) Olson, R., "Parallel Processing in a Message-Based Operating System," *IEEE Software*, Vol. 2, No. 4, July 1985, pp. 39–49.

(Ow76) Owicki, S., and D. Gries, "Verifying Properties of Parallel Programs: An Axiomatic Approach," *Communications of the ACM*, Vol. 19, 1976, pp. 279–285.

(Pa71) Patil, S. S., "Limitations and Capabilities of Dijkstra's Semaphore Primitives for Coordination among Processes," *M.I.T. Project MAC Computational Structures Group Memo 57*, February 1971.

(Pn81) Pnueli, A., "The Temporal Semantics of Concurrent Programs," *Theoretical Computer Science*, Vol. 13, 1981, pp. 45–60.

(Pr85) Pratt, T. W., "Pisces: An Environment for Parallel Scientific Computation," *IEEE Software*, Vol. 2, No. 4, July 1985, pp. 7–20.

(Py85) Pyle, I. C., *The Ada Programming Language*, 2nd ed., London: Prentice Hall International, 1985.

(Rj85) Rajlich, V., "Paradigms for Design and Implementation in Ada," *Communications of the ACM*, Vol. 28, No. 7, July 1985, pp. 718–727.

(Ri74) Ritchie, D. M., and K. Thompson, "The UNIX Time-Sharing System," *Communications of the ACM*, Vol. 17, No. 7, July 1974, pp. 365–375.

(Rb81) Roberts, E. S.; A. Evans, Jr.; C. R. Morgan; and E. M. Clarke, "Task Management in Ada—A Critical Evaluation for Real-Time Multiprocessors," *Software—Practice and Experience*, Vol. 11, No. 10, October 1981, pp. 1019–1051.

(Ru80) Roubine, O., and J. C. Heliard, "Parallel Processing in Ada," in *On the Construction of Programs*, edited by R. M. McKeag and A. M. Macnaghten (eds.), Cambridge University Press, 1980, pp. 193–212.

(Sa86) Sammet, J. E., "Why Ada Is Not Just Another Programming Language," *Communications of the ACM*, Vol. 29, No. 8, August 1986, pp. 722–733.

(Sh84) Shatz, S. M., "Communication Mechanisms for Programming Distributed Systems," *Computer*, Vol. 17, No. 6, June 1984, pp. 21–28.

(Sh87) Shatz, S. M., and J. Wang, "Introduction to Distributed-Software Engineering," *Computer*, Vol. 20, No. 10, October 1987, pp. 23–32.

(Si75) Sintzoff, M., and A. van Lamsweerde, "Constructing Correct and Efficient Concurrent Programs," *1975 International Conference on Reliable Software*, Los Angeles, pp. 267–284.

(Sl82) Schlichting, R. D., and F. B. Schneider, "Understanding and Using Asynchronous Message Passing Primitives," in *Proceedings of the Sumposium on Principles of Distributed Computing*, August 18–20, 1982, Ottawa, Canada, ACM, New York, pp. 141–147.

(Sn82) Stankovic, J. A., "Software Communication Mechanisms: Procedure Calls versus Messages," *Computer*, Vol. 15, No. 4, April 1982.

(St82) Stotts, P. D., "A Comparative Survey of Concurrent Programming Languages," *SIGPLAN Notices*, Vol. 17, No. 9, September 1982, pp. 76–87.

(Su82) Staustrup, J., "Message Passing Communication versus Procedure Call Communication," *Software—Practice and Experience*, Vol. 12, No. 3, March 1982, pp. 223–234.

(Ta83) Taylor, R. N., "A General-Purpose Algorithm for Analyzing Concurrent Programs," *Communications of the ACM*, Vol. 26, No. 5, 1983, pp. 362–376.

(Wa84) Wallis, P. J., and B. A. Wichmann, "Requirements Analysis for Ada Compilers," *Communications of the ACM*, Vol. 27, No. 1, January 1984, pp. 37–41.

(We81) Welsh, J., and A. Lister, "A Comparative Study of Task Communication in Ada," *Software—Practice and Experience*, Vol. 11, No. 3, March 1981, pp. 257–290.

(Wg83) Wegner, P., and S. A. Smolka, "Processes, Tasks and Monitors: A Comparative Study of Concurrent Programming Primitives," *IEEE Transactions on Software Engineering*, Vol. SE-9, No. 4, July 1983, pp. 446–462.

(Wh84) Wichmann, B. A., "Is Ada Too Big? A Designer Answers the Critics," *Communications of the ACM*, Vol. 27, No. 2, February 1984, pp. 98–103.

(Wi77) Wirth, N., "Modula: A Language for Modular Multiprogramming," *Software—Practice and Experience*, Vol. 7, No. 1, January 1977, pp. 3–36.

(Wi77a) Wirth, N., "Towards a Discipline of Real-Time Programming," *Communications of the ACM*, Vol. 20, No. 8, August 1977, pp. 577–583.

(Wi82) Wirth, N., *Programming in Modula-2*, Springer-Verlag, 1982.

(Wt85) Witt, B. I., "Parallelism, Pipelines, and Partitions: Variations on Communicating Modules," *Computer*, Vol. 18, No. 2, February 1985, pp. 105–112.

(Zw85) Zwaenepoel, W., "Implementation and Performance of Pipes in the V-System," *IEEE Transactions on Computers*, Vol. C-34, No. 12, December 1985, pp. 1174–1178.

6
Deadlock and Indefinite Postponement

We had better wait and see.

H. H. Asquith

Every man is the center of a circle, whose fatal circumference he cannot pass.

John James Ingalls

Hold me but safe within the bond
Of one immortal look.

Robert Browning

Detection is, or ought to be, an exact science, and should be treated in the same cold and unemotional manner.

Sir Arthur Conan Doyle

Delays have dangerous ends.

William Shakespeare

Outline

6.1 Introduction
6.2 Examples of Deadlock
6.2.1 A Traffic Deadlock
6.2.2 A Simple Resource Deadlock
6.2.3 Deadlock in Spooling Systems
6.3 A Related Problem: Indefinite Postponement
6.4 Resource Concepts
6.5 Four Necessary Conditions for Deadlock
6.6 Major Areas of Deadlock Research
6.7 Deadlock Prevention
6.7.1 Denying the "Wait for" Condition
6.7.2 Denying the "No-Preemption" Condition
6.7.3 Denying the "Circular Wait" Condition
6.8 Deadlock Avoidance and the Banker's Algorithm
6.8.1 Dijkstra's Banker's Algorithm
6.8.2 Example of a Safe State
6.8.3 Example of an Unsafe State
6.8.4 Example of a Safe State to Unsafe State Transition
6.8.5 Banker's Algorithm Resource Allocation
6.8.6 Weaknesses in the Banker's Algorithm
6.9 Deadlock Detection
6.9.1 Resource Allocation Graphs
6.9.2 Reduction of Resource Allocation Graphs
6.10 Deadlock Recovery
6.11 Deadlock Considerations in Future Systems

6.1 INTRODUCTION

A process in a multiprogramming system is said to be in a state of *deadlock* (or *deadlocked*) if it is waiting for a particular event that will not occur. In a system deadlock, one or more processes are deadlocked (Is80) (Zo83).

In multiprogrammed computing systems, resource sharing is one of the primary goals of the operating system. When resources are shared among a population of users, each of whom maintains exclusive control over particular resources allocated to that user, it is possible for deadlocks to develop in which the processes of some users will never be able to finish.

This chapter discusses the problem of deadlock and summarizes the major research results in the areas of *deadlock prevention*, *avoidance*, *detection*, and *recovery*. Also considered is the closely related problem of *indefinite postponement* or *starvation* in which a process, even though not deadlocked, could wait for an event that may never occur because of biases in the resource scheduling policies of a system.

The trade-offs between the overhead of deadlock correction mechanisms and the anticipated benefits are considered. In some cases, the price that must be paid to make a system free of deadlock is high. In other cases, such as in real-time process control, there is no choice but to pay the price because allowing a deadlock to develop could be catastrophic.

Interest in deadlock is evidenced by abundant discussions in both the research literature and the documentation of operating systems. In discussing AT&T's UNIX System V operating system, Bach (Ba86) indicates how deadlocks may develop in the areas of process swapping, file locking, linking, and interrupt handling. Kenah, et al (Ke88) discuss the detection and handling of deadlocks in Digital Equipment Corporation's VAX/VMS operating system. The reader interested in investigating deadlock further will find a list of 46 books and papers in the literature section at the end of this chapter.

6.2 EXAMPLES OF DEADLOCK

Deadlocks can develop in many ways. If a process is given the task of waiting for an event to occur, and if the system includes no provision for signaling that event, then we have a one-process deadlock (Ho72). Deadlocks of this nature are extremely difficult to detect. Most deadlocks in real systems generally involve multiple processes competing for multiple resources. Let us consider several common examples of deadlocks.

6.2.1 A Traffic Deadlock

Figure 6.1 illustrates a kind of deadlock that occasionally develops in cities. A number of automobiles are attempting to drive through a busy section of the city, but the traffic has become completely snarled. Traffic comes to a halt, and it is necessary for the police to unwind the jam by slowly and carefully backing cars out of the congested area. Eventually the traffic begins to flow normally, but not without much annoyance, effort, and the loss of considerable time.

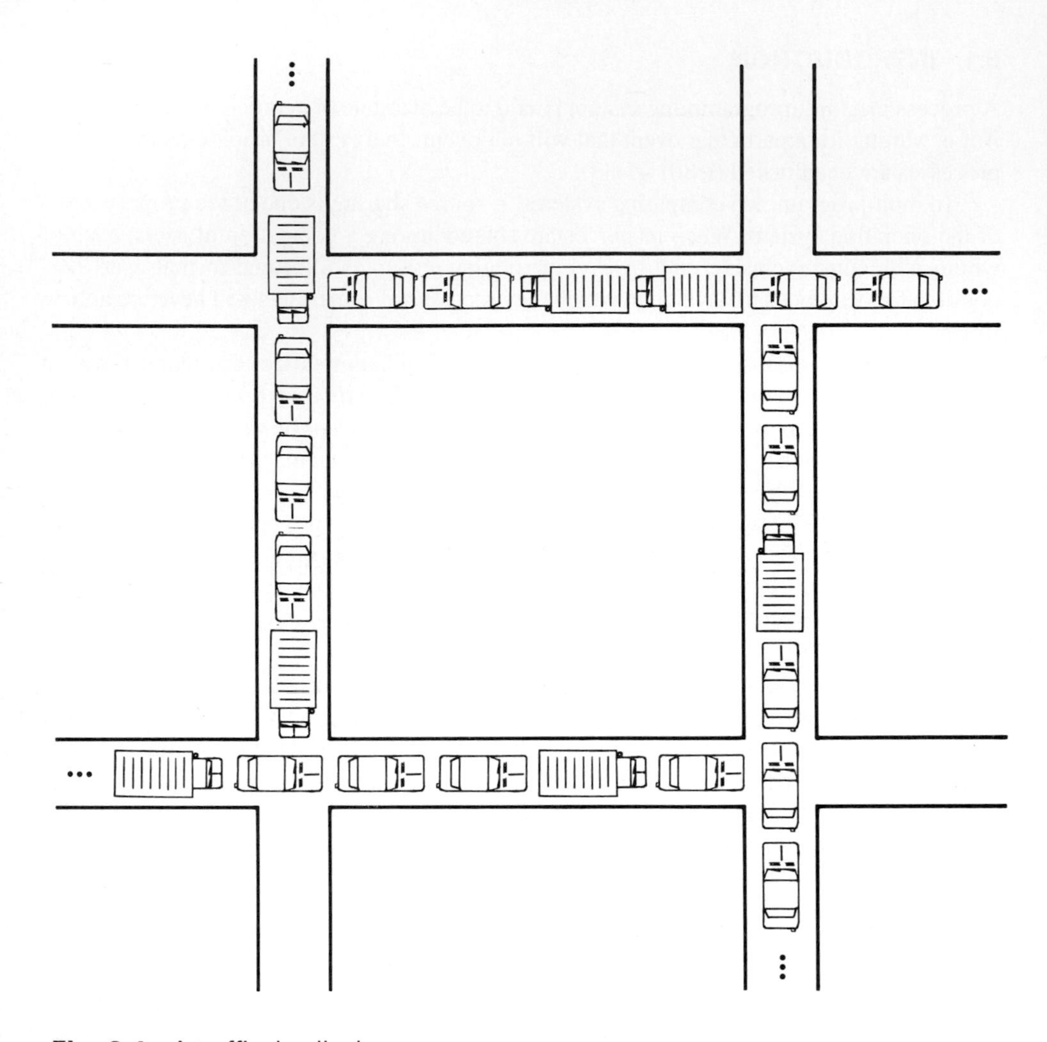

Fig. 6.1 A traffic deadlock.

6.2.2 A Simple Resource Deadlock

Most deadlocks in operating systems develop because of the normal contention for *dedicated resources* (i.e., resources that may be used by only one user at a time, sometimes called *serially reusable resources*). A simple example of a resource deadlock is illustrated in Fig. 6.2. This *resource allocation graph* shows two processes as rectangles and two resources as circles. An arrow from a resource to a process indicates that the resource belongs to, or has been allocated to, the process. An arrow from a process to a resource indicates that the process is requesting, but has not as yet been allocated, the resource. The diagram illustrates a deadlocked system: Process A holds Resource 1 and needs Resource 2

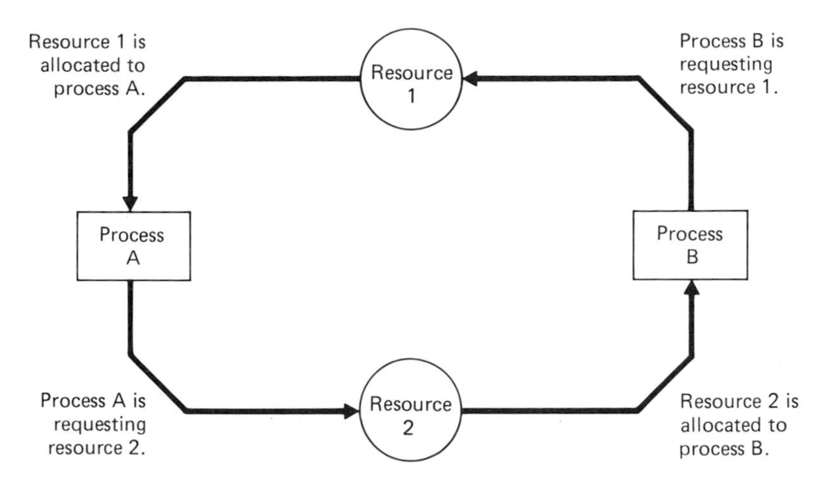

Fig. 6.2 A simple deadlock. This system is deadlocked because each process holds a resource being requested by the other process and neither process is willing to release the resource it holds.

to continue. Process B holds Resource 2 and needs Resource 1 to continue. Each process is waiting for the other to free a resource that it will not free until the other frees its resource that it will not do until the other frees its resource, etc. This *circular wait* is characteristic of deadlocked systems. Because holding resources tenaciously can cause deadlock, a deadlock (like the one illustrated in Fig. 6.2) is sometimes referred to as a *deadly embrace*.

6.2.3 Deadlock in Spooling Systems

Spooling systems are often prone to deadlock. A *spooling system* is used to improve system throughput by disassociating a program from the slow operating speeds of devices such as printers. For example, if a program sending lines to the printer must wait for each line to be printed before it can transmit the next line, then the program will execute slowly. To speed the program's execution, output lines are routed to a much faster device such as a disk drive where they are temporarily stored until they may be printed. In some spooling systems, *the complete output from a program must be available before actual printing can begin*. Thus several partially completed jobs generating print lines to a spool file could become deadlocked if the available space fills before any job completes. Unwinding, or recovering, from such a deadlock might involve restarting the system with a loss of all work performed so far. If the system deadlocks in a manner that leaves the operator in control, then a less drastic approach to recovery might be to kill one or more jobs until sufficient spooling space becomes available for the remaining jobs to complete.

When an operating system is generated by the systems programmer, the amount of space for spooling files is specified. One way to make spooling deadlocks less likely is to provide considerably more space for spooling files than is anticipated will be needed. This solution is not always feasible if space is at a premium. A more common solution is to collar the input spoolers so that they will not read in more jobs when the spooling files begin to reach some *saturation threshold* such as 75 percent full. This may reduce system throughput, but it is the price paid to reduce the likelihood of deadlocks.

Today's systems are more sophisticated than this. They might allow printing to begin before the job is completed so that a full, or nearly full, spooling file can be emptied or partially cleared even while a job is still executing. In many systems, allocation of spooling space has been made more dynamic so that if existing space starts to fill, then more space may be made available. The benefits of spooling generally outweigh the problems presented here, but the reader should be aware of potential difficulties in operating systems design.

6.3 A RELATED PROBLEM: INDEFINITE POSTPONEMENT

In any system that keeps processes waiting while it makes resource allocation and process scheduling decisions, it is possible to delay indefinitely the scheduling of a process while other processes receive the system's attention. This situation, called by various names including *indefinite postponement*, *indefinite blocking*, or *starvation*, can often be as devastating as deadlock.

Indefinite postponement may occur because of biases in a system's resource scheduling policies. When resources are scheduled on a priority basis, it is possible for a given process to wait for a resource indefinitely as processes with higher priorities continue arriving. Waiting is a fact of life and is certainly an important aspect of what goes on inside computer systems. Systems should be designed to manage waiting processes fairly as well as efficiently. In some systems, indefinite postponement is prevented by allowing a process's priority to increase as it waits for a resource. This is called *aging*. Eventually, that process's priority will exceed the priorities of all incoming processes, and the waiting process will be serviced.

Mathematical *queueing theory* provides the formal treatment of systems that manage waiting entities. Queueing theory is introduced in this text in Chapter 15, "Analytic Modeling."

6.4 RESOURCE CONCEPTS

An operating system is primarily a resource manager. It is responsible for the allocation of a vast array of resources of various types. The richness of resource types is part of what makes operating systems such an interesting topic. We consider resources that are *preemptible* such as the CPU and main memory; a user program currently occupying a particular range of locations in main memory may be removed or preempted by another program. A user program that has requested input/output may not be able to make effective use of the main memory during the long delay until the input/output is complete. The CPU is perhaps the most preemptible resource on a computer system. The CPU must be rapidly switched (multiplexed) among a large number of processes competing for system service to keep all those processes progressing at a reasonable pace. Whenever a particular process reaches a point at which the CPU cannot be effectively used (such as during a long wait for input/output completion), control of the CPU is removed from that process and given to another process. *Preemption is thus extremely critical to the success of multiprogrammed computer systems.*

Certain resources are *nonpreemptible* and cannot be removed from the processes to which they are assigned. For example, tape drives are normally assigned to a particular process for periods of several minutes or hours. While a tape drive belongs to one process, it may not be taken from that process and given to another.

Some resources may be *shared* among several processes while others are dedicated to single processes. Disk drives are sometimes dedicated to single processes, but often contain files belonging to many processes. Main memory and the CPU are shared among many processes; although a single CPU can normally only belong to one process at a time, the multiplexing of the CPU among many processes creates the illusion of simultaneous sharing.

Data and programs are certainly resources that need to be controlled and allocated. On multiprogramming systems, many users may simultaneously want to use an editor program. It would waste main memory to have a separate copy of the editor for each program. Instead, one copy of the code is brought in and several copies of the data are made, one for each user. Since the code may be in use by many people at once, it cannot change. Code that cannot be changed while in use is said to be *reentrant*. Code that may be changed but is reinitialized each time it is used is said to be *serially reusable*. Reentrant code may be shared by several processes simultaneously whereas serially reusable code may be used by only one process at a time.

When we call particular resources shared, we must be careful to state whether they may be used by several processes simultaneously, or whether they may be used by several processes, but only by one at a time. The latter are the resources that tend to become involved in deadlocks.

6.5 FOUR NECESSARY CONDITIONS FOR DEADLOCK

Coffman, Elphick, and Shoshani (Co71) stated the following four *necessary* conditions that must be in effect for a deadlock to exist.

- Processes claim exclusive control of the resources they require (*mutual exclusion* condition).
- Processes hold resources already allocated to them while waiting for additional resources (*wait for* condition).
- Resources cannot be removed from the processes holding them until the resources are used to completion (*no preemption* condition).
- A circular chain of processes exists in which each process holds one or more resources that are requested by the next process in the chain (*circular wait* condition).

Because these conditions are necessary for a deadlock to exist, the existence of a deadlock implies that each of these conditions must be in effect. As we will see later, this observation helps us develop schemes to prevent deadlocks.

An interesting question is whether these conditions, as a group, are also *sufficient* for a deadlock to exist (i.e., if these conditions are in place, is a system necessarily deadlocked)? This is left to the exercises.

6.6 MAJOR AREAS OF DEADLOCK RESEARCH

Deadlock has been one of the more productive research areas in computer science and operating systems. The results of deadlock research have been "nice" in that clean-cut methods have been found to handle many of the common problems. Primarily, there are four areas of interest in deadlock research. These are deadlock prevention, deadlock avoidance, deadlock detection, and deadlock recovery.

In *deadlock prevention* our concern is to condition a system to remove any possibility of deadlocks occurring. Prevention is a clean solution as far as deadlock itself is concerned, but prevention methods can often result in poor resource utilization. Nevertheless, deadlock prevention methods are widely practiced.

In *deadlock avoidance* the goal is to impose less stringent conditions than in deadlock prevention in an attempt to get better resource utilization. Avoidance does not precondition the system to remove all possibility of deadlock. Instead, avoidance methods allow the possibility of deadlock to loom, but whenever a deadlock is approached, it is carefully sidestepped. (See the discussion of Dijkstra's Banker's Algorithm later in this chapter.)

Deadlock detection methods are used in systems that allow deadlocks to occur, either willingly or unwillingly. The goal of deadlock detection is to determine if a deadlock has occurred, and to determine precisely those processes and resources involved in the deadlock. Once this is determined, the deadlock can be cleared from the system.

Deadlock recovery methods are used to clear deadlocks from a system so that it may proceed to operate free of the deadlock, and so that the deadlocked processes may complete their execution and free their resources. Recovery is a messy problem at best and most systems recover from deadlock by flushing one or more of the deadlocked processes completely. Then, the flushed processes are normally restarted from the beginning, with much or all previous work done by these processes being lost.

6.7 DEADLOCK PREVENTION

By far, the most frequent approach used by designers in dealing with the problem of deadlock is deadlock prevention (Ha69) (Ho71) (Ho71a) (Pa72) (Nw79) (Ge81). In this section, the various methods of deadlock prevention are considered, and the effects on both users and systems, especially from the standpoint of performance, are examined.

Havender (Hv68), in his pioneering work, concluded that if any of the four necessary conditions is denied, a deadlock cannot occur. Havender suggested the following strategies for denying various necessary conditions.

- Each process must request all its required resources at once and cannot proceed until all have been granted.
- If a process holding certain resources is denied a further request, that process must release its original resources and, if necessary, request them again together with the additional resources.
- Impose a *linear ordering* of resource types on all processes; i.e., if a process has been allocated resources of a given type, it may subsequently request only those resources of types later in the ordering.

Note that Havender presents three strategies, and not four. Each of the above, as we will see in the following sections, is designed to deny one particular necessary condition. The first necessary condition, namely that processes claim exclusive use of the resources they require, is not one that we want to break because we specifically want to allow *dedicated* resources.

6.7.1 Denying the "Wait for" Condition

Havender's first strategy requires that all of the resources a process will need must be requested at once. The system must grant them on an "all or none" basis. If the set of resources needed by a process is available, then the system may grant all of those resources to the process at one time and the process will be allowed to proceed. If the complete set of resources needed by a process is not currently available, then the process must wait until the complete set is available. While the process waits, however, it may not hold any resources. Thus the "wait for" condition is denied and deadlocks simply cannot occur.

This sounds good but it can lead to serious waste of resources. For example, a program requiring ten tape drives at one point in its execution must request, and receive, all ten tape drives before it begins executing. If all ten drives are needed throughout the execution of the program, then there is no serious waste. But, consider the case in which the program needs only one tape drive to begin execution (or worse yet, none at all) and then does not need the remaining tape drives for several hours. The requirement that the program must request, and receive, all of these tape drives before execution begins means that substantial computer resources will sit idle for several hours.

One approach frequently used by systems implementors to get better resource utilization in these circumstances is to divide a program into several program steps that run relatively independently of one another. Then resource allocation can be controlled by step rather than for the entire process. This can reduce waste, but it involves a greater overhead in the design of applications systems, as well as in their execution.

This strategy can cause indefinite postponement since not all the required resources may become available at once. The computer system must allow a sufficient number of jobs to complete and free their resources before the waiting job can proceed. While the required resources are being accumulated they cannot be allocated to other jobs, and the resources are wasted. There is some controversy over whom to charge for these unused resources.

Because the resources are being accumulated for a specific user, some designers feel this user should pay for them, even during the period the resources sit idle. Other designers say this would destroy the *predictability of resource charges*; if the user tried to run the job on a busy day, the charges would be much higher than when the machine was lightly loaded.

6.7.2 Denying the "No-Preemption" Condition

Havender's second strategy, considered here independently of the others, denies the "no-preemption" condition. Suppose a system does allow processes to hold resources while requesting additional resources. As long as sufficient resources remain available to satisfy all requests, the system cannot deadlock. But consider what happens when a request cannot be satisfied. Now a process holds resources a second process may need in order to proceed while the second process may hold the resources needed by the first process. This is deadlock.

Havender's second strategy requires that when a process holding resources is denied a request for additional resources, that process must release its held resources and, if necessary, request them again together with the additional resources. Implementation of this strategy effectively denies the "no-preemption" condition. Resources can be removed from the processes holding them prior to the completion of those processes.

Here, too, the means for preventing deadlock is not without cost. When a process releases resources the process may lose all its work to that point. This may seem to be a high price to pay, but the real question is "How often does this price have to be paid?" If this occurs infrequently, then a relatively low-cost means of preventing deadlocks is provided. If, on the other hand, this occurs frequently, then the cost is substantial and the effects are disruptive, particularly when high-priority or deadline processes cannot be completed on time.

One serious consequence of this strategy is the possibility of indefinite postponement. A process might be held off indefinitely as it repeatedly requests and releases the same resources. If this occurs, the system might need to remove the process so that other processes can proceed. The possibility that the process being indefinitely postponed might not be very "visible" to the system operator cannot be ignored. In this case, the process might consume substantial computer resources and degrade the system's performance.

6.7.3 Denying the "Circular Wait" Condition

Havender's third strategy denies the possibility of a circular wait. Because all resources are uniquely numbered, and because processes must request resources in linear ascending order, a circular wait cannot develop (Fig. 6.3). This strategy has been implemented in a number of operating systems (Br73) (Sc73) (Au81) (Ke88), but not without difficulties.

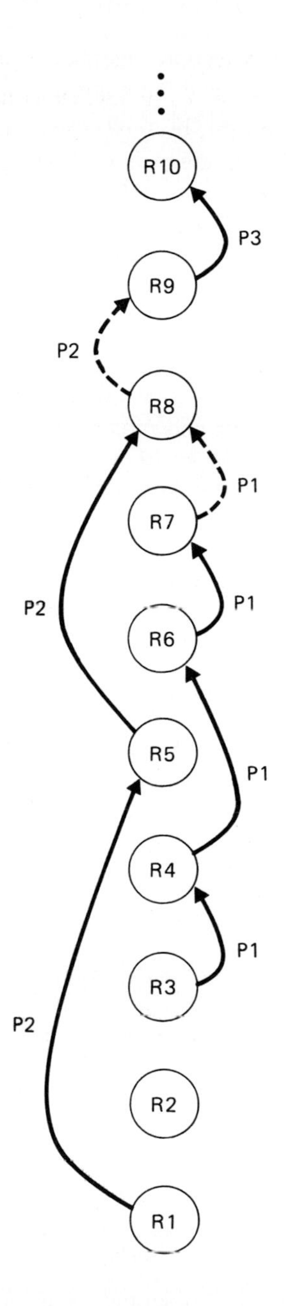

Process P1 has resources R3, R4, R6 and R7, and is requesting resource R8 (as indicated by the dotted line). No circular wait can develop because all arrows must point upward.

Fig. 6.3 Havender's linear ordering for preventing deadlock.

- Resources must be requested in ascending order by resource number. Resource numbers are assigned for the installation and must be "lived with" for long periods (i.e., months or even years). If new resource types are added at an installation, existing programs and systems may have to be rewritten.
- Clearly, when the resource numbers are assigned, they should reflect the normal ordering in which most jobs actually use resources. For jobs matching this ordering, efficient operation may be expected. But for jobs that need the resources in a different order than that assumed at the installation, resources must be acquired and held, possibly long before they are actually used. This can result in considerable waste.
- One of the most important goals in today's operating systems is to create user-friendly environments. Users should be able to develop their applications with a minimal pollution of their environments by awkward hardware and software restrictions. Havender's linear ordering truly eliminates the possibility of a circular wait, yet it detrimentally affects a user's ability to freely and easily write applications code.

6.8 DEADLOCK AVOIDANCE AND THE BANKER'S ALGORITHM

If the necessary conditions for a deadlock to occur are in place, it is still possible to *avoid* deadlock by being careful when resources are allocated. Perhaps the most famous deadlock-avoidance algorithm is *Dijkstra's Banker's Algorithm* (Br73) (Di65) (Di65a) (Ha69) (Ma84), called by this interesting name because it involves a banker who makes loans and receives payments from a given source of capital. We paraphrase the algorithm here in the context of operating systems resource allocation. Subsequently, much work has been done in deadlock avoidance (Hv68) (Fo71) (Fr73) (De77) (Lo80) (Ma80) (Me80) (Mi82).

6.8.1 Dijkstra's Banker's Algorithm

When we refer to resources in the following discussion, we mean resources of the same type. The Banker's Algorithm is easily extendable to pools of resources of several different types; this is left to the exercises at the end of this chapter. For example, consider the allocation of a quantity, t, of identical tape drives.

> An operating system shares a fixed number of equivalent tape drives, t, among a fixed number of users, u. Each user specifies in advance the maximum number of tape drives he or she will need during the execution of his or her job on the system.
>
> The operating system will accept a user's request if that user's *maximum need* for tape drives does not exceed t.
>
> A user may obtain or release tape drives one by one. Sometimes, a user may have to wait to obtain an additional tape drive, but the operating system guarantees a finite wait. The current number of tape drives allocated to a user will never exceed that user's stated maximum need.

If the operating system is able to satisfy a user's maximum need for tape drives, then the user guarantees that the tape drives will be used and released to the operating system within a finite time.

The current state of the system is called *safe* if it is possible for the operating system to allow all current users to complete their jobs within a finite time. (Again, it is assumed that tape drives are the only resources requested by users). If not, then the current system state is called *unsafe*.

Now suppose there are n users.

Let *loan(i)* represent user i's current *loan* of tape drives; if user 5, for example, has been allocated four tape drives, then *loan(5)* = 4. Let *max(i)* be the maximum need of user i so that if user 3 has a maximum need of two tape drives then *max(3)* = 2. Let *claim(i)* be the current *claim* of a user where a user's claim is equal to his maximum need minus the user's current loan. If, for example, user 7 has a maximum need of six tape drives and a current loan of four tape drives, then we have

```
claim(7) = max(7) - loan(7) = 6 - 4 = 2
```

The operating system controls t tape drives. Let a be the number of tape drives still available for allocation. Then a is equal to t minus the sum of the loans to the various users.

Dijkstra's Banker's Algorithm says to allocate tape drives to users only when the allocations result in safe states rather than in unsafe states. A *safe state* is one in which the total resource situation is such that all users would eventually be able to finish. An *unsafe state* is one that might eventually lead to deadlock.

6.8.2 Example of a Safe State

Suppose a system has twelve equivalent tape drives, and three users sharing the drives as in State I.

State I

	Current loan		Maximum need
User(1)	1		4
User(2)	4		6
User(3)	5		8
Available		2	

This state is "safe" because it is still possible for all three users to finish. Note that User(2) currently has a loan of four tape drives and will eventually need a maximum of six, or two additional drives. The system has twelve drives of which ten are currently in use and two are available. If these two available drives are given to User(2), fulfilling User(2)'s maximum need, then User(2) may run to completion. User(2) upon finishing will release all six tape drives that the system may then assign to User(1) and User(3). User(1) has one tape drive and will need three more eventually. User(3) has five and will need three more eventually. If User(2) returns six, then three may be given to User(1), who may then finish and return four tape drives to the system. The system may then give three drives to User(3), who may now also finish. Thus *the key to a state being safe is that there is at least one way for all users to finish.*

6.8.3 Example of an Unsafe State

Assume a system's twelve tape drives are allocated as in State II.

State II

	Current loan		Maximum need
User(1)	8		10
User(2)	2		5
User(3)	1		3
Available		1	

Here eleven of the system's twelve tape drives are currently in use and only one drive is available for allocation. At this point, no matter which user requests the available drive, we cannot guarantee that all three users will finish. In fact, suppose User(1) requests and is granted the last available drive. A three-way deadlock could occur if indeed each process needs to request at least one more drive before releasing any drives to the pool.

It is important to note here that an *unsafe state does not imply the existence, or even the eventual existence, of deadlock. What an unsafe state does imply is simply that some unfortunate sequence of events might lead to a deadlock.*

6.8.4 Example of Safe State to Unsafe State Transition

That a state is known to be safe does not imply that all future states will be safe. Our resource allocation policy must carefully consider all resource requests before granting them. For example, suppose the current state of a system is safe as shown in State III.

State III

	Current loan		Maximum need
User(1)	1		4
User(2)	4		6
User(3)	5		8
Available		2	

Now suppose that User(3) requests an additional resource. If the system were to grant this request, then the new state would be State IV.

State IV

	Current loan		Maximum need
User(1)	1		4
User(2)	4		6
User(3)	6		8
Available		1	

Certainly, State IV is not necessarily deadlocked. But the state has gone from a safe one to an unsafe one. State IV characterizes a system in which completion of all user processes cannot be guaranteed. One resource is available. A minimum of two resources must be available to ensure that either User(2) or User(3) could complete, return its resources to the system, and ultimately allow the other users to finish.

6.8.5 Banker's Algorithm Resource Allocation

Now it should be clear how resource allocation operates under Dijkstra's Banker's Algorithm. The "mutual-exclusion," "wait-for," and "no-preemption" conditions are allowed, but processes do claim exclusive use of the resources they require. Processes are indeed allowed to hold resources while requesting and waiting for additional resources, and resources may not be preempted from a process holding those resources. Users ease on to the system by requesting one resource at a time. The system may either grant or deny each request. If a request is denied, that user holds any allocated resources and waits for a finite time until that request is eventually granted. *The system grants requests that result in safe states only*. A user's request that would result in an unsafe state is repeatedly denied until that request can eventually be satisfied. Of course, because the system is always maintained in a safe state, sooner or later (i.e., in a finite time) all requests can be satisfied and all users can finish.

6.8.6 Weaknesses in the Banker's Algorithm

The Banker's Algorithm is of interest to us because it provides a way of allocating resources to avoid deadlock. It allows jobs to proceed that under a deadlock prevention situation would have had to wait. But the algorithm contains a number of serious weaknesses that might cause a designer to choose another approach to the deadlock problem.

- The algorithm requires that there be a fixed number of resources to allocate. Since resources frequently require service, either because of breakdowns or preventive maintenance, we cannot count on the number of resources constantly remaining fixed.
- The algorithm requires that the population of users remain fixed. This, too, is unreasonable. In today's multiprogrammed systems, the user population is constantly changing. On a large timesharing system, for example, it is not unusual to service 100 or more users simultaneously. But the population of users changes constantly, perhaps as often as every few seconds.
- The algorithm requires that the Banker grant all requests within a finite time. Clearly, much better guarantees than this are needed in real systems.
- Similarly, the algorithm requires that clients (i.e., jobs) repay all loans (i.e., return all resources) within a finite time. Again, much better guarantees than this are needed in real systems.
- The algorithm requires that users state their maximum needs in advance. With resource allocation becoming increasingly dynamic, it is becoming more difficult to know a user's maximum need. In fact, as systems provide more user-friendly interfaces, it is becoming common to have users who don't have the slightest idea what their resource needs are.

6.9 DEADLOCK DETECTION

Deadlock detection is the process of actually determining that a deadlock exists, and of identifying the processes and resources involved in the deadlock (Mu68) (Nw79) (Gl80) (Hg82) (Ob82) (Ca83) (Ja83) (Ke88). Deadlock detection algorithms generally determine if a circular wait exists.

The use of deadlock detection algorithms involves certain run-time overhead. Thus we again face the trade-off considerations so prevalent in operating systems. Is the overhead involved in deadlock detection algorithms justified by the potential savings from locating and breaking up deadlocks? For the moment, we shall ignore this issue and concentrate instead on the development of algorithms capable of detecting deadlocks.

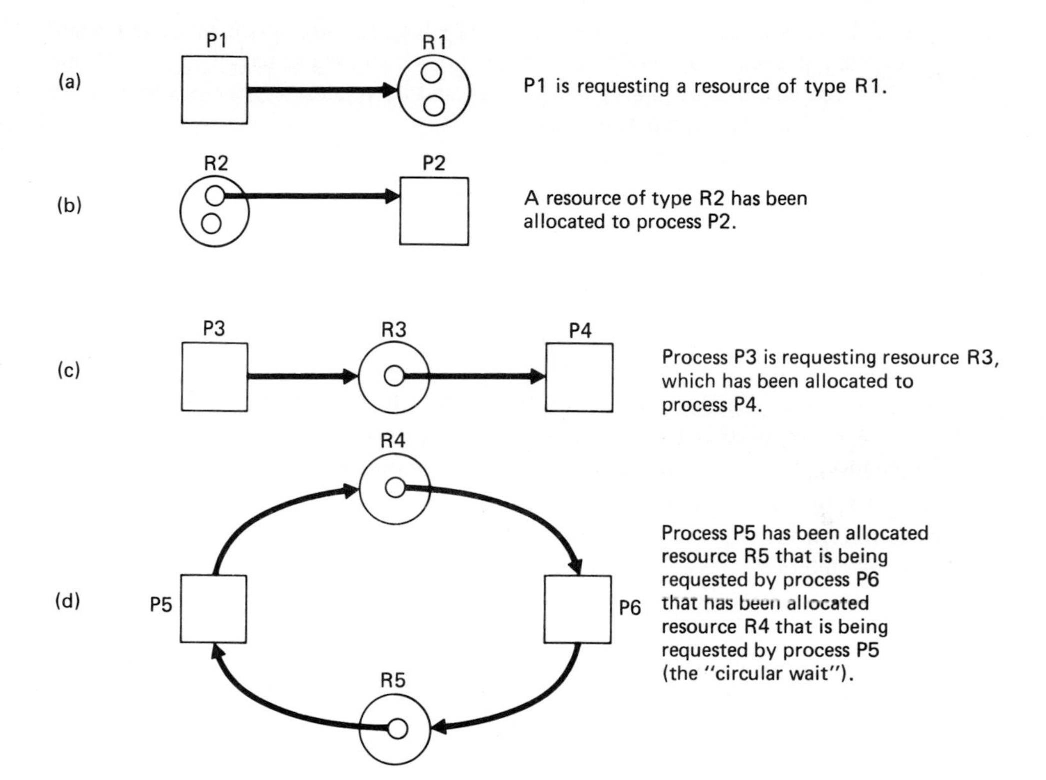

Fig. 6.4 Resource allocation and request graph.

6.9.1 Resource Allocation Graphs

To facilitate the detection of deadlocks, a popular notation is used in which a directed graph indicates resource allocations and requests (Ho72). Squares represent processes and large circles represent classes of identical devices. Small circles drawn inside large circles indicate the number of identical devices of each class. For example, a large circle labeled "R1" containing three small circles indicates that there are three equivalent resources of type R1 available for allocation in this system.

Figure 6.4 indicates the relationships that may be indicated in a resource allocation and request graph. In Fig. 6.4(a), process P1 is requesting a resource of type R1. The arrow from P1 touches only the extremity of the large circle, indicating that the resource request is currently under consideration.

In Fig. 6.4(b), process P2 has been allocated a resource of type R2 (of which there are two). The arrow is drawn from the small circle within the large circle R2 to the square P2.

Figure 6.4(c) indicates a situation somewhat closer to a potential deadlock. Resource R3 is being requested by process P3, but R3 has been allocated to process P4.

Figure 6.4(d) indicates a deadlocked system in which resource R4 is being requested by process P5 that has been allocated resource R5 that is being requested by process P6 that has been allocated resource R4 that is being requested by process P5; an example of the "circular wait" typical of a deadlocked system.

Resource allocation and request graphs change as processes request resources, acquire them, and eventually release them to the operating system.

6.9.2 Reduction of Resource Allocation Graphs

One technique useful for detecting deadlocks involves graph reductions in which the processes that may complete their execution and the processes that will remain deadlocked are determined.

If a process's resource requests may be granted, then we say that a graph may be *reduced* by that process. This reduction is equivalent to showing the graph if this process is allowed to complete its execution and return its resources to the system. The reduction of a graph by a process is shown by removing the arrows to that process from resources (i.e., resources allocated to that process), and by removing arrows from that process to resources (i.e., current resource requests of that process). *If a graph can be reduced by all its processes, then there is no deadlock. If a graph cannot be reduced by all its processes, then the irreducible processes constitute the set of deadlocked processes in the graph.*

Figure 6.5 shows a series of graph reductions that eventually demonstrates a particular set of processes is not deadlocked. Figure 6.4(d) shows a set of processes that is irreducible and thus constitutes a deadlocked system.

It is important to note here that the order in which the graph reductions are performed does not matter: the final result will always be the same. Proving this result is left to the exercises.

6.10 DEADLOCK RECOVERY

Once a system has become deadlocked, the deadlock must be broken by removing one or more of the necessary conditions. Usually, several processes will lose some or all of the work they have accomplished. This may be a small price to pay compared with leaving the deadlock in place. Recovery from deadlock is complicated by several factors.

- It may not be clear that the system has become deadlocked in the first place.
- Most systems have poor facilities for suspending a process indefinitely, removing it from the system, and resuming it at a later time. In fact, some processes such as real-time processes that must function continuously are simply not amenable to being suspended and resumed.
- Even if effective *suspend/resume* capabilities existed, they would most certainly involve considerable overhead and might require the attention of a highly skilled operator. Such an operator is not always available.

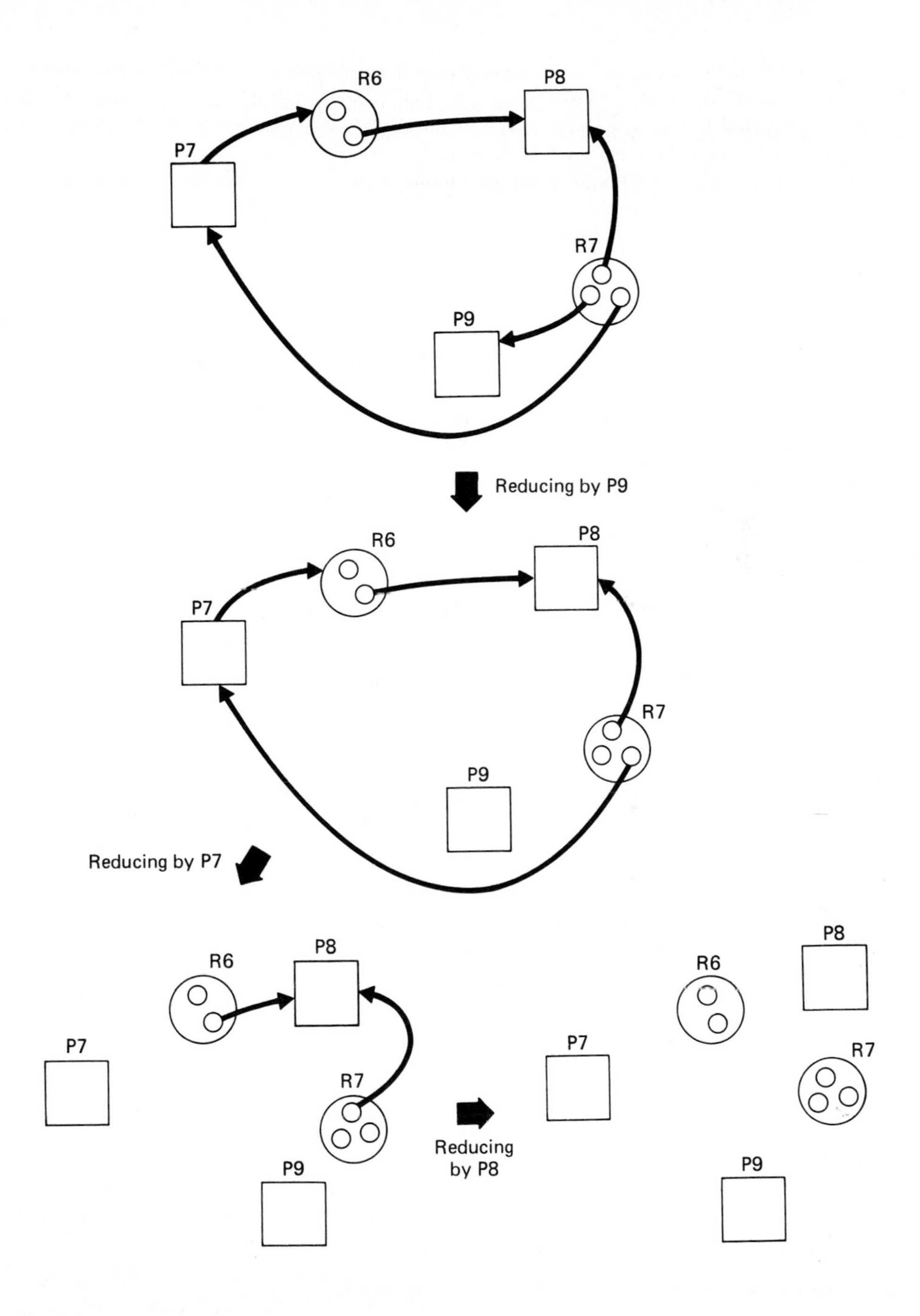

Fig. 6.5 Graph reductions.

- Recovering from a deadlock of modest proportions might involve a reasonable amount of work; a deadlock on a grand scale (i.e., tens or even hundreds of processes) could require an enormous amount of work.

In current systems, recovery is ordinarily performed by forcibly removing a process from the system and reclaiming its resources (Ke88). The removed process is ordinarily lost, but the remaining processes may now be able to complete. Sometimes it is necessary to remove several processes until sufficient resources have been reclaimed to allow the remaining processes to finish. Recovery somehow seems like an inappropriate term here, because some processes are in fact killed "for the benefit" of the others.

Processes may be removed according to some priority order. Here, too, we face several difficulties.

- The priorities of the deadlocked processes may not exist so the operator may need to make an arbitrary decision.
- The priorities may be incorrect or somewhat muddled by special considerations, such as *deadline scheduling*, in which a relatively low-priority process has a temporarily high priority because of an impending deadline.
- The optimum choice of processes to remove may require considerable effort to determine.

It would seem that the most desirable approach to deadlock recovery would be an effective suspend/resume mechanism. This would allow us to put temporary holds on processes, and then to resume the held processes without loss of productive work. Research in this area is important for reasons other than deadlock recovery. For example, it may become necessary to shut down a system temporarily and start up the system again from that point without loss of productive work. Suspend/resume would be useful here. The *checkpoint/restart* features available on many systems facilitate suspend/resume with a loss of the work only since the last *checkpoint* (i.e., a save of the state of the system) was taken. But many applications systems are designed without taking advantage of checkpoint/restart capabilities. It normally requires conscious effort on the part of applications systems developers to incorporate checkpoint/restart, and unless the jobs to be run require many hours of operation, its use is rare.

Deadlocks could have horrendous consequences in certain real-time systems. A real-time process control system monitoring a gasoline refinery must function without interruption for the safety and proper operation of the refinery. A computerized heart pacemaker must literally not "miss a beat." Deadlocks can not be risked in such environments. What would happen if a deadlock did develop? Clearly, it would have to be detected and removed instantaneously. But is this always possible? These are some of the considerations that keep operating systems designers from restful sleep.

6.11 DEADLOCK CONSIDERATIONS IN FUTURE SYSTEMS

In recent computer systems, deadlock has generally been viewed as a limited annoyance. Most systems implement the basic deadlock prevention methods suggested by Havender, and these methods seem to be satisfactory.

In future systems, however, deadlock will be a far more critical consideration for several reasons.

- Future systems will be oriented more toward asynchronous parallel operations than toward the serial systems of the past. Multiprocessing will be common and parallel computation will be prevalent. Networks and distributed systems will proliferate. There will, quite simply, be more operations going on concurrently, more conflict over resources, and hence more chance of deadlock.
- In future systems, resource allocation will tend to be more dynamic. Processes will be able to acquire and release resources freely as needed. Users will not have to know much about their resource needs in advance of program execution. In fact, with the anticipated user-friendly interfaces of the future, most users will not be terribly concerned with the resource consumption of their processes.
- With the increasing tendency of operating systems designers to view data as a resource, the number of resources operating systems must manage will increase dramatically.

Thus the burden of deadlock-free resource allocation in future computer systems should be on the operating system. With computing resources becoming cheaper and more powerful, it is reasonable for the computer and the operating system to assume such an expanded role.

SUMMARY

Deadlock and the related problem of indefinite postponement are important considerations in operating systems. One process may deadlock by waiting for an event that will never occur. Two or more processes may become involved in a resource deadlock in which each process holds resources requested by the others while it in turn requests resources held by the others. Spooling systems are prone to deadlock if spool file space fills before processes finish.

Preemptible resources may be removed from a process; nonpreemptible resources may not. Dedicated resources are allocated to one process at a time. Reentrant code does not change while it is in execution; it may be shared simultaneously by several executing processes to conserve main storage space. Serially reusable code may be used by only one process at a time start-to-finish; the code may change while in execution, but it reinitializes itself for each new process.

The four necessary conditions for a deadlock to exist are "mutual exclusion," "wait for," "no-preemption," and "circular wait." "Mutual exclusion" means that processes claim exclusive control of their resources; "wait for" means that processes may hold resources while waiting for additional requested resources to be allocated; "no-preemption" means that resources may not be forcibly removed from processes; and "circular wait" means that a chain of processes exists in which each process holds a resource being requested by another process that holds a resource being requested by another process, etc.

The major areas of deadlock research are prevention, in which by denying one or more of the necessary conditions, any possibility of deadlock occurring is completely removed from the system; avoidance, in which deadlock is allowed to loom but is carefully sidestepped (hoping to get better resource utilization); detection, in which existing deadlocks are isolated for the attention of operators and the system; and recovery, in which deadlocks are removed (almost always with the loss of work).

Deadlocks may be prevented by denying one or more of the necessary conditions for deadlock. Only the "mutual exclusion" condition cannot be denied since we must allow mutually exclusive use of many types of system resources. The "wait for" condition may be denied by requiring that users request all resources they will need in advance; the system either grants the request as a group or denies the request and makes the user wait until the entire group of resources becomes available. The "no-preemption" condition may be denied by requiring that a user who holds some resources and is denied a request for additional resources must release all held resources and again request all required resources; this is unpleasant at best. The circular-wait condition may be denied by requiring that users request resources in a prearranged installation-defined order; it is easily shown that this prevents circuits from developing in the resource allocation graph.

Dijkstra's Banker's Algorithm provides a basis for implementing deadlock-avoidance algorithms. The state of a system in the Banker's Algorithm is said to be safe if it is possible for all users to finish and return their resources to the system; a state is unsafe if it is not possible to guarantee completion of all users. An unsafe state does not necessarily lead to deadlock; a system in an unsafe state could finish if events occur in an appropriate sequence. The Banker's Algorithm contains several serious weaknesses that preclude its use in today's operating systems, but it is of theoretical interest, possibly as the basis of more workable deadlock-avoidance algorithms for future operating systems.

Resource allocation graphs are useful for showing the "resource state" of a system. The technique of graph reductions is useful for detecting deadlock.

Deadlock recovery is generally accomplished by flushing one or more of the deadlocked processes from the system, freeing their resources so that they may be given to other processes. Recovery in today's systems is messy. Improved suspend/resume capabilities would greatly improve the deadlock recovery process.

Deadlock in today's systems is generally viewed as an infrequent annoyance. In future systems, deadlock could become a far more important consideration because these systems will operate with much more dynamic resource allocation and more processes will run concurrently.

TERMINOLOGY

aging
checkpoint/restart
"circular wait" condition
deadline scheduling
deadlock
deadlock avoidance
deadlock detection
deadlock prevention
deadlock recovery
deadly embrace
dedicated resource
Dijkstra's Banker's Algorithm
dynamic resource allocation
graph reductions
Havender's linear ordering
indefinite blocking

indefinite postponement
irreducible process
"mutual exclusion" condition
necessary conditions for deadlock
nonpreemptible resource
"no-preemption" condition
predictability of resource charges
preemptible resource
priority aging
queueing theory
reducible process
reduction of a resource allocation graph
reentrant procedure
resource allocation graph
safe state
saturation threshold
serially reusable resource
shared resource
spool file
spooling
starvation
sufficient conditions for deadlock
suspend/resume
unsafe state
"wait for" condition

EXERCISES

6.1 Define deadlock.

6.2 Give an example of a deadlock involving only a single process.

6.3 Give an example of a simple resource deadlock involving three processes and three resources. Draw the appropriate resource allocation graph.

6.4 Discuss the motivation for spooling systems. How might a spooling system deadlock?

6.5 Suppose a spooling system is susceptible to deadlock. As an operating systems designer, what features might you provide in this operating system to help an operator unwind spooling deadlocks without loss of work done so far by any of the deadlocked user processes?

6.6 Today's spooling systems often allow printing to begin even before a process has finished execution. Suppose a process has generated 1000 lines of printing and that these lines were accepted by the spooling mechanisms and placed on disk. Suppose the process will continue to execute and will eventually generate 19,000 remaining lines of a printed report. After the first 1000 lines have been generated, a printer becomes available, and the printing of the first 1000 lines is initiated. What do you suppose happens when the printing of these lines has completed in each of the following cases?

a) The process has completed spooling the remaining 19,000 lines to disk.

b) The process is still executing.

Be careful to consider that the printed report must not show any interruptions; it must appear as if all 20,000 lines had been printed continuously.

6.7 Many early spooling systems operated with a fixed amount of spooling space. Today's systems are more dynamic in that more spooling space may be obtained by the operating system while the system is executing. How does this help decrease the chance of deadlock? Such a system could still deadlock. How?

6.8 What is indefinite postponement? How does it differ from deadlock? How is it similar?

6.9 Suppose a given system allows for indefinite postponement of certain entities. How would you as a systems designer provide a means for preventing indefinite postponement?

6.10 Discuss the consequences of indefinite postponement in each of the following types of systems.

a) batch processing

b) timesharing

c) real-time

6.11 A system requires that arriving processes must wait for service if the needed resource is busy. The system does not use aging to elevate the priorities of waiting processes to prevent indefinite postponement. What other means might the system use to prevent indefinite postponement?

6.12 In a system of n processes, a subset of m of these processes is currently suffering indefinite postponement. Is it possible for the system to determine which processes are being indefinitely postponed? If yes, state how. If no, state what reasonable safeguards should be included in the operating system to deal with indefinite postponement situations.

6.13 Why is preemption critical to the success of multiprogrammed computer systems?

6.14 Discuss each of the following resource concepts.

a) preemptible resource

b) nonpreemptible resource

c) shared resource

d) dedicated resource

e) reentrant code

f) serially reusable code

g) dynamic resource allocation

h) predictability of resource changes

6.15 State the four necessary conditions for a deadlock to exist. Give a brief intuitive argument for the reason each individual condition is necessary.

6.16 Consider the traffic deadlock illustrated in Fig. 6.1. Discuss each of the necessary conditions for deadlock in the context of the traffic deadlock.

6.17 Given that the first three necessary conditions for a deadlock to occur are in place, comment on the feasibility of the following strategy: All processes are given unique priorities. When more than one process is waiting for a resource and the resource becomes available, allocate the resource to the waiting process with the highest priority.

6.18 Demonstrate the truth or falsity of each of the following statements.

a) The four necessary conditions for a deadlock to exist are also sufficient if there is only one resource of each resource type involved in the circular wait.

b) The four necessary conditions for a deadlock to exist are also sufficent if there are multiple resources of each resource type involved in the circular wait.

6.19 What are the four areas of deadlock research mentioned in the text? Discuss each briefly.

6.20 Havender's method for denying the "wait for" condition requires that processes must request all of the resources they will need before the system may let them proceed. The system grants resources on an "all or none" basis. This is one of the most widely implemented methods for preventing deadlock. Discuss its pros and cons.

6.21 Havender's method for denying the "no-preemption" condition is not a popular means for preventing deadlock. Why is this true?

6.22 Havender's method for denying the "circular wait" condition has been implemented in many systems. Discuss its pros and cons.

6.23 Prove mathematically that Havender's linear ordering for denying the "circular wait" condition actually prevents circuits from developing in resource allocation graphs.

6.24 A process repeatedly requests and releases resources of types R1 and R2, one at a time and in that order. There is exactly one resource of type R1 and one resource of type R2. A second process also requests and releases these resources one at a time repeatedly. Under what circumstances could these processes deadlock? If so, what could be done to prevent deadlock?

6.25 Explain the intuitive appeal of deadlock avoidance over deadlock prevention.

6.26 In the context of Dijkstra's Banker's Algorithm discuss whether each of the following states is safe or unsafe. If a state is safe, show how it is possible for all processes to complete. If a state is unsafe, show how it is possible for deadlock to occur.

State A

	Current loan		Maximum need
User(1)	1		4
User(2)	4		6
User(3)	5		8
User(4)	0		2
Available		1	

State B

	Current loan		Maximum need
User(1)	4		8
User(2)	3		8
User(3)	5		8
Available		2	

6.27 Just because a state is unsafe does not necessarily imply that the system will deadlock. Explain why this is true. Give an example of an unsafe state and show how all of the processes could complete without a deadlock occurring.

6.28 Dijkstra's Banker's Algorithm has a number of weaknesses that preclude its effective use in real systems. Comment on why each of the following restrictions may be considered a weakness in the Banker's Algorithm.

a) The number of resources to be allocated remains fixed.

b) The population of users remains fixed.

c) The operating system guarantees that resource requests will be serviced in a finite time.

d) Users guarantee that they will return held resources within a finite time.

e) Users must state maximum resource needs in advance.

6.29 Suppose a system with n processes and m identical resources uses Banker's Algorithm deadlock avoidance. Write a boolean function SAFESTATE1 that examines a resource request from a user and determines if satisfying that request will result in a safe state.

6.30 (*Banker's Algorithm for multiple resource types*) Consider Dijkstra's Banker's Algorithm as discussed in Section 6.8. Suppose that a system using this deadlock avoidance scheme has n processes and m different resource types; assume that multiple resources of each type may exist and that the numbers of resources of each type is known. Develop a version of the Banker's Algorithm that will enable such a system to avoid deadlock. HINT: Under what circumstances could a particular process be guaranteed to complete its execution, and thus return its resources to the pool?

6.31 Suppose a system uses the Banker's Algorithm with n processes, m resource types, and multiple resources of each type. Write a boolean function SAFESTATE2 that examines a resource request from a user and determines if satisfying that request will leave the system in a safe state.

6.32 Modify the Banker's Algorithm to deal with the creation and deletion of processes, and the addition and removal of resources. Could previously safe states become unsafe (and vice versa) in such a dynamic environment? What features would you include in such a system to aid the system administrator in monitoring and controlling the system?

6.33 The Banker's Algorithm as discussed in Section 6.8.1 requires that resources be obtained one at a time. Is this requirement too strict? Could the Banker's Algorithm still function properly if resources could be requested in groups? Explain your answer carefully.

6.34 A system that uses Banker's Algorithm deadlock avoidance has five processes (1, 2, 3, 4, and 5) and uses resources of four different types (A, B, C, and D). There are multiple resources of each type. Is the state of the system shown below safe? Explain your answer. If the system is safe, show how all the processes could complete their execution successfully. If the system is unsafe, show how deadlock might occur.

Process	Current loan	Maximum need	Current claim
	A B C D	A B C D	A B C D
1	1 0 2 0	3 2 4 2	2 2 2 2
2	0 3 1 2	3 5 1 2	3 2 0 0
3	2 4 5 1	2 7 7 5	0 3 2 4
4	3 0 0 6	5 5 0 8	2 5 0 2
5	4 2 1 3	6 2 1 4	2 0 0 1

Total Resources	Resources Available
A B C D	A B C D
13 13 9 13	3 4 0 1

6.35 In a system in which it is possible for a deadlock to occur, under what circumstances would you use a deadlock detection algorithm?

6.36 In the deadlock detection algorithm employing the technique of graph reductions, show that the order in which the graph reductions are performed is immaterial; the same final result will be achieved.

6.37 (*Deadlock detection algorithm for multiple resource types*) Consider the deadlock detection algorithm presented in Section 6.9. Extend this algorithm to detect deadlock in systems with multiple resource types and multiple resources of each type.

6.38 Can a resource allocation graph have cycles without a deadlock existing? If so, state why and draw a sample graph; if no, state why not.

6.39 Why is deadlock recovery such a difficult problem?

6.40 Why is it difficult to choose which processes to "flush" in deadlock recovery?

6.41 In this chapter, we state that an effective suspend/resume capability is useful in deadlock recovery. The "suspend/resume" problem is of great interest to operating systems designers, and it has not yet been solved satisfactorily.

a) Discuss why suspend/resume is such an important feature to provide.

b) Discuss why suspend/resume is so difficult to implement.

6.42 One method of recovering from deadlock is to kill that process (or those processes) with the lowest cost(s) of deletion. This (these) process(es) could then be restarted and once again allowed to compete for resources. What potential problem might develop in a system using such an algorithm? How would you solve this problem?

6.43 Why will deadlock probably be a more critical problem in future operating systems than it is today?

6.44 Do resource malfunctions that render a resource unusable generally increase or decrease the likelihood of deadlocks and starvation? Explain your answer. In the context of your answer, indicate how hardware, software, and operating systems designers should bias future designs.

6.45 The vast majority of computer systems in use today do allow at least some kinds of deadlock and starvation situations to develop, and many of these systems provide no automatic means of detecting and recovering from these problems. In fact, many designers believe that it is virtually impossible to certify a system as absolutely free of the possibilities of deadlock and starvation. Indicate how these observations should affect the designs of "mission-critical systems."

6.46 Given that all resources are identical, they can be acquired and released strictly one at a time, and no process ever needs more than the total resources on the system, state whether deadlock can occur in each of the following systems.

	Number of processes	Number of resources
a)	1	1
b)	1	2
c)	2	1
d)	2	2
e)	2	3

Now suppose that no process ever needs more than two resources. State whether deadlock can occur in each of the following systems.

	Number of processes	Number of resources
f)	1	2
g)	2	2
h)	2	3
i)	3	3
j)	3	4

6.47 Sometimes enough information about the maximum resource needs of processes is available to enable deadlock avoidance without considerable run-time overhead. For example, consider the following situation (R. C. Holt): A set of m processes shares n identical resources. Resources may be acquired and released strictly one at a time. No process ever needs more than n resources. The sum of the maximum needs for all the processes is less than $m + n$. Show that no deadlocks can develop in this system.

6.48 (*Deadlock Prevention Simulation Project*) Write a simulation program to compare various deadlock prevention schemes discussed in Section 6.7. In particular, compare deadlock prevention by denying the "wait for" condition (Section 6.7.1), with deadlock prevention by denying the "no-preemption" condition (Section 6.7.2). Your program should generate a sample user population, user arrival times, user resource needs (assume the system has n identical resources) both in maximum needs and when the resources are actually required, and so on. Each simulation should accumulate statistics on job turnaround times, resource utilization, number of jobs progressing at once (assume that jobs may progress when they have the portion of the n resources they currently need), and the like. Observe the results of your simulations and draw conclusions about the relative effectiveness of these deadlock prevention schemes.

6.49 (*Deadlock Avoidance Simulation Project*) Write a simulation program to examine the performance of a system of n identical resources and m processes operating under Banker's Algorithm resource allocation. Model your program after the one you developed in exercise 6.48. Run your simulation and compare the results with those observed in your deadlock prevention simulations. Draw conclusions about the relative effectiveness of deadlock avoidance vs. the deadlock prevention schemes studied.

LITERATURE

(Ah79) Ahuja, V., "Algorithm to Check Network States for Deadlock," *IBM Journal of Research and Development*, Vol. 23, No. 1, January 1979, pp. 82–86.

(Au81) Auslander, M. A.; D. C. Larkin; and A. L. Scherr, "The Evolution of the MVS Operating System," *IBM Journal of Research and Development*, Vol. 25, No. 5, 1981, pp. 471–482.

(Ba86) Bach, M. J., *The Design of the UNIX Operating System*, Englewood Cliffs, NJ: Prentice-Hall, 1986.

(Br73) Brinch Hansen, P., *Operating System Principles*, Englewood Cliffs, NJ: Prentice-Hall, 1973.

(Ca83) Chandy, K. M., and J. Misra, "Distributed Deadlock Detection," *ACM Transactions on Computer Systems*, Vol. 1, No. 2, May 1983, pp. 144–156.

(Ch80) Chang, E., "*n*-Philosophers: An Exercise in Distributed Control," *Computer Networks*, Vol. 4, April 1980, pp. 71–76.

(Co71) Coffman, E. G., Jr.; M. J. Elphick; and A. Shoshani, "System Deadlocks," *Computing Surveys*, Vol. 3, No. 2, June 1971, pp. 67–78.

(De77) Devillers, R., "Game Interpretation of the Deadlock Avoidance Problem," *Communications of the ACM*, Vol. 20, No. 10, October 1977, pp. 741–745.

(Di65) Dijkstra, E. W., *Cooperating Sequential Processes*, Technological University, Eindhoven, The Netherlands, 1965.

(Di65a) Dijkstra, E. W., "Cooperating Sequential Processes," Technological University, Eindhover, Netherlands, 1965. (Reprinted in F. Genuys (ed.) *Programming Languages*, New York, NY: Academic Press, 1968.)

(Di68) Dijkstra, E. W., "The Structure of the T.H.E. Multiprogramming System," *Communications of the ACM*, Vol. 11, No. 5, May 1968, pp. 341–346.

(Fo71) Fontao, R. O., "A Concurrent Algorithm for Avoiding Deadlocks," *Proc. Third ACM Symposium on Operating Systems Principles*, October 1971, pp. 72–79.

(Fr73) Frailey, D. J., "A Practical Approach to Managing Resources and Avoiding Deadlock," *Communications of the ACM*, Vol. 16, No. 5, May 1973, pp. 323–329.

(Ge81) Gelernter, D., "A DAG Based Algorithm for Prevention of Store-and-Forward Deadlock in Packet Networks," *IEEE Trans. on Computers*, Vol. C-30, No. 10, October 1981, pp. 709–715.

(Gl80) Gligor, V., and S. Shattuch, "On Deadlock Detection in Distributed Systems," *IEEE Transactions on Software Engineering*, Vol. SE-6, No. 5, September 1980, pp. 435–440.

(Go78) Gold, E. M., "Deadlock Prevention: Easy and Difficult Cases," *SIAM Journal of Computing*, Vol. 7, No. 3, August 1978, pp. 320–336.

(Ha69) Habermann, A. N., "Prevention of System Deadlocks," *Communications of the ACM*, Vol. 12, No. 7, July 1969, pp. 373–377, 385.

(Ha78) Habermann, A. N., "System Deadlocks," *Current Trends in Programming Methodology*, Vol. III, Englewood Cliffs, N. J.: Prentice-Hall, 1978, pp. 256–297.

(Hv68) Havender, J. W., "Avoiding Deadlock in Multitasking Systems," *IBM Systems Journal*, Vol. 7, No. 2, 1968, pp. 74–84.

(He70) Hebalkar, P. G., "Deadlock-Free Sharing of Resources in Asynchronous Systems," *M.I.T. Project MAC TR-75*, September 1970.

(Hg82) Ho, G. S., and C. V. Ramamoorthy, "Protocols for Deadlock Detection in Distributed Database Systems," *IEEE Transactions on Software Engineering*, Vol. SE-8, No. 6, November 1982, pp. 554–557.

(Ho71) Holt, R. C., "Comments on the Prevention of System Deadlocks," *Communications of the ACM*, Vol. 14, No. 1, January 1971, pp. 36–38.

(Ho71a) Holt, R. C., *On Deadlock Prevention in Computer Systems*, Ph.D. Thesis, Ithaca, N.Y.: Cornell University, 1971.

(Ho71b) Holt, R. C., "Some Deadlock Properties of Computer Systems," *Proc. Third ACM Symposium on Operating Systems Principles*, October 1971, pp. 64–71.

(Ho72) Holt, R. C., "Some Deadlock Properties of Computer Systems," *ACM Computing Surveys*, Vol. 4, No. 3, September 1972, pp. 179–196.

(Hw73) Howard, J. H., "Mixed Solutions for the Deadlock Problem,"*Communications of the ACM*, Vol. 16, No. 7, July 1973, pp. 427–430.

(Is80) Isloor, S. S., and T. A. Marsland, "The Deadlock Problem: An Overview," *IEEE Computer*, Vol. 13, No. 9, September 1980, pp. 58–78.

(Ja83) Jagannathan, J. R., and R. Vasudevan, "Comments on 'Protocols for Deadlock Detection in Distributed Database Systems'," *IEEE Transactions on Software Engineering*, Vol. SE-9, No. 3, May 1983, p. 371.

(Ka80) Kameda, T., "Testing Deadlock-Freedom of Computer Systems," *Journal of the ACM*, Vol. 27, No. 2, April 1980, pp. 270–280.

(Ke88) Kenah, L. J.; R. E. Goldenberg; and S. F. Bate, *VAX/VMS Internals and Data Structures (Version 4.4)*, Bedford, MA: Digital Press, 1988.

(Kn87) Knapp, E., "Deadlock Detection in Distributed Databases," *ACM Computing Surveys*, Vol. 19, No. 4, December 1987, pp. 303–328.

(Ko82) Korth, H. F., "Deadlock Freedom Using Edge Locks," *ACM Transactions on Database Systems*, Vol. 7, No. 4, December 1982, pp. 562–632.

(Lo80) Lomet, D. B., "Subsystems of Processes with Deadlock Avoidance," *IEEE Transactions on Software Engineering*, Vol. SE-6, No. 3, May 1980, pp. 297–304.

(Ma84) Madduri, H., and R. Finkel, "Extension of the Banker's Algorithm for Resource Allocation in a Distributed Operating System," *Information Processing Letters*, Vol. 19, No. 1, July 1984, pp. 1–8.

(Me80) Merlin, P. M., and P. J. Schweitzer, "Deadlock Avoidance in Store-and-Forward Networks—I: Store and Forward Deadlock," *IEEE Transactions on Communications*, Vol. COM-28, No. 3, March 1980, pp. 345–354.

(Me80a) Merlin, P. M., and P. J. Schweitzer, "Deadlock Avoidance in Store-and-Forward Networks—II: Other Deadlock Types," *IEEE Transactions on Communications*, Vol. COM-28, No. 3, March 1980, pp. 355–360.

(Mi82) Minoura, T., "Deadlock Avoidance Revisited," *Journal of the ACM*, Vol. 29, No. 4, October 1982, pp. 1023–1048.

(Mu68) Murphy, J. E., "Resource Allocation with Interlock Detection in a Multitask System," *AFIPS FJCC Proc.*, Vol. 33, No. 2, 1968, pp. 1169–1176.

(Nw79) Newton, G., "Deadlock Prevention, Detection, and Resolution: An Annotated Bibliography," *ACM Operating Systems* Review, Vol. 13, No. 2, April 1979, pp. 33–44.

(Ne80) Nezu, K., "System Deadlocks Resolution,"*AFIPS Conference Proceedings*, Vol. 49, 1980, pp. 257–260.

(Ob82) Obermarck, R., "Distributed Deadlock Detection Algorithm," *ACM Transactions on Database Systems*, Vol. 7, No. 2, June 1982, pp. 187–208.

(Pa72) Parnas, D. L., and A. N. Haberman, "Comment on Deadlock Prevention Method," *Communications of the ACM*, Vol. 15, No. 9, September 1972, pp. 840–841.

(Ry79) Rypka, D. J., and A. P. Luciado, "Deadlock Detection and Avoidance for Shared Logical Resources," *IEEE Transactions on Software Engineering*, Vol. SE-5, 1979, pp. 465–471.

(Sc73) Scherr, A. L., "Functional Structure of IBM Virtual Storage Operating Systems, Part II: OS/VS2-2 Concepts and Philosophies," *IBM Systems Journal*, Vol. 12, No. 4, 1973, pp. 382–400.

(Se75) Sekino, L. C., "Multiple Concurrent Updates," In D. Kerr (ed.), *Proceedings of the International Conference on Very Large Data Bases*, September 1975, pp. 505–507.

(Sh69) Shoshani, A., and A. J. Bernstein, "Synchronization in a Parallel-Accessed Data Base,"*CACM*, Vol. 12, No. 11, 1969, pp. 604–607.

(Zo83) Zobel, D., "The Deadlock Problem: A Classifying Bibliography," *Operating Systems Review*, Vol. 17, No. 4, October 1983, pp. 6–16.

7
Real Storage

Nothing ever becomes real till it is experienced—even a proverb
is no proverb to you till your life has illustrated it.

John Keats

Let him whose ears the low-voiced Best is killed by
the clash of the First,
Who holds that if way to the Better there be, it exacts
a full look at the worst, ...

Thomas Hardy

Remove not the landmark on the boundary of the fields.

Amenemope

Protection is not a principle, but an expedient.

Benjamin Disraeli

A great memory does not make a philosopher,
any more than a dictionary can be called a grammar.

John Henry, Cardinal Newman

Outline

7.1 Introduction
7.2 Storage Organization
7.3 Storage Management
7.4 Storage Hierarchy
7.5 Storage Management Strategies
7.6 Contiguous vs. Noncontiguous Storage Allocation
7.7 Single User Contiguous Storage Allocation
  7.7.1 Protection in Single User Systems
  7.7.2 Single Stream Batch Processing
7.8 Fixed Partition Multiprogramming
  7.8.1 Fixed Partition Multiprogramming: Absolute Translation and Loading
  7.8.2 Fixed Partition Multiprogramming: Relocatable Translation and Loading
  7.8.3 Protection in Multiprogramming Systems
  7.8.4 Fragmentation in Fixed Partition Multiprogramming
7.9 Variable Partition Multiprogramming
  7.9.1 Coalescing Holes
  7.9.2 Storage Compaction
  7.9.3 Storage Placement Strategies
7.10 Multiprogramming with Storage Swapping

7.1 INTRODUCTION

The organization and management of the *main memory* or *primary memory* or *real memory* of a computer system has been one of the most important factors influencing operating systems design (Be81). The terms *memory* and *storage* have been used interchangeably in the literature. Of the two, storage is more fashionable today. Programs and data must be in main storage in order to be run or referenced directly. Secondary storage—most commonly disk, drum, and tape—provides massive, inexpensive capacity for the abundance of programs and data that must be kept readily available for processing.

In this and subsequent chapters, many popular schemes for organizing and managing a computer's storage are discussed. This chapter deals with *real storage*; Chapter 8 and Chapter 9 discuss *virtual storage*. The schemes are presented approximately as they evolved historically. Most of today's systems are virtual storage systems, so this chapter is primarily of historical value; it also lays the groundwork for Chapter 8 and Chapter 9.

7.2 STORAGE ORGANIZATION

Historically, main storage has been viewed as a relatively expensive resource. As such, it has demanded the attention of systems designers who attempted to optimize main storage use. Although the cost of main storage has declined phenomenally in recent years, it is still relatively expensive compared to secondary storage. Also, today's applications demand ever more substantial quantities of main storage.

By *storage organization* we mean the manner in which the main storage is viewed. Do we place only a single user in the main storage, or do we place several users in it at the same time? If several user programs are in main storage at the same time, do we give each of them the same amount of space, or do we divide main storage into portions, called *partitions*, of different sizes? Do we partition the main storage in a rigid manner with partitions defined for extended periods of time, or do we provide for a more dynamic partitioning, allowing the computer system to adapt quickly to changes in the needs of user jobs? Do we require that user jobs be designed to run in a specific partition, or do we allow jobs to run anywhere they will fit? Do we require that each job be placed in one contiguous block of storage locations, or do we allow jobs to be parcelled up into separate blocks and placed in any available slots in main storage?

Systems have been built implementing each of these schemes. This chapter discusses how each of these schemes is implemented.

7.3 STORAGE MANAGEMENT

Regardless of what storage organization scheme we adopt for a particular system, we must decide what strategies to use to obtain optimal performance (Be81). *Storage management strategies* determine how a particular storage organization performs under various policies: When do we get a new program to place in the memory? Do we get it when the system specifically asks for it, or do we attempt to anticipate the system's requests? Where in main storage do we place the next program to be run? Do we place programs as tightly as possible into available memory slots to minimize wasted space, or do we place programs as quickly as possible to minimize execution time?

If a new program needs to be placed in main storage and if main storage is currently full, which of the other programs do we displace? Should we replace the oldest programs, or should we replace those that are least frequently used, or those that are least recently used? Systems have been implemented using each of these storage management strategies.

7.4 STORAGE HIERARCHY

In the 1950s and 1960s, main storage, usually magnetic core memory, was very expensive. A decision about how much main storage to place on a computer system was made carefully. An installation couldn't buy more than it could afford, but it had to buy enough to support the operating system and a given number of users. The goal was to buy the minimum amount that could adequately support the anticipated user loads within the economic constraints of the installation.

Programs and data need to be in main storage in order to be executed or referenced. Programs or data not needed immediately may be kept on secondary storage until needed and then brought into the main storage for execution or reference. Secondary storage media such as tape or disk are generally less costly than main storage and have much greater capacity. Main storage may generally be accessed much faster than secondary storage.

In systems with several levels of storage, a great deal of shuttling goes on in which programs and data are moved back and forth between the various levels (Bk70) (Li72). This shuttling consumes system resources such as CPU time that could otherwise be put to productive use.

In the 1960s it became clear that the *storage hierarchy* (Mi74) (Po81) could be extended by one more level with dramatic improvements in performance and utilization. This additional level, the *cache* (Po81) (Sm82), is a high-speed storage that is much faster than main storage. Cache storage is extremely expensive compared with main storage and therefore only relatively small caches are used. Figure 7.1 shows the relationship between cache, primary storage, and secondary storage.

Cache storage imposes one more level of shuttling on the system. Programs in the main storage are shuttled to the cache before being executed. In the cache, they may be executed much faster than in main storage. The hope of designers using the cache concept is that the overhead involved in shuttling programs back and forth will be much smaller than the performance increase obtained by the faster execution possible in the cache.

7.5 STORAGE MANAGEMENT STRATEGIES

Expensive resources are managed intensively to achieve better use. Storage management strategies are geared to obtaining the best possible use of the main storage resource. Storage management strategies are divided into the following categories.

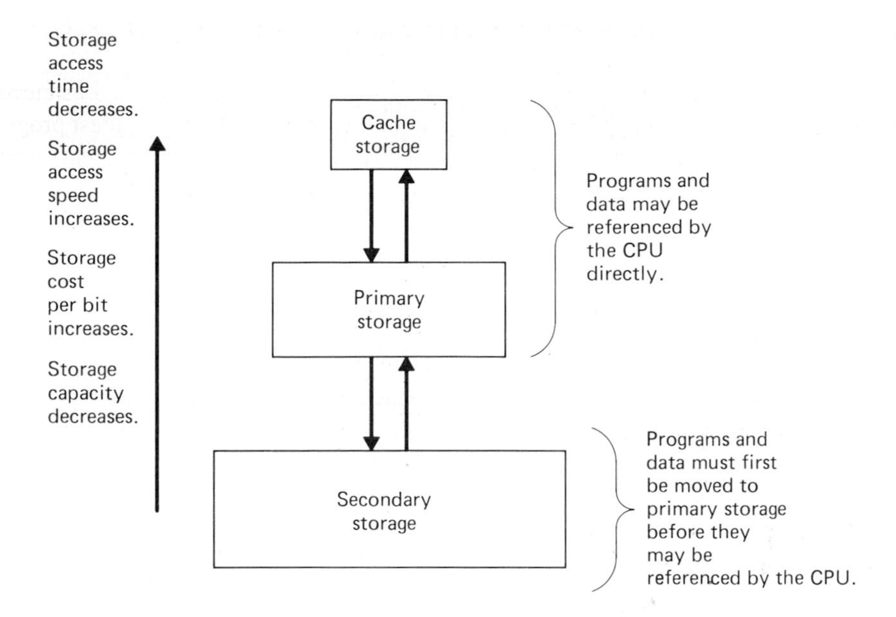

Fig. 7.1 Hierarchical storage organization.

1. Fetch strategies
   a) Demand fetch strategies
   b) Anticipatory fetch strategies
2. Placement strategies
3. Replacement strategies

Fetch strategies are concerned with when to obtain the next piece of program or data for transfer to main storage from secondary storage. For many years, the conventional wisdom has been *demand fetch*, in which the next piece of program or data is brought in to the main storage when it is referenced by a running program. It was believed that since we cannot generally predict where program control will go next, the overhead involved in making guesses and anticipating the future would far exceed expected benefits. Today many researchers feel that *anticipatory fetching* will yield improved system performance.

Placement strategies are concerned with determining where in main storage to place an incoming program (By77) (St83). In this chapter, we shall consider the *first-fit*, *best-fit*, and *worst-fit* storage placement strategies.

Replacement strategies are concerned with determining which piece of program or data to displace to make room for incoming programs.

7.6 CONTIGUOUS VS. NONCONTIGUOUS STORAGE ALLOCATION

The earliest computing systems required *contiguous storage allocation*—each program had to occupy a single contiguous block of storage locations. It wasn't until variable partition multiprogramming was attempted that it became clear noncontiguous storage allocation might be useful (Be81).

In *noncontiguous storage allocation*, a program is divided into several blocks or *segments* that may be placed throughout main storage in pieces not necessarily adjacent to one another. It is more difficult for an operating system to control noncontiguous storage allocation. The benefit is that if main storage has many small holes available instead of a single large hole, then the operating system can often load and execute a program that would otherwise need to wait.

In the next several chapters the virtual storage systems so popular today are studied. They all involve noncontiguous storage allocation.

7.7 SINGLE USER CONTIGUOUS STORAGE ALLOCATION

The earliest computer systems allowed only a single person at a time to use the machine. All of the machine's resources were at the user's disposal. Billing for the use of the computer was straightforward—because the user had the entire machine, the user was charged for all of the resources whether or not the job used those resources. In fact, the normal billing mechanisms were based upon *wall clock time*. A user was given the machine for some time interval and was charged a flat hourly rate. Some of today's shared systems have far more complex billing algorithms.

Originally each user wrote all of the code necessary to implement a particular application, including the highly detailed machine level input/output instructions. Very quickly, the input/output coding needed to implement basic functions was consolidated into an *input/output control system (IOCS)*. Users wishing to do input/output no longer had to code the instructions directly. Instead, they called IOCS routines to do the real work. This greatly simplified and speeded the coding process. The implementation of input/output control systems may have been the beginning of today's concept of operating systems. Figure 7.2 illustrates the storage organization for a typical *single user contiguous storage allocation system*.

Programs are limited in size to the amount of main storage, but it is possible to run programs larger than the main storage by using *overlays*. Figure 7.3 illustrates this concept. If a particular program section is not needed for the duration of the program's execution, then another section of program may be brought in from secondary storage to occupy the storage used by the program section that is no longer needed.

Overlay gives the programmer a way to extend limited main storage. But manual overlay requires careful and time-consuming planning. A program with a sophisticated overlay structure can be difficult to modify. As we will see in subsequent chapters, virtual storage systems have obviated the need for programmer-controlled overlays.

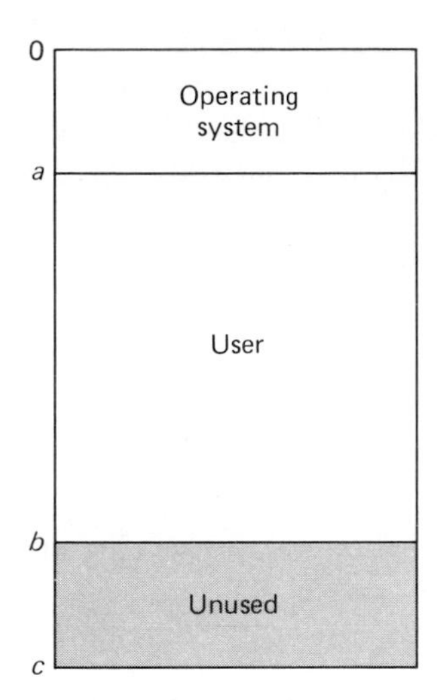

Fig. 7.2 Single user contiguous storage allocation.

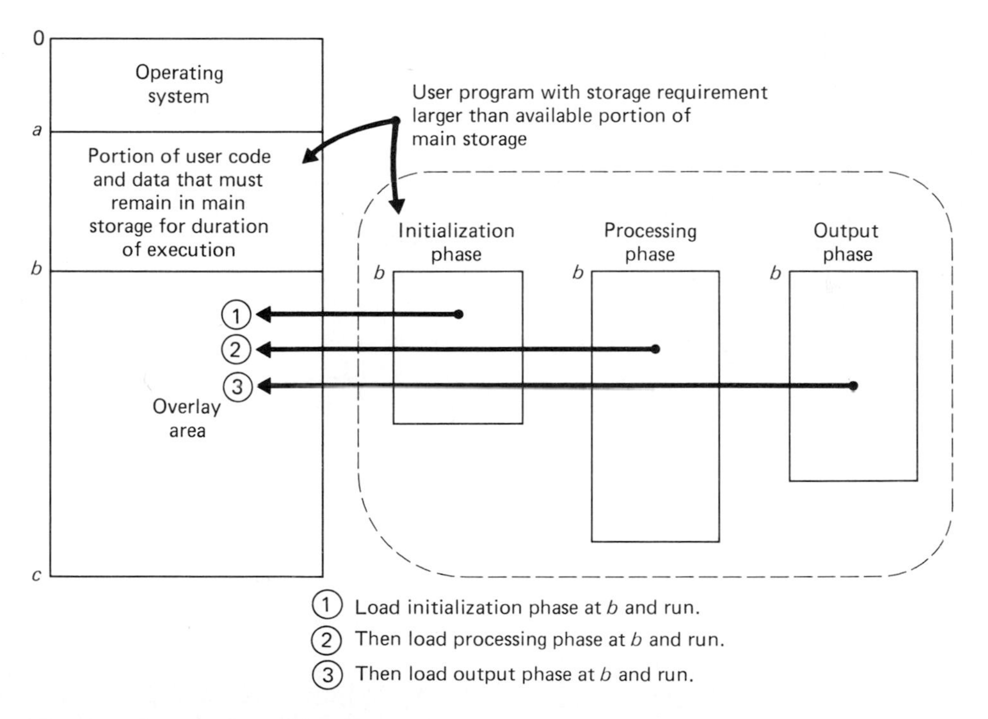

Fig. 7.3 A typical overlay structure.

7.7.1 Protection in Single User Systems

In single user contiguous storage allocation systems, the user has complete control over all of main storage. Storage is divided into a portion holding operating system routines, a portion holding the user's program, and an unused portion. The question of protection is simple. How should the operating system be protected from destruction by the user's program?

If the user's program goes astray, it can destroy the operating system. If this is fatal and the user cannot proceed, then the user will know something is wrong, terminate execution, fix the problem, and retry the job. In these circumstances, the need for protecting the operating system is not apparent.

But suppose the user destroys the operating system more "gently." For example, suppose certain input/output routines are accidentally changed. Then all output records might be truncated. The job could still run. If the results are not examined until it completes, then the machine resource will be wasted. Worse yet, the damage to the operating system might cause outputs to be produced that can not easily be determined to be inaccurate.

It surely is clear that the operating system should be protected from the user. Protection is implemented by the use of a single *boundary register* built into the CPU, as in Fig. 7.4. Each time a user program refers to a storage address, the boundary register is checked to be certain that the user is not about to destroy the operating system. The boundary register contains the highest address used by the operating system. If the user tries to enter the operating system, the instruction is intercepted and the job terminates with an appropriate error message.

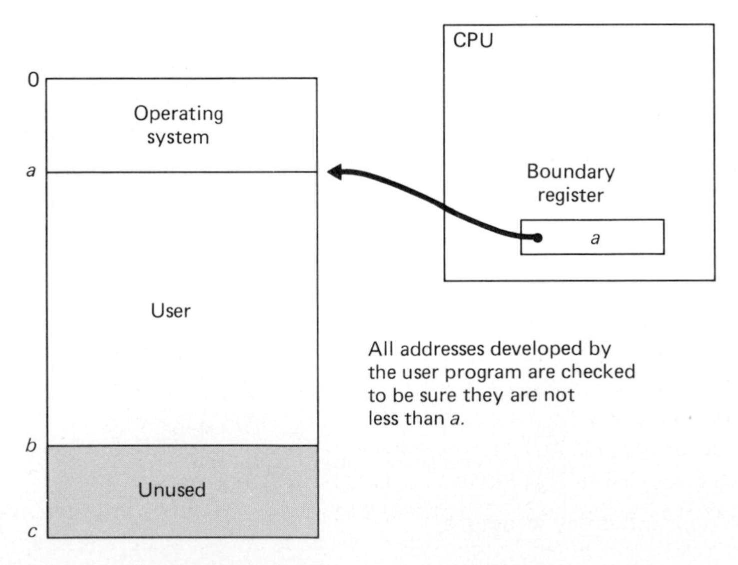

Fig. 7.4 Storage protection with single user contiguous storage allocation.

Of course, the user needs to enter the operating system from time to time to obtain services such as input/output. This problem is solved by giving the user a specific instruction with which to request services from the operating system (i.e., a *supervisor call* instruction). The user wanting to read from tape will issue an instruction asking the operating system to do so in the user's behalf. The operating system will perform the desired function, and then return control to the user program.

As operating systems have become more complex, it has been necessary to implement far more sophisticated mechanisms to protect the operating system from the users and to protect the users from one another. We shall discuss these mechanisms in detail later.

7.7.2 Single Stream Batch Processing

Early single-user real storage systems were dedicated to one job for more than the job's execution time. Jobs generally required considerable *setup time* during which the operating system was loaded, tapes and disk packs were mounted, appropriate forms were placed in the printer, time cards were "punched in," etc. When jobs completed, they required considerable *teardown time* as tapes and disk packs were removed, forms were removed, time cards were "punched out," etc. During job setup and job teardown the computer sat idle.

Designers realized that if they could automate *job-to-job transition*, then they could reduce considerably the amount of time wasted between jobs. This led to the development of *batch processing* systems. In *single stream batch processing*, jobs are grouped in *batches* by loading them consecutively onto tape or disk. A *job stream processor* reads the *job control language* statements, and facilitates the *setup* of the next job. It issues directives to the system operator, and performs many functions automatically that were previously performed manually. When the current job terminates, the job stream reader automatically reads in the control language statements for the next job, and performs appropriate *housekeeping* chores to facilitate the transition to the next job. Batch processing systems greatly improved the use of computer systems and helped demonstrate the real value of operating systems and *intensive resource management*. Single stream batch processing systems were the state of the art in the early 1960s.

7.8 FIXED PARTITION MULTIPROGRAMMING

Even with batch processing operating systems, single user systems still waste a considerable amount of the computing resource. Figure 7.5 illustrates this situation. The program consumes the CPU resource until an input or output is needed. When the I/O request is issued, the job often cannot continue until the requested data is either sent or received. Input and output speeds are extremely slow compared with CPU speeds.

Designers saw that they could once again considerably increase the utilization of the CPU by intensive management. This time, they chose to implement *multiprogramming* systems, in which several users simultaneously compete for system resources. The job currently waiting for I/O will yield the CPU to another job ready to do calculations if,

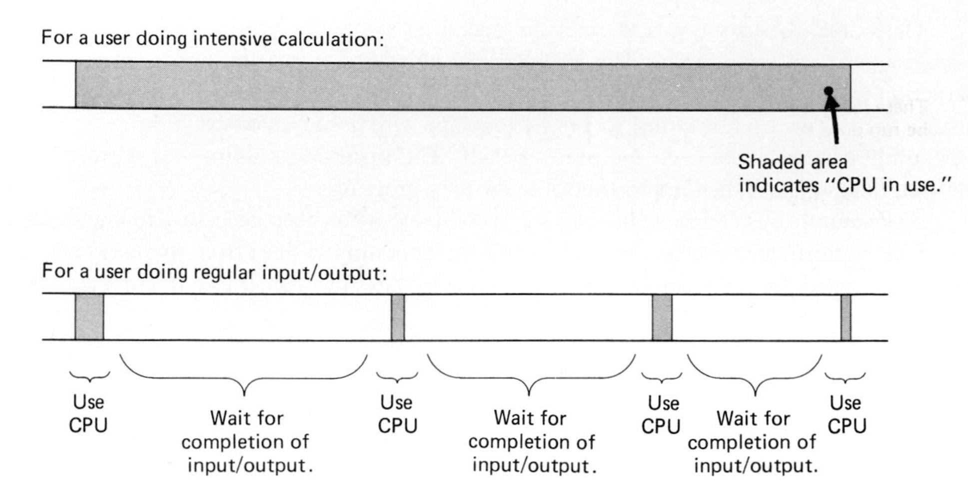

Fig. 7.5 CPU utilization on a single user system. Note: In many single user jobs, the length of the input/output waits is much larger relative to the length of periods of CPU utilization than is indicated in this diagram.

indeed, another job is waiting. Thus both input/output and CPU calculations can occur simultaneously. This greatly increases CPU utilization and system throughput.

To take maximum advantage of multiprogramming, it is necessary for several jobs to reside in the computer's main storage at once. Thus when one job requests input/output, the CPU may be immediately switched to another, and may do calculations without delay. When this new job yields the CPU, another may be ready to use it.

Multiprogramming normally requires considerably more storage than a single user system. However, the improved resource use for the CPU and the peripheral devices more than justifies the expense of additional storage. Many multiprogramming schemes have been implemented. We discuss these in the next several sections.

7.8.1 Fixed Partition Multiprogramming: Absolute Translation and Loading

The earliest multiprogramming systems used *fixed partition multiprogramming* (Be81) in which main storage was divided into a number of fixed-size *partitions*. Each partition could hold a single job. The CPU was switched rapidly between users to create the illusion of simultaneity (Kn68).

Jobs were translated with absolute assemblers and compilers to run only in a specific partition (Fig. 7.6). If a job was ready to run and its partition was occupied, then that job had to wait, even if other partitions were available (Fig. 7.7). This resulted in waste of the storage resource, but the operating system was relatively straightforward to implement.

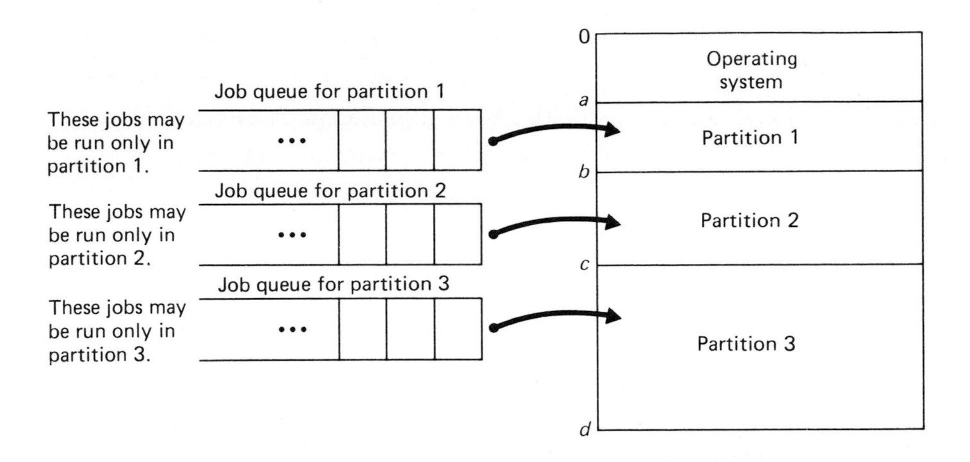

Fig. 7.6 Fixed partition multiprogramming with absolute translation and loading.

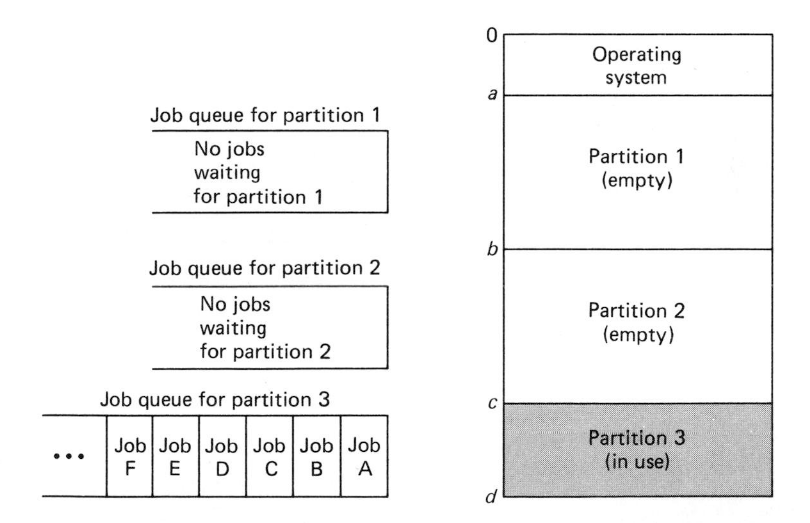

Fig. 7.7 An extreme example of poor storage utilization in fixed partition multiprogramming with absolute translation and loading. Jobs waiting for partition 3 are small and could "fit" in the other partitions. But with absolute translation and loading, these jobs may run only in partition 3. The other two partitions remain empty.

7.8.2 Fixed Partition Multiprogramming: Relocatable Translation and Loading

Relocating compilers, assemblers, and loaders are used to produce relocatable programs that can run in any available partition that is large enough to hold them. (Fig. 7.8). This scheme eliminates some of the storage waste inherent in multiprogramming with absolute translation and loading. Relocatable translators and loaders are more complex than their absolute counterparts.

7.8.3 Protection in Multiprogramming Systems

In contiguous allocation multiprogramming systems, protection is often implemented with several *boundary registers*. With two registers the low and high boundaries of a user partition can be delineated (Fig. 7.9), or the low boundary (high boundary) and the length of the region can be indicated. The user needing to call upon the operating system uses a supervisor call instruction to do so. This allows the user to cross the boundary of the operating system and request its services without compromising operating system security.

7.8.4 Fragmentation in Fixed Partition Multiprogramming

Storage *fragmentation* (Ra69) (Sh75) occurs in every computer system regardless of its storage organization. In fixed partition multiprogramming systems, fragmentation occurs either because user jobs do not completely fill their designated partitions or because a partition remains unused if it is too small to hold a waiting job.

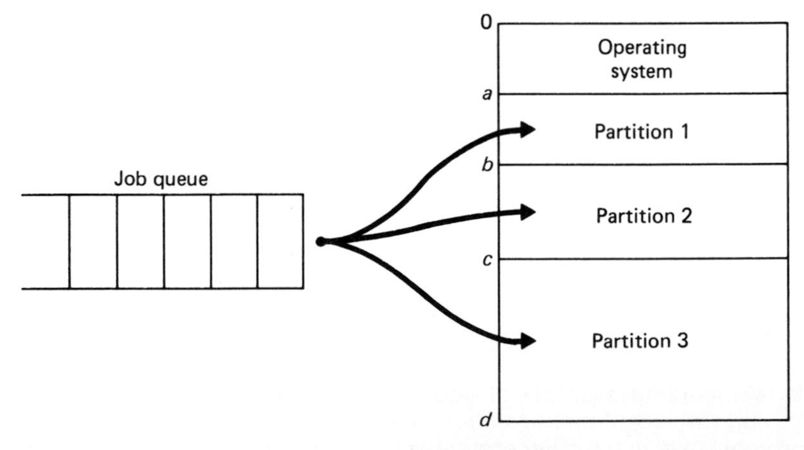

Fig. 7.8 Fixed partition multiprogramming with relocatable translation and loading.

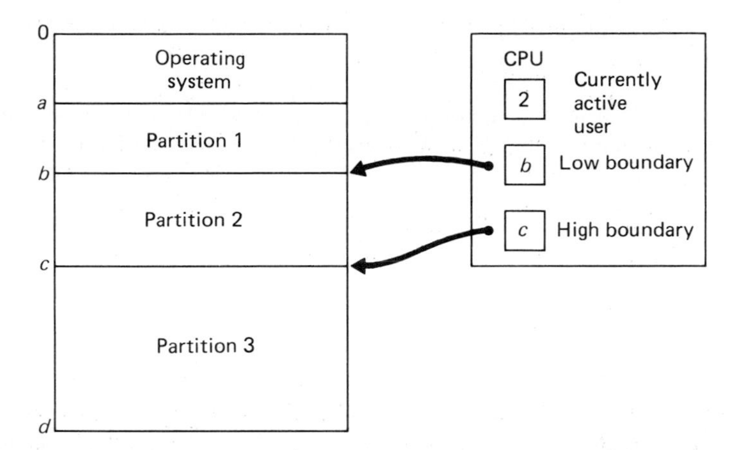

Fig. 7.9 Storage protection in contiguous allocation multiprogramming systems. While the user in partition 2 is active, all storage addresses developed by the running program are checked to be sure they fall between *b* and *c*.

7.9 VARIABLE PARTITION MULTIPROGRAMMING

Operating systems designers observing the problems with fixed partition multiprogramming decided that an obvious improvement would be to allow jobs to occupy as much space (short of the full real storage) as they needed. No fixed boundaries would be observed. Instead, jobs would be given as much storage as they required. This scheme is called *variable partition multiprogramming* (Kn68) (Co72) (Be81). Initial partition assignment in variable partition multiprogramming is illustrated in Fig. 7.10.

We continue to discuss only *contiguous allocation schemes* here: a job must occupy adjacent storage locations. In variable partition multiprogramming, we make no assumptions about how large jobs will be (except that they must be no greater than the size of the computer's available main storage). As jobs arrive, if the scheduling mechanisms decide that they should proceed, they are given as much storage as they need. There is no waste—a job's partition is exactly the size of the job.

But every storage organization scheme involves some degree of waste. In variable partition multiprogramming, the waste does not become obvious until jobs start to finish and leave *holes* in the main storage as shown in Fig. 7.11. These holes can be used for other jobs, but even as this happens, the remaining holes get smaller eventually becoming too small to hold new jobs. So in variable partition multiprogramming waste does occur.

7.9.1 Coalescing Holes

When a job finishes in a variable partition multiprogramming system, we can check whether the storage being freed borders on other free storage areas (*holes*). If it does, then we may record in the *free storage list* (Mr71) (Bo84) either (1) an additional hole or (2) a single hole reflecting the merger of the existing hole and the new adjacent hole.

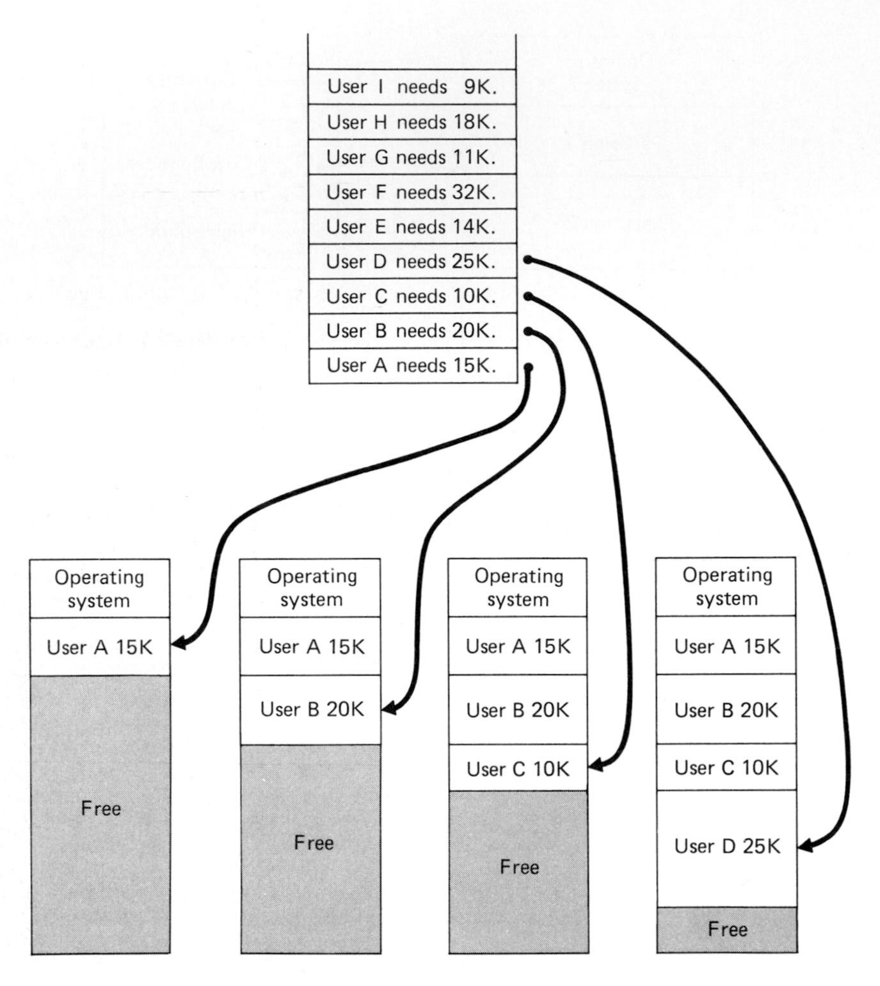

Fig. 7.10 Initial partition assignments in variable partition programming.

The process of merging adjacent holes to form a single larger hole is called *coalescing* and is illustrated in Fig. 7.12. By coalescing holes, we reclaim the largest possible contiguous blocks of storage.

7.9.2 Storage Compaction

Even as holes are coalesced, it is often the case that the separate holes distributed throughout the main storage constitute a significant amount of storage. Sometimes when a job requests a certain amount of main storage no individual hole is large enough to hold the job, even though the sum of all the holes is larger than the storage needed by the new job.

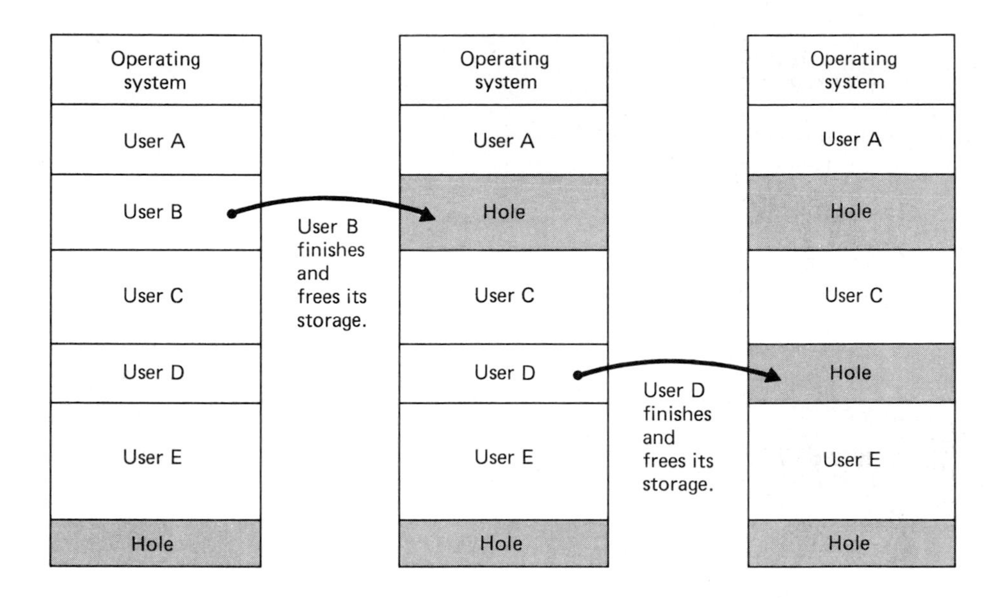

Fig. 7.11 Storage "holes" in variable partition multiprogramming.

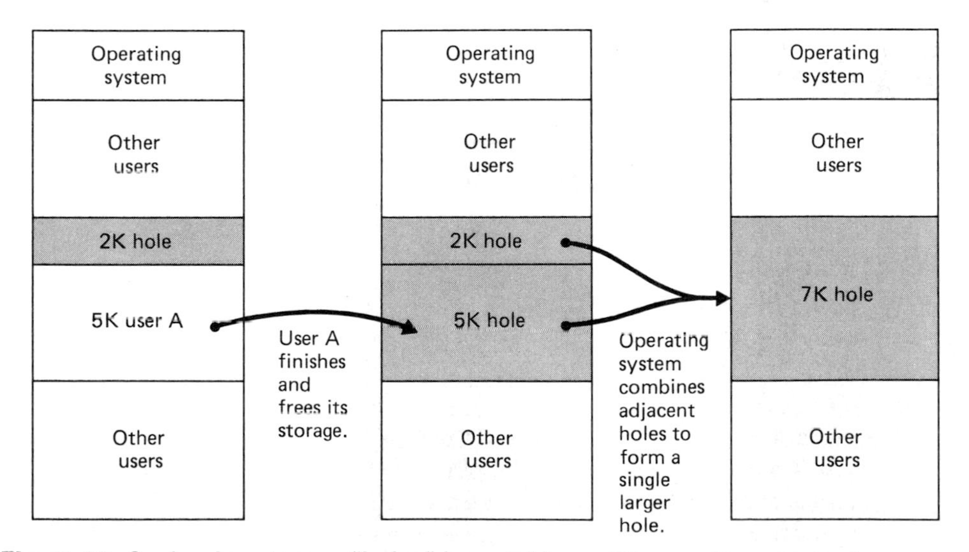

Fig. 7.12 Coalescing storage "holes" in variable partition multiprogramming.

The technique of *storage compaction* (Fig. 7.13) involves moving all occupied areas of storage to one end or the other of main storage (Bk70). This leaves a single large free storage hole instead of the numerous small holes common in variable partition multiprogramming. Now all of the available free storage is contiguous so that a waiting job can run if its memory requirement is met by the single hole that results from compaction. Sometimes, storage compaction is colorfully referred to as *burping the storage*. More conventionally, it is called *garbage collection* (Da84).

Compaction is not without drawbacks.

- It consumes system resources that could otherwise be used productively.
- The system must stop everything while it performs the compaction. This can result in erratic response times for interactive users and could be devastating in real-time systems.
- Compaction involves relocating the jobs that are in storage. This means that relocation information, ordinarily lost when a program is loaded, must now be maintained in readily accessible form.
- With a normal, rapidly changing job mix, it is necessary to compact frequently. The consumed system resources might not justify the benefits from compacting.

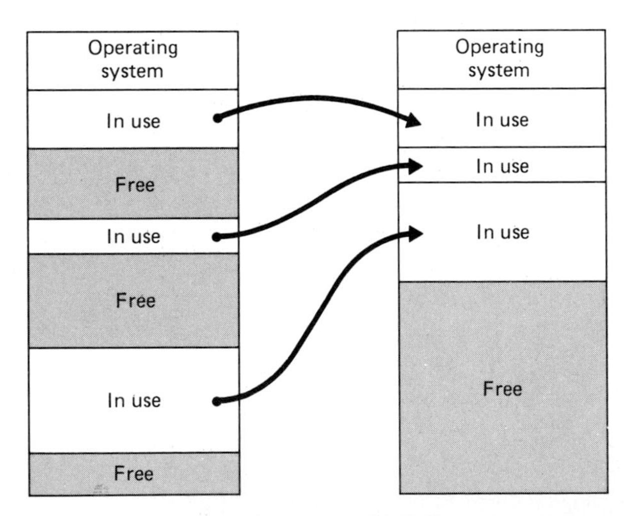

Fig. 7.13 Storage compaction in variable partition multiprogramming.

7.9.3 Storage Placement Strategies

Storage placement strategies are used to determine where in the main storage to place incoming programs and data (Kh73) (St83) (Ol85). Three strategies frequently discussed in the literature are illustrated in Fig. 7.14.

- *Best-fit strategy*—An incoming job is placed in the hole in main storage in which it fits most tightly and leaves the smallest amount of unused space. To many people, best fit seems to be the most intuitively appealing strategy.
- *First-fit strategy*—An incoming job is placed in the main storage in the first available hole large enough to hold it. First fit also has intuitive appeal in that it allows the placement decision to be made quickly.
- *Worst-fit strategy*—At first, this appears to be a whimsical choice. After closer examination, worst fit also has strong intuitive appeal. Worst fit says to place a program in main storage in the hole in which it fits worst, i.e., the largest possible hole. The intuitive appeal is simple: after placing the program in this large hole, the remaining hole often is also large and is thus able to hold a relatively large new program.

A variation of first-fit, called the *next-fit strategy* (By77), begins each search for an available hole at the point where the previous search ended. An exercise at the end of this chapter examines the next-fit strategy in detail.

7.10 MULTIPROGRAMMING WITH STORAGE SWAPPING

In each of the multiprogramming schemes discussed so far, user programs remain in main memory until completion. Another scheme, called *swapping*, does not have this requirement.

In some swapping systems (Fig. 7.15), one job occupies the main storage at once. That job runs until it can no longer continue and then it relinquishes both the storage and the CPU to the next job. Thus the entire storage is dedicated to one job for a brief period, that job is then removed (i.e., *swapped out* or *rolled out*) and the next job is brought in (i.e., *swapped in* or *rolled in*). A job will normally be swapped in and out many times before it is completed.

Many early timesharing systems were implemented with this swapping technique. It was possible to guarantee reasonable response times for a few users but designers knew that better techniques would be needed to handle large numbers of users. The swapping systems of the early 1960s led to the paging systems in common use today. Paging is considered in detail in the next several chapters on virtual storage systems.

More sophisticated swapping systems have been developed that allow several user images to remain in main storage at once (Ri74) (Be81). In these systems, a user image is swapped out only when its storage is needed for an incoming user image. With a sufficient amount of storage, these systems greatly reduce the time spent swapping.

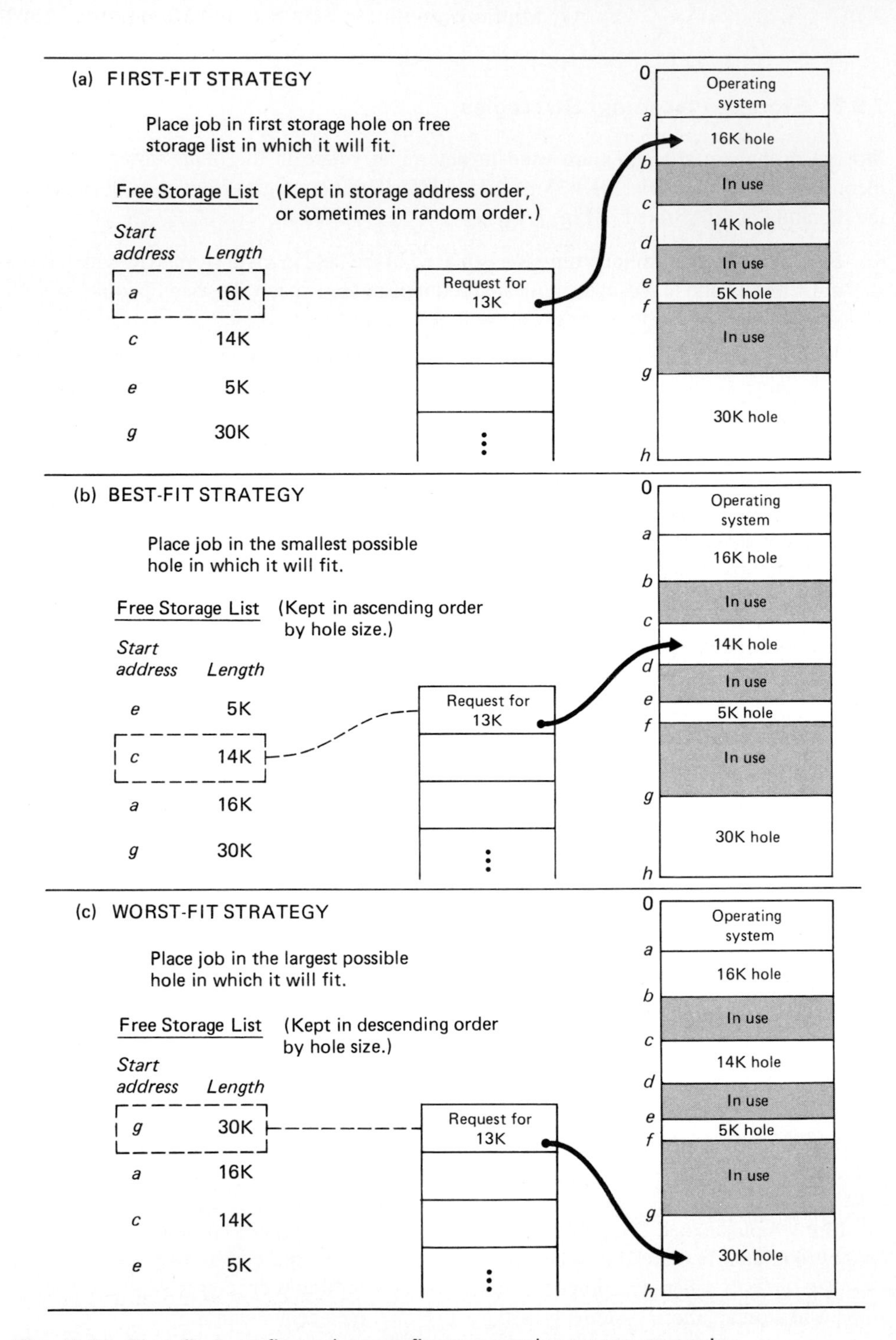

Fig. 7.14 First-fit, best-fit, and worst-fit storage placement strategies.

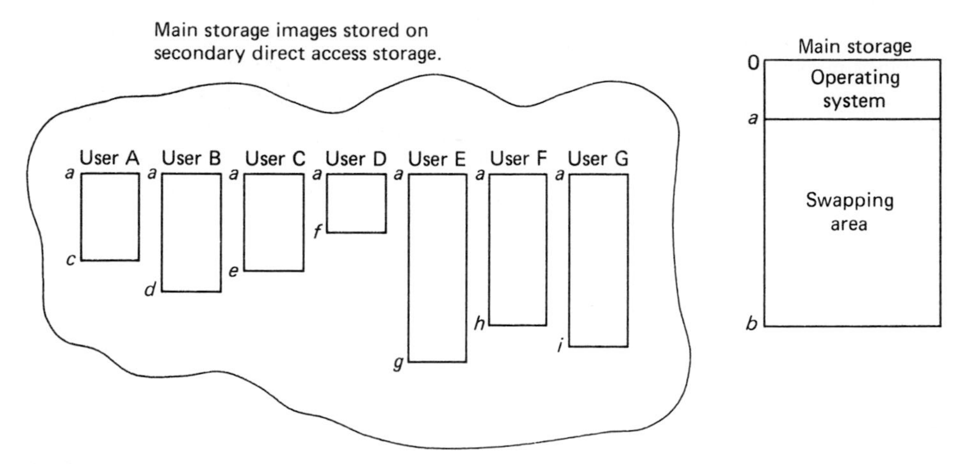

1. Only one user at a time is in main storage.
2. That user runs until
   a) I/O is issued,
   b) timer runout,
   c) voluntary termination.
3. Swapping area (main storage image) for that user is then copied to secondary storage (i.e., "swapped out").
4. Main storage image for next user is read into the swapping area (i.e., "swapped in") and that user runs until it is eventually swapped out and the next user is swapped in, etc.
5. This scheme was common in early timesharing systems.

Fig. 7.15 Multiprogramming in a swapping system in which only a single user at a time is in main storage.

SUMMARY

Historically, the organization and management of the computer's main storage has greatly affected operating systems evolution. Storage organization is the manner in which the main storage is viewed; in this chapter several popular storage organizations for real storage systems were discussed.

- single user systems
- fixed partition multiprogramming with absolute translation and loading
- fixed partition multiprogramming with relocatable translation and loading
- variable partition multiprogramming
- storage swapping systems

Storage management strategies seek to achieve the best possible use of and performance from the expensive main storage resource. Three types of storage management strategies were discussed.

- fetch strategies
- placement strategies
- replacement strategies

Fetch strategies are concerned with when the next piece of program or data is to be brought into the main storage. In demand fetch strategies, program and data pieces are brought in specifically when they are requested. In anticipatory fetch strategies, the system predicts a program's needs and attempts to load the appropriate program and data pieces into main storage before they are actually needed; when they are requested they will be available and the program may continue without delay.

Placement strategies are concerned with where in the main storage to place an incoming program. Three placement strategies were discussed.

- first fit
- best fit
- worst fit

First fit places the program in the first storage hole which is large enough to hold it. Best fit places the program in the "tightest" fitting hole, i.e., the smallest of the available storage holes large enough hold it. Worst fit places the program or data piece in the largest available hole that will hold it. First fit is a low overhead strategy. Best fit is intuitively appealing to most people. Worst fit is appealing because it avoids creating small storage holes.

Computer storage systems have become hierarchical consisting of several levels of storage. Secondary storage is relatively inexpensive, but large. Primary storage is expensive but less abundant than secondary storage. Programs and data must be in primary storage to be used by the CPU. Programs and data not needed immediately may be kept on secondary storage, generally disk or drum. Cache storage is extremely expensive but offers high-speed execution of program instructions and referencing of data items.

Contiguous allocation systems require that an entire program occupy one block of adjacent storage locations in order to execute. Noncontiguous allocation systems allow programs and data to be separated into several smaller blocks that may be placed in any available free storage holes, even if these holes are not adjacent to one another. Virtual storage systems generally involve noncontiguous allocation and will be considered in the next several chapters.

The first computer systems were dedicated to one user at a time. These single user systems contained the earliest operating systems, generally input/output control systems to facilitate machine-level input/output programming. Protection was accomplished by a single boundary register that separated the user from the operating system. Single stream batch processing systems were developed to facilitate job-to-job transition and thus increase throughput.

Eventually, it became clear that several users could share a machine at once, but they had to be protected from one another. In fixed partition multiprogramming with absolute translation and loading, user programs are prepared to run in specific partitions. If the partition for a particular user program is unavailable, then that user has to wait, even if another sufficiently large partition goes unused. In fixed partition multiprogramming with relocatable translation and loading, a program can be loaded into any available partition that is large enough to hold it.

Protection is accomplished in contiguous allocation multiprogramming systems with two boundary registers that are part of the CPU. Every storage reference by a given program is checked to be sure that it is within the range of main storage addresses that program is allowed to access. The user wishing to enter the operating system to have input/output or other functions performed does so with the use of a supervisor call instruction. This instruction allows the user program to cross the operating system boundary to obtain certain services. After the operating system performs these services, it returns control to the user program.

Fixed partition multiprogramming systems waste a considerable amount of main storage when the user programs are much smaller than their designated partitions. In variable partition multiprogramming, a user program is assigned exactly as much storage as it needs (short of the main storage size). But as user programs finish in this scheme, many storage holes are left scattered throughout main storage.

Adjacent holes are coalesced to reclaim the largest possible contiguous blocks of main storage. Occasionally, a job arrives with a storage requirement larger than any available hole but smaller than the total of all free storage holes. In this case, storage may be compacted to create a hole sufficiently large to hold the program. In compaction, all user programs are relocated adjacent to one another at one end of storage so that a single large storage hole remains.

Once the fetch strategy determines that a new program should be brought into main storage, the placement strategy must decide where to put it. Sometimes, no storage hole is available and a program in main storage must be removed to make room. Storage replacement strategies decide which program(s) to remove.

Multiprogramming may also be implemented via swapping with only a single user in main storage at once. The user program runs until it cannot continue. It is then swapped out of main storage, the next user is swapped in and this user runs until it cannot continue. The storage swapping technique is useful when main storage is limited. It was used in many early timesharing systems that supported relatively few users. More sophisticated storage swapping systems allow several programs to remain in storage at once.

TERMINOLOGY

anticipatory fetch
batch
batch processing systems
best-fit storage placement strategy
boundary registers
"burping" the storage
cache storage
coalescing storage holes
compaction
contiguous storage allocation
demand fetch
fetch strategies
first-fit storage placement strategy
fixed partition multiprogramming with absolute translation and loading
fixed partition multiprogramming with relocatable translation and loading
fragmentation

free storage list
garbage collection
holes
housekeeping
input/output control system (IOCS)
intensive resource management
job control language
job stream processor
job-to-job transition
main storage
memory
next-fit storage placement strategy
noncontiguous storage allocation
overlay
partition
placement strategy
primary storage
protection
real storage
real storage multiprogramming
replacement strategy
satellite computers
secondary storage
segments
setup time
single stream batch processing systems
single user contiguous storage allocation
single user dedicated system
storage
storage compaction
storage fragmentation
storage hierarchy
storage hole
storage management
storage management strategies
storage organization
storage protection
supervisor call instruction
swapping
teardown time
variable partition multiprogramming
virtual storage
wall clock time
worst-fit storage placement strategy

EXERCISES

7.1 In hierarchical storage systems, a certain amount of overhead is involved in moving programs and data between the various levels of the hierarchy. Discuss why the benefits derived from such systems justify the overhead involved.

7.2 A certain computer system may execute programs in either its main storage or its cache. Programs may be moved between the main storage and the cache in fixed sized blocks only. The overhead of such a move is a constant. The cache runs programs faster than the main storage.

a) In what circumstances should programs be executed in the cache storage?

b) In what circumstances should programs be executed in the main storage?

c) Suppose you have been given the responsibility of determining how large a cache storage to purchase for your installation. You know that the cache is expensive but that it runs programs much faster than the main storage. What considerations would affect your decision?

7.3 Why has demand fetch endured as the conventional wisdom for so long? Why are anticipatory fetch strategies receiving so much more attention today than they did ten years ago?

7.4 Discuss how storage fragmentation occurs in each of the storage organization schemes presented in this chapter.

7.5 In what circumstances is overlay useful? When may a section of main storage be overlayed? How does overlay affect program development time? How does overlay affect program modifiability?

7.6 Discuss the motivations for multiprogramming. What characteristics of programs and machines make multiprogramming desirable? In what circumstances is multiprogramming undesirable?

7.7 You are given a hierarchical storage system consisting of four levels—cache, primary storage, secondary storage, and tertiary storage. Assume that programs may be executed in any of the storage levels. Assume that each level consists of an identical amount of real storage, and that the range of storage addresses in each level is identical. Tertiary storage runs programs the slowest, cache runs programs the fastest, primary storage is ten times slower than the cache, secondary storage is ten times slower than primary storage, and tertiary storage is ten times slower than secondary storage. There is only one CPU and it may execute only one program at a time.

a) Assume that programs and data may be shuttled from any level to any other level under the operating system's control. The time it takes to transfer items between two particular levels is dependent upon the speed of the lowest (and slowest) level involved in the transfer. Why might the operating system choose to shuttle a program from cache directly to secondary storage, thus bypassing primary storage? Why would items be shuttled to slower levels of the hierarchy? Why would items be shuttled to faster levels of the hierarchy?

b) The scheme above is somewhat unconventional. It is more common for programs and data to be moved only between adjacent levels of the hierarchy. Give several arguments against allowing transfers directly from the cache to any level other than primary storage.

7.8 As a systems programmer in a large computer installation using a fixed partition multiprogramming system, you have been given the task of determining if the current partitioning of the system should be altered.

a) What information would you need to help you make your decision?

b) If you had this information readily available, how would you determine the ideal partitioning?

c) What are the consequences of repartitioning such a system?

7.9 One simple scheme for relocating programs in multiprogramming environments involves the use of a single relocation register. All programs are translated to locations beginning at zero, but every address developed as the program executes is modified by adding to it the contents of the CPU's relocation register. Discuss the use and control of the relocation register in variable partition multiprogramming. How might the relocation register be used in a protection scheme?

7.10 Placement strategies determine where in the main storage incoming programs and data should be loaded. Suppose a job waiting to begin execution has a storage requirement that can be fulfilled immediately. Should the job be loaded and begin execution immediately?

7.11 Charging for resources in multiprogramming systems can be complex.

a) In a dedicated system, the user is normally charged for the entire system. Suppose in a multiprogramming system only one user is currently on the system. Should that user be charged for the entire system?

b) Multiprogramming operating systems generally consume substantial system resources as they manage multiple user environments. Should users pay for this overhead, or should it be "absorbed" by the operating system?

c) Most people agree that charges for computer system usage should be fair, but few of us can define precisely what "fairness" is. Another attribute of charging schemes, but one which is easier to define, is predictability. We want to know that if a job costs a certain amount to run once, it will cost approximately the same amount to run the job again in similar circumstances. Suppose that in a multiprogramming environment we charge by wall clock time, i.e., the total real time involved in running the job from start to completion. Would such a scheme yield predictable charges? Why?

7.12 Discuss the advantages and disadvantages of noncontiguous storage allocation.

7.13 Many designers believe that the operating system should always be given a "most trusted" status. Some designers feel that even the operating system should be curtailed, particularly in its ability to reference particular areas of memory. Discuss the pros and cons of allowing the operating system to access the full range of real addresses in a computer system at all times.

7.14 Developments in operating systems have generally occurred in an evolutionary rather than revolutionary fashion. For each of the following transitions, describe the primary motivations of operating systems designers that led them to produce the new type of system from the old.

a) single user dedicated systems to multiprogramming

b) fixed partition multiprogramming systems with absolute translation and loading to fixed partition multiprogramming systems with relocatable translation and loading

c) fixed partition multiprogramming to variable partition multiprogramming

d) contiguous storage allocation systems to noncontiguous storage allocation systems

e) single user dedicated systems with manual job-to-job transition to single user dedicated systems with single stream batch processing systems

7.15 Consider the problem of jobs waiting in a queue until sufficient memory becomes available for them to be loaded and executed. If the queue is a simple first-in-first-out structure, then only the job at the head of the queue may be considered for placement in storage. On the other hand, with a more complex queueing mechanism, it might be possible to examine the entire queue to choose the next job to be loaded and executed. Show how the latter discipline, even though more complex, might yield better throughput than the simple first-in-first-out strategy.

7.16 One pessimistic operating systems designer says it really doesn't matter what storage placement strategy is used. Sooner or later a system achieves steady state and all of the strategies perform similarly. Do you agree? Explain.

7.17 Another pessimistic designer asks why we go to the trouble of defining a strategy with an offical-sounding name like first fit. This designer claims that a first-fit strategy is equivalent to nothing more than random storage placement. Do you agree? Explain.

7.18 Consider a swapping system with several partitions. The absolute version of such a system would require that programs be repeatedly swapped in and out of the same partition. The relocatable version of such a system would allow programs to be swapped in and out of any available partitions large enough to hold them, possibly different partitions on successive swaps. Assuming that real storage is many times the size of the average job, discuss the advantages of this multiple user swapping scheme over the single user swapping scheme described in the text.

7.19 Sharing of procedures and data can reduce the main storage demands of jobs, thus enabling a higher level of multiprogramming. Indicate how a sharing mechanism might be implemented for each of the following schemes. If you feel that sharing is inappropriate for certain schemes, say so and explain why.

a) fixed partition multiprogramming with absolute translation and loading

b) fixed partition multiprogramming with relocatable translation and loading

c) variable partition multiprogramming

d) multiprogramming in a swapping system that enables two jobs to reside in main storage at once, but which multiprograms more than two jobs.

7.20 Much of the discussion in this chapter assumes that primary storage is a relatively expensive resource that should therefore be managed intensively. There is reason to believe that primary storage may eventually become so abundant and so inexpensive, that users could essentially have all they want. Discuss the ramifications of such a development on

a) operating system design

b) storage management strategies

c) user applications design.

7.21 In this exercise, you will examine the next-fit strategy and compare it to first-fit.

a) How would the data structure used for implementing next-fit differ from that used for first-fit?

b) What happens in first-fit if the search reaches the highest-addressed block of storage and discovers it is not large enough?

c) What happens in next-fit when the highest-addressed storage block is not large enough?

d) Which strategy uses free storage more uniformly?

e) Which strategy tends to cause small blocks to collect at low storage addresses?

f) Which strategy does a better job keeping large blocks available?

7.22 (*Fifty-percent Rule*) The more mathematically inclined student may want to attempt to prove the "fifty-percent rule" developed by Knuth (Kh73) (Sh77). The rule states that at steady state a variable partition multiprogramming system will tend to have approximately half as many holes as there are occupied storage blocks. The rule assumes that the vast majority of "fits" are not exact (so that fits tend *not* to reduce the number of holes).

7.23 (Simulation Project) Develop a simulation program to investigate the relative effectiveness of the first-fit, best-fit, and worst-fit storage placement strategies. Your program should measure storage utilization, and average job turnaround time for the various storage placement strategies. Assume a real memory system with 1M-byte capacity of which 300K is reserved for the operating system. New jobs arrive at random intervals between 1 and 10 minutes (in multiples of 1 minute), the size of the jobs are random between 50K and 300K in multiples of 10K, and the durations range from 5 to 60 minutes in multiples of 5 minutes in units of one minute. Your program should simulate each of the strategies over a long enough interval to acheive steady state operation.

a) Discuss the relative difficulties of implementing each of these strategies.

b) Indicate any significant performance differences you observed.

c) Vary the job arrival rates and job size distributions and observe the results for each of the strategies.

d) Based on your observations, state which strategy you would choose if you were actually implementing a real storage management system.

e) Based on your observations, suggest some other storage placement strategy that you think would be more effective than the ones you have investigated here. Simulate its behavior. What results do you observe?

For each of your simulations, assume that the time it takes to make the storage placement decision is negligible.

LITERATURE

(Ba80) Baer, J. L., *Computer Systems Architecture*, Rockville, Md.: Computer Science Press, 1980.

(Bk70) Baskett, F.; J. C. Broune; and W. M. Raike, "The Management of a Multi-level Non-paged Memory System," *Proc. Spring Joint Computer Conference*, 1970, pp. 459–465.

(By77) Bays, C., "A Comparison of Next-Fit, First-Fit, and Best-Fit," *Communications of the ACM*, Vol. 20, No. 3, March 1977, pp. 191–192.

(Be82) Beck, L., "A Dynamic Storage Allocation Technique based on Memory Residence Time," *CACM*, Vol. 25, No. 10, October 1982, pp. 714–724.

(Be81) Belady, L. A.; R. P. Parmelee; and C. A. Scalzi, "The IBM History of Memory Management Technology," *IBM Journal of Research and Development*, Vol. 25, No. 5, September 1981, pp. 491–503.

(Bo84) Bozman, G.; W. Buco; T. P. Daly; and W. H. Tetzlaff, "Analysis of Free-Storage Algorithms—Revisited," *IBM Systems Journal*, Vol. 23, No. 1, 1984, pp. 44–66.

(Cd59) Codd, E. F.; E. S. Lowry; E. McDonough; and C. A. Scalzi, "Multiprogramming STRETCH: Feasibility Considerations," *Communications of the ACM*, Vol. 2, 1959, pp. 13–17.

(Co72) Coffman, E. G., and T. A. Ryan, "A Study of Storage Partitioning Using a Mathematical Model of Locality," *Communications of the ACM*, Vol. 15, No. 3, March 1972, pp. 185–190.

(Da84) Davies, D. J. M., "Memory Occupancy Patterns in Garbage Collection Systems," *Communications of the ACM*, Vol. 27, No. 8, August 1984, pp. 819–825.

(De71) Denning, P. J., "Third Generation Computer Systems," *ACM Computing Surveys*, Vol. 3, No. 4, December 1971, pp. 175–216.

(Ha78) Hayes, J. P., *Computer Architecture and Organization*, New York: McGraw-Hill, 1978.

(Kn68) Knight, D. C., "An Algorithm for Scheduling Storage on a Non-Paged Computer," *Computer Journal*, Vol. 11, No. 1, February 1968, pp. 17–21.

(Kh73) Knuth, D. E., *The Art of Computer Programming: Fundamental Algorithms*, Vol. 1, 2nd Ed., Reading, MA: Addison-Wesley, 1973.

(Li72) Lin, Y. S., and R. L. Mattson, "Cost-Performance Evaluation of Memory Hierarchies," *IEEE Trans. Magn.*, MAG-8, No. 3, September 1972, p. 390.

(Mr71) Margolin, B. H.; R. P. Parmelee; and M. Schatzoff, "Analysis of Free-Storage Algorithms," *IBM Systems Journal*, Vol. 10, No. 4, 1971, pp. 283–304.

(Ma77) Matick, R. E., *Computer Storage Systems and Technology*, New York: John Wiley & Sons, 1977.

(Mi74) Mitra, D., "Some Aspects of Hierarchical Memory Systems," *JACM*, Vol. 21, No. 1, January 1974, p. 54.

(Ol85) Oldehoeft, R. R., and S. J. Allan, "Adaptive Exact-fit Storage Management," *Communications of the ACM*, Vol. 28, No. 5, May 1985, pp. 506–511.

(Po81) Pohm, A. V., and T. A. Smay, "Computer Memory Systems," *IEEE Computer*, October 1981, pp. 93–110.

(Ra69) Randell, B., "A Note on Storage Fragmentation and Program Segmentation," *Communications of the ACM*, Vol. 12, No. 7, July 1969, pp. 365–372.

(Rc81) Ricart, G., and A. K. Agrawala, "An Optimal Algorithm for Mutual Exclusion in Computer Networks," *Communications of the ACM*, Vol. 24, No. 1, January 1981, pp. 9–17.

(Ri74) Ritchie, D. M., and K. T. Thompson, "The UNIX Time-sharing System,"*Communications of the ACM*, Vol. 17, No. 7, July 1974, pp. 365–375.

(Ro69) Rosen, S., "Electronic Computers: A Historical Survey," *ACM Computing Surveys*, Vol. 1, No. 1, March 1969, pp. 7–36.

(Rn69) Rosin, R. F., "Supervisory and Monitor Systems,"*ACM Computing Surveys*, Vol. 1, No. 1, March 1969, pp. 37–54.

(Sh75) Shore, J. E., "On The External Storage Fragmentation Produced by First-Fit and Best-Fit Allocation Strategies," *Communications of the ACM*, Vol. 18, No. 8, August 1975, pp. 433–440.

(Sh77) Shore, J. E., "Anomalous Behavior of the Fifty-Percent Rule," *Communications of the ACM*, Vol. 20, No. 11, November 1977, pp. 812–820.

(Sm82) Smith, A. J., "Cache Memories," *ACM Computing Surveys*, Vol. 14, No. 3, September 1982, pp. 473–530.

(St83) Stephenson, C. J., "Fast Fits: New Methods for Dynamic Storage Allocation," *Proceedings of the 9th Symposium on Operating Systems Principles*, ACM, Vol. 17, No. 5, October 1983, pp. 30–32.

(Th86) Thakkar, S. S., and A. E. Knowles, "A High-Performance Memory Management Scheme," *Computer*, Vol. 19, No. 5, May 1986, pp. 8–22.

(Ye86) Yeh, D. Y., and T. Munakata, "Dynamic Allocation and Local Reallocation Procedures for Multiple Stacks," *Communications of the ACM*, Vol. 29, No. 2, February 1986, pp. 134–141.

8
Virtual Storage Organization

The fancy is indeed no other than a mode of memory emancipated from the order of time and space.

Samuel Taylor Coleridge

Lead me from the unreal to the real!

The Upanishads

O happy fault, which has deserved to have such and so mighty a Redeemer.

The Missal—The Book of Common Prayer

But every page having an ample marge,
And every marge enclosing in the midst
A square of text that looks a little blot.

Alfred, Lord Tennyson

Addresses are given to us to conceal our whereabouts.

'Saki' (H. H. Munro)

Outline

8.1 Introduction
8.2 Evolution of Storage Organizations
8.3 Virtual Storage: Basic Concepts
8.4 Multilevel Storage Organization
8.5 Block Mapping
8.6 Paging: Basic Concepts
- **8.6.1** Paging Address Translation by Direct Mapping
- **8.6.2** Paging Address Translation by Associative Mapping
- **8.6.3** Paging Address Translation with Combined Associative/Direct Mapping
- **8.6.4** Sharing in a Paging System

8.7 Segmentation
- **8.7.1** Access Control in Segmentation Systems
- **8.7.2** Segmented Address Translation by Direct Mapping
- **8.7.3** Sharing in a Segmentation System

8.8 Paging/Segmentation Systems
- **8.8.1** Dynamic Address Translation in Paging/Segmentation Systems
- **8.8.2** Sharing in a Paging/Segmentation System

8.1 INTRODUCTION

The term *virtual storage* is normally associated with the ability to address a storage space much larger than that available in the primary storage of a particular computer system (Sh86) (Le87) (Ke88). Virtual storage is not a new concept. It first appeared in the Atlas computer system constructed at the University of Manchester in England in 1960 (Ft61) (Ki61) (Ki61a) (La78). The widespread use of virtual storage systems is, however, relatively recent. Microprocessors now support virtual storage (Mc83) (Sc83) (Su87).

The two most common methods of implementing virtual storage are *paging* and *segmentation*, both of which are discussed in detail in this chapter. Some virtual storage systems use one technique or the other. Some systems use both (Pa72).

All virtual storage systems have the attribute that the addresses developed by running programs are not necessarily those addresses available in primary storage. In fact, virtual addresses are normally selected from a much larger set of addresses than is available in primary storage.

8.2 EVOLUTION OF STORAGE ORGANIZATIONS

Figure 8.1 shows how storage organizations have evolved from real storage systems dedicated to a single user, to virtual storage systems combining the techniques of paging and segmentation. Real storage organizations were discussed in the previous chapter. Because virtual storage is far more complex, the discussion has been split into two chapters. In this chapter, the various virtual storage organizations are examined. In Chapter 9, the techniques and strategies for managing virtual storage are discussed.

8.3 VIRTUAL STORAGE: BASIC CONCEPTS

The key to the virtual storage concept is disassociating the addresses referenced in a running process from the addresses available in primary storage.

Real
Real
Virtual
Single user dedicated systems
Real storage multiprogramming systems
Virtual storage multiprogramming systems
Fixed partition multiprogramming
Variable partition multiprogramming
Pure paging
Pure segmentation
Combined paging segmentation
Absolute
Relocatable

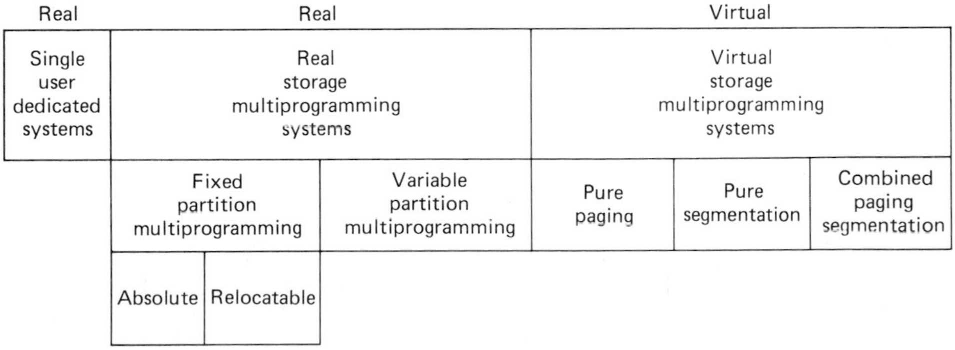

Fig. 8.1 Evolution of storage organizations.

The addresses referenced by a running process are called *virtual addresses*. The addresses available in primary storage are called *real addresses*. The range of virtual addresses a running process may reference is called that process's *virtual address space, V*. The range of real addresses available on a particular computer system is called that computer's *real address space, R*. The number of addresses in V is denoted $|V|$, and the number of addresses in R is denoted $|R|$. In actual implemented virtual storage systems it is normally the case that $|V| \gg |R|$, although systems have been built in which $|V| < |R|$.

Even though processes reference only virtual addresses, they must actually run in real storage. Thus *virtual addresses must be mapped into real addresses as a process executes.* This must be done quickly, or else the performance of the computer system would degrade to intolerable levels, thus eliminating many gains from using the virtual storage concept in the first place (Fig. 8.2).

Various means have been developed for associating virtual addresses with real addresses. *Dynamic address translation (DAT)* mechanisms convert virtual addresses to real addresses as a process executes. All these systems exhibit the property that the addresses contiguous in a process's virtual address space need not be contiguous in real storage—this is called *artificial contiguity* (Fig. 8.3). Thus the user is freed from concern about where procedures and data are positioned in real storage. The user is able to write programs in the most natural manner, considering details of algorithm efficiency and program structure, but

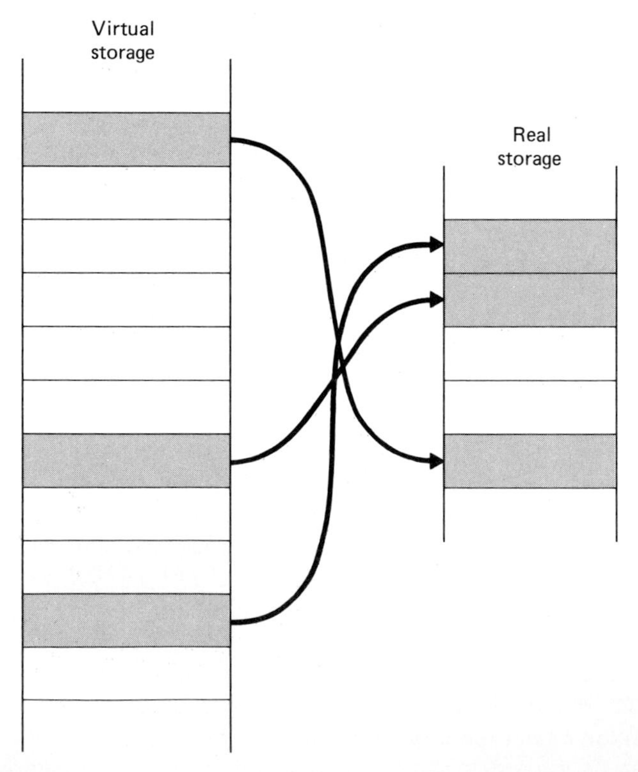

Fig. 8.2 Item mapping from virtual address space to real address space.

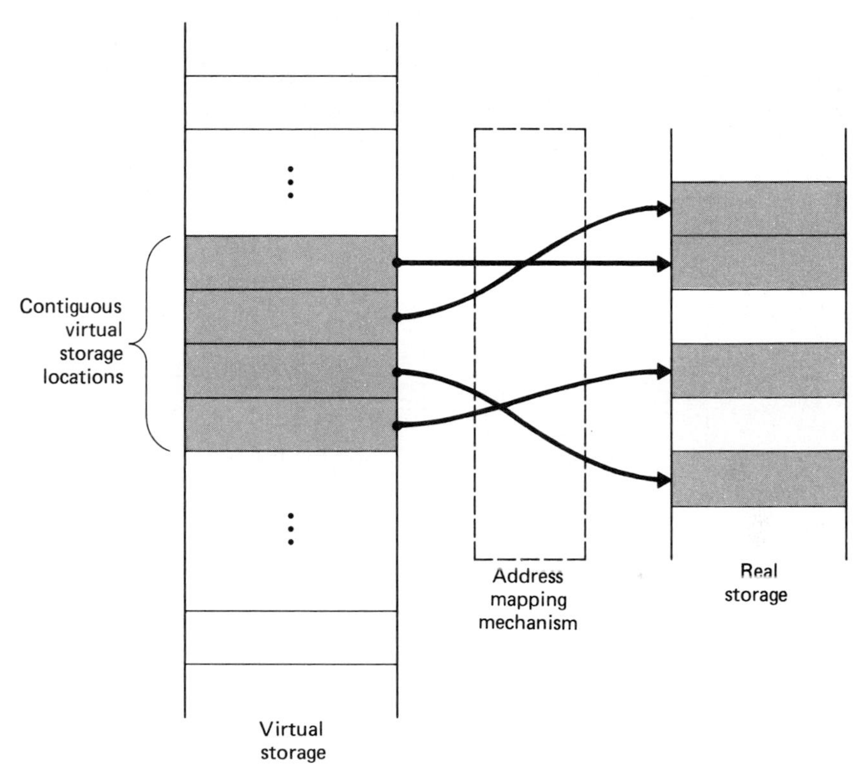

Fig. 8.3 Artificial contiguity. Items that are contiguous in virtual storage are mapped to items in real storage that are not necessarily contiguous.

ignoring details of the underlying hardware structure. The computer is (or can be) viewed in a logical sense as an implementor of algorithms rather than in a physical sense as a device with unique characteristics, some of which may impede the program development process.

8.4 MULTILEVEL STORAGE ORGANIZATION

If we are to permit a user's virtual address space to be larger than the real address space, and certainly if we are to multiprogram a system effectively with many users sharing the real storage resource, we must provide a means for retaining programs and data in a large auxiliary storage. This is normally accomplished by using a two-level storage scheme (Fig. 8.4). The first level is the real storage in which processes execute and in which data must reside in order to be referenced by a running process. The second level consists of large capacity storage media such as disks or drums capable of holding the programs and data that cannot all fit into the limited real storage at once. This second level of storage is generally called *auxiliary*, *secondary*, or *backing storage*. When a process is to be run, its code and data are brought to the main storage. The details of how this is done will be explained thoroughly in this and the next chapter.

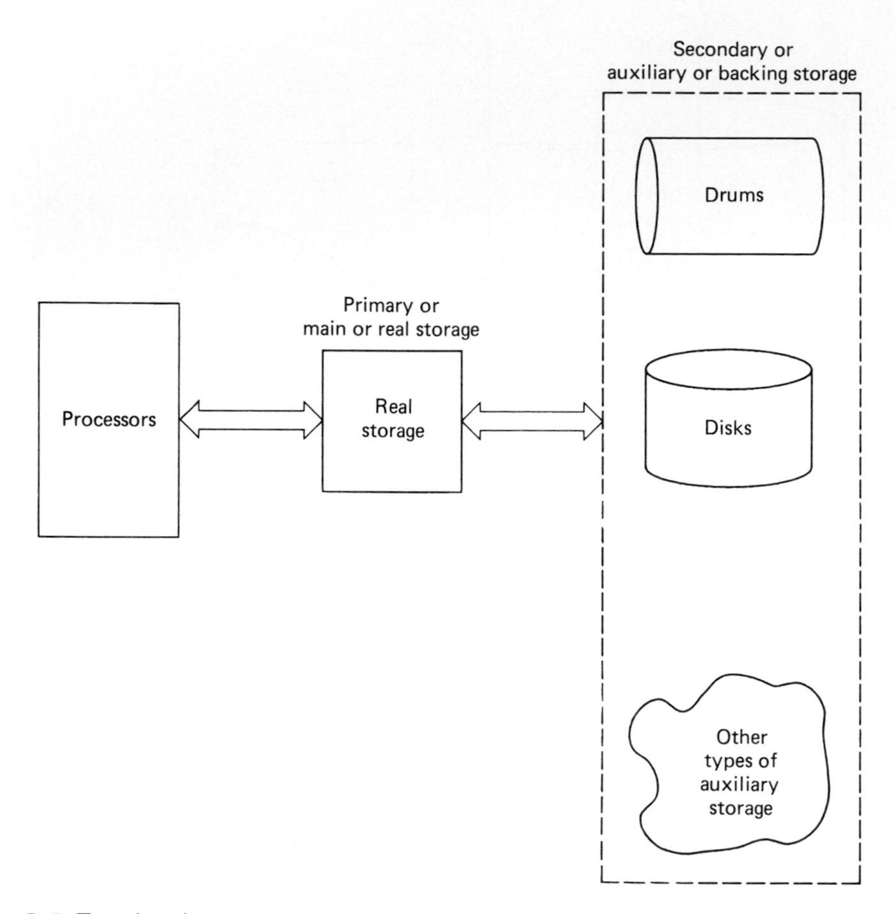

Fig. 8.4 Two-level storage.

Because the real storage is shared among many processes, and because each process may have a virtual address space much larger than real storage, only a small portion of each process's programs and data may be maintained in real storage at a time. Figure 8.5 illustrates a two-level storage system in which items from various users' virtual storages have been placed in the real storage.

8.5 BLOCK MAPPING

The dynamic address translation mechanism must maintain *address translation maps* illustrating which virtual storage locations are currently in real storage, and where they are. If this mapping were performed on a word-by-word or byte-by-byte basis, i.e., if a mapping entry were provided for every entry in V, then the mapping information would be so voluminous that it would require as much or more real storage than the processes

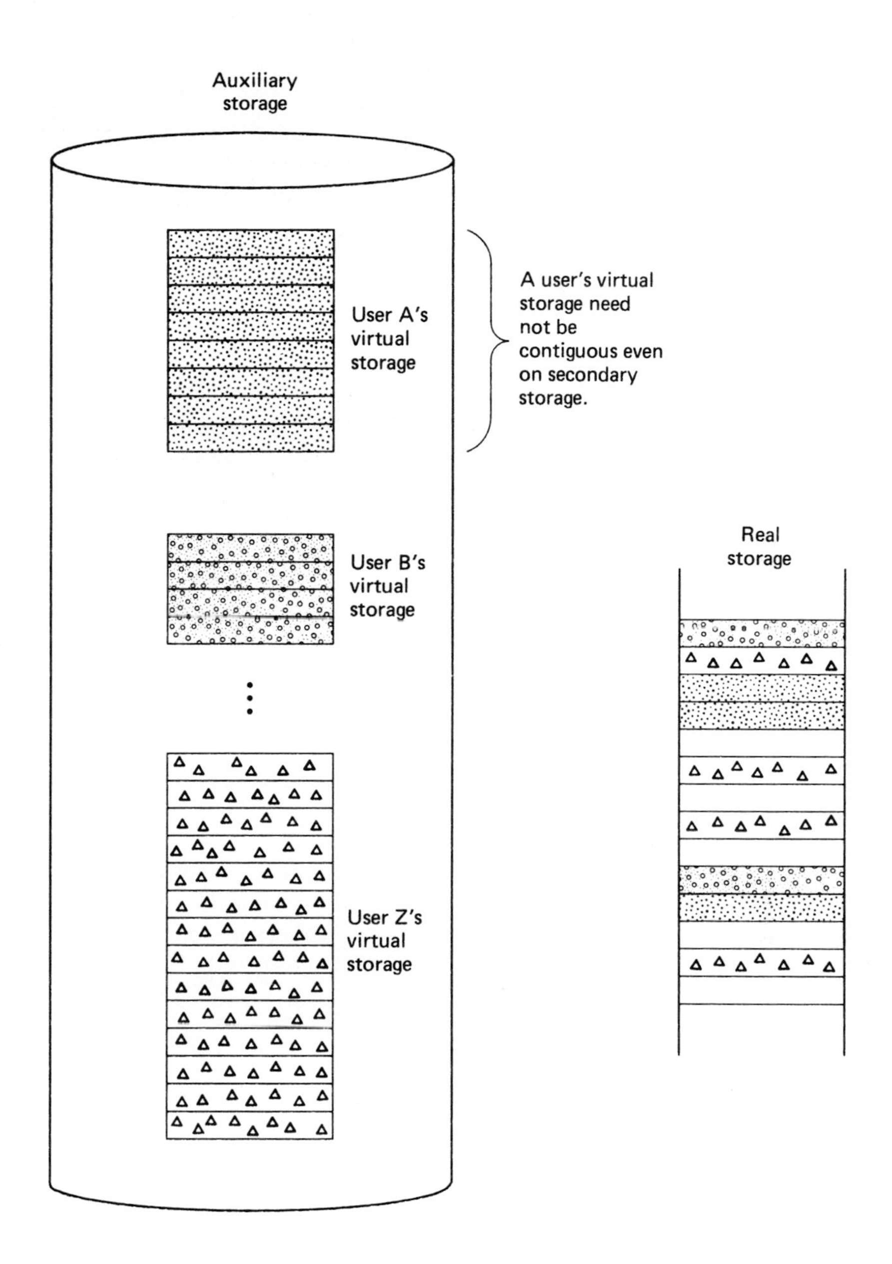

Fig. 8.5 A small portion of each user's programs and data may normally be maintained in primary storage at once.

themselves need. A method is needed to reduce the amount of mapping information in order to make implementation of virtual storage worthwhile.

We simply cannot afford to map addresses individually. Therefore, information is grouped into *blocks*, and the system keeps track of where in real storage the various virtual storage blocks have been placed. The larger the block size, the smaller the fraction of real storage that must be devoted to storing mapping information.

Making blocks large lowers the storage overhead of the mapping mechanism. But large blocks take longer to transfer between secondary and primary storage, and consume more real storage, possibly limiting the number of processes that can share the real storage.

There is some question as to whether the blocks should all be the same size, or of different sizes. When blocks are the same size, they are called *pages* and the associated virtual storage organization is called *paging*. When the blocks may be of different sizes, they are called *segments*, and the associated virtual storage organization is called *segmentation*. Some systems combine the two techniques, implementing segments as variable-sized entities composed of fixed-sized pages.

Addresses in a block mapping system are *two-dimensional*. To refer to a particular item, a program specifies the block in which the item resides, and the *displacement* of the item from the start of the block (Fig. 8.6). A virtual address, v, is denoted by an ordered pair (b,d) where b is the block number in which the referenced item resides, and d is the displacement from the start of the block.

The translation from a virtual storage address $v = (b,d)$ to a real storage address, r, proceeds as follows (Fig. 8.7). Each process has its own *block map table* maintained by the system in real storage. A special register in the processing unit, called the *block map table origin register*, is loaded at context switching time with the real address, a, of the process's block map table. The block map table contains one entry for each block of the process, and the entries are kept in sequential order for block 0, block 1, etc. Now the block number, b, is added to the base address, a, of the block table to form the real address of the entry in the block map table for block b. This entry contains the real address, b', for the start of block b. The displacement, d, is added to the block start address, b', to form the desired real address, $r = b' + d$.

The block mapping techniques employed in segmentation, paging, and combined paging/segmentation systems are all similar to the mapping shown in Fig. 8.7.

It is important to note that block mapping is performed dynamically as a process runs. If not implemented efficiently, its overhead could cause performance degradation that would negate much of the benefit of using virtual storage. For example, the two additions indicated in Fig. 8.7 must be much faster than conventional machine language add instructions. These additions are performed automatically within the execution of each

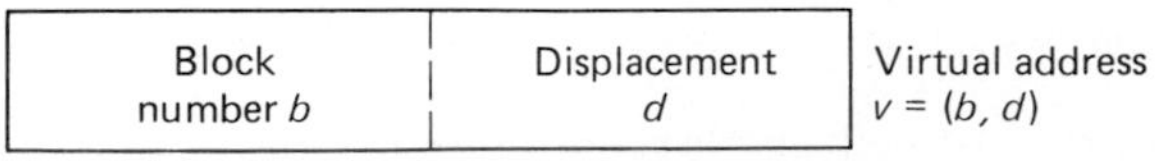

Block number b	Displacement d	Virtual address $v = (b, d)$

Fig. 8.6 Virtual address format in a block mapping system.

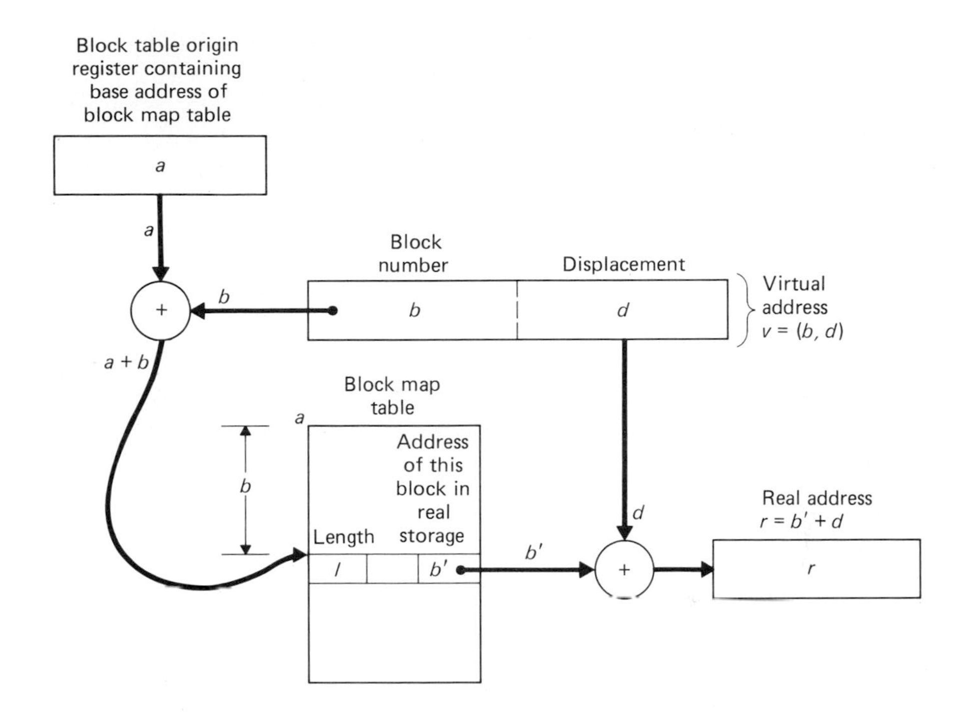

Fig. 8.7 Virtual address translation with block mapping.

machine language instruction for each virtual address referenced; if the additions took as long as machine language adds, then the computer might run at only a small fraction of the speed at which a real storage computer would execute. Also, the block mapping table is normally placed in special high-speed storage to dramatically decrease the time it takes to retrieve block-mapping entries.

8.6 PAGING: BASIC CONCEPTS

Recalling the complexity of managing variable-sized blocks under variable partition multiprogramming, let us begin by considering fixed-size block mapping, i.e., paging. In this section we consider *pure paging* as distinguished from paging in a system with combined segmentation and paging.

A virtual address in a paging system is an ordered pair (p,d) where p is the page number in virtual storage on which the referenced item resides, and d is the displacement within page p at which the referenced item is located (Fig. 8.8). A process may run if its current page is in primary storage. Pages are transferred from secondary to primary storage and placed in primary storage in blocks called *page frames* that are the same size as the incoming pages. Page frames begin at real storage addresses that are integral multiples of the fixed page size (Fig. 8.9). An incoming page may be placed in any available page frame.

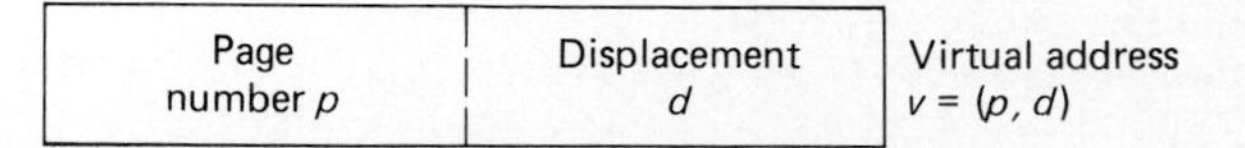

Fig. 8.8 Virtual address format in a pure paging system.

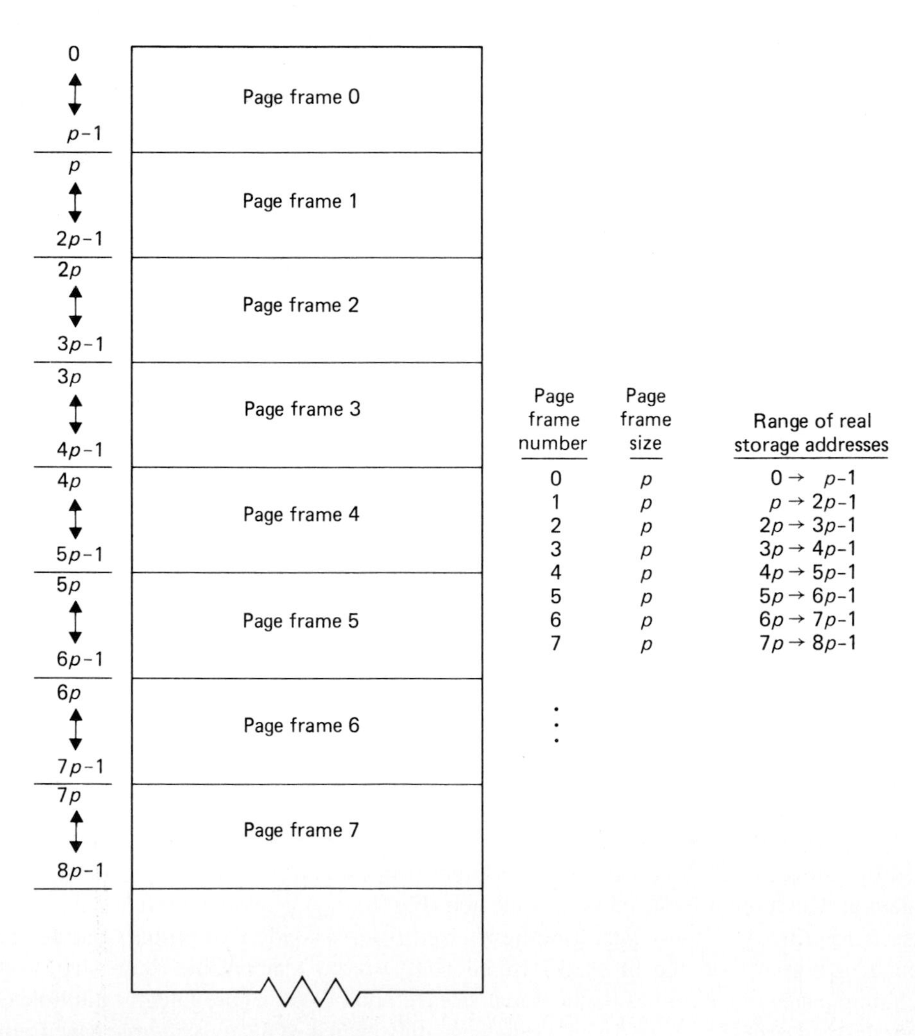

Page frame number	Page frame size	Range of real storage addresses
0	p	$0 \rightarrow p-1$
1	p	$p \rightarrow 2p-1$
2	p	$2p \rightarrow 3p-1$
3	p	$3p \rightarrow 4p-1$
4	p	$4p \rightarrow 5p-1$
5	p	$5p \rightarrow 6p-1$
6	p	$6p \rightarrow 7p-1$
7	p	$7p \rightarrow 8p-1$
⋮		

Fig. 8.9 Real storage divided into page frames.

Dynamic address translation under paging proceeds as follows. A running process references a virtual storage address $v = (p,d)$. A page mapping mechanism, Fig. 8.10, looks up page p in a *page map table*, and determines that page p is in page frame p'. The real storage address is then formed by concatenating p' and d.

Now consider this process in more detail. In particular, because not every page of the process is ordinarily in primary storage at the same time, the page map table must indicate whether or not the referenced page is in primary storage; if it is, where it is; and if it isn't,

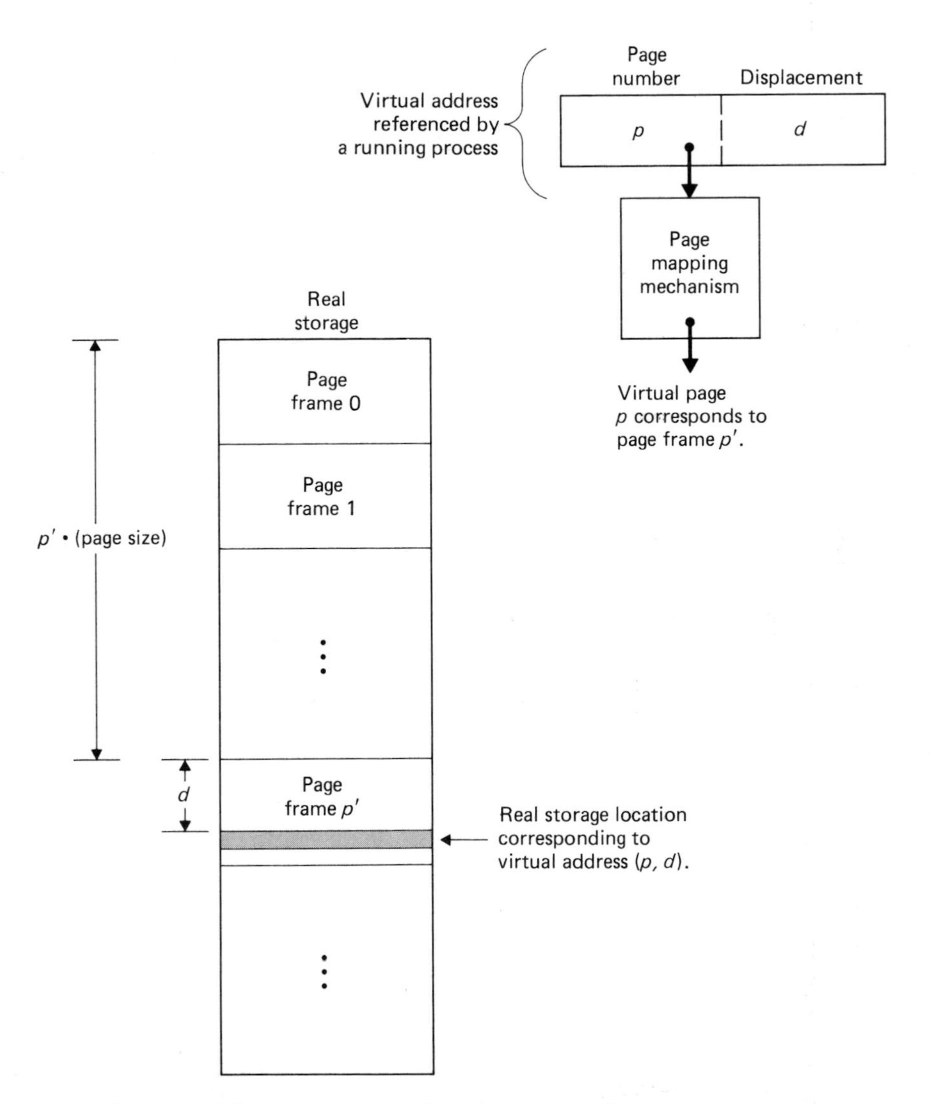

Fig. 8.10 Correspondence between virtual storage addresses and real storage addresses in a paging system.

where it may be found in secondary storage. Figure 8.11 shows a typical page map table entry. A page residence bit, r, is set to 0 if the page is not in primary storage and set to 1 if the page is in primary storage. If the page is not in primary storage, then s is its secondary storage address. If the page is in primary storage, then p' is its page frame number. Note that p' is not an actual primary storage address; the primary storage address at which page frame p' begins is the product of p' and the fixed page size (assuming page frames are numbered 0, 1, 2, etc.).

8.6.1 Paging Address Translation by Direct Mapping

In this and the next several sections, we consider several techniques for performing page mapping. First we consider *direct mapping* as illustrated in Fig. 8.12.

A running process references virtual address $v = (p,d)$. Before a process begins running, the operating system loads (at context switching time) the primary storage address of the page map table into the *page map table origin register*. The base address, b, of the page map table is added to the page number, p, to form the address in primary storage, $b + p$, of the entry in the page map table for page p. This entry indicates that page frame p' corresponds to virtual page p. Then p' is concatenated with the displacement, d, to form real address, r. This is said to be an example of *direct mapping* because the page map table contains an entry for every page in this process's virtual storage. If the process has n pages in its virtual storage, then the direct mapped page map table for the process contains entries successively for page 0, page 1, page 2, . . ., page $n - 1$. Direct mapping is much like accessing an array location via subscripting; any entry in the table can be directly located with a single access to the table.

The virtual address being translated and the base address of the page map table are both kept in high-speed registers in the control processor, so the operations involving them can be performed quickly within a single instruction execution cycle. But the direct mapped

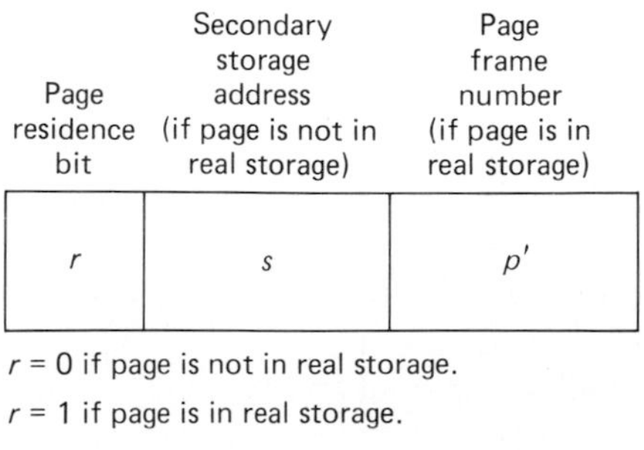

Page residence bit	Secondary storage address (if page is not in real storage)	Page frame number (if page is in real storage)
r	s	p'

$r = 0$ if page is not in real storage.

$r = 1$ if page is in real storage.

Fig. 8.11 A page map table entry.

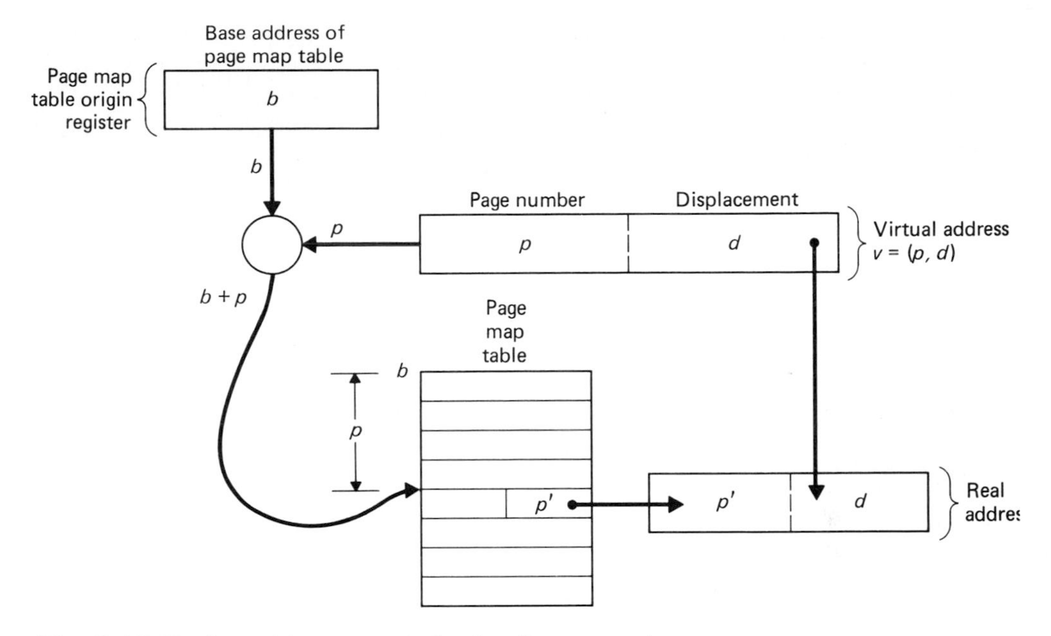

Fig. 8.12 Paging address translation by direct mapping.

page map table, which can be quite large, is ordinarily kept in primary storage. Consequently, the reference to the page map table requires one complete primary storage cycle. Because the primary storage cycle time ordinarily represents the largest part of an instruction execution cycle, and because we require an additional primary storage execution cycle for page mapping, then the use of direct mapping page address translation can cause the computer system to run programs at about half speed! This is intolerable. Therefore, to achieve faster translation, many of today's systems implement the complete direct mapped page map table in very high-speed cache storage. This has been made more feasible because of the steady decline in the cost of cache memory due to advances in memory technology (Sm82).

8.6.2 Paging Address Translation by Associative Mapping

One way of speeding dynamic address translation is to place the entire page map table into a content-addressed (rather than location-addressed) *associative storage* (Ha66) (Ln66), which has a cycle time perhaps an order of magnitude faster than primary storage. Figure 8.13 illustrates how dynamic address translation proceeds with pure *associative mapping*. A running program refers to virtual address $v = (p,d)$. Every entry in the associative storage is searched simultaneously for page p. It returns p' as the page frame corresponding to page p, and p' is concatenated with d, forming the real address, r. Note that the arrows into the associative map actually enter every cell of the map. This indicates that every cell of the

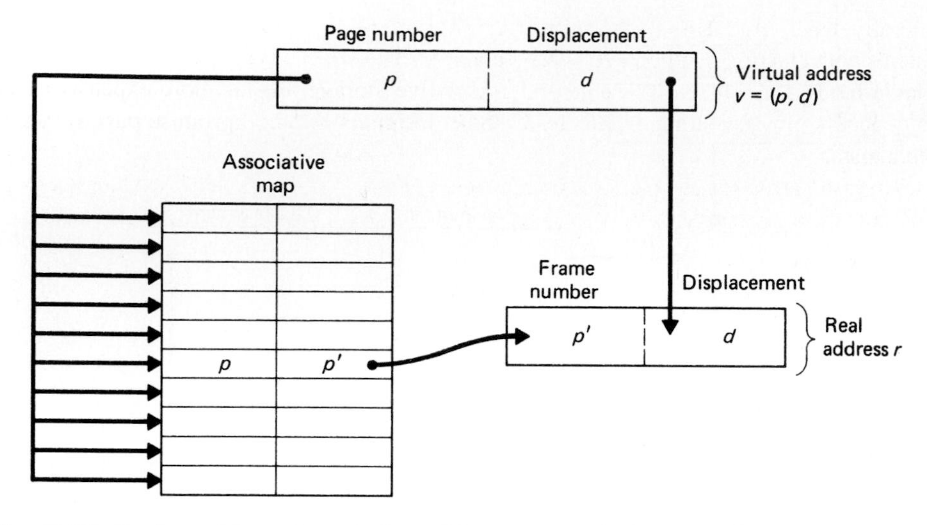

Fig. 8.13 Paging address translation with pure associative mapping.

associative storage is searched simultaneously for a match on p. This is what makes associative storage prohibitively expensive even compared to cache, so pure associative mapping is not used; we show it here in case the economics of associative mapping become more favorable.

Again, the dilemma faced is that dynamic address translation must proceed quickly to make the concept of virtual storage feasible. If using a cache storage to implement pure direct mapping or if using an associative storage to implement pure associative mapping is too costly, designers may choose a compromise scheme that offers many of the advantages of the cache or associative storage approach but at a more modest cost. This scheme is considered in the next section.

8.6.3 Paging Address Translation with Combined Associative/Direct Mapping

Much of the discussion to this point has dealt with the computer hardware it takes to implement virtual storage efficiently. The hardware view presented has been a logical one rather a than physical one. We are concerned not with the precise structure of the devices but with their functional organization and relative speeds. This view of hardware is typical of that which the operating systems designer must have, especially in development environments in which hardware designs may be modified.

Improvements in hardware over the last three decades have come at a much more dramatic pace than improvements in software. It has actually come to the point that designers are often reluctant to commit themselves to a particular hardware technology because they expect a better technology will soon be available. Operating systems designers generally have little choice in these matters because they must implement operating systems with existing technologies. They must also deal with the realities and economics of today's hardware. Currently, cache and associative storage are far more expensive than direct access primary storage. This leads some designers to a compromise page mapping mechanism.

An associative storage capable of holding only a small percentage of the complete page map table for a process (Fig. 8.14) is used (this is sometimes called a *translation lookaside*

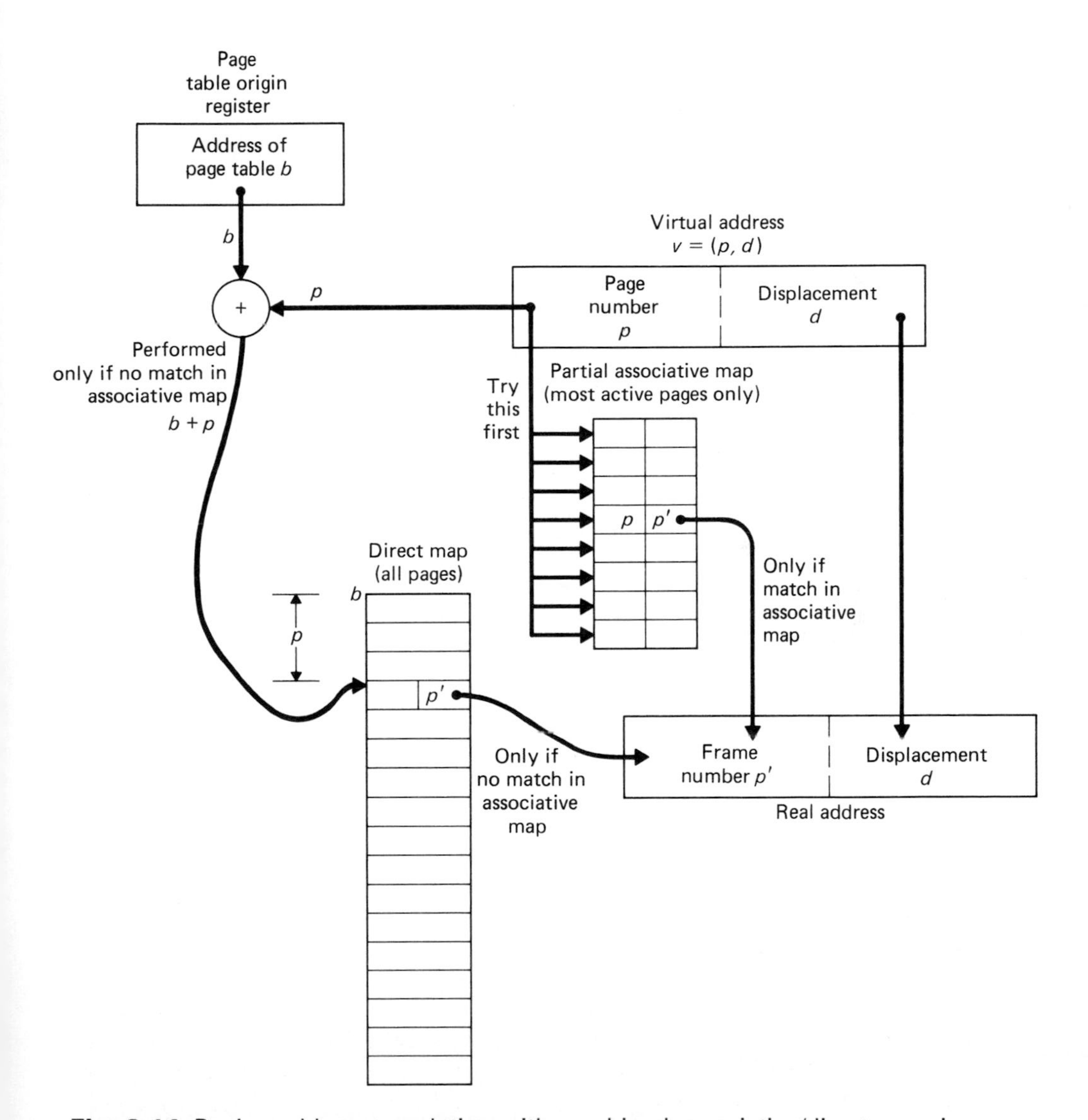

Fig. 8.14 Paging address translation with combined associative/direct mapping.

buffer). The page entries maintained in this map correspond to the most recently referenced pages only, using the heuristic that a page referenced recently in the past is likely to be referenced again in the near future. (This is an example of *locality*, a phenomenon discussed in detail in Chapter 9.)

Dynamic address translation proceeds as follows. A running program references virtual address $v = (p,d)$. The address translation mechanism first tries to find page p in the partial associative page map. If p is there, then the associative map returns p' as the frame number corresponding to virtual page p, and p' is concatenated with the displacement d to form the real address r that corresponds to virtual address $v = (p,d)$.

If there is no match for page p in the partial associative page map, a conventional direct map in primary storage is referenced. The address, b, in the page table origin register is added to p to locate the appropriate entry for page p in the direct-mapped page map table in primary storage. The table indicates that p' is the page frame corresponding to virtual page p, and p' is concatenated with the displacement, d, to form the real address r corresponding to virtual address $v = (p,d)$. Now that p has been located in frame p', the partial associative map is updated to contain this information; the hardware replaces the entry for the least-recently-used page. Now, references (in the near future) to page p will be translated quickly through the partial associative page map.

The partial associative page map does not need to be large to achieve good performance. In fact, systems using this technique with only eight or sixteen associative storage registers often achieve 90 percent or more of the performance possible with a complete associative map, which on today's systems might require hundreds, or even thousands, of times as many entries. This also occurs because of the phenomenon of locality.

Using a combined associative/direct mapping mechanism is an engineering decision based on the relative economics and capabilities of existing hardware technologies. Therefore, it is important for operating systems students and developers to be aware of emerging hardware technologies. Books on computer architecture, such as (Ba80) (Fo85) (Hr85) (Mo86) (Le87) (Su87) (Tu88), are a good source for this material.

8.6.4 Sharing in a Paging System

In multiprogrammed computer systems, especially in timesharing systems, it is common for many users to be executing the same programs. If individual copies of these programs were given to each user, much of primary storage would be wasted. The obvious solution is to share those pages that can be shared.

Sharing must be carefully controlled to prevent one process from modifying data that another process is accessing (see the discussion of concurrency control in Chapter 4). In most of today's systems that implement sharing, programs are divided into separate procedure and data areas. Nonmodifiable procedures are called *pure procedures* or *reentrant procedures*. Modifiable data clearly cannot be shared without careful concurrency control. Nonmodifiable data (such as fixed tabular information, for example) can be shared. Modifiable procedures cannot be shared (although someone might envision an esoteric example where doing this with some form of concurrency control would make sense).

All this discussion points to the need to identify each page as either sharable or nonsharable. Once each process's pages have been categorized in this fashion, then sharing in pure paging systems is implemented as in Fig. 8.15. By having page map table entries of different processes point to the same page frame, that page frame is shared among those processes. Sharing reduces the amount of primary storage needed for a group of processes to run efficiently, and can make it possible for a given system to support more users. In the next chapter, the issues of how sharing affects virtual storage management will be considered.

Note in Fig. 8.15 that we have placed the entries for the pages of shared procedures in the same positions in each page map (relative to the start of the page map). Is this mandatory? This question is left to the exercises.

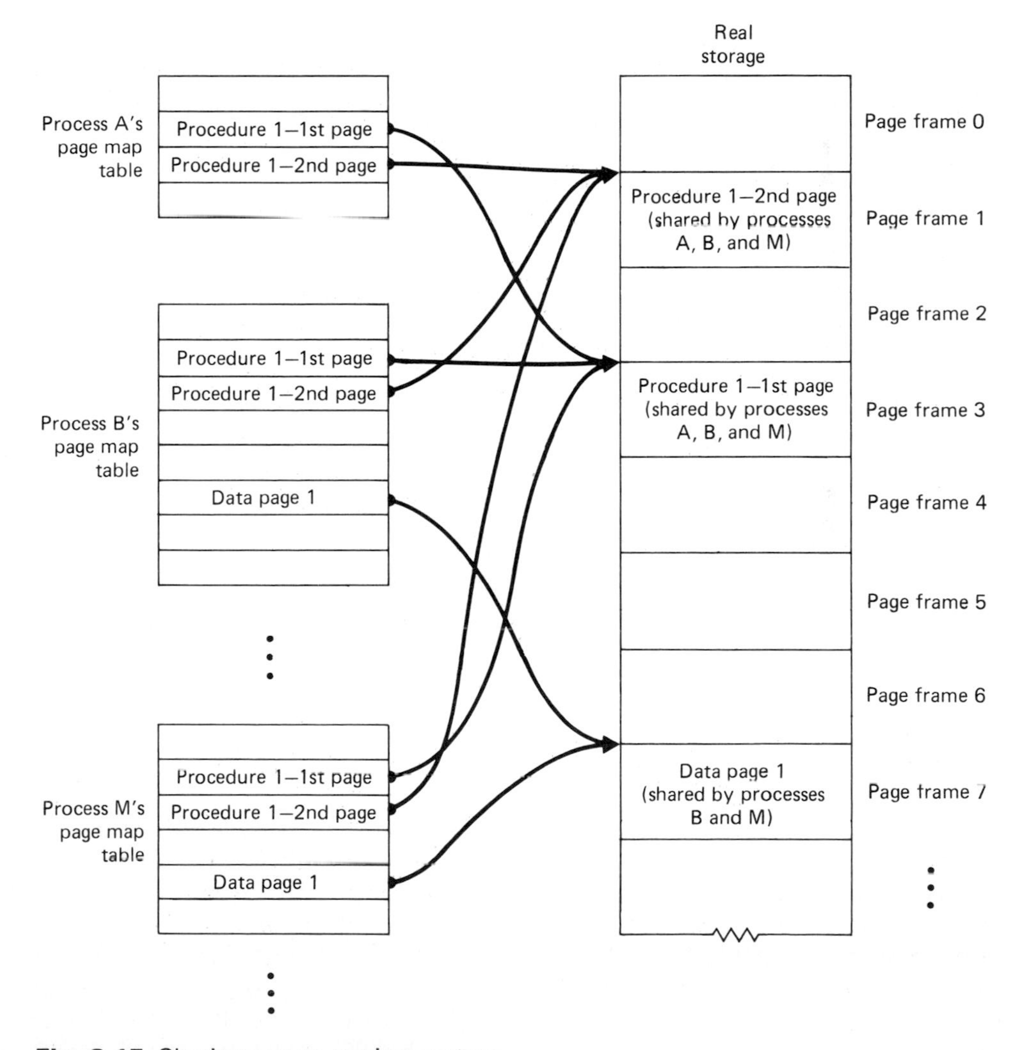

Fig. 8.15 Sharing a pure paging system.

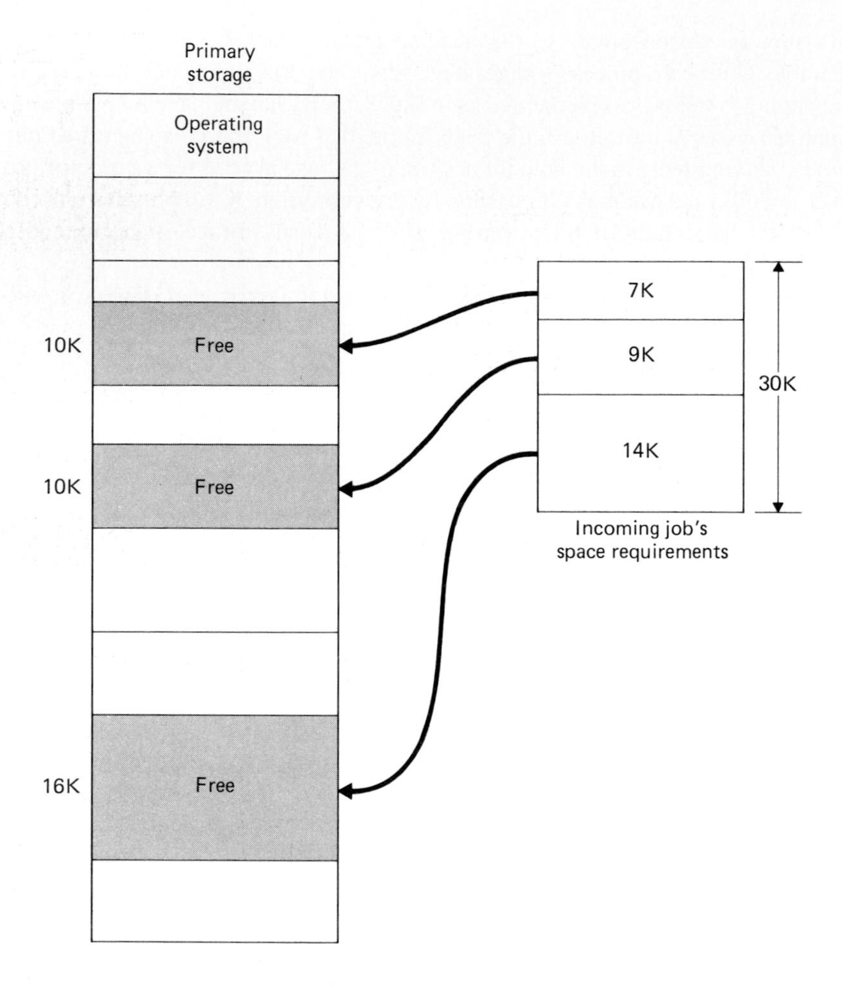

Fig. 8.16 Noncontiguous storage allocation in a real storage segmentation system.

8.7 SEGMENTATION

From the chapter on real storage, we recall that in variable partition multiprogramming, placing programs in storage is often performed on a first-fit, best-fit, or worst-fit basis. But we are still restricted to running programs in one block of contiguous locations of real storage.

In real storage *segmentation* systems, this restriction is removed and a program (and its data) are allowed to occupy many separate blocks of real storage (Fig. 8.16). The blocks themselves need not be the same size and must still consist of contiguous locations, but the separate blocks need not be adjacent to one another.

This introduces several interesting problems. For example, the problem of protecting each user from destruction by other users now becomes more complex. A pair of bounds

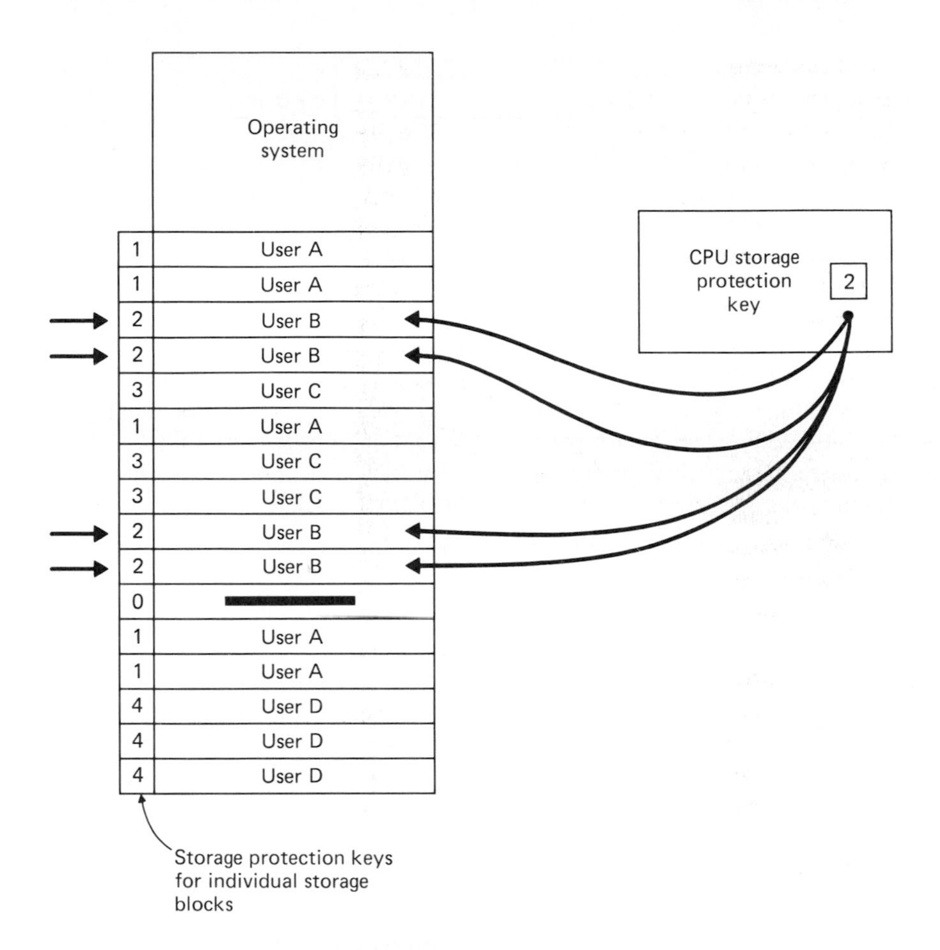

Fig. 8.17 Storage protection with keys in noncontiguous storage allocation multiprogramming systems. While the storage protection key in CPU is 2, corresponding to User B, User B's program may refer only to other blocks of storage with the same storage protection key of 2. These keys are strictly under the control of the operating system and can be manipulated only by priviledged instructions.

registers no longer suffices. Similarly, it becomes more difficult to limit the range of access of any given program. One scheme for implementing storage protection in segmentation systems is the use of *storage protection keys* as shown in Fig. 8.17.

In a virtual storage segmentation system (Ds65), a virtual address is an ordered pair $v = (s,d)$ where s is the segment number in virtual storage in which the referenced item resides, and d is the displacement within segment s at which the referenced item is located (Fig. 8.18). A process may run only if its current segment (as a minimum) is in primary storage. Segments are transferred from secondary to primary storage as complete units. All the locations within a segment are placed in contiguous locations in primary storage. An

Segment number s	Displacement d	Virtual address $v = (s, d)$

Fig. 8.18 Virtual address format in a pure segmentation system.

incoming segment may be placed in any available area in primary storage large enough to hold the segment. The placement strategies for segmentation are identical to those used in variable partition multiprogramming with first fit and best fit being most common.

Dynamic address translation under segmentation proceeds as follows. A running process references a virtual storage address $v = (s,d)$ (Fig. 8.19). A segment mapping mechanism looks up segment s in the *segment map table* and determines that segment s is in real storage beginning at location s'. The real storage address corresponding to virtual storage address $v = (s,d)$ is then formed by adding s' to d. We will examine this process in more detail in the next several sections.

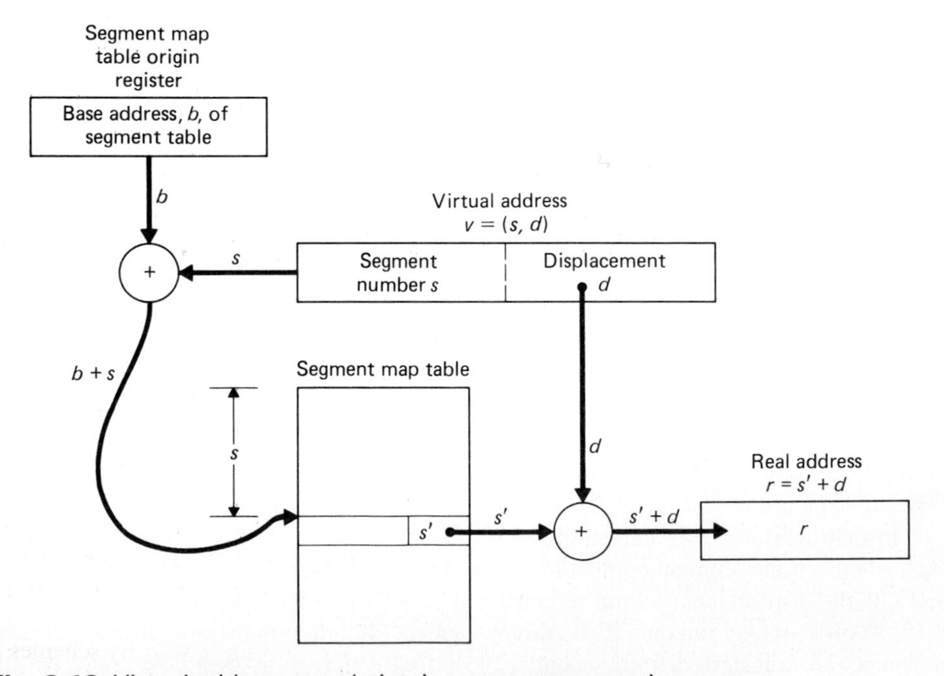

Fig. 8.19 Virtual address translation in a pure segmentation system.

Type of access	Abbreviation	Explanation
Read	R	This segment may be read.
Write	W	This segment may be modified.
Execute	E	This segment may be executed.
Append	A	This segment may have information added to it at its end.

Fig. 8.20 Access control types.

8.7.1 Access Control in Segmentation Systems

It is unwise to give each process unlimited access to every segment in the system. In fact, one of the attractions of segmentation systems is the careful access control that is possible. This is provided by giving each process certain access rights to each segment and by, in fact, completely denying access to many segments.

Figure 8.20 lists the most common access control types in use in today's systems. If a process has *read access* to a segment, then the process may obtain any item of information contained in that segment. The process may make a complete copy of the segment if it so desires.

If a process is given *write access* to a segment, then the process may modify any of the contents of the segment, and may place additional information in the segment. The process may destroy all the information in the segment if it so desires.

A process given *execute access* to a segment may run that segment as a program. Execute access to a data segment is normally denied.

A process given *append access* to a segment may write additional information at the end of the segment, but may not modify existing information.

In a system with these four access control types, by either allowing or denying each type it is possible to create sixteen different *access control modes*. Some of these are interesting, while others do not make sense. For simplicity, consider the eight different combinations of read, write, and execute access shown in Fig. 8.21.

In mode 0, no access is permitted to the segment. This is useful in security schemes in which the segment is not to be accessed by a particular process.

	Read	Write	Execute	Explanation	Application
Mode 0	No	No	No	No access permitted	Security
Mode 1	No	No	Yes	Execute only	A program made available to users who cannot modify it or copy it, but who can run it.
Mode 2	No	Yes	No	Write only	These possibilities are not useful; it doesn't make sense to grant write access while denying read access.
Mode 3	No	Yes	Yes	Write/execute but cannot be read	
Mode 4	Yes	No	No	Read only	Information retrieval
Mode 5	Yes	No	Yes	Read/execute	A program can be copied or executed but cannot be modified.
Mode 6	Yes	Yes	No	Read/write but no execution	Protects data from an erroneous attempt to execute it.
Mode 7	Yes	Yes	Yes	Unrestricted access	This access is granted to trusted users.

Fig. 8.21 Combining read, write, and execute access to yield useful protection modes.

In mode 1, a process is given *execute only access* to the segment. This mode is useful when a process is to be allowed to use a program contained in the segment, but may not copy or modify it.

Modes 2 and 3 are not useful—it does not make sense to give a process the right to modify a segment without also giving it the right to read the segment.

Mode 4 allows a process *read only access* to a segment. This is useful in information retrieval applications in which a process is to have access to information, but may not modify it.

Mode 5 allows a process *read/execute access* to a segment. This is useful in situations in which a process is allowed to use the program contained in the segment, but may not modify the original copy. The process may, however, make its own copy of the segment which it may then modify.

Mode 6 allows a process *read/write access* to a segment. This is useful when the segment is data that may be read or written by the process but that must be protected from accidental execution (since the segment is not a program).

Mode 7 allows a process *unrestricted access* to a segment. This is useful for allowing a process complete access to its own segments, and for giving it most-trusted status to access other users' segments.

The simple access control mechanism described in this section is the basis of segment protection in many implemented systems.

8.7.2 Segmented Address Translation by Direct Mapping

Just as in paged systems, there are many strategies for implementing segmented address translation. It can be done by direct mapping, by associative mapping, or by combined direct/associative mapping. It can be done with cache storages large enough to hold the entire segment map table, or it can be done with partial associative storages large enough to hold entries for the most recently referenced segments. In this section, we consider segmented address translation using direct mapping with the complete segment map table maintained in a fast access cache storage. A typical segment map table entry is shown in detail in Fig. 8.22.

First, we consider the case in which the address translation proceeds normally, and then we consider several problems that may arise. A running process references virtual address $v = (s,d)$. The segment number, s, is added to the base address, b, in the segment map table origin register to form the real storage address, $b + s$, of the entry for segment s in the segment map table. The segment map table contains the primary storage address, s', at

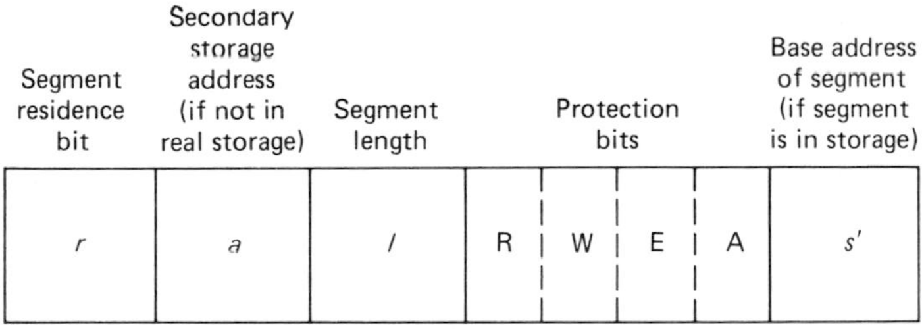

Segment residence bit	Secondary storage address (if not in real storage)	Segment length	Protection bits				Base address of segment (if segment is in storage)
r	a	l	R	W	E	A	s'

$r = 0$ if segment is not in primary storage
$r = 1$ if segment is in primary storage

Protection bits: (1—yes, 0—no)

R—read access
W—write access
E—execute access
A—append access

Fig. 8.22 Segment map table entry.

which the segment begins. The displacement, d, is added to s' forming the real address, $r = s' + d$, corresponding to virtual address $v = (s,d)$.

Figure 8.22 shows a typical segment map table entry in detail. A *residence bit*, r, indicates whether or not that segment is currently in primary storage. If the segment is in primary storage, then s' is the primary storage address at which the segment begins. If the segment is not in primary storage, then a is the secondary storage address from which the segment must be retrieved before the process may proceed. All references to the segment are checked against the segment length, l, to be sure that they fall within the range of the segment. Each reference to the segment is also checked against the protection bits to determine if the operation being attempted is allowed. Now, during dynamic address translation, once the segment map table entry for segment s has been located, first r is examined to be sure the segment is in primary storage. If the segment is not in primary storage, then a *missing segment fault* is generated, causing the operating system to gain control and load the referenced segment from secondary storage address a. Once the segment is loaded, address translation proceeds with checking that the displacement, d, is less than or equal to the segment length, l. If it is not, then a *segment overflow exception* is generated, causing the operating system to get control and terminate execution of this process. If the displacement is within the range of the segment, then the protection bits are checked to be sure that the operation being attempted is allowed. If it is, then finally the base address, s', of the segment in primary storage is added to the displacement, d, to form the real storage address $r = s' + d$ corresponding to virtual storage address $v = (s,d)$. If the operation being attempted is not allowed, then a *segment protection exception* is generated, causing the operating system to get control and terminate execution of this process.

8.7.3 Sharing in a Segmentation System

One of the advantages of segmentation over paging is that segmentation is a logical rather than a physical concept. In their most general form, segments are not arbitrarily constrained to a certain size. Instead, they are allowed to be (within reasonable limits) as large (or as small) as they need to be. A segment corresponding to an array is as large as the array. A segment corresponding to a dynamic data structure may grow and shrink as the data structure itself grows and shrinks. A segment corresponding to procedural code generated by a compiler is as large as it needs to be to hold the code.

Sharing segments is quite straightforward when compared to sharing in a pure paging system. If an array in a pure paging system is three and one-half pages long, then instead of having simple entries that indicate "share this array," we must now have separate entries for each of the pages on which the array resides. Handling the partial page can be awkward. The situation is even worse with a dynamic data structure. When a dynamic data structure grows into a new page, the sharing indications must be adjusted at execution time. In a segmentation system, once the segment is declared as shared, data structures may grow and shrink without changing the logical fact that they reside on shared segments.

Figure 8.23 illustrates how sharing is accomplished in a pure segmentation system. Two processes may share a segment by simply having entries in their segment tables that point to the same segment in primary storage.

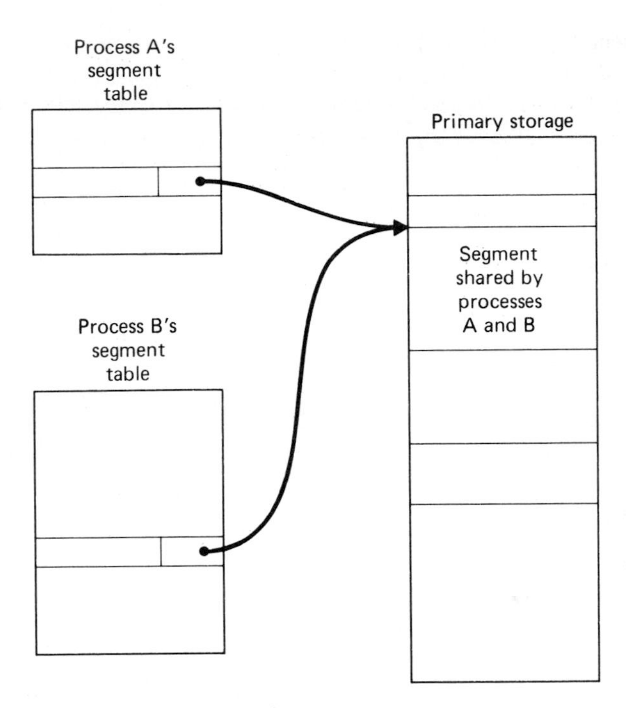

Fig. 8.23 Sharing in a pure segmentation system.

8.8 PAGING/SEGMENTATION SYSTEMS

Both segmentation and paging offer significant advantages as virtual storage organizations. Beginning with systems constructed in the mid-1960s, in particular Multics and IBM's TSS, many computer systems have been built that combine paging and segmentation (Da68) (De71) (Be72) (Or72) (Do76) (Bl81). These systems offer the advantages of both virtual storage organization techniques. Segments are usually multiples of pages in size, all the pages of a segment need not be in primary storage at once, and virtual storage pages that are contiguous in virtual storage need not be contiguous in real storage. Addressing is three-dimensional with a virtual storage address, v, being an ordered triple $v = (s,p,d)$ where s is the segment number, p is the page number within the segment, and d is the displacement within the page at which the desired item is located (Fig. 8.24).

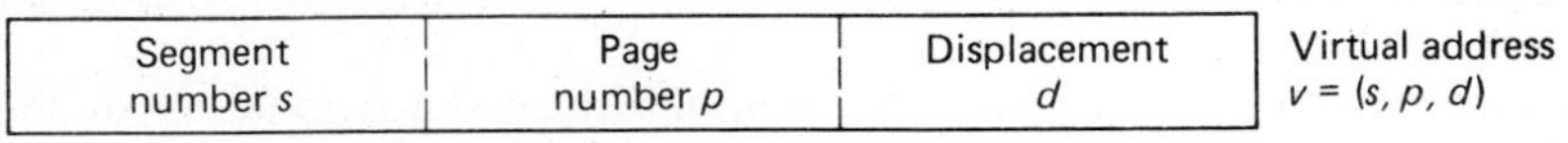

Segment number s	Page number p	Displacement d

Virtual address $v = (s, p, d)$

Fig. 8.24 Virtual address format in a paged and segmented system.

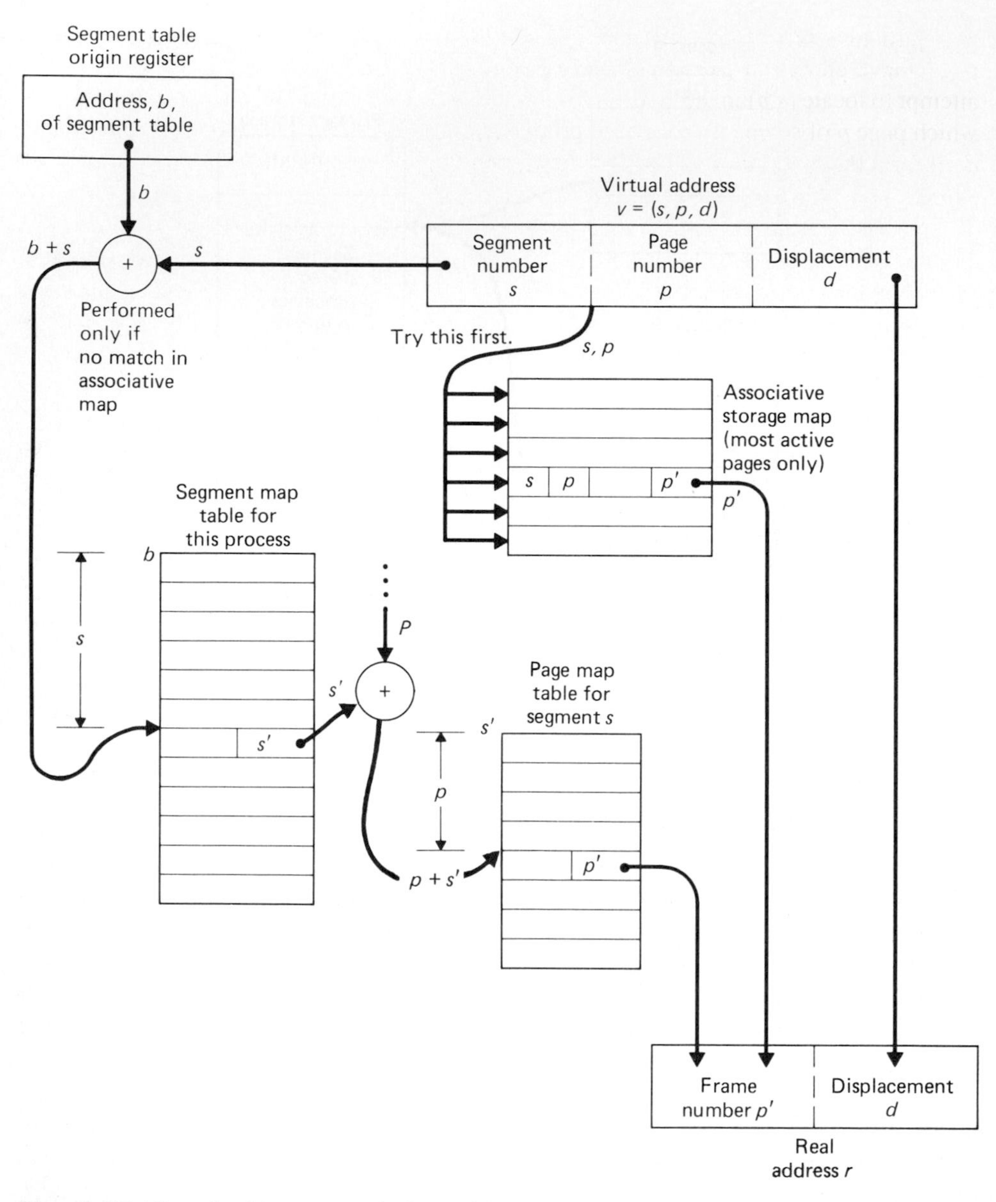

Fig. 8.25 Virtual address translation with combined associative/direct mapping in a paged and segmented system.

8.8.1 Dynamic Address Translation in Paging/Segmentation Systems

Now consider the dynamic address translation of virtual addresses to real addresses in a paging/segmentation system using combined associative/direct mapping as illustrated in Fig. 8.25.

A running process references virtual address $v = (s,p,d)$. The most recently referenced pages have entries in partial associative storage. An associative search is performed to attempt to locate (s,p) in the associative storage. If (s,p) is found, then the page frame, p', at which page p of segment s resides in primary storage, is concatenated to the displacement, d, to form the real storage address, r, corresponding to virtual address $v = (s,p,d)$, and the address translation is complete.

Normally, most address translation requests are satisfied by this associative storage search. When a request is not satisfied by searching the associative storage, a complete direct mapping occurs as follows. The base address, b, of the segment map table (in primary storage) is added to the segment number, s, to form the address, $b + s$, of the entry in the segment map table for segment s in primary storage. The segment map table entry indicates the base address, s', of the page table (in primary storage) for segment s. The page number, p, is added to s' to form the address, $p + s'$, of the entry in the page table for page p of segment s. This table yields the fact that p' is the page frame number corresponding to virtual page p. The frame number, p', is concatenated with the displacement, d, to form the real address, r, corresponding to virtual address $v = (s,p,d)$.

This translation process has, of course, assumed that every piece of information is exactly where it's supposed to be. But there are many steps along the way where the translation process may fail. The segment map table search may indicate that segment s is not in primary storage, thus generating a *missing segment fault* and causing the operating system to locate the segment on secondary storage, create a page table for the segment, and load the appropriate page into primary storage, possibly replacing an existing page of this or some other process. If the segment is in primary storage, then the reference to the page map table may indicate that the desired page is not in primary storage. This would generate a *missing page fault*, causing the operating system to gain control, locate the page on secondary storage, and load the page (again, possibly replacing another page). Just as in pure segmentation, a virtual storage address may be past the end of a segment, thus generating a *segment overflow exception*. Or the protection bits may indicate that the operation to be performed on the referenced virtual address is not allowed, thus generating a *segment protection exception*. The operating system must handle all these eventualities.

The associative storage (or similarly, a high-speed cache storage) is critical to the efficient operation of this dynamic address translation mechanism. If a purely direct mapping mechanism were used with the complete map maintained in primary storage, the average virtual storage reference would require a storage cycle to access the segment map table, a second storage cycle to reference the page map table, and a third storage cycle to reference the desired item in real storage. Thus every reference to an item would involve three storage cycles, and the computer system would run only at approximately one-third its normal speed, with two-thirds of its time being spent in address translation! It is interesting that with only eight or sixteen associative registers, many systems achieve operating speeds of 90 percent and higher of the full processing speed of their control processors.

Figure 8.26 indicates the detailed table structure required by paged/segmented systems. At the top level is a *process table* containing an entry for every process known to the system. The process table entry for a given process points to that process's segment map table. Each entry of a process's segment map table points to the page map table for the

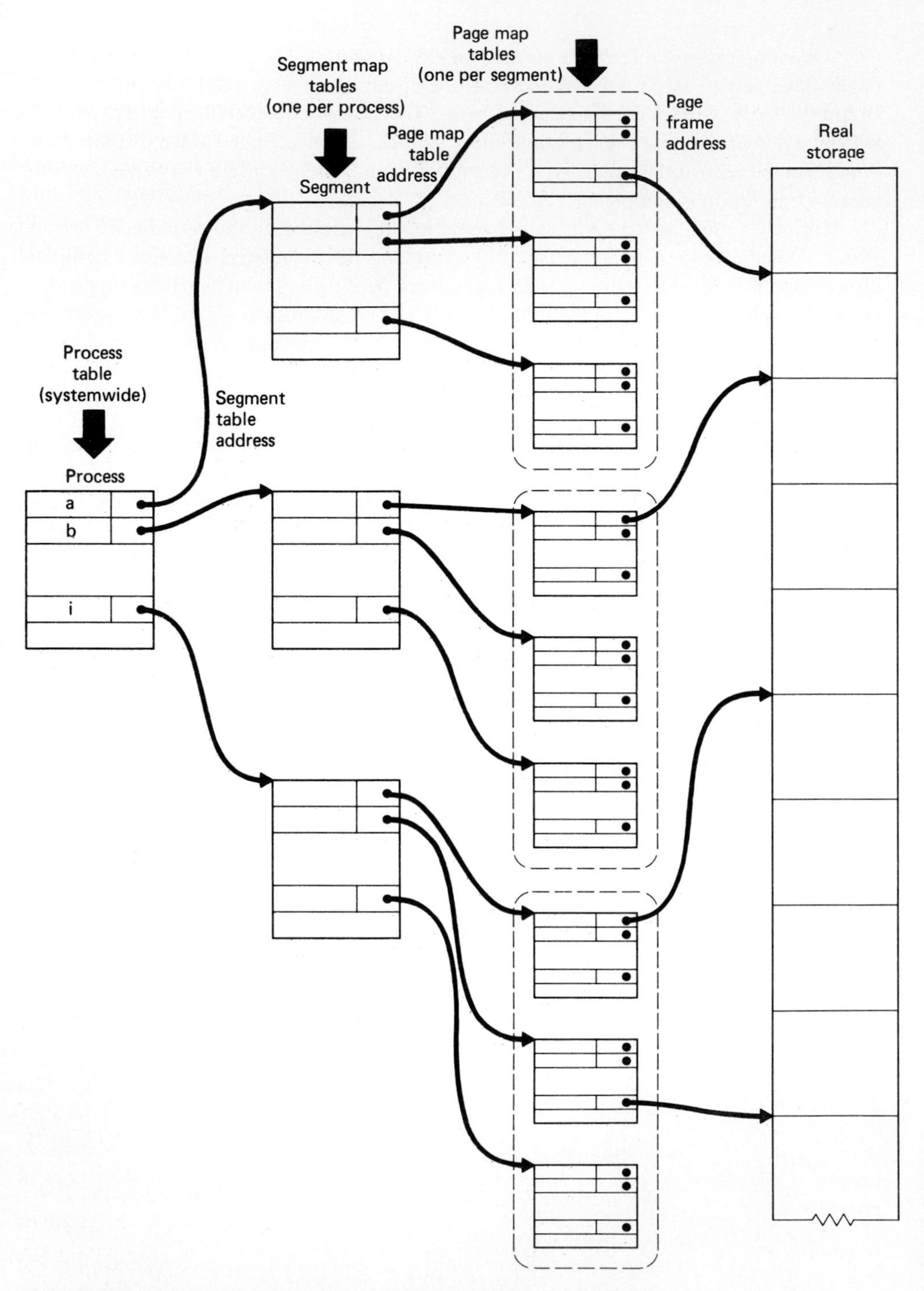

Fig. 8.26 Table structure for a paged and segmented system.

associated segment, and each entry in a page map table points either to the page frame in which that page resides or to the secondary storage address at which the page may be found. In a system with a large number of processes, segments, and pages, this table structure can consume a significant portion of primary storage. The trade-off here is that address translation proceeds more quickly at execution time if all the tables are in primary storage, but with more tables in primary storage, the system supports fewer processes, and thus productivity declines. Operating systems designers must evaluate many such trade-offs to achieve the delicate balance needed for a system to run efficiently and to provide responsible service to its users.

8.8.2 Sharing in a Paging/Segmentation System

In a paging/segmentation system the advantages of segment sharing become important. Sharing is implemented by having entries in segment map tables for different processes point to the same page map table, as is indicated in Fig. 8.27.

Sharing, whether it be in paged systems, segmented systems, or paged/segmented systems, requires careful management by the operating system. In particular, the reader should consider what would happen if an incoming page were to replace a page shared by many processes.

SUMMARY

The two most common methods of implementing virtual storage are paging and segmentation. Virtual addresses are normally selected from a much larger set of addresses than is available in primary storage.

The key to the virtual storage concept is disassociating the virtual addresses referenced in a running process from the addresses available in primary storage, real addresses. The range of virtual addresses a running process may reference is called that process's virtual address space, V. The range of real addresses available on a particular computer system is called that computer's real address space, R.

Converting virtual addresses to real addresses is called dynamic address translation. It is performed by the system and is transparent to the user. Artificial contiguity means that addresses contiguous in V need not be contiguous in R.

Only a small portion of each process's procedures and data is normally in real storage at once. The remainder is kept on fast access secondary storage devices.

Virtual storage systems require maps from virtual addresses to real addresses. A key issue in virtual storage systems is minimizing the amount of mapping information that must be maintained in primary storage, while at the same time guaranteeing satisfactory performance. Block mapping helps accomplish this goal.

Fixed-size blocks are called pages; variable-size blocks are called segments. Some systems combine the two techniques using segments that are integral multiples in length of fixed-size pages. In block mapping schemes, addresses may be thought of as ordered pairs $v = (b,d)$ where b is the block in which virtual address v is contained, and d is v's displacement from the start of block b.

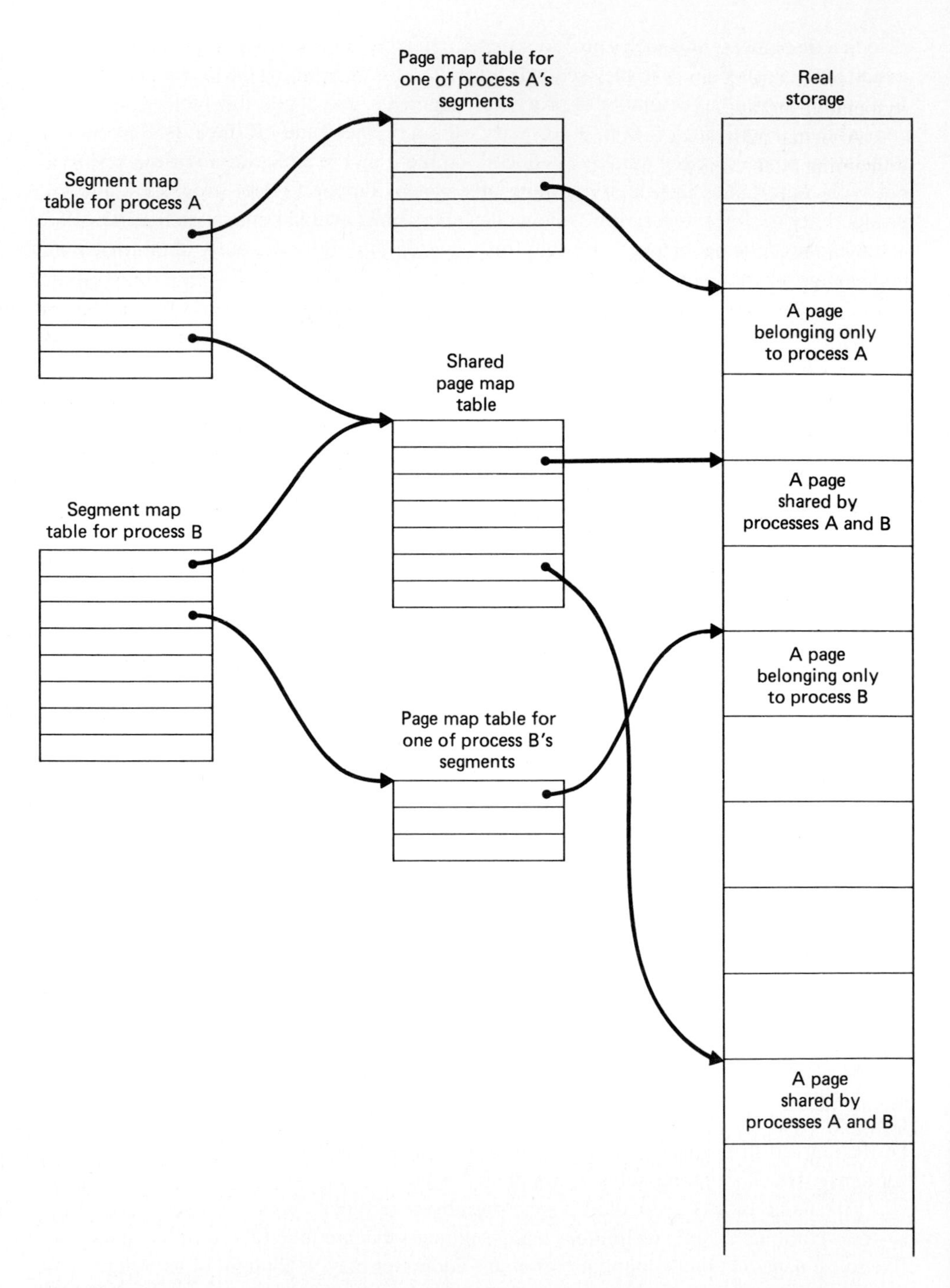

Fig. 8.27 Two processes sharing a segment in a paged and segmented system.

In a block mapping system, virtual addresses are translated to real addresses by the use of a block mapping table. For speed, this table is often implemented in a fast access cache or associative storage.

A virtual address in a paging system is an ordered pair $v = (p,d)$ where p is the page containing v, and d is the displacement of v from the start of p. Primary storage is divided into page frames the same size as virtual pages. A page may be placed in any available page frame.

Dynamic address translation under paging involves mapping the page number p to a page frame p'. The mapping may be direct, in which case a complete page map table is maintained in either primary storage or fast access cache storage. The mapping may be pure associative, in which case a complete page map table is maintained in a fast access associative storage. Because of the high costs of associative and cache storages, the mapping may be combined associative/direct with only the most recent pages maintained in the high-speed associative storage, and direct mapping in primary storage used when an associative search fails. This last technique is often implemented with a cache storage rather than the associative storage.

Sharing in a paging system is accomplished by having page map table entries of different processes point to the same page frame. Sharing in this manner is awkward because processes really share logical entities like procedures and data, which can often occupy several pages and grow and shrink as a process executes.

Segmentation uses variable-size blocks. Each block, within reasonable limits, is as large as it needs to be to hold a logical entity such as a procedure or a data structure. A process's segments need not all be in primary storage at once, nor must they be contiguous in primary storage. A process may run if its current segment (as a minimum) is in primary storage.

A virtual address in a segmentation system is an ordered pair $v = (s,d)$, where s is the segment in which v resides and d is v's displacement within s. Dynamic address translation can be performed with essentially the same types of direct, associative, and combined direct/associative mapping performed in paging systems. Because segments vary in length, the displacement d must be checked to see that it is within the range of the segment.

Protection in segmentation systems is more natural than in paging systems because logical rather than physical entities are being protected. Processes are given various combinations of read, write, execute, and append access to various segments. Sharing is also more natural in a segmentation system. The segment table entries of different processes are made to point to the shared segment.

Many systems employ both paging and segmentation. A virtual address in a paging/segmentation system is an ordered triple $v = (s,p,d)$ with s the segment in which v resides, p the page within s that contains v, and d the displacement of v within p. Dynamic address translation is complex in such systems with segment map table entries pointing to page map tables, and page map table entries pointing to page frames. A fast access associative storage or cache storage is almost always used in such systems to prevent the dynamic address translation from causing serious performance degradation.

Sharing in a paging/segmentation system is accomplished by having entries in different segment map tables point to the page map table of the shared segment.

TERMINOLOGY

access control modes
address space
address translation map
append access
artificial contiguity
associative mapping
associative storage
auxiliary storage
backing storage
block
block map table
block map table origin register
block mapping
block number
block table origin register
cache storage
combined associative/direct mapping
combined paging/segmentation
content-addressed storage
direct mapping
displacement
dynamic address translation (DAT)
execute access
locality heuristic
location-addressed storage
missing item fault
missing page fault
missing segment fault
multilevel storage organization
noncontiguous storage allocation
page
page frame
page frame number
page map table
page map table origin register
page number
page transport
page wait
paging
process table
protection
pure paging
pure procedure
pure segmentation
read access
real address
real address space, R
reentrant procedure
residence bit
secondary storage
segment
segment map table
segment map table origin register
segment number
segment overflow exception
segment protection exception
segmentation
segmentation with paging
segmented name space
sharing of code and data
storage protection keys
three-dimensional addressing
translation lookaside buffer
two-dimensional addressing
virtual address
virtual address space, V
virtual storage
write access

EXERCISES

8.1 Give several reasons why it is useful to separate a process's virtual storage space from its real storage space.

8.2 Some systems in use today actually implement virtual storage constrained to be smaller than the underlying real storage. Discuss the advantages and disadvantages of such a scheme.

8.3 One of the attractions of virtual storage is that users no longer have to restrict the size of their programs to make them fit into limited real storage. Programming style becomes a freer form of expression. Discuss the effects of such a free programming style on performance in a multiprogramming virtual storage environment. List both positive and negative effects.

8.4 Explain the various techniques used for mapping virtual addresses to real addresses under paging.

8.5 Discuss the relative merits of each of the following virtual storage mapping techniques.

a) direct mapping

b) associative mapping

c) combined direct/associative mapping

8.6 Explain the mapping of virtual addresses to real addresses under segmentation.

8.7 Explain how storage protection is implemented in virtual storage systems with segmentation.

8.8 Discuss the various hardware features useful for implementing virtual storage systems.

8.9 Discuss how fragmentation manifests itself in each of the following types of virtual storage systems.

a) segmentation

b) paging

c) combined segmentation/paging

8.10 In any computer system, regardless of whether it is a real storage system or a virtual storage system, the computer will rarely reference all the instructions or data brought into real storage. Let us call this *chunk* fragmentation because it is the result of handling storage items in blocks or chunks rather than individually. Chunk fragmentation might actually account for more waste of real storage than all other types of fragmentation combined.

a) Why, then, has chunk fragmentation not been given the same coverage in the literature as other forms of fragmentation?

b) How do virtual storage systems with dynamic storage allocation greatly reduce the amount of chunk fragmentation over that experienced in real storage systems?

c) What effect would smaller page sizes have on chunk fragmentation?

d) What considerations, both practical and theoretical, prevent the complete elimination of chunk fragmentation?

e) What can each of the following do to minimize chunk fragmentation?

i) the programmer

ii) the hardware designer

iii) the operating system designer

8.11 Explain the mapping of virtual addresses to real addresses under combined segmentation/paging.

8.12 In multiprogramming environments, sharing of code and data can greatly reduce the real storage needed by a group of processes to run efficiently. For each of the following types of systems, outline briefly how sharing can be implemented.

a) fixed partition multiprogramming

b) variable partition multiprogramming

c) paging

d) segmentation

e) combined segmentation/paging

8.13 Why is sharing of code and data so much more natural in virtual storage systems than in real storage systems?

8.14 Discuss the similarities and differences between paging and segmentation.

8.15 Compare and contrast pure segmentation with segmentation/paging combined.

8.16 Suppose you are asked to implement segmentation on a machine that has paging hardware but no segmentation hardware. You may use only software techniques. Is this possible? Explain your answer.

8.17 Suppose you are asked to implement paging on a machine that has segmentation hardware but no paging hardware. You may use only software techniques. Is this possible? Explain your answer.

8.18 As the chief designer of a new virtual storage system you have been given the choice of implementing either paging or segmentation, but not both. Which would you choose? Why?

8.19 Suppose that economical associative storage were to become available. How might such associative storage be incorporated into future computer architectures to improve the performance of the hardware, the operating system, and user programs?

8.20 Some paged virtual storage systems do I/O with systemwide buffers. Other systems do I/O directly with user buffer areas in each user's paged virtual storage. Discuss the relative merits of each approach.

8.21 Give as many ways as you can in which executing a program on a virtual storage system differs from executing the same program on a real storage system. Do these observations lead you to favor real storage approaches or virtual storage approaches?

8.22 Give as many reasons as you can why locality is a reasonable phenomenon. Give as many examples as you can of situations in which locality simply does not apply.

8.23 In the mid-1960s, the phrase dynamic address translation (DAT) became associated with virtual-to-real address translation. The systems produced, then and now, have been hardware-oriented with some software support. Consider a real storage system that lacks dynamic address translation hardware. Suppose that you have been asked to implement a virtual storage mechanism on such a system. What approach would you take? What are the advantages (disadvantages) of your software-oriented approach over the more conventional hardware-oriented approaches?

8.24 One popular operating system provides separate virtual address spaces to each of its processes while another has all processes share a single very large address space. Compare and contrast these two different approaches.

8.25 Virtual address translation mechanisms are not without their costs. List as many factors as you can that contribute to the overhead of operating a virtual-address-to-real-address translation mechanism. How do these factors tend to "shape" the hardware and software of systems that support such address translation mechanisms?

8.26 The Multics system, as originally designed, provided for two page sizes. It was believed that the large number of small data structures could occupy small pages, and that most other procedures and data structures would best occupy one or more large pages. How does a storage organization scheme that supports multiple page sizes differ from one that supports a single page size? Suppose a system were designed to support n page sizes. How would it differ from the Multics approach? Is a system that supports a large number of page sizes essentially equivalent to a segmentation system? Explain.

8.27 Why did virtual storage emerge as an important scheme? Why did real storage schemes prove inadequate? What current trends could conceivably negate the usefulness of virtual memory?

8.28 What aspect of paging makes page replacement algorithms so much simpler than segment replacement algorithms? What hardware or software features might be used in support of segment replacement that could make it almost as straightforward as page replacement?

8.29 What aspect of content-addressed associative storage will probably ensure that this form of storage will remain far more costly than location-addressed cache storage?

8.30 Suppose you are designing a portion of an operating system that requires high-speed information retrieval (such as a virtual address translation mechanism). Suppose that you have been given the option of implementing your search and retrieval mechanism with either pure direct mapping using a high-speed cache, or pure associative mapping. What factors would influence your choice? What interesting kind(s) of question(s) could conceivably be answered by an associative search (in one access) that cannot be answered in a single direct-mapped search?

8.31 Deciding what entries to keep in a partial associative map is crucial to the efficient operation of a virtual storage system. The percentage of references that get "resolved" via the associative map is called the associate map hit ratio. Compare and contrast the performance of virtual address translation systems that achieve a very high (near 100%) hit ratio versus those that achieve a very low (near 0%) hit ratio. List several heuristics other than that mentioned in the text that you believe would achieve very high hit ratios. For each of these, indicate examples of how they might fail, i. e., under what circumstances would these heuristics place the "wrong" entries into the partial associate map.

8.32 Figure 8.15 shows how sharing is accomplished in a pure paging system. In the figure, the entries for pages of shared procedures have been placed in identical positions relative to the start of each page table. Is this mandatory? If so, state why. If not, explain why not. Consider this same issue with regard to data pages. Must map table entries for data pages reside in the same relative positions in the various page maps? If so, state why. If not, state why not. [*Hint:* For data page entries, consider the possibility that the data pages contain addresses. Also consider the possibility of indirect addressing.]

8.33 (*Simulation Project*) Modify the ITSIAC simulator (that you developed in the exercises at the end of Chapter 2) to simulate the operation of a pure paging system. Assume a very small page size and a small number of page frames in real storage. Your simulator should execute a machine language program by loading in only that program's first page and letting the program execute. As the program runs and references pages not in real storage, your simulator should report the page faults, bring pages from simulated secondary storage to simulated primary storage, make appropriate entries in the page table, replace pages if necessary to make room for incoming pages, and so on. The really ambitious student may want to extend this simulation to support multiprogramming and multiple virtual address spaces.

LITERATURE

(Bb81) Babaoglu, O., and W. Joy, "Converting a Swap-Based System to do Paging in an Architecture Lacking Page-Referenced Bits," *Proceedings of the 8th Symposium on Operating System Principles*, ACM, Vol. 15, No. 5, December 1981, pp. 78–86.

(Ba80) Baer, J., *Computer Systems Architecture*, Rockville, Md.: Computer Science Press, 1980.

(Bl81) Belady, L. A.; R. P. Parmelee; and C. A. Scalzi, "The IBM History of Memory Management Technology," *IBM Journal of Research and Development*, Vol. 25, No. 5, September 1981, pp. 491–503.

(Be72) Bensoussan, A.; C. T. Clingen; and R. C. Daley, "The Multics Virtual Memory: Concepts and Design," *Communications of the ACM*, Vol. 15, No. 5, May 1972, pp. 308–318.

(Bo72) Bobrow, D. G.; J. D. Burchfiel; D. L. Murphy; and R. S. Tomlinson, "TENEX, a Paged Time Sharing System for the PDP-10," *Communications of the ACM*, Vol. 15, No. 3, March 1972, pp. 135–143.

(Ca81) Carr, R., and J. Hennessy, "WSCLOCK—A Simple and Effective Algorithm for Virtual Memory Management," *Proceedings of the Eighth Symposium on Operating Systems Principles*, December 1981, pp. 87–95.

(Cr81) Creasy, R. J., "The Origin of the VM/370 Time-Sharing System," *IBM Journal of Research and Development*, Vol. 25, No. 5, September 1981, pp. 483–490.

(Da68) Daley, R. C., and J. B. Dennis, "Virtual Memory, Processes and Sharing in Multics," *CACM*, Vol. 11, No. 5, May 1968, pp. 306–312.

(De70) Denning, P. J., "Virtual Memory," *ACM Computing Surveys*, Vol. 2, No. 3, September 1970, pp. 153–189.

(De71) Denning, P. J. , "Third Generation Computing Systems," *ACM Computing Surveys*, Vol. 3, No. 4, December 1971, pp. 175–216.

(De80) Denning, P. "Working Sets Past and Present," *IEEE Transactions on Software Engineering*, Vol SE-6, No. 1, January 1980, pp. 64–84.

(Ds65) Dennis, J. B., "Segmentation and the Design of Multiprogrammed Computer Systems," *Journal of the ACM*, Vol. 12, No. 4, October 1965, pp. 589–602.

(Do76) Doran, R. W., "Virtual Memory," *Computer*, Vol. 9, No. 10, October 1976, pp. 27–37.

(Ea79) Easton, M., and P. Franaszek, "Use Bit Scanning in Replacement Decisions," *IEEE Transactions on Software Engineering*, Vol. C-28, No. 2, February 1979, pp. 133–141.

(Fo85) Foster, C. C., and T. Iberall, *Computer Architecture* (3rd ed.), New York, NY: Van Nostrand Reinhold, 1985.

(Ft61) Fotheringham, J. "Dynamic Storage Allocation in the Atlas Computer, Including an Automatic Use of a Backing Store," *Communications of the ACM*, Vol. 4, 1961, pp. 435–436.

(Fu87) Furht, B., and V. Milutinovic, "A Survey of Microprocessor Architectures for Memory Management," *Computer*, Vol. 20, No. 3, March 1987, pp. 48–58.

(Ha66) Hanlon, A. G., "Content-Addressible and Associative Memory Systems—A Survey," *IEEE Transactions on Electronic Computers*, August 1966.

(Hr85) Harmon, T. L., and B. Lawson, *The Motorola MC68000 Microprocessor Family*, Englewood Cliffs, NJ: Prentice Hall, 1985.

(Ht71) Hatfield, D. J., and J. Gerald, "Program Restructuring for Virtual Memory," *IBM Systems Journal*, Vol. 10, 1971, pp. 168–192.

(Je85) Jefferson, D., "Virtual Time," *ACM Transactions on Programming Languages and Systems*, Vol. 7, No. 3, July 1985.

(Ke88) Kenah, L. J.; R. E. Goldenberg; and S. F. Bate, *VAX/VMS Internals and Data Structures*, Bedford, MA: Digital Press, 1988.

(Ki61) Kilburn, T.; D. J. Howarth; R. B. Payne; and F. H. Sumner, "The Manchester University Atlas Operating System, Part I: Internal Organization," *Computer Journal*, Vol. 4, No. 3, October 1961, pp. 222–225.

(Ki61a) Kilburn, T.; R. B. Payne; and D. J. Howarth, "The Atlas Supervisor," *Proceedings of the Eastern Joint Computer Conference*, AFIPS, Vol. 20, 1961.

(La78) Lavington, S. H., "The Manchester Mark I and Atlas: A Historical Perspective," *Communications of the ACM*, Vol. 21, No. 1, January 1978, pp. 4–12.

(Le87) Leonard, T. E. (ed.), *VAX Architecture Reference Manual*, Bedford, MA: Digital Press, 1987.

(Ln66) Lindquist, A. B.; R. R. Seeder; and L. W. Comeau, "A Time-Sharing System Using an Associative Memory," *Proceedings of the IEEE*, Vol. 54, 1966, pp. 1774–1779.

(Li68) Liptay, J. S., "Structured Aspects of System 360/85: The Cache," *IBM Systems Journal*, Vol. 7, No. 1, 1968, pp. 15–21.

(Mc83) MacGregor, D., and D. S. Mothersole, "Virtual Memory and the MC68010," *IEEE Micro*, Vol. 3, No. 3, June 1983, pp. 24–39.

(Ma77) Matick, R., *Computer Storage Systems and Technology*, New York: Wiley-Interscience, 1977.

(Mo86) Morse, S. P., and D. J. Albert, *The 80286 Architecture*, New York, NY: Wiley Press, 1986.

(Or72) Organick, E. I., *The Multics System: An Examination of Its Structure*, Cambridge, Mass.: M.I.T. Press, 1972.

(Pa72) Parmelee, R. P.; T. I. Peterson; C. C. Tillman; and D. J. Hatfield, "Virtual Storage and Virtual Machine Concepts," *IBM Systems Journal*, Vol. 11, 1972, pp. 99–130.

(Ra68) Randell, B., and C. J. Kuehner, "Dynamic Storage Allocation Systems," *Communications of the ACM*, Vol. 11, No. 5, May 1968, pp. 297–304.

(Sa75) Saltzer, J. H., and M. D. Schroeder, "The Protection of Information in Computer Systems," *Proceedings of the IEEE*, Vol. 63, No. 9, 1975, pp. 1278–1308.

(Se73) Scherr, A. L., "Functional Structure of IBM Virtual Storage Operating Systems Part II: OS/VS2-2 Concepts and Philosophies," *IBM Systems Journal*, Vol. 12, 1973, pp. 382–400.

(Sh86) Shiell, J., "Virtual Memory, Virtual Machines," *Byte*, Vol. 11, No. 11, 1986, pp. 110–121.

(Sc83) Schmitt, S., "Virtual Memory for Microcomputers," *Byte*, April 1983, pp. 210–238.

(Sh72) Schroeder, M. D., and J. H. Saltzer, "A Hardware Architecture for Implementing Protection Rings," *Communications of the ACM*, March 1972, pp. 157–170.

(Sm78) Smith, A. J., "A Comparative Study of Set Associative Memory Mapping Algorithms and Their Use for Cache and Main Memory," *IEEE Transactions on Software Engineering*, Vol. 4, No. 2, 1978, pp. 121–130.

(Sm82) Smith, A. J., "Cache Memories," *ACM Computing Surveys*, Vol. 14, No. 3, September 1982, pp. 473–530.

(St75) Stone, H. S. (ed.), *Introduction to Computer Architecture*, Chicago: SRA, 1975.

(Su87) Strauss, E., *80386 Technical Reference*, New York, NY: Brady, 1987.

(Th86) Thakkar, S. S., and A. E. Knowles, "A High-Performance Memory Management Scheme," *Computer*, Vol. 19, No. 5, May 1986, pp. 8–22.

(Tu88) Turley, J. L., *Advanced 80386 Programming Techniques*, Berkeley, CA: Osborne McGraw-Hill, 1988.

(Wa84) Wada, B. T., "A Virtual Memory System for Picture Processing," *Communications of the ACM*, Vol. 27, No. 5, May 1984, pp. 444–454.

(Wt70) Watson, R. W., *Timesharing System Design Concepts*, New York, NY: McGraw-Hill, 1970.

9
Virtual Storage Management

What we anticipate seldom occurs;
what we least expect generally happens.

Benjamin Disraeli

Time will run back and fetch the Age of Gold.

John Milton

Faultless to a fault.

Robert Browning

Condemn the fault and not the actor of it?

William Shakespeare

Gather up the fragments that remain, that nothing be lost.

John 6:12

I think no virtue goes with size.

Ralph Waldo Emerson

Outline

9.1 Introduction
9.2 Virtual Storage Management Strategies
9.3 Page Replacement Strategies
  9.3.1 The Principle of Optimality
  9.3.2 Random Page Replacement
  9.3.3 First-In-First-Out (FIFO) Page Replacement
    9.3.3.1 FIFO Anomaly
  9.3.4 Least-Recently-Used (LRU) Page Replacement
  9.3.5 Least-Frequently-Used (LFU) Page Replacement
  9.3.6 Not-Used-Recently (NUR) Page Replacement
  9.3.7 Modifications to FIFO; Clock Page Replacement and Second Chance Page Replacement
9.4 Locality
9.5 Working Sets
9.6 Page Fault Frequency Page Replacement
9.7 Demand Paging
9.8 Anticipatory Paging
9.9 Page Release
9.10 Page Size
9.11 Program Behavior under Paging

9.1 INTRODUCTION

In the last chapter, the various virtual storage organizations that have been implemented were discussed, namely

- paging,
- segmentation, and
- segmentation and paging combined.

We discussed the hardware and software mechanisms for implementing virtual storage. In this chapter, we consider strategies for managing virtual storage systems, and we examine the behavior of virtual storage systems operating under these strategies (De70).

The reader will find additional material on virtual storage organization and management in most of the case studies at the end of the text. The UNIX systems case study discusses paging over a network.

9.2 VIRTUAL STORAGE MANAGEMENT STRATEGIES

The chapter on real storage discussed fetch, placement, and replacement storage management strategies. These are reconsidered here in the context of virtual storage systems.

- Fetch strategies—These are concerned with when a page or segment should be brought from secondary to primary storage. Demand fetch strategies wait for a page or segment to be referenced by a running process before bringing the page or segment to primary storage. Anticipatory fetch schemes attempt to determine in advance what pages or segments will be referenced by a process. If the likelihood of reference is high and if space is available, then the page or segment will be brought to primary storage before it is explicitly referenced.
- Placement strategies—These are concerned with where in primary storage to place an incoming page or segment. *Paging systems trivialize the placement decision because an incoming page may be placed in any available page frame.* Segmentation systems require placement strategies like those we discussed in the context of variable partition multiprogramming systems.
- Replacement strategies—These are concerned with deciding which page or segment to displace to make room for an incoming page or segment when primary storage is already fully committed.

9.3 PAGE REPLACEMENT STRATEGIES

It is common in paging systems for all page frames to be in use. In this case operating system storage management routines must decide which page in primary storage to displace to make room for an incoming page (Ah71). We consider each of the following page replacement strategies.

- The Principle of Optimality
- Random page replacement
- First-in-first-out
- Least-recently-used
- Least-frequently-used
- Not-used-recently
- Second chance
- Clock
- Working set
- Page fault frequency

9.3.1 The Principle of Optimality

The *Principle of Optimality* (Be66) (De70) (Ma70) (Pr76) (Bu81a) states that to obtain optimum performance the page to replace is the one that will not be used again for the furthest time into the future. It is possible to demonstrate the optimality of this strategy, but of course the strategy is not realizable since we cannot predict the future. This optimal replacement strategy is called *OPT* or *MIN*.

Thus to achieve good performance we attempt to approach the Principle of Optimality by using page replacement techniques that approximate optimal page replacement.

9.3.2 Random Page Replacement

If we seek a low overhead page replacement strategy that does not discriminate against particular users, one simple technique to choose is *random page replacement*. All pages in main storage thus have an equal likelihood of being selected for replacement. This strategy could select any page for replacement, including the next page to be referenced (which is, of course, the worst page to replace). Random page replacement decisions can be made quickly, and with any significant number of page frames to choose from would actually have only a small probability of replacing a page likely to be referenced again almost immediately. Because of its hit-or-miss approach, however, this scheme is rarely used.

9.3.3 First-In-First-Out (FIFO) Page Replacement

In *first-in-first-out (FIFO) page replacement*, we time-stamp each page as it enters primary storage. When a page needs to be replaced, we choose the one that has been in storage the longest. The intuitive appeal of this strategy seems reasonable; namely that this page has had its chance and it's time to give another page a chance. Unfortunately, first-in-first-out is likely to replace heavily used pages because the reason a page has been in primary storage for a long time may be that it is in constant use. For example, on large timesharing systems it is common for many users to share a copy of a text editor as they enter and correct programs. First-in-first-out page replacement on such a system might choose a heavily used editor page to replace. This would certainly be a poor choice. This page would be recalled to main storage almost immediately. First-in-first-out page replacement can also be implemented with a simple FIFO queue; as each page arrives, it is placed at the tail of the queue and pages are replaced from the head of the queue.

9.3.3.1 FIFO Anomaly

It would seem reasonable that the more page frames allocated to a process, the fewer page faults the process would experience. Belady, Nelson, and Shedler (Be69b) discovered that under FIFO page replacement, certain page reference patterns actually cause more page faults when the number of page frames allocated to a process is increased. This phenomenon is called the *FIFO Anomaly* or *Belady's Anomaly*.

Consider Fig. 9.1. The leftmost column indicates the page reference pattern of a process. The first table shows how this page reference pattern causes pages to be loaded into storage and replaced under FIFO when three page frames are allocated to the process. The second table shows how this process behaves in these same circumstances, but instead with four page frames allocated to it. To the left of each table we indicate whether the new page reference causes a page fault or not. When the process runs in four pages, it actually experiences one more page fault than when it runs in three pages, an observation certainly contrary to intuition.

The FIFO Anomaly is considered to be more of a curiosity than an important result. Perhaps its real significance to the operating systems student is to serve as a warning that operating systems are complex entities that sometimes defy intuition.

9.3.4 Least-Recently-Used (LRU) Page Replacement

This strategy selects that page for replacement that has not been used for the longest time. Here we rely on the locality heuristic that the recent past is a good indicator of the near future. LRU requires that each page be time-stamped whenever it is referenced. This could require substantial overhead, and thus the LRU strategy, although appealing, is not often implemented in current systems. Instead, lower overhead strategies that approximate LRU are used.

LRU can be implemented with a list structure containing one entry for each occupied page frame. Each time a page frame is referenced, the entry for that page is placed at the head of the list. Older entries migrate toward the tail of the list. When a page must be replaced to make room for an incoming page, the entry at the tail of the list is selected, the corresponding page frame is freed (possibly requiring a modified page to be written to secondary storage), the incoming page is placed in that page frame, and the entry for that page frame is placed at the head of the list because that page is now the one that has been most recently used. This scheme would faithfully implement LRU, but it, too, incurs substantial overhead.

Page references		FIFO page replacement with three pages available				FIFO page replacement with four pages available			
A	Fault	A	—	—	Fault	A	—	—	—
B	Fault	B	A	—	Fault	B	A	—	—
C	Fault	C	B	A	Fault	C	B	A	—
D	Fault	D	C	B	Fault	D	C	B	A
A	Fault	A	D	C	No fault	D	C	B	A
B	Fault	B	A	D	No fault	D	C	B	A
E	Fault	E	B	A	Fault	E	D	C	B
A	No fault	E	B	A	Fault	A	E	D	C
B	No fault	E	B	A	Fault	B	A	E	D
C	Fault	C	E	B	Fault	C	B	A	E
D	Fault	D	C	E	Fault	D	C	B	A
E	No fault	D	C	E	Fault	E	D	C	B

Three "no faults" Two "no faults"

Fig. 9.1 The FIFO Anomaly.

We must always be careful when applying heuristic reasoning in operating systems. For example, in the LRU strategy, the page least recently used could in fact be the next to be used as a program cycles its way around a large loop involving several pages. By replacing the LRU page, this system would find itself paging that page right back into main storage almost immediately. This phenomenon could also occur in a system with a series of deeply nested procedure calls; as the called procedures return to the page which contained the original call, that page could easily be replaced as the LRU page just before the final return.

9.3.5 Least-Frequently-Used (LFU) Page Replacement

One approximation to LRU is the least-frequently-used (LFU) strategy. Here we are concerned with how intensive the use of each page has been. The page to replace is that page that is least frequently used or least intensively referenced. Here again the intuitive appeal is real. However, the wrong page could quite easily be selected for replacement. For example, the least frequently used page could be the page brought into main storage most recently. The page has been used once whereas all other pages in main storage could have been used more than once. Now the page replacement mechanism replaces this page when in fact it would be highly likely to be used immediately.

It certainly seems as though every page replacement scheme runs some danger of making bad decisions. This is true simply because we cannot accurately predict the future. Thus a page replacement strategy that makes reasonable decisions most of the time and has low overhead is desired.

9.3.6 Not-Used-Recently (NUR) Page Replacement

One popular scheme for approximating LRU with little overhead is not-used-recently (NUR). Pages not used recently are not likely to be used in the near future and they may be replaced with incoming pages.

Because it is desirable to replace a page that has not been changed while in primary storage, the NUR strategy is implemented with the addition of two hardware bits per page. These are

a) *referenced bit* = 0 if the page has not been referenced
= 1 if the page has been referenced

b) *modified bit* = 0 if the page has not been modified
= 1 if the page has been modified

The modified bit is often called the *dirty bit*. The NUR strategy works as follows. Initially, the referenced bits of all pages are set to 0. As a reference to a particular page occurs, the referenced bit of that page is set to 1. Initially, the modified bits on all pages are 0. Whenever a page is modified, its modified bit is set to 1. When a page is to be replaced, we first try to find a page which has not been referenced (because we're approximating LRU). Otherwise we have no choice but to replace a referenced page. If a page has not been referenced, we check to see whether or not it has been modified. If it has not been modified, we replace it on the basis that there is less overhead involved than in replacing a modified page that must be written back to secondary storage. Otherwise we must replace a modified page.

Of course, main storage will be actively referenced in a multiple user system, and sooner or later most or all the referenced bits will be set on. We then lose our ability to distinguish the most desirable pages to replace. One technique that has been widely implemented to avoid this problem is to periodically set all the referenced bits to 0 to get a fresh start, and then to allow referenced bits to be set to 1 again under normal referencing patterns. Unfortunately, this makes even active pages vulnerable to replacement, but only for a brief moment after the bits are reset. Active pages will have their referenced bits set to 1 again almost immediately.

The NUR scheme as described above results in the existence of four groups of pages.

Group 1	unreferenced	unmodified
Group 2	unreferenced	modified
Group 3	referenced	unmodified
Group 4	referenced	modified

The pages in the lowest numbered groups should be replaced first, and those in the highest numbered groups should be replaced last. Pages within a group are selected randomly for replacement. Note that Group 2 seems to describe an unrealistic situation, namely pages that have been modified but not referenced. Actually, this is a simple consequence of the periodic resetting of the referenced bits (but not of the modified bits), and is perfectly reasonable.

Schemes like NUR can be implemented on machines like the VAX that lack a hardware referenced bit (Bb81), and even on machines that lack a hardware modified bit. The referenced and modified bits are normally implemented in hardware and set automatically as part of the execution of each machine instruction. Each of these bits can be simulated by "tapping into" an operating system's fault handlers and exception handlers as follows: The referenced bit can be simulated by a corresponding software bit and by setting each entry in the page table to indicate that the page is not present; referencing a page causes a page fault and gives control to the page fault handler which then sets the referenced bit on, and resumes normal processing. The modified bit is simulated simply by marking each page as readonly; when an attempt is made to modify the page, an accessing exception occurs, and the exception handler gains control, sets the (software-controlled) modified bit on, and changes the access control on that page to read/write. Of course, the mechanism that implements the modified bit must still protect genuine readonly pages from being modified, so the operating system must keep track of which pages are truly readonly and which are truly read/write.

9.3.7 Modifications to FIFO; Clock Page Replacement and Second Chance Page Replacement

The clear weakness of the FIFO strategy is that it may choose to replace a heavily used page that has been in memory for a long time. This possibility can be avoided by replacing only those pages whose referenced bits are off.

The *second chance* variation of FIFO examines the referenced bit of the oldest page; if this bit is off, the page is immediately selected for replacement. If the referenced bit is on, it is set off and the page is moved to the tail of the FIFO list and treated essentially as a new arrival; this page gradually moves to the head of the list from which it will be selected for replacement only if its referenced bit is still off. This essentially gives the page a second chance to remain in primary storage if indeed its referenced bit is turned on before the page reaches the head of the list. Active pages will repeatedly have their referenced bits set on, move to the head of the list, have their referenced bits set off, and move to the tail of the list, thus remaining in primary storage. Obviously, a modified page must be copied to secondary storage (pushed) before it can be replaced; so when its referenced bit is set off, the page remains "temporarily unreplaceable" until the push is completed. If this page is referenced before it is replaced, then it is recaptured, thus saving an expensive page-in operation from secondary storage.

The *clock* variation of the second chance algorithm arranges the pages in a circular list instead of a linear list. A list pointer moves around the circular list much as the hand of a clock rotates. When a page's referenced bit is turned off, the pointer is moved to the next element of the list (in fact simulating the movement of this page to the rear of a FIFO list).

9.4 LOCALITY

Central to most storage management strategies is the concept of *locality*—that *processes tend to reference storage in nonuniform, highly localized patterns* (Be66) (Ba76).

Locality manifests itself in both time and space. *Temporal locality* is locality over time. For example, if the weather is sunny at 3 p.m., then there is a good chance (but certainly no guarantee) that the weather was sunny at 2:30 p.m., and will be sunny at 3:30 p.m. *Spatial locality* means that nearby items tend to be similar. Again, considering the weather, if it's sunny in one town, then it's likely (but not guaranteed) to be sunny in nearby towns.

Locality is also observed in operating systems environments, particularly in the area of storage management. It is an empirical (observed) property rather than a theoretical one. It is never guaranteed but is often highly likely. For example, in paging systems, we observe that processes tend to favor certain subsets of their pages, and that these pages often tend to be adjacent to one another in a process's virtual address space. This doesn't mean that a process won't make a reference to a new page—if this were the case, then processes could not start running in the first place. It does mean that a process will tend to concentrate its references in a time interval to a particular subset of its pages.

Actually, locality is quite reasonable in computer systems, when one considers the way programs are written and data is organized. In particular,

1. Temporal locality—means that storage locations referenced recently are likely to be referenced in the near future. Supporting this observation are
   a) looping,
   b) subroutines,
   c) stacks, and
   d) variables used for counting and totaling.

2. Spatial locality—means that storage references tend to be clustered so that once a location is referenced, it is highly likely that nearby locations will be referenced. Supporting this observation are
   a) array traversals,
   b) sequential code execution, and
   c) the tendency of programmers to place related variable definitions near one another.

Perhaps the most significant consequence of storage reference locality is that a program can run efficiently as long as its favored subset of pages is in primary storage. Denning formulated the *working set theory of program behavior* (De68) (De68a) based upon observations of locality. We discuss Denning's working set theory in the next section.

Many studies have been performed that illustrate the phenomenon of locality. Figure 9.2 shows a graph of a process's storage reference pattern across its pages (Ha72). The darkened areas show which storage areas were referenced during consecutive time intervals. The figure vividly illustrates how this process tends to favor a subset of its pages during certain execution intervals.

Figure 9.3 also supports the existence of the phenomenon of locality. It shows how a process's page fault rate depends on the amount of primary storage available for its pages. The straight line shows how this relationship would appear if processes exhibited random reference patterns uniformly distributed over their various pages. The curved line shows how most processes actually behave when observed in operation. As the number of page

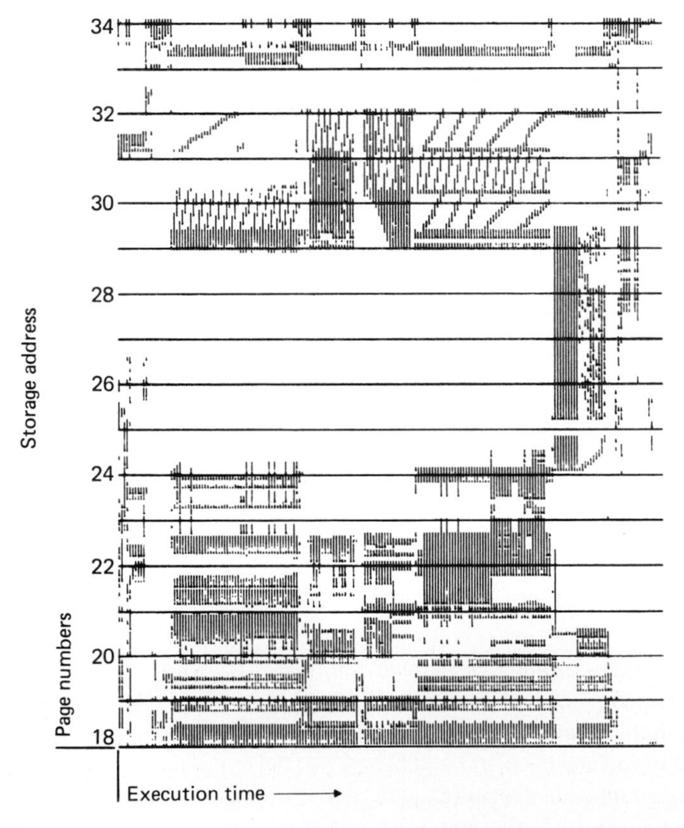

Fig. 9.2 Storage reference pattern exhibiting locality. (Reprint by permission from *IBM Systems Journal.* © 1971 by International Business Machines Corporation.)

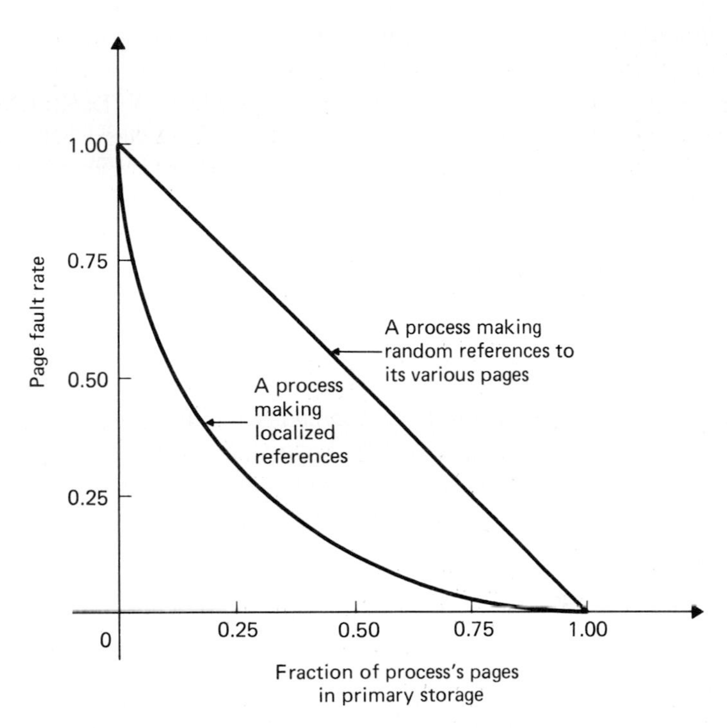

Fig. 9.3 Dependency of page fault rate on amount of storage for a process's pages.

frames available to a process is reduced, there is some interval over which it does not dramatically affect the page fault rate. But at a certain point when the number of page frames is further reduced, the number of page faults experienced by the running process rises dramatically. What is being observed here is that as long as the favored subset of the process's pages remains in primary storage, the page fault rate does not change much. But as soon as pages in the favored subset are removed from storage, the process's paging activity greatly increases as it constantly references and recalls these pages to primary storage. All of this supports Denning's working set concept, which is considered in the next section. (Note that this discussion also applies to the establishment of working sets in cache memories as well.)

9.5 WORKING SETS

Denning (De68) (De80) developed a view of program paging activity called the *working set theory of program behavior*. Informally, a working set is a collection of pages a process is actively referencing. Denning maintained that for a program to run efficiently, its working set of pages must be maintained in primary storage. Otherwise, excessive paging activity called *thrashing* (De68b) might occur as the program repeatedly requests pages from secondary storage. One popular rule of thumb is that thrashing may be avoided by giving processes enough page frames to hold half their virtual space. Unfortunately, rules like this often result in excessively conservative virtual storage management, ultimately limiting the number of processes that may effectively share primary storage.

A *working set storage management policy* seeks to maintain the working sets of active programs in primary storage (Ro73a) (Fo74) (Le82) (Kh88). The decision to add a new process to the active set of processes (i.e., to increase the level of multiprogramming) is based on whether sufficient space is available in primary storage to accommodate the working set of pages of the new process. This decision, especially in the case of freshly initiated processes, is often made by the use of heuristics because it is impossible for the system to know in advance how large a given process's set will be.

The working set of pages of a process, $W(t,w)$ at time t, is the set of pages referenced by the process during the process time interval $t - w$ to t. (See Fig. 9.4.) Process time is the time during which a process has the CPU. The variable w is called the *working set window size*, and the determination of just how large w should be is critical to the effective operation of a working set storage management strategy. Figure 9.5 illustrates how working set size increases as w increases. This is a consequence of the mathematical definition of working set, and is not an indication of empirically observable working set sizes. *The real working set of a process is the set of pages that must be in primary storage for a process to execute efficiently.*

Working sets change as a process executes (Br75). Sometimes pages are added or deleted. Sometimes dramatic changes occur when the process enters a phase of execution requiring a completely different working set. Thus any assumptions about the size and content of a process's initial working set do not necessarily apply to the subsequent working sets the process will accumulate. This complicates precise storage management under a working set strategy.

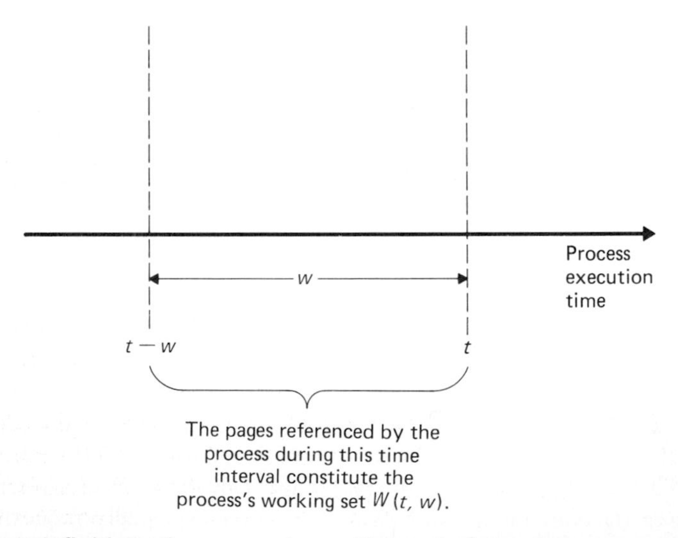

Fig. 9.4 One definition of a process's working set of pages.

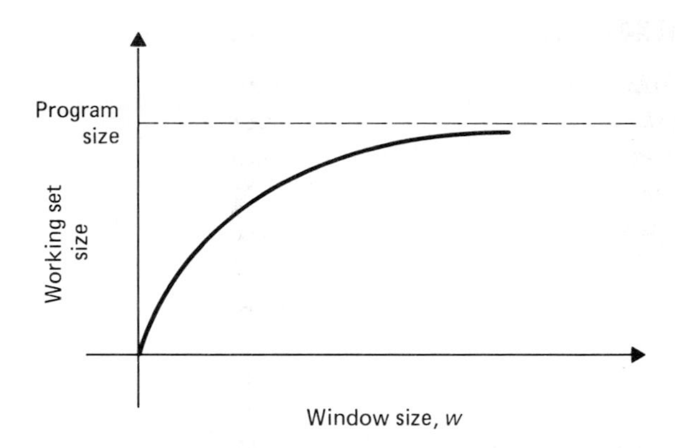

Fig. 9.5 Working set size as a function of window size.

Figure 9.6 shows how a process running under a working set storage management strategy might use primary storage. First, as the process demand pages in its working set one page at a time, the process gradually receives enough storage to hold its working set. At this point, its storage use stabilizes as it actively references the pages in its first working set. Eventually, the process will make a transition to the next working set, as indicated by the curved line from first working set to second working set. Initally, the curved line rises above the number of pages in the first working set because the process is rapidly demand paging in its new working set. The system has no way of knowing whether this process is expanding its working set or changing working sets. Once the process stabilizes in its next working set, the system sees fewer page references in the window and reduces the primary storage allocation of the process to the number of pages in its second working set. Each

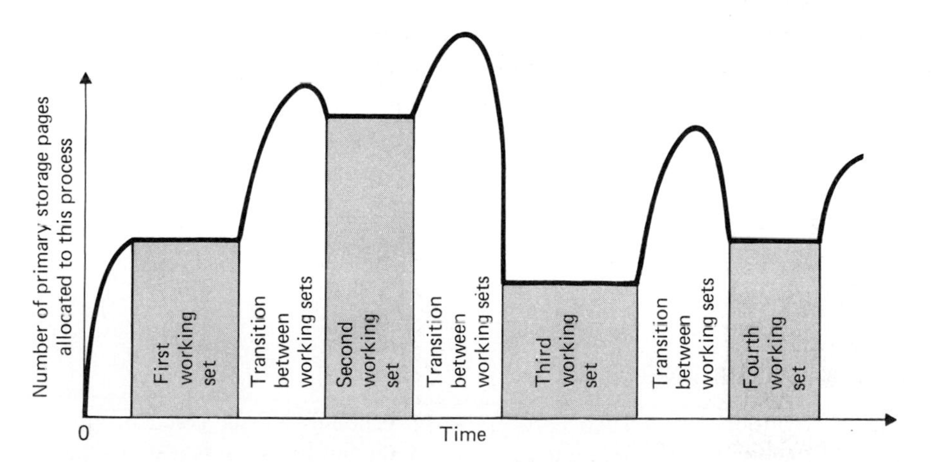

Fig. 9.6 Primary storage allocation under working set storage management.

time a transition between working sets occurs, this rising and then falling curved line shows how the system adapts to the transition.

The figure illustrates one of the difficulties with a working set storage management strategy, namely that *working sets are transient, and a process's next working set may differ substantially from its current working set.* A storage management strategy must carefully consider this fact in order to prevent overcommitment of primary storage, and consequent thrashing.

Implementing a true working set storage management policy can incur substantial overhead, especially because the composition of working sets can and does change quickly. Morris (Mo72) discusses the use of custom hardware to make working set storage management more efficient.

9.6 PAGE FAULT FREQUENCY PAGE REPLACEMENT

One measure of how well a process executes in a paging environment is its page fault rate. Processes that fault constantly may be thrashing because they have too few page frames and cannot maintain their working sets in primary storage. Processes that almost never fault, may in fact have too many page frames and thus they may be impeding the progress of other processes on the system. Ideally, processes should operate at some point intermediate to these extremes. The *page fault frequency (PFF) algorithm* (Ch72) (Op74) (Sa75) (Ch76) (Gu78) adjusts a process's *resident page set*, i.e., those of its pages which are currently in memory, based on the frequency at which the process is faulting (or alternatively, based on the time between page faults, called the *interfault time*).

PFF observes the time between the last and the current page faults. If that time is larger than an upper threshold value, then all pages unreferenced in that interval are released. If the time is less than a lower threshold value, the incoming page becomes a member of the process's resident page set.

The beauty of PFF is that it adjusts a process's resident page set dynamically in response to the changing behavior of the process. If a process is switching to a larger working set, then it will fault frequently and PFF will give it more page frames. Once the new working set is accumulated, the page fault rate will settle down and PFF will either maintain the resident page set or even reduce it.

Clearly, the key to the proper and efficient operation of PFF is maintaining the thresholds at appropriate values.

An advantage of PFF over working set page replacement is that it adjusts the resident page set only after each page fault, whereas a working set mechanism must operate after each storage reference.

9.7 DEMAND PAGING

It is the conventional wisdom that a process's pages should be loaded on demand. No page should be brought from secondary to primary storage until it is explicitly referenced by a running process. There are several reasons for the appeal of this strategy.

- Computability results, specifically the *halting problem* (Mi67) (He77), tell us that the path of execution a program will take cannot be accurately predicted. Therefore, any attempt to preload pages in anticipation of their use might result in the wrong pages being loaded.
- Demand paging guarantees that the only pages brought to main storage are those actually needed by processes.
- The overhead involved in deciding which pages to bring to main storage is minimal. Anticipatory page fetch strategies might require substantial execution time overhead.

Demand paging is not without its problems, as indicated in Fig. 9.7. A process must accumulate its pages one at a time. As each new page is referenced, the process must wait while the new page is transferred to primary storage. Depending on how many pages of this process are already in primary storage, these waits become increasingly costly as greater amounts of storage are occupied by waiting processes. The figure illustrates the concept of a *space-time product* often used in operating systems to assess a process's storage usage. The space-time product corresponds to the area under the "curve" in the figure. It reflects both the amount of storage a process uses, and how long it is used. *Reducing the space-time product of a process's page waits is an important goal of storage management strategies.*

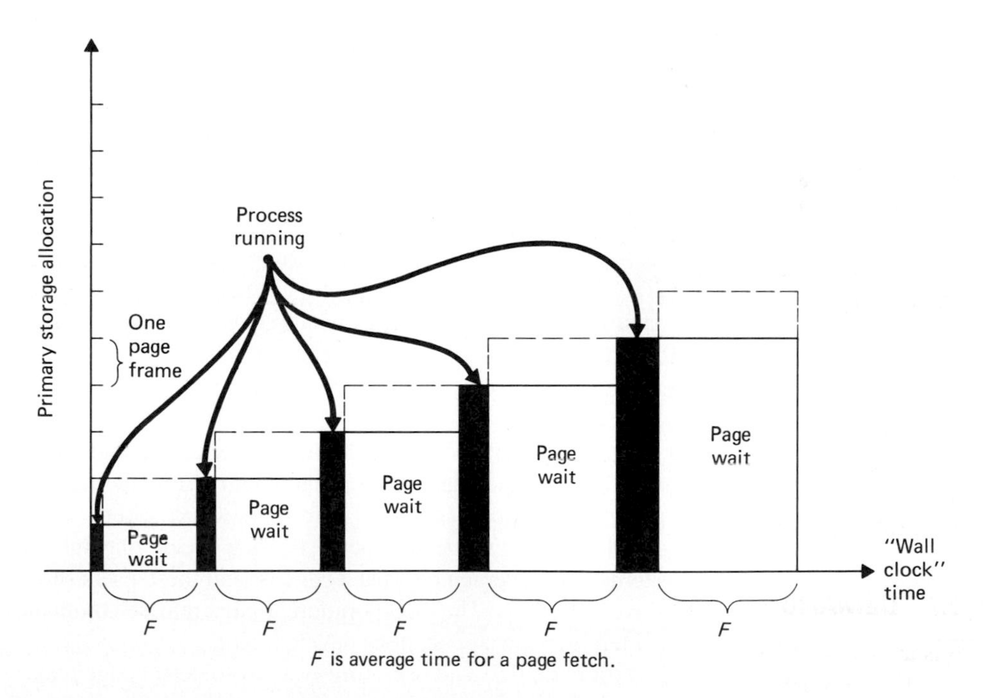

Fig. 9.7 Space-time product under demand paging.

9.8 ANTICIPATORY PAGING

A central theme in resource management is that *the relative value of a resource influences just how intensively the resource should be managed* (Lo81). Hardware costs have been decreasing dramatically. The relative value of machine time to people time has been considerably reduced. Now operating systems designers are concerned with methods of reducing the amount of time people must wait for results from a computer. *Anticipatory paging* is one technique that holds promise (Sm78). Anticipatory paging is sometimes called *prepaging* (Tr76).

In anticipatory paging, the operating system attempts to predict the pages a process will need, and then preloads these pages when space is available. If correct decisions are made, the total run time of the process can be reduced considerably. While the process runs with its current pages, the system loads new pages that will be available when the process requests them.

Some operating systems, such as VAX/VMS (Le82), take advantage of spatial locality by paging in clusters of contiguous pages; the page being directly referenced is demand paged while the other pages in the cluster are essentially being prepaged.

Anticipatory paging offers the following advantages.

- If correct decisions can be made in a large majority of the cases, the running time of a process will be reduced considerably. Therefore, it is worth trying to develop anticipatory paging mechanisms even though they cannot be 100 precent accurate.
- Accurate decisions can be made in many cases. If this decision making can be implemented with relatively low overhead, then the execution of a given process can be considerably speeded without adversely affecting other active processes.
- With computer hardware becoming more economical, the consequences of a bad decision are less serious. We can buy extra main storage to support the accumulation of the excess pages an anticipatory mechanism would bring to main storage.

9.9 PAGE RELEASE

Under working set storage management, programs tell us what pages they want to use by explicit reference. Programs that no longer require specific pages should have those pages passed from their working sets. There is usually a period of time during which the pages no longer needed remain in main storage.

When it becomes clear that a page will no longer be needed, a user could issue a *voluntary page release* command to free the page frame. This would eliminate the delay period caused by letting the process gradually pass the page from its working set.

Voluntary page release could eliminate waste and speed program execution. But most users of today's computer systems don't even know what a page is, and these users should not be asked to make system-level decisions. The incorporation of page release commands into user programs might considerably slow applications development.

The real hope in this area is for compilers and operating systems to detect page release situations automatically, and much sooner than is possible under working set strategies.

9.10 PAGE SIZE

In paging systems, real storage is normally divided into fixed-size page frames. How large should these page frames be? How large should a page be? Should all the pages in a system be the same size, or should several different page sizes be used? If several sizes are used, should the larger page sizes be integral multiples of the smaller page sizes?

These questions require judgment and a careful understanding of the hardware, software, and intended applications for a particular system. There are no universal answers. There is no pressing need for all computer systems to have the same page size, or a single page size for that matter.

What considerations determine whether a page should be large or small? Several are summarized here.

- The smaller the page size, the more pages and page frames there are and the larger the page tables need to be. On systems in which page tables occupy primary storage, this points to the need for larger pages. The waste of storage due to excessively large tables is called *table fragmentation*. We note here that this argument is less valid today with the availability of very large and economical memories.
- With large page sizes, large amounts of information that ultimately may not be referenced are paged into primary storage. This points to the need for smaller pages.
- Because I/O transfers from disk are relatively time-consuming, we wish to minimize the number of transfers a program will experience as it runs. This seems to point to the need for large page sizes.
- Programs tend to exhibit the property of locality of reference, and these localities tend to be small. Thus a smaller page size would help a program establish a tighter working set, i.e., the working set pages maintained in real storage would contain more intensively referenced items.
- Because procedure and data units rarely comprise an integral number of pages, paging systems experience internal fragmentation, as illustrated in Fig. 9.8. A segment of length s is just as likely to have its last page nearly full as nearly empty, and thus, on the average, there is one-half page of internal fragmentation (with the restriction that a page may not contain portions of more than one segment). The smaller the page size, the less the internal fragmentation.

Many results in the literature (Ba70) (Ch74) (De80), both theoretical and empirical, point to the need for small pages. Figure 9.9 shows the page sizes used in several historically popular and important computers. Note the relatively small page size chosen for the VAX 8800. Also, note the popularity of approximately 4K-character page sizes. As computer memories continue to increase in size and decrease in cost, and as applications that use more memory proliferate, it is likely that the meaning of "small page size" may be recast in the context of more powerful machines. Indeed, page sizes of 32K and even 1Mb could eventually be considered "small."

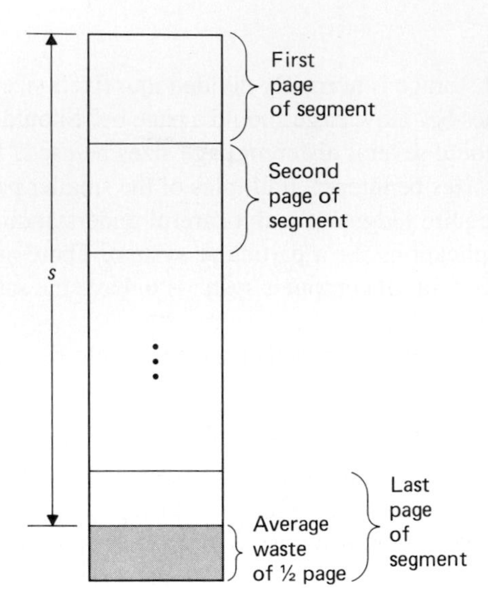

Fig. 9.8 Internal fragmentation in a paged system.

Manufacturer	Model	Page size	Unit
Honeywell	Multics	1024	36-bit word
IBM	370/168	1024 or 512	32-bit word
DEC	PDP-10 PDP-20	512	36-bit word
DEC	VAX 8800	512	8-bit byte
Intel	80386	4096	8-bit byte

Fig. 9.9 Some common page sizes.

9.11 PROGRAM BEHAVIOR UNDER PAGING

Paging is a valuable concept, and it will probably continue to be integrated into computer systems for the next several decades. Many studies have been performed examining the behavior of processes in paging environments (Be66) (Fi66) (Co68) (Fr68) (Ha72) (Sp72) (Mr73) (Ro73a) (Ch74) (Ol74) (Op74) (Sa75) (Ba76) (Po77) (Fr78) (Gu78) (De80). In this section, some qualitative results of these studies are shown.

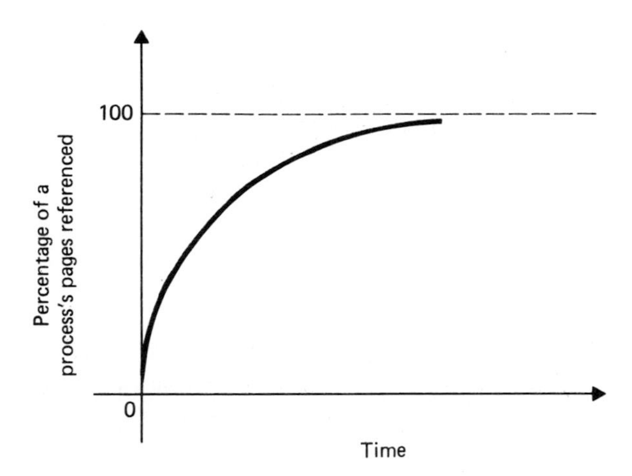

Fig. 9.10 Percentage of a process's pages referenced with time.

Figure 9.10 shows the percentage of a typical process's pages referenced from the time the process begins execution. The initial sharp upward slope indicates that a process tends to reference a significant portion of its pages immediately after it begins execution. With time, the slope diminishes, and the graph asymptotically approaches 100 percent. Certainly some processes reference 100 percent of their pages, but the graph is drawn to reflect that many processes may execute for a long time without referencing 100 percent of their pages. This is often the case when certain error processing routines are rarely invoked.

Figure 9.11 indicates the effects of varying the page size when the amount of primary storage is held constant. The graph shows that the number of page faults experienced by a

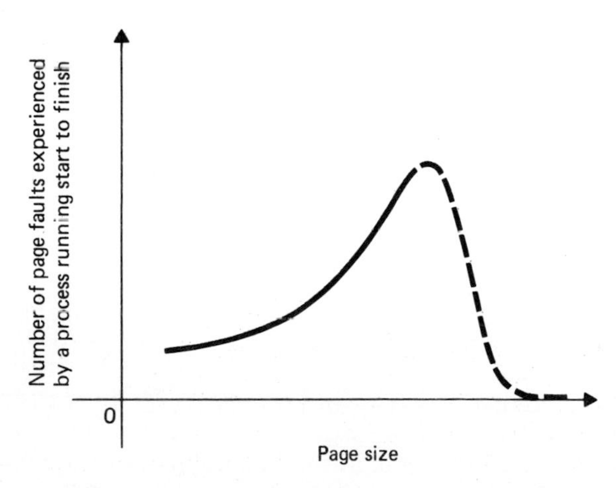

Fig. 9.11 Dependency of page faults on page size when primary storage is held constant.

running process tends to increase as the page size increases. This occurs because as page size increases more procedures and data that will not be referenced are brought into a fixed-size primary storage. Thus there is a decrease in the percentage of a process's limited primary storage occupied by procedures and data that will be referenced. Because the referencing pattern of the process is essentially independent of the amount of primary storage allocated, more page faults are generated to bring the required procedures and data into primary storage throughout the process's execution. The dotted portion of the graph indicates that as the page size approaches the size of the entire process, the number of page faults rapidly falls to zero.

Figure 9.12 shows how the average *interfault time* (i.e., the time between page faults) varies as the number of page frames allocated to a process increases. The graph is monotonically increasing—the more page frames a process has, the longer the time between page faults (subject, of course, to eccentric behavior such as that observed in the FIFO Anomaly). But the graph bends at one point, and its slope declines sharply. This is the point at which the process has its entire working set in primary storage. Initially, the interfault time grows very quickly as more of the working set may be kept in primary storage. Once the primary storage allotment is sufficient to hold the working set, the curve bends sharply indicating that the effect of allocating additional page frames on increasing the interfault time is not as great. The key is to get the working set into primary storage. Franklin, Graham, and Gupta (Fr78) have observed anomalous situations in which increasing the size of the working set window, and hence the size of the working set,

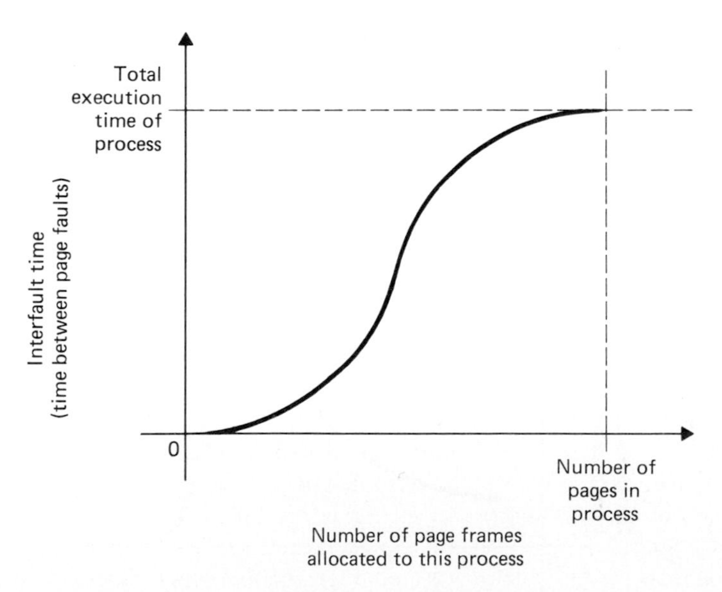

Fig. 9.12 Dependency of interfault time on the number of page frames allocated to a process.

actually decreases the interfault time. But this kind of behavior is rare.

Many other experiments have been performed that seem to point to the need for small pages. In one of these, researchers measured the number of instructions executed per page before transfer to another page. With a page size of 1024 words, fewer than one fifth of the instructions were executed on a page most of the time.

The qualitative discussions of this section generally point to the validity of the working set concept, and the need for smaller page sizes. As computer architecture evolves, these results will need to be reevaluated.

SUMMARY

Virtual storage management strategies are divided into three categories. Fetch strategies are concerned with when to bring the next page or segment to primary storage. Demand fetch does so upon explicit reference; anticipatory fetch does so in advance when it is likely that a page or segment will soon be referenced. Placement strategies are concerned with where in primary storage to place the incoming page or segment. Replacement strategies are concerned with which page or segment to replace to make room for an incoming page or segment when primary storage is fully committed.

Some of the page replacement strategies discussed in this chapter are

- Principle of Optimality—replaces the page which will not be used until the furthest time into the future.
- Random—pages are selected at random.
- FIFO—the page in primary storage the longest is selected (we also discussed the second chance and the clock variations of FIFO).
- LRU—the least-recently-used page is selected.
- LFU—the least-frequently-used page is selected.
- NUR—an inexpensive and efficient approximation of LRU that replaces a page not-used-recently.
- Working set—replaces a page if it is not in the favored subset of a process's pages.
- Page fault frequency—adjusts the size of a process's resident set of pages in response to changes in the process's page fault rate.

The FIFO Anomaly occurs when increasing the number of page frames available to a process increases the page fault rate of the process.

Locality is a property exhibited by running processes, namely that processes tend to favor a subset of their pages during an execution interval. Temporal locality means that if a process references a page, it will probably reference that page again soon. Spatial locality means that if a process references a page, it will probably reference adjacent pages in its virtual address space. Locality is expected because of the way programs are written using loops, subroutines, stacks, counting and totaling variables, array traversals, and sequential code execution, and also because of the tendency of programmers to place related variables near one another.

Denning developed the concept of working sets to explain program behavior in terms of locality. Working set storage management strategies attempt to keep a process's working set of pages, i.e., the most recently referenced pages, in primary storage so that the process will run quickly. New processes may be initiated only if there is room in primary storage for their working sets. Denning defined the working set $W(t,w)$ at time t as the set of pages referenced by a process in the process time interval from $t - w$ to t. Processes attempting to execute without sufficient space for their working sets often experience thrashing, a phenomenon in which they continually replace pages and then immediately recall the replaced pages back to primary storage.

Demand paging has been the conventional wisdom for some time because

- computability results tell us that we cannot implement completely accurate anticipatory paging schemes because we can't predict the future,
- only the pages actually needed by a process are brought to primary storage, and
- the fetch overhead is nominal.

But demand paging is wasteful of primary storage because processes must wait while each referenced page is brought in.

Proponents of anticipatory paging argue that good decisions can be made a large portion of the time, and that processes will execute more quickly when their pages are already in primary storage when referenced.

Some systems provide a page release capability which allows a running process to inform the system explicitly that a particular page is no longer needed. Page release helps rid primary storage of pages that are no longer needed.

A number of issues affect the determination of optimum page size for a given system.

- A small page size causes larger page tables, and consequent table fragmentation.
- A large page size causes instructions and data that will not be referenced to be brought into primary storage.
- I/O transfers are more efficient with large pages.
- Localities tend to be small.
- Internal fragmentation is reduced with small pages.

In the balance, most designers feel that these factors point to the need for small pages.

Many experiments have examined the behavior of paged computer systems, and the results have been interesting.

- When a process begins executing, it normally references a large percentage of its pages quickly.
- The number of page faults experienced by a running process tends to increase as page size is increased, assuming that the primary storage allocated to the process remains constant.
- The interfault time (time between page faults) experienced by a running process increases as the amount of page frames allocated to the process increases. Once a suf-

ficient number of page frames has been allocated to the process to hold its working set, the rate of increase diminishes.

- The number of instructions executed on a page before control leaves the page tends to be small.

TERMINOLOGY

anticipatory paging
Belady's Anomaly
clock page replacement
demand paging
dirty bit
fetch strategy
FIFO Anomaly
first-in-first-out (FIFO) page replacement
interfault time
internal fragmentation
least-frequently-used (LFU) page replacement
least-recently-used (LFU) page replacement
locality
MIN page replacement
modified bit
not-used-recently (NUR) page replacement
OPT page replacement
optimal page replacement
page fault frequency (PFF) page replacement
page replacement strategy
prepaging
Principle of Optimality
random page replacement
referenced bit
resident page set
second-chance page replacement
space-time product
spatial locality
table fragmentation
temporal locality
thrashing
voluntary page release
working set of pages
working set page replacement
working set storage management policy
working set theory of program behavior
working set window size

EXERCISES

9.1 Discuss the goals of each of the following storage management strategies in the context of virtual storage systems with paging.

a) fetch strategy

b) placement strategy

c) replacement strategy

9.2 Explain why storage management in pure segmentation systems is quite similar to storage management in variable partition multiprogramming systems.

9.3 Give several reasons why demand paging is the conventional wisdom in page fetch strategies.

9.4 One particular virtual storage computer system with combined segmentation and paging supports a level of multiprogramming of 10. Instruction pages (reentrant code) are maintained separately from data pages (modifiable). You have studied the system in operation and have made the following observations. (1) Most procedure segments are many pages long and (2) most data segments use only a small fraction of a page.

Your associate has proposed that one way to get better utilization out of storage is to pack several of each user's data segments onto an individual page. Comment on this proposal considering issues of

a) storage use

b) execution efficiency

c) indefinite postponement

d) protection

e) sharing

9.5 Today there is much interest in anticipatory paging and in anticipatory resource allocation in general. What useful information might each of the following supply to an anticipatory paging mechanism?

a) the programmer

b) the language translator

c) the operating system

d) a log of past executions of the program

9.6 It is known that in the general case we cannot predict the path of execution of an arbitrary program. If we could, then we would be able to solve the halting problem—which is known to be unsolvable. Explain the ramifications of this upon the effectiveness of anticipatory resource allocation mechanisms.

9.7 Suppose a storage manager has narrowed its page replacement decision to one of two pages. Suppose that one of the pages is shared by several processes, and the other page is in use only by a single process. Should the storage manager automatically replace the nonshared page? Explain.

9.8 Discuss each of the following unconventional page replacement schemes in the context of a virtual storage multiprogramming system servicing both batch and interactive users.

a) "Global LIFO"—The page brought into real storage most recently is replaced.

b) "Local LIFO"—The page brought in most recently by the process which requested the incoming page is replaced.

c) "Tired Page"—The most heavily referenced page in the system is replaced. (Consider both the global and local variants of this scheme.)

d) "Battered Page"—The most heavily modified page in the system is replaced. (Consider both the global and local variants of this scheme.)

9.9 Some types of processes perform well under certain page replacement strategies and poorly under others. Discuss the possibility of implementing a storage manager that would dynamically determine the type of a process, and then select and use the appropriate page replacement strategy for that process.

9.10 Suppose a storage manager decides which page to replace solely on the basis of examining the referenced and modified bits for each page frame. List several incorrect decisions the storage manager might make.

9.11 List several reasons why it is necessary to prevent certain pages from being paged out of real storage.

9.12 Why is it generally more desirable to replace an unmodified page rather than a modified one? In what circumstances might it be more desirable to replace a modified page?

9.13 For each of the following pairs of replacement strategies show a page reference string that would result in both strategies choosing (1) the same page for replacement and (2) a different page for replacement.

a) LRU, NUR

b) LRU, LFU

c) LRU, FIFO

d) NUR, LFU

e) LFU, FIFO

f) NUR, FIFO.

9.14 The Optimal (MIN) Page Replacement strategy is unrealizable because it is impossible to predict the future. There are circumstances, however, in which MIN can be implemented. What are they?

9.15 The overhead of moving a modified page to secondary storage so that a new page may be brought into primary memory is large and should be avoided whenever possible. Suppose a storage manager has chosen a modified page for replacement. This page must be pushed to secondary storage before the new page may be placed in its page frame. Therefore, the storage manager schedules this page for a push. An entry is made in a list of pages waiting to be pushed. Thus the page will remain in real storage for some time before being pushed. Now suppose that while the page is waiting a running process requests it. How should the storage manager react? Be sure to consider the possibility of indefinite postponement, and the need to guarantee good response times for interactive users.

9.16 FIFO page replacement is relatively easy to implement, and has low overhead. But FIFO can easily replace a heavily used page. Design a simple modification to FIFO that is also easy to implement, has low overhead, and prevents a heavily used page from being replaced.

9.17 Show an example of the FIFO Anomaly different from that in the text.

9.18 Design an experiment for a paged system to demonstrate the phenomenon of locality.

9.19 A programmer who writes programs specifically to exhibit good locality can expect marked improvement in the execution efficiency of the programs. List several strategies a programmer can use to improve locality. In particular, what high-level language features should be emphasized? What features should be avoided?

9.20 Suppose you put a tap on an I/O channel and observe heavy page traffic. Does this imply thrashing? Explain.

9.21 Why might a global page replacement policy (in which an incoming page may replace a page of any process) be more susceptible to thrashing than a local page replacement policy (in which an incoming page may replace only a page belonging to the same process)?

9.22 Discuss the trade-offs between giving each process more page frames than it needs (to prevent thrashing), and the resulting fragmentation of real storage.

9.23 Design several heuristics that a storage manager might use to determine if main storage has become overcommitted.

9.24 The working set of a process may be defined in several ways. Discuss the merits of each of the following schemes for deciding which pages constitute a process's working set.

a) those pages that the process has referenced in the last w seconds of wall clock time
b) those pages that the process has referenced in the last w seconds of virtual time (i.e., time during which the process was actually running on a CPU)
c) the last k different pages referenced by the process
d) those pages on which a process made its last r instruction or data references
e) those pages that the process has referenced in the last w seconds of virtual time with a frequency greater than f times per virtual second.

9.25 Give an example in which a working set page replacement strategy would replace

a) the best possible page
b) the worst possible page

9.26 One difficulty in implementating a working set storage management strategy is that when a process requests a new page, it is difficult to determine whether that process is changing to a new working set, or is expanding its current working set. In the first case it is better for the storage manager to replace one of the process's pages; in the latter case it is better for the storage manager to add a page to the process's page allocation. How might a storage manager decide which case is appropriate?

9.27 Just because a page is a member of a process's working set does not necessarily imply that it is being referenced frequently. Similarly, the pages in a process's working set are not necessarily being referenced at the same frequency. Propose a modification to the working set page replacement strategy that, when a working set page is to be replaced, chooses the page for replacement via one of the other schemes such as FIFO, LRU, LFU, NUR, etc. Compare this new page replacement strategy with the pure working set strategy.

9.28 Suppose all the processes included in the level of multiprogramming have established their working sets in main storage. As localities change, working sets could grow and main storage could become overcommitted, causing thrashing. Discuss the relative merits of each of the following strategies for preventing this.

a) Never initiate a new process if real storage is already 80 percent or more committed.
b) Never initiate a new process if real storage is already 97 percent or more committed.
c) When a new process is initiated, assign it a maximum working set size beyond which it will not be allowed to grow.

9.29 The interaction between the various components of an operating system is critical to achieving good performance. Discuss the interaction between the storage manager and the job initiator in a virtual storage multiprogramming system. In particular, suppose the storage manager uses a working set storage management approach.

9.30 Consider the following experiment and explain the observations.

A program is run by itself on a paged machine. The program begins execution with its first procedure page. As it runs, the pages it needs are demand paged into available page frames. The number of available page frames is much larger than the number of pages in the program. But there is a dial external to the computer that allows a person to set the maximum number of page frames the program may use.

Initially, the dial is set at two frames and the program is run to completion. The dial is then set at three frames and again the program is run to completion. This process is continued until the dial is eventually set to the number of available page frames in real storage, and the program is run for the last time. For each run, the run time of the program is recorded.

Observations:

As the dial is changed from two to three to four, the run times improved dramatically. From four to five to six, the run times still improved each time, but less dramatically. With the dial settings of seven and higher, the run time remained essentially constant.

9.31 An operating systems designer has proposed the PD storage management strategy that operates as follows. Exactly two page frames are allocated to each active process. These frames hold the most recently referenced procedure page, called the P-page, and the most recently referenced data page, called the D-page. When a page fault occurs, if the referenced page is a procedure page, it replaces P-page, and if the referenced page is a data page, it replaces D-page.

The designer says that the chief virtue of the scheme is that it trivializes all aspects of storage management, and thus has very low overhead.

a) How are each of the following storage management strategies handled under the PD scheme?
   i) fetch
   ii) placement
   iii) replacement

b) In what circumstances would PD actually yield better results than working set storage management?

c) In what circumstances would PD yield poor results?

9.32 Describe how the sharing of code and data affects each of the following.

a) fetch strategy

b) placement strategy

c) replacement strategy

d) "local locality" (i.e., within a process)

e) "global locality" (i.e., over all processes)

f) thrashing

g) charging for resources

h) fragmentation
   i) internal
   ii) external
   iii) chunk

9.33 Summarize the arguments for and against (1) small page sizes and (2) large page sizes.

9.34 The Multics system was originally designed to manage 64-word pages and 1024-word pages (the dual-page-size scheme was eventually abandoned).

a) What factors do you suppose motivated this design decision?

b) What effect does this dual-page-size approach have on storage management strategies?

9.35 Discuss the use of each of the following hardware features in virtual storage systems.

a) dynamic address mapping mechanisms

b) associative storage

c) cache storage

d) "page referenced" bit

e) "page modified" bit

f) "page in transit" bit (signifying that a page is currently being input to a particular page frame)

9.36 Discuss the issue of how programming style affects performance in a paging system. Consider each of the following.

a) top-down approach

b) minimal use of GOTOs

c) modularity

d) recursion

e) iteration

9.37 If programs are carefully organized in a paged system so that references are highly localized to small groups of pages, the resulting performance improvements can be impressive. But because most programs today are being written in high-level languages, the programmer does not generally have access to information sufficiently rich to aid in producing programs with good organization. Because the path of execution a program will take cannot be predicted, it is difficult to know precisely which sections of code will be used intensively.

One hope for improving program organization is called dynamic program restructuring. Here, the operating system monitors the execution characteristics of a program, and rearranges the code and data so that more active items are placed together on pages.

a) What execution characteristics of a large program should be monitored to facilitate dynamic program restructuring?

b) How would a dynamic program restructuring mechanism use this information to make effective restructuring decisions?

9.38 Charging for resource use is a complex problem. Consider each of the following in the context of a virtual storage multiprogramming system with paging.

a) Should a process be charged more for generating excessive page faults?

b) Should a process be charged more for having a large working set?

c) Should a process receive credits for experiencing service degradation caused by thrashing?

d) Should a process be charged for operating system overhead involved in managing virtual storage?

9.39 The key to the proper and efficient operation of the page fault frequency (PFF) page replacement algorithm is the selection of the threshold values. Answer each of the following questions.

a) What are the consequences of selecting too large an upper value?

b) What are the consequences of selecting too small a lower value?

c) Should the values remain fixed, or should they be adjusted dynamically?

d) What criteria would you use to adjust the values dynamically?

9.40 Compare and contrast the page fault frequency (PFF) page replacement strategy with the working set (WS) page replacement strategy. Be sure to consider each of the following.

a) execution time overhead

b) storage overhead for holding the information necessary to support the strategy

c) likelihood of running processes efficiently

d) likelihood of keeping the right (and the wrong) pages resident in primary storage.

9.41 Because of the high overhead involved in replacing a modified page, some replacement algorithms replace unmodified pages before they replace modified pages. Does this introduce any bias into the system that might be detrimental to the proper and efficient operation of programs that exhibit natural locality? Explain your answer.

9.42 It would seem that a weakness of the second chance page replacement strategy is that if the list of pages is short, then an active page that has just moved to the back of the list after having had its referenced bit set off could quickly move to the front of the list and be selected for replacement before its referenced bit is set on. Comment on this phenomenon. Is it an anomaly in second chance page replacement? Defend your answer carefully.

9.43 Suppose a system is not currently thrashing. List as many factors as you can that might cause the system to begin thrashing. What measures should the operating system take once thrashing is detected? Can thrashing be absolutely prevented? If so, at what cost? If not, explain why not.

9.44 Suppose you are aware of the page replacement strategy used by the multiuser timesharing system on which you are running. For each of the page replacement strategies discussed in this chapter, what countermeasures might you take to force the operating system to give your process(es) favored treatment when in fact the operating system might normally do otherwise? What measures might an operating system take to detect such processes and prevent them from obtaining such preferred treatment?

9.45 (*Simulation Project*) Develop a simulator program that will enable you to compare and contrast the operation of each of the page replacement strategies discussed in this chapter. Your simulator needs to be concerned with transitions between pages in virtual space, but not with the instruction-by-instruction execution of programs. Assign a random but high probability to remaining on the same page on which the previous instruction was executed. When page transitions occur, the probability of transferring to the next page (or the previous page) in virtual space should be higher than the probability of transferring to some remote page. Assume a moderately loaded system so that page replacement decisions are common. Assume that the same replacement strategy applies to all processes on the system for a given run of the simulation. Your simulator should maintain statistics on the performance of each of the replacement strategies. Include features to enable you to fine tune the simulator, i. e., you should be able to adjust the working set window size, the page fault frequency threshold values, and so on.

LITERATURE

(Ab82) Abu-Sufah, W., and D. A. Padua, "Some Results on the Working Set Anomalies in Numerical Programs," *IEEE Transactions on Software Engineering*, Vol. SE-8, No. 2, March 1982, pp. 97–106.

(Ah71) Aho, A. V.; P. J. Denning; and J. D. Ullman, "Principles of Optimal Page Replacement," *Journal of the ACM*, Vol. 18, No. 1, January 1971, pp. 80–93.

(Bb81) Babaoglu, O., and W. Joy, "Converting a Swap-Based System to do Paging in an Architecture Lacking Page-Referenced Bits," *Proceedings of the 8th Symposium on Operating Systems Principles*, ACM, Vol. 15, No. 5, December 1981, pp. 78–86.

(Ba76) Baer, J., and G. R. Sager, "Dynamic Improvement of Locality in Virtual Memory Systems," *IEEE Transactions on Software Engineering*, Vol. SE-1, March 1976, pp. 54–62.

(Ba70) Batson, A. P.; S. Ju; and D. Wood, "Measurements of Segment Size," *Communications of the ACM*, Vol. 13, No. 3, March 1970, pp. 155–159.

(Ba77) Batson, A. P., and R. G. Bundage, "Segment Sizes and Lifetimes in ALGOL 60 Programs," *Communications of the ACM*, Vol. 20, January 1977, pp. 36–44.

(Bc82) Beck, L., "A Dynamic Storage Allocation Technique based on Memory Residence Time," *Communications of the ACM*, Vol. 25, No. 10, October 1982, pp. 714–724.

(Be66) Belady, L. A., "A Study of Replacement Algorithms for Virtual Storage Computers," *IBM Systems Journal*, Vol. 5, No. 2, 1966, pp. 78–101.

(Be69) Belady, L. A., and C. J. Kuehner, "Dynamic Space Sharing in Computer Systems," *Communications of the ACM*, Vol. 12, No. 5, May 1969, pp. 282–288.

(Be69b) Belady, L. A.; R. A. Nelson; and G. S. Shedler, "An Anomaly in Space-Time Characteristics of Certain Programs Running in a Paging Environment," *Communications of the ACM*, Vol. 12, No. 6, June 1969, pp. 349–353.

(Bn72) Bensoussan, A.; C. T. Clingen; and R. C. Daley, "The Multics Virtual Memory: Concepts and Design," *Communications of the ACM*, Vol. 15, No. 5, May 1972, pp. 308–318.

(Bo84) Bozman, G.; W. Buco; T. P. Daly; and W. H. Tetzlaff, "Analysis of Free-Storage Algorithms—Revisited," *IBM Systems Journal*, Vol. 23, No. 1, 1984, pp. 44–66.

(Br68) Brawn, B., and F. G. Gustavson, "Program Behavior in a Paging Environment," A*FIPS Conference Proceedings*, Vol. 33, 1968 FJCC, pp. 1019–1032.

(Br75) Bryant, P., "Predicting Working Set Sizes," *IBM Journal of Research and Development*, Vol. 19, No. 3, May 1975, pp. 221–229.

(Bu81) Budzinski, R. L., "A Comparison of Dynamic and Static Virtual Memory Allocation Algorithms," *IEEE Transactions on Software Engineering*, Vol. SE-7, No. 1, January 1981, pp. 122–131.

(Bu81a) Budzinski, R.; E. Davidson; W. Mayeda; and H. Stone, "DMIN: An Algorithm for Computing the Optimal Dynamic Allocation in a Virtual Memory Computer," *IEEE Transactions on Software Engineering*, Vol. SE-7, No. 1, January 1981, pp. 113–121.

(Ca80) Canon, M. D., et al, "A Virtual Machine Emulator for Performance Evaluation," *Communications of the ACM*, Vol. 23, No. 2, February 1980, pp. 71–80.

(Cr81) Carr, R. W., and J. L. Hennessy, "WSClock—A Simple and Effective Algorithm for Virtual Memory Management," *Proceedings of the 8th Symposium on Operating Systems Principles*, Vol. 15, No. 5 , December 1981, pp. 87–95.

(Ch73) Chamberlin, D. D.; S. H. Fuller; and L. Liu, "An Analysis of Page Allocation Strategies for Virtual Memory Systems," *IBM Journal of Research and Development*, Vol. 17, 1973, pp. 404–412.

(Ch72) Chu, W. W., and H. Opderbeck, "The Page Fault Frequency Replacement Algorithm," Proceedings *AFIPS Fall Joint Computer Conference*, Vol. 41, No. 1, 1972, pp. 597–609.

(Ch74) Chu, W. W., and H. Opderbeck, "Performance of Replacement Algorithms with Different Page Sizes," *Computer*, Vol. 7, No. 11, November 1974, pp. 14–21.

(Ch76) Chu, W. W., and H. Opderbeck, "Program Behavior and the Page-Fault-Frequency Replacement Algorithm," *Computer*, Vol. 9, No. 11, November 1976, pp. 29–38.

(Co73) Coffman, E. G., Jr., and P. J. Denning, *Operating Systems Theory*, Englewood Cliffs, N.J.: Prentice-Hall, 1973.

(Co68) Coffman, E. G., Jr., and L. C. Varian, "Further Experimental Data on the Behavior of Programs in a Paging Environment," *Communications of the ACM*, Vol. 11, No. 7, July 1968, pp. 471–474.

(De68) Denning, P. J., "The Working Set Model for Program Behavior," *Communications of the ACM*, Vol. 11, No. 5, May 1968, pp. 323–333.

(De68a) Denning, P. J., *Resource Allocation in Multiprocess Computer Systems,* Ph.D. Thesis, Report MAC-TR-50 M.I.T. Project MAC, May 1968.

(De68b) Denning, P. J., "Thrashing: Its Causes and Preventions," *AFIPS Conference Proceedings*, Vol. 33, 1968 FJCC, pp. 915–922.

(De70) Denning, P. J., "Virtual Memory," *ACM Computing Surveys,* Vol. 2, No. 3, September 1970, pp. 153–189.

(De72a) Denning, P. J., "On Modeling Program Behavior," *AFIPS Spring Joint Computer Conference Proceedings,* Vol. 40, 1972, pp. 937–944.

(De72) Denning, P. J., and S. C. Schwartz, "Properties of the Working Set Model," *Communications of the ACM*, Vol. 15, No. 3, March 1972, pp. 191–198.

(De78) Denning, P. J., "Optimal Multiprogrammed Memory Management," In K. M. Chandy and R. Yeh (eds.), *Current Trends in Programming Methodology,* Vol. III, Englewood Cliffs, N.J.: Prentice-Hall, 1978, pp. 298–322.

(De80) Denning, P. J., "Working Sets Past and Present," *IEEE Transactions on Software Engineering*, Vol. SE-6, No. 1, January 1980, pp. 64–84.

(De75) Denning, P. J., and G. S. Graham, "Multiprogrammed Memory Management," *Proceedings of the IEEE*, Vol. 63, June 1975, pp. 924–939.

(De75a) Denning, P. J., and K. C. Kahn, "A Study of Program Locality and Lifetime Functions," *Proceedings of the 5th ACM Symposium on Operating Systems Principles*, November 1975, pp. 207–216.

(De78a) Denning, P. J., and D. R. Slutz, "Generalized Working Sets for Segment Reference Strings," *Communications of the ACM*, Vol. 21, No. 9, September 1978, pp. 750–759.

(Ea77) Easton, M. C., and B. T. Bennett, "Transient-Free Working Set Statistics," *Communications of the ACM*, Vol. 20, No. 2, February 1977, pp. 93–99.

(Ea79) Easton, M., and P. Franaszek, "Use Bit Scanning in Replacement Decisions," *IEEE Transactions on Software Engineering*, Vol. C-28, No. 2, February 1979, pp. 133–141.

(Fe74) Ferrari, D., "Improving Locality by Critical Working Sets," *Communications of the ACM*, Vol. 17, No. 11, November 1974, pp. 614–620.

(Fe75) Ferrari, D., "Tailoring Programs to Models of Program Behavior," *IBM Journal of Research and Development*, Vol. 19, No. 3, May 1975, pp. 244–251.

(Fe76) Ferrari, D., "The Improvement of Program Behavior," *IEEE Computer*, Vol. 9, No. 11, November 1976, pp. 39–47.

(Fi66) Fine, E. G.; C. W. Jackson; and P. V. McIsaac, "Dynamic Program Behavior under Paging," *ACM 21st National Conference Proceedings*, 1966, pp. 223–228.

(Fi85) Fitzgerald, R., and R.F. Rashid, "The Integration of Virtual Memory Management and Interprocess Communication in Accent," *Proceedings of the 10th Symposium on Operating Systems Principles*, ACM, Vol. 19, No. 5, December 1985, pp. 13–24.

(Fo74) Fogel, M., "The VMOS Paging Algorithm: A Practical Implementation of the Working Set Model," *Operating Systems Review*, Vol. 8, No. 1, January 1974, pp. 8–16.

(Fr78) Franklin, M. A.; G. S. Graham; and R. K. Gupta, "Anomalies with Variable Partition Paging Algorithms," *Communications of the ACM*, Vol. 21, No. 3, March 1978, pp. 232–236.

(Fr68) Freibergs, I. F., "The Dynamic Behavior of Programs," Proceedings *AFIPS Fall Joint Computer Conference*, Vol. 33, Part 2, 1968, pp. 1163–1167.

(Gu78) Gupta, R. K., and M. A. Franklin, "Working Set and Page Fault Frequency Replacement Algorithms: A Performance Comparison," *IEEE Transactions on Computers*, Vol. C-27, August 1978, pp. 706–712.

(Ha72) Hatfield, D., "Experiments on Page Size, Program Access Patterns, and Virtual Memory Performance," *IBM Journal of Research and Development*, Vol. 15, No. 1, January 1972, pp. 58–62.

(Ha71) Hatfield, D., and J. Gerald, "Program Restructuring for Virtual Memory," *IBM Systems Journal*, Vol. 10, 1971, pp. 168–192.

(He77) Hennie, F., *Introduction to Computability*, Reading, MA.: Addison-Wesley, 1977.

(Ka83) Kearns, J., and S. DeFazio, "Locality of Reference in Hierarchical Database Systems," *IEEE Transactions on Software Engineering*, Vol. SE-9, No. 2, March 1983.

(Kh88) Kenah, L. J.; R. E. Goldenberg; and S. F. Bate, *VAX/VMS Internals and Data Structures*, Bedford, MA: Digital Press, 1988.

(Le82) Levy, H. M., and P. H. Lipman, "Virtual Memory Management in the VAX/VMS Operating System," *Computer*, Vol. 15, No. 3, March 1982, pp. 35–41.

(Lo81) Lorin, H, and H. Deitel, *Operating Systems*, Reading, MA: Addison-Wesley, 1981.

(Lu83) Lua, E. J., and D. Ferrari, "Program Restructuring in a Multilevel Virtual Memory," *IEEE Transactions on Software Engineering*, Vol. SE-9, No. 1, January 1983, pp. 69–79.

(Mc83) MacGregor, D., and D. S. Mothersole, "Virtual Memory and the MC68010," *IEEE Micro*, Vol. 3, No. 3, June 1983, pp. 24–39.

(Ma76) Madison, A. W., and A. P. Batson, "Characteristics of Program Localities," *Communications of the ACM*, Vol. 19, No. 5, May 1976, pp. 285–294.

(Ml85) Malkawi, M., and J. Patel, "Compiler Directed Memory Management Policy for Numerical Programs," *Proceedings of the 10th Symposium on Operating Systems Principles*, ACM, Vol. 19, No. 5, December 1985, pp. 97–106.

(Ma70) Mattson, R. L.; J. Gecsie; D. R. Slutz; and I. L. Traiger, "Evaluation Techniques for Storage Hierarchies," *IBM Systems Journal,* Vol. 9, No. 2, 1970, pp. 78–117.

(Mi67) Minsky, M. L., *Computation: Finite and Infinite Machines,* Englewood Cliffs, N.J: Prentice-Hall, 1967.

(Mo72) Morris, J. B., "Demand Paging through the Use of Working Sets on the Maniac II," *Communications of the ACM*, Vol. 15, No. 10, October 1972, pp. 867–872.

(Mr73) Morrison, J. E., "User Program Performance in Virtual Storage Systems," *IBM Systems Journal*, Vol. 12, No. 3, 1973, pp. 216–237.

(Ol74) Oliver, N. A., "Experimental Data on Page Replacement Algorithms," *Proceedings of AFIPS*, 1974 NCC 43, Montvale, N.J.: AFIPS Press, 1974, pp. 179–184.

(Op74) Opderdeck, H., and W. W. Chu, "Performance of the Page Fault Frequency Algorithm in a Multiprogramming Environment," *Proceedings of IFIP Congress,* 1974, pp. 235–241.

(Po81) Pohm, A. V., and T. A. Smay, "Computer Memory Systems," *IEEE Computer Magazine*, October 1981, pp. 93–110.

(Po77) Potier, D., "Analysis of Demand Paging Policies with Swapped Working Sets," *Proceedings of the 6th ACM Symposium on Operating Systems Principles,* November 1977, pp. 125–131.

(Pr76) Prieve, B. G., and R. S. Fabry, "VMIN—An Optimal Variable Space Page Replacement Algorithm," *Communications of the ACM*, Vol. 19, No. 5, May 1976, pp. 295–297.

(Ro73a) Rodriguez-Rosell, J. "Empirical Working Set Behavior," *Communications of the ACM*, Vol. 16, No. 9, 1973, pp. 556–560.

(Ro73) Rodriguez-Rosell, J., and J. P. Dupuy, "The Design, Implementation, and Evaluation of a Working Set Dispatcher," *Communications of the ACM*, Vol. 16, No. 4, April 1973, pp. 247–253.

(Sa75) Sadeh, E., "An Analysis of the Performance of the Page Fault Frequency (PFF) Replacement Algorithm," *Proceedings of the 5th ACM Symposium on Operating Systems Principles,* November 1975, pp. 6–13.

(Se85) Sleator, D. D., and R. E. Tarjan, "Amortized Efficiency of List Update and Paging Rules," *Communications of the ACM*, Vol. 28, No. 2, February 1985, pp. 202–208.

(Sl74) Slutz, D. R., and I. L. Traiger, "A Note on the Calculation of Average Working Set Size," *Communications of the ACM*, Vol. 17, No. 10, October 1974, pp. 563–565.

(Sm76) Smith, A. J., "A Modified Working Set Paging Algorithm," *IEEE Transactions on Computers*, Vol. C-25, No. 9, September 1976, pp. 907–914.

(Sm78) Smith, A. J., "Sequential Program Prefetching in Memory Hierarchies," *Computer*, Vol. 11, No. 12, December 1978, pp. 7–21.

(Sp76) Spirn, J. R., "Distance String Models for Program Behavior," *Computer*, Vol. 9, No. 11, November 1976, pp. 14–20.

(Sp72) Spirn, J. R., and P. J. Denning, "Experiments with Program Locality," *AFIPS Conference Proceedings*, Vol. 41, 1972 FJCC, pp. 611–621.

(St83) Stephenson, C. J., "Fast Fits: New Methods for Dynamic Storage Allocation," *Proceedings of the 9th Symposium on Operating Systems Principles*, ACM, Vol. 17, No. 5, October 1983, pp. 30–32.

(So84) Stonebraker, M., "Virtual Memory Transaction Management," *Operating Systems Review*, Vol. 18, No. 2, April 1984, pp. 8–16.

(Ss87) Strauss, E., *80386 Technical Reference*, New York, NY: Brady, 1987.

(Th86) Thakkar, S. S., and A E. Knowles, "A High-Performance Memory Management Scheme," *Computer*, Vol. 19, No. 5, May 1986, pp. 8–19, 22.

(Ta82) Traiger, I. L., "Virtual Memory Management for Data Base Systems," *Operating Systems Review*, Vol. 16, No. 4, October 1982, pp. 26–28.

(Tr76) Trivedi, K. S., "Prepaging and Applications to Array Algorithms," *IEEE Transactions on Computers*, Vol. C-25, September 1976, pp. 915–921.

(Vo81) Vogt, P. D., "Virtual Memory Extension for an Existing Minicomputer," *Computer Design,* July 1981, pp. 151–156.

(We69) Weizer, N., and G. Oppenheimer, "Virtual Memory Management in a Paging Environment," *AFIPS Conference Proceedings*, Vol. 34, 1969 SJCC, p. 234.

(Wi73) Wilkes, M. V., "The Dynamics of Paging," *Computer Journal,* Vol. 16, February 1973, pp. 4–9.

10
Job and Processor Scheduling

The heavens themselves, the planets and this center
Observe degree, priority, and place, ...

William Shakespeare

Nothing in progression can rest on its original plan. We may as well think of rocking a grown man in the cradle of an infant.

Edmund Burke

For every problem there is one solution which is simple, neat, and wrong.

H. L. Mencken

There is nothing more requisite in business than dispatch.

Joseph Addison

Outline

10.1 Introduction
10.2 Scheduling Levels
10.3 Scheduling Objectives
10.4 Scheduling Criteria
10.5 Preemptive vs. Nonpreemptive Scheduling
10.6 The Interval Timer or Interrupting Clock
10.7 Priorities
10.7.1 Static vs. Dynamic Priorities
10.7.2 Purchased Priorities
10.8 Deadline Scheduling
10.9 First-In-First-Out (FIFO) Scheduling
10.10 Round Robin (RR) Scheduling
10.11 Quantum Size
10.12 Shortest-Job-First (SJF) Scheduling
10.13 Shortest-Remaining-Time (SRT) Scheduling
10.14 Highest-Response-Ratio-Next (HRN) Scheduling
10.15 Multilevel Feedback Queues
10.16 Fair Share Scheduling
10.17 Sun UNIX Process Scheduling
10.18 VAX/VMS Process Scheduling

10.1 INTRODUCTION

The assignment of physical processors to processes allows processes to accomplish work. That assignment is a complex problem handled by the operating system. In this chapter we discuss the problems of determining when processors should be assigned, and to which processes. This is called *processor scheduling*. We also consider admitting new jobs to the system, and suspending and reactivating processes to adjust the system load.

10.2 SCHEDULING LEVELS

Three important levels of scheduling are considered (Fig. 10.1).

- *High-level scheduling*—Sometimes called *job scheduling*, this determines which jobs shall be allowed to compete actively for the resources of the system. This is sometimes called *admission scheduling* because it determines which jobs gain admission to the system. Once admitted, jobs become processes or groups of processes.
- *Intermediate-level scheduling*—This determines which processes shall be allowed to compete for the CPU. The intermediate-level scheduler responds to short-term fluctuations in system load by temporarily *suspending* and *activating* (or resuming) processes to achieve smooth system operation and to help realize certain systemwide performance goals. Thus the intermediate-level scheduler acts as a buffer between the admission of jobs to the system, and the assigning of the CPU to these jobs.
- *Low-level scheduling*—This determines which ready process will be assigned the CPU when it next becomes available, and actually assigns the CPU to this process (i.e., it *dispatches* the CPU to the process). Low-level scheduling is performed by the *dispatcher*, which operates many times per second. The dispatcher must therefore reside at all times in primary storage.

In this chapter we discuss many of the scheduling policies that have been used in operating systems and the *scheduling mechanisms* that implement them. Some of these policies are useful for both job and process scheduling. Coffman and Kleinrock (Co68) discuss popular scheduling methods and indicate how users who know what scheduling policy is in force can actually achieve better performance by taking appropriate countermeasures. Ruschitzka and Fabry (Ru77) give a classification of scheduling algorithms, and they present a formalization of the concept of priority.

10.3 SCHEDULING OBJECTIVES

Many objectives must be considered in the design of a scheduling discipline. In particular, a scheduling discipline should

- Be fair—A scheduling discipline is fair if all processes are treated the same, and no process can suffer indefinite postponement.
- Maximize throughput—A scheduling discipline should attempt to service the largest possible number of processes per unit time.

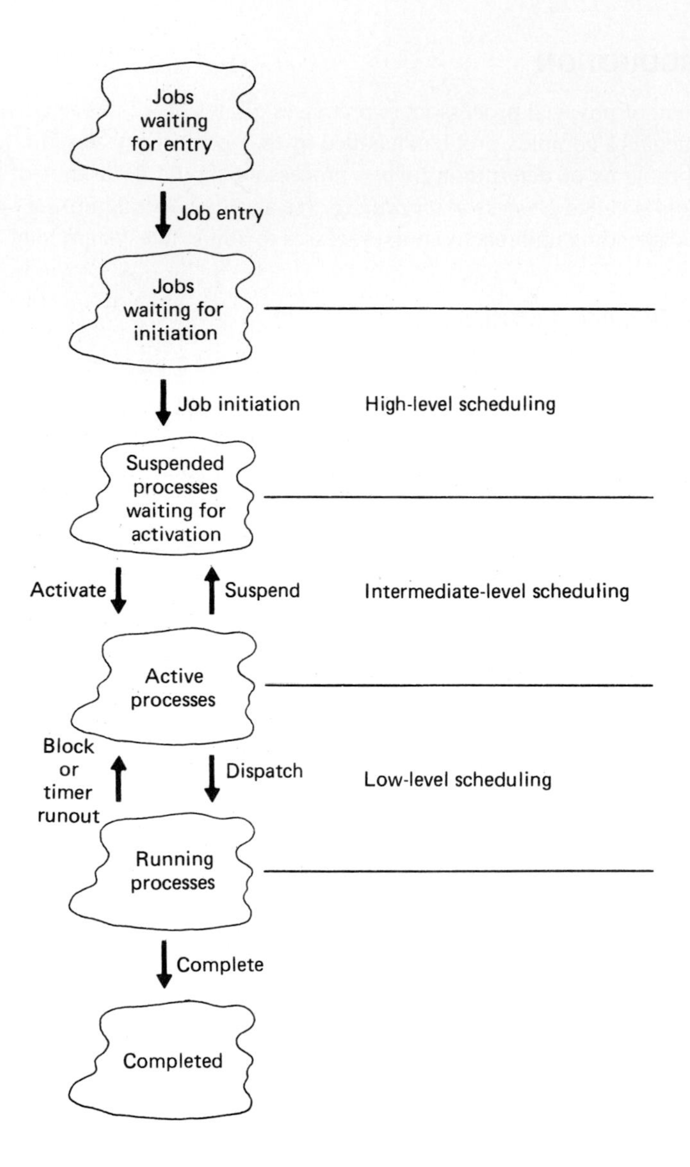

Fig. 10.1 Scheduling levels.

- Maximize the number of interactive users receiving acceptable response times (i.e., at most a few seconds).
- Be predictable—A given job should run in about the same amount of time and at about the same cost regardless of the load on the system.
- Minimize overhead—Interestingly, this is not generally considered to be one of the most important objectives. Overhead is commonly viewed as wasted resources. But a

certain portion of system resources invested as overhead can greatly improve overall system performance.

- Balance resource use—The scheduling mechanisms should keep the resources of the system busy. Processes that will use underutilized resources should be favored.
- Achieve a balance between response and utilization—The best way to guarantee good response times is to have sufficient resources available whenever they are needed. The price to be paid for this strategy is that overall resource utilization will be poor. In real-time systems, fast responses are essential, and resource utilization is less important. In other types of systems, the economics often makes effective resource utilization imperative.
- Avoid indefinite postponement—In many cases, indefinite postponement can be as bad as deadlock. Avoiding indefinite postponement is best accomplished by *aging*, i.e., as a process waits for a resource, its priority should grow. Eventually, the priority will become so high that the process will be given the resource.
- Enforce priorities—In environments in which processes are given priorities, the scheduling mechanism should favor the higher-priority processes.
- Give preference to processes holding key resources—Even though a low-priority process may be holding a key resource, the resource may be in demand by high-priority processes. If the resource is nonpreemptible, then the scheduling mechanism should give the process better treatment than it would ordinarily receive so that the process will release the key resource sooner.
- Give better service to processes exhibiting desirable behavior (low paging rates, for example).
- Degrade gracefully under heavy loads—A scheduling mechanism should not collapse under the weight of a heavy system load. Either it should prevent excessive loading by not allowing new processes to be created when the load is heavy, or it should service the heavier load by providing a moderately reduced level of service to all processes.

Many of these goals are in conflict with one another, thus making scheduling a complex problem.

10.4 SCHEDULING CRITERIA

To realize the scheduling objectives a scheduling mechanism should consider

- The *I/O-boundedness* of a process—When a process gets the CPU, does it use the CPU only briefly before generating an I/O request?
- The *CPU-boundedness* of a process—When a process gets the CPU, does it tend to use the CPU until its time quantum expires?
- Whether a process is batch or interactive—Interactive users generally submit "trivial" requests that should receive immediate service to guarantee good response times. Batch users can generally suffer reasonable delays.

- How urgent a fast response is—An overnight batch process will not need immediate response. A real-time process control system monitoring a gasoline refinery requires fast response, possibly to prevent an explosion.
- Process priority—High-priority processes should receive better treatment than those of lower priority.
- How frequently a process is generating page faults—Presumably, processes generating few page faults have accumulated their working sets in main storage. Processes experiencing large numbers of page faults have not yet established their working sets. The conventional wisdom is to favor processes that have established their working sets. Another viewpoint is that processes with high page fault rates should receive priority because they use the CPU only briefly before generating an I/O request.
- How frequently a process has been preempted by a higher priority process—Frequently preempted processes should receive less favored treatment. The point is that every time the operating system invests the overhead to get this process running, the short run-time before preemption does not justify the overhead of getting the process running in the first place.
- How much real execution time the process has received—Some designers feel that a process that has received little execution time should be favored. Others believe a process that has received much execution time should be near completion and should be favored to help it reach completion and leave the system as soon as possible.
- How much more time the process needs to complete—Average waiting times can be minimized by running those processes first that require the minimum run-time until completion. Unfortunately, it is rarely known exactly how much more time each process needs to complete.

10.5 PREEMPTIVE VS. NONPREEMPTIVE SCHEDULING

A scheduling discipline is *nonpreemptive* if, once a process has been given the CPU, the CPU cannot be taken away from that process. A scheduling discipline is *preemptive* if the CPU can be taken away.

Preemptive scheduling is useful in systems in which high-priority processes require rapid attention. In real-time systems (At84) (Ra84) (Vo87), for example, the consequences of missing an interrupt could be devastating. In interactive timesharing systems, preemptive scheduling is important in guaranteeing acceptable response times.

Preemption is not without cost. Context switching involves overhead. To make preemption effective, many processes must be kept in main storage so that the next process is normally ready for the CPU when it becomes available. Keeping nonrunning programs in main storage also involves overhead.

In nonpreemptive systems, short jobs are made to wait by longer jobs, but the treatment of all processes is fairer. Response times are more predictable because incoming high-priority jobs can not displace waiting jobs.

In designing a preemptive scheduling mechanism, one must carefully consider the arbitrariness of virtually any priority scheme. We may build a sophisticated mechanism to faithfully implement a priority preemption scheme when, in fact, the priorities themselves are not meaningfully assigned. It is not uncommon in operating systems to have fancy mechanisms supporting somewhat arbitrary schemes. The designer would be wise to evaluate every proposed mechanism carefully before implementing it. "Keep it simple" has great appeal, but if you can't keep it simple, you should at least insist on making it effective and meaningful.

10.6 THE INTERVAL TIMER OR INTERRUPTING CLOCK

The process to which the CPU is currently assigned is said to be running. If it is an operating system process, then the operating system is running, and it can make decisions influencing the operation of the system. To prevent users from monopolizing the system (either maliciously or accidentally), the operating system has mechanisms for taking the CPU away from the user.

The operating system sets an *interrupting clock* or *interval timer* to generate an interrupt at some specific future time (or at some elapsed time into the future). The CPU is then dispatched to the process. The process retains control of the CPU until it voluntarily releases the CPU, or the clock interrupts, or some other interrupt diverts the attention of the CPU. If the user is running and the clock interrupts, the interrupt causes the operating system to run. The operating system then decides which process should get the CPU next.

The interrupting clock helps guarantee reasonable response times to interactive users, prevents the system from getting hung up on a user in an infinite loop, and allows processes to respond to *time-dependent events*. Processes that need to run periodically depend on the interrupting clock.

10.7 PRIORITIES

Priorities may be assigned automatically by the system or they may be assigned externally. They may be earned or they may be bought. They may be static or they may be dynamic. They may be rationally assigned, or they may be arbitrarily assigned in situations in which a system mechanism needs to distinguish between processes but doesn't really care which one is truly more important.

10.7.1 Static vs. Dynamic Priorities

Static priorities do not change. Static priority mechanisms are easy to implement and have relatively low overhead. They are not, however, responsive to changes in environment, changes that might make it desirable to adjust a priority.

Dynamic priority mechanisms are responsive to change. The initial priority assigned to a process may have only a short duration after which it is adjusted to a more appropriate value. Dynamic priority schemes are more complex to implement and have greater overhead than static schemes. The overhead is hopefully justified by the increased responsiveness of the system.

10.7.2 Purchased Priorities

An operating system must provide competent and reasonable service to a large community of users but must also provide for those situations in which a member of the user community needs special treatment.

A user with a rush job may be willing to pay a premium, i.e., *purchase priority*, for a higher level of service. This extra charge is merited because resources may need to be withdrawn from other paying customers. If there were no extra charge, then all users would request the higher level of service.

10.8 DEADLINE SCHEDULING

In *deadline scheduling* certain jobs are scheduled to be completed by a specific time or deadline. These jobs may have very high value if delivered on time and may be worthless if delivered later than the deadline. The user is often willing to pay a premium to have the system ensure on-time completion (Ni70) (Mc79) (Kj83). Deadline scheduling is complex for many reasons.

- The user must supply the precise resource requirements of the job in advance. Such information is rarely available.
- The system must run the deadline job without severely degrading service to other users.
- The system must carefully plan its resource requirements through to the deadline. This may be difficult because new jobs may arrive and place unpredictable demands on the system.
- If many deadline jobs are to be active at once, scheduling could become so complex that sophisticated optimization methods might be needed to ensure that the deadlines are met.
- The intensive resource management required by deadline scheduling may generate substantial overhead. Even if deadline users are willing to pay a sufficiently high fee for the services received, the net consumption of system resources may be so high that the rest of the user community could suffer degraded service. Such conflicts must be considered carefully by operating systems designers.

10.9 FIRST-IN-FIRST-OUT (FIFO) SCHEDULING

Perhaps the simplest scheduling discipline is *first-in-first-out (FIFO)* (Fig. 10.2). Processes are dispatched according to their arrival time on the ready queue. Once a process has the CPU, it runs to completion. FIFO is a nonpreemptive discipline. It is fair in the formal sense but somewhat unfair in that long jobs make short jobs wait, and unimportant jobs make important jobs wait. FIFO offers a relatively small variance in response times and is therefore more predictable than most other schemes. It is not useful in scheduling interactive users because it cannot guarantee good response times.

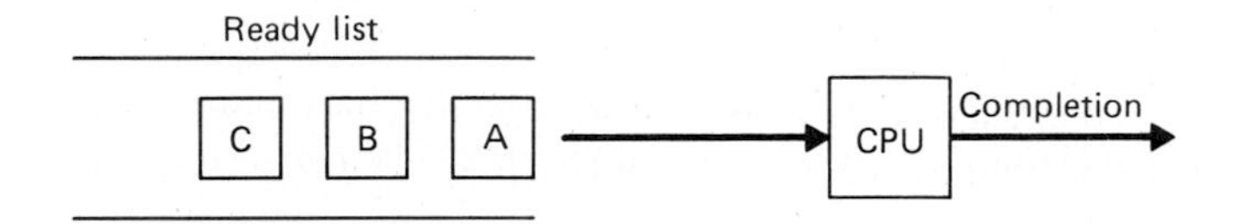

Fig. 10.2 First-in-first-out scheduling.

FIFO is rarely used as a master scheme in today's systems, but it is often embedded within other schemes. For example, many scheduling schemes dispatch processes according to priority, but processes with the same priority are dispatched FIFO.

10.10 ROUND ROBIN (RR) SCHEDULING

In *round robin (RR)* scheduling (Fig. 10.3), processes are dispatched FIFO but are given a limited amount of CPU time called a *time-slice* or a *quantum* (Kl70). If a process does not complete before its CPU time expires, the CPU is preempted and given to the next waiting process. The preempted process is then placed at the back of the ready list.

Round robin is effective in timesharing environments in which the system needs to guarantee reasonable response times for interactive users. The preemption overhead is kept low by efficient context switching mechanisms and by providing adequate memory for the processes to reside in main storage at the same time.

Kleinrock (Kl70) discusses a variant of round robin called *selfish round robin*. In this scheme, as processes enter the system, they first reside in a holding queue until their priorities reach the levels of processes in an active queue. While in the holding queue, a process's priority increases at a rate *a* until it is high enough to enter the active queue at which point the process's priority increases at a rate *b*. An exercise at the end of this chapter investigates some properties of the SRR scheme.

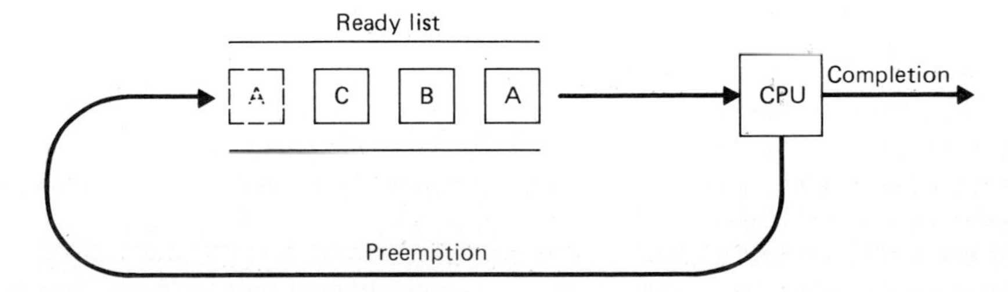

Fig. 10.3 Round robin scheduling.

10.11 QUANTUM SIZE

Determination of quantum size is critical to the effective operation of a computer system (Po76). Should the quantum be large or small? Should it be fixed or variable? Should it be the same for all users, or should it be determined separately for each user?

First, let's consider the behavior of the system as the quantum gets either very large or very small. As the quantum gets very large, each process is given as much time as it needs to complete, so the round robin scheme degenerates to first-in-first-out. As the quantum gets very small, context switching overhead becomes a dominant factor and the performance of the system eventually degrades to the point that most of the time is spent switching the processor, with little, if any, time spent performing users' computations.

Just where between zero and infinity should the quantum be set? Consider the following experiment. Suppose there is a circular dial marked in readings from $q = 0$ to $q =$ infinity. We begin with the knob positioned at zero. As the knob is turned, the quantum for the system changes. Assume the system is operational and that there are many interactive users. As the knob is initially rotated, the readings are near zero and the context switching overhead consumes most of the CPU resource. The interactive users experience a sluggish system with poor response times. As the knob is turned further thus increasing the quantum, the response times improve. At least the point has been reached at which the percentage of CPU consumed by overhead is small enough that the users receive some CPU service. But response times are still not very good.

As the knob is turned more, response times continue to improve. At one point, the users are getting prompt responses from the system. But it is still not clear if the quantum setting is optimal. The knob is turned a bit further, and response times become slightly better. But then, as the knob is turned more, the response times become sluggish again. As the quantum gets larger, it is becoming sufficiently large for each user to run to completion upon receiving the CPU. The scheduling is degenerating to FIFO in which longer processes make shorter ones wait, and the average waiting time increases as the longer processes run to completion before yielding the CPU.

Consider the supposedly optimal value of the quantum that yielded good response times. It is a small fraction of a second. Just what does this quantum represent? It is large enough so that the vast majority of interactive requests require less time than the duration of the quantum. When an interactive process begins executing, it normally uses the CPU long enough to generate an I/O request. Once the I/O is generated, that process yields the CPU to the next process. Because the quantum is larger than this compute-until-I/O time, the user processes are kept working at top speed. Each time a user process gets the CPU, there is great likelihood that it will run until it generates an I/O. This minimizes preemption overhead, maximizes I/O utilization, and provides relatively rapid response times.

Just what is this optimal quantum? Clearly, it varies from system to system, and it varies under different loads. It also varies from process to process, but our experiment isn't geared to measuring differences in processes.

When most processes are CPU-bound, it makes little sense to preempt processes. The point is that the additional overhead involved in preemption only detracts from system performance. As long as any interactive users are in the multiprogramming mix, however, the CPU must still be preempted periodically to guarantee interactive response times.

10.12 SHORTEST-JOB-FIRST (SJF) SCHEDULING

Shortest-job-first (SJF) is a nonpreemptive scheduling discipline in which the waiting job (or process) with the smallest estimated run-time-to-completion is run next. SJF reduces average waiting time over FIFO (Br74). The waiting times, however, have a larger variance (i.e., are more unpredictable) than FIFO, especially for large jobs.

SJF favors short jobs (or processes) at the expense of longer ones. Many designers advocate that the shorter the job, the better service it should receive. There is not universal agreement on this, especially when job priorities must be considered.

SJF selects jobs for service in a manner that ensures the next job will complete and leave the system as soon as possible. This tends to reduce the number of waiting jobs, and also reduces the number of jobs waiting behind large jobs. As a result, SJF can minimize the average waiting time of jobs as they pass through the system.

The obvious problem with SJF is that it requires precise knowledge of how long a job or process will run, and this information is not usually available. The best SJF can do is to rely on user estimates of run times. In production environments where the same jobs run regularly, it may be possible to provide reasonable estimates. But in development environments users rarely know how long their programs will execute.

Relying on user estimates has an interesting ramification. If users know that the system is designed to favor jobs with small estimated run-times, they may give small estimates. The scheduler can be designed, however, to remove this temptation. The user can be forewarned that if the job runs longer than estimated, it will be terminated and the user will be charged for the work. A second option is to run the job for the estimated time plus a small percentage extra, and then to shelve it (De68), i.e., preserve it in its current form so that it may be restarted at a later time. The user, of course, would pay for the shelving and unshelving (i.e., restarting) overhead, and would suffer a delay in the completion of the job. Another solution is to run the job for the estimated time at normal billing rates, and then to charge a premium rate, well above the normal charges, for additional execution time. Under this arrangement, the user providing unrealistically low run-time estimates to get better service will ultimately pay a sharp premium.

SJF, like FIFO, is nonpreemptive and thus not useful in timesharing environments in which reasonable response times must be guaranteed.

10.13 SHORTEST-REMAINING-TIME (SRT) SCHEDULING

Shortest-remaining-time-scheduling (SRT), is the preemptive counterpart of SJF and is useful in timesharing. In SRT, the process with the smallest estimated run-time to completion is run next, including new arrivals. In SJF, once a job begins executing, it runs to completion. In SRT a running process may be preempted by a new process with a shorter estimated run-time. Again, SRT requires estimates of the future to be effective, and the designer must provide for potential user abuse of system scheduling strategies.

SRT has higher overhead than SJF. It must keep track of the elapsed service time of the running job, and must handle occasional preemptions. Arriving small processes will run almost immediately. Longer jobs, however, have an even longer mean waiting time and variance of waiting times than in SJF.

SRT requires that elapsed service times be recorded, and this contributes to the scheme's overhead. Theoretically, SRT offers minimum waiting times. But because of preemption overhead it is possible that SJF might actually perform better in certain situations.

Suppose a running job is almost complete, and a new job with a small estimated service time arrives. Should the running job be preempted? The pure SRT discipline would perform the preemption, but is it really worth it? This situation may be handled by building in a threshhold value so that once a running job needs less than this amount of time to complete, the system guarantees it will run to completion uninterrupted.

Suppose a job arrives whose estimated service time is only slightly less than that remaining for a running job with much processing remaining. Here, too, pure SRT would perform the preemption. But if the preemption overhead is greater than the difference in service times of the two jobs, preempting the running job actually results in poorer performance. The point of all this is that *the operating systems designer must carefully weigh the overhead of resource management mechanisms against the anticipated benefits.*

10.14 HIGHEST-RESPONSE-RATIO-NEXT (HRN) SCHEDULING

Brinch Hansen (Br71) developed the *highest-response-ratio-next (HRN)* strategy that corrects some of the weaknesses in SJF, particularly the excessive bias against longer jobs and the excessive favoritism toward short new jobs. HRN is a nonpreemptive scheduling discipline in which the priority of each job is a function not only of the job's service time but also of the amount of time the job has been waiting for service. Once a job gets the CPU, it runs to completion. Dynamic priorities in HRN are calculated according to the formula

$$\text{priority} = \frac{\text{time waiting} + \text{service time}}{\text{service time}}$$

Because the service time appears in the denominator, shorter jobs will get preference. But because time waiting appears in the numerator, longer jobs that have been waiting will also be given favorable treatment. Note that the sum

$$\text{time waiting} + \text{service time}$$

is the system's response time to the job if the job were to be initiated immediately.

10.15 MULTILEVEL FEEDBACK QUEUES

When a process gets the CPU, especially when it has not as yet had a chance to establish a behavior pattern, the scheduler has no idea of the precise amount of CPU time the process will need. I/O-bound processes normally use the CPU only briefly before generating an I/O request. CPU-bound processes might use the CPU for hours at a time if it is made available on a nonpreemptible basis.

A scheduling mechanism should

- favor short jobs,
- favor I/O-bound jobs to get good I/O device utilization, and
- determine the nature of a job as quickly as possible and schedule the job accordingly.

Multilevel feedback queues (Fig. 10.4) provide a structure that accomplishes these goals (Kl70). A new process enters the queueing network at the back of the top queue. It moves through that queue FIFO until it gets the CPU. If the job completes or relinquishes

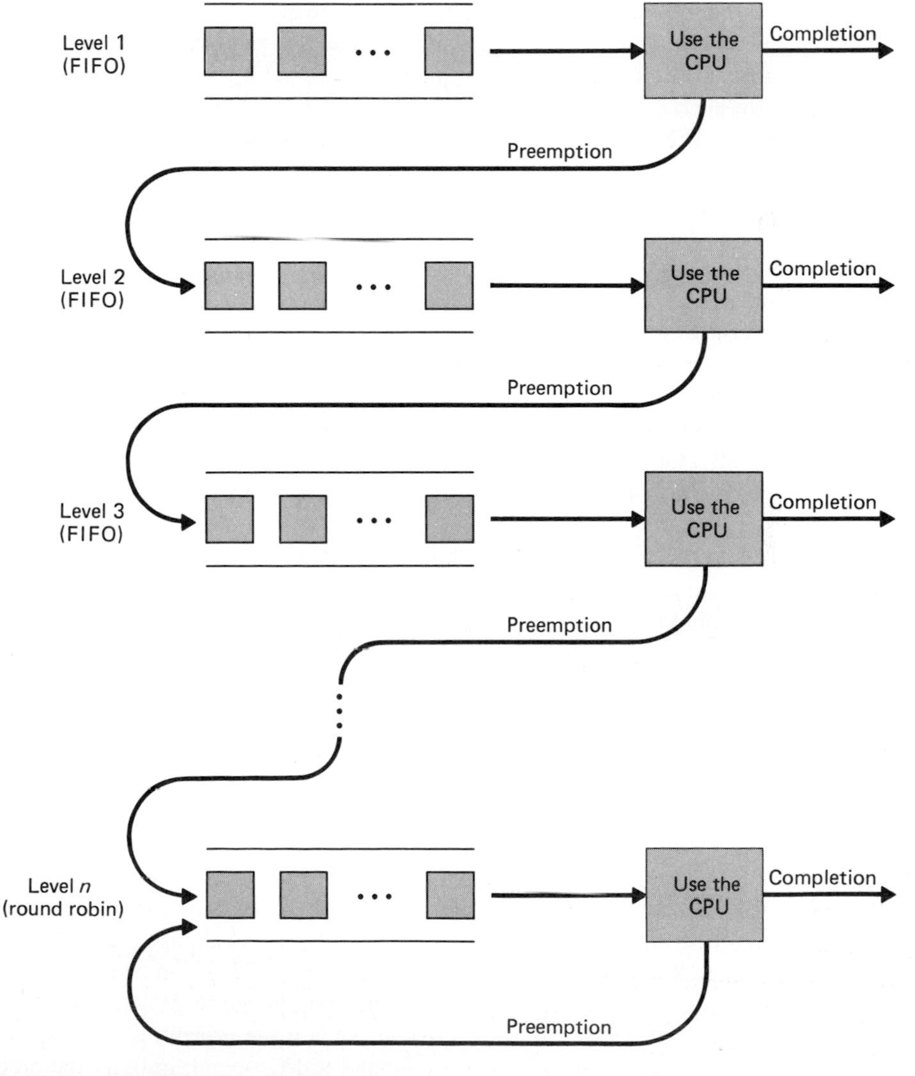

Fig. 10.4 Multilevel feedback queues.

the CPU to wait for I/O completion or completion of some event, the job leaves the queueing network. If the quantum expires before the process voluntarily relinquishes the CPU, the process is placed at the back of the next lower-level queue. The process is next serviced when it reaches the head of that queue if the first queue is empty. As long as the process uses the full quantum provided at each level, it continues to move to the back of the next lower queue. Usually there is some bottom-level queue through which the process circulates round robin until it completes.

In many multilevel feedback schemes, the quantum given to the process as it moves to each lower-level queue becomes larger. Thus the longer a process has been in the queueing network, the larger quantum it is assigned each time it gets the CPU. But it may not get the CPU very often because processes in the higher queues are given higher priority. A process in a given queue cannot run unless all higher-level queues are empty. A running process is preempted by a process arriving in a higher queue.

Consider how such a mechanism responds to different types of processes. The mechanism should favor I/O-bound processes to achieve good device utilization and responsiveness to interactive users. Indeed it will because the I/O-bound process will enter the network with high priority and will be given the CPU quickly. The quantum in the first queue is chosen to be large enough so that the vast majority of I/O-bound jobs will issue an I/O request before the first quantum expires. When the process requests I/O, it leaves the network, and it has truly received favored treatment as desired.

Now consider a CPU-bound job that needs a large amount of CPU time. It enters the network at the highest queue with high priority. It does receive its first shot at the CPU quickly, but its quantum expires, and the process is moved to the next lower queue. Now the process gets a lower priority as incoming processes, particularly the I/O-bound ones, get the CPU first. Eventually, the CPU-bound process does get the CPU, is given a larger quantum than in the highest queue, and again uses its full quantum. It is then placed at the back of the next lower queue. The process continues moving to lower queues, waits longer between time slices, and uses its full quantum each time it gets the CPU (unless preempted by an arriving process). Eventually, the CPU-bound process gets to the lowest-level queue where it circulates round robin until it completes.

Multilevel feedback queues are ideal for separating processes into categories based on their need for the CPU. In a timesharing system, each time a process leaves the queueing network, it can be "stamped" with the identity of the lowest-level queue in which it resided. When the process reenters the queueing network, it can be sent directly to the queue in which it last completed operation. Here the scheduler is using the heuristic that a process's recent past behavior is a good indicator of its near future behavior. So a CPU-bound process returning to the queueing network is not put into the higher-level queues where it would interfere with service to high-priority short processes or I/O-bound processes.

If processes are always put back in the network at the lowest queue they occupied the last time through, it will be impossible for the system to respond to changes in a process, for example, from being CPU-bound to being I/O-bound. This problem can be solved by also stamping the process with its duration through the network last time. When it reenters the network, it can then be placed in the correct queue. Then if the process is entering a new phase in which it will change from being CPU-bound to I/O-bound, initially the process will experience some sluggish treatment as the system determines that the nature of the process is changing. But the scheduling mechanism will respond to this change quickly. Another way to make the system responsive to changes in a process's behavior is to allow the process to move up one level in the feedback queueing network each time it voluntarily gives up the CPU before its quantum expires.

The multilevel feedback queueing mechanism is a good example of an *adaptive mechanism*, one that responds to the changing behavior of the system it controls (Bl76) (Po76). Adaptive mechanisms generally require more overhead than nonadaptive ones, but the resulting sensitivity to changes in the system makes the system more responsive and helps justify the increased overhead.

One common variation of the multilevel feedback queueing mechanism is to have a process circulate round robin several times through each queue before it moves to the next lower queue. Usually the number of cycles through each queue is increased as the process moves to the next lower queue.

10.16 FAIR SHARE SCHEDULING

Systems generally support various sets of related processes (such as the set of processes belonging to an individual user); *fair share scheduling (FSS)* supports process scheduling across such sets of processes (Ne82) (He 84) (Wo86) (Ka88). In the UNIX environment, FSS was developed to "give a prespecified rate of system resources at a fixed cost to a related set of users" (He 84, p. 1846).

Normally, UNIX considers resource consumption rates across all processes (Fig. 10.5), but with FSS, resources are apportioned to various *fair share groups* (Fig. 10.6).

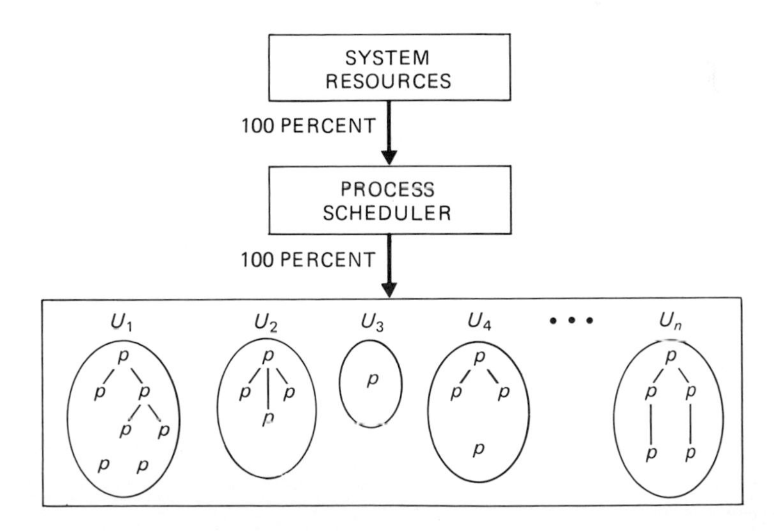

Fig. 10.5 Standard process scheduler. The scheduler grants the processor to users, each of which may have many processes. (Permission source: *AT&T Bell Laboratories Technical Journal*, Oct. 1984, p. 1847. Reprinted with permission. Copyright © 1984 AT&T.)

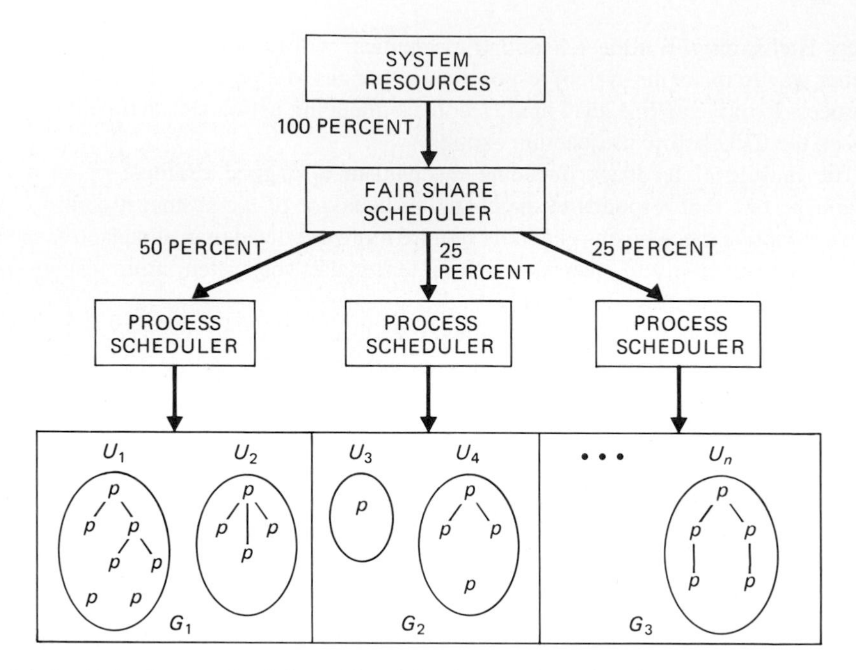

Fig. 10.6 Fair share scheduler. The fair share scheduler divides system resource capacity into portions, which are then allocated by process schedulers assigned to various fair share groups. (Permission source: *AT&T Bell Laboratories Technical Journal*, Oct. 1984, p. 1848. Reprinted with permission. Copyright © 1984 AT&T.)

Resources not used by a fair share group are distributed to other fair share groups in proportion to their relative needs.

UNIX commands establish fair share groups, and associate specific users with these groups. UNIX uses a priority round-robin process scheduler (He84). Each process has a priority, and processes of a given priority are associated with a priority queue for that value. The process scheduler selects the ready process at the head of the highest priority queue. Processes within a given priority are allocated round-robin. A process requiring further service after yielding the CPU gets a lower priority. Kernel priorities are high and apply to processes executing in the kernel. Disk events receive higher priority than terminal events. User priorities are lower than kernel priorities. The user priority is the ratio of recent CPU usage to elapsed real time; the lower this value, the higher the priority.

The fair share groups are prioritized by how close they are to achieving their specified resource utilization goals. Groups doing poorly receive higher priority; groups doing well receive lower priority. This type of dynamic load balancing scheme was investigated on the Multics Project at M.I.T.'s Project MAC (De68).

10.17 SUN UNIX PROCESS SCHEDULING

Sun's UNIX system (Cu85) performs process scheduling by assigning *base priorities* (a high of -20 to a low of +20 with a median of 0), and making *priority adjustments*. Priority adjustments are computed in response to changing system conditions. These are added to base priorities to compute *current priorities*; the process with the highest current priority is dispatched first.

The priority adjustment is strongly biased in favor of processes that have recently used relatively little CPU time. The scheduling algorithm "forgets" CPU usage quickly to give the benefit of the doubt to processes with changing behavior. The algorithm "forgets" 90% of recent CPU usage in $5 * n$ seconds; n is the average number of runnable processes in the last minute (Cu85). An exercise at the end of this chapter investigates the properties of this interesting scheduling algorithm.

10.18 VAX/VMS PROCESS SCHEDULING

In VAX/VMS (Ke88), process priorities range from 0–31, with 31 the highest priority assigned to critical *real-time processes*. *Normal processes* receive priorities in the range 0–15; real-time processes receive priorities in the range 16–31.

The priorities of real-time processes normally remain constant; no priority adjustments are applied. Real-time processes continue executing (without suffering quantum expirations) until they are preempted by processes with higher or equal priorities, or until they enter various wait states.

Other processes are scheduled as normal processes with priorities 0–15. These processes include interactive processes and batch processes, among others. Normal process priorities do vary. Their base priorities normally remain fixed, but they receive dynamic priority adjustments to give preference to I/O-bound processes over CPU-bound processes. A normal process retains the CPU until it is preempted by a more important process, until it enters a special state such as an event wait, or until its quantum expires. Processes with the same current priorities are scheduled round robin.

Normal processes receive priority adjustments of 0 to 6 above their base priorities. Such positive increments occur, for example, when requested resources are made available, or when a condition on which a process is waiting is signaled. I/O-bound processes tend to get positive adjustments in priority while compute-bound processes tend to have current priorities near their base priorities.

SUMMARY

Processor scheduling determines when processors should be assigned to which processes. High-level scheduling or job scheduling determines which jobs to admit to the system. Upon admission, these jobs become processes or groups of processes. Low-level scheduling or dispatching determines which ready process gets the CPU next. Intermediate-level scheduling determines which processes shall be allowed to compete for the CPU and which shall be temporarily suspended in response to short-term fluctuations in system load.

A scheduling discipline should be fair, maximize throughput, maximize the number of interactive users receiving acceptable response times, be predictable, minimize overhead, balance resource use, achieve a balance between response vs. utilization, avoid indefinite postponement, enforce priorities, give preference to processes holding key resources, give better service to processes exhibiting desirable behavior, and degrade gracefully under heavy loads. Many of these goals conflict with one another, thus making scheduling a complex problem.

To realize its goals a scheduling mechanism should consider the I/O-boundedness of a process, the CPU-boundedness of a process, whether a process is batch or interactive, the urgency of a fast response, the priority of each process, the rate at which each process generates page faults, the frequency of preemption of lower priority processes by higher-priority processes, the priorities of processes waiting for already assigned resources, the length of time each process has been waiting, the accumulated execution time of each process, and the estimated amount of time each process needs to complete.

A scheduling discipline is nonpreemptive if the CPU cannot be taken away from a process; it is preemptive if the CPU can be taken away. Preemptive scheduling is important in multiprogramming systems in which some processes must receive fast responses, and is especially important in real-time systems and timesharing systems.

The interval timer or interrupting clock is useful in preemptive systems. Upon the expiration of a designated time interval, the clock generates an interrupt that causes the CPU to be switched from the current process to the operating system. The operating system may then dispatch the next process.

Static priorities remain the same throughout the duration of a process; dynamic priorities change in response to changing system conditions. Some systems give the user the option of purchasing high priorities.

In deadline scheduling, certain processes are scheduled to be completed by a certain time. Deadline scheduling is a complex problem, particularly in environments in which additional work may arrive in the interim between the time the process begins execution and its intended completion deadline.

First-in-first-out (FIFO) is a nonpreemptive scheduling discipline with processes dispatched according to their arrival time on the ready list. It is a common job scheduling discipline in batch processing systems, but it cannot guarantee good response times to interactive users.

Round robin (RR) scheduling is essentially the preemptive version of FIFO. Processes are dispatched FIFO, but they are given the CPU only for a limited amount of time called a time-slice or quantum. If a process's quantum expires before it voluntarily relinquishes the CPU, the CPU is preempted and then dispatched to the next ready process. Round robin is commonly used to guarantee reasonable response times to interactive users.

Determining quantum size is a complex problem. It is critical to achieving good system utilization and reasonable response times. A very large quantum size causes any preemptive scheduling discipline to approximate its nonpreemptive counterpart. A very small quantum can waste CPU time by performing excessive context switching among processes.

Generally the quantum is chosen to be just large enough for the vast majority of trivial requests to complete within one quantum. On an I/O-bound system, for example, the quantum is just large enough for most processes to be able to issue their next I/O request within one quantum.

Shortest-job-first (SJF) scheduling is a nonpreemptive discipline used primarily for scheduling batch jobs. It minimizes the average waiting times for jobs, but long jobs can experience lengthy waits.

Shortest-remaining-time (SRT) is the preemptive counterpart of SJF. In SRT a running process may be preempted by a new process with a shorter estimated run time. SRT has a higher overhead than SJF, but it gives better service to arriving short jobs. It further reduces average waiting times for all jobs, but long jobs can suffer even greater delays than under SJF.

Brinch Hansen's highest-response-ratio-next (HRN) is a nonpreemptive discipline that corrects some of the weaknesses in SJF, particularly the excessive bias against longer jobs and the excessive favoritism toward short new jobs.

One of the most sophisticated scheduling mechanisms in use today is the multilevel feedback queueing network. It is a preemptive process scheduling discipline that is particularly useful in systems with diversified job mixes. New processes enter the network with very high priority and get fast service if they are either interactive or I/O-bound. Processes that are CPU-bound consume their full quantum and then are placed at the back of the next lower-priority queue. The longer a process uses the CPU, the lower its priority becomes, until it reaches the lowest-priority queue in the network where it circulates round robin until it completes. Normally, the quantum increases as the process moves to each lower priority queue.

A multilevel feedback queueing network is an example of an adaptive mechanism that responds to the changing behavior of the system it controls.

TERMINOLOGY

activate
adaptive mechanism
admission scheduling
cpu-boundedness
deadline scheduling
dispatcher
dispatching
dynamic priorities
fair share groups
fair share scheduling (FSS)
first-in-first-out (FIFO) scheduling
high-level scheduling
highest-response-ratio-next (HRN)
intermediate-level scheduling
interrupting clock
interval timer
I/O-boundedness
low-level scheduling (dispatching)
multilevel feedback queues
nonpreemptive scheduling
predictability
preemption
preemptive scheduling
priority scheduling
processor scheduling
purchased priority

quantum
quantum determination
response time
response vs. utilization
resume
round-robin scheduling
scheduler
scheduling
scheduling criteria
scheduling disciplines
scheduling levels
scheduling mechanisms
scheduling objectives
selfish round robin
shelve a process
shortest-job-first (SJF) scheduling
shortest-remaining-time (SRT) scheduling
static priorities
suspend
time-dependent events
time slice

EXERCISES

10.1 Distinguish among the following three levels of schedulers.

a) job scheduler

b) intermediate-level scheduler

c) dispatcher

10.2 Which level of scheduler should make a decision on each of the following questions?

a) Which ready process should be assigned the CPU when it next becomes available?

b) Which of a series of waiting batch jobs that have been spooled to disk should next be initiated?

c) Which processes should be temporarily suspended to relieve a short-term burden on the CPU?

d) Which temporarily suspended process is known to be I/O-bound and should be activated to balance the multiprogramming mix?

10.3 Distinguish between a scheduling policy and a scheduling mechanism.

10.4 The following are common scheduling objectives.

a) to be fair

b) to maximize throughput

c) to maximize the number of interactive users receiving acceptable response times

d) to be predictable

e) to minimize overhead

f) to balance resource utilization

g) to achieve a balance between response and utilization

h) to avoid indefinite postponement

i) to obey priorities

j) to give preference to processes that hold key resources

k) to give a lower grade of service to high overhead processes

l) to degrade gracefully under heavy loads

Which of the preceding objectives most directly applies to each of the following?

i) If a user has been waiting for an excessive amount of time, favor that user.

ii) The user who runs a payroll job for a 1000-employee company expects the job to take about the same amount of time each week.

iii) The system should admit jobs to create a mix that will keep most devices busy.

iv) The system should favor important jobs.

v) An important process arrives but cannot proceed because an unimportant process is holding the resources the important process needs.

vi) During peak periods, the system should not collapse from the overhead it takes to manage a large number of processes.

10.5 The following are common scheduling criteria.

a) I/O-boundedness of a process

b) CPU-boundedness of a process

c) is the process batch or interactive?

d) urgency of a fast response

e) process priority

f) page fault frequency

g) frequency of a process being preempted by higher priority processes

h) priorities of processes waiting for resources held by other processes

i) accumulated waiting time

j) accumulated execution time

k) estimated run-time to completion.

For each of the following, indicate which of the preceding scheduling criteria is most appropriate.

i) In a real-time spacecraft monitoring system, the computer must respond immediately to signals received from the spacecraft.

ii) Even though a process has been receiving occasional service, it is making only nominal progress.

iii) How often does the process voluntarily give up the CPU for I/O before its quantum expires?

iv) Is the user present and expecting fast interactive response times, or is the user absent?

v) One goal of processor scheduling is to minimize average waiting times.

10.6 A process is known to be generating a large number of page faults. Argue both for and against giving the process high priority for the CPU.

10.7 State which of the following are true and which are false. Justify your answers.

a) A process scheduling discipline is preemptive if the CPU cannot be forcibly removed from a process.

b) Real-time systems generally use preemptive CPU scheduling.

c) Timesharing systems generally use nonpreemptive CPU scheduling.

d) Response times are more predictable in preemptive systems than in nonpreemptive systems.

e) One weakness of priority schemes is that the system will faithfully honor the priorities, but the priorities themselves may not be meaningful.

10.8 Why shouldn't users be allowed to set the interrupting clock?

10.9 State which of the following refer to "static priorities" and which refer to "dynamic priorities."

a) are easier to implement

b) require less run-time overhead

c) are more responsive to changes in a process's environment

d) require more careful deliberation over the initial priority value chosen

10.10 Purchased priorities do not necessarily cost the user more than normal service. In fact, some systems allow users to purchase a very low priority (i.e., the "economy queue") for jobs that don't need to be run quickly. In what circumstances might a user actually request low priority at a cheaper rate?

10.11 Give several reasons why deadline scheduling is complex.

10.12 Give an example showing why FIFO is not an appropriate CPU scheduling scheme for interactive users.

10.13 Using the example from the previous problem, show why round robin is a better scheme for interactive users.

10.14 Determining the quantum is a complex and critical task. Assume that the average context switching time between processes is s, and the average amount of time an I/O-bound process uses before generating an I/O request is t $(t >> s)$. Discuss the effect of each of the following quantum settings.

a) q = infinity   b) q is slightly greater than zero

c) $q = s$ d) $s < q < t$

e) $q = t$ f) $q > t$

10.15 Discuss the effect of each of the following methods of assigning q.

1. q fixed and identical for all users   2. q fixed and unique to each user

3. q variable and identical for all users   4. q variable and unique to each user

a) Arrange the schemes above in order from lowest to highest run-time overhead.

b) Arrange the schemes in order from least to most responsive to variations in individual processes and system load.

c) Relate your answers in (a) and (b) to one another.

10.16 State why each of the following is incorrect.

a) SRT always has a lower average response time than SJF.

b) SJF is fair.

c) The shorter the job, the better the service it should receive.

d) Because SJF gives preference to short jobs, it is useful in timesharing.

10.17 State some weaknesses in SRT. How would you modify the scheme to get better performance?

10.18 Answer each of the following questions about Brinch Hansen's HRN strategy.

a) How does HRN prevent indefinite postponement?

b) How does HRN decrease the favoritism shown by other strategies to short new jobs?

c) Suppose two jobs have been waiting for about the same time. Are their priorities about the same? Explain your answer.

10.19 Show how multilevel feedback queues accomplish each of the following scheduling goals.

a) favor short jobs.

b) favor I/O-bound jobs to get good I/O device utilization.

c) determine the nature of a job as quickly as possible and schedule the job accordingly.

10.20 One heuristic often used by CPU schedulers is that a process's past behavior is a good indicator of its future behavior. Give several examples of situations in which CPU schedulers following this heuristic would make bad decisions.

10.21 An operating systems designer has proposed a multilevel feedback queueing network in which there are five levels. The quantum in the first level is 1/2 second. Each lower level has a quantum twice the size of the quantum at the previous level. A process cannot be preempted until its quantum expires. The system runs both batch and interactive jobs, and these, in turn, consist of both CPU-bound and I/O-bound jobs.

a) Why is this scheme deficient?

b) What minimal changes would you propose to make the scheme more acceptable for its intended job mix?

10.22 In the text, we mentioned that the SJF strategy can be proven to be optimal. In this problem, you will demonstrate this result empirically for a given set of jobs by examining all possible orderings of five jobs. In the next problem, you will actually prove the result. Suppose five different jobs are waiting to be processed, and that these jobs require 1, 2, 3, 4, and 5 time units, respectively. Write a program that produces all possible permutations of the five jobs (5! = 120), and calculates the average waiting time for each permutation. Sort these into lowest to highest average waiting time order and display each average time side-by-side with the permutation of the jobs. Comment on the results.

10.23 Prove that the SJF strategy is optimal. HINT: Consider a list of jobs each with an indicated duration. Pick any two jobs arbitrarily. Assuming that one is larger than the other, show the effect that placing the smaller job ahead of the longer one has on the waiting time of each job. Draw an appropriate conclusion.

10.24 One solution to the problem of avoiding indefinite postponement of processes is *aging*, in which the priorities of waiting processes increase the longer they wait. Develop several aging algorithms and write simulation programs to examine their relative performance. For example, a process's priority may be made to increase linearly with time, proportionally to the square of the time, or even more dramatically. For each of the aging algorithms you choose, determine how well waiting processes are treated realtive to high priority arriving processes.

10.25 One problem with preemptive scheduling is that the process switching overhead may tend to dominate if the system is not carefully tuned. Write a simulation program that determines the effects on system performance of the ratio of process switching overhead to typical quantum time. Discuss the factors that determine the typical process switching overhead, and the factors that determine the typical quantum time. Indicate how achieving a proper balance between these (i.e., tuning the system) can dramatically affect system performance.

10.26 Two common goals of scheduling policies are to minimize response times to users and to maximize resource utilization. Indicate how these goals are "at odds" with one another. Analyze each of the scheduling policies presented in this chapter from these two perspectives. Which are biased toward minimizing user response times? Which are biased toward maximizing resource utilization? Develop a new scheduling policy that enables a system to be tuned to achieve a good balance between these conflicting objectives.

10.27 In the selfish round robin scheme, the priority of a process residing in the holding queue increases at a rate *a* until the priority is as high as that of processes in the active queue at which point the process enters the active queue and its priority continues to increase, but now at the rate *b*. Discuss the relative behavior of SRR systems in which

a) $a = b$

b) $a > b$

c) $a < b$

10.28 How does a fair share scheduler differ in operation from a conventional process scheduler?

10.29 Consider the Sun UNIX process scheduling algorithm (Cu85) discussed in the text and answer each of the following questions.

a) Are CPU-intensive processes favored more when the system is heavily loaded or when it is lightly loaded?

b) How will an I/O-bound process perform immediately after an I/O completion?

c) Can CPU-bound processes suffer indefinite postponement?

d) As the system load increases, what effect will CPU-bound processes have on interactive response times?

e) How does this algorithm respond to changes in a process's behavior from CPU-bound to I/O-bound or vice versa?

10.30 Answer each of the following questions with regard to the VAX/VMS process scheduling mechanisms discussed in the text.

a) Why are the priorities of real-time processes normally kept constant?

b) Why are real-time processes not susceptible to quantum expirations?

c) Which normal process, I/O-bound or CPU-bound, generally receive preference?

d) Under what circumstances can a real-time process lose the CPU?

e) Under what circumstances can a normal process lose the CPU?

f) How are normal processes with the same priorities scheduled?

g) Under what circumstances do normal processes receive priority adjustments?

LITERATURE

(At84) Abbot, C., "Intervention Schedules for Real-Time Programming," *IEEE Transactions on Software Engineering*, Vol. SE-10, No. 3, May 1984, pp. 268–274.

(Ab70) Abell, U. A.; S. Rosen; and R. E. Wagner, "Scheduling in a General-Purpose Operating System," *Proceedings of the AFIPS, FJCC*, Vol. 37, 1970, pp. 89–96.

(Ba76) Babad, J. M., "A Generalized Multi-Entrance Time-Sharing Priority Queue," *Journal of the ACM*, Vol. 22, No. 2, April 1976, pp. 231–247.

(Bc86) Bach, M. J., *The Design of the UNIX Operating System*, Englewood Cliffs, NJ: Prentice-Hall, 1986.

(Bl76) Blevins, P. R., and C. V. Ramamoorthy, "Aspects of a Dynamically Adaptive Operating System," *IEEE Transactions on Computers*, Vol. 25, No. 7, July 1976, pp. 713–725.

(Bo79) Bolhari, S. H., "Dual Processor Scheduling with Dynamic Reassignment," *IEEE Transactions on Software Engineering*, Vol. SE-5, No. 4, July 1979.

(Br70) Brinch Hansen, P., "The Nucleus of a Multiprogramming System," *Communications of the ACM*, Vol. 13, No. 4, 1970, pp. 238–241.

(Br71) Brinch Hansen, P., "Short-Term Scheduling in Multiprogramming Systems," *Third ACM Symposium on Operating Systems Principles*, Stanford University, October 1971, pp. 103–105.

(Br73) Brinch Hansen, P., *Operating System Principles*, Englewood Cliffs, N. J.: Prentice-Hall, 1973.

(Bw72) Browne, J. C.; J. Lan; and F. Baskett, "The Interaction of Multiprogramming Job Scheduling and CPU Scheduling," *Proceedings of AFIPS, FJCC*, Vol. 41, 1972, pp. 13–22.

(Br74) Bruno, J.; E. G. Coffman, Jr.; and R. Sethi, "Scheduling Independent Tasks to Reduce Mean Finishing Time," *Communications of the ACM*, Vol. 17, No. 7, July 1974, pp. 382–387.

(Bu76) Bunt, R. B., "Scheduling Techniques for Operating Systems," *Computer*, Vol. 9, No. 10, October 1976, pp. 10–17.

(Bz71) Buzen, J. P., *Queueing Network Models of Multiprogramming*, Ph.D. Dissertation, Harvard University, 1971.

(Ch82) Chou, T. C. K., and J. A. Abraham, "Load Balancing in Distributed Systems," *IEEE Transactions on Software Engineering*, Vol. SE-8, No. 4, July 1982, pp. 401–412.

(Co68) Coffman, E. G., Jr., and L. Kleinrock, "Computer Scheduling Methods and Their Countermeasures," *Proceedings of AFIPS, SJCC*, Vol. 32, 1968, pp. 11–21.

(Cu85) Courington, W., *The UNIX System: A Sun Technical Report*, Mountain View, CA: Sun Microsystems, Inc., 1985.

(De68) Deitel, H. M., "Absentee Computations in a Multiple Access Computer System," *M.I.T. Project MAC, MAC-TR-52*, Advanced Research Projects Agency, Department of Defense, 1968.

(Di68) Dijkstra, E. W., "The Structure of the T.H.E. Multiprogramming System," *Communications of the ACM*, Vol. 11, No. 5, 1968, pp. 341–346.

(Gu88) Guthery, S. B., "Self-Timing Programs and the Quantum Scheduler," *Communications of the ACM*, Vol. 31, No. 6, June 1988, pp. 696–703.

(Hd84) Heidelberger, P., and S. S. Lavenberg, "Computer Performance Evaluation Methodology," *IEEE Transactions on Computers*, Vol. C-33, No. 12, December 1984, pp. 1195–1220.

(He84) Henry, G. J., "The Fair Share Scheduler," *Bell Systems Technical Journal*, Vol. 63, No. 8, Part 2, October 1984, pp. 1845–1857.

(Ho73) Horning, J. J., and B. Randall, "Process Structuring," *ACM Computing Surveys*, Vol. 5, No. 1, 1973, pp. 5–30.

(Je85) Jensen, E. D.; C. D. Locke; and H. Tokuda, "A Time-Driven Scheduling Model for Real-Time Operating Systems," *Proceedings of the IEEE Real-Time Systems Symposium*, December 3–6, 1985, pp. 112–122.

(Ka88) Kay, J., and P. Lauder, "A Fair Share Scheduler," *Communications of the ACM*, Vol. 31, No. 1, January 1988, pp. 44–55.

(Ke88) Kenah, L. J.; R. E. Goldenberg; and S. F. Bate, *VAX/VMS Internals and Data Structures: Version 4.4*, Bedford, MA: Digital Equipment Corporation, 1988.

(Kj83) Kleijnen, A. J. V., "Principles of Computer Charging in a University-Type Organization," *Communications of the ACM*, Vol. 26, No. 11, November 1983, pp. 926–932.

(Kl70) Kleinrock, L., "A Continuum of Time-Sharing Scheduling Algorithms," *Proceedings of AFIPS, SJCC*, 1970, pp. 453–458.

(La68) Lampson, B. W., "A Scheduling Philosophy for Multiprocessing Systems," *Communications of the ACM*, Vol. 11, No. 5, May 1968, pp. 347–360.

(Lr75) Larmouth, J., "Scheduling for a Share of the Machine," *Software Practice and Experience*, Vol. 5, No. 1, January 1975, pp. 29–49.

(Lr78) Larmouth, J., "Scheduling for Immediate Turnaround," *Software Practice and Experience*, Vol. 8, No. 5, September–October 1978, pp. 559–578.

(Li72) Liskov, B. H., "The Design of the Venus Operating System," *Communications of the ACM*, Vol. 15, No. 6, 1972, pp. 144–149.

(Lu73) Liu, C. L., and J. W. Layland, "Scheduling Algorithms for Multiprogramming in a Hard-Real-Time Environment," *Journal of the ACM*, Vol. 20, No. 1, January 1973, pp. 46–61.

(Mc79) McKell, L. J.; J. V. Hansen; and L. E. Heitger, "Charging for Computer Resources," *ACM Computing Surveys*, Vol. 11, No. 2, June 1979, pp. 105–120.

(My69) McKinney, J. M., "A Survey of Analytical Time-Sharing Models," *ACM Computing Surveys*, Vol. 1, No. 2, June 1969, pp. 105–116.

(Mu75) Muntz, R. R. "Scheduling and Resource Allocation in Computer Systems." In P. Freeman, *Software Systems Principles*, Chicago, Ill.: SRA, 1975.

(Ne82) Newbury, J. P., "Immediate Turnaround—An Elusive Goal," *Software Practice and Experience*, Vol. 12, No. 10, October 1982, pp. 897–906.

(Ni70) Nielsen, N. R., "The Allocation of Computing Resources—Is Pricing the Answer?" *Communications of the ACM*, Vol. 13, No. 8, August 1970, pp. 467–474.

(Po76) Potier, D.; E. Gelenbe; and J. Lenfant, "Adaptive Allocation of Central Processing Unit Quanta," *Journal of the ACM*, Vol. 23, No. 1, January 1976, pp. 97–102.

(Ra84) Ramamritham, K., and J. A. Stanovic, "Dynamic Task Scheduling in Hard Real-Time Distributed Systems," *IEEE Software*, Vol. 1, No. 3, July 1984, pp. 65–75.

(Ri74) Ritchie, D. M., and K. Thompson, "The UNIX Time Sharing System," *Communications of the ACM*, Vol. 17, No. 7, July 1974, pp. 365–375.

(Ru77) Ruschitzka, M., and R. S. Fabry, "A Unifying Approach to Scheduling," *Communications of the ACM*, Vol. 20, No. 7, July 1977, pp. 469–477.

(St77) Stone, H. S., "Multiprocessor Scheduling with the Aid of Network Flow Algorithms," *IEEE Transactions on Software Engineering*, Vol. SE-3, No. 1, January 1977, pp. 85–93.

(Ta86) Takagi, H., *Analysis of Polling Systems*, Cambridge, MA: The MIT Press, 1986.

(Va71) Varney, R. C., "Short-Term Scheduling in Multiprogramming Systems," *Third ACM Symposium on Operating System Principles*, Stanford University, October 1971, pp. 106–108.

(Vo87) Volz, R. A., and T. N. Mudge, "Instruction Level Timing Mechanisms for Accurate Real-Time Task Scheduling," *IEEE Transactions on Computers*, Vol. C-36, No. 8, August 1987, pp. 988–993.

(Vu78) Vuillemin, A., "A Data Structure for Manipulating Priority Queues," *Communications of the ACM*, Vol. 21, No. 4, April 1978, pp. 309–315.

(Wo86) Woodside, C. M., "Controllability of Computer Performance Tradeoffs Obtained Using Controlled-Share Queue Schedulers," *IEEE Transactions on Software Engineering*, Vol. SE-12, No. 10, October 1986, pp. 1041–1048.

(Wu74) Wulf, W. A.; E. Cohen; W. Corwin; A. Jones et al., "HYDRA: The Kernel of a Multiprocessor Operating System," *Communications of the ACM*, Vol. 17, No. 6, 1974, pp. 337–345.

11

Distributed Computing: The Parallel Computation View

What's going to happen in the next decade is that we'll figure out how to make parallelism work.

David Kuck
quoted in *TIME*, March 28, 1988

"The question is," said Humpty Dumpty, "which is to be master—that's all."

Lewis Carroll

I hope to see my Pilot face to face
When I have crossed the bar.

Alfred, Lord Tennyson

"If seven maids with seven mops
Swept it for half a year,
Do you suppose," the Walrus said,
"That they could get it clear?"

Lewis Carroll

The most general definition of beauty ... Multeity in Unity.

Samuel Taylor Coleridge

Outline

11.1 Introduction
11.2 The Fifth Generation Project and the Strategic Computing Initiative
11.3 Supercomputer Projects
11.4 Classification of Sequential and Parallel Architectures
11.5 Pipelining
11.6 Vector Processing
11.7 Array Processors
11.8 Data Flow Computers
11.9 Multiprocessors
11.10 Fault Tolerance
11.11 Computational Complexity Issues
11.12 Detecting Parallelism
  11.12.1 Loop Distribution
  11.12.2 Tree Height Reduction
11.13 The "Never Wait" Rule
11.14 Processor Interconnection Schemes
  11.14.1 Shared Bus
  11.14.2 Crossbar-Switch Matrix
  11.14.3 The Hypercube
  11.14.4 Multistage Networks
11.15 Loosely-Coupled Vs. Tightly-Coupled Systems
11.16 Fetch-and-Add
11.17 Multiprocessor Operating System Organizations
  11.17.1 Master/Slave
  11.17.2 Separate Executives
  11.17.3 Symmetrical Organization
11.18 Case Study: C.mmp and Cm*

11.19 Case Study: The Butterfly
11.19.1 The Butterfly Switch
11.19.2 The Mach 1000 Operating System
11.19.3 The pSOS Real-Time Operating System
11.20 Case Study: The Connection Machine
11.20.1 Data Parallel Computation
11.20.2 Connection Machine Fortran
11.20.3 Interprocessor Communication in Fortran 8x
11.20.4 Data Parallel Programming: The Sieve of Eratosthenes

11.1 INTRODUCTION

In this chapter we investigate the parallel processing techniques that are being used to push computing power to its limits. These techniques are frequently employed in the class of machines called supercomputers.

The 1980s saw the introduction of highly parallel architectures. The 1990s will see the development of concurrent programming languages and operating systems to control and make effective use of parallel hardware structures.

Multiprocessing is the use of multiple processors to execute separate portions of a computation truly simultaneously. Several classes of machines are generally referred to as multiprocessors, but the most popular are machines that have similar or identical processors and that share a common memory.

The small size of microprocessors makes it reasonable to consider packaging many of them in a single system. It is not unreasonable today to envision a system built with hundreds of thousands or even millions of microprocessors. Within a few decades, it may be reasonable to construct systems with billions or even trillions of microprocessors.

11.2 THE FIFTH GENERATION PROJECT AND THE STRATEGIC COMPUTING INITIATIVE

The *Fifth-Generation Computer Systems Project* announced by the Japanese (Mo84) (Mu85) is developing highly parallel supercomputers that, it is believed, are needed to develop truly intelligent machines (Fa87). These machines are geared to running Prolog, a language of great interest today in the fields of artificial intelligence and expert systems. The performance of these machines will be measured in *lips* (for logical inferences per second), with a goal of developing gigalips machines by the mid-1990s. Equating 1 LIPS to as many as 1000 instructions per second could mean that fifth generation computers would have to run in the range of a trillion instructions per second.

The United States government is heavily funding parallel computing research (Sc85). Specifically, *DARPA* (the Defense Advanced Research Projects Agency) has launched the *Strategic Computing Initiative (SCI)* with funding in excess of $100 million per year. Some of the projects DARPA has funded include the *NYU Ultracomputer* (Go83) (Se86), the Caltech *Cosmic Cube* (Fo85) (Sz85), the University of Illinois *Cedar* multiprocessor (Em85) (Ku86), and MIT's static data flow architectures project, which developed the data flow language *VAL* (Mc82).

11.3 SUPERCOMPUTER PROJECTS

The goal of *supercomputers* is to push the state of the art in computing to its practical limits. Thus, a supercomputer is simply one of the most powerful computing machines available today; such machines number only in the hundreds today.

Today's supercomputers operate in the *gigaflops* (for billion floating point operations per second) range. Within a decade, *teraflops* (for trillion floating point operations per second) machines are likely to be available. To put that in perspective, that would be the equivalent of a million of today's better personal computers.

One of the pioneers in the field of supercomputing is Seymour Cray, a cofounder of Control Data Corporation and of his own firm, Cray Research. The most popular supercomputer at the time this book went to press was the *Cray X-MP*, which first appeared in 1982. The Cray X-MP (La84) (Hw85) (Ri85) has two or four identical processors that share I/O and memory. Main memory uses 64-bit words, an indication of the machine's design to favor high-precision scientific computation. The memory is 32-way interleaved. The CPUs communicate through clusters of shared registers.

The *Cedar* System (Em85) (Ku86) (St88) was developed at the Center for Supercomputing Research and Development at the University of Illinois. It connects eight Alliant FX/8 superminicomputers with a multistage network to 64 global memory modules. The designers hope to double the number of processors every year.

The *Cosmic Cube* (Sz85) is a "hypercube" multiprocessor developed at the California Institute of Technology. IBM is working on a machine dubbed the TF-1, a supercomputer with a goal of executing 3 trillion double-precision floating point operations per second (Se88). This is about 1000 times faster than today's most powerful supercomputers.

11.4 CLASSIFICATION OF SEQUENTIAL AND PARALLEL ARCHITECTURES

An early scheme for classifying computers into increasingly parallel configurations was developed by Flynn (Fl66) and is shown in Fig. 11.1. In the context of this scheme, there are *data streams* and *instruction streams*.

The most common architecture available today is the *SISD (single instruction stream, single data stream)* machine, essentially the von Neumann architecture. These are uniprocessor computers that process one instruction at a time. SISD machines process data from a single data stream.

Acronym	Meaning	Instruction Streams	Data Streams	Examples
SISD	Single instruction stream, single data stream	1	1	IBM 370, DEC, VAX, Macintosh
SIMD	Single instruction stream, multiple data stream	1	>1	ILLIAC IV, Connection Machine, NASA's MPP
MISD	Multiple instruction stream, single data stream	>1	1	Not used
MIMD	Multiple instruction stream, multiple data stream	>1	>1	Cray X/MP, Cedar, Butterfly

Fig. 11.1 Classification scheme for computer architectures.

The *SIMD (single instruction stream, multiple data stream)* machine is commonly referred to as an *array processor*, a device that essentially performs the same operation simultaneously on every element of an array (Mu88). Vector processors and pipeline processors are sometimes included in this category.

The *MISD (multiple instruction stream, single data stream)* machine has not found application in industry.

The *MIMD (multiple instruction stream, multiple data stream)* machine is a true *parallel processor*; machines in this class are commonly called *multiprocessors*.

Flynn's scheme has been extended by Skillicorn (Sk88) to 28 different classes, including four for array processors and 16 for multiprocessors.

11.5 PIPELINING

Pipelining is a performance enhancement technique that enables several machine language instructions to be in various stages of execution at once (Dr85) (Cl87) (Li88) (Sk88) (Be89). Multi-stage pipelines are much like assembly lines in automobile factories. Each station in the instruction pipeline performs a different operation on an instruction, then the instruction moves on to the next station; all stations operate in parallel. Pipelines enable many instructions, each in different phases of execution, to be in progress at once. These phases typically include instruction fetch, operand fetch, instruction decode, and instruction execution. Early computers executed a single machine language instruction at a time, start to finish. Today's pipelined systems begin working on the next instruction, and often the next several, while the current instruction is executing.

11.6 VECTOR PROCESSING

There is much confusion in the literature between the terms pipelining and *vector processing* (No84). Vector processing (Hc86) (Li88a) specifically requires vector instructions in the machine language. Vector processing requires pipelined hardware, but not vice versa (No84). A vector instruction indicates the operation to be performed, and specifies the list of operands (called a *vector*) on which it is to operate. When a vector instruction is executed, the elements of the vector are fed into the appropriate pipeline one at a time, delayed by the time it takes to complete one stage of the pipeline. Compilers "vectorize" programs to run efficiently on vector processors (Pa86).

The Cray-1 vector processor has 13 piplines that can operate in parallel; these are dedicated to operations such as floating addition, floating multiplication, reciprocal approximation, fixed addition, and so on (No84).

11.7 ARRAY PROCESSORS

Array processors are SIMD machines; they perform the same instruction simultaneously on all elements of an array (We80) (Pe81) (Pe87) (Sk88). The reader familiar with electronic spreadsheets undoubtedly sees an immediate application for array processors. Array processors are not useful for general-purpose computing environments characterized by the need to perform independent tasks in parallel. One of the earliest array processors was the ILLIAC IV, developed at the University of Illinois (Ba68) (Mi73). The MPP (Massive Parallel Processor) is an SIMD machine that has 16,384 processors (Po85). It can perform a total of more than 6 billion 8-bit operations per second. It was designed for NASA by Goodyear Aerospace to perform image processing tasks. This level of parallelism has been surpassed by the 65,536-processor Connection Machine (CM), an array processor built by Thinking Machines Corp. A detailed case study on the CM appears at the end of this chapter.

11.8 DATA FLOW COMPUTERS

In sequential processors, control of what to do next resides in the program counter which, after the completion of one instruction, normally points to the next instruction to be performed.

Data flow computers (De80) (Ac82) (Ba84) (Tr84) (Cl85) (Gu85) (Ol85) (Ri85) (Ha86) (Sr86) (Sk88) can perform many operations in parallel. These machines are said to be *data driven* (Tr82) because they perform each instruction (potentially simultaneously if enough processors are available) for which the needed data is available. Data flow machines have not been implemented commercially, but as we will see in Chapter 14, data flow techniques are already being incorporated in compilers that prepare programs for optimal execution on various kinds of parallel architectures.

An example of how a data flow computer might outperform a sequential computer is shown in Fig. 11.2, in which a series of assignment statements is evaluated for both a parallel data flow architecture and a sequential architecture.

On a sequential processor, seven separate evaluation steps must be executed sequentially; three of these involve the slower operations of multiplication and division. On a parallel data flow processor, only four evaluation steps need to be performed; only two of these involve multiplication and division.

11.9 MULTIPROCESSORS

One appeal of multiprocessing systems is that if a processor fails, the remaining processors can normally continue operating. A failing processor must somehow inform the other processors to take over; functioning processors must be able to detect a processor that has failed. The operating system must note that a particular processor has failed and is no longer available for allocation.

Instead of talking about multiprocessing in today's sense, i.e., two (or perhaps a few more) processors, we now commonly talk about *massive parallelism*. The theoretical question of interest is: "Given the availability of massive parallelism, what is the minimum time required to execute a particular algorithm?"

By utilizing many CPUs, systems may realize many goals. Increased computing power is made possible by combining the processing power of several processors. With decreasing hardware costs, it has become common to connect a large number of microprocessors to

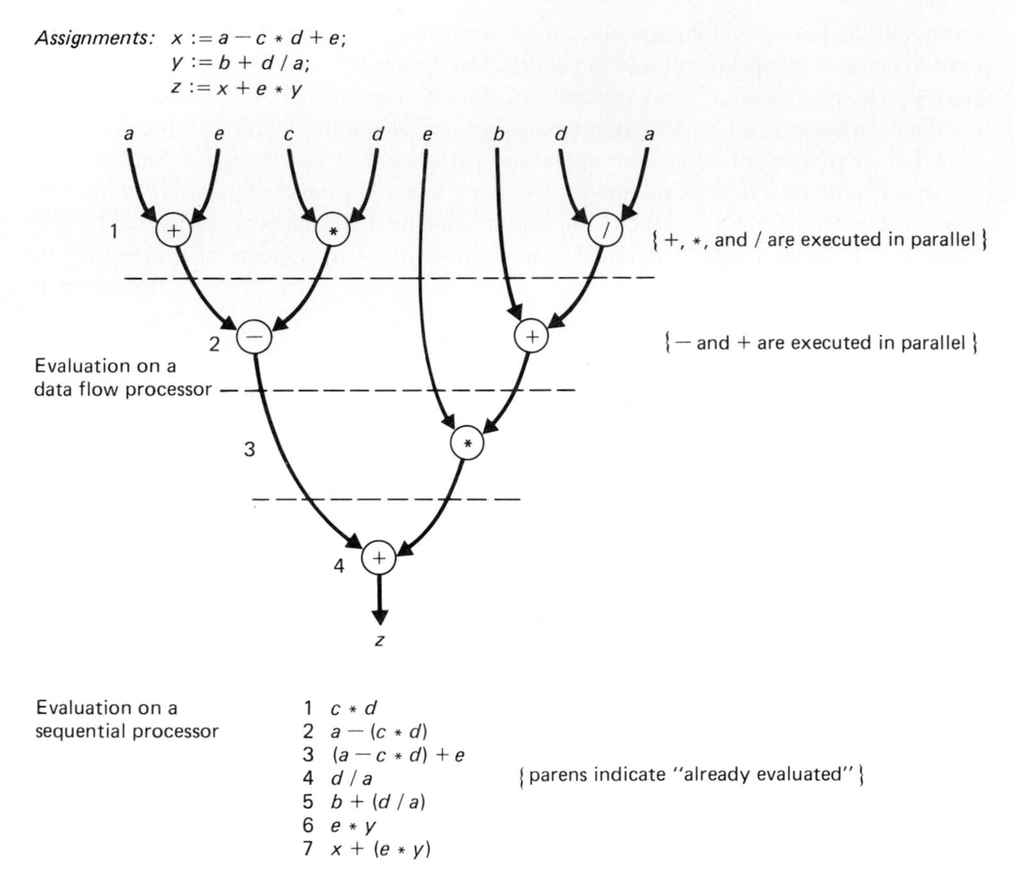

Fig. 11.2 Evaluation of assignment statements on a data flow computer.

form a multiprocessor (Fa83) (Bi84) (De86) (Th88); in this way, large-scale computer power can be achieved without the use of costly ultrahigh-speed processors.

11.10 FAULT TOLERANCE

One of the most important capabilities of multiprocessor operating systems is their ability to withstand equipment failures in individual processors and to continue operation; this ability is referred to as *fault tolerance* (Kl86) (Bo87).

Fault tolerant systems can continue operating even when portions of the system fail. This kind of operation is especially important in so-called *mission critical systems* such as those for which Ada has become the language of choice (see Chapter 5). Ethical systems design considerations are increasing the interest in building highly-reliable systems. Fault-tolerant designs are especially important in systems in which it may not be possible for humans to intervene and repair the problem, such as in deep-space probes, aircraft, and the like. It is also appropriate for systems in which the consequences of failure are so huge, and in which these consequences could happen so quickly that humans could not intervene quickly enough.

Many techniques are commonly used to facilitate fault tolerance. These include

- Critical data for the system and the various processes should be maintained in multiple copies. These should reside in separate storage banks so that failures in individual components will not completely destroy the data.
- The operating system must be designed so that it can run the maximal configuration of hardware effectively, but it must also be able to run subsets of the hardware effectively in case of failures.
- Hardware error detection and correction capabilities should be implemented so that extensive validation is performed without interfering with the efficient operation of the system.
- Idle processor capacity should be utilized to attempt to detect potential failures before they occur.

11.11 COMPUTATIONAL COMPLEXITY ISSUES

Researchers in the field of computational complexity have been showing intense interest in the study of parallel algorithms (Ro83) (Wa85) (Ka86). Parallel architectures can only speed the solution of problems if effective parallel algorithms can be found to replace existing sequential algorithms.

The availability of parallel processors has no effect on whether or not a problem is *solvable* in the theoretical sense; it merely enables the result of a solvable problem to be computed in less time. This benefit is certainly not to be ignored, however, because it still enables us to attack larger classes of solvable problems more efficiently. It is not unusual for researchers in the field of parallel supercomputing to say that they want to perform computations in an hour that currently take a month.

There are very large classes of interesting problems which to be solved effectively on a parallel processor would require such massive parallelism that it would never be feasible to build an appropriate computer system to handle these problems. If, for example, the computational complexity of a problem demands 2^n processor cycles to solve a problem of "size n," then a problem of only size 100 would require more computing time than the suspected age of the universe! No matter what degree of massive parallelism we might eventually be able to realize, we can trivially extend the size of such problems to demand vast increases in computing power.

NP-complete problems ("nondeterministic polynomial") are characterized by having a best-known algorithm whose computation time is an exponential function of the "size" of the problem (Ka86). Parallel processors are of little use in solving such problems efficiently in the general case; these problems are said to be *intractable*. The class of algorithms whose computation time is a polynomial function of the problem size (and for which parallel algorithms can be found) can benefit more directly by the application of massive parallelism; these problems are said to be *tractable*.

Garey and Johnson (Ga79) discuss many important problems known to be NP-complete. Rosenkrantz and Stearns (Ro83) offer a number of suggestions for attacking such problems: choose problems of small size, solve only special cases, solve for the limited cases that occur in practice, and in the case of optimization problems—seek fast running solutions that may be only "near optimal." Their final suggestion is to "work on some other problem."

11.12 DETECTING PARALLELISM

The detection of parallelism—by the programmer, the language translator (Ku77) (Ba80) (Pa86) (Bu88), the hardware, or the operating system, is a complex problem of intense interest to researchers today. Regardless of how parallelism is detected, multiprocessors may exploit it by executing the parallel portions of computations simultaneously.

Explicit parallelism is indicated by a programmer using a concurrency construct such as **cobegin/coend** as follows.

```
cobegin
   statement-1;
   statement-2;
   ...
   statement-n
coend
```

In a multiprocessing system designed to exploit this concurrency, separate processors might be used to execute each of the statements.

Explicit indication of parallelism is time consuming, and the programmer may erroneously indicate that certain operations can be performed in parallel when they cannot. The programmer is likely to code explicit parallelism only for the more obvious situations. Modifying a program with explicit parallelism could introduce subtle bugs.

The real hope is the automatic detection of *implicit parallelism*, i.e., parallelism intrinsic to the algorithm. Detection mechanisms may be included in compilers, operating systems, and computer hardware to exploit implicit parallelism. Two common techniques used by compilers for exploiting implicit parallelism are *loop distribution* and *tree height reduction*.

11.12.1 Loop Distribution

The statements within a loop body are such that parallel execution may be possible. Consider the following

```
for i = 1 to 4 do
   a(i) = b(i) + c(i)
```

which adds the corresponding elements of arrays b and c and places the sums in array a. This loop causes a sequential processor to perform the four iterations of the loop in sequence. These iterations are independent of one another and may be performed concurrently by four processors in a multiprocessor system. A compiler could convert the preceding **for** loop into the parallel execution structure

```
cobegin
   a(1) = b(1) + c(1);
   a(2) = b(2) + c(2);
   a(3) = b(3) + c(3);
   a(4) = b(4) + c(4)
coend
```

which is a technique called *loop distribution*.

11.12.2 Tree Height Reduction

Compilers may detect implicit parallelism in algebraic expressions and produce object code for multiprocessors, indicating that certain operations may be performed simultaneously. A compiler uses rules of operator precedence to assign a unique sequential ordering to the operations in an algebraic expression. The compiler may then proceed to generate the appropriate machine code .

Often, the uniqueness and the sequential ordering is not necessary. For example, since addition and multiplication are both commutative operations, a compiler generating code to multiply p by q may generate either $p * q$ or $q * p$; the results of the computations will be identical. Similarly, adding p to q may be accomplished by either $p + q$ or $q + p$. Taking advantage of commutativity, associativity, and distributivity, compilers may rearrange expressions so that they are more amenable to parallel computation.

Figure 11.3 illustrates how an algebraic expression would be translated by a conventional compiler and how it might be manipulated by a compiler designed to locate implicit parallelism. The diagram at the left of the figure shows a tree structure indicating how a conventional compiler might generate code to perform the indicated operations. The numbers 1, 2, and 3 are used to indicate the order in which the various operations would be performed. By taking advantage of the associative property of addition, it is possible to manipulate the expression

$$((p + q) + r) + s$$

to yield the exprcssion

$$(p + q) + (r + s)$$

which is more amenable to parallel execution. The first expression requires three levels in the tree structure. The second expression only requires two, so it may be executed faster on a multiprocessor.

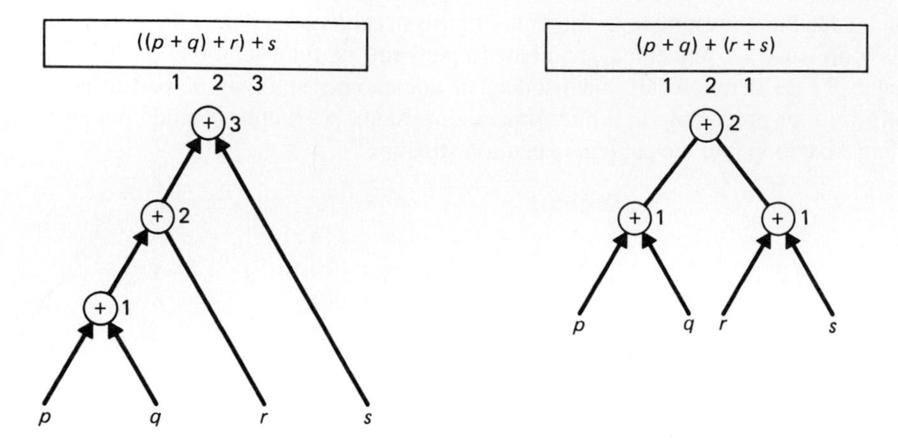

Fig. 11.3 Tree height reduction by associativity.

Figure 11.4 illustrates how the commutative property of addition may be used to convert a sequential computation involving three levels in the tree structure to a parallel computation involving only two levels. Figure 11.5 shows how the distributive property of multiplication across addition may be used to reduce the depth of the associated tree structure from four to three.

11.13 THE "NEVER WAIT" RULE

The *never wait rule* states that it is better to give a processor a task that may or may not be used eventually than it is to let the processor sit idle. The point is that if the task is

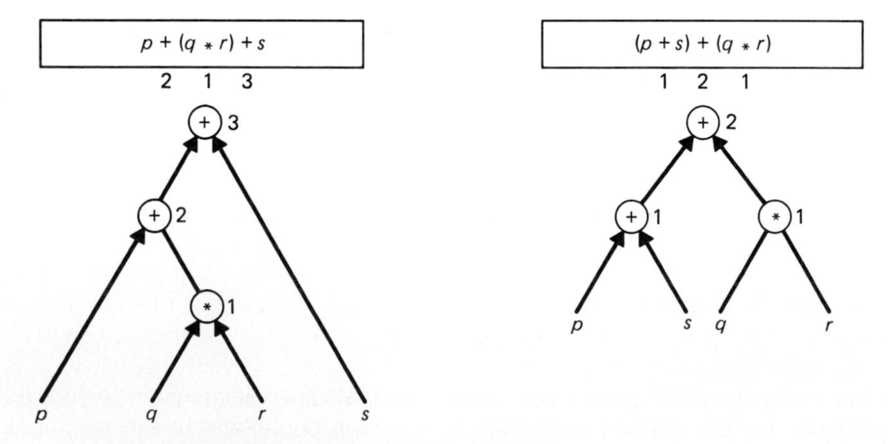

Fig. 11.4 Tree height reduction by commutativity.

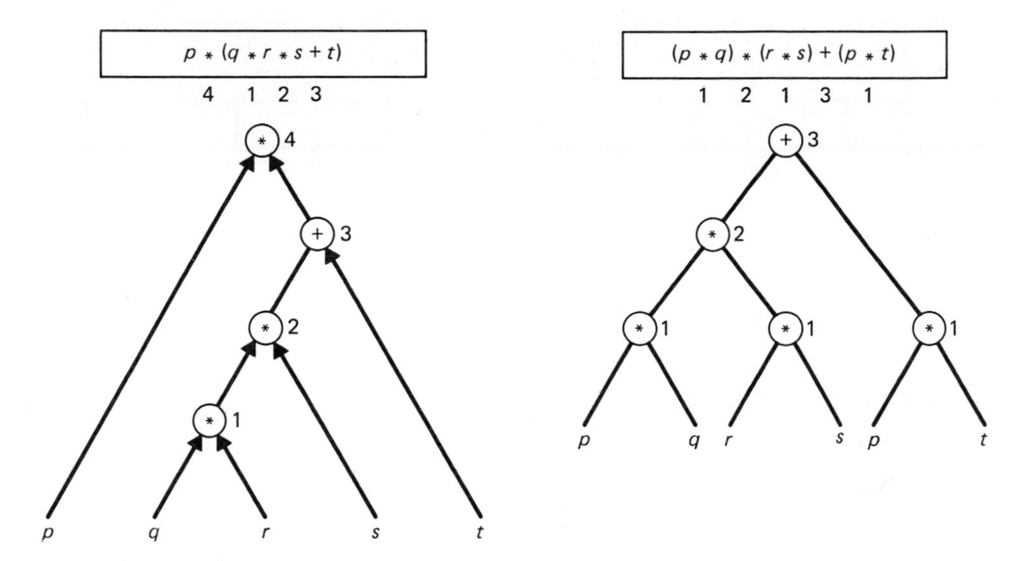

Fig. 11.5 Tree height reduction by distributivity.

eventually needed, it will be possible to perform computations faster. Consider the following example

```
a := c * c;
if a = 9 then d := 10;
e := d * f
```

Based on the result of the first statement, the second statement may alter the value of *d*, or it may leave *d* as is. If *d* is left as is, then the third statement could have been performed in parallel with the first statement. If *d* is altered, then the third statement needs to use this new value. The strategy of "never wait" is to perform the third statement in parallel with the first statement. If *d* changes, then the third statement will have to be reexecuted. If *d* does not change, then the third statement has already been performed, so the computation may complete faster.

11.14 PROCESSOR INTERCONNECTION SCHEMES

One of the key problems in the design of multiprocessor systems is determining the means of connecting thc multiple processors and input/output processors to the storage units. Several popular schemes have evolved (En77) (Md87) (Re87) (Bh89). We are concerned in the next several sections only with true multiprocessors, which have two or more processors of comparable capabilities, share access to common storage, share access to input/output channels, control units, and devices, and are controlled by one operating system.

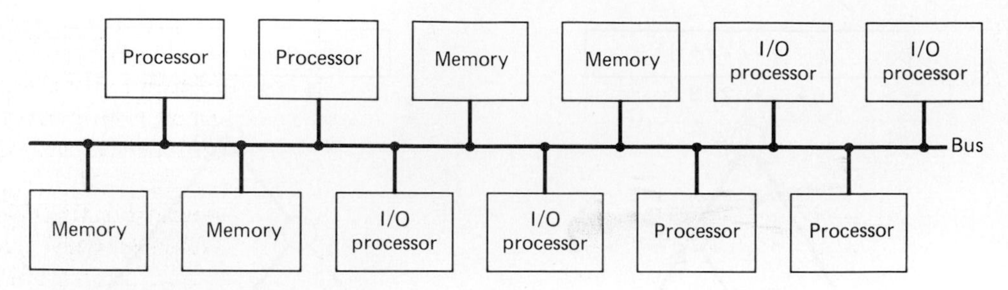

Fig. 11.6 Shared bus multiprocessor organization.

11.14.1 Shared Bus

The *shared bus* multiprocessor organization, shown in Fig. 11.6, uses a single communication path between all the processors, the storage units, and the I/O processors (En77) (Re86) (Bh89). In this simple scheme, the bus is essentially a *passive* unit, i.e., transfer operations between the functional units are controlled by the *bus interfaces* of the units themselves. The Ethernet local area networking scheme (see Chapter 16) uses a shared bus.

The processor or I/O processor wishing to transfer data must check the availability of the bus and the availability of the destination unit, and initiate the actual data transfer. The receiving units must be able to recognize which messages on the bus are addressed to them, and they must interpret and acknowledge the control signals received from the sending unit.

The shared bus organization makes it easy to add new units by simply attaching them directly to the bus. For communication to occur, each unit must know what other units are on the bus; this is generally handled in software.

The most serious disadvantages of this organizational scheme come from the single communications path. The bus can handle only one transmission at a time. The entire system fails if the bus fails (i.e., a *catastrophic failure*). The transmission rate of the system is constrained by the transmission rate of the bus. *Contention* for the use of the bus in a busy system can cause serious performance degradation.

These limitations constrain the use of the shared bus to smaller multiprocessing systems. Some designers have used multiple-bus schemes to improve throughput and reliability (Md87).

11.14.2 Crossbar-Switch Matrix

Increasing the number of buses in a shared bus-system to the number of storage units creates a multiprocessor organization called the *crossbar-switch matrix* (En77) (Re86) (Bh89), in which there is a separate path to every storage unit (Fig. 11.7). With this scheme, references to two different storage units may occur simultaneously—one reference cannot block the other. A crossbar-switch matrix system can support simultaneous transmissions for all storage units; thus the crossbar switch is the best performing interconnection scheme (St88).

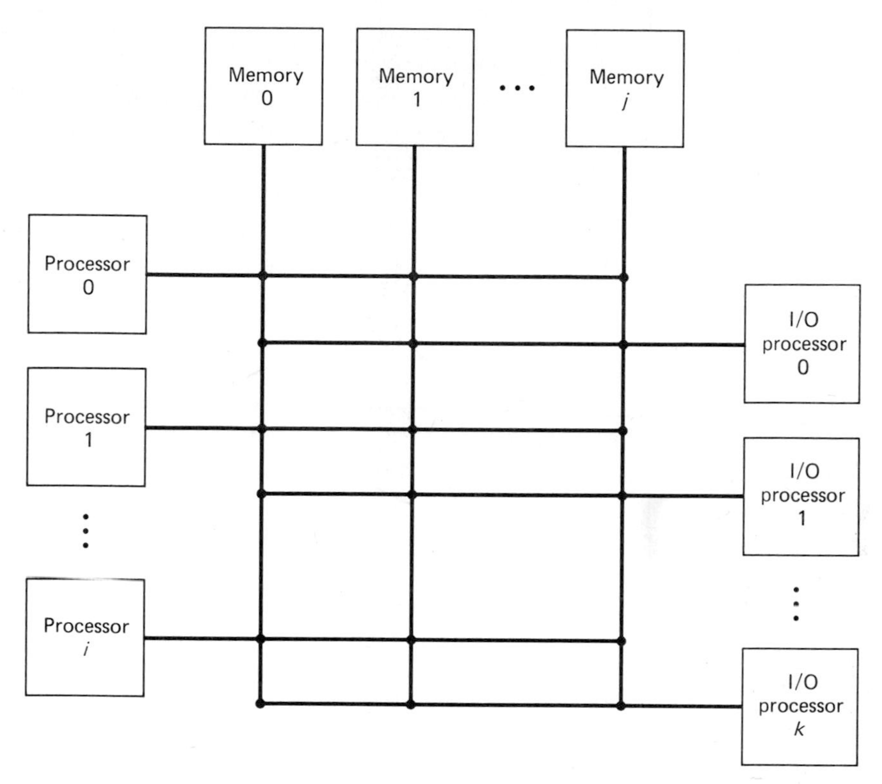

Fig. 11.7 Crossbar-switch matrix multiprocessor organization.

The hardware required to build a crossbar switch can become complex. For example, the switch must be capable of resolving conflicts for the same storage unit. Although the switch is complex, the interfaces at the functional units are simpler than with the shared bus organization. The cost of the switch increases as the product of the number of functional units and the number of memory units, so it is not a viable structure for massive parallel processors.

11.14.3 The Hypercube

The *hypercube interconnection network* (see Fig. 11.8) provides a means of connecting very large numbers of processors in a relatively economical manner (Fo85) (Sz85) (De86) (Hy86) (Se87) (Rn88). A two-dimensional hypercube is simply a square; a three-dimensional hypercube is formed by connecting the corresponding elements of two, two-dimensional hypercubes. A four-dimensional hypercube is formed by connecting the corresponding elements of two, three-dimensional hypercubes, and so on. The Connection Machine (see the case study in Section 11.20) uses a 16-dimensional hypercube connection

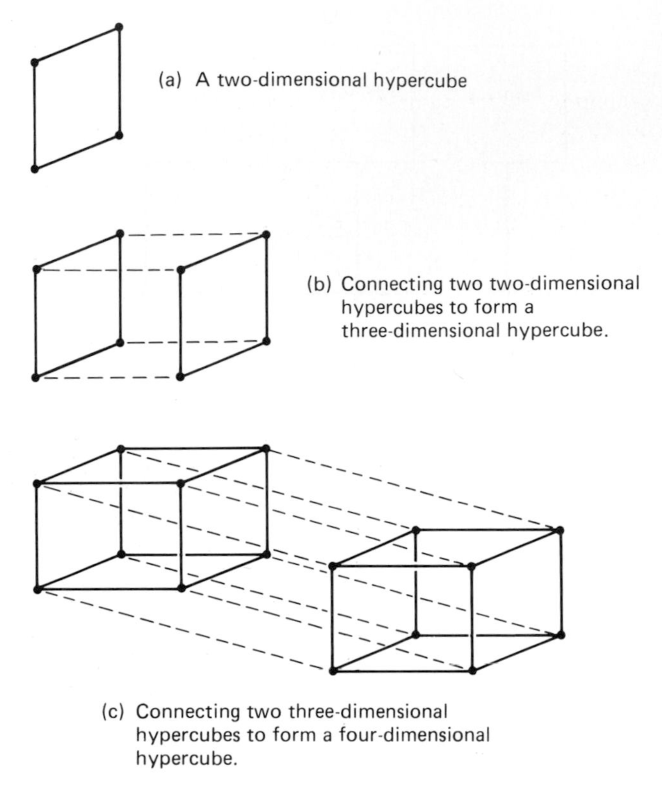

Fig. 11.8 Hypercube interconnection networks.

scheme to interconnect 65,536 processors. Another hypercube machine that has been offered as a commercial product is Intel's iPSC system (Fa88).

11.14.4 Multistage Networks

The primary disadvantage of the crossbar-switch matrix scheme is its exceptionally high cost when a large number of nodes need to be interconnected. Consider the problem of flying between small cities. Instead of having flights between every possible pair of airports, airlines tend to use "hubs." The major traffic between large cities involves only a single "leg" of travel. The traffic between remote locations may require many legs; *multistage networks* use this kind of connection scheme (Bh89). The case study on the BBN Butterfly multiprocessor in Section 11.19 presents a detailed explanation of the operation of the Butterfly switch, a multistage interconnection scheme.

The multistage network is a "compromise" scheme. It enables any unit to connect with any other unit, but greatly reduces the complexity of the interconnection scheme to make it feasible to connect large numbers of processors. The term multistage comes from the fact that each message must pass through multiple switching elements to reach its destination. The delays encountered as a message transverses multiple legs make this a slower scheme than crossbar switching, but the number of switching elements is much smaller, especially when connecting large numbers of processors. The scheme provides a unique path through the network, but contention may develop at the various switching elements involved in multiple paths. Some multistage networks buffer colliding messages at the switching elements until the elements clear and the messages can proceed; this increases the cost of the switching network. Other systems accept and process only one message at the switch and back out all other colliding messages to be retransmitted after a random delay.

11.15 LOOSELY-COUPLED VS. TIGHTLY-COUPLED SYSTEMS

Loosely-coupled multiprocessing (Sk88) involves connecting two or more independent computer systems via a communication link (Fig. 11.9). Each system has its own operating system and storage. The systems can function independently and can communicate when necessary. The separate systems can access each other's files across the communication link, and in some cases, the systems can switch tasks to lightly-loaded processors to achieve load balancing. Communication between processors is by *message passing* or *remote procedure calls* (as discussed in Chapter 5).

Tightly-coupled multiprocessing (Fig. 11.10) uses a single storage shared by the various processors and a single operating system that controls all the processors and system hardware. Communication is by *shared memory*. The BBN Butterfly and the IBM 3090 are examples of tightly-coupled systems.

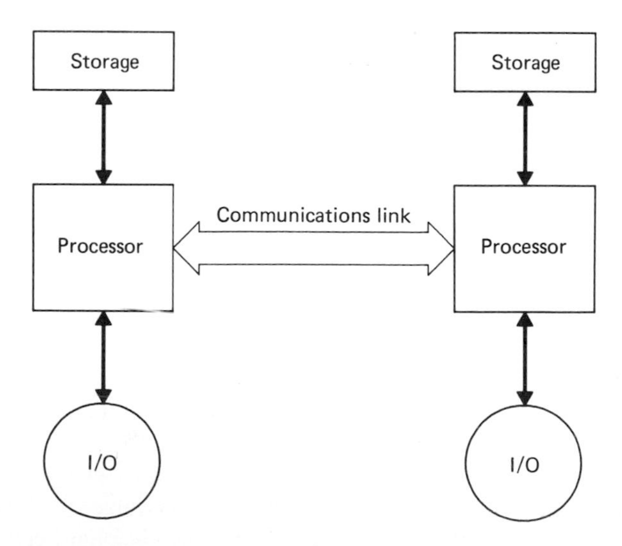

Fig. 11.9 Loosely-coupled multiprocessing.

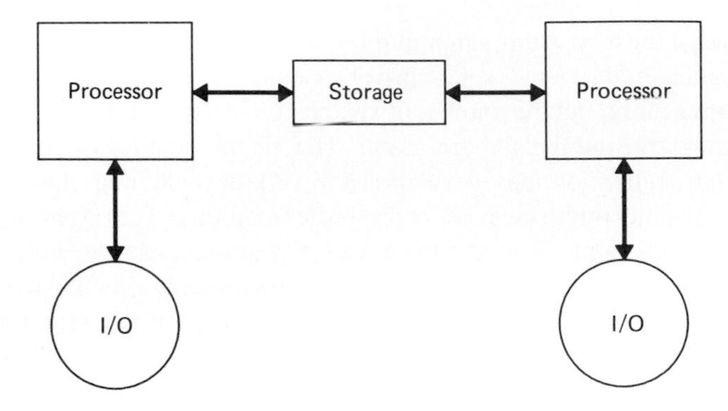

Fig. 11.10 Tightly-coupled multiprocessing.

A key concern in tightly-coupled systems is *contention* over shared memory. Various studies (Re86) indicate that balancing the architecture and distributing the load across the system minimizes contention. A hardware approach called a *combining switch* (Go83) handles multiple references to a single location in a manner requiring only a single access to the memory location; this technique is discussed in the next section.

11.16 FETCH-AND-ADD

In Chapter 4, we discussed the *testandset* instruction and showed how it can be used to implement mutual exclusion primitives. In a uniprocessor system, clearly only one processor can be attempting testandset at a time. If a lock variable is available to be captured, then the next process to run (and execute testandset) will ordinarily capture the lock. In multiprocessing systems the problem is more complex, because many processors could be executing testandset simultaneously, so the system needs to be able to arbitrate these requests.

Testandset has another weakness, namely that each of the pending operations requires a separate memory access; these are performed sequentially because only one access to a memory location may normally occur at a time. Worse yet, only one processor actually captures the lock and all the others fail; this can result in the considerable waste associated with busy waiting.

Memory contention can certainly occur in uniprocessor systems as I/O and processing occur in parallel. But this is minor compared to the potential for collisions in multiprocessors, and especially in massive parallel processors. Such collisions can quickly saturate various kinds of interconnection networks, causing serious performance problems.

To deal with this problem, the designers of *NYU's Ultracomputer* developed the *fetch-and-add instruction* (Go83) (Se86, II) (Du88). The indivisible (or "atomic") instruction

```
fetchandadd(s,i)
```

increments shared variable *s* by *i* and returns the original value of *s*. When several processors simultaneously execute this instruction on *s*, the switching element in the interconnection network performs an operation called *combining*; it adds the increment values of all the colliding fetchandadd instructions to form a sum, *I*, and then performs only the single instruction

```
fetchandadd(s,I)
```

on shared variable *s*. This memory location is thus accessed only once to get the value of *s*. The switching network then returns the *unique* values s, $s + i_1$, $s + i_2$, ... to the various processes referencing *s*. This is a way of serializing the requests.

Suppose a multiprocessing system assigns any available processor from its pool of identical processors to the ready process at the head of the ready list. (In Chapter 15, we will see that such a scheme gets better utilization than if processes wait to run on specific processors.) Maintaining such a ready list as a shared queue structure is made more efficient by fetchandadd (than with testandset); several processors attempting to place processes in the list collide and the fetchandadd sequentializes the accesses.

A particularly elegant use of fetchandadd occurs when assigning separate iterations of a loop to different processors to be executed in parallel (Pa80) (Du88).

In sequential Pascal, we might write a statement such as

```
for i := 1 to 50 do
   a(i) := b(i) + c(i)
```

All 50 iterations of the loop can be executed in parallel because the assignments are independent of one another. So, the above loop can be replaced by a parallel version such as

```
forall i := 1 to 50 do
   a(i) := b(i) + c(i)
```

which assigns the separate iterations to available processors. The shared variable, *i*, is initially set to 1. Each processor executes code such as

```
j := fetchandadd(i,1)
while (j <= 50) do
   begin
      a(j) :- b(j) + c(j)
      j := fetchandadd (i,1)
   end
```

The beauty of this code is that it is not sensitive to the number of available processors. Available processors get as much work as they can handle. If 50 processors can work on the expression at once, then as each does the fetchandadd (i, 1) it will receive a unique number from 1 to 50, designating the array element it is supposed to work with. If fewer than 50 processors are available, the **while/do** loops running on the available processors will keep requesting more work until all 50 elements of array *a* have been calculated.

Clearly, the fetchandadd combining mechanism is expensive to build. The point is that it delivers high-performance parallel computing. Eventually, technology may make it economical to incorporate combining switches into machines for commercial use.

11.17 MULTIPROCESSOR OPERATING SYSTEM ORGANIZATIONS

The ability to exploit parallelism in the hardware and in the programs is central to multiprocessing systems. Adding more processors, as well as the complex connections to storage and I/O processors, adds considerably to the cost of the hardware.

A major difference between multiprocessor and uniprocessor operating systems is certainly the organization and structure of the operating system with regard to the multiple processors. The basic operating systems organizations for multiprocessors are master/slave, separate executive for each processor, and symmetric (or anonymous) treatment of all processors.

11.17.1 Master/Slave

In *master/slave multiprocessor organization* (En77), one processor is designated as the *master* and the others are the *slaves* (Fig. 11.11). The master performs input/output and computation. The slaves can run compute-bound jobs effectively, but I/O-bound jobs running on the slaves cause frequent calls for services only the master can perform. From a reliability standpoint, if a slave fails, some computing capability is lost, but the system can still function. If the master fails, the system cannot perform I/O.

Thus the largest problem with master/slave multiprocessing is the *asymmetry* of the hardware.

Only the *master* may execute the operating system. A slave processor can execute only user programs. When a process executing on a slave requires the attention of the operating system, it generates an interrupt and waits for the master to handle the interrupt. Interestingly, the operating system does not have to be reentrant, since it can be used by only one processor at a time, and in behalf of only one user at a time.

11.17.2 Separate Executives

In the *separate executives* organization, each processor has its own operating system, and responds to interrupts from users running on that processor (En77). A process assigned to run on a particular processor runs to completion on that processor. Some tables contain information global to the entire system (for example, the list of processors known to the system); access to these tables must be controlled with mutual exclusion techniques.

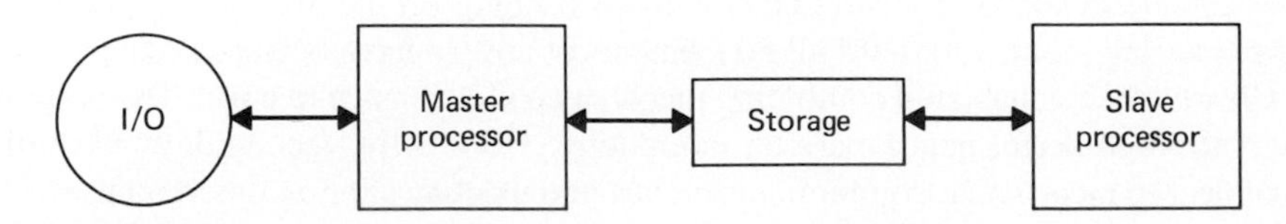

Fig. 11.11 Master/slave multiprocessing.

The separate executives organization is more reliable than the master/slave organization; the failure of a single processor is unlikely to cause catastrophic system failure.

Each processor controls its own dedicated resources, such as files and I/O devices. I/O interrupts return directly to the processors that initiate them. Reconfiguring the I/O devices on the system may involve switching the devices to different processors with different operating systems.

There is minimal contention over operating system data because the data are distributed among the individual operating systems for their own use. The processors do not cooperate on the execution of an individual process. Some of the processors may remain idle while one processor executes a lengthy process.

11.17.3 Symmetrical Organization

Symmetrical multiprocessing is the most complex organization to implement, and the most powerful (En77) (Wi80). All processors are identical. The operating system manages a pool of identical processors, any one of which may be used to control any I/O device or to reference any storage unit.

Because many processors may be executing the operating system at once, reentrant code and mutual exclusion are necessary. Because of the symmetry, it is possible to balance the work load more precisely than with the other organizations.

Conflict resolution hardware and software are important. Conflicts between processors attempting to access the same storage at the same time are ordinarily resolved by hardware. Conflicts in accessing system-wide data are ordinarily resolved by software.

Symmetrical multiprocessing systems are generally the most reliable—a failure in one processor causes the operating system to remove that processor from its pool of available processors and to note the difficulty. The system may continue to function at reduced levels (i.e., *graceful degradation*) while repairs are made.

A process running on a symmetric multiprocessor may be run at different times by any of the equivalent processors. The operating system *floats* from one processor to the next. The processor currently responsible for system data and system functions is called the *executive processor*. Only one processor at a time may be the executive—this prevents conflicts over global system information.

Contention problems can become severe, especially because several processors may be in the supervisor state at once. Careful design of system data structures is essential to prevent excessive *lockouts*. A technique that minimizes contention is to divide the system data structures into separate and independent entities that may be locked individually.

Even in completely symmetrical multiprocessing systems, the addition of new processors does not cause system throughput to increase by the rated capacity of the new processors. There are many reasons for this, including additional operating system overhead, increased contention for system resources, and hardware delays in switching and routing transmissions between an increased number of components. A number of performance studies have been attempted. In one experiment, an early Butterfly system with 256 processors operated 230 times faster than a single processor system (Re86). A case study on the Butterfly appears later in this chapter.

11.18 CASE STUDY: C.MMP AND CM*

Researchers at Carnegie-Mellon University have developed several significant multiprocessor systems. These include C.mmp and Cm*. C.mmp (Sa80a) (Wu80) (Ha82) (St88) was a 16-processor, tightly-coupled system consisting of PDP-11/40 minicomputers. The processors shared 16 storage modules through a crossbar-switch matrix. Accesses from any processor to any storage module had the same cost because of the symmetry of the connection scheme. Sixteen storage references could occur concurrently.

Cm* (Ge82) (Ha82) (Sc86) (St88) is a loosely-coupled system consisting of 50 LSI-11 microprocessors. It is constructed from processor-storage pairs called *computer modules*. Each of these is referred to as a Cm. Cm's are grouped into five *clusters*. Clusters are connected by *intercluster buses*; communication between clusters is by *message passing*. The cost of a storage reference depends on whether it is directed to a module's local storage, to the storage of another module in the same cluster, or to the storage of a module in another cluster. These three different types of storage references have a cost ratio of 1:3:12 (Ge82). Thus, optimal performance depends on ensuring that most storage references in an application are directed to the local storages of the modules making those references. These kinds of performance issues are important in loosely-coupled systems. Two operating systems developed for the Cm* system are StarOS (Jo79) and Medusa (Ou80).

Schwan and Jones (Sc86) describe processor and memory scheduling heuristics for Cm*, and they introduce the notion of high-level language constructs called *resource directives* that enable programmers to supply useful information to the resource allocation mechanisms. For example, resource directives may specify proximity values for objects to ensure that they are optimally placed in the same Cm, in the same cluster, or in different clusters (the default action leaves the placement decision to the operating system). Some people would argue that requiring users to issue such machine-dependent directives is contrary to conventional wisdom, which has the operating system performing dynamic resource allocation. But in supercomputing environments the single most important goal is processing performance; users of such sophisticated systems are often willing to assume much greater responsibilities to realize this goal.

Both C.mmp and Cm* have been used to solve a large number of problems exhib-iting a high degree of inherent parallelism. In many cases, nearly linear improvements in performance (over the uniprocessor approach) have been achieved. A *linear improvement* means that with *n* processors the job will execute *n* times faster. The results of these efforts have demonstrated the importance of large-scale multiprocessing as a means of greatly reducing the execution times of highly-parallel algorithms.

11.19 CASE STUDY: THE BUTTERFLY

Permission credit: This case study was condensed and adapted with permission from documentation supplied to the author by BBN Advanced Computers Inc. of Cambridge, Massachusetts. The author is grateful to Deborah Fanton of BBN Advanced Computers Inc. for facilitating the preparation and review of these materials.

The *Butterfly* is a multiprocessor system developed by BBN Advanced Computers Inc. of Cambridge, Massachusetts (BN88). The multistage processor interconnection mechanism, called the *Butterfly switch*, enables up to 128 processors to be connected and to execute a total of over 300 MIPS.

Groups of processors called *clusters* may be dedicated to specific applications; this is especially significant in real-time applications. A cluster may run one of two operating systems—the pSOS real-time operating system developed by Software Concepts, Inc., or the Mach 1000 system developed at Carnegie Mellon University and extended by BBN; Mach 1000 is based on UNIX operating systems.

The Butterfly is an MIMD multiprocessor in which each processor may execute independently on private data or shared data; processors can access one another's data using symmetric shared global memory. Applications programmers need not specify which tasks are to execute on which processors, although they may do so if they wish.

Each identical processor card contains a complete computer system, including a Motorola 68020 microprocessor, a 68882 floating point coprocessor, a 68851 paged-memory management unit, a Butterfly switch interface, and on-board memory.

Users may add processor cards to add computing power. The Butterfly uses the X Window System developed at MIT. It communicates over distributed computing networks using Ethernet with TCP/IP protocols (see Chapter 16). The virtual address space can be as large as four gigabytes.

The Mach 1000 operating system extends Berkeley's UNIX 4.3BSD operating system (see Chapter 18) to a multiprocessing, shared-memory environment. Mach 1000 performs *dynamic load balancing* among processors so that available processor capacity is utilized.

Jobs may run independently of one another, or they may communicate asynchronously. Processors may share some or all of the system memory. Primary memory can be as large as 512 megabytes. Access to a remote memory on another processor is performed almost as fast as access to a processor's local memory.

The Butterfly is a *homogeneous multiprocessor*—all processor cards are identical and any processor may perform any task. This simplifies programming because the programmer need not be concerned with assigning tasks to specific processors, nor with how many processors there are. This also facilitates *scaling* and *fault tolerance*; programs need not be recoded to run on larger or smaller configurations, and programs can run on available processors even in the presence of failed processors.

Each processor card delivers 2.5 MIPS. The *processor node controller* (PNC) on each card provides multiprocessing capabilities not available in the 68020. The PNC sends messages to other processors over the Butterfly switch and receives messages from the switch. The PNC provides various indivisible atomic operations to application programs. For example, *atomicadd* enables one processor to read and increment a memory location while preventing other processors from accessing the location simultaneously. Atomic operations are used to implement mutual exclusion constructs in the operating system.

11.19.1 The Butterfly Switch

The Butterfly switch uses *packet switching* techniques like those used in computer networks (see Chapter 16) to effect interprocessor communication, handle remote memory access, and interface with the PNCs.

Data operations on the MC68020 trigger the switch. A data request issued by a processor causes the local MMU (memory management unit) to convert the virtual address of the data to a physical address. References to local memory may occur directly. References to remote memory cause the local PNC to form a *message packet* consisting of the *destination address* and the *data request*; the message is then passed between switching elements in the Butterfly switch to the destination where it is processed.

Figure 11.12 shows a 16-input/16-output Butterfly switch module. Each of the eight boxes in the figure is a custom VLSI chip containing a 4-input/4-output crossbar switch. By combining eight of these chips in two banks of four switches each, we implement a multistage network with only 16 internal paths. Each switching phase has a 125-nanos-

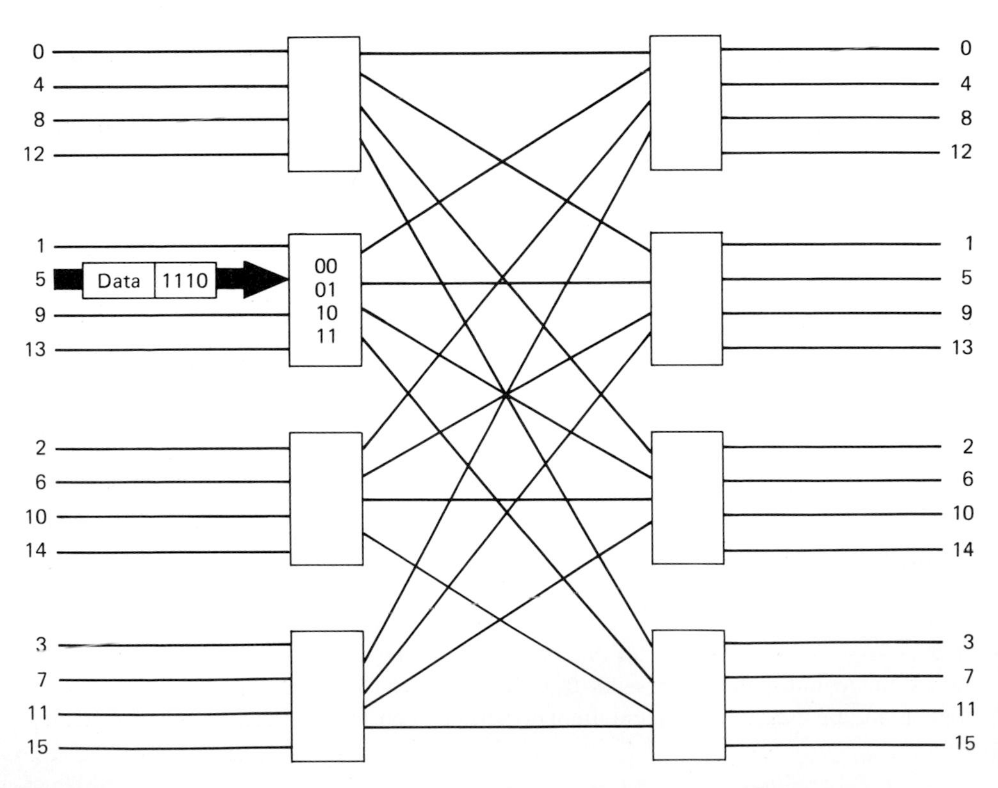

Fig. 11.12 First step through the Butterfly switch. (Courtesy BBN Advanced Computers Inc.)

econd delay, so messages arrive more slowly than if traveling over point-to-point connections, but this is acceptable considering the greatly reduced cost of the switching network.

To see how the Butterfly switch works, let us follow a message from the processor at switch input node 5 to the processor at switch output node 14 (= 1110 binary). The PNC creates a message packet with the destination switch output node address and the data to be transmitted (Fig. 11.12), and passes this to the first switching chip. This chip strips off the two low-order bits (10) of the destination switch output node address, and uses these bits to direct the message to the switch's output port 2 (Fig. 11.13). The appropriate switch chip in the second column now receives the message packet and strips off the remaining two address bits to select this chip's output port 3 (Fig. 11.14). At this point the proper circuit path has been established and the data transmission proceeds until an end-of-data indication is reached.

The switch makes all references to memory appear to be logically equivalent; the programmer does not differentiate between local references and remote references. A read from a remote memory location causes the PNC to send a request for the data to the

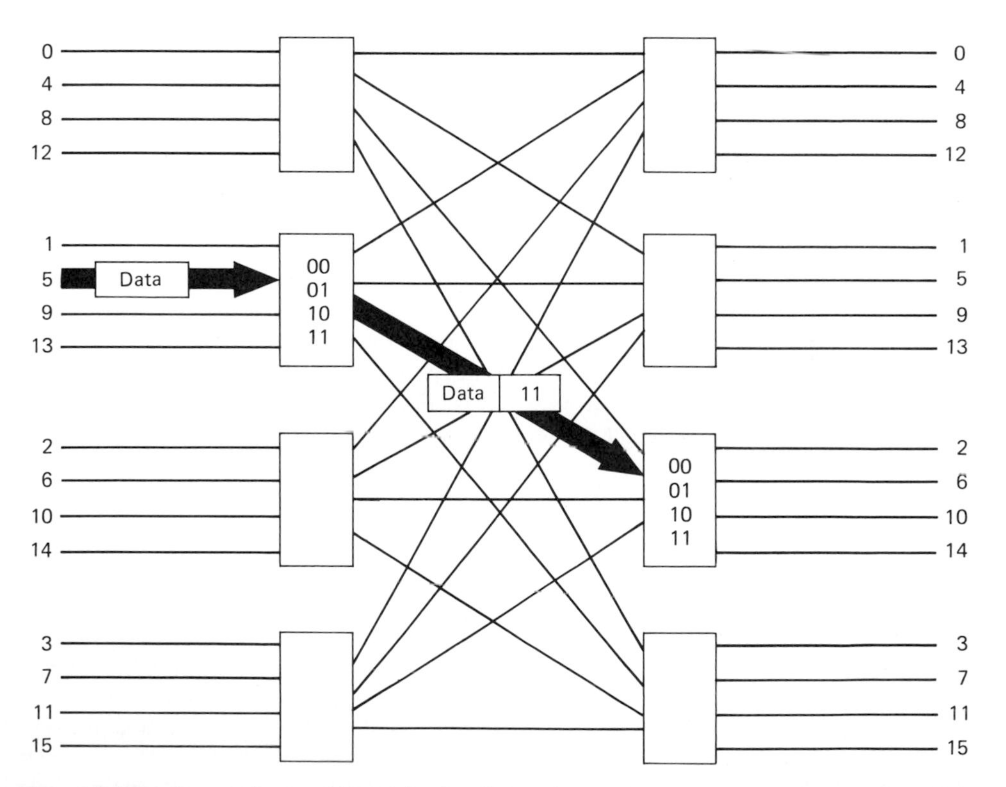

Fig. 11.13 Second step through the Butterfly switch. (Courtesy BBN Advanced Computers Inc.)

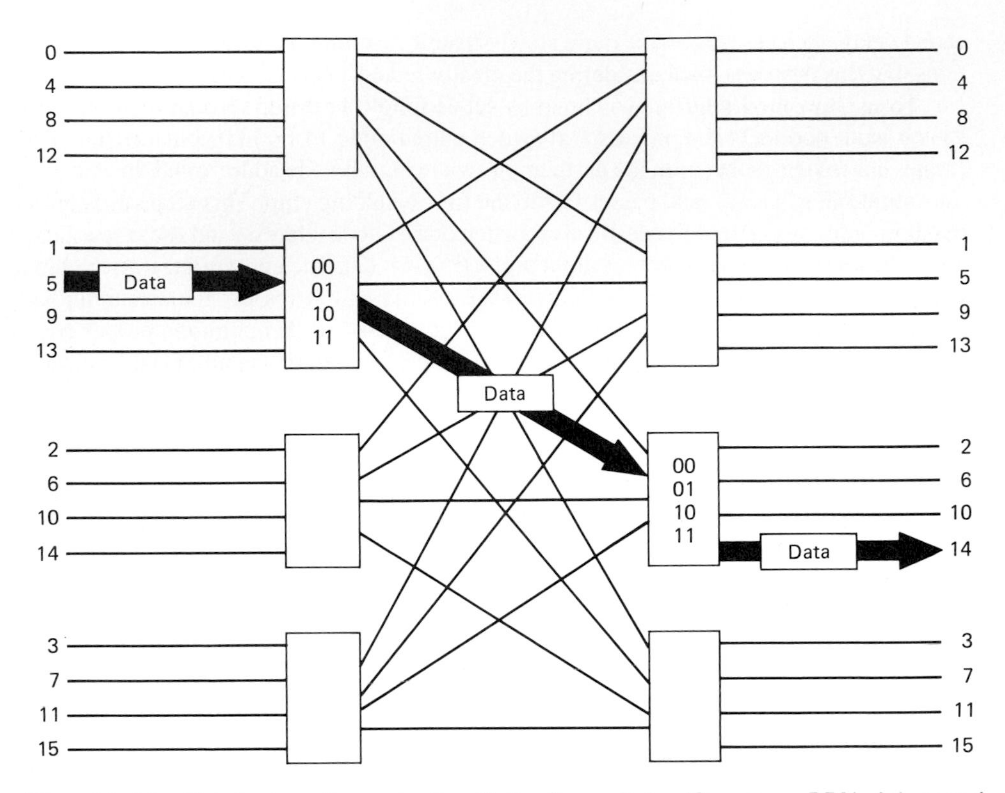

Fig. 11.14 Third step through the Butterfly switch. (Courtesy BBN Advanced Computers Inc.)

appropriate processor card. The remote PNC receives the message, reads the contents from the specified location, and returns a reply message to the source processor card.

All the switching is in the hardware and is completely transparent to the application programmer. The Butterfly switch is tightly coupled; this eliminates the need for buffering messages within the switch as is often necessary in loosely-coupled designs. Data can be transferred between pairs of processors at a net rate of approximately 24 Mbits/second. Many such transfers may be in progress at once, yielding a maximum 4-gigabits-per-second transfer rate.

Contention can become a problem in shared-memory systems, especially as separate processors attempt to access the same memory locations (St88). The Butterfly has several features that reduce contention. Each of the switching elements in the Butterfly switch has four independent output ports, so arriving messages are likely to exit simultaneously at different ports. The Butterfly switch is *nonblocking*; all but one of the messages that collide at the same output port are returned to their sources to free the switch paths. The PNC waits for a short random period and transmits again over an alternate path (we will see this kind of logic again in the discussion of Ethernet in Chapter 16). A blocking system would allow waiting messages to back up in the switch until they could be serviced; this could cause congestion in the switch and consequent performance degradation.

To maximize parallelism and minimize contention, the Butterfly can distribute data across its various local memories (Pa86). A *scattering routine* is provided in the Butterfly's library of operating system routines.

The Butterfly may be expanded by adding more processor cards and switching elements; this does not require additional programming. This kind of modular expansion differs from that on bus-based multiprocessors where the bus may become saturated and require the addition of other buses and appropriate software for coordinating the separate buses (To86) (Md87).

Most Butterfly systems incorporate extra switching nodes to allow two separate paths between every pair of processor cards. This allows messages "backed off" from the switch to be retransmitted almost instantaneously.

11.19.2 The Mach 1000 Operating System

Mach provides various means for accessing specific processors and for interprocessor communication (BN88) (Fi89). Mach uses its own virtual memory subsystem. Memory regions have *inheritance* and *protection* attributes. Inheritance provides shared memory between related processes.

The Mach kernel uses various *objects*. *Per process address maps* are objects that define a process's virtual address space. *Virtual memory objects* define the backing store for a group of pages, keep track of where the pages are, and identify the paging routines. *Shared memory maps* are objects that enable separate per-process address maps to share the same virtual memory object. *Resident page tables* are objects that maintain the status of physical pages (free, active, or inactive).

Pages to be swapped are placed in the *disk buffer cache* where they remain until they must be written. Thus, page-outs generally only result in high-speed processor-card-to-processor-card copying; Mach spreads the disk buffer cache across the memories in all the processor cards. With a large buffer cache, it is likely that a needed page will be in the buffer cache and will be accessible at very high speed compared with the time required for to a disk access.

A user may create a new process on a specific processor with the *fork-and-bind ()* system call. Portions of virtual memory may be allocated to a specific processor with the *vm-allocate-and-bind ()* call; this call is helpful in establishing shared memory to support interprocess communication. Mach 1000 currently executes single-threaded tasks.

Mach 1000 enables processors to be grouped in *clusters*. The *public cluster* contains processors that any user can access. The *free cluster* contains idle processors. *Private clusters* are owned by their creators.

Mach's virtual memory scheme has a *copy-on-write* capability (Fi89). Normally, only a single copy of data being read by several tasks exists. Only when a process attempts to modify that data does the process get its own copy. This simple scheme saves considerable time and memory.

To simplify shared-memory parallel programming, Mach 1000 supports the Uniform System run-time applications library. This optional set of system calls frees the programmer from explicitly managing memory resources and processor resources.

The memory management system tries to keep all memory modules busy; in doing so, it spreads the work around to avoid contention over one or a few memory modules. Processor management tries to keep all the processors busy. Each processor can be given its own set of frequently-referenced data. Variables can be shared among processors so changes are immediately apparent to all processors.

Processors may also be scheduled just once at the beginning of the run time. Static processor scheduling assigns specific tasks to specific processors; dynamic load balancing distributes the work to keep all the processors busy and achieve maximum processing throughput. Both methods have their uses for specific applications.

11.19.3 The pSOS Real-Time Operating System

The pSOS operating system is a fast, predictable-response operating system for supporting real-time applications (BN88). Processes may be scheduled with 255 priority levels (see Chapter 10). Processes may be designated as nonpreemptible. Processes may be either running, ready, blocked, or suspended. Processes with the same priority execute round robin.

Memory management is performed either with fixed-size buffers or with variable-size segments; the segment search is done with the first-fit algorithm. To ensure the rapid responses required in real-time systems, pSOS memory structures are not pageable; they remain in primary storage.

Interprocess communication is either by shared memory or by *named message exchanges*. Each exchange maintains a message queue. Messages are written to or from the message queue. Objects are either user-defined objects, processes, message exchanges, or memory buffers.

Process synchronization is by an event mechanism. Each process may define up to 15 events. A process may wait on events; other processes signal those events.

Remote calls may be used to perform various functions on remote processors instead of the local processor. Those calls enable a process running on one processor to resume a suspended process, get a process ID, or signal an event on a remote processor. Programs are implemented as sets of tasks that may run on any of the identical processors.

11.20 CASE STUDY: THE CONNECTION MACHINE

Permission credit: This case study was condensed and adapted with permission from various publications supplied to the author by Thinking Machines Corporation of Cambridge, Massachusetts.

One of the most highly-parallel supercomputers currently available is the *Connection Machine* (CM) built by Thinking Machines Corp. of Cambridge, Massachusetts (Hi85)

(Fr86) (St87) (Th87) (Wa87) (Ka88) (Th88). The CM is an SIMD array processor; it has up to 64K (65,536) processors and can execute several billion instructions per second. No other machine today has attempted such massive parallelism. The CM was designed by Daniel Hillis and is based on work he did while a graduate student at MIT working with Marvin Minsky, one of the founders of the field of artificial intelligence.

It is simply too tedious to program each of tens of thousands of processors separately. Therefore, programmers attempt to take advantage of *data-level parallelism* (Hi86) (Th86), i.e., applications in which it is possible to perform the same operations simultaneously on perhaps thousands of separate data items. Such applications include database retrieval, text searching (St86), and image processing (Sb86) (Wa87). The parallelism is achieved automatically by cooperation between the CM and its compilers.

The CM processors are controlled by as many as four front-end computers. Each of the processors has a relatively small local memory. Interprocessor communication uses a packet switching approach.

The CM is programmed in parallel extensions of Fortran, C, and Lisp. A 10-gigabyte mass storage is connected via a high-bandwidth I/O channel. The high-resolution (1280 x 1024) color display can be refreshed at 1-gigabit per second; this is sufficiently fast for real-time animation.

Each processor has an arithmetic-logic unit (ALU), 64K bits of bit-addressable memory, four 1-bit flag registers, an optional floating point accelerator, a router interface, a connection grid interface, and an I/O interface. The processors communicate by data parallel message passing; every processor can send or fetch data to or from the local memory of another processor simultaneously. The largest CM-2 can have 512 megabytes of memory.

The Connection Machine has two built-in processor interconnection schemes (De86), namely a *broadcast network*, which ties every processor to a central computer, and a *16-dimensional hypercube*, which connects all the processors together so that no message from one processor need pass through more than 16 connections to reach any destination processor.

11.20.1 Data Parallel Computation

A front-end system such as a VAX, a Sun, or a Symbolics system controls interaction with the CM. Users work on the front-end system; the front end passes appropriate work to the CM and receives responses.

With data parallel computing the CM assigns a separate processor to every data element. Processors process information in their own local memories and they can communicate with one another.

The front-end machine stores and executes the program. The CM stores the data objects. The front end issues commands to the CM to operate in parallel on data objects. The front end can also operate on data in the CM memory. Instructions are broadcast to the CM processors by the front end; these instructions are then executed simultaneously by all the processors.

The CM uses *ANSI Fortran 8x* which includes various array-processing extensions. The CM assembly language is called *Paris*; the various high-level language compilers translate source code to Paris.

The processors can communicate with memory at a total rate of 300 gigabytes per second. At capacity, the CM-2 can perform 32-bit additions at 2500 MIPS; with its floating point accelerator option it can perform 3500 megaflops using single precision, or 2500 megaflops using double precision.

The *router* allows any processor to reference any memory location in any of the local memories, thus providing the view of a very large shared memory. The router typically performs 32-bit data accesses at 80 million to 250 million per second.

Instead of simply using a two-dimensional grid, CM-2 enables grids such as 256 x 256, 1024 x 64, 8 x 8192, 64 x 32 x 32, 16 x 16 x 16 x 16, and 8 x 8 x 4 x 8 x 8 x 4 to be formed dynamically. This makes it convenient to configure the Connection Machine to the parallel structures appropriate for different kinds of problems.

The front end sends Paris instructions to the CM-2. The CM-2 appears as an extension to the front end. Paris includes options such as integer arithmetic, floating point arithmetic, interprocessor communication, vector summation, matrix multiplication, and sorting. Paris instructions are processed by a sequencer, which breaks down the instructions into more fundamental operations. The sequencer then broadcasts these operations to the processors.

The CM routes the separate elements of each data structure to separate processors so that each element of a data structure can be processed simultaneously. A scalar involved in an operation that yields a parallel data structure (such as multiplying every element of an array by a constant) is broadcast to all the processors.

Parallel data can be involved in an operation that yields a scalar result such as summing the elements of an array. Such an operation would be performed on the CM by organizing the elements into a *balanced binary tree* (Fig. 11.15).

11.20.2 Connection Machine Fortran

The Connection Machine uses ANSI standard Fortran 77 extended to include *ANSI Fortran 8x*. The 8x features treat arrays as *parallel data structures*, thus enabling the separate processors of the Connection Machine to operate on each element of an array simultaneously. Fortran 8x is an evolving standard so some of the features described here may change. Some Fortran 8x features implemented on the CM include

- vector-valued subscripts
- the *FORALL* statement (which can assign values to all the elements of an array simultaneously)
- various intrinsic functions such as *DIAGONAL*, *REPLICATE*, *RANK*, *PROJECT*, *FIRSTLOC*, and *LASTLOC*.

The current version of Fortran runs under the Ultrix operating system on a DEC VAX front end with a VAXBI bus connected to a Connection Machine.

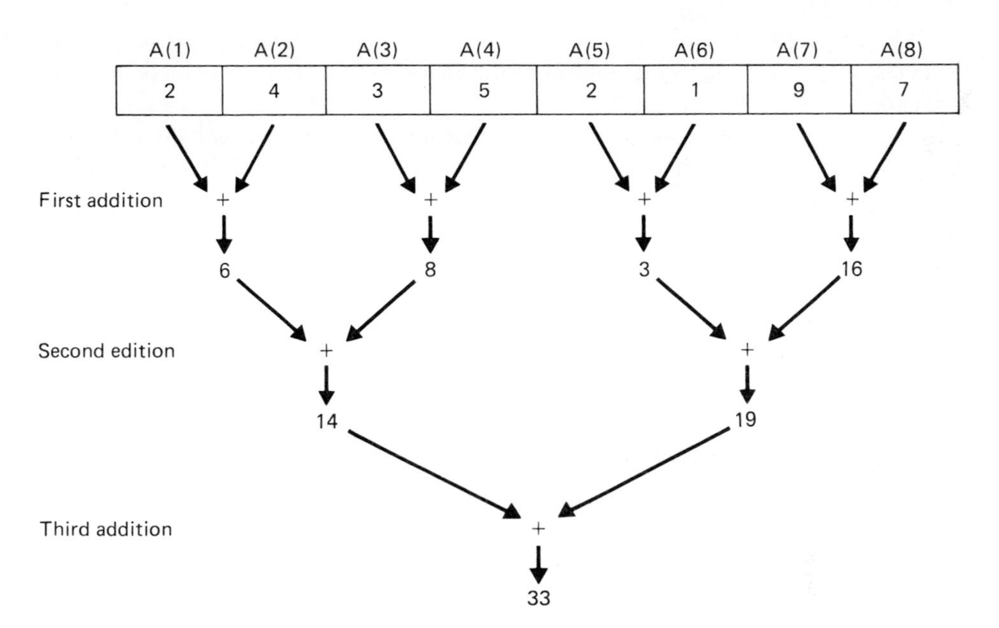

Fig. 11.15 Summing the elements of an array in parallel with the Connection Machine.

Let us consider some of the array processing features of Fortran 8x. The statement

```
A = B + C
```

works equally well for scalars, vectors, matrices, and n-dimensional arrays; it adds all the elements of C to the corresponding elements of B and stores the results in the corresponding elements of A.

Array elements are placed in the CM, one per processor. The communications grid of the CM is a natural environment for array processing; the grid can mirror the structures of various types of arrays. *Context flags* are set to highlight all the elements of an array to be processed; the CM then processes only those elements simultaneously.

Fortran 8x includes the *array reduction operations* of *SUM*, *PRODUCT*, *MAXVAL*, *MINVAL*, *ANY*, and *ALL*. It also provides operations such as vector dot product *(DOTPRODUCT)* and matrix multiplication *(MATMUL)*.

Given matrix M with 30 rows and 56 columns, the call

```
SUM (M, DIM = 1)
```

produces a 56-element vector of the column sums; the call

```
MAXVAL (M, DIM = 2)
```

produces a 30-element vector of the maximum values stored in each of the rows.

Reduction operations may be modified by a *mask argument*. The mask is simply a boolean vector specifying which subset of the elements of an array is to be processed; the CM processes only those elements.

Fortran 8x includes various operations that treat entire arrays as individual objects. These include *MERGE*, which merges two arrays under the control of a mask, *SPREAD* which replicates an array along a new dimension, *TRANSPOSE* which transposes a two-dimensional matrix, *CSHIFT* which circular shifts an array, and *EOSHIFT* which does an end-off array shift.

The *WHERE* statement uses a boolean mask array to select the elements of an array to be processed. The statement

```
WHERE (A .GE. 0) A = SQRT (A)
```

causes each element of *A* that is greater than or equal to zero to be replaced by its square root; negative elements remain as is. All selected elements of the array are processed simultaneously.

The statement

```
WHERE (B .NE. 0)
   C = A / B
ELSEWHERE
   C = INFINITY
END WHERE
```

divides only the nonzero elements of *B* into the corresponding elements of *A* and stores the results in the corresponding elements of *C*; for those elements of *B* that are equal to zero, the corresponding elements of *C* are set to *INFINITY*. Again, all appropriate elements of the arrays are processed simultaneously.

The *FORALL* statement enables the use of indicies (and additionally a mask, if desired) to specify the array elements to be processed. The statement

```
FORALL (I = 1:N, J = 1:N) H(I,J) = 1.0 / REAL(I + J - 1)
```

sets all elements of rows *1* to *N* and columns *1* to *N* to the indicated expression; the value of the expression in this statement is sensitive to both the row subscript and the column subscript of each particular element.

The statement

```
FORALL (I = 1:N, J = 1:N, I .GT. J) H(I,J) = 0.0
```

uses a mask expression to zero every element of the array below the diagonal.

11.20.3 Interprocessor Communication in Fortran 8x

Fortran 8x enables the specification of *array sections*. These are portions of arrays that may be used anywhere entire arrays are used. If A is a 10 x 10 matrix, then the upper left quadrant of *A* is specified by *A(1:5, 1:5)*, which is a 5 x 5 array. The upper-right quadrant of

A is specified by *A(1:5, 6:10)*, also a 5 x 5 array. The statement

```
A(1:5,1:5) = A(1:5,6:10)
```

copies the array section consisting of the upper-right quadrant of *A* to the array section consisting of the upper-left quadrant of *A*. The statement

```
A(1:3,1:4) = A(1:10:4,1:10:3)
```

replaces the 3 x 4 array section at the top left portion of *A* with the 3 x 4 array section consisting of these selected elements

```
A(1,1)   A(1,4)   A(1,7)   A(1,10)
A(5,1)   A(5,4)   A(5,7)   A(5,10)
A(9,1)   A(9,4)   A(9,7)   A(9,10)
```

Fortran 8x enables the use of vector-valued subscripts to effect interprocessor communication. A *subscript vector* is used to select elements from a *source vector*; these elements may then be assigned to a *destination vector*. Remembering that individual elements are stored at different processors, this provides a straightforward means of interprocessor communication. For example, to transmit values from the processors storing array *V* to the processors storing array *B*, we might use a series of statements such as

```
S = [1,2,2,3,3,3,2,2,1,7,1,1,3,3,3,2]
V = [15,20,25,30,35,40,45]
B = V(S)
```

After these statements are executed on the Connection Machine, the elements of *B* will be

```
[15,20,20,25,25,25,20,20,15,45,15,15,25,25,25,20]
```

Fortran 77 certainly has the ability to perform the types of operations we have discussed in this section, but these operations are performed on individual scalars sequentially; Fortran 8x running on the Connection Machine operates on every element of an array simultaneously, offering a huge increase in performance.

11.20.4 Data Parallel Programming: The Sieve of Eratosthenes

The sample Fortran 8x program in Fig. 11.16 finds all prime numbers less than 100,000 by the method of the Sieve of Eratosthenes (Bk87) (Th87). The *PRIME* array is a 99999-element boolean array, each element of which is initally set to *.FALSE.* Elements are set to *.TRUE.* as their subscripts are determined to be prime. *CANDIDATE* is a 99999-element boolean array with each element initally set to *.TRUE.* with the exception of *CANDIDATE(1)*. Elements are set to *.FALSE.* as it is determined that their subscripts are not prime. Statement 20 returns the subscript of the first *.TRUE.* element in *CANDIDATE*, initially 2, so this element of the *PRIME* array is set to *.TRUE.* The *FORALL* statement now sets every element whose subscript is a multiple of 2 to *.FALSE.* because these subscripts cannot be primes. The *IF* statement tests if there are any remaining candidates to be checked. If not,

```
      SUBROUTINE FINDPRIMES(PRIME)
      PARAMETER (N = 99999)
      LOGICAL PRIME(N),CANDIDATE(N)
      PRIME = .FALSE.
      CANDIDATE = .TRUE.
      CANDIDATE(1) = .FALSE.
20    NEXTPRIME = MINLOC([1,N],CANDIDATE)
      PRIME(NEXTPRIME) = .TRUE.
      FORALL (I = 1:N, MOD(I,NEXTPRIME) .EQ. 0)
           CANDIDATE(I) = .FALSE.
      IF (ANY(CANDIDATE)) GO TO 20
      RETURN
      END
```

Fig. 11.16 Finding prime numbers using the Sieve of Eratosthenes with parallel Fortran 8x on the Connection Machine. (Courtesy Thinking Machines Corporation.)

the subroutine returns the *PRIME* array. If candidates remain, the program proceeds to statement 20, where it gets the subscript of the next candidate, identifies this number as a prime, removes all multiples of this number from candidacy, and so on.

Let us consider how the massive parallelism of the Connection Machine speeds the execution of this algorithm. Each of the parallel operations requires two "cycles" of the machine (because the arrays are larger than the number of processors in the machine). Each array is initialized in parallel, the smallest candidate is located with a parallel search, the multiples of *NEXTPRIME* are eliminated in parallel, and the test if any candidates remain is performed in parallel. Each of these operations on a sequential machine requires execution time proportional to the size of the array. On the Connection Machine the execution time flattens to a single "cycle" for arrays smaller than 64K; for arrays larger than 64K, execution time is proportional to the number of elements divided by 64K (and rounded up to the next higher integer).

SUMMARY

A multiprocessing system employs several processors. Few programs written today exploit concurrency. The real hope in this area is for hardware, compilers, and operating systems to detect parallelism automatically.

Two common techniques used to exploit implicit parallelism are loop distribution and tree height reduction. In loop distribution, iterations that may be performed independently of one another are separated into concurrently executable units. Tree height reduction applies the commutative, associative, and distributive properties of arithmetic to rearrange algebraic expressions to make them amenable to concurrent execution. The never wait rule states that it is better to give a processor a task that may or may not be used eventually than to let the processor sit idle.

The most common processor interconnection schemes are the shared bus, the crossbar-switch matrix, the hypercube, and the general multistage network. The shared bus uses a single communication path between all the functional units. Its disadvantages are that the entire system fails if the bus fails, the transmission rate of the system is constrained by the transmission rate of the bus, and contention for the bus can cause performance degradation.

In the crossbar-switch matrix there is a separate path to every storage unit. This allows transmissions to and from all possible pairs of storage units simultaneously. The main disadvantage of this organization is the complexity of the crossbar switch.

Loosely-coupled multiprocessing involves connecting two or more independent computer systems via a communication link. Tightly-coupled multiprocessing uses a single storage shared by all the processors.

The basic operating system organizations for multiprocessors are master/slave, separate executives, and symmetric treatment of all processors. Master/slave is the easiest to implement. Only the master may execute the operating system. The operating system does not have to be reentrant, and mutual exclusion for system data is greatly simplified. A failure of the master causes catastrophic system failure.

In the separate executives organization each processor has its own operating system and controls its own resources. A process runs to completion on the processor to which it is assigned.

Symmetrical multiprocessing is the most complex organization to implement and the most powerful. The operating system manages a pool of identical processors. A failure of a single processor causes the operating system to remove the processor from the pool of processors, but the system continues to function. A process may be run at different times by different processors. Contention can become a problem because several processors may be in the supervisor state at once.

Several multiprocessor systems were discussed, including C.mmp, Cm*, the Butterfly, and the Connection Machine.

Parallel computation is growing in importance and is certain to be a major influence on the evolution of operating systems.

TERMINOLOGY

array processor
asymmetric multiprocessing
Butterfly
Butterfly switch
catastrophic failure
Cedar
C.mmp
Cm*
combining
Connection Machine
contention
copy-on-write
Cosmic Cube
CRAY X-MP
crossbar-switch matrix
data flow computer
data parallel computing
data stream
detection of parallelism
disk buffer cache
dynamic load balancing
explicit parallelism

fault tolerance
fetch-and-add instruction
fifth generation project
`FORALL` statement
Fortran 8x
gigaflops
graceful degradation
homogeneous multiprocessor
hypercube
implicit parallelism
instruction stream
interprocessor communication
loop distribution
loosely-coupled multiprocessing
Mach
massive parallelism
master/slave
message-based multiprocessing
MIMD (multiple instruction stream, multiple data stream)
MISD(multiple instruction stream, single data stream)
multiprocessing
multistage interconnection network
named message exchange
never wait rule
nonblocking switch
NYU Ultracomputer
objects in Mach
pipeline
processor node controller
scaling
scattering routine
shared bus
shared memory multiprocessing
SIMD (single instruction stream, multiple data stream)
SISD (single instruction stream, single data stream)
symmetric multiprocessing
tightly-coupled multiprocessing
timeshared bus
tree-height reduction
vector processor

EXERCISES

11.1 Discuss loop distribution, tree-height reduction, and the never wait rule.

11.2 Describe the shared bus multiprocessor organization. What are its advantages and disadvantages?

11.3 What architectural approaches can designers use to minimize the chance of catastrophic failure?

11.4 Describe the crossbar-switch matrix multiprocessor organization. What are its advantages and disadvantages?

11.5 Distinguish between explicit parallelism and implicit parallelism.

11.6 Distinguish between loosely-coupled multiprocessing and tightly-coupled multiprocessing.

11.7 Compare and contrast the master/slave, separate executives, and symmetrical multiprocessor operating system organizations.

11.8 What aspect of the architecture of C.mmp made it inappropriate for very large-scale multiprocessing? Why is Cm* more appropriate for this purpose?

11.9 As a computer systems designer with both hardware and software expertise, you have been given the task of designing an ultra-high reliability multiprocessing system. Discuss the hardware and software techniques you would employ.

11.10 Consider the following program segment taken from a Pascal program

```
for i := 1 to 20 do
   if x = 0 then
      y(i) = 3.5
else y(i) = 5
```

a) Recode the program segment so that it will run much more efficiently on a uniprocessor.

b) Assume a four-processor symmetrical multiprocessor is available. Produce the most efficient concurrent program you can to accomplish exactly what the given loop does.

c) Assume the availability of a symmetric massive parallel processor. Produce the most efficient concurrent program you can to accomplish exactly what the given loop does.

d) Compare the execution speed of the given loop with the execution speeds of the programs you produced in answer to (a), (b), and (c). Assume that all the processors have identical capabilities.

11.11 Use tree height reduction techniques to produce versions of the following expressions more amenable to parallel evaluation. In each case draw evaluation trees for the original expression and the new expression.

a) $(p + (q + (r + s)))$ b) $((a + b * c * d) * e)$

c) $(m + (n * p * q * r) + a + b + c)$ d) $(a * (b + c + d * (e + f)))$

11.12 Refer to the quadratic formula discussion in Section 4.3. Show how the quadratic formula could be executed on a data flow machine.

11.13 Show how the following set of assignments would be performed on a sequential processor; show how they would be evaluated on a data flow processor. Compare the relative performance of these two approaches.

```
p := a * b - c * d + e;
q := f + b / (c + d);
r := p + c - f;
s := g * (p + r) / q
```

11.14 Discuss various cache management issues that you have learned about in this text. In particular, consider the effect caches have on context switching.

11.15 One goal of designers of multiprocessors and massive parallel processors is linear scaling, i. e., ideally an n-processor system should be able to do n times the processing of a uniprocessor system. In practice this is not normally achievable. Why? Give an analysis of the various issues that prevent the realization of linear scaling.

11.16 Explain the structure and operation of the Butterfly switch. Indicate the design tradeoffs involved in the Butterfly switch, i.e., emphasize how the reduced complexity of the switching mechanism involves compromises in performance.

11.17 Compare and contrast various processor interconnection schemes discussed in this chapter. Consider issues of complexity, relative cost, performance, and reliability.

11.18 Discuss the kinds of contention problems that develop in parallel processing systems. Discuss the features of the Butterfly that minimize contention.

11.19 Discuss the notion of the disk buffer cache in the Mach operating system. How does this cache improve performance? What happens if records not written to the disk remain in the cache when the system is shut down?

11.20 Draw a five-dimensional hypercube. Prepare a chart for hypercubes of dimensions 2 through 16. For each size, indicate the number of nodes, the number of nodes each node connects with directly, and the longest path of communication between any two nodes in the system. Discuss the appeal of hypercube interconnection networks in massive parallelism. How does this complexity of hypercube interconnection networks increase with the number of nodes to be connected?

11.21 Discuss the capabilities a combining switch needs to handle multiple references to a memory location in a single access.

11.22 Show that in the 16-input/16-output Butterfly switch, data passing to a specific switch output node will require the same number of switching steps irrespective of the processor node sending that data.

11.23 Show how a 256-input/256-output Butterfly switch might be configured with 16-input/16-output Butterfly switches.

11.24 (For the reader familiar with matrices) Although matrix manipulations involve many computations that can be performed in parallel, these operations are performed sequentially on today's SISD machines. Discuss how each of the following matrix manipulations may be facilitated by parallel computation on today's massively parallel processors.

a) create a zero matrix
b) create an identity matrix
c) copy one matrix to another
d) transpose a matrix
e) invert a matrix
f) multiply a matrix by a scalar
g) multiply a matrix by a vector
h) multiply two matrices
i) calculate the determinant of a matrix

11.25 (Project) List each of the high-performance computing techniques mentioned in the chapter. Give a brief definition of each. Investigate the architectures of several popular computing systems from microcomputers to supercomputers. Indicate which techniques are used in which systems. Discuss how computer architectures of the future will differ from current architectures. What does this imply for operating systems designers?

11.26 (Project) The organizations listed in the appendix produce various parallel computing systems. Write to several of these companies requesting technical overviews of their parallel computing systems. Prepare a report summarizing these systems and com-paring and contrasting them.

11.27 (Project) Write a paper on the history of supercomputing. Indicate the current state of the art. Discuss the key technologies that are likely to advance the frontiers of supercomputing over the next several decades. Speculate on the kinds of applications that supercomputing is likely to support.

LITERATURE

(Ac82) Ackerman, W. B., "Data Flow Languages," *Computer*, Vol. 15, No. 2, February 1982, pp. 15–25.

(Ar74) Arnold, J. S.; D. P. Casey; and R. H. McKinstry, "Design of Tightly-Coupled Multiprocessing Programming," *IBM Systems Journal*, Vol. 13, No. 1, 1974, pp. 60–87.

(Au89) August, M. C.; G. M. Brost; C. C. Hsiung; and A. J. Schiffleger, "Cray X-MP: The Birth of a Supercomputer," *Computer*, Vol. 22, No. 1, January 1989, pp. 45–52.

(Ba84) Babb, R. G., II, "Parallel Processing with Large-Grain Data Flow Techniques," *Computer*, Vol. 17, No. 7, July 1984, pp. 55–61.

(Ba80) Baer, J. L., "Computer Systems Architecture," Rockville, Md.: *Computer Science Press*, 1980, pp. 547–586.

(Ba68) Barnes, G., et al., "The ILLIAC IV Computer," *IEEE Transactions on Computers*, Vol. C-17, August 1968, pp. 746–757.

(BN88) BBN Laboratories, *Butterfly GP 1000 Overview*, BBN Advanced Computers, Inc., Cambridge: MA, 1988.

(Be89a) Bernstein, D., and I. Gertner, "Scheduling Expressions on a Pipelined Processor with a Maximal Delay of One Cycle," *ACM Transactions on Programming Languages and Systems*, Vol. 11, No. 1, January 1989, pp. 57–66.

(Be89) Bertsekas, D. P., and J. N. Tsitsiklis, *Parallel and Distributed Computation*, Englewood Cliffs, NJ: Prentice Hall, 1989.

(Bh89) Bhuyan, L. N.; Q. Yang; and D. P. Agrawal, "Performance of Multiprocessor Interconnection Networks," *Computer*, Vol. 22, No. 2, February 1989, pp. 25–37.

(Bl87) Birrell, A. D.; J. V. Guttag; J. J. Horning; and R. Levin, "Synchronization Primitives for a Multiprocessor: A Formal Specification," *Proceedings of the 11th Symposium on Operating Systems Principles*, Vol. 21, No. 5, November 1987, pp. 94–102.

(Bk87) Bokhari, S. H., "Multiprocessing the Sieve of Eratosthenes," *Computer*, Vol. 20, No. 4, April 1987, pp. 50–60.

(Bo87) Borg, A., "Fault Tolerance by Design," *UNIX Review*, April 1987, pp. 46–53.

(Bu88) Burns, D., "Loop-Based Concurrency Identified As Best At Exploiting Parallelism," *Computer Technology Review*, Vol. 8, No. 16, Winter 1988, pp. 19–23.

(Bu86) Buchholz, W., "The IBM System/370 Vector Architecture," *IBM Systems Journal*, Vol. 25, No. 1, 1986, pp. 51–62.

(Cl85) Carlson, W. W., and K. Hwang, "Algorithmic Performance of Dataflow Multiprocessors," *Computer*, Vol. 18, No. 12, December 1985, pp. 30–43.

(Cl87) Clark, D. W., "Pipelining and Performance in the VAX 8800 Processor," *Proceedings of the Second International Conference on Architectural Support for Programming Languages and Operating Systems*, Palo Alto, CA, 1987, pp. 173–177.

(Ch84) Chess, D. M., "A tight Coupling of Workstations," *IBM Systems Journal*, Vol. 23, No. 3, 1984, pp. 255–263.

(Cl86) Clark, R. S., and T. L. Wilson, "Vector System Performance of the IBM 3090," *IBM Systems Journal*, Vol. 25, No. 1, 1986, pp. 63–82.

(Da84) Davis, D. B., "Super Computers: A Strategic Imperative?" *High Technology*, Vol. 4, No. 5, May 1984, pp. 44–54.

(De85) Denning, P. J., "Parallel Computing and Its Evolution," *Communications of the ACM*, Vol. 29, No. 12, December 1986, pp. 1163–1167.

(De80) Dennis, J. B., "Data Flow Supercomputers," *Computer*, Vol. 13, No. 11, November 1980, pp. 48–56.

(Dr85) DeRosa, J.; R. Glackemeyer; and T. Knight, "Design and Implementation of the VAX 8600 Pipeline," *Computer*, Vol. 18, No. 5, May 1985, pp. 38–50.

(De86) Dertouzos, M. L., "Harnessing Computers Together," *Technology Review*, February/March 1986, pp. 45–57.

(Du88) Dubois, M., and F. A. Briggs, "Synchronization, Coherence, and Event Ordering in Multiprocessors," *Computer*, Vol. 21, No. 2, February 1988, pp. 9–21.

(Em85) Emrath, P., "Xylem: An Operating System for the Cedar Multiprocessor," *Software*, Vol. 2, No. 4, July 1985, pp. 30–37.

(En77) Enslow, Philip H., Jr., "Multiprocessor Organization—A Survey," *Computing Surveys*, Vol. 9, No. 1, March 1977, pp. 103–129.

(Fa87) Fahlman, S. E., and G. E. Hinton, "Connectionist Architectures for Artificial Intelligence," *Computer*, Vol. 20, No. 1, January 1987, pp. 100–109.

(Fi89) Fisher, S., "Mach, The New UNIX?" *UNIXWorld*, March 1989, pp. 64–68.

(Fl66) Flynn, M. J., "Very High-Speed Computing Systems," *Proceedings of the IEEE*, Vol. 54, December 1966, pp. 1901–1909.

(Fo85) Fox, G., "Use of the Caltech Hypercube," *IEEE Software*, Vol. 2, July 1985, p. 73.

(Fr86a) Frenkel, K. A., "Complexity and Parallel Processing: An Interview with Richard Karp," *Communications of the ACM*, Vol. 29, No. 2, February 1986, pp. 112–117.

(Fr86) Frenkel, K. A., "Evaluating Two Massively Parallel Machines," *Communications of the ACM*, Vol. 29, No. 8, August 1986, pp. 752–759.

(Ga86) Gabriel, R. P., "Massively Parallel Computers," *Science*, Vol. 231, No. 4741, February 28, 1986, pp. 975–978.

(Ga79) Garey, M. R., and D. S. Johnson, *Computers and Intractability: A Guide to the Theory of NP-Completeness*, San Francisco, CA: W. H. Freeman, 1979.

(Ge82) Gehringer, E. F.; A. K. Jones; and Z. Z. Segall, "The Cm* Testbed," *Computer*, Vol. 15, No. 10, October 1982, pp. 40–53.

(Go87) Goodman, J. R., "Coherency for Multiprocessor Virtual Address Caches," 2nd *International Conference on Architectural Support for Programming Languages and Operating Systems*, 1987, pp. 72–81.

(Go83) Gottlieb, A.; R. Grishman; C. P. Kruskal; K. M. McAuliffe; L. Rudolph; and M. Snir, "The NYU Untracomputer—Designing an MIMD Shared Memory Parallel Computer," *IEEE Transactions on Computers*, Vol. C-32, No. 2, 1983, pp. 175–189.

(Gu85) Gurd, J. R.; C. C. Kirkham; and I. Watson, "The Manchester Prototype Dataflow Computer," *Communications of the ACM*, Vol. 28, 1985, pp. 34–51.

(Hc86) Hack, J. J., "Peak vs. Sustained Performance in Highly Concurrent Vector Machines," *Computer*, Vol. 19, No. 9, September 1986, pp. 11–20.

(Ha86) Hankin, C.; D. Till; and H. Glaser, "Linking Data Flow and Functional Languages," *BYTE*, May 1986, pp. 123–134.

(Hy86) Hayes, J. P., et al., "A Microprocessor-Based Hypercube Supercomputer," *IEEE Micro*, October 1986, pp. 6–17.

(Ha82) Haynes, L. S.; R. L. Lau; D. P. Siewiorek; and D. W. Mizell, "A Survey of Highly Parallel Computing," *Computer*, January 1982, pp. 9–24.

(Hi85) Hillis, D., *The Connection Machine, Cambridge*, MA: MIT Press, 1985.

(Hi86) Hillis, D., and G. L. Steele, Jr., "Data Parallel Algorithms," *Communications of the ACM*, Vol. 29, No. 12, December 1986, pp. 1170–1183.

(Hw85) Hwang, K., "Multiprocessor Supercomputers for Scientific/Engineering Applications," *Computer*, Vol. 18, No. 6, June 1985, pp. 57–75.

(Jo79) Jones, A. K.; R. J. Chansler, Jr.; I. Durham; K. Schwans; and S. R. Vegdahl, "StarOS, a Multiprocessor Operating System for the Support of Task Forces," *Proceedings of the Seventh Symposium on Operating Systems Principles (ACM),* December 1979, pp. 117–127.

(Ka88) Kahle, B. U.; W. A. Nesheim; and M. Isman, "UNIX and the Connection Machine Operating System," *Abstract OS88-1*, Thinking Machines Corporation, Cambridge, MA: August 26, 1988.

(Kh81) Kahn, K. C.; W. M. Corwin; T. D. Dennis; H. D'Hooge; D. E. Hubka; L. A. Hutchins; J. T. Montague; and F. J. Pollack, "iMAX: A Multiprocessor Operating System for an Object-Based Computer," *Proceedings of the 8th Symposium on Operating Systems Principles*, ACM, Vol. 15, No. 5, December 1981, pp. 127–136.

(Ka86) Karp, R. M., "Combinatorics, Complexity, and Randomness," Turing Award Lecture, *Communications of the ACM*, Vol. 29, No. 2, February 1986, pp. 98–109.

(Kl85) Kleinrock, L., "Distributed Systems," *Communications of the ACM*, Vol. 28, No. 11, November 1985, pp. 1200–1213.

(Kr88) Kruskal, C. P.; L. Rudolph; and M. Snir, "Efficient Synchronization on Multiprocessors with Shared Memory," *ACM Transactions on Programming Languages and Systems*, Vol. 10, No. 4, October 1988, pp. 579–601.

(Ku77) Kuck, D. J., "A Survey of Parallel Machine Organization and Programming," *ACM Computing Surveys*, Vol. 9, No. 1, March 1977, pp. 29–60.

(Ku86) Kuck, D. J.; E. S. Davidson; D. H. Lawrie; and A H. Sameh, "Parallel Supercomputing Today and the Cedar Approach, " *Science*, Vol. 231, No. 4741, February 28, 1986, pp. 967–974.

(Kl86) Kuhl, J. G., and S. M. Reddy, "Fault-Tolerance Considerations in Large, Multiple-Processor Systems," *Computer*, Vol. 19, No. 3, March 1986, pp. 56–67.

(La84) Larson, J. L., "Multitasking on the Cray X-MP-2 Multiprocessor," *Computer*, Vol. 17, No. 7, July 1984, pp. 62–69.

(Li88) Lilja, D.J., "Reducing the Branch Penalty in Pipelined Processors," *Computer*, Vol. 21, No. 7, July 1988, pp. 47–53.

(Li88a) Liu, B., and N. Strother, "Programming in VS Fortran on the IBM 3090 for Maximum Vector Performance," *Computer*, Vol. 21, No. 6, June 1988, pp. 65–76.

(Ma74) MacKinnon, R. A., "Advanced Function Extended with Tightly-Coupled Multiprocessing," *IBM Systems Journal*, Vol. 13, No. 1, 1974, pp. 32–59.

(Ma85) Martin, J. L., "Operating Systems and Environments for Large-Scale Parallel Processors," *IEEE Software*, Vol. 2, No. 4, July 1985, pp. 4–5.

(Mc82) McGraw, J. R., "The VAL Language: Description and Analysis," *ACM Transactions on Programming Languages*, Vol. 4, 1982, pp. 44–82.

(Mi73) Millstein, R. E., "Control Structures in Illiac Fortran," *Communications of the ACM*, Vol. 16, 1973, pp. 622–627.

(Mo84) Moto-oka, T., and H. S. Stone, "Fifth-Generation Computer Systems: A Japanese Project," *Computer*, March 1984, pp. 6–13.

(Md87) Mudge, T. N.; J. P. Hayes; and D. C. Winsor, "Multiple Bus Architectures," *Computer*, Vol. 20, No. 6, June 1987, pp. 42–49.

(Mu88) Mueller, R. A., and D. Budge, "Automated Optimization Refines SIMD Microcode for Efficient Programming," *Computer Design*, Vol. 27, No. 18, October 1, 1988, pp. 67–72.

(Mu85) Murakami, K.; T. Kakuta; R. Onai; and N. Ito, "Research on Parallel Machine Architecture for Fifth-Generation Computer Systems," *Computer*, Vol. 18, No. 6, June 1985, pp. 76–92.

(No84) Norrie, C., "Supercomputers for Superproblems: An Architectural Introduction," *Computer*, Vol. 17, No. 3, March 1984, pp. 62–75.

(Ol85) O'Leary, D. P., and G. W. Stewart, "Data-Flow Algorithms for Parallel Matrix Computations," *Communications of the ACM*, Vol. 28, No. 8, August 1985, pp. 840–853.

(Ou80) Ousterhout, J. K.; D. A. Scelza; and P. Sindhu, "Medusa: An Experiment in Distributed Operating System Structure," *Communications of the ACM*, Vol. 23, No. 2, February 1980, pp. 92–104.

(Pa80) Padua, D. A.; D. J. Kuck; and P. H. Lawrie, "High-Speed Multiprocessors and Compilation Techniques," *IEEE Transactions on Computers*, September 1980, pp. 763–776.

(Pa86) Padua, D. A., and M. J. Wolfe, "Advanced Compiler Optimizations for Supercomputers," *Communications of the ACM*, Vol. 29, No. 12, December 1986, pp. 1184–1201.

(Pa85) Patton, P. C., "Multiprocessors: Architecture and Applications," *Computer*, Vol. 18, No. 6, June 1985, pp. 29–40.

(Pe87) Perrott, R. H., *Parallel Programming*, Wokingham, England: Addison-Wesley, 1987.

(Po85) Potter, J. L., *The Massively Parallel Processor*, Cambridge, MA: M.I.T. Press, 1985.

(Rn88) Ranka, S.; Y. Won; and S. Sahni, "Programming a Hypercube Multicomputer," *IEEE Software*, Vol. 5, No. 5, September 1988, pp. 69–77.

(Re87) Reed, D. A., and D. C. Grunwald, "The Performance of Multicomputer Interconnection Networks," *Computer*, Vol. 20, No. 6, June 1987, pp. 63–73.

(Ri85) Reinhardt, S., "A Data-Flow Approach to Multitasking on Cray X-MP Computers," *Proceedings of the 10th Symposium on Operating Systems Principles*, ACM, Vol. 19, No. 5, December 1985, pp. 107–114.

(Re86) Rettberg, R., and R. Thomas, "Contention is no Obstacle to Shared-Memory Multiprocessors," *Communications of the ACM*, Vol. 29, No. 12, December 1986, pp. 1202–1212.

(Ro83) Rosenkrantz, D. J., and R. E. Stearns, "NP-Complete Problems," in *Encyclopedia of Computer Science and Engineering (Second Edition)*, A. Ralston and E. D. Reilly, Jr. (Eds), New York, NY: Van Nostrand Reinhold Company, 1983, pp. 1026–1029.

(Sa80a) Satyanarayanan, M., "Commercial Multiprocessing Systems," *Computer*, May 1980, pp. 75–96.

(Sa80b) Satyanarayanan, M., *Multiprocessors: A Comparative Study*, Englewood Cliffs, N.J.: Prentice-Hall, 1980.

(Sc85) Schneck, P. B.; D. Austin; S. L. Squires; J. Lehmann; D. Mizell; and K. Wallgren, "Parallel Processor Programs in the Federal Government," *Computer*, Vol. 18, No. 6, June 1985, pp. 43–56.

(Sc86) Schwan, K., and A. K. Jones, "Specifying Resource Allocation for the Cm* Multiprocessor," *IEEE Software*, Vol. 3, No. 3, May 1986, pp. 60–70.

(Sz85) Seitz, C. L., "The Cosmic Cube," *Communications of the ACM*, Vol. 28, No. 1, January 1985, pp. 22–33.

(Se86) Serlin, O., "Defining Parallel Processing, Parts I, II, and III," *UNIX World*, January, February, March 1986.

(Se87) Serlin, O., "Parallel Processing," *UNIX World*, June 1987, pp. 42–52.

(Se88) Serlin, O., "The Perils of Parallel Processing," *UNIX World*, August 1988, pp. 52–60.

(Sk88) Skillicorn, D. B., "A Taxonomy for Computer Architectures," *Computer*, Vol. 21, No. 11, November 1988, pp. 46–57.

(Sm82) Smith, A J., "Cache Memories," *ACM Computing Surveys*, Vol. 14, No. 3, September 1983, pp. 473–530.

(Sr86) Srini, V. P., "An Architectural Comparison of Dataflow Systems," *Computer*, Vol. 19, No. 3, March 1986, pp. 68–88.

(St86) Stanfill, C., and B. Kahle, "Parallel Free Text Search on the Connection Machine System," *Communications of the ACM*, Vol. 29, No. 12, December 1986.

(St87) Stanfill, C., "Communications Architecture in the Connection Machine System," *Technical Report HA87-3*, Cambridge, MA: Thinking Machines Corporation, 1987.

(St88) Stenstrom, P., "Reducing Contention in Shared-Memory Multiprocessors," *Computer*, Vol. 21, No. 11, November 1988, pp. 26–37.

(St82) Stevens, W. P., "How Data Flow Can Improve Application Development Productivity," *IBM Systems Journal*, Vol. 21, No. 2, 1982, pp. 162–178.

(Th86) Thinking Machines Corporation, "Introduction to Data Level Parallelism," *Technical Report 86.14*, Cambridge, MA, April 1986.

(Th87) Thinking Machines Corporation, "Connection Machine Model CM-2 Technical Summary," *Technical Report HA87-4*, Cambridge, MA, April 1987.

(Th88) Thinking Machines Corporation, "The Architecture of the CM-2 Data Processor," *Technical Report HA88-1*, Cambridge, MA, April 1988.

(To86) Towsley, D., "Approximate Models of Multiple Bus Microprocessor Systems," *IEEE Transactions on Computers*, Vol. C-35, March 1986, pp. 220–228.

(Tr79) Treleaven, P. C., "Exploiting Program Concurrency in Computing Systems," *IEEE Computer Magazine*, Vol. 12, No. 1, January 1979, pp. 42–50.

(Tr82) Treleaven, P. C.; D. R. Brownbridge; and R. P. Hopkins, "Data-Driven and Demand-Driven Computer Architecture," *ACM Computing Surveys*, Vol. 14, No. 1, March 1982, pp. 93–143.

(Tr84) Treleaven, P. C., and I. G. Lima, "Future Computers: Logic, Data Flow, ..., Control Flow?" *Computer*, Vol. 17, No. 3, March 1984, pp. 47–61.

(Wa85) Wah, B. W.; G. Li; and C. F. Yu, "Multiprocessing of Combinatorial Search Problems," *Computer*, Vol. 18, No. 6, June 1985, pp. 93–108.

(Wa87) Waltz, D. L., "Applications of the Connection Machine," *Computer*, Vol. 20, No. 1, January 1987, pp. 85–99.

(We80) Wetherell, C., "Design Considerations for Array Processing Languages," *Software: Practice and Experience*, Vol. 10, 1980, pp. 265–271.

(Wi80) Wilson, A. B., "More Power to You: Symmetrical Multiprocessing Gives Large-Scale Computer Power at a Lower Cost with Higher Availability," *Datamation*, June 1980, pp. 216–223.

(Wu80) Wulf, W. A.; R. Levin; and S. P. Harbison, Hy*dra: An Experimental Operating System,* New York: McGraw-Hill, 1980.

(Yo87) Young, M.; A. Tevanian; R. Rashid; D. Golub; J. Eppinger; J. Chew; W. Bolosky; D. Black; and R. Baron," The Duality of Memory and Communication in the Implementation of a Multiprocessor Operating System," *Proceedings of the 11th Symposium on Operating Systems Principles*, Vol. 21, No. 5, November 1987, pp. 63–76.

APPENDIX

A few of the organizations researching and developing highly-parallel computers:

Alliant Computer Systems Corporation
1 Monarch Drive
Litteton, MA 01460

Amdahl Corp.
1250 East Arques Ave.
Sunnyvale, CA 94088

BBN Advanced Computer Inc.
70 Fawcett Street
Cambridge, MA 02238

Center for Supercomputing Research and Development
University of Illinois at Urbana-Champaign
Urbana, IL 61801

Concurrent Computer
197 Hance Ave.
Tinton Falls, NJ 07724

Control Data Corp.
8100 34th Ave., S.
Minneapolis, MN 55440

Cray Research, Inc.
1440 Northland Drive
Mendora Heights, MN 55120

Digital Equipment Corp.
110 Spit Brook Road
Nashua, NH 03054

ETA Systems
1450 Energy Park Drive
St. Paul, MN 55108

IBM Corp.
11400 Burnet Road
Austin, TX 78758

Intel Corp.
3065 Bowers Ave.
Santa Clara, CA 95052

Sequent Computer Systems
15450 S. W. Koll Parkway
Beaverton, OR 97006

Thinking Machines
245 First Street
Cambridge, MA 02142

12
Disk Performance Optimization

The path of duty lies in what is near, and man seeks for it in what is remote.

Mencius

A fair request should be followed by the deed in silence.

Dante

... the latter, in search of the hard latent value with which it alone is concerned, sniffs round the mass as instinctively and unerringly as a dog suspicious of some buried bone.

William James

Go where we will on the surface of things, men have been there before us.

Henry David Thoreau

The wheel that squeaks the loudest
Is the one that gets the grease.

Josh Billings (Henry Wheeler Shaw)

Outline

12.1 Introduction
12.2 Operation of Moving-Head Disk Storage
12.3 Why Disk Scheduling Is Necessary
12.4 Desirable Characteristics of Disk Scheduling Policies
12.5 Seek Optimization
  12.5.1 FCFS (First-Come-First-Served) Scheduling
  12.5.2 SSTF (Shortest-Seek-Time-First) Scheduling
  12.5.3 SCAN Scheduling
  12.5.4 N-Step SCAN Scheduling
  12.5.5 C-SCAN Scheduling
  12.5.6 Eschenbach Scheme
12.6 Rotational Optimization
12.7 Systems Considerations
  12.7.1 Disk Storage as Limiting Resource
  12.7.2 Level of Multiprogramming
  12.7.3 Multiple Disk Subsystems
  12.7.4 Nonuniform Request Distributions
  12.7.5 File Organization Techniques
12.8 Disk Caching
12.9 Other Performance Enhancement Techniques
12.10 RAM Disks
12.11 Optical Disks

12.1 INTRODUCTION

In multiprogrammed computing systems, inefficiency is often caused by improper use of rotational storage devices such as disks and drums (Te72) (Te72a) (Wo80) (Bo85). In this chapter, the literature on managing rotational storage devices is surveyed. The more than fifty literature references provide a starting point for the reader who wishes to research this area in depth.

In this and the next chapter, we consider the variety of disk and disk-like devices including floppy disks, hard disks (using magnetic storage technology), disk caches, drums, RAM disks, and laser optical disks. We discuss the causes of inefficiency, consider various schemes for improving efficiency, and compare and contrast the schemes in the context of several performance criteria.

We discuss various systems considerations that might influence a designer's choice on whether or not to include rotational storage device scheduling in a particular system, and we show situations in which scheduling is not useful. We will consider more about the organization of information on various kinds of disk devices in Chapter 13, which examines file systems in detail.

12.2 OPERATION OF MOVING-HEAD DISK STORAGE

Figure 12.1 is a schematic representation of the side view of a *moving-head disk* (Go73) (Sm78) (Pc83). Data is recorded on a series of magnetic disks or *platters*. These disks are

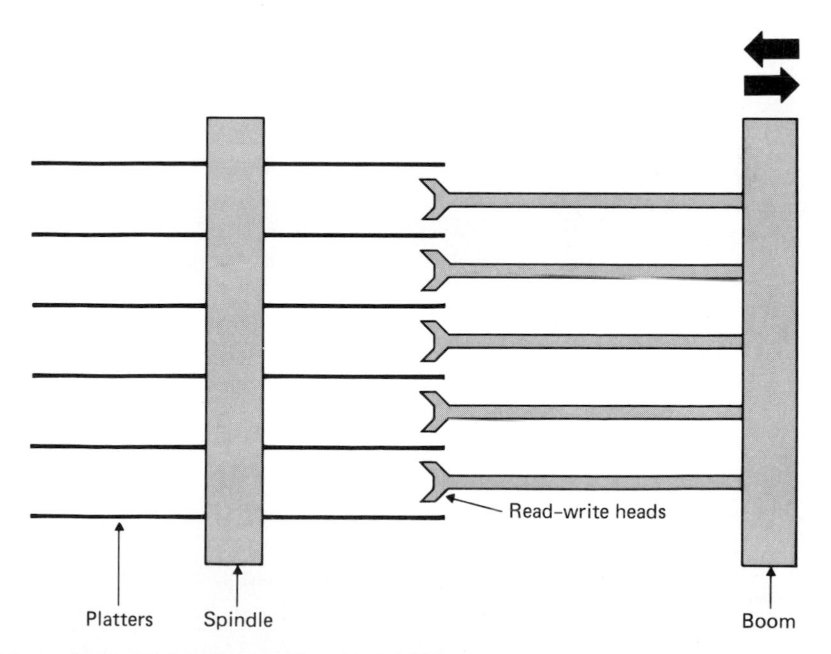

Fig. 12.1 Schematic of a moving-head disk.

connected by a common *spindle* that spins at very high speed (some spindles rotate at speeds of 3600 revolutions per minute).

The data is *accessed* (i.e., either read or written) by a series of *read-write heads*, one head per disk surface. A read-write head can access only data immediately adjacent to it. Therefore, before data can be accessed, the portion of the disk surface from which the data is to be read (or the portion on which the data is to be written) must rotate until it is immediately below (or above) the read-write head. The time it takes for data to rotate from its current position to a position adjacent to the read-write head is called *latency time*.

Each of the several read-write heads, while fixed in position, sketches out a circular *track* of data on a disk surface. All read-write heads are attached to a single *boom* or *moving-arm assembly*. The boom may move in or out. When the boom moves the read-write heads to a new position, a different set of tracks becomes accessible. For a particular position of the boom, the set of tracks sketched out by all the read-write heads forms a vertical *cylinder*. The process of moving the boom to a new cylinder is called a *seek* operation (Wa73) (Ko78).

Thus, in order to access a particular record of data on a moving-head disk, several operations are usually necessary (Fig. 12.2). First, the boom must be moved to the appropriate cylinder. Then the portion of the disk on which the data record is stored must rotate until it is immediately under (or over) the read-write head (i.e., latency time). Then

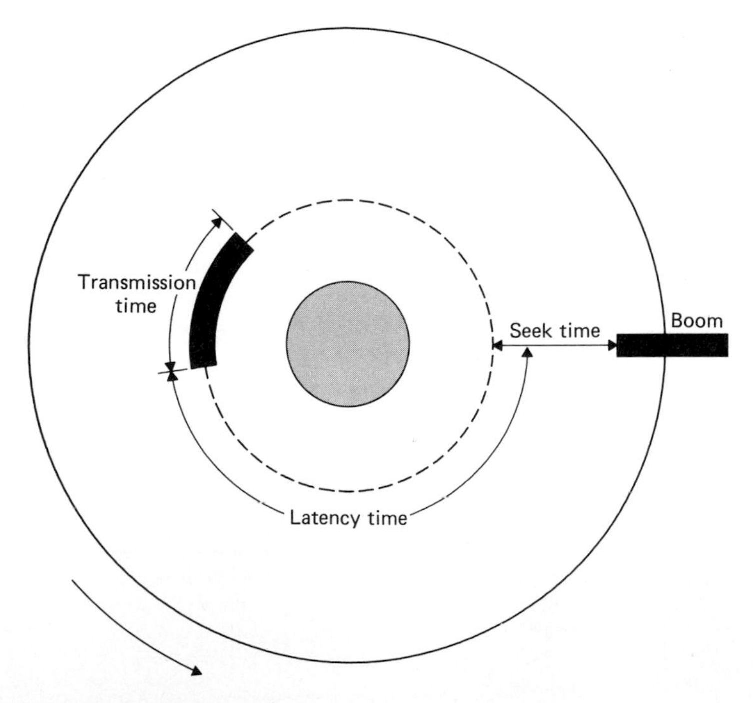

Fig. 12.2 Components of a disk access.

the record, which is of arbitrary size (up to a full circular track), must be made to spin by the read-write head. (This is called *transmission time*.) Because each of these operations involves mechanical movement, the total time it takes to access a particular record is often an appreciable fraction of a second (0.01 to 0.1 second). This is tediously slow compared with the high processing speeds (millions to billions of instructions per second) of the central computer system.

12.3 WHY DISK SCHEDULING IS NECESSARY

In multiprogrammed computing systems, many processes may be generating requests for reading and writing disk records. Because these processes sometimes make requests faster than they can be serviced by the moving-head disks, waiting lines or queues build up for each device. Some computing systems simply service these requests on a *first-come-first-served (FCFS)* basis (Wi76). Whichever request for service arrives first is serviced first. FCFS is a *fair* method of allocating service, but when the *request rate* (i.e., the *load*) becomes heavy, FCFS can result in very long waiting times.

FCFS exhibits a *random seek pattern* in which successive requests can cause time-consuming seeks from the innermost to the outermost cylinders (Fig. 12.3). To minimize

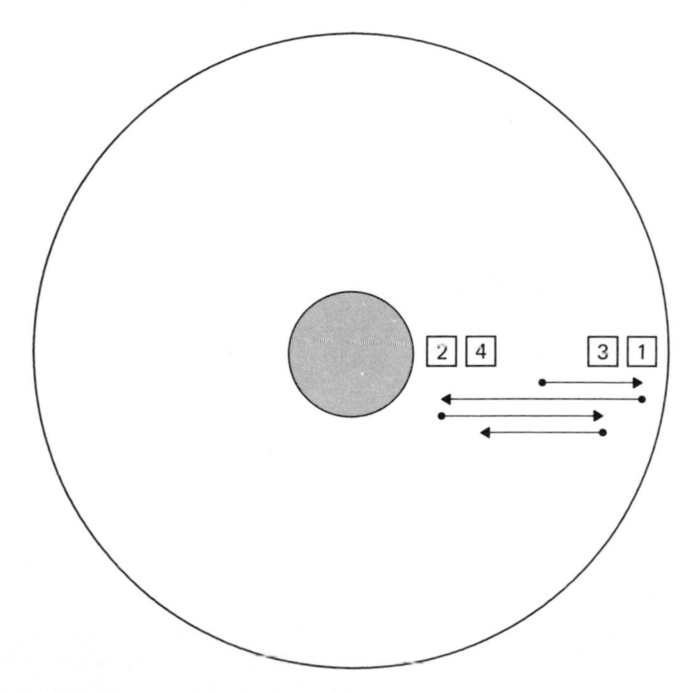

Fig. 12.3 FCFS random seek pattern. The numbers indicate the order in which the requests arrived.

time spent seeking records (Wo80), it seems reasonable to order the request queue in some manner other than FCFS. This process is called *disk scheduling* (Fr69). FCFS is sometimes viewed as the simplest disk scheduling scheme.

Disk scheduling involves a careful examination of pending requests to determine the most efficient way to service the requests. A disk scheduler examines the positional relationships among waiting requests. The request queue is then reordered so that the requests will be serviced with minimum mechanical motion.

The two most common types of scheduling discussed in the literature are *seek optimization* and *rotational* (or *latency*) *optimization*. Since seek times tend to be about an order of magnitude greater than latency times, most scheduling algorithms concentrate on minimizing seek times for a set of requests. Minimizing latency usually has little effect on overall system performance, except under heavy loads.

Under light loading conditions (i.e., a small average request queue length), FCFS is an acceptable way to service requests. Under medium to heavy loading conditions, however, scheduling normally results in much better performance than FCFS.

As much as we are concerned with optimizing disk performance, we must sometimes actually slow down disk processing. Installing a hard disk can result in disk transfer rates faster than many personal computers can handle, so the "excess" data must be buffered in the disk controller. *Interleaving* is sometimes used to help here; to slow the effective transfer rate, the consecutive records of a sequential file are often separated by $n-1$ disk blocks to give the processor a chance to "catch up." This results in what is called *n-way disk interleaving*. But disk transfer speeds are nevertheless a separate issue from reducing seeks and minimizing seek distances; the latter issues still dominate disk access optimization considerations.

12.4 DESIRABLE CHARACTERISTICS OF DISK SCHEDULING POLICIES

It has already been mentioned that FCFS is a relatively fair method of servicing requests. Several other criteria for categorizing scheduling policies are

- *throughput*
- *mean response time*
- *variance of response times* (i.e., *predictability*)

Clearly, a scheduling policy should attempt to maximize throughput—the number of requests serviced per unit time. Since scheduling policies can minimize time wasted in performing lengthy seeks, the throughput can certainly be improved over FCFS servicing. Also a scheduling policy should attempt to minimize the mean response time (or average waiting time plus average service time). Again, because scheduling reduces the time spent waiting on seeks, it should certainly be able to improve upon mean response time over FCFS.

The criteria above attempt to improve overall performance, possibly at the expense of individual requests. Scheduling often improves the total picture while reducing service levels for certain requests.

One important measure of this phenomenon is the variance of response times. Variance is a mathematical measure of how far individual items tend to deviate from the average of the items. As such, we use variance to indicate predictability—the smaller the variance, the greater the predictability. We desire a scheduling policy that minimizes variance. Otherwise certain requests may experience erratic service levels. This could be intolerable, for example, in an airline reservation system where prompt service can help sell a ticket or ensure that a passenger arrives on time for a flight. If a scheduling policy merely attempts to maximize throughput without simultaneously minimizing variance, it could process the easy-to-service requests and ignore the harder-to-service requests completely. The designer must be wary of this situation.

12.5 SEEK OPTIMIZATION

Figure 12.4 (Te72) summarizes some of the most popular seek optimization strategies. The next several sections discuss these strategies in detail.

- FCFS (First-come-first-served): There is no reordering of the queue.

- SSTF (Shortest-seek-time-first): Disk arm is positioned next at the request (inward or outward) that minimizes arm movement.

- SCAN: Disk arm sweeps back and forth across the disk surface, servicing all requests in its path. It changes direction only when there are no more requests to service in the current direction.

- C-SCAN (Circular scan): Disk arm moves unidirectionally across the disk surface toward the inner track. When there are no more requests for service ahead of the arm, it jumps back to service the request nearest the outer track and proceeds inward again.

- N-Step scan: Disk arm sweeps back and forth as in SCAN, but all requests that arrive during a sweep in one direction are batched and reordered for optimal service during the return sweep.

- Eschenbach scheme: Disk arm movement is circular as in C-SCAN, but with several important exceptions. Every cylinder is serviced for exactly one full track of information whether or not there is a request for that cylinder. Requests are reordered for service within a cylinder to take advantage of rotational position, but if two requests overlap sector positions within a cylinder, only one is serviced for the current sweep of the disk arm.

Fig. 12.4 Basic disk scheduling policies (T.F. Teorey, "Properties of Disk Scheduling Policies in Multiprogrammed Computer Systems," *Proceedings, 1972, FJCC,* Vol. 41, Part 1, p. 2; AFIPS Press.)

12.5.1 FCFS (First-Come-First-Served) Scheduling

In FCFS scheduling, the first request to arrive is the first one serviced (Te72) (Wi76) (Ho80). FCFS is fair in the sense that once a request has arrived, its place in the schedule is fixed. A request cannot be displaced because of the arrival of a higher priority request. FCFS will actually do a lengthy seek to service a distant waiting request even though another request may have just arrived on the same cylinder to which the read-write head is currently positioned.

When requests are uniformly distributed over the disk surfaces, FCFS scheduling results in a random seek pattern. It ignores positional relationships among the pending requests in the queue. It makes no attempt at optimizing the seek pattern.

FCFS is acceptable when the load on a disk is light. But as the load grows, FCFS tends to saturate the device and response times become large. FCFS does offer small variance but this is of little solace to the request sitting at the back of the disk queue while the boom rambles around in a torrid "disk dance."

12.5.2 SSTF (Shortest-Seek-Time-First) Scheduling

In SSTF scheduling, the request that results in the shortest seek distance (and thus the shortest seek time) is serviced next, even if that request is not the first one in the queue (De67) (Te72) (Wi76) (Ho80). SSTF is a cylinder-oriented scheme; this observation will be investigated in the exercises.

SSTF tends to discriminate sharply against certain requests. SSTF seek patterns tend to be highly localized with the result that the innermost and outermost tracks can receive poor service compared with the mid-range tracks (Fig. 12.5).

SSTF results in better throughput rates than FCFS, and mean response times tend to be lower for moderate loads. One significant drawback is that higher variances occur on response times because of the discrimination against the outermost and innermost tracks; in the extreme, starvation (see Chapter 6) of requests far from the read-write heads could occur. When the significant improvements in throughput and mean response times are considered, this increased variance may be tolerable. SSTF is useful in batch processing systems where throughput is the major consideration. But its high variance of response times (i.e., its lack of predictability) makes it unacceptable in interactive systems.

12.5.3 SCAN Scheduling

Denning (De67) developed the SCAN scheduling strategy to overcome the discrimination and high variance in response times of SSTF.

SCAN operates like SSTF except that it chooses the request that results in the shortest seek distance in a *preferred direction* (Fig. 12.6). If the preferred direction is currently

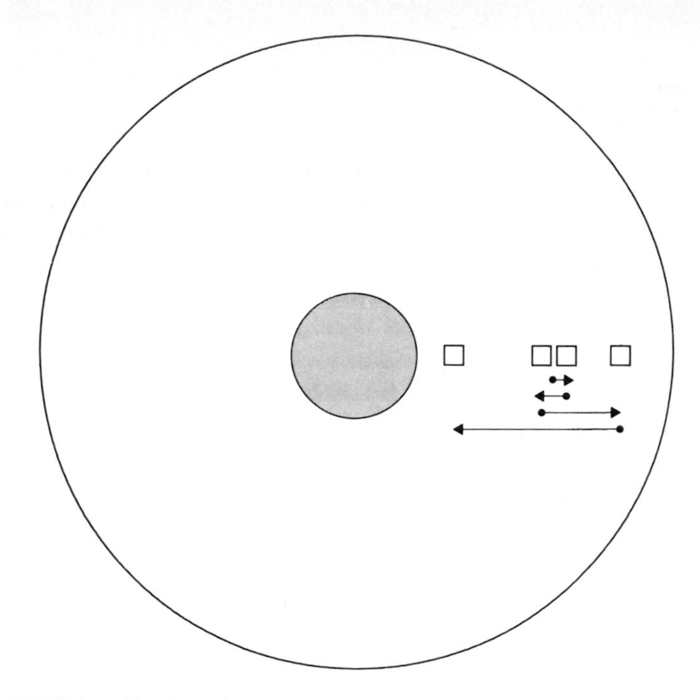

Fig. 12.5 SSTF localized seek pattern.

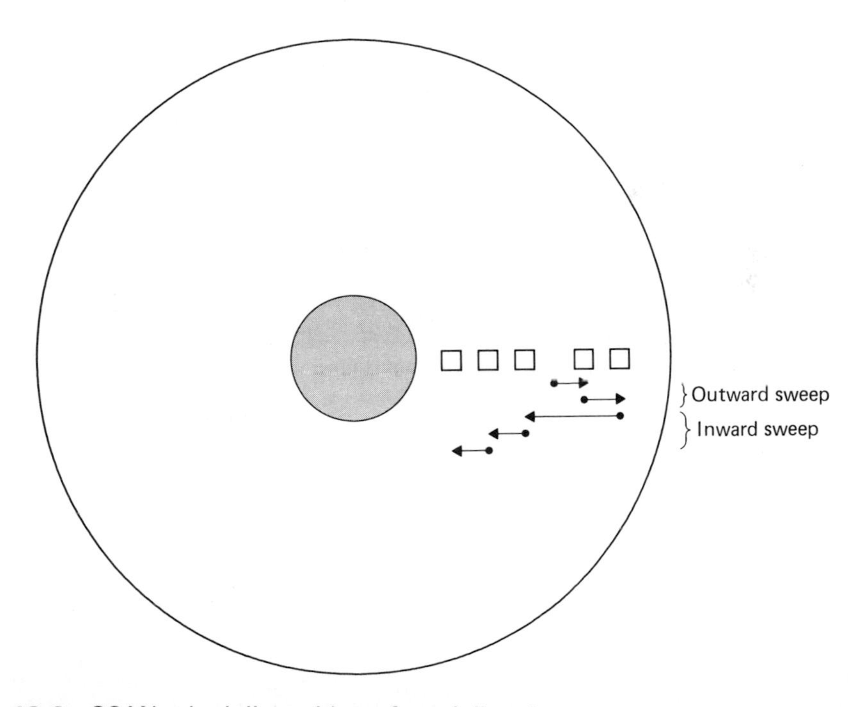

Fig. 12.6 SCAN scheduling with preferred directions.

outward, then the SCAN strategy chooses the shortest seek distance in the outward direction. SCAN does not change direction until it reaches the outermost cylinder or until there are no further requests pending in the preferred direction. In this sense, it is sometimes called the *elevator algorithm* because an elevator normally continues in one direction until there are no more requests pending and then it reverses direction. (The similarities and differences between SCAN and the elevator algorithm are examined in the exercises.) SCAN has been the basis of most disk scheduling strategies actually implemented.

SCAN behaves very much like SSTF in terms of improved throughput and improved mean response times, but it eliminates much of the discrimination inherent in SSTF schemes and offers much lower variance. SCAN, like SSTF, is a cylinder-oriented strategy; this notion is investigated in the exercises.

Because of the oscillating motion of the read-write heads in SCAN, the outer tracks are visited less often than the mid-range tracks, but this is not as serious as the discrimination of SSTF.

12.5.4 N-Step SCAN Scheduling

One interesting modification to the basic SCAN strategy is called *N-Step Scan* (Te72) (Te72a). In this strategy, the disk arm moves back and forth as in SCAN except that it services only those requests waiting when a particular sweep begins. Requests arriving during a sweep are grouped together and ordered for optimum service during the return sweep (Fig. 12.7). On each sweep, the first *N* requests are serviced (in optimal sequence given the direction of the read-write head).

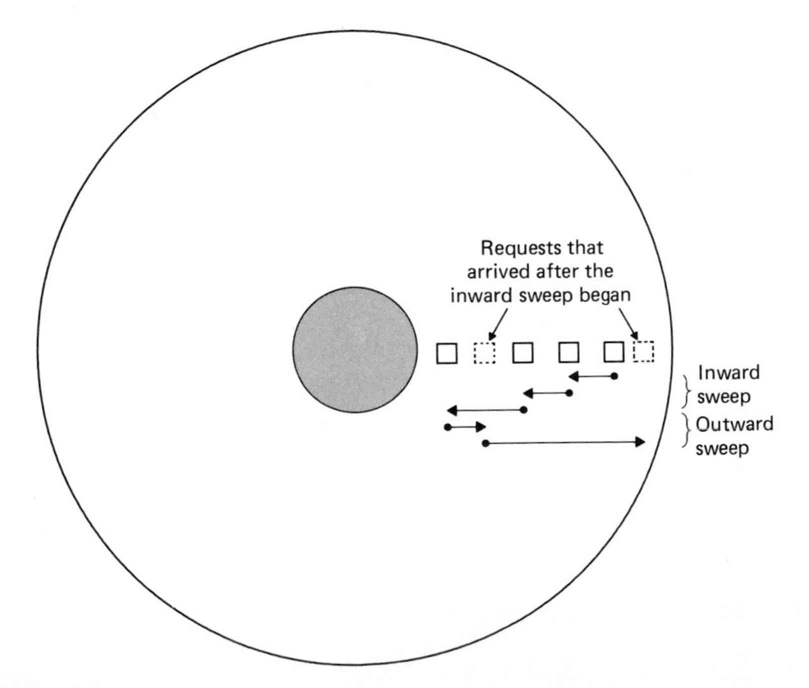

Fig. 12.7 N-Step SCAN scheduling.

N-Step SCAN offers good performance in throughput and mean response time. Its most significant characteristic is a lower variance of response times than either SSTF or conventional SCAN scheduling. N-Step SCAN avoids the possibility of indefinite postponement occurring if a large number of requests arrive for the current cylinder. It saves these requests for servicing on the return sweep.

12.5.5 C-SCAN Scheduling

Another interesting modification to the basic SCAN strategy is called *C-SCAN* (for Circular SCAN). C-SCAN eliminates the discrimination of earlier strategies against the innermost and outermost cylinders (Te72) (Go73).

In the C-SCAN strategy, the arm moves from the outer cylinder to the inner cylinder, servicing requests on a shortest-seek basis. When the arm has completed its inward sweep, it jumps (without servicing requests) to the request nearest the outermost cylinder, and then resumes its inward sweep processing requests. C-SCAN may be implemented so that requests arriving on the current sweep are serviced on the next sweep (Fig. 12.8). Thus C-SCAN completely eliminates the discrimination against requests for the innermost or outermost cylinders. It has a very small variance in response times.

Simulation results in the literature (Te72a) indicate that the best disk scheduling policy might operate in two stages. At low loading, the SCAN policy is best. At medium to heavy loading, C-SCAN yields the best results. C-SCAN with rotational optimization handles heavy loading conditions effectively.

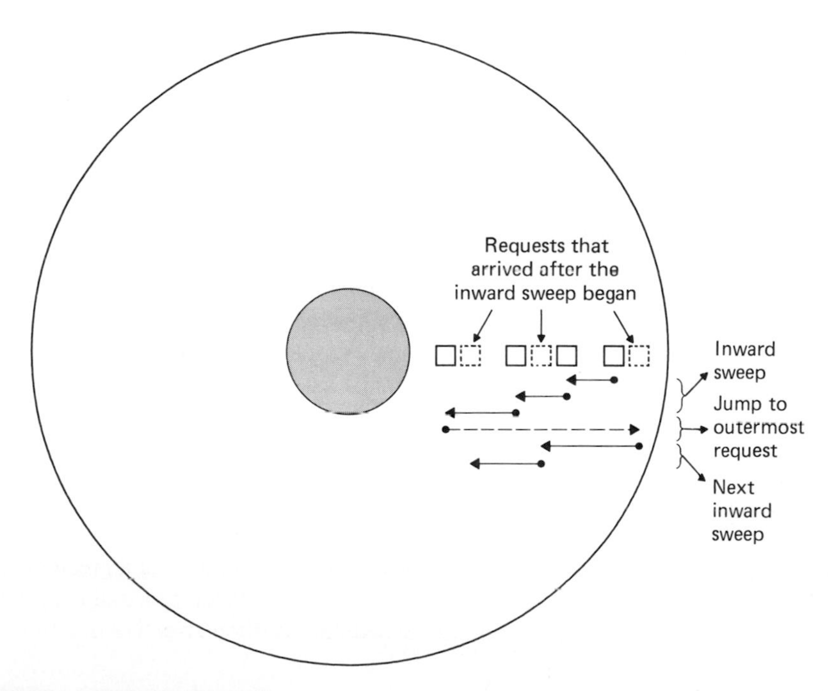

Fig. 12.8 C-SCAN scheduling.

12.5.6 Eschenbach Scheme

This strategy, described in Fig. 12.4, was originally developed for an airline reservation system designed for handling extremely heavy loads. The scheme was one of the first to attempt to optimize not only seek time but rotational delay as well (We66). The C-SCAN strategy with rotational optimization has proven to be better than the Eschenbach scheme under all loading conditions (Te72a).

12.6 ROTATIONAL OPTIMIZATION

Under heavy loading conditions, the likelihood of several references to a particular cylinder increases, and it becomes useful to consider rotational optimization as well as seek optimization. Rotational optimization has been used with fixed-head devices such as drums for many years (Ab69) (Co69) (Fu72) (St73) (Fu74).

Paralleling the SSTF strategy of seek optimization is the *SLTF* (shortest-latency-time-first) strategy for rotational optimization. Once the disk arm arrives at a particular cylinder, there may be many requests pending on the various tracks of that cylinder. The SLTF strategy examines all these requests and services the one with the shortest rotational delay first (Fig. 12.9). This strategy has been shown to be close to the theoretical optimum (St73) and is relatively easy to implement. Rotational optimization is sometimes referred to as *sector queueing*; requests are queued by sector position around the disk and the nearest sectors are serviced first.

12.7 SYSTEMS CONSIDERATIONS

When is disk scheduling useful? When might it degrade performance? These questions have to be answered in the context of the overall system into which disk usage has been incorporated (Te72). The following sections discuss several considerations that might influence the designer's decisions.

12.7.1 Disk Storage as Limiting Resource

When disk storage proves to be a *bottleneck*, some designers recommend adding more disks to the system. This doesn't always solve the problem because the bottleneck could be caused by a large request load on a relatively small number of disks. When this situation is detected, disk scheduling may be used as a means of improving performance and eliminating the bottleneck.

12.7.2 Level of Multiprogramming

The load on disks and the randomness of requests tend to increase with a greater degree of multiprogramming. Disk scheduling might not be useful in a batch processing system with a relatively low level of multiprogramming. Scheduling is often effective in a timesharing

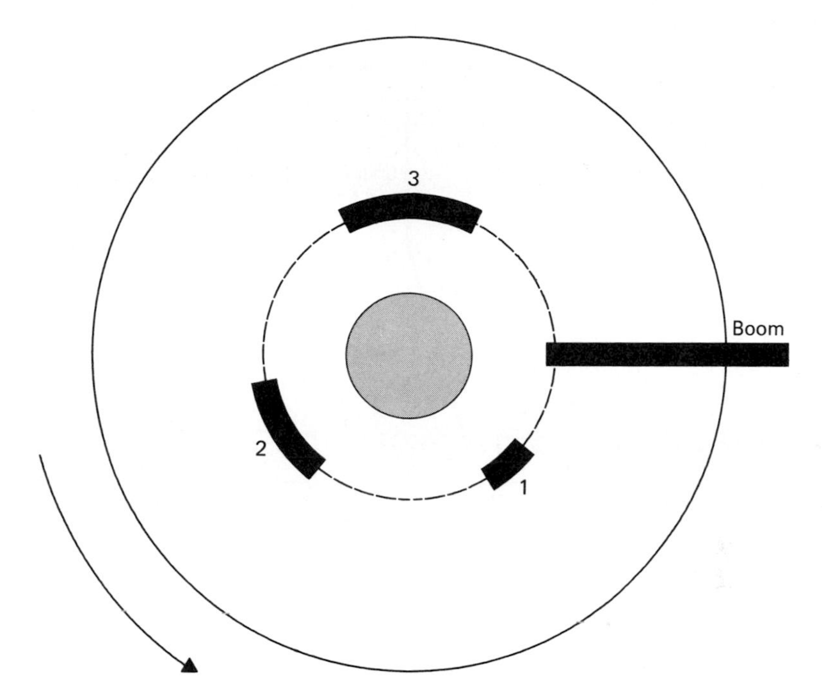

Fig. 12.9 SLTF scheduling. The requests will be serviced in the indicated order regardless of the order in which they arrived.

system with a moderate level of multiprogramming. Scheduling might yield particularly significant improvements in a *message switching system* which handles thousands of requests per minute. File servers in local area networks can receive requests from hundreds of users; this normally results in the kind of random reference patterns that encourage the use of disk scheduling (Ca84).

12.7.3 Multiple Disk Subsystems

For economy and modularity, disk hardware has often been built so that several physical disk units are managed by a single disk controller device. The controller, in turn, is connected to an input/output channel that ultimately transmits information from the disk unit to the central computer. One channel might support several disk controllers (Sm73) each of which might, in turn, support several disk drives (Fig. 12.10).

In this scheme, input/ouput channels are not connected directly to the disk units they service. This fact causes the designer to investigate a bottleneck further before deciding to incorporate disk scheduling. The bottleneck could be due to saturation of the controller or it could be caused by channel congestion. These situations can often be detected by performance monitoring software and hardware designed to measure channel and controller

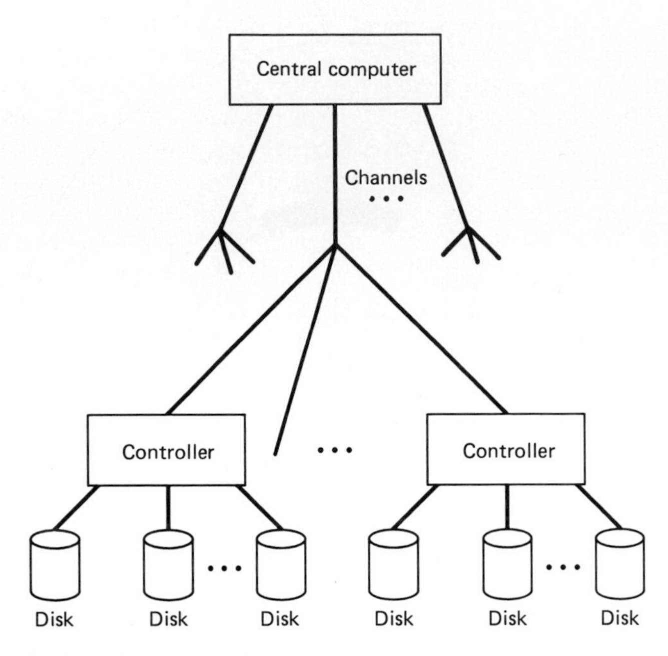

Fig. 12.10 Multiple disk subsystems.

activity (see Chapter 14). If a controller becomes saturated, the designer may wish to rearrange the system configuration by reducing the number of disks on that controller. If the channel becomes congested, some of the devices and controllers on that channel might be moved to another channel, or an additional channel might be purchased. Thus *hardware reconfiguration* may be needed to eliminate certain bottlenecks.

To help reduce channel congestion, a technique called *rotational position sensing (RPS)* has been incorporated into many disk systems (Ib74) (Ra83). It reduces the time a channel is busy while searching for a record. When a record is requested, RPS allows the channel to be free until just before the record comes under the appropriate read-write head. RPS permits several requests to be active on a single channel at the same time, thereby increasing device utilization.

12.7.4 Nonuniform Request Distributions

Most of the analytical work in the literature assumes that request distributions are uniform. Conclusions drawn from this assumption may be invalid on many systems whose request distributions are not uniformly distributed over the disk surfaces. *Nonuniform request distributions* are common in certain situations and their consequences have been investigated (Wi76) (Ly72). In one study, Lynch (Ly72) determined that the vast majority of disk references are to the same cylinder as the immediately preceding reference.

One common cause of highly localized nonuniform request distributions is the use of large sequential files on dedicated disks. When an operating system allocates space for the adjacent records of a user's sequential file, it usually places adjacent records on the same track (although many personal computer operating systems do use disk interleaving). When a track is full, additional records are placed on adjacent tracks within the same cylinder and, when a cylinder is full, additional records are placed on adjacent cylinders. Thus requests for successive records in a sequential file often cause no seeking at all. When needed, seeks are short because they are usually to immediately adjacent cylinders. Obviously, disk scheduling would be of little benefit in this situation. In fact, overhead incurred in disk scheduling might actually result in degraded performance here.

On some systems, when bad tracks are detected, alternate tracks are assigned. These alternates may be widely dispersed over the disk surfaces, causing seeks where none might actually be expected.

12.7.5 File Organization Techniques

Sophisticated file organization techniques such as ISAM (*index sequential access method* (Te72) (Ib74) (Ko78)) can cause a proliferation of requests with large seek times. ISAM accesses can involve multiple disk references in servicing requests. In some cases, an ISAM record retrieval may involve reference to a master index, reference to a cylinder index, and then location of the actual record, a process that could encounter several seek delays. Because the master index and cylinder index are normally stored on disk (but away from the main data area), these seeks can be costly. ISAM is convenient for the applications designer but can be a real headache from an implementation and performance standpoint.

12.8 DISK CACHING

When a write occurs, one would think that the record is immediately written to the disk. This is true in some systems, but in others with *disk caching* (To80) (Ca84) (Mc85) (Sm85) the writing merely causes the record to be written to a buffer in primary storage; the record remains there until the system runs out of buffer space needed by subsequent writes, at which time the record is actually written to the disk. If a recently written record needs to be read, it can be recalled from the *disk cache buffer* in primary storage much faster than if it had to be read from disk.

Because writes do not necessarily occur when programs think they do, it is likely that the contents of disk files at any time differ from what the programs think they contain. This problem is particularly crucial if the system crashes. To minimize the chance that disks are "out of sync" with what programs think the disks contain, the UNIX operating system (see the case study in Chapter 18) periodically executes the *sync* system call to flush all the buffers to disk.

The key to disk caching is keeping frequently accessed records in the disk cache buffer in primary storage. This technique works well, of course, only when it is possible to identify frequently referenced records. The locality heuristic is often used: A record referenced in the recent past is likely to be referenced in the near future.

Another heuristic often used in disk caching systems is to prefetch records adjacent to recently referenced records; this is an example of spatial locality as discussed in Chapter 9.

12.9 OTHER PERFORMANCE ENHANCEMENT TECHNIQUES

Optimizing the performance of rotational storage devices has been approached through hardware methods, through operating systems methods, and through applications systems methods. In this section, we summarize several of these that have not as yet been discussed.

Disks tend to become severely *fragmented* as files and records are added and deleted. Even sequential files, which one would expect to cause minimal seeking, become severely fragmented. Many operating systems provide *disk reorganization* programs that can be used periodically to reorganize files so that the consecutive records of sequential files are placed contiguously on the disk, and frequently referenced items are placed together. Such reorganization can require a great deal of time if the disk has become severely fragmented, so it is normally performed during off hours.

Some operating systems allow users to partition a disk into separate areas. Files are then restricted to these areas, so fragmentation is reduced.

Systems that need to access information quickly can benefit by placing multiple copies of that data at different positions on the disk. This can substantially reduce seek times, but the redundant copies can consume a significant portion of the disk. This technique is more useful for read-only data, or for data that changes nominally. Frequent changes would degrade the performance of the scheme because each of the copies would have to be updated regularly; another danger is that a system crash could leave the multiple copies in an inconsistent state.

In a multiple-disk system in which only a single reference to each disk may be in progress at once, performance may be improved by replicating frequently referenced stable data on separate drives. This allows a greater degree of concurrency.

Systems that use noncircular SCAN-type disk scheduling tend to visit the mid-range tracks more frequently than the outermost tracks. For these systems, frequently referenced data can be placed on the mid-range tracks to realize better performance.

Users accessing a common disk must compete for the right to have a reference actually in progress. In high-performance applications, it may be appropriate to dedicate a disk to a single application, thus guaranteeing immediate access to the device (although contention may still occur at the controller or channel level).

Blocking of records can yield significant performance improvements. When contiguous records are read as a single block, only a single seek is required; if these records are read individually, then one seek per record could be required.

Systems that monitor accessing activity can try to keep frequently accessed data in a favorable position in the storage hierarchy while transferring infrequently referenced data to slower storage. This yields an overall performance improvement, but it runs the danger of providing poor responses to users of infrequently accessed data even if those users have a critical need for fast access to that data (such as in real-time applications).

Spatial locality implies that after accessing one record, it is likely that nearby records will be accessed immediately. Some systems generally read an entire track of data at a time as a means of taking advantage of spatial locality. This technique can severely degrade performance in applications with random reference patterns.

One performance enhancement technique that seems obvious would be to increase the rotational speed of the disk, but there have been no significant breakthroughs in the state-of-the-practice in this area in many years. The problems are significant. Faster rotating disks would consume much greater amounts of energy (actually varying in proportion to the square of the velocity), give off more heat and noise, require more costly mechanical and electrical mechanisms to control them, and so on. As the rotational velocity increases significantly, the metal surface and the magnetized coating can become distended, causing the size of the recorded data and the spacing between data items to vary. Given these and other problems, designers have generally avoided attempts to increase rotational speeds.

Some systems use *data compression techniques* to reduce the amount of space required by information on disk. This can ultimately reduce the number of seeks, reduce latency times, and reduce transmission times. But it can require substantial processor time to compress the data for storage on the disk, and to decompress the data to make it available for processing by applications that generally do not recognize compressed format.

12.10 RAM DISKS

A *RAM disk* is a disk device simulated in conventional random access memory (Pr86). It completely eliminates delays suffered in conventional disks because of the mechanical motions inherent in seeks and in spinning a disk. RAM disks are especially useful in high-performance applications.

Caching incurs a certain amount of CPU overhead in maintaining the contents of the cache and in searching for data in the cache before attempting to read the data from disk. If the record reference patterns do not exhibit strong locality, then the *disk cache hit ratio* will be small and the CPU's efforts in managing the cache will be wasted, possibly resulting in poorer performance.

The simple fact is that magnetic disks and laser disks are dependent on slow mechanical motions. Eliminating mechanical motion has been a key goal of peripheral systems designers for many years.

RAM disks are much faster than conventional disks because they involve no mechanical motion. They are separate from main memory so they do not occupy space needed by the operating system or applications. Reference times to individual data items are uniform rather than widely variable as with conventional disks.

But there are some negatives. RAM disks are much more expensive than regular disks. They can, however, be less expensive than primary storage if they contain slower RAM.

Most forms of RAM in use today are *volatile*, i. e., they lose their contents when power is turned off or when the power supply is interrupted. This problem is solved by providing battery backups, although a lengthy power outage could still drain the batteries. Thus RAM disk users should perform frequent backups to conventional disks. The proponents of RAM disks are quick to argue that conventional disks fail, too, so this issue becomes one of evaluating the mean time between failure of the various disk technologies.

As memory prices continue decreasing, and as capacities continue increasing, it is anticipated that RAM disks will become increasingly popular to the point that they could eventually replace moving-head magnetic disk storage. Laser optical disks are still likely to increase in popularity, however, because of their huge capacities.

12.11 OPTICAL DISKS

One of the constants of the computer industry has always been that just as one technology has reached its limits another appears that has even more impressive capabilities. This is certainly the case with optical disks (Fm83) (Ro83) (Am85) (La86) (He88).

Various recording techniques are used. In one technique, intense laser heat is used to burn microscopic holes in a metal coating. In another technique, the laser heat causes raised blisters on the surface. In a third technique, the reflectivity of the surface is altered.

The first optical disks were *write-once-read-many (WORM)* devices. These are appropriate for archival applications, but are not especially useful for applications that require regular updating. Actually, the massive capacities of these disks (in the multi-gigabyte range—perhaps 100 times as great as hard disks generally used with personal computers) has enabled them to be effective in some updating applications; as changes need to be made, they are made to previously unrecorded sections of the disk. Space is reserved in each sector of the disk for a code that indicates whether or not the data is still current; if a data area has been "disabled," a pointer is provided to the updated data area. Unfortunately, this can not go on indefinitely.

Several rewritable optical disk products have appeared on the market recently, thus challenging the dominance of magnetic disk storage.

Optical disk technology appears to have stunning upper limits. Some estimates of capacities are so huge (Ro83) that researchers feel it will be possible to store 10^{21} bits on a single optical disk. To put this in perspective, this would be sufficient capacity to store every document that has been written since the dawn of civilization—along with every picture, movie, and sound recording ever produced by anyone for any reason. One has only to imagine the possibilities. Each person could have a disk with the sum total of human knowledge—and this disk could be updated regularly. Such thoughts are no longer incredible. The problems of dealing with such capacious disks would be of a dramatically different nature than those discussed in this chapter; this is investigated in the exercises.

SUMMARY

Making effective use of disk storage is important in today's operating systems and will probably continue to be important throughout the next several decades. This chapter discussed the operation of moving-head magnetic disk storage, and considered techniques for optimizing the performance of disk devices in operating systems environments.

A disk access (read or write) consists of three significant actions, namely a seek, a rotational delay (latency), and record transmission. Of these, the largest by far is normally seek time. Therefore, optimization techniques generally concentrate on minimizing both the number and the length of seeks.

Arranging pending disk requests to minimize seeks is called disk scheduling. Requests may be serviced first-come-first-served (FCFS), which is generally not considered to be a scheduling strategy, or they may be serviced according to a strategy designed to minimize seeks. Some common strategies are

- SSTF, which services requests according to their proximity to the last request serviced. The next request serviced is the one closest to the last request regardless of the direction in which the boom must move.
- SCAN, which functions like SSTF except that it continues moving in a preferred direction until all requests in that direction have been serviced; then it reverses direction.
- N-Step SCAN, which avoids delays and possibly indefinite postponement by forcing arriving requests to wait until the return sweep for service.
- C-SCAN, which eliminates SCAN's bias toward the mid-range tracks by scanning in one direction only; on the completion of a sweep, the boom jumps to the opposite end of the disk, and scanning in the same direction resumes.
- The Eschenbach scheme, which was designed for extremely heavy loads, but C-SCAN with rotational optimization has proven more effective under all loading conditions.

All the preceding strategies are concerned with the following scheduling goals:

- maximizing throughput
- minimizing response times
- minimizing variance of response times

Rotational optimization is useful under heavy loading conditions when it is likely that several requests are pending for the same cylinder at any moment. On a drum, rotational optimization is used to schedule requests.

Disk scheduling isn't always useful because performance problems could be caused by other portions of the hardware or software. The bottlenecks could be at the disks, the controllers, or the channels. Or they could be caused by nonuniform request distributions such as those common in sequential file processing. Access methods like ISAM can be convenient for the applications designer but can require a large number of lengthy seeks as they function at run time.

A disk cache is an area in primary storage in which frequently accessed records are kept to help avoid the need for actual lengthy seeks to the disk.

Other performance enhancement techniques include reorganizing the disk to minimize fragmentation, partitioning the disk, thus confining files to narrow areas to reduce fragmentation, placing multiple copies of frequently referenced stable data throughout the disk to reduce seek distances, replicating frequently referenced stable data on separately accessible disk drives to enable increased concurrency, placing data at the mid-range tracks on devices that use SCAN-type scheduling, dedicating a disk to high-performance applications, blocking records to reduce the number of seeks, keeping frequently accessed data at faster access positions in the storage hierarchy, reading an entire track at a time to take advantage of spatial locality, and compressing data to reduce space required and hence to reduce access times. Increasing the rotational speeds of disks has generally been avoided because of physical limitations.

A RAM disk is a disk device simulated in conventional random access memory; it runs much faster than disk, but costs substantially more.

Laser optical disks can store massive amounts of data in write-once-read-many manner. Rewritable laser disks could eventually replace magnetic moving-head disks. Laser disk storage capacities are so huge that entire new classes of applications will become feasible.

TERMINOLOGY

access (read or write)
access time
auxiliary storage
boom
bottleneck
channel
controller
C-SCAN
cylinder
cylinder index
data compression
disk
disk cache buffer
disk cache hit ratio
disk caching
disk controller
disk interleaving
disk reorganization
disk scheduling
disk surface
drum
elevator algorithm
Eschenbach scheme
FCFS
first-come-first-served
floppy disk
fragmentation
hardware reconfiguration
index sequential access method
input-output channel
ISAM
latency
latency optimization
load
localized seek pattern
mass storage
master index
mean response time
moving-arm assembly
moving-head magnetic disk
multiple-disk subsystem
nonuniform request distribution
N-step SCAN
optical disk
platter
predictability
preferred direction
primary storage
RAM disk
random access
random seek pattern
read-write head

request rate
rotational delay
rotational optimization
rotational position sensing
RPS
SCAN
sector queueing
seek
seek optimization
seek time
shortest-latency-time-first
shortest-seek-time-first
SLTF
spindle
SSTF
throughput
track
transmission time
uniform request distribution
variance of response times
volatile RAM
write-once-read-many (WORM)

EXERCISES

12.1 What are the essential goals of disk scheduling? Why is each important?

12.2 Suppose that on a particular model of disk drive, seek times approximate latency times. How might this affect a designer's choice to include disk scheduling on a computer system using drives of this type?

12.3 What makes a given disk scheduling discipline fair? Just how important is fairness compared to other goals of disk scheduling disciplines?

12.4 Disk scheduling disciplines that are not fair generally have a larger variance of response times than FCFS. Why is this true?

12.5 Under very light loading conditions, virtually all the disk scheduling disciplines discussed in this chapter degenerate to which scheme? Why?

12.6 One criterion that influences the desirability of implementing disk scheduling is the run-time overhead of the disk scheduling mechanism. What factors contribute to this overhead? Suppose t is the average seek time on a system with FCFS disk scheduling. Suppose s is the approximate time it would take to schedule an average disk request if another form of disk scheduling were in use. Assume all other factors are favorable to incorporating disk scheduling on this system. For each of the following cases, comment on the potential effectiveness of incorporating disk scheduling on the system.

a) $s = 0.01t$ b) $s = 0.1t$

c) $s = t$ d) $s = 10\,t$

e) $s = 100\,t$

12.7 Latency optimization usually has little effect on system performance except under extremely heavy loads. Why?

12.8 On interactive systems it is essential to ensure reasonable response times to users. Minimizing the variance of response times is still an important goal, but it is not sufficient to prevent an occasional user from suffering indefinite postponement. What additional mechanism would you incorporate into a disk scheduling discipline on an interactive system to help ensure reasonable response times and to avoid the possibility of indefinite postponement?

12.9 Argue why some people refuse to consider FCFS to be a disk scheduling discipline. Is there a scheme for servicing disk requests that we would be even less inclined to call disk scheduling than FCFS?

12.10 In what sense is SCAN fairer than SSTF? In what sense is C-SCAN fairer than SCAN?

12.11 Give a statistical argument for why FCFS offers a small variance of response times.

12.12 Argue why SSTF tends to favor mid-range tracks at the expense of the innermost and outermost tracks.

12.13 SSTF is sometimes referred to as a cylinder-oriented disk scheduling scheme. Explain why.

12.14 Chapter 6 suggests a scheme for avoiding indefinite postponement. Suggest an appropriate modification to the SSTF scheme to create a "nonstarving SSTF." Compare this new version with regular SSTF with regard to throughput, mean response times, and variance of response times.

12.15 It is possible that while a disk request for a particular cylinder is being serviced, another request for that cylinder will arrive. Some disk scheduling disciplines would service this new request immediately after processing the current request. Other disciplines preclude the servicing of the new request until the return sweep of the disk arm. What dangerous situation might occur in a disk scheduling discipline that allows immediate servicing of a new request for the same cylinder as the previous request?

12.16 Why does SCAN have a lower variance of response times than SSTF?

12.17 Compare the throughput of N-Step SCAN with that of SCAN.

12.18 Compare the throughput of C-SCAN with that of SCAN.

12.19 How does a latency optimization scheme operate?

12.20 A disk storage bottleneck may not always be removed by adding more disk drives. Why?

12.21 How does the level of multiprogramming affect the need for disk scheduling?

12.22 Suppose controller saturation is indicated. Might disk scheduling be useful? What other actions should be taken?

12.23 What actions should be taken to improve performance when channel congestion occurs?

12.24 Why is it desirable to assume uniform request distributions when considering disk scheduling disciplines? In what types of systems might you expect to observe relatively uniform request distributions? Give several examples of systems that tend to have nonuniform request distributions.

12.25 Would disk scheduling be useful for a single-user, dedicated disk in a sequential file processing application? Why?

12.26 In what circumstances might disk scheduling actually result in poorer performance than FCFS?

12.27 Compare the essential goals of disk scheduling with those of CPU scheduling. What are the similarities? What are the differences?

12.28 What factors contribute to the need for seeking? A sequential file "properly" stored on an empty disk can be retrieved with minimal seeking. But disks tend to become heavily fragmented as files are added and deleted. Thus, successive references to "adjacent" records in a disk file can result in substantial seeking throughout the disk. Discuss the notion of file reorganization as a scheme for minimizing seeks. Under what circumstances should a file be reorganized? For what kinds of files does it not make sense to reorganize? Should every file on the disk be reorganized or should this operation be limited to certain files only?

12.29 This chapter has concentrated on software solutions to the problem of improving performance on moving-head disk storage devices. Hardware redesign is rarely an option available to an operating systems designer, but suppose you have been given the opportunity to propose certain hardware changes to the operation of moving-head disk systems (for the benefit of future operating systems designers). What changes would you suggest? How would each of these changes affect the need for disk scheduling? If disk scheduling is still needed on your new-style disks, would the disk scheduling schemes discussed in this chapter be effective? What new types of disk scheduling schemes might be appropriate?

12.30 A designer has proposed the use of multiple arms to greatly improve the response times of a disk subsystem. Discuss the advantages and disadvantages of such a scheme. Given that this clever idea has generally been ignored in today's disk systems, indicate why designers have tended to stay with the single-arm designs.

12.31 The availability of moving-head disk storage has contributed greatly to the success of modern computing systems. Disks offer relatively fast and direct access to enormous amounts of information. Industry prognosticators see a solid future for disk-based secondary storage systems, and researchers continue developing new and improved disk scheduling disciplines. Propose several new disk scheduling schemes. Compare your schemes with those presented in this chapter.

12.32 We mentioned that the SCAN algorithm is like the algorithm followed by elevators. In what ways is this an appropriate analogy? In what key ways, however, is this analogy inappropriate?

12.33 Suggest other techniques besides disk scheduling and file reorganization for minimizing seeks.

12.34 In the text, we considered the enormous capacities of current optical disks, and we mentioned the staggering upper limits that researchers feel are possible. Assuming that such large capacity disks are developed, and that they are rewritable, discuss the kinds of issues that operating systems designers will need to deal with in designing systems that use these media. Consider each of the following.

a) What if primary storage speeds and capacities improve at the same rate as optical disk speeds and capacities. What if primary storage evolves more rapidly? more slowly?

b) Would future systems tend to be real storage systems or virtual storage systems? Justify your answer.

c) What new kinds of applications would become feasible? What would operating systems need to do to support these applications?

d) How might computer hardware designs change to support such massive secondary storage devices?

e) What are the implications of such devices on the field of data communications and computer networks?

12.35 What is a RAM disk? Compare and contrast RAM disk with conventional moving-head magnetic disk storage.

12.36 In the earlier chapters, we referred to a memory faster than primary memory as cache memory. RAM disks can be as fast as primary memory, or they can be slower. They are normally much faster than conventional moving-head magnetic disk storage. Discuss the issues of storage management in a virtual storage system that has all four kinds of storage mentioned here. Consider the size and complexity of the operating system, overhead incurred, potential for failure, consequences of failure, and performance issues.

12.37 Develop monitors (see Chapter 5) to implement each of the following disk scheduling disciplines.

a. FCFS
b. SSTF
c. SCAN
d. N-Step SCAN
e. C-SCAN
f. Eschenbach Scheme

12.38 (*Simulation Project*) In this chapter, we have investigated several disk scheduling strategies including FCFS, SSTF, SCAN, N-SCAN, and C-SCAN. Write a simulation program to compare the performance of these scheduling methods under light, medium, and heavy loads. Define a light load as one in which there is usually either 0 or 1 requests waiting for the entire disk. Define a medium load as one in which each cylinder has either 0 or 1 requests waiting. Define a heavy load as one in which many cylinders are likely to have many requests pending. Use random number generation to simulate the arrival time of each request as well as the actual cylinder for each request.

LITERATURE

(Ab68) Abate, J.; H. Dubner; and S. B. Weinberg, "Queueing Analysis of the IBM 2314 Disk Storage Facility," *Journal of the ACM*, Vol. 15, No. 4, October 1968, pp. 557–589.

(Ab69) Abate, J., and H. Dubner, "Optimizing the Performance of a Drumlike Storage," *IEEE Transactions on Computers*, Vol. C-18, No. 11, November 1969, pp. 992–996.

(Am85) Ammon, G. J.; J. A. Calabria; and D. T. Thomas, "A High-Speed, Large-Capacity, 'Jukebox' Optical Disk System," *Computer*, Vol. 18, No. 7, July 1985, pp. 36–48.

(Bo85) Bostwick, S., "Tailored Buffers Speed Disk Processing," *Mini-Micro Systems*, Vol. 18, No. 15, November 15, 1985, pp. 27–29.

(Ca84) Chaney, R., and B. Johnson, "Maximizing Hard-Disk Performance: How Cache Memory Can Dramatically Affect Transfer Rate," *Byte*, May 1984, pp. 307–334.

(Ch82) Chi, C. S., "Advances in Computer Mass Storage Technology," *Computer*, Vol. 15, No. 5, May 1982, pp. 60–74.

(Co69) Coffman, E. G. Jr., "Analysis of a Drum Input/Output Queue under Scheduling Operation in a Paged Computer System," *Journal of the ACM*, Vol. 16, No. 1, January 1969, pp. 73–90.

(Co68) Coffman, E. G., Jr., and A. C. McKeller, "On the Motion of an Unbounded Markov Queue in Random Access Storage," *IEEE Transactions on Computers*, Vol. C-17, No. 6, 1968, pp. 600–603.

(Cp82) Copeland, G., "What If Mass Storage Were Free?" *Computer*, Vol, 15, No. 7, July 1982, pp. 27–35.

(De67) Denning, P. J., "Effects of Scheduling on File Memory Operations," *Proceedings of AFIPS, SJCC*, Vol. 30, 1967, pp. 9–21.

(En81) Engh, J. T., "The IBM Diskette and Diskette Drive," *IBM Journal of Research and Development*, Vol. 25, No. 5, September 1981, pp. 701–710.

(Fi65) Fife, D. W., and J. L. Smith, "Transmission Capacity of Disk Storage Systems with Concurrent Arm Positioning," *IEEE Transactions on Computers*, Vol. EC-14, No. 8, August 1965, pp. 575–582.

(Fr69) Frank, H., "Analysis and Optimization of Disk Storage Devices for Time-Sharing Systems," *Journal of the ACM*, Vol. 16, No. 4, October 1969, pp. 602–620.

(Fm83) Freedman, D. H., "Searching for Denser Disks," *Infosystems*, September 1983, p. 56.

(Fu84) Fujitani, L., "Laser Optical Disk: The Coming Revolution in On-Line Storage," *Communications of the ACM*, Vol. 27, No. 6, June 1984, pp. 546–554.

(Fu72) Fuller, S. H., "An Optimal Drum Scheduling Algorithm," *IEEE Transactions on Computers*, Vol. C-21, No. 11, November 1972, pp. 1153–1165.

(Fu74) Fuller, S. H., "Minimal-Total-Processing-Time Drum and Disk Scheduling Disciplines," *Communications of the ACM*, Vol. 17, No. 7, July 1974, pp. 376–381.

(Go73) Gotlieb, C. C., and G. H. MacEwen, "Performance of Movable-Head Disk Storage Devices," *Journal of the ACM*, Vol. 20, No. 4, October 1973, pp. 604–623.

(Hr81) Harker, J. M.; D. W. Brede; R. E. Pattison; G. R. Santana; and L. G. Taft, "A Quarter Century of Disk File Innovation," *IBM Journal of Research and Development*, Vol. 25, No. 5, September 1981, pp. 677–689.

(Ha74) Haughton, K., "Design Considerations of the IBM 3340 Disk File," Proc. *IEEE Computer Science Conference*, 1974, pp. 281–283.

(He88) Helgerson, L. W., and H. G. Martens, "In Search of CD-ROM Data," *PC Tech Journal*, Vol. 16, No. 10, October 1988, pp. 66–75.

(Hg85) Hoagland, A. S., "Information Storage Technology—A Look at the Future," *Computer*, Vol. 18, No. 7, July 1985, pp. 60–68.

(Ho80) Hofri, M., "Disk Scheduling: FCFS vs. SSTF Revisited," *Communications of the ACM*, Vol. 23, No. 11, November 1980, pp. 645–653.

(Ib74) *Introduction to IBM/360 Direct Access Storage Devices and Organization Methods*, White Plains, N. Y.: GC20-1649-8 IBM Data Processing Division, 1974.

(Jo83) Johnson, C. E. , Jr., "The Promise of Perpendicular Magnetic Recording," *Byte*, March 1983, pp. 56–64.

(Ke82) Kenville, R. F., "Optical Disk Data Storage," *Computer*, Vol. 15, No. 7, July 1982, pp. 21–26.

(Ko78) Kollias, J. G., "An Estimate of Seek Time for Batched Searching of Random or Indexed Sequential Structured Files," *Computer Journal*, Vol. 21, No. 2, 1978, pp. 132–133.

(Kr87) Kryder, M. H., "Data–Storage Technologies for Advanced Computing," *Scientific American*, Vol. 257, No. 4, October 1987, pp. 116–125.

(La86) Lambert, S., and S. Ropiequet, *CD-ROM: The New Papyrus*, Redmond, WA: Microsoft Press, 1986.

(Ly72) Lynch, W. L., "Do Disk Arms Move?" Performance Evaluation Review, *ACM Sigmetrics Newsletter*, Vol. 1, December 1972, pp. 3–16.

(Mc85) McKeon, B., "An Algorithm for Disk Caching with Limited Memory," *Byte*, Vol. 10, No. 9, September 1985, pp. 129–138.

(Mi85) Miller, S. W., and M. W. Collins, "Toward a Reference Model of Mass Storage Systems," *Computer*, Vol. 18, No. 7, July 1985, pp. 9–23.

(Mu81) Mulvany, R. B., and L. H. Thompson, "Innovations in Disk File Manufacturing," *IBM Journal of Research and Development*, Vol. 25, No. 5, September 1981, pp. 711–723.

(Ol85) O'Leary, B. T., and D. L. Kitts, "Optical Device Interfacing for a Mass Storage System," *Computer*, Vol. 18, No. 7, July 1985, pp. 24–35.

(Om86) O'Malley, C., "Reorganizing Your Hard Disk," *Personal Computing*, Vol. 10, No. 8, August 1986, pp. 69–77.

(Pc83) Pechura, M. A., and J. D. Schoeffler, "Estimating File Access Time of Floppy Disks," *Communications of the ACM*, Vol. 26, No. 10, October 1983, pp. 754–763 (Corrigendum Vol. 27, No. 1, January 1984, p. 52).

(Pe80) Perros, H. G., "A Regression Model for Predicting the Response Time of a Disc I/O System," *Computer Journal*, Vol. 23, No. 1, 1980, pp. 34–36.

(Pr86) Price, J., "Solid State Disks: The Decade's Hottest Performance Technology," *Multi-User*, Vol. 1, No. 5, January 1986, pp. 9–28.

(Ra83) Ralston, A., and E. D. Reilly, Jr., *Encyclopedia of Computer Science and Engineering: Second Edition,* New York, NY: Van Nostrand Reinhold Company, 1983.

(Ro83) Rothchild, E., "Optical-Memory Media," *Byte*, March 1983, pp. 86–106.

(Sa83) Sarisky, L., "Will Removable Hard Disks Replace the Floppy?" *Byte*, March 1983, pp. 110–117.

(Sc85) Schroeder, M.; D. Gifford; and R. Needham, "A Caching File System for a Programmer's Workstation," *Proceedings of the 10th Symposium on Operating Systems Principles*, December 1985, pp. 35–50.

(Sm73) Smith, A., "A Performance Analysis of Multiple Channel Controllers," *Proc. First Annual SIGME Symposium of Measurement and Evaluation*, February 1973, pp. 37–46.

(Sm75) Smith, A., "A Locality Model for Disk Reference Patterns," *Proceedings Tenth IEEE Computer Science Conference*, 1975, pp. 109–112.

(Sm78) Smith, A., "On the Effectiveness of Buffered and Multiple Arm Disks," *Proceedings Fifth Symposium on Computer Architecture*, 1978, pp. 242–248.

(Sm85) Smith, A.J., "Disk Cache—Miss Ratio Analysis and Design Considerations," *ACM Transactions on Computer Systems*, Vol. 3, No. 3, August 1985, pp. 161–203.

(St73) Stone, H. S., and S. H. Fuller, "On the Near Optimality of the Shortest-Latency-Time-First Drum Scheduling Discipline," *Communications of the ACM*, Vol. 16, No. 6, June 1973, pp. 352–353.

(Sv81) Stevens, L. D., "The Evolution of Magnetic Storage," *IBM Journal of Research and Development*, Vol. 25, No. 5, September 1981, pp. 663–675.

(Te72) Teorey, T. J., "Properties of Disk Scheduling Policies in Multiprogrammed Computer Systems," *Proceedings AFIPS FJCC*, Vol. 41, 1972, pp. 1–11.

(Te72a) Teorey, T. J., and T. B. Pinkerton, "A Comparative Analysis of Disk Scheduling Policies," *Communications of the ACM*, Vol. 15, No. 3, March 1972, pp. 177–184.

(To80) Tokunaga, T.; Y. Hirai; and S. Yamamoto, "Integrated Disk Cache System with File Adaptive Control," *Proceedings Distributed Computing Compcon*, Fall 1980, pp. 412–416.

(Wa73) Waters, S. J., "Estimating Magnetic Disc Seeks," *Computer Journal*, Vol. 18, No. 1, 1973, pp. 12–18.

(We66) Weingarten, A., "The Eschenbach Drum Scheme," *Communications of the ACM*, Vol. 9, No. 7, July 1966, pp. 509–512.

(We79) Welch, T. A., "Analysis of Memory Hierarchies for Sequential Data Access," *IEEE Computer*, Vol. 12, No. 5, May 1979, pp. 19–26.

(Wi76) Wilhelm, N. C., "An Anomaly in Disk Scheduling: A Comparison of FCFS and SSTF Seek Scheduling Using an Empirical Model for Disk Accesses," *Communications of the ACM*, Vol. 19, No. 1, January 1976, pp. 13–17.

(Wo80) Wong, C. K., "Minimizing Expected Head Movement in One-Dimensional and Two-Dimensional Mass Storage Systems," *ACM Computing Surveys*, Vol. 12, No. 2, 1980, pp. 167–178.

13
File and Database Systems

'Tis in my memory lock'd,
And you yourself shall keep the key of it.

William Shakespeare

E pluribus unus.
(One composed of many.)

Virgil

I can only assume that a "Do Not File" document is filed in a "Do Not File" file.

Senator Frank Church
Senate Intelligence Subcommittee Hearing, 1975

A form of government that is not the result of a long sequence of shared experiences, efforts, and endeavors can never take root.

Napoleon Bonaparte

Outline

13.1 Introduction
13.2 The File System
13.3 File System Functions
13.4 The Data Hierarchy
13.5 Blocking and Buffering
13.6 File Organization
13.7 Queued and Basic Access Methods
13.8 Allocating and Freeing Space
    13.8.1 Contiguous Allocation
    13.8.2 Noncontiguous Allocation
        13.8.2.1 Sector-Oriented Linked Allocation
        13.8.2.2 Block Allocation
13.9 File Descriptor
13.10 Access Control Matrix
13.11 Access Control by User Classes
13.12 Backup and Recovery
13.13 File Servers
13.14 Distributed File Systems
13.15 CD-ROMs, WORMs, and Magneto-Laser Disks
13.16 Database Systems
    13.16.1 Advantages of Database Systems
    13.16.2 Data Independence
    13.16.3 Database Languages
    13.16.4 Distributed Database
13.17 Database Models
    13.17.1 Hierarchical Database
    13.17.2 Network Database
    13.17.3 Relational Database

13.1 INTRODUCTION

A *file* is a named collection of data. It normally resides on a secondary storage device such as disk or tape. It may be manipulated as a unit by operations such as

- *open*—Prepare a file to be referenced.
- *close*—Prevent further reference to a file until it is reopened.
- *create*—Build a new file.
- *destroy*—Remove a file.
- *copy*—Create another version of the file with a new name.
- *rename*—Change the name of a file.
- *list*—Print or display the contents of a file.

Individual data items within the file may be manipulated by operations like

- *read*—Input a data item to a process from a file.
- *write*—Output a data item from a process to a file.
- *update*—Modify an existing data item in a file.
- *insert*—Add a new data item to a file.
- *delete*—Remove a data item from a file.

Files may be characterized by

- *Volatility*—This refers to the frequency with which additions and deletions are made to a file.
- *Activity*—This refers to the percentage of a file's records accessed during a given period of time.
- *Size*—This refers to the amount of information stored in the file.

13.2 THE FILE SYSTEM

An important component of an operating system is the *file system* (Go86). File systems generally contain

- *Access methods*—These are concerned with the manner in which data stored in files is accessed.
- *File management*—This is concerned with providing the mechanisms for files to be stored, referenced, shared, and secured.
- *Auxiliary storage management*—This is concerned with allocating space for files on secondary storage devices.
- *File integrity mechanisms*—These are concerned with guaranteeing that the information in a file is uncorrupted. When file integrity is assured, whatever information is supposed to be in a file is there; information not supposed to be in a file is kept out of the file.

The file system is primarily concerned with managing secondary storage space, particularly disk storage. For the purposes of this discussion, let us assume an environment of a large-scale timesharing system supporting approximately 100 active terminals accessible to a user community of several thousand users. Each of these users may have several *accounts* on the computer which they use to distinguish work performed, perhaps for various *projects*. Each of these accounts may have many files. Some files might be small, such as a letter to be sent in an electronic mail system. Other files may be large, such as a master list of parts in an inventory control application.

On large-scale timesharing systems and distributed processing systems, it is common for user accounts to contain between 10 and 100 files. Thus with a user community of several thousand users, a system's disks might easily contain 50,000 to 100,000 or more separate files. These files need to be accessed quickly to keep response times small (Mc84).

A file system for this type of environment may be organized as follows (Fig. 13.1). A *root* is used to indicate where on disk the *root directory* begins. The root directory points to the various *user directories*. A user directory contains an entry for each of a user's files; each entry points to where the corresponding file is stored on disk.

File names need only be unique within a given user directory. The system name of a file, however, must be unique within the file system. In *hierarchically structured file systems*, the system name of a file is usually formed as the *pathname* from the root directory to the file. For example, in a two-level file system with users SMITH, JONES, and DOE,

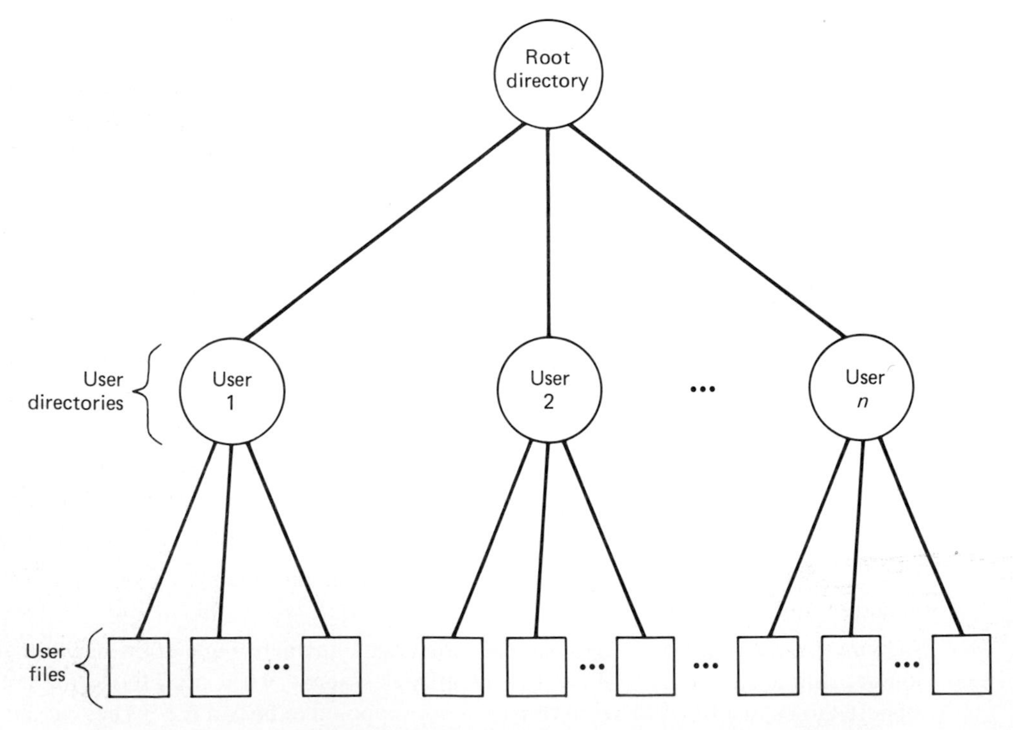

Fig. 13.1 Two-level hierarchical file system.

and in which JONES has files PAYROLL and INVOICES, the *pathname* for file PAYROLL might be formed as JONES:PAYROLL. Specific file system structures are considered in depth in the case studies (Chapters 18–24).

13.3 FILE SYSTEM FUNCTIONS

Some of the functions normally attributed to file systems follow.

(1) Users should be able to create, modify, and delete files.

(2) Users should be able to share each other's files in a carefully controlled manner in order to build upon each other's work.

(3) The mechanism for sharing files should provide various types of controlled access such as *read access*, *write access*, *execute access* or various combinations of these.

(4) Users should be able to structure their files in a manner most appropriate for each application.

(5) Users should be able to order the transfer of information between files.

(6) *Backup* and *recovery* capabilities must be provided to prevent either accidental loss or malicious destruction of information.

(7) Users should be able to refer to their files by *symbolic names* rather than having to use *physical device names* (i.e., *device independence*).

(8) In sensitive environments in which information must be kept secure and private, such as in electronic funds transfer systems, criminal records systems, medical records systems, etc., the file system may also provide *encryption* and *decryption* capabilities. This makes information useful only to its intended audience (i.e., to those who possess the *decryption keys*). An extensive discussion on encryption and decryption schemes appears in Chapter 17.

(9) Most important, the file system should provide a user-friendly interface. It should give users a *logical view* of their data and the functions to be performed upon it rather than a *physical view*. The user should not have to be concerned with the particular devices on which data is stored, the form the data takes on those devices, or the physical means of transferring data to and from those devices.

13.4 THE DATA HIERARCHY

Bits are grouped together in *bit patterns* to represent virtually all data items of interest in computer systems. There are 2^n possible bit patterns for a string of n bits.

The next level up in the data hierarchy is comprised of *bytes* or *characters*, which are fixed length patterns of bits. Most computer systems today use 8-bit bytes, and thus can have 2^8 or 256 possible characters represented in their *character sets*.

The usefulness of the eight-bit byte may be short-lived because there is tremendous pressure to expand computer character sets to accommodate international character sets. Also, the surge in computer use due to the personal computing phenomenon has caused a proliferation of special-purpose applications that demand a broader variety of characters.

The two most popular character sets in use today are *ASCII (American Standard Code for Information Interchange)* and *EBCDIC (Extended Binary Coded Decimal Interchange Code).* ASCII is particularly popular in personal computers and in data communication systems. EBCDIC is popular for representing data internally in mainframe computer systems, particularly those of IBM. Both representations are so widely used that many systems contain mechanisms to use both codes and convert between them.

A *field* is a group of characters. A *record* is a group of fields. A student record may contain, for example, separate fields for identification number, name, address, telephone number, cumulative grade point average, major field of study, expected date of graduation, etc. A *record key* is a control field that uniquely identifies the record. In a payroll application, for example, the record key might be the employee's social security number.

A *file* is a group of related records. For example, a student file might contain one record for each student in a university. The highest level of the data hierarchy is a *database*. A database is a collection of files. Database systems are considered later in this chapter.

13.5 BLOCKING AND BUFFERING

A *physical record* or *block* is the unit of information actually read from or written to a device. A *logical record* is a collection of data treated as a unit from the user's standpoint. When each physical record contains exactly one logical record, the file is said to consist of *unblocked records*. When each physical record may contain several logical records, the file is said to consist of *blocked records*. In a file with *fixed-length records*, all records are the same length; the blocksize is ordinarily an integral multiple of the record size. In a file with *variable-length records*, records may vary in size up to the blocksize. Figure 13.2 shows some common record formats.

Buffering allows computation to proceed in parallel with input/output. Spaces are provided in primary storage to hold several physical blocks of a file at once—each of these spaces is called a *buffer*. The most common scheme is called *double buffering* and it operates as follows (for output). There are two buffers. Initially, records generated by a running process are deposited in the first buffer until it is full. The transfer of the block in the first buffer to secondary storage is then initiated. While this transfer is in progress, the process continues generating records that are deposited in the second buffer. When the second buffer is full, and when the transfer from the first buffer is complete, transfer from the second buffer is initiated. The process continues generating records that are now deposited in the first buffer. This alternation between the buffers allows input/output to occur in parallel with a process's computations.

13.6 FILE ORGANIZATION

File organization refers to the manner in which the records of a file are arranged on secondary storage (La84). The most popular file organization schemes in use today follow.

- *Sequential*—Records are placed in physical order. The "next" record is the one that physically follows the previous record. This organization is natural for files stored on magnetic tape, an inherently sequential medium. Disk files may also be sequentially

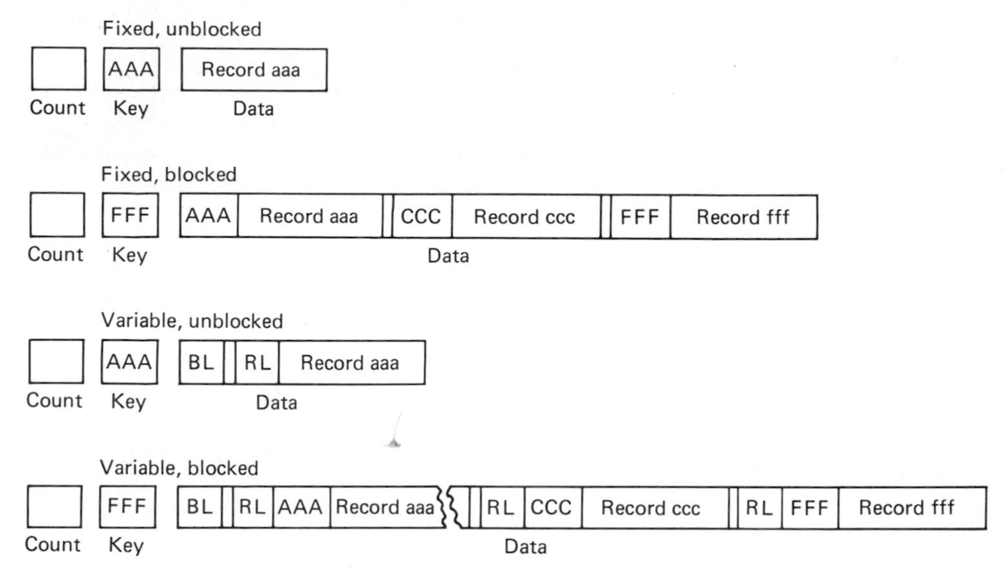

Fig. 13.2 Record formats. BL is block length. RL is record length. Count contains various control information sush as cylinder number, head number, record number, length of data position record, and error control bytes. (Courtesy of International Business Machines Corporation.)

organized, but for various reasons, records in a sequential disk file are not necessarily stored continguously (see Chapter 12).

- *Direct*—Records are directly (randomly) accessed by their physical addresses on a direct access storage device (DASD). The application user places the records on the DASD in any order appropriate for a particular application. Direct files require that the application user be familiar with the detailed physical organization of the DASDs upon which the files are stored. Hashing techniques (En88) are often useful in locating data in direct access files.
- *Indexed sequential*—Records are arranged in logical sequence according to a key contained in each record. The system maintains an index containing the physical addresses of certain principal records. Indexed sequential records may be accessed sequentially in key order, or they may be accessed directly, by a search through the system-created index. Indexed sequential files are normally stored on disk.
- *Partitioned*—This is essentially a file of sequential subfiles (Fig. 13.3). Each sequential subfile is called a *member*. The starting address of each member is stored in the file's *directory*. Partitioned files are often used to store program libraries or macro libraries.

The term *volume* is used to refer to the recording medium for each particular auxiliary storage device. The volume used on a tape drive is a reel of magnetic tape; the volume used on a disk drive is a disk.

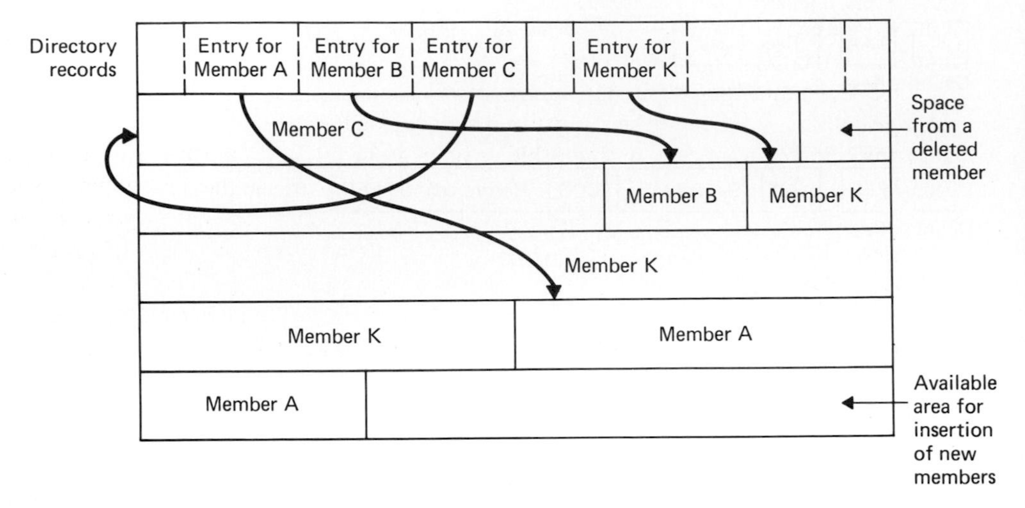

Fig. 13.3 Partitioned data set or file. (Courtesy of International Business Machines Corporation.)

13.7 QUEUED AND BASIC ACCESS METHODS

Large operating systems generally provide many *access methods*. These are sometimes grouped into two categories, namely *queued access methods* and *basic access methods*. The queued methods provide more powerful capabilities than the basic methods.

Queued access methods are used when the sequence in which records are to be processed can be anticipated, such as in sequential and indexed sequential accessing. The queued methods perform *anticipatory buffering* and scheduling of I/O operations. They try to have the next record available for processing as soon as the previous record has been processed. More than one record at a time is maintained in primary storage; this allows processing and I/O operations to be overlapped. The queued access methods also perform automatic blocking and deblocking so the user need not be concerned with these chores.

The basic access methods are normally used when the sequence in which records are to be processed cannot be anticipated, particularly with direct accessing. Also there are many situations in which user applications want to control record accesses without incurring the overhead of the queued methods. In the basic methods, the access method reads and writes physical blocks; blocking and deblocking (if appropriate to the application) is performed by the user.

13.8 ALLOCATING AND FREEING SPACE

The problem of allocating and freeing space on disks is somewhat like that experienced in primary storage allocation under variable partition multiprogramming. If it is desired to keep files in adjacent areas of the disk, then such areas need to be collected. But as files are allocated and freed it is common for the space on disk to become increasingly *fragmented*.

Thus any further allocation causes files to be spread throughout widely dispersed blocks, and this can cause performance problems (Ko87).

One technique for alleviating this problem is to perform periodic *compaction* or *garbage collection*. Files may be reorganized to occupy adjacent areas of the disk, and free areas may be collected into a single block or a group of large blocks. This garbage collection is often done during the off-hours when the system can be shut down; some systems perform compaction dynamically while in operation. A system may choose to reorganize the files of users not currently logged in, or it may reorganize files that have not been referenced for a long time.

It may not be useful to perform garbage collection on certain systems, particularly those in which a single disk contains the files of hundreds of users. Each time a user process issues an I/O request, that process loses the processor to another process; this process may in turn issue an I/O, causing a seek to a distant track on that disk. So even if successive references to data on a file are to adjacent areas on the disk, long seeks may still be necessary as the system switches between processes.

Designing a file system requires knowledge of the user community, including the number of users, the average number and size of files per user, the average duration of user sessions, the nature of applications to be run on the system, and the like. These factors must be carefully considered to determine the most appropriate file organizations and directory structures.

The same locality concept we considered in virtual storage systems leads us, however, to try to store all the data in a file contiguously. Users searching a file for information often use *file scan* options to locate the next record or the previous record. These scans should result in minimal seek activity when possible.

In paged systems, the smallest amount of information transferred between secondary and primary storage is a page, so it makes sense to allocate secondary storage in blocks of the page size or a multiple of the page size. Locality tells us that once a process has referred to a data item on a page it is likely to reference additional data items on that page; it is also likely to reference data items on pages contiguous to that page in the user's virtual address space. Therefore it is desirable to store the logically contiguous pages of a user's virtual storage as physically contiguous pages on secondary storage, especially when several pages are stored per physical block.

13.8.1 Contiguous Allocation

In *contiguous allocation*, files are assigned to contiguous areas of secondary storage. A user specifies in advance the size of the area needed to hold a file to be created. If the desired amount of contiguous space is not available, the file cannot be created.

One advantage of contiguous allocation is that successive logical records are normally physically adjacent to one another. This speeds access compared to systems in which successive logical records are dispersed throughout the disk.

The file directories in contiguous allocation systems are relatively straightforward to implement. For each file it is necessary merely to retain the address of the start of the file and the file's length.

Contiguous allocation does have certain disadvantages. As files are deleted, the space they occupied on secondary storage is reclaimed. This space becomes available for allocation of new files, but these new files must fit in the available holes. Thus contiguous allocation schemes exhibit the same types of fragmentation problems inherent in variable partition multiprogramming systems—adjacent secondary storage holes must be coalesced, and periodic compaction may need to be performed to reclaim storage areas large enough to hold new files.

In environments in which files may grow and shrink over time, contiguous allocation can be difficult. To provide for anticipated expansion, users often overestimate their space needs. This can cause considerable waste. When a file grows larger than its allocated slot, the file must be transferred to a new area large enough to hold it.

13.8.2 Noncontiguous Allocation

Because files do tend to grow or shrink over time, and because users rarely know in advance how large their files will be, contiguous storage allocation systems have generally been replaced by more dynamic noncontiguous storage allocation systems. Several noncontiguous storage allocation schemes are popular.

13.8.2.1 Sector-Oriented Linked Allocation

The disk is viewed as consisting of individual *sectors*. Files consist of many sectors which may be dispersed throughout the disk. Sectors belonging to a common file contain pointers to one another, forming a linked list. A *free space list* contains entries for all free sectors on the disk. When a file needs to grow, the process requests more sectors from the free space list. Files that shrink return sectors to the free space list. There is no need for compaction.

Noncontiguous allocation solves some of the problems inherent in contiguous allocation schemes, but it has its own drawbacks. Because the records of a file may be dispersed throughout the disk, retrieval of logically contiguous records can involve lengthy seeks. There is execution time overhead in maintaining the linked list structure. Pointers in the list structure reduce the amount of space available for file data.

13.8.2.2 Block Allocation

One scheme used to manage secondary storage more efficiently and reduce execution time overhead is called *block allocation*. This is a mixture of both contiguous allocation and noncontiguous allocation methods.

In this scheme, instead of allocating individual sectors, blocks of contiguous sectors (sometimes called *extents*) are allocated. The system tries to allocate new blocks to a file by choosing free blocks as close as possible to existing blocks of the file. Each access to the file involves determining the appropriate block and then the appropriate sector within the block.

There are several common ways of implementing block-allocation systems. These include *block chaining*, *index block chaining*, and *block-oriented file mapping*.

In *block chaining* (Fig. 13.4), entries in the user directory point to the first block of each file. The fixed-length blocks comprising a file each contain two portions: a data block, and a pointer to the next block. The smallest unit of allocation is a fixed-sized block that ordinarily consists of many sectors. It is common to make the block size one full track on a disk. Locating a particular record requires searching the block chain until the appropriate block is found, and then searching that block until the appropriate record is found. The chain must be searched from the beginning, and if the blocks are dispersed throughout the disk (which is normal), the search process can be slow as block-to-block seeks occur. Insertion and deletion are straightforward, however. They are done by modifying the pointer in the previous block. Some systems use doubly-linked lists to facilitate searching; the blocks are threaded both forward and backward so that a search may proceed in either direction.

With *index block chaining* (Fig. 13.5), the pointers are placed into separate index blocks. Each index block contains a fixed number of items. Each entry contains a record identifier and a pointer to that record. If more than one index block is needed to describe a file, then a series of index blocks is chained together. The big advantage of index block chaining over simple block chaining is that searching may take place in the index blocks

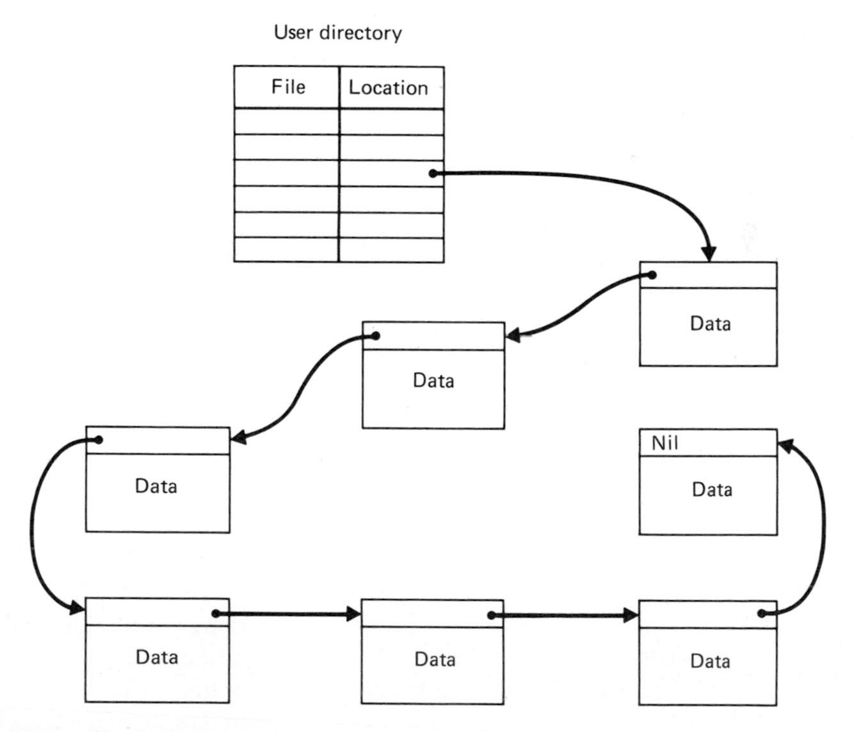

Fig. 13.4 Block chaining.

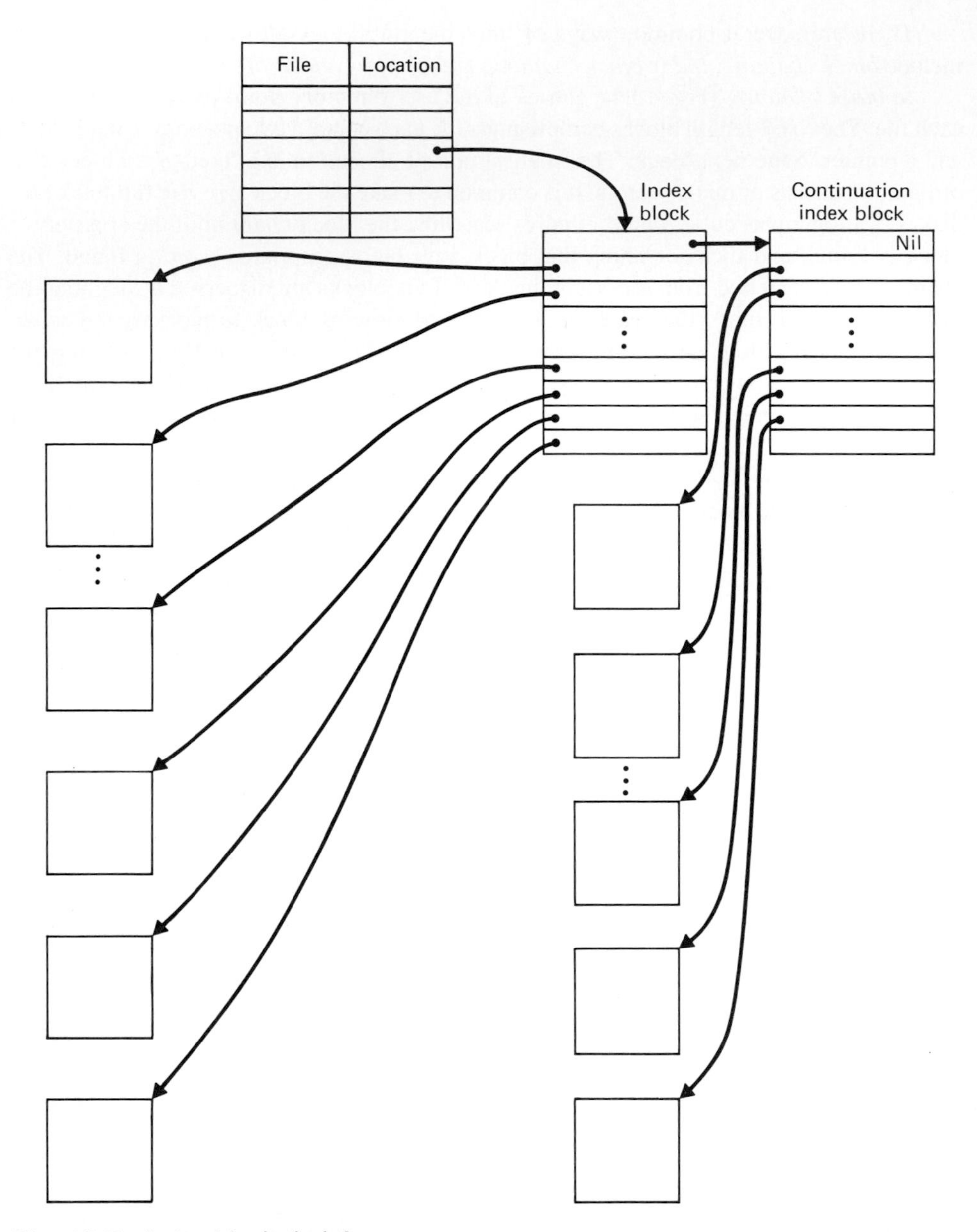

Fig. 13.5 Index block chaining.

themselves. The index blocks may be kept close together in secondary storage to minimize seeking. On some systems in which rapid searching is needed, the index blocks can be maintained in primary storage. Once the appropriate record is located via the index blocks, the data block containing that record is read into primary storage. The disadvantage of this scheme is that insertions can require the complete reconstruction of the index blocks, so some systems leave a certain portion of the index blocks empty to provide for future insertions.

In *block-oriented file mapping* (Fig. 13.6), instead of using pointers, the system uses block numbers. Normally, these are easily converted to actual block addresses because of

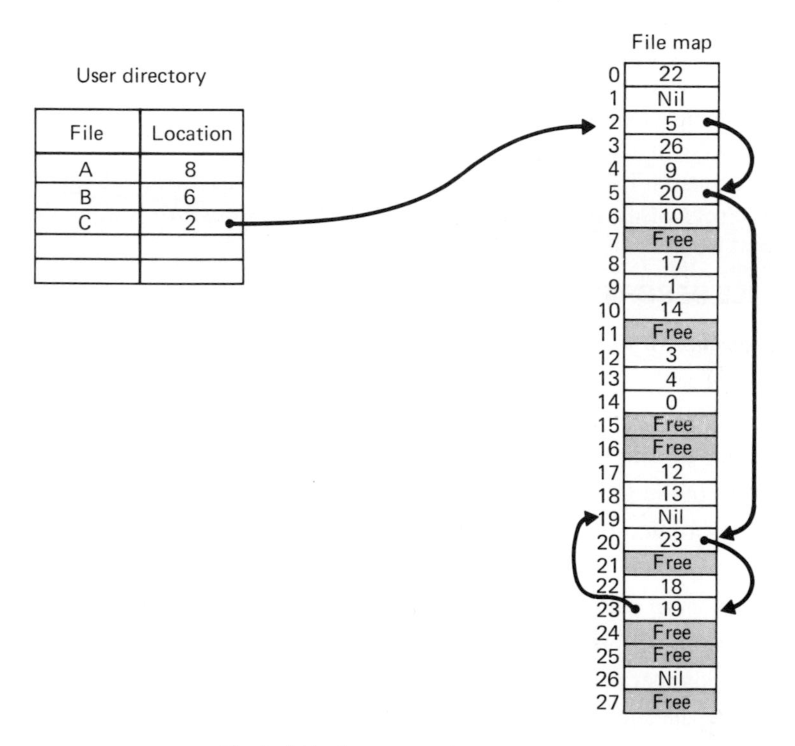

Physical blocks on secondary storage

Block 0 B(4)	Block 1 B(10)	Block 2 C(1)	Block 3 A(4)	Block 4 B(8)	Block 5 C(2)	Block 6 B(1)
Block 7 Free	Block 8 A(1)	Block 9 B(9)	Block 10 B(2)	Block 11 Free	Block 12 A(3)	Block 13 B(7)
Block 14 B(3)	Block 15 Free	Block 16 Free	Block 17 A(2)	Block 18 B(6)	Block 19 C(5)	Block 20 C(3)
Block 21 Free	Block 22 B(5)	Block 23 C(4)	Block 24 Free	Block 25 Free	Block 26 A(5)	Block 27 Free

Fig. 13.6 Block-oriented file mapping.

the geometry of the disk. A file map contains one entry for each block on the disk. Entries in the user directory point to the first entry in the file map for each file. Each entry in the file map contains the block number of the next block in that file. Thus all the blocks in a file may be located by following the entries in the file map.

The entry in the file map that corresponds to the last entry of a particular file is set to some sentinel value like "Nil" to indicate that the last block of a file has been reached. Some of the entries in the file map are set to "Free" to indicate that the block is available for allocation. The system may either search the file map linearly to locate a free block, or a free block list can be maintained. The file map can be modified to include record identifiers so that searching can be confined to the map for the most part. An advantage of this scheme is that the physical adjacencies on the disk are reflected in the file map. When a new block is to be assigned, it is relatively easy to locate a free storage block with good proximity to the other blocks of the file. Insertions and deletions are straightforward in this scheme.

13.9 FILE DESCRIPTOR

A *file descriptor* or *file control block* is a control block containing information the system needs to manage a file. It is a highly system-dependent structure. A typical file descriptor might include

- symbolic file name
- location of file in secondary storage
- file organization (sequential, indexed sequential, etc.)
- device type
- access control data
- type (data file, object program, C source program, etc.)
- disposition (permanent vs. temporary)
- creation date and time
- destroy date
- date and time last modified
- access activity counts (number of reads, for example)

Ordinarily, file descriptors are maintained on secondary storage. They are brought to primary storage when a file is opened. The file descriptor is controlled by the operating system—the user may not reference it directly.

13.10 ACCESS CONTROL MATRIX

One way to control access to files is to create a two-dimensional *access control matrix* (Fig. 13.7) listing all the users and all the files in the system. The entry Aij is 1 if user i is allowed access to file j; otherwise Aij = 0. In an installation with a large number of users and a large number of files, this matrix would be very large—and very sparse. Allowing one user

User \ File	1	2	3	4	5	6	7	8	9	10
1	1	1	0	0	0	0	0	0	0	0
2	0	0	1	0	1	0	0	0	0	0
3	0	1	0	1	0	1	0	0	0	0
4	1	0	0	0	0	0	0	0	0	0
5	1	1	1	1	1	1	1	1	1	1
6	0	0	0	0	0	1	1	0	0	0
7	1	0	0	0	0	0	0	0	0	1
8	1	0	0	0	0	0	0	0	0	0
9	1	1	1	1	0	0	0	0	1	1
10	1	1	0	0	1	1	0	0	0	1

Fig. 13.7 Access control matrix.

access to another user's files is the exception rather than the rule. To make such a matrix concept useful, it would be necessary to use codes to indicate various kinds of access such as readonly, writeonly, executeonly, readwrite, etc.

13.11 ACCESS CONTROL BY USER CLASSES

An access control matrix can become so large as to be impractical to maintain. A technique that requires considerably less space is to control access to various *user classes*. A common classification scheme is

- *Owner*—Normally, this is the user who created the file.
- *Specified user*—The owner specifies that another individual may use the file.
- *Group* or *project*—Users are often members of a group working on a particular project. In this case the various members of the group may all be granted access to each other's project-related files.
- *Public*—Most systems allow a file to be designated as public so that it may be accessed by any member of the system's user community. Public access normally allows users to read or execute a file, but not to write it.

Chapter 17 discusses *capabilities* and *object-oriented systems*. These notions provide additional solutions to the access control problem.

13.12 BACKUP AND RECOVERY

Disks do crash, lightning does strike, power surges do occur, fires and floods happen, theft is more common than most companies are willing to admit, and vandalism (even terrorism) cannot be ignored. The point is that destruction of information, either accidental or intentional, does occur. Operating systems in general, and file systems in particular, must be designed with this in mind (At84) (Dc85) (Sr85) (An86).

Physical safeguards can be used to prevent unauthorized access to the computer room, to filter power surges, and to turn on sprinklers in case of fire. But a simple disk head crash, in which the read-write head comes in contact with the surface of the disk and scratches it, can still destroy data.

The most common technique used to ensure the continued availability of data is to do *periodic backups*, i.e., to make one or more copies of the system's files regularly and put them in a safe place. Even periodic backups may not be sufficient, however, because all updates to a file since the last backup may be lost.

Another technique is to *log all transactions* to a file by copying them to another disk. This *redundancy* can be costly, but in case of failure, all of the lost work may be reconstructed (assuming of course that the *logging disk* is not also destroyed).

There is no way to guarantee absolute security of files. Designers must provide reasonable backup facilities that do not degrade the performance of the system, and whose costs are within the economics of the installation. In situations in which the integrity of the data must be guaranteed with high reliability, the designers may have no choice but to use an expensive and time-consuming backup procedure. In the worst case, users would have to reconstruct all their transactions since the last backup.

The periodic backup scheme has several weaknesses.

- The system may need to be shut down during the backup operation.
- File systems can be enormous; complete backups could require a great deal of time.
- When a failure occurs, recovery from the last backup can be time-consuming. When recovery is complete, the data is only current through the time of the backup. Any transactions since that time are lost.

A benefit of periodic backups is that the file system can be reorganized to allow the various blocks of user files scattered throughout the disks to be placed contiguously. This usually results in much faster access to user files when the system is restarted.

Periodic backup of the entire file system is not sufficient in systems in which recovery needs to occur quickly and be up to the minute. A more appropriate technique is called *incremental backup*. During a terminal session, all updated files are marked. When a user logs out, a list of these files can be passed to a system process which then backs up all modified files.

Incremental backup is not of much use to the user in the midst of a lengthy terminal session when a system crash occurs. A better technique is to search the file directories even while a user is logged in and backup modified files more frequently.

All the techniques discussed so far suffer from the fact that there may be significant activity between the time of the last backup and the time at which a failure occurs. In systems in which even the slightest loss of activity is unacceptable, a *transaction logging* approach may be appropriate (Sp85) (Ha87). Here, every transaction is immediately backed up as it is occurs. This intense level of backup is somewhat easier to do in interactive systems in which activity is limited by relatively slow human response times. Even systems supporting hundreds of on-line interactive users can easily log every line typed at the terminals, so presumably such systems could be backed up to be quite current. But interactive commands could initiate substantial processing; substantial reconstruction time might still be required to perform the necessary recovery procedures.

13.13 FILE SERVERS

One approach to handling nonlocal file references in a computer network is to route all such requests to a *file server*, i.e., a computer system dedicated to resolving intercomputer file references (Bi80) (Fr81) (Mi81) (Ch86) (Me88). This approach centralizes control of these references, but the file server could easily become a *bottleneck*, because all *client* computers send all requests to the server. A better approach is to let the separate computers communicate directly with one another; this is the approach taken by Sun's *Network File System (NFS)* discussed in Chapter 18. In an NFS network, each computer can act as a server and/or a client.

13.14 DISTRIBUTED FILE SYSTEMS

Through the 1970s, file systems generally stored and managed the files of a single computer system. On multiuser timesharing systems the files of all users were under the control of a centralized file system. Today, the trend is toward *distributed file systems* in computer networks (Wh84) (Mu85) (Sa85a) (Mo86) (Ne88). A real complication is that such networks are increasingly being used to connect a wide variety of computer systems, and these often have different operating systems and file systems.

A distributed file system enables users to perform operations on remote files in a computer network in much the same manner as on local files. In the case study on UNIX in Chapter 18, we consider Sun's Network File System (NFS), one of the most widely-used distributed file systems (Wl85) (Sa85) (Sa87) (La88) (Sc88). NFS provides distributed file system capabilities for networks of heterogeneous computer systems; currently, more than 100 different computer systems from micros to supercomputers support NFS.

13.15 CD-ROMS, WORMS, AND MAGNETO-LASER DISKS

The emergence of CD-ROM (for "compact disk readonly memory") laser-optical disk technology, and more recently read/write optical disks, has made it possible to store the equivalent of thousands of floppy disks on a single CD-ROM disk (Fu84) (He88) (Ol89). The incorporation of this technology into recent computer systems, such as Steve Jobs' NeXT machine (El88), indicates that optical disk technology is likely to become widely used over the next several years. The 256-megabyte capacity of its rewritable magneto-optical disks enables NeXT to supply vast amounts of information including software, system documentation, and even reference books (the works of Shakespeare, a thesaurus, a book of quotations, and a dictionary) on a single disk with substantial space left for user programs and data (El88).

Managing such vast amounts of data requires unique file system techniques (He88). CD-ROMs are based on the designs used in the music industry. Seeking takes longer than with moving-head magnetic disk technology. But once reading begins, huge volumes of data can be accessed sequentially without noticeable interruption; this is similar to listening to music on a compact disk.

CD-ROMs contain fixed information, so the indexing and placement of this information can be optimized for fast, smooth access when the disk is created.

Data is stored on CD-ROM by sector number in one continuous spiral, rather than in concentric tracks as with magnetic disks. The disk constantly adjusts its speed to read the data at a constant linear velocity. Magnetic disks generally locate and transfer information faster, but CD-ROMs have much greater capacity and they "play back" information in a smoother fashion. Helgerson and Martens discuss various indexing methods and retrieval schemes for accessing CD-ROM data (He88).

Gait (Ga88) discusses the development of a file system for write-once optical disks (these are sometimes called WORM (Fi87) disks for "write-once-read-many"). WORM disks differ from CD-ROMs in that they can be written by the user's computer system. The file system for a WORM disk differs from that for rewritable disks in several ways. Because information cannot be deleted, the disk always contains the complete file history. The file system must provide fast access to the most recent copy of a file. The file system must be able to locate all previous copies of a file as well, but this is considered to be archival information, so access can be slower. Although distant seeks on an optical disk can be much slower than on magnetic disks, local seeks are much faster. So the file system needs to cluster information that is likely to be referenced together, or performance could be poor.

13.16 DATABASE SYSTEMS

The availability of inexpensive massive direct access secondary storage has caused a tremendous amount of research and development activity in the area of database systems. A database is an integrated collection of data which is centrally controlled; a *database system* involves the data itself, the hardware on which the data resides, the software (called a *database management system* or DBMS) that controls the storing and retrieval of data, and the users themselves.

13.16.1 Advantages of Database Systems

Date (Da81) lists several important advantages of database systems.

- Redundancy can be reduced.
- Inconsistency can be avoided.
- The data can be shared.

- Standards can be enforced.
- Security restrictions can be applied.
- Integrity can be maintained.
- Conflicting requirements can be balanced.

In conventional nondatabase systems, each distinct application maintains its own files, often with considerable redundancy and a variety of physical formats. In database systems redundancy is reduced by integrating separate files.

Sharing is one of the most important benefits of database systems. Existing applications can reference the same data; new applications can reference existing data.

Centralized control makes it possible to enforce standards rigidly. This becomes particularly important in computer networks (see Chapter 16) in which *data migration* between systems occurs.

Security (see Chapter 17) is an intriguing issue in database systems. The data may actually be more at risk because it is collected and retained in a central location rather than being dispersed throughout physically separate files in many locations. To counter this, database systems must be designed with elaborate controls.

13.16.2 Data Independence

One of the most important aspects of database systems is *data independence*, i.e., applications need not be concerned with how the data is physically stored or accessed. An application is said to be *data-dependent* if the storage structure and accessing strategy cannot be changed without affecting the application significantly.

Data independence makes it convenient for various applications to have different views of the same data. From the system's standpoint, data independence makes it possible for the storage structure and accessing strategy to be modified in response to the installation's changing requirements, but without the need to modify functioning applications.

13.16.3 Database Languages

Users access a database via statements in some form of *database language*. Applications programs may use a conventional procedure-oriented, high-level language like COBOL, PL/I, or Pascal; a terminal user may use a specially designed *query language* that makes it convenient to express requests (usually in simple English) in the context of a particular application.

Such languages are referred to as *host languages*. Each host language ordinarily includes a *data sublanguage (DSL)* concerned with the specifics of database objects and operations. Each data sublanguage generally is a combination of two languages, namely a *data definition language (DDL)* that provides facilities for defining *database objects*, and a *data manipulation language (DML)* that provides features for specifying the processing to be performed on database objects.

13.16.4 Distributed Database

A *distributed database* (Wi88) is a database that is spread throughout the computer systems of a network. Ordinarily in such systems each data item is stored at the location in which it is most frequently used, but it remains accessible to other network users.

Distributed systems provide the control and economies of local processing with the advantages of information accessibility over a geographically dispersed organization. They can be costly to implement and operate, however, and they can suffer from increased vulnerability to security violations. Chapters 16 and 17 consider these issues in detail.

13.17 DATABASE MODELS

Three different database models have achieved widespread popularity: (1) *hierarchical database*, (2) *network database*, and (3) *relational database*.

13.17.1 Hierarchical Database

Much of the value of the database approach comes from the fact that relationships between data items may be indicated explicity. In the hierarchical model (Fig. 13.8), data items are related in a parent/child relationship; each parent may have many children but each child may have only one parent. Hierarchical organization makes it difficult to express relationships in which children relate to more than one parent. This inflexibility has led many designers to choose another model. But when the data relationships are indeed hierarchical, the database is easy to implement, modify, and search.

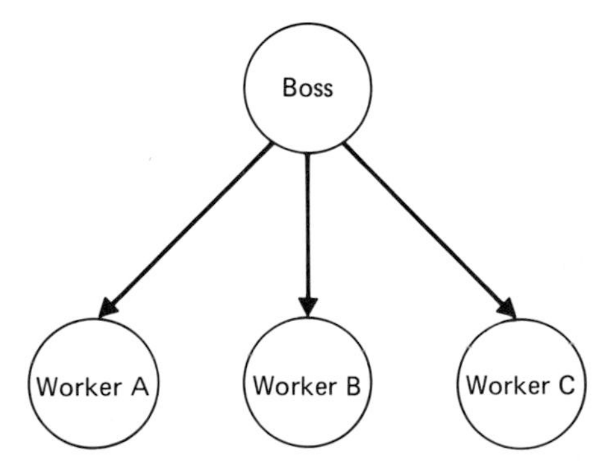

Fig. 13.8 Hierarchical database organization.

13.17.2 Network Database

The network model (Fig. 13.9) is more flexible than the hierarchical model. It allows children to relate to many parents, and allows very general interdependencies to be expressed. A disadvantage to the network approach is that some network structures begin to take on a "rat's nest" appearance with pointers going off in all directions. Such a structure can be difficult to comprehend, modify, or reconstruct in case of failure. The network structure is useful in stable environments in which the complex interdependencies of the data need to be expressed to make the database useful. In more dynamic environments in which considerable growth in the database is expected, or in which new features and relationships are likely to be added, the network approach is best avoided.

13.17.3 Relational Database

The relational model developed by Codd (Co70) (Co72) (Bl88) (Co88) (Re88) offers many advantages over the hierarchical and network models. The relational model is a logical

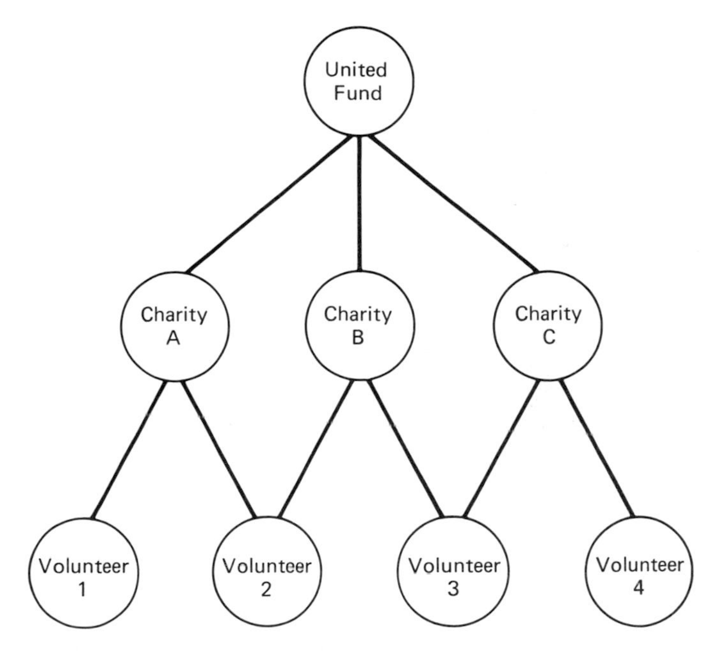

Fig. 13.9 A possible network database organization. Note that some people do volunteer work for more than one charity.

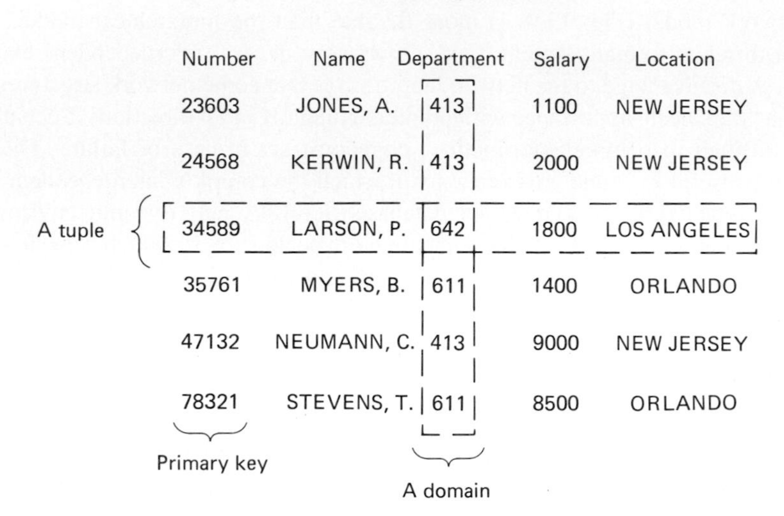

Fig. 13.10 Relational database structure.

be considered without concerning oneself with the physical implementation of the data structures.

A relational database is composed of *relations*. Figure 13.10 illustrates a sample relation that might be used in a personnel system. The name of the relation is EMPLOYEE and its primary purpose is to demonstrate the relationships of various attributes of each employee with that employee. Any particular row of the relation is called a *tuple*. This relation consists of six tuples. The first field in each tuple, the employee number, is used as the *primary key* for referencing data in the relation. The tuples of the relation are ordered by primary key.

Each column of the relation represents a different *domain*. Tuples must be unique (by primary key) within a relation, but particular domain values may be duplicated between tuples. For example, three different tuples in the example contain department number 413. The number of domains in a relation indicates the *degree of the relation*. Relations of degree 2 are *binary relations*, relations of degree three are *ternary relations*, and relations of degree *n* are *n-ary relations*.

Different users of a database will be interested in different data items and different relationships between the data items. Some users will want only certain subsets of the table columns. Other users will wish to combine smaller tables into larger ones to produce more complex relations. Codd calls the subset operation *projection*, and the combination operation *join*.

Using the relation of Fig. 13.10 we might, for example, use the projection operation to create a new relation called DEPARTMENT-LOCATOR whose purpose is to show where departments are located. This new relation is shown in Fig. 13.11.

Relation: DEPARTMENT-LOCATOR

Department	Location
413	NEW JERSEY
611	ORLANDO
642	LOS ANGELES

Fig. 13.11 A relation formed by projection.

The relational database organization has many advantages over the hierarchical and network schemes.

1. The tabular representation used in the relational scheme is easy for users to comprehend and easy to implement in the physical database system.
2. It is relatively easy to convert virtually any other type of database structure into the relational scheme. Thus the scheme may be viewed as a universal form of representation.
3. The projection and join operations are easy to implement and make the creation of new relations needed for particular applications easy to do.
4. Access control to sensitive data is straightforward to implement. The sensitive data is merely placed in separate relations, and access to these relations is controlled by some sort of authority or access scheme.
5. Searches can be faster than in schemes requiring following a string of pointers.
6 Relational structures are easier to modify than hierarchical or network structures. In environments where flexibility is important, this becomes critical.
7. The clarity and visibility of the database improves with the relational structure. It is much easier to search tabular data than it is to unwind possibly arbitrarily complex interconnections of data elements in a pointer mechanism.

Stonebraker (St81) discusses various operating system services that support database management systems, namely buffer pool management, the file system, scheduling, process management, interprocess communication, consistency control, and paged virtual memory. He observes that because most of these features are not specifically optimized to DBMS environments, DBMS designers have tended to bypass operating system services in favor of supplying their own. He concludes that efficient, minimal operating systems are the most desirable for supporting the kinds of database management systems that do supply their own optimized services.

Database systems are being routinely incorporated into operating systems to provide users with far more powerful capabilities than are available in conventional file systems. This enables a more synergistic relationship between the operating system and the database management system than is possible when the DBMS is supplied separately.

SUMMARY

A file is a named collection of data that normally resides on secondary storage. Entire files may be manipulated by operations like open, close, create, destroy, copy, rename, and list. Individual data items (normally records) may be manipulated by operations like read, write, update, insert, and delete.

The file system manages files. It provides sharing, privacy, accessing of information, backup, recovery, device independence, and encryption/decryption capabilities.

Data is structured in increasingly complex entities including bits, bytes, fields, records, files, and databases.

Records may be unblocked (one logical record per physical block) or blocked (several logical records per physical block). Blocking minimizes the number of physical transfers involving auxiliary storage during file processing. Buffering allows input/output operations to proceed in parallel with the operation of the processor.

The most popular file organization schemes are sequential, indexed sequential, direct, and partitioned. Accessing of files is accomplished by operating systems functions called access methods. Queued access methods are used with sequentially organized files; they perform anticipatory buffering and scheduling of I/0, and they provide automatic blocking and deblocking. The basic access methods provide only physical block reading and writing.

In contiguous allocation, a file is allocated to a single area of secondary storage; in noncontiguous allocation the file may be dispersed throughout several areas of secondary storage. Contiguous allocation facilitates rapid access but suffers from serious fragmentation problems. Noncontiguous allocation is more flexible, but accessing can involve frequent seeks. Block allocation offers the flexibility of noncontiguous allocation with the fast access of contiguous allocation (at least with successive access to records in the same block). Block-oriented file mapping reflects the physical adjacencies on disk in the file map.

The file descriptor contains information the system needs to manage a file. The user may not reference file descriptors directly; file descriptors are controlled by the file system.

Controlling access to files can be handled by an access control matrix indicating which users have what types of access to which files. Access control is more commonly handled with user classes where, for example, access may be granted to "owner," "specified user," "group member," or "member of the general public."

Backup and recovery are important functions of any file system. The most common technique is periodic backups of the entire file system. With incremental dumping, the files modified by a user during a terminal session are backed up when that user logs out. Transaction logging copies every line typed by the user to a log file; recovery would involve literally reapplying all transactions logged since the last major periodic backup.

A database is an integrated collection of data which is centrally controlled. Many contemporary computer systems now provide database capabilities in both their hardware and operating systems. This gives the user far more powerful data manipulation capabilities than those ordinarily provided in conventional file systems.

Data independence allows an application to be changed and new applications to be developed without having to modify the data storage structure and accessing strategy. A distributed database is one that is spread throughout the computer systems of a network.

The most popular database organizations are hierarchical, network, and relational. In the hierarchical approach, data is organized according to parent/child relationships; each child has only one parent but each parent may have many children. A hierarchical database is easy to search and maintain, but it limits the user's flexibility in defining complex data interdependencies.

The network approach allows very general interdependencies to be expressed conveniently. But the resulting structures can be difficult to comprehend, modify, or reconstruct in case of failure.

The relational database approach offers many advantages over the hierarchical and network schemes. The tabular representation is easier to comprehend and implement. Databases organized according to the other schemes may easily be converted to relational organization. Convenient operations like projection and join make it easy to create new relations. Sensitive data may be secured by placing it in separate relations. Searching is generally much faster than it is within the other schemes, modification is more straightforward, and the clarity and visibility of the database is greatly improved.

TERMINOLOGY

access control matrix
access method
anticipatory buffering
auxiliary storage management
backup
basic access methods
block
block allocation
block chaining
block-oriented file mapping
blocked records
buffering
CD-ROM
client
close a file
compaction
contiguous allocation
database
database management system (DBMS)
decryption
decryption key
device independence
direct file organization
distributed database
distributed file system
double buffering
encryption
extent
file
file control block
file descriptor
file directory
file integrity
file map
file server
file system
fixed-length records
fragmentation of secondary storage
free space list
garbage collection
hierarchical database
hierarchically structured file system
index block chaining
indexed sequential file organization
linked allocation
logging disk
logical record
magneto-laser disk
mapped allocation
network database

Network File System (NFS)
NeXT
noncontiguous allocation
open a file
partitioned file organization
pathname
periodic backups
physical record
primary key
queued access methods
recovery
redundancy
relational database
root directory
sector
sequential file organization
server
transaction logging
unblocked records
user directory
variable-length records
volatility of a file
volume
WORM (write-once-read-many)

EXERCISES

13.1 A virtual storage system has page size p, block size b, and fixed-length record size r. Discuss the various relationships among p, b, and r that make sense. Explain why each of these possible relationships is reasonable.

13.2 Give a comprehensive enumeration of reasons why records may not necessarily be stored contiguously in a sequential disk file.

13.3 Suppose a distributed system has a central file server containing large numbers of sequential files for hundreds of users. Give several reasons why such a system may *not* be organized to perform compaction (dynamically or otherwise) on a regular basis.

13.4 Give several reasons why it may *not* be useful to store logically contiguous pages from a process's virtual memory space in physically contiguous areas on secondary storage.

13.5 A certain file system uses "systemwide" names, i.e., once one member of the user community uses a name, that name may not be assigned to new files. Most large file systems, however, require only that names be unique with respect to a given user—two different users may choose the same file name without conflict. Discuss the relative merits of these two schemes considering both implementation and application issues.

13.6 Some systems implement file sharing by allowing several users to read a single copy of a file simultaneously. Others provide a copy of the shared file to each user. Discuss the relative merits of each approach.

13.7 Index sequential files are popular with application designers. Experience has shown, however, that direct access to index sequential files can be very slow. Why is this so? In what circumstances is it better to access such files sequentially? In what circumstances should the application designer use direct files rather than indexed sequential files?

13.8 When a computer system failure occurs, it is important to be able to reconstruct the file system quickly and accurately. Suppose a file system allows complex arrangements of pointers and interdirectory references. What measures might the file system designer take to ensure the reliability and integrity of such a system?

13.9 Some file systems support a very large number of access classes while others support only a few. Discuss the relative merits of each approach. Which is better for highly secure environments? Why?

13.10 Compare the allocation space for files on secondary storage to real storage allocation under variable partition multiprogramming.

13.11 In what circumstances is compaction of secondary storage useful? What dangers are inherent in compaction? How can these be avoided?

13.12 What are the motivations for structuring file systems hierarchically?

13.13 One problem with index sequential file organization is that additions to a file may need to be placed in overflow areas. How might this affect performance? What can be done to improve performance in these circumstances?

13.14 Pathnames in a hierarchical file system can become lengthy. Given that the vast majority of file references are made to a user's own files, what convention might the file system support to minimize the need for using lengthy pathnames?

13.15 Some file systems store information in exactly the format created by the user. Others attempt to optimize by *compressing* the data. Describe how you would implement a compression/decompression mechanism. Such a mechanism necessarily trades execution time overhead against the reduced storage requirements for files. In what circumstances is this trade-off acceptable?

13.16 Suppose that a major development in primary storage technology made it possible to produce a storage so large, so fast, and so inexpensive that all the programs and data at an installation could be stored in a single "chip." How would the design of a file system for such a single-level storage differ from that for today's conventional hierarchical storage systems?

13.17 You have been asked to perform a security audit on a computer system. The system administrator suspects that the pointer structure in the file system has been compromized, thus allowing certain unauthorized users to access critical system information. Describe how you would attempt to determine who is responsible for the security breach and how it was possible for them to modify the pointers.

13.18 In most computer installations, only a small portion of file backups are ever used to reconstruct a file. Thus there is a trade-off to be considered in performing backups. Do the consequences of not having a file backup available when needed justify the effort of performing the backups? What factors point to the need for performing backups as opposed to not performing them? What factors affect the frequency with which backups should be performed?

13.19 Sequential access from sequential files is much faster than sequential access from indexed sequential files. Why then do many applications designers implement systems in which indexed sequential files are to be accessed sequentially?

13.20 In a university environment how might the user access classes "owner," "group," "specified user," and "public" be used to control access to files? Consider the use of the computer system for administrative as well as academic computing. Consider also the use of the computer system in support of grant research as well as in academic courses.

13.21 File systems provide access to permanently mounted files as well as to demountable files. Demountable files are contained on volumes such as disks that may be mounted on disk drives or stored off-line from the computer system. What types of files might best be stored as permanent files? as demountable files? What problems are unique to the management of demountable files?

13.22 What type and frequency of backup would be most appropriate in each of the following systems?

a) a batch-processing payroll system that runs weekly
b) an automated teller machine (ATM) banking system
c) a hospital patient billing system
d) an airline reservation system in which customers make reservations for flights as much as one year in advance
e) a distributed program development system used by a group of 100 programmers

13.23 Most banks today use on-line teller transaction systems. Each transaction is immediately applied to customer accounts to keep balances correct and current. Errors are intolerable, but because of computer failures and power failures, these systems do "go down" occasionally. Describe how you would implement a backup/recovery capability to ensure that each completed transaction applies to the appropriate customer's account. Also, any transactions only partially completed at the time of a system failure must not apply.

13.24 Why is it useful to reorganize indexed sequential files periodically? What criteria might a file system use to determine when reorganization is needed?

13.25 Distinguish between queued access methods and basic access methods. Draw an analogy with the pipelining techniques discussed in Chapter 11.

13.26 How might redundancy of programs and data be useful in the construction of highly reliable systems? Database systems can greatly reduce the amount of redundancy involved in storing data. Does this imply that database systems may in fact be less reliable than nondatabase systems? Explain your answer.

13.27 Many of the storage schemes we discussed for placing information on disk include the extensive use of pointers. If a pointer is destroyed, either accidentally or maliciously, an entire data structure may be lost. Comment on the use of such data structures in the design of highly-reliable systems. Indicate how pointer-based schemes can be made less susceptible to damage by the loss of a pointer.

13.28 Discuss the differences in the file system organizations and functions required to support the following kinds of laser disk storage media.

a) CD-ROM disk b) WORM disk c) Magneto-laser disk

13.29 Discuss the problems involved in enabling a distributed file system of homogeneous computers to treat remote file accesses the same as local file accesses (at least from the user's perspective).

13.30 Discuss the notion of transparency in distributed file systems of heterogeneous computers. How does a distributed file system resolve differences between various computer architectures and operating systems to enable all systems on a network to perform remote file accesses regardless of system differences?

LITERATURE

(An86) Anyanwu, J. A., and L. F. Marshall, "A Crash Resistant UNIX File System," *Software—Practice and Experience*, Vol. 16, February 1986, pp. 107–118.

(At84) Attar, R.; P. A. Bernstein; and N. Goodman, "Site Initialization, Recovery, and Backup in a Distributed Database System," *IEEE Transactions on Software Engineering*, Vol. SE-10, No. 6, November 1984, pp. 645–649.

(Bi80) Birrell, A. D., and R. M. Needham, "A Universal File Server," *IEEE Transactions on Software Engineering*, Vol. SE-6, No. 5, September, 1980, pp. 450–453.

(Bl88) Blaha, M. R.; W. J. Premerlani; and J. E. Rumbaugh, "Relational Database Design Using an Object-Oriented Methodology," *Communications of the ACM*, Vol. 31, No. 4, April 1988, pp. 414–427.

(Ch84) Cheng, J. M.; C. R. Loosley; A. Shibamiya; and P. S. Worthington, "IBM Database 2, Performance: Design, Implementation, and Tuning," *IBM Systems Journal*, Vol. 23, No. 2, 1984, pp. 189–210.

(Ch86) Christodoulakis, S., and C. Faloutsos, "Design and Performance Considerations for an Optical Disk-Based, Multimedia Object Server," *Computer*, Vol 19, No. 12, December 1986, pp. 45–56.

(Co70) Codd, E. F., "A Relational Model of Data for Large Shared Data Banks," *Communications of the ACM*, June 1970.

(Co72) Codd, E. F., "Further Normalization of the Data Base Relational Model," In *Courant Computer Science Symposia*, Vol. 6, *Data Base Systems*, Englewood Cliffs, N.J.: Prentice-Hall, 1972.

(Co88) Codd, E. F., "Fatal Flaws in SQL," *Datamation*, Vol. 34, No. 16, August 15, 1988, pp. 45–48.

(Cu84) Crus, R. A., "Data Recovery in IBM Database 2," *IBM Systems Journal*, Vol. 23, No. 2, 1984, pp. 178–187.

(Da81) Date, C. J., *An Introduction to Database Systems*, Reading, Mass.: Addison-Wesley, 1981.

(Dc85) Davcev, D., and W. A. Burkhard, "Consistency and Recovery Control for Replicated Files," *Proceedings of the 10th Symposium on Operating Systems Principles*, ACM, Vol. 19, No. 5, December 1985, pp. 87–96.

(El88) Elmer-Dewitt, P., "Soul of the Next Machine," *Time*, October 24, 1988, pp. 80–81.

(En88) Enbody, R. J., and H. C. Du, "Dynamic Hashing Schemes," *ACM Computing Surveys*, Vol. 20, No. 2, June 1988, pp. 85–113.

(Fi87) Finlayson, R. S., and D. R. Cheriton, "Log Files: An Extended File Service Exploiting Write-Once Storage," Proceedings of the 11th Symposium on Operating Systems Principles, Vol. 21, No. 5, November 1987, pp. 139–148.

(Fr81) Fridrich, M., and W. Older, "The Felix File Server," *Proceedings of the 8th Symposium on Operating System Principles*, Vol. 15, No. 5, December 1981, pp. 37–44.

(Fu84) Fujitani, L., "Laser Optical Disk: The Coming Revolution in On-Line Storage," *Communications of the ACM*, Vol. 27, No. 6, June 1984, pp. 546–554.

(Ga88) Gait, J., "The Optical File Cabinet: A Random-Access File System for Write-On Optical Disks," *Computer*, Vol. 21, No. 6, June 1988, pp. 11–22.

(Gi88) Gifford, D. K.; R. M. Needham; and M. D. Schroeder, "The Cedar File System," *Communications of the ACM*, Vol. 31, No. 3, March 1988, pp. 288–299.

(Go86) Golden, D., and M. Pechura, "The Structure of Microcomputer File Systems," *Communications of the ACM*, Vol. 29, No. 3, March 1986, pp. 222–230.

(Ha87) Hagmann, R., "Reimplementing the Cedar File System Using Logging and Group Commit," *Proceedings of the 11th Symposium on Operating Systems Principles*, Vol. 21, No. 5, November 1987, pp. 155–162.

(He88) Helgerson, L. W., and H. G. Martens, "In Search of CD-ROM Data," *PC Tech Journal*, Vol. 6, No. 10, October 1988, pp. 67–75.

(Ko87) Koch, P. D. L., "Disk File Allocation Based on the Buddy System," *ACM Transactions on Computer Systems*, Vol. 5, No. 4, November 1987, pp. 352–370.

(Ko83) Korth, H. F., "Locking Primitives in a Database System," *Journal of the ACM*, Vol. 30, No. 1, January 1983, pp. 55–79.

(La84) Larson, P. and A. Kajla, "File Organization: Implementation of a Method Guaranteeing Retrieval in One Access," *Communications of the ACM*, Vol. 27, No. 7, July 1984, pp. 670–677.

(La88) Lazarus, J., *Sun 386i Overview*, Mountain View, CA: Sun Microsystems, Inc., 1988.

(Mc84) McKusick, M. K.; W. N. Joy; S. J. Leffler; and R. S. Fabry, "A Fast File System for UNIX," *ACM Transactions on Computer Systems*, Vol. 2, No. 3, August 1984, pp. 181–197.

(Me88) Mehta, S., "Serving a LAN," *LAN Magazine*, October 1988, pp. 93–98.

(Mi81) Mitchell, J. G., and J. Dion, "A Comparison of Two Network-Based File Servers," *Proceedings of the 8th Symposium on Operating Systems Principles*, Vol. 15, No. 5 , December 1981, pp. 45–46.

(Mo86) Morris, J. H.; M. Satyanarayanan; M. H. Conner; J. H. Howard; D. S. H. Rosenthal; and F. D. Smith, "Andrew: A Distributed Personal Computing Environment," *Communications of the ACM*, Vol. 29, No. 3, March 1986, pp. 184–201.

(Mu85) Mullender, S., and A. Tanenbaum, "A Distributed File Service Based on Optimistic Concurrency Control," *Proceedings of the 10th Symposium on Operating Systems Principles*, ACM, Vol. 19, No. 5, December 1985, pp. 51–62.

(Ne88) Nelson, M. N.; B. B. Welch; and J. K. Ousterhout, "Caching in the Sprite Network File System," *ACM Transactions on Computer Systems*, Vol. 6, No. 1, February 1988, pp. 134–154.

(Ol89) Olsen, R. P., and G. Kenley, "Virtual Optical Disks Solve the On-line Storage Crunch," *Computer Design*, Vol. 28, No. 1, January 1, 1989, pp. 93–96.

(Re88) Relational Technology, *INGRES Overview*, Alameda, CA: Relational Technology, 1988.

(Sa85) Sandberg, R., et al, "Design and Implementation of the Sun Network File System," *Proceedings of the USENIX 1985 Summer Conference*, June 1985, pp. 119–130.

(Sa87) Sandberg, R., *The Sun Network File System: Design, Implementation and Experience*, Mountain View, CA: Sun Microsystems, Inc., 1987.

(Sa85a) Satyanarayanan, M.; J. H. Howard; D. A. Nichols; R. N. Sidebotham; A. Z. Spector; and M. J. West, "The ITC Distributed File System: Principles and Design," *Proceedings of the 10th Symposium on Operating Systems Principles*, ACM, Vol. 19, No. 5, December 1985, pp. 35–50.

(Sc88) Schnaidt, P., "NFS Now," *LAN Magazine*, October 1988, pp. 62–69.

(Sc88) Schroeder, M. D.; D. K. Gifford; and R. M. Needham, "The Cedar File System," *Communications of the ACM*, Vol. 31, No. 3, March 1988, pp. 288–298.

(Sp85) Spector, A. Z.; D. Daniels; D. Duchamp; J. L. Eppinger; and R. Pausch, "Distributed Transactions for Reliable Systems," *Proceedings of the 10th Symposium on Operating Systems Principles*, ACM, Vol. 19, No. 5, December 1985, pp. 127–146.

(St81) Stonebraker, M., "Operating System Support for Database Management," *Communications of the ACM*, Vol. 24, No. 7, July 1981, pp. 412–418.

(St85) Strom, R., and S. Yemini, "Optimistic Recovery in Distributed Systems," *ACM Transactions on Computing Systems*, Vol. 3, No. 3, April 1985, pp. 204–226.

(Te84) Teng, J. Z., and R. A. Gumaer, "Managing IBM Database 2 Buffers to Maximize Perfromance," *IBM Systems Journal*, Vol. 23, No. 2, 1984, pp. 211–218.

(Wh84) Wah, B. W., "File Placement on Distributed Computer Systems," *Computer*, Vol. 17, No. 1, January 1984, pp. 23–32.

(Wl85) Walsh, D.; R. Lyon; and G. Sager, "Overview of the Sun Network File System," *Usenix Winter Conference*, Dallas, 1985 Proceedings, pp. 117–124.

(Wi88) Winston, A., "A Distributed Database Primer," *UNIX World*, April 1988, pp. 54–63.

14
Performance, Coprocessors, RISC, and Data Flow

Observe due measure, for right timing is in all things the most important factor.

Hesiod

I claim not to have controlled events, but confess plainly that events have controlled me.

Abraham Lincoln

The finest edge is made with the blunt whetstone.

John Lyly

It is not permitted to the most equitable of men to be a judge in his own cause.

Blaise Pascal

All words,
And no performance!

Philip Massinger

Outline

14.1 Introduction
14.2 Important Trends Affecting Performance Issues
14.3 Why Performance Monitoring and Evaluation Are Needed
14.4 Performance Measures
14.5 Performance Evaluation Techniques
  14.5.1 Timings
  14.5.2 Instruction Mixes
  14.5.3 Kernel Programs
  14.5.4 Analytic Models
  14.5.5 Benchmarks
  14.5.6 Synthetic Programs
  14.5.7 Simulation
  14.5.8 Performance Monitoring
  14.5.9 Whetstone, Dhrystone, LINPACK, and Savage
14.6 Bottlenecks and Saturation
14.7 Feedback Loops
  14.7.1 Negative Feedback
  14.7.2 Positive Feedback
14.8 Coprocessors
14.9 Reduced Instruction Set Computing (RISC)
14.10 Case Study: Data Flow, RISC, and Pipelining

14.1 INTRODUCTION

Because an operating system is primarily a resource manager, it is important for operating systems designers, managers, and users to be able to determine how effectively a particular system manages its resources. In this chapter many complex performance issues are discussed, as well as techniques for measuring, monitoring, and evaluating performance; the use of these techniques can help designers, managers, and users realize maximum performance from computing systems. The related mathematical subject of analytic modeling is considered in depth in Chapter 15. We also discuss coprocessors, RISC, data flow, and pipelining—architectural techniques that facilitate high levels of performance. We conclude with a detailed case study on the use of data flow compiling with a RISC-based, multiple-pipeline architecture to achieve very fast parallel execution in Apollo's Series 10000 Personal Supercomputer.

14.2 IMPORTANT TRENDS AFFECTING PERFORMANCE ISSUES

In the early years of computer systems development, hardware was the dominant cost, so performance studies concentrated primarily on hardware issues. Now hardware is relatively inexpensive and becoming even more so. But labor costs have continued to climb steadily. As a result we must begin to measure performance in ways more sensitive to human productivity. For example, a personal computer is used primarily for the convenience of one individual, so processor utilization and I/O device utilization become less important than whether the computer is ready to respond quickly the moment the user needs it.

Software complexity is increasing with the wide use of multiprogramming/multiprocessing operating systems, distributed systems, database management systems, graphics-oriented user interfaces, and various application support systems. The software often hides the hardware from the user, creating a virtual machine defined by the operating characteristics of the software. Cumbersome software often causes poor performance, even on systems with powerful hardware. Therefore it is important to consider a system's software performance as well as its hardware performance.

14.3 WHY PERFORMANCE MONITORING AND EVALUATION ARE NEEDED

In his classic paper, Lucas (Lu71) mentions three common purposes for performance evaluation.

- *Selection evaluation*—The performance evaluator must decide if obtaining a computer system from a particular vendor is appropriate.
- *Performance projection*—The goal of the evaluator here is to estimate the performance of a system that does not exist. It may be a completely new computer system, or a new hardware or software component.
- *Performance monitoring*—The evaluator accumulates performance data on an existing system or component to be sure that it is meeting its performance goals, to help estimate the impact of planned changes, and to provide management with the data it

needs to make strategic decisions such as whether to modify an existing job priority system.

Performance evaluation and prediction are needed from the earliest moments in the conception of a new system, in the system's day-to-day operation after installation, and in the considerations of its modification or eventual replacement with a better system. In the early phases of a new system's development, the vendor attempts to predict the nature of applications that will run on the system, and the anticipated work loads these applications must handle.

Once the vendor begins development and implementation of the new system, performance evaluation and prediction are used to determine the best hardware organization, the resource management strategies that should be implemented in the operating system, and whether or not the evolving system meets its performance objectives.

Once the product is released to the marketplace, the vendor must be prepared to answer questions from potential users about whether the system can handle certain applications with certain levels of performance. Users are often concerned with choosing an appropriate configuration of a system that will service their needs.

When the system is installed at the user's site, both the vendor and the user are concerned with obtaining optimal performance. Fine adjustments are made to make the system run at its best within the user's operating environment. This process, called *system tuning*, can often cause dramatic performance improvements once the system is adjusted to the idiosyncracies of the user installation.

14.4 PERFORMANCE MEASURES

By performance, we mean the manner in which, or the efficiency with which, a computer system meets its goals. Thus performance is a relative rather than an absolute quantity, although we will often talk of *absolute performance measures* such as the number of jobs per hour a given computer system can service. But whenever a performance measure is taken, it is normally to be used as a basis of comparison.

Performance is often in the eye of the beholder. For example, a young music student may find a performance of Beethoven's Fifth Symphony thoroughly inspiring, whereas the conductor might be sensitive to the most minor flaws in the way a second violinist plays a certain passage. Similarly, the owner of a large distributed computing system might be pleased with the high utilization of the system reflected by large billings for service, whereas an individual user might be experiencing excessive delays on such a busy system.

Some performance measures, such as *ease of use*, are difficult to quantify. Others, such as *disk accesses per minute*, are easy to enumerate. The performance evaluator must be careful to consider both types of measures, even though it may be possible to provide neatly prepared statistics only for the latter.

Some performance measures, such as *response time*, are said to be user-oriented. Others, such as *processor utilization*, are said to be system-oriented.

Some of the common performance measures are

- *Turnaround time*—In a batch processing system, this is defined as the time from which a job is submitted until the job is returned to the user.
- *Response time*—This is the interactive system's turnaround time, and is often defined as the time from which a user presses an *Enter* key or clicks a mouse until the system begins typing or displaying a response.
- *System reaction time*—In an interactive system, this is often defined as the time from which the user presses *Enter* or clicks a mouse until the first time slice of service is given to that user's request.

These are probabilistic quantities, and in simulation and modeling studies of systems they are considered to be random variables. We discuss the *distribution* of response times, for example, because a wide range of response times is experienced by users on a particular interactive system over some interval of operation, and this range can be characterized quite accurately by a probability distribution.

When we talk of the *expected value* of a random variable, we are referring to its *mean* or *average* value. But means can often be deceiving because a certain mean value can be produced by averaging a series of identical or nearly identical values, or it can be produced by averaging a wide variety of values, some much larger and some much smaller than the calculated mean. So other performance measures often employed are

- *Variance in response times* (or of any of the random variables we discuss)—The variance of response times is a measure of *dispersion*. A small variance indicates that the response times experienced by users are generally close to the mean. A large variance indicates that some users may be experiencing response times that differ widely from the mean. Some users could be receiving relatively fast service, while others could be experiencing protracted delays. Thus the variance of response times is a measure of their predictability; from a human factors standpoint, this can be a very important performance measure in an interactive system.
- *Throughput*—This is the work-per-unit-time performance measurement.
- *Work load*—This is the measure of the amount of work that has been submitted to the system, and which the system normally must process in order to be functioning acceptably.
- *Capacity*—This is a measure of the maximum throughput a system may have, assuming that whenever the system is ready to accept more jobs, another job is immediately available.
- *Utilization*—This is the fraction of time that a resource is in use. Utilization can be a deceptive measure. Even though a high percentage utilization seems desirable, it may be the result of inefficient usage. One way of achieving high processor utilization, for example, is to run a series of processes, all of which are in infinite loops! Another view of processor utilization also yields interesting insights. We may view a processor at any moment as being idle, in program state, or in supervisor state. When a processor is in program state, it is accomplishing work on behalf of a user, and the processor is most

likely being charged to that user. When the processor is in the supervisor state, however, it is inside the operating system. Some of this time may be charged directly to users, but some of it, such as the time spent in multiprogramming systems switching between various processes, is pure overhead. This overhead component can become large in some systems. Thus when we measure processor utilization, we must be concerned with how much of this usage is productive work on behalf of the users, and how much is system overhead.

14.5 PERFORMANCE EVALUATION TECHNIQUES

Several of the most important performance evaluation techniques (Lu71) (Fe83) (An84) are considered in the next several sections.

14.5.1 Timings

Timings provide a means of performing quick comparisons of computer hardware. Early computer systems were often evaluated by their add times, or by their memory cycle times. Timings are useful for indicating the "raw horsepower" of a particular computer system; it has become common to categorize a particular computer by the number of *MIPS (millions of instructions per second)* that it performs. Computers are already performing in the *BIPS (billions of instructions per second)* range; computers performing in the *TIPS (trillions of instructions per second)* range may appear in the mid-to-late 1990s.

With the advent of *families of computers*, such as the IBM 360 series, first introduced in 1964, it has become common for hardware vendors to offer computers that enable a user to upgrade to faster processors as the user's needs grow. The computers in a family are compatible in that they can run the same programs but at greater speeds as the user moves up in the family. Timings provide a fast means for comparing the members of a family of computers.

Timings are used mainly for quick comparisons. Other techniques should be used to evaluate more meaningfully today's complex hardware and software systems.

Timing comparisons are generally made for a few basic hardware operations. The add operation has certainly become a common basis of comparison with computers rated as capable of performing 500,000 additions per second, for example. But computer systems may have instruction sets with hundreds of distinct operations. So when comparing processors for a particular application, timings provide too little information.

Also, the controversy over RISC versus CISC (see Section 14.9) indicates that timings must be carefully interpreted in the context of fundamental architectural differences.

14.5.2 Instruction Mixes

The technique of *instruction mixes* uses a weighted average of various instruction timings more suited to a particular application. Even though a particular computer system can perform a double-precision floating point multiply instruction very quickly, for example, that same system may still perform poorly in a commercial computing environment in which data movement, editing, and input/output operations constitute the bulk of instructions performed.

The performance evaluator studies the job mix at a particular installation and attempts to form a weighted average of timings for those instructions most frequently used at the installation. Machines may then be compared with more validity than timings alone provide.

Here, too, mixes are useful mostly for quick comparisons, and the evaluator is cautioned that other techniques should be used before making any critical acquisition decisions. The weightings used in this technique tend to be highly subjective, and the nuances of the instruction sets of different computer systems must be carefully considered. Mixes provide little if any useful information for evaluating software.

The validity of instruction mixes is becoming more and more difficult to establish with today's complex hardware designs. With the use of cache memories and pipelining, the same instruction may execute for different amounts of time, depending on its context in different executions.

Studies that determine instruction mixes of various kinds remain popular, especially in the evaluation of the RISC vs. CISC architectural approaches (Co86).

14.5.3 Kernel Programs

Timings and mixes both suffer from the fact that they emphasize only a few aspects of a computer's instruction set. A *kernel program* is a typical program that might be run at an installation. Using manufacturer's instruction timing estimates, the kernel program is timed for a given machine. Comparisons between machines are then made on the basis of differences in the expected execution times of the kernel program on the different machines. So a kernel is actually "executed on paper" rather than being run on a particular computer. (Note: "Kernel" here is not meant to be confused with the kernel of the operating system.)

Kernels give better results than either timings or instruction mixes, but they require substantial manual effort to prepare and time. One key advantage is that kernels are complete programs, and ultimately this is what the user actually runs on the computer system under consideration.

Kernels can be helpful in evaluating certain software components of a system. For example, two different compilers may produce dramatically different code, and kernels can help decide which compiler generates more efficient code.

14.5.4 Analytic Models

Analytic models are mathematical representations of computer systems or components of computer systems (Lu71) (Sv77) (Ko78) (La79) (Sa81). Many types of models are used, but those of *queueing theory* and *Markov processes* seem to be the most manageable and useful. In the next chapter, we present a discussion of queueing models and Markov models for computer performance evaluation.

For evaluators who are mathematically inclined, the analytic model can be relatively easy to create and modify. A large body of mathematical results exists that evaluators can apply to help estimate the performance of a given computer system or component quickly and relatively accurately.

But there are many disadvantages. Certainly, evaluators must be highly-skilled mathematicians; these people are rare in commercial computing environments. Secondly, "neat" solutions are available only for the simplest models. The more complex a model gets, the less likely the evaluator is to find a precise mathematical solution describing the model's behavior.

Today's systems are often so complex that the modeler may be forced to make many simplifying assumptions. These can invalidate the usefulness and applicability of the model.

The performance evaluator must understand many different techniques, and must use these techniques in concert with one another. The results of an evaluation using a particular technique may sometimes be invalidated by studies using other techniques. But it often occurs that the several different evaluations tend to reinforce one another, and this helps to demonstrate the validity of the evaluator's conclusions.

14.5.5 Benchmarks

A *benchmark* is a real program that the evaluator executes on the machine being evaluated. Commonly, a benchmark is a *production program* (i.e., one that is run regularly at an installation) that is typical of many jobs at the installation. The evaluator is thoroughly familiar with the performance of the benchmark on existing equipment, so when the benchmark is run on new equipment, the evaluator may draw meaningful conclusions (Lu71) (La77) (We84) (Lu85) (Cl86) (Fl86) (Se86c) (Si86) (Hi88) (Mc88) (Wi88).

Benchmarks have the advantage that they already exist, so the evaluator merely needs to choose them from known production programs. No manual timings are taken on individual instructions. Instead the full program is run on real data on the actual machine, so the computer does most of the work. The chance of human error is minimized compared to that in timing a mix or kernel since the computer runs the benchmark. The timing can be measured by the computer itself or by a stopwatch.

Certainly, a thorough evaluation study using benchmark programs should involve the careful selection of a series of benchmarks typical of the job characteristics at the installation. This is a subjective process and is a weakness in the technique.

In environments with multiprogramming, timesharing, multiprocessing, database, data communications, and real-time systems, benchmarks can be particularly valuable because they run on the actual machine in real circumstances. The effects of such complex systems may be experienced directly instead of being estimated.

Benchmarks are useful in evaluating hardware as well as software, and even under complex operating environments. They are also particularly useful in comparing the operation of a system before and after certain changes are made. They are not useful, however, in predicting the effects of proposed changes, unless another system exists with the changes incorporated and on which the benchmarks may be run. Benchmarks are probably the most widely used technique among established concerns considering acquisition of equipment from several different vendors. A vendor will often make computer time available for running benchmark programs to help a buyer decide if the vendor's system is appropriate.

14.5.6 Synthetic Programs

Synthetic programs combine the techniques of kernels and benchmarks. They are real programs that have been custom-designed to exercise specific features of a machine. One strong advantage they have over benchmarks is that benchmark programs for testing particular features of a new machine may not exist (Bu69) (Lu71) (We84) (Dr85) (Wi88).

Synthetic programs are useful in development environments. As new features become available, synthetic programs may be used to test that these features are operational. Evaluators, unfortunately, do not always have sufficient time to code and debug synthetic programs, so the evaluators often seek existing benchmark programs that match the desired characteristics of a synthetic program as closely as possible. Two standard synthetic programs that are widely used, the Whetstone and the Dhrystone, are discussed in Section 14.5.9.

14.5.7 Simulation

Simulation is a technique in which the evaluator develops a computerized model of the system being evaluated (Lu71) (Bl81) (Na81) (Ke84) (Ov85) (Je87). The model is then run to reflect the behavior of the system being evaluated.

With simulation it is possible to prepare a model of a system that does not exist, and then run the model to see how the system might behave in certain circumstances. Of course, the real system must eventually be built and tested to prove that the simulation is valid. Simulations can prevent the construction of poorly designed systems by highlighting problems early in the development cycle. Computerized simulators have become particularly popular in the space and transportation industries, because of the severe consequences of building a system that would fail.

Simulators are generally of two types:

- *Event-driven simulators*—These are controlled by events that are made to occur in the simulator according to probability distributions (Ov85).
- *Script-driven simulators*—These are controlled by empirically derived data carefully manipulated to reflect the anticipated behavior of the simulated system.

Simulation requires considerable expertise on the part of the evaluator, and can consume substantial computer time. Simulators generally produce huge amounts of data that must be analyzed either manually or by computer. Simulation models must be *validated*: developers must demonstrate that the models indeed are accurate representations of the real systems being simulated. Once simulators are developed, their repeated use can be effective and economical.

14.5.8 Performance Monitoring

Performance monitoring is the collection and analysis of information regarding system performance for existing systems (Lu71) (Pl81) (Ir86). It is useful in determining how a system is performing in terms of throughput, response times, predictability, etc. Performance monitoring can locate bottlenecks quickly, and can help management decide how to improve performance.

Performance monitoring can be accomplished by software or hardware techniques. Software monitors may distort performance readings because the monitors themselves consume system resources. Hardware monitors are generally more costly, but they have the advantage that they influence the operation of the system minimally.

Monitors generally produce huge volumes of data that must be analyzed, possibly requiring extensive computer resources. But they do indicate precisely how the system is functioning, and this information can be extremely valuable, particularly in development environments in which key design decisions may have to be made or modified based on the observed operation of the system.

Instruction execution traces, or *module execution traces*, can often reveal *bottlenecks.* A module execution trace might show, for example, that a small subset of the modules is being used a large percentage of the time. Thus if the designers concentrate their optimization efforts on those modules, they may be able to improve system performance considerably without expending effort and resources on infrequently used portions of the system.

14.5.9 Whetstone, Dhrystone, LINPACK, and Savage

Users can implement customized synthetic programs and benchmarks, or they can use certain widely accepted standards. The kinds of thinking in these benchmarks are founded in Knuth's pioneering paper (Kn71) in which he examined the frequency of occurrence of various language constructs in a large sample of FORTRAN programs.

The *Whetstone* (Cu76) (We84) (Se86) (Hi88) (Wi88) is one of the earliest of the widely published standards; it is a synthetic benchmark program designed to measure a processor's number-crunching effectiveness with floating point calculations. Although it is aging, it remains a useful means of comparing how effectively processors run FORTRAN programs for scientific computation.

LINPACK programs (SLINPACK for single-precision calculations, and DLINPACK for double-precision calculations), developed at the Argonne National Laboratory, are also widely used for measuring floating-point performance (Th87). LINPACK is a genuine benchmark program; it is not synthetic like the Whetstone.

The *Savage* benchmark, unlike the Whetstone and LINPACK benchmarks, measures the accuracy of trigonometric floating-point operations rather than their performance (Wi88).

The *Dhrystone* is a synthetic benchmark developed for measuring how effectively an architecture runs systems programs (We84) (Se86) (Hi88). Ada, C, and Pascal versions are commonly used. The Ada version of the Dhrystone (We84) contains 100 statements. The creators of the Dhrystone emphasize that variations in architectures, especially the use of cache memory, can have a significant effect on the time it takes to execute the Dhrystone program. Because the Dhrystone is small, its effectiveness is particularly sensitive to the size of the cache; if the Dhrystone can fit in the cache, it will obviously execute much faster than if it needs to be shuttled between the cache and primary storage. Languages, compilers, measurement methods, and caching all need to be factored into performance measurement comparisons to make them meaningful (We84) (Wi88).

14.6 BOTTLENECKS AND SATURATION

An operating system manages a collection of resources. These interface and interact in complex ways to effect the overall operation of the system. Occasionally one or more of these resources become *bottlenecks*, limiting the overall performance of the system because they cannot do their share of the work. While other system resources may have excess capacity, the bottlenecks may not be passing jobs or processes to these other resources fast enough to keep them busy (Lu71) (Fe83) (Bo88).

A bottleneck tends to develop at a resource when the traffic of jobs or processes at that resource begins to approach its capacity. At this point we say that the resource becomes *saturated*, i.e., processes competing for the attention of the resource begin to interfere with one another (Co75). One of the classic examples of saturation in operating systems is the thrashing (see Chapter 9) that occurs in paged systems when main storage has been overcommitted and the working sets of the various active processes cannot be maintained simultaneously in main storage.

How can bottlenecks be detected? Quite simply, each resource's request queue should be monitored. When a queue begins to grow quickly, then the *arrival rate* of requests at that resource must be larger than its *service rate*, so the resource has become saturated.

Isolation of bottlenecks is an important part of tuning a system. The bottlenecks may be removed by increasing the capacity of the resources, or by adding more resources of that type at that point in the system. Removing a bottleneck does not always improve throughput, however, since other bottlenecks may also exist in the system. Tuning a system may involve the repeated location of and elimination of bottlenecks until system performance reaches satisfactory levels.

14.7 FEEDBACK LOOPS

A *feedback loop* is a situation in which information about the current state of the system can affect arriving requests. These requests may be rerouted if the feedback indicates they may have difficulty being serviced. Feedback may be negative, in which case arrival rates may decrease, or feedback may be positive, in which case arrival rates may increase.

14.7.1 Negative Feedback

In *negative feedback* situations, the arrival rate of new requests may decrease as a result of information being fed back. For example, a motorist pulling into a filling station and observing that several cars are waiting at each pump may decide to leave the station in favor of driving down the street to another less crowded station.

In distributed systems, spooled outputs can often be printed by any of several equivalent print servers. If the queue behind one server is too long, the job may be placed in a less crowded queue.

Negative feedback contributes to *stability* in queueing systems. If arriving jobs indiscriminately get in line behind a busy device, for example, then the queue behind that device might grow indefinitely (even though other devices may be underutilized).

14.7.2 Positive Feedback

In *positive feedback* situations, the arrival rate of new requests may increase as a result of information being fed back.

A classic example of the problems that may occur with positive feedback occurs in paged virtual memory multiprogramming systems. Suppose the operating system detects that the processor is underutilized. It may inform the job scheduler to admit more jobs to the multiprogramming mix, anticipating that this would place a greater load on the processor. As more jobs are admitted the amount of memory that can be allocated to each job decreases and page faults may increase (because working sets may not fit in memory). Processor utilization may decrease as the system thrashes. A poorly designed operating system might then decide to admit even more jobs. Of course, this would cause further deterioration in processor utilization.

Operating systems designers must be cautious when designing mechanisms with positive feedback to prevent such unstable operation from developing. The effects of each incremental change should be monitored to see whether it results in an anticipated improvement. If a change causes performance to deteriorate, this signals to the operating system that it may be entering an unstable range, and that resource allocation strategies should be adjusted to resume stable operation.

14.8 COPROCESSORS

Coprocessors are special-purpose processors that provide functions the main processor may not have, or may have and not do well. The most common coprocessors on the market today are *floating point coprocessors* (Hu83) (Th87) (Bo88) (By88) (Ch88) (Wi88), which perform standard floating point operations at very high speeds in hardware; without these units, floating point operations are normally performed (relatively slowly) in software. Coprocessors are also available for facilitating high-speed graphics (Ni87), speech synthesis and recognition, and computer vision.

Coprocessors normally operate as *slave processors* to the main processor(s); the main processor assigns appropriate computations to the coprocessor and regains control immediately when the coprocessor completes its calculations. Special purpose coprocessors sometimes operate as *peer processors* to the main processors; this means that the coprocessors can operate in parallel with the main processors and with one another.

Bandwidth between the CPU and coprocessors can become a bottleneck. Some floating-point coprocessors are memory-mapped to help alleviate this problem (Bo88).

14.9 REDUCED INSTRUCTION SET COMPUTING (RISC)

Reduced instruction set computing (RISC) has emerged as a popular means of implementing high-performance uniprocessors (He84) (Pa85) (Be86) (Gi87) (Su87). RISC architectures take a dramatically different approach from that of systems which have been using even larger and more complex machine language instruction sets. Through the early 1980s, the clear trend was to incorporate frequently-used sections of code into single machine language instructions, with the hope of making these functions execute faster. The logic was appealing, judging by the number of computer architectures that reflected these greatly enhanced instruction sets—an approach that has been named *CISC (complex instruction set computing)* somewhat in response to the popularity of the term RISC.

Using more complex instructions actually has its roots in the years when most systems programming was done in assembly language; richer machine language instructions enabled assembly language programmers to write their programs with fewer lines of code and thus helped programmers be more productive.

As high-level languages became widely used for writing operating systems (such as the use of C and C++ in writing UNIX systems), the trend continued with special-purpose instructions being added to fit well with the needs of optimizing compilers.

These complex instruction sets tended to be implemented via microprogramming; the machine language instructions were interpreted, so that complex instructions were performed as a series of simpler microprogrammed functions.

Designers of high-performance computers have generally rejected complex instructions. Seymour Cray used relatively simple instructions in the supercomputers he designed (Pa85).

Various studies were performed indicating that the vast majority of programs generated by popular compilers used only a small portion of the instruction sets. The enhanced instructions that had been thought to be so critical to improving performance were being used only infrequently. The simplest instructions such as memory-to-register transfers (loads and stores) were the most commonly used. The interpretation by microcode of the complex instructions was actually slowing the execution of simple instructions.

An IBM study observed that the 10 most frequently executed instructions in the System/370 architecture (Fig. 14.1) account for 2/3 of the instruction executions on that machine (Ho86, p. 81). This study provides compelling evidence for the notion of RISC. In fact, it emphasizes that computer architectures can optimize performance by concentrating their efforts on making branches, loads, and stores run efficiently (Se86).

Instruction		% of Executions
BC	Branch Condition	20.2
L	Load	15.5
TM	Test Under Mask	6.1
ST	Store	5.9
LR	Load Register	4.7
LA	Load Address	4.0
LTR	Test Register	3.8
BCR	Branch Register	2.9
MVC	Move Characters	2.1
LH	Load Half Word	1.8

Fig. 14.1 The 10 most frequently executed instructions on IBM's System/370 architecture (Ho86, p. 81). (Courtesy of International Business Machines Corporation)

Coulter and Kelly (Co86) did a static analysis of assembly language programs written for the IBM Series/1 computer, a machine with a particularly rich machine language. The study observed that programmers tended to generate "semantically equivalent instruction sequences" when working with such a rich language. The authors concluded that since it is difficult to detect such sequences automatically, either instruction sets should be made sparser, or programmers should restrict their use of instructions.

IBM developed its RISC-based 801 (Ra83) which evolved to today's IBM PC/RT (IB86) (IB87) machine. Berkeley and Stanford developed pioneering RISC systems as well (Pa82) (Pa82a) (Pa85) (Mi86). Hewlett-Packard has taken a leadership role in the development of RISC architectures.

Developments in VLSI technology also pointed to the need for simplifying instruction sets. Space on a chip is always at a premium. The simpler RISC microprocessors were easier to implement and allowed extra space to be put to good use for other purposes.

RISC architectures tend to be "register rich;" the large numbers of registers are used in a variety of ways to enhance performance, such as in passing parameters quickly during procedure call/return sequences. RISC compilers were designed to optimize code for efficient execution with pipelined architectures.

Many machine language instructions in CISC architectures require several machine cycles; RISC architectures generally have one-machine-cycle-per-instruction (with occasional exceptions).

Microprogramming is avoided in favor of "hard-wired" control. The instruction set is sparse and simple. Many high-speed registers are used to perform calculations quickly. Memory/register traffic is handled with simple loads and stores. Optimizing compilers are designed to work effectively with the simpler instructions and rich collections of registers. The number of addressing modes is kept to a minimum, with some authors arguing that a single addressing mode is sufficient if it uses a pointer with an offset (Ch87).

By providing many registers, RISC machines enable optimizing compilers to generate code that leaves intermediate results in registers, thus avoiding much of the register/memory, memory/register traffic that occurs in machines with relatively few registers.

Pipelined execution in CISC architectures can be slowed by the longer processing times of complex instructions; these have the effect of idling sections of the pipeline handling simpler instructions.

Although RISC architectures help minimize register/memory, memory/register traffic, loads and stores are still needed, and these take time. So optimizing compilers used with RISC often rearrange instruction sequences to enable other operations to occur while the register/memory traffic is in progress.

One simple and clever optimizing technique is called *delayed branching* (Pa85) (Li88). When a conditional branch is executed, the next sequential instruction may or may not be executed next, depending on the evaluation of the condition. Delayed branching enables this next sequential instruction to enter execution anyway; then, if the branch is not taken, this next instruction can be well along, if not completely finished. RISC optimizing compilers often rearrange machine instructions so that a useful calculation (one that must be executed regardless of whether the branch is taken) is placed immediately after the branch. Because branching occurs more frequently than most people realize (as often as every fourth instruction on some popular architectures) this can yield considerable performance gains. Lilja (Li88) provides a through analysis of delayed branching and several other techniques that can greatly reduce the so-called *branch penalty* in pipelined architectures.

The simpler RISC instruction sets make it easier for optimizing compilers to detect and take advantage of optimizing opportunities. RISC architectures also tend to use various cache memories to facilitate fast execution.

An obvious consequence of RISC is that programs written for RISC machines tend to have more instructions per program than those for CISC machines. Various studies have discovered that RISC programs tend to be about 20% longer than corresponding CISC programs. Nevertheless, these simpler instructions execute faster; experiments have shown that RISC programs generally run at double the speed (or even more) of their CISC equivalents.

Every innovative approach we have discussed in the text certainly has both pros and cons. In the case of RISC, the simplicity of the instructions, the reduced instruction set, and the register-rich hardware approach forced a great increase in the complexity of *context switching* (Wi89). Context switching *must* be fast. But RISC machines use many times as many registers as CISC machines, and these registers must be preserved. RISC machines also use deep pipelines that must be flushed during context switching; this could result in losing much of the performance gains from pipelining. When a context switch is performed, the operating system and the hardware must somehow decide which of the several instructions in various stages of completion must finish, should finish, and the like. An investigation of these issues is left to the exercises.

One advantage of RISC designs implemented in VLSI chips is that their simplicity promotes *scalability*, i.e., RISC designs are able to be reimplemented easily to execute more quickly using new technologies that pack increasing numbers of circuit elements onto chips.

Floating point operations execute faster in CISC architectures, so RISC users who need fast floating point operations often add floating point coprocessors to their hardware. RISC instructions occupy fixed-length words of memory; such instructions are easier and faster to execute than variable-length instructions.

RISC instructions generally execute in four phases (Pa85), including instruction fetch, register read, arithmetic/logic operation, and register write.

One interesting phenomenon is that it is possible to select RISC subsets of CISC machines, so it should be possible to enhance performance even on CISC machines by using various RISC techniques, such as in compiler optimization (Pa85). Many experiments have confirmed the value of this approach.

RISC technology has had another interesting impact in the computer architecture and operating systems communities. Simpler architectures can be implemented faster and with fewer resources. The lengthy development cycles previously required for introducing major new architectures are no longer acceptable because technology is moving too quickly today. Underlying assumptions and fundamentals can change so completely during a project that a new system can easily be obsolete as it reaches the marketplace.

Not everyone believes in the virtues of RISC. But there is general agreement that the "bet the company" strategies of systems development efforts, such as IBM's 360 series in the 1960s, are not likely to be repeated again. Those readers who would like to investigate the pros of the CISC-based approach should consult the paper by Flynn, Mitchell, and Mulder (Fl87). The entire nature of the computing industry is changing. The appeal of simplicity continues its ascent.

Davidson and Vaughan (Da87) used the technique of *architectural subsetting* (Pa85) to do an interesting study on instruction complexity effects on performance; they selected three increasingly complex instruction subsets of the VAX. The authors reached several interesting conclusions.

1. Programs written in the simplest of the instruction subsets required as much as 2 1/2 times the memory of equivalent complex instruction set programs.
2. The cache miss ratio was considerably larger for programs written in the simplest subset.
3. The bus traffic for programs written in the simplest subset was about double that of programs written in the most complex subset.

These results and others like them indicate that RISC architectures can have negative consequences on performance.

14.10 CASE STUDY: DATA FLOW, RISC, AND PIPELINING

Although data flow architectures (Cl85) have not yet been introduced in commercial machines, data flow techniques are proving their worth in compilers and multiprocessor/pipelined computers. The following example is condensed and adapted from (Ap88); it is used with the permission of Apollo Computer Inc. of Chelmsford, Massachusetts.

The Apollo Series 10000 can perform various operations in separate pipelines in the same instruction cycle. Its data flow compiler detects opportunities to take advantage of the local parallel architecture of the Series 10000.

The compiler generates a data flow graph and searches for the "critical execution path," which it schedules on the parallel hardware. Let us examine an example Apollo uses in its literature to emphasize the optimization capabilities of its data flow compiler.

Consider the following ninth-order polynomial:

$$4X^9 + 92X^7 + 580X^5 + 824X^3 + 336X$$

This can be programmed with three assignment statements as follows:

```
Z = X * X
ZSQ = Z * Z
Result = (ZSQ+14.0*Z+12.0)*4.0*X*(ZSQ+9.0*Z+7.0)
```

First the data flow graph (Fig. 14.2) is created. The data flow compiler now does some rearranging (Fig. 14.3) to prepare this code for optimal pipelined execution. Finally, the

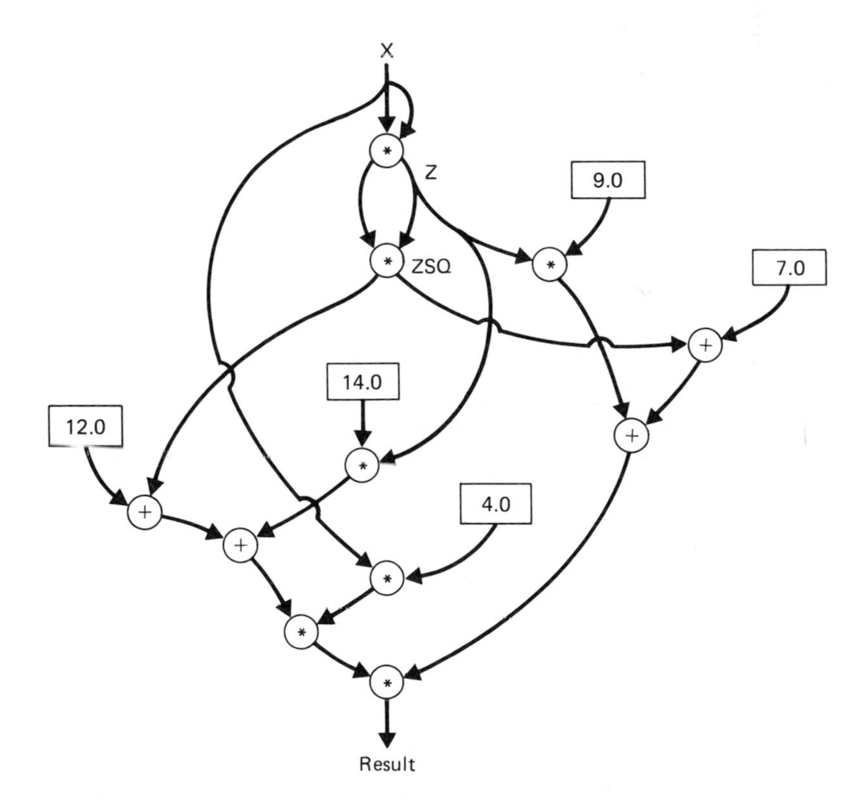

Fig. 14.2 Data flow graph for ninth degree polynomial example. (Reprinted with permission of Apollo Computer, Inc.)

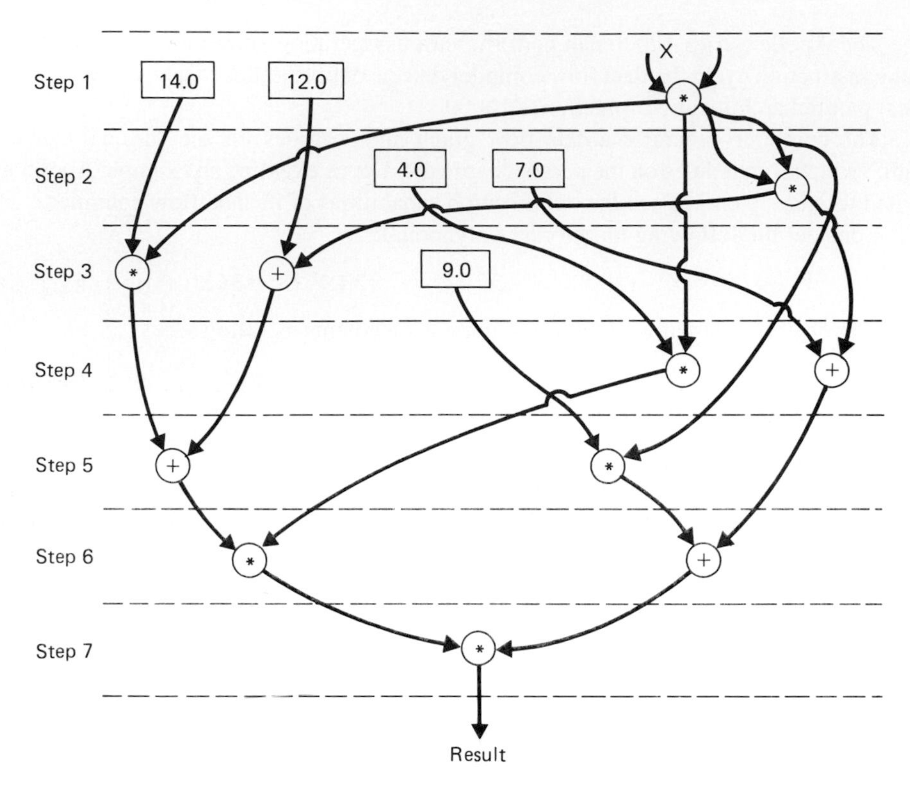

Fig. 14.3 Data flow graph of Fig. 14.2 scheduled onto the pipelined hardware. (Reprinted with permission of Apollo Computer, Inc.)

RISC-based object code of Fig.14.4 is produced to run optimally in the three pipelines, considering the various instructional latencies.

Notice that the first two load instructions each load two constants into two registers. This is possible because with the machine's 64-bit data paths, it may perform two 32-bit integer loads at once.

The resulting object code executes multiple instructions at once—in most cases two instructions simultaneously, and in one case three instructions simultaneously. Because of the overlapped execution of the 14 object-code instructions, only seven instruction cycles are required. Figure 14.5 shows the register values developed after each of the seven instruction cycles of Fig. 14.4.

Step Number	Integer Pipeline	Multiplier Pipeline	ALU Pipeline
(1)	LOADS C(12.0,14.0),(S0,S1)	MULS X,X,Z	
(2)	LOADS C(4.0,7.0),(S8,S9)	MULS Z,Z,ZSQ	
(3)	LOADS C(9.0),S11	MULS S1,Z,S1	ADDS ZSQ,S0
(4)		MULS X,S8,S5	ADDS S9,ZSQ
(5)		MULS S11,Z,S6	ADDS S0,S1
(6)		MULS S5,S1,S7	ADDS ZSQ,S6
(7)		MULS S6,S7,RESULT	

Fig. 14.4 Object code generated from the data flow graph of Fig. 14.3. (Reprinted with permission of Apollo Computer, Inc.)

Register	Values developed (after step numbers in parentheses)		
S0	(1) 12.0	(3) ZSQ+12.0	
S1	(1) 14.0	(3) 14.0*Z	(5) ZSQ+14.0*Z+12.0
Z	(1) X*X		
S8	(2) 4.0		
S9	(2) 7.0		
ZSQ	(2) Z*Z	(4) ZSQ+7.0	
S11	(3) 9.0		
S5	(4) 4.0*X		
S6	(5) 9.0*Z	(6) ZSQ+9.0*Z+7.0	
S7	(6) (ZSQ+14.0*Z+12.0)*4.0*X		
RESULT	(7) (ZSQ+14.0*Z+12.0)*4.0*X*(ZSQ+9.0*Z+7.0)		

Fig.14.5 Values developed during the execution of the object code of Fig. 14.4. (Reprinted with permission of Apollo Computer, Inc.)

SUMMARY

This chapter discusses many of the commonly used techniques for monitoring and evaluating the performance of computer systems. Three common purposes for performance evaluation are selection evaluation, performance projection, and performance monitoring.

Performance is the efficiency with which a system meets its goals. Some common performance measures are turnaround time, response time, system reaction time, variance in response times, throughput, capacity, and utilization.

Timings are useful for performing quick comparisons of hardware. A computer's add time or number of additions per second has often been used for timing comparisons.

Instruction mixes use a weighted average of various instruction timings more suited to a particular application.

A kernel program is a typical program that might be run at an installation. It is timed for a given machine by using manufacturer's instruction timing estimates, and comparisons may then be made between different machines on the expected execution times of the kernel program.

Analytic models are mathematical representations of computer systems or components of computer systems. The models of queueing theory and Markov processes are most useful, and are discussed in the next chapter. A large body of mathematical results exists that the evaluator can apply to help estimate the performance of a given computer system.

A benchmark is a real program that the evaluator submits for execution on the computer system being evaluated. The evaluator knows the performance characteristics of the benchmark on existing equipment, so when it runs on new equipment, the eval-uator may draw meaningful conclusions.

Synthetic programs are real programs that have been custom-designed to exercise specific features of a computer system. They are particularly useful when benchmarks exercising those features do not exist.

Simulation is a technique in which the evaluator develops a computerized model of the system being evaluated. The model is then run on a computer system, thus reflecting the behavior of the system being evaluated. Event-driven simulators are controlled by events that are made to occur in the simulator according to probability distributions. Script-driven simulators are controlled by empirically derived data carefully manipulated to reflect the anticipated behavior of the simulated system.

Performance monitoring is the collection and analysis of information regarding system performance for existing systems.

A resource becomes a bottleneck limiting the overall performance of the system when it can not handle the work being routed to it. Resources operating near their capacity tend to become saturated, i.e., processes competing for the attention of the resource begin to interfere with one another. Thrashing in a paging system is a classic example of saturation in operating systems.

In a feedback loop, information on the current state of the system is made available to entering requests. In negative feedback, the arrival rate of new requests may decrease as a result of the information being fed back. Negative feedback contributes to stability in queueing systems.

In positive feedback systems, information fed back causes an increase in some parameter. Positive feedback can cause instability in queueing systems. Designers should provide controls on positive feedback mechanisms to prevent unstable operation.

Coprocessors are special-purpose processors added to a computer system to facilitate operations not provided in the original processor(s).

RISC architectures generally have sparse machine language instruction sets, relatively simple instructions, large numbers of registers, simple load and store operations for register memory transfers, deep pipelines, and caches. Although RISC programs tend to be longer than their CISC "equivalents," the RISC programs generally run much faster.

Although data flow architectures have not yet been introduced in commercial machines, data flow techniques may be used effectively in compilers that prepare object programs for execution on other parallel architectures, such as pipelined machines.

TERMINOLOGY

analytic model
arrival rate
benchmark
BIPS (billions of instructions per second)
bottleneck
branch penalty
capacity
CISC (complex instruction set computing)
coprocessor
data flow compiling
delayed branching
Dhrystone
disperson
event-driven simulator
expected value
feedback loop
FLOPS (floating point operations per second)
gigaFLOPS
hardware monitor
IBM 801
IBM PC/RT
instruction execution trace
instruction mix
kernel program
megaFLOPS
MIPS (millions of instructions per second)
model validation
module execution trace
negative feedback
predictability
peer processor
performance evaluation
performance measurement
performance monitoring
performance projection
pipelining
positive feedback
probability distribution
production program
random variable
response time
RISC (reduced instruction set computing)
saturation
Savage benchmark
script-driven simulator
selection evaluation
service rate
simulation
slave processor
software monitor
synthetic program
system reaction time
system tuning
thrashing
throughput

timings
TIPS (trillions of instructions per second)
tuning a system
turnaround time
unstable operation
utilization
validate a model
variance in response times
Whetstone
work load

EXERCISES

14.1 Explain why it is important to monitor and evaluate the performance of a system's software as well as its hardware.

14.2 When a user logs in, some timesharing systems print the total number of logged in users.

a) Why is this useful to the user?

b) In what circumstances might it not be a useful indication of load?

c) What factors tend to make this a highly reliable indication of system load on a time-sharing system that supports many users?

14.3 Briefly discuss each of the following purposes for performance evaluation.

a) selection evaluation

b) performance projection

c) performance monitoring

14.4 What is system tuning? Why is it important?

14.5 Distinguish between user-oriented and system-oriented performance measures.

14.6 What is system reaction time? Is it more critical to CPU-bound or I/O-bound jobs? Explain your answer.

14.7 In discussing random variables, why can mean values sometimes be deceiving? What other performance measure is useful in describing how closely the values of a random variable cluster about its mean?

14.8 Why is predictability such an important attribute of computer systems? In what types of systems is predictability especially critical?

14.9 Some commonly used performance measures follow.

- turnaround time
- response time
- system reaction time
- variance of response times
- throughput
- work load
- capacity
- utilization

For each of the following, indicate which performance measure(s) is(are) described.

a) the predictability of a system

b) the current demands on a system

c) a system's maximum capabilities

d) the percentage of a resource in use

e) the work processed per unit time

f) turnaround time in interactive systems

14.10 What performance measure(s) is(are) of greatest interest to each of the following? Explain your answers.

a) an interactive user

b) a batch processing user

c) a designer of a real-time process control system

d) installation managers concerned with billing users for resource usage

e) installation managers concerned with projecting system loads for the next yearly budget cycle

f) installation managers concerned with predicting the performance improvements to be gained by adding

i) memory
ii) faster processors
iii) disk drives
iv) channels

14.11 If users are to be billed solely for useful work performed in their behalf by a computer system, then we must separate resource consumption due to system overhead from resource consumption due to useful work.

a) List several components of resource consumption due to system overhead.

b) What measurements might be used to determine each of the overhead components mentioned in your answer to part (a)?

14.12 There is a limit to how many measurements should be taken on any system. What considerations might cause you to avoid taking certain measurements?

14.13 According to Lucas (Lu71), simulation is by far the most widely applicable performance evaluation technique.

a) Give several reasons for this.

b) Even though simulation is widely applicable, it is not as widely used as one might expect. Give several reasons why.

14.14 Some of the popular performance evaluation and monitoring techniques are

- timings
- mixes
- kernels
- models
- benchmarks
- synthetic programs
- simulations
- hardware monitors
- software monitors

Indicate which of these techniques is best defined by each of the following. (Some items can have more than one answer.)

a) their validity may be jeopardized by making simplifying assumptions

b) weighted average of instruction timings

c) the purview of skilled mathematicians

d) they are models that are run by a computer

e) useful for quick comparisons of "raw horsepower"

f) particularly valuable in complex software environments

g) a real program executed on a real machine

h) custom-designed programs to exercise specific features of a machine

i) a real program "executed on paper"

j) a production program

k) most commonly developed by using the techniques of queueing theory and Markov processes

l) often used when it is too costly or time-consuming to develop a synthetic program

14.15 What performance evaluation techniques are most applicable in each of the following situations? Explain your answers.

a) An insurance company has a stable work load consisting of a large number of lengthy batch-processing production runs. Because of a merger, the company must increase its capacity by 50 percent. The company wishes to replace its equipment with a new computer system.

b) The insurance company described in (a) wishes to increase capacity by purchasing some additional memory and channels.

c) A computer company is designing a new, ultrahigh-speed computer system and wishes to evaluate several alternative designs.

d) A consulting firm that specializes in commercial data processing gets a large military contract requiring extensive mathematical calculations. The company wishes to determine if its existing computer equipment will process the anticipated load of mathematical calculations.

e) Management in charge of a multicomputer network needs to locate bottlenecks as soon as they develop and to reroute traffic accordingly.

f) A systems programmer expects that one of the software modules is being called upon more frequently than originally anticipated. The programmer wants to confirm this before devoting substantial effort to recoding the module to make it execute more efficiently.

14.16 On one computer system, the CPU contains a MIPS meter that records how many million instructions per second the CPU is performing at any instant in time. The meter is calibrated from 0 to 4 MIPS in increments of 0.1 MIPS. All of the terminals to this computer are currently in use. Explain how each of the following situations might occur.

a) The meter reads 3.8 MIPS and the terminal users are experiencing good response times.

b) The meter reads 0.5 MIPS and the terminal users are experiencing good response times.

c) The meter reads 3.8 MIPS and the terminal users are experiencing poor response times.

d) The meter reads 0.5 MIPS and the terminal users are experiencing poor response times.

14.17 You are a member of a performance evaluation team working for a computer manufacturer. You have been given the task of developing a generalized synthetic program to facilitate the evaluation of a completely new computer system with an innovative instruction set.

a) Why might such a program be useful?

b) What features might you provide to make your program a truly general evaluation tool?

14.18 You have been charged with the responsibility of tuning a particular application to execute as quickly as possible at your installation. You have decided to purchase a software package from one of several reputable vendors. Your hardware is already in place. Describe how you would choose the best available software package for your application.

14.19 Distinguish between event-driven and script-driven simulators.

14.20 What does it mean to validate a simulation model? How might you validate a simulation model of a small timesharing system (which already exists) with disk storage, several CRT terminals, and a shared laser printer?

14.21 In what circumstances would you use a software monitor? a hardware monitor?

14.22 What information might a performance evaluator get from an instruction execution trace? a module execution trace? Which of these is more useful for analyzing the operation of individual programs? for analyzing the operation of systems?

14.23 How can bottlenecks be detected? How can they be removed? If a bottleneck is removed, should we expect a system's performance to improve? Explain.

14.24 What is a feedback loop? Distinguish between negative and positive feedback. Which of these contributes to system stability? Which could cause instability? Why?

14.25 Work-load characterization is an important part of any performance study. We must know what a computer is supposed to be doing before we can say much about how well it is doing it. What measurements might you take to help characterize the work load in each of the following systems?

a) a timesharing system designed to support program development

b) a batch-processing system used for preparing monthly bills for an electric utility with half a million customers

c) an advanced workstation used solely by one engineer

d) a microprocessor implanted in a person's chest to regulate heartbeat

e) a local area computer network that supports a heavily used electronic mail system within a large office complex

f) an air traffic control system for collision avoidance

g) a weather forecasting computer network that receives temperature, humidity, barometric pressure and other readings from 10,000 grid points throughout the country over communications lines

h) a medical database management system that provides doctors around the world with answers to medical questions

i) a traffic control computer network for monitoring and controlling the flow of traffic in a large city

14.26 A computer system manufacturer has a new multiprocess under development. The system is modularly designed so that users may add new processors as needed, but the connections are expensive. The manufacturer must provide the connections with the original machine because they are too costly to install in the field. The manufacturer wants to determine the optimal number of processor connections to provide. The chief designer says that three is optimal. The designer believes that placing more than three processors on the system would not be worthwhile and that the contention for memory would be too great. What performance evaluation techniques would you recommend to help determine the optimal number of connections during the design stage of the project? Explain your answer.

14.27 At an installation that successfully timeshared 100 user terminals simultaneously, the management decided to increase the number of terminals to 130. The new terminals were installed, and immediately users began complaining of poor response times. You have been called in to do a performance evaluation of the system, and to determine how to achieve satisfactory response times.

a) List hardware problems and software problems that might be causing the poor response times.

b) For each of the problems listed in (a) what performance monitoring and evaluation techniques would you use to isolate the problem?

c) For each of the problems listed in (a), if indeed that problem is confirmed, how would you solve the problem most economically to improve system performance?

14.28 At one large batch-processing multiprogramming installation, jobs are billed solely by wall clock time. As each batch job is initiated, the operator "punches in" the job using a conventional time clock. When the job completes, it is "punched out."

One customer has been running a certain job regularly for several months and the charges for each run have been about the same. On one particular afternoon, there was an excessively heavy load on the system when this customer's job ran, and the charges were double what the customer expected. The customer complained about the charges to the manager of the installation and asked that the charges be reduced by half.

Should the customer be charged the higher amount even though it is known that the system was heavily loaded on that day? Discuss the merits of each of the following arguments:

a) Yes. The customer agreed to be billed by elapsed wall clock time and should be charged for it.

b) No. The manager should not upset a good customer.

c) Yes. The customer occasionally runs the same job on a lightly loaded system and pays less than expected, so it all averages out anyway.

d) No. The customer should pay only for the useful work performed by the computer. This depends only on the job performed and not on the system load.

e) Yes. It is entirely possible that it was not the load on the system that determined how long the job ran, but rather that the job, in fact, was longer than normal.

14.29 Why are RISC programs generally longer than their CISC equivalents? Given this, why then do RISC programs tend to execute much faster than their CISC equivalents?

14.30 In the notation of the case study on data flow, RISC, and pipelining in Section 14.10, let

```
Z = X * X
ZSQ = Z * Z
Z4 = ZSQ * ZSQ
Result = (Z4 + ZSQ + Z + 11.0) * 8.0 * X * (ZSQ + 3.0)
```

For the above calculations, perform each of the following in the context of the case study.

a) Draw the corresponding data flow graph.

b) Redraw the data flow graph to schedule it onto the pipelined hardware.

c) Show the object code generated from the data flow graph in (b). Be sure to show precisely what code is prepared for each of the pipelines.

d) Show the values developed during each step of the object code execution in (c).

14.31 (Project) Obtain versions of the Whetstone and Dhrystone synthetic benchmark programs discussed in the text. Run these on several computers and prepare a comparison of the results. Do your results agree with those published by the vendors? What factors might cause differences?

14.32 (The ultimate RISC [D. W. Jones]; and the ultimate ultimate RISC [G. W. Griffin]) The reader who has access to the June 1988 and December 1988 issues of *Computer Architecture News* should read the papers by Jones (Jo88) (Jo88a) and the paper by Griffin (Gr88a) on pushing RISC to the extreme, namely a machine with precisely one instruction! Try to improve upon the designs presented. Do a study of more realistic RISC machines comparing the sizes of their instruction sets and other important design attributes.

14.33 (Project) In this problem, you will undertake a reasonably detailed simulation study. You will write an event-driven simulation program using random number generation to produce events probabilistically.

At one large batch processing computer installation the management wants to decide what storage placement strategy will yield the best possible performance. The installation runs a large real storage computer under variable partition multiprogramming. Each user program runs in a single group of contiguous storage locations. Users state their storage requirement in advance, and the operating system allocates each user the requested storage when the user's job is initiated. A total of 100K bytes of real storage is available for user programs.

The storage requirement of jobs at this installation is distributed as follows.

10K—30 percent of the jobs
20K—20 percent of the jobs
30K—25 percent of the jobs
40K—15 percent of the jobs
50K—10 percent of the jobs

Execution times of jobs at this installation are independent of the jobs' storage requirements and are distributed as follows.

1 minute —30 percent of the jobs
2 minutes—20 percent of the jobs
5 minutes—20 percent of the jobs
10 minutes—10 percent of the jobs
30 minutes—10 percent of the jobs
60 minutes—10 percent of the jobs

The load on the system is such that there is always at least one job waiting to be initiated. Jobs are processed strictly first-come-first-served.

Write a simulation program to help you decide which storage placement strategy should be used at this installation. Your program should use random number generation to produce the storage requirement and execution time for each job according to the distributions above. Investigate the performance of the installation over an eight-hour period by measuring throughput, storage utilization, and other items of interest to you for each of the following storage placement strategies.

a) first fit b) best fit c) worst fit

14.34 (Project) At the installation described in the previous problem, management suspects that the first-come-first-served job scheduling may not be optimal. In particular, they are concerned that longer jobs tend to keep shorter jobs waiting. A study of waiting jobs indicates that there are always at least ten jobs waiting to be initiated (i.e., when ten jobs are waiting and one is initiated another arrives immediately). Modify your simulation program from the previous exercise so that job scheduling is now performed on a shortest-job-first basis. How does this affect performance for each of the storage placement strategies?

14.35 (Project) The debate over RISC architectures is ongoing and intense. Write a report in which you investigate several of the key RISC studies that have been performed.

14.36 (Project) In the text, it was indicated that one weakness of the RISC approach is a dramatic increase in context-switching overhead. Give a detailed explanation of why this is so. Write a paper on context-switching. Discuss the various approaches that have been used. Suggest how context-switching might be handled efficiently in RISC-based systems.

14.37 (Project) Write a paper on RISC vs. CISC architectures. Form your own conclusions. State both the pros and cons of each approach. Clearly, we are heading toward a period of increasing parallelism. Which of these architectural approaches makes more sense in highly-parallel computing environments?

LITERATURE

(Ac82) Acker, R. D., and P. H. Seaman, "Modeling Distributed Processing Across Multiple CICS/VS Sites," *IBM Systems Journal*, Vol. 21, Nos. 4, 1982, pp. 471–439.

(Ag85) Agassi, S., "Performance Considerations for a Distributed Data Processing System Designed for High Availability," *IBM Systems Journal*, Vol. 24, Nos. 3/4, 1985, pp. 200–212.

(Ag86) Agrawal, D. P.; V. K. Janakiram; and G. C. Pathak, "Evaluating the Performance of Multicomputer Configurations," *Computer*, Vol. 19, No. 5, May 1986, pp. 23–37.

(An84) Anderson, G. E., "The Coordinated Use of Five Performance Evaluation Methodologies," *Communications of the ACM*, Vol. 27, No. 2, February 1984, pp. 119–125.

(Ap88) Apollo Computer Inc., "Data Flow Breakthrough: The Compiler," *The Series 10000 Personal Supercomputer*, Chelmsford, MA: Apollo Computer Inc., 1988, pp. 11–12.

(Ba83) Bailey, R. M., and R. C. Soucy, "Performance and Availability Measurement of the IBM Information Network," *IBM Systems Journal*, Vol. 22, No. 4, 1983, pp. 404–416.

(Be86) Bell, C. G., "RISC: Back To The Future?" *Datamation*, Vol. 32, No. 11, June 1, 1986, pp. 96–108.

(Bh89) Bhuyan, L. N.; Q. Yang; and D. P. Agrawal, "Performance of Multiprocessor Interconnection Networks," *Computer*, Vol. 22, No. 2, February 1989, pp. 25–37.

(Bo88) Bonomi, M., "Avoiding Coprocessor Bottlenecks," *Byte*, Vol. 13, No. 3, March 1988, pp. 197–204.

(Bo84) Bozman, G.; W. Buco; T. P. Daly; and W. H. Tetzlaff, "Analysis of Free-Storage Algorithms—Revisited,"*IBM Systems Journal*, Vol. 23, No. 1, 1984, pp. 44–64.

(Bu69) Bucholz, W., "A Synthetic Job for Measuring System Performance," *IBM Journal of Research and Development*, Vol. 8, No. 4, 1969, pp. 309–318.

(Bu84) Bux, W., "Performance Issues in Local-Area Networks," *IBM Systems Journal*, Vol. 23, No. 4, 1984, pp. 351–374.

(By88) Byington, C., "How to Get Better Floating-Point Results," *Byte*, Vol. 13, No. 3, March 1988, pp. 229–236.

(Cl85) Carlson, W. W., and K. Hwang, "Algorithmic Performance of Dataflow Multiprocessors," *Computer*, Vol. 18, No. 12, December 1985, pp. 30–43.

(Ch88) Chandra, P., "Programming the 80387 Coprocessor," *Byte*, Vol. 13, No. 3, March 1988, pp. 207–215.

(Ch84) Cheng, J. M.; C. R. Loosley; A. Shibamiya; and P. S. Worthington, "IBM Database 2, Performance: Design, Implementation, and Tuning," *IBM Systems Journal*, Vol. 23, No. 2, 1984, pp. 189–210.

(Ch87) Chow, F.; S. Correll; M. Himelstein; E. Killian; and L. Weber, "How Many Addressing Modes are Enough?" *Proceedings of the Second International Conference on Architectual Support for Programming Languages and Operating Systems*, Palo Alto, CA,. October 5–8, 1987, pp. 117–122.

(Ci89) Circello, J. C.; R. H. Duerden; and D. A. Pollek, "Refined Method Brings Precision to Performance Analysis," *Computer Design*, Vol. 28, No. 5, March 1, 1989, pp. 77–82.

(Cl86) Clapp, R. M.; L. Duchesneau; R. A. Volz; T. N. Mudge; and T. Schultze, "Toward Real-Time Performance Benchmarks for Ada," *Communications of the ACM*, Vol. 29, No. 8, August 1986, pp. 760–778.

(Cl86) Clark, R. S., and T. L. Wilson, "Vector System Performance of the IBM 3090," *IBM Systems Journal*, Vol. 25, No. 1, 1986, pp. 63–82.

(Co88) Cocke, J., "The Search for Performance in Scientific Processors: Turing Award Lecture," *Communications of the ACM*, Vol. 31, No. 3, March 1988, pp. 250–254.

(Co88a) Coffin, B., and G. Tracy, "Personal System/2 Performance Benchmarks," *Personal Systems*, Issue 1, 1988, pp. 31–37.

(Co86) Coulter, N. S., and N. H. Kelly, "Computer Instruction Set Usage by Programmers: An Empirical Investigation," *Communications of the ACM*, Vol. 29, No. 7, July 1986, pp. 643–647.

(Co75) Courtois, P. J., "Decomposability, Instability, and Saturation in Multiprogramming Systems," *Communications of the ACM*, Vol. 18, No. 7, 1975, pp. 371–376.

(Cu76) Curnow, H. J., and B. A. Wichman, "A Synthetic Benchmark," *Computer Journal*, Vol. 19, No. 1, February 1976, pp. 43–49.

(Da87) Davidson, J. W., and R. A. Vaughan, "The Effect of Instruction Set Complexity on Program Size and Memory Performance," *Proceedings of the Second International Conference on Architectural Support for Programming Languages and Operating Systems*, pp. 60–64.

(Dr85) Dronek, G., "The Standards of System Efficiency," *UNIX Review*, March 1985, pp. 26–30.

(Ei85) Ein-Dor, P., "Grosch's Law Re-Revisited: CPU Power and the Cost of Computation," *Communications of the ACM*, Vol. 28, No. 2, February 1985, pp. 142–151.

(Ei87) Ein-Dor, P., and J. Feldmesser, "Attributes of the Performance of Central Processing Units: A Relative Performance Prediction Model," *Communications of the ACM*, Vol. 30, No. 4, April 1987, pp. 308–317.

(Fe78) Ferrari, D., *Computer Systems Performance Evaluation*, Englewood Cliffs, N.J.: Prentice-Hall, 1978.

(Fe83) Ferrari, D.; G. Serazzi; and A. Zeigner, *Measurement and Tuning of Computer Systems*, Englewood Cliffs, NJ: Prentice Hall, 1983.

(Fl85) Flaherty, M. J., "Programming Process Productivity Measurment System for System/370," *IBM Systems Journal*, Vol. 24, No. 2, 1985, pp. 168–175.

(Fl86) Fleming, P. J., and J. J. Wallace, "How Not to Lie with Statistics: The Correct Way to Summarize Benchmark Results," *Communications of the ACM*, Vol. 29, No. 3, March 1986, pp. 218–221.

(Fl87) Flynn, M. J.; C. L. Mitchell; and J. M. Mulder, "And Now a Case for More Complex Instruction Sets," *Computer*, Vol. 20, No. 9, September 1987, pp. 71–83.

(Fu75) Fuller, S. H., "Performance Evaluation." In H. S. Stone (ed.), *Introduction to Computer Architecture*, Chicago: SRA, 1975, pp. 474–545.

(Gi87) Gimarc, C. E., and V. M. Milutinovic, "A Survey of RISC Processors and Computers of the Mid-1980s," *Computer*, Vol. 20, No. 9, September 1987, pp. 59–69.

(Gr88a) Griffins, G. W., "The Ultimate Ultimate RISC," *Computer Architecture News*, Vol. 16, No. 5, December 1988, pp. 26–32.

(Gr88) Gross, T. R.; J. L. Hennessy; S. A. Przbylski; and C. Rowen, "Measurement and Evaluation Of the MIPS Architecture and Processor," *ACM Transactions on Computer Systems*, Vol. 6, No. 3, August 1988, pp. 229–257.

(Gr85) Grossman, C. P., "Cache-DASD Storage Design for Improving System Performance," *IBM Systems Journal*, Vol 24, Nos. 3/4, 1985, pp. 316–334.

(Gu88) Gustafson, J. L., "Reevaluating Amdahl's Law," *Communications of the ACM*, Vol. 31, No. 5, May 1988, pp. 532–533.

(Ha88) Hammond, W., "Performance Considerations for IBM PS/2 Systems," *Personal Systems*, Issue 1, 1988, pp. 23–30.

(Hd84) Heidelberger, P., and S. S. Lavenberg, "Computer Performance Evaluation Methodology," *IEEE Transactions on Computing*, Vol. C-33, No. 12, December 1984, pp. 1195–1220.

(He84) Hennessy, J., "VLSI Processor Architecture," *IEEE Transactions on Computers*, Vol. 17, No. 12, December 1984, pp. 1221–1246.

(Hi88) Hindin, H. J., and M. Bloom, "Balancing Benchmarks Against Manufacturers' Claims," *UNIX World*, January 1988, pp. 42–50.

(Ho86) Hopkins, M. E., "Compiling for the RT PC ROMP," in (IB86), 1986, p. 81.

(Hu83) Huntsman, C., and D. Cawthron, "The MC68881 Floating-Point Coprocessor," *IEEE Micro*, Vol. 3, No. 6, December 1983, pp. 44–54.

(IB86) IBM Product Design and Development Engineering Systems Products, *IBM RT Personal Computer Technology*, Form No. SA23-1057, Austin, TX: International Business Corporation, 1986.

(IB87) International Business Machines Corporation, *IBM RT Personal Computer General Information*, Austin, TX: International Business Machines Corporation, 1987.

(Ir86) Irving, R. H.; C. A. Higgins; and F. R. Safayeni, "Computerized Performance Monitoring Systems: Use and Abuse," *Communications of the ACM*, Vol. 29, No. 8, August 1986, pp. 794–801.

(Je87) Jefferson, D.; B. Beckman; F. Wieland; L. Blume; M. DiLoreto; P. Hontalas; P. Laroche; K. Sturdevant; J. Tupman; V. Warren; J. Wedel; H. Younger; and S. Bellenot, "Distributed Simulation and the Time Warp Operating System," *Proceedings of the 11th Symposium on Operating Systems Principles*, Vol. 21, No. 5, November 1987, pp. 77–93.

(Jo88) Jones, D. W., "The Ultimate RISC," *Computer Architecture News*, Vol. 16, No. 3, June 1988, pp. 48–55.

(Jo88a) Jones, D. W., "Risks of Comparing RISCs," *Computer Architecture News*, Vol. 16, No. 5, December 1988, pp. 33–34.

(Ka86) Kang, Y. M.; R. B. Miller; and R. A Pick, "Comments on Grosch's Law Re-Revisted: CPU Power and the Cost of Computation," *Communications of the ACM*, Vol. 29, No. 8, August 1986, pp. 779–781.

(Ke84) Keller, R., and F. Lin, "Simulated Performance of a Reduction-Based Multiprocessor," *Computer*, Vol. 17, No. 7, July 1984, pp. 70–82.

(Kn71) Knuth, D. E., "An Empirical Study of FORTRAN Programs," *Software—Practice & Experience*, Vol. 1, No. 2, 1971, pp. 105–133.

(Ko78) Kobayashi, H., *Modeling and Analysis: An Introduction to System Performance Evaluation Methodology*, Reading, Mass.: Addison-Wesley, 1978.

(La85) Lantz, K. A.; W. I. Nowicki; and M. M. Theimer, "An Empirical Study of Distributed Application Performance," *IEEE Transactions on Software Engineering*, Vol. SE-11, No. 10, October 1985, pp. 1162–1174.

(La79) Lazowska, E. D., "The Benchmarking, Tuning, and Analytic Modeling of VAX/VMS," *Conference on Simulation, Measurement and Modeling of Computer Systems*, Boulder, Colorado, August 1979, pp. 57–64.

(Li88) Lilja, D. J., "Reducing the Branch Penalty in Pipelined Processors," *Computer*, Vol. 21, No. 7, July 1988, pp. 47–55.

(Lu85) Lubeck, O.; J. Moore; and R. Mendez, "A Benchmark Comparison of Three Supercomputers: Fujitsu VP-200, Hitachi S810/20, and Cray X-MP/2," *Computer*, Vol. 18, No. 12, December 1985, pp. 10–29.

(Lu71) Lucas, H., "Performance Evaluation and Monitoring," *ACM Computing Surveys*, Vol. 3, No. 3, September 1971, pp. 79–91.

(Ma85) Maples, C., "Analyzing Software Performance in a Multiprocessor Environment," *IEEE Software*, Vol. 2, No. 4, July 1985, pp. 50–64.

(Ma88) Marshall, T., "Real-World RISCs, *Byte*, May 1988, pp. 263–268.

(Mc88) McCullough, B., "Parallel-Processing Systems Demand Tailored Benchmarks," *Computer Design*, Vol. 27, No. 21, November 15, 1988, pp. 29–35.

(MI86) *MIPS Computer Systems*, "RISC Processors: A Return to Fundamentals a Technology Backgrounder, April 1986.

(Na74) Nahouraii, E., "Direct-Access Device Simulation," *IBM Systems Journal*, Vol. 13, No. 1, 1974, pp. 19–31.

(Na81) Nance, R. E., "The Time and State Relationships in Simulation Modeling," *Communications of the ACM*, Vol. 24, No. 4, April 1981, pp. 173–179.

(Ne87) Nemeth, A. G., "Performance at What Price?" *UNIX Review*, April 1987, pp. 27–34.

(Ni87) Nicholls, B., "Inside the 82786 Graphics Chip," *Byte*, Vol. 12, No. 9, August 1987, pp. 135–141.

(Ou85) Ousterhout, J. K.; H. Da Costa; D. Harrison; J. A. Kunze; M. Kupfer; and J. G. Thompson, "A Trace-Driven Analysis of the UNIX 4.2BSD File System," *Proceedings of the Tenth ACM Symposium on Operating System Principles*, December 1985, pp. 15–24.

(Ov85) Overstreet, C. M., and R. E. Nance, "A Specification Language to Assist in Analysis of Discrete Event Simulation Models," *Communications of the ACM*, Vol. 28, No. 2, February 1985, pp. 190–201.

(Pa82) Patterson, D. A., and C. H. Sequin, "A VLSI RISC," *Computer*, Vol. 15, No. 9, September 1982, pp. 8–23.

(Pa82a) Patterson, D. A., and R. S. Piepho, "Assessing RISCs in High-Level Language Support," *IEEE Micro*, Vol. 2, No. 4, November 1982, pp. 9–19.

(Pa85) Patterson, D. A., "Reduced Instruction Set Computers," *Communications of the ACM*, Vol. 28, No. 1, January 1985, pp. 8–21.

(Pl81) Plattner, B., and J. Nievergelt, "Monitoring Program Exccution: A Survey," *Computer*, Vol, 14, No. 11, pp. 76–92.

(Po83) Power, L. R., "Design aand Use of a Program Execution Analyzer," *IBM Systems Journal*, Vol. 22, No. 3, 1983, pp. 271–294.

(Ra83) Radin, G., "The 801 Minicomputer," *IBM Journal of Research and Development*, Vol. 27, No. 3, May 1983, pp. 237–246.

(Re87) Reed, D. A., and D. C. Grunwald, "The Performance of Multicomputer Interconnection Networks," *Computer*, Vol. 20, No. 6, June 1987, pp. 63–73.

(Re84) Reuter, A., "Performance Analysis of Recovery Techniques," *ACM Transactions on Database Systems*, Vol. 9. No. 4, December 1984, pp. 526–559.

(Sa86) Sanguinetti, J., "Performance of a Message-Based Multiprocessor," *Computer*, Vol. 19, No. 9, September 1986, pp. 47–56.

(Sa81) Sauer, C. H., and K. M. Chandy, *Computer Systems Performance Modeling*, Englewood Cliffs, N.J.: Prentice-Hall, 1981.

(Se86) Serlin, O., "MIPS, Dhrystones, and Other Tales," *Datamation*, Vol. 32, No. 11, June 1, 1986, pp. 112–118.

(Se86a) Serlin, O., "MIPS & MFLOPS: In The Eye of The Beholder, Part I," *UNIX/World*, August 1986, pp. 19–25.

(Se86b) Serlin, O., "MIPS & MFLOPS: In The Eye of The Beholder, Part II," *UNIX/World*, September 1986, pp. 19–25.

(Se86c) Serlin, O., "UNIX Benchmarks: Competition Begins," *UNIX/World*, November 1986, pp. 19–25.

(Si86) Sircar, S., and D. Dave, "The Relationship Between Benchmark Tests and Microcomputer Price," *Communications of the ACM*, Vol. 29, No. 3, March 1986, pp. 212–217.

(St82) Stevens, W. P., "How Data Flow Can Improve Application Development Productivity," *IBM Systems Journal*, Vol. 21, No. 2, 1982, pp. 162–178.

(Su87) *Sun Microsystems, Inc.*, "A RISC Tutorial," 1987.

(Sv77) Svobodova, L., *Computer Performance Measurement and Evaluation Methods: Analysis and Applications*, New York: Elsevier, 1977.

(Te84) Teng, J. Z., and R. A. Gumaer, "Managing IBM Database 2 Buffers to Maximize Perfromance," *IBM Systems Journal*, Vol. 23, No. 2, 1984, pp. 211–218.

(Th87) Thompson, T., "Fast Math: A First Look at Motorola's 68882 Math Coprocessor," *Byte*, Vol. 12, No. 4, December 1987, pp. 120–121.

(Va88) Van Renesse, R.; H. Van Staveren; A. S. Tanenbaum, "Performance of the World's Fastest Distributed Operating System," *Operating Systems Review*, Vol. 22, No. 4, October 1988, pp. 25–34.

(We84) Weicker, R. P., "Dhrystone: A Synthetic Systems Programming Benchmark," *Communications of the ACM*, Vol. 27, No. 10, October 1984, pp. 1013–1030.

(Wi88) Wilson, P., "Floating-Point Survival Kit," *Byte*, Vol. 13, No. 3, March 1988, pp. 217–226.

(Wi89) Wilson, R., "RISC Chips Explore Parallelism for Boost in Speed," *Computer Design*, January 1, 1989, pp. 30–31.

(Wi89a) Wilson, R., "Applications Determine the Choice of RISC or CISC," *Computer Design*, Vol. 28, No. 5, March 1, 1989, pp. 58–73.

(Yu80) Yuval, A., "System Contention Analysis—An Alternate Approach to System Tuning," *IBM Systems Journal*, Vol. 19, No. 2, 1980, pp. 208–228.

APPENDIX

Some companies with commitments to RISC-based architectures:

MIPS Computer Systems, Inc.
930 Arques Avenue
Sunnyvale, CA 94086

Sun Microsystems, Inc.
2550 Garcia Avenue
Mountain View, CA 94043

Apollo Computer, Inc.
330 Billerica Road
Chelmsford, MA 01824

Sequent Computer Systems, Inc.
15450 S.W. Koll Parkway
Beaverton, Oregon 97006–6063

International Business Machines
Corporation
11400 Burnett Road
Austin, TX 78758

15 Analytic Modeling

Sweet Analytics, 'tis thou hast ravished me.

Doctor Faustus
Christopher Marlowe

As for a future life, every man must judge for himself between conflicting vague probabilities.

Charles Darwin

They also serve who only stand and wait.

John Milton

I pass with relief from the tossing sea of Cause and Theory to the firm ground of Result and Fact.

Sir Winston Spencer Churchill

Outline

15.1 Introduction
15.2 Queueing Theory
15.2.1 Source
15.2.2 Arrivals
15.2.3 Poisson Arrivals
15.2.4 Service Times
15.2.5 Queue Capacity
15.2.6 Number of Servers in the System
15.2.7 Queue Disciplines
15.2.8 Traffic Intensity
15.2.9 Server Utilization
15.2.10 Steady State Vs. Transient Solutions
15.2.11 Little's Result
15.2.12 Summary of the Poisson Process
15.2.13 Problem One: Analyzing an M/M/1 Queueing System
15.2.14 Problem Two: Analyzing an M/M/c Queueing System
15.3 Markov Processes
15.3.1 Some Definitions
15.3.2 Birth and Death Processes
15.3.3 Problem Three: Analyzing the Performance of a Disk Subsystem

15.1 INTRODUCTION

This chapter presents some of the popular techniques of analytic modeling of computer and communications systems, namely queueing theory and Markov processes. Analytic models were introduced briefly in the previous chapter. They are mathematical representations of systems (Bu78) (Re79) (Go85) (Me85) (Fr86) (Wo86); they allow the performance evaluator to draw quick and accurate conclusions about a system's behavior. A large body of mathematical results has been developed and may be applied by the knowledgeable modeler.

At the very best, we have greatly oversimplified the mathematics. In many cases, we present well-known results without deriving them. Our goal is merely to familiarize the reader with the types of thinking involved in mathematical modeling. The reader interested in further study in this area should consult several of the fine texts and survey papers available (Mu75) (Kl76) (Pr76) (Re76) (An78) (Ko78) (An80) (Sa81) (Fe83) (Gr85).

This chapter may be omitted without loss of continuity, but the reader is urged to make at least a cursory scan of the material. A basic understanding of probability and exponential functions is a prerequisite for understanding the more mathematical sections of the chapter. Several analytic models are presented. Tables of the mathematical functions used in the models are included in Appendices 15.1 and 15.2 at the end of the chapter.

15.2 QUEUEING THEORY

Each of us has had to wait in line for something. When we pay a toll on a turnpike, we wait in line. When we need gasoline, we wait in line. When we go to the bakery, we "take a number" and we wait in line. The mathematical term *queue* means a waiting line; in this chapter we introduce *queueing theory,* or the theory of waiting lines.

Why do lines develop? If there were no waiting lines, then we would receive service immediately. Of course we would prefer this—or would we? The point is that we must consider costs. To have sufficient service capability available so that we never have to wait implies great cost. This is the reason we experience many of the waiting lines we are used to. We trade time for money. We spend a certain amount of time in lines waiting for service—but the costs of that service are lower because of the better utilization of the service facility. A good example is a doctor's office in which the highly skilled doctor must have enough of a waiting line to ensure that a patient is always available and the doctor is kept busy.

Figure 15.1 shows the typical arrangement of queueing systems. There is a large population of customers some of whom may eventually enter the queueing network and request service. The service could be the attention of a clerk at a bakery, receiving gasoline at a gas station or, in the case of computers, processing of a request for input/output (Ar81), etc. We consider the notion of a service facility that contains a number of identical *servers,* each of which is capable of providing the desired service to a customer. If all of the servers are busy when a new customer enters the queueing network, then that customer must wait until a server becomes available—and the waiting occurs in a queue. Some queues are *unbounded,* that is, they can grow as large as necessary to hold all waiting

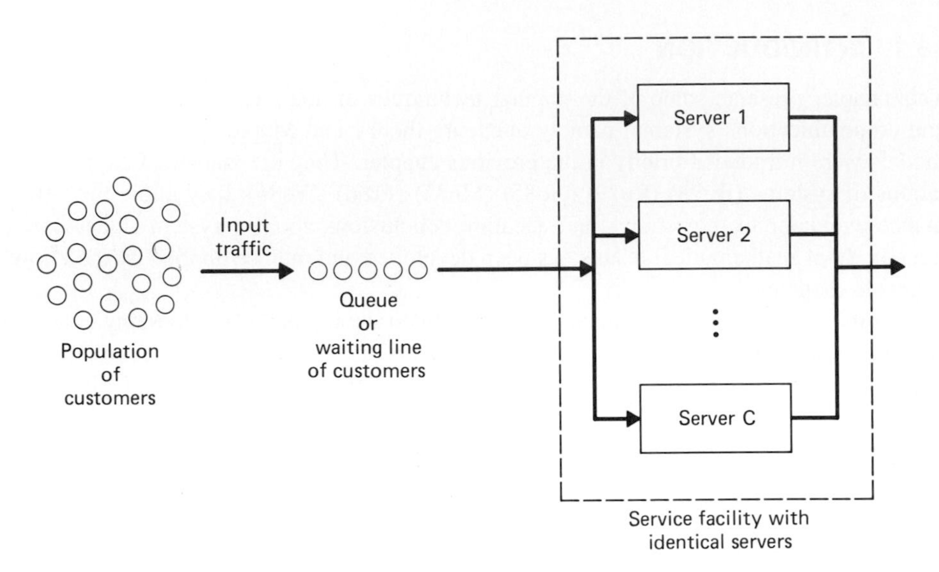

Fig. 15.1 The elements of a typical queueing system. (Adapted with permission from Fig. 5.1.1, An78.)

customers. Some queues are *bounded,* that is, they can hold only some fixed number of waiting customers, possibly none at all.

When dealing with queueing problems, we must consider a number of *random variables*. Random variables can be described by *probability distributions*. Figure 15.2 shows several of the random variables of interest in queueing models. A more detailed summary of the notation used in our discussions of queueing models is given in Fig. 15.3.

We use the random variable q to represent the time a customer spends in the queue waiting for service. The random variable s represents the amount of time a customer spends in service. The random variable w represents the total time a customer spends in the queueing system, and therefore

$$w = q + s.$$

In typical queueing systems there are many items of concern and we discuss these in the next several sections.

15.2.1 Source

Customers are supplied to a queueing system from a *source* that may be infinite or finite. With an *infinite source,* the queue for service can become arbitrarily large. For a *finite source* system, the queue for service, of course, is finite.

When the customer source is finite but very large, it is customary to assume an infinite source. This turns out to be a reasonable approximation, and it greatly simplifies the mathematics involved. Deciding between finite and infinite models is discussed by Buzen and Goldberg (Bu74).

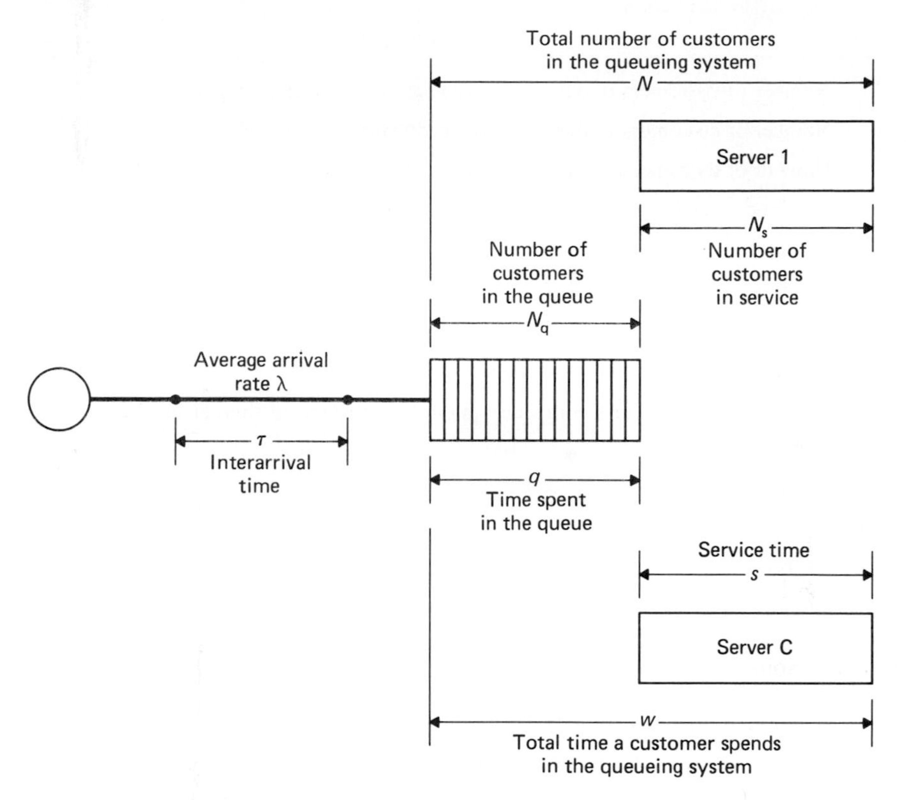

Fig. 15.2 Some of the random variables of interest in queueing models. (Adapted with permission from Fig. 5.1.2, An78.)

15.2.2 Arrivals

We will suppose that customers arrive at a queueing system randomly at times

$$t_0 < t_1 < t_2 < \ldots < t_n.$$

They arrive one at a time, and there is never a collision in which two customers attempt to enter the system at the exact same time. The random variables

$$\tau_k = t_k - t_{k-1}, \qquad (k \geq 1)$$

measure the times between successive arrivals and are called *interarrival times*. We shall assume that these random variables are *independent* and *identically distributed*. The symbol τ designates an arbitrary interarrival time.

15.2.3 Poisson Arrivals

Arrivals may occur according to almost any arbitrary pattern. But in elementary queueing theory it is normally assumed that arrivals form a *Poisson arrival process*.

Symbol	Definition
N	Number of customers in queueing system at steady state
N_q	Number of customers in the queue at steady state
N_s	Number of customers receiving service at steady state
q	The time a customer spends in the queue
s	The time a customer spends in service
w	The time a customer spends in the system, $w = q + s$
τ	Interarrival time—the time between two successive customers arriving for service
λ	Average arrival rate of customers to the queueing system, $\lambda = 1/E(\tau)$
λ_T	Average throughput of a computer system (= jobs/unit of time or interactions/unit of time)
$E(s)$	Expected service time for one customer
$E(\tau)$	Expected interarrival time $E(\tau) = 1/\lambda$ (λ = average interarrival rate)
μ	Average service rate for a server $\mu = 1/E(s)$
L	$L = E(N)$ = expected number of customers in the queueing system at steady state
L_q	$L_q = E(N_q)$ = expected number of customers in the queue at steady state
$\pi_q(r)$	The queueing time that is not exceeded by r percent of the customers
$\pi_w(r)$	The waiting time that is not exceeded by r percent of the customers
P_n	The probability that there are n customers in the queueing system at steady state
u	Traffic intensity $= E(s)/E(\tau) = \lambda E(s) = \lambda/\mu$
ρ	Server utilization = traffic intensity/c = $\lambda E(s)/c = (\lambda/\mu)/c$ = probability that a particular service is in use
W_q	$W_q = E(q)$ = the expected time a customer spends in the queue at steady state ($W_q = W - E(s)$)
W	$W = E(w)$ = the expected time it takes a customer to move through the system at steady state $W = W_q + E(s)$
$C(c, u)$	The probability that all c of the servers in an M/M/c queueing system are in use. (M/M/c systems will be described later in the chapter.)

Fig. 15.3 A summary of important variables used in queueing models. (Adapted with permission from Table 1, Appendix C, An78.)

A Poisson arrival process (Fo88) is characterized by the fact that the interarrival times are distributed exponentially

$$P(\tau \leq t) = 1 - e^{-\lambda t}$$

and the probability that exactly n customers will arrive in any time interval of length t is

$$\frac{e^{-\lambda t}(\lambda t)^n}{n!}, \quad (n = 0, 1, 2, \ldots).$$

Here λ is a constant average arrival rate expressed in "customers per unit time" and the number of arrivals per unit time is said to be *Poisson distributed* with mean λ.

15.2.4 Service Times

Just as with arrival times, it is common in queueing theory to assume that service times are random (Bu73). Let s_k denote the service time that the kth arriving customer requires from the system. An arbitrary service time is referred to as s, and the distribution of service times is

$$W_s(t) = P(s \leq t).$$

Specifically, for random service with average service rate μ

$$W_s(t) = P(s \leq t) = 1 - e^{-\mu t}, \qquad (t \geq 0).$$

There are many other common service time distributions. The reader interested in investigating these should consult a text on probability such as (An78).

15.2.5 Queue Capacity

Queues may have

- *Infinite capacity*—so that every arriving customer is allowed to enter the queueing system and wait, no matter how many waiting customers there are.
- *Zero capacity*—in which case customers arriving when the service facility is busy are not admitted to the system. (These are sometimes called *loss systems*.)
- *Positive capacity*—in which case arriving customers wait only if there is still room in the queue.

15.2.6 Number of Servers in the System

Based upon the number of servers, we may categorize queueing systems as either

- *Single server systems*—which have only one server and can service only a single customer at a time, or
- *Multiple server systems*—which have c servers, all of identical capabilities, and can thus service c customers at once.

15.2.7 Queue Disciplines

A *queue discipline* is the rule used for choosing the next customer from the queue to be serviced. Many queue disciplines are in common use in operating systems, but certainly the most common is first-come-first-served (FCFS).

Figure 15.4 shows the popular *Kendall notation* used for describing the characteristics of certain common queueing systems. Figure 15.5 shows a shorthand form of Kendall notation (An78) (An80) (Cl81) (Ke85).

A/B/c/K/m/Z

A	is the interarrival time distribution.
B	is the service time distribution.
c	is the number of servers.
K	is the system's queue capacity.
m	is the number of customers in the source.
Z	is the queue discipline.

Fig. 15.4 Kendall notation. (Adapted with permission from p. 157, An78.)

A/B/c is used when

- there is no limit on the length of the queue
- the source is infinite
- the queue discipline is FCFS

A and *B* may be

- GI for general independent interarrival time
- G for general service time
- E_k for Erlang-*k* interarrival or service time distribution
- M for exponential interarrival or service time distribution
- D for deterministic interarrival or service time distribution
- H_k for hyperexponential (with *k* stages) interarrival or service time distribution

Fig. 15.5 Abbreviated Kendall notation. (Adapted with permission from p. 157, An78.)

15.2.8 Traffic Intensity

The *traffic intensity* in a queueing system is a measure of that system's ability to service its customers effectively. It is defined as the ratio of the mean service time $E(s)$ and the mean interarrival time $E(\tau)$. Thus traffic intensity, u, is

$$u = \frac{E(s)}{E(\tau)} = \lambda E(s) = \frac{\lambda}{\mu}$$

where λ is the arrival rate and μ is the service rate. The traffic intensity is useful for determining the minimum number of identical servers a system will need in order to service its customers without its queues becoming indefinitely large or having to turn customers away. For example, if $E(s)$ is 17 seconds and $E(\tau)$ is 5 seconds, then u = 17/5 or 3.4, and thus the system must have at least four servers. With fewer servers, customers would arrive faster than the system could service them.

One must be careful in dealing with random variables. Consider, for example, the fact that even though the arrival rate of customers in the example above is one every five seconds, that figure is an average. It is certainly possible that no customers will arrive at all for an extended period of time. Worse yet, it is possible for customers to arrive in rapid succession causing the fixed capacity of the queue to be exceeded and, consequently, customers to be turned away. Designers using fixed-size queues must be careful to provide enough capacity to handle occasional peaks in the arrival rate. Of course, this excess capacity will rarely be used, so if space is at a premium, the designer must best use a variable-length queue structure implemented with a threaded list.

15.2.9 Server Utilization

Traffic intensity is a parameter of an entire queueing system. A related parameter is the *server utilization*, ρ, that is defined as the traffic intensity per server or

$$\rho = \frac{u}{c} = \frac{\lambda}{\mu c}.$$

The server utilization is the probability that a particular server is busy. The *Law of Large Numbers* tells us that this is approximately the fraction of time that each server is in use. Note that for single-server systems, the server utilization is equal to the traffic intensity.

15.2.10 Steady State vs. Transient Solutions

We are most concerned with the operation of queueing systems that have "settled down," i.e., that are said to be operating in *steady state*. When any system is first started, it goes through some initial period of operation that is not generally indicative of its recurring behavior. For example, a car which is to be driven several hundred miles on a highway at the 55 mph speed limit must first accelerate up to that speed. This initial period of operation is not indicative of how the car runs at 55 mph—gasoline consumption is much greater, and more of the driver's attention is required. Once the car reaches cruising speed (i.e., steady state), the driver may relax a bit, and the gasoline consumption levels off.

Similarly, queueing systems also must go through some initial period of operation before they are operating smoothly and predictably. The solution and study of a queueing system is much simpler when it is known that the system is in steady state. Here a number of important parameters remain fixed, and it becomes relatively straightforward to categorize the operation of the system. *Time-dependent* or *transient solutions* are far more complex, and are beyond the scope of this text. Giffin (Gi78) discusses transient solutions for several simple queueing systems.

15.2.11 Little's Result

One of the simplest and yet most useful measures of queueing system performance is called *Little's result*. It relates the following quantities.

- W_q = mean time a customer spends in the queue.
- λ = arrival rate.
- L_q = number of customers in the queue.

- W = mean time a customer spends in the system.
- L = number of customers in the system.

Little's result may be expressed concisely as

$$L_q = \lambda W_q$$

and

$$L = \lambda W.$$

It says that the number of customers in the queue is equal to the arrival rate multiplied by the mean time a customer spends in the queue, and that the number of customers in the system is equal to the arrival rate multiplied by the mean time a customer spends in the system.

15.2.12 Summary of the Poisson Process

Suppose we are concerned with arrivals occurring at points on a continuous time scale. Define $P(k, t)$ as the probability of exactly k arrivals occurring in a time interval of length t. A process is Poisson if and only if

1. for appropriately small intervals Δt

$$P(k,t) = \begin{cases} \lambda \Delta t, & \text{for } k = 1 \text{ (}\lambda\text{ is thus the average arrival rate)}, \\ 1 - \lambda \Delta t, & \text{for } k = 0, \\ 0, & \text{for } k > 1. \end{cases}$$

2. any events that have been defined to occur on nonoverlapping time intervals are mutually independent.

Alternatively, a process is Poisson if the times between successive arrivals, i.e., the *first-order interarrival times,* are identically distributed, exponential random variables.

Figure 15.6 summarizes the following information. Using random variable k to indicate the number of arrivals, the probability of exactly k arrivals in an interval of length t is

$$P(k,t) = \frac{(\lambda t)^k e^{-\lambda t}}{k!}, \quad \begin{cases} t \geq 0, & k = 0, 1, 2, \ldots \end{cases}$$

The *expectation* (*mean value*) of k is

$$E(k) = \lambda t,$$

and the *variance* of k is

$$\sigma_k^2 = \lambda t.$$

Figure 15.7 summarizes the following information. The sum of two independent

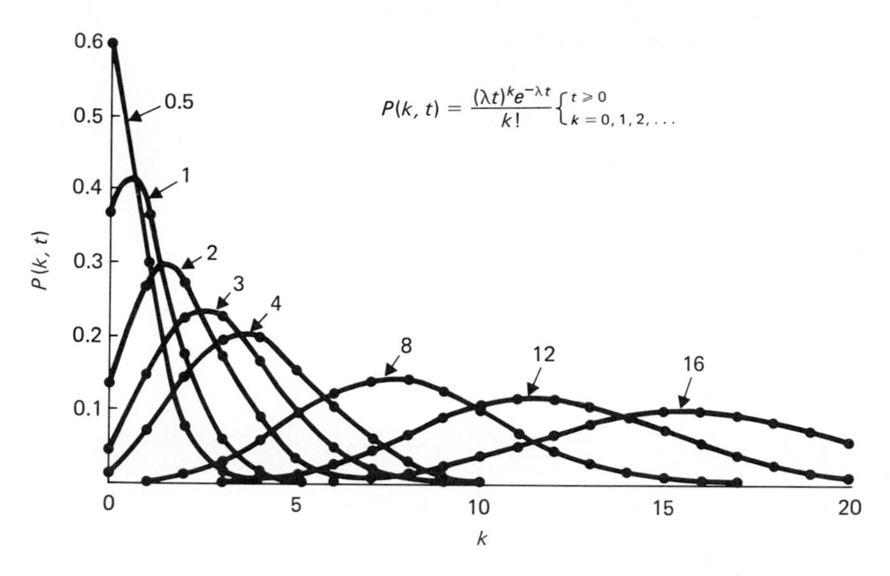

Fig. 15.6 Graphs of the Poisson distribution for various values of λt. (H. Kobayashi, *Modeling and Analysis,* © 1978. Addison-Wesley, Reading, Mass. Figure 3.4 is reprinted with permission.)

Poisson random variables x and y with expectations

$$E(y) = \mu_2 = \lambda_2 t \quad \text{and} \quad E(x) = \mu_1 = \lambda_1 t$$

also describes a Poisson process. In this process, the probability of k arrivals in time t is (for $t \geq 0$, $k = 0, 1, 2, \ldots$).

$$P(k, t) = \frac{(\lambda_1 t + \lambda_2 t)^k e^{-(\lambda_1 t + \lambda_2 t)}}{k!}$$

$$= \frac{(\mu_1 + \mu_2)^k e^{-(\mu_1 + \mu_2)}}{k!}$$

$$= \frac{\mu_s^k e^{-\mu_s}}{k!} = \frac{(\lambda_s t)^k e^{-\lambda_s t}}{k!}$$

where

$$\mu_s = \mu_1 + \mu_2$$

and

$$\lambda_s = \lambda_1 + \lambda_2.$$

For a Poisson process with arrival rate λ, we may form a new Poisson process using *independent random erasures* as follows. For each arrival in the original process, accept

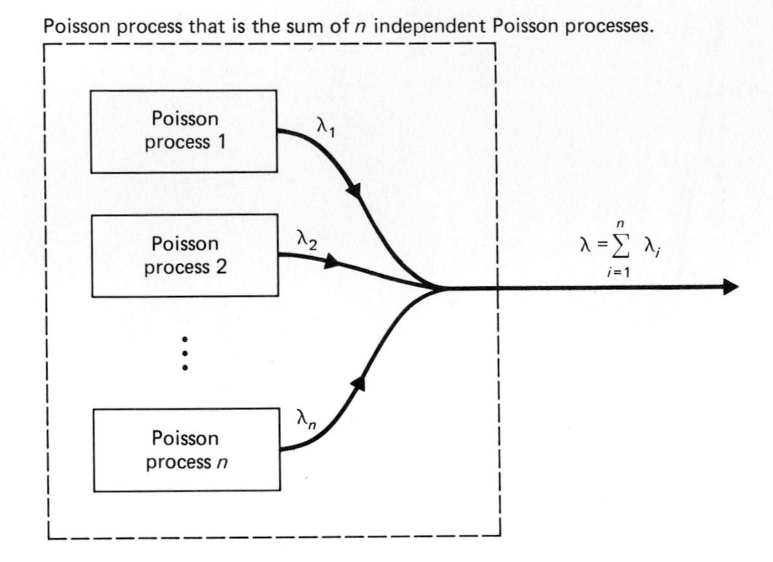

Fig. 15.7 Sum of *n* independent Poisson processes.

that arrival into the new process with probability P and reject that arrival with probability $(1 - P)$. The new process derived in this manner is Poisson with arrival rate λP. Figure 15.8 generalizes this result.

In a Poisson process, the probability of no arrivals in an interval of length t is

$$P(0, t) = \frac{(\lambda t)^0 e^{-\lambda t}}{0!} = e^{-\lambda t}$$

and the probability of one or more arrivals in an interval of length t is

$$1 - P(0, t) = 1 - e^{-\lambda t}.$$

The probability density function for the *first-order interarrival time* (or the time until the first arrival) is

$$f_t(t) = \lambda e^{-\lambda t}, \qquad \text{for } t \geq 0.$$

The expectation of t is

$$E(t) = \frac{1}{\lambda}$$

and the variance is

$$\sigma_t^2 = \frac{1}{\lambda^2}.$$

The probability density function for the *rth-order interarrival time* (or the time until

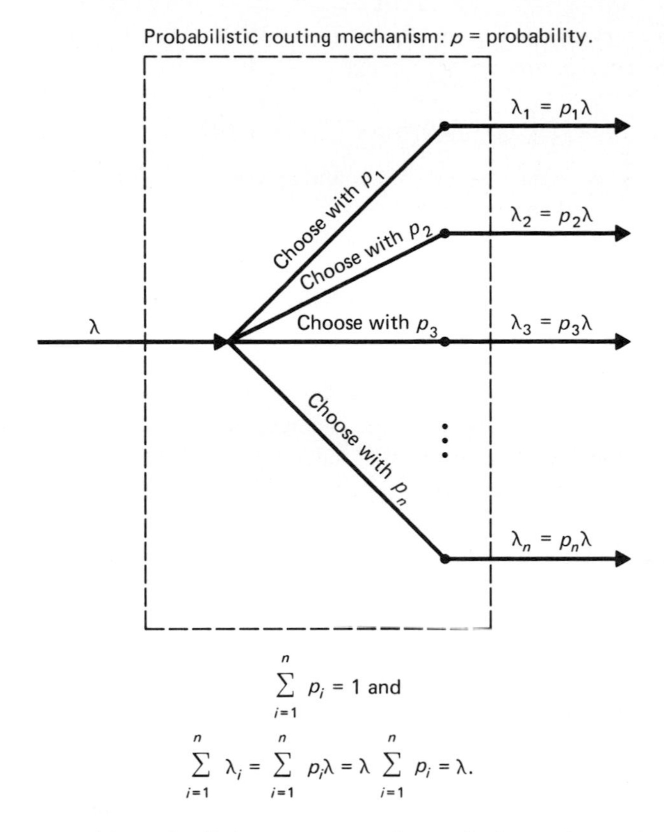

Fig. 15.8 Decomposition of a Poisson process into n independent processes.

the rth arrival) is

$$f_t(t) = \frac{\lambda^r t^{r-1} e^{-\lambda t}}{(r-1)!}, \qquad t \geq 0, r = 1, 2, \ldots$$

with expectation

$$E(t) = \frac{r}{\lambda}$$

and standard deviation

$$\frac{r}{\lambda^2}.$$

Service facilities can provide exponential service times in which case the probability that the service time will be less than or equal to t is

$$P(S \leq t) = 1 - e^{-\mu t}, \qquad t \geq 0$$

where the mean service rate is μ and the mean service time is $1/\mu$. The probability density function for the service time t is

$$f_t(t) = \mu e^{-\mu t}, \qquad t \geq 0.$$

The mean of the service time is $E(s) = 1/\mu$ and its variance is $1/\mu^2$. A server that operates in this fashion is called an *exponential server.*

15.2.13 Problem One: Analyzing an M/M/1 Queueing System

At one computer consulting firm, programmers need to use an on-line terminal to the firm's central computer system in order to debug their programs. The firm operates 24 hours a day, and 48 programmers (on the average) need to use the terminal once a day. The programmers arrive at the terminal at random (i.e., Poisson arrivals). The time each programmer spends at the terminal is exponential and averages 20 minutes.

Each day the firm receives several complaints from the programming staff that the waits experienced at the terminal are too long and that productivity is being lost. The programmers argue that more terminals are needed. Management is concerned that the terminal is being utilized only two-thirds of the time, and thus argues that adding terminals seems wasteful.

Use queueing theory to analyze the situation at this firm, and determinc if indeed additional terminals are warranted.

Solution. We use an M/M/1 queueing system to model the use of the terminal at this firm.

The equations for an M/M/c system are summarized in Fig. 15.9. The reader interested in their derivation should consult probability texts such as (An78) (Ko78).

Now let us derive the equations for an M/M/1 system from those for an M/M/c system. First we note

$$u = \frac{\lambda}{\mu} = \lambda E(s)$$

and

$$\rho = \frac{u}{c} = \frac{u}{1} = u = \lambda E(s).$$

Now

$$C(c, u) = \frac{\dfrac{u^c}{c!}}{\dfrac{u^c}{c!} + (1 - \rho) \displaystyle\sum_{n=0}^{c-1} \frac{u^n}{n!}}$$

$u = \dfrac{\lambda}{\mu} = \lambda E(s).$	Traffic intensity
$\rho = \dfrac{u}{c}.$	Server utilization
$C(c,u) = \dfrac{\dfrac{u^c}{c!}}{\dfrac{u^c}{c!} + (1-\rho)\sum_{n=0}^{c-1} \dfrac{u^n}{n!}}.$	The probability that all of the servers are currently in use, and thus an arriving customer must wait
$W_q = \dfrac{C(c,u)\,E(s)}{c(1-\rho)}.$	Mean queueing time
$W = W_q + E(s).$	Mean time in system
$\pi_q(90) = \dfrac{E(s)}{c(1-\rho)} \ln(10C(c,u)).$	The 90th percentile time in the queue

Fig. 15.9 Steady-state formulas for M/M/c queueing system. (Adapted with permission from Table 5, Appendix C, An78.)

becomes

$$C(1,u) = \frac{\dfrac{u^1}{1!}}{\dfrac{u^1}{1!} + (1-\rho)\sum_{n=0}^{1-1} \dfrac{u^n}{n!}} = \frac{u}{u + (1-\rho)}$$

$$\therefore \boxed{C(1,u) = C(1,\rho) = u = \rho = \lambda E(s)}$$

$$W_q = \frac{C(c,u)E(s)}{c(1-\rho)} = \frac{C(1,u)E(s)}{1-\rho}$$

$$\therefore \boxed{W_q = \frac{\rho E(s)}{1-\rho}}$$

$$W = W_q + E(s) = \frac{\rho E(s)}{1-\rho} + \frac{E(s)(1-\rho)}{(1-\rho)}$$

$$\therefore \boxed{W = \frac{E(s)}{1-\rho}}$$

$$\pi_q(90) = \frac{E(s)}{c(1-\rho)} \ln(10\,C(c, u))$$

$$\therefore \quad \boxed{\pi_q(90) = \frac{E(s)}{1-\rho} \ln(10\rho) = W \ln(10\rho)}$$

These results are summarized in Fig. 15.10.

The terminal utilization truly is 2/3 since

$$u = \lambda E(s) = \frac{48}{24} \cdot \frac{1}{3} = \frac{2}{3}$$

so $\rho = 2/3$ and $E(s) = 20$ minutes. The average time a programmer must wait before using a terminal is

$$W_q = \frac{\rho E(s)}{1-\rho} = \frac{(2/3)\,20}{(1/3)} = 40 \text{ minutes}$$

The total time a programmer spends at the terminal facility is

$$W = W_q + E(s) = 40 + 20 = 60 \text{ minutes.}$$

The 90th percentile queueing time is

$$\begin{aligned}\pi_q(90) &= W \ln(10\rho) = 60 \ln(6.667) \\ &= 113.826 \text{ minutes.}\end{aligned}$$

Thus 10 percent of the programmers (about five per day) are indeed experiencing annoying waits. These programmers are waiting almost two hours at the terminal before being able to use it.

Little's result gives us some additional information. The arrival rate of programmers at the terminal is

$$\lambda = \frac{48}{24(60)} = \frac{1}{30} \text{ programmers per minute}$$

$$C(c, u) = \rho = \lambda E(s).$$

$$W_q = \frac{\rho E(s)}{1-\rho}.$$

$$W = \frac{E(s)}{1-\rho}.$$

$$\pi_q(90) = W \ln(10\rho).$$

Fig. 15.10 Steady-state formulas for M/M/1 queueing system.

and thus

$$L_q = \frac{1}{30}40 = 1.33 \text{ programmers waiting}$$

and

$$L = \frac{1}{30}60 = 2 \text{ programmers in the terminal room.}$$

This completes our analysis of Problem One and confirms that the single terminal is not sufficient for handling the programmers' needs without causing excessive waits.

15.2.14 Problem Two: Analyzing an M/M/c Queueing System

After considering the preceding analysis, the firm has decided to purchase additional computer terminals. How many additional terminals should be purchased to keep the 90th percentile waiting times below ten minutes? Should these terminals be kept in a central location, or should they be located throughout the building? (*Note:* Ignore the time it takes programmers to walk to the terminals.)

Solution. First let us consider locating individual terminals at separate locations throughout the firm. Each of the terminals will be treated as an M/M/1 queueing system, and the work load will be split evenly between the terminals. Figure 15.11 shows the effects of placing two, three, four, or five terminals at separate locations.

Note that the queueing times drop off rapidly as soon as we add the second M/M/1 terminal. But the 90th percentile queueing times remain above ten minutes until we add

		Per terminal				
		One terminal	Two terminals	Three terminals	Four terminals	Five terminals
Server utilization	ρ	$\frac{2}{3}$	$\frac{1}{3}$	$\frac{2}{9}$	$\frac{1}{6}$	$\frac{2}{15}$
Expected service time	$E(s)$	20 min	20 min	20 min	20 min	20 min
Expected time in queue	W_q	40 min	10 min	5.7 min	4 min	3.1 min
Expected time in system	W	60 min	30 min	25.7 min	24 min	23 min
The 90th percentile queueing time	$\pi_q(90)$	113.8 min	36.1 min	20.5 min	12.3 min	6.6 min

Fig. 15.11 Summary of using M/M/1 queueing systems to solve Problem Two.

the fifth terminal. In order to satisfy the requirement of waiting times less than ten minutes long, we must go to five terminals if we use separate M/M/1 systems.

Now let us try grouping all of the terminals at a central location. We consider a single M/M/2 queueing system and use the formulas for M/M/c systems shown in Fig. 15.9.

$$u = \frac{2}{3},$$

$$\rho = \frac{2}{3 \cdot 2} = \frac{1}{3},$$

$$C(2, u) = C\left(2, \frac{2}{3}\right),$$

$$= \frac{\dfrac{\left(\frac{2}{3}\right)^2}{2!}}{\dfrac{\left(\frac{2}{3}\right)^2}{2!} + \left(1 - \frac{1}{3}\right) \sum_{n=0}^{2-1} \dfrac{\left(\frac{2}{3}\right)^n}{n!}},$$

$$= \frac{\frac{2}{9}}{\frac{2}{9} + \frac{2}{3}\left(1 + \frac{2}{3}\right)} = \frac{1}{6},$$

$$W_q = \frac{C(c, u)\, E(s)}{c(1 - \rho)} = \frac{\frac{1}{6} \cdot 20}{2 \cdot \frac{2}{3}} = 2.5 \text{ min},$$

$$W = W_q + E(s) = 2.5 + 20 = 22.5 \text{ min},$$

$$\pi_q\,(90) = \frac{E(s)}{c(1 - \rho)} \ln\left(10\, C(c, u)\right),$$

$$= \frac{20}{2 \cdot \frac{2}{3}} \ln\left(1.667\right) = 7.66 \text{ min}.$$

It is fascinating that the 90th percentile queueing time of the M/M/2 system is below the ten minute criterion. Thus with only two centrally located terminals the firm may eliminate the serious waiting problems of the single terminal system. So it would take five M/M/1 distributed terminals or two terminals in a central M/M/2 configuration to ensure a 90th percentile queueing time of less than ten minutes. Since we are assuming negligible travel times, the firm would certainly choose the M/M/2 system.

15.3 MARKOV PROCESSES

It is often the case that it is possible to describe a system as being in one of a set of *mutually exclusive* and *collectively exhaustive* discrete *states* $S_0, S_1, S_2, \ldots, S_n$. A *Markov process* (Ga73) (Kl75) (Kl76) is a convenient model for describing the behavior of such a system.

In Markov processes, the *present state* of the system, and the *transition probabilities* of transitions between the various states, characterize the future behavior of the system. *Given that a Markov process is in a particular state, its future behavior is not dependent on its past history prior to entering that state.*

Many Markov processes exhibit steady-state behavior in which the probabilities that the process is in each particular state are constant in time. We will consider only those Markov processes with this nice property.

15.3.1 Some Definitions

In a Markov process, a state S_j is said to be *transient*, if from some state S_k which can be reached from S_j the system cannot return to S_j.

A state S_j is said to be *recurrent* if from every S_k reachable from S_j the system can return to S_j.

A *single chain* is a set of recurrent states such that the system can get from each state in the chain to every other state in the chain.

In a *continuous transition Markov process* state changes may occur at any instant on a continuous time scale.

15.3.2 Birth and Death Processes

An important case of Markov processes, namely *birth and death processes*, is particularly applicable in computer systems modeling. Birth and death processes are much easier to solve than are general Markov processes.

A *continuous Markov birth and death process* has the property that

$$\lambda_{ij} = 0 \qquad \text{if } (j \neq i + 1 \qquad \text{and} \qquad j \neq i - 1)$$

where λ_{ij} is the rate at which transitions from state S_i to state S_j occur (Fig. 15.12).

For these processes, we use the notation (Fig.15.13)

$$\lambda_{i(i+1)} = b_i = \textit{average birth rate} \text{ from state } S_i,$$
$$\lambda_{i(i-1)} = d_i = \textit{average death rate} \text{ from state } S_i.$$

Let P_i be the steady-state probability that the process is in state S_i. At steady state, in any randomly chosen time interval Δt, the process is just as likely to make an $S_i \rightarrow S_{i+1}$ transition (with probability $P_i b_i$) as it is to make an $S_{i+1} \rightarrow S_i$ transition (with probability $P_{i+1} d_{i+1}$) and therefore

$$P_i b_i = P_{i+1} d_{i+1}.$$

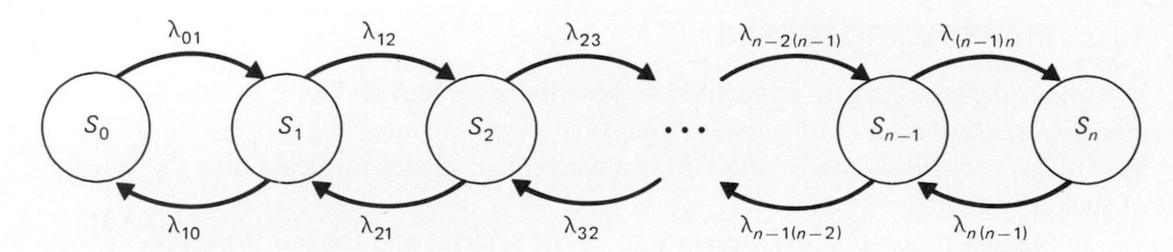

Fig. 15.12 Birth and death process.

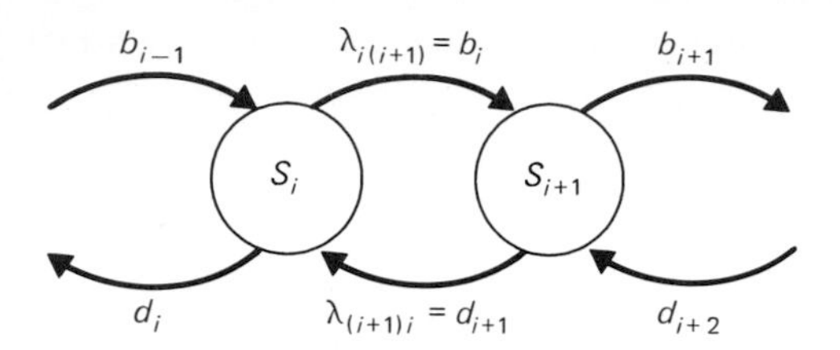

Fig. 15.13 Birth and death notation.

We may solve a continuous birth and death process, i.e., determine the various P_i's, by using the relationships

$$P_{i+1} = \frac{b_i}{d_{i+1}} P_i$$

and

$$\sum_i P_i = 1.$$

Now let us consider an example that illustrates the use of birth and death processes in computer systems modeling.

15.3.3 Problem Three: Analyzing the Performance of a Disk Subsystem

Suppose that disk access requests arrive as a Poisson process with average rate λ requests per minute. If the disk is in use, the request is placed in a first-come-first-served queue to await service. When the disk becomes available, the first request on the queue is serviced. Service time is an exponentially distributed random variable with an expected value of $1/\mu$ minutes. The average service rate is μ requests per minute.

Determine, for each of the following cases, the expected value for the total number of disk requests pending (i.e., in the queue or in service), and the limiting state probabilities.

CASE I: The disk facility contains only a single arm, and can service only one request at a time. The service rate is μ.

CASE II: The disk facility contains a very large number of moving arms, each of which can service a disk request at the same rate, μ (and thus we shall assume an infinite number of requests may be serviced in parallel).

Solution (Case I). Let S_i be the state of the system when there are i disk requests at the disk service facility. The arrival rate of requests is independent of the state of the system, and so the probability of the transition $S_i \rightarrow S_{i+1}$ in the next time interval Δt is $\lambda \Delta t$.

We view the system as an infinite state single chain continuous birth and death process with

$$b_i = \lambda, \qquad i = 0, 1, 2, \ldots$$

and

$$d_i = \begin{cases} 0, & i = 0 \\ \mu, & i = 1, 2, 3, \ldots \end{cases}$$

since only one request may be serviced at a time, and this is serviced at rate μ.

We use the state transition diagram in Fig. 15.14.

We shall assume $\mu > \lambda$ (otherwise the length of the queue of waiting requests might grow indefinitely). We use the relationships

$$P_{i+1} = \frac{b_i}{d_{i+1}} P_i; \qquad i = 0, 1, 2, \ldots$$

and

$$\sum_{i=0}^{\infty} P_i = 1.$$

Thus

$$P_1 = \left(\frac{\lambda}{\mu}\right) P_0,$$

$$P_2 = \left(\frac{\lambda}{\mu}\right) P_1 = \left(\frac{\lambda}{\mu}\right)^2 P_0$$

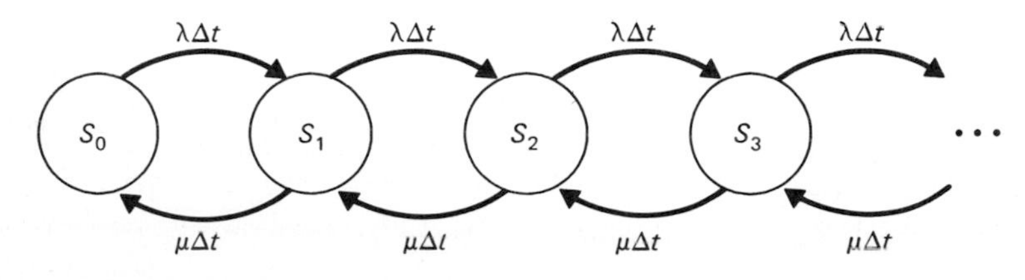

Fig. 15.14 Markov birth and death model for Case I.

and in general

$$P_i = \left(\frac{\lambda}{\mu}\right)^i P_0,$$

$$\sum_{i=0}^{\infty} P_i = 1 = \sum_{i=0}^{\infty} \left(\frac{\lambda}{\mu}\right)^i P_0 = \frac{1}{1 - \dfrac{\lambda}{\mu}} P_0$$

and thus the probability that the system is idle is

$$\boxed{P_0 = 1 - \frac{\lambda}{\mu}}$$

and the probability that there are i requests pending is

$$\boxed{P_i = \left(1 - \frac{\lambda}{\mu}\right)\left(\frac{\lambda}{\mu}\right)^i} \qquad i = 0, 1, 2, 3, \ldots$$

and the average number of requests pending is

$$E(i) = \sum_{i=0}^{\infty} iP_i$$

$$= \sum_{i=0}^{\infty} i\left(1 - \frac{\lambda}{\mu}\right)\left(\frac{\lambda}{\mu}\right)^i = \left(1 - \frac{\lambda}{\mu}\right)\sum_{i=0}^{\infty} i\left(\frac{\lambda}{\mu}\right)^i$$

$$= \left(1 - \frac{\lambda}{\mu}\right)\left(\frac{\lambda}{\mu}\right)\sum_{i=0}^{\infty} i\left(\frac{\lambda}{\mu}\right)^{i-1} = \left(1 - \frac{\lambda}{\mu}\right)\left(\frac{\lambda}{\mu}\right)\frac{1}{\left(1 - \dfrac{\lambda}{\mu}\right)^2}$$

and thus

$$\boxed{E(i) = \frac{\lambda}{\mu}\left(1 - \frac{\lambda}{\mu}\right)^{-1}}$$

Figure 15.15 summarizes the results for Case I.

Solution (Case II). With i requests currently being serviced, the probability that a particular request will finish being served in the next Δt is $\mu\Delta t$, and the probability that exactly one request (any one) will finish is $i\mu\Delta t$ (this is a good first-order approximation). This relationship holds because any of the i requests may finish and cause a state change.

Here, too, we view the system as an infinite state single chain continuous birth and death process with

$$b_i = \lambda, \qquad i = 0, 1, 2, \ldots$$

λ/μ	System is idle	Probability of having this number of requests pending									Average requests pending
	P_0	P_1	P_2	P_3	P_4	P_5	P_6	P_7	P_8	P_9	$E(i)$
0.1	.9000	.0900	.0090	.0009	.0001	.0000	.0000	.0000	.0000	.0000	0.11
0.2	.8000	.1600	.0320	.0064	.0013	.0003	.0001	.0000	.0000	.0000	0.25
0.3	.7000	.2100	.0630	.0189	.0057	.0017	.0005	.0002	.0000	.0000	0.43
0.4	.6000	.2400	.0960	.0384	.0154	.0061	.0025	.0010	.0004	.0002	0.67
0.5	.5000	.2500	.1250	.0625	.0313	.0156	.0078	.0039	.0020	.0010	1.00
0.6	.4000	.2400	.1440	.0864	.0518	.0311	.0187	.0112	.0067	.0040	1.50
0.7	.3000	.2100	.1470	.1029	.0720	.0504	.0353	.0247	.0173	.0121	2.33
0.8	.2000	.1600	.1280	.1024	.0819	.0655	.0524	.0419	.0336	.0268	4.00
0.9	.1000	.0900	.0810	.0729	.0656	.0590	.0531	.0478	.0430	.0387	9.00
0.91	.0900	.0819	.0745	.0678	.0617	.0562	.0511	.0465	.0423	.0385	10.11
0.92	.0800	.0736	.0677	.0623	.0573	.0527	.0485	.0446	.0411	.0378	11.50
0.93	.0700	.0651	.0605	.0563	.0524	.0487	.0453	.0421	.0392	.0364	13.29
0.94	.0600	.0564	.0530	.0498	.0468	.0440	.0414	.0389	.0366	.0344	15.67
0.95	.0500	.0475	.0451	.0429	.0407	.0387	.0368	.0349	.0332	.0315	19.00
0.96	.0400	.0384	.0369	.0354	.0340	.0326	.0313	.0301	.0289	.0277	24.00
0.97	.0300	.0291	.0282	.0274	.0266	.0258	.0250	.0242	.0235	.0228	32.33
0.98	.0200	.0196	.0192	.0188	.0184	.0181	.0177	.0174	.0170	.0167	49.00
0.99	.0100	.0099	.0098	.0097	.0096	.0095	.0094	.0093	.0092	.0091	99.00

Fig. 15.15 Summary of results for Case I.

but now

$$d_i = \begin{cases} 0, & i = 0 \\ i\mu, & i = 1, 2, 3, \ldots \end{cases}$$

Because we have an infinite number of parallel servers, no customer has to wait.

We use the state transition diagram in Fig. 15.16. Now, we again use

$$P_{i+1} = \frac{b_i}{d_{i+1}} P_i, \qquad i = 0, 1, 2, \ldots$$

and

$$\sum_{i=0}^{\infty} P_i = 1.$$

Thus

$$P_1 = \frac{\lambda}{\mu} P_0$$

$$P_2 = \frac{\lambda}{2\mu} P_1 = \frac{1}{2}\left(\frac{\lambda}{\mu}\right)^2 P_0$$

$$P_3 = \frac{\lambda}{3\mu} P_2 = \frac{1}{3 \cdot 2}\left(\frac{\lambda}{\mu}\right)^3 P_0$$

and in general

$$P_i = \frac{1}{i!}\left(\frac{\lambda}{\mu}\right)^i P_0$$

$$\sum_{i=0}^{\infty} P_i = 1 = \sum_{i=0}^{\infty} \frac{1}{i!}\left(\frac{\lambda}{\mu}\right)^i P_0.$$

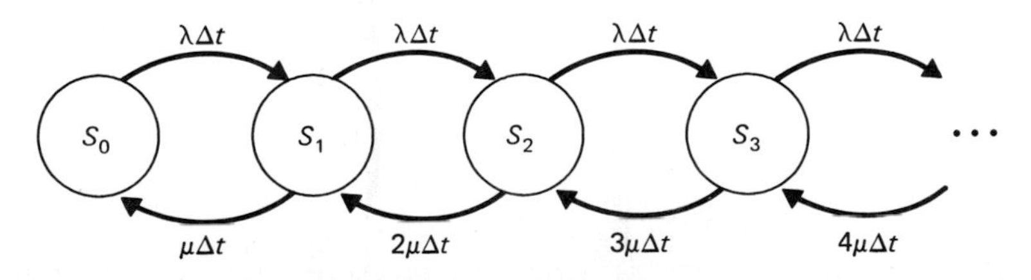

Fig. 15.16 Markov birth and death model for Case II.

Now since

$$\sum_{n=0}^{\infty} \frac{x^n}{n!} = e^x,$$

we have

$$\sum_{i=0}^{\infty} \frac{1}{i!}\left(\frac{\lambda}{\mu}\right)^i P_0 = e^{\lambda/\mu}P_0$$

and thus

$$\boxed{P_0 = e^{-\lambda/\mu}}$$

and

$$\boxed{P_i = \left(\frac{\lambda}{\mu}\right)^i \frac{e^{-\lambda/\mu}}{i!}}$$

and

$$\begin{aligned}
E(i) &= \sum_{i=0}^{\infty} i\left(\frac{\lambda}{\mu}\right)^i \frac{e^{-\lambda/\mu}}{i!} \\
&= e^{-\lambda/\mu} \sum_{i=0}^{\infty} i\left(\frac{\lambda}{\mu}\right)^i \frac{1}{i!} = e^{-\lambda/\mu} \sum_{i=0}^{\infty} \frac{\lambda}{\mu}\left(\frac{\lambda}{\mu}\right)^{i-1} \frac{1}{(i-1)!} \\
&= e^{-\lambda/\mu}\left(\frac{\lambda}{\mu}\right) \sum_{i=0}^{\infty} \frac{1}{(i-1)!}\left(\frac{\lambda}{\mu}\right)^{i-1} = e^{-\lambda/\mu}\left(\frac{\lambda}{\mu}\right) e^{\lambda/\mu}
\end{aligned}$$

and thus

$$\boxed{E(i) = \frac{\lambda}{\mu}} \; .$$

Figure 15.17 summarizes the results for Case II. The reader should study Figs. 15.15 and 15.17 carefully to appreciate the differences between the single server and infinite server systems.

In the single server system, if an arriving request finds the disk facility busy, it must wait. In the infinite server system, arriving requests always enter service immediately.

In the single server system, as λ approaches μ, the chance that the system is idle decreases rapidly, and so arriving requests wait. The average number of requests pending grows rapidly. In the infinite server system, the average number of requests pending approaches 1.

λ/μ	System is idle P_0	Probability of having this number of requests pending P_1	P_2	P_3	P_4	P_5	P_6	P_7	P_8	P_9	Average requests pending $E(i)$
0.1	.9048	.0905	.0045	.0002	.0000	.0000	.0000	.0000	.0000	.0000	0.10
0.2	.8187	.1637	.0164	.0011	.0001	.0000	.0000	.0000	.0000	.0000	0.20
0.3	.7408	.2222	.0333	.0033	.0003	.0000	.0000	.0000	.0000	.0000	0.30
0.4	.6703	.2681	.0536	.0072	.0007	.0001	.0000	.0000	.0000	.0000	0.40
0.5	.6065	.3033	.0758	.0126	.0016	.0002	.0000	.0000	.0000	.0000	0.50
0.6	.5488	.3293	.0988	.0198	.0030	.0004	.0000	.0000	.0000	.0000	0.60
0.7	.4966	.3476	.1217	.0284	.0050	.0007	.0001	.0000	.0000	.0000	0.70
0.8	.4493	.3595	.1438	.0383	.0077	.0012	.0002	.0000	.0000	.0000	0.80
0.9	.4066	.3659	.1647	.0494	.0111	.0020	.0003	.0000	.0000	.0000	0.90
0.91	.4025	.3663	.1667	.0506	.0115	.0021	.0003	.0000	.0000	.0000	0.91
0.92	.3985	.3666	.1687	.0517	.0119	.0022	.0003	.0000	.0000	.0000	0.92
0.93	.3946	.3669	.1706	.0529	.0123	.0023	.0004	.0000	.0000	.0000	0.93
0.94	.3906	.3672	.1726	.0541	.0127	.0024	.0004	.0001	.0000	.0000	0.94
0.95	.3867	.3674	.1745	.0553	.0131	.0025	.0004	.0001	.0000	.0000	0.95
0.96	.3829	.3676	.1764	.0565	.0136	.0026	.0004	.0001	.0000	.0000	0.96
0.97	.3791	.3677	.1783	.0577	.0140	.0027	.0004	.0001	.0000	.0000	0.97
0.98	.3753	.3678	.1802	.0589	.0144	.0028	.0005	.0001	.0000	.0000	0.98
0.99	.3716	.3679	.1821	.0601	.0149	.0029	.0005	.0001	.0000	.0000	0.99

Fig. 15.17

SUMMARY

Analytic models are mathematical representations of systems that allow the performance evaluator to draw quick and accurate conclusions about a system's behavior. Queueing models are useful for modeling systems in which requests wait in lines, or queues, until they may be serviced.

Queues may be bounded or unbounded. Customers are supplied to a queueing system from a source which may be finite or infinite. We assumed random arrivals without the possibility of collisions. The times between successive arrivals are called interarrival times. A Poisson arrival process is characterized by the fact that the interarrival times are distributed exponentially. We assume exponential servers to process arriving requests.

Queues may have either infinite capacity, zero capacity, or positive capacity. Queues with zero capacity are characteristic of loss systems.

Systems may be classified as single-server systems or multiple-server systems. The traffic intensity is the ratio of the mean service time to the mean interarrival time. It is a measure of a system's ability to service its customers effectively. The server utilization is the traffic intensity per server. It is the probability that a particular server is busy.

Elementary analytic modeling techniques are generally concerned with the steady-state behavior of a system. Transient behavior is a great deal more difficult to model.

Little's result is that the number of customers in the queue is equal to the arrival rate multiplied by the mean time a customer spends in the queue, and that the number of customers in the system is equal to the arrival rate multiplied by the mean time a customer spends in the system.

A process is Poisson if the times between successive arrivals, i.e., the first-order interarrival times, are identically distributed exponential random variables. The sum of two independent Poisson random variables also describes a Poisson process. If independent random erasures are applied to a Poisson process, the new process derived in this manner is also Poisson.

Markov processes are useful for modeling systems that may be in one of a set of mutually exclusive and collectively exhaustive discrete states. Given that a Markov process is in a particular state, its future behavior is not dependent on its past history prior to entering that state. We considered only Markov processes that exhibit steady-state behavior.

An important special case of Markov processes, namely birth and death processes, is particularly applicable in computer systems modeling. Birth and death processes are much easier to solve than general Markov processes.

TERMINOLOGY

analytic model
arrival rate
arrivals
birth and death processes
bounded queue
collectively exhaustive discrete states
continuous Markov birth and death process
continuous transition Markov process
customer population
Erlang distribution
expectation

exponential distribution
exponential server
finite source
first-order interarrival time
identically distributed random variables
independent random erasures
independent random variables
infinite capacity queue
infinite source
interarrival time
Kendall notation
Law of Large Numbers
Little's result
loss system
M/M/1 queueing system
M/M/c queueing system
Markov process
mean interarrival time
mean service time
mean value
multiple-server system
mutually exclusive discrete states
parallel servers
Poisson arrivals
positive capacity queue
probability distribution
queue
queue capacity
queue discipline
queueing network
queueing theory
*r*th-order interarrival time
random variable
recurrent state
server
server utilization
service facility
service rate
service time
single chain
single-server system
source
steady state
steady-state solution
time-dependent solution
traffic intensity
transient solution
transient state
transition probabilities
unbounded queue
utilization
variance
waiting line
zero capacity queue

EXERCISES

15.1 What are analytic models? Why are they of interest in computer systems performance evaluation?

15.2 Why are queueing models so applicable to operating systems? Give several examples of queueing mechanisms in operating systems.

15.3 Real queueing mechanisms must have bounded rather than unbounded queues. List several problems that might occur in an operating system when bounded queues become full.

15.4 Much of elementary queueing theory relies on the assumption that arrivals and service times are random. Give several examples in operating systems in which this assumption is reasonable. Give several examples in which the assumption is unreasonable.

15.5 Give an example of a loss system that develops in interrupt processing, particularly in real-time systems.

15.6 Give several examples of areas within operating systems that can be modeled by

a) single-server systems

b) multiple-server systems

15.7 List all of the queue disciplines that have been presented in the text so far. For each, give an example in which it is applicable.

15.8 Why must one be careful when modeling certain quantities with random variables?

15.9 Give several examples in which operating systems may be expected to exhibit

a) transient behavior
b) steady-state behavior

15.10 Give an intuitive argument supporting Little's result.

Note: For exercises 15.11 through 15.16 assume Poisson arrival processes and exponential servers.

15.11 Suppose disk requests arrive at a rate of $\lambda = 10$ requests per second. Use a calculator or write a program to produce the values for Chart 15.1.

15.12 Two small telecommunications computers each receive requests for service at the rate of $\lambda = 15$ requests per second. These two systems are to be replaced with a single, higher-capacity system. Characterize the arrival process for the new system.

15.13 Requests arrive at a computer network at the rate of λ. They are routed probabilistically to n different network hosts (i.e., computer systems that can perform computation for network users) with probabilities $P_1, P_2, \ldots, P_n$.

a) What is the request arrival rate at each host?
b) What are the merits of using such a probabilistic routing mechanism rather than routing requests in a simple round-robin fashion?
c) What are the merits of using such a probabilistic routing mechanism rather than routing requests to the first available host?
d) What potential problems are inherent in probabilistic routing mechanisms? In systems with a large number of hosts servicing a large number of requests would these problems be serious? Explain.

15.14 Transactions arrive at a transaction processing system at the rate of 24 per second. From the moment the computer begins operating

a) how much time should the operator expect to elapse before the first transaction arrives?
b) how much time should the operator expect to elapse before r transactions arrive?

	k = number of arrivals										
t = number of seconds	0	1	2	3	4	5	6	7	8	9	10
1											
2											
3											
4											
5	Probability of exactly k arrivals in t seconds										
6											
7											
8											
9											
10											

Chart 15.1

15.15 A batch processing computer system processes similar compile-and-run jobs. Service times are exponential with a mean of 15 minutes. For a given job what is the probability it will take

a) 5 minutes or less?
b) 15 minutes or less?
c) one hour or less?
d) more than two hours?

15.16 One emerging field in which computer expertise is in demand is called "the factory of the future." Heavily automated factories run by robots and computerized machinery with minimal human supervision will operate 24 hours per day. Real-time process control systems will monitor and control the robots and machinery.

A designer of one such factory is considering the use of four small process control systems vs. the use of one centralized multiprocessor system with several processors of equivalent capacity to the small systems. In this problem you will use queueing theory to help the designer choose the best alternative. Arrivals are Poisson at the rate of 960 per minute. Assume each of the identical processors has exponential service times with a mean of 0.05 seconds.

a) First consider the alternative of using the four small systems. Consider these as M/M/1 queueing systems and characterize their performance as thoroughly as you can using the results from this chapter. Assume each experiences a Poisson arrival rate of 240 requests per minute.
b) Now consider using a single symmetric multiprocessor system with two processors of equivalent capacity to the small systems' processors. Analyze this M/M/2 system as thoroughly as you can using the results of this chapter.
c) Compare the preceding analyses. Which approach would you recommend to the designer? What additional information might you require before making a decision?

15.17 Why are Markov models so applicable to operating systems? Give several examples of activities in operating systems that Markov models might be useful in modeling.

15.18 A computer designer must choose between an architecture with a single powerful processor and an architecture employing multiprocessing, but with less powerful processors.

The computer system being designed must process requests arriving as a Poisson process with an average rate of λ requests per second. If the single-processor system is busy, requests are placed in a first-come-first-served queue to await service. In the multiprocessor architecture we shall assume massive parallelism, i.e., there are many more processors than processes, so no arriving process ever waits.

The single-processor system has a processor with exponential service times with mean rate μ requests per second. The processors in the massive parallelism architecture are only one-tenth as powerful.

a) Determine for the single-processor system and for the massive parallelism system the expected value for the total number of requests pending (i.e., either waiting or in service), and the limiting state probabilities (where states correspond to the number of requests pending).
b) From your preceding analysis, which architecture would you recommend the designer choose? What additional information might you require before making a decision? Is the correct decision sensitive to the arrival and service rates? If so, then how? If not, then why not?

n	$\log_e n$	n	$\log_e n$	n	$\log_e n$
0.0	*	4.5	1.5041	9.0	2.1972
0.1	7.6974	4.6	1.5261	9.1	2.2083
0.2	8.3906	4.7	1.5476	9.2	2.2192
0.3	8.7960	4.8	1.5686	9.3	2.2300
0.4	9.0837	4.9	1.5892	9.4	2.2407
0.5	9.3069	5.0	1.6094	9.5	2.2513
0.6	9.4892	5.1	1.6292	9.6	2.2618
0.7	9.6433	5.2	1.6487	9.7	2.2721
0.8	9.7769	5.3	1.6677	9.8	2.2824
0.9	9.8946	5.4	1.6864	9.9	2.2925
1.0	0.0000	5.5	1.7047	10	2.3026
1.1	0.0953	5.6	1.7228	11	2.3979
1.2	0.1823	5.7	1.7405	12	2.4849
1.3	0.2624	5.8	1.7579	13	2.5649
1.4	0.3365	5.9	1.7750	14	2.6391
1.5	0.4055	6.0	1.7918	15	2.7081
1.6	0.4700	6.1	1.8083	16	2.7726
1.7	0.5306	6.2	1.8245	17	2.8332
1.8	0.5878	6.3	1.8405	18	2.8904
1.9	0.6419	6.4	1.8563	19	2.9444
2.0	0.6931	6.5	1.8718	20	2.9957
2.1	0.7419	6.6	1.8871	25	3.2189
2.2	0.7885	6.7	1.9021	30	3.4012
2.3	0.8329	6.8	1.9169	35	3.5553
2.4	0.8755	6.9	1.9315	40	3.6889
2.5	0.9163	7.0	1.9459	45	3.8067
2.6	0.9555	7.1	1.9601	50	3.9120
2.7	0.9933	7.2	1.9741	55	4.0073
2.8	1.0296	7.3	1.9879	60	4.0943
2.9	1.0647	7.4	2.0015	65	4.1744
3.0	1.0986	7.5	2.0149	70	4.2485
3.1	1.1314	7.6	2.0281	75	4.3175
3.2	1.1632	7.7	2.0412	80	4.3820
3.3	1.1939	7.8	2.0541	85	4.4427
3.4	1.2238	7.9	2.0669	90	4.4998
3.5	1.2528	8.0	2.0794	95	4.5539
3.6	1.2809	8.1	2.0919	100	4.6052
3.7	1.3083	8.2	2.1041		
3.8	1.3350	8.3	2.1163		
3.9	1.3610	8.4	2.1282		
4.0	1.3863	8.5	2.1401		
4.1	1.4110	8.6	2.1518		
4.2	1.4351	8.7	2.1633		
4.3	1.4586	8.8	2.1748		
4.4	1.4816	8.9	2.1861		

*Subtract 10 from $\log_e n$ entries for $n < 1.0$.

Appendix 15.1 Table of natural logarithms.

x	e^x	e^{-x}	x	e^x	e^{-x}
0.00	1.0000	1.0000	2.5	12.182	0.0821
0.05	1.0513	0.9512	2.6	13.464	0.0743
0.10	1.1052	0.9048	2.7	14.880	0.0672
0.15	1.1618	0.8607	2.8	16.445	0.0608
0.20	1.2214	0.8187	2.9	18.174	0.0550
0.25	1.2840	0.7788	3.0	20.086	0.0498
0.30	1.3499	0.7408	3.1	22.198	0.0450
0.35	1.4191	0.7047	3.2	24.533	0.0408
0.40	1.4918	0.6703	3.3	27.113	0.0369
0.45	1.5683	0.6376	3.4	29.964	0.0334
0.50	1.6487	0.6065	3.5	33.115	0.0302
0.55	1.7333	0.5769	3.6	36.598	0.0273
0.60	1.8221	0.5488	3.7	40.447	0.0247
0.65	1.9155	0.5220	3.8	44.701	0.0224
0.70	2.0138	0.4966	3.9	49.402	0.0202
0.75	2.1170	0.4724	4.0	54.598	0.0183
0.80	2.2255	0.4493	4.1	60.340	0.0166
0.85	2.3396	0.4274	4.2	66.686	0.0150
0.90	2.4596	0.4066	4.3	73.700	0.0136
0.95	2.5857	0.3867	4.4	81.451	0.0123
1.0	2.7183	0.3679	4.5	90.017	0.0111
1.1	3.0042	0.3329	4.6	99.484	0.0101
1.2	3.3201	0.3012	4.7	109.95	0.0091
1.3	3.6693	0.2725	4.8	121.51	0.0082
1.4	4.0552	0.2466	4.9	134.29	0.0074
1.5	4.4817	0.2231	5	148.41	0.0067
1.6	4.9530	0.2019	6	403.43	0.0025
1.7	5.4739	0.1827	7	1096.6	0.0009
1.8	6.0496	0.1653	8	2981.0	0.0003
1.9	6.6859	0.1496	9	8103.1	0.0001
2.0	7.3891	0.1353	10	22026	0.00005
2.1	8.1662	0.1225			
2.2	9.0250	0.1108			
2.3	9.9742	0.1003			
2.4	11.023	0.0907			

Appendix 15.2 Table of exponential functions.

LITERATURE

(An78) Allen, A. O., *Probability, Statistics, and Queueing Theory with Computer Science Applications,* New York, NY: Academic Press, 1978.

(An80) Allen, A. O., "Queueing Models of Computer Systems," *Computer,* Vol. 13, No. 4, April 1980, pp. 13–24.

(Ar81) Arthurs, E., and B. W. Stuck, *A Computer and Communications Network Performance Analysis Primer,* Murray Hill, NJ: Bell Telephone Laboratories, 1981 (Revised June 1982).

(At86) Atkinson, M. D.; J. R. Sack; N. Santoro; and T. Strothotte, "Min-Max Heaps and Generalized Priority Queues," *Communications of the ACM,* Vol. 29, No. 10, October 1986, pp. 996–1000.

(Ba75) Baskett, F.; K. M. Chandy; R. R. Muntz; and F. G. Palacios, "Open, Closed, and Mixed Networks of Queues with Different Classes of Customers," *Journal of the ACM,* Vol. 22, No. 2, April 1975, pp. 248–260.

(Bo84) Bozman, G.; W. Buco; T. P. Daly; and W. H. Tetzlaff, "Analysis of Free-Storage Algorithms—Revisited," *IBM Systems Journal,* Vol. 23, No. 1, 1984, pp. 44–66.

(Br80) Bruel, S. C., and G. Balbo, *Computational Algorithms for Closed Queueing Networks,* New York, NY: Elsevier, North-Holland, 1980.

(Bu71) Buzen, J. P., *Queueing Network Models of Multiprogramming,* Ph.D. Thesis, Cambridge, MA: Harvard University Press, 1971.

(Bu73) Buzen, J. P., "Computational Algorithms for Closed Queueing Networks with Exponential Servers," *Communications of the ACM,* Vol. 16, No. 9, September 1973, pp. 527–531.

(Bu74) Buzen, J. P., and P. S. Goldberg, "Guidelines for the Use of Infinite Source Queueing Models in the Analysis of Computer System Performance," *AFIPS Conf. Proc., NCC,* 1974, pp. 371–374.

(Bu78) Buzen, J. P., "A Queueing Network Model of MVS," *ACM Computing Surveys,* Vol. 10, No. 3, September 1978, pp. 319–331.

(Ch75) Chandy, K. M.; U. Herzog; and L. Woo, "Approximate Analysis of General Queueing Networks," *IBM Journal of Research and Development,* Vol. 19, No. 1, January 1975.

(Ch80) Chandy, K. M., and C. H. Sauer, "Computational Algorithms for Product Form Queueing Networks," *Communications of the ACM,* Vol. 23, No. 10, October 1980, pp. 537–583.

(Ch82) Chandy, K. M., and D. Neuse, "Linearizer: A Heuristic Algorithm for Queueing Network Models of Computing Systems," *Communications of the ACM,* Vol. 25, No. 2, February 1982, pp. 126–134.

(Cl81) Clark, G. M., "Use of Polya Distributions in Approximate Solutions to Nonstationary *M/M/s* Queues," *Communications of the ACM,* Vol. 24, 1981, pp. 206–217.

(Co68) Coffman, E. G., and L. Kleinrock, "Feedback Queueing Models for Time-Shared Systems," *Journal of the ACM,* Vol. 15, No. 4, October 1968, pp. 549–576.

(Fe83) Ferrari, D.; G. Serazzi; and A. Zeigner, *Measurement and Timing of Computer Systems,* Englewood Cliffs, NJ: Prentice-Hall, 1983.

(Fo88) Fox, B. L., and P. W. Glynn, "Computing Poisson Probabilities," *Communications of the ACM,* Vol. 31, No. 4, April 1988, pp. 440–445.

(Fr86) Frenkel, K. A., "Evaluating Two Massively Parallel Machines," *Communications of the ACM,* Vol. 29, No. 8, August 1986, pp. 752–759.

(Ga73) Gaver, D. P., and G. L. Thompson, *Programming and Probability Models in Operations Research,* Monterey, CA: Brooks/Cole Publishing Company, 1973.

(Gi78) Giffin, W. C., *Queueing,* Columbus, Ohio: Grid, Inc., 1978.

(Go85) Gostl, J., and I. Greenberg, "An Application of Queueing Theory to the Design of a Message-Switching Computer System," *Communications of the ACM,* Vol. 28, No. 5, May 1985, pp. 500–505.

(Gr85) Gross, D., and C. M. Harris, *Fundamentals of Queueing Theory,* New York, NY: John Wiley and Sons, 1985.

(Jo86) Jones, D. W., "An Empirical Comparison of Priority Queue and Event Set Implementations," *Communications of the ACM,* Vol. 29, No. 4, April 1986, pp. 300–311.

(Ke85) Kelton, W. D., "Transient Exponential-Erlang Queues and Steady-State Simulation," *Communications of the ACM,* Vol. 28, No. 7, July 1985, pp. 741–749.

(Kl75) Kleinrock, L., *Queueing Systems, Volume 1: Theory,* New York, NY: John Wiley & Sons, 1975.

(Kl76) Kleinrock, L., *Queueing Systems, Volume 2: Computer Applications,* New York, NY: John Wiley & Sons, 1976.

(Ko78) Kobayashi, H., *Modeling and Analysis: An Introduction to System Performance Evaluation Methodology,* Reading, MA: Addison-Wesley, 1978.

(Ku79) Kuehn, P. J., "Approximate Analysis of General Queueing Networks, by Decomposition," *IEEE Transactions on Communications,* Vol. COM-27, No. 1, January 1979, pp. 113–126.

(La77) Lam, S. S., "Queueing Networks with Population Size Constraints," *IBM Journal of Research and Development,* Vol. 21, No. 4, July 1977, pp. 370–378.

(La83) Lam, S. S., and Y. L. Lien, "A Tree Convoluted Algorithm for the Solution of Queueing Networks," *Communications of the ACM,* Vol. 26, No. 3, March 1983, pp. 203–215.

(La83a) Lam, S. S., "Dynamic Scaling and Growth Behavior of Queueing Network Normalization Constants," *Journal of the ACM,* Vol. 29, No. 2, April 1983, pp. 492–513.

(Me85) Mendelson, H., "Pricing Computer Services: Queueing Effects," *Communications of the ACM,* Vol. 28, No. 3, March 1985, pp. 312–321.

(Mu75) Muntz, R., "Analytic Modeling of Interactive Systems," *Proc. IEEE,* Vol. 63, No. 6, June 1975, pp. 946–953.

(No85) Norton, R. M., and D. P. Yeager, "A Probability Model for Overflow Sufficiency in Small Hash Tables," *Communications of the ACM,* Vol. 28, No. 10, October 1985, pp. 1068–1075.

(Pr76) Price, T. G., Jr., "A Comparison of Queueing Network Models and Measurements of a Multiprogrammed Computer System," *ACM Perf. Eval. Rev.,* Vol. 5, No. 4, Fall 1976, pp. 39–62.

(Re75) Reiser, M., and H. Kobayashi, "Queueing Networks with Multiple Closed Chains: Theory and Computational Algorithms," *IBM Journal of Research and Development,* Vol. 19, No. 3, May 1975, pp. 283–294.

(Re76) Reiser, M., "Interactive Modeling of Computer Systems," *IBM Systems Journal,* Vol. 15, No. 4, 1976, pp. 309–327.

(Re79) Reiser, M., "A Queueing Network Analysis of Computer Communication Networks with Window Flow Control," *IEEE Transactions on Communications,* Vol. COM-27, No. 8, August 1979, pp. 1199–1209.

(Re80) Reiser, M., and S. Lavenberg, "Mean Value Analysis of Closed Multichain Queueing Networks," *Journal of the ACM,* Vol. 27, No. 2, April 1980, pp. 313–322.

(Ro78) Rose, C. A., "A Measurement Procedure for Queueing Network Models of Computer Systems," *Computer Surveys,* Vol. 10, No. 3, 1978, pp. 263–280.

(Sa81) Sauer, C. H., and K. M. Chandy, *Computer Systems Performance Modeling,* Englewood Cliffs, NJ: Prentice-Hall, 1981.

(Sc79) Schardt, R. M., "An MVS Tuning Perspective," *IBM Washington Systems Center Technical Bulletin,* GG22–9023, March 1979.

(Wo86) Woodside, C. M., "Controllability of Computer Performance Tradeoffs Obtained Using Controlled-Share Queue Schedulers," *IEEE Transactions on Software Engineering,* Vol. SE-12, No. 10, October 1986, pp. 1041–1048.

16
Distributed Computing: The Open Systems Interconnection View

Live in fragments no longer. Only connect.

Edward Morgan Forster

Oh what times! Oh what standards!

Marcus Tullius Cicero

Open sesame!

The History of Ali Baba

It took five months to get word back to Queen Isabella about the voyage of Columbus, two weeks for Europe to hear about Lincoln's assassination, and only 1.3 seconds to get the word from Neil Armstrong that man can walk on the moon.

Isaac Asimov
Isaac Asimov's Book of Facts

Outline

16.1 Introduction
- **16.1.1** Why Network? What are Networks?
- **16.1.2** Network Types
- **16.1.3** Networking Standards

16.2 Network Architecture: OSI and Other Reference Models
- **16.2.1** Layering
- **16.2.2** Protocol Data Units and Service Data Units
- **16.2.3** The OSI Reference Model

16.3 The Application Layer (Layer 7)
- **16.3.1** A Representative SASE: File Transfer, Access, and Management (FTAM)
- **16.3.2** Association Control Service Elements

16.4 The Presentation Layer (Layer 6)

16.5 The Session Layer (Layer 5)

16.6 The Transport Layer (Layer 4)

16.7 The Network Layer (Layer 3)

16.8 The Data Link Layer (Layer 2)
- **16.8.1** Wide Area Networks: High-Level Data Link Control
- **16.8.2** Local Area Networks: Logical Link Control
- **16.8.3** Local Area Networks: Media Access Control
  - **16.8.3.1** Carrier Sense Multiple Access with Collision Detection (CSMA/CD)
  - **16.8.3.2** Token Passing

16.9 The Physical Layer (Layer 1)

16.10 Transmission Media

16.11 OSI Network Management

16.12 OSI Security

16.13 Integrated Services Digital Network (ISDN)

16.14 MAP, TOP, and GOSIP
16.15 OSI Testing
16.16 Transmission Control Protocol/Internet Protocol (TCP/IP)
16.17 The Future of OSI

Acknowledgments: This chapter was coauthored with the author's colleague, Howard Berkowitz of the Corporation for Open Systems International. Opinions expressed herein are those of the authors and are not necessarily in agreement with those of the Corporation for Open Systems International or its sponsoring members.

16.1 INTRODUCTION

This chapter discusses computer networking and its relationship to operating systems, from the perspective of an internationally standardized, nonproprietary networking architecture: *Open Systems Interconnection (OSI)*. A long-range goal in computer communication is to provide worldwide connectivity among computers and users. To be acceptable to the wide range of interests involved, techniques for such communication must be decided on by consensus; OSI standards have been developed in such a context. OSI encompasses a fundamental architecture, services and protocols which realize that architecture, and a family of related standards for implementing and testing products built to conform to OSI standards. We also consider other networking architectures such as IBM's *Systems Network Architecture (SNA)*, Digital Equipment Corporation's *Digital Network Architecture* (*DNA*; its implementation is *DECnet*), and the U.S. Department of Defense (DoD) military standard computer communication protocols including TCP/IP. OSI is not necessarily the best architecture for meeting all networking requirements, but it is a generally available and well understood model for discussion. OSI has gained special importance because it is an accepted worldwide standard. Given the importance of distributed computing, operating system students, developers, and researchers must understand computer networks and especially those implemented using OSI protocols (Kl85).

16.1.1 Why Network? What are Networks?

There are many views of networks. According to graph theorists, networks are mathematical constructs of nodes linked by arcs. Business-oriented users and managers look at networks as necessary for performing business missions, the cost being the expense of terminals, computers, cables, telephone lines, multiplexors, concentrators and other arcane paraphernalia.

Networks exist to solve problems of communication among computers and their human users. When a primitive cavewoman needed a decision from a distant primitive chieftain, she had two alternatives. She could journey to that chieftain, wait for an audience with the chieftain, and converse to have her question answered; or she could send a message and wait for a response.

Networks intended primarily for supporting the interaction of computer terminal users with a *host computer* are called *remote access networks*. Remote access with *dumb terminals* (i.e., terminals that do not have built-in microprocessors and must therefore depend on other devices that do) is the most basic networking problem.

The problem of getting the chieftain's attention is a problem of *process scheduling*, dealt with in Chapter 3 and Chapter 10. The problem of being sure the chieftain hears the message correctly is one of *error control*. Difficulties with different tribeswomen speaking simultaneously are matters of *dialogue control*, while problems of speaking too fast for the chieftain to understand are matters of *flow control* (Pu81) (Ge82) (Gr83a).

Alternatively, the cavewoman could use primitive tools to inscribe her question on a stone tablet, and have another primitive tribeswoman take the tablet to the distant chieftain.

From the sender's perspective, this is the origin of *electronic mail*; from the message carrier's standpoint, this is the origin of *file transfer* utilities.

Since multiple cavewomen could send messages to the chieftain, and the chieftain could service their requests in a manner convenient to the chieftain, the chieftain was a shared resource. *Shared resource networks* usually operate more on a file transfer or interprocess communications model than on one of interactive communications.

A typical computer network interconnects many hosts, each of which is capable of supplying computing services to network users. The computers in a network are connected by various types of communications links such as telephone lines, satellite channels, coaxial cables, fiber optic cables, and microwave links. Operating systems that control computer networks provide many functions including supporting terminal access to remote hosts, handling file transfer between hosts, supporting remote procedure calls, and handling interuser communications (such as electronic mail).

16.1.2 Network Types

The remote access concept was most relevant when the host was servicing dumb terminals; file transfer and interprocess communication are more appropriate for personal computers and other intelligent nodes. Network designers tend to consider nodes in a common manner, regarding networks as built from users, hosts, *communication processors*, and *communication subnetworks* (also called *subnets*). There are two basic ways to organize the relationships among intelligent devices in a network: *peer-to-peer* and *hierarchical*. In a peer-to-peer relationship, the participants conceptually have the ability to negotiate the characteristics of their interaction; two entities are equal partners in it (Gr87). Hierarchical models have advantages in network management, while peer-to-peer models have greater flexibility in resource sharing. Most OSI relationships are peer-to-peer.

Hierarchical relationships, also called *master-slave*, imply that one participant in an interaction must seek permission from the other before the interaction can begin. Networks following this model, such as most of IBM's SNA, are less flexible for setting up relationships between arbitrary pairs of partners, but are more controllable by the network manager.

A slightly oversimplified view of OSI defines it as specifying the interfaces between the computer systems serving the end users, but not the interfaces between those computer systems and their human users, nor the internal interfaces within the communication subnetwork.

OSI is primarily intended as an intermediate or transfer mechanism among heterogeneous *peer* hosts, each of which may have host-specific remote access networks (No87). OSI can be used, however, for original network design as well as for facilitating communication between dissimilar networks. Network designers must consider the tradeoffs between the generality of OSI solutions and the potential optimization possible with nonstandard solutions. They must consider issues of cost, maintainability, performance, and possible future needs to interface to new types of networks. The corporate takeover craze of the 1980s, for example, created many unforeseen needs to merge independently designed computer networks; these efforts have been costly due to a lack of standard interfaces.

Networking features of operating systems extend and manage I/O over longer-range media; in this sense, networks are similar to loosely-coupled multiprocessors (see Chapter 11). In fact, differences between loosely-coupled multiprocessors and computer networks are becoming increasingly blurred. In the terminology of Section 11.17, "Multiprocessor Operating System Organizations," OSI systems generally follow the separate executive for each processor organization, SNA systems generally use the master-slave organization, and DoD systems (with some widely used proprietary protocols such as Sun's *Network File System* described in Chapter 18) tend to follow the symmetric (or anonymous) organization.

Networks may be categorized by user type and by communication subnetwork technology. Communications subnetworks vary in size and performance. *Interactive terminal networks* are designed to support frequent transfers of small amounts of data, and to minimize delay from a terminal to a host and back (i.e., *round-trip network delay).* Dumb terminals need to be connected to such networks either through specialized computers called *terminal servers*, or through general-purpose computers connected in turn to the network. It is common to see large specialized terminal networks attached to a regional host, and the regional host connected for distributed database access using *backbone* network technology: backbone networks are used for file transfer and interprocess communication among major shared resources, and are designed to maximize throughput on the communication facilities connecting the devices. A typical application is the connection of relatively unintelligent automatic teller machines (ATMs) to a local bank; the local bank's host connects to other banks to service the needs of the remote bank's cardholders.

Backbone and *workgroup* networks are similar in that they are intended to interconnect computers rather than terminals, but thay have differing needs for performance, capacity, geographic scope, and network management. Workgroup networks typically connect intelligent terminals or personal computers to shared resources, such as file servers and print servers. A frequent objective in workgroup network design is providing convenient cabling and reconfiguration, even at the sacrifice of capacity. User-perceived performance problems on workgroup networks are more often due to limitations of the shared resources than to limitations of the networks themselves.

A special class of workgroup network is the *diskless workstation* environment, in which individual intelligent workstations have no local disk, but access a system disk on a file server. Essentially, the network is used as a system bus. Here, network capacity may be a significant limitation.

Categorizing networks as terminal, workgroup, or backbone still deals with the organization or use of the network, but not with its underlying technology. A complementary categorization which deals with transmission technology defines networks as *local area networks (LANs), wide area networks (WANs),* or *hybrid networks,* a deliberate combination of WAN and LAN technologies; these network categories are discussed in Section

16.7. LANs interconnect intelligent nodes using high-speed media optimized for small geographic areas such as a building or campus; WANs interconnect using essentially distance-independent facilities such as satellites or the public telephone network.

16.1.3 Networking Standards

Historically, the first computer networks were implemented over telephone lines. Implementation using lines by then-regulated telephone carriers meant that a telecommunication-using computer system would be multi-vendor. In such environments, the computer manufacturer could not arbitrarily specify the interfaces between computing and communication devices, whereas computer-to-tape-drive interfaces, for example, could remain proprietary.

In all but the smallest areas, telephone-based computer networks also involve multiple telephone companies with local, national, and international scope. This situation has become more complex since telecommunication deregulation and the consequent increase in competition (We88). Telecommunication carriers have long accepted the idea of developing *consensus standards* for communication interfaces.

The process by which communication standards are developed is as much political as it is technical. For standards to be useful on a worldwide basis, they must be freely available and they must not give advantage to particular organizations. A standards-based solution often is not the optimal technical solution, but it is often the most economical and viable one. Its economies usually lie in scale: a standards-based solution will often become sufficiently common to justify vendors building low-cost, enhanced-performance implementations (e.g., in specialized integrated circuits). Training and interface costs are also reduced.

Internationally, the main standards organizations are *ISO* and *CCITT*. These acronyms are French, and translate respectively to the *International Organization for Standardization* and the *International Telegraph and Telephone Consultative Committee*. National standards bodies create national standards and submit them to ISO and CCITT. In the United States, the main standards body is the *American National Standards Institute (ANSI)*, which has accredited standards committees such as *X3* for computers and *T1* for telecommunications. Other U.S. organizations involved in standards work include the *Electronic Industries Association (EIA)*, the *Institute for Electrical and Electronics Engineers (IEEE)*, and the *National Institute for Standards and Technology (NIST)*—formerly the *National Bureau of Standards (NBS)*.

There are several main types of networking standards. *Architectural standards*, such as *ISO 7498* (the *OSI reference model*), define the context in which more specific standards are written. *Base standards* define *services* and *protocols* at the layers defined by architectural standards. *Functional standards*, also called *international standardized profiles*, define the options to be used in implementing protocols in specific contexts. *Conformance standards* define tests and procedures for verifying that service and protocol implementations match the relevant standards specifications (ISO 9646).

16.2 NETWORK ARCHITECTURE: OSI AND OTHER REFERENCE MODELS

The *OSI reference model* (Zi80) (Dy83) is an arbitrary, hierarchical decomposition of computer communications functions into seven levels of abstraction called *layers*. Each layer has certain conceptual functions associated with it, which may be implemented in various ways by different services and protocols. It is a common misconception that OSI has only one protocol per layer; there are, in fact, various protocols for implementing each of the layers. The *physical layer* (i.e., layer 1 of the OSI reference model), for example, may currently be implemented with coaxial cable (Kc83), twisted-pair wires, optical fibers (Mk81) (SC84), and eventually with new technologies not yet standardized or even developed.

A variety of widely-used standards have not achieved international acceptance. Some of these are IBM's Systems Network Architecture (SNA), Digital Equipment Corporation's Digital Network Architecture (and its implementation, DECnet), and the U.S. Department of Defense protocol suite (a subset of which is TCP/IP described in Section 16.16). Many industry observers feel that OSI and SNA will be the main protocols in general use as networking becomes increasingly widespread; proprietary protocols will be seen more in special applications, such as those with unique performance requirements.

DoD protocols are widely used in the United States, especially in the UNIX systems community (see the UNIX case study in Chapter 18), and are popular in academic institutions. They have not, however, been accepted as international standards, and the U.S. Department of Defense has announced a policy of migration to OSI in its new networks.

SNA is IBM's proprietary architecture for networking (Cy79) (Gr83) (Gr83a) (Ho83) (Ja83) (Ma83) (We83) (Sy87). SNA, like OSI, is a layered architecture, but its layers have different functions. SNA emphasizes a *master-slave approach*, rather than the *peer-to-peer approach* of OSI. New extensions to SNA (in particular, LU6.2) do provide greater peer-to-peer capability (Gr87) (Ma87) (Lo88). IBM's traditional approach to the terminal user interface is to use a hierarchy of dumb display terminals connected by a special-purpose mini-LAN (coaxial cable) to a *cluster controller*; a cluster controller is a special-purpose computer which interfaces terminals to a shared communications line or directly to the I/O bus of a host. Long-term coexistence of SNA and OSI protocols is anticipated; this is entirely practical, as long as addresses are not duplicated between stations of different architecture on the same LAN. A given physical address on a LAN, for example, should adhere to SNA or OSI protocols, but not both.

With the announcement of DECnet Phase V, Digital Equipment Corporation committed to providing an OSI base to DECnet users at layers 1–4. Upper-layer DECnet functions would coexist with OSI services.

16.2.1 Layering

The individual layers of a network architecture are realized with *service* and *protocol* definitions. In OSI architectural terms, the implementation of layer *n* is an *n-entity* (Fig. 16.1). The calling layer above an *n*-entity is an (*n*+1)-*entity* and is the *n-service user*. The layer below layer *n*, from which the *n*-entity requests services, is an (*n*–1)-*entity*. An *n*-

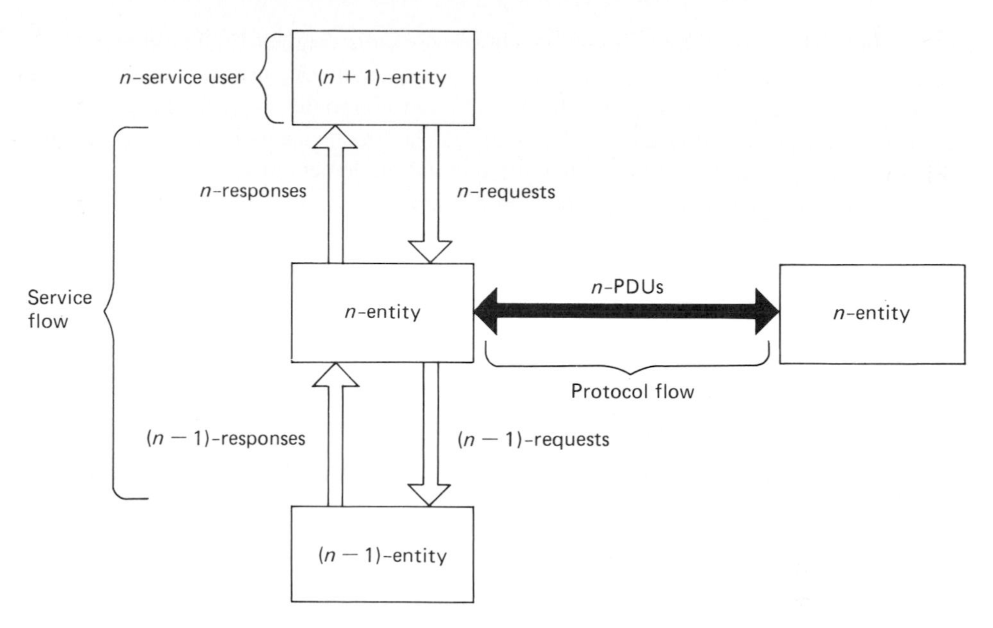

Fig. 16.1 OSI service flow and protocol flow.

service, according to the OSI reference model, is a "capability of the *n*-layer and the layers beneath it, which is provided to (*n*+1)-entities at the boundary between the *n*-layer and the (*n*+1)-layer."

The implementation of service interfaces (i.e., the rules by which the *n*-user requests (*n*–1)-services within the same open system), is not standardized by OSI. Service interfaces are typically realized as operating system calls. The syntax and semantics of protocol interfaces, however, are rigidly standardized; these define the rules used in communication among *n*-entities.

An analogy may help explain the reasons protocol syntax must be standardized, but services need not be. Consider two businesses, whose chief executives wish to make a joint marketing agreement. Jane Jones, the President of ABC Inc., speaks English; Horst Schmidt, the Managing Director of XYZ G.m.b.H., speaks German.

The business goals of the agreement must be clear between the two chief executives; the definition of these goals can be considered an *application layer protocol* between peer chief executive entities. For these entities to communicate, however, their correspondence must be translated and transmitted by "lower-layer" services within their own organizations, and eventually to their counterpart organizations.

Ms. Jones will begin by making a service request of her general counsel, Charles Picard, who conveniently is fluent in German, to review the draft agreement for legal correctness, and then to translate it into German. Mr. Picard will need to understand the service requested of him, and will need to establish a common set of rules for translation with his counterpart in XYZ G.m.b.H. The procedure for establishing these rules can be considered a *presentation layer* protocol.

In the German firm, the translator (who reviews the original English draft) and the legal counsel are not the same person. This organizational structure is a local implementation decision; as long as the chief executive can communicate with the presentation service, and the presentation entity in Germany can communicate with its counterpart in the U.S.A., there is no reason to standardize the internal implementation.

The layering analogy can continue downward. The *session service* will accept the documents produced by presentation and package them; the session entity will then give them to the *transport* entity, the mail room. The mail room will pick some network service (or international package service), the details of which need not be known by the document clerk.

16.2.2 Protocol Data Units and Service Data Units

Several conceptual data types are involved in the realization of OSI services. The basic principle of data movement in OSI is that *n*-entities communicate with each other using an *(n–1)-connection* between (*n*–1)-entities. The *n*-entities exchange *n-protocol-control information* to manage their cooperative operations, and exchange *n-user-data*. The combination of protocol control information and user data is a *protocol data unit (PDU)*; PDU syntax and semantics are thoroughly specified by OSI protocol standards. PDUs may be qualified by the layer name (e.g., *network protocol data unit* or *NPDU*).

When an *n*-entity sends *n-interface-data* to an (*n*–1)-entity, that data forms an *(n–1)-service-data-unit (SDU)*. SDUs are usually qualified by the service being used, such as *transport service data unit (TSDU)* for the transport service.

Since an (*n*–1)-entity is used to send *n*-SDUs through the network, an (*n*–1)-entity normally builds a PDU in response to a service request by wrapping its own protocol headers and trailers around a representation of the *n*-SDU. The (*n*–1)-entity then sends the encapsulated *n*-SDU as an (*n*–2)-SDU to the (*n*–2)-layer below the (*n*–1)-entity. Reception is the reverse: each layer strips its own protocol control information from data units, and passes the content of the *n*-PDU data fields to the (*n*+1)-entity.

There need not be a one-to-one correspondence between *n*-SDUs and the (*n*–1)-PDUs used to transfer them, or between *n*-connections and the (*n*–1)-connections over which PDUs flow. An (*n*–1)-connection may support more than one *n*-connection; placing multiple *n*-connections onto an (*n*–1)-connection is called *multiplexing,* and its reverse is called *demultiplexing.* The converse of multiplexing is *splitting,* where multiple (*n*–1)-connections support a single *n*-connection; the reverse of splitting is *recombining. Blocking* and *deblocking* refer to the combination of multiple *n*-SDUs into a single *n*-PDU, and recovering the SDUs.

16.2.3 The OSI Reference Model

The OSI reference model has seven layers (Fig. 16.2). Layers 1 and 2 are called the *lower layers*, layers 3 and 4 are the *intermediate layers*, and layers 5 through 7 are the *upper layers.* Outside the formal scope of OSI are the so-called "layer 8," the *end-user applica-*

"Layer 8"	End-user application
Layer 7	Application layer
Layer 6	Presentation layer
Layer 5	Session layer
Layer 4	Transport layer
Layer 3	Network layer
Layer 2	Data link layer
Layer 1	Physical layer
"Layer 0"	Transmission medium

Fig. 16.2 The seven layers of the OSI reference model; included are the so-called "layer 8" and "layer 0."

tion, and the so-called "layer 0," the *transmission medium*. Systems built using OSI protocols are formally called *open systems*. Open systems which contain implementations of all seven layers, and which provide an interface at the top of layer 7 to true user application programs, are called *end systems*. Open systems which contain only layers 1 through 3, and are used to interconnect end systems, are called *intermediate systems*.

The most common illustration of two cooperating open systems (Fig. 16.3) shows two end systems, apparently connected directly at the physical layer (layer 1). While systems do exist that are built following such a structure, most real implementations are more complex, and involve both end systems and intermediate systems.

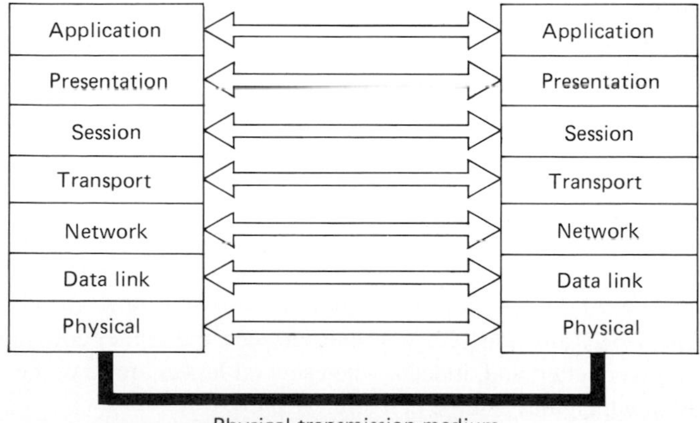

Fig. 16.3 The classic two-stack model.

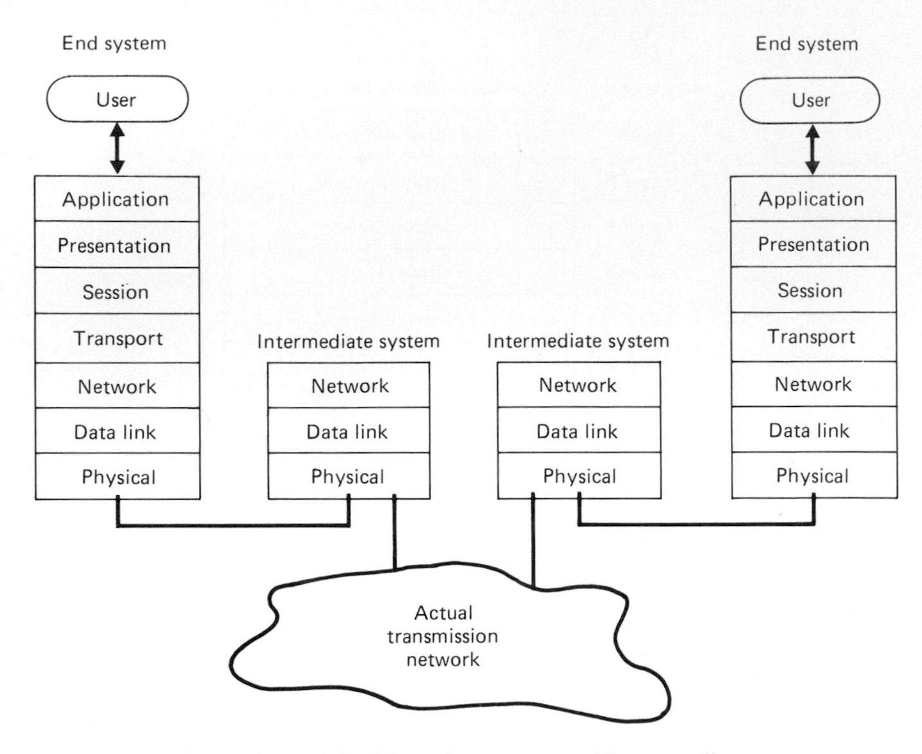

Fig. 16.4 An OSI stack model with end systems and intermediate systems.

Intermediate systems normally are needed in complex networks that interconnect widely distributed open systems (Fig. 16.4). Intermediate systems may have more than two connectivity interfaces, including connection to non-OSI networks; they are OSI-compliant as long as they present OSI interfaces to OSI systems connected to them.

The lower layers, i.e., physical and data link, tend to be implemented in integrated circuits. The intermediate layers, i.e., network and transport, tend to be in specialized processors, either as standalone intermediate systems or as separate processors within host implementations of end systems. The upper layers, i.e., session, presentation, and application, tend to be in hosts.

Interfaces to non-OSI systems tend to be implemented above layer 7 (these are called *application gateways*), at layer 4 (these are called *transport relays*) or at layer 3 (these are called intermediate systems or *routers*).

Connection-oriented services are modeled after the telephone system: the path by which information flows is created through a network which can "lock" connections; the connection is held until the need for information transfer ends (e.g., the phone is hung up). *Connectionless services* are modeled after mail services: the sender does not know the path to be used for a given letter, and, indeed, when several letters are sent, the sender does not know the order in which they will be delivered (Cp83).

With connectionless services, each unit of data must contain addresses and management information necessary to deliver the data unit to the receiving open system. With connection-oriented services, much of this information can be determined during the exchange of information involved in establishing a connection, and kept as *context information* in the cooperating entities; only a reference to the context need be carried in each data unit.

Connection-oriented services lend themselves more to capacity planning than do connectionless services, and can incur less overhead when large numbers of similar data units are to be handled. Connectionless services are useful for anonymous file servers, for system management functions (such as status updates), for telemetry and process control, and the like.

Originally, the OSI reference model dealt only with connection-oriented services; a connectionless network service was quickly added. Addendum 1 to the OSI reference model (ISO 7498 AD 1) provides a context for connectionless service definitions. Many connectionless protocols have been developed.

A typical OSI-based product has three major components: a *user interface*, *local processing*, and an *OSI interface* (Fig. 16.5). User interfaces, such as command languages, are outside the scope of OSI, as is local processing. Local processing may be little more than the bridge between the human and OSI, or it may be the bulk of the work in a

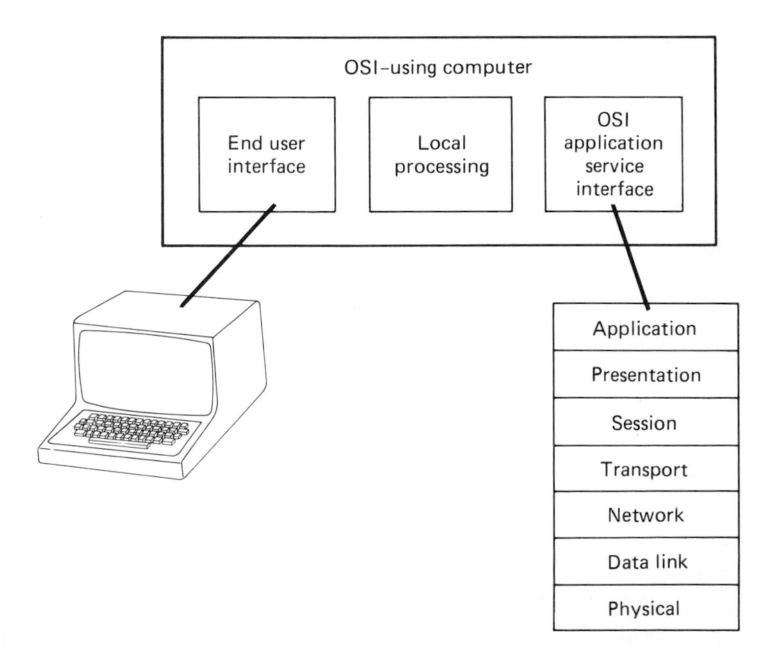

Fig. 16.5 Components of an OSI-based product.

distributed application environment. In the OSI reference model, the application process contains local processing and a user interface.

In the following sections, the layers of the OSI reference model are discussed top-down starting with the upper layers (*application*, *presentation*, and *session*), the intermediate layers (*transport* and *network*), and the lower layers (*data link* and *physical*).

16.3 THE APPLICATION LAYER (LAYER 7)

The OSI *application layer* does not include applications in the conventional sense such as payroll, inventory, invoicing, etc. Rather, the application layer is an interface to distributed operating system functions, such as the ability to open a remote file or to call a remote procedure. This interface is described abstractly; the specific interface between a real operating system and a real application layer implementation is not subject to OSI standardization, although these interfaces are indeed being standardized by such groups as X/Open, the Open Software Foundation, UNIX International, and others (see Chapter 18).

The application layer has components that provide service to non-OSI software *specific application service elements (SASE)*, and other services which provide services within the application layer (i.e., to SASE). The most mature SASEs are *Message Handling Systems (MHS)* and *File Transfer, Access, and Management (FTAM)*. Other SASEs include *Virtual Terminal Protocol (VTP)* (Lo83), *Manufacturing Message Service (MMS)*, *Directory Services (DS)*, and *Transaction Processing (TP)*. *Network Management* is a special SASE discussed in Section 16.8.

MHS provides mechanisms for intercomputer and internetwork transfer of electronic mail; it does not prescribe the human interface to mail systems. FTAM, discussed in detail below, allows file- and record-level manipulation of heterogeneous distributed data bases. VTP supports general terminal use on OSI systems. MMS is used to transfer real-time process control information in factory automation. Directory Services provides "white pages" and "yellow pages" services in large networks, and Transaction Processing deals with distributed query/response. Also associated with the application layer are *interchange formats*, which standardize representation of the content of information transferred by the SASEs. For example, *Electronic Data Interchange (EDI)* specifies the structure of common business documents which could be sent via MHS. *Office Document Interchange Format (ODIF)* deals with word processing and graphics content for typical office documents.

16.3.1 A Representative SASE: File Transfer, Access, and Management (FTAM)

FTAM (File Transfer, Access, and Management) (ISO 8571) allows both simple file transfer and sophisticated distributed database manipulation, operating on dissimilar databases. Much of its power comes from its *virtual file store (VFS)* concept (Li84). The VFS is a conceptual hierarchical data structure into which the structures of local databases are mapped. Operations are performed on the VFS's of remote systems, not directly on remote files; remote file structure is hidden from local systems.

FTAM to some extent operates master-slave rather than true peer-to-peer. In practice, one FTAM user, the *initiator*, begins an interaction with another FTAM entity, the *responder;* the responder reacts to requests from the initiator. Only information about the filestore is sent to the responder. For example, when a file is being transferred from initiator to responder, the responder does not need to know the characteristics of the initiator's local filestore, only about the file data to be placed into the responder's filestore.

Returning to our tribal analogy, if the local cavewoman's job were to tell the chieftain of the new births recorded in the cavewoman's hamlet, the chieftain would not need to know that the cavewoman stored the information on pink stone tablets in her home cave; the chieftain needs only to know the content of those tablets (i.e., the cavewoman's real local filestore) expressed in a mutually agreed-upon syntax. Further, it would be presumptuous of the cavewoman to expect to know how the chieftain records the information transferred (i.e., into the chieftain's real local filestore).

To build FTAM software, an implementor must define a mapping between resources in the implementor's real database and the file access data units and file attributes in the VFS. To use FTAM, a user application program must establish a series of *FTAM regimes* with another FTAM implementation; a regime is defined by the FTAM standards document as "the time for which some part of the common state held by the service users is valid..."

Regimes are nested, with the inner regimes becoming established as increasingly more common state information is exchanged between the FTAM-entities. There are four basic regimes: *FTAM association, file selection, file open,* and *data transfer.* The sequence of steps through the regimes, in the dialogue between initiator and responder, is as follows:

- Exchange identities and establish an association.
- Identify the file on which operations are to be done.
- Agree on the file's attributes and those of the mechanisms to be used in bulk data transfer between the FTAM entities.
- Locate the position of *file access data units*, i.e., records within the VFS, and transfer, replace, or delete them.
- Close out the regimes in reverse order of their initiation.

16.3.2 Association Control Service Elements

Association control service elements establish a relationship between two application entities through the underlying presentation service. This relationship involves agreement on the *application context* to be used in the interaction between application entities; the application context specifies the types of services which can be performed, options for these services, etc.

16.4 THE PRESENTATION LAYER (LAYER 6)

The *OSI presentation service* (ISO 8822) is used to select the syntax in which application data is presented between end systems. It is concerned with the exchange of application layer data through sets of type definitions called *abstract syntaxes*. A connection between presentation entities is established, and a *presentation context* is established. The presentation context defines the set of abstract syntaxes which may be used during the presentation connection, and which abstract syntax is to be the default. Certain features of the presentation and session services that deal with such things as synchronization and error recovery conventions are also specified by the presentation context.

During the lifetime of a presentation connection, the abstract syntax in use may be changed by mutual agreement between the presentation entities. The most general abstract syntax used by the OSI presentation layer is called *Abstract Syntax Notation One (ASN.1)* (ISO 8824), a BNF-like metalanguage. Typical abstract syntaxes are for character sets such as ASCII, for binary data exchange formats, for floating point number formats, etc.

16.5 THE SESSION LAYER (LAYER 5)

The *session layer* (EM83) (FL87) organizes the flow of data in a manner relevant to application processing rather than communications processing. It is concerned with meaningful groupings of data from an interaction standpoint rather than the requirements of the hardware or the network medium. According to the OSI reference model, it provides "the means necessary for cooperating presentation entities to organize and synchronize their dialogue and manage their data exchange."

Returning to the cavewomen and the chieftain, *dialogue control* is used to determine if one or both parties in a conversation may speak simultaneously (i.e., whether they communicate respectively in a *half-duplex* or *full-duplex* manner). Interactive applications are inherently half-duplex: the user normally needs to receive a response before entering the next command. The session layer provides mechanisms to exchange data, to establish synchronization points within a dialogue, to recover from errors by returning to a synchronization point, and so on.

When half-duplex interaction is used in a session connection, the entity permitted to transmit is the entity which currently owns the data *token*. A token is a special data item which circulates between the nodes; the node that currently possesses the token may transmit. Token passing is discussed in depth in Section 16.8.3.2. Three service primitives are used to manage tokens: *Give tokens* (which allows a session user to surrender a token), *please tokens* (which allows a user without a token to request it), and *give control* (which releases all available tokens to the other user). The control of other session services is based on the ownership of additional tokens beyond the data token, such as *synchronize minor*, a token used in grouping meaningful units of data in a dialogue. Session layer synchronization is distinct from *commitment* and *checkpointing* (which are capabilities of ACSE services in the application layer).

It is worth noting that many newcomers to OSI assume, incorrectly, that "establishing a session" is the process of logging on to an application. It is not; that process is more closely connected with the association control service element.

16.6 THE TRANSPORT LAYER (LAYER 4)

The intermediate layers interface the application-oriented or operating-system-oriented upper layers with the physically-oriented lower layers. Several key concepts must be understood before the transport layer (layer 4) and network layer (layer 3), can be studied. These concepts include *addressing, routing*, and *flow control. Error control*, also used in the intermediate layers, is discussed later in this chapter.

Addressing is the method used to specify an endpoint destination. For example, a telephone number is an address in the worldwide telephone numbering plan. *Routing* is the process by which the next intelligent node (i.e., network entity) is reached, on the path to a final destination (Sc80).

Flow control is the process by which a sender can adjust its transmission rate so that it will not exceed the capacity of the receiver (Pu81) (Ge82) (Gr83a); the receiver actively cooperates in this process by keeping the sender informed of the receiver's readiness to accept data. At the intermediate layers, flow control is usually implemented with *windowing* mechanisms (He88). These assume that only a certain number of PDUs can be sent by the transmitter without the receiver explicitly authorizing the sender to send more. Each transmitter has a window size parameter that defines the number of PDUs that can be sent.

Terms used frequently at the lower layers and the network layer are *data terminal equipment (DTE)* and *data circuit-terminating equipment (DCE)*. These terms define the relationship of user devices to communication subnetworks. A DTE is a user device such as a terminal or host, while a DCE is an interface device which provides access to a network.

The *OSI connection-oriented transport service* is used to establish reliable *virtual connections* between end systems. It has five classes, numbered zero through four; increasing numbers imply greater functionality. In North America, class 4 is used for most applications other than MHS over reliable public networks, where class 0 is adequate because the *reliable transfer service (RTS)* of MHS provides end-to-end integrity. The functionality of class 4 is essential in LAN environments.

Transport services are analogous to the postal service, where the person mailing a letter need not know the method the service will use to carry the letter, only the ultimate destination and the *quality of service* required (e.g., overnight delivery vs. first class). From a topological standpoint, transport addresses are *connected* but not necessarily *adjacent*.

16.7 THE NETWORK LAYER (LAYER 3)

The OSI *network service* (ISO 8208) provides a mechanism for interconnecting intelligent subnetworks to form end-to-end transport connections. There are two major approaches to implementing the network service: connection-oriented (ISO 8878) and connectionless (DIS 8473).

As opposed to the transport service user, the network service user is not concerned with the destination address, but merely with the address of the adjacent node. It is assumed that the next node will know how to route the transport service data unit contained in the network protocol data unit to the next appropriate network entity. Thus, a network entity is concerned with topological adjacency but not with end-to-end connectability.

Routers may connect dissimilar networks at the network layer. Where multiple-interface *repeaters* provide one media interface, routers have one user interface but may well have multiple media interfaces. While routers link networks with different network protocols, *bridges* link networks with physically separate media or occasionally different *media access control (MAC)* protocols (MAC protocols determine which node next gains access to the physical network medium; these protocols will be discussed in Section 16.8.3). *Repeaters* link relatively close media that have identical MAC protocols.

The most common connection-oriented realization of the OSI network service is the ISO version of CCITT X.25 (De88). It is possible that a different protocol will be used over the emerging *Integrated Services Digital Network (ISDN)*, a family of standards meant to integrate voice, data, and other services in an advanced, worldwide, digital telephone system (Ro88) (St89). ISDN is discussed in more detail in Section 16.13.

16.8 THE DATA LINK LAYER (LAYER 2)

The *data link layer* transfers data between directly connected systems and detects errors. Error detection and control mechanisms give upper layers the impression of an error-free medium, because the lower layers correct errors before they reach the upper layers. This is normally implemented by the receiver detecting PDUs containing errors and requesting that these PDUs be retransmitted until they are correctly received (or until the receiver determines that a permanent failure exists).

Polling is a process for controlling access to a shared medium. A *token* is held by one station at a time (of the many stations connected to the shared medium). The token may be passed from peer station to peer station, as is done in token local area networks (LANs), or each of several *slave stations* may be addressed in turn by a *master station*. The token approach is an example of *distributed control* (Kl85); master/slave is an example of centralized control (Be86).

Using the metaphor of the chieftain and the cavewomen, the chieftain would be considered a *master station*, and would ask the cavewomen, each a *polled slave station*, consecutively or by some priority discipline, if they had anything to say. Each cavewoman either would say "O great chief, I have nothing now to say to Your Magnificence," or would tell the chieftain her story. In practice, there may be limits as to how much of the story can be told in each poll response, in order to ensure that no one cavewoman, or intelligent device, monopolizes the communication resource.

16.8.1 Wide Area Networks: High-Level Data Link Control

Wide area network (WAN) services may be provided by permanent physical connections (i.e., *dedicated lines* or *private lines*), by *circuit-switched* (Br83) physical connections (e.g., *dialup service*), and by demand digital service (*packet switching*). Such services usually are provided by *common carriers* such as telephone companies, although organizations may build their own wide-area services if they are able to build physical communications facilities (e.g., wires and/or fiber optic cables) between the sites to be connected, or link them with alternative physical media such as satellites (Pr84) or surface radio stations. WANs generally operate at lower speeds than LANs, and have higher error rates. They present a different management problem because the introduction of telephone companies makes the network environment inherently multi-vendor. Circuits provided by common carriers may be *point-to-point*, which provide a permanent connection between two end users of the circuit, or *multipoint,* a party-line arrangement that establishes a permanent connection among more than two end users.

In the OSI context, WAN data link control (Cn83) is realized with the *high-level data link control (HDLC)* protocol (ISO 7776). Subsets of HDLC are used for specific WAN types; the subset used for supporting the OSI connection-oriented service using ISO 8208 protocol is the *link access control-balanced (LAP-B)* procedure. A simplified version of LAP-B is presented here; it omits a number of mechanisms used for error recovery.

HDLC PDUs, or *frames,* are of three basic types: *supervisory(S) frames, unnumbered (U) frames,* and *information (I) frames*. They share a basic common frame structure (Fig. 16.6). *Flag (F) fields* are special, hardware-enforced patterns which identify the start and end of each frame. The *address field* identifies the sender of the frame, and the *control field* identifies the frame type and may contain additional control information. The *frame check sequence (FCS) field* contains a 32-bit value computed from the A, C, and I fields. On receipt of a frame, the FCS value is recomputed on the received A, C, and I fields, and compared with the received value; a mismatch implies the frame was received incorrectly and must be retransmitted. The I field is present only in information frames. Higher-layer PDUs are encapsulated in the I field.

When a LAP-B station in the idle/disconnected state wishes to initialize the link, it sends a U frame called *set asynchronous balanced mode (SABM)*. If the receiving station accepts the SABM request, it sends a response U frame called an *unnumbered acknowledgement (UA)*. Note that this interchange establishes a connection; LAP-B is a connection-oriented link service. Logical link control type 1, a link layer protocol used on LANs and discussed below, is connectionless.

Once a successful initialization *handshake* has been signaled by receipt of a UA confirmation frame, the participating stations initialize sending and receiving sequence counters, N(S) for sending and N(R) for receiving. During data transfer, information and control frames all contain (as part of their C fields) the sending station's current N(S) and N(R) values; the receiver can compare these values with its own values and thus detect missing frames when a disparity exists between its N(S) and its partner's N(R), and vice versa.

Receiver ready (RR) frames and *receiver not ready (RNR) frames* are supervisory frames for flow control and error control. By sending an RNR frame, a station informs its

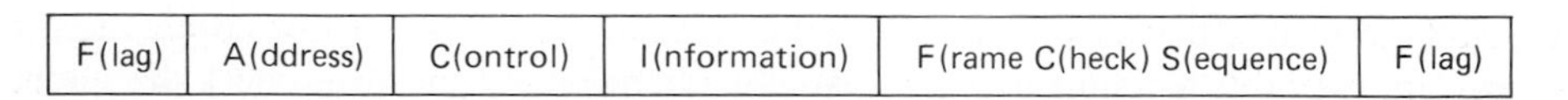

Fig. 16.6 Frame structure for HDLC PDUs.

partner that it cannot accept more data until it explicitly notifies other stations by sending an RR frame. RR and RNR frames also participate in error control by informing stations of the number of the last information frame correctly received.

The *reject (REJ) frame* is used only for error control; it is sent when a frame is received in error. The REJ frame also contains the number of the last correct frame received. Receipt of a REJ frame is a command to the sending stations to retransmit all frames starting with the first frame greater than the N(R) value in the REJ frame, to the frame with the current value of the N(S) in the local station.

Missing frames are detected using these counters. Simplifying the actual process, assume station 1 is currently receiving data from station 2, and that station 1 earlier sent some data frames to station 2. Station 1, on receiving a frame from station 2, extracts the N(R) value from the received frame and compares that extracted value to the value of the N(S) counter internal to the receiving station, which is the number of the last frame sent by station 2. If the received N(R) is equal to the internal N(S), all frames sent by station 1 to station 2 are assumed to have been received correctly.

16.8.2 Local Area Networks: Logical Link Control

Local area networks interconnect resources using high-speed communication paths optimized for local area environments such as office buildings or college campuses. Some of the advantages of local networks are error rates lower than those of the telephone network, greater management flexibility (because the local nets are generally company owned), and independence from the constraints of the public telephone system which has a small capacity and which simply cannot handle the high data transfer rates required by video and high-speed data communications. LAN technologies serve relatively low-performance work group environments, or higher-performance real-time or process control environments.

The most trivial LANs are point-to-point connections between two intelligent devices. LANs are distinguished technically first by media access control (MAC) method (the discipline by which access to the "party line" common medium is controlled), and then by *transmission method* (e.g., *broadband, baseband*) and medium (e.g., *twisted-pair wires, coaxial cable,* or *fiber optic cable*). Baseband coaxial distinguishes itself from broadband coaxial in the method by which the media is used. A baseband coaxial medium permits only a single signal on the medium at a time without interference. A broadband coaxial medium permits multiple simultaneous signals.

IEEE standards for LANs are defined as layered architectures, similar to, compatible with, but not identical with the OSI reference model. The primary difference between IEEE models and OSI is the splitting of OSI layer 2 (data link) into two sublayers: the *media access control (MAC)* sublayer and the *logical link control* sublayer. MAC provides a function similar to that of polling in traditional multipoint networks: it ensures that not more than one node at a time uses the shared medium. MAC protocols check the status of the shared transmission medium before a station attempts to transmit on it. *Token MAC* approaches are based on polling principles in which one station at a time is given the right to transmit. *Contention* approaches allow stations to decide themselves when they wish to transmit; if collisions occur, contention approaches take recovery action, and retransmit until transmission occurs successfully (without collisions).

Different MAC protocols are optimized for different applications. Contention (IEEE 802.3) (IE88) and *token ring* (IEEE 802.5) (IE87) technologies are most common in the office environment; token ring is especially desirable when SNA must coexist in the same LAN with OSI, because token ring has timing properties more suited to SNA. *Token bus* (IE86) technology (IEEE 802.4) is intended for highly-reliable process control applications such as in the factory floor automation environments in which OSI's *MAP (Manufacturing Automation Protocol)* is used. Extremely high speed LANs tend to be token based.

While MAC and PHY (physical) protocols are theoretically independent, implementations tend to group certain MAC protocols with certain PHY technologies. For example, token bus MAC implementations intended for the factory environment do not use twisted-pair PHY implementations, because twisted-pair lacks immunity to electrical noise common to factories. Instead, token bus is normally implemented on coaxial cable or optical fiber (Mk81) (SC84).

Logical link control (LLC) (IEEE 802.2) is used by all IEEE 802 MAC network types. It has two classes: *Class I* is a connectionless link protocol which has no facilities for retransmitting frames in error, nor for flow control; *Class II*, a connection-oriented protocol, has facilities for both retransmission and flow control. The less powerful Class I is more generally used. If the designer looks at a LAN from an OSI 7-layer standpoint, there will be types of errors at the link layer, such as frames arriving out of sequence, which cannot easily or efficiently be handled by link-layer retransmission.

16.8.3 Local Area Networks: Media Access Control

IEEE standards 802.3, 802.4, and 802.5, as well as ANSI X3.139, are all standards at the PHY and MAC layers. All use 802.2 as their LLC. 802.3's MAC technology is *carrier sense multiple access with collision detection (CSMA/CD)*, 802.4's MAC technology is *token bus*, and both X3.139 and 802.5 are *token ring*.

16.8.3.1 Carrier Sense Multiple Access with Collision Detection (CSMA/CD)

Carrier sense multiple access with collision detection (CSMA/CD) was the first LAN technology standardized by the IEEE 802 project (IE88). This technology evolved from the Alohanet (Ar70) (Qu86) experiment in the early 1970s, which dealt with the problem of sharing a radio frequency among many transmitting computers. Virtually all LAN multiple-access technologies can trace their origins to the Aloha system.

IEEE 802.3 is a refinement of the *Ethernet* standard issued jointly by Digital Equipment Corporation, Intel, and Xerox (Me76) (Sh82). Ethernet and IEEE 802.3 are similar, but not identical. 802.3 has several variants of the form *xyz*, where *x* is the data rate in megabits per second, *y* indicates the physical medium type, and *z* indicates the maximum medium length in hundreds of meters. For example, *10Base5* is the original implementation of 10 megabit baseband 802.3 on thickwire coaxial cable; *10Base2* is the coaxial implementation over thinner, more flexible office coaxial cable; and *1Base5* is the 1-megabit implementation over twisted-pair cabling. *10BaseT* is a new variant allowing 10 megabit operation over twisted pair.

In 802.3-style CSMA/CD, intelligent nodes are attached to the medium by special hardware devices called *transceivers*. Transceivers have two interfaces, the *attachment unit interface (AUI)* for connection to a computer interface, and a *medium-dependent interface (MDI)* (e.g, connectors appropriate for thick or thin coaxial cable, twisted pair wire, etc.). When the station connected to the transceiver wishes to transmit, the transceiver sends data into the shared medium, while monitoring that medium to detect a simultaneous transmission called a *collision*. Due to delays in the medium, it is possible that multiple transceivers may decide that the medium is clear, and begin transmitting simultaneously.

If transceivers detect a collision caused by simultaneous transmissions, the transceivers *jam* the medium with a special signal ensuring all transceivers become aware of the collision. Timing considerations that ensure all transceivers become aware of all collisions are the reasons for most 802.3 configuration rules, especially those related to cable lengths.

When collisions take place, all transceivers wait for a different (but short) interval. How this interval is calculated to maximize throughput while minimizing new collisions is one of the most complex issues of CSMA/CD technology. The rule used in 802.3 involves the transceiver generating a random number, which is used as an initial time delay. If the transceiver detects a collision on the next transmission attempt, the random delay, generated uniquely for each transceiver, is doubled and the transceiver waits for the newly calculated interval before retransmitting. Delay doubling and retransmission continue until a MAC frame is transmitted without collision.

While this method may seem inefficient, it actually works quite well in practice due to the high transmission speeds and relatively small frames. Multiple successive collisions usually indicate a network configuration error or a hardware error. Performance is sensitive to the length of the cable, the number of stations, the data rate (10 MBPS in most baseband systems), and the transmitted frame length.

16.8.3.2 Token Passing

Token technology (Di83) is an outgrowth of traditional polling. In token systems, a special message called a *token* is passed from station to station on the LAN; the token contains an address or some other mechanism that allows the token to be "captured" by only one station at a time. Once a station captures the token, it transmits its frames, and then relinquishes control by transmitting a new token intended for another station to capture. Where polling in traditional host polling systems is controlled by a master system, token passing involves distributed control. Complex mechanisms exist to protect the LAN from a station failure, which would prevent the token from being released or otherwise becoming lost.

Token LANs have a deterministic, highly predictable, message delay property. When the token is being passed normally, the time to transmit a message is quite predictable, as is the time to recover from various errors. Such predictability is especially important when using IBM's SNA, with its fairly critical timing requirements, or in process control applications. Collision technologies can be used for SNA and process control when lightly loaded, but these are less predictable than token systems under heavy loads. Heavy loads are rarely seen in office environments.

Using a token ring MAC technology, the *IEEE 802.5* standard (IE87) offers easier installation and management when compared with thickwire IEEE 802.3 bus technology (i.e., 10Base5), and is a more supportive environment for SNA intermediate and upper layer protocols. Its installation is comparable to that of 802.3 1Base5, 10BaseT, and 10Base2.

The *fiber distributed data interface (FDDI)* (ANSI X3.139) is a very-high-speed (100 million bits per second or faster) LAN technology (Mk81) (SC84). FDDI uses a token-ring MAC sublayer. In FDDI, a token circulates around the optical fiber ring; stations cannot transmit until they capture the token by receiving it from a preceding station and then transmitting data rather than passing the token to the succeeding station. While the station is transmitting, no token is circulating, thus forcing all other stations to wait before they are allowed to transmit. When it has completed transmission, the transmitting station generates a new token, and other stations may attempt to capture it so they may transmit in turn.

16.9 THE PHYSICAL LAYER (LAYER 1)

The bottom OSI layer is the *physical layer* (layer 1), designated *PHY* in IEEE standards. This layer is concerned with the interface to the transmission medium rather than with the transmission medium itself. The transmission medium is sometimes called *layer 0*; it is outside the scope of the OSI model.

Media attachment unit (MAU) is an IEEE term for a device that interfaces a standardized physical interface to a nonstandard transmission medium. For WANs, media attachment units are modems or digital interfaces, that connect physical interfaces such as *EIA RS-232C* to telephone lines or digital circuits. The low-speed, bit-serial interface known as EIA RS-232C (Se84) is one of the most common interfaces in computer networking. The CCITT recommendations defining a virtually identical interface are *V.24* and *X.21 bis*. While there are many proprietary adaptations, these standards define a certain set of electrical signals on a connector that has 25 pins arranged in two rows. RS-232C defines separate pins for carrying transmitted data and received data. If the data transmitted over these pins do not carry their own bit timing information, additional pins are defined to carry a clock signal for transmitted data and a clock signal for received data. RS-232C is a functional, mechanical, and electrical standard. This means that an implementation complying with this standard must comply with its functional definitions (i.e., the meaning of signals), its mechanical definition (i.e., which of the 25 pins on a specific connector type are used for which signal), and its electrical definition (i.e., the voltages and waveforms used to convey information). If the requirements of any of these definitions are not met, the implementation is noncompliant.

LAN MAUs may be integrated into a host, or have a media-independent interface between a host port and the transceiver. In 802.3 terminology, this media-independent LAN interface is called the AUI interface, and a drop cable (Mc88) connects the LAN interface to the transceiver.

Repeaters are devices that regenerate physical layer signals, joining segments of physical medium into one logical physical cable. They have two media interfaces and no interface to a DTE.

16.10 TRANSMISSION MEDIA

LANs are implemented on a variety of media, including baseband and broadband coaxial cable, twisted pair, and optical fibers. Optical fiber has far greater bandwidth, security, and noise immunity than other media; but it is more costly, the standards are less mature, and it is harder to install. In the near term, optical fiber will tend to be restricted to applications with unusual performance, noise immunity, and security requirements.

Baseband systems are generally easier to implement than broadband systems, are usually less expensive, have shorter range, have less transmission capacity (bandwidth) and possibly lower noise immunity (Kr81). Configuration of broadband systems is much more critical; they must be implemented either as predesigned packages or with specialized engineering help. If video signals are to be transmitted, broadband becomes the only viable approach pending the maturity of fiber optic distribution.

Bringing LANs to user workstations scattered through office environments is a significant problem in many buildings, and much attention has been paid to building wiring. There are two extremes in the design of building wiring systems: *bus cabling* in which a single cable is snaked to all locations where devices attach to the main cable; and *wire-closet cabling*, in which relatively short cables are run from user locations to wire closets where the user interfaces are concentrated and linked to a backbone cable or cables.

Common carriers provide *basic services* and *value-added services*. Basic services are those classically provided by telephone companies: a switched (e.g., dialup) or dedicated connection between two points, or some type of party-line (multipoint) connection. Essentially, common carriers provide no OSI service above layer 2, except for connection establishment and disconnection (layer 3 or layer 4 functions). Sophisticated error control, although a part of some layer 2 protocols, is not allowed as part of basic services. When these services are based on voice-oriented analog transmission technology, modems are used to interface computers and terminals to them; if the transmission technology is digital, appropriately designed terminals can connect directly to them, or connect via interface devices commonly called *digital service units (DSUs)* or *channel service units (CSUs)*. DSUs provide an industry-standard interface such as EIA RS-232C; CSUs allow access to the internal transmission format, and place restrictions on the data streams that can be sent through them. Value-added services are more than a simple "wire;" these provide error control, accounting, and the like.

16.11 OSI NETWORK MANAGEMENT

The protocols discussed so far have been concerned with information transfer between peer entities. Network management (Ga83) (Su83) (Go86) (Pe86) functions must take place before protocol activity can start; network management is also concerned with correcting errors and monitoring performance. Recent extensions to the OSI Reference Model provide a framework for network management in which commands are sent using the *Common Management Information Protocol.*

Configuration management is the most fundamental network management operation; its functions include naming, activating, and deactivating entities at each layer.

Fault management is concerned with problem detection and circumvention. In general, interface failures are identified by diagnostics on the computer or server containing the interface, failures of the overall medium are detected by loss of service or by changes in error statistics, and failures in higher-level protocol software are caught by traditional software tools, or with network protocol monitors.

Performance management deals both with collecting information about performance, and setting various timers, counters, etc., used to affect performance.

Security management and *accounting management* are less developed than the former three functional areas. Security management is concerned with controlling the mechanisms that implement security, not with the mechanisms themselves. For example, the actual process of encryption is not part of OSI security management, but the management of keys for encryption is part of OSI management, not the layer in which the keys are used.

16.12 OSI SECURITY

Security mechanisms are tools for protecting against security threats. Vendors of specific security products too often present their products as the answer to all security problems. The partisan of encryption devices says that security is an encryption problem, the data security auditor feels that security is an audit and control issue, while the specialist in compromising emanations feels electronic shielding that protects equipment from "leaking" information is the answer.

Selecting solutions to real security problems is both an economic and technical decision. Economic criteria come from balancing the cost of potential losses versus the cost of protective tools and procedures; this process is sometimes called *risk assessment. Federal Information Processing Standard 31* is the original government guideline for the risk assessment process. More specific guidance exists for agencies dealing with national security and financial information. Not all levels of protection are appropriate for all environments.

The OSI security work considers threats as accidental or intentional, and as active or passive. Passive threats are limited to collecting sensitive information, while active threats include altering data, denying service, or replaying legitimate traffic.

Both security services and mechanisms for providing them are identified in the *OSI security architecture (ISO 7498-2).* Services provided include access control, peer entity authentication, confidentiality in the contexts of data, connection-oriented and connectionless data transfer, field-level security, traffic flow security, and data integrity.

Mechanisms to implement these include *encryption* (called *encipherment* in ISO documents), *digital signatures* (a form of authentication), passwords, traffic padding, routing control, and notarization. Security management services support these mechanisms, and are defined by the OSI management framework.

There is a common misconception that open systems, as defined by OSI, are not secure; this has caused delays in OSI implementation. OSI is entirely capable of supporting a wide range of security mechanisms, but implementors must choose to install them.

Encryption mechanisms "scramble" data from the form in which it normally is used (e.g., text or file internal format) into a transformed format (hopefully) unintelligible to unauthorized users. The combination of a set of keys with encryption and decryption algorithms (and hardware and software implementations of them) is termed a *cryptosystem*. In OSI systems, encryption may be done at one or more layers, with encryption serving different purposes in different layers. Encryption may be used to protect against wiretappers intending to view sensitive data, to protect against inserting or changing legitimate data, or to protect against gaining information from traffic flow statistics.

In some applications, such as tactical military systems, it can be important to protect against traffic analysis: gaining information by knowing how much traffic is being sent from one endpoint to another at various times. To protect against traffic analysis, the network and link level must be encrypted or physically protected against wiretapping or other forms of interception.

16.13 INTEGRATED SERVICES DIGITAL NETWORK (ISDN)

Since the 1960s, the underlying technology of the world's telephone systems has been increasingly digital, and able to handle voice, computer data, digital facsimile, and other services. International standards bodies have moved to develop a worldwide plan for providing such services to end users, and for interconnecting national digital networks supporting a full range of services. This plan is realized as the *Integrated Services Digital Network (ISDN)* (Dc82) (Dc82a) (Wb82) (Bu84) (Rt83) (Kt84) (Ro88) (St89). It is compatible with the OSI architecture, and developed in a similar international context. ISDN offers the potential of delivering high data rates to users, with as great an economy and efficiency as the telephone network. ISDN offers many users standardized and convenient networking solutions; many organizations are considering ISDN-based networks instead of designing customized local area networks.

16.14 MAP, TOP, AND GOSIP

Much of the impetus for the development of OSI standards has come from large user organizations. General Motors pioneered the development of MAP (Manufacturing Automation Protocol) for controlling factory floor automation. Boeing pioneered the development of TOP (Technical and Office Protocol) for use in engineering design and office environments. Today, MAP and TOP are two of the most widely used sets of OSI protocols. The MAP/TOP Users Group has become extremely influential in shaping the continuing evolution of OSI protocols.

In 1988, the U.S. government issued the first version of the *Government OSI Profile (GOSIP)*, which defines a set of functional profiles for computer communications. The initial version establishes profiles for MHS (Sc87) and FTAM over wide-area and local-area OSI networks; more profiles are to be added. Introduction of GOSIP has had a major effect on the computer industry because U.S. government agencies and contractors are required to use OSI/GOSIP for new applications within two years of GOSIP's issuance, unless they obtain a waiver.

16.15 OSI TESTING

Several types of testing are defined within the OSI context. *Conformance testing* (Be88a) is a formal procedure by which known stimuli are sent to protocol implementations, and the responses examined to see if they are correct according to the protocol standard's definition of expected behavior. The stimuli are generated, and the responses examined, by a *conformance test system.* Specifications of stimulus-response scenarios for conformance testing are called *test cases.* Abstract test cases written in a formal specification language, typically *Tree and Tabular Combined Notation (TTCN)*, are defined in ISO 9646; test cases written in the programming language of a conformance test system are called executable test cases. Sets of test cases for protocols are called *test suites.* Abstract test suites are developed by international standards bodies, while executable test suites are built by test system implementors such as the *Corporation for Open Systems.*

Interoperability testing examines the interaction between two or more real implementations, as opposed to conformance testing, which is concerned with highly-controlled testing of a single implementation.

Performance testing measures certain aspects of protocol exchanges; a widely used model for performance (ANSI X3.102), considers speed (the time needed to transfer information), efficiency (the ratio of the transfer time to the theoretical minimum time), and accuracy (the probability that transfer occurs correctly).

Regardless of the success of the forms of testing above, *user acceptance testing* is still necessary to ensure that a specific OSI implementation will work acceptably in a given user environment. This area of testing is user specific; it deals with issues including performance at the human interface, convenience of operation, etc.

16.16 TRANSMISSION CONTROL PROTOCOL/INTERNET PROTOCOL (TCP/IP)

The U.S. Department of Defense has developed a widely accepted protocol suite, part of which is the *Transmission Control Protocol (TCP)* and the *Internet Protocol (IP)*, or simply *TCP/IP* (Co88). Other protocols in this suite include *Simple Mail Transfer Protocol (SMTP)* and *File Transfer Protocol (FTP).* In the DoD protocol suite, "application" protocols such as SMTP and FTP comprise the functionality of OSI layers 5 through 7. SMTP services are considered a subset of MHS, and FTP services are considered a subset of FTAM. TCP provides services generally comparable to OSI transport. A considerable amount of development has been done with the widely distributed *ISO development environment (ISODE)* (Ro87), which provides OSI upper layers on top of TCP/IP; ISODE is migrating into Berkeley's UNIX systems (see Chapter 18).

The architectural model for the DoD protocols is informally described by Padlipsky (Pa85) as having four layers: application/process, host-host, network, and communications subnetwork processor (CSNP) to CSNP. The application/process layer combines the functionality of the three upper layers of OSI (i.e., application, presentation, and session). Host-host protocols correspond roughly to OSI transport, network protocols correspond to OSI network, and CSNP-CSNP protocols are specific to individual types of transmission networks.

TCP/IP is important to operating system students because it is so widely used. Its success has been mostly limited to the United States; it has not been accepted as a world-wide standard. Many industry observers believe that TCP/IP-based networks will be popular through the 1990s, but they will gradually be displaced by OSI-based network solutions. The U. S. Department of Defense, which sponsors TCP/IP standards development, has committed to OSI. Migration from TCP/IP-based networks to OSI-based networks will be a major effort during the 1990s.

16.17 THE FUTURE OF OSI

It is clear that OSI will become the primary networking protocols of the next decade or two. More importantly, it is clear that networks will use standards that reflect international consensus rather than the specification of an individual manufacturer or government. As these standards evolve and mature, computer systems and operating systems will increasingly reflect the influence of these standards.

We have included a full chapter on Open Systems Interconnection in an operating systems textbook to indicate our belief in the importance of this topic to operating systems students, designers, and researchers. Computing and communications used to be dramatically different fields; today they are virtually inseparable. The computer systems designers of the 1990s will find themselves integrating computing components and communication components to form distributed systems. The communications components of those systems are likely to be OSI conformant.

OSI is one of the most crucial components of the increasingly important open systems picture. In Chapter 18, we discuss UNIX systems as the key operating systems for use in the development of open systems.

As this book goes to press, OSI is still primarily in the planning stages, with scattered implementation efforts proceeding worldwide. Groups like the Corporation for Open Systems International (in the United States), the Standards Promotion and Applications Group (in Europe), and the Promoting Conference for OSI (in Japan) are working to encourage and facilitate the use of OSI-based networking. The 1990s will present marvelous professional opportunities for people working in Open Systems Interconnection.

TERMINOLOGY

1Base5
10Base5
10BaseT
10Base2
Abstract Syntax Notation One (ASN 1)
addressing
Alohanet
Americal National Standards Institute (ANSI)
ANSI T1 Committee
ANSI X3 Committee
application gateway
application layer (layer 7)
architectural standards
association control service elements
backbone network
baseband
base standards
bridge
broadband
carrier sense multiple access with collision detection (CSMA/CD)
CCITT
centralized control
circuit switching
coaxial cable
collision
common carrier
communication subnetwork
conformance standards
conformance testing
connectionless services
connection-oriented services
contention
Corporation for Open Systems
cryptosystem
data circuit-terminating equipment (DCE)
data link layer (layer 2)
data terminal equipment (DTE)
DECnet
dedicated lines
demultiplexing
DES
dialogue control
Digital Network Architecture (DNA)
Directory Services
diskless workstation
distributed control
EIA RS-232C
Electronic Industries Association (EIA)
electronic mail
encryption
end systems
end-user application (layer 8)
error control
error correction
error detection
Ethernet
FDDI (fiber distributed data interface)
Federal Information Processing Standard (FIPS) 31
File Transfer, Access, and Management (FTAM)
flow control
full-duplex communication
functional profile
functional standard
gateway
Government OSI Profile (GOSIP)
half-duplex communication
hierarchical network architecture
high-level data link control protocol (HDLC)
Institute for Electrical and Electronic Engineers (IEEE)
Integrated Services Digital Network (ISDN)
intermediate layers
intermediate systems
International Organization for Standardization (ISO)
international standardized profiles
International Telegraph and Telephone Consultative Committee (CCITT)
interoperability testing
ISO Development Environment (ISODE)

ISO 8802-X series
link access control-balanced (LAP-B)
local area network (LAN)
logical link control
lower layers
LU6.2
Manufacturing Automation Protocol (MAP)
Manufacturing Message Service (MMS)
MAP/TOP
master-slave network organization
media access control (MAC)
Message Handling Systems (MHS)
multiplexing
multipoint circuit
n-entity
network layer (layer 3)
network management
*n-protocol control informatio*n
n-service user
n-user-data
Office Document Architecture (ODA)
open systems
Open Systems Interconnection (OSI)
OSI reference model
packet switching
peer-to-peer network architecture
physical layer (layer 1)
point-to-point circuit
polling
presentation layer (layer 6)
protocol data unit (PDU)
protocols at a layer
recombining
remote access network
repeater
router
security management
service data unit (SDU)
services at a layer
session layer (layer 5)
shared resource network
specific application service element (SASE)
splitting
sublayers
subnetwork (subnet)
switched lines
Systems Network Architecture (SNA)
Technical and Office Protocol (TOP)
terminal server
test suite
token
token bus
token MAC
token ring
Transaction Processing (TP)
transceiver
Transmission Control Protocol/Internet Protocol (TCP/IP)
transmission medium (layer 0)
transport layer (layer 4)
tree and tabular combined notation (TTCN)
upper layers
user acceptance testing
virtual circuit
virtual file store (VFS)
Virtual Terminal Protocol (VTP)
wide area network (WAN)
windowing
workgroup network

EXERCISES

16.1 What are the pros and cons of using a layered network architecture?

16.2 Does OSI specify one protocol at each layer? If not, why not?

16.3 Draw a chart showing the relationships between a pair of adjacent layers in one open system and their counterparts in another.

16.4 Define end systems and intermediate systems. Which layers are contained in each?

16.5 What potential problems are involved in implementing network management with a peer-to-peer organization?

16.6 In practice, how useful is the ability to send and receive simultaneously (i.e., full-duplex transmission) in various communications applications, such as interactive programming, electronic mail, and distributed database access?

16.7 How does an HDLC receiving station confirm to the transmitter that a frame has been received correctly? Incorrectly?

16.8 Compare token schemes in distributed network control to polling schemes in centralized network control.

16.9 Compare and contrast the notions of peer-to-peer network architecture and hierarchical network architecture. Which is better for network management? Which offers greater flexibility in resource sharing? Why do you suppose most OSI relationships are peer to peer?

16.10 In the text we stated that OSI is not necessarily the best solution for all networking problems. Argue the pros and cons for using/not using OSI-based networking solutions for specific types of networking problems.

16.11 Compare and contrast connection-oriented services and connectionless services. Which are more predictable? Which result in better network utilization? Which can experience sequencing problems? Which are likely to incur higher user charges? Which require that each unit of data be packed with considerable addressing and management information?

16.12 List each of the specific application service elements discussed in the text. Briefly state the purpose of each.

16.13 Describe the operation of FTAM in detail.

16.14 Distinguish between addressing, routing, and flow control. What is a windowing mechanism?

16.15 Explain the operation of CSMA/CD MAC. Compare the predictability of CSMA/CD with token-based MAC approaches. Which of these schemes has the greatest potential for indefinite postponement?

16.16 One interesting problem that occurs in distributed control, token-passing systems, is that the token may get lost. Indeed, if a token is not properly circulating around the network, no station can transmit. Comment on this problem. What safeguards can be built into a token-passing network to determine if a token has been lost, and then to restore proper operation of the network?

LITERATURE

(Ar70) Abramson, N., "The ALOHA System - Another Alternative for Computer Communications," *Proceedings, Fall Joint Computer Conference*, 1970.

(Be86) Berkowitz, H. C., "Response Time Components in SNA Polled Networks...and What to do About Them," *CMG '86 International Conference on Management and Performance Evaluation of Computer Systems*, 1986, p. 759.

(Be87) Berkowitz, H. C., "OSI: Whom do you Trust?," *IEEE MILCOM '87 Proceedings*, p. 19.11.

(Be88b) Berkowitz, H. C., "Enhanced Static Conformance Analysis," International Workshop on Protocol Test Systems, Vancouver, B.C., Canada, October 1988.

(Be88) Berkowitz, H. C., "Will the Real X.25 Please Stand Up?" COS OSI Interoperability Symposium, November 1988.

(Be88a) Berkowitz, H. C., "OSI/MAP Conformance Testing," IEEE WESCON/88, Anaheim, CA, November 1988.

(Br80) Bertine, H. U., "Physical Level Protocols," *IEEE Transactions on Communications*, April 1980.

(Be87) Bertsekas, D., and R. Gallager, *Data Networks*, Englewood Cliffs, NJ: Prentice-Hall, 1987.

(Bh83) Bhargava, V., "Forward Error Correction Schemes for Digital Communications," *IEEE Communications Magazine*, January 1983.

(Bn87) Birman, K., and T. Joseph, "Reliable Communication in the Presence of Failures," *ACM Transactions on Computer Systems*, Vol. 5, No. 1, February 1987.

(Br83) Broomell, G., and J. Heath, "Classification Categories and Historical Development of Circuit Switching Topologies," *ACM Computing Surveys*, June 1983.

(Cp83) Chapin, A., "Connections and Connectionless Data Transmission," *Proceedings of the IEEE*, December 1983.

(Co88) Comer, D., *Internetworking with TCP/IP Principles, Protocols, and Architecture*, Englewood Cliffs, NJ: Prentice-Hall, 1988.

(Cn83) Conrad, J., "Services and Protocols of the Data Link Layer," *Proceedings of the IEEE*, December 1983.

(Cu88) Currie, W. S., *LANs Explained: A Guide to Local Area Networks*, Chichester, England: Ellis Horwood Limited, 1988.

(Cy79) Cypser, R., *Communications Architecture for Distributed Systems*, Reading, MA.: Addison-Wesley, 1979.

(Da84) Davies, D. W., and W. L. Price, *Security for Computer Networks*, New York, NY: John Wiley, 1984.

(Dy83) Day, J., and H. Zimmerman, "The OSI Reference Model," *Proceedings of the IEEE*, December 1983.

(De88) Deasington, R. J., *X.25 Explained: Protocols for Packet Switching Networks*, Second Edition, Chichester, England: Ellis Horwood Limited, 1988.

(De83) Deaton, G. A., Jr., and R. O. Hippert, Jr., "X.25 and Related Recommendations in IBM Products," *IBM Systems Journal*, Vol. 22, Nos. 1/2, 1983, pp. 11–29.

(Di83) Dixon, R. C.; N. C. Strole; and J. D. Markov, "A Token-Ring Network for Local Data Communications," *IBM Systems Journal*, Vol. 22, Nos. 1/2, 1983, pp. 47–62.

(Dn87) Dongarra, J. J., and E. Grosse, "Distribution of Mathematical Software via Electronic Mail," *Communications of the ACM*, Vol. 30, No. 5, May 1987, pp. 403–407.

(Em83) Emmons, W., and H. Chandler, "OSI Session Layer Services and Protocols," *Proceedings of the IEEE*, December 1983.

(Fe83) Fennel, J. W., Jr., and B. D. Gobioff, "A Satellite Communications Controller," *IBM Systems Journal*, Vol. 22, Nos. 1/2, 1983, pp. 81–96.

(Fl87) Fleischmann, A; S. T. Chin; and W. Effelsberg, "Specification and Implementation of an ISO Session Layer," *IBM Systems Journal*, Vol. 26, No. 3, 1987, pp. 255–275.

(Fo78) Forsdick, H. C.; R. E. Schantz; and R. H. Thomas, "Operating Systems for Computer Networks," *IEEE Computer*, January 1978, pp. 48–57.

(Ga83) Garrigues, R. D., "An Application of Network Management at a Large Computing Service," *IBM Systems Journal*, Vol. 22, Nos. 1/2, 1983, pp. 143–164.

(Ge82) George, F. D., and G. E. Young, "SNA Flow Control: Architecture and Implementation," *IBM Systems Journal*, Vol. 21, No. 2, 1982, pp. 179–210.

(Gi84) Gifford, D., and A. Spector, "The TWA Reservations System," *Communications of the ACM*, Vol. 27, No. 7, July 1984, pp. 649–669.

(Gi85) Gifford, D., and A. Spector, "Case Study: The CIRRUS Banking Network," *Communications of the ACM*, Vol. 28, No. 8, August 1985, pp. 797–807.

(Go86) Gottschalk, K. D., "The System Usability Process for Network Management Products," *IBM Systems Journal*, Vol. 25, No. 1, 1986, pp. 83–91.

(Gr87) Green, P. E.; R. J. Chappius; J. D. Fisher; P. S. Frosch; and C. E. Wood, "A Perspective on Advanced Peer-to-Peer Networking," *IBM Systems Journal*, Vol. 26, No. 4, 1987, pp. 414–428.

(Gr83a) Grover, G. A., and K. Bharath-Kumar, "Windows in the Sky—Flow Control in SNA Networks with Satellite Links," *IBM Systems Journal*, Vol. 22, No. 4, 1983, pp. 451–463.

(He88) Henshall, J., and S. Shaw, *OSI Explained: End-to-End Computer Communication Standards*, Chichester, England: Ellis Horwood Limited, 1988.

(Hi83) Hinden, R.; J. Haverty; and A Sheltzer, "The DARPA Internet: Interconnecting Heterogenous Computer Networks with Gateways," *Computer*, 1983.

(IE78) *Proceedings of the IEEE*, Vol. 66, No. 11, November 1978, Special Issue on Packet Communications.

(IE86) ANSI/IEEE Standard, *Token-Passing Bus Access Method and Physical Layer Specification*, Std. 802.4-1985, March 1986.

(IE87) ANSI/IEEE Standard, *Token Ring Access Method and Physical Layer Specification*, Std. 802.5-1985, December 1987.

(IE88) ANSI/IEEE Standard, *Carrier Sense Multiple Access with Collision Detection (CSMA/CD) Access Method and Physical Layer Specifications*, Std. 802.3-1985, May 1988.

(Ja83) Jaffe, J. M.; F. H. Moss; and R. A. Weingarten, "SNA Routing: Past, Present, and Possible Future," *IBM Systems Journal*, Vol. 22, No. 4, 1983, pp. 417–434.

(Ja81) Jarema, D. R., and E. H. Sussenguth, "IBM Data Communications: A Quarter Century of Evolution and Progress," *IBM Journal of Research and Development*, Vol. 25, No. 5, September 1981, pp. 391–404.

(Ka83) Kak, S.C., "Data Security in Computer Networks," *Computer*, Vol. 16, No. 2, February 1983, pp. 8–10.

(Kc83) Kasac, H.; K. Ohue; T. Hoshino; and S. Tsuyuki, "800 Mbit/s Digital Transmission System Over Coaxial Cable," *IEEE Transactions on Communications*, February 1983.

(Ki75) Kimbleton, S. R., and G. M. Schneider, "Computer Communication Networks," *ACM Computing Surveys*, Vol. 7, No. 3, September 1975.

(Kl85) Kleinrock, L., "Distributed Systems," *Computer*, Vol. 18, No. 11, November 1985, pp. 90–111.

(Ko83) Konangi, V., and C. Dhas, "An Introduction to Network Architectures," *IEEE Communications Magazine*, October 1983.

(Kr86) Kravitz, J. K.; D. Lieber; F. H. Robbins; and J. M. Palermo, "Workstations and Mainframe Computers Working Together," *IBM Systems Journal*, Vol. 25, No. 1, 1986, pp. 116–128.

(Kr81) Krutsch, T. E., "A User Speaks Out: Broadband or Baseband for Local Nets?" *Data Communications*, December 1981.

(La86) Lampson, B. W., "Designing a Global Name Service," *Proceedings of the 5th ACM Symposium on Principles of Distributed Computing*, August 1986, pp. 1–10.

(Li84) Linnington, P.F., "The Virtual Filestore Concept," *Computer Networks*, February 1984.

(Lo88) Lorin, H., *Aspects of Distributed Computer Systems*, (second edition), New York, NY: John Wiley & Sons, 1988.

(Lo83) Lowe, H., "OSI Virtual Terminal Service," *Proceedings of the IEEE*, December 1983.

(Ma87) Martin, J., and K. K. Chapman, *SNA: IBM's Networking Solution*, Englewood Cliffs, NJ: Prentice-Hall, 1987.

(Ma88) Martin, J., and J. Leben, *Data Communication Technology*, Englewood Cliffs, NJ: Prentice-Hall, 1988.

(Ma89) Martin, J., and K. K. Chapman, *Local Area Networks Architectures and Implementations*, Englewood Cliffs, NJ.: Prentice-Hall, 1989.

(Ma83) Maruyama, K., "Defining Routing Tables for SNA Networks," *IBM Systems Journal*, Vol. 22, No. 4, 1983, pp. 435–450.

(Mc88) McNamara, J. E., *Technical Aspects of Data Communication, (Third Edition)*, Bedford, MA: Digital Press, 1988.

(Mc80) McQuillan, J. M.; I. Richer; and E. Rosen, "The New Routing Algorithm for the ARPANET," *IEEE Transactions on Communications*, Vol. COM-28, May 1980, pp. 711–719.

(Me88) Meijer, A., *Systems Network Architecture: A Tutorial*, New York, NY: John Wiley & Sons, 1988.

(Me76) Metcalfe, R., and D. Boggs, "Ethernet: Distributed Packet Switching for Local Computer Networks," *CACM*, Vol. 19, No. 7, July 1976.

(Mo87) Mogul, J. C.; R. C. Rashid; and M. J. Accetta, "The Packet Filter: An Efficient Mechanism for User-level Network Code," Proceedings of the 11th Symposium on Operating Systems Principles, Vol. 21, No. 5, November 1987, pp. 39–51.

(Mk81) Mokhoff, N., "Communications: Fiber Optics," *IEEE Spectrum*, January 1981.

(Mo83) Moore, D. J., "Teletex—A Worldwide Link Among Office Systems for Electronic Document Exchange," *IBM Systems Journal*, Vol. 22, Nos. 1/2, 1983, pp. 30–46.

(No87) Notkin, D.; N. Hutchinson; J. Sanislo; and M. Schwartz, "Heterogeneous Computing Environments: Report of the ACM SIGOPS Workshop on Accommodating Heterogeneity," *Communications of the ACM*, Vol. 30, No. 2, February 1987, pp. 132–141.

(Pa85) Padlipsky, M. A., *The Elements of Networking Style and Other Essays and Animadversions on the Art of Intercomputer Networking,* Englewood Cliffs, NJ: Prentice-Hall, 1985.

(Pe86) Percival, L. C., and S. K. Johnson, "Network Management Software Usability Test Design and Implementation," *IBM Systems Journal*, Vol. 25, No. 1, 1986, pp. 92–104.

(Po81) Postel, J. B.; C. A. Sunshine; and D. Cihen, "The ARPA Internet Protocol," *Computer Networks*, 1981.

(Pu81) Pouzin, L., "Methods, Tools, and Observations on Flow Control in Packet-Switched Data Networks," *IEEE Transactions on Communications*, April 1981.

(Pr84) Pritchhard, W., "The History and Future of Commercial Satellite Communications," *IEEE Communications Magazine*, May 1984.

(Qu86) Quarterman, J. S., and J. C. Hoskins, "Notable Computer Networks," *Communications of the ACM*, Vol. 29, No. 10, October 1986, pp. 932–971.

(Re83) Redell, D. D., and J. E. White, "Interconnecting Electronic Mail Systems," *IEEE Computer Magazine*, Vol. 16, No. 9, September 1983, pp. 55–63.

(Ro78) Roberts, L., "The Evolution of Packet Switching," *Proceedings of the IEEE*, November 1978.

(Ro88) Ronayne, J., *The Integrated Services Digital Network: From Concept to Application*, New York, NY: John Wiley & Sons, 1988.

(Ro87) Rose, Marshall T., "ISODE: Horizontal Integration in Networking," *Connexions*, 1:8 (1987)

(Ry80) Rybczynski, A., "X.25 Interface and End-to-End Virtual Circuit Service Characteristics," *IEEE Transactions on Communications*, April 1980.

(Sc82) Schick, T., and R. F. Brockish, "The Document Interchange Architecture: A Member of a Family of Architectures in the SNA Environment," *IBM Systems Journal*, Vol. 21, No. 2, 1982, pp. 220–243.

(Sc87) Schutt, T. E.; J. B. Staton III; and W. F. Racke, "Message-Handling Systems Based on the CCITT X.400 Recommendations," *IBM Systems Journal*, Vol. 26, No. 3, 1987, pp. 235–254.

(Sc84) Schwartz, M., "Optical Fiber Transmission—From Conception to Prominence in 20 Years," *IEEE Communications Magazine*, May 1984.

(Sc80) Schwartz, M., and T. E. Stern, "Routing Techniques Used in Computer Communication Networks," *IEEE Transactions on Communications*, April 1980.

(Se84) Seyer, M. D., *RS-232 Made Easy: Connecting Computers, Printers, Terminals, and Modems*, Englewood Cliffs, NJ: Prentice-Hall, 1984.

(Se82) Sheltzer, A.; R. Hinden; and M. Brescia, "Connecting Types of Networks with Gateways," *Data Communications*, August 1982.

(Sh82) Shoch, J. F.; Y. Dalal; and D. Redell, "Evolution of the Ethernet Local Computer Network," *Computer*, Vol. 15, No. 8, August 1982, pp. 10–28.

(St84a) Stallings, W., "Local Network Performance," *IEEE Communications Magazine*, February 1984.

(St84) Stallings, W., "Local Networks," *Computing Surveys*, Vol. 16, No. 1, March 1984, pp. 1–41.

(St88) Stallings, W., *Data and Computer Communications (Second Edition)*, New York, NY: Macmillan Publishing Company, 1988.

(St89) Stallings, W., *ISDN An Introduction*, New York: NY, MacMillan Publishing Company, 1989.

(Su83) Sullivan, T. P., "Communications Network Management Enhancements for SNA Networks: An Overview," *IBM Systems Journal*, Vol. 22, Nos. 1/2, 1983, pp. 129–142.

(Sv84) Svobodova, L., "File Servers for Network-Based Distributed Systems," *Computer Surveys*, Vol. 16, No. 4, December 1984, pp. 353–398.

(Sy87) Sy, K. K.; M. O. Shiobara; M. Yamaguchi; Y. Kobayashi; S. Shukuya; and T. Tomatsu, "OSI-SNA Interconnections," *IBM Systems Journal*, Vol. 26, No. 2, 1987, pp. 157–173.

(Ta88) Tanenbaum, A. S., *Computer Networks (Second Edition)*, Englewood Cliffs, NJ: Prentice-Hall, 1988.

(Ta85) Tanenbaum, A. S., and R. van Renesse, "Distributed Operating Systems," *ACM Computing Surveys*, Vol. 17, No. 4, December 1985, pp. 419–470.

(Te87) Terry, D. B., and D. C. Swinehart, "Managing Stored Voice in the Etherphone System," Proceedings of the 11th Symposium on Operating Systems Principles, Vol. 21, No. 5, November 1987, pp. 103–106.

(Vo83) Voydock, V. L., and S. T. Kent, "Security Mechanisms in High-Level Network Protocols," *Computing Surveys*, Vol. 15, No. 2, June 1983, pp. 135–171.

(Wa79) Walden, D. C., and A. A. McKenzie, "The Evolution of Host-to-Host Protocol Technology," *IEEE Computer*, September 1979, pp. 29–38.

(We83) Ware, C., "The OSI Network Layer: Standards to Cope with the Real World," *Proceedings of the IEEE*, December 1983.

(We80) Wecker, S., "DNA: the Digital Network Architecture," *IEEE Transactions on Communications*, Vol. 28, April 1980, pp. 510–526.

(We88) Weinhaus, C. L., and A. G. Oettinger, *Behind the Telephone Debates*, Norwood, NJ: Ablex Publishing Corporation, 1988.

(Ya88) Yankelovich, N.; B.J. Hann; N.K. Meyrowitz; and S.M. Drucker, "Intermedia: The Concept and the Construction of a Seamless Information Environment," *Computer*, Vol. 21, No. 1, January 1988, pp. 81–96.

(Ye83) Yen, C., and R. Crawford, "Distribution and Equalization of Signal on Coaxial Cables Used in 10 Mbps Baseband Local Area Networks," *IEEE Transactions on Communications*, October 1983.

(Za87) Zayas, E. R., "Attacking the Process Migration Bottleneck," *Proceedings of the 11th Symposium on Operating Systems Principles*, Vol. 21, No. 5, November 1987, pp. 13–24.

(Zi80) Zimmerman, H., "OSI Reference Model—The ISO Model of Architecture for Open Systems Interconnection," *IEEE Transactions on Communications*, Vol. COM-28, No. 4, April 1980, pp. 425–432.

Appendix

International Organization for Standardization (ISO) OSI-Oriented Standards

Each of the standards documents listed in this section may be ordered from OMNICOM. A complete catalogue of OMNICOM publications may be obtained by writing to

OMNICOM, Inc.
115 Park Street, S.E.
Vienna, VA 22180 USA

ISO 7498 Basic Reference Model

ISO 7498 AD 1 Basic Reference Model - Addendum 1: Connectionless-Mode Transmission

ISO 7498-2 Open Systems Interconnection Reference Model - Part 2: Security Architecture

ISO 7776 High-level Data Link Control Procedures–Description of the X.25 LAPB-Compatible DTE Data Link Procedures. (*See also* CCITT Recommendation X.25 sections on the Frame Level.)

ISO 8072 Transport Service Definition

ISO 8073 Connection-Oriented Transport Protocol Specification

ISO 8208 X.25 Packet Level Protocol for Data Terminal Equipment

ISO 8326 Basic Connection Oriented Session Service Definition

ISO 8327 Basic Connection Oriented Session Protocol Specification

ISO 8348 Network Service Definition

DIS 8473 Protocol for Providing the Connectionless-Mode Network Service

ISO 8505 Text Communication–Functional Description and Service Specification for Message Oriented Text Interchange Systems

ISO 8509 Service Conventions

ISO 8571 File Transfer, Access and Management–Part 1: General Introduction, Part 2: Virtual Filestore Definition, Part 3: File Service Definition, Part 4: File Protocol Specification

ISO 8649 Service Definition for the Association Control Service Element

ISO 8650 Protocol Specification for the Association Control Service Element

ISO 8822 Connection Oriented Presentation Service Definition

ISO 8823 Connection Oriented Presentation Protocol Specification

ISO 8824 Specification of Abstract Syntax Notation One (ASN.1)

ISO 8825 Specification of Basic Encoding Rules for Abstract Snytax Notation One

ISO 8831 Job Transfer and Manipulation Concepts and Services

ISO 8878 Use of X.25 to Provide the OSI Connection-Mode Network Service

ISO 8883 Text Communication–Message Oriented Text Interchange Systems; Message Transfer Sublayer, Message Interchange Service and Message Transfer Protocol

ISO 9040 Virtual Terminal Service

ISO 9041 Virtual Terminal Protocol - Basic Class

ISO 9065 Text Communication–Message Oriented Text Interchange System User Agent Sublayer–Interpersonal Messaging User Agent—Message Interchange Formats and Protocols

ISO 9066 Text Communication–Reliable Transfer–Part 1: Model and Service Definition; Part 2: Protocol Specification

ISO 9072 Text Communication–Remote Operations–Part 1: Model, Notation and Service Definition; Part 2: Protocol Specification

ISO 9594 The Directory–Part 1: Overview of Concepts, Models and Services

ISO 9646 Tree and Tabular Combined Notation

American National Standards (Including IEEE)

ANSI X3.139 American National Standard X3.139-1987. FDDI Token Ring Media Access Control

ANSI X3.102 Performance Testing

IEEE 802.2 Logical Link Control (also ISO 8802-2)

IEEE 802.3 Carrier Sense Multiple Access with Collision Detection (also ISO 8802-3)

IEEE 802.4 Token-Passing Bus Access Method (also ISO 8802-4)

IEEE 802.5 Token Ring (also ISO 8802-5)

Other Publications

Federal Information Processing Standard 31

17
Operating System Security

Knowledge is the conformity of the object and the intellect.

Averroes

You can't trust code that you did not totally create yourself. (Especially code from companies that employ people like me.)

Ken Thompson
1983 Turing Award Lecture
Association for Computing Machinery, Inc.

We have forty million reasons for failure, but not a single excuse.

Rudyard Kipling

There is no such thing as privacy on a computer. The view here is that if you don't want something read, don't put it on the system.

Thomas Mandel
quoted in *Time*, April 6, 1987

'Is it weakness of intellect, birdie?' I cried,
'Or a rather tough worm in your little inside?'

W. S. Gilbert

Outline

17.1 Introduction
17.2 Security Requirements
17.3 A Total Approach to Security
17.4 External Security
17.5 Operational Security
17.6 Surveillance
17.7 Threat Monitoring
17.8 Amplification
17.9 Password Protection
17.10 Auditing
17.11 Access Controls
17.12 Security Kernels
17.13 Hardware Security
17.14 Fault-Tolerant Systems
17.15 Capabilities and Object-Oriented Systems
  17.15.1 Movement and Storage of Capabilities
  17.15.2 Revocation of Capabilities
17.16 Case Study: The Object-Oriented Architecture of the IBM System/38
17.17 Cryptography
  17.17.1 A Cryptographic Privacy System
  17.17.2 Cryptanalysis
  17.17.3 Public Key Systems
  17.17.4 Digital Signatures
  17.17.5 The DES and RSA Schemes
  17.17.6 Applications

17.18 Operating System Penetration
17.18.1 Generic System Functional Flaws
17.18.2 Generic Operating System Attacks
17.19 Case Study: Penetrating an Operating System
17.20 UNIX Operating Systems Security
17.21 Worms and Viruses
17.21.1 How Worms and Viruses Work
17.21.2 Case Study: The Internet Worm

17.1 INTRODUCTION

Can you tell if a phone conversation is being tapped as you speak? When you open a piece of mail, can you be sure that no one else has read it while the mail was in transit to you? When you log onto a computer system from a remote terminal, can you be sure that you have reached the computer you really want to communicate with? When you type your password at login time, can you be certain that you are divulging your password to a trusted operating system? When you use a piece of software, even the kind that arrives in handsome, shrinked-wrapped packages, can you be sure what that software is really doing—that it, in fact, is not also surreptitiously altering your files or sending copies of them to someone else?

Computing is becoming increasingly accessible. The number of computer installations is increasing dramatically. Timesharing systems and remote access systems introduced the vulnerability of data communications as a key security issue. That vulnerability today is becoming far more serious with the proliferation of computer networking (see Chapter 16).

Another trend has been to assign computers more of the responsibilities of managing our personal and business activities. Computers are routinely handling the most sensitive correspondence. Electronic funds transfer systems pass our money around in bit streams. Air traffic control systems do much of the work previously handled by human air traffic controllers. Microprocessors have been incorporated into a huge variety of devices to provide intelligent control. Computer-controlled artificial body implant devices like pacemakers are in wide use. Intensive care units in hospitals are heavily computerized.

It is important to implement security measures to ensure the uninterrupted and uncorrupted functioning of these systems. This chapter discusses the issues of operating systems security. Hardware protection and security are equally important; these issues are treated elsewhere in the text.

The operating system normally represents only a small portion of the total base of software that runs on a particular system. But the operating system controls access to a system's resources; the other software normally requests access to those resources through the operating system. So software security considerations tend to be focused on making the operating system secure, although applications software can also present security risks.

Operating systems security is only a small part of the total problem of computer security, but it is becoming an increasingly important part. A well-designed security approach must address the total picture; operating systems security means little if anyone can walk off with the computer system!

There are several reasons why computer security is receiving so much attention today. Personal computers have brought computer savvy to the general public (Mu84a). Millions of people have taken computer courses in universities, read computer books, purchased personal computers, or used computer systems at work. Today, those who would commit fraud are often faced with penetrating a computer system's defenses to achieve their goal.

Millions of computer systems have been tied together via communication networks, most commonly through the worldwide telephone system. Where in the past, simple physical security might have been sufficient to guard a computer from outside attack, now sophisticated controls must be placed on login attempts from remote terminals, and on other network communications.

We have mentioned the notion of user-friendly systems many times in this text; if computer usage is to be brought to the general public effectively, then systems must be made more accessible and easier to use. But user friendliness often implies increased vulnerability.

A security program begins with identifying the potential threats. Threats may be from malicious or nonmalicious sources. The best one can hope to do is to identify the vast majority of potential threats; there will always be some that cannot be anticipated.

Sharing and protection are contradictory goals. Programs may be completely isolated from one another by executing them on separate, nonnetworked computers, but this precludes sharing. Programs running on the same computer may be allowed to share resources extensively, but this reduces the amount of protection possible.

Some people might argue that complex systems deter penetration attempts, and that simple systems are more vulnerable because they are easier to understand. In fact, it is easier to verify the security (Ru81) of simple systems; complex systems often leave many security "holes."

The level of security appropriate for a particular system depends on the value of the resources being secured. Information in a banking system may have great financial value. Information in a medical system may have life-or-death value. Frivolous breaches of security are not to be ignored; the information obtained may be of little value to the intruders but it could be a major embarrassment to a system administrator.

17.2 SECURITY REQUIREMENTS

Security requirements for a given system define what it means for that system to be secure. These requirements serve as the basis for determining if the implemented system is secure; without a precise set of security requirements it makes little sense to ask if the system is secure. Similarly, if the requirements are weakly stated (even if the system does meet the requirements), it does not say much about the true security of the system.

Formulation of security requirements has been of primary concern to the United States Government and the Armed Forces. Each of the following deals with security requirements:

- *DOD Directive 5200.28*—Specifies how classified information is to be handled in data processing systems.
- *Computer Security Technology Reference Manual*—Specifies how to evaluate the security of Air Force computer systems.
- *The Privacy Act of 1974*—Requires federal agencies to ensure the integrity and security of information about individuals, particularly in the context of the government's extensive use of computers.

17.3 A TOTAL APPROACH TO SECURITY

Because a total approach to computer security is essential, we also discuss some of the areas of computer security other than operating systems security. *External security* is concerned with securing the computer facility from intruders and from disasters such as fire and floods (Bo87a) (Ka88). Once a user is allowed physical access to a computer facility, the user's identification must be established by the operating system before access is allowed to the programs and data stored on the system; this might be called *user interface security*. *Internal security* deals with the various controls built into the hardware and the operating system to ensure the reliable and uncorrupted operation of the computer system and the integrity of programs and data.

17.4 EXTERNAL SECURITY

External security consists of *physical security* and *operational security*. Physical security includes *protection against disasters* and *protection against intruders*. *Detection mechanisms* are important to physical security; smoke detectors and heat sensors can provide early warning in case of fire; motion detectors can determine if an intruder has entered a computing facility.

Protection against disasters can be expensive to implement and is often treated too lightly. The need for such protection depends on the consequences of loss. Most organizations simply cannot afford the expense of a thorough disaster protection scheme. The major physical security efforts are directed toward keeping out intruders. For this purpose, installations use various types of physical identification systems such as identification cards with signatures and/or pictures. Fingerprint and voiceprint systems are also popular.

17.5 OPERATIONAL SECURITY

Operational security consists of the various policies and procedures implemented by the management of the computer installation. *Authorization* determines what access is allowed to what entities.

Classification parcels the problem into subproblems; the data in the system and the users are divided into classes to which various access rights are granted. This is much like the military classification scheme in which only sensitive documents might be classified as top secret, and only those persons who have been given top secret security clearances may access that information.

Personnel selection and assignment is critical. Can employees be trusted? One common approach here is *division of responsibilities*; people are given distinct sets of responsibilities, which they perform without having to know everything about a system. Thus individuals cannot see the total picture. In order to compromise a system, cooperation among many employees might be necessary; this greatly reduces the likelihood of security violations. In large computer installations, for example, only computer operators are allowed access to the computer systems; only programmers are allowed to write programs. Operators should not know how to program and programmers should not be familiar with the details of operating the computer system. Similarly, inputs to production systems should be controlled by a separate group, and outputs should be checked and verified by yet a different group.

Checks and balances should be built into the system to aid in detection of security breaches. Operational personnel should not be aware of the nature of these controls; this reduces the likelihood that the controls could be bypassed. But they should be made aware of the fact that elaborate controls are built into the system; this awareness is often sufficient to deter people from attempting a security violation.

It is impossible to design effective security measures without first attempting to enumerate and understand potential security threats. This can require careful and perceptive analysis. What are the available countermeasures? What degree of security is desired?

17.6 SURVEILLANCE

Surveillance deals with monitoring and auditing the system, and authenticating users. Some highly sophisticated user authentication systems are in use. These systems can be bypassed, but substantial knowledge and effort is normally required on the part of the penetrator. An interesting problem inherent in such systems is the possibility of rejecting legitimate users; a voiceprint system might reject a legitimate user who has a cold; a fingerprint system might reject a legitimate user with a cut or a burn.

17.7 THREAT MONITORING

One way to minimize security risks is to have the operating system control sensitive operations rather than to give control directly to a user. If a user wishes to access a critical file, for example, some systems might allow the user to access the file directly. The user would be in control and the operating system would not be able to monitor activity against the file as it occurs. A more secure technique is called *threat monitoring*.

With threat monitoring in place, users may not access resources directly. Only operating systems routines called *surveillance programs* may do so. The user wishing access to a resource requests such access from the operating system. The operating system either grants or denies the access; then a surveillance program actually performs the access to the file and passes the results to the user program. This notion is similar to that of monitors, presented in Chapter 5. Threat monitoring is an ongoing activity—penetration attempts are detected as they occur and the system administrator is informed immediately.

17.8 AMPLIFICATION

Sometimes it is necessary to give a surveillance program greater access rights (than users are allowed) so that it may effectively execute certain user requests. Thus to compute the average income of all taxpayers in a town, the surveillance program would need access to the individual records of each taxpayer. This is called *amplification*. Clever users might still be able to infer information about individuals by making several different requests and examining the overlap in the results. Surveillance programs can be designed to detect such attempts and notify a system administrator.

17.9 PASSWORD PROTECTION

Three classes of items of authentication (Pr75) by which a person's identity may be established are

- *Something about the person*—This includes fingerprints, voiceprints, photographs, and signatures.
- *Something possessed by the person*—This includes badges, identification cards, and keys.
- *Something known by the person*—This includes passwords, lock combinations, and mother-in-law's maiden name.

The most common authentication scheme is simple *password protection* (Lm81). The user chooses a codeword, commits it to memory, and then types it to gain admission to a computer system. Most systems suppress the printing or displaying of the password as it is entered.

Password protection has many weaknesses (Md86). Users tend to choose passwords that are easy to remember, such as the name of a friend or relative. Someone who knows the user might try to log in several times using the names of people this person knows; this might result in a security breach by use of *repeated trials*. Some early systems used short passwords; these systems were easily compromised by simply attempting all possible passwords. Most systems today use longer passwords to thwart such penetration attempts. Using long passwords is not necessarily wise either; if passwords are difficult to remember, then users will be more inclined to make a note of them; this of course makes it easier for someone to obtain a password.

Penetration of an operating system's defenses need not necessarily result in a significant security compromise. For example, suppose someone manages to gain access to a system's master list of passwords. Ordinarily, this would mean that the penetrator would be able to access any information on the system. To make passwords useless to a penetrator, encryption can be used (At86). Possessing the passwords is then of little use unless the person also possesses the decryption key. Users are encouraged to change their passwords often; even if an intruder obtains a password, it may be changed before any real damage can be done (Bu87).

A simple defense against repeated trials is to limit the number of login attempts that may be initiated in any period of time from a single terminal or workstation (or from a single account). Certainly, people make typing errors when attempting to log in. But it is unreasonable for someone who knows the correct password to require tens, hundreds, or thousands of tries. Therefore, a system might allow three or four tries and then disconnect that terminal automatically for several minutes. After a waiting period the terminal may be reconnected. If another series of futile login attempts occurs, the operating system might issue a warning at the terminal that the police are being called or that an alarm is about to go off.

17.10 AUDITING

Auditing is normally performed in manual systems "after the fact." Auditors are called in periodically to examine an organization's recent transactions and to determine if fraudulent activity has occurred. Auditing in computer systems can involve immediate computer processing to audit transactions that have just occurred.

An *audit log* is a permanent record of important events that occur in the computer system. It is produced automatically each time such an event occurs, and is stored in a protected area of the system; if the system is compromised, the audit log should remain intact. The audit log is an important detection mechanism. Even if the system's defenses can be penetrated, people may be discouraged from trying to do so if they fear detection after the fact.

Merely producing an audit log does not guarantee good security. It is necessary to review the log frequently and carefully. Such reviews should be performed both periodically and randomly. Periodic audits give regular attention to security problems; random audits help catch intruders off guard.

17.11 ACCESS CONTROLS

The key to internal security is to control access to stored data. *Access rights* define what access various *subjects* have to various *objects*. Objects are information-holding entities. They may be physical objects that correspond to disks, tapes, processors, or storage words; or they may be *abstract objects* that correspond to data structures or processes.

Objects are protected against subjects. Authorizations within a computer system are granted to subjects. Subjects may be users, processes, programs, or other entities.

The most common access rights are read access, write access, and execute access. A straightforward way of implementing these is to use an access control matrix. The various subjects are listed in the rows and the various objects to which they require access are listed in the columns. Each slot in the matrix contains the access rights a subject has to an object. An access control matrix must be one of the most closely guarded entities in an operating system.

17.12 SECURITY KERNELS

It is much easier to make a system secure if security is designed into the system from the beginning rather than retrofitted. Security measures should be implemented throughout a computer system. If one hopes to develop a highly secure system, it is imperative to make the kernel of the operating system secure.

Many *security kernels* have been developed (Mi76) (Sc77) (Sc77a) (Sr77) (Po78) (Mc79) (Wa79) (Wa80) (Am83) (Sc83) (Sv83). The most critical security measures are implemented in the kernel, which is intentionally kept as small as possible. This makes it more reasonable to examine the kernel carefully for flaws and to demonstrate its correctness formally.

The security of an operating system depends especially on securing those functions that perform access control, logging, and monitoring, and that manage real storage, virtual storage, and the file system. These functions ordinarily occupy a large portion of operating system code, making it difficult to keep the kernel small. It appears that new approaches to operating system design will be necessary to reduce the size of security kernels to the point that truly secure systems can be built.

17.13 HARDWARE SECURITY

As hardware costs decline, it is becoming increasingly desirable to incorporate operating systems functions into hardware. These functions are then more secure than when they are accessible as easily modified software instructions. Functions incorporated into hardware can run much faster than in software; various monitoring functions may be performed more frequently.

17.14 FAULT-TOLERANT SYSTEMS

One of the reasons for designing highly secure computer systems is to ensure their continued reliability and availability. A *fault-tolerant computer system* is one that continues to operate even after some of its components fail (Bo87). For transaction processing systems, fault tolerance is becoming an increasingly important criterion. An airline stands to lose considerable revenues if its reservations system fails; if a bank's system fails, even briefly, the confidence of its customers could be shaken. Building fault-tolerant distributed systems (Lm84) (Jp86) is especially challenging because of the reliability problems of communications lines.

One key to fault tolerance is *redundancy*. If a component fails, an equivalent component picks up the slack. Some systems use a pooled approach, in which identical resources function in parallel. Other systems activate redundant resources only upon a failure.

Microprocessor architectures have been evolving into more fail-safe designs in recent years. Many of them now use dual bus structures for communication. Multiprocessing is important in any fault-tolerant system (Ku86). Some features for fault tolerance are

- Incorporation of fail-safe mechanisms into the hardware rather than the software
- Use of *transparent multiprocessing*; this allows performance upgrades without software modifications
- Use of multiple input/output subsystems
- Incorporation of major portions of the operating system in hardware
- Incorporation of fault detection mechanisms in the hardware and software

Fault-tolerant systems provide for *graceful degradation*; a fault-tolerant system with failed components provides service, but at reduced levels. Fault-tolerant systems are designed so that a failed component can be taken off-line, repaired, and placed back on-line, all while the system provides uninterrupted service.

17.15 CAPABILITIES AND OBJECT-ORIENTED SYSTEMS

In this section we consider the notions of capabilities and object-oriented systems (Lv84) (By86) (Sc86) (St86) (Wh86) (St87a) (St87b) (St87c) (Wi88a). These are receiving great interest today as means of achieving more secure computer systems. Capabilities were first proposed in the classic paper by Dennis and Van Horn (Dn66). Considerable interest has been shown in capabilities-based distributed systems (Mu86).

An *access right* allows some *subject* to access some *object* in a prescribed manner. Subjects are users of computer systems or entities that act on behalf of users or the system. Objects are resources within the system. Subjects may be such things as jobs, processes, and procedures. Objects may be files, programs, semaphores, directories, terminals, channels, controllers, devices, disk tracks, primary storage blocks, etc. Subjects are also considered to be objects of the system so one subject can have rights to access another. Subjects are active entities; objects are passive. Systems must be able to create new types of subjects and objects as they evolve.

A *capability* is a token; the possession of a capability by a subject confers access rights for an object (Ho80) (Jo80). It is like a ticket the bearer may use to gain access to a sporting event. Capabilities are not ordinarily modified, but they can be reproduced. A *protection domain* defines the access rights that a subject has to the various objects of the system. It is the set of capabilities belonging to a subject.

Small protection domains are important if the principle of least privilege (discussed in Chapter 2) is to be enforced. But these imply a large and sparse access control matrix. *Capability-based addressing* is a means for enforcing small protection domains (Fa74).

A capability is a protected name for an object in the system. The name is unique across the entire system. For a subject to access a particular object, it must possess a capability for doing so. Included in a capability is a statement of the particular access rights that the capability allows its possessor to have to the named object. Capability creation is a function of carefully guarded operating system routines. Normally, capabilities may not be modified except to reduce the rights. A subject that possesses a capability may perform certain operations including copying it or passing it as a parameter.

Upon creation of an object, a capability for that object is created. This new capability immediately includes all access rights to the new object. The subject that creates the capability may pass copies of the capability to other subjects. A subject receiving a capability may use it (to perform the indicated access to the object), or may create more copies to pass to other subjects. When one subject passes a capability to another, it may reduce the stated access rights. Thus as a capability is propagated through the system, its access rights can either remain the same or decrease; they cannot increase.

In a segmentation system, two-dimensional addresses $v = (s, d)$ are used; s is the segment name, and d is the displacement of the desired address within the segment. An instruction references a storage location within a segment and a capability for the segment. All references to the segment are checked against the stated access rights in the capability. A typical capability would contain an object identifier (or a pointer to the object), the type of the object, and the access rights the possessor of the capability has to the object.

Users must be prevented from creating arbitrary capabilities. This can be accomplished by placing capabilities in special *capability segments* users can not access. Another approach is to add a *tag bit* to each primary storage location. This bit, inaccessible to the user, is set on if the location contains a capability; if the bit is on, the hardware restricts the manipulation of the location's contents to appropriate system routines.

The identifier in a capability may be implemented as a pointer to the desired object, or it may be a unique code. Pointers make it easier to reach the object, but they must be updated if the object is moved. With the unique code approach, it is not necessary to update the capabilities. The unique code approach does require, however, that on every access to the object, its address must be determined. A hashing mechanism can be implemented efficiently; associative (or cache) storage can be used to reduce the overhead of repeated references to the same object.

The *lost object problem* is inherent in capabilities-based systems; if the last remaining capability for an object is destroyed, that object cannot be used in any manner. So a capabilities-based system must always somehow maintain at least a single capability for each object.

17.15.1 Movement and Storage of Capabilities

Controlling the copying and movement of capabilities is a difficult problem. Systems generally do not allow direct manipulation of capabilities by users; instead capability manipulation is performed by the operating system on behalf of users.

Keeping track of capabilities is an important task of the operating system. It is complicated by the fact that the number of capabilities in a multiuser system can be large. The operating system must guard the capabilities as well as guarantee rapid access to them. This is often handled by a directory structure that controls all the capabilities in a system.

17.15.2 Revocation of Capabilities

It is sometimes necessary to revoke capabilities passed to another subject. If a directory system handles all capabilities, this can be relatively straightforward. But without such central control, revoking a capability can be difficult; the capability could have been copied many times.

In an emergency situation, one could copy an object and destroy the original thereby disabling the questionable capability. But this would affect other subjects with capabilities to that object.

Sometimes it is desirable to revoke the capability of a particular subject and also that of any other subject that received the capability from the given subject.

One technique for *selective revocation of capabilities* is to make all capabilities created from an object's primary capability point to the object indirectly through that primary capability. Then a particular capability may be revoked without affecting either the holders of the primary capability or any of the copies.

Capabilities to I/O devices may need to be interpreted differently depending on the type of the device; a capability for a tape drive object, for example, might allow rewind, while a capability for a printer would not.

17.16 CASE STUDY: THE OBJECT-ORIENTED ARCHITECTURE OF THE IBM SYSTEM/38

In the IBM System/38 (IB80) (Pi80), operating systems functions are provided by the Control Program Facility (CPF). The System/38 incorporates a high-level machine architecture that provides many resource management and supervisory functions generally found in software in previous systems.

The architecture provides an object-oriented, uniformly addressable, very large storage. All objects in the system are storage resident. All the system's storage is addressable by a single device-independent addressing mechanism that performs dynamic integrity and authorization checking.

The System/38 provides high-level machine instructions that directly manipulate objects. The *create* instruction builds a new object according to the attributes in a template.

Some attributes of an object are its name, its owner, and its existence (i.e., whether or not it can be implicitly destroyed). *Generic operations* apply to all objects; *unique operations* apply only to a specific object type.

All System/38 machine objects are *encapsulated*—the internal structure of an object produced by the create instruction is known only to the machine. Figure 17.1 summarizes the objects manipulated by the machine instructions of the System/38.

Object	Explanation
Access group	Allows other objects to be grouped for more efficient transfer between primary and secondary storage
Context	Contains the name, type, and subtype of other objects to establish addressability
Controller description	Represents an I/O controller for a cluster of I/O devices
Cursor	Provides addressability into a data space
Data space	Stores data space records of one particular format
Data space index	Establishes the logical ordering of records stored in a data space
Index	Stores and orders data
Logical unit description	Represents a physical I/O device
Network description	Represents one of the system's physical network ports
Process control space	Contains process execution
Program	Selects and orders machine instructions
Queue	For communication between processes, and between devices and processes
Space	Stores pointers and scalars
User profile	Identifies a valid user of the machine

Fig. 17.1 System/38 objects. (Courtesy of International Business Machines Corporation.)

CPF provides users with an object-oriented interface. All data in the system is stored in object form and manipulated by object-oriented commands. Generic functions handle authorization, moving, renaming, dumping, locking, saving, and restoring objects. Specific functions dictate how an object can be used.

When an object is created, CPF places the object's name into a machine object called a *context*. Contexts are seen by users as libraries or catalogs of objects.

CPF uses machine objects as building blocks to construct objects for users. For example, to create a user-oriented object called a database file, CPF combines a data space, a data space index, a cursor, and a space. The user actually sees only a single object, namely the database file. A higher-level object constructed from machine objects and other objects is called a *composite object*.

Each object consists of a functional portion and an associated space. The functional portion might be a program. The associated space is a region of bytes the machine user may manipulate directly. A *space object* has no functional part; it provides storage for buffers, pointers, control blocks, and various other data items.

The System/38 implements capability-based addressing through system pointers. A *system pointer* contains the location of an object and the access rights. System pointers are created and manipulated by special System/38 instructions only; the user cannot create system pointers by bit manipulation.

An *unresolved system pointer* specifies the name of an object but not its location. Once the object is referenced and found, its location is filled in; the system pointer is then *resolved*. Objects are located by searching contexts.

Security is rigidly enforced; every reference to an object is examined to be certain that the user has the right to access the object in the desired manner; if not, the reference is disallowed and a record is made of the attempted security violation.

The System/38 incorporates implicit synchronization into the object access mechanism to prevent simultaneous accesses. When one process is writing an object and another attempts to read it, the accesses are automatically serialized. When simultaneous reads are attempted, however, they are both allowed to proceed.

Users may perform synchronization explicitly with locks. Record-level locks may be used in database references; this greatly reduces the contention that would occur if the entire database were locked.

With CPF, one user is designated as *security administrator*. This user has access to all objects in the system. IBM supplies a standard set of user profiles with CPF; the profile for the security administrator includes all-object authority and the authority to create new user profiles and modify existing profiles.

17.17 CRYPTOGRAPHY

Cryptography was once of interest almost exclusively to the military and the diplomatic communities. Today it is particularly important in computing systems. Eavesdropping is becoming easier. Huge volumes of business are handled over the telephone. Computer networking (Chapter 16) is growing rapidly. Use of electronic mail and electronic funds transfer (EFT) is increasing.

The National Institute of Standards and Technology (NIST) (formerly the National Bureau of Standards) has adopted the *Data Encryption Standard (DES)* for transmission of sensitive federal information.

Cryptography is the use of data transformations to make the data incomprehensible to all except its intended users. The *privacy problem* is concerned with preventing the unauthorized extraction of information from a communication channel. The *authentication problem* is concerned with preventing one's opponents from modifying a transmission or inserting false data into a transmission. The *problem of dispute* is concerned with providing the receiver of a message with legal proof of the sender's identity, i.e., the electronic equivalent of a written signature.

17.17.1 A Cryptographic Privacy System

In a cryptographic privacy system, the *sender* wishes to transmit a certain unenciphered message (called a *plaintext*) to a legitimate *receiver*; the transmission is to occur over an *insecure channel* assumed to be monitored or tapped by an *eavesdropper* (Ri84).

The sender passes the plaintext to an encryption unit that transforms the plaintext into a *ciphertext* or *cryptogram*; the ciphertext is not discernible to the eavesdropper. The ciphertext is then transmitted over the insecure channel. At the receiving end, the ciphertext passes through a decryption unit to regenerate the plaintext.

17.17.2 Cryptanalysis

Cryptanalysis is the process of attempting to regenerate plaintext from ciphertext but without knowledge of the decryption key; this is the normal task of the eavesdropper. If the eavesdropper, or *cryptanalyst*, cannot determine the plaintext from the ciphertext (without the key), then the cryptographic system is *secure*.

17.17.3 Public Key Systems

A cryptographic system is only as secure as its keys. Key distribution must be handled over highly secure channels; this can be time-consuming, and sometimes such secure channels are simply not available (De81a).

Public key systems circumvent the key distribution problem (De83a). In conventional cryptographic systems, enciphering and deciphering are intimately related. Someone who processes the single key to encipher messages can also decipher them. In public key systems, the enciphering and deciphering functions are separated; the enciphering key cannot be used to decipher a message. These systems use an enciphering key, E, and a deciphering key, D, in a manner in which it is not computationally feasible (within a "reasonable" time) to determine D from E.

Thus E may be made public without compromising the security of D. This simplifies the problem of key distribution. Every user generates an enciphering key and a deciphering key. The enciphering key is made public; the deciphering key is kept secret. Thus anyone can send an encrypted message to a particular user (because the enciphering key is public), but only that user can decipher the message (because the deciphering key is private). E is called a *public key* and D is called a *private key* (Bl83).

17.17.4 Digital Signatures

We have grown to accept the use of handwritten signatures as legal proof that a person agrees to the terms of a contract as stated on a sheet of paper, or that a person has authorized a transfer of funds as indicated on a check. But the use of written signatures involves the physical transmission of a paper document; this is not practical if electronic communication is to become more widely used in business.

A written signature can be produced by one person only (although forgeries certainly occur), but it can be recognized by many people as belonging uniquely to its author. A *digital signature* (Ak83) (De83a) (Dv83) (De84) (Ev85), then, to be accepted as a replacement for a written signature would have to be easily authenticated by anyone, but producible only by its author.

Public key cryptosystems offer a means of implementing digital signatures. The sender uses the private key to create a signed message. The receiver uses the sender's public key to decipher the message.

The receiver saves the signed message for use in resolving disputes. If the sender later denies that the message was sent, the receiver can present the signed message to a court of law where the judge then uses the sender's public key to check that the enciphered message corresponds to a meaningful plaintext message with the sender's name, the proper time sent, etc. Only the sender could have generated the message (assuming that the private key had not been compromised), and therefore the receiver's claim could be upheld in court.

This technique has one significant disadvantage: it allows an eavesdropper who possesses the sender's public key to determine the message. The defect is easy to correct: The sender can add a second level of encryption to the already encrypted message by using the receiver's public key; the receiver's private key is then used to recover the signed encrypted message and the sender's public key is used to recover the original plaintext.

17.17.5 The DES and RSA Schemes

Two schemes that the reader interested in cryptography might want to explore further are the Data Encryption Standard (DES) (Na77) (Jo85) and the Rivest, Shamir, and Adleman (RSA) scheme (Ri78) (Sm79) (Dv83) (De84) (Zi86). DES is a *symmetric encryption scheme*—the same key is used for both encryption and decryption (Si79). RSA is an *asymmetric encryption scheme*—different keys are used for encryption and decryption.

17.17.6 Applications

Cryptography is particularly useful in timesharing systems and computer networks. Passwords should be stored in encrypted form so that even if the operating system is penetrated, the password list will be of no use. This is the most common application of cryptography in today's computer systems.

Cryptography may also be used to protect all stored data in a computer system. But the encryption/decryption overhead could be so large as to make this prohibitive. The advent of special hardware for this purpose may eventually make this practice feasible. File encryption would solve one serious problem with shared systems: every system has at least one person designated as having unrestricted access to all system files, so users are reluctant to store sensitive information. File encryption would enable users to trust even their most sensitive information to computers. Encrypted backups need not be guarded as heavily as unencrypted ones.

Computer networks have introduced new vulnerabilities into computer-based systems (De81) (Ka83) (Dv84). The layered network protocols discussed in Chapter 16 offer several levels of encryption (Vo83). In *link encryption* the network assumes the responsibility for encryption/decryption at each node; the data is transmitted between nodes in encrypted form, decrypted at each node to determine where to pass it next, and then reencrypted.

In *end-to-end encryption* a message is encrypted at its source and decrypted only at its destination. The message is thus protected throughout its transmission even if security at one of the nodes has been compromised. In a store-and-forward packet switching network with end-to-end encryption, the destination address associated with a packet cannot be encrypted; it must be readable at each node for routing purposes.

Password logins can also be protected with encryption. A *challenge and response procedure* can be helpful here. The user transmits a login request "in clear" (i.e., not encrypted). The system, to authenticate the user, sends a *challenge* string to the user in clear. The challenge string should be one that is guaranteed not to repeat; the date and time carried to millionths of a second would be appropriate. The user's terminal encrypts this challenge using a key supplied by the user (and known to the system) and transmits the result to the system. The system authenticates the user by comparing the response with an internal encrypted version of the challenge. Then all future transmissions during this session are encrypted with the user's key. Because the key is never transmitted, an eavesdropper would have to cryptanalyze the transmissions to understand them or to impersonate the valid user.

17.18 OPERATING SYSTEM PENETRATION

A favorite pastime of many people, especially university students, is to call in to a timesharing system or a computer network, penetrate its defenses, and then happily publicize their success (At76) (He80) (Le86) (Le87) (Re87). The people who do this often intend no harm; rather they simply wish to show that the systems can be broken into. Such people are often called *hackers* (Le76) (St88). Instructors have found their student grade files modified, and system administrators have been horrified to discover master lists of all user passwords posted on public bulletin boards! Operating systems students thoroughly enjoy the explanations of complex successful security penetration attempts. At one major university (legend has it) the instructor in the operating systems course guaranteed a grade of "A" to any student who could penetrate the university's operating system; a disproportionately large number of "A" grades were awarded that semester!

In some systems, the ultimate penetration consists simply of flipping the machine state bit from problem state to supervisor state. Once this is accomplished, the penetrator may execute privileged instructions to gain access to virtually any data protected by the operating system.

Penetration studies (Wi81) are designed to determine if a system's defenses against attacks by nonprivileged users are adequate. Their goal is to expose design deficiences so that they may be corrected.

I/O control is a favorite area for penetration attempts. I/O code is often complex; various types of errors and omissions are often exposed upon detailed analysis. Because I/O channels have access to primary storage, they could modify critical system information. An I/O channel can be forced into an infinite loop, thus denying I/O capability to the system; this could be devastating in systems that must operate reliably.

One goal of penetration tests is to estimate the *penetration work factor*, an indication of how much effort and resources must be expended by a potential penetrator to obtain unauthorized access to system resources. A key goal of security mechanisms is to make this factor large; actual penetration studies may reveal that it is not as large as the system's designers intended it to be.

Linde's classic paper (Li75) describes the results of a number of penetration studies undertaken by System Development Corporation. His paper contains two thorough appendices summarizing generic flaws and attacks. The material in the next two sections is adapted with permission from these appendices.

17.18.1 Generic System Functional Flaws

Several flaws have been found to be common to many computing systems. These include

- *Authentication*—On many systems, users cannot determine if the hardware and software are what they are supposed to be. This makes it easy for a penetrator to replace a program without the user's knowledge. A user might obligingly type a password into a counterfeit login program, for example.
- *Encryption*—The master list of passwords should be stored in encrypted form (Gt78). It often is not.
- *Implementation*—A well-thought-out design for a security mechanism may be improperly implemented.
- *Implicit trust*—A common problem; one routine assumes that another is functioning properly when, in fact, it should be carefully examining parameters supplied by the other.
- *Implied sharing*—The system may inadvertently deposit critical system information in a user's address space.
- *Interprocess communication*—The penetrator may use a send/receive mechanism to test various possibilities. For example, the penetrator may request a system resource

and supply a password; the return information may indicate "password correct", confirming the penetrator's guessed password.

- *Legality checking*—The system may not be performing sufficient validation of user parameters.
- *Line disconnect*—In timesharing and networking, when the line is lost (for any reason) the operating system should immediately logout the user or place the user in a state such that reauthorization is necessary for the user to regain control. Some systems let a process "float" after a line disconnect. A penetrator may be able to gain control of the process and use whatever resources the process may access.
- *Operator carelessness*—A penetrator may trick an operator into mounting a counterfeit operating system disk.
- *Parameter passing by reference vs. by value*—It is safer to pass parameters directly in registers than it is to have the registers point to the locations containing the parameters. Passing by reference can lead to a situation in which the parameters are still in the user's address space after legality checking occurs; the user could thus supply legitimate parameters, have them checked, and then modify them just before the system uses them.
- *Passwords*—Passwords are often easy to guess or to obtain by repeated trials.
- *Penetrator entrapment*—Systems should contain *entrapment mechanisms* to lure the unskilled penetrator. This is a good first line of detection. Most systems have inadequate entrapment mechanisms.
- *Privilege*—In some systems, too many programs are given too much privilege. This is contrary to the principle of least privilege.
- *Program confinement*—A program borrowed from another user can act as a Trojan Horse; it might steal or alter the borrower's files.
- *Prohibition*—Often users are warned not to use certain features because the results may be "indeterminate," but indeed these features remain accessible to the users.
- *Residue*—Often the penetrator may find a list of passwords by simply looking in a wastebasket. Residues are sometimes left in storage after a system routine runs. Sensitive information should always be overwritten or destroyed before the media it occupies (storage, paper, etc.) is released or discarded. Paper shredders are popular for this purpose.
- *Shielding*—A current in a wire generates a magnetic field around the wire; penetrators may actually tap a transmission line or computer system without making physical contact. Electrical shielding may be used to prevent such "invisible intrusions."
- *Threshold values*—These are designed to discourage repeated login attempts, for example. After a certain number of invalid login attempts, that user (or the terminal at which the logins are being attempted) should be locked out and the system administrator should be notified. Many systems lack this feature.

17.18.2 Generic Operating System Attacks

Certain penetration methodologies have been used effectively on many systems.

- *Asynchronism*—With multiple processes progressing asynchronously it is possible for one process to modify parameters that another has tested for validity but not as yet used; thus one process can pass bad values to another even if the second performs extensive checking.
- *Browsing*—A user searches the computer system attempting to locate privileged information.
- *Between lines*—A special terminal is used to tap into a communication line held by an inactive logged-in user.
- *Clandestine code*—A patch is made under the guise of correcting a bug in the operating system; the code contains *trapdoors*, which allow subsequent unauthorized reentry to the system.
- *Denial of access*—A user writes a program to crash the system, set the system into an infinite loop, or monopolize the system's resources. The intent here is to deny access or service to legitimate users.
- *Interacting synchronized processes*—Processes use the system's synchronization primitives to share and pass information to one another.
- *Line disconnect*—The penetrator attempts to gain access to a user's job after a line disconnect, but before the system acknowledges the disconnect.
- *Masquerade*—The penetrator assumes the identity of a legitimate user after having obtained the proper identification through clandestine means.
- *"NAK" attack*—Many systems allow a user to interrupt a running process (such as by pressing the "negative acknowledge" key on a terminal), perform another operation, and then resume the interrupted process. In some cases the penetrator can "catch" the system in an unprotected state and easily seize control.
- *Operator spoof*—A clever penetrator can often fool a computer operator into performing an action that compromises system security.
- *Piggyback*—The penetrator uses a special terminal to tap a communication line. The penetrator intercepts messages between the user and the processor, and either modifies the messages or replaces them entirely.
- *Trojan Horse*—The penetrator places code in the system to allow subsequent unauthorized access (Fa86) (La88). The Trojan Horse may be left in the system permanently, or it may erase all traces of itself after a penetration.
- *Unexpected parameters*—The penetrator supplies unexpected values in a supervisor call to take advantage of a weakness in the system's legality checking mechanisms.

17.19 CASE STUDY: PENETRATING AN OPERATING SYSTEM

A graduate-level computer science class at the University of Michigan in Ann Arbor successfully penetrated the Michigan Terminal System (MTS) operating system (He80).

The study was concerned only with software security. The goals were for an authorized and knowledgeable but nonprivileged user to gain access to files (to which this user did not have access), and to cause the system to crash.

Team members were regular users of MTS. They were given access to internal system documentation. They performed a comprehensive analysis of the system and produced a report listing all suspected flaws. They employed the flaw hypothesis methodology developed by System Development Corporation. This involves

- *Flaw hypothesis generation*—The team examines well-known system weaknesses, and uses its collective knowledge about the system to list suspected flaws.
- *Flaw hypothesis confirmation*—Tests are run to determine if the suspected flaws are in fact real flaws.
- *Flaw generalization*—The confirmed flaws are carefully studied to determine if they imply other flaws or general design weaknesses. If they do, these cause this cycle to begin again with flaw hypothesis generation.

The team discovered a flaw in some of the system subroutines. The parameter checking mechanisms were weak; they would allow a user to cause arbitrary bit sequences to be stored into the *system segment* that contains much of the system's control information about a task. The flaw made it possible for a user to modify the system's accounting information, and to change the user's privilege level. The MTS protection system's information, also stored in the system segment, could be altered to completely disable the protection mechanisms. The user could switch the system from user mode to system mode and execute privileged supervisor calls. One of these could disable hardware storage protection, allowing the user to modify shared storage segments. The MTS supervisor core resided in such shared segments, and so the user could switch the machine to supervisor state and freely access arbitrary portions of the supervisor and any other software for that matter. Voila! A total penetration.

The key flaw in the parameter checking mechanism was that after the parameters were checked by the system, the user could then modify them before the system used them. The penetrators exploited this flaw to modify an address parameter to point to the system segment rather than user storage. This flaw illustrates the importance of careful synchronization between parameter checking routines and the routines that actually use the parameters. The team found similar flaws throughout MTS.

Another type of flaw exposed was that portions of the system could be forced to store their critical information in user-accessible segments. The students were able to obtain free computer time in an interesting way: they forced a job into abnormal termination in such a manner that the system's accounting routines were bypassed. A careful examination of user-accessible shared storage revealed that some highly sensitive information (like passwords) was being stored in these areas. The team was also able to crash the system; they discovered that a certain instruction sequence forced the supervisor into an infinite loop.

The control relationships within the operating system security mechanisms were found to depend on one another's correct operation. Once one mechanism was compromised, the group found it relatively easy to compromise other security mechanisms even at higher-privilege levels.

17.20 UNIX OPERATING SYSTEMS SECURITY

UNIX systems (discussed in depth in Chapter 18) are designed to be friendly and accessible, and to encourage interaction between people via the computer system. This makes these systems more difficult to secure (Gr84) (Wo85) (Fa86) (Fa86a) (Fi86) (Co88) (He88). UNIX systems are intended to be open systems; their specifications are made widely available. The source code is available. Many of the problems referred to in this section are not unique to UNIX systems.

The UNIX systems password file is stored in encrypted form. When a user enters a password, a one-way transformation is applied to form the encrypted version and a comparison is made. A decryption transformation is not known. Thus, even the system administrator can not help users who have lost their passwords (except to change passwords to new values) (Fi86). UNIX systems use *salt* when encrypting passwords (Fi86). The salt is a two-character string randomly selected via a function of the time and the process ID. Twelve bits of the salt then modify the encryption algorithm. Thus, users who choose the same password (by coincidence or intentionally) will have different encrypted passwords (with very high likelihood). Some installations modify the password program to prevent users from choosing bad passwords.

With the UNIX systems *setuid* feature, a program may be built in such a way that when a user executes the program, the user's individual ID or group ID or both are changed to that of the program's owner only while the program executes. This powerful feature has also generated security flaws, particularly when the resulting ID is that of the "superuser" (who has access to all files in a UNIX system) (Co88) (Kr88). For example, if a regular user is able to execute a shell belonging to the superuser, and for which the *setuid* bit has been set, then the regular user essentially becomes the superuser (Fa86). Clearly, *setuid* should be carefully employed. Users, including the superuser, should periodically examine their directories to confirm the presence of *setuid* files and detect any that should not be *setuid*. Additional discussion of the setuid feature appears in the UNIX systems case study in Chapter 18.

A relatively simple means of compromising security in UNIX systems (and other operating systems as well) is to install a program that prints out the login prompt, copies what the user then types, fakes an invalid login, hangs up the phone, and lets the user try again. The user has unwittingly given away his or her password! One defense against this is that if you are confident you typed the password correctly the first time, you should log on to a different terminal and choose a new password immediately (Fi86).

UNIX systems include the *crypt* command, which allows a user to enter a key and cleartext; cyphertext is output. The transformation can be reversed trivially with the same key. One problem with this is that users tend to use the same key repeatedly; once the key is discovered, all other files encrypted with this key can be read. Users sometimes forget to delete their cleartext files after producing encrypted versions. This makes discovering the key much easier.

Too many people are often given superuser *(su)* privileges. All *su* activity should be logged; this command lets any user who types a correct password of another user assume that user's identity, possibly even becoming the superuser.

A popular Trojan Horse technique is to install a fake *su* program, which obtains the user's password, mails it to the perpetrator, and then restores the regular *su* program (Fa86). Never allow others to have write permissions on your files, especially on your directories; if you do, you're inviting someone to install a Trojan Horse.

UNIX systems contain a feature called *password aging* (Gr84) (Fa86) (Co88), in which the administrator determines how long passwords are good for; when a password expires, the user receives a message and is asked to enter a new password. This has several problems:

1. Users often supply easy-to-crack passwords.
2. The system often prevents a user from resetting to the old (or any other) password for a week, so the user can not strengthen a weak password.
3. Users can indeed switch back and forth between only two passwords once a week.
4. Since the expiration is coded in the password file, someone can easily print a list of abandoned accounts and go to work on corrupting them without fear of immediate reprisal.

Passwords should be changed frequently. A user can keep track of all login dates and times to determine if an unauthorized user has logged in (and therefore that his or her password has been learned).

Logging unsuccessful login attempts often gets passwords because people sometimes accidentally type their password when they mean to type their login id.

One obvious feature with an unanticipated consequence is that of disabling accounts after a small number of unsuccessful login attempts. This is a defense against the intruder who tries all possible passwords. But an intruder who has penetrated the system can then turn it around in his favor and use it to disable the account or accounts of those such as the system administrator who might attempt to detect the intrusion (Ba88).

The perpetrator who temporarily gains superuser privileges can install a trapdoor program with undocumented features. For example, someone with access to source code could rewrite the login program to accept a particular login name and automatically let this user become the superuser without even typing a password (Fa86).

It is possible for individual users to "grab" the system, thus preventing other users from gaining access. A user could accomplish this by spawning dozens of concurrent processes each of which opens dozens of files, thus filling all the slots in the file table (Fi86). Installations can guard against this by setting reasonable limits, but this in turn could hinder legitimate users who in fact need the additional resources.

17.21 WORMS AND VIRUSES

For the first few decades of modern computing, the industry experienced many computer crimes and penetrations, but few of these could be labeled "spectacular." In November of 1988, however, a spectacular intrusion did occur when a *worm* program crawled its way through thousands of computers in the U.S. government sponsored Internet (Sp88) (Fi89) (Mc89). The worm exploited weaknesses in various UNIX utility programs. Fortunately, these weaknesses were not apparent in every computer on the Internet, or the damage would have been far greater.

This worm was supposedly innocuous in the sense that it did not seek to destroy files or perform other serious damage. But it did use substantial computer time on each of the infected systems, bringing many of these computers "to their knees." Programs that are designed to do damage are often called *viruses*. *Worm* programs were originally designed to travel between computers in a distributed system to do useful work, but this was certainly not the case with the Internet worm.

The incident immediately captured the world's attention. Indeed, two of the most important areas of interest in operating systems today—UNIX systems and computer networks—were highlighted as being easy targets for a monumental breach of security.

UNIX systems have developed a reputation for not being particularly secure (Fa86a); certainly the Internet incident corroborates this. But few, if any, operating systems are known for their impressive security (the reader might try to name a few super secure operating systems at this point).

Networks by nature are designed to increase the accessibility of information, and this certainly increases security problems. Encryption is absolutely essential as a first defense against eavesdroppers, but it is insufficient by itself to guard against all possible security breaches. *Spoofers*, for example, tap network traffic and retransmit certain types of packets to force the network to perform operations the spoofers want. Even if the captured data packets are encrypted, the spoofer can still retransmit them, observe the network behavior, and conceivably infer what really is in the packets.

Necessity may well be the mother of invention here. There is little question at this point that networks and network applications will proliferate, and that UNIX systems will be among the most heavily networked operating systems. Considerable work has been devoted to enhancing UNIX systems security and reliability (Aw86) (Fe88) and to developing secure UNIX systems (Gr84) (Fi86) (He88) (Kr88).

The Department of Defense publishes guidelines for secure operating systems. Its so-called "orange book" lists various classifications defining increasingly secure systems. Some of these treat all information at the same level of security, and so are appropriate only for user communities in which each user has the same security clearance. Several of these computer security classifications treat information at distinct levels, thus enabling users with different security classifications (such as confidential, secret, and top secret) to share the same system (Fr83).

To have highly secure systems we must have tight control over the software in these systems. We must have a way of ensuring that the software we are using is in fact the software that has been certified to be secure. This is a nontrivial problem given that software is normally changing and evolving to meet the developing needs of organizations. Configuration management systems can be used to maintain software and log all modifications (but we are still troubled with the notion of who maintains the configuration management system).

Government UNIX systems procurements are big business, and the government requires highly secure systems. This has fostered significant activity in developing increasingly secure UNIX systems that meet government specifications. Thus, the open systems phenomenon, of which UNIX systems are such a critical part, has actually fostered an increase in the research and development of secure computer systems. Is the phrase "secure open systems" an oxymoron? Perhaps not.

If anything, we have learned that worm and virus attacks must be taken seriously. We have entrusted our daily lives to computers, without much effort at verifying that these computers deserve our trust. There are complex ethical dilemmas here that must be addressed.

Viruses and worms differ in at least one primary way from most of the other kinds of programs that cause security problems: they can propogate copies of themselves among the programs and data of a computer system, and among the computer systems in a network. Long after a virus has been cleared from one user or system, the copies of the virus can be spreading through other systems, perhaps reinfecting the original targets.

Viruses can infect in subtle ways, or their presence can be blatant. The virus that destroys files, monopolizes system resources, or displays expletives is certainly making its presence felt in a dramatic way. But the more insidious virus is the one that infects and leaves no easily detectable traces of its existence. A favorite technique is to let the virus lie dormant and be triggered by an event such as the system clock reaching a certain value (possibly years later than the infection), or the login of a particular user (such as the boss of a disgruntled employee). One of the all-time favorite virus triggering events is the arrival of a "Friday the 13th."

17.21.1 How Worms and Viruses Work

There are many types of viruses (Mc89), and yes, they are called *strains*. *Boot infectors* try to get into boot sectors on disks. Each time the system is booted (i.e., the operating system is loaded and initiated), the virus is activated. The virus stays in control by inserting itself in the "stream" of activity; for example, it can catch interrupts and traps. One of these tells the system that a new disk has been inserted and must be initialized—the virus takes advantage of such an opportunity to copy itself to the boot sector of the new disk. Other strains of viruses infect system files and applications programs.

Viruses spread by contact (at this point the reader should already be reflecting on how computer viruses are similar to the viruses that afflict humans). This contact may come by sharing disks, or it may come through network connectivity. A virus infects either by completely replacing a code segment, or by binding itself to a code segment. This fact can aid in detection because the size of the infected code segment is likely to be larger than the original.

An audit program could periodically compare the software with a trusted copy. This could, of course, consume substantial system resources, so such auditing can be done in the off hours or during temporary lulls in system activity.

The spread of viruses can be halted or slowed by using programs that prevent, detect, and recover from viruses (this sounds a bit like the discussion in Chapter 6 on another operating systems malady, namely deadlock).

Some observations about viruses that help us detect them are that they infect programs (not data), that these infections change the infected programs, and that the viruses themselves must eventually be executed.

There are several types of programs that fight viruses. These either prevent infections, detect infections, or identify and recover from particular strains of viruses.

Prevention programs operate as watchdogs monitoring all system activity and system data. *Any attempt to access or modify a program is a possible warning of a virus attack.* Viruses can be designed, however, that work around such detection mechanisms, but these require much greater knowledge of system internals.

Infections can be detected by looking for "muddy footprints." How can one determine if a program has been modified? A detection program can simply run a hash total of all the instructions in the program and compare it to the hash total supplied with the original supposedly nonmodifiable program. Any program that has been modified would produce a different total. Such a mechanism could be thwarted, of course, by modifying the protected copy of the original hash total; but, again, this would require far more familiarity with the system internals.

Various kinds of "sweeper programs" locate and remove specific strains of viruses. Once the system knows what to look for, it is generally easy to find a virus. Unfortunately, given the myriad of virus strains in existence, and given the rapid evolution of new strains, the sweeper programs are often created too late in the virus's evolution to be effective.

At this point, the reader should appreciate the magnitude of the virus problem and why it is likely to get much worse—especially with the trend toward open systems—before it eventually improves. What can individuals who do not have access to the most sophisticated virus-thwarting mechanisms do to protect their systems?

A number of safety techniques are apparent. First, users must establish a point of trust. For many, this will be software supplied directly by responsible vendors in original packaging. This places a significant burden on software developers to certify not only that their programs perform the desired functions according to specifications, but also that their programs are virus free. The potential for litigation is so serious here that major software vendors are devoting substantial resources to the development and implementation of virus-free certification procedures. The user who borrows copies of software, or who uses public domain software obtained from electronic bulletin boards, is inviting trouble. Some telltale signs of infection are excess disk-seeking activity, "soggy" performance, and reduced amounts of available primary memory and disk space.

17.21.2 Case Study: The Internet Worm

This text went to press shortly after what was probably the all-time greatest penetration of a computer network, an effort that has been labeled the *Internet worm.* The penetration of thousands of computers on the U. S. Government-sponsored Internet occurred on November 2, 1988. Over the next several weeks, hundreds of articles appeared in major publications describing the worm program itself, speculating on the author's identity and motives, estimating the damage that was done, and describing the phenomenal response of the industry to rid the Internet of the worm program. One of the most detailed accounts and analyses was prepared by Eugene Spafford of the Department of Computer Sciences at Purdue University (Sp88). The reader is urged to obtain and study this remarkable paper; remarkable both for its incisive analysis and the fact that it was published within weeks after the worm incident occurred.

The worm program exploited only a few weaknesses in certain of the UNIX systems on the Internet (patches to eliminate these flaws were designed and distributed within hours after the worm was detected). After the worm penetrated a system, it "looked around" to seek other systems to penetrate over the network. As it crawled from system to system, it repeatedly infected some systems; some of these had so many active copies of the worm competing for execution time that the systems could no longer function.

Users may have accounts on several machines in the Internet. If the worm compromised a user's account on one machine, it would then try compromising that user's accounts on remote machines.

The UNIX systems *finger* command enables a user to determine information about other users on the system or the network. A bug in one of its supporting programs enabled a buffer to be overrun. The worm used this weakness to deposit information on the stack that ultimately allowed the worm to infect a remote machine.

The worm also took advantage of a weakness in *sendmail*, a program for transmitting mail between systems in a network. Sendmail has a debugging option, which, when on, enables commands, rather than data, to be transmitted. The debug option should have been off, but it had been inadvertently left on in many of the systems on the Internet.

Passwords are stored in UNIX systems in encrypted form in a public file. Even though there is no reverse transformation known to read the file, a program can generate test passwords, apply the forward encryption algorithm, and compare these encrypted test passwords with the encrypted passwords in the file. With good guesses, the worm was eventually able to determine many users' passwords. It did this by two different methods. One was to try certain popular passwords (which the worm had in a table). The second was to try various transformations on information the worm was able to determine about each user; some of these transformations were as simple as spelling certain user facts backwards.

Once the worm was discovered, it was easy to stop. It did not destroy files, but it did monopolize resources and thus bring down many systems. The Internet researchers who analyzed the binary code concluded that the worm was not a particularly well-written program, and that it did not take advantage of some of the more subtle known UNIX systems security flaws.

As this text went to press, a suspect had been identified, but prosecution had not begun. The scope of the penetration was enormous. Some estimates of lost people time and computer time go as high as $100,000,000. The incident has become legendary. Some people view the worm invasion as a heinous criminal act; others feel that the perpetrator(s) may have done the computer industry—and society as a whole—a great service by focusing attention on how careless the industry has been in constructing systems that proved so easy to compromise.

Perhaps incidents like this, and the ensuing publicity and public concern, will hasten the development of legislation and penalties strict enough to deter future penetration attempts. The incident will surely intensify the research and development of operating systems that are much harder to penetrate. Will there ever be a system that is virtually impossible to break? Probably not. Does this mean we should not build complex systems? We simply may not have that choice. Our best hope should be to do a much better job attempting to construct more secure systems. One has to believe that the Internet worm incident will not be the last large-scale network penetration we will see. But it may spawn more research in the important area of operating systems security than any other single incident in the history of computing.

SUMMARY

As computing continues to become more accessible, security problems increase. Data communications and networking greatly increase the vulnerability of computer-based systems. User-friendliness also implies increased vulnerability.

Sharing and protection are conflicting goals. It is easier to verify the security of simple rather than complex systems. Security requirements for a given system define what it means for that system to be secure.

A total approach to computer security is essential. External security deals with protecting the computer system from intruders and disasters. User interface security is concerned with establishing a user's identity before that user is allowed to access a system. Internal security deals with ensuring the reliable and uncorrupted operation of the computer system and the integrity of programs and data.

Authorization determines what access is allowed to what entities. Division of responsibilities gives people distinct subsets of responsibilities; no one employee deals with a large portion of the operation of the system, so a security compromise would have to involve several employees.

Surveillance deals with monitoring and auditing the system, and authenticating users. In threat monitoring, the operating system controls sensitive operations rather than giving control directly to the users. Surveillance programs perform the sensitive operations. When surveillance programs must have greater access than user programs in order to service user requests, this is called amplification.

The most common authentication scheme in use today is simple password protection. Short passwords can often be determined by repeated trials. Encryption of the master list of passwords helps keep passwords secure even if a system is penetrated. Passwords should be changed frequently.

An audit log is a permanent record of events that occur in a computer system; it is heavily protected. The audit log acts as a deterrent to those who would attempt a security violation.

Access rights define what access various subjects have to various objects. Objects are protected against subjects. The most critical security measures are implemented in a security kernel. A fault-tolerant computer system is one that continues to operate even after one or more components fail. Fault tolerance is facilitated by incorporation of fail-safe mechanisms into hardware, use of transparent multiprocessing, use of multiple input/output subsystems, incorporation of much of the operating system into hardware, and incorporation of fault detection mechanisms into hardware.

Capabilities-based object-oriented systems are being investigated today as a means of achieving secure computing systems. A protection domain defines the access rights that a subject has to the various objects of a system. Small protection domains are important for enforcing the principle of least privilege. For a subject to access a particular object, it must possess a capability to do so. The lost object problem is concerned with what happens when the last capability to an object is deleted. Revoking capabilities can be difficult; a capability could have been copied many times.

The IBM System/38 provides an object-oriented capabilities-based environment. It provides high-level machine instructions that directly manipulate objects. System/38 machine objects are encapsulated; their internal structure is known only to the machine. All object names are placed in cataloglike objects called contexts. A summary of System/38 machine objects was presented in the chapter.

System/38 implements capabilities through system pointers. Security is rigidly enforced; every reference to an object is examined to be sure the user has the right to access the object in the desired manner.

Cryptography is important to the security of today's computing systems. The National Bureau of Standards has adopted the Data Encryption Standard (DES) for the transmission of sensitive federal information. Some interesting issues in cryptography are the privacy problem, the authentication problem, and the problem of dispute.

A sender encrypts plaintext to create ciphertext, which is transmitted to a receiver over an insecure channel monitored by an eavesdropper. The receiver decrypts the ciphertext to reconstruct the original plaintext. Cryptanalysis is the process of attempting to regenerate a plaintext from a ciphertext, but without knowledge of the decryption key.

In public key systems the enciphering and deciphering functions are separated; each requires a different key. One key is made public; the other is kept private. When a message is encrypted with a user's public key, only that user can decipher the message. Using public key systems, it is possible to implement digital signatures that guarantee the authenticity of the sender of a message.

Two of the most significant cryptography schemes are the Data Encryption Standard (DES) and the Rivest, Shamir, and Adleman scheme. DES is a symmetric scheme, in which a single key is used for encryption and decryption; RSA is an asymmetric scheme, in which different keys are used for these purposes.

The most common use of encryption in today's operating systems is to protect a system's master list of passwords. Encryption is also used to protect data stored in files, and to protect data being transmitted over networks.

Encrypted backup tapes and disks need not be guarded as heavily as unencrypted ones. Link encryption is concerned with encryption/decryption at each node of a computer network. With end-to-end encryption, messages are encrypted only at their source and decrypted only at their destination. A challenge and response procedure can enable a system to authenticate a user during login without the need for transmitting a key.

An operating system's defenses should be able to withstand a penetration attempt by a nonprivileged user; making an operating system absolutely impenetrable is an impossible task. The best one can hope to do is to make the system highly resistant to penetration. Penetration studies attempt to estimate a system's penetration work factor, that is, how much effort and resources must be expended to penetrate the system.

Numerous generic system functional flaws that enable successful penetrations were enumerated in the chapter. The chapter also presented an enumeration of generic operating system attacks. The operating system designer must be aware of the techniques used by system penetrators if the designer is to attempt to produce a secure system.

The chapter concluded with a discussion of a penetration study performed at the University of Michigan. The Michigan Terminal System (MTS) was successfully penetrated in several ways by a team of students with access to system documentation and source listings, but who could only access the system as conventional nonprivileged users. The students used the flaw hypothesis methodology developed by System Development Corporation; suspected flaws were enumerated, confirmed, and then generalized to expose other flaws and design weaknesses. The key flaw that enabled a total penetration was a defect in the parameter checking mechanisms. After parameters were verified, the user was able to change them before the operating system actually used them.

TERMINOLOGY

access control matrix
access rights
amplification
asymmetric encryption
asynchronous attack
audit log
auditing
authentication problem
authorization
browsing
capabilities list
capability
capability-based addressing
challenge and response procedure
ciphertext
classification
composite object
confinement
cryptanalysis
cryptography
cryptosystem
Data Encryption Standard (DES)
decryption
detection mechanisms
digital signature
division of responsibilities
DOD Directive 5200.28
eavesdropper
encapsulation
encryption
end-to-end encryption
external security
fault-tolerant systems
flaw generalization
flaw hypothesis confirmation
flaw hypothesis generation
flaw hypothesis methodology
generic operating system attacks

generic system functional flaws
graceful degradation
IBM System/38
internal security
Internet worm
legality checking
link encryption
lost object problem
NAK attack
object-oriented system
operating system penetration
operational security
password protection
penetration study
penetration work factor
penetrator entrapment
piggyback
plaintext
privacy problem
private key
problem of dispute
protection against disasters
protection against intruders
protection domain
public key
public key system
redundancy
repeated trials
residue
revocation of capabilities
security
security administrator
security kernel
security requirements
subjects
surveillance
symmetric encryption
threat monitoring
transparent multiprocessing
trapdoor
Trojan Horse
unresolved system pointer
user authentication

EXERCISES

17.1 Why is a precise statement of security requirements critical to the determination of whether or not a given system is secure?

17.2 User-friendliness can imply increased vulnerability. Why?

17.3 Sharing and protection are conflicting goals. Give five significant examples of sharing supported by operating systems. For each, explain what protection mechanisms are necessary to control the sharing.

17.4 How are surveillance programs used in threat monitoring? Describe several checks a surveillance program might make to determine if a user is attempting to corrupt a critical file.

17.5 Give several reasons why simple password protection is the most common authentication scheme in use today. Discuss the weaknesses inherent in password protection schemes.

17.6 What is an audit log? What information might an operating system deposit in an audit log? How does an audit log act as a deterrent to those who would commit a security violation?

17.7 One maverick operating systems security expert has proposed the following economical way to implement a reasonable level of security: Simply tell everyone who works at an installation that the operating system contains the latest and greatest in security mechanisms. Do not actually build the mechanisms, the expert says, just tell everyone that the mechanisms are in place. Who might such a scheme deter from attempting a security violation? Who would not likely be deterred? Discuss the advantages and disadvantages of the scheme. In what types of installations might this scheme be useful? Suggest a simple modification to the scheme that would make it far more effective, yet still far more economical than a comprehensive security program.

17.8 What is the principle of least privilege? Give several reasons why it makes sense. Why is it necessary to keep protection domains small to effect the least privilege approach to security? Why are capabilities particularly useful in achieving small protection domains?

17.9 How does a capabilities list differ from an access control list?

17.10 Why is an understanding of cryptography important to operating systems designers? List several areas within operating systems in which the use of cryptography would greatly improve security.

17.11 What is a security kernel? What types of functions are controlled by a security kernel? Give several motivations for keeping a security kernel as small as possible. What factors tend to force security kernels to be larger than designers consider desirable?

17.12 Why is it desirable to incorporate certain operating systems security functions directly into hardware? Why is it useful to microprogram certain security functions?

17.13 What is a fault-tolerant computer system? Why is interest in such systems increasing rapidly? List several design techniques for improving the fault tolerance of computer systems.

17.14 Give brief definitions of each of the following terms.

a) cryptography
b) Data Encryption Standard (DES)
c) privacy problem
d) authentication problem
e) problem of dispute
f) plaintext
g) ciphertext
h) insecure channel
i) eavesdropper
j) cryptanalysis

17.15 Give brief definitions of each of the following terms

a) public key system
b) public key
c) private key
d) digital signature
e) link encryption
f) end-to-end encryption
g) challenge and response procedure

17.16 Why is input/output such a ripe area for penetration attempts?

17.17 What is a penetration work factor? Why is it so difficult to determine?

17.18 Argue both for and against the incorporation of penetrator entrapment mechanisms in operating systems.

17.19 Asynchronous operating system attacks can occur in a uniprocessor system, but they are a far more serious problem in multiprocessing systems and computer networks. Explain why.

17.20 Why are denial of access attacks of such great concern to operating systems designers? List as many software-oriented means as you can that might be used in a denial of access attack.

17.21 Explain how public key cryptography systems provide an effective means of implementing digital signatures.

17.22 Explain how cryptography is useful in each of the following.

a) protecting a system's master list of passwords
b) protecting stored files

c) protecting vulnerable transmissions in computer networks

d) user authentication in login attempts

17.23 Summarize the results of the case study describing the penetration attack on the Michigan Terminal System.

17.24 The UNIX systems administrator cannot determine the password of a user who has lost his or her password. Why? How can that user regain access to the computer?

17.25 How could a UNIX systems user seize control of a system, thus locking out all other users? What defense may be employed against this technique?

17.26 (Project) Write a research paper on the use of object-oriented programming languages, such as C++, in writing operating systems. In particular, investigate the use of object-oriented languages in the Mach operating system developed at Carnegie-Mellon University, and in UNIX System V Release 4 developed by AT&T and Sun Microsystems.

17.27 (Project) Do a thorough technical analysis of the Internet worm incident.

17.28 (Project) Discuss the ethical and legal issues surrounding the practice of hacking. Discuss the Internet worm incident.

17.29 (Project) At the moment, it appears that our computing systems are easy targets for penetration. Enumerate the kinds of weaknesses that are prevalent in today's systems. Suggest how to correct these weaknesses.

Term Project

17.30 Design a penetration study for a large computer system with which you are familiar. Adhere to the following:

a) Perform the study only with the full cooperation of the computer center administrators and personnel.

b) Arrange to have ready access to all available system documentation and software (and firmware) source listings.

c) Agree that any flaws you discover will not be made public until they have been corrected.

d) Prepare a detailed report summarizing your findings and suggesting how to correct the flaws.

e) Your primary goals are to achieve

   i) total system penetration

   ii) denial of access to legitimate system users

   iii) the crashing of the system.

f) You may access the system only through conventional mechanisms available to nonprivileged users.

g) Your attacks must be software and/or firmware oriented.

LITERATURE

(Ah87) Ahituv, N.; Y. Lapid; and S. Neumann, "Processing Encrypted Data," *Communications of the ACM*, Vol. 30, No. 9, September 1987, pp. 777–780.

(Ak83) Akl, S. G., "Digital Signatures: A Tutorial Survey," *Computer*, Vol. 16, No. 2, February 1983, pp. 15–24.

(Am83) Ames, S. R., Jr., and M. Gasser, "Security Kernel Design and Implementation: An Introduction," *Computer*, Vol. 16, No. 7, July 1983, pp. 14–22.

(Aw86) Anyanwu, J. A., and L. F. Marshall, "A Crash Resistant UNIX File System," *Software—Practice and Experience*, Vol. 16, February 1986, pp. 107–118.

(At86) Athanasiou, T., "Encryption Technology, Privacy, and National Security," *Technology Review*, Vol. 89, No. 6, August/September 1986, pp. 57–66.

(At76) Attanasio, C. R.; P. W. Markstein; and R. J. Phillips, "Penetrating an Operating System: A Study of VM/370 Integrity," *IBM Systems Journal*, Vol. 11, No. 1, 1976, pp. 102–118.

(Ba88) Bauer, D. S., and M. E. Koblentz, "NIDX—A Real-Time Intrusion Detection Expert System," *USENIX Conference Proceedings*, San Francisco, June 20–24, 1988, pp. 261–274.

(Bl83) Blum, M., "How to Exchange (Secret) Keys," *ACM Transactions on Computer Systems*, Vol. 1, No. 2, May 1983, pp. 175–193.

(Bo87) Borg, A., "Fault Tolerance by Design," *UNIX Review*, April 1987, pp. 46–53.

(Bo87a) Borning, A., "Computer System Reliability and Nuclear War," *Communications of the ACM*, Vol. 30, No. 2, February 1987, pp. 112–131.

(Bu87) Burke, F., *UNIX System Administration*, San Diego, CA: Harcourt Brace Jovanovich, 1987.

(By86) *Byte Magazine*, Special Issue on Object-Oriented Languages, August 1986, McGraw-Hill.

(Ck88) Clarke, R. A., "Information Technology and Dataveillance," *Communications of the ACM*, Vol. 31, No. 5, May 1988, pp. 498–513.

(Co88) Coffin, S., *UNIX: The Complete Reference*, Berkeley, CA: Osborne McGraw-Hill, 1988.

(Co86) Cox, B., *Object-Oriented Programming*, Reading, MA: Addison-Wesley, 1986.

(Da88) Danforth, S., and C. Tomlinson, "Type Theories and Object-Oriented Programming," *ACM Computing Surveys*, Vol. 20, No. 1, March 1988, pp. 29–72.

(Dv83) Davies, D. W., "Applying the RSA Digital Signature to Electronic Mail," *Computer*, Vol. 16, No. 2, February, 1983, pp. 55–62.

(Dv84) Davies, D. W., and W.L. Price, *Security for Computer Networks*, New York, NY: John Wiley, 1984.

(De81) Denning, D. E., "Secure Personal Computing in an Insecure Network," *Communications of the ACM*, Vol. 22, No. 8, August 1981, pp. 476–482.

(De83a) Denning, D. E., "Protecting Public Keys and Signature Keys," *IEEE Computer*, Vol. 16, No. 2, February 1983, pp. 27–35.

(De84) Denning, D. E., "Digital Signatures with RSA and Other Public-Key Cryptosystems," *Communications of the ACM*, Vol. 27, No. 4, April 1984, pp. 388–392.

(De81a) Denning, D. E., and G. M. Sacco, "Timestamps in Key Distribution Protocols," *Communications of the ACM*, Vol. 24, No. 8, August 1981, pp. 533–536.

(Dn66) Dennis, J. B., and E. C. Van Horn, "Programming Semantics for Multiprogrammed Computations," *Communications of the ACM*, Vol. 9, No. 3, March 1966, pp. 143–155.

(Ev85) Even, S.; O. Goldreich; and A. Lempel, "A Randomized Protocol for Signing Contracts," *Communications of the ACM*, Vol. 28, No. 6, June 1985, pp. 637–647.

(Fa74) Fabry, R. S., "Capability-Based Addressing," *Communications of the ACM*, Vol. 17, No. 7, July 1974, pp. 403–411.

(Fa86) Farrow, R., "Security Issues and Strategies for Users," *UNIX World*, April 1986, pp. 65–71.

(Fa86a) Farrow, R., "Security for Superusers, or How to Break the UNIX System," *UNIX World*, May 1986, pp. 65–70.

(Fe88) Fernandez, G., and L. Allen, "Extending the UNIX Protection Model with Access Control Lists," *USENIX Conference Proceedings*, San Francisco, June 20–24, 1988, pp. 119–132.

(Fi86) Filipski, A., and J. Hanko, "Making Unix Secure," *Byte*, April 1986, pp. 113–128.

(Fi89) Fisher, S., "UNIX Security and Government Secrets," *UNIX World*, Vol. 6. No. 4, April 1989, pp. 36–42.

(Fr83) Fraim, L. J., "Scomp: A Solution to the Multilevel Security Problem," *Computer*, Vol. 16, No. 7, July 1983, pp. 26–34.

(Gt78) Gait, J., "Easy Entry: The Password Encryption Problem," *Operating Systems Review*, Vol. 12, No. 3, July 1978, pp. 54–59.

(Gr84) Grampp, F. T., and R. H. Morris, "UNIX Operating System Security," *AT&T Bell Laboratories Technical Journal*, Vol. 63, No. 8, October 1984, pp. 1649–1672.

(Ha88) Hafner, K. M.; G. Lewis; K. Kelly; M. Shao; C. Hawkins; and P. Angiolillo, "Is Your Computer Secure?" *Business Week*, August 1, 1988, pp. 64–72.

(He80) Hebbard, B., et al., "A Penetration Analysis of the Michigan Terminal System," *Operating Systems Review*, Vol. 14, No. 1, June 1980, pp. 7–20.

(He88) Hecht, M. S.; A. Johri; R. Aditham; and T. J. Wei, "Experience Adding C2 Security Features to UNIX," *USENIX Conference Proceedings*, San Francisco, June 20–24, 1988, pp. 133–146.

(Ho80) Hoch, C., and J. C. Browne, "An Implementation of Capabilities on the PDP-11/45," *Operating Systems Review*, Vol. 13, No. 3, July 1980, pp. 22–32.

(IB80) *IBM System/38 Technical Developments*, IBM Corporation, General Systems Division, Atlanta, GA.: G580, July 1980.

(Jo85) Johnson, R. E., "Choosing Encryption: DES or Private Key?" *Infosystems*, July 1985, p. 36.

(Jo80) Jones, A. K., "Capability Architecture Revisited," *Operating Systems Review*, Vol. 14, No. 3, July 1980, pp. 33–35.

(Jp86) Joseph, T., and K. Birman, "Low Cost Management of Replicated Data in Fault-Tolerant Distributed Systems," *ACM Transactions on Computing Systems*, Vol. 4, No. 1, February 1986, pp. 54–70.

(Ka88) Kahane, Y.; S. Neumann; and C. S. Tapiero, "Computer Backup Pools, Disaster Recovery, and Default Risk," *Communications of the ACM*, Vol. 31, No. 1, January 1988, pp. 78–83.

(Ka83) Kak, S. C., "Data Security in Computer Networks," *Computer*, Vol. 16, No. 2, February 1983, pp. 8–10.

(Kr88) Kramer, S. M., "Retaining SUID Programs in a Secure UNIX," *USENIX Conference Proceedings*, San Francisco, June 20–24, 1988, pp. 107–118.

(Ku86) Kuhl, J. G., and S. M. Reddy, "Fault-Tolerance Considerations in Large, Multiple-Processor Systems," *Computer*, Vol. 19, No. 3, March 1986, pp. 56–67.

(La88) Lai, N., and T. E. Gray, "Strengthening Discretionary Access Controls to Inhibit Trojan Horse and Computer Viruses," *USENIX Conference Proceedings*, San Francisco, June 20–24, 1988, pp. 275–286.

(Lm81) Lamport, L., "Password Authentication with Insecure Communication," *Communications of the ACM*, Vol. 24, No. 11, November 1981, pp. 770–772.

(Lm84) Lamport, L., "Using Time Instead of Timeout for Fault-Tolerance in Distributed Systems," *ACM Transactions on Programming Languages and Systems*, Vol. 6, No. 2, April 1984, pp. 254–280.

(Le86) Lee, J. A. N.; G. Segal; and R. Steier, "Positive Alternatives: A Report on an ACM Panel on Hacking," *Communications of the ACM*, Vol. 29, No. 4, April 1986, pp. 297–299.

(Le87) Lehmann, F., "Computer Break-Ins," *Communications of the ACM*, Vol. 30, No. 7, July 1987, pp. 584–585.

(Lv84) Levy, H. M., *Capability-Based Computer Systems*, Bedford, MA: Digital Press, 1984.

(Li75) Linde, R. R., "Operating System Penetration," *AFIPS Conference Proceedings*, Vol. 44, 1975.

(Lo86) Lobel, J., *Foiling the System Breakers: Computer Security and Access Control*, New York, NY: McGraw-Hill, 1986.

(Mc89) McAfee, J., "The Virus Cure," *Datamation*, February 15, 1989, pp. 29–40.

(Mc79) McCauley, E. J., "KSOS: The Design of a Secure Operating System," *AFIPS Conference Proceedings*, Vol. 48, 1979, pp. 345–353.

(Mi76) Millen, J., "Security Kernel Validation in Practice," *Communications of the ACM*, Vol. 19, No. 5, May 1976.

(Mi86) Minoli, D., "Protecting Communications from Disaster," *Infosystems*, Vol. 33, No. 2, February 1986, pp. 38–40.

(Md86) Morshedian, D., "How to Fight Password Pirates," *Computer*, Vol. 19, No. 1, January 1986.

(Mu86) Mullender, S. J., and A. S. Tanenbaum, "The Design of a Capability-Based Distributed Operating System," *Computer Journal*, Vol. 29, No. 4, 1986, pp. 289–299.

(Mu84a) Murray, W. H., "Security Considerations for Personal Computers," *IBM Systems Journal*, Vol. 23, No. 3, 1984, pp. 297–304.

(My86) Myers, W., "Can Software for the Strategic Defense Initiative Ever Be Error-Free?" *Computer*, Vol. 19, No. 11, November 1986, pp. 61–68.

(Na77) National Bureau of Standards, "Data Encryption Standard," January 1977, NTIS *NBS-FIPS PUB 46.*

(Pa86) Pascoe, G. A., "Elements of Object-Oriented Programming," *Byte*, Vol. 11, No. 8, August 1986, p. 139–144.

(Pi80) Pinnow, K. W.; J. G. Ranweiler; and J. F. Miller, "System/38 Object-Oriented Architecture," *IBM System/38 Technical Developments*, IBM Corporation, General Systems Division, Atlanta, Ga.: G580, July 1980, pp. 55–58.

(Po78) Popek, G. J., and C. S. Kline, "Issues in Kernel Design," *AFIPS Conference Proceedings, 1978 NCC*, Vol. 47, pp. 1079–1086.

(Pr75) "Computer Security Guidelines for Implementing the Privacy Act of 1974," *NBS FIPS Pub. 41*, May 1975.

(Re87) Reid, B., "Reflections on Some Recent Widespread Computer Break-Ins," *Communications of the ACM*, Vol. 30, No. 2, February 1987, pp. 103–105.

(Ri78) Rivest, R.; A. Shamir; and L. Adleman, "On Digital Signatures and Public Key Cryptosystems," *Communications of the ACM*, Vol. 21, No. 2, February 1978, pp. 120–126.

(Ri84) Rivest, R., and A. Shamir, "How to Expose an Eavesdropper," *Communications of the ACM*, Vol. 27, No. 4, April 1984, pp. 393–394.

(Ru81) Rushby, J. M., "Design and Verification of Secure Systems," *Proceedings of the 8th Symposium on Operating Systems Principles*, Vol. 15, No. 5 , December 1981, pp. 12–21.

(Ru83) Rushby, J., and B. Randell, "A Distributed Secure System," *Computer*, Vol. 16, No. 7, July 1983, pp. 55–67.

(Sc83) Schell, R. R., "A Security Kernel for a Multiprocessor Microcomputer," *Computer*, Vol. 16, No. 7, July 1983, pp. 47–53.

(Sr77) Schiller, W. L., "The Design and Abstract Specification of a Multics Security Kernel," Bedford, MA: The Mitre Corp., November 1977, *MTR-3 294*, Vol I; *EST-TR-77-259*, Vol. I; (NTIS *AD A04876*).

(Sc86) Schmucker, K. J., *Object-Oriented Programming for the Macintosh*, Hayden Book Company, 1986.

(Sc77) Schroeder, M. D.; D. D. Clark; and J. H. Saltzer, "The Multics Kernel Design Project," Proceedings of the Sixth ACM Symposium on Operating Systems Principles, in *Operating Systems Review*, Vol. 11, No. 5, 1977, pp. 43–56.

(Sc77a) Schroeder, M. D.; D. D. Clark; J. H. Saltzer; and D. H. Wells, *Final Report of the Multics Kernel Design Project*, MIT-LCS-TR-96, 1977.

(Sm79) Shamir, A., "How to Share a Secret," *Communications of the ACM*, Vol. 22, No. 11, November 1979, pp. 612–613.

(Sv83) Silverman, J. M., "Reflections on the Verification of the Security of an Operating System Kernel," *Proceedings of the 9th Symposium on Operating Systems Principles*, ACM, Vol. 17, No. 5, October 1983, pp. 143–154.

(Si79) Simmons, G. J., "Symmetric and Asymmetric Encryption," *ACM Computing Surveys*, Vol. 11, No. 4, December 1979, pp. 305–330.

(Sp88) Spafford, E. H., "The Internet Worm Program: An Analysis," *Purdue Technical Report CSD-TR-823*, November 28, 1988.

(St88) Stoll, C., "Stalking the Wiley Hacker," *Communications of the ACM*, Vol. 31, No. 5, May 1988, pp. 484–497.

(St86) Stroustrup, B., *The C++ Programming Language*, Reading, MA: Addison-Wesley, 1986.

(St87a) Stroustrup, B., "The Evolution of C++: 1985 to 1987," *USENIX Proceedings and Additional Papers C++ Workshop, Santa Fe, NM*, 1987, pp. 1–21.

(St87b) Stroustrup, B., "Possible Directions for C++," *USENIX Proceedings and Additional Papers C++ Workshop, Santa Fe, NM*, 1987, pp. 399–416.

(St87c) Stroustrup, B., "What is Object-Oriented Programming?", *USENIX Proceedings and Additional Papers C++ Workshop, Santa Fe, NM*, 1987, pp. 159–180.

(Su84) Summers, R. C., "An Overview of Computer Security," *IBM Systems Journal*, Vol. 23, No. 4, 1984, pp. 309–325.

(Vo83) Voydock, V. L., and S. T. Kent, "Security Mechanisms in High-Level Network Protocols," *Computing Surveys*, Vol. 15, No. 2, June 1983, pp. 135–171.

(Wa80) Walker, B.; R. A. Klemmerer; and G.J. Popek, "Specification and Verification of the UCLA Unix Security Kernel," *Communications of the ACM*, Vol. 23, No. 2, February 1980.

(Wh86) White, E., and R. Malloy, "Object-Oriented Programming," *Byte*, Vol. 11, No. 8, August 1986, p. 137.

(Wi88a) Wiener, R. S., and L. J. Pinson, *An Introduction to Object-Oriented Programming and C++*, Reading, MA: Addison-Wesley, 1988.

(Wi81) Wilkinson, A. L., et al., "A Penetration Analysis of a Burroughs Large System," *Operating Systems Review*, Vol. 15, No. 1, January 1981, pp. 14–25.

(Wo85) Wood, P., and S. Kochan, *UNIX System Security*, NJ: Hayden Book Co., 1985.

(Zi86) Zimmermann, P., "A Proposed Standard Format for RSA Cryptosystems," *Computer*, Vol. 19, No. 9, September 1986, pp. 21–34.

APPENDIX

The Publication: *Department of Defense Trusted Computer System Evaluation Criteria* (DoD 5200.28-STD) may be ordered from:

Office of Standards and Products
National Computer Security Center
Fort Meade, MD 20755-6000
Attn: Chief, Computer Security Standards

18

Case Study: UNIX Systems

UNIX is a simple, coherent system that pushes a few good ideas and models to the limit. It is this aspect of the system, above all, that endears it to its adherents.

Dennis M. Ritchie
1983 Turing Award Lecture
Association for Computing Machinery, Inc.

Intelligence ... is the faculty of making artificial objects, especially tools to make tools.

Henri Bergson

The genius of the UNIX system is its framework, which enables programmers to stand on the work of others.

1983 Turing Award Selection Committee

UNIX isn't just our cozy little operating system anymore.

Judith Hurwitz
quoted in *UNIX World*, March 1989

For we are your offspring.

Cleanthes
Hymn to Zeus

Outline

18.1 Introduction
18.2 History
18.3 The Shell
18.4 The Kernel
18.5 The File System
- **18.5.1** The Inode
- **18.5.2** Permissions
- **18.5.3** Setuid
- **18.5.4** File Sharing
- **18.5.5** The Buffer Cache

18.6 Process Management
- **18.6.1** Scheduling
- **18.6.2** Interprocess Communication
- **18.6.3** Signals
- **18.6.4** Pipes and Filters
- **18.6.5** Lightweight Processes
- **18.6.6** Timers

18.7 Memory Management
- **18.7.1** Swapping in Real Storage UNIX Systems
- **18.7.2** Address Mapping in a Virtual Storage UNIX System
- **18.7.3** Paging
- **18.7.4** Swapping in Virtual Storage UNIX Systems
- **18.7.5** Dynamic Storage Allocation

18.8 The Input/Output System
- **18.8.1** Devices
- **18.8.2** Descriptors
- **18.8.3** Input/Output System Calls
- **18.8.4** Non-Blocking I/O

18.9 The SunOS Operating System
18.9.1 The Sun 386i Workstation
18.9.2 DOS Under SunOS
18.10 Distributed UNIX Systems
18.10.1 Berkeley's Sockets
18.10.2 AT&T's STREAMS
18.10.3 Sun's Network File System (NFS)
18.10.4 AT&T's Remote File System (RFS)
18.11 UNIX Systems Standardization and Open Systems
18.11.1 The POSIX Standard
18.11.2 The System V Interface Definition (SVID)
18.11.3 System V Release 4.0
18.11.4 IBM's AIX
18.11.5 Carnegie Mellon University's Mach
18.11.6 The Open Software Foundation (OSF)
18.11.7 UNIX International
18.12 The Future of UNIX Systems

18.1 INTRODUCTION

The UNIX operating systems developed at Bell Laboratories are among the notable successes in the field of operating systems (Ri84). UNIX systems provide a friendly environment for program development and text processing. They make it easy to combine programs with one another; this encourages a modular, tool-oriented building-block approach to program design (Pi84). Once a UNIX operating system has been ported to another machine (i.e., moved to a new system as has happened dozens of times), a huge library of utilities becomes available on the target machine; this has been key to the success of UNIX systems. More than one million UNIX systems have been shipped. UNIX systems may eventually become the world's most widely used operating systems.

This case study discusses the UNIX systems phenomenon, considers why UNIX systems have evolved to a position of prominence in the open systems efforts of major organizations, and examines the internal structure of UNIX systems. The case study generally discusses SunOS, the Sun Microsystems version of UNIX systems, one of the more widely used UNIX systems in universities and in advanced workstations.

Each of the other case studies in the next several chapters discusses a single operating system. Unfortunately, we do not have that luxury of precision here because the "UNIX operating system" is really a series of distinct systems. This case study discusses each of the leading UNIX systems, and indicates some newcomers that are likely to receive significant interest in the 1990s. The reader is urged to consult the documentation at his or her installation to clarify the specific UNIX system being used and the features that are available.

The frontpaper of this text contains a graphic of the organization of AT&T's UNIX System V; this illustrates the relationships among the key data structures managed by the operating system. The appendix to this chapter contains a summary of the system calls in UNIX System V; we do not have space to discuss all of these in the case study, but we included this listing to give the reader an indication of the functionality of the operating system.

The first edition of this textbook went to production just as the IBM Personal Computer was being announced in August of 1981. UNIX systems were available on a number of minicomputers and mainframes. They were beginning to appear on personal computers in the form of Microsoft's XENIX (Mo86) system, but personal computer users of the time did not need multiuser, multitasking operating systems, nor was the hardware really powerful enough to run them effectively.

Since that time microprocessors have evolved from relatively slow 8-bit chips, to more powerful 16-bit chips, and currently into the range of 32-bit chips that support multiuser, multitasking, virtual storage operating systems and computer networking. Putting UNIX on anything less than a minicomputer did not make much sense in 1981. Today, UNIX can easily be accommodated on the prevalent microprocessors such as the Motorola 68030 and the Intel 80386, among others. To be competitive in the personal computer marketplace and in the advanced workstation marketplace, companies must offer UNIX systems with the various powerful capabilities of AT&T's System V (currently in Release 3 and referred to as SVR3) (So85) (AT86) (AT86a) (AT86b) (Bo87) (AT88a) and the Berkeley Software

Distribution (BSD) system 4.3 (Qu85) (Bk86) (Uc86) (Lf88a) (Wa88). At the end of this case study we discuss the various competing UNIX systems that are likely to be prevalent in the early 1990s, including AT&T's SVR4, IBM's AIX, Carnegie Mellon's Mach, and others.

UNIX systems have become the preferred operating systems for many software developers to port their applications to, particularly developers of advanced graphics-intensive CASE systems, CAD/CAM systems, and other systems that require the computing power of 32-bit microprocessors.

Many UNIX systems, particularly those based on the Intel 80386 microprocessor (AT88a) (Hn88) (La88), provide users with MS-DOS/DOS compatibility (see Chapter 20); this enables users to run the massive base of IBM PC software applications in addition to the base of UNIX systems applications.

The UNIX operating system of 1981 was a keystroke-intensive system requiring a long list of commands with a variety of syntaxes. The latest generation of UNIX systems often provide user-friendly, mouse-oriented, window-oriented interfaces such as MIT's *X Window System* (Le88) (Sc88), Sun Microsystems' *NeWS* (Lf88), and AT&T's *Open Look* (Ch88).

UNIX systems have become the personal computer operating systems of choice among "power users" and are likely to become personal computer operating systems of choice for millions of others. Almost every major computer manufacturer now offers some form of UNIX systems. Many companies that had been offering UNIX systems "in addition to" their proprietary systems now tout UNIX systems as being of at least equal importance.

A key reason for UNIX systems' wide use today is that AT&T licensed them inexpensively and widely to universities and to industry in the 1970s and 1980s. Dozens of varieties of UNIX systems have evolved (perhaps unfortunately). UNIX systems are neither the most powerful nor the most efficient operating systems available today. But they do have the distinction of being the operating systems most major vendors have chosen for inclusion in their open systems strategies. Estimates are that UNIX systems will soon be shipped with 20% of all new computing systems built each year.

18.2 HISTORY

From 1965–1969, Bell Laboratories participated with General Electric (later Honeywell) and Project MAC (at the Massachusetts Institute of Technology) in the development of the Multics system (Or72). Originally designed for the GE-645 mainframe, Multics was a large and complex system. The Multics designers envisioned a general purpose computer utility that could essentially be "all things to all people."

As the effort progressed, it became clear that although Multics was likely to deliver the variety of services required, it would be a huge, expensive, and ponderous system. For these reasons, Bell Laboratories withdrew from the effort in 1969. Some members of Bell's research staff began to work on a far less ambitious system. The group, led by Ken Thompson, sought to create a simple computing environment for programming research and development. The first version of UNIX systems was produced for a DEC PDP-7 and was written in assembly language.

Thompson implemented a file system, a process control mechanism, file utilities, and a command interpreter; the eventual completion of an assembler made the system a complete program development and operating system package. In 1970 Brian Kernighan coined the name "UNIX" as a pun on Multics; indeed, in the sense that Multics was "multi," UNIX systems were indeed "uni" limited computing services. (Insiders claim that the real pun was derived from "castrated Multics!")

When the PDP-11 appeared, its attractive price enabled the group to acquire the machine (Ri84). It lacked multiprogramming support. The computer had only 24K with the operating system occupying 16K; 8K was reserved for the user. The maximum file size was 64K bytes. Text processing was the primary application. There was no storage protection, so the system could easily crash when testing a new program. The disk was small (1/2 megabyte).

Dennis Ritchie joined the development effort and helped rewrite UNIX systems in C by 1973 (Jo78), (Ke78), (Ri78b). This helped make UNIX systems software more portable and understandable. The fact that the first version of the UNIX operating system was built in just a few work-years primarily by two people, and the fact that the people who built the UNIX system were major users of it, contributed much to UNIX's unique design and coherence. Thompson's and Ritchie's contributions have been recognized with the Turing award, the most prestigious award in the computing community (Ri84b) (Th84).

AT&T, before deregulation, was not allowed to compete in the computer industry, so it made UNIX systems available to universities for a nominal fee. Importantly, AT&T also distributed the source code, thus encouraging further development and innovation. The source code is still available, but few users request it today. Many thousands of students who used UNIX systems in the universities entered industry and advised their organizations to make major UNIX systems commitments. By 1975, UNIX systems had become extremely popular in the universities, and a users' organization developed that evolved into the group now called USENIX. Other user groups, such as /usr/group, appeared. (See the appendix to this chapter for the addresses of user groups and other organizations mentioned in this case study.)

UNIX systems meet the needs of programmers building software and of administrators who must control software development efforts. They were not, however, designed to replace "heavy-duty" commercial operating systems (such as MVS; see Chapter 20) that support massive data processing, although recent UNIX systems designed for mainframes do indeed support commercial applications effectively. Hardware performance was not one of the design precepts in early UNIX systems. Security, reliability, recoverability, and other issues critical in commercial systems were also downplayed in early UNIX systems.

The UNIX Time-Sharing System, Seventh Edition, released in 1979, brought UNIX systems closer to becoming valid commercial products. Files could be as large as one billion bytes. The system was made more portable. The C language was extended. A more powerful *shell* (interpreter of user commands) was implemented including string variables, structured programming, trap handling, and other features. A capability was added for machine-to-machine file transfers.

Recognizing the value of UNIX systems, Microsoft announced, in 1980, that it would provide XENIX, a commercial version of a UNIX systems, on 16-bit microprocessors. To improve the viability of a UNIX system as a commercial product, Microsoft added hardware error recovery, automatic file repair after crashes, power-fail and parity error detection, shared data segments, and improved interprocess communication.

In 1980, The University of California at Berkeley was funded by the Defense Department to evolve UNIX systems from small timesharing operating systems into systems appropriate for studying distributed computing environments. This resulted in the development of the 4.1 BSD system that ran on DEC's VAX computers. The 4.1 BSD system offered much larger address spaces, demand-paged virtual memory, a faster and more powerful file system, interprocess communication, support for local area networks, a full-screen editor, and another shell.

AT&T began marketing UNIX System III in 1982. System III offered remote job entry, the *Source Code Control System* (for controlling the development of large software systems) (Tm84) (Tm84a) (Tm84b), and system accounting routines. System III eventually evolved into System V with a better file system, a better terminal device driver, and better interprocess communication facilities.

Sun Microsystems modeled its SunOS version of UNIX systems after the 4.2 BSD system developed at Berkeley (Co85) (La88). Sun wanted a system for supporting a network of workstations. Sun enhanced 4.2 BSD to include facilities for supporting a graphic, windowing, mouse-oriented interface. It provided facilities for *diskless workstations* to use the network for file storing and sharing, and for paging.

UNIX systems have been successfully implemented on a wide variety of supercomputers, mainframes, minicomputers, advanced workstations, and personal computers (Mo89a). Early UNIX systems were real storage systems (see Chapter 7), but today's UNIX systems are almost exclusively virtual storage systems (see Chapters 8 and 9).

Large tasks may often be accomplished by combining existing small programs rather than by developing new programs. This kind of composition is facilitated by UNIX systems' ability to route the output of one program directly to the input of another. UNIX systems provide *software tools* that support program development environments. UNIX systems have been proven to be productive software engineering environments in which *reusable software* has become commonplace.

18.3 THE SHELL

The *shell* is the UNIX systems' mechanism for interfacing between users and the system (Bo78) (Ha88) (Ko88). It is a command interpreter that reads lines typed by the user and causes the execution of the requested system features. It is an application program like any other; it is not part of the kernel. Custom shells are often written. UNIX systems often support several different shells. The shell is not permanently resident in main memory like the kernel—it can be swapped as needed.

Three of the most popular shells (Ha88) are the *Bourne shell* (stored in program file *sh*), the *Berkeley C shell* (stored in *csh*), and the *Korn shell* (stored in *ksh*). The Bourne shell has been the primary AT&T UNIX systems shell. The C shell (which has a syntax similar to the programming language C) was developed by Bill Joy of Sun Microsystems while he was at Berkeley. The AT&T Korn shell provides many enhancements to the Bourne shell, including various features from the C shell. These shells are not graphics-oriented like Apple's Macintosh graphics interface (see Chapter 22) or IBM's Presentation Manager for its OS/2 operating system (see Chapter 23). But they remain popular among experienced users; novices generally find the graphics shells more attractive. A number of graphics-oriented interfaces for UNIX systems are in use, including MIT's X Window System, AT&T and Sun's Open Look, and DEC's DECwindows. Morris and Brooks (Mo89) give a detailed comparison of IBM's Presentation Manager and the X Window System.

The full command languages interpreted by the various shells are substantial and somewhat complex, but most of the commands are simple to use and relatively consistent. The shell issues a prompt such as "$" or "%" (the latter on csh) to indicate that it is ready for the next command line. A command line consists of a *command name* (i.e., the name of an executable file), followed by a list of arguments separated by blanks. The shell breaks up the command line into its components. A *fork* is performed, creating a child process containing the shell. The file specified in the command is loaded, and the command arguments are made accessible to it. The child executes the command while the parent process *wait*s for the child to terminate with an *exit* call. Upon termination of the child, the shell types its *prompt* to the keyboard to indicate that the user may type the next command.

The shell gives each program it executes three open files—*standard input* (usually the keyboard), *standard output* (usually the display), and *standard error* (usually the display). These files are normally assigned to the terminal, but they may easily be *redirected* as in the following. In a command line, if an argument is preceded by "<" then it names a file, producing input for the command. A file prefixed by ">" is for receiving the standard output of commands. A prefix of "> >" means that the output is appended to the file rather than replacing it. The file names following these prefixes are interpreted by the shell and are not passed to the commands. The importance of this is that input and output may be redirected to and from files without modifying the program.

The various shell command languages include control flow capabilities. Command language programs may be written using *if/then/else*, *case*, *while*, and *for* structures.

The user may initiate a *background task* by following a command with an ampersand (`&`). In this case, the shell does not wait for the execution of the command to finish. It immediately prompts for a new command while the previous command executes in the background. The command specified may be a file containing other commands, so an interactive user can initiate substantial batch processing sequences (such as lengthy compilations) to be run in the background. As a simple example, the command

```
(cc source; a.out)&
```

causes the two commands (a compile-and-go sequence) to be executed in the background. The semicolon (`;`) is a *statement separator*. It indicates that the separated commands are to be executed sequentially. The parentheses are used to group commands, in this case so that the `&` applies to the entire sequence. A user may initate several background tasks. While background tasks are executing, the user may continue interactively entering and executing commands in the *foreground*.

18.4 THE KERNEL

UNIX systems contain a *kernel*, one or more shells, and various utilities. The kernel is the central part of UNIX operating systems; it *encapsulates* the hardware and provides UNIX systems services to applications programs. The kernel provides process management, memory management, I/O management, and timer management. Much as the shell provides services to users, the kernel provides services to applications programs (including the shell).

The kernel manages real memory and allocates the processor automatically. Other kernel functions are provided in response to requests, called *system calls*, from applications processes. System calls return –1 if an error arises, or some other value if execution is successful. When –1 is returned, the external value *errno* contains an indication of what caused the problem.

UNIX systems manage many concurrent processes. Each process has its own address space for protection, but processes may share the same copy of a reentrant program. Some system calls are privileged and may only be executed by privileged processes; the login mechanism determines which processes will receive privileged status. All users enter the system by typing a *login name* and a *password*. The predefined login name *root* is for the *superuser* (the system administrator). The superuser creates privileged processes; processes created by other users are generally unprivileged.

UNIX systems create and destroy processes frequently. Each time the user enters a command, for example, the shell creates a separate process to execute each executable file in the command. Each created process normally bears some resemblance to its creator.

Each process has a *text* (or *code*) *region*, a *data region*, a *stack region*, and various data structures that constitute its *process environment*. The text region contains reentrant procedure code and unmodifiable data; only a single copy of a shared reentrant procedure is maintained in primary storage. The data region contains modifiable data. The stack region contains the process's stack. One reason to separate the text region from the others is for protection; if the text and data regions were together, for example, then it might become possible for a program to modify its procedure code (Ba86).

A process's environment normally includes its register contents, its process priority, and a list of its open files. Processes cannot modify their environments directly; rather they can request modifications through system calls to the operating system.

The *fork* system call creates a new *child process*, which is a copy of the *parent process*. The child shares the reentrant code of the parent and receives copies of the parent's data and stack segments. The parent issues the *wait* system call to wait for the termination of a child. The *vfork* system call (a Berkeley enhancement) is an optimized *fork* used when the parent does not need to execute in parallel with the child; the child shares the parent's text, data, and stack regions. The *fork* call returns a value so that each process may determine if it is the parent or the child.

Processes may be terminated voluntarily by the *exit* call, or involuntarily as a result of illegal actions or signals or traps generated by the user. *Traps* are caused by program exceptions such as references to bad addresses or attempts to execute undefined operation codes.

18.5 THE FILE SYSTEM

UNIX systems use a *hierarchical file system* with the *root* node at its origin (see Chapter 13). File names appear in directories which are UNIX files. Each directory entry contains the file name and a pointer to the file's *inode*; the inode contains pointers to the file's disk blocks. The detailed structure of an inode is discussed in the next section. The file system directory structure is maintained by the kernel. From the system's standpoint, a directory is indistinguishable from an ordinary file except for the restriction that users cannot write to directories; users can, however, read from directories.

Each user has a *login directory*. The user may create subordinate directories. File names created by one user (subordinate to that user's login directory) do not conflict with identical names created by other users.

A file name may be suffixed with an *extension* to indicate the nature of the file's contents (such as .p for Pascal code and .c for C source code). Extensions are conventions established by users and programs that use the file system, but extensions are not in any way critical to the file system itself.

Directories and ordinary files are arranged in a hierachical tree structure with a "root" directory at its origin (see Fig. 18.1). Ordinary files appear at the leaves of the tree.

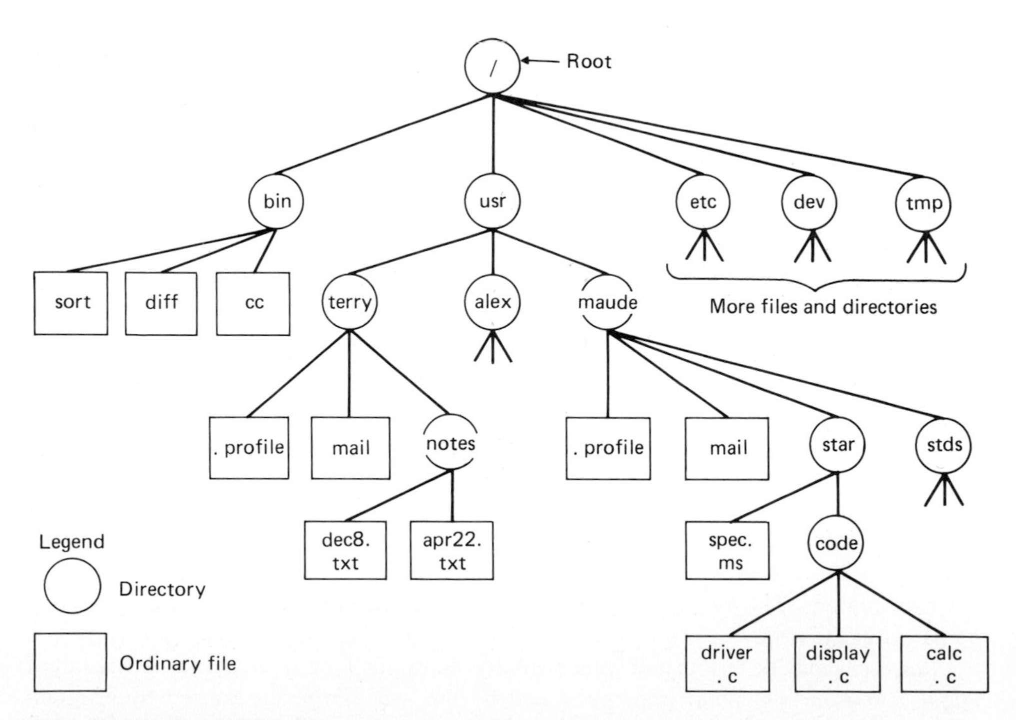

Fig. 18.1 Sun UNIX file system hierarchy. (Reprinted with the permission of Sun Microsystems, Inc.)

Individual files may be identified by using either an *absolute path name* or a *relative path name*. For example, the lengthy absolute path name

/usr/terry/notes/apr22.txt

is interpreted (see Fig. 18.1) as follows: *apr22.txt* is an ordinary file which is subordinate to directory *notes*, which is subordinate to directory *terry* which is subordinate to directory *usr*, which is (finally) subordinate to the root directory (the initial slash in an absolute path name denotes the root directory; other slashes simply separate the remaining directory names and the file name from one another). Or more directly: the path to *apr22.txt* begins at the root directory and then goes through the *usr* directory, the *terry* directory, and the *notes* directory that contains the entry for *apr22.txt*.

Working with absolute path names can be tedious, especially if the directory structure has many levels and if directory and ordinary file names are long. Users tend to work on closely related files at one time; these are often in the same directory of the tree structure, or in nearby directories. So relative path names may be used to specify files more efficiently. At any time, the system knows which directory the user is currently working in; this is called the user's *current directory* or *working directory*. Any path name not beginning with a slash is interpreted as being relative to the current directory. Thus, if the user is currently working in directory */usr/terry/notes*, then referencing the name *apr22.txt* directly is sufficient to locate that file uniquely. If the user is working in directory */usr/terry*, then the relative path name *notes/apr22.txt* is required to locate the file uniquely. Various system calls enable the user to move from one working directory to another.

The file directory structure appears as a single file system, but it may be viewed as many separate file systems anchored by the *root* directory and subordinate to it. These file systems may reside on the same disk as the root of the file system or on separate disks, with the restriction that any file system must reside on one disk only.

The privileged *mount* system call is used to attach a file system to a directory of another file system; the *umount* system call detaches a file system. The combination of these calls facilitates disk-oriented file systems in which disk packs are mounted and unmounted, and in which new disk drives are added and old or damaged ones removed. Systems such as the Sun Microsystems *Network File System* (Section 18.10.3) and AT&T's *Remote File System* (Section 18.10.4) extend these capabilities so that file systems may be shared across a network; one workstation may share a file system mounted on another workstation by mounting it on its local file system as well (Sb85) (Wh85).

A UNIX file is a collection of randomly addressable bytes. A file contains whatever data the user chooses to put in it, and has no structure other than that imposed on it by the user.

A UNIX file system is a data structure resident on disk; it contains a *super block* that defines the file system, an array of *inodes* that define the files in the file system, the actual file data blocks, and a collection of free blocks. All allocation is performed in fixed-size blocks.

A nondirectory file may appear in many different directories under perhaps different names; this is called *linking*. Directory entries for files are called *links*. Files exist independently of directory entries; the links in the directories point to inodes which, in turn, point to the actual physical files. A file disappears when the last link to it is deleted.

Each supported device is associated with one or more *special files*. Input/output to special files is done in the same manner as with ordinary disk files, but these requests cause activation of the associated devices. Each special file usually resides in directory */dev*.

18.5.1 The Inode

An inode contains the owner's *user identification* and owner's *group identification*, protection bits, physical disk addresses for the contents of the file, file size, time of creation, time of last use, time of last modification to the file, time of last modification to the inode, the number of links to the file, and an indication of whether the file is a *directory*, an *ordinary file*, a *character special file* (which represents a character-oriented device), a *block special file* (which represents a block-oriented device), or a *pipe* (see Section 18.6.4).

File blocks on disk can be contiguous, but it is more likely that they will be dispersed. The inode contains the information needed to locate a block in a file. As we will soon see, the inode data structure tends to provide fast access for small files; larger files, by far in the minority on typical UNIX systems, can require longer access times.

The inode contains the information needed to locate all of a file's physical blocks (Fig. 18.2). The information points directly to the first blocks of a file, and then uses various levels of indirection to point to the remaining blocks.

The block locator information in the inode consists of 13 fields. Fields 0 through 9 are direct block addresses; they point successively to the first 10 blocks of a file. Since the vast majority of UNIX files are small, these ten fields often suffice to locate all of a file's information directly. Field 10 is an indirect block address; it points to a block containing the next group of block addresses; this block can contain as many block addresses as will fit (blocksize/blockaddresssize)—normally several hundred entries.

Field 11 contains a double-indirect block address. It points to a block containing indirect block addresses; this block, in turn, points to blocks containing direct block addresses.

Field 12 contains a triple indirect block address. This points to a block of double-indirect block addresses. Each entry in this block points to a block of indirect addresses. Each entry in these blocks point to a block of direct addresses. Each entry in these blocks points to a block of the file.

18.5.2 Permissions

Every UNIX file has associated with it three sets of *permission bits*. The bits control *read access*, *write access*, and *execute access* to the file (separately and in combination) to three classes of users, namely the file's owner, users in the file owner's group (a Berkeley extension enables a user to belong to several groups), and the general public of users.

The permission bits on directories are interpreted differently: read permission allows reading the contents of the directory, write permission allows the addition and deletion of

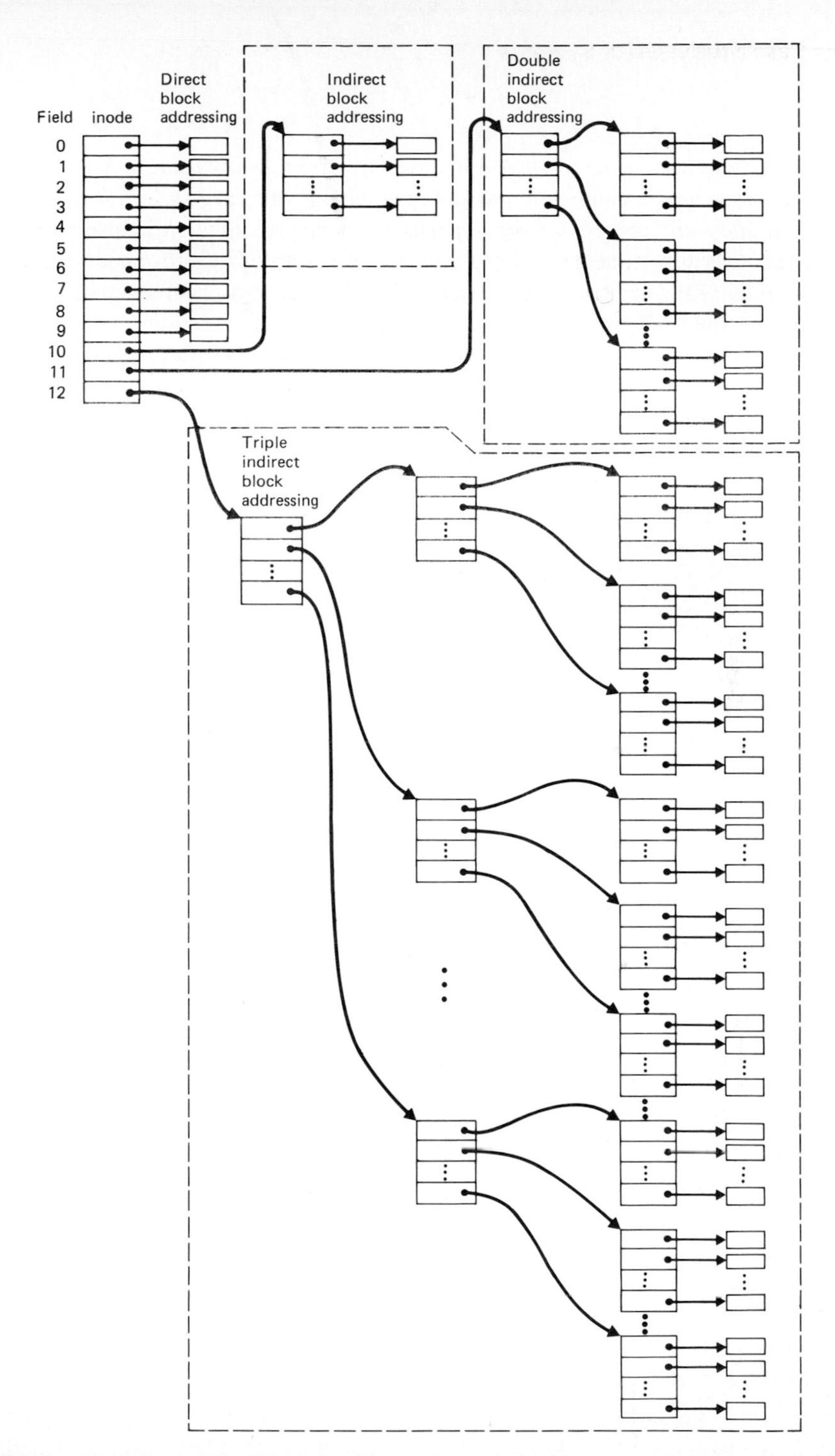

Fig. 18.2 Multiple indirect block addressing used in inode to locate every block in a file.

directory entries, and execute permission allows *traversal* (a program may include the directory's name in a path name, but may not read the directory).

System files are owned by the *superuser*. In conventional multiuser timesharing systems, the superuser is the administrator responsible for the system and has the ability to access and modify the system at will; individual applications users are generally limited to accessing their own information, with any use of outside information carefully restricted and controlled. In a workstation environment the notion of superuser may appear to make less sense, because the workstation owner can login as *root* any time (which gives the user superuser privileges). Actually, workstation users normally log in with less privilege, so they protect themselves against their own careless errors or the errors (or maliciousness) of other users borrowing their workstations. When a workstation owner does log in as the superuser, errors can be catastrophic, such as accidentally deleting major portions of the file system in a single operation.

18.5.3 Setuid

A special aspect of permissions control in UNIX systems is the use of the *setuid bit* (Co85) (Tu85) (Ba86). Dennis Ritchie holds the patent on this feature; a copy of the patent (number 4,135,240) appears in (Wo85) and makes fascinating reading for the true UNIX systems buff. In addition to the nine permission bits, each file has a setuid bit which can be set on only by the file's owner (or the superuser).

Every UNIX systems process actually has two IDs, a *real ID* unique to that user, and an *effective ID*, which can be different from the real ID and can enable the user to have greater privileges. Suppose a program is being run by one user but is owned by another (such as the superuser). If this program's setuid bit is on, then the process can reset its effective user ID from that of the user running it to that of the user who owns it; this is done automatically by the kernel as part of the *exec*. Then, the program acquires the owner's permissions, and these permissions may allow access to highly privileged information.

A classic example of the use of the setuid feature is in allowing a user to change his or her own password, something which should be done regularly by all users as a straightforward security measure. The password file belongs to the superuser, so individuals cannot write the file directly. The *passwd* program changes passwords; it is owned by the superuser. Any program can execute *passwd*. The *passwd* program's setuid bit is on. The user executes *passwd*; because the setuid bit is on, the kernel changes the effective ID of the process running *passwd* to that of the file's owner which happens to be the superuser (i.e., to *root*). The *passwd* program can now write in the password file and change the user's password. When this sensitive operation is completed, and the process exits, the effective ID is set back to that of the user.

Note that any program that can set its effective ID to *root* can conceivably cause a breach of security, so this capability must be carefully monitored. Some examples of commands (in addition to *passwd*) that run as *root* are *mkdir*, *mv*, and *rmdir*, which modify directories; *login* and *su*, which modify user IDs, and *lpr* and *mail*, which access protected spool directories (Tu85).

18.5.4 File Sharing

Two processes may open the same file, and, in fact, each child inherits its parent's open files. Files shared by inheritance result in the I/O pointers being shared as well, so if one process causes the I/O pointer to change, the other process's position in the file also changes. Most of the time the parent wants the child to handle the files while the child is running, so there is no conflict. When several processes *open* a file, they have separate I/O pointers that can record different positions in the file. Separate *writes* are seen by all processes sharing a file.

When several processes wish to update a file simultaneously, their accesses must normally be sequentialized to ensure proper results (see Chapter 4). A *lock file* mechanism may be used for sequentializing multiple updates to a single file. Each process tries to create a lock file before attempting to modify the shared file. Each process would execute a sequence such as the pseudocode (Co85, p35) in Fig. 18.3.

This does guarantee exclusive access but it is clumsy, slow, and system crashes can result in lock files needing to be removed manually. Also, this type of lock (called an *advisory lock*) only works if all the processes voluntarily and correctly observe the protocol.

With SunOS versions of UNIX systems, *server processes*, *client processes*, and *sockets* combine to offer a better solution (see the discussion on the Network File System in this case study). Servers enforce mutual exclusion automatically among multiple requests coming in from clients. So a server process is given the task of performing updates to the common file; clients then send update requests via a socket.

```
(* try to create the lock file *)
exclusive := open("lockfile", write_only,
        create_exclusive);

(* did it already exist; that is, did open fail? *)
while exclusive < 0 do
begin
        (* ... delay and try again ...
        someone else is updating *)
end;

(* we have created the lock file, giving us exclusive
   access to the shared file *)

(* ... update the shared file ... *)

(* delete the lock file so someone else can create it *)
close(exclusive);
unlink("lockfile");     (* unlink deletes a file *)
```

Fig. 18.3 Using a lock file to sequentialize access to a shared file. (Reprinted by permission of Sun Microsystems, Inc.)

18.5.5 The Buffer Cache

Although the simplicity of the UNIX file system is appealing to users, the file system can often be a bottleneck limiting the performance of UNIX systems (Co85). A *buffer cache* scheme is used to minimize disk accesses and to allow overlapped CPU-I/O processing (see Chapter 13). Each buffer is the size of a file system block, a property of the underlying disk architecture which UNIX systems hide from users.

When a *read* is requested, the system attempts to read the information from a buffer that contains the block if it is available; this, of course, saves a disk access. If the block is not in a buffer, the system performs a physical read from the disk into the least-recently-used buffer. The kernel recognizes when a file is being read sequentially; it reads successive blocks in the file before they are needed so that each block will likely be available when the process requests it.

Writes are similarly buffered. UNIX systems delay physical writes until a buffer is needed. Unfortunately, this could mean that when the system crashes, data thought to have been written could still be in a buffer. The system executes the *sync* system call periodically to write all the unwritten buffers; this synchronizes the state of the disk with the state of the buffer pool.

18.6 PROCESS MANAGEMENT

In the next several sections, we discuss process management issues in the context of Sun UNIX systems. In the discussion of the scheduling algorithm, it is important to keep in mind that we are considering a workstation environment rather than a multiuser timesharing system. The reader should compare this discussion of process management with the corresponding discussion in the OS/2 case study in Chapter 23.

18.6.1 Scheduling

Processes are scheduled (see Chapter 10) in SunOS according to their *base priorities*, which range from -20 to 20. Priority adjustments are made as processes execute. A base priority of 0 is assumed unless explicitly adjusted. A child process inherits its parent's base priority.

Ready processes have their priorities recomputed once per second; the process with the highest priority is dispatched. Preference is given to those processes that have used the smallest amount of processor time recently. The scheduling algorithm forgets 90% of processor usage in $5*n$ seconds, where n is the average number of runnable processes for the last minute (note that n is typically much smaller on a workstation than on a multiuser timesharing system). Thus, processor-intensive processes progress well when the system is lightly loaded; under heavy loads, these processes are penalized. The effects of this strategy are several.

- An I/O-bound process or an interactive process will get favored treatment after completing an I/O because in its recent past it was waiting for the I/O and not using processor time.
- A processor-bound process will not suffer indefinite postponement because its "past sins" will be forgotten, thus enabling it to proceed, but its progress will be slowed when the system load is heavier, so that interactive and I/O-bound jobs will continue to receive good treatment.
- The system adjusts to changes in the nature of a process.

Processes may lower their own priorities with the *setpriority* call (a Berkeley enhancement). Privileged processes may raise their base priorities and adjust the priorities of other processes.

18.6.2 Interprocess Communication

Many separate means are provided for allowing concurrent processes to communicate with one another. *Pipes* are unidirectional paths over which processes may send streams of data to other processes (see Section 18.6.4). *Named pipes* (from UNIX System V) are permanent paths. *Messages* (also from UNIX System V) transfer discrete data elements.

SunOS includes the *socket* mechanism from BSD4.2 (see Section 18.10.1). Sockets are end points of two-way communication paths. They are especially useful for implementing network protocols. A *client* process on one machine in a network starts up communication from a socket; a *server* process on another machine listens to a socket to receive the communication.

SunOS provides System V's *shared memory* capability. Processes share a portion of memory; when one process completes writing to this memory area, other processes may read the data. SunOS also provides UNIX System V *semaphores* (see Chapter 4) to control access to shared resources. A semaphore is used to *lock* a shared resource prior to its use; the process uses the resource and then uses a semaphore operation to release the resource.

18.6.3 Signals

Signals are software mechanisms similar to hardware interrupts. A signal is used to inform a process asynchronously of the occurrence of an event. The 19 UNIX signals are listed in Fig. 18.4. Interrupts may have different priorities, but no such differentiation is made among signals. Signals that occur at the same time are actually presented one at a time to a process, but there is no particular ordering assigned. Signals are not intended to be used for interprocess communication (pipes, messages, semaphores, and sockets should be used for IPC). Signals are initiated by

- hardware (for example, arithmetic exceptions and various hardware conditions are converted to signals).
- the kernel (which, for example, may notify a process when a device is ready for I/O).

Signal	Type	Description
01	SIGHUP	Hangup
02	SIGINT	Interrupt
03	SIGQUIT	Quit
04	SIGILL	Illegal instruction
05	SIGTRAP	Trace trap
06	SIGIOT	IOT instruction
07	SIGEMT	EMT instruction
08	SIGFPT	Floating point exception
09	SIGKILL	Kill
10	SIGBUS	Bus error
11	SIGSEGV	Segmentation violation
12	SIGSYS	Bad argument to system call
13	SIGPIPE	Write to pipe, but no reader
14	SIGALARM	Alarm clock
15	SIGTERM	Software termination
16	SIGUSR1	User signal 1
17	SIGUSR2	User signal 2
18	SIGCLD	Death of child process
19	SIGPWR	Power failure

Fig. 18.4 The UNIX signals.

- processes (a parent may, for example, terminate a child that has executed too long).
- users (who may, for example, type Control-C to interrupt an executing process).

A process signals another process with the *kill* system call (certainly a strange name for a call with this purpose). In response to a signal, a process may follow the *default action* (possibly terminating itself and informing the parent process), ignore the signal, or *catch* the signal (in which case a designated *signal handler* function is invoked upon receipt of the signal).

The process's environment contains information that specifies how the process is to respond to signals. Child processes may use the Berkeley *sigvec* system call to indicate that they would like to respond differently to signals than their parents do. If a process is executing a critical section and does not wish to be interrupted by signals, it may use the Berkeley *sigblock* and *sigsetmask* calls to delay incoming signals until the critical section is completed.

18.6.4 Pipes and Filters

A *pipe* is a communications path, consisting of a FIFO queue of bytes, between two processes; it enables the output of one process to become the input of the other (Fig. 18.5).

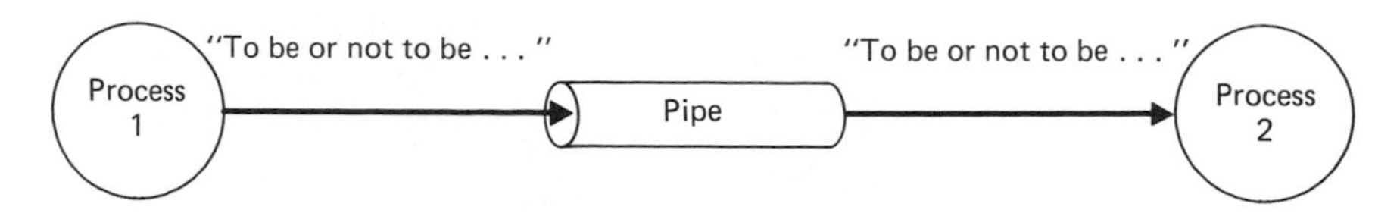

Fig. 18.5 A pipe. Process 1 writes to the pipe. Process 2 reads the data from the pipe in FIFO order.

Information written into the pipe at one end may be read from the pipe at the other end. Synchronization, scheduling, and buffering are handled automatically by the system. A user may create a *pipeline* by connecting several processes by pipes in a linear fashion. The user specifies a pipeline to the shell by a series of filenames separated by *vertical bars*. The standard output of the executable file named at the left of a bar is the standard input to the file named at the right of the bar.

The *pipe* call returns a descriptor (just like a file descriptor) for the write end of the pipe and another descriptor for the read end of the pipe. The *write* system call specifies the descriptor, the data area containing the bytes to be written, and the number of bytes to be written. The value –1 is returned if an error occurs. Writing is terminated with the *close* system call. The *read* system call returns a value of 0 when the pipe is empty and there are no writers.

Because asynchronous processes may be reading and writing the pipe, the operating system serializes concurrent operations on the pipe in the manner suggested by the ring buffer example in Chapter 5. A write to a full pipe blocks the writer until space is available. A read from an empty pipe blocks the reader until data is in the pipe.

Pipes are local entities (not system wide); a process that wishes to read from, or write to, a pipe must have the pipe's descriptor. A process that creates the pipe may use it, and a process that inherits the pipe from an ancestor may use it. Processes not related to one another may not communicate through pipes. Unrelated processes do, however, need to communicate (for example, any process ought to be able to send information to a print spooler server process). To resolve these problems UNIX System III introduced *named pipes*, UNIX System V introduced *message queues*, and Berkeley's BSD system introduced *sockets*.

A *filter* is a program that processes a single input stream to produce a single output stream. UNIX systems provide several filters. Filters and pipes can be used to produce many interesting outputs. Let us consider some examples.

Suppose it is desired to determine how many users are currently on the system. This can be accomplished by feeding the output of the system's *who* command into the utility that determines the number of lines in its input. The command line

```
who | wc -l
```

causes the output of the system command *who* that might appear as

```
zack          console       Aug 27 18:40
samg          tty00         Aug 27 02:14
bobp          tty01         Aug 26 23:14
suem          tty02         Aug 27 19:20
billy         tty05         Aug 27 17:19
```

to be sent to the program *wc* ("word count"). The option –1 indicates that only the number of lines is to be printed. Thus this command prints the number of users on the system as follows (where > is the system prompt).

```
> who | wc -1
5
>
```

The user can create a file (with "execute" permission) containing this command line and can call the file `users`. Then, typing `users`, the user may determine the number of users on the system.

One example frequently given for the use of pipes and filters is the creation of a spelling verifier program. Begin with a program that places every word in a file on a separate line. Connect the output of that program (via a pipe) to a program that sorts lines alphabetically. The output of this program is now a sorted list of all the words in the original file. This list is now fed to a program that removes adjacent duplicate lines. The output of this program contains one line for each different word in the original file. Finally, this is fed into a program that lists words in the list not contained in a dictionary file. Typing the command line

```
prep file | sort | uniq | comm wdlist
```

in which the four programs, `prep`, `sort`, `uniq`, and `comm` perform the functions indicated in the preceding discussion, causes the creation of a list of words present in `file` but not in `wdlist`. The beauty of this is that existing pipes and filters have been combined to create a simple spelling verifier program from existing utility programs without writing a new program.

Now by creating a file `spell` containing the command line

```
prep $* | sort | uniq | comm /usr/dict/words
```

we have created a new command `spell`. The notation `$*` is replaced by the file name given when the user types

```
spell samsfile
```

to locate spelling errors in `samsfile`.

Some other examples of UNIX filters are *tr* (translate characters), *cut* (copy only portions of a line), *pg* (display a page of output at a time), *grep* ("global regular expression and print," which writes lines containing a match string), *tail* (write the last 10 lines of a file), *dd* (make an exact copy of a floppy disk), *sed* (stream editor), and *awk* (Ah88) (pattern scan and perform actions on match; note that awk is named after its developers, *A*ho, *W*einberger, and *K*ernighan).

18.6.5 Lightweight Processes

Creating and executing independent processes normally involves a considerable amount of overhead. To enable programs to take advantage of the multitasking capabilities of SunOS without incurring heavy overhead, *lightweight processes* are provided (Su87). These enable a process to use *multithread execution* in a more efficient manner. The multiple threads occupy the same address space. This is more efficient than using separate address spaces, but there is less protection among threads. The protection issue is not as serious as it might seem, however, because all the threads belong to the same process and are normally "friendly" to one another. Primitives are provided for thread creation, thread synchronization, thread manipulation, thread destruction, context switching, rendezvous between threads (see Chapter 5), exception handling, interrupt and trap mapping, and checking stack integrity. Lightweight processes are similar to OS/2's threads (see Chapter 23).

18.6.6 Timers

A process can obtain the time with the Berkeley *gettimeofday* system call. A privileged process may set the time with *settimeofday*. The *setitimer* and *getitimer* system calls set and get the interval timer values. Three interval timers are available to each process. Each timer counts to zero and then issues a signal. One timer runs continuously, one runs only when the process is executing process code, and one runs when the process is executing process code or kernel code.

18.7 MEMORY MANAGEMENT

The earliest versions of UNIX systems were implemented on machines with small real storage address spaces (often as little as 64K). The DEC VAX UNIX implementations (as originally developed at Berkeley) offered very large virtual storage address spaces. Variable-sized segments are difficult to place in real storage (see Chapter 7); most virtual storage UNIX systems today support paging with fixed-size pages; this trivializes the storage placement problem because any page can fit in any free page frame (see Chapter 9).

18.7.1 Swapping in Real-Storage UNIX Systems

Most UNIX systems today are virtual storage systems, but it is interesting to discuss the operation of older real storage UNIX systems as well. Processes in real-storage UNIX systems are swapped to and from secondary storage as needed. Both primary and secondary storage are allocated using a first-fit storage placement strategy. If a process needs to grow, it requests more storage. It is given a new section of storage sufficiently large to hold it, and the entire contents of the old storage are copied to the new area. The old storage is then released. If insufficient primary storage is available at the moment for the expansion, then secondary storage is allocated, and the process is swapped to secondary storage; the process is swapped back into primary storage when a sufficiently large free storage area becomes available.

The swapping process controls the swapping of processes to and from secondary storage. When the swapping process decides to swap in a swapped-out, ready-to-run process, it allocates primary storage for that process, and reads its segments into primary storage. That process then competes for CPU time with all loaded processes. If sufficient primary storage is not available, the swapping process examines the process table to determine which process may be swapped out to make room for the incoming process. Swapped-out processes which are ready to run are swapped in on a first-out-first-in basis, i.e., the process residing in secondary storage longest is swapped in first. Processes in primary storage are selected for swapping by their age in primary storage, and if they are waiting for completion of slow operations like I/O.

18.7.2 Address Mapping in a Virtual Storage UNIX System

In the Sun 386i, a popular SunOS workstation, executing processes develop virtual storage addresses that are dynamically translated to real storage addresses. Each virtual storage address consists of a virtual page number and a displacement into the page. The virtual page number is translated by the *MMU (memory management unit)* into a page frame number, and the displacement indicates the byte offset into that page frame.

The page map is stored in a high-speed RAM (a cache memory, as discussed in Chapter 8). Every process has a page table with an entry for every page (this is *direct mapping,* as discussed in Chapter 8). Each page map entry contains the following:

- a *modified bit* (the modified bit is set by hardware whenever the page is written to; the bit is cleared by software when the disk copy is updated so that it matches the copy in primary storage)
- an *accessed bit* (the accessed bit is set by hardware whenever a page is referenced through either a read or a write operation; accessed bits are periodically reset by software so that the system can determine recently referenced pages to maintain in primary storage and less recently referenced pages to swap to secondary storage)
- a *valid bit* (this bit is cleared by software when a page frame is made available to be reused; accessing an invalid page causes a page fault)
- *protection bits* (these control read, write, and execute access).

Eight page maps are maintained, one for the kernel and seven for processes (or *contexts*). The *context register* points to the running process's page map. When a new process is to be mapped, the page map of the process that has not been active for the longest time is overwritten. Actually, two *context registers* are used, one for the kernel's page map and one for the running process's page map. The choice of register depends on whether the processor is in the *user state* or the *supervisor state*. This speeds execution because a single context register need not be switched in response to a system call or an interrupt; the appropriate context register is selected on the basis of the state of the processor.

Processes may assume one of three memory states, namely *swapped* (the entire process resides on the swap device), *resident* (some of the process's pages are in memory), or *mapped* (the process is resident and its page table is in the *system page map*). A busy system cannot map every process simultaneously. The kernel maintains the active processes in the mapped state and *unmaps* inactive processes. In a busy system, the kernel forces some resident processes to the swapped state.

18.7.3 Paging

The SunOS operating system maintains two data structures to control paging, namely the *free list* and the *loop*. Empty page frames that may be reused are contained on the free list. Page frames that are not needed are placed at the head of the free list; those that may be needed again are placed at the tail of the free list. Data and stack pages are usually added to the head of the free list; code pages are usually added to the tail of the free list. Pages from the free list that are needed by processes are efficiently reclaimed rather than being paged in from secondary storage. The loop is a list containing all allocated page frames in order by physical memory address. Frames committed to the kernel cannot be paged and appear neither on the free list nor on the loop.

The system process called the *pager* attempts to ensure good performance by keeping the free list sufficiently large. The pager is initiated when the free list becomes too small; it executes until the list is sufficiently large as defined by lower and upper thresholds. The pager releases *not recently accessed* pages (see the discussion of the NUR page replacement strategy in Chapter 9). It determines these pages by cycling through the loop periodically. As it looks at a page, if the accessed bit is set, it is cleared and the pager continues. If the accessed bit is clear, the page is marked "invalid," and the actual frame is tied into the free list; if the modified bit is set, the pager schedules the updating of the secondary storage copy before the page may be legitimately added to the free list.

Accessing a page that has been marked invalid causes a page fault. For a page on the free list, the page frame is unlinked from the free list, added to the loop, and marked valid; this is called *page reclamation* and is much faster than reading a page from disk. If a requested page has been paged out to disk, the faulting process blocks while the page is read in from the swap device. When the requested page has been read in, a frame is allocated from the head of the free list, added to the loop, the page is marked valid, and the process is unblocked.

18.7.4 Swapping in Virtual Storage UNIX Systems

Primary storage can become overcommitted as processes vary their memory needs; the absolute measure of this is that the pager is unable to maintain the size of the free list above a minimum size. Thrashing (see Chapter 9) may result as memory becomes overcommitted;

to avoid this, the kernel swaps entire processes to secondary storage. The swapper may also swap a process's page table and user page (which contains information about the process that is needed as the process executes). Swapping is a drastic action that has immediate effect; it enables other processes to finish and free their primary memory so that the system again returns to efficient paging activity and the swapped process may resume.

The swapper attempts to swap the user process that will suffer the least; the swapper ordinarily chooses the blocked process that has been waiting the longest. If there is no resident blocked process, the swapper chooses the process that has been resident for the most time; this, of course, runs the risk of replacing a process that is in constant use, but it does so "in the name of fairness."

The swapper brings in a ready swapped process when sufficient memory is available. Even if this quickly causes memory to become overcommitted again, the kernel guarantees that the recently swapped-in process will progress at least some minimal amount before it is once again swapped out.

18.7.5 Dynamic Storage Allocation

A process can increase or decrease the amount of storage via the *sbrk* and *brk* system calls. The *sbrk* call uses a size increment or decrement; the *brk* call specifies the precise upper virtual storage address limit. These calls are generally viewed as being too primitive for today's systems (Ha87), and instead *malloc* and *free* are used. The *malloc* call returns a pointer to the requested number of bytes of memory; *malloc* is a library routine which uses *brk*. The *free* call releases storage obtained by *malloc*. The *calloc* call allocates space for an array of a specified number of elements, each of a specified number of bytes; the area is set to zeros. The *realloc* call adjusts the size of (and possibly moves) an existing block of memory. The *mallopt* call specifies options that tailor the memory allocation algorithm. The *mallinfo* call reports information on memory block usage.

18.8 THE INPUT/OUTPUT SYSTEM

I/O is performed on streams of bytes. There is no concept of records and hence no notion of more sophisticated structures such as blocked records; there are no access methods and hence no notion of more sophisticated data retrieval methods like indexed sequential access. All structure on byte streams is imposed by application programs; the UNIX systems I/O system calls simply assume unstructured byte streams. An advantage of this approach is that a program written to process one kind of byte stream works just as well on another. A disadvantage, of course, is that this places additional burdens on applications developers. This provides great flexibility and fosters the notions of *reusable programs* and *modular program construction*. A common structure imposed by many UNIX systems applications is to treat a byte stream as a *text stream*, i.e., ASCII characters separated into lines of text by *newline* characters. The basic I/O calls work equally well on any stream regardless of the stream's source and destination. A stream destination, for example, may be a file, a terminal, a printer, a communications line, and so on.

18.8.1 Devices

Devices fit the byte stream I/O model nicely (Co85). For example, a printer may be viewed as a write-only stream, a keyboard is a read-only stream, a display is a write-only stream, and a tape drive is normally viewed as a read-only or a write-only stream.

Devices are integrated into the file system and are known as *special files*. Every UNIX system stores a list of its devices in the directory */dev*. Devices are owned by the superuser. File permission bits apply. Permission to write to sensitive devices such as disks is normally limited to *root*. All terminals on a system are (by default) publicly writable but the user may alter the permissions to prevent messages from other users from interfering with critical terminal outputs. Some file system operations make little sense on devices. Regardless of these differences, files, devices, pipes, and sockets are fundamentally treated the same on UNIX systems and this similarity is exploited in applications development. Device-specific operations are supported via the *ioctl* system call.

Each file is uniquely identified by a *major device number*, a *minor device number*, and an *i-number* (the index of the file's inode in the inode array). When a device driver is called, the major device number is used to index an array containing the driver entry points. The minor device number is used by the device driver to select one of a group of identical physical devices.

18.8.2 Descriptors

A *descriptor* is a nonnegative integer that defines a file, a device, or any stream of bytes to a process; all a process's descriptors appear in that process's *descriptor table*, one part of the process's environment. Actually, descriptors are indices into the process's *open file table*. The descriptor is specified in the *read* or *write* call for a particular file. Since a child process inherits a copy of its parent's environment, it also inherits the ability to access all its parent's files. But the child may modify its own open file table without changing its parent's open file table.

Descriptors for different kinds of objects are created with different system calls. The *pipe* call creates descriptors for the read and write ends of a pipe. The *open* call creates descriptors for files and for devices. The *socket* call creates descriptors for sockets (developed by Berkeley for use in distributed systems; see Section 18.10.1). Every call that creates a descriptor returns the index of that descriptor entry in the open file table; the process then uses this index in subsequent read and write calls to access the appropriate streams.

The open file table has limited capacity; the *close* system call indicates that no further I/O is to be performed with a given file and frees its descriptor entry space in the open file table. The *dup* system call copies a descriptor entry into an available slot in the table.

18.8.3 Input/Output System Calls

Input/output in a UNIX system is handled primarily in five system calls, namely *open*, *close*, *read*, *write*, and *lseek*. The *open* call returns a descriptor for a new file or an existing file. The *open* parameters are *name; flags* such as read-only, write-only, read-and-write (update), create, append, truncate (set file length to zero), and exclusive (return an error if the file already exists); and *mode* (permissions).

Reading and writing are accomplished by using

```
bytesread = read (fd, buffer, bytesdesired)
```

and

```
byteswritten = write (fd, buffer, bytesdesired)
```

In the case of a *read*, there are three possibilities, each of which involves sequential reading. If this is the first *read*, then the read takes place from the beginning of the file. If the file was just read, then the current *read* obtains the data following the previous data *read*. If an *lseek* (see the following) was just performed, then the *read* is sequential at the offset specified in the *lseek* call. The same is true for writing.

Files are closed simply by writing

```
close (fd)
```

These I/O calls are used for devices in the same manner as for files. Physical devices are represented in a UNIX system as *special files* within the file system structure.

Programs do not ordinarily have to open their standard input or standard output files, which are normally assigned to the user's terminal. The terminal is opened automatically by *getty*, which then *exec*'s the *login* command.

The user interested in record I/O can implement it quite easily. To implement *fixed-length record processing*, the user need merely specify the constant length in all reads and writes. *Direct access I/O* with fixed-length records is achieved by multiplying the record length by the record number and calling *lseek* to position the file to the desired record. *Variable-length records* may be implemented by preceding each record with a record *size field*. For example, using a two-byte size field located at the beginning of the record, variable-length records may be read by pairs of reads as follows

```
read (fd, size, 2);
read (fd, buffer, size);
```

The *lseek* system call ("long seek") is for performing random access on any file. UNIX systems do not designate files as either sequential or random; all files can be accessed both ways. Each file has an associated *I/O pointer* that points to the location in the stream at which the next byte will be read or written. *Read* and *write* calls cause the I/O pointer to be adjusted by the number of bytes specified in the calls. To perform random access to any location in the file, the I/O pointer is simply adjusted by using an *lseek* call such as

```
lseek (fd, offset, origin)
```

in which *origin* specifies the beginning of the file, the current location, or the end of the file, and *offset* can be either positive or negative. The *lseek* operation actually works fine on magnetic tape (!) as well as on disk, but, of course, "direct access" programs run much more slowly on tape.

18.8.4 Non-Blocking I/O

The standard UNIX systems I/O interface is *synchronous* to the caller; a calling process is blocked until its request can be satisfied (Co85). This often does not slow a process down because disk input/output is buffered so that many reads and writes are done directly from and to memory, which is almost instantaneous. Sometimes synchronous I/O can be slow as the system waits for input/output completions from devices.

In certain situations, a *user process* does not want to block pending an I/O completion. For example, in a network a process may be monitoring several communication lines and may wish to read data from any of them as soon as that data becomes available. With synchonous I/O, if the process were to read a line on which no data were available, the process would block until data arrived on that line, even though data might be present on other lines.

To permit the straightforward implementation of these kinds of processes, Berkeley introduced the notion of *non-blocking I/O*. An attempt to read from a non-blocking descriptor produces an error code if no data is available. Writing to a non-blocking descriptor transfers as many bytes as possible without blocking; the call returns the number of bytes actually written. An error code is returned if no bytes are written.

Polling may be used with non-blocking descriptors to try an operation repeatedly until it can be accomplished. This can be wasteful, so a process may request to be signalled *asynchronously* when I/O becomes possible on a non-blocking descriptor. When the process receives the signal, it can use the *select* call to determine which descriptor has become ready. The Berkeley *select* call has a multiplexing feature that enables a process to determine when any of several descriptors is ready for I/O.

18.9 THE SUNOS OPERATING SYSTEM

SunOS is the version of UNIX systems provided for Sun workstations including the Sun 386i. It is based on AT&T's UNIX System V Release 3 (SVR3) and the Berkeley Software Distribution (BSD) versions 4.2 and 4.3. SunOS also includes the *Network File System (NFS)*, the *SunView* mouse and window-based user interface, support for *diskless operation* on a network, *shared libraries*, the *lightweight process library* (Su87), and the *AT&T Streams* interface (Mc88).

SunOS consists of the kernel, approximately 200 system calls that enable applications programs to request services from the kernel, libraries of various routines that help users form applications programs (particularly mathematical routines and routines that facilitate development of networking applications), the *shell* (or command interpreter; actually

SunOS includes the Berkeley *C-shell* and the Bell Laboratories *Bourne shell*), and approximately 400 commands or utility programs.

Each process has its own private protected address space. SunOS on the 386i demand pages 4096-byte pages. SunOS may fetch pages from remote machines into a local machine's memory by using the NFS. NFS local area networks using Ethernet (see Chapter 16) transfer pages at about the same speed as if they were paged from a local disk (this, of course, depends on the network load).

The Sun386i uses 32-bit addressing; this allows each process to have its own 4-gigabyte virtual address space. Unlike systems that use a segment address and a displacement for each virtual address, the Sun386i uses a *linear address space* (and thus does not use the 80386 segment registers). This approach is simpler to implement than using the segmented two-dimensional or three-dimensional virtual storage addressing schemes discussed in Chapter 8. The approach generates programs that execute faster than with the multidimensional approach; one reason for this is that reloading the segment registers in protect mode is time-consuming. A disadvantage of this approach is that protection is compromised because the segmentation limit checking hardware is bypassed.

Users form applications by combining user code with various library routines. Because programs tend to use certain library routines frequently, SunOS allows programs to share a single copy of a common library routine. Library routines are *dynamically linked* to the user programs. Since applications do not include the shared routines, they are smaller and consume less space on disk. The OS/2 case study in Chapter 23 discusses dynamic linking in detail.

18.9.1 The Sun 386i Workstation

The Sun Microsystems 386i was announced in April, 1988 (La88). The system unit contains the 80386 microprocessor, a hard disk, a 3.5 inch floppy disk drive, connectors for an Ethernet local area network, and connectors for various peripheral devices. The expansion unit contains a second disk drive and a tape drive for backing up disks. The high resolution, 19-inch diagonal screen can display 256 different colors chosen from 16 million shades.

The 80386 architecture supports multiuser, multitasking systems such as UNIX systems and provides an *8086 emulation mode* that enables it to run IBM PC-compatible programs under the MS-DOS operating system. The 386i has a windowing, menu-driven, mouse-oriented interface. Users may have many SunOS windows and many MS-DOS windows executing at once. Users may switch between windows, and may cut and paste information between windows (even between SunOS windows and MS-DOS windows). Thus the 386i gives the user access to the huge application bases for UNIX systems and MS-DOS.

The 386i is designed for use in multistation environments where stations are networked together, share files and data, and send one another electronic mail. Printers on the network are accessed as if they were attached to the local station. Printing is spooled so that users may proceed with other tasks while printing results from previous tasks.

The network allows *diskless workstations*; stations may use the network effectively even if they do not have local disk storage (Ob86). With Sun's NFS, stations may access remote files as if the files were stored on local disks. NFS makes transparent the location of files anywhere on the network; the user need not be concerned about where a particular file is actually stored. A locking mechanism is used to prevent several users from modifying a file simultaneously.

18.9.2 DOS Under SunOS

SunOS can run multiple DOS/MS-DOS (see Chapter 19 and Chapter 23) applications simultaneously with multiple UNIX systems applications (La88). SunOS includes hardware and software components to simulate the DOS environment. The SunOS DOS monitor program allocates memory, initializes the DOS environment, initializes the BIOS environment, and initiates the DOS application.

Outputs to the video display are routed to the SunView windowing system for display in regular SunOS windows. DOS applications can access files on a SunOS network because PC disk drives are mapped into the SunOS file system. DOS applications can use regular DOS device drivers to access expansion cards on the AT bus.

Virtual 8086 mode (a hardware feature of the 80386) executes machine language instructions used in DOS and BIOS applications (Do88). As long as running applications demand only virtual 8086 mode capabilities, they run at normal speed without invoking SunOS. When an executing application makes a request that virtual 8086 mode can not handle (such as requesting a 386i resource), control is switched to the *SunOS DOS monitor program*, which routes the request to the appropriate SunOS resource request handling mechanism.

The SunOS DOS monitor program's virtual address space includes a set of virtual registers that contain the current state of the DOS application. When the 80386 traps instructions that virtual mode can not handle, the SunOS DOS monitor program refers to the virtual registers and proceeds to handle the instructions for the DOS application.

The 80386 provides a one-megabyte virtual address space for each DOS application; this space is the low megabyte of the SunOS DOS monitor program's linear address space. These locations correspond exactly to the address space designed for DOS applications, so there is natural protection of the remainder of the DOS monitor's address space from the DOS application.

The 80386 directly executes instructions that apply to the application's virtual registers, instructions that apply to the application's virtual address space, and I/O instructions for bus devices attached to DOS windows. The DOS monitor program handles instructions that involve I/O or the shared resources of the larger Sun386i environment.

The actions taken by the DOS monitor vary in complexity. When the application accesses a peripheral device on the AT bus (compatible with that on the IBM PC/AT), the request is translated by the DOS monitor to refer to the appropriate address on the Sun386i AT bus; this I/O request is then passed to the kernel. This is an example of relatively straightforward redirection. More complex requests such as handling keyboard input, mouse input, and video output require the DOS monitor to capture these calls and emulate them through the SunView window system.

DOS applications have a built-in limit of 640K, but certain applications can support an expanded memory option called *Lotus-Intel-Microsoft (LIM) memory*, which is normally stored on expansion cards when used with PCs. LIM enables applications to swap out portions of memory and to replace them with memory stored outside the DOS address space. Two megabytes of LIM are provided for each DOS application by the Sun386i. This LIM memory is a part of the DOS monitor's virtual address space. The DOS monitor program intercepts calls to LIM memory and makes the memory available from this virtual address space.

18.10 DISTRIBUTED UNIX SYSTEMS

UNIX systems have evolved to a special position of prominence in distributed systems, especially because these need to interconnect the equipment of many manufacturers that use different architectures. Having a common operating system, as well as the kinds of common communication protocols we discussed in Chapter 16, greatly eases the task of developing distributed systems.

In the next several sections we discuss four major contributions that have increased the viability of UNIX systems as a base for distributed systems, namely Berkeley's sockets, AT&T's Streams, Sun Microsystems' Network File System (NFS), and AT&T's Remote File System (RFS). The article by Mannas (Ma88) analyzes the relative merits of the sockets and Streams approaches.

18.10.1 Berkeley's Sockets

Berkeley's 4.2 BSD system introduced *sockets* to enable communication between processes in a distributed system. Sockets also enable unrelated (as well as related) processes on the same machine to communicate. Part of the beauty of UNIX systems is that the *read* and *write* system calls work the same way on files, devices, pipes, and sockets; unfortunately, this symmetry is not reflected in the way these entities are created and opened.

In 4.3 BSD UNIX, the socket is the fundamental entity for communication (Bk86a) (Ma88). Sockets are endpoints for communication. Names may be *bound* to sockets. Each socket is associated with one or more processes. 4.3 BSD supports three *communication domains*, and sockets normally communicate only with other sockets in the same domain. The communication domain types are

- The *UNIX systems domain* (for "on-system" communication)
- The *Internet domain* (for communication using DARPA standard protocols. DARPA is the Defense Advanced Research Projects Agency of the Department of Defense.)
- The *NS domain* for communication using Xerox standard communication protocols.

Sockets have types and normally communicate only with sockets of the same type. A *stream socket* gives an interface similar to that provided by pipes. It offers (Bk86a) "bidirectional, reliable, sequenced, and unduplicated flow of data without record boundaries." A *datagram socket* handles bidirectional data flow and preserves record boundaries; but data may not arrive in sequence, may not be reliable, and may be duplicated. A *raw socket* gives a process direct accessibility to communication protocols. Raw sockets are of interest to protocol developers; these sockets are not to be used by general users. A *sequenced packet socket* provides the same capabilities as a stream socket, but it also preserves record boundaries. The *reliably delivered message socket* is similar to the datagram socket, but it ensures reliable delivery. The most commonly used socket-related calls are described in Fig. 18.6.

It is possible to send *out-of-band data* via a stream socket. Thus, a separate logical channel is established for transmission that occurs independently of regular data transmission. This provides a means of sending urgent data. Sockets may be marked as *nonblocking* so I/Os that cannot complete immediately return error codes rather than blocking. *Broadcast messages* may be sent by using datagram sockets. Broadcasting helps find resources whose addresses are not known, and facilitates routing control to accessible neighbors.

18.10.2 AT&T's Streams

A weakness of original UNIX systems was their dependency on character-oriented operations, which are very slow. AT&T's *Streams* mechanism (Ma88), provides a number of features for high-speed transmission. Streams facilitates the implementation of layered network protocols such as OSI, SNA, TCP/IP, and XNS (see Chapter 16).

The Streams mechanism was developed by Dennis Ritchie of Bell Labs (Ri84a). McGrath (Mc88) presents an explanation of streams along with an example of using streams to create a terminal windowing multiplexor. A stream is a full-duplex (bidirectional) path between a process in user space and a device driver in kernel space. Processing modules may be *dynamically configured* on a stream so that programs can add services beyond those naturally provided by devices.

The streams facility is message based rather than subroutine oriented. With device drivers, system calls are switched to the drivers; with Streams, the system calls create messages for communicating with the drivers. A stream associates a pair of queues (one for reading and one for writing) with the user and another pair with the device. The queues are linked to form a stream between the device driver and the user. For each queue there are four routines:

- *open* is called when the device is opened
- *close* is called when the device is closed
- *put* puts data on the queue
- *service* services the queue and outputs data on a device or the next queue

A user program can *push* modules onto a stream dynamically. Each new module also has a pair of queues. The pushed module receives incoming data, processes it, and passes it

socket	creates a socket
bind	binds a socket to a name or address so that messages may be sent or received on the socket
getsockname	retrieves a socket's bound name
getpeername	retrieves a socket peer's name
listen	listens for connections after a binding is made to a connection-oriented socket (this enables a server to receive a client's connection)
accept	returns a descriptor for a new, connected, socket from the queue of pending connections (*accept* usually blocks until a connection becomes available)
connect	makes an active connection to a named socket (a server does this to enable rendezvous (see Chapter 5) with unrelated processes; a client does this to request services from the server)
socketpair	creates a connected pair of sockets without using the domain's name space to rendezvous
pipe(pv)	creates a pair of stream sockets in the UNIX systems domain, with one only readable and the other only writable
sendto/recvfrom	sends/receives a message from a socket if the socket is no connected
send/recv	sends/receives a message from a socket if the socket is connected
read	reads from a connected socket
write	writes to a connected socket
shutdown	a process with a full-duplex socket may use this call to shut down reading, writing, or both on this socket
getsockopt/setsockopt	retrieves/sets the current socket (and underlying communication protocol) options
close	discards a socket that is no longer of interest
select	provides the ability to multiplex I/O requests among multiple sockets and/or files

Fig. 18.6 Socket-related calls. (Reprinted with the permission of the University of California, Berkeley, Computer Sciences Research Group.)

on. Several modules may be pushed onto a stream. The user program uses *ioctl* to push a module onto a stream. Pushing is done LIFO (last in first out).

Pointers are used to make message passing through a stream efficient; instead of copying potentially lengthy messages perhaps many times, the messages are passed by pointers. The most common message types are M_DATA (which indicates that the message contains pure data), M_PROTO (which indicates that the message contains protocol service request information), and M_FLUSH (which informs the module to flush its queues).

The streams we have discussed so far are linear. It is possible to have multiple streams coming out of a module and/or multiple streams going into a module (and thus a multiplexing capability).

A common multiplexing application is routing the outputs of various tasks to separate windows on a display. McGrath explains how to create a windowing multiplexor (Mc88). A user (user1) *opens* both the display device (/dev/tty01) and the multiplexing module (/dev/mux), which creates a stream to each.

```
fd1 = open ("/dev/tty01", O_RDWR)
fd2 = open ("/dev/mux", O_RDWR)
```

Then the *ioctl* system call is used to link the two drivers via the I_LINK command as follows.

```
ioctl (fd1, I_LINK, fd2)
```

This gives control of the display device (file descriptor fd1) to the multiplexor (file descriptor fd2). User1 can now proceed to generate the first window and pass data back and forth to it via the multiplexor.

Subsequent applications, such as user2 and user3, can now communicate with the stream headed by the multiplexor simply by opening it with

```
open ("/dev/mux", O_RDWR)
```

This *open* simply opens the multiplexing module for the user; it does not push another module onto the stream. If the third user also wants to communicate with the multiplexor, but in addition wants to encrypt communications, then the user issues the calls

```
fd = open ("/dev/mux", O_RDWR)
ioctl (fd, I_PUSH, "encrypt_module")
```

which open the multiplexor *stream* and pushes an encryption module onto the stream.

The third volume of AT&T's *System V Interface Definition* document (AT86b) provides a detailed description of the Streams mechanism and its associated system calls. The *stream head*, or the *upstream* end of the stream, is at the border between the kernel and the user. The *stream end*, or the *downstream* end of the stream is at the device driver border. Data from a system call to the driver is said to be moving downstream. Data from driver passing to the stream head is said to be moving upstream.

Each Streams module has two queues, one for messages moving upstream, and one for messages moving downstream. Streams messages may be non-priority messages or priority messages. Non-priority messages are placed at the end of a queue. Priority messages are placed at the head of the queue, but behind other priority messages.

The various *ioctl* calls perform different types of control functions with entities corresponding to file descriptors. Normally, *ioctl* returns 0 on success and –1 on failure with *errno* set appropriately; various *ioctl* commands are described in Fig. 18.7.

The *getmsg* call receives the next message from a stream head read queue; the data and control parts are placed in different buffers.

I_PUSH	Pushes a named module onto a stream below the stream head, and calls the new module's *open* routine.
I_POP	Pops (removes) the module most recently pushed onto the stream.
I_LOOK	Returns the name of the module most recently pushed onto the stream.
I_FLUSH	Flushes all read queues, all write queues, or all queues on the stream.
I_SETSIG	Indicates that the user wishes to be notified asynchronously by a signal when a certain type of event has occurred. Such events include the arrival of a non-priority message on the stream head's read queue, the presence of a priority message on the stream head's read queue, and the availability of space on the write queue below the stream head (so data may be sent downstream).
I_GETSIG	Returns the events that have been set by I_SETSIG.
I_FIND	Determines if a particular module is present in a stream.
I_PEEK	Peeks at the message in the stream head read queue (without actually removing the message).
I_SRDOPT	Sets the read mode.
I_GRDOPT	Returns the current read mode.
I_NREAD	Determines the number of data bytes in the first message on the stream head read queue.
I_FDINSERT	Creates a message and sends it downstream; passes an open file descriptor in a message.
I_STR	Constructs an internal streams *ioctl* message and sends it downstream.
I_LINK	Connect two streams where one is connected to a multiplexing driver and the other is connected to another driver.
I_UNLINK	Disconnects two streams where one is connected to a multiplexing driver.

Fig. 18.7 Ioctl commands for use with Streams. (Reprinted with permission of AT&T.)

The *poll* call is for multiplexing input/output over several open streams. Poll determines which streams are ready for sending or receiving messages, and on which streams certain events have occurred. Some of the events are: A non-priority message is available at the stream head read queue, a priority message is available at the stream head read queue, there is space available in the first write queue downstream, an error message is at the stream head, a hangup has occurred on the stream, the file descriptor is not open. The *putmsg* call sends a message to a Streams file.

18.10.3 Sun's Network File System (NFS)

Sun's *Network File System (NFS)* gives remote file systems the appearance of being mounted locally, thus making the operation of the network transparent to the location of files (Co85) (Wh85). NFS conforms to Sun's *Network Services Architecture*, which enables different computers and operating systems to share a common network. Vendors may implement NFS regardless of their underlying computer architectures or operating systems. Sun has placed various network service building blocks in the public domain to encourage standardization (Co85). This is consistent with the notion of open systems, an area in which Sun has chosen to take a leadership role as a matter of corporate policy.

Making use of BSD features, users at one workstation on a network may log in to a remote computer, copy files between computers, and execute commands on remote computers. With Sun's *network disk (nd)* protocol, a *diskless workstation* (Ob86) may use part of the disk of another computer on the network. Diskless nodes can perform essentially all the functions of nodes with local disks. The *nd* protocol and the network are efficient enough that the diskless workstations tend to operate about as quickly as those with local disks (depending, of course, on the load on the network). The *nd* protocol gives a network disk the appearance of being mounted locally.

Computers on a network are referred to as *nodes*, and each node has a unique name. A node may be a *server*, or a *client*, or both. A server provides services to processes or users on one or more clients. A node issues system calls and/or commands to become a server or a client.

Servers may *export* file systems to the network and clients may *import* these file systems; these are privileged operations. An NFS server initiates service by issuing an *nfsd* command; this initiates several *daemons* (Le88a) on the server; daemons handle service requests. Daemons are processes that perform their functions automatically when needed, and without interacting with a user. They generally operate periodically. A classic example of a daemon is the system process that swaps processes to secondary storage automatically when it is necessary to lighten the load. A server inserts a file system's name in */etc/exports* to make the file system accessible to clients. The server may restrict the nodes that can import a file system. A file may be withdrawn from system use, by removing it from the */etc/exports* file; the client must *umount* the file. A client gains access to an exported file system by using *mount*.

Servers are *multithreaded* (Su87) so they can process multiple requests concurrently. *Shared file systems* can be distributed across multiple servers to emulate multiprocessing.

Frequently accessed read-only files can be duplicated on multiple servers to distribute the file processing load across multiple machines.

The key to NFS's robust operation when a network node fails is the use of a *stateless* protocol (Ob86) between the client side and the server side of NFS. This enables the server to process every request from a client as new; information about the client's former transactions is not retained by the server. Thus, the failure of a client is transparent to the server. If a server fails, clients simply retry their requests; the requests will be processed when the server returns to operation.

NFS and other Sun network services are based on the *Remote Procedure Call (RPC)* and *External Data Representation (XDR)* standards developed by Sun (Su85a) (Su85b). RPC enables programs executing on different operating systems to call each other and receive return values. The client's RPC translates each call to a standard form and transmits it to the server. The server's RPC accepts the call, translates it to the server's format, and initiates the called procedure, passing the appropriate parameters. XDR is a standard way to represent data passed between different machines.

18.10.4 AT&T's Remote File System (RFS)

The *Remote File System (RFS)* was developed by AT&T to facilitate distributed computing with UNIX System V (Sa88). It is *protocol independent*; as new network protocols (such as OSI) begin to emerge, they may easily be inserted into RFS-based systems.

Requests are made by a client passing a message to a server; the server performs the request and passes back a response message. RFS uses a remote mount model; individual nodes share over the network only those files and directories they wish to; other files remain private (NFS does this as well).

The designers of RFS chose to use *stateful servers* rather than the stateless server approach used in NFS (Sa88). A weakness of the stateless approach is that it limits the semantics of remote operations. AT&T chose the stateful server approach because it wanted NFS to support full UNIX system semantics including stateful capabilities like file and record locking, and various peripheral device operations. The papers by McGrath (Mc88) on Streams, Brown (Br88) on network architectures, and Sabsevitz (Sa88) on RFS are must reading for the serious student of UNIX systems networking.

18.11 UNIX SYSTEMS STANDARDIZATION AND OPEN SYSTEMS

There is excitement in the computer industry today about the move to *open systems*—systems whose specifications are available so that any company wishing to conform to them may do so, although sometimes having to pay (hopefully modest) licensing fees. The move to open systems is dramatically changing the industry. UNIX has become the operating system of choice for implementing open systems.

AT&T continues to license UNIX systems, although now they have evolved from an experimental systems to important products in AT&T's strategic plans. The cooperative effort between AT&T and Sun to develop the next generation of UNIX systems has gained industry attention with some companies concerned that this may give Sun an unfair advantage. This is bound to happen in an environment in which one or a few companies wield significant influence over a developing standard. In the next several sections we consider the various versions of UNIX systems and the various standards organizations that will surely play major roles in evolving UNIX systems into major international standard.

18.11.1 The POSIX Standard

The *POSIX* standard developed by the IEEE 1003.1 committee defines the interface between an operating system and applications programs (Us87) (Us87a) (IE88). The key reason for POSIX is to promote *source code portability*. It is not mandatory that the underlying operating system be a UNIX system. What matters is that through some intermediate mechanism, POSIX calls are translated to the target operating system's calls, and operating system returns are translated to POSIX returns. Thus, any operating systems can be used with a POSIX interface, but clearly UNIX systems are preferred. As of this writing, most major UNIX systems vendors have agreed to standardize on POSIX, but it remains to be seen whether this will occur when the final POSIX standard appears.

18.11.2 The System V Interface Definition (SVID)

Perhaps the most important of the UNIX systems standards today is the *System V Interface Definition (SVID)* published by AT&T (AT86) (AT86a) (AT86b). The SVID is a source-code specification of the various UNIX system calls. The appendix to this chapter indicates how to obtain a copy of the SVID; this is must reading for the serious student of UNIX systems. A listing of many of the calls in the SVID appears in the appendix to this chapter.

18.11.3 System V Release 4.0

The AT&T System V, Release 4.0 standard was selected by the Air Force, which ordered 20,000 SVR4.0-based systems in 1988. SVR4.0 is touted by the members of UNIX International, a UNIX systems consortium headed by AT&T (Le88b). SVR 4.0 includes unification of AT&T System V, Sun Microsystems SunOS, Berkeley 4.2 BSD and 4.3 BSD, and Microsoft XENIX. SVR 4.0 distributed system support includes AT&T's RFS, Sun's NFS, TCP/IP, Berkeley's sockets, Sun's Remote Procedure Call (RPC) mechanism, Sun's External Data Representation (XDR), AT&T's Transport Layer Interface, and Streams. SVR 4.0 graphical user interfaces include Open Look, Sun's NeWS, and MIT's X Window System. The appendix to this chapter indicates how to obtain information on SVR4.0.

18.11.4 IBM's AIX

UNIX systems continue to rise in importance in IBM's strategic planning. Both DOS (Chapter 19) and OS/2 (Chapter 23) have many features that UNIX systems made popular.

IBM's *AIX* (Tu89), based on UNIX systems, is the operating system of choice for IBM's PC/RT workstations, and is being offered for high-end PS/2's.

IBM recently formed its Advanced Workstation Division with AIX as the designated operating system. AIX has been selected by the Open Software Foundation (see Section 18.11.6) as the base technology on which OSF will develop its own UNIX systems standard. Perhaps most significant is IBM's commitment to port AIX to all its computer lines, including its PS/2 personal computers, its AS 400 midsize machines, and its mainframes.

There is considerable debate in the industry about the merits of UNIX systems vs. OS/2 (Le88c) (Mo88) (Mo88a) (Fr89). This debate is intense within IBM as well, where AIX and OS/2 appear to be competing for dominance. AIX is a multiuser, multitasking operating system, whereas early versions of OS/2 are single-user multitasking systems. But OS/2 could certainly evolve into a full-blown, multiuser, multitasking system. Then the stage could be set for a great battle within "Big Blue."

There is an alternate scenario that may be more likely. After reading the case studies on UNIX systems and OS/2 in this text, the reader will probably notice substantial similarities in architecture and functionality. Perhaps this points to an eventual merger of OS/2 into AIX, or vice versa—although the former would appear more likely, given AIX's newfound prominence in the worldwide UNIX systems community, and given IBM's commitment to port AIX (not OS/2) to all its major computer lines.

Perhaps all these considerations for IBM are wrapped in an even larger picture—its commitment to *System Application Architecture (SAA)*. IBM intends to provide common user interfaces, common communications interfaces, common applications, and common operating system functionality across all its major computing lines. This will enable all IBM computers to interoperate easily, and it will provide a platform on which other vendors may develop applications. Both OS/2 and AIX appear to figure intimately in IBM's SAA designs.

18.11.5 Carnegie Mellon University's Mach

The Mach operating system (Te87) (Ne88) (Fi89) was developed at Carnegie Mellon University. It first appeared in 1986 and achieved prominence when it was selected by Steve Jobs for use with his NeXT computers announced in 1988.

Mach evolves 4.3 BSD into a multiprocessing operating system; we discussed Mach in the Chapter 11 case study on the BBN Butterfly multiprocessor. Many people believe that Mach will become the parallel UNIX systems standard.

It is believed that AT&T's plan for System V Release 5 could include the kinds of features that currently distinguish Mach; some industry observers believe that this, along with the substantial base of other features emerging now in System V Release 4, could obviate the need for Mach.

18.11.6 The Open Software Foundation (OSF)

In response to concerns over the AT&T alliance with Sun Microsystems, seven leading computer vendors—IBM, DEC, Hewlett-Packard, Apollo, Nixdorf, Siemens, and Groupe

Bull—formed the *Open Software Foundation (OSF)* in 1988 (Ch88a); subsequently dozens of other vendors have joined. OSF's primary goal is to encourage industry standard, open software environments. In particular, OSF is committed to developing an alternate operating system to AT&T/Sun UNIX systems. The creation of OSF highlights the enormous importance of UNIX systems to the computer industry. At this time, it is impossible to say how OSF's efforts will affect the evolution of UNIX system software and application software. It is clear, however, that the open systems philosophy is drawing major interest, and that the proprietary systems approach is on the decline.

18.11.7 UNIX International

After the formation of OSF there appeared to be a possibility that AT&T and Sun would join. Then, abruptly, various SVR4.0 supporters formed the *Archer group* to stand firm on their commitments to UNIX with System V as a base. Archer was eventually renamed UNIX International. It will indeed be a formidable competitor. UNIX International includes major vendors such as Amdahl, AT&T, Control Data, Data General, Fujitsu, ICL, Intel, Motorola, NCR, NEC, Olivetti, Prime, Sun, Texas Instruments, Toshiba, and Unisys; many other companies have joined.

18.12 THE FUTURE OF UNIX SYSTEMS

UNIX operating systems were weak entries among the contenders of the early seventies. As UNIX systems evolved, IBM customers continued to care about MVS and VM, VAX customers continued to care about VMS, and so it went. But the personal computing phenomenon of the late 1970s and the 1980s has changed the rules of the game. UNIX systems have become the operating system that represents the link between the vast majority of mainframes, minis, workstations, personal computers, supercomputers and networks. There is a rush to UNIX systems now with virtually every significant computer and communications vendor pointing to UNIX systems as the unifying theme in operating systems for the 1990s.

Why will UNIX systems play such an extraordinary role? What companies will benefit most from major UNIX systems commitments? The specifics of UNIX systems and UNIX-systems-style networking do matter. But these are not particularly elegant or advanced in nature. What really matters is the ability of UNIX systems to draw the industry together to standardize. This is a fundamental change in the operating systems marketplace, one that has never standardized across such a wide range of computing and communications systems before. If the industry standardizes on UNIX systems (as it seems so intent on doing), the companies that will succeed will do so because of their commitments to delivering UNIX systems at the best possible price and with the best service and guarantees. Is this the best path for the industry to take? That question may be irrelevant; the current momentum is so strong that vendors have to offer UNIX systems just to remain competitive. It will be interesting to see how AT&T handles this phenomenon. AT&T is in the driver's seat as long it guides UNIX systems to the satisfaction of the power players in the industry. Will AT&T remain in control, or will the industry wrest control of UNIX systems away from AT&T and perhaps into the public domain? These questions remain to be answered. Whatever happens, the time spent learning UNIX systems by serious students of operating systems will surely be worthwhile.

TERMINOLOGY

absolute path name
AIX
ancestor process
Berkeley 4.2 BSD
Berkeley 4.3 BSD
Bourne shell (Bell Laboratories)
buffer cache
C language
C-shell (Berkeley)
catch a signal
child process
client process (Sun NFS)
context registers
current directory
daemon
data region
datagram socket
descriptor
descriptor table
/dev
device files
device-independent file system
diskless workstation
dynamic linking
/etc/exports (Sun NFS)
export a file system (Sun NFS)
External Data Representation (XDR) (Sun NFS)
file descriptor
filter
fork
i-list
import a file system (SUN NFS)
inode
i-number
ioctl system call
I/O pointer
lightweight processes
link
lock file
login directory
loop
lseek
Mach
major device number
mapped state
message queue
minor device number
mount system call
named pipe
network disk (nd) protocol (Sun)
Network File System (NFS) (Sun)
Network Services Architecture (Sun)
non-blocking I/O (Berkeley)
Open Software Foundation
open systems
page map
page reclamation
pager
parent process
passwd program
path name
pipe
POSIX
program text segment
push a module onto a stream
raw socket
redirect I/O
relative path name
reliably delivered message socket
Remote File System (RFS) (AT&T)
remote file system access
Remote Procedure Call (RPC) (Sun NFS)
resident state

root directory
sequenced packet socket
server process (Sun NFS)
setuid
shared memory
shell
signal
signal handler
socket
Source Code Control System
source code portability
special file
stack region
standard error
standard input
standard output
stateful server (AT&T RFS)
stateless server (Sun NFS)
stream
stream end
stream head
stream socket
Streams (AT&T)
super block
superuser
SVID
swapped state
swapper
sync system call
System V Interface Definition
System V Release 4.0
text (or code) region
text table
tool
UNIX International
UNIX systems
unlink
user page
valid bit
working directory
X Window System (MIT)

EXERCISES

18.1 What features of UNIX systems are especially useful from a software engineering standpoint?

18.2 What aspects of the origin of UNIX systems contributed greatly to their unique design?

18.3 In UNIX systems, the same system calls are used to read (or write) files, devices, and interprocess message buffers. What are the advantages of this? What are the disadvantages?

18.4 UNIX systems provide an environment in which large tasks may be accomplished by combining existing small programs rather than developing new programs. Why is this important?

18.5 Suppose a process requests more storage. Describe precisely how early real storage UNIX systems granted the request. Consider each of the following cases.

a) Sufficient additional storage is available immediately following the process's current storage area.

b) A large block of storage is available elsewhere in primary storage.

c) Sufficient additional primary storage is not currently available.

18.6 In virtual storage UNIX systems, how does swapping differ from paging?

18.7 All input/output in UNIX systems is stream-oriented rather than record-oriented. Discuss the advantages and disadvantages of this approach.

18.8 How are fixed length record I/O and variable length record I/O implemented in UNIX systems?

18.9 Suppose a particular operating system supports record I/O but not stream I/O. Is it possible to simulate stream I/O on this system? If yes, then state how. If no, then state why not.

18.10 Describe the directory structure of the UNIX file system.

18.11 What are pipes and filters? What is a pipeline?

18.12 A UNIX system does not check for processes attempting to "hog" resources. But many installations have added features for doing so. Describe the features you would add to a UNIX system for this purpose. Why are such features important?

18.13 Why have UNIX systems become the favored operating systems for implementing the open systems philosophy?

18.14 Discuss each of the following notions as they relate to UNIX systems.

a) portability b) tools c) resuable software

18.15 UNIX systems have been evolving from a timesharing operating system to one for controlling networked workstations. How has this trend affected the design of the SunOS system discussed in this case study?

18.16 As the inventor of UNIX systems, AT&T has exerted great influence over their development and evolution. What role do you think AT&T should play as UNIX systems emerges as industry standard operating systems? Should UNIX systems be controlled by an industry group rather than one or a few powerful companies?

18.17 Distingush between autonomously performed services and services performed in response to system calls.

18.18 How does the Berkeley *vfork* system call represent an optimization of the *fork* system call? In what sense is *vfork* more limited than *fork*?

18.19 Discuss how SunOS penalizes CPU-intensive processes more heavily during periods of heavy loading and is more forgiving of them when lightly loaded.

18.20 How are UNIX systems signals like interrupts? How are they different? Why might a process want to delay arriving signals? How does a process do so?

18.21 What is a pipe? Why is buffering needed with pipes? Compare the operation of a pipe with the circular buffer discussed in Chapter 5. Why is it that unrelated processes can not communicate through pipes?

18.22 What innovations were added to UNIX systems to allow communication between unrelated processes?

18.23 Why did Berkeley 4.2 BSD add the notion of sockets?

18.24 Distinguish between the three states a process may assume with regard to memory management, namely swapped, resident, and mapped. Why may the mapped state be considered an optimization of the resident state?

18.25 Explain the operation of the free list and the loop used in paging. How do those help effect page reclamation?

18.26 Explain the strategy used by the pager to decide which pages should be on the free list.

18.27 Explain the strategy used by the swapper to select processes for swapping.

18.28 What is a descriptor? What is a process's descriptor table? What descriptor(s) is (are) created by each of the following system calls?

a) pipe b) open c) socket

18.29 Distinguish between ordinary files, special files, and directories.

18.30 UNIX systems do not support or distinguish random access from sequential access. How can *lseek* be used to implement either type of access?

18.31 Distinguish between absolute path names and relative path names.

18.32 Discuss the *mount* and *umount* system calls.

18.33 How are permissions used to control access to files?

18.34 Explain the use of lock files to synchronize access of multiple processes that wish to update a file in a consistent manner. What difficulties might be encountered by a group of processes using a lock file to control access to shared data?

18.35 UNIX systems delay physical writes until a buffer is needed. What does this imply in case of a system crash? What does the kernel do to alleviate this problem?

18.36 Disk fragmentation occurs naturally in systems that have executed for some time. This disperses the blocks of sequential files over the surfaces of the disk and causes lengthy seeks rather than the short adjacent cylinder seeks that characterize a sequential file constructed on a large contiguous empty disk area. What actions might an operating system take to minimize disk fragmentation?

18.37 Discuss the ramifications of the fact that the vast majority of files in UNIX systems are small (as opposed to the massive files in commercial data processing systems).

18.38 Describe the UNIX systems process scheduling algorithm.

18.39 How does non-blocking I/O differ from conventional blocking I/O? Give an example in which non-blocking I/O is preferable.

18.40 Can a process seeking to be scheduled in SunOS be indefinitely postponed? Explain your answer.

18.41 Can a signal waiting to be processed be indefinitely postponed? Explain your answer.

18.42 After reading this UNIX systems case study and the OS/2 case study, compare and contrast these two important operating systems.

18.43 How are permission bits on directories interpreted differently than permission bits on ordinary files?

18.44 Is the following statement true? Two processes are reading from a shared open file; if one process causes the I/O pointer to change, the other process's position in the file also changes.

18.45 The setuid feature is unique to UNIX systems and, in fact, has been patented by Dennis Ritchie. Explain how a nonprivileged UNIX systems user may change his or her password as stored in the password file that belongs to the superuser. Suggest some approaches for solving this problem without the setuid capability. Investigate how users change their passwords in other operating systems.

18.46 Some people consider setuid to be a substantial security risk. Do you agree? If so, what measures should be used to guard against possible setuid security breaches?

18.47 What is page reclamation? How does it work? What are its benefits? What are the costs?

18.48 What is a socket? Discuss the five types of sockets in 4.3 BSD. What is out-of-band data?

18.49 The text indicates that diskless workstations operate off the network about as quickly as workstations with local disks. Under what circumstances, however, could diskless workstations suffer severe performance degradation?

18.50 What is a stateless protocol? Why is it important in the design of NFS?

18.51 Discuss the AT&T STREAMS mechanism. What does it mean to "push a module onto a stream?" What technique is used to make message passing through a stream efficient?

18.52 Describe precisely how STREAMS may be used to create a windowing multiplexor.

18.53 Could sharing of memory result in deadlock as the memory is taken up with multiple shared segments/pages? What safeguards should be employed?

18.54 The inodes use direct block addressing as well as single, double, and triple indirect block addressing to locate every block in a physical file. Assume all addresses occupy four bytes. For block sizes of 512 bytes, 1024 bytes, and 4096 bytes, calculate the largest file size that may be accommodated in this indirect addressing scheme.

18.55 (Project) Write a detailed report on the UNIX systems industry. You should discuss

a) the evolution of UNIX systems

b) UNIX systems as developing standards

c) UNIX systems and open systems

d) the major versions of UNIX systems

e) UNIX systems user groups and the services they provide

f) major UNIX systems trade shows and academic conferences.

g) future directions

18.56 (Project) Write a report on the conception and evolution of POSIX. Comment on the notion of creating such standards. Argue why such an approach is beneficial to the industry. Why might it fail?

LITERATURE

(Ac86) Accetta, M. J.; R. V. Baron; W. Bolosky; D. B. Golub; R. F. Rashid; A. Tevanian; and M. W. Young, "Mach: A New Kernel Foundation for UNIX Development," *Proceedings of Summer Usenix*, July 1986.

(Ah88) Aho, A. V.; B. W. Kernighan; and P.J. Weinberger, *The AWK Programming Language*, Reading, MA: Addison-Wesley, 1988.

(An88) Anderson, J., "Call for a Truce," *PC Tech Journal*, Vol. 6, No. 12, December 1988, pp. 9–10.

(An86) Anyanwu, J. A., and L. F. Marshall, "A Crash Resistant UNIX File System," *Software—Practice and Experience*, Vol. 16, February 1986, pp. 107–118.

(Ar86) Arden, M., and A. Bechtolsheim, *Sun-3 Architecture: A Sun Technical Report,* Mountain View, CA: Sun Microsystems, Inc., 1986.

(AT86) AT&T, *System V Interface Definition, Issue 2, Vol. 1,* (Select Code No. 320-011), 1986.

(AT86a) AT&T, *System V Interface Definition, Issue 2, Vol. 2,* (Select Code No. 320-012), 1986.

(AT86b) AT&T, Syst*em V Interface Definition, Issue 2, Vol. 3,* (Select Code No. 320-013), 1986.

(AT88) AT&T UNIX Pacific Co., Ltd., *UNIX System Software Readings*, Englewood Cliffs, New Jersey: Prentice-Hall, 1988.

(AT88a) AT&T, *UNIX System V Release 3.0 Intel 80286/80386 Computer Version Programmer's Reference Manual*, Englewood Cliffs, NJ: Prentice-Hall, 1988.

(Ba86) Bach, M. J., *The Design of the UNIX Operating System*, Englewood Cliffs, NJ: Prentice-Hall, 1986.

(Ba84) Bach, M. J., and S. J. Buroff, "Multiprocessor UNIX Operating Systems," *AT&T Bell Laboratories Technical Journal*, Vol. 63, No. 8, October 1984, pp. 1733–1749.

(Ba80) Barak, A. B., and A. Shapir, "UNIX with Satellite Processors," *Software—Practice and Experience*, Vol. 10, 1980, pp. 383–392.

(Ba87) Barron, D., and M. Rees, *Text Processing and Typesetting with UNIX*, Wokingham, England: Addison-Wesley, 1987.

(Bk86) Berkeley Computer Science Research Group, University of California at Berkeley, *UNIX Programmer's Reference Manual (PRM): 4.3 Berkeley Software Distribution Virtual VAX-11 Version*, 1986.

(Bk86a) Berkeley Computer Science Research Group, University of California at Berkeley, *UNIX Programmer's Manual: Supplementary Documents 1, 4.3 Berkeley Software Distribution*, 1986.

(Bo84) Bodenstab, D. E.; T. F. Houghton; K. A. Kelleman; G. Ronkin; and E. P. Schan, "UNIX Operating System Porting Experiences," *AT&T Bell Laboratories Technical Journal*, Vol. 63, No. 8, October 1984, pp. 1769–1790.

(Bo78) Bourne, S. R., "UNIX Time-Sharing System: The UNIX Shell," *Bell System Technical Journal*, Vol. 57, No. 6, July-August 1978, pp. 1971–1990.

(Bo87) Bourne, S. R., *The UNIX System V Environment*, Wokingham, England: Addison-Wesley, 1987.

(Br88) Brown, L. M., "Networking Architecture and Protocol," AT&T UNIX Pacific Co., Ltd., *UNIX System Software Readings*, Englewood Cliffs, New Jersey: Prentice Hall, 1988.

(Br82) Brownbridge, D.; L. Marshall; and B. Randell, "The Newcastle Connection—Or UNIXes of the World Unite!" *Software—Practice and Experience*, Vol. 12, No. 12, December 1982, pp. 1147–1162.

(Bu87) Burke, F., *UNIX System Administration*, Orlando, FL: Harcourt Brace Jovanovich, Publishers, 1987.

(Ch88) Chandler, D., "Open Look: Facing a Crowded Market," *UNIX Review*, Vol. 6, No. 6, June 1988, pp. 32–45.

(Ch88a) Chandler, D., "Fiat Lux, and There Was the Open Software Foundation," *UNIX Review*, Vol. 6, No. 7, July 1988, pp. 16–31.

(Cf88) Coffin, S., *UNIX: The Complete Reference* (System V Release 3), Berkeley, CA: Osborne McGraw-Hill, 1988.

(Co84) Comer, D., *Operating Systems Design: The XINU Approach*, Englewood Cliffs, NJ: Prentice-Hall, 1984.

(Co87) Cordell, R. Q., II; M. Misra; and R. F. Wolfe, "Advanced Interactive Execution Program Development Environment," *IBM Systems Journal*, Vol. 26, No. 4, 1987, pp. 361–382.

(Co85) Courington, B., *The UNIX System: A Sun Technical Report*, Mountain View, CA: Sun Microsystems, 1985.

(Cr81) Crowley, C., "The Design and Implementation of a New UNIX Kernel," *Proceedings of AFIPS NCC*, Vol. 50, 1981, pp. 1079–1086.

(Do78) Dolotta, T. A., R. C. Haight, and J. R. Mashey, "UNIX Time-Sharing System: The Programmer's Workbench," *Bell System Technical Journal*, Vol. 57, No. 6, July-August 1978, pp. 2177–2200.

(Do88) Dougherty, D., and T. O'Reilly, "DOS Meets UNIX,"*Byte*, Vol. 13, No. 11, Fall 1988, pp. 117–126.

(Fa86) Farrow, R., "Security Issues and Strategies for Users," *UNIX World*, April 1986, pp. 65–71.

(Fa86a) Farrow, R., "Security for Superusers, or How to Break the UNIX System," *UNIX World*, May 1986, pp. 65–70.

(Fd84) Feder, J., "The Evolution of UNIX System Performance,"*AT&T Bell Laboratories Technical Journal*, Vol. 63, No. 8, October 1984, pp. 1791–1814.

(Fe84) Felton, W. A.; G. L. Miller; and J. M. Milner, "A UNIX Implementation for System/370," *AT&T Bell Laboratories Technical Journal*, Vol. 63, No. 8, October 1984, pp. 1751–1767.

(Fl86) Fiedler, D., and B. H. Hunter, *UNIX System Administration*, Hasbrouck Heights, NJ: Hayden Books, 1986.

(Fp86) Filipski, A., and J. Hanko, "Making UNIX Secure," *Byte*, April 1986, pp. 113–128.

(Fi89) Fisher, S., "MACH, The New UNIX?" *UNIX World*, March 1989, pp. 64–68.

(Fi84) Fitton, M. J.; C. J. Harkness; K. A. Kelleman; P. F. Long; and C. Mee III, "The Virtual Protocol Machine," *AT&T Bell Laboratories Technical Journal*, Vol. 63, No. 8, October 1984, pp. 1859–1876.

(Fr89) Francis, B., "Desktop Tug of War: OS/2 Versus UNIX," *Datamation*, Vol. 35, No. 4, February 15, 1989, pp. 18–25.

(Fr84) Fritz, T. E., J. E. Hefner, and T. M. Raleigh, "A Network of Computers Running the UNIX System," *AT&T Bell Laboratories Technical Journal*, Vol. 63, No. 8, October 1984, pp. 1877–1896.

(Fu86) Fuller, B. J., "Multi-Processing UNIX Runs Business-Oriented Supermini," *UNIX World*, June 1986, pp. 40–55.

(Gr84) Grampp, F. T., and R. H. Morris, "UNIX Operating System Security,"*AT&T Bell Laboratories Technical Journal*, Vol. 63, No. 8, October 1984, pp. 1649–1672.

(Ha88) Hansen, A., "Using the UNIX Shell," *UNIX World*, Vol. V, No. 12, December 1988, pp. 127–133.

(Ha80) Harland, D. M., "High-Speed Data Acquisition: Running a Realtime Process and a Time-Shared System (UNIX) Concurrently," *Software—Practice and Experience*, Vol. 10, pp. 273–281.

(Ha87) Haviland, K., and B. Salama, *UNIX System Programming*, Wokingham, England: Addison-Wesley, 1987.

(He84) Henry, G. H., "The Fair Share Scheduler," *AT&T Bell Laboratories Technical Journal*, Vol. 63, No. 8, October 1984, pp. 1845–1857.

(Hn88) Hensler, C., and K. Sarno, "Marrying UNIX and the 80386," *Byte*, April 1988, pp. 237–244.

(Hr84) Horowitz, E., and J. Munson, "An Expansive View of Reusable Software," *IEEE Transactions on Software Engineering*, Vol. SE-10, No. 5, September 1984.

(IE86) *IEEE Trial Use Standard: Portable Operating System for Computer Environments*, IEEE Std 1003.1, IEEE, New York, 1986.

(IE88) *IEEE Trial Use Standard 1003.1: Portable Operating System Interface for Computer Environments*, New York, NY: The Institute of Electrical and Electronics Engineers, Inc., 1988, (available from the IEEE Service Center, 445 Hoes Lane, Piscataway, NJ 08854).

(Ja83) Jalics, P. J., and T. S. Heines, "Transporting a Portable Operating System: UNIX to an IBM Minicomputer," *Communications of the ACM*, Vol. 26, No. 12, December 1983, pp. 1066–1073.

(Jn86) Janssens, M. D.; J. K. Annot; and A. J. van de Goor, "Adapting UNIX for a Multiprocessor Environment," *Communications of the ACM*, Vol. 29, No. 9, September 1986, pp. 895–901.

(Jo73) Johnson, S. C., and B. W. Kernighan, "The Programming Language B," *Computer Science Technical Report No. 8*, Murray Hill, NJ, Bell Laboratories, January 1973.

(Jo78) Johnson, S. C., and D. M. Ritchie, "Portability of C Programs and the UNIX System," *Bell System Technical Journal*, Vol. 57, No. 6, Part 2, July-August 1978, pp. 2021–2048.

(Ka88) Kahle, B. U.; W. A. Nesheim; and M. Isman, "UNIX and the Connection Machine Operating System," *Abstract OS88-1*, Cambridge, MA: Thinking Machines Corporation, August 26, 1988.

(Ke88) Kernighan, B. W., "Beyond UNIX System," AT&T UNIX Pacific Co., Ltd., *UNIX System Software Readings*, Englewood Cliffs, NJ: Prentice-Hall, 1988.

(Ke75) Kernighan, B. W., and L. L. Cherry, "A System for Typesetting Mathematics," *CACM* Vol. 18, No. 3, March 1975, pp. 151–157.

(Ke76) Kernighan, B. W., and P. J. Plauger, *Software Tools*, Reading, MA: Addison-Wesley, 1976.

(Ke78) Kernighan, B. W.; M. E. Lesk; and J. F. Ossanna, "UNIX Time-Sharing System: Document Preparation," *Bell System Technical Journal*, Vol. 57, No. 6, July-August 1978, pp. 2115–2135.

(Ke78a) Kernighan, B. W., and D. M. Ritchie, *The C Programming Language*, Englewood Cliffs, NJ: Prentice-Hall, 1978.

(Ke79) Kernighan, B. W., and J. Mashey, "The UNIX Programming Environment," *Software—Practice and Experience*, Vol. 9, pp. 1–15, January 1979.

(Ke81) Kernighan, B. W., and P. J. Plauger, *Software Tools in Pascal*, Reading, MA: Addison-Wesley, 1981.

(Ke81a) Kernighan, B. W., and J. R. Mashey, "The UNIX Programming Environment," *IEEE Computer*, Vol. 14, April 1981, pp. 12–24.

(Ke84) Kernighan, B. W., and R. Pike, *The UNIX Programming Environment*, Englewood Cliffs, NJ: Prentice-Hall, 1984.

(Ke88a) Kernighan, B. W., and D. M. Ritchie, *The C Programming Language (Second Edition)*, Englewood Cliffs, NJ: Prentice-Hall, 1988.

(Ko88) Korn, David G., "The Shell—Past, Present, and Future," AT&T UNIX Pacific Co., Ltd., *UNIX System Software Readings*, Englewood Cliffs, NJ: Prentice-Hall, 1988.

(La88) Lazarus, J., *Sun386i Overview: A Technical Report*, Mountain View, California: Sun Microsystems, Inc., 1988.

(Le88) Lee, E., "Window of Opportunity," *UNIX Review*, Vol. 6, No. 6, June 1988, pp. 47–61.

(Lf88) Leffler, S. J., "A Window on the Future?" *UNIX Review*, Vol. 6, No. 6, June 1988, pp. 62–69.

(Lf88a) Leffler, S. J.; M. K. McKusick; M. J. Karels; J. S. Quarterman, *The Design and Implementation of the 4.3BSD UNIX Operating System*, Reading, MA: Addison-Wesley, 1988.

(Le88a) Lennert, D., "How to Write UNIX Daemons," *UNIX World*, Vol. V., No. 12, December 1988, pp. 107–112.

(Le88c) Levitt, J., "Whither IBM and UNIX?" *Byte*, Vol. 13, No. 11, Fall 1988, pp. 109–114.

(Le88b) Lewis, G., "Will AT&T Computers Soar with the Air Force Deal?" *Business Week*, November 14, 1988, p. 122.

(Li88) Lindgren, G. L., "Directions in Internationalization," AT&T UNIX Pacific Co., Ltd., *UNIX System Software Readings*, Englewood Cliffs, New Jersey: Prentice-Hall, 1988.

(Lo87) Loucks, L. K., and C. H. Sauer, "Advanced Interactive Execution (AIX) Operating System Overview," *IBM Systems Journal*, Vol. 26, No. 4, 1987, pp. 326–345.

(Lu81) Luderer, G. W. R.; H. Che; J. P. Haggerty; P. A. Kirslis; and W. T. Marshall, "A Distributed UNIX System Based on a Virtual Circuit Switch," *Proceedings of the 8th Symposium on Operating Systems Principles*, Vol. 15, No. 5 , December 1981, pp. 160–168.

(Ma88) Mannas, J., "Two Views One Vision," *UNIX Review*, Vol. 6, No. 10, October 1988, pp. 77–83.

(Mc88) McGrath, G. J., "Streams Technology," AT&T UNIX Pacific Co., Ltd., *UNIX System Software Readings*, Englewood Cliffs, NJ: Prentice-Hall, 1988.

(Mc78) McIlroy, M.; E. Pinson; and B. Tague, "UNIX Time-Sharing System," *Bell System Technical Journal*, Vol. 57, No. 6, Part 2, July–August 1978, pp. 1899–1904.

(Mc84) McKusick, M. K., W. N. Joy, S. J. Leffer, and R. S. Fabry, "A Fast File System for UNIX," *ACM Transactions on Computer Systems*, Vol. 2, No. 3, August 1984, pp. 181–197.

(Mo89a) Moad, J., "UNIX Goes Upscale," *Datamation*, February 15, 1989, pp. 61–70.

(Mo86) Morgan, C. L., *Inside XENIX*, Indianapolis, IN: Howard W. Sams & Co., The Waite Groupe, Inc., 1986.

(Mo79) Morris, R., and K. Thompson, "UNIX Password Security," *Communications of the ACM*, Vol. 22, No. 10, November 1979, p. 594.

(Mo88) Morris, R. R., and W. E. Brooks, "Worlds Apart, Worlds Together," *PC Tech Journal*, Vol 6, No. 12, December 1988, pp. 50–61.

(Mo88a) Morris, R. R., and W. E. Brooks, "At the Core: An API Comparison," *PC Tech Journal*, Vol. 6, No. 12, December 1988, pp. 62–77.

(Mo89) Morris, R. R., and W. E. Brooks,"A Graphic Comparison," *PC Tech Journal*, February 1989, pp. 106–118.

(Mo84) Morgan, C., and B. Sufrin, "Specifications of the UNIX Filing System," *IEEE Transactions on Software Engineering*, Vol. SE-10, No. 2, March 1984, pp. 128–142.

(Ne88) NeXT, Inc., *The NeXT System Reference Manual*, Preliminary, Release 0.8, "The Mach Operating System," (Chapter 14), December 1988.

(Ob86) O'Brien, M. T., "Less Money, More Disk: Stateless Servers and Diskless Clients," *UNIX World*, August 1986, pp. 69–75.

(Or72) Organick, E. I., *The Multics System: An Examination of its Structure*, Cambridge, MA.: M.I.T. Press, 1972.

(Ou85) Ousterhout, J. K.; H. Da Costa; D. Harrison; J. Kunze; M. Kupfer; and J. Thompson, "A Trace-Driven Analysis of the UNIX 4.2BSD File System," *Proceedings of the 10th ACM Symposium on Operating System Principles*, December 1985, pp. 15–24.

(Pi84) Pike, R., and B. W. Kernighan, "Program Design in the UNIX Environment," *AT&T Bell Laboratories Technical Journal*, Vol. 63, No. 8, October 1984, pp. 1595–1605.

(Qu85) Quarterman, J. S.; A. Silberschatz; and J. L. Peterson, "4.2BSD and 4.3BSD as Examples of the UNIX System," *ACM Computing Surveys*, Vol. 17, No. 4, December 1985, pp. 379–418.

(Ra80) Ravn, A. P., "Device Monitors," *IEEE Transactions on Software Engineering*, Vol. SE-6, No. 1, January 1980, pp. 49–53.

(Re84) Reeds, J. A., and P. J. Weinberger, "File Security and the UNIX System Crypt Command,"*AT&T Bell Laboratories Technical Journal*, Vol. 63, No. 8, October 1984, pp. 1673–1683.

(Ri78) Ritchie, D. M., "A Retrospective," *Bell System Technical Journal*, Vol. 57, No. 6, Part 2, July-August 1978, pp. 1947-1970.

(Ri84) Ritchie, D. M., "The Evolution of the UNIX Time-Sharing System," *AT&T Bell Laboratories Technical Journal*, Vol. 63, No. 8, October 1984, pp. 1577–1593.

(Ri84a) Ritchie, D. M., "A Stream Input-Output System," *AT&T Bell Laboratories Technical Journal*, Vol. 63, No. 8, October 1984, pp. 1897–1910.

(Ri84b) Ritchie, D. M., "Reflections on Software Research," (Turing Award Lecture), *Communications of the ACM*, Vol. 27, No. 8, August 1984, pp. 758–760.

(Ri87) Ritchie, D. M., "UNIX: A Dialectic," *USENIX Association Conference Proceedings*, Berkeley, CA: USENIX Association, January 1987, pp. 29–34.

(Ri74) Ritchie, D. M., and K. Thompson, "The UNIX Time-Sharing System," *Communications of the ACM*, Vol. 17, No. 7, July 1974, pp. 365–375.

(Ri78a) Ritchie, D. M.; S. C. Johnson; M. E. Lesk; and B. W. Kernighan, "UNIX Time-Sharing System: The C Programming Language," *Bell System Technical Journal*, Vol. 57, No. 6, July-August 1978, pp. 1991–2019.

(Ri78b) Ritchie, D. M., and K. Thompson, "UNIX Time-Sharing System: The UNIX Time-Sharing System," *Bell System Technical Journal*, Vol. 57, No. 6, Part 2, July-August 1978, pp. 1905–1929.

(Ro84) Rosler, L., "The Evolution of C—Past and Future," *AT&T Bell Laboratories Technical Journal*, Vol. 63, No. 8, October 1984, pp. 1685–1699.

(Ru87) Russell, C. H., and P. J. Waterman, "Variations on UNIX for Parallel-Processing Computers," *Communications of the ACM*, Vol. 30, No. 12, December 1987, pp. 1048–1055.

(Sa88) Sabsevitz, A. L., "Distributed UNIX System—Remote File Sharing," AT&T UNIX Pacific Co., Ltd., *UNIX System Software Readings*, Englewood Cliffs, NJ: Prentice-Hall, 1988.

(Sb85) Sandberg, R.; D. Goldberg; S. Kleiman; D. Walsh; and B. Lyon, "Design and Implementation of the Sun Network File System," *Proceedings of the USENIX Conference*, Summer 1985, pp. 119–131.

(Sc88) Scheifler, R. W., and J. Gettys, "The X Window System," *ACM Transactions on Graphics*, Vol. 5, No. 2, April 1986.

(Sh87) Shaw, M. C., and S. S. Shaw, *UNIX Internals: A Systems Operations Handbook*, Blue Ridge Summit, PA: Tab Books, Inc., 1987.

(So85) Sobell, M. G., *A Practical Guide to UNIX System V*, Menlo Park, California: Benjamin/Cummings, 1985.

(So89) Southerton, A., "UUCP for the DOS World," *UNIXWorld*, March 1989, pp. 87–94.

(St86) Stroustrup, B., *The C++ Programming Language*, Reading, MA: Addison-Wesley, 1986.

(Su85a) Sun Microsystems, *Remote Procedure Call Programming Guide*, Mountain View: CA, Sun Microsystems, Inc., January 1985.

(Su85b) Sun Microsystems, *Remote Procedure Call Protocol Specification*, Mountain View: CA, Sun Microsystems, Inc., January 1985.

(Su87) Sun Microsystems, "Lightweight Processes," *SunOS System Services Overview*, Mountain View, CA: Sun Microsystems, December 1987, pp. 143–174.

(Ta87) Tanenbaum, A. S., *Operating Systems: Design and Implementation*, Englewood Cliffs, NJ: Prentice-Hall, 1987.

(Te84) Terry, D. B.; M. Painter; D. Riggle; and S. Zhou, "The Berkeley Internet Name Domain Server," *Proceedings USENIX Association Summer 1984 Conference*, pp. 23–31.

(Te87) Tevanian, A., Jr., "Architecture-Independent Virtual Memory Management for Parallel and Distributed Environments: The Mach Approach," (Thesis), *CMU-CS-88-106*, December 1987.

(Tm84) Thomas, R., "The Source Code Control System," *UNIX World*, Vol. 1, No. 3, 1984, pp. 69–71.

(Tm84a) Thomas, R., "Intermediate SCCS," *UNIX World*, Vol. 1, No. 4, 1984, pp. 94–101.

(Th84b) Thomas, R., "Advanced SCCS," *UNIX World*, Vol. 1, No. 5, 1984, pp. 112–118.

(Th78) Thompson, K., "UNIX Implementation," *Bell System Technical Journal*, Vol. 57, No. 6, Part 2, July–August 1978, pp. 1931–1946.

(Th84) Thompson, K., "Reflections on Trusting Trust," (Turing Award Lecture), *Communications of the ACM*, Vol. 27, No. 8, August 1984, pp. 761–763.

(Tu89) Tucker, M. J., "The Blue Giant Takes Aim at UNIX," *UNIX World*, March 1989, pp. 47–52.

(Tu85) Tuthill, B., "Setting the User ID," *UNIX Review*, June 1985, pp. 78–81.

(Uc86) UCB-CSRG, 4.3 *Berkeley Software Distribution, Virtual VAX-11 Version*, The Regents of the University of California, April 1986.

(Us87) /usr/group, *Your Guide To POSIX*, Santa Clara, CA: /usr/group, 1987.

(Us87a) /usr/group, *POSIX Explored*, Santa Clara, CA: /usr/group, 1987.

(Wl80) Walker, B.; R. A. Klemmerer; and G.J. Popek, "Specification and Verification of the UCLA Unix Security Kernel," *Communications of the ACM*, Vol. 23, No. 2, February 1980.

(Wc84) Wallace, J. J., and W. W. Barnes, "Designing for Ultrahigh Availability: The UNIX RTR Operating System," *Computer*, Vol. 17, No. 8, August 1984, pp. 31-39.

(Wh85) Walsh, D.; R. Lyon; and G. Sager, "Overview of the Sun Network File System," *Usenix Winter Conference*, Dallas, 1985 Proceedings, pp. 117–124.

(Wa88) Wang, P., *An Introduction to Berkeley UNIX*, Belmont, CA: Wadsworth Publishing Company, 1988.

(Wa87) Waters, F. C. H.; R. G. Bias; and P. L. Smith-Kerker, "AIX Usability Enhancements and Human Factors," *IBM Systems Journal*, Vol. 26, No. 4, 1987, pp. 383–394.

(We84) Weinberger, P. J., "Cheap Dynamic Instruction Counting," *AT&T Bell Laboratories Technical Journal*, Vol. 63, No. 8, October 1984, pp. 1815–1826.

(Wi84) Wilensky, R.; Y. Arens; and D. Chin, "Talking to UNIX in English: An Overview of UC," *Communications of the ACM*, Vol. 27, No. 6, June 1984, pp. 574–592.

(Wo85) Wood, P., and S. Kochan, *UNIX System Security*, NJ: Hayden Book Co., 1985.

APPENDIX A

SunOS

Information about the SunOS version of UNIX systems may be obtained from

Sun Microsystems
2550 Garcia Avenue
Mountain View, CA 94043

UNIX Standards Information

The /usr/group UNIX systems Standard may be ordered from

/usr/group Standards Committee
4655 Old Ironsides Drive
Suite 200
Santa Clara, CA 95054

The X/OPEN Portability Guide may be ordered from

Prentice-Hall
Englewood Cliffs, NJ 07632

The System V Interface Definition may be ordered from

AT&T Customer Information Center Attn: Customer Service Representative
P.O. Box 19901
Indianapolis, IN 46219

The POSIX Standard may be ordered from

IEEE Service Center
445 Hoes Lane
Piscataway, NJ 08854

IEEE Computer Society
Box 80452
Worldway Postal Center
Los Angeles, CA 90080

Various ANSI Standards including ANSI C may be ordered from

American National Standards Institute
1430 Broadway
New York, NY 10018

Information about AT&T UNIX educational seminars, including seminars on SVR 4.0, may be obtained from

Registrar, AT&T Training
P.O. Box 45038
Jacksonville, FL 32232-9974

Standards Groups:

Open Software Foundation
11 Cambridge Center
Cambridge, MA 02142

X/Open
c/o ICL
Lovelace Road
Bracknell, Berkshire
London, RG12 4SN

X/Open
1750 Montgomery Street
San Francisco, CA 94111

UNIX International
6 Century Drive
Parsippany, NJ 07054

Periodicals

Computing Systems
The Journal of the USENIX Association

University of California Press
2120 Berkeley Way
Berkeley, CA 94720

UNIX/WORLD

Subscription Department
P. O. Box 1929
Marion, OH 43305
Tech Valley Publishing
444 Castro Street
Mountain View, CA 94041

UNIX REVIEW

Miller Freeman Publications Co.
500 Howard Street
San Francisco, CA 94105

CommUNIXations

Published by /usr/group (see below)

/usr/digest (biweekly)

Published by /usr/group (see below)

Open Line

Published by Open Software Foundation, Inc.

User Groups

/usr/group
The International Network of UNIX Users

4655 Old Ironsides Drive
Suite 200
Santa Clara, CA 95054

Write to /usr/group for membership information. They publish a directory of UNIX hardware systems, software products, UNIX user groups, and consultants.

USENIX Association
P.O. Box 2299
Berkeley, CA 94710

APPENDIX B: A Tour of the AT&T System V Interface Definition (SVID)

The AT&T *System V Interface Definition (SVID)* (AT86) (AT86a) (AT86b) is the document that defines AT&T System V UNIX for other vendors and applications developers who wish to build conformant systems and write applications that will run on any System V system. The serious student of operating systems and members of the UNIX community in general should read this important document. Instructions for ordering the SVID from AT&T are included in this chapter.

This appendix includes a concise listing of most of the systems calls, library routines, and utility routines described in more detail in the SVID. The appendix is included to give the reader a strong sense of the UNIX functionality available in System V and System-V-conformant UNIX systems.

The author would like to thank AT&T for permission to include this listing of calls from the *System V Interface Definition* publications. AT&T makes no statement as to the accuracy or completeness of the material in this appendix.

Operating System Service Routines

File Management Calls

access—determine accessibility of a file
chmod—change mode of file; set access permissions
chown—change owner and group of a file
close—close a file-descriptor
creat—create a new file or rewrite an existing one
dup—duplicate an open file-descriptor
fcntl—file control over open files
fileno—get the integer file-descriptor associated with the named stream
fstat—obtain information about an open file associated with a file descriptor
link—link to a file
lseek—move read/write file-pointer (applications should use *stdio* routines including fopen and fseek)

open—open for reading or writing (NOTE: applications should use fopen instead)
read—read from file (NOTE: applications should use fopen and fread)
stat—obtain information about a named file
ulimit—get and set user file-size limits
umask—sets the process's file mode creation mask and returns the previous value of the mask
utime—set file access and modification times
write—write on a file (NOTE: applications should use fopen and fwrite)

Directory Management Calls
chdir—change working directory
chroot—change root directory
closedir—close the indicated directory descriptor
getcwd—get path-name of current working directory
mkdir—make a directory
mknod—make a directory, or a special or ordinary-file, or a FIFO
mount—mount a file system (NOTE: not recommended for use by application programs)
opendir—open the directory named by filename
readdir—returns a pointer to a directory structure that contains the next non-empty directory entry in the specified directory
rewinddir—reset the position of the specified directory pointer to the beginning of the directory
rmdir—remove a directory
sync—update super block (NOTE: this should not be used by application programs); causes all information in transient memory that updates a file system to be written out to the file system. This includes modified super blocks, modified i-nodes, and delayed block I/O.
umount—unmount a file system
unlink—remove directory entry
ustat—get file system statistics

Process Management Calls
acct—enable or disable process accounting
dup2—duplicate an open file-descriptor
execl—execute a file (applications should use the system call instead of exec)
execle—execute a file
execlp—execute a file
execv—execute a file
execve—execute a file
execvp—execute a file
exit—terminate process
_exit—terminate process
fork—create a new process (applications should use the system call instead of fork)
getegid—get real-user-ID, effective-user-ID, real-group-ID, and effective-group-IDs
geteuid—get real-user-ID, effective-user-ID, real-group-ID, and effective-group-IDs
getgid—get real-user-ID, effective-user-ID, real-group-ID, and effective-group-IDs
getpgrp—get process-ID, process-group-ID, and parent-process-ID
getpid—get process-ID, process-group-ID, and parent-process-ID
getppid—get process-ID, process-group-ID, and parent-process-ID
getuid—get real-user-ID, effective-user-ID, real-group-ID, and effective-group-IDs
kill—send a signal to a process or a group of processes
nice—change priority of a process
setgid—set the real-group-ID and effective-group-ID of the calling-process
setpgrp—set process-group-ID
setuid—set the real-user-ID and effective-user-ID of the calling-process
sleep—suspend execution for interval
system—issue a command (NOTE: applications should use this function rather than fork and exec routines)
uname—get name of current operating system
wait—wait for child-process to stop or terminate

Time Management Calls
alarm—set a process alarm clock
profil—execution time profile
stime—set the system time and date
time—get time
times—get process and child-process elapsed times

Memory Management Calls
calloc—allocate space for an array of elements each of a specified size and each initialized to zeros
free—free memory previously allocated by malloc
mallinfo—provide information describing memory space usage
malloc—return a pointer to a block of memory of at least a specified size
mallopt—allocate small blocks of memory quickly from a previously allocated larger block
plock—lock (or unlock) process, text, or data in memory
realloc—change the size of (and possibly moves) a memory block

Input/Output Calls

clearerr—reset both the error and EOF indicator to false on the named stream
fclose—close or flush a stream
fdopen—associate a stream with a file descriptor
feof—determine if EOF has been detected when reading the named stream
ferror—determine if an I/O error has occurred when reading from or writing to the named stream
fflush—close or flush a stream
fopen—open the file named by path and associate a stream with it
fread—buffered read
freopen—substitute the named file in place of the open stream
fseek—reposition a file-pointer in a stream
ftell—returns the offset of the current byte relative to the beginning of the file associated with the named stream
fwrite—buffered write
ioctl—control device
pclose—close a stream opened by popen
popen—create a pipe between the calling program and the command to be executed
rewind—reposition a file-pointer in a stream

Interprocess Communication (IPC) Calls

abort—generate an abnormal process termination
alarm—set a process alarm clock
kill—send a signal to a process or a group of processes
lockf—record locking on files
msgctl—message control operations
msgget—get message queue
msgop—message operations
msgrcv—receive message from a queue and place in user defined buffer
msgsnd—send a message to a queue
pause—suspend process until signal
pipe—create an interprocess channel and return a file descriptor open for reading and a file descriptor open for writing
ptrace—process trace
semctl—semaphore control operations
semget—get set of semaphores
semop—semaphore operations
shmat—attaches the specified shared memory segment to the data segment of the calling process
shmctl—shared memory control operations
shmdt—detaches a shared memory segment from the calling process's data segment
shmget—get shared memory segment
shmop—shared memory operations
sighold—analogous to raising the priority level and deferring or holding a signal until the priority is lowered by sigrelse
sigignore—specify that a signal is to be ignored
signal—specify what to do upon receipt of a signal
sigrelse—restores the system signal action to the action that was previously specified by the function sigset
sigset—specifies the system signal action to be taken

General Library Routines

Mathematical Functions

abs—return integer absolute value
acos—trigonometric arccosine function
asin—trigonometric arcsine function
atan2—trigonometric arctangent function of y/x
atan—trigonometric arctangent function
ceil—ceiling function (returns the smallest integer not less than x)
cos—trigonometric cosine function
cosh—hyperbolic cosine
erf—error function
erfc—complementary error function
exp—exponential function
fabs—absolute value function
floor—floor function (returns the largest integer not greater than x)
fmod—remainder function (returns the floating-point remainder of the division of x by y, x if y is zero or if x/y would overflow)
frexp—manipulate parts of floating-point numbers
gamma—log gamma function
hypot—Euclidean distance function
j0—Bessel function of x of the first kind of order 0
j1—Bessel function of x of the first kind of order 1
jn—Bessel function of x of the first kind of order n
ldexp—manipulate parts of floating-point numbers
log10—logarithm function
log—natrual logarithm function
matherr—error-handling function
modf—manipulate parts of floating-point numbers
pow—power function
sin—trigonometric sine function
sinh—hyperbolic sine
sqrt—square root function
tan—trigonometric tangent function
tanh—hyperbolic tangent
y0—Bessel function of x of the second kind of order 0
y1—Bessel function of x of the second kind of order 1

yn—Bessel function of x of the second kind of order n

String and Character Handling Routines

_tolower—translate uppercase character to lowercase
_toupper—translate lowercase character to uppercase
advance—
asctime—convert date and time to string
atof—convert string to double-precision number
atoi—convert string to integer
atol—convert string to integer
compile—
crypt—string encoding function
ctime—convert date and time to string
encrypt—encode a string
gmtime—convert date and time to string (Greenwich Mean Time)
isalnum—is character an alphanumeric?
isalpha—is character a letter?
isascii—is character an ASCII character?
iscntrl—is character a delete character or control character?
isdigit—is character a digit?
isgraph—is character a printing character?
islower—is character a lower-case letter?
isprint—is character a printing character?
ispunct—is character a punctuation mark?
isspace—is character a space, tab, carriage-return, new-line, vertical-tab, or form- feed?
isupper—is character an upper-case letter?
isxdigit—is character a hexidecimal digit?
localtime—convert date and time to string (corrects for time-zone and Daylight Savings Time)
memccpy—copy characters between memory areas
memchr—locate first occurrence of a character in memory area
memcmp—compare memory areas
memcpy—copy characters between memory areas
memset—set a memory area to a certain character
regexp—regular-expression compile and match routines
setkey—set encoding key
step—
strcat—appends a copy of one string to the end of another
strchr—returns a pointer to the first occurrence of a given character in a string
strcmp—compares two strings for lexicographically less than, equal to, or greater than
strcpy—copies one string to another
strcspn—returns the length of the initial segment of one string which consists entirely of characters not from a second string
strdup—duplicates a string
strlen—returns the number of characters in a string
strncat—appends at most n characters to the end of a string
strncmp—compares at most n characters of two strings (similar to strcmp)
strncpy—copies n characters of one string to another
strpbrk—returns a pointer to the first occurrence in a string of any character from a second string
strrchr—returns a pointer to the last occurrence of a character in a string
strspn—returns the length of the initial segment of one string which consists entirely of characters from a second string
strtod—convert string to double-precision number
strtok—considers a string to consist of a series of text tokens
strtol—convert string to integer
toascii—for standard ASCII
tolower—translate characters uppercase to lowercase
toupper—translate characters lowercase to uppercase
tzset—convert date and time to string (time zone set)

I/O Routines, Search and Sort Routines, Other Routines

besearch—binary search on a sorted table
clock—report CPU time used
ctermid—generate file name for terminal
drand48—generate uniformly distributed pseudo-random numbers
erand48—generate uniformly distributed pseudo-random numbers
fgetc—get next character from named input stream
fgets—get a string from a stream
fprintf—print formatted output on named output stream
fputc—like putc but is a function rather than a macro
fputs—put a string on a named output stream
fscanf—reads from the named input stream
ftw—walk a file tree
getc—returns the next character from the named input stream as an integer
getchar—is defined as getc (stdin)
getenv—return value for environment name
getopt—get option letter from argument vector (command and line parser)
gets—get a string from a stream
getw—returns the next word from the named input stream
gsignal—raises a software signal
hcreate—allocate space for a hash table
hdestroy—destroy a hash search table
hsearch—hash table search routine

isatty—determine if a file descriptor is for a terminal device
jrand48—generate uniformly distributed pseudo-random numbers
lcong48—generate uniformly distributed pseudo-random numbers
lfind—like lsearch but if datum not found, it is not added to table
longjmp—non-local goto
lrand48—generate uniformly distributed pseudo-random numbers
lsearch—linear search routine
mktemp—make a unique file name
mrand48—generate uniformly distributed pseudo-random numbers
nrand48—generate uniformly distributed pseudo-random numbers
perror—produce system error message on standard error output
printf—print formatted output on standard output stream
putc—put character onto output stream at position to which file pointer points
putchar—put character onto standard output stream
putenv—change or add value to environment
puts—put a string on standard output stream
putw—put word to output stream
qsort—quicker sort; sorts a table of data in place
rand—simple random-number generator
scanf—reads from the standard input stream
seed48—generate uniformly distributed pseudo-random numbers
setbuf—assign buffering to a stream; causes an array to be used instead of an automatically allocated buffer
setjmp—non-local goto
setvbuf—assign buffering to a stream
sprintf—place formatted output in storage
srand48—generate uniformly distributed pseudo-random numbers
srand—simple random-number generator which uses a seed
sscanf—reads from a character string
ssignal—associates a procedure with a software signal
swab—copies n bytes from one memory area to an array and exchanges odd and even bytes
tdelete—delete a node from a binary search tree
tempnam—create a name for a temporary file (user can control choice of directory)
tfind—search binary search tree; return pointer if found and return null pointer if not found
tmpfile—create a temporary file
tmpnam—create a name for a temporary file
tsearch—build and access binary search tree; if key not found then insert in tree
ttyname—find path name of a terminal device
twalk—traverse binary search tree
ungetc—push character back into input stream
vfprintf—place formatted output of a varargs argument list on named output stream
vprintf—place formatted output of a varargs argument list on standard output stream
vsprintf—place formatted output of a varargs argument list in a storage area

Basic Utilities Extension

General Purpose Commands

banner—make large letters
cal—print calendar
calendar—reminder service
cut—cut out selected fields of each line of a file
paste—merge same lines of several files or subsequent lines of one file
pg—file perusal filter for soft-copy terminals
sleep—suspend execution for an interval
sort—sort and/or merge files
tail—deliver the last part of a file
uniq—report repeated lines in a file

Computation and Number Processing

awk—pattern-directed scanning and processing language

File System

basename—deliver portions of path names
cd—change working directory
chmod—change permissions of files
cmp—compare two files
comm—select or reject lines common to two sorted files
cp—copy files
diff—differential file comparator
dirname—delivers all but the last level of the path name specified in a string
file—determine file type
find—find files
ln—link files
ls—list contents of directory
mkdir—make a directory
mv—move files
pwd—print path name of working directory
rm—remove entries for files from a directory
rmdir—remove entries for the named directories (which must be empty)

wc—word count; counts lines, words, and characters in the named files

Media Management (disk and tape)
cpio—copy file archives in and out
df—report free disk space
du—estimate file space usage
ls—list contents of directory

Timing and Scheduling
date—print or set the date
touch—update access and modification times of a file

The Shell
ar—archive and library maintainer for portable archives
cal—print calendar
cut—cut out selected fields of each line of a file
echo—echo arguments
expr—evaluate expression
false—does nothing, and returns a non-zero exit code
pr—print files
sh—shell, the standard command interpreter
sleep—suspend execution for an interval
tee—join pipes and make copies of input
test—condition evaluation command
touch—update access and modification times of a file
tr—translate characters
true—does nothing and returns, exit code zero

Editing
ed—text editor
grep—search a file for a pattern
sed—stream editor

The Process
kill—send signal to a process
nohup—run a command immune to hangups and quits
ps—report process status
wait—await completion of process

Communications
mail—read mail
rmail—send mail

Security
pack—store files in compressed form
rsh—shell, the restricted command interpreter
umask—set file-creation mode mask (to adjust file access permissions)

Word Processing
spell—find spelling errors

System Administration
cpio—copy file archives in and out
uname—print name of current system

Printing
cat—concatenate and print files

Miscellaneous
col—filter reverse line-feeds
line—read one line
nl—line numbering filter
pcat—unpack files and write them to standard output
red—restricted version of ed text editor
split—split a file into pieces
sum—print checksum and block count of a file
unpack—expand files created by pack

Advanced Utilities Extension
General Purpose Commands
stty—set the options for a terminal

File System
chgrp—change group ID of files
chown—change owner of files
mesg—permit or deny messages
newgrp—change to a new group
od—octal dump
tty—get the name of the terminal
wall—write to all users (broadcast facility used by system administrator)
write—write to another user

Media Management (disk and tape)
dd—convert and copy a file
tar—file archiver (especially for saving and restoring files to and from magnetic tape)

Timing and Scheduling
at—execute commands at a specified time
batch—execute commands at a later time when system load level permits
cron—clock daemon; executes commands at specified dates and times
crontab—user crontab file

Editing
egrep—search a file for a pattern (using full regular expressions)
fgrep—search a file for a pattern (using fixed strings)
tabs—set tabs on a terminal
vi—screen-oriented (visual) display editor

Communications
cu—call another system
mailx—interactive message processing system for sending and receiving messages electronically
uucp—system-to-system copy
uulog—queries a log file of uucp or uuxqt transactions
uupick—used by a user to accept or reject transmitted files
uustat—uucp status inquiry and job control
uuto—public system-to-system file copy
uux—remote command execution
wall—write to all users (broadcast facility used by system administrator)
write—write to another user

Security
logname—get login name
passwd—change login password

System Administration
id—print user and group IDs and names
lp—send requests to an LP line printer
su—become super-user or another user

Printing
cancel—cancel requests to an LP line printer
lp—send requests to an LP line printer
lpstat—print LP status information

Miscellaneous
who—who is on the system
csplit—context split; split a file into separate sections
dircmp—directory comparison
ex—line-oriented text editor
join—join two files on identical-valued field
news—print news items
shl—shell layer manager; allows a user to interact with more than one shell from a single terminal
uuname—lists the uucp names of known systems

Administered System Extension (Many restricted to super-user)

acctcms—command summary from per-process accounting records
acctcom—search and print process accounting file(s)
acctcon1—convert login/logoff records to session records
accton2—convert login session records to total accounting records
acctdisk—generate disk accounting data by user ID
acctmerg—merge or add total accounting files
accton—turn process accounting on or off
acctprc1—process accounting
acctprc2—process accounting
acctwtmp—writes a record with a current time and a reason
chargefee—change a number of units to a given login-name
ckpacct—turn collection of process accounting info on or off depending on storage availability
clri—clear i-node
devnm—device name
diskusg—generate disk accounting data by user ID
dodisk—perform disk accounting functions
fsck—file system consistency check and interactive repair
fsdb—file system debugger
fuser—identify processes using a file or file structure
fwtmp—manipulate connect accounting records
grpck—verify all entries in the group file
init—change system run level
ipcrm—remove a message queue, semaphore set or shared memory id
ipcs—report inter-process communication facilities status
killall—kill all active processes
labelit—provide initial lables for unmounted disk or tape file systems
lastlogin—shows the last date on which each person logged in
link—exercise link system call
mkfs—construct a file system
mknod—build special file
monacct—creates monthly accounting summaries
mount—mount file system
mvdir—move a directory
ncheck—generate names from i-numbers
nice—run a command at low priority
prctmp—print session record file
prdaily—format a report of previous day's accounting data
prtacct—format and print any total accounting file
pwck—scan password file and note any inconsistencies
runacct—run daily accounting
sa1—system activity report package (variant of sadc)

sa2—system activity report package (variant of sar)
sadc—samples system data n times every t seconds
sadp—disk access profiler
sar—system activity reporter
setmnt—establish mount table
shutacct—turn process accounting off during shutdown
startup—turn on process accounting when system is brought up
sync—flush system buffers to ensure file system integrity
sysdef—system definition
timex—time a command; report process data and system activity
turnacct—interface to accton
umount—dismount file system
unlink—exercise unlink system call
volcopy—copy file systems with label checking
whodo—who is doing what
wtmpfix—manipulate connect accounting records

Software Development Extension (Utilities)

admin—create and administer SCCS files
as—common assembler
cc—C compiler
cflow—generate C flowgraph
chroot—change root directory for a command
cpp—the C language preprocessor
cxref—generate C program cross-reference
delta—make a delta (change) to an SCCS file
dis—disassembler
env—set environment for command execution
get—get a version of an SCCS file
ld—link editor for object files
lex—generate programs for simple lexical analysis of text
lint—a C program checker
lorder—find ordering relation for an object library
m4—macro processor
make—maintain, update, and regenerate groups of programs
nm—print name list of common object file
prof—display profile data
prs—print an SCCS file
rmdel—remove a delta from an SCCS file
sact—print current SCCS file editing activity
sdb—symbolic debugger
size—print section sizes of object files
strip—strip symbolic information from an object file
time—time a command
tsort—topological sort
unget—undo a previous get of an SCCS file
val—validate SCCS file
what—identify SCCS files
xargs—construct argument list(s) and execute command
yacc—a compiler-compiler

Additional Routines

a64l—convert between long integer and base-64 ASCII string
assert—verify program assertion (useful for putting diagnostics into programs)
endgrent—close the group file when processing is complete
endpwent—close password file when processing is complete
endutent—access utmp file entry; closes the currently open file
fgetgrent—returns a pointer to the next group structure in a file
fgetpwent—returns a pointer to the next password structure in a file
getgrgid—get group file entry
getgrnam—get group file entry
getlogin—get login name
getpass—read a password
getpwent—get next password structure in a file
getpwnam—search a file for a match on login-name
getpwuid—search a file for a user-id match
getutid—access utmp file entry
getutline—access utmp file entry
l64a—convert between long integer and base-64 ASCII string
MARK—profile within a function
monitor—prepare execution profile
nlist—get entries from name list
putpwent—write password file entry
pututline—access utmp file entry
setgrent—effectively rewinds the group file to allow repeated searches
setpwent—effectively rewinds password file to allow repeated searches
setutent—access utmp file entry; reset the input stream to the beginning of the file
sgetl—access long integer data in a machine-independent fashion
sputl—access long integer data in a machine-independent fashion
utmpname—access utmp file entry

getgrent—get group file entry
getutent—access utmp file entry

Open System Networking Interfaces

Library Functions

t_accept—accept a connect request
t_alloc—allocate a library structure
t_bind—bind an address to a transport endpoint
t_close—close a transport endpoint
t_connect—establish a connection with another transport user
t_error—produce error message
t_free—free a library structure
t_getinfo—get protocol-specific service information
t_getstate—get the current state
t_listen—listen for a connect request
t_look—look at the current event on a transport endpoint
t_open—establish a transport endpoint
t_optmgmt—manage options for a transport endpoint
t_rev—receive data or expedited data sent over a connection
t_revconnect—receive the confirmation from a connect request
t_revdis—retrieve information from disconnect
t_revrel—acknowledge receipt of an orderly release indication
t_revudata—receive a data unit
t_revuderr—receive a unit data error indication
t_snd—send data or expedited data over a connection
t_snddis—send user-initiated disconnect request
t_sndrel—initiate an orderly release
t_sndudata—send a data unit
t_sync—synchronize transport library
t_unbind—disable a transport endpoint

Shared Resource Environment Utilities

adv—advertise a directory for remote access
dname—print or set the domain name of the host
fumount—forced unmount of an advertised resource
fusage—disk access profiler
idload—user and group ID mapping
nsquery—query name server information
rfadmin—domain administration
rfpasswd—change host authentication password
rfstart—start Remote File Sharing
rfstop—stop Remote File Sharing
rmnstat—display mounted resource information
unadv—unadvertise a resource

19 Case Study: MS-DOS

Man is a tool-making animal.

Benjamin Franklin

The used key is always bright.

Benjamin Franklin

A majority is always the best repartee.

Benjamin Disraeli

The secret of success is constancy to purpose.

Benjamin Disraeli

Microsoft's MS-DOS is the most popular piece of software in the world. It runs on more than 10 million personal computers worldwide and is the foundation for at least 20,000 applications—the largest set of applications in any computer environment.

Bill Gates

Outline

19.1 Introduction
19.2 Early History of MS-DOS
19.3 MS-DOS Version 1.0
19.4 MS-DOS Version 2.0
19.5 MS-DOS Version 3.0
19.6 The IBM Personal System/2
19.7 The Micro Channel
19.8 MS-DOS 3.3
19.9 Operating System/2 Standard Edition
19.10 Operating System/2 Extended Edition
19.11 Systems Application Architecture
19.12 The User's View of MS-DOS
- **19.12.1** Communicating with the System
- **19.12.2** Working with Disks
- **19.12.3** Working with Directories
- **19.12.4** Managing Files
- **19.12.5** Managing Input and Output
- **19.12.6** Setting up the Environment
- **19.12.7** Using Batch Files
- **19.12.8** Working with the Assembler

19.13 The System's View of MS-DOS
- **19.13.1** Communicating with the System
- **19.13.2** Working with Disks
- **19.13.3** Working with Directories
- **19.13.4** Managing Files
- **19.13.5** Managing Input and Output

19.13.6 Managing Memory
19.13.7 Controlling Program Flow
19.13.8 Setting up the Environment
19.14 The Programmer's View of MS-DOS System Calls
19.14.1 Working with Disks
19.14.2 Working with Directories
19.14.3 Managing Files
19.14.4 Managing Input and Output
19.14.5 Managing Memory
19.14.6 Controlling Program Flow
19.14.7 Setting up the Environment
19.15 DOS 4.0
19.16 The Future of MS-DOS and OS/2

Acknowledgments and Permissions Credits: This case study was condensed and adapted, with the permission of Microsoft Press, from *The MS-DOS Encyclopedia,* Copyright© 1988 Microsoft Press (edited by Ray Duncan). All rights reserved. Microsoft Press is a division of Microsoft Corporation, 16011 NE. 36th Way, Box 97017, Redmond, WA 98073-9717.

19.1 INTRODUCTION

This chapter presents a detailed case study on MS-DOS, the world's most widely used operating system (Du88). MS-DOS gained acceptance as an important standard when IBM chose it as the operating system for the IBM Personal Computer (PC). IBM calls the operating system simply by the name DOS; the industry tends to call it PC-DOS. Since that time, it has evolved through many increasingly powerful versions (Ge87). In this chapter we trace the origin of MS-DOS and its evolution toward OS/2, the operating system jointly developed by Microsoft and IBM for IBM's Personal System/2 and, in general, for all Intel 80286-based and 80386-based computers IBM's latest generation of personal computers. A detailed case study on OS/2 is presented in Chapter 23.

Many factors have driven the evolution of MS-DOS, particularly the development of increasingly powerful microprocessor chips developed by Intel Corporation, and the evolution of various applications software packages such as Lotus 1-2-3 and Ashton-Tate Corporation's dBASE series of database management software products. Initially, personal computers were standalone devices that supported the operations performed on a single desktop. Today the rule is connectivity, with personal computers arranged in networks that allow intercommunication between PCs, minicomputers, and mainframes.

MS-DOS is one of four key operating systems that are jockeying for position in the personal computing marketplace, the others being the Macintosh operating system, UNIX systems, and OS/2. As of this writing, it is not clear which, if any, will emerge ultimately as the standard personal computer operating system. Certainly, Apple is committed to its own approach, but it is significant that Apple has provided several of its models with space for an MS-DOS board (Le87). Apple also provides its own version of UNIX systems. IBM provides DOS, OS/2, and AIX (IBM's version of UNIX systems), but IBM is not providing a Macintosh-compatible alternative.

We begin with a discussion of how and why IBM chose to enter the personal computing marketplace, how the IBM PC was developed, and why MS-DOS was chosen as its operating system. We then discuss the evolution of MS-DOS through its major versions (prior to the announcement of IBM's Personal System/2) including MS-DOS 1.0 through MS-DOS 4.0. Then we consider IBM's new Personal System/2 line of computers and the various operating systems that will run on them, including MS-DOS 3.3, MS-DOS 4.0, Operating System/2 Standard Edition, and Operating System/2 Extended Edition. Then we summarize the MS-DOS user commands, describe in detail how the MS-DOS system is organized and functions internally, and summarize the detailed set of system calls that programmers use to interface with the operating system.

MS-DOS is evolving quickly; this case study is designed to give a picture of the operating system at the time this book entered production (early 1989). The reader who needs to have the latest details of the operating systems discussed here should contact Microsoft and IBM directly. The chapter includes an extensive literature section and an Appendix with a number of information sources to help the reader investigate MS-DOS and OS/2 in more detail.

19.2 EARLY HISTORY OF MS-DOS

MS-DOS appeared in 1981. It was the first 16-bit microcomputer operating system. As of 1988, over 10 million copies had been sold, and this number is growing rapidly as the IBM Personal System/2 (IB87) (Ho87) assumes its position in the marketplace. The growth and success of MS-DOS cannot be separated from IBM's development of its personal computer, the IBM PC (Bu83).

The first real personal computer was the Altair, developed in 1975 by MITS (Micro Instrumentation Telemetry Systems) of Albuquerque, New Mexico. It was based on the 8-bit Intel 8080 microprocessor and had 256 bytes of memory. It sold for $397 without keyboard, screen, disk or tape. It was intended primarily for hobbyists. Bill Gates and Paul Allen of Microsoft developed a version of BASIC for the Altair. Allen went to work at MITS and asked Gates to develop a version of BASIC to work with floppy disks. This effort forced the creation of a file management system based on the use of a memory-resident (rather than disk-resident) *file allocation table (FAT)* that eventually became the basis of MS-DOS.

At the time, CP/M was dominating what was an 8-bit microcomputer operating system market. But 16-bit microcomputers were emerging. Although the 16-bit chips were much faster and more powerful, they were extremely expensive and it was not clear that the personal computing marketplacc could bear these costs. Microsoft licensed UNIX from Bell Labs and evolved it into XENIX in 1980 as a multiuser, multitasking operating system for 16-bit micros. When the Intel 8080 appeared in 1974, there was a small microcomputer marketplace. But when the Intel 8086 appeared in 1978, the microcomputer marketplace (albeit for 8-bit micros) was well established.

In 1979, Tim Paterson of Seattle Computer Products, a company that produced memory boards, needed software to test an 8086-based product. Microsoft had 8086 BASIC. Digital Research was working on CP/M-86 but was running behind schedule. Paterson developed his 86-DOS operating system to mimic CP/M because CP/M had become the de facto standard microcomputer operating system for 8080/8086-based systems. He used the file allocation table approach, and his first version of 86-DOS required only 6K bytes of memory.

Meanwhile, IBM Boca Raton was developing a microcomputer (Cu83). For some years, IBM had watched the personal computing industry evolving, and saw it as a "toy" industry that would not generate significant enough sales. But eventually IBM decided to enter the industry and to do so in a big way. The problem was that an entry machine and software had to be developed quickly. IBM knew that its normal product development cycle was too slow. They did not have time to develop all their components themselves, so they decided to use off-the-shelf hardware components. They needed to offer existing software packages rather than develop new ones.

IBM asked Microsoft to develop a ROM BASIC for an 8-bit microcomputer design. Microsoft suggested using a 16-bit machine, instead. IBM considered both the 8086 and 8088 16-bit microprocessors available from Intel. The 8086 handles data internally and externally, 16 bits at a time. The 8088 handles internal transfers 16 bits at a time, but communicates with peripherals 8 bits at a time. IBM chose the Intel 8088 microprocessor rather than the more powerful 8086 because the 8088 was considerably less expensive and because most of the peripherals available at the time communicated 8 bits at a time.

IBM wanted other programming languages to be available quickly. BASIC had the advantage of being a standalone product with a built-in operating system. Other languages would have needed the support of an operating system. Bill Gates suggested that IBM use CP/M-86; if IBM had done so, Gates might well be a few hundred million dollars poorer today (Ut86)! IBM met with Digital Research, but it didn't work out. CP/M-86 was running late. Microsoft decided to write its own operating system. Microsoft purchased 86-DOS from Seattle Computer Products. Microsoft felt that it had to develop the operating system as well as the languages in order to deliver the languages on time. IBM agreed in November of 1980, and Microsoft went to work. Paterson made changes while at Seattle Computer Products; he had no idea that IBM was Microsoft's key client until he joined Microsoft in April. IBM's secrecy requirements were stringent; the development was done in a secure 6-foot-by-10-foot room with no windows and a locked door. MS-DOS ran on the IBM PC prototype in February of 1981, and it appeared with the announcement of the IBM PC in August of 1981. It quickly became the world's most widely-used operating system.

19.3 MS-DOS VERSION 1.0

The IBM PC was introduced in August 1981. Its operating system, called DOS by IBM but really MS-DOS version 1.0, consisted of 4000 lines of assembly language code requiring 12K of memory. It was organized into three files. The *IBMBIO.COM* had the disk and character input/output system. The *IBMDOS.COM* file contained the disk file manager, character I/O handler, and the program interface. The *COMMAND.COM* file contained the external command processor. The system was CP/M compatible; this was important in the marketplace at that time. The command syntax was essentially the same as CP/M's.

Microsoft included device independent I/O with devices treated as files (as in UNIX systems), variable-length records, relocatable program files, and a replaceable command processor. Device independence made it easier for users to write applications.

Reserved file names for the devices were used to implement device independence: *CON* for the console (the keyboard for input and the screen for output), *PRN* for the printer, and *AUX* for auxiliary serial ports. I/O was to files, but if the reserved names were used, the I/O was directed to the appropriate devices. CP/M had logical and physical record lengths of 128 bytes, but IBM disks had 512-byte sectors. Version 1.0 supported single-sided floppy disk drives with 160K capacity, while IBM's DOS Version 1.1 handled double-sided floppy disks of capacity 320K.

Relocatable program files were allowed. The *.COM files* were like CP/M binary absolute files. The *.EXE* files were relocatable. The COMMAND.COM file was relocatable and replaceable; it could be replaced by a menu-driven command processor, for example.

The file allocation table was kept in memory for speed. This greatly reduced the amount of disk accessing involved in managing files (in contrast to the scheme used in CP/M).

The command processor had a *resident part* and a *transient part*. The transient part consisted of portions that would ordinarily reside on disk but that could be brought into memory as needed, thus conserving main memory.

MS-DOS 1.0 had trapping of hardware errors, automatic disk logging, date and time stamping, and batch processing of *command files* (i.e., prestored sequences of commands). Meaningful error messages were provided to help users determine what was wrong and how to respond properly for each type of error. Programs could be locked into memory and could call other programs on termination.

There was confusion about which operating system PC users should choose. IBM announced it would support Microsoft's MS-DOS, Digital Research's CP/M-86, and SofTech Microsystem's P-system. MS-DOS was thought to be a losing gamble against CP/M by the trade press, but CP/M-86 was delivered six months late, giving MS-DOS a large head start. There was name confusion between 86-DOS, MS-DOS, PC-DOS, and others. Microsoft insisted that licensees use the name MS-DOS to help promote the standard, but IBM chose to call the operating system DOS, and the industry promptly labeled it PC-DOS.

19.4 MS-DOS VERSION 2.0

Originally, IBM had wanted a small operating system of approximately 16K. XENIX, Microsoft's version of UNIX systems, was already 100K and needed a hard disk to be effective. IBM announced that its PC/XT personal computer (Ar83) was forthcoming and that it would include a 10MB hard disk. Microsoft insisted on a hierarchical file structure. Users wanted to be able to incorporate *device drivers* easily for new devices, and they wanted multitasking (a strength of UNIX systems).

MS-DOS Version 2.0 appeared in March 1983 (Ar83) (La83) (Re84). It used a hierarchical file system to organize information on the 10MB disk; the hierarchy consisted of directories, subdirectories, and files (Wa84). The hierarchical file system is necessary for a hard disk system. With lower capacity floppy disks, the number of files on one volume is usually small enough that a linear search capability suffices. But with the 10MB disk provided with the IBM PC/XT, the disk volume could hold a hundred times as many files as the original floppy disks provided with the first versions of the IBM PC. So a hierarchical file system like that used with XENIX was incorporated. The MS-DOS designers did consider using a CP/M-like *disk partitioning* scheme, but this would have made MS-DOS too dependent on the physical layout of the disk and would have made it less flexible from the programmer's standpoint. The hierarchical file system helps promote device independence and some degree of XENIX compatibility. A unique *pathname* identifies each file (as in UNIX systems).

The move toward a XENIX-like system was intentional. UNIX systems were receiving a great deal of attention. Microsoft's XENIX system was too large and powerful for the personal computers of the time, but with the move from floppy disks to hard disks, and with the knowledge that larger hard disks, faster processors, and larger main memories were on the horizon, Microsoft felt that it was logical to evolve MS-DOS toward XENIX. The challenge was to make the hierarchical file system physically consistent with the MS-DOS file allocation table and logically consistent with the XENIX file structure.

MS-DOS 1.0 used file control blocks for CP/M-86 compatibility. But this approach did not allow for dealing with files in different directories. Version 2.0 used *file handles*. When a file is opened, MS-DOS returns a file handle. All further manipulations on the file are with the handle; MS-DOS then automatically manipulates the file control block (FCB). MS-DOS 2.0 (and later versions) supported both *FCB calls* and *file handle calls* for accomplishing input/output. File input and output could be *redirected* by using file handles. Redirection, for example, allows the user to switch output from a file to a printer. Data from a file could be *piped* to a *sort filter*, for example, which would input a stream of unsorted data and output a stream of sorted data.

MS-DOS 2.0 allowed for *installable device drivers* (Fi83) (Ro84). The *open architecture* of the IBM PC encouraged new devices. Open architecture means that the vendor makes the detailed hardware and software specifications available to anyone who wants them; this encourages the development of third-party hardware devices and software applications, and can ultimately help the vendor sell many more computers. The user could add a new device by sliding a hardware card into a slot. The hardware architecture was indeed open, but the operating system really was not. The *BIOS (Basic Input/Output System)* contained all the code to run all the hardware devices. But this code was highly integrated. A hardware manufacturer that wanted to supply new devices to IBM PC users would have to produce a completely new BIOS, a nontrivial task, or would have to supply patches to the existing BIOS. The patches for one new device would often conflict with those for another. It was difficult to add multiple devices, and upgrading to the next version of MS-DOS was often a difficult transition for users with heavily patched systems. Microsoft solved the problem by making the device drivers modular. IBMBIO.COM was converted in 2.0 to a linked list of device drivers. New device drivers could be installed easily at run time through the *CONFIG.SYS file*.

Many customers were interested in having multitasking capabilities (Fo86). But providing multitasking greatly complicates an operating system and requires considerably more memory. Microsoft studied the manner in which the vast majority of personal computers were being used in business environments, and discovered that *background print spooling* was the most needed multitasking capability. Few users needed to be running multiple applications concurrently, but most could benefit greatly by using background print spooling to print the results of one application session while moving on to the next. The *print spooler, PRINT.COM*, was designed to run when MS-DOS was not busy. When MS-DOS had nothing to do, it would automatically generate an interrupt to run the print spooler. When a parent application again became active, it would interrupt the print spooler. This kind of capability is easily extended to allow for background communications such as electronic mail systems require.

MS-DOS Version 2.0 had grown to 20,000 lines of code, yet it was still being maintained by only three or four staff programmers. Version 2.0 secured MS-DOS as the standard operating system for 16-bit microcomputers with hard disks. Six months later, Digital Research delivered support for the PC/XT in the form of CP/M-86 (Le82) (Ta82), but it was too late to stem the tide to MS-DOS 2.0. This could have been one of the costliest delays in Digital Research's history, and may well be responsible for eliminating CP/M-based systems from contention as a standard.

The availability of the hard disk IBM PC/XT established personal computers firmly in the business marketplace and established MS-DOS 2.0 as the industry standard personal computer operating system. At this point, it became clear to Microsoft that it had the important responsibility of maintaining and evolving an industry standard, and that this would require a considerably larger commitment of resources than the company had previously given to MS-DOS. But the potential rewards certainly justified an increased commitment. Microsoft came under pressure from a diversity of users to provide the features that would help those users meet their individual needs; it had to walk a fine line between satisfying all those users and not making the system too cumbersome.

The IBM PC/XT was released into a strong business market. Many *PC clones* appeared. These are computers compatible with the IBM PC, but normally sold at a lower price or with some enhanced features in order to draw buyers away from the IBM PC. Microsoft was now in the position of having to maintain an industry standard. IBM found it increasingly difficult to offer its hardware at competitive prices as the PC clones rapidly increased their market share (Ge87) (Mt84) (Ru84). MS-DOS 2.05 provided *international support* to help Microsoft meet the surging worldwide demand for MS-DOS. This version enabled date, time, decimal symbol, and currency symbol formats to change, and facilitated translation of error messages to many foreign languages. It supported Japanese Kanji characters. IBM refused this version. MS-DOS 2.1 handled the *PCjr*, IBM's ill-fated low-end version of the PC; this version went to IBM only. MS-DOS 2.11 combined versions 2.05 and 2.1; this was not used by IBM, but Microsoft sold millions of copies internationally as 2.11 was translated into more than 60 languages. MS-DOS 2.2 supported the Korean character set, and 2.25 supported both the Korean and Japanese character sets.

19.5 MS-DOS VERSION 3.0

MS-DOS 3.0 (An84) (IB84) (Mi84) (No84d) appeared in August 1984 to support IBM's new *PC/AT* (Cl84) (Fi85) (Gr84) (Ma85) with a 20MB hard disk and 1.2MB floppy disks. It had grown to 40,000 lines of code, and the support team had increased to 30 people. IBM was looking toward networking, but Microsoft preferred a multitasking approach. IBM had developed its *IBM PC Network Adapter*, a hardware card with a communications controller chip. Microsoft was not able to deliver networking features in time for Version 3.0.

The PC/AT used Intel's 80286 microprocessor (Cl85) (Gr84a) (Lu84) (We84), which supports *protected mode* with a 16MB address space. There is a four-level *ring protection mechanism* (Sc72). The address spaces of applications may be separated from one another, so the 80286 can run many concurrent applications reliably. Data is transmitted or received 16 bits at a time. The 80286 supports virtual memory and multitasking. In real address mode there is a 1MB address space and the machine operates essentially as a fast 8086. In protected mode, 24-bit addresses allow a 16MB real address space. With 32-bit addresses, the 80286 supports virtual addresses, consisting of a 16-bit segment number and a 16-bit displacement within each segment.

Version 3.0 supported CMOS clock and configuration information. It had international support. It also supported *virtual disks* in RAM (Ni85). It provided a standard set of I/O calls used by both FCB calls and file handle calls. It enabled users to declare files as read-only (for security), and provided facilities for recovering erased data.

MS-DOS 3.1 was introduced in November 1984 and included *Microsoft Networks* (IB85) (Ma84). It was the first version of MS-DOS that was truly identical for IBM users and non-IBM users. It supported networking with "well-behaved" programs. One general problem with open architecture is that users can know too much. They work around the operating system and directly with the hardware to pull off tricks for increasing the efficiency of their applications. Unfortunately, this can destroy compatibility, and it makes it extremely difficult for these users to upgrade to newer versions of MS-DOS. MS-DOS 3.1 supported multiple file systems on the network. It provided for file sharing and for data locking, and had file security features for local area networking.

MS-DOS 3.2 appeared in 1986 (IB86). It supported 3-1/2 inch disks. It moved the disk formatting function from the format utility to the device driver. The IBM PC had become the workstation of choice in the automated office. Version 3.2 supported the *IBM token ring local area network* (De86). MS-DOS 3.2 provided some additional commands: The REPLACE command allows the user to change between versions of applications and the operating system, XCOPY allows the user to copy entire directories and their subdirectories between disks of either the same or different types, and DRIVER.SYS enables the user to copy files within the same internal drive.

19.6 THE IBM PERSONAL SYSTEM/2

IBM developed the Personal System/2, its new generation of personal computers, to handle a changing environment (IB87) (Bl87). Applications now demand more memory and processing power, and require connectivity between all an organization's computers. Multitasking is essential to enable users to perform many applications concurrently, and users must be able to switch easily between applications. Space limitations demand that personal computers and their peripherals occupy a minimal amount of desk top space. And a company's personal computers must integrate smoothly with its minicomputers, its mainframe computers, and its networks.

The PS/2 Model 30 uses an 8MHz Intel 8086 processor, has 640KB of RAM, a 720KB diskette drive, and a 20MB hard disk. The Model 50 uses a 10MHz Intel 80286 processor, has 1MB of RAM (expandable to 7MB), a 1.44MB diskette drive, and has a maximum disk storage capacity of 20MB. The Model 60 is similar to the Model 50, but its RAM is expandable to 15MB, and its maximum disk storage capacity is 185MB. The models 50 and 60 can add the 80287 Math Coprocessor for higher speed floating point mathematical operations.

The Model 80 uses a 16MHz Intel 80386 (Fa86) (We86) processor (20MHz is also available) with 1MB RAM (expandable to 16MB), and a maximum disk storage capacity of 230MB. It uses the same high-speed (80ns) one-megabit memory chip technology of IBM's 3090 mainframe processors. The Intel 80386 (Fa86) (We86) has 32-bit addressing with 4 gigabyte (billion byte) real address space and a 64 terabyte virtual address space. This is incredible considering that IBM mainframes have commonly supported 32-bit addressing only since 1983. The 80386 can process as many as four million instructions per second. It offers the protected mode needed for multitasking. It passes data back and forth to memory 32 bits at a time. The Model 80 can add the 80387 Math Coprocessor. The Models 60 and 80 each have seven Micro Channel (see the next section) expansion slots.

19.7 THE MICRO CHANNEL

The Micro Channel™ parallel bus (multichannel) architecture (IB87) (Be87) is used in PS/2 models 50, 60, and 80. It provides for multitasking support, support of concurrent multiple intelligent processors, 32-bit data path capability, and an analog channel for complex voice and analog signals.

The Micro Channel is not compatible with the PC's bus. It can synchronize multiple concurrent 16-bit transfers or 16-bit/32-bit transfers (80386 machines only). It can support multiple DMA channels. It provides dedicated service for occasional high-volume, high-speed transmissions such as occur when reading or writing entire tracks of fast hard disks.

The Micro Channel allows the use of a new fixed disk storage management technique called *one-to-one sector interleave*. With the original IBM PC bus, it was not possible to write to contiguous sectors, so data was written to every third sector (three-to-one sector interleave), thus requiring three passes to write a full track (Ko85). The PS/2 can write to contiguous sectors so it can write a full track in a single pass, thus greatly improving system performance.

The Micro Channel is specifically designed to be shared effectively by dissimilar processors. Each device that plugs into the bus must have a unique identification code for the bus to recognize it. The Micro Channel supports environments where the computer's hardware may consist of many microprocessors performing various hardware device control functions. It can carry many simultaneous communications.

19.8 MS-DOS 3.3

MS-DOS 3.3 (So87a) (So87b) extended MS-DOS 3.2 to add functions and capabilities to run on the PS/2. It is compatible with IBM's PC family. It allows an increased number of open files. It supports four communications ports, 1.44MB diskette drives, and multiple 32MB hard disk partitions. It facilitates connectivity with IBM's 3270 communications family and with IBM's local area network products.

MS-DOS 3.3 is the entry-level operating system for the PS/2 (the PS/2 does not support earlier MS-DOS versions). MS-DOS 3.3 is a single-tasking, MS-DOS-compatible operating system. MS-DOS 3.3 runs under the real mode of the 80286 and 80386, making a PS/2 appear to be an 8086-based IBM PC. MS-DOS 3.3 provided some new commands: FASTOPEN keeps a list of recently accessed files to help locate and open these files more quickly than is possible when having to search a large hierarchical directory structure; and CALL lets one batch file execute another, return, and continue executing from the point of the call. MS-DOS 3.3 also has significant improvements in the area of foreign language support—a long standing goal of Microsoft and IBM. MS-DOS 4.0, the release most current as this book went to press, is discussed in Section 19.15.

19.9 OPERATING SYSTEM/2 STANDARD EDITION

Operating System/2 (OS/2) is intended as a new family of operating systems to support the more powerful capabilities of IBM's Personal System/2 computers (Pe87) (Wh87) (Re87) (Mc87). Microsoft calls the operating system MS OS/2. It has agreed to make MS OS/2 available to OEMs, but Microsoft does not intend to sell MS OS/2 directly to end users (nor does it sell MS-DOS to end users). It enables users to access the full capabilities of 80286-based and 80386-based (running in 80286 mode) systems. It can handle much larger programs and can process many programs concurrently. It is designed to operate in IBM's *Systems Application Architecture* (SAA) environments, which foster friendlier user interfaces and facilitate applications portability across IBM's full range of computing and communications products. The Application Program Interface (API) of OS/2 enables users to develop SAA-compatible applications. OS/2 is a very large and complex operating system; its first version has approximately a million and a half lines of code.

OS/2 Standard Edition Version 1 breaks the IBM PC's 640K memory barrier (Pe86), and can run multiple applications concurrently. Version 1.1 includes the *Presentation Manager* (based on Microsoft Windows), which provides graphics and windowing capabilities conforming to IBM's Systems Application Architecture, and it features pop-up menus and contextual help. It has 16MB memory addressability and handles multitasking. It supports several 32MB disk partitions. It is compatible with MS-DOS 3.3 and provides various migration aids for users who wish to convert between the operating systems. It offers device independence.

In real mode, the 80286 and 80386 processors provide a MS-DOS 3.3 environment that makes the PS/2 appear to be an 8086 with simple real addressing and the ability to execute only a single application at once (i.e., no multitasking). Thus real mode allows backward compatibility with earlier versions of the PC.

In the protected mode provided by both the 80286 and the 80386, users may run multitasking and tasks are protected from one another. Protected mode allows 16MB addressing on the 80286 and 4 GB (4 billion byte) addressing on the 80386. Programs originally written for the IBM PC will generally not run under protected mode without modification. OS/2 can run a PS/2 in real mode, protected mode, or both at once.

The PS/2 ROM contains both a *compatibility BIOS*, which ensures compatibility for programs developed for the IBM PC, and an *advanced BIOS*, which supports the new capabilities of the PS/2.

OS/2 provides the *DOS Compatibility Box* to run MS-DOS programs in real mode; it allows the user to switch easily between these and protected mode OS/2 applications.

The OS/2 kernel handles file input/output, character mode display output, multitasking, and interprocess communication. OS/2 supports *dynamic link libraries*; this feature facilitates adding new program modules to extend the operating system's capabilities, and allows programs to share code in external libraries. Microsoft also supplies the LAN Manager for supporting local area networks. Processes located at different nodes of a network may intercommunicate easily.

OS/2 uses a superset of the commands of DOS. The key difference is that in OS/2 many programs may run concurrently. OS/2 running under protected mode handles the memory management, file locking, file sharing and task isolation necessary to provide reliable multitasking. In real mode, such protection is not available, so multitasking could easily fail as an errant program destroys other programs.

OS/2 supports virtual memory, so programs can be larger than the amount of available real memory; memory segments are replaced using the least-recently-used algorithm.

One program may initiate another to run with it asynchronously. The new OS/2 command, DETACH, can initiate any program to run in the background. Programs can have multithread execution. Threads may be assigned different priorities or they may be suspended. Threads can synchronize their operation through semaphores.

OS/2 uses the same file system as DOS. Although the current versions of OS/2 run on the 80386, they still do not fully use the 80386's 32-bit addressing range. OS/2 provides a rich variety of means for interprocess communication; these are discussed in Chapter 23.

19.10 OPERATING SYSTEM/2 EXTENDED EDITION

The OS/2 Extended Edition provides a wide range of communications capabilities and a database manager that supports IBM's relational database model. IBM created the OS/2 Extended Edition; this version will not be available to other OEMs through Microsoft.

OS/2's communications capabilities include concurrent multiple protocol support, concurrent emulation of multiple terminal types, communication and system management support, and a variety of programming interfaces.

The relational database management subsystem features interactive query and report writing, consistency with IBM DB2 (a mainframe relational database), consistency with Structured Query Language/Data System (SQL/DS), and local area network support.

19.11 SYSTEMS APPLICATION ARCHITECTURE

Systems Application Architecture (SAA) is an IBM strategy for having its wide range of systems become more compatible with regard to user interfaces, application program interfaces, and communications procedures (IB88) (Ki88). IBM currently offers three major lines of computers, namely the System/370 mainframe computers, the System/3X minicomputers, and the Personal System/2 microcomputers. IBM has created Systems Application Architecture, a set of programming guidelines, to enable programmers to develop applications compatible with all three kinds of systems.

Programs designed to conform to SAA are more portable—they can be moved between the different lines of computers with minimal changes. Programmers benefit because they can spend less on software development, and can have common applications running on many different types of computers in their organizations. As an organization grows and its computing needs increase, it can move up to more powerful computing systems without incurring major reprogramming costs. Software development companies also benefit because they can market their products to the huge base of installed IBM and IBM-compatible equipment.

SAA includes protocols for how programs should communicate with one another within the same computer, between the same types of computers, and between different types of computers. Programs written to conform to these guidelines can intercommunicate more easily with a wide range of computers in various kinds of computer networks.

SAA also includes guidelines for defining the user interface for any type of program. This ensures that all applications will have similar or even identical interfaces. It enables users to learn new applications faster, and helps users avoid mistakes that occur when they use a wide range of software packages with different conventions for accomplishing similar tasks.

19.12 THE USER'S VIEW OF MS-DOS

This section is intended to give the reader a sense of what the user can accomplish with the MS-DOS commands. It is not intended as a user's manual. There are many fine publications for that purpose. Read this only for a general understanding of MS-DOS's capabilities.

The *command processor* interprets user commands. The command processor is stored in the file COMMAND.COM, which is loaded automatically when MS-DOS is started. Internal commands are part of this file. External commands are brought into memory from disk as needed. The command processor also executes program files. Executable files have one of the extensions .COM, .EXE, and .BAT.

MS-DOS prompts the user to enter commands. The standard prompt is the letter of the current drive followed by the greater than sign (>). The next several sections contain a detailed listing of MS-DOS's commands.

19.12.1 Communicating with the System

- COMMAND—Load a new copy of the command processor (COMMAND.COM).
- DATE—Set or display the system date.
- EXIT—Terminate a copy of the command processor (return to parent copy).
- PROMPT—Define the system prompt.
- SET—Define an environmental variable.
- SHARE—Load support for file sharing (required for Microsoft Networks).
- TIME—Set or display the current system time.
- VER—Display the version number of the active MS-DOS command interpreter.

19.12.2 Working with Disks

- ASSIGN—Route request for disk operations from one drive to another.
- CHKDSK—Check the allocation of storage space on the disk for errors in directory entries or the file allocation table, or for physical damage to the disk. Also check the allocation of sectors to individual files.

- DISKCOMP—Compare two floppy disks track-for-track and report any differences.
- DISKCOPY—Copy a floppy disk track-for-track (does not consolidate fragmented files).
- FDISK—Configure a fixed disk (hard disk) for use with MS-DOS.
- FORMAT—Format a disk for use with MS-DOS by initializing the directory and the file allocation table (FAT).
- JOIN—Make a disk a subdirectory of another disk (join a disk in one drive to a directory in another drive).
- LABEL—(Version 3.0 or higher) Modify, create, or delete a volume label.
- SUBST—Substitute a drive letter for a subdirectory pathname, thus making a subdirectory a virtual-disk drive.
- SYS—Transfer MS-DOS system files (IO.SYS and MSDOS.SYS) to an application disk.
- VERIFY—Verify data as it is written to a disk.
- VOL—Display the volume label of a disk.

19.12.3 Working with Directories

The top-level directory is called the root directory. The root directory holds entries. An entry is a file or a subdirectory. A subdirectory is a file that holds directory entries. Each subdirectory and file has a unique pathname.

- CHDIR or CD—Make a directory the current directory.
- DIR—Display information about directory entries (file name, extension, size in bytes, date and time created or last changed).
- MKDIR or MD—Create a new subdirectory.
- PATH—Define pathnames that MS-DOS uses to search for .COM, .EXE, and .BAT files that are not in the current directory.
- RMDIR or RD—Remove an empty directory.
- TREE—Display the hierarchical directory structure.

19.12.4 Managing Files

- ATTRIB—Define a file as a read-only file (this can help prevent accidental destruction) or a read-and-write file.
- BACKUP—Make backup copies of files and their directory structure.
- COPY—Copy one or more files; copy from one device to another. (Copy removes any existing fragmentation by placing data on consecutive sectors and adjacent tracks.)

- EDLIN—Create or modify an ASCII text file (EDLIN is a line editor).
- ERASE (or DELETE)—Erase a file.
- EXE2BIN—Convert an executable file in the .EXE format to a memory-image file (usually .COM, .BIN, or .SYS).
- FC—Compare two files and display the differences.
- RECOVER—Reconstruct files from a disk that has damaged sectors.
- RENAME or REN—Change the name of one or more files.
- RESTORE—Restore files created by the BACKUP command to a disk with the same directory structure as the original.

19.12.5 Managing Input and Output

MS-DOS normally reads input from the standard input (usually the keyboard), and normally writes output to the standard output (usually the display screen). The standard input or output may be *redirected* to a file or a device. Devices are treated as files by MS-DOS. The output of a command or program can be *piped* to another command or program.

- CLS—Clear the screen.
- CTTY—Change the device to be used for standard input and standard output.
- FIND—Search for a string. (FIND is a filter that searches a specified file or standard input for a character string; it displays the lines that contain the character string on the standard output.)
- GRAFTABL—Define the IBM extended character set.
- GRAPHICS—Print a display created in graphics mode.
- MODE—Control the mode of the output device. (MODE sets the display characteristics, sets the line length and spacing for a parallel printer port, connects a serial printer by redirecting parallel printer output to an asynchronous communications port, and sets the communications parameters for an asynchronous communications port.)
- MORE—The MORE command is a filter that displays the contents of files one screenful at a time.
- PRINT—Print a file in the background (while the user performs other tasks).
- SORT—The SORT command is a filter that sorts records alphabetically.
- TYPE—Send a file to the standard output.

19.12.6 Setting up the Environment

The user can tailor the working environment via the CONFIG.SYS file that defines the operating characteristics of an MS-DOS system. When MS-DOS starts, it automatically executes the commands in the CONFIG.SYS file if one is available.

- ANSI.SYS—This is a device driver that implements the American National Standards Institute (ANSI) standard escape codes for screen and keyboard control.
- BREAK—Control how often MS-DOS checks for a Control-C interrupt. (When MS-DOS encounters a Control-C, it interrupts the current process and returns to the system prompt.)
- BUFFERS—Specify the number of in-memory disk buffers that MS-DOS allocates each time it starts.
- COUNTRY—Specify the country, thus indicating the appropriate date, decimal sign and currency symbol to be used.
- DEVICE—Install a device driver.
- DRIVPARM—Redefine the default characteristics defined by a device driver for a block device.
- FCBS—Specify the maximum number of FCB-controlled files that can be open while file sharing is in effect.
- FILES—Specify the maximum number of open files controlled by file handles.
- LASTDRIVE—Determine the maximum number of drives by setting the highest drive letter that MS-DOS recognizes.
- SHELL—Specify a command processor to be used in place of COMMAND.COM.
- VDISK.SYS—Create a memory-resident virtual disk. This is a file containing the device driver that actually creates the virtual disk in RAM. VDISK.SYS is placed in the CONFIG.SYS file with the DEVICE command. A virtual disk is much faster than a real disk, but the data is lost when the power is turned off. CHKDSK reports the storage allocated to the virtual disk.

19.12.7 Using Batch Files

A batch file is an executable file that contains a group of commands that the user wants to execute in sequence. The user types the name of the file and MS-DOS executes the commands in the file. A batch file has the extension .BAT. To have a batch file executed automatically every time MS-DOS starts, create an AUTOEXEC.BAT file in the root directory.

- CALL—Call another batch file with parameters.
- ECHO—Display command names or messages as commands are executed from a batch file.
- FOR—Execute an MS-DOS command iteratively for each file in a set of files.
- GOTO—Execute a command in a batch file other than the next in sequence.
- IF—Test a condition and execute a command in a batch file, depending on the result.

- PAUSE—Stop execution of the batch file temporarily.
- REM—Include remarks in a batch file and display them when the file is executed.
- SHIFT—Extend the number of possible command line parameters.

19.12.8 Working with the Assembler

The Microsoft Macro Assembler translates assembly language source programs into object modules that can then be linked to produce an executable program to run under MS-DOS.

- CODEVIEW—Window-oriented debugger that lets user view source code, unassembled machine code, register values, and watch variables while program execution is being traced.
- CREF—Generate a cross-reference file of the symbols in an assembled program.
- DEBUG—Load and execute assembly language programs in a test environment.
- LIB—Maintain a library of object modules for use by the LINK program.
- LINK—Combine object modules into a single executable program that MS-DOS can load anywhere in available memory.
- MAKE—Maintain related program files at the same level of development.
- MAPSYM—Create a symbol map to test an executable file with SYMDEB's symbolic debugging features.
- MASM—Translate assembly language source programs into object modules.
- SYMDEB—Use symbols in testing programs written in assembly and high-level languages. (This is a symbolic debugging program that sets up an environment in which the user can load, examine, test, alter, and store any file.)

19.13 THE SYSTEM'S VIEW OF MS-DOS

In this section we consider the internal organization of the MS-DOS operating system. Disks are comprised of sides, tracks, and sectors. Sectors are grouped into *clusters*. The *File Allocation Table (FAT)* shows how clusters are allocated to files. The *master directory* for each disk shows for each file the starting location, the size, when the file was created, and any special file attributes. *Subdirectories* may be used to organize files on disk. Most applications need not be familiar with this level of detail; they simply call the appropriate operating system routines to accomplish desired tasks without having to worry about precisely how the tasks are performed and how the data is organized.

On booting, the first disk sector, called the *boot sector*, is transferred to memory. This boot program then loads in the first portion of DOS, the *initialization routine*. This routine organizes memory and then overlays the next portion of DOS on top of the initialization code. The *resident code* is then loaded into low memory; it includes the *interrupt handlers* and *system calls*. The *transient code* is loaded into high memory; it contains the *command processor* and the *internal commands*. The transient code may be overlaid as applications run; MS-DOS brings in new copies of the transient code as needed.

MS-DOS provides a *terminate but stay resident* capability; this allows users to write programs that may remain in memory, for example, to be able to respond quickly to various keystroke combinations.

19.13.1 Communicating with the System

Users enter *commands* to communicate with the system; applications programs use *system calls*. The command processor, COMMAND.COM, contains the resident part, the initialization part, and the transient part. The resident part handles standard errors, processes the *terminate on control-C interupt*, and contains code to reload the transient part as needed. The initialization part determines where to begin program loading, and loads and processes the *AUTOEXEC.BAT file* (a file containing a prestored sequence of commands that the system executes automatically each time it is booted or rebooted) if there is one; it is overlaid after it completes. The transient part contains the *batch file processor* and the *internal commands*; it issues the *system prompt* to tell the user the system is ready to accept the next command, reads commands (from the keyboard or from a batch file), and executes commands. It controls the loading and execution of *external commands*. Internal commands reside in memory so that they can be executed quickly; external commands are brought in from disk as needed.

System calls initiate the variety of MS-DOS services. Users can write their own programs to access the hardware and the operating system, but this creates "misbehaved" programs that may not run properly on future versions of MS-DOS. The two types of system calls are *interrupts* (Du83) and *function requests*.

A *software interrupt* enables a program to issue an interrupt that will cause an interrupt handler routine to execute and process the interrupt; the program loads needed values into appropriate registers and then issues the *INT instruction*, including the appropriate interrupt number. MS-DOS keeps a list of all the interrupt handler addresses in a vector table in memory.

A *function request* is issued by placing the function number in register AH and the subfunction code (if needed) in register AL and then issuing interrupt 21. The MS-DOS system calls are summarized later in this chapter.

19.13.2 Working with Disks

Formatting disks with the *FORMAT command* prepares them to be read or written by MS-DOS routines. The FORMAT command (DOS 3.0 and later versions) simply calls the device driver which contains the code to perform the formatting of its particular device. Newly installed device drivers must contain the code to format the devices they control.

A *volume* is a floppy disk or a partition of a fixed disk. Volumes are divided into *logical sectors*. Logical sectors reside on parts of physical tracks. The tracks are determined by the various fixed positions of the read-write heads. Sectors are grouped into clusters; the file allocation table chains the clusters to define the contents of the file. Each volume has an identifying *volume label.* Volume labels may be created, modified, or deleted with the *LABEL command.* Each logical volume includes five control areas and a files area as follows:

1. Boot sector
2. Reserved area
3. File allocation table #1
4. File allocation table #2
5. Root directory
6. Files area.

The boot sector contains all the information MS-DOS needs to interpret the structure of the disk. The FAT allocates disk clusters to files. Each cluster may contain many sectors, but this number is fixed when the disk is formatted and it must be a power of 2. A file's clusters are chained together in the FAT. The extra copy of the FAT is for integrity and reliability. The root directory organizes the files on the disk into entries and subdirectories. The *files area* (also called the *data area*) is where the files' information is stored. File space is allocated one cluster at a time as needed.

The FORMAT command causes the following information to be placed in the *BIOS parameter block (BPB)* in the boot sector:

1. sector size in bytes
2. sectors on the disk
3. sectors per track
4. cluster size in bytes
5. number of FATs
6. sectors per FAT
7. number of directory entries
8. number of heads
9. hidden sectors
10. reserved sectors
11. media identification code.

The boot sector is logical sector 0 of every logical volume and is created when the disk is formatted (Mc84). It contains OEM identification, the BIOS parameter block, and the disk bootstrap. When the system is booted, a ROM bootstrap program reads in the first sector of the disk (this contains the disk bootstrap) and transfers control to it. The disk bootstrap reads MS-DOS BIOS to memory and transfers control to it.

CHKDSK compares the two FATs to make sure they are identical. MS-DOS maintains a copy of the FAT in memory to be able to search it quickly. Each cluster entry in the FAT contains codes to indicate the following:

1. The cluster is available.
2. The cluster is in use.
3. The cluster is bad (i.e., it has a bad sector); CHKDSK reports these.
4. The cluster is a file's last one.
5. A pointer (cluster number) to the file's next cluster. (The directory points to the file's first cluster.)

Clusters are allocated to files one at a time on demand. Because of the continuing addition, modification, and deletion of files, the disk tends to become fragmented with free clusters dispersed throughout the disk. Clusters are allocated sequentially, but in-use clusters are skipped. No attempt is made to reorganize the disk so that files would consist only of sequential clusters, but this can be accomplished via the MS-DOS commands.

MS-DOS uses memory buffers with disk input/output. With file handle calls, the location of the buffer may be specified in the call. With FCB calls, MS-DOS uses a preset buffer called the *disk transfer area*, which is normally in a program's *program segment prefix* and is 128 bytes long.

19.13.3 Working with Directories

Initial versions of MS-DOS had a simple linear directory listing all files. Version 2.0 incorporated a hierarchical file structure with directories and subdirectories. A root directory and subdirectories form the hierarchical structure, and directory entries describe individual files.

The 32-byte directory entry contains the following:

1. File name (8 bytes)
2. Extension (3 bytes)
3. File attribute byte (1 byte)
4. Reserved (10 bytes)
5. Time created or last updated (2 bytes)
6. Date created or last updated (2 bytes)
7. Starting cluster (2 bytes)
8. File size (4 bytes)

The first byte of the file name may contain special codes indicating the following:

1. A directory entry that has never been used
2. The entry is a subdirectory
3. File has been used, but is now erased.

The file attribute byte may indicate the following:

1. Read-only file (an attempt to open the file for writing or deletion will fail)
2. Hidden file (excluded from normal searches)
3. System file (excluded from normal searches)
4. Volume label (can exist only in the root directory)
5. Subdirectory (excluded from normal searches)
6. Archive bit (set to "on" whenever a file is modified)

Each disk is formatted to have at least one directory, but there can be many directories. A directory may include other directories. Formatting creates an initial root directory. Each fixed disk partition has its own root directory. With versions 2.0 and higher, the root directory may contain directories in addition to files. Directories may contain one or more file entries or more directories, thus generating a hierarchical file system directory structure. The volume label, if present, appears in the root directory.

MS-DOS function calls are available to search directories for files in a hardware independent manner. FCB functions require that files be specified by a pointer to an unopened FCB; these functions do not support the hierarchical file system. With the file handle function request, it is possible to search for a file by specifying an ASCII string; it is possible to search within any subdirectory on any drive, regardless of the current subdirectory, by specifying a pathname.

19.13.4 Managing Files

Data is organized into files whether that data is in memory or on disk. Files may be data files or executable files. A file is simply a string of bytes; no record structure or access technique is assumed. Applications impose their own record structure on the string of bytes. MS-DOS requires only a pointer to the data buffer, and a count of the number of bytes to be read or written in order to do I/O. Executable files must be in either the .COM format or the .EXE format. Object modules are maintained in the Intel Corporation object-record format.

Files may be accessed with FCB calls or file handle calls (Version 2.0 and later); the file handle calls are designed to work with a hierarchical file system. File handle calls are preferable, but FCB calls are provided for compatibility with previous versions of MS-DOS. File handle calls support record locking and sharing. Users interested in writing programs that will be compatible with future versions of MS-DOS should use the file handle calls rather than the FCB calls.

The FCB function requests are as follows:

1. Open file with FCB
2. Close file with FCB
3. Delete file with FCB
4. Read block sequentially
5. Write block sequentially
6. Create file with FCB
7. Rename file with FCB
8. Read block directly
9. Write block directly
10. Get file size with FCB
11. Set relative record field
12. Read multiple blocks directly
13. Write multiple blocks directly

The FCB data structure occupies a portion of the application's memory and contains 37 bytes of data as follows:

1. Drive identifier (1 byte) (0=default drive, 1=drive A, 2=drive B, and so on)
2. File name (8 bytes)
3. Extension (3 bytes)
4. Current block number (2 bytes) (for sequential reads and writes)
5. Record size (2 bytes) (MS-DOS sets to 128, but this may be changed.)
6. File size (4 bytes)
7. Date created/updated (2 bytes)
8. Time created/updated (2 bytes)
9. Reserved (8 bytes)
10. Current record number (1 byte) (for sequential reads and writes)
11. Relative record number (4 bytes)

A file handle is a 16-bit integer (usually 0 to 20) created by MS-DOS and returned to a program that creates or opens a file or device. A file may be opened with a handle by passing a pathname and attribute to MS-DOS, which then returns the 16-bit handle. The program saves the handle and uses it to specify the file in future operations on the file. An FCB-like data structure is built by MS-DOS for the file, but this is strictly controlled by the operating system. The file handle function calls are as follows:

1. Create file
2. Open file
3. Close file

4. Read from file or device
5. Write to file or device
6. Move file pointer
7. Duplicate file handle (creates a new handle that refers to the same file as an existing handle)
8. Match file handle (cause one handle to refer to the same file as another)
9. Create temporary file
10. Create file if name is unique (fails if a file with the same name already exists)

MS-DOS maintains a table that relates handles to files or devices. Eight handles are normally available to programs, but this can be increased to 20 via the CONFIG.SYS file. Five of the handles are preassigned to standard devices as follows:

Handle	Standard Device	Device Name
0	Standard input device	CON (reads characters from the keyboard)
1	Standard output device	CON (writes characters to the video display)
2	Standard error device	CON (writes characters to the video display)
3	Standard auxiliary device	AUX (controls serial port I/O)
4	Standard printer device	PRN (controls parallel port output; usually to the printer)

A .COM file consists of absolute machine code and data. It is not relocatable. It loads faster than an .EXE file. An .EXE file is a relocatable executable file; it contains a header with relocation information, and the actual load module. The .EXE files separate the code and data portions. This feature is designed to facilitate the sharing of "pure procedures" among several tasks in evolving MS-DOS systems that support concurrent tasks. The Microsoft Macro Assembler translates source code files into object files with the .OBJ extension.

19.13.5 Managing Input and Output

Device drivers are programs that control input and output. They manage communication between the hardware devices and the operating system. Regardless of the specific details of performing input/output on particular devices, device drivers all communicate in a standard manner with the rest of the operating system. Five resident device drivers control the standard devices. Other device drivers may be installed at the command level as needed. The two types of devices are *character devices* that handle one byte at a time, and *block devices* that can access blocks of information on random access devices such as disks.

Device drivers are treated as files. The IO.SYS file consists of the five resident device drivers that form the MS-DOS BIOS.

New or replacement device drivers may be installed (version 2.0 and later) by using the DEVICE command followed by the driver's file name in a CONFIG.SYS file on the boot disk. Thus, the input/output system may be reconfigured at the command level. MS-DOS uses character device drivers and block device drivers. CON, AUX, and PRN are character device drivers. The CONFIG.SYS file may be used to notify the operating system of hardware device changes such as additional hard disks, a clock chip, a RAM disk, or additional memory.

A device driver is composed of a *device header*, a *strategy routine*, and an *interrupt routine* (Du83). The device header contains a pointer to the next device driver in the chain of device drivers in IO.SYS, and it points to the strategy routine and the interrupt routine. The request header is the data structure that MS-DOS uses to give the driver the information necessary to perform a requested input/output operation.The strategy routine saves a pointer to the request header data structure. The interrupt routine performs the I/O and passes status and completion information back to MS-DOS in the request header. Each driver has a *strategy routine* entry point and an *interrupt routine* entry point. For asynchronous I/O, the strategy routine is called upon to enqueue a request and return to the caller quickly. The interrupt routine then performs the I/O when it can.

A *filter* is a program that processes input data in some particular way to produce output data directed to some file or device. Three filters are built in to MS-DOS. *SORT* sorts text data. *FIND* searches for a character string. *MORE* displays one screen of data at a time. Other filters may be created. Filters may be piped together (with the | symbol) so that the output of one forms the input to another. Inputs or outputs may be *redirected*.

Background programs are dormant until they are activated by a signal from the keyboard. A *hot key*, or combination of keys, signals a program to take control of keyboard input.

19.13.6 Managing Memory

Memory is organized as follows in MS-DOS (from low memory to high memory locations):

1. Interrupt vector table
2. Optional extra space (used by IBM for ROM data area)
3. IO.SYS
4. MSDOS.SYS
5. Buffers, control areas, and installed device drivers
6. Resident part of COMMAND.COM
7. External commands or utilities (.COM and .EXE files are loaded here)
8. User stack for .COM Files (256 bytes)
9. Transient part of COMMAND.COM

The interrupt vector table contains the addresses of the interrupt handler routines. IO.SYS is the basic input/output system; it is the MS-DOS/hardware interface. MSDOS.SYS contains most of the interrupt handlers and function requests. The resident part of COMMAND.COM contains certain interrupt handlers and the code that reloads the transient part of COMMAND.COM as needed; the transient part of COMMAND.COM includes the batch processor, the internal commands, and the command processor.

MS-DOS begins the user's *program segment* in the lowest address free memory area. The program segment prefix (PSP) occupies the first 256 bytes of the program segment area. The PSP points to various memory locations the program requires as it executes.

MS-DOS creates a *memory control block* at the start of each memory area it allocates. This data structure specifies the following:

1. the size of the area
2. the program name (if a program owns the area)
3. a pointer to the next allocated area of memory

MS-DOS may allocate a new memory block to a program, free a memory block, or change the size of an allocated memory block. If a program tries to allocate a memory block of a certain size, MS-DOS searches for an appropriate block. If such a block is found, it is modified to belong to the requesting process. If the block is too large, MS-DOS parcels it into an allocated block and a new free block. When a block of memory is released by a program, MS-DOS changes the block to indicate that it is available. When a program reduces the amount of memory it needs, MS-DOS creates a new memory control block for the memory being freed. The first memory block of a program always begins with a program segment prefix. Normally when a program terminates, its memory is released. The program can retain its memory by issuing function 31, TERMINATE BUT STAY RESIDENT.

19.13.7 Controlling Program Flow

COMMAND.COM uses the EXEC function to load and execute program files. A program issuing EXEC causes MS-DOS to allocate memory, write a program segment prefix, load the new program, and transfer control to it. The calling program is the *parent program,* the called program is the *child program.* A child program may use EXEC to load and execute its own child programs. Each child automatically inherits its parent's active handles, so it can access its parent's active files. MS-DOS allows programs to load and execute overlays.

MS-DOS handles hardware interrupts from devices and software interrupts caused by executing instructions. An interrupt vector table causes control to transfer to the appropriate interrupt handlers. Users may write their own interrupt handlers. The Control-C interrupt normally terminates the active process and returns control to the command interpreter.

Certain types of critical errors may occur that prevent a program from continuing. For example, if a program tries to open a file on a disk drive without a disk, or a disk drive whose door is open, a critical error is signalled. MS-DOS contains a *critical error handler*, but users may wish to provide their own routines for better control over errors in specific situations.

19.13.8 Setting Up the Environment

The operating system environment is configurable. Users can modify the system date and time, the number of buffers allocated, and so on. These can be modified at the command level with the CONFIG.SYS file, or they can be modified with appropriate function requests. The MS-DOS command processor constructs an environment block. MS-DOS provides capabilities for varying date and time formats, decimal formats, and currency formats for foreign countries; it handles Korean and Japanese (Kanji) character sets.

19.14 THE PROGRAMMER'S VIEW OF MS-DOS SYSTEM CALLS

MS-DOS provides the programmer with a rich collection of system calls. These calls accomplish various manipulations that would be extremely time-consuming and difficult to program and debug if the operating system were not available. The calls manipulate files, disks and directories; return information about the hardware and software environment; and obtain additional memory and relinquish memory no longer needed. By using MS-DOS calls, programmers realize several advantages. Applications programming becomes faster and less error prone, and applications that use system calls are easier to upgrade to new versions of the operating system. Microsoft is committed to providing upward compatibility for programs that use system calls properly. The next several sections enumerate most of MS-DOS's system calls.

19.14.1 Working with Disks

- Check Status of Verify Flag—Returns the value of the Verify Flag, which determines whether or not DOS verifies write operations to the disk.
- Get Default Drive Data—Returns information about the current default drive, namely the number of sectors per cluster, information about the type of disk in the current default drive, bytes per sector, and clusters per drive.
- Get Disk Transfer Address—Returns the pointer to the current Disk Transfer Area (the DTA is the buffer that DOS uses to transfer data to-and-from the disk).
- Get Free Disk Space—Determines how many bytes are free on the specified drive.
- Get Specified Drive Data—Returns information about the specified drive, namely the number of sectors per cluster, the offset to the FAT ID byte, the number of bytes per sector, and the number of clusters per drive.
- Identify Current Drive—Returns the default drive ID.
- Read Absolute Disk Sectors *(Int.)*—Reads the specified number of disk sectors from the disk drive, starting at a given location.

- Reset Disk—Flushes all buffers to the media and marks them “free.”
- Select Drive—Sets the default drive to the specified drive.
- Set Disk Transfer Address—Sets the Disk Transfer Address to the specified value.
- Set or Reset Verify Flag—Sets the value of the Verify Flag to a specified value. The Verify Flag determines whether or not DOS verifies write operations to the disk.
- Write Absolute Disk Sectors *(Int.)*—This interrupt handler writes the specified number of sectors to the disk drive, starting at a given location.

19.14.2 Working with Directories

- Change Current Directory—Changes the current directory to the directory in the user’s pathname.
- Create Directory—Creates a directory using the name in the user’s pathname.
- Get Current Directory—Returns the pathname of the current directory on a specified drive.
- Remove Directory—Removes the directory specified in the user’s pathname.

19.14.3 Managing Files

- Change File Attributes—Gets or sets the attributes of the file specified in the user’s pathname.
- Close File—Closes the specified handle.
- Close File with FCB—Closes the file pointed to by the user’s FCB.
- Create File—Creates and assigns a handle to the file in the user’s pathname.
- Create File if Name is Unique—Creates a new file if a file by that name does not exist in the specified directory.
- Create File with FCB—Creates a file in the current directory using the file name in the user’s FCB.
- Create Temporary File—Uses the clock device to provide a unique file name and appends it to the pathname provided by the user.
- Delete File—Deletes the directory specified in the user’s pathname.
- Delete File with FCB—Deletes a file named in the user’s FCB, and removes the specified file from the directory buffer for the drive specified in the user’s FCB.
- Duplicate File Handle—Copies the handle of an open file.
- Find First Matching File—Searches the specified or current directory for the first entry that matches the user’s pathname.
- Find First Matching File with FCB—Searches the current directory for the first file name matching the file name contained in the user’s FCB.

- Find Next Matching File—Searches for the next entry that matches the name and attributes specified in a previous Find First Matching File.
- Find Next Matching File with FCB—Searches for the file named in the user's FCB. The file name was used originally to conduct the "Find First Matching File with FCB" function.
- Get File Size with FCB—Returns the size of the file specified in the FCB.
- Lock or Unlock Region of File—Lock (deny access to) or unlock a specified region of a file.
- Match File Handle—Forces a specified handle to refer to the same file as another handle already associated with an open file.
- Move File Pointer—Moves the read/write pointer of the open file associated with the specified handle.
- Open File—Opens a file and assigns it a handle using the file name specified in the user's pathname.
- Open File with FCB—Opens the file named in the user's FCB.
- Parse File Name—Searches the specified string for a valid name. If the file name is valid, the function returns a pointer to an unopened FCB.
- Read Block Directly—Reads the record pointed to by the user's FCB Relative-Record field.
- Read Block Sequentially—Reads the next block from the file named in the user's FCB.
- Read from File or Device—Reads from the specified open file handle.
- Read Multiple Blocks Directly—Reads a specified number of records from the file starting at the block named in the user's FCB relative-record field.
- Rename File—Renames the file specified in the user's pathname by changing the directory entry.
- Rename File with FCB—Renames a file in the current directory using the two file names in the user's modified FCB; the first name is the file in the current directory, and the second is the new name for the file.
- Set Relative Record Field—Sets the relative record field in the user's FCB to the value of the current record field in the FCB. The relative record field is used by the Read (or Write) Block Directly functions.
- Write Block Directly—Writes the record pointed to by the relative record field (in the user's FCB), to the file named in the user's FCB.
- Write Block Sequentially—Writes to the file named in the user's FCB. The FCB also contains the current block and the record to be written.
- Write Multiple Blocks Directly—Writes a specified number of records to the file named in the user's FCB. The FCB also contains the current relative record number where writing will start.
- Write to File or Device—Writes to the open file associated with the specified handle.

19.14.4 Managing Input and Output

- Check Keyboard Status—Returns a code to indicate if characters are available from standard input.
- Display Character—Sends the specified character to standard output.
- Display String—Sends the specified string to standard output.
- I/O Through Standard Device—Either reads or sends a character to standard input or output, depending on the specified value.
- Input from Auxiliary Device—Waits for a character to be read from standard auxiliary, and returns the character.
- IOCTL—The IOCTL function is a group of 16 related subfunctions that manipulate character and block-device control data. These subfunctions can be used to set or return the attributes of a certain device, send or receive control data with either character or block devices, check the status of a device, or check if a device or file handle has been redirected with Microsoft Networks.
- Output to Auxiliary Device—Sends the specified character to the standard auxiliary device.
- Print Character—Sends the specified character to the standard printer device.
- Read Keyboard—Waits for a character to be read from the standard input device and returns the character.
- Read Keyboard after Clearing Buffer—First clears the input buffer and then executes the specified function.
- Read Keyboard and Echo—Waits for a character to be read from the standard input device, then echos it to the standard output device and returns the character.
- Read Keyboard to Buffer—Gets a string (terminated with a carriage return) from the standard input device and puts it in the user-specified buffer.
- Read Keyboard without Echo—Waits for a character to be read from the standard input device and returns the character.

19.14.5 Managing Memory

- Allocate Memory—Attempts to allocate the specified amount of memory to the current process. DOS coalesces unowned blocks, if necessary, to provide enough room for the user's requested block size.
- Change Memory Allocation Block Size—Puts the user's specified block back into the memory pool, coalesces it with other unowned blocks, and then tries to allocate the requested block size; the function returns the size of the resultant block to the user.
- Free Allocated Memory—Releases the specified block of memory.
- Get or Set Memory Allocation Strategy—Gets or sets the strategy used by MS-DOS to allocate memory when a process requests it; the three different strategies are first fit, best fit, and last fit.

19.14.6 Controlling Program Flow

- Abort Program—Aborts the current process.
- Check Control-C—Either returns or sets DOS's internal Control-C checking flag; the Control-C flag is used by DOS to determine before which function requests it should check for a Control-C.
- Create New Program Segment Prefix—Creates a new program segment prefix (PSP) at the specified address. (This is an obsolete function except for compatibility with pre-2.0 versions of DOS.)
- Execute Program—Loads and executes a program.
- Get Current Program Segment Prefix—Returns the contents of the DOS "Current PSP" variable. (A PSP is a block of memory that immediately precedes a .COM or .EXE program.)
- Get Extended Error Codes—Returns an extended error code for the function that immediately preceded it. The extended error code contains details about the type and location of the error, and the recommended course of action to take when the error occurs.
- Get Interrupt Vector—Returns the address of the specified interrupt handler.
- Get Return Code of Child Process—Returns the exit code specifying the reason for termination, such as normal, Control-C, or critical device error.
- Set Interrupt Vector—Sets the address of the specified interrupt in the Interrupt Vector Table.
- Terminate But Stay Resident—Returns control to the parent process (usually COMMAND.COM), but keeps the current process resident after it terminates.
- Terminate But Stay Resident *(Int.)*—Terminates a program of up to 64K in size, but keeps it in memory. (This interrupt is obsolete.)
- Terminate on Control-C *(Int.)*—Used by DOS to deal with a Control-C being typed on the keyboard.
- Terminate on Fatal Error *(Int.)*—Used by DOS if a critical error occurs during I/O.
- Terminate Process—This is the proper way for a program to terminate when finished.
- Terminate Program *(Int.)*—Terminates the current process and returns control to the parent process. (This is an obsolete interrupt.)
- Terminate Program at Address *(Int.)*—Used by DOS to transfer control after a process terminates.

19.14.7 Setting up the Environment

- Get Date—Returns the current system date (year, month, day, and day of the week).
- Get MS-DOS Version Number—Returns the version number of COMMAND.COM.

- Get or Set Country-Dependent Data—Returns the country-dependent information or sets the country code using the specified information.
- Get or Set File Date or Time—Gets or sets the time and date of the last write to a file, using the specified handle to reference the file.
- Get Time—Returns the current system time.
- Set Date—Sets the year, month, and day using the specified information, and updates the DOS clock driver's count of days since January 1st, 1980.
- Set Time—Sets the hour, minutes, seconds, and hundredths of seconds from the specified information, and updates the DOS clock device driver's time information.

19.15 DOS 4.0

As Microsoft and IBM introduced OS/2, they expected a major rush of DOS users converting to OS/2. This has occurred, but not quite to the extent envisioned. In fact, millions of users remain committed to DOS, so IBM and Microsoft have provided a steady stream of enhancements to DOS. Many of these are designed to smooth the migration path to OS/2 for users who may eventually wish to convert. The first of these is *DOS 4.0*, released in 1988 (Ma88) (Sp88) (Du89) (Ch89). DOS 4.0 runs with IBM PCs, IBM PS/2s, and compatibles.

Dos 4.0 is the first DOS operating system to implement IBM's *Common User Access* specification—the user interface component of IBM's Systems Application Architecture (IB88) (Ki88). This is a graphics-oriented user interface that supports windows, menus, and a mouse; it is similar to the Presentation Manager used with OS/2.

Previous versions of DOS supported hard disks up to 32 megabytes; DOS 4.0 extends this limit to 2 gigabytes. FDISK can now create these very large hard disk partitions. DOS 4.0 adds a unique volume serial number to each disk to help users manage their collections of disks; OS/2 does this, too. The *File Allocation Table (FAT)* can be four times the size of that allowed in earlier versions of DOS.

DOS 4.0 supports the LIM expanded memory specification developed by Lotus, Intel, and Microsoft; this feature also supported in other recent DOS versions, enables programs to break the 640K memory barrier. Program code must remain in 640K, though data can be in expanded memory. To speed I/O, as many as 10000 buffers may be used; these buffers can be placed in the expanded memory.

The SELECT program enables novices to install DOS 4.0. The TREE command displays the file system directory in a neat graphic format which nicely illustrates hierarchical structure. The MEM utility produces a memory map. The BUFFERS and VDISK commands now also work with various forms of expanded memory not provided by IBM. The /P option may be used with the DEL (or ERASE) command; with this option, the system forces the user to verify each item to be erased.

The "Start Programs" screen appears first when the shell is executed. It enables the user to select various utilities or the File System file handling module. The File System screen shows two windows. The first is a directory tree structure which may be scrolled. The second window lists the current directory's files.

The DOS shell enables users to combine an application with its data so that when a data file is selected, the application automatically becomes active. Selecting a file produced by a word processor, for example, brings up that file opened and ready to be edited using that word processor. This capability (associated with object-oriented programming) is available under OS/2 as well.

19.16 THE FUTURE OF MS-DOS AND OS/2

This chapter has presented the evolution and details of the most widely used series of operating systems in the history of computing. In its earliest implementations, MS-DOS was a small, simple system with primitive capabilities. But its recent versions are large, complex, and extremely powerful. When it first appeared, MS-DOS provided an acceptable system for an incidental market for IBM. Today, it is a main-line system that has had a significant impact on IBM's planning for its hardware, software and communications systems designs for the 1990s. Microsoft and IBM have developed a strong partnership devoted to evolving MS-DOS and OS/2 as the standards of the IBM-compatible personal computing industry. The UNIX and Macintosh operating systems have their large and loyal followings. Can all these standards prosper? Will one of them displace the others and dominate the marketplace, or will they all merge to produce one system that will satisfy the requirements of today's diverse user communities? We may have to wait until the mid 1990s to answer these questions. In the interim, personal computer users continue to benefit by the increasingly powerful, more user-friendly, and lower-cost systems produced in this intensely competitive environment.

TERMINOLOGY

advanced BIOS
Application Program Interface (API)
AUTOEXEC.BAT file
AUX (standard auxiliary device)
background print spooling
Basic Input/Output System (BIOS)
.BAT file
batch file processor
BIOS
BIOS parameter block (BPB)
boot sector
cluster
.COM file
COMMAND.COM command processor
Common User Access (of SAA)
compatibility BIOS
CON (system console device)
CONFIG.SYS file
Control-C interrupt
CP/M-86
critical error handler
DEBUG
DETACH
device driver
device driver interrupt routine
device driver strategy routine
device header
disk bootstrap program
disk partitioning
disk transfer area (DTA)
DOS
DOS Compatibility Box
DOS 3.3
dynamic link libraries
error handler
error trapping
.EXE file
external command

file allocation table (FAT)
file control block (FCB)
file handle
files area
filter
FIND filter
function request
hot key
IBM OS/2 Extended Edition
IBM OS/2 Standard Edition
IBM PC
IBM PC/AT
IBM PC/XT
IBM Personal System/2
IBMBIO.COM
IBMBIOS
IBMDOS.COM
installable device driver
Intel 8088 microprocessor
Intel 8086 microprocessor
Intel 8080 microprocessor
Intel 80386 microprocessor
Intel 80286 microprocessor
internal command
IO.SYS file
LINK program
logical disk
logical sector
memory control block
memory control block chain
Micro Channel
Microsoft Windows
MORE filter
MS-DOS
MSDOS.SYS
nonmaskable interrupt
.OBJ file
one-to-one sector interleave
open architecture
OS/2 Extended Edition
OS/2 LAN Manager
OS/2 Standard Edition
PC clone
PC DOS
pipe
Presentation Manager
PRINT.COM print spooler
PRN (standard list device)
program segment
program segment prefix (PSP)
protected virtual address mode
queue for interprocess communication
RAM disk
real address mode
redirect input/output
request header
resident code
ring protection mechanism
ROM BIOS
ROM bootstrap program
sector buffer
segment register
shared memory for interprocess communication
SORT filter
standard devices
system call
system prompt
Systems Application Architecture (SAA)
terminate but stay resident
token ring LAN
transient code
virtual disk (VDISK)
volume label
XENIX

EXERCISES

19.1 Discuss the evolution of MS-DOS. Why does MS-DOS, at least in its earliest versions, bear such a strong resemblance to CP/M?

19.2 Distinguish between the notions of open architecture and closed architecture. Discuss the pros and cons of each approach from the standpoint of hardware vendors, software vendors, and users.

19.3 Give a description of the hardware configuration of the IBM PC/AT. What features did Microsoft provide in MS-DOS 3.0 specifically to support the PC/AT?

19.4 Discuss the use of file extensions in MS-DOS. What do each of the following file extensions designate?

a) .COM b) .EXE

c) .BAT d) .OBJ

19.5 Discuss the functions of each of these key components of MS-DOS:

a) MSDOS.SYS

b) IO.SYS

c) COMMAND.COM

19.6 Distinguish between internal commands and external commands.

19.7 Distinguish between character devices and block devices.

19.8 Describe how the MS-DOS hierarchical file system is organized.

19.9 Why are two copies of the file allocation table (FAT) maintained? What problems does this create? Suggest a better strategy and defend why you feel your strategy is superior.

19.10 Each logical volume contains five control areas and a files area. Explain the purpose of each of these areas.

19.11 Clusters are allocated to files one at a time on demand. Because of the constant addition, modification, and deletion of files, the disk tends to be fragmented, with free clusters dispersed throughout the disk. This can make accessing a file very time consuming. How would you solve this problem? What drawbacks does your proposed solution have?

19.12 What kinds of things might be included in a CONFIG.SYS file?

19.13 What prompted the development of the notion of installable device drivers?

19.14 How is memory management handled in MS-DOS 3.X?

19.15 What is the AUTOEXEC.BAT file? Give several examples of operations that the user might designate to be performed via this mechanism.

19.16 What is a virtual disk? How do virtual disks differ from real disks? Give a distinct disadvantage of virtual disks as compared to real disks.

19.17 What is the key hardware feature of the 80286 microprocessor, as distinguished from the 8086/8088 microprocessor, that enables it to support many applications concurrently and reliably (i.e., so that one application will not destroy another)?

19.18 At one point, the microcomputer industry was convinced that MS-DOS could never compete effectively with CP/M. How then did MS-DOS overtake CP/M and become the industry standard?

19.19 What is the most widely required and the most widely used multitasking capability? Why is this capability relatively easy to implement reliably, even on a system that does not protect multiple applications from one another?

19.20 How does the use of memory buffers differ between file handle calls and FCB calls?

19.21 Discuss the concept of one-to-one sector interleave. Why was this not possible with the original IBM PC bus?

19.22 Why did IBM develop its Systems Application Architecture (SAA)? How is SAA likely to affect the product development and marketing strategies of IBM's competitors?

19.23 Discuss several of the key differences between MS-DOS and OS/2. What consid-erations do you suppose affected IBM's decision to develop such a large and complex operating system as OS/2 for the PS/2?

19.24 What are dynamically linkable libraries?

19.25 It is possible to build a multitasking system in real mode. Why then do you suppose this has not been done more frequently?

19.26 Why was DOS 4.0 created despite the availability of OS/2? What aspects of DOS 4.0 contribute to easing the transition for users who may eventually wish to migrate to OS/2?

LITERATURE

(An84) Anderson, J., "Irresistible DOS 3.0," *PC Tech Journal*, Vol. 2, No. 6, December 1984, pp. 74–87.

(Ar83) Archer, R., "The IBM PC XT and DOS 2.00," *Byte*, November 1983, pp. 294–304.

(Be87) Bender, E., "The Blue Sky's the Limit," *PC World*, June 1987, pp. 166–174.

(Bl87) Blackford, J., "IBM's New Systems: What Do You Do Now?" *Personal Computing*, June 1987, pp. 94–115.

(Br87) Brown, E.; E. Knorr; and C. Bermant, "Personal Systems Revealed," *PC World*, August 1987, pp. 212–223.

(Bu83) Burton, K., "Anatomy of a Colossus, Part II," *PC Magazine*, Vol. 1 No. 10, Feb. 1983, pp. 317–330.

(Ch89) Christopher, K. W.; B. A. Feigenbaum; and S. O. Saliga, *The New DOS 4.0*, New York, NY: John Wiley & Sons, Inc., 1989.

(Cl85) Claff, W. J., "Moving from the 8088 to the 80286," *Byte*, Vol. 10, No. 11, 1985.

(Cl84) Clune, T.; R. Malloy; and G. M. Vose, "The IBM PC AT," *Byte*, October 1984, pp. 107–111.

(Cu83) Curren, L., and R. S. Shuford, "IBM's Estridge," *Byte*, November 1983.

(De86) Derfler, F. J., Jr., and W. Stallings, "The IBM Token Ring LAN," *PC Magazine*, March 11, 1986, pp. 197–206.

(De84) DeVoney, C., *PC DOS User's Guide*, Indianapolis, Indiana: Que Corporation, 1984.

(Du88) Duncan, R. (General Editor), *The MS-DOS Encyclopedia*, Redmond, Washington: Microsoft Press, 1988.

(Du89) Duncan, R., "Taking a Realistic Look at DOS 4.0," *PC Magazine*, Vol. 8, No. 1, January 17, 1989, pp. 329–334.

(Du83) Dunford, C., "Interrupts and the IBM PC, Part 1" *PC Tech Journal*, Vol. 1, No. 3, November/December 1983, pp. 173–199.

(Fa86) Fawcette, J. E., "80386: The Megabyte Manager," *PC World*, February 1986, pp. 238–243.

(Fi83) Field, T., "Installable Device Drivers for PC-DOS 2.0," *Byte*, November 1983, pp. 188–196.

(Fi85) Finger, A., "IBM PC AT," *Byte*, May 1985, pp. 270–277.

(Fl87) Fleig, C. P., "The Well-Connected PC," *PC World*, August 1987, pp. 192–199.

(Fo86) Foard, R. M., "Multitasking Methods," PC Tech Journal, Vol. 4, No. 3, March 1986, pp. 49–60.

(Ge87) Getts, J., "A PC Geneology," *PC World*, August 1987, pp. 200–205.

(Gl85) Glecker, A. A., "File Search Help for PC-DOS," *PC Tech Journal*, Vol. 3, No. 4, April 1985, pp. 139–145.

(Gr86) Greenberg, K., "A Candid Conversation with William Lowe," PC World, March 1986, pp. 137–143.

(Gr84) Greenberg, K., and K. Koessel, "AT: The PC's Powerful Partner," *PC World*, December 1984, pp. 234–250.

(Gr84a) Greene, B., "The Evolution of the iAPX 286," *PC Tech Journal*, Vol. 2, No. 6, 1984, pp. 118–136.

(Ho84) Hoffman, T. V., "Analyzing the Advanced Technology," *PC Tech Journal*, Vol. 2, No. 6, December 1984, pp. 40–56.

(Ho87) Hoskins, J., *IBM Personal System/2: A Business Perspective*, New York, N.Y: John Wiley and Sons, Inc., 1987.

(IB84) IBM Corporation, *DOS Version 3.00 Technical Reference*, May 1984.

(IB85) IBM Corporation, *Disk Operating System Version 3.10 User's Guide*, 1985.

(IB86) IBM Corporation, *Disk Operating System Version 3.20 Reference*, Feb. 1986.

(IB87) International Business Machines Corporation, *IBM Personal System/2 Customer Reference Guide*, April 1987.

(IB88) International Business Machines Corporation, *Systems Application Architecture An Overview*, Third Edition, File Number GC26-4341, February 1988.

(Ki88) Killen, M., *IBM: The Making Of The Common View*, Orlando, FL: Harcourt Brace Jovanovich, 1988.

(Ko85) Kolod, M., "IBM PC Disk Performance and the Interleave Factor," *Byte*, 1985, pp. 283–290.

(La83) Larson, C., "MS-DOS 2.0: An Enhanced 16-bit Operating System," *Byte*, November 1983, pp. 285–290.

(Le82) Lemmons, P., and T. Roger, "Upward Migration: A Comparison of CP/M-86 and MS-DOS," *Byte*, July 1982, pp. 330–356.

(Le87) LePage, R., "The Road to MS-DOS," *Macworld*, August 1987, pp. 108–113.

(Lu84) Luhn, R., and R. Cook, "80286: Intel's Multitask Master," *PC World*, Vol. 2, No. 12, 1984, 248–254.

(Ma84) Machrone, B., "IBM Nurtures a Network," *PC Magazine*, Vol. 3, No. 22, November 1984, pp 135–141.

(Ma88) Malloy, R., "DOS 4.0," *Byte*, (IBM Special Edition), Fall 1988, pp. 75–78.

(Ma85) Marrin, K., "Realtime and Multiuser Operating Systems Target IBM PC AT," *Computer Design*, December 1985, pp. 135–143.

(Mc87) McKie, P. E., "Seeing Beyond PC Boundaries," *Personal Computing*, June 1987, pp. 110–115.

(Mc84) McManigal, D., "The First Heartbeat," *PC Magazine*, Vol. 3, No. 6, April 3, 1984, pp. 203–206.

(Mi84) Miller, H., "3.00 and Counting," *PC World*, Vol. 2, No. 11, 1984.

(Mt84) Millert, M. J., "IBM Compatibility," *Popular Computing*, April 1984, p. 108.

(Mi85) Mirecki, T., "Dipping into Directories," *PC Tech Journal*, Vol. 3, No. 2, February 1985, pp. 67–73.

(Mi86) Mirecki, T., "Expandable Memory," *PC Tech Journal*, February 1986, pp. 66–82.

(Ni85) Nisley, E., "Spinning Your Own VDISK," *PC Tech Journal*, Vol. 3, No. 3, March 1985, pp. 100-–07.

(No83) Norton, P., *Inside the IBM PC*, Bowie, Maryland: Robert J. Brady Co., 1983.

(No84) Norton, P., *MS-DOS and PC DOS: User's Guide*, Bowie, Maryland: Robert J. Brady Co., 1984.

(No84a) Norton, P., "The Parts of DOS," *PC Magazine*, March 20, 1984.

(No84b) Norton, P., "When DOS is not Enough," *PC Magazine*, Vol. 3, No. 14, July 24, 1984, pp. 103–107.

(No84c) Norton, P., "Missing Pieces of the PC-DOS," *PC Magazine*, August 21, 1984, pp. 107–111.

(No84d) Norton, P., "The Dissection of DOS 3.0," *PC Magazine*, Vol. 3, No. 21, October 30, 1984, pp. 105–107.

(Om85) O'Malley, C., "What You Should Know About MS-DOS," *Personal Computing*, August 1985, pp. 43–51.

(Om86) O'Malley, C., "Getting More out of DOS," *Personal Computing*, June 1986, pp. 64–75.

(Pa83) Paterson, T., "An Inside Look at MS-DOS," *Byte*, June 1983, pp. 230-252.

(Pe86) Petzold, C., "Enlarging the Dimensions of Memory," *PC Magazine*, January 14, 1986, pp. 120–136.

(Pe87) Petzold, C., "Smooth Operator," *PC Magazine*, July 1987, pp. 157–170.

(Ph84) Phraner, R., "The Future of UNIX on the IBM PC," *Byte*, 1984, pp. 59–63.

(Re84) Redmond, W. J., "Managing Memory: A Guided Tour of DOS 2.0 Memory Management," *PC Tech Journal*, August 1984, pp. 42–62.

(Re87) Reed, S. R., "Welcome to the New Age of DOS," *Personal Computing*, May 1987, pp. 72–81.

(Ro84) Roskos, E., "Writing Device Drivers for MS-DOS 2.0," *Byte*, February 1984.

(Ro84b) Roskos, E., "Multitalented," *PC Tech Journal*, Vol. 2, No. 4, October 1984, pp. 64–72.

(Ru84) Rubin, C., and K. Strehlo, "Why So Many Computers Look Like the IBM Standard," *Personal Computing*, March 1984, p. 52-65, 182–189.

(Sc72) Schroeder, M. D., and J. H. Saltzer, "A Hardware Architecture for Implementing Protection Rings," *Communications of the ACM*, Vol. 15, No. 3, March 1972, pp. 157–170.

(Sh85) Shiell, J., and J. Markoff, "IBM PC Family BIOS Comparison," *Byte*, November 1985.

(So87a) Somerson, P., "Personal System/2 Gives Life to a Smarter, More Agile DOS," *PC Magazine*, May 26, 1987, pp. 48–51.

(So87b) Somerson, P., "DOS Lives," *PC Magazine*, July 1987, pp. 175–182.

(Sp88) Spanbauer, S., and R. Luhn, "DOS Lives," *PC World*, Vol. 6, No.10, October 1988, pp. 194–195.

(Ta82) Taylor, R., and P. Lemmons, "Upward Migration Part 2: A Comparison of CP/M-86 and MS-DOS," *Byte*, July 1982.

(Tu84) Tucker, D. M., "Understanding Operating Systems," *PC World*, May 1984, pp. 192–199.

(Ut86) Uttal, B., "Inside the Deal That Made Bill Gates $350,000,000," *Fortune*, July 21, 1986, pp. 23–33.

(Wa84) Waite, M.; J. Angermeyer; and M. Noble, "Climbing Around in the DOS Directory Tree," *PC Magazine*, Vol. 3, No. 11, June 12, 1984, pp. 275–288.

(We86) Weinreich, M., "A First Look at the 80386," *Micro/Systems Journal*, September/October 1986, pp. 34–37.

(We84) Wells, P., "The 80286 Microprocessor," *Byte*, Nov. 1984, pp. 231–242.

(Wh87) White, E., and R. Grehan, "Microsoft's New DOS," *BYTE*, June 1987, pp. 116–126.

INFORMATION SOURCES

Companies

IBM Corporation
Systems Products Division
P.O. Box 1328
Boca Raton, FL 33432

Microsoft Corporation
16011 NE 36th Way
Box 97017
Redmond, Washington 98073-9717

Journals

Microsoft Systems Journal
16th Floor, 666 Third Avenue
New York, NY 10017

IBM Personal Systems Journal
IBM Corporation (4409),
P. O. Box 1328
Boca Raton, FL 33429-1328

PC Tech Journal
Suite 800
Park View
10480 Little Patuxent Parkway
Columbia, MD 21044

PC Magazine
One Park Ave.
New York, NY 10016

PC World
PCW Communications, Inc.
501 Second Street
San Francisco, CA 94107

20
Case Study: MVS

Thus, the recurring theme of the classical large system is "central"—central processing, central data, central applications, central management.

B. R. Aken, Jr. (Ak89, p. 5)

... the key logical entities of the operating system environment are segregated into distinct virtual spaces, where the virtual space becomes the basic unit of protection.

C. A. Scalzi, A. G. Ganek, and R. J. Schmalz (Sc89)
[discussing MVS/ESA]

Overall, the philosophy is to attack the availability problem from two complementary directions: to reduce the number of software errors through rigorous testing of running systems, and to reduce the effect of the remaining errors by providing for recovery from them. An interesting footnote to this design is that now a system failure can usually be considered to be the result of two program errors: the first, in the program that started the problem; the second, in the recovery routine that could not protect the system.

A. L. Scherr (Sc73)

ESA/370 allows new tests of the principle that problems expand to fill the storage allowed for their completion.

K. E. Plambeck (Pl89, p. 57)
[principle stated in (Ma77)]

Outline

20.1 History of MVS
20.2 MVS Design Objectives and Capabilities
20.3 System/370 Hardware
20.3.1 Storage Protection
20.3.2 Interrupt Scheme
20.4 Storage Management
20.4.1 Dynamic Address Translation
20.4.2 Real Storage Manager
20.4.3 Auxiliary Storage Manager
20.4.4 Virtual Storage Manager
20.5 MVS/XA Address Spaces
20.6 Multiprocessing
20.7 Managing System Resources
20.8 Supervising the Execution of Work
20.8.1 Tasks and Service Requests
20.8.2 Dispatcher
20.8.3 Enqueue and Reserve
20.8.4 Locking
20.9 Input/Output
20.9.1 File Organizations
20.9.2 Access Methods
20.9.3 Telecommunication Access Methods
20.9.4 Virtual Storage Access Method (VSAM)
20.9.5 Processing an I/O Request in MVS
20.10 Job Entry Subsystem
20.11 Monitoring System Activity
20.11.1 System Management Facilities
20.11.2 Resource Measurement Facility
20.11.3 Dumping Facilities and Trace Facilities
20.11.4 Serviceability Level Indication Processing

20.12 Enterprise Systems Architecture and MVS/ESA
20.12.1 Cross Memory Services
20.12.2 Data in Virtual
20.12.3 Data Spaces and Hiperspaces
20.13 The Future of MVS

Acknowledgments and Permission Credits: Much of this case study was condensed and adapted, with the permission of International Business Machines Corporation, from various copyrighted IBM publications including *MVS/ESA General Information* (copyright IBM 1988), and *MVS/Extended Architecture Overview* (copyright IBM 1984). Additional citations to the literature appear throughout the text.

20.1 HISTORY OF MVS

MVS is one of IBM's two primary operating systems for mainframe computers—the other being VM, which is described in the case study in Chapter 21. Approximately half the mainframes produced in the world each year are manufactured by IBM. Mainframe systems have tended to remain centralized in nature rather than distributed (Ak89). Such systems often support hundreds or even thousands of users.

IBM's mainframe architecture has evolved through four major sets of systems. The first three of these (Fig. 20.1) are the *System/360* introduced in 1964, the *System/370* introduced in 1970, and the *System/370 Extended Architecture* introduced in 1981. The *Enterprise Systems Architecture/370* was introduced in 1988 (Cl89).

System/360 was a real storage architecture intended primarily for batch processing. It supported three primary operating systems, namely the single-stream *PCP (primary control program)*, *MFT (multiprogramming with a fixed number of tasks)*, and *MVT (multiprogramming with a variable number of tasks)*.

The System/370 enhanced the 360 architecture to include virtual storage capabilities; MFT and MVT were extended into virtual storage versions. The *SVS (single virtual storage)* system (which appeared in 1972) shared one virtual storage address space across all users (Ru89); it implemented variable partition multiprogramming. The *MVS (multiple virtual storages)* system (which appeared in 1974), provided each user or job with a separate 16 megabyte virtual address space; each MVS address space held 256 segments, each composed of 16 pages of 4096 bytes.

The limitations of 24-bit addressing (i.e., 16 megabyte address spaces) eventually caused IBM to develop the System/370 Extended Architecture with 31-bit addressing (2 gigabyte address spaces). MVS/XA extends MVS/370 to take advantage of these larger virtual addressing capabilities, while still supporting applications that use 24-bit addressing.

In 1988, the *Enterprise Systems Architecture/370* was announced; ESA/370 enables a (properly authorized) program to address large numbers of 2-gigabyte address spaces, so many in fact that a total of 16 terabytes may be addressed (Ru89).

With the huge addressing capabilities of MVS/ESA, it appears that MVS will remain IBM's premier batch-processing operating system for IBM mainframes, at least through the coming decade, although it will certainly receive strong competition from VM (Chapter 22) for interactive environments.

20.2 MVS DESIGN OBJECTIVES AND CAPABILITIES

The design objectives of MVS are to provide performance, reliability, availability, and compatibility for the large system environment. MVS attempts to recover from programming errors. There are numerous *functional recovery routines (FRRs)* that gain control in the event of an operating system failure. The system attempts to reconstruct control block chains that have been destroyed. It attempts recovery from hardware errors. If a tape drive generates too many interrupts, for example, the system gives the operator an indication of the offending tape drive and the options the operator may take to recover. In a

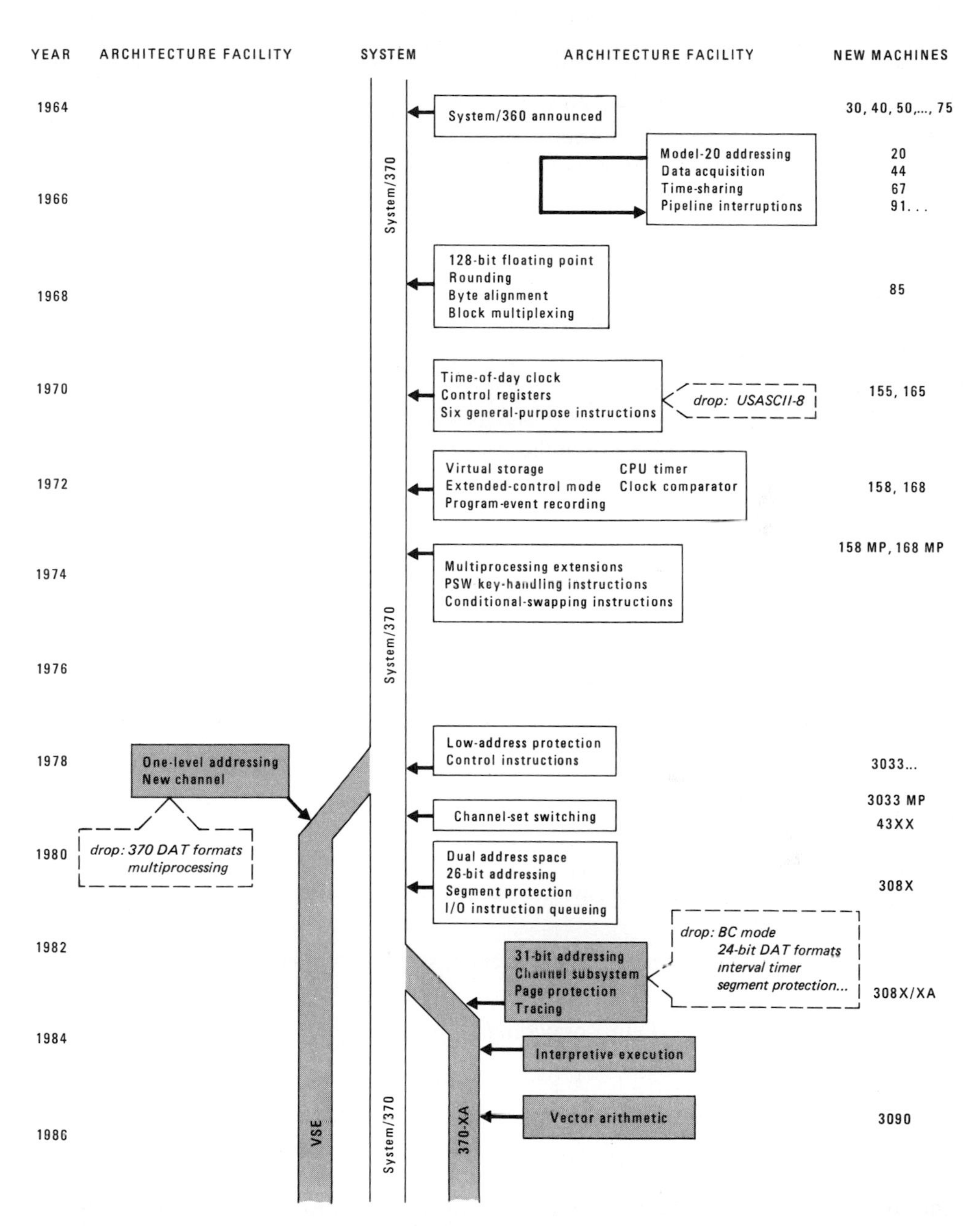

Fig. 20.1 Evolution of System/360-370 architecture. (Reprinted with permission of the Association for Computing Machinery, Inc. Copyright 1987.)

multiprocessor environment, a failing processor does not ordinarily bring the entire system down; the operating system detects that a processor has failed and lets the remaining processors take over the functions previously performed by that processor.

MVS is a large operating system that provides many functions to an installation, including

- *Supervisor*—Provides the controls needed for multiprogramming. It creates dispatchable units of work, handles dispatching, and serializes the use of resources (i.e., provides mutual exclusion capabilities).
- *Master scheduler*—The *master scheduler* is responsible for initializing the system and responding to commands issued by the system operator. It reads system initialization parameters at *IPL* (initial program load, or startup) time to set up the environment in which MVS functions. These might include the page data set names, the master catalog name, the names of all volumes to be mounted, a list of program libraries available to all users, and defaults for system storage areas. The creation of address spaces is controlled by the master scheduler. The master scheduler creates the *communication task*, which reads commands from the system operator, issues those commands to the appropriate subtasks in the system for execution, and returns responses to the operator. If the communication task should *abend (abnormal end)*, the operator loses communication with the system, and the system will most likely have to be restarted.
- *Job entry subsystem*—Allows work to be entered into the system and printed output to be returned to the user.
- *System management facility*—Collects information to account for system use, to analyze system performance, and to charge users for system resources.
- *Timesharing option (TSO)*—Provides users with interactive editing, testing, and debugging capabilities. TSO can also be used to view output from a batch job, and to submit work to the system.
- Data management—Handles all I/O and file management activity.
- Telecommunications—Provides access to MVS by remote terminal users.
- System support programs—Provide linkage editing, loading, and other support functions.
- Utility programs—Provide utility functions such as copying files and performing catalog updates.
- Service aids—Provide dump formatting, tracing, and other functions useful to the systems programmer.

20.3 SYSTEM/370 HARDWARE

Before examining the operating system itself, it is important to consider the hardware on which MVS runs. This hardware has been evolving to meet the phenomenal increases in computing demands users have been placing on System/370-architecture mainframes, but the basic architecture is still much the same as that introduced with the System/360 in 1964. It is remarkable that any computer architecture could endure so long, given the pace of technological innovation over this period.

20.3.1 Storage Protection

There are two types of storage protection provided by System/370: *key* and *segment*. There are 16 different key values provided and they are set by the hardware. Each 4K storage frame in real storage has an associated key (Fig. 20.2). In key protection, a store operation is permitted only if the access key matches the request for a storage key. A fetch is permitted if the fetch bit is zero and the keys match. Segment protection controls storing in a segment by a bit in the segment table entry being on or off.

20.3.2 Interrupt Scheme

When an interrupt occurs, the *current PSW* is stored as the *old PSW*, the information needed to decode the interruption is saved, a *new PSW* is loaded, and processing continues at the

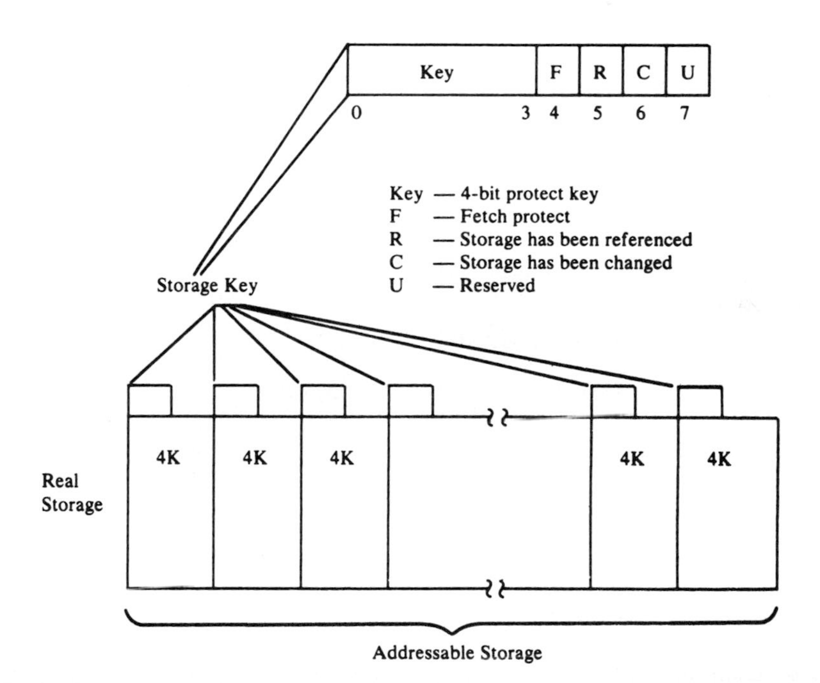

Fig. 20.2 The protect key in storage. (Courtesy of International Business Machines Corporation.)

location indicated in the new PSW. This new location is the address of the appropriate interrupt handler for the interruption that has just occurred. The unit of work that was executing may or may not have control returned to it after the interrupt handler is complete. If it is a *nonpreemptive unit*, it will be redispatched. Otherwise (i.e., it is a *preemptive unit*), the dispatcher will be called to schedule the highest-priority service request or task that is ready to run.

20.4 STORAGE MANAGEMENT

MVS/XA manages multiple virtual storages. In the next several sections we discuss how dynamic address translation is performed, and we examine the operation of three key components of MVS involved in storage management, namely, the real storage manager, the auxiliary storage manager, and the virtual storage manager.

20.4.1 Dynamic Address Translation

System/370-based computers use a virtual address space of either 16 megabytes with 24-bit addressing (Fig. 20.3), or 2 gigabytes with 31-bit addressing (Fig. 20.4) in the Extended Architecture (XA) machines. The XA machines can run a program with either 24-bit

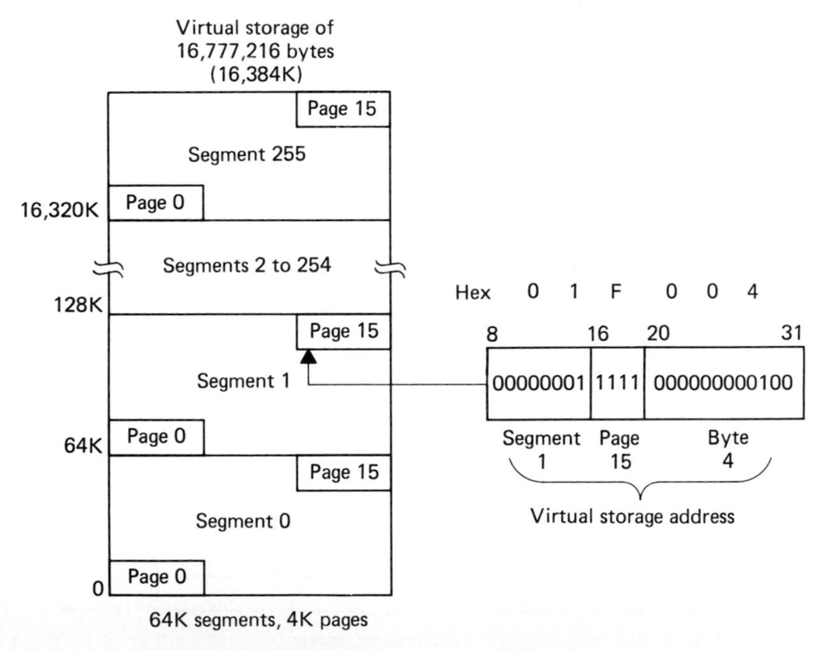

Fig. 20.3 Virtual storage addressing with 16MB address space. (Courtesy of International Business Machines Corporation.)

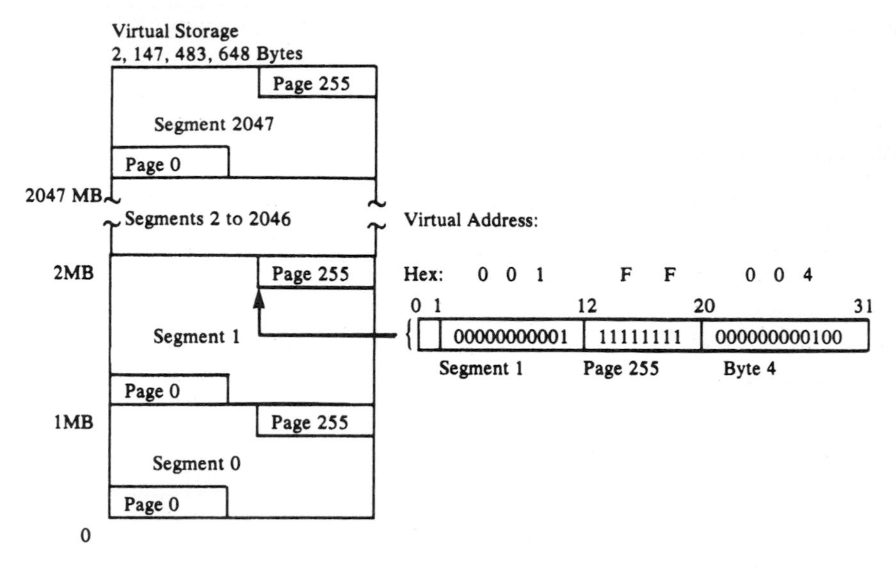

Fig. 20.4 Virtual storage addressing with 2 gigabyte address space in MVS/XA. (Courtesy of International Business Machines Corporation.)

addressing or 31-bit addressing, depending on a bit setting in the current PSW. This ensures compatibility with programs developed for earlier System/370 machines.

Address translation is performed as follows: First the *translation lookaside buffer (TLB)*, a special associative storage that helps determine if the segment and page is in primary storage, is checked. If this information is not found in the TLB, the search continues to the segment and page tables maintained in storage (Fig. 20.5). If there is still no hit, a page fault occurs and the *auxiliary storage manager (ASM)* is called to find the page and bring it into memory. The segment table points to the page table, the page table indicates the real address of the page frame, and the byte offset is appended to that address for the resulting real address (Fig. 20.6).

Three address types are used in System/370: *absolute*, *real*, and *virtual*. The differences are in the way the addresses are translated. Virtual addresses are converted to real addresses, and *prefixing* converts real addresses to absolute addresses. Absolute addresses are used by processors and channels. A real address identifies a physical location in real storage. Real and absolute addresses are the same, except when there is more than one processor accessing primary storage. In this case, prefixing is used. Prefixing assigns real addresses 0 through 4095 to an absolute block of storage. When a processor tries to access that storage, the address is appended to the prefix that is stored in a control register so that the combined address will refer to the correct storage area. Each processor has an area called the *PSA (prefixed save area)* to hold addresses that the two processors cannot share, such as old and new *PSWs* for the various interrupt types.

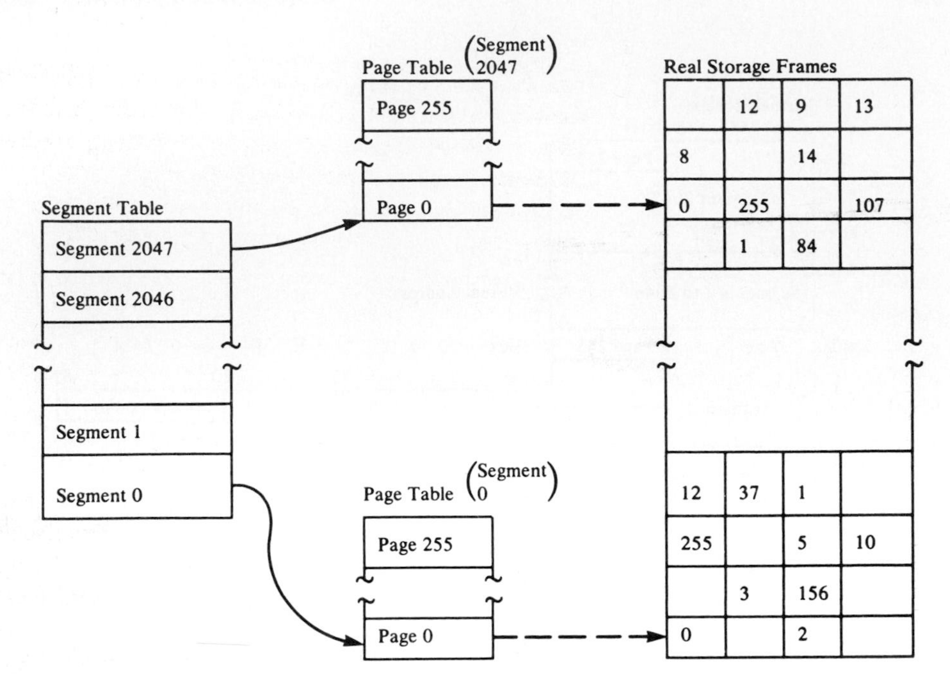

Fig. 20.5 Segment tables and page tables in MVS/XA. (Courtesy of International Business Machines Corporation.)

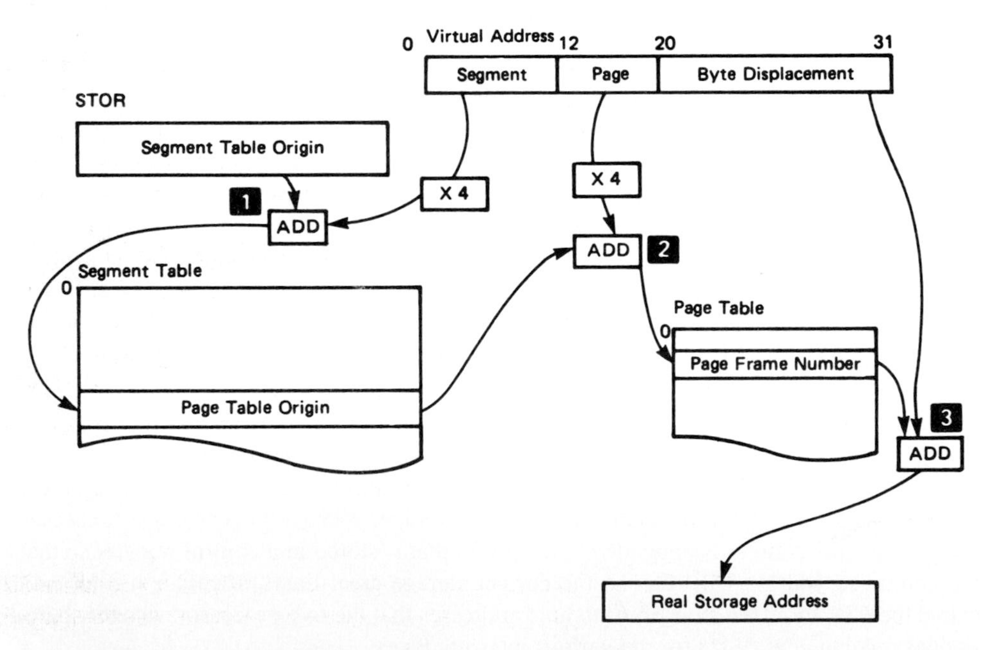

Fig. 20.6 Dynamic address translation in MVS/XA. (Courtesy of International Business Machines Corporation.)

20.4.2 Real Storage Manager

The *real storage manager (RSM)* administers the use of real storage and causes pages to be moved to or from the paging device. It receives guidance from the system resources manager (SRM). Only active pages are kept in real storage—the rest are stored on direct access devices and are under the control of the *auxiliary storage manager (ASM)*. The RSM calls the ASM to move pages to and from storage. The RSM maintains the system-wide *page frame table*, which contains an entry for each frame in real storage (Fig. 20.7). The RSM assigns free page frames from a pool. It maintains the pool by swapping tasks, reclaiming page frames from terminated jobs, and reclaiming frames freed by users. The RSM determines working set size for swapping functions. It also allows jobs to run in real storage if necessary. The RSM provides service routines that handle page fault processing, virtual I/O, and placing real storage offline and online.

20.4.3 Auxiliary Storage Manager

The *auxiliary storage manager (ASM)* is responsible for transferring pages between real storage and direct access devices. This movement can occur a page at a time (called a *paging operation*) or a task at a time (called a *swapping operation*).

The auxiliary storage manager maintains *page data sets*, which contain virtual pages not currently occupying a real storage frame. *Swap data sets* contain the pages of swapped-out tasks.

					Part of Storage Protect Key	
	Address Space Identifier	Segment & Page Number	Available Frame	Unreferenced Interval Count	Reference Bit	Change Bit
			0	0	1	1
			0	0	1	0
1			0	5	0	0
			0	0	1	1
2			0	2	0	1
			0	0	1	1
			0	0	1	1
			0	0	1	1
			0	0	1	0

This page has not been recently referenced, but it has been changed since page-in. Before page stealing occurs, it must be paged-out.

Fig. 20.7 MVS/XA page frame table. (Courtesy of International Business Machines Corporation.)

The ASM manages the *external page table*. When a page-in is to occur, the RSM locates a free page frame, and the ASM examines the external page table to locate the required page on secondary storage. When a page-out is to occur, the ASM locates a free *page slot* on secondary storage, transfers the page from real storage to secondary storage, and makes appropriate entries in the external page table.

20.4.4 Virtual Storage Manager

The *virtual storage manager (VSM)* controls the virtual storage of a task. Each task is placed in an address space created by the VSM during the initialization of the control blocks for the task. The VSM satisfies requests for storage, and frees space when requested. It does this by checking the control blocks in the address space to see if virtual storage is available, and if it is, makes the appropriate entries in the control blocks. The virtual storage manager calls RSM to satisfy requests for real storage.

20.5 MVS/XA ADDRESS SPACES

Once MVS has been initialized, all tasks have the same view of storage (Fig. 20.8). Storage contains operating system code, system control blocks, common storage areas, task control blocks, and application code. The figure and the following discussion illustrate the view of storage in MVS/370; the views in MVS/XA and MVS/ESA are more complex.

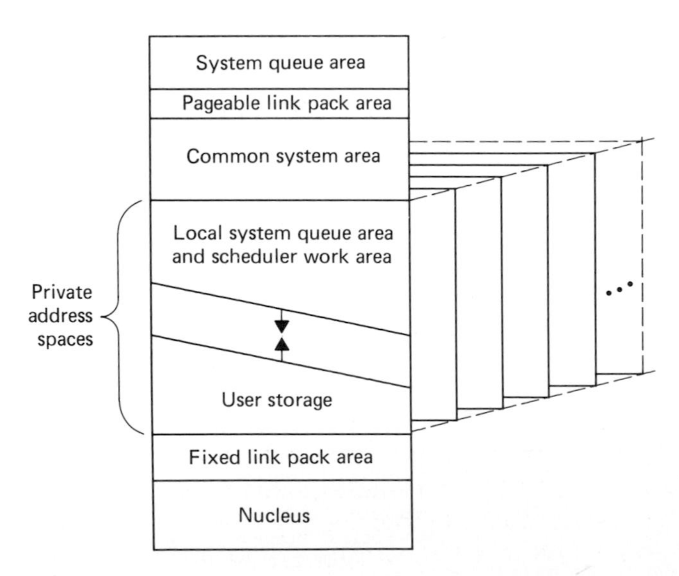

Fig. 20.8 MVS/370 storage map. (Courtesy of International Business Machines Corporation.)

The *nucleus* area contains important system control blocks. These include the *communication vector table,* which contains the address of the current task, the entry addresses of all important routines in the nucleus, and pointers to other important control blocks. Much of the operating system itself is in the nucleus area, especially the important and most frequently executed SVC handlers.

Above the nucleus area is the *fixed link pack area (FLPA),* which contains all the modules that normally would be in the *link pack area* but must run fixed or nonpageable. Modules that significantly improve system performance when fixed rather than paged should be in the FLPA.

Next is the user area that contains the program area, *scheduler work area (SWA),* and *local system queue area (LSQA).* The SWA holds all the job-related control blocks. The LSQA contains the necessary control blocks to run the task, such as the page and segment tables, and the *task control block (TCB).*

The *common system area (CSA)* is where data needed by all tasks is kept. It is the only area accessible by every task in the system. It is used for passing data between tasks not executing in the same address space.

The *system queue area (SQA)* contains the queues and tables that are needed by the system. This area is fixed and cannot be paged. It contains the page tables that define the system area and the common area.

The *pageable link pack area (PLPA)* is where all common system routines reside, as well as some SVC handlers. All the code in the PLPA is reentrant—there is no need to page it out should the storage be needed by some other routine. This helps reduce response times in a storage-constrained system. Most installations have special lists of the most frequently used routines to be kept together to reduce paging in the PLPA area. All routines are shareable by any task in the system. The search for modules starts in the FLPA, then goes to the PLPA unless directed otherwise by the user. With large amounts of sharing, the amount of real storage used by all tasks is reduced.

20.6 MULTIPROCESSING

Multiprocessing can help an installation improve throughput, reliability, availability, and serviceability. The multiprocessor (MP) or attached processor (AP—an AP has no channels) is essentially the attachment of more storage and processors to an existing configuration. With multiple processors, MVS can dispatch work to each for simultaneous processing. Several tasks can be active concurrently, or one task can have several subtasks executing simultaneously. There is still only one operating system. Throughput ordinarily increases by a factor of approximately 1.8 to 1.9 on a two-processor system.

MVS/XA supports loosely-coupled multiprocessing (Fig. 20.9), and tightly-coupled multiprocessing (Fig 20.10). A special version of tightly-coupled multiprocessing, the *dyadic processor* (Fig. 20.11), uses only a single system controller to coordinate the processors, the channel subsystem, and storage. A dyadic processor cannot be partitioned into separate uniprocessor systems as traditional tightly-coupled multiprocessors can.

Several processors could attempt to update the same word of storage simulatneously, so two instructions have been provided to prevent this from occurring—the *compare and*

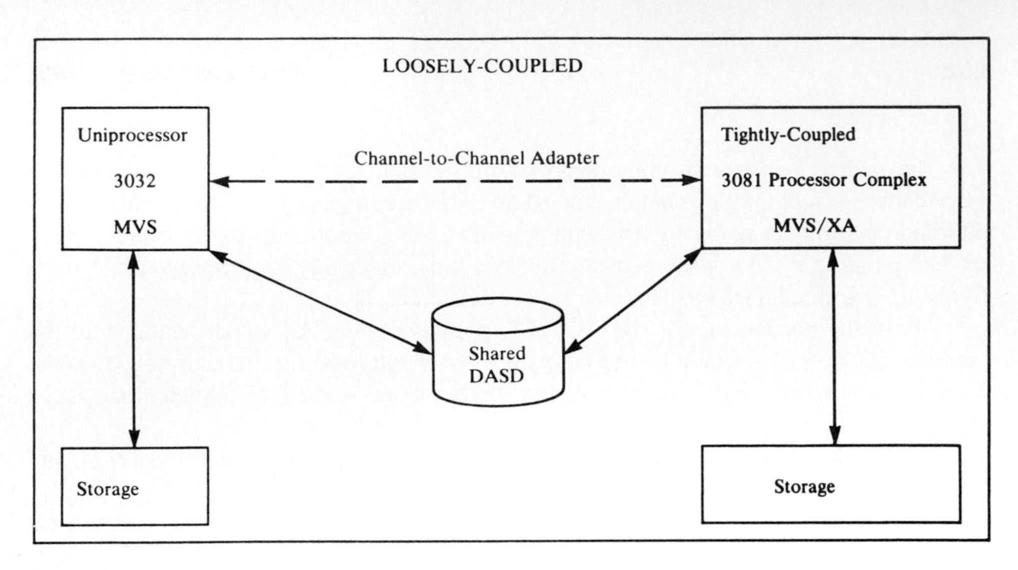

Fig. 20.9 Loosely-coupled multiprocessing. (Courtesy of International Business Machines Corporation.)

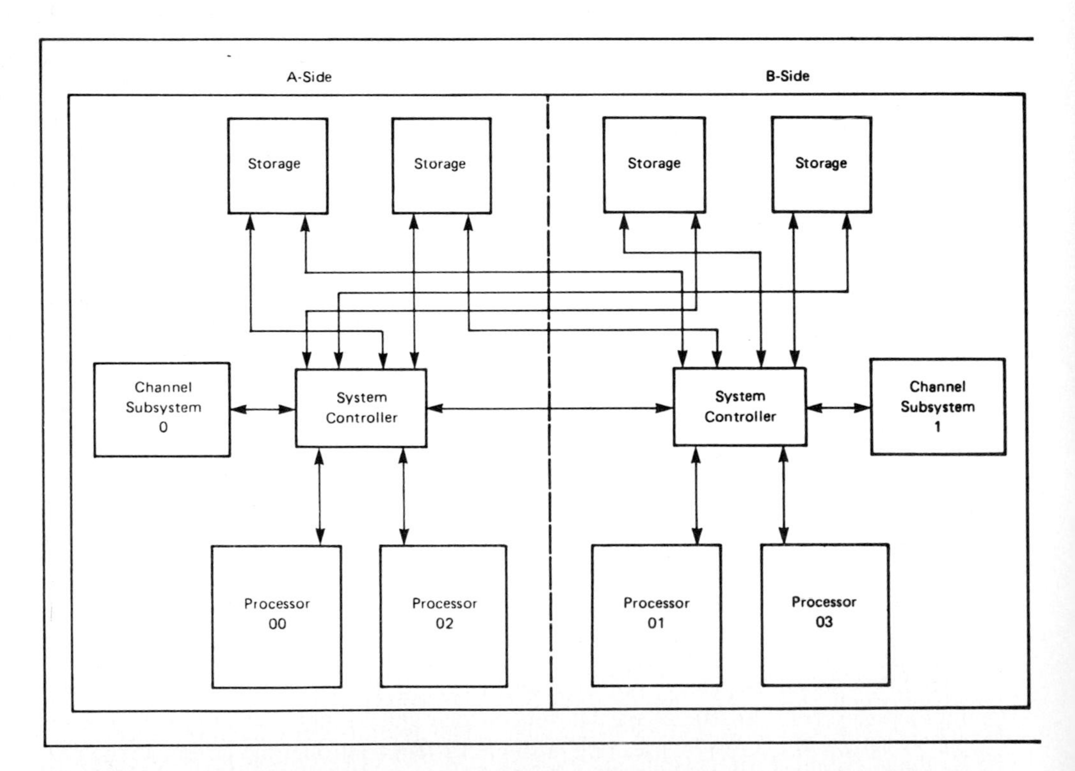

Fig. 20.10 Tightly-coupled multiprocessing. (Courtesy of International Business Machines Corporation.)

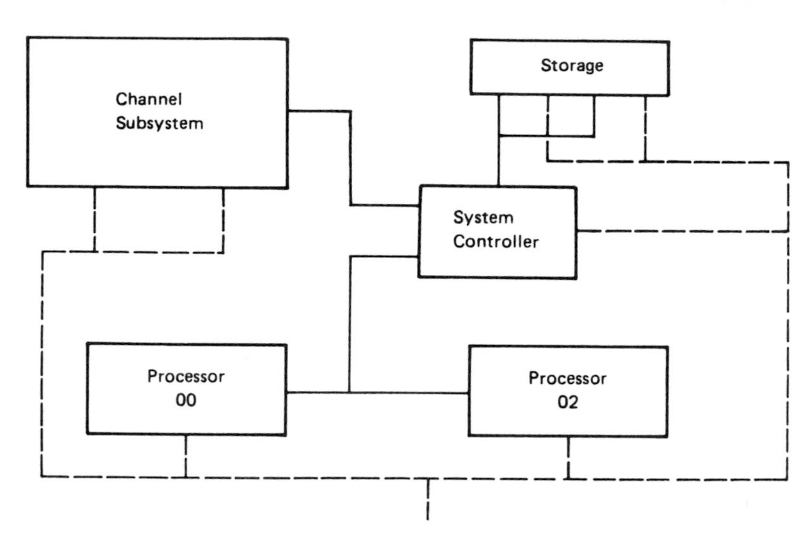

Fig. 20.11 Dyadic processor complex. (Courtesy of International Business Machines Corporation.)

swap and the *compare double and swap*. Basically, they allow a programmer to ensure that a field being updated will not be updated concurrently by some other program. They accomplish this by serializing access to the word (or double word) in storage. Once an instruction is begun and the operand is fetched, the operand cannot be changed by another CPU until the instruction is finished. To use the instruction correctly, a program saves the value to be changed in a register, then issues the compare and swap. If the save value and the location to be changed are equal, the storage location is updated. In the event that the save value and the storage location are unequal, the storage location is loaded to the save register and the location is not changed. The register is loaded so a loop may be performed to try the change again.

Compare and swap is richer in functionality than test and set. Compare and swap can be used to update a queue, for example, in a single instruction, so it does not need to be in a critical section as is the case with test and set. This helps reduce contention and enhance performance on multiprocessors, particularly on systems with greater numbers of processors.

The processors in a multiprocessor configuration communicate with one another by using the *signal processor (SIGP)* command; this enables one processor to *shoulder tap* another processor (inform the processor it must perform some action). The responding processor decodes the SIGP and performs the indicated operation. The various SIGP instruction orders are summarized in Fig. 20.12. Processor communications occur when performing system initialization, dispatching units of work, starting I/O operations, stopping and restarting processors during reconfiguration, and attempting alternate CPU recovery.

Hex code	Order	Explanation
01	Sense	The addressed CPU presents its status to the issuing CPU.
02	External call	An "external call" external interruption condition is generated at the addressed CPU.
03	Emergency signal	An "emergency-signal" external interruption condition is generated at the addressed CPU.
04	Start	The addressed CPU is placed in the operating state.
05	Stop	The addressed CPU performs the stop function.
06	Restart	The addressed CPU performs the restart function.
07	Initial program reset	The addressed CPU performs the initial program reset.
08	Program reset	The addressed CPU performs program reset.
09	Stop and store status	The addressed CPU performs the stop function, followed by the store-status function.
0A	Initial microprogram load	The addressed CPU performs the initial program reset and then initiates the initial microprogram load function (same as that performed in manual initial micro program loading).
0B	Initial CPU reset	The addressed CPU performs the initial CPU reset.
0C	CPU reset	The addressed CPU performs the CPU reset.

Fig. 20.12 SIGP (signal processor) orders. (Courtesy of International Business Machines Corporation.)

During system initialization in a tightly-coupled multiprocessor, MVS can determine if a processor is online by issuing a *SIGP sense*. If it is online, MVS can start the processor with a *SIGP start* (which has the same effect as if an operator pressed START on that processor's console).

When one processor is idle and enters the wait state, another processor may *shoulder tap* the idle processor to inform it that more work has arrived. Shoulder tapping is also useful when one processor is running a process that needs to initiate I/O on a device attached to a different processor. One processor can issue a *SIGP external call* to ask another processor to perform the I/O.

During system reconfiguration one processor may issue a *SIGP stop* to force the other into the stopped state. The stopped processor may be restarted by the other process issuing a *SIGP restart*. These SIGPs have the same effect as if an operator pressed the STOP key and then RESTART key on the target processor's console.

Interprocessor communication is particularly important in recovery operations. One processor can force another to perform an operation immediately by issuing a *SIGP emergency signal*. A failing processor can issue this instruction to force another processor to initiate alternate CPU recovery activity. The operative processor might issue a *SIGP program reset* to reset pending I/O operations on the failing processor. The operative processor can also issue the *SIGP stop-and-store-status* order to record the status of the failing processor.

20.7 MANAGING SYSTEM RESOURCES

Realistically, not all jobs, timesharing users, and system tasks can be given the same share of the computing resource. Users demand good response, at least within the bounds of the system. For instance, a TSO user should get good response on a trivial transaction, but if the user is doing a job interactively that would be better off in batch, the job should receive the same performance as a batch job. Response to the interactive user is usually the fastest in the system (other than the response to the operating system itself), at least for trivial transactions. MVS can ensure through the *system resources manager (SRM)* that response will be good for trivial transactions by giving the user priority in the dispatching queue. But as a TSO user absorbs more than its share of resources, the SRM lowers the user's priority and gives the user fewer resources and slower responses.

The system resources manager (SRM) determines which active task will be given access to system resources, and at what rate the task will be allowed to consume these resources. The SRM bases its decisions primarily on two objectives: distributing resources in accordance with installation requirements for response and turnaround and optimizing system resource use. The installation tells the SRM what its requirements are through initialization parameters read at system startup time (i.e., the *installation performance specification*). The SRM balances resource utilization by scheduling more work, or by swapping work out (by a recommendation to the RSM). A task using too much processor time can be swapped out to allow other tasks better access to the processor. This can also happen to a task that is overutilizing storage or a channel. The SRM tries to balance channel and device utilization. It maintains *use counts* on devices—the device with the lowest use count will be allocated. The SRM resolves page frame shortages by swapping a task out of main storage and stopping the initiation of new tasks. The SRM also steals pages from tasks to satisfy requests for storage; a page that has not been used for the longest period of time is stolen. Pages are stolen from all address spaces until a request is satisfied. Page stealing is done on demand only.

The SRM makes the following types of decisions:

- Which address spaces (tasks) should be swapped in so that they may compete for the system's resources?

- Which pages should be stolen and at what times?
- When should the dispatching priority of a task be adjusted?
- Which devices should be allocated?
- When should the creation of new tasks be suppressed?

The SRM comprises

- The *SRM control* that determines what processing should be performed by the SRM and routes control to the appropriate SRM routines.
- The *workload manager* that monitors each task's use of resources, and makes recommendations to SRM control to help keep each task's resource consumption within the range specified in the installation performance specification.
- The *resource manager* that monitors systemwide use of each resource to determine if resources are underutilized or overutilized. It makes recommendations to SRM control to optimize throughput.

The workload manager measures resource usage rates by tasks in *service units* per second. Service units are computed by considering processor time used, I/O activity, and real storage frames occupied. The *service rate* is then service units per unit time.

20.8 SUPERVISING THE EXECUTION OF WORK

MVS contains a *supervisor*, which supports various functions critical to multiprogramming. The supervisor controls interrupt processing, manages tasks, assigns processors to ready tasks, and serializes access to resources. These capabilities are described in the next several sections. The System/370 interrupt mechanism was described in detail in Chapter 3.

20.8.1 Tasks and Service Requests

There are two units of dispatchable work in MVS, the *service request* and the *task* (IB84) (CI89). The service request is a unit of work designed especially for MVS; it is represented by a data structure called a *service request block*. A service request is a smaller unit of work than a task, and it is dispatched with a higher priority. It helps to increase parallelism on multiprocessors, and reduces startup overhead for small units of work. A program with independent units of work benefits greatly from this design. A service request can be dispatched to any address space, so it may be used for communication between tasks. An example of the use of a service request is in the I/O interrupt handler; when enough information is gathered, it schedules a service request and frees the I/O interrrupt handler to service new interrupts. This increases channel and device utilization.

The other unit of work is the task represented by the data structure called a *task control block*. Creating a task involves considerable overhead; this was the primary reason for creating the notion of service requests. In actuality, all tasks are subtasks of the master scheduler and are attached through various control block structures. A batch job is attached by the *initiator*, the task that starts the job. The *region control task* is the mother task of the initiator as well as the *dump task* and the *batch task*. An application can have as many subtasks as it desires. The application can raise or lower its subtask's dispatching priorities within the address space. Subtasks independent of the mother task can be executing while the mother task is in a wait state.

20.8.2 Dispatcher

The *dispatcher* is the component of the supervisor responsible for keeping the processors busy with the highest-priority work units available. The dispatching queues are constructed by the SRM based on the installation's requirements for response to various types of work. The dispatcher gives priority to special exits such as *vary processor* (change the status of a processor to available or not available), or *processor recovery* (take a processor logically away from the system or try to recover from a transient processor malfunction). After the special exits, the dispatcher gives priority to the *global service requests*, then the *local service requests*, and then the highest-priority task.

20.8.3 Enqueue and Reserve

Another method used to force serialization on a resource is *enqueue*. It allows a program to request a resource; while the program holds that resource it is *uninterruptible*, i.e., other tasks requiring the same resource will be nondispatchable. This can lead to deadlock if the running task requests a service from a nondispatchable task.

Reserve is similar to enqueue but it is used exclusively with shared disks (more than one system sharing the same disk). Reserve turns on a hardware lock against the entire volume so that no other processor may access it. On the processor that issued a reserve, an enqueue is actually set. Again this may cause deadlock. If two processors reserve two separate volumes and then each requests the volume the other has reserved, both will wait until one of the tasks is cancelled.

20.8.4 Locking

There is a *hierarchy of locks* for various resources in the system to prevent simultaneous updating. This is a problem in a multiprocessor in which two tasks—even two subtasks of the same task—can be executing at the same time. The locks in the hierarchy are shown in Fig. 20.13. A task can hold locks while requesting higher locks in the hierarchy, but cannot request a lock lower than it currently holds—this prevents deadlock as per Havender's linear ordering discussed in Chapter 6. A *global lock* affects the entire system; a *local lock* affects only a single address space. There are two types of locks: *spin locks* and *suspend*

Lock Name	Category	Type	Description (See note 1.)
RSMGL	Global	Spin	- Real storage management global lock - serializes RSM global resources.
VSMFIX	Global	Spin	- Virtual storage management fixed subpools lock - serializes VSM global queues.
ASM	Global	Spin	- Auxiliary storage management lock - serializes ASM resources on an address space level.
ASMGL	Global	Spin	- Auxiliary storage management global lock - serializes ASM resources on a global level.
RSMST	Global	Spin	- Real storage management steal lock - serializes RSM control blocks on an address space level when it is not known which address space locks are currently held.
RSMCM	Global	Spin	- Real storage management common lock - serializes RSM common area resources (such as page table entries).
RSMXM	Global	Spin	- Real storage management cross memory lock - serializes RSM control blocks on an address space level when serialization is needed to a second address space.
RSMAD	Global	Spin	- Real storage management address space lock - serializes RSM control blocks on an address space level.
RSM	Global	Spin	- Real storage management lock (shared/exclusive) - serializes RSM functions and resources on a global level.
VSMPAG	Global	Spin	- Virtual storage management pageable subpools lock - serializes the VSM work area for VSM pageable subpools.
DISP	Global	Spin	- Global dispatcher lock - serializes the ASVT and the ASCB dispatching queue.
SALLOC	Global	Spin	- Space allocation lock - serializes receiving routines that enable a processor for an emergency signal or malfunction alert.
IOSYNCH	Global	Spin	- I/O supervisor synchronization lock - serializes, using a table of lockwords, IOS resources.
IOSUCB	Global	Spin	- I/O supervisor unit control block lock - serializes access and updates to the UCBs. There is one IOSUCB lock per UCB.
SRM	Global	Spin	- System resources management lock - serializes SRM control blocks and associated data.
TRACE	Global	Spin	- Trace lock (shared/exclusive) - serializes the system trace buffer.
CPU	Global	Spin	- Processor lock - provides system-recognized (legal) disablement. (See note 2.)
CMSSMF	Global	Suspend	- System management facilities cross memory services lock - serializes SMF functions and control blocks. (See note 3.)
CMSEQDQ	Global	Suspend	- ENQ/DEQ cross memory services lock - serializes ENQ/DEQ functions and control blocks. (See note 3.)
CMS	Global	Suspend	- General cross memory services lock - serializes on more than one address space where this serialization is not provided by one or more of the other global locks. The CMS lock provides global serialization when enablement is required (See note 3.)
CML	Local	Suspend	- Local storage lock - serializes functions and storage within an address space other than the home address space. There is one CML lock per address space. (See note 4.)
LOCAL	Local	Suspend	- Local storage lock - serializes functions and storage within a local address space. There is one LOCAL lock per address space. (See note 4.)

Notes:

1. All locks are listed hierarchical order, with RSMGL being the highest lock in the hierarchy. (See also notes 2, 3, and 4.)
2. The CPU lock has no hierarchy in respect to the other spin type locks. However, once obtained, no suspend locks can be obtained.
3. The cross memory services locks (CMSSMF CMSEQDQ, and CMS) are equal to each other in the hierarchy.
4. The CML and LOCAL locks are equal to each other in the hierarchy.

Fig. 20.13 Definition and hierarchy of MVS/XA locks. (Courtesy of International Business Machines Corporation.)

locks. If a processor tests a spin lock and finds it unavailable, the unit of work requesting the lock is delayed until the lock is available; it repeatedly tests the lock until the lock is released by the other processor. The requesting processor then obtains the lock and control of the associated resource. If a suspend lock is unavailable, the requesting processor is dispatched to another unit of work.

20.9 INPUT/OUTPUT

In the next several sections we consider how MVS/XA organizes information on files, the access methods it provides for reading and writing files, its unique VSAM access method, and how an input/output request moves through the operating system.

20.9.1 File Organizations

Data Management controls accessing of *data sets* (files) on I/O devices. This includes buffering, scheduling I/O, and performing the I/O. MVS supports many file organizations and access methods. There are several file organizations available:

- *Sequential*—One record follows another, and records are stored and retrieved according to their physical order.
- *Indexed Sequential*—Records are logically ordered according to a key, and indices are maintained to facilitate retrieval by key.
- *Direct-random access*—The user must provide an address to access a record on a direct access device; the records may be organized in any manner that meets the user's needs.
- *Partitioned*—Multiple subfiles are contained in one file, with a directory to locate each subfile. A data set consists of *members*. Each member is an independent sequential subfile. Partitioned data sets are used to store libraries of programs, macros, etc.

20.9.2 Access Methods

Programs may use either *queued access techniques* or *basic access techniques* to access the records in a data set. With queued access techniques, programs transfer data with GET and PUT macro instructions. Sequential access is assumed. Records are grouped automatically in anticipation of future I/O requests. Control is not returned to the program issuing the I/O request until the operation has completed.

With basic access techniques programs transfer data with READ and WRITE macro instructions. Any record may be accessed at any time. No anticipation of future requests occurs. Control is returned to the program before the I/O operation completes. The program must explicitly test for completion.

These file organizations are accessed by one or more of the following *access methods:*

- *BDAM (Basic Direct Access Method)*—Records are stored and retrieved by their addresses on direct access volumes.
- *BSAM (Basic Sequential Access Method)*—Records are sequentially organized and stored and retrieved in physical blocks. This method is used for sequential or partitioned files.

- *BPAM (Basic Partitioned Access Method)*—This method is used for the partitioned file to update the directory; the manipulation of the data is done by BSAM or QSAM.
- *QSAM (Queued Sequential Access Method)*—This method is used for sequential or partitioned files; it uses queueing, and performs logical, buffered record operations.
- *ISAM (Indexed Sequential Access Method)*—This method is used only for indexed sequential files. Access can be either sequential *(QISAM)* or direct *(BISAM)*.
- *VSAM (Virtual Storage Access Method)*—This method is used only for virtual storage files.

The first four access methods were developed for the early System/360 operating systems (MFT and MVT) and included in MVS for compatibility reasons. VSAM is entirely new for the virtual storage systems. By committing to VSAM, the user may make operating system upgrades without major reprogramming. VSAM will be discussed in greater detail shortly.

20.9.3 Telecommunication Access Methods

Several telecommunication access methods are available in MVS:

- *BTAM (Basic Telecommunication Access Method)*—This method provides support for telecommunication applications. It uses READ and WRITE macros.
- *TCAM (Telecommunication Access Method)*—This method is used almost exclusively by TSO. It is a queued access method, and provides an interface for user-written applications. It allows each application to check errors and edit and route messages.
- *VTAM (Virtual Telecommunication Access Method)*—This is IBM's SNA (see Chapter 16) in working form, at least the host processor portion. Data transfers may occur in either record mode via SEND and RECEIVE macros or basic mode via READ and WRITE macros. VTAM moves functions that used to be performed on the host processor to the communication controller. Polling terminals for work, for example, must be performed frequently to ensure reasonable response times. Polling takes large amounts of processor time. By allowing the controller to do the polling, more work can be accomplished by the processor. VTAM also uses logical addresses for terminals; this is important for large networks. With VTAM, the only address required (other than local terminals) is the address of the communication controller itself.

20.9.4 Virtual Storage Access Method (VSAM)

The virtual storage access method (VSAM) was especially designed to provide high performance data access in virtual storage systems. It can process three different types of data sets:

- *Key-sequenced data set*—Each record has a key. Records are loaded in key sequence. New records are inserted in key sequence.

- *Entry-sequenced data set*—Records are loaded into the data set sequentially as they are entered. New records are appended to the end of the data set. When VSAM stores a record in an entry-sequenced data set, it returns the relative byte address of the record to the user. The user program may optionally create its own index to the file to allow direct access to the records.
- *Relative record data sets*—Records are loaded according to a relative record number. If VSAM assigns the relative record number, new records are appended at the end of the data set. If the user program handles the relative record numbering, then new records can be added in relative record sequence.

Records in a relative record data set occupy fixed-length slots. The slots are numbered sequentially from 1 to the number of records in the data set. Storing and retrieving of records is performed by slot number. Records may be accessed either sequentially or directly, but only by relative record number. Direct access to relative record data sets is much faster than direct access to key-sequenced data sets.

VSAM allows the construction of an *alternate index* for either a key-sequenced or an entry-sequenced data set. Alternate indices are used to provide mutiple ways of accessing a single data set, thus eliminating the need for keeping several copies of the same data set for different applications.

20.9.5 Processing an I/O Request in MVS

Figure 20.14 shows the major steps involved in servicing an input/output request. The user program is responsible for defining the operation to be performed. The system performs the operation, handles the completion interrupt, and posts the status of the completed operation. The figure shows the general flow of I/O in MVS systems. The details of I/O in MVS/XA and MVS/ESA are more complex.

20.10 JOB ENTRY SUBSYSTEM

The *job entry subsystem* receives jobs to process and produces job outputs. There are two job entry subsystems, *JES2* and *JES3*. They are the descendants of the spooling systems HASP and ASP, respectively. Basically, both JES2 and JES3 provide the same functions, with JES3 additionally providing job scheduling based on the job's requirements (i.e., tapes, disks) and installation scheduling requirements.

JES processing proceeds as follows. Jobs are entered into the system, or they can be generated by a program and passed to the system. All jobs are scanned for correctness, and then are placed in an appropriate queue. JES provides a means for the installation to schedule work using a class priority structure. Job control language statements are converted to an internal form readable by MVS. Errors cause the job to be flushed from the system; appropriate messages are issued to the user.

Each job is sent to MVS for execution, based on class and priority. JES then relinquishes control over the job; printed outputs are trapped by JES and placed on a spooling disk. MVS notifies JES of job completion. The job moves to the next JES operation—the

User program	Access method	System components
1. Describes data set.		
2. Issues OPEN macro to prepare data set.		
3. Issues I/O request to call the access method.		
	4. Builds control blocks and channel program to describe request.	
	5. Issues EXCP macro to invoke the system components.	
		6. Builds control blocks, fixes pages and translates channel program, schedules or starts operation with an SIO instruction, and returns to the requester.
	7. Waits for operation to complete. (User program waits for completion if using basic access technique.)	
		8. Handles I/O interruption that signals completion of the operation, analyzes and posts the status of the operation, and returns to the dispatcher.
9. Continues processing when I/O operation is complete.		
10. Issues CLOSE macro when all operations on a data set		

Fig. 20.14 Major steps in processing an input/output operation. (Courtesy of International Business Machines Corporation.)

output step. Outputs are printed, and the job is purged from the system. Any spool space used by the job is made available for reuse.

A JES3 installation may provide *deadline scheduling*, i.e., the user may specify the time of day by which a given job should be selected to run. Both JES2 and JES3 offer *priority aging*. The longer a job waits, the higher the system makes the job's priority; this prevents indefinite postponement.

20.11 MONITORING SYSTEM ACTIVITY

MVS provides several mechanisms for monitoring the work units in the system. These mechanisms facilitate debugging, provide useful information for evaluating system performance, and record resource usage.

20.11.1 System Management Facilities

The *system management facilites (SMF)* gather performance statistics and record information about tasks. This information includes elapsed processor time, number of I/Os completed, files used, lines printed, and working set size. An installation can use this information to bill users for resources, determine average turnaround time, etc.

20.11.2 Resource Measurement Facility

The *resource measurement facility (RMF)* records vital statistics about the operating system, such as paging activity, processor activity, and device activity. With this information, the performance analyst can determine how to set performance objectives, and can locate bottlenecks.

20.11.3 Dumping Facilities and Trace Facilities

MVS provides comprehensive dumping facilities. A *SNAP dump* is a snapshot of virtual storage requested directly by a running process. An *ABEND dump* is requested by a process that wants to terminate because of an unrecoverable error it has encountered. *SVC dumps* are the system program's equivalent of user SNAP dumps; both these types of dumps return control directly to the source that initiated the dump. A *stand-alone dump* is initiated by the system operator when MVS fails; it dumps all real storage and portions of virtual storage.

MVS provides many facilities for tracing system events. These include *system trace*, *master trace*, and the *generalized trace facility*. Each of these captures system events by the use of *hooks*. A hook is a sequence of instructions that signals an event to the tracing mechanism, captures event-related data, and makes this data available to the tracing mechanism.

System trace records external interruptions, start I/Os, I/O completion interrupts, program interrupts, SVC interrupts, and dispatching events.

The generalized trace facility traces all events normally handled by system trace, plus many other types of events. It may trace in either *internal mode*, in which it builds trace records in virtual storage, or *external mode*, in which trace records are also written to tape or disk.

Master trace is used to monitor console traffic and other external system activity such as volume mounting requests and confirmations, status displays, operator requests, and the system responses to these requests. This information is often helpful in debugging system failures, particularly those involving I/O devices.

20.11.4 Serviceability Level Indication Processing

Dumps present the contents of virtual storage when an error has occurred. Traces supply a chronology of system events. MVS associates these two diagnostic capabilities in its *SLIP (serviceability level indication processing)* mechanism. SLIP relates a particular diagnostic action like dumping or tracing with a specific event such as a program interruption or storage reference. In SLIP terminology, the specification of a system event to be intercepted and the action that is to be taken when the event occurs is called a *trap*. When a trap is *enabled*, the specified action is indeed taken if the event occurs. If a trap is *disabled*, then the system does not check for the occurrence of the event. Traps may be enabled and disabled in response to changing system conditions.

In addition to the monitoring capabilities discussed so far, MVS provides *error recording*. It creates a complete system history (from initialization to shutdown) of hardware failures, system software errors, and certain system events. This history is written to the permanently resident logging data set.

20.12 ENTERPRISE SYSTEMS ARCHITECTURE AND MVS/ESA

IBM's latest version of MVS is *MVS/ESA (Enterprise Systems Architecture)*. MVS/ESA offers enhancements in key areas (Ak88) such as memory addressability, program linkage, storage hierarchies, system-managed store, system logical partitioning, increased electronic storage, and multiprocessing support.

Main memory size on the 370/ESA 600S model can be as large as 512 megabytes; additional 4K block-addressable *expanded memory* can be as large as 2 gigabytes. Expanded memory is larger, cheaper, and slower than primary memory; it is smaller, more expensive, and faster than typical disk storage secondary memories. MVS/ESA uses expanded memory to cache information and greatly reduce input/output activity; this can greatly enhance performance.

With ESA, every instruction can operate in many address spaces. Perhaps more intriguing is the fact that even a single instruction with multiple operands may have each of these in different address spaces.

MVS/ESA supports processor-managed (rather than software-managed) linkage stacks to enhance performance. Programs may create and use *data spaces*; these are virtual spaces that hold only data. *Hiperspaces* are high-performance data spaces. *Data window services* enable key user programming languages to use hiperspaces (Ru89). The *virtual lookaside facility (VLF)* enables programs to create and manipulate virtual-storage, named data objects. VLF can greatly reduce the volume of I/Os and thus enhance performance.

20.12.1 Cross Memory Services

In 1980, MVS/SP introduced *cross memory services* to enable the use of *DAS (dual address space)* facilities (Cl89). DAS enables addressability to a *primary address space* and a secondary address space; appropriate authorization is required. Without these DAS capabilities, passing data across address spaces was a very-high overhead operation requiring interprocess communication and synchronization. Now data is passed simply with the move instructions, *move to primary (MVCP)*, and *move to secondary (MVCS)*. Cross memory services also allows synchronous linkage between programs in different address spaces (Cl89) via the *program call (PC)* and *program transfer (PT)* instructions.

20.12.2 Data in Virtual

The MVS/XA architecture introduced the notion of *data in virtual* (Ru89). Most early virtual storage systems stored programs and their constants and variables in virtual storage, but data files were not mapped into the virtual address space. One reason for this was that many of the files in commercial computing environments were larger, and often much larger, than the virtual address space sizes available on these early systems. With data in virtual, secondary storage files may be treated as residing in virtual storage. An advantage to this approach is that the virtual storage management mechanisms of the operating system present a device-independent view to applications. This is quite different from what applications see when their data is stored as conventional files. Data-in-virtual objects are thus more portable than conventional files.

20.12.3 Data Spaces and Hiperspaces

A *data space* is a data-only virtual storage as large as 2 gigabytes (IB88a) (Cl89) (Ru89). Access to data spaces is strictly by hardware, so a data space helps isolate data. Data spaces are particularly effective for controlled data sharing across address spaces. The complete range of addressing in the data space is available to the user. Data spaces may be private (i.e., accessible by one address space), or shared (i.e., accessible by several address spaces). A program requires authorization to create shared data spaces. A privileged program may cause a data space to be prefetched to facilitate execution. Data spaces can hold programs, but only to be treated as data; programs in data spaces may not be executed (Ru89).

A *hiperspace* is a high-performance data space in *extended storage* (Ru89). Data is accessible in blocks of 4K (which begin on 4K boundaries). There are two kinds of hiperspaces. *Standard hiperspaces* (for unauthorized callers) use expanded storage, or conventional auxiliary storage; these hiperspaces can be paged. Expanded-storage-only hiperspaces can reside only in extended storage; these hiperspaces can be used only by authorized callers.

High-level language programs call *data window services* to use hiperspaces. Programs can manipulate *data-in-virtual* objects via data window services; these services enable programs to access data in hiperspaces and scroll through that data using *virtual windows*.

The *virtual lookaside facility (VLF)* is a set of system services that enables properly authorized programs to store named data objects in data spaces (where those objects are cached), and to retrieve those objects (IB88a) (Cl89). The VLF offers fast retrieval of named data objects; the caching greatly reduces the need for disk accesses.

The *LNKLST lookaside* facility monitors the use of the system's LNKLST load modules. It keeps the most active modules in data space for rapid retrieval (via LLF); this reduces disk accesses from directory searches and module fetches. The *Library lookaside* facility performs functions similar to LNKLST lookaside, but for load modules in production libraries.

20.13 THE FUTURE OF MVS

There will always be a need for large-scale, efficient batch processing. MVS will remain the preferred batch-processing operating system for IBM's mainframes for at least the 1990s. MVS provides maximum throughput while both interactive and batch processing tasks co-exist. The VM operating system (discussed in the next chapter) is an excellent vehicle for testing a new release of an operating system or for conversion to a different operating system because both the old and the new systems can be run concurrently; VM also provides finely tuned interactive processing. Although MVS and VM are dramatically different in concept, they complement one another nicely.

Because MVS can run under VM, many installations run both operating systems simultaneously to take advantage of the special capabilities of each. There is some speculation that IBM may eventually merge these systems. Whether a physical merge occurs or not it is clear that each of these operating systems will play a key role in the strategic plans of IBM and its large-system users for the next decade.

TERMINOLOGY

ABEND dump
AP (attached processor)
ASM (auxiliary storage manager)
ASP (asymmetric multiprocessing system)
basic access techniques
BDAM (basic direct access method)
BISAM (basic indexed sequential access method)
BPAM (basic partitioned access method)
BSAM (basic sequential access method)
BTAM (basic telecommunication access method)
communication task
communication vector table
compare and swap instruction
CSA (common system area)
data space
data-in-virtual objects
data window services
deadline scheduling
enqueue
entry-sequenced data set
extended storage
external page table
FLPA (fixed link pack area)
FRR (functional recovery routines)
Generalized trace facility
hierarchy of locks
hiperspace
hook
IMS (information management system)
initiator
installation performance specification
IPL (initial program load)
IPS (installation performance specification)
ISAM (index sequential access method)
JES3 (job entry subsystem 3)
JES2 (job entry subsystem 2)
key-sequenced data set

LSQA (local system queue area)
master scheduler
master trace
MP (multiprocessor)
MVS (multiple virtual storage)
MVS/ESA
MVS/XA
nucleus
OS/SVS (single virtual storage)
page data set
page frame table
page slot
page stealing
PLPA (pageable link pack area)
prefixing
priority aging
PSA (prefixed save area)
QISAM (queued indexed sequential access method)
QSAM (queued sequential access method)
queued access techniques
relative record data set
resource manager
RSM (real storage manager)
scheduler
service rate
service request
service request block
service units
shoulder tap
SIGP (signal processor instruction)
SLIP (serviceability level indication processing)
SNAP dump
spin lock
SQA (system queue area)
SRM (system resources manager)
SRM control
suspend lock
SVC dump
SWA (scheduler work area)
swap data set
system activity measurement facility
system management facility
system trace
task control block
TCAM (telecommunication access method)
TLB (translation lookaside buffer)
trap
TSO (timesharing option)
use counts
virtual lookaside facility
virtual sequential file system
virtual window
VSAM (virtual sequential access method)
VSM (virtual storage manager)
VTAM (virtual telecommunication access method)
workload manager

EXERCISES

20.1 MVS is designed primarily for mainframe computer systems that perform massive batch processing. In that regard, how is it different from other systems like UNIX systems and VAX/VMS?

20.2 List several features of MVS designed to improve its reliability, availability, and serviceability.

20.3 Why are the various system locks in MVS arranged hierarchically? Distinguish between spin locks and suspend locks. What types of resources are best protected by spin locks? What types of resources are best protected by suspend locks?

20.4 Distinguish between absolute, real, and virtual addresses.

20.5 Discuss each of the following storage protection schemes

a) key b) segment c) low-address

20.6 What is the difference between queued access techniques and basic access techniques?

20.7 Describe the major steps in processing an input/output operation under MVS.

20.8 Describe the various types of data sets that may be processed under VSAM.

20.9 In what types of applications might a programmer best access records by relative record number?

20.10 Describe how virtual address translation occurs in MVS.

20.11 Briefly describe the various file organizations supported by MVS.

20.12 What telecommunication access methods are supported by MVS?

20.13 Compare and contrast the two units of dispatchable work in MVS, namely the service request and the task.

20.14 What types of decisions are made by the SRM?

20.15 Discuss the functions performed by each of the following components of the SRM.

a) SRM control b) workload manager c) resource manager

20.16 What types of programs and data are kept in each of the following MVS storage areas?

a) nucleus
b) fixed link pack area
c) scheduler work area
d) local system queue area
e) common system area
f) system queue area
g) pageable link pack area

20.17 How is the SIGP instruction useful to MVS in controlling each of the following situations that arise under multiprocessing?

a) performing system initialization
b) dispatching units of work
c) starting I/O operations
d) performing system reconfiguration
e) attempting alternate CPU recovery

20.18 What are the functions of each of the following MVS trace facilities?

a) system trace b) master trace c) generalized trace facility

20.19 How are each of the following dumps used?

a) SNAP dump
b) ABEND dump
c) SVC dump
d) stand-alone dump

20.20 What is the purpose of MVS's SLIP (serviceability level indication processing) mechanism? What is a trap? Why is it useful to be able to enable and disable traps?

20.21 In what circumstances might the MVS troubleshooter resort to the use of the error recording file?

20.22 Read the descriptions of the test and set instruction and the compare and swap instruction from a recent IBM System/370-architecture computer. Substantiate the claim in this case study that compare and swap can be used to update a queue in a single instruction (without requiring a critical section), whereas the test and set requires the use of a critical section.

20.23 Compare and contrast the operation of the test and set, compare and swap, and fetch and add (see Chapter 11) instructions discussed in this text. Given the trends toward increasing levels of multiprocessing, and eventually massive parallel processing, suggest what the next instruction in this evolution might be.

LITERATURE

(Ah88) Ahuja, V., "Common Communications Support in Systems Application Architecture, *IBM Systems Journal*, Vol. 27, No. 3, 1988, pp. 264–280.

(Ak89) Aken, B. R., Jr., "Large Systems and Enterprise Systems Architecture," *IBM Systems Journal*, Vol. 28, No. 1, 1989, pp. 4–14.

(Au81) Auslander, M. A.; D. C. Larkin; and A. L. Scherr, "The Evolution of the MVS Operating System," *IBM Journal of Research and Development*, Vol. 25, No. 5, 1981, pp. 471–482.

(Be78) Beretvas, T., "Performance Tuning in OS/VS2 MVS," *IBM Systems Journal*, Vol. 17, No. 3, 1978, pp. 290–313.

(Be88) Berry, R. E., "Common User Access—A Consistent and Usable Human-Computer Interface for the SAA Environments," *IBM Systems Journal*, Vol. 27, No. 3, 1988, pp. 281-300.

(Bo89) Borden, T. L.; J. P. Hennessy; and J. W. Rymarczyk, "Multiple Operating Systems on One Processor Complex," *IBM Systems Journal*, Vol. 28, No. 1, 1989, pp. 104–123.

(Bo85) Bouros, M. P., *Getting Into VSAM: An Introduction and Technical Reference*, New York, NY: John Wiley & Sons, 1985.

(Br85) Brooks, R. C., "An Approach to High Availability in High-Transaction-Rate Systems," *IBM Systems Journal*, Vol. 24, No. 3/4, 1985, pp. 279–293.

(Bu88) Buchwald, L. A.; R. W. Davison; and W. P. Stevens, "Integrating Applications with SAA," *IBM Systems Journal*, Vol. 27, No. 3, 1988, pp. 315–324.

(Bu83) Burton, K., "Anatomy of a Colossus, Part I," *PC Magazine*, January 1983, pp. 280–286.

(Bu83a) Burton, K., "Anatomy of a Colossus, Part II," *PC Magazine*, February 1983, pp. 317–330.

(Bu83b) Burton, K., "Anatomy of a Colossus, Part III," *PC Magazine*, March 1983, pp. 467–478.

(Ca78) Case, R. P., and A. Padegs, "Architecture of the IBM System/370," *Communications of the ACM*, Vol. 21, No. 1, January 1978, pp. 73–96.

(Cl89) Clark, C. E., "The Facilities and Evolution of MVS/ESA," *IBM Systems Journal*, Vol. 28, No. 1, 1989, pp. 124 150.

(Co89) Cohen, E. I.; G. M. King; and J. T. Brady, "Storage Hierarchies," *IBM Systems Journal*, Vol. 28, No. 1, 1989, pp. 62–76.

(De88) Demers, R. A., "Distributed Files for SAA," *IBM Systems Journal*, Vol. 27, No. 3, 1988, pp. 348–361.

(Du88) Dunfee, W. P.; J. D. McGehe; R. C. Rauf; and K. O. Shipp, "Designing SAA Applications and User Interfaces," *IBM Systems Journal*, Vol. 27, No. 3, 1988, pp. 325–347.

(Ev86) Evans, B. O., "System/360: A Retrospective View," *Annals of the History of Computing*, Vol. 8, No. 2, April 1986, pp. 155–179.

(Fr85) Freedman, D. H., "Converting to XA: Is Everybody Happy?" *Infosystems*, Vol. 32, No. 5, May 1985, pp. 78–80.

(Ge89) Gelb, J. P., "System-Managed Storage," *IBM Systems Journal*, Vol. 28, No. 1, 1989, pp. 77–103.

(Gi87) Gifford, D., and A. Spector, "Case Study: IBM's System/360-370 Architecture," *Communications of the ACM*, Vol. 30, No. 4, April 1987, pp. 291–307.

(Ha89) Haupt, Michael, "ESA Is On The Way," *Mainframe Journal*, Vol. 4, No. 1, January 1989, pp. 20–24.

(Ha88) Haynes, W. K.; M. E. Dewell; and P. J. Herman, " The Cross System Product Application Generator: An Evolution," *IBM Systems Journal*, Vol. 27, No. 3, 1988, pp. 384–390.

(IB83) IBM Corporation, *Virtual Machine/Extended Architecture Migration Aid Concepts*, GC19-6214-0, Kingston, NY: International Business Machines Corporation, 1983.

(IB83a) IBM Corporation, *Virtual Machine/Extended Architecture Migration Aid General Information*, GC19-6213-1, Kingston, NY: International Business Machines Corporation, 1983.

(IB84) IBM Corporation, *MVS/Extended Architecture Overview*, GC28-1348-0, Poughkeepsie, NY: International Business Machines Corporation, 1984.

(IB87) IBM Corporation, *MVS/System Product Version 2 Release 1 General Information*, GC28-1118-10, Poughkeepsie, NY: International Business Machines Corporation, 1987.

(IB87a) IBM Corporation, *MVS/System Product Version 2 Release 2 General Information*, GC28-1500-2, Poughkeepsie, NY: International Business Machines Corporation, 1987.

(IB88) IBM Corporation, *Systems Application Architecture: An Overview*, GC26-4341-2, San Jose, CA: International Business Machines Corporation, 1988.

(IB88a) IBM Corporation, *MVS/ESA General Information for System Product Version 3*, MVS/System Product: Version 3, GC28-1359-0, Poughkeepsie, NY: International Business Machines Corporation, 1988.

(Ka84) Katzan, H., Jr., and D. Tharayil, *Invitation to MVS Logic & Debugging*, New York, NY: Petrocelli, 1984.

(Ma77) Matick, R., *Computer Storage Systems and Technology*, New York, NY: John Wiley & Sons, Inc., 1977.

(Mi86) Milliken, K. R.; A. V. Cruise; R. L. Ennis; A. J. Finkel; J. L. Hellerstein; D. J. Loeb; D. A. Klein; M. J. Masullo; H. M. Van Woerkom; and N. B. Waite, "Yes/MVS and the Automation of Operations for Large Computer Complexes," *IBM Systems Journal*, Vol. 25, No. 2, 1986, pp. 159–180.

(Mo88) Moad, J., "IBM Puts on the Gloves with MVS/ESA," *Datamation*, Vol. 34, No. 10, May 15, 1988, pp. 56–64.

(Pl89) Plambeck, K. E., "Concepts of Enterprise Systems Architecture/370," *IBM Systems Journal*, Vol. 28, No. 1, 1989, pp. 39–61.

(Pr89) Prasad, N. S., *IBM Mainframes: Architecture and Design*, New York, NY: McGraw-Hill, 1989.

(Re88) Reinsch, R., "Distributed Database for SAA," *IBM Systems Journal*, Vol. 27, No. 3, 1988, pp. 362–369.

(Ru89) Rubsam, K. G., "MVS Data Services," *IBM Systems Journal*, Vol. 28, No. 1, 1989, pp. 151–164.

(Sc89) Scalzi, C. A.; A. G. Ganek; and R. J. Schmalz, "Enterprise Systems Architecture/370: An Architecture for Multiple Virtual Space Access and Authorization," *IBM Systems Journal*, Vol. 28, No. 1, 1989, pp. 15–38.

(Sh80) Schardt, R. M., "An MVS Tuning Approach," *IBM Systems Journal*, Vol. 19, No. 1, 1980, pp. 102–119.

(Sc73) Scherr, A. L., "Functional Structure of IBM Virtual Storage Operating Systems, Part II: OS/VS2-2 Concepts and Philosophies," *IBM Systems Journal*, Vol. 12, No. 4, 1973, pp. 382–400.

(Sc88) Scherr, A. L., "SAA Distributed Processing," *IBM Systems Journal*, Vol. 27, No. 3, 1988, pp. 370–383.

(Sc88a) Schussel, G., "UNIX vs. SAA," *Computerworld*, September 12, 1988, pp. 99–102.

(Si86) Singh, Y.; G. M. King; and J. W. Anderson, "IBM 3090 Performance: A Balanced System Approach," *IBM Systems Journal*, Vol. 25, No. 1, 1986, pp. 20–35.

(Tu86) Tucker, S. G., "The IBM 3090 System: An Overview," *IBM Systems Journal*, Vol. 25, No. 1, 1986, pp. 4–19.

(Uh88) Uhlir, S., "Enabling the User Interface," *IBM Systems Journal*, Vol. 27, No. 3, 1988, pp. 306–314.

(Wh88) Wheeler, E. F., and A. G. Ganek, "Introduction to Systems Application Architecture," *IBM Systems Journal*, Vol. 27, No. 3, 1988, pp. 250–263.

(Wo88) Wolford, D. E., "Application Enabling in SAA," *IBM Systems Journal*, Vol. 27, No. 3, 1988, pp. 301–305.

21
Case Study: VM A Virtual Machine Operating System

Conversation is but carving!
Give no more to every guest,
Than he's able to digest.
Give him always of the prime,
And but little at a time.
Carve to all but just enough,
Let them neither starve nor stuff,
And that you may have your due,
Let your neighbor carve for you.

Jonathan Swift

If one can attribute politics to operating systems,
[then VM's Control Program (CP)] certainly is the
most egalitarian. All operating systems are welcome.

Robert J. Creasy
quoted in *Datamation*, July 15, 1988 (Sc88)

Outline

21.1 Introduction
21.2 History
21.3 The Control Program (CP)
  21.3.1 Demand Paging
  21.3.2 Minidisks
  21.3.3 Console Management
  21.3.4 CP User Privilege Classes
  21.3.5 VM Directory
21.4 The Conversational Monitor System (CMS)
21.5 Remote Spooling and Communications Subsystem
21.6 Strengths of VM
21.7 VM/370 Evolution
21.8 Performance Considerations
  21.8.1 Virtual Machine Assist Feature
  21.8.2 Extended Control Program Support Feature
  21.8.3 Performance Measurement and Analysis
21.9 Reliability, Availability, and Serviceability
21.10 The Versions of VM
21.11 AIX/370
21.12 UNIX vs. VM
21.13 VM/SP Extensions
21.14 VM: IBM's Large-Scale Operating System for the 1990s?

Acknowledgment and Permission Credits: Where indicated, figures in this chapter are reprinted by permission from *IBM Virtual Machine Facility/370 Introduction*. Copyright International Business Machines Corporation, 1986.

21.1 INTRODUCTION

A *virtual machine* is an illusion of a real machine. It is created by a *virtual machine operating system*, which makes a single real machine appear to be several real machines (Fig. 21.1). From the user's viewpoint, virtual machines can appear to be existing real machines, or they can be dramatically different. The concept has proven valuable and many virtual

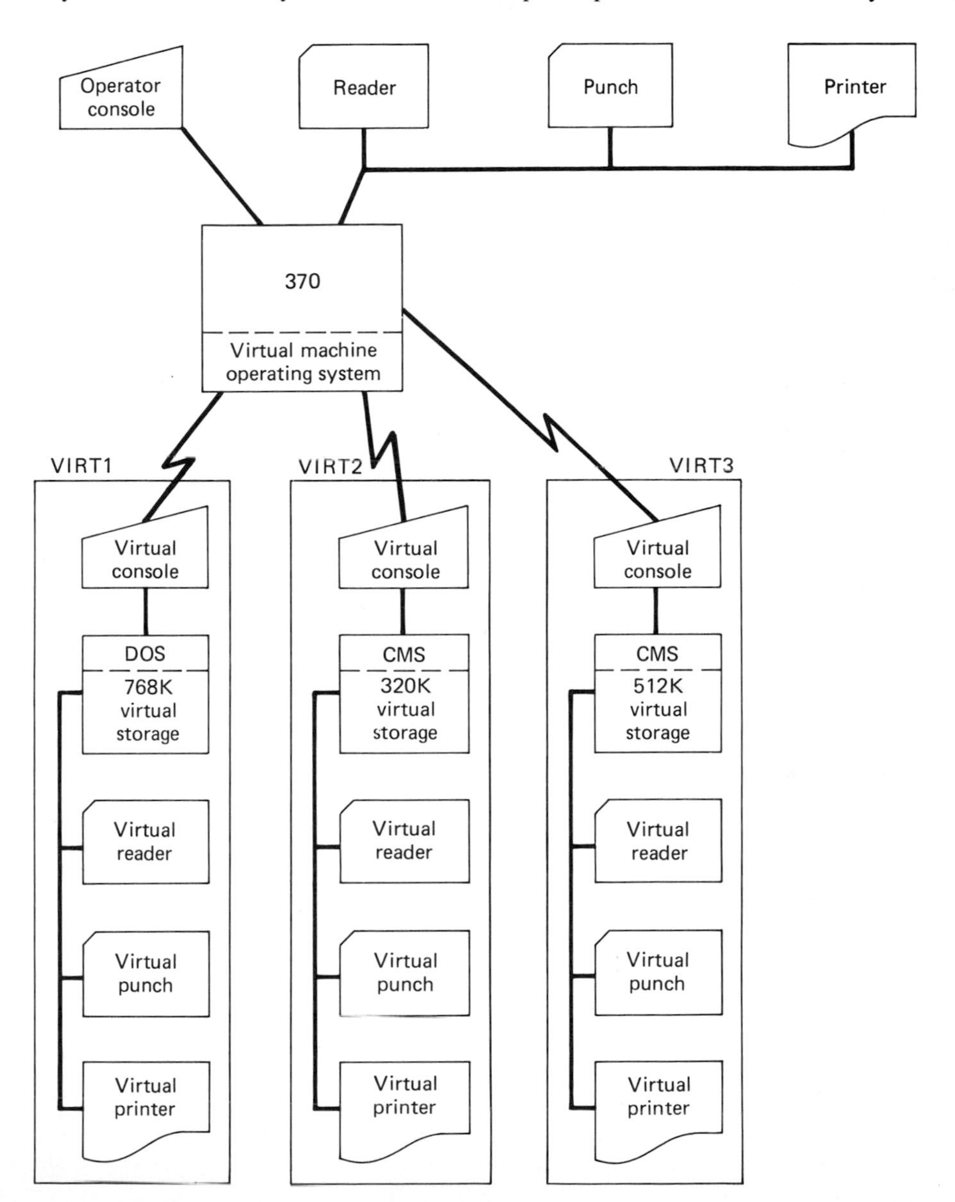

Fig. 21.1 Several virtual machines created by a single real machine. (Courtesy of International Business Machines Corporation.)

Batch or single users interactive systems
DOS/VSE MVS PC DOS
Multiple-access systems
VM/370 Timesharing Option of MVS AIX/370
Conversational system
CMS

Fig. 21.2 Operating systems that run as guests under VM. (Courtesy of International Business Machines Corporation.)

machine operating systems have been developed. The most widely used of these is IBM's *VM*.

VM manages an IBM System 370 (Cs78) (Gi87) computer (or compatible hardware), and creates the illusion that each of several users operating from terminals has a complete System 370, including a wide range of input/output devices. Each user can choose a different operating system—VM can actually run several different operating systems at once, each of them on its own virtual machine. The VM user may run any of several different IBM operating systems, or a customized or "home-grown" system. Most commonly, VM users run versions of the IBM operating systems listed in Fig. 21.2.

Conventional multiprogramming systems (Fig. 21.3) share the resources of a single computer among several processes. These processes are each allocated a portion of the real

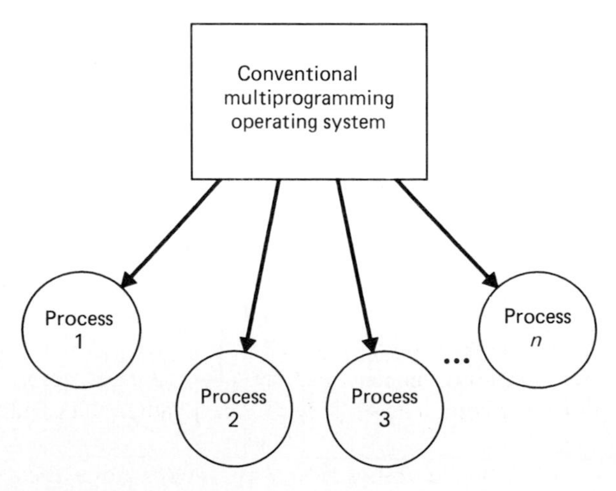

Fig. 21.3 Conventional multiprogramming.

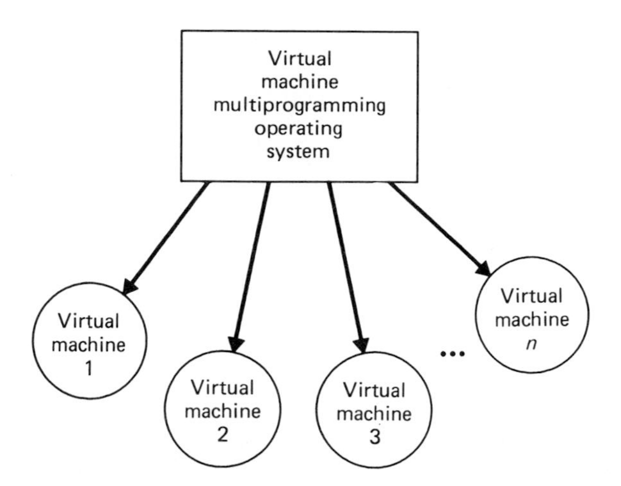

Fig. 21.4 Virtual machine multiprogramming.

machine's resources. They see a machine smaller in size and capabilities than the real machine on which they run.

Virtual machine multiprogramming systems (Fig. 21.4) share the resources of a single machine in a different manner. They create the illusion that one real machine is actually several machines. They create virtual processors, virtual storage, and virtual I/O devices, possibly with much larger capacities than those of the underlying real machine.

The main components of VM are

- the *Control Program—(CP)*
- the *Conversational Monitor System—(CMS)*
- the *Remote Spooling Communications Subsystem—(RSCS)*
- the *Interactive Problem Control System—(IPCS)*
- the *CMS Batch Facility*

CP creates the environment in which virtual machines can execute (Fig. 21.5). It provides the support for the various operating systems normally used to control actual System/370 and compatible computer systems.

CMS is an applications system with powerful features for interactive development of programs. It contains editors, language translators, various applications packages, and debugging tools.

CP manages the real machine underlying the virtual machine environment. It gives each user access to the facilities of the real machine such as the processor, storage, and I/O devices. CP multiprograms complete virtual machines rather than individual tasks or processes.

RSCS provides VM with the ability to transmit and receive files in a distributed system. IPCS is used for on-line analysis and for fixing VM software problems. IPCS

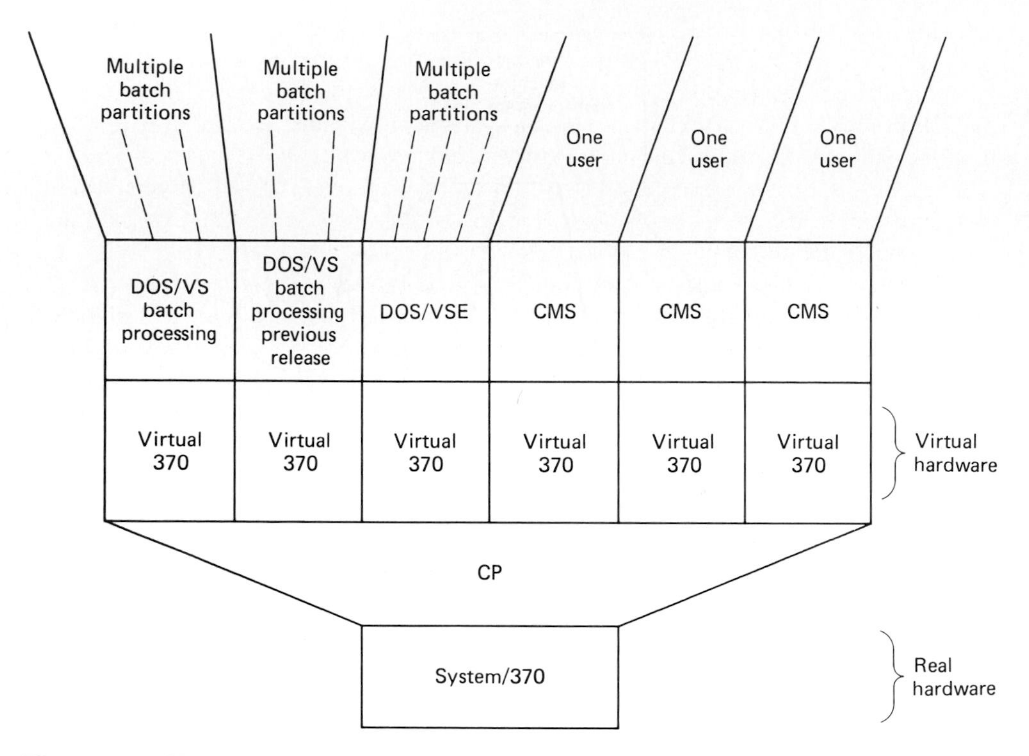

Fig. 21.5 CP creating a multiple virtual machine environment.

allows the tracking of problems, and has various statistical capabilities for reporting the frequency of different types of errors.

The CMS Batch Facility allows the terminal user to submit longer jobs for batch processing while the user continues interactive work with a CMS virtual machine. CMS Batch runs in its own virtual machine controlled by the system operator. Job control statements define the processing to be performed. Job outputs may be sent either to the system's real output devices or to the virtual machine output devices associated with the user who submitted the job. The CMS Batch Facility notifies the submitter when the job begins, and again when it ends.

Virtual machines running under CP perform much as if they were real machines, except that they operate more slowly since VM generally runs many virtual machines simultaneously.

There are many attributes of VM that users find appealing. In particular, running multiple operating systems simultaneously has many applications (Ku75) (Do88). It eases the migration between different operating systems or different versions of the same operating system. It enables training of people simultaneously with running production systems. System development can occur simultaneously with production runs. Customers can run different operating systems simultaneously to achieve the benefits of each system.

Running multiple operating systems offers a form of backup in case of failure; this increases availability. Installations may run benchmarks on new operating systems to determine if upgrades are worthwhile; this may be done in parallel with production activity.

CP provides many functions that give a systems programmer control over a virtual machine similar to the control the programmer would have while sitting at the console of a real machine. For example, CP commands may be used to dump virtual storage areas, set instruction stops, monitor changing values in various locations, and perform other functions normally controlled from a real console.

A virtual machine runs programs much the same as they would be run on a real machine. The virtual machine communicates with its operator through a designated console, normally a terminal. The console messages are identical to those that would be displayed at the console of the corresponding real machine.

Processes running on a virtual machine are not controlled by CP, but rather by the actual operating system running on that virtual machine. Virtual machines operate independently of one another with conflicts resolved by CP. The operating systems running on virtual machines perform their full range of functions, including storage management, processor scheduling, control of input/output, protection of users from one another, protection of the operating system from the users, spooling, multiprogramming, job and process control, error handling, etc.

VM itself may run in any of the virtual machines it creates (Fig. 21.6). This exotic possibility is actually quite useful. It allows, for example, the debugging of CP itself.

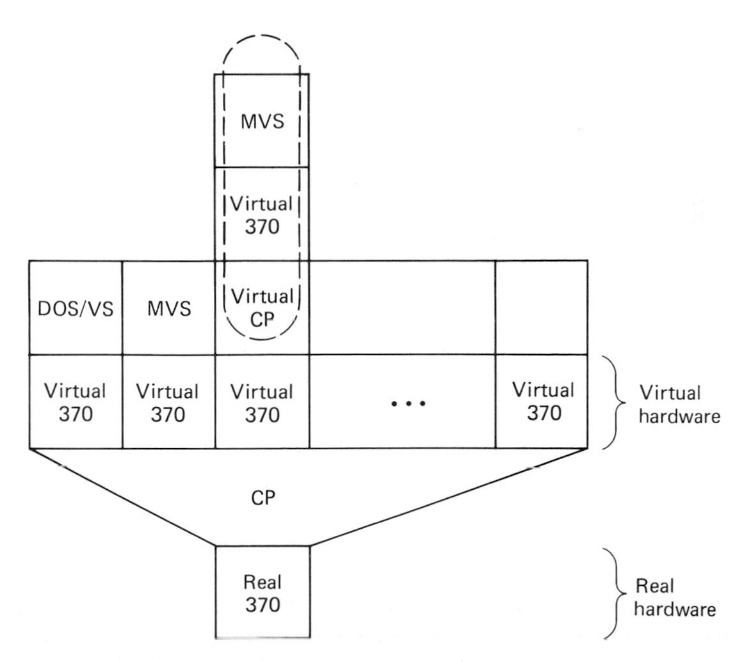

Fig. 21.6 Running VM in a virtual machine created by VM.

Doran (Do88) gives a thorough analysis of the rationale for virtual machine operating systems; he discusses an alternate approach to that used in VM, namely Amdahl's multiple domain architecture.

21.2 HISTORY

Through the 1950s and early 1960s, most computers were single-user, dedicated systems. The computer user sat at the console of the real machine with the full capabilities of the machine visible and available to that user. Running a job was like interacting with today's personal computers—if the machine needed a response, and if the user had to think about it for a while, the machine idled. The only real difference was cost, and the costs then were thousands of times what they are today.

This concept of an entire machine dedicated to one user is what is simulated by VM. A user at a VM virtual machine actually sees the equivalent of a complete real machine, a view very different from that ordinarily provided to users of conventional interactive systems.

Batch multiprogramming systems were developed to get better utilization out of expensive computing resources; this made it impractical for individual users to command an entire computer. It became less common to see a programmer sitting at the console of a computer while debugging a program.

In the early 1960s, a group at M.I.T. developed the CTSS timesharing system, which allowed users with typewriter-like terminals to command the computing power of a machine (Co62). CTSS ran a conventional batch stream to keep the computer busy while giving fast responses to interactive users doing program editing and debugging. The computing capabilities provided by CTSS resemble those provided to VM and personal computer users today, namely a highly interactive environment in which the computer gives rapid responses to large numbers of relatively trivial requests.

CP/CMS began as an experimental system in 1964. It was to be a second generation timesharing system based on IBM System/360 computers (Ad66). Originally developed for local use at the IBM Cambridge Scientific Center, it soon gained favor as a tool for evaluating the performance of other operating systems.

The first operational version appeared in 1966 consisting of CP-40 and CMS. These components were designed to run on a modified IBM 360/40 with newly incorporated dynamic address translation hardware. At about this time, IBM announced an upgrade to its powerful 360/65. The new system, the 360/67, incorporated dynamic address translation hardware, and provided the basis for a general-purpose timesharing, multiprogramming computer utility called TSS/360 (Le68). The TSS effort, performed independently of the work on CP/CMS, encountered many difficulties (typical of the large-scale software efforts of the mid-1960s). Meanwhile CP/CMS was successfully moved to the 360/67, and eventually superseded the TSS effort. CP/CMS evolved into VM/370, which became available in 1972 for the virtual storage models of the IBM 370 series (Cr81). Today, thousands of large-scale VM systems are operating, and the number is growing quickly.

CTSS, successfully used at M.I.T. through 1974, most strongly influenced the design of CP/CMS. Interestingly, the CTSS design group went on to design the Multics system, which never achieved broad commercial success. The CP/CMS designers found that CTSS was difficult to design and modify. They felt that a more modular approach would be appropriate. So they split the resource management portion from the user support portion of the operating system, resulting in CP and CMS, respectively. CP provides separate computing environments that give each user complete access to a full machine; CMS runs on a CP-created virtual machine as a single-user interactive system.

The most significant decision made in the design of CP was that each virtual machine would replicate a real machine. It was clear that the 360 family concept would create a long lifetime for 360 programs; users requiring more power would simply move up in the family to a compatible system with more storage, devices, and processor speed. Any decision to produce virtual machines different in structure than a real 360 probably would have resulted in the failure of the CP/CMS system. Instead, the concept has been successful, making VM one of IBM's two leading mainframe operating systems for the 1990s.

21.3 THE CONTROL PROGRAM (CP)

CP is the component of VM/370 that creates the virtual machines on which the various operating systems run. CP runs on a real machine in the real machine's supervisor state; it has access to all privileged instructions. When CP dispatches a particular virtual machine, however, that virtual machine runs on the real machine but in the real machine's problem state. There is only a single real processor (assuming uniprocessing, of course; multiprocessing versions of VM do exist), and this machine may be either in its supervisor state or in its problem state. But there are many virtual machines. For each of them, CP keeps a main control block containing the *virtual registers* and the *virtual state word.* The virtual state word indicates (among other items) the current state of the virtual machine and the *virtual instruction counter*. The virtual machine may be in either *virtual supervisor state* or *virtual problem state.*

The real machine alternates its execution between the real supervisor state and the real problem state. A casual observer at the console of the real machine would not see anything noticeably different from what would be seen if the real machine were running a conventional operating system. As CP runs each virtual machine in real problem state, it keeps track of what state each virtual machine thinks it is in, namely virtual supervisor state or virtual problem state. CP does this so effectively that the operating system running in a virtual machine cannot issue instructions that will determine if CP is running the virtual machine in real problem state.

When CP dispatches a virtual machine, the virtual machine executes real instructions on the real machine. CP gains control on the occurrence of various types of interrupts. Many interrupts occur because a virtual machine attempts to execute a privileged instruction normally acceptable for an operating system. But since virtual machines are constrained to run in real problem state, an interrupt results each time a virtual machine attempts a privileged instruction. Thus program interruptions are the key to the interfacing between an executing virtual machine and CP.

When a virtual machine generates a program exception interrupt, CP gains control and determines the cause of the interrupt. The virtual machine may be executing in the virtual problem state. If it is, then CP passes the real program interruption directly to the virtual machine, which then processes the interrupt through its conventional interrupt-handling procedures.

If, however, the virtual machine is operating in virtual supervisor state, then CP simulates the execution of the privileged instruction. It first determines what the virtual machine is attempting to accomplish. If input/output is being attempted, then CP performs any necessary mapping between virtual and real devices. If disk I/O is involved, then CP maps virtual track addresses to real track addresses. CP then schedules the real I/O operation corresponding to the virtual I/O request, and returns control to the virtual machine's operating system, which then continues operation as if it itself had initiated the I/O.

When an I/O operation completes, CP receives the completion interrupt and then transfers control to the operating system of the virtual machine requesting that I/O. To the virtual machine's operating system, this appears the same as if the real hardware itself had indicated I/O completion.

21.3.1 Demand Paging

CP runs on virtual storage systems with demand paging and dynamic address translation hardware. It pages its real storage with the exception of a small nucleus that remains in real storage at all times. Figure 21.7 shows how real storage might appear in a VM system running three CMS users, namely CMSA, CMSB, and CMSC, and two OS/VS1 virtual machines, namely VS1A and VS1B.

The consequences of this are quite interesting. For conventional real storage operating systems, performance under VM can be dramatically different from what it is on a real machine. CP pages the real storage in these operating systems. It does this in a manner logically transparent to the operating system on the virtual machine. But the timing delays suffered in a paged environment can invalidate the usefulness of VM for running certain jobs designed to execute in real storage environments, particularly jobs with strict timing dependencies.

The problems are even more interesting when virtual storage operating systems like MVS run under VM. These systems are subjected to two levels of paging:

- paging initiated by a virtual machine
- paging initiated by CP

Paging initiated by a virtual machine is handled by CP as normal input/output. Paging initiated by CP is logically transparent to the virtual machine.

Performance is always of concern in paged systems, but it is of particular interest in VM because of the multiple levels of paging. Various actions may be taken to reduce paging overhead.

- A virtual machine may be designated to run in *virtual equals real mode*.
- An individual page frame may be locked into real memory.

<table>
<tr><td colspan="6">Nonpageable portion of CP</td></tr>
<tr><td colspan="6">Pageable portions of CP</td></tr>
<tr><td>VS1A
Nucleus</td><td>CMSB</td><td>CMSC</td><td>VS1A
Partition 2</td><td>VS1B
Partition 1</td><td></td></tr>
<tr><td>CMSA</td><td>VS1A
Nucleus</td><td>CMSC</td><td>VS1B
Nucleus</td><td>VS1B
Nucleus</td><td></td></tr>
<tr><td>VS1A
Nucleus</td><td>CMSB</td><td>CMSC</td><td>VS1B
Nucleus</td><td></td><td></td></tr>
<tr><td>CMSA</td><td>CMSC</td><td>CMSC</td><td>VS1B
Partition 2</td><td></td><td></td></tr>
<tr><td>CMSA</td><td>CMSB</td><td>VS1A
Partition 1</td><td>VS1B
Partition 2</td><td></td><td></td></tr>
<tr><td>CMSB</td><td>CMSA</td><td>VS1A
Partition 1</td><td>VS1B
Partition 1</td><td></td><td></td></tr>
</table>

Fig. 21.7 Real storage utilization under VM.

- Redundant paging may be eliminated on some virtual machines by *handshaking*, a technique that allows the virtual machine to interface closely with CP and take advantage of CP's mechanisms.

The handshaking option is attractive because it still allows the normal resource allocation mechanisms to make decisions for the benefit of all users. The first two options can severely hinder the functioning of the system, and can greatly reduce the system's capacity. All of these options should be exercised prudently.

21.3.2 Minidisks

A DASD (Direct Access Storage Device) volume may be dedicated to one particular virtual machine, or it may be shared among several virtual machines.

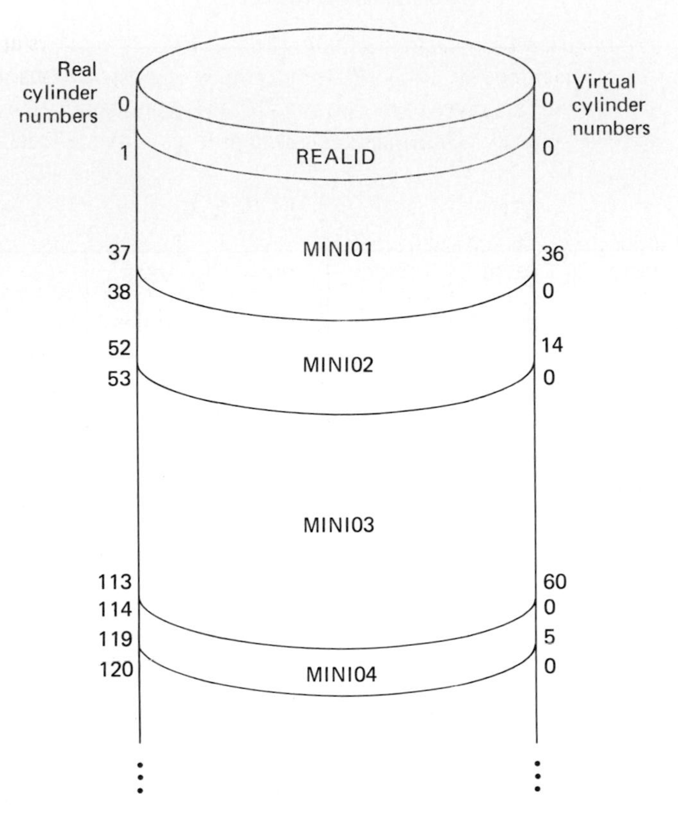

Fig. 21.8 Minidisks on a real disk. Each minidisk is organized to virtual cylinder zero. (Courtesy of International Business Machines Corporation.)

A single DASD may be divided by CP into many *minidisks* (Fig. 21.8), each of which may be allocated to a different virtual machine (IB86). Minidisks are subsets of full disks. They each consist of a range of cylinders. Each is treated by a virtual machine operating system as a complete physical disk device but one of smaller capacity than a full disk. CP handles the mapping of minidisks to real disks, but the space within each minidisk is managed by the operating system running on the virtual machine to which the minidisk is assigned. CP prevents a virtual machine from referencing space on a disk volume outside the boundaries of that machine's minidisk(s). Sharing of minidisks is possible but must be carefully controlled.

A single DASD may be dedicated to a particular virtual machine, or it may be shared among several virtual machines. Each minidisk on a given DASD volume may belong to a different virtual machine.

21.3.3 Console Management

CP supplies a *virtual console* for each virtual machine. Thus in VM, users at terminals can control their virtual machines as if they had a complete physical console to the corresponding real machine. This gives users considerably more power than they normally get in timesharing systems. Some of the CP commands a user may invoke from a terminal are summarized in Fig. 21.9.

21.3.4 CP User Privilege Classes

Characteristic of large computing environments (such as the typical VM installation) is the need for many different groups of people to interact with the system while it is in operation. Some of these people are applications users. Others are concerned more with the operation, management, and updating of the system. Still others are concerned with hardware repair. Not all these groups require universal access to the facilities of the operating system; in fact,

---

ADDSTOP defines an instruction address stop location in virtual storage.

BEGIN resumes execution in the virtual machine (the functional equivalent of pressing the start key on a real computing system).

DETACH removes a specified device from the virtual machine configuration.

DISPLAY displays specified virtual machine registers or virtual storage contents.

EXTERNAL causes an external interrupt.

LINK makes a specified virtual direct access storage device a part of the virtual machine configuration if the device is defined as shared and the user can supply the appropriate password.

QUERY displays certain system information such as log messages, the number of spool files, or the virtual machine configuration.

READY simulates a device end interrupt from a virtual device.

SET establishes certain system values such as the level of error message to be printed or the amount of VM line editing for terminal input lines.

SPOOL alters the spooling control options (such as the number of copies) for one or more virtual unit record devices that are used for spooling. Transfers data files among users and remote stations, and starts and stops console spooling.

STORE inserts data into virtual machine registers or virtual storage.

TERMINAL allows the user to define the VM logical editing symbols and the logical line size of I/O to and from the terminal.

Fig. 21.9 CP commands.

certain groups must be expressly forbidden from using features that might allow them to corrupt the system. VM uses a scheme of user *privilege classes* to identify these various groups. CP commands are associated with these privilege classes. A user attempting execution of a command not associated with that user's privilege class is denied access to the command. The CP user privilege classes are summarized in Fig. 21.10.

21.3.5 VM Directory

Access to VM is controlled via information in the *VM directory*, a file containing descriptions of all potential virtual machines allowed to run on a particular VM system. For each user, the directory contains the user identification, the password, the privilege class, and various other items defining that user's virtual machine.

A sample VM directory entry is shown in Fig. 21.11. The user's identification is VIRT1, and so is the password. This virtual machine is allocated 512K bytes of virtual

Class	User	Function
A	Primary system operator	Controls availability of VM, system accounting, broadcast messages, performance options, and many other items.
B	System resource operator	Controls all real VM resources, except those controlled by class A and D (a B user can, for example, DETACH a channel from a particular user).
C	System programmer	Can update certain functions not controlled by other user classes (e.g., make a temporary "fix" to the contents of real storage without bringing down the entire VM system).
D	Spooling operator	Controls spooling data and certain unit record functions (such as the use of single or double spacing on the printer, for example).
E	System analyst	Can examine and save data in VM storage area.
F	Service representative	Can access data concerning real I/O devices. The class F user can extract data from system error records.
G	General user	Can perform various control functions associated with the operation of the user's virtual machine (e.g., start a virtual machine).
H	Reserved	Reserved for IBM use.
Any	Any user	Can gain or relinquish access to VM

Fig. 21.10 CP user privilege classes. (Courtesy of International Business Machines Corporation.)

```
USER VIRT1 VIRT1 512K 1M G
ACCOUNT S5 SYSPRG
CONSOLE 009 3215
SPOOL 00C 2540 READER A
SPOOL 00D 2540 PUNCH A
SPOOL 00E 1403 A
MDISK 191 3330 001 001 CPR6L1 R
LINK MAINT 194 194 RR
```

Fig. 21.11 Sample VM directory entry. (Courtesy of International Business Machines Corporation.)

storage with a maximum allowed virtual storage size of 1M (or 1024K bytes). The account number is S5. The console is at virtual physical device address 009 and is a type 3215 device. This virtual machine uses spooled unit record devices including a 2540 reader at virtual physical device address 00C, a 2540 punch at 00D, and a 1403 (printer) at 00E; each of these devices has spool output class A. One 3330 minidisk is assigned to virtual physical device address 191. The LINK entry indicates that this virtual machine has been given read-only access to a minidisk belonging to another virtual machine.

Users with a proper directory entry may logon to VM as shown in Fig. 21.12. The user types the user identification. The system checks that this is listed in a directory entry and then prompts for the user's password. The user then enters the password (which the system masks for security purposes). The directory is checked to be sure the password is correct. After logging on to the system, the user may run any supported operating system.

VM provides a *security journaling option* (which must be specified when the system is generated). When this option is in force, unsuccessful logon attempts are recorded and messages are sent to the system administrator documenting the date, time, terminal, user identification, and password involved. The vast majority of unsuccessful logon attempts are normally caused by user typing errors. Efforts at penetrating the system by repeatedly attempting to logon with a series of "likely" passwords will be detected.

```
VM/370 online
logon smith
ENTER PASSWORD:

LOGON AT 10:07:36 ON FRIDAY 05/27/83
ipl cms
```

Fig. 21.12 Logging on to VM/370 and then loading CMS. (Courtesy of International Business Machines Corporation.)

21.4 THE CONVERSATIONAL MONITOR SYSTEM (CMS)

Initially, CMS stood for *Cambridge Monitor System*, but now it is called *Conversational Monitor System* (IB86) (Fo87). It is a disk-oriented operating system that gives the user complete access to what appears to be a dedicated real machine but which is, in fact, a virtual machine created by CP. CMS is a one-user system that provides functions quite similar to those in CTSS. When CMS first became operational, it ran on a real 360, serving a user operating the machine from the system console. Eventually, when CP was installed, CMS was recoded to operate strictly in a CP-created virtual machine; current versions of CMS cannot run on a "bare" machine.

Sharing of data between virtual machines is controlled by CP that provides for multiple virtual machines to access common disks. Also, sharing is accomplished by the transmission of data files between virtual machines by simulated unit record equipment (card readers, card punches, and printers).

All CMS commands available to the user are stored in disk files; they are not actually part of the system. This makes it easy for users to tailor the instruction set of their virtual machines to their own needs by adding, deleting, or changing the command files, as in UNIX (see Chapter 18).

An *EXEC* procedure is a stored sequence of commands that CMS can process. *REXX (Restructured Extended Executor)* is a high-level language for writing CMS EXEC procedures (IB86).

CMS gives the user powerful program development capabilities. A CMS user sees a dedicated virtual machine (Fig. 21.13). VM provides a multiuser timesharing environment by supporting many separate CMS virtual machines.

21.5 REMOTE SPOOLING AND COMMUNICATIONS SUBSYSTEM

The *Remote Spooling and Communications System, RSCS* (He79) (IB86) (Mc88), supports the transfer of data files between computers and remote workstations in communications networks (Fig. 21.14). RSCS runs on VM/SP's Group Control System described elsewhere in this chapter. It operates in a CP-created virtual machine, and uses communication links to transmit files. It provides a convenient means for transferring files between virtual machines on the same real machine, as well as more conventional transmission between computer systems and remote workstations.

CP itself passes files between virtual machines on a single real machine. It operates as a central node in a star network in which each point of the star is a virtual machine. One virtual machine desiring to send a file to another sends it to CP, which then passes it to the destination machine.

RSCS operates in a virtual machine connected to communications equipment. Each real computer system has a unique identifier. To transmit to another computer, RSCS sends a file to the RSCS on the next computer, and the next until the file reaches its destination. Within IBM, RSCS is used to communicate with employees throughout the world (Cr81).

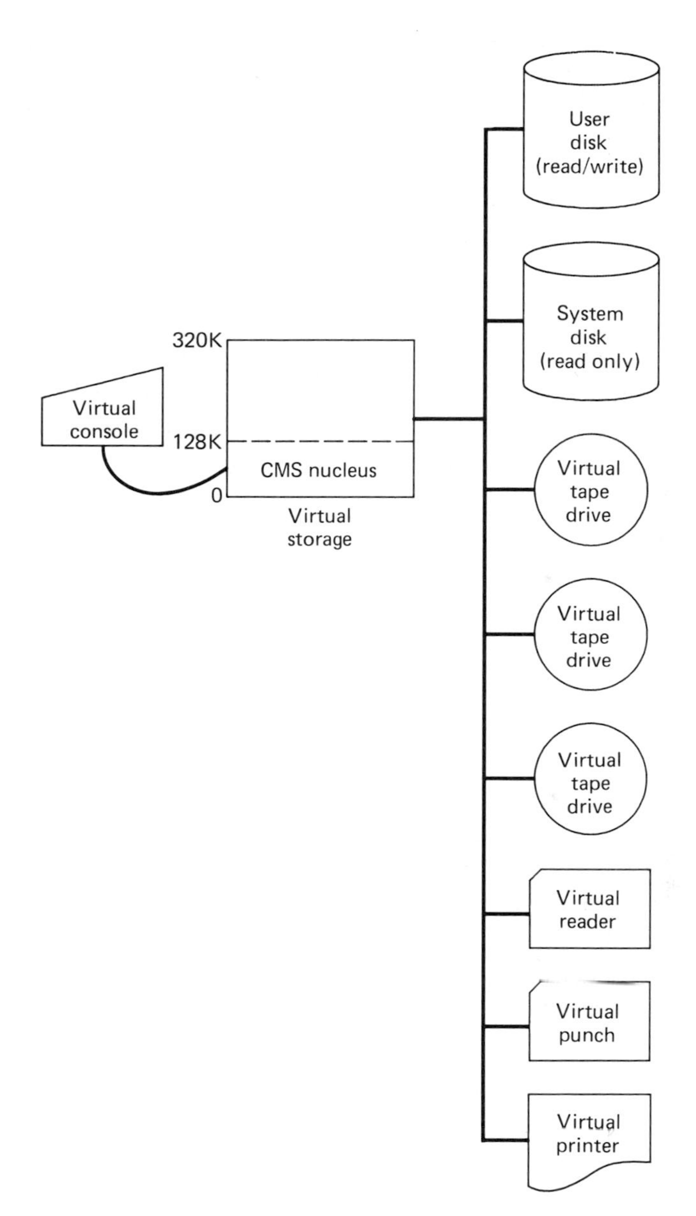

Fig. 21.13 A dedicated virtual machine as seen by a CMS user. (Courtesy of International Business Machines Corporation.)

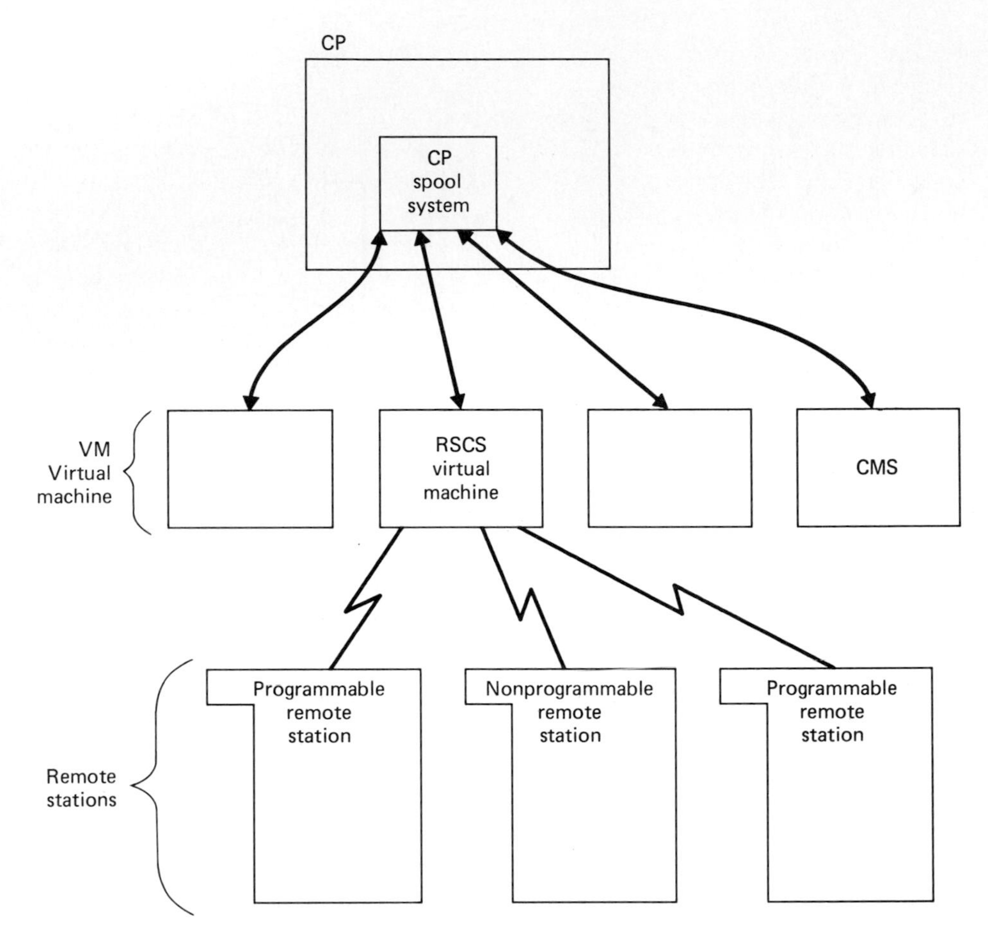

Fig. 21.14 A VM RSCS teleprocessing network. (Courtesy of International Business Machines Corporation.)

21.6 STRENGTHS OF VM

VM can support a diversity of computing applications. It makes one real computer appear to be many virtual computers, and each virtual computer can support a different operating system. An installation running VM can thus create the illusion that it is running many separate computer systems, with different operating systems, emphasizing different capabilities.

VM allows a new operating system to be tested while production work continues. The conversion of programs to the new format and the testing of these new programs may occur simultaneously with the continued smooth operation of the installation. CMS facilitates the translation to new formats.

Most active installations are dynamic environments with changes constantly being proposed, tested, and instituted. VM makes it possible for these activities to occur simultaneously with continued production.

Sometimes, unique applications require the availability of an operating system different from that currently running at the installation. VM makes it possible to run the application under the appropriate operating system without the need for bringing all other production work at the installation to a halt.

One intriguing application of VM is running multiple copies of the same operating system. Some operating systems limit the number of users that may run. By bringing up VM, the installation desiring to run a particular operating system (but with more users) may run multiple copies of that operating system and thus double, triple, etc. the number of users that may run at once.

21.7 VM/370 EVOLUTION

VM/370 has continued to evolve since its introduction. Communication between virtual machines has become more popular, and more applications systems tend to exploit the architectural features of the virtual machine environment. Holley et al. (Ho79) discuss the use of multiprocessing in VM/370 environments. Tetzlaff and Buco (Te84) discuss the performance of various VM/370 multiprocessor configurations.

21.8 PERFORMANCE CONSIDERATIONS

The performance of VM systems (IB86) is affected by many factors including the following:

- the particular computer system used
- the number of virtual machines executing
- the particular operating systems in use on each of the virtual machines
- the nature of the work load on each of the virtual machines
- the operational characteristics of each of the primary paging devices and the channels over which page transports occur
- the number of channels available
- the types of channels (block multiplexor or selector)
- the amount of real storage available
- the use of the *Virtual Machine Assist feature*
- the use of *VM Extended Control Program Support*

CMS runs efficiently in a CP-created virtual machine. A VM system may run many more CMS virtual machines than MVS virtual machines, so it is difficult to categorize a particular hardware configuration merely by the number of virtual machines it can support.

21.8.1 Virtual Machine Assist Feature

The *Virtual Machine Assist* feature is a performance improvement option available to VM installations (IB86). It has both hardware and software components. Virtual storage operating systems such as MVS execute in problem state while under control of VM/370. These operating systems use a large number of privileged instructions and SVCs that generate interrupts requiring VM's attention. Normally, these interrupts are serviced by software routines. But with the VM Virtual Machine Assist feature, the hardware intercepts and services many of these interrupts, resulting in significant performance improvements.

21.8.2 Extended Control Program Support Feature

The *Extended Control Program Support* feature (IB86) provides *expanded virtual machine assist, CP assist, and virtual interval timer assist.*

Expanded virtual machine assist includes hardware emulation of more privileged instructions. Its use increases the percentage of interrupts directly serviced by hardware emulation rather than software simulation.

CP assist provides hardware assist for many of the frequently used portions of CP, including virtual machine I/O handling, storage management, page management, privileged instruction handling, and dispatching.

Virtual interval timer assist provides for hardware updating of the interval timer for each virtual machine. Without this feature, the updating is performed by software. The hardware feature makes timer values more accurate.

21.8.3 Performance Measurement and Analysis

The VM control program provides for the use of two commands that measure and report system performance. The incorporation of such capabilities in VM emphasizes both the designers' concerns for the importance of performance monitoring and the users' desires to know how well their systems are performing.

The *MONITOR command* collects performance measurement data for subsequent analysis. The *INDICATE command* displays current performance information regarding key system resources at the user's terminal.

VM has a built-in capability for monitoring system performance as CP runs. CMS is designed to run directly under CP and with very little overhead. But other virtual machines do suffer significant overhead running under CP, and designers have addressed this issue. A number of improvements have been made to VM over the years to reduce this overhead.

CP pages even nonpaged real storage systems. Some programs designed for nonpaged real storage environments require ultrahigh performance without the associated delays of a paged environment. One option available to VM users allows a single virtual machine to be run in a *virtual equals real mode* so that the real storage of that virtual machine is not paged.

It is possible to share procedural code among virtual machines to minimize duplication of frequently used pages in real storage. This yields better storage utilization.

Tetzlaff (Te79) discusses the VM/Monitor program and presents some interesting summaries and analyses of VM/370 performance. MacKinnon (Ma79) discusses the concept of handshaking, changes made to operating systems running under VM/370 to make them aware that they are running in a virtual machine environment. This facilitates the elimination of many redundant operations normally performed because one operating system runs under another in a virtual machine environment.

21.9 RELIABILITY, AVAILABILITY, AND SERVICEABILITY

The virtual machine concept provides for the enforced isolation of users from one another with the dividing lines drawn even more sharply than in conventional multiprogramming environments. This isolation has important ramifications upon system reliability, availability, and serviceability.

- CP prevents a virtual machine from addressing any area of storage other than its own.
- Passwords are required for access to the system and to shared disk files.
- Disk files can be made read-only for protection.
- CP detects abnormal termination of a virtual machine and confines any effects to that virtual machine and its user(s).
- The flexible virtual machine environment allows users to test and debug new versions of operating systems while simultaneously executing production work. A real machine does not have to be dedicated to testing a new operating system at the expense of delays in production work.
- Various versions of the same operating system can run simultaneously so programs not as yet converted to the new version may run concurrently with already converted programs.
- Multiple copies of the same operating system may be run simultaneously on the same machine. This feature is particularly attractive to users committed to an operating system, and who used to run the system on a slower machine. With the availability of a more powerful processor, the user may expand by running several copies of the older operating system at once.
- VM/370 provides a solid complement of commands for tracing, examining, and altering the operation of a virtual machine and the contents of its virtual storage. These commands are useful for debugging programs in the virtual machine environment.
- VM/370 provides a number of features that allow a service representative to check out the machine and input/output devices by running special diagnostic programs in one virtual machine while production work continues in others. The *VM/SP IPCS (Interactive Program Control System)* reports various system problems (IB86). IPCS runs under CMS. This information can be useful when contacting IBM to correct problems.

21.10 THE VERSIONS OF VM

IBM considers VM to be of strategic importance, so it continues to evolve the system and offer versions focused on the needs of various application users. VM/370 was the first mainframe version of VM.

IBM offered *VM/PC* to provide VM capabilities to the large base of IBM PC users (IB86). ATs and XTs require special circuit boards to support VM/PC. One key rationale for VM/PC was to enable large installations to off-load program development activities from their mainframes. VM/PC also enables the PC to connect with a host computer as if the PC were an IBM 3270 display terminal.

IBM introduced *PC/VM Bond* to enable IBM PC/XTs and ATs to communicate with the VM operating system (IB86). The PC side runs a program called *VM Bond*; the VM side runs a program called *PC Bond*. A PC may be given VM virtual disks that appear to be on the PC. Several PC users may share data among themselves via the VM system, and files may be transferred. Each PC may be used directly as a PC or as an intelligent terminal to the VM system; the user switches easily between those modes by pressing Alt-Esc. PC/VM Bond enables DOS/VM communications: files may be copied from the PC to VM and vice versa.

VM/IS (Integrated System) appeared with *IBM's 9370* system. The 9370 was intended to be an implementation of 370 mainframe architecture in smaller, more economical machines designed to compete with DEC's VAX line of minicomputers. Although the 9370 did not impact VAX sales, it did usher in an era of *departmental computing* (Ku85) (Mc88) using IBM's mainframe architecture. VM/IS is available in *preconfigured* formats for installations that do not have systems programmers to tailor the operating system (IB86) (Mc88).

VM/SP (System Product) is today's basic VM system (IB84) (IB86) (Te89). VM/SP does require systems programming support to install and maintain the operating system; given the availability of such expertise, VM/SP may be tailored to support the evolution of a computer installation.

VM/SP HPO ("High Performance Option") is for installations that place heavier demands on their systems and require better performance; it is required for IBM's larger mainframes to take advantage of available larger processing power and memory larger than 16 MB (Te87) (Te89). VM/SP HPO also allows a much larger number of spool files per user, and it simplifies operating system performance tuning. VM/SP HPO does *block paging*, i.e., it selects groups of related pages to be paged together in single I/O operations, thus reducing paging activity and improving performance (Te89).VM/SP HPO provides many enhancements, including shared segment protection, via a microcode assist. It provides a "dispatcher fast path" for rapid redispatching of virtual machines after certain kinds of events that do not affect the machine's status. The scheduler has been fine-tuned to provide good interactive response times over a broad range of system loads. In multiprocessor systems, separate dispatcher queues are managed for each processor; when one processor completes all the work in its queue, it looks for work in the queues of other processors. A buffer cache is used to keep frequently referenced pages in main memory for fast access. HPO supports the preferred machine assist hardware feature; this allows

MVS/SP, for example, to operate in supervisor state and control its own resources, thus eliminating additional management overhead imposed by CP. HPO enables a processor in a multiprocessor configuration to be dedicated to MVS; this can result in considerable performance improvements over systems that switch processors among virtual machines frequently.

21.11 AIX/370

For years, the key attraction of many users to VM was the availability of CMS's interactive computing facilities. As UNIX systems gained prominence, some people felt that VM/CMS would be IBM's competition to UNIX systems (Ku85). Some of that competition did occur, but IBM decided to address UNIX systems directly by developing AIX. IBM decided to offer AIX/370 on its System/370 architecture systems, but only as a VM guest (Lo87) (IB88) (Sc88). This is an interesting strategic decision. Users who want to switch to AIX can do so, and still run on large-scale IBM equipment. Also, IBM preserves its VM base since the AIX system cannot run on the 370 architecture directly. Although AIX/370 uses many of VM's system services, it manages its own processor scheduling, input/output, paging, and spooling. VM provides various services to AIX/370, including printer support, access to the IBM 3090 Expanded Storage and error reporting capabilities (IB88). Additional discussion on AIX appears in the UNIX Systems case study in Chapter 18. Both VM and AIX run on all IBM lines, including personal computers, midsize machines, and mainframes.

21.12 UNIX VS. VM

It is interesting to compare UNIX systems and VM (Ha86). Both emerged from large-scale timesharing system development efforts of the 1960s, and each achieved extraordinary commercial success in the 1980s. UNIX systems were developed as an alternate approach to Multics; VM developed as an alternate approach to TSS. (The author had the privilege of working on both Multics and TSS while he was a student at MIT.)

Both systems are available on a wide range of architectures from micros to large-scale mainframes, but VM is constrained to System/370 architectures, while UNIX systems are more open, running on the computers of more than 100 different vendors.

UNIX systems are multiuser multitasking operating systems. VM provides each user with a separate virtual machine on which the user may run CMS—a single-user, single tasking system.

UNIX systems can run under VM in a virtual machine; VM cannot run under UNIX systems. VM can run various large-scale IBM operating systems as guests; UNIX can not. UNIX systems running on Intel 80386 architectures can run MS-DOS/DOS applications. VM can run MS-DOS/DOS applications as guests.

VM is a widely accepted major commercial operating system in large-scale IBM installations; UNIX systems are not. UNIX systems are widely accepted in the supercomputer, workstation, and high-end personal computer marketplaces; VM is not.

Also, both UNIX systems and VM were developed "quietly" without a major corporate commitment, and each gained popularity because of proven value rather than intense marketing efforts.

21.13 VM/SP EXTENSIONS

VM/SP's capabilities may be increased through the use of various extensions available from IBM (IB86); additional extensions are available from independent software vendors.

The *TSAF (Transparent Service Access Facility)* enables separate virtual machines to communicate with one another, even across a network. TSAF is especially important for accessing servers in a distributed system.

The *GCS (Group Control System)* is included in VM/SP. GCS controls a group of virtual machines, i.e., a subsystem, that supports IBM's SNA (see Chapter 16). Many networking products run on GCS, including RSCS (Remote Spooling and Communications Subsystem), described elsewhere in this case study.

NetView, a licensed product available from IBM, also runs on GCS. NetView provides various network management functions (IB86), including monitoring network hardware to detect problems, monitoring network traffic, restoring failed nodes, and the like.

VM/IPF (Interactive Productivity Facility) is a licensed program that provides a user-friendly interface with menus and a HELP facility.

VM/Directory Maintenance is a program product that simplifies the task of maintaining directories for users and system administrators. It contains a feature that requires users to change their passwords regularly for security purposes.

VM provides many distributed processing capabilities. The *VM Pass-Through Facility* is a program product that allows remote logon so a user at one system in a network may log on to another system (Me83) (IB86) (Fo87). The capability is transparent to programs, so no program modifications are required. The Pass-Through Facility must be installed on each machine that will be involved in the end-to-end communication. A network directory is installed on each machine to facilitate routing.

The *SQL/DS (Structured Query Language/Data System)* program product is a relational database management system. Data is accessed using the widely standardized Structured Query Language (SQL). SQL is an important standard in the open systems strategies of many computer vendors and user organizations.

21.14 VM: IBM'S LARGE-SCALE OPERATING SYSTEM FOR THE 1990s?

This section argues the case for VM becoming increasingly important over the next decade. There are many reasons why this is likely to occur. Evidence of VM's importance is that there were approximately 40,000 VM site licenses in 1989, and VM installations were increasing at a growth rate of approximately 25% per year (Sc88).

It is not uncommon today for large companies to have programming backlogs of several years. It is expected that throughout the middle to late 1990s, the number of programmers produced could fall 50 percent short of the demand. Clearly, if we are to meet the programming needs of the 1990s, we must improve programmer productivity. The revelation of the 1970s was that interactive program development greatly improved programmer productivity. So operating systems that facilitate interactive program development will be important in the 1990s.

IBM's two main contenders among interactive operating systems for IBM's large-scale computers are TSO (the Timesharing Option) of MVS, and VM. Without question, VM is the superior interactive system, both in capabilities provided and in sheer performance. On a given computer system, it is often the case that VM can support two to four times as many interactive users as MVS.

MVS is and has been IBM's top-of-the-line batch processing operating system for many years. IBM users have made substantial commitments to MVS, and these cannot be ignored. IBM simply cannot force its huge base of MVS users to convert to a completely different operating system. Here, too, the versatility of VM comes to bear because MVS can run under VM. So the installation committed to MVS can run it under VM while providing the substantial interactive capabilities of VM. The installation will run VM, and under VM it will run MVS and many CMS virtual machines.

Is there a "performance penalty" for running MVS under VM, i.e., does MVS run less efficiently under VM than it does directly on a System 370 architecture machine? Certainly, applications are running, in a sense, on two operating systems, each with their own overhead, so it is reasonable to expect some slowdown. Various users report 10%–20% degradation (Ku85). Part of the problem comes from the fact that MVS and VM are both paging systems and some redundant paging occurs (Ku85).

The DOS/VSE user may move up to a more powerful processor that runs VM. Then the user may run DOS under VM, immediately generating two substantial benefits: better interactive capabilities are provided by VM, and the more powerful processor runs DOS jobs faster. An additional benefit is that the user may run multiple copies of DOS under VM simultaneously, thus removing certain limitations inherent in DOS such as the limited number of partitions it supports.

CMS was specifically designed to be a high-powered interactive system. Its designers decided to support the standard compilers and assemblers running under IBM's large-scale batch processing operating systems of the time. Thus programmers could develop and test their programs under CMS and then compile and execute them under IBM's DOS or OS batch processing systems.

One interesting story about the early years of VM goes something like this: IBM was trying to decide whether to "kill" VM or to release it as a supported product. The president of the company at that time, T. Vincent Learson, went to a presentation offered by the MVS group at which they argued that indeed VM should be killed. At a tour after the presentation, Learson noticed that the MVS development group was running MVS under VM. At that moment (report has it), he decided that if VM was good enough for IBM, it was also good enough for its customers. VM was subsequently released as a supported product.

VM offers an interesting performance improvement to some DOS users. It is reasonable to expect that DOS running on certain hardware will be more efficient than DOS running under VM on identical hardware. But the opposite is often true. How can this be?

Quite simply it occurs because VM's virtual storage management is much more efficient than DOS/VS's. Another plus for VM.

VM's popularity has been increasing steadily and there is every reason to believe that it will continue to do so. IBM and other vendors have been releasing a steady stream of performance enhancements. The concept of the virtual machine operating system has proved to be worthwhile. VM, like UNIX systems, was built in a "small shop" by designers who saw merit in a unique concept. It is not clear that the designers of any of these systems foresaw the extraordinary success their systems would experience.

TERMINOLOGY

AIX/370
block paging
CMS (Conversational Monitor System)
CP (Control Program)
CP nucleus
departmental computing
dispatcher fast path
Extended Control Program Support
GCS
guest under VM
handshaking
IBM 9370
IBM 3090 Expanded Storage
isolation of address spaces
lock a page frame into real storage
minidisk
multiple levels of paging
NetView
preconfigured operating system
PC/VM Bond
Preferred Machine Assist
privilege classes
privileged instructions
problem state
real machine
real problem state
real state word
real supervisor state
security journaling option
SQL/DS
supervisor state
TSAF
virtual console
virtual equals real mode
virtual instruction counter
virtual machine
virtual problem state
virtual registers
virtual state word
virtual supervisor state
VM directory
VM guest
VM/IPF
VM/IS
VM Pass-Through Facility
VM/PC
VM/SP
VM/SP HPO
VM/370
VM/370 assist

EXERCISES

21.1 What is a virtual machine? What is a virtual machine operating system?

21.2 List several advantages and disadvantages of the virtual machine concept.

21.3 Distinguish between the manner in which multiple users are serviced on conventional multiprogramming systems and on virtual machine multiprogramming systems.

21.4 What are the main components of VM? Briefly explain the purpose of each.

21.5 The timesharing user under VM runs CMS. But CMS is a one user system. Explain how a multiuser timesharing system is implemented under VM. How does this differ from the implementation of more conventional timesharing systems?

21.6 (*Virtual machine performance anomaly.*) Running an operating system on a bare machine involves certain overhead. Running an operating system under VM additionally involves the overhead of the virtual machine operating system. It is often the case that an operating system running under VM will run more efficiently than when it runs on the same machine but without VM. Give several reasons why this may occur.

21.7 VM virtual machines operate independently of one another with conflicts resolved by CP. What are some of these conflicts? How does CP resolve them?

21.8 VM itself may run in any of the virtual machines created by VM. What are the applications of this exotic possibility?

21.9 (*Virtual machine recursion.*) Suppose that a virtual machine operating system could create a virtual machine that could in turn run another copy of the virtual machine operating system that could in turn create another virtual machine, etc.

a) Suggest some applications of this concept.

b) What implementation problems might you expect to encounter? How would you handle them?

c) What performance problems might you expect to encounter? How would you handle them?

21.10 VM is a virtual storage operating system using paging. Many of the operating systems it runs are real storage systems. What are the advantages and disadvantages of running a real storage operating system under VM?

21.11 What is the key to the interfacing between an executing virtual machine and CP?

21.12 Suppose a program running on a virtual machine initiates an I/O request to read a record from disk. Describe precisely how the request is handled via the user's operating system, CP, and the real hardware.

21.13 Paging initiated by a virtual machine is handled by CP as normal input/output. Paging initiated by CP is logically transparent to the virtual machine. Explain

21.14 What options are available in VM to help reduce performance degradation due to multiple levels of paging?

21.15 What are minidisks? How does CP manage minidisks?

21.16 Why are users separated into various privilege classes in a VM environment?

21.17 All CMS commands available to the user are stored in disk files; they are not actually part of the system. What are the advantages and disadvantages of this scheme?

21.18 Why is it sometimes attractive to run several identical copies of one operating system under VM? What alternatives are available to an installation that does not support VM?

21.19 Discuss the various features of VM that are related to security.

21.20 What are some of the key factors that affect the performance of a VM system?

21.21 Discuss how each of the following can improve performance in a VM system.

a) the Virtual Machine Assist feature

b) expanded virtual machine assist

c) CP assist

d) virtual interval timer assist

21.22 VM/SP and VM/IS have similar functionality. Under what circumstances might an installation perfer VM/IS? VM/SP?

21.23 (Project) Both VM and UNIX systems are remarkable successes in a field, operating systems, which has been littered with "great flaming disasters." In the text, we offered a brief comparison of these important systems. Read both case studies in this text, and then study the UNIX systems and VM literature. Perform a detailed analysis of these two systems and compare them to one another. Based on your study, predict future developments for these systems. Is it clear that one or the other will dominate?

21.24 (Project) Consider the kinds of strategic planning decisions IBM must make in today's dynamic operating systems environment. IBM offers VM/CMS, AIX (see the UNIX case study in Chapter 18), and OS/2 (see Chapter 24). It is committed to applying its Systems Application Architecture across all its major lines of computers. All three operating systems offer similar functionality to users. Study these operating systems and read the literature on SAA. Consider IBM's major computer lines. Consider IBM's commitments to SNA and OSI (see Chapter 16). In the context of IBM's major operating systems, computer lines, and communications standards, prepare 5-year and 10-year strategic plans indicating the directions IBM should take. Develop several alternate scenarios. You will find this a difficult and challenging assignment. It will help you appreciate a side of the field of operating systems that senior corporate managers must deal with constantly.

LITERATURE

(Ad66) Adair, R. J.; R. U. Bayles; L. W. Comeau; and R. J. Creasy, "A Virtual Machine System for the 360/40," Cambridge, MA: *IBM Scientific Center Report 320–2007*, May 1966.

(Cs78) Case, R. P., and A. Padegs, "Architecture of the IBM System/370," *Communications of the ACM*, Vol. 21, No. 1, January 1978, pp. 73–96.

(Co62) Corbato, F. J.; M. Merwin-Daggett; and R. C. Daley, "An Experimental Time-Sharing System," *Proc. Spring Joint Computer Conference (AFIPS)*, Vol. 21, 1962, pp. 335–344.

(Cr81) Creasy, R. J., "The Origin of the VM/370 Time-Sharing System," *IBM Journal of R&D*, Vol. 25, No. 5, September 1981, pp. 483–490.

(Do88) Doran, R. W., "Amdahl Multiple-Domain Architecture," *Computer*, October 1988, pp. 20–28.

(Fo87) Fosdick, H., *VM/CMS Handbook for Programmers, Users, and Managers*, Indianapolis, IN: Hayden Books, 1987.

(Fr87) Frenkel, K. A., "Allan L. Scherr: Big Blue's Time-Sharing Pioneer," *Communications of the ACM*, Vol. 30, No. 10, October 1987, pp. 824–829.

(Gi87) Gifford, D., and A. Spector, "Case Study: IBM's System/360-370 Architecture," *Communications of the ACM*, Vol. 30, No. 4, April 1987, pp. 291–307.

(Ha86) Hawrot, D., and L. Comeau, "Facing Commercial Development," *UNIX Review*, November 1986, pp. 46–56.

(He79) Hendricks, E. C., and T. C. Hartmann, "Evolution of a Virtual Machine Subsystem," *IBM Systems Journal*, Vol. 18, No. 1, 1979, pp. 111–142.

(Ho79) Holley, L. H., R. P. Parmelee, C. A. Salisbury, and D. N. Saul, "VM/370 Asymmetric Multiprocessing," *IBM Systems Journal*, Vol. 18, No. 1, 1979, pp. 47–70.

(IB84) IBM Corporation, *Virtual Machine/System Product General Information, Release 4*, GC20-1838-4, Endicott, NY: International Business Machines Corporation, 1984.

(IB86) IBM Corporation, *Virtual Machine/System Product Introduction, Release 5*, GC19-6200-4, Endicott, NY: International Business Machines Corporation, 1986.

(IB88) IBM Corporation, *IBM AIX/370*, G580-0731-00, Rye Brook, NY: International Business Machines Corporation, 1988.

(Ku85) Kutnick, D., "Whither VM?" *Datamation*, Vol. 31, No. 23, December 1, 1985, pp. 73–78.

(Le68) Lett, A. S., and W. L. Konigsford, "TSS/360: A Time-Shared Operating System," *Proceedings of the Fall Joint Computer Conference*, AFIPS, Vol. 33, Part 1, 1968, Montvale, NJ: AFIPS Press, pp. 15–28.

(Lo87) Loucks, L. K., and C. H. Sauer, "Advanced Interactive Executive (AIX) Operating System Overview," *IBM Systems Journal*, Vol. 26, No. 4, 1987, pp. 326–345.

(Ma79) MacKinnon, R. A., "The Changing Virtual Machine Environment: Interfaces to Real Hardware, Virtual Hardware, and Other Virtual Machines," *IBM Systems Journal*, Vol. 18, No. 1, 1979, pp. 18–46.

(Mc88) McClain, G. R., *VM and Departmental Computing*, New York, NY: Intertext Publications/McGraw-Hill Book Company, 1988.

(Me83) Mendelsohn, N.; M. H. Linehan; and W. J. Anzick, "Reflections on VM/Pass-Through: A Facility for Interactive Networking," *IBM Systems Journal*, Vol. 22, Nos. 1/2, 1983, pp. 63–80.

(Sc88) Schultz, B., "VM: The Crossroads of Operating Systems," *Datamation*, Vol. 34, No. 14, July 15, 1988, pp. 79–84.

(Te79) Tetzlaff, W. H., "State Sampling of Interactive VM/370 Users," *IBM Systems Journal*, Vol. 18, No. 1, 1979, pp. 164–180.

(Te84) Tetzlaff, W. H., and W. M. Buco, "VM/370, Attached Processor, and Multiprocessor Performance Study," *IBM Systems Journal*, Vol. 23, No. 4, 1984, pp. 375–385.

(Te87) Tetzlaff, W. H.; T. Beretvas; W. M. Buco; J. Greenberg; D. R. Patterson; and G. A. Spivak, "A Page-Swapping Prototype for VM HPO," *IBM Systems Journal*, Vol. 26, No. 2, 1987, pp. 215–230.

(Te89) Tetzlaff, W. H.; M. G. Kienzle; and J. A. Garay, "Analysis of Block-Paging Strategies," *IBM Journal of Research and Development*, Vol. 33, No. 1, January 1989, pp. 51–59.

(Tu87) Tucker, M., "The 9370: Packaging More Power for MIS," *Computerworld*, May 6, 1987, pp. 29–40.

APPENDIX

Other IBM Publications

Concepts of a Virtual Machine, (Independent Study Program), IBM, Poughkeepsie, N.Y., 12602, 1979.

IBM Virtual Machine Facility/370 Introduction, IBM Systems Library order number GC20-1800, IBM Corporation, Department D58, P.O. Box 390, Poughkeepsie, N.Y., 12602.

22
Case Study: Inside The Apple Macintosh

The Macintosh is designed to appeal to an audience of non-programmers, including people who have previously feared and distrusted computers. To achieve this goal, Macintosh applications should be easy to learn and to use. ... The user should feel in control of the computer, not the other way around. This is achieved in applications that embody three qualities: responsiveness, permissiveness, and consistency.

Inside Macintosh, Volume I
Apple Computer, Inc. 1985

One picture is worth more than ten thousand words.

Chinese proverb

For there is no friend like a sister
In calm or stormy weather;
To cheer one on the tedious way,
To fetch one if one goes astray,
To lift one if one totters down,
To strengthen whilst one stands.

Christina Rossetti
Goblin Market

How many apples fell on Newton's head before he took the hint!

Robert Frost
Comment

Outline

22.1 Introduction
22.2 History
22.3 Hardware
22.4 Software
  22.4.1 High-Level Software: The User Interface Toolbox
  22.4.2 Low-Level Software: The Operating System
22.5 Resource Manager
22.6 QuickDraw
22.7 Font Manager
22.8 Toolbox Event Manager
  22.8.1 Event Types
  22.8.2 Event Priority
  22.8.3 Journaling Mechanism
22.9 Window Manager
22.10 Control Manager
22.11 Menu Manager
22.12 TextEdit
22.13 Dialog Manager
22.14 Desk Manager
22.15 Package Manager
22.16 Memory Manager
  22.16.1 Pointers and Handles
  22.16.2 Allocating Heap Space
  22.16.3 Stack and Heap
  22.16.4 Memory Organization
22.17 Segment Loader
22.18 Operating System Event Manager

22.19 File Manager
22.19.1 Files
22.19.2 File Access
22.19.3 Data Organization on Volumes
22.19.4 Data Structures in Memory
22.20 Printing Manager
22.21 Device Manager
22.21.1 Device Driver
22.21.2 Interrupts
22.21.3 Disk Driver
22.21.4 Sound Driver
22.21.5 Serial Drivers
22.21.6 AppleTalk Manager
22.21.7 Vertical Retrace Manager
22.22 System Error Handler
22.23 Operating System Utilities
22.24 The Evolving Macintosh Family
22.24.1 The Macintosh Plus
22.24.2 The Macintosh SE and SE/30
22.24.3 The Macintosh II
22.24.4 The Macintosh SE/30
22.25 Macintosh Plus Operating System Enhancements
22.26 Macintosh SE and Macintosh II Operating System Enhancements
22.27 The Future of the Macintosh

Acknowledgments and Permission Credits: Major portions of this case study are condensed and adapted, with the permission of Apple Computer, Inc., from Volumes I, II, III, IV, and V of *Inside Macintosh*, Copyright 1985 (Vols. I–III), 1986 (Vol. IV), and 1988 (Vol. V), by Apple Computer, Inc., published by Addison-Wesley Publishing Company, Reading, MA. Citations to additional articles appear throughout the case study.

Illustration Credits

Fig. 22.1 Mouse mechanism. Source: (IM85c) p. 28.
Fig. 22.2 Macintosh overview. Source: (IM85a) p. 10.
Fig. 22.3 Fragmented heap. Source: (IM85b) p. 9.
Fig. 22.4 A pointer to a nonrelocatable block. Source: (IM85b) p. 11.
Fig. 22.5 A handle to a relocatable block. Source: (IM85b) p. 12.
Fig. 22.6 The stack and the heap. Source: (IM85b) p. 17.
Fig. 22.7 Volume information. Source: (IM85b) p. 121.
Fig. 22.8 A file directory entry. Source: (IM85b) p. 123.
Fig. 22.9 Volume control block. Source: (IM85b) p. 125.
Fig. 22.10 File control block. Source: (IM85b) p. 127.
Fig. 22.11 Drive queue entry. Source: (IM85b) p. 127.
Fig. 22.12 Printing overview. Source: (IM85b) p. 148.
Fig. 22.13 Device Communication. Source: (IM85b) p. 176.
Fig. 22.14 The Unit Table. Source: (IM85b) p. 192.
Fig. 22.15 Primary interrupt vector table. Source: (IM85b) p. 197.
Fig. 22.16 Asynchronous data transmission. Source: (IM85b) p. 245.
Fig. 22.17 Input and output drivers of a serial driver. Source: (IM85b) p. 247.
Fig. 22.18 AppleTalk Manager protocols. Source: (IM85b) p. 264.

22.1 INTRODUCTION

This case study examines the Apple Macintosh, a personal computer designed with the novice computer user in mind. What does it mean for a computer to be user friendly (Fa84a)? What techniques can make computers easy to use? What operating systems considerations are important in the design of user-friendly systems?

The discussion here assumes that the reader is somewhat familiar with the Macintosh and some of its fundamentals such as mouse control, windows, pull-down menus, and icon graphics. The reader interested in exploring the Macintosh in more detail is urged to consult the literature listed at the end of the chapter, especially the five *Inside Macintosh* volumes that served as the primary source material for this chapter.

The Macintosh's graphics-oriented, mouse-oriented user interface made personal computing much friendlier and far more convenient; much of this chapter is devoted to explaining how the Macintosh's software supports the machine's user-friendly interface. It is interesting that IBM did not introduce a graphics interface of comparable power until the appearance of OS/2's Presentation Manager in 1988 (see Chapter 23).

When it was announced in 1984, the Macintosh captured the attention of the industry, but it did not have the features needed for success in business environments. Today, the various Macintosh models span the range from entry-level personal computer systems to full-scale business systems, to high-performance engineering workstations.

22.2 HISTORY

Apple has been a unique company from its inception (Fl84). It was founded in 1976 by Steve Jobs and Steve Wozniak, both in their early twenties. In the late 1970s they produced the Apple II computer, a machine that became virtually synonymous with the term personal computer. With the introduction of the IBM PC in 1981, IBM legitimized the personal computer as an office tool in Fortune 1000 companies. Other manufacturers immediately began producing PC-compatible machines. Apple was rumored to be developing its next generation system, but the industry had no idea of what design approach Apple was taking. Would Apple go with an IBM PC-compatible, or would it attempt once again to assume the leadership role it had taken with the introduction of the Apple II?

The answer came in January of 1984 when Apple introduced its Macintosh personal computer. Instead of producing a line of IBM-compatibles, Apple's design reflected an entirely different set of standards. From a purely technical standpoint, the Macintosh was loaded with innovations in hardware, software, and especially user-friendliness. The operating system is essentially hidden from the user. Apple had taken a monumental gamble by once again choosing to walk its own path, one that it believed would shape the industry for years to come. Many people insist that the industry has changed to the point that this could never be accomplished again. Undaunted, Steve Jobs, in a startup venture, delivered yet another dramatically new design with his NeXT computer.

The Macintosh represented a giant leap forward in user-friendliness. As far as the computer novice is concerned, there is an easy-to-understand interface resembling a desk-top (Po84) (Mc85a); the user moves a pointing device called a *mouse* so that a cursor on the screen points to words or pictures representing the actions to be taken (Fa84). The user need not memorize a lengthy list of commands that must be keystroked into the computer.

The Macintosh was targeted for an audience of the tens of millions of white collar "knowledge workers" whose primary job is information handling. The original Macintosh was delivered with two software packages: *MacWrite* is an easy-to-use word processor, at least compared to the more complex keystroke-oriented packages—it uses the Macintosh's multiple type fonts, styles, and sizes to enable users to create attractive and impressive looking documents; *MacPaint* essentially turns the Macintosh screen into an "electronic sketchpad."

But these packages were not enough to meet the increasingly sophisticated needs for business personal computing; the lack of a full range of business software caused sales to slow considerably after an initial surge. Hard disks and letter quality printers were not available. The initial machine came with only 128K, nowhere near enough to run the kinds of integrated software packages already in wide use with IBM PCs. The machine's *closed architecture* made it especially difficult for hardware and software developers to create their own Macintosh add-ons without the close cooperation of Apple. (IBM had chosen an *open architecture* approach with the PC; specifications for hardware and software were made widely available, and the hardware, software, and cabinetry of the machine were designed to facilitate the efforts of third parties to supply add-ons).

Apple has subsequently released machines with several megabytes of memory, and has encouraged the development of hardware and software by third parties. Hard disks, laser printers, the AppleTalk communication network, and the huge diversity of software developed over the last several years have made the machine a formidable competitor of the IBM PC in the business marketplace.

The articles by Lemmons (Le84) and Levy (Le89) provide entertaining reading for those interested in the people who created the Macintosh and how their careers have evolved over the years since the Mac was introduced.

22.3 HARDWARE

At the heart of the Macintosh is the Motorola MC68000 microprocessor, random access memory (RAM), read-only memory (ROM), and various chips that control communication with devices. The input/output devices include a video display, a sound generator, a Synertek SY6522 *Versatile Interface Adaptor (VIA)* for the mouse and the keyboard, a Zilog Z8530 *Serial Communications Controller (SCC)*, and an *IWM chip* ("Integrated Woz Machine," named after Apple's cofounder, Steve Wozniak) for disk control.

The Motorola MC68000 chip, and hence the Macintosh itself, uses *memory-mapped input/output*, i.e., the Macintosh accesses devices by reading or writing locations in the address space of the microprocessor. The devices interpret these operations to mean that device input/output is to occur. The portion of the address space used for device I/O contains blocks reserved for each of the devices.

The MC68000 uses 24-bit addressing; it has 2^{24} addresses forming a 16Mb (megabyte) address space. The Macintosh divides this space into four sections, for RAM, ROM, SCC, and the IWM and VIA.

The original RAM contained 128K; this has grown to 1Mb in the Macintosh Plus. The RAM's first 256 bytes (0 through FF hexadecimal) are used for *exception vectors* (i.e., the addresses of interrupt handling routines and trap handling routines). The RAM also contains the following:

1. system heap
2. applications heap
3. stack
4. screen buffers for the video display
5. sound buffers for the sound generator
6. disk speed controller

The ROM contains operating system routines, Toolbox routines (which provide the interface between the user and the operating system), and the system traps. The ROM in the original Macintosh contained 64K, but it was packed with optimally coded routines, so it offered considerably more capability than had previously been available in that much memory.

The video screen displays 342 lines of 512 pixels each. One screen image requires 21,888 bytes of RAM; each bit represents a single pixel (0 is white, 1 is black). The video scan is top-to-bottom one line at a time; each line is displayed left to right. The time from the display of the end of one line to the display of the beginning of the next is called the *horizontal blanking interval*. When the scan reaches the bottom of the screen, it jumps back to the left top of the screen; this is called a *vertical blanking interval* and it begins each time with a *vertical blanking interrupt*. The screen is refreshed approximately 60 times per second. Unlike other computer systems that offer a text mode (often with only a single type font and style and size) and a graphics mode, the Macintosh displays everything in graphics mode and offers a wide range of type fonts, sizes, and styles.

The sound generator reads values in RAM and uses those values to control the generation of sounds.

The Zilog Z8530 Serial Communications Controller controls the two serial ports on the back of the Macintosh. SCC port A has the modem icon; SCC port B has the printer icon. Each of these ports conforms to the RS422 standard, which provides for considerably faster transmission rates than the RS232C standard; these ports are the key to the Macintosh's effectiveness in local area networks and in interfacing to very high-speed printers. Ports A and B are identical with the exception that port A (modem) has an interrupt priority higher than port B's; this makes port A the more appropriate for high-speed communication.

The mouse (Fig. 22.1) allows the user to control the Macintosh without having to key in every command. For simplicity, the Macintosh mouse has a single button (mice used with complex engineering design systems generally have several buttons). The mouse generates signals that describe its amount and direction of travel. Interrupt-driven ROM routines convert this information to the appropriate movements of the cursor on the screen. The control panel desk accessory has an option called *mouse scaling*, which changes the amount of screen pointer movement, depending on how quickly the mouse moves. The

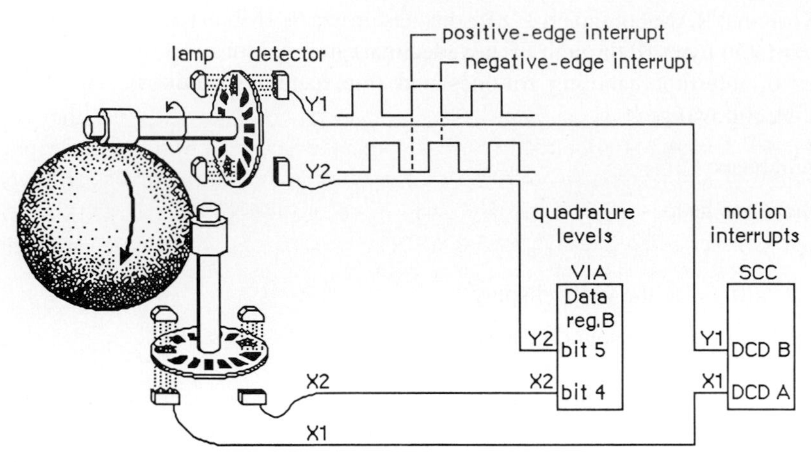

Fig. 22.1 Mouse mechanism. Source: (IM85c) p. 28.

mouse does not report its current position; rather it reports the direction in which it has moved and how far. The rubber-coated tracking ball under the mouse moves two wheels; one rotates when the mouse moves forward or backward, while the other rotates when the mouse moves left or right. Both wheels rotate when the mouse moves diagonally.

Inside the Macintosh keyboard is a microprocessor that repeatedly scans the keys to detect keyboard activity.

The disk interface includes an analog signal generator chip that reads the disk speed buffer area of the RAM and generates signals that adjust the disk speed. The Macintosh actually stores more sectors per track on the outer tracks; it does this by instructing the disk motor to spin more slowly as the outer tracks are accessed.

The Macintosh has a built-in real-time clock whose interface lines are accessible through the VIA. The clock generates a VIA interrupt once per second (when these interrupts are enabled). It contains an area called *parameter RAM*, consisting of 20 bytes that keep their values even when the Macintosh is powered off; they receive power from a battery. The operating system automatically copies parameter RAM to low memory to be accessible by applications.

The Synertek SY6522 Versatile Interface Adaptor (VIA) controls the keyboard, the internal real-time clock, parts of the disk, sound, and mouse interfaces, and various internal Macintosh signals. It can issue an interrupt under a variety of circumstances including keyboard activity, timer timeouts, beginning of a vertical blanking interval, and the one second clock making its next tick.

The *digital motherboard* houses the MC68000 microprocessor, the RAM, the ROM, and several chips. The *analog board* houses the power supply, video circuitry, and the speaker. The case also houses the display tube and the sturdy disk drive.

The MC68000 is essentially a 16-bit microprocessor chip, but in several ways it can be thought of as a 32-bit chip. It has sixteen 32-bit registers, including data registers, address registers, and stack pointer registers. Its clock ticks at approximately 8 million cycles per second (8MHz). The MC68000 can process between one and two million instructions per second.

The Macintosh uses Sony standard 3-1/2 inch sturdy disks. Its disk controller varies the speed of the disk from 600 rpm to 400 rpm to enable the recording of more tracks per sector on the outer tracks. One disk drive is built in; an additional external drive can be plugged into a connector in the machine. Single-sided drives offer approximately 400K per disk; double-sided drives offer 800K. Hard disk drives with capacities of 20 megabytes and more are available from Apple and independent suppliers.

22.4 SOFTWARE

The Macintosh's unique user interface is supported by routines available in the *User Interface Toolbox*. Applications call these routines to implement the user interface and keep it consistent across all applications. The User Interface Toolbox contains the higher-level software routines that implement the interface between the operating system and user applications; the operating system contains the lower-level software routines that directly control the hardware (Hz84). Figure 22.2 shows the relationship between applications programs, the User Interface Toolbox, the operating system, and the Macintosh hardware.

22.4.1 High-Level Software: The User Interface Toolbox

This section briefly lists each of the major components of the User Interface Toolbox; subsequent sections consider key Toolbox components in detail. The *Resource Manager* accesses resources in resource files; resources include icons, fonts, menus, alert boxes, and dialog boxes, as well as custom-designed resources.

- The *QuickDraw* package performs graphic operations; it can draw a diversity of shapes and complex drawings made of combinations of shapes.
- The *Font Manager* makes type fonts available in various styles and sizes; it supplies the appropriate dot patterns to QuickDraw to draw the text.
- The *Toolbox Event Manager* informs applications of the occurrence of events such as mouse clicks, keyboard activity, and disk insertions.
- The *Window Manager* performs various operations on windows such as creating, moving, resizing, activating, dragging, scrolling, and closing them.
- The *Control Manager* allows an application to create and manage *controls* such as buttons, check boxes, radio buttons, dials, and scroll bars.
- The *Menu Manager* is used to set up menus, to display pull-down menus, and to determine what item a user selected from a menu, i.e., the user's "order."
- *TextEdit* accepts user-supplied text and provides common editing capabilities such as word wraparound, insertion, deletion, and replacement.

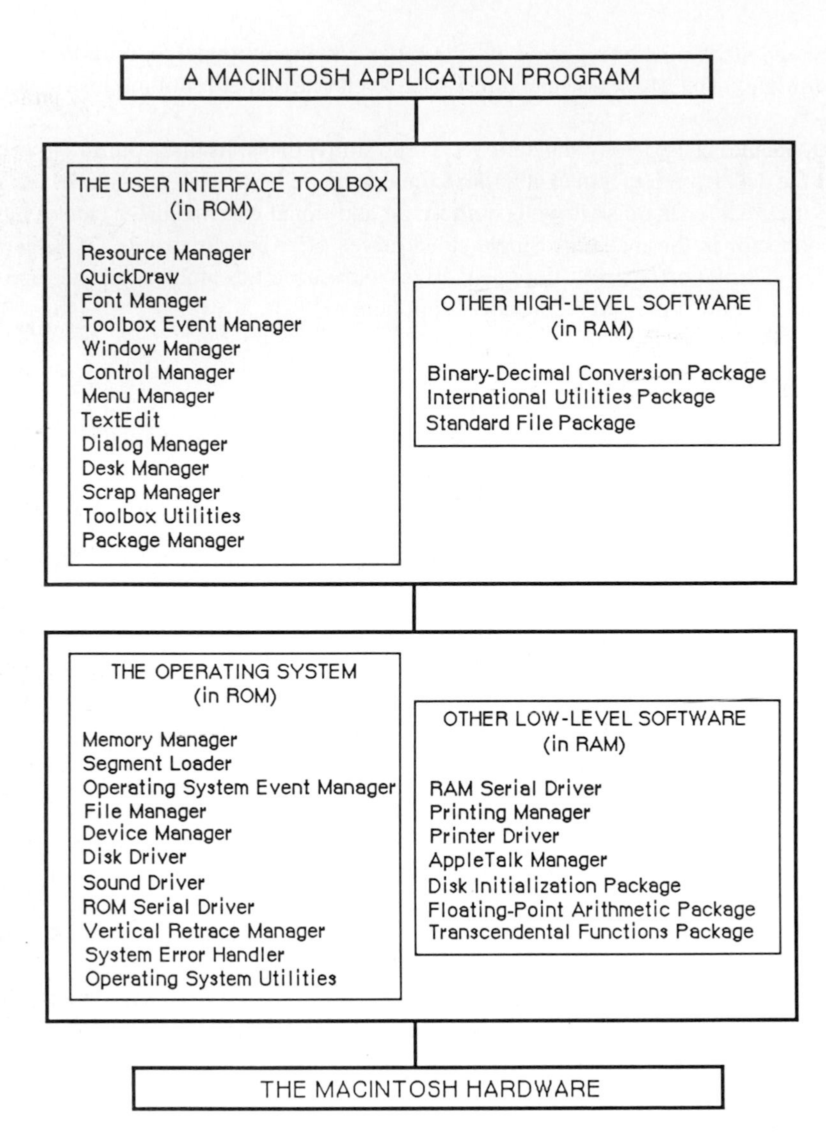

Fig. 22.2 Macintosh overview. Source: (IM85a) p. 10.

- The *Dialog Manager* creates dialog boxes and alert boxes and determines how the user responds to them.
- The *Desk Manager* handles the various *desk accessories* including the Calculator, NotePad, Scrapbook, Clock, Key Caps, Puzzle, and Control Panel.
- The *Scrap Manager* allows the use of the *Clipboard* for cutting and pasting text and graphics between applications or between an application and a desk accessory.

- The *Toolbox Utilities* are routines and data types in the Toolbox that perform commonly needed operations such as fixed-point arithmetic, character string manipulation, and logical bit operations.
- The *Package Manager* lets applications use various RAM-based routines called *packages*. These include the *Standard File Package*, the *Binary-Decimal Conversion Package*, and the *International Utilities Package*.

22.4.2 Low-Level Software: The Operating System

The operating system provides the interface between applications and the Macintosh hardware. This section lists the key components of the operating system. The *Memory Manager* dynamically obtains and releases memory for applications and the operating system. This memory normally is in an area called the *heap*. An application's procedural code also occupies space in the heap.

- The *Segment Loader* loads programs to be executed. An application can be loaded all at once, or it can be parceled into separate *segments* that are loaded dynamically as needed.
- The *Operating System Event Manager* reports various low-level events such as mouse clicks and keystrokes. These are normally passed to applications by the Toolbox Event Manager.
- The *File Manager* supports file input/output; the *Device Manager* supports device input/output.
- *Device drivers* are programs that enable the various types of devices to present uniform input/output interfaces to applications. Three device drivers are built in to the operating system in ROM: the *Disk Driver* manages the accessing of information on disks, the *Sound Driver* controls the sound generators, and the *Serial Driver* sends and receives data through the serial ports (thus providing communications with serial peripheral devices such as printers and modems).
- The *Printer Manager* enables applications to print data on a variety of printers.
- The *AppleTalk Manager* enables applications to send and receive information over an AppleTalk communications network.
- The *Vertical Retrace Manager* schedules activities to be performed during the *vertical retrace interrupts* that occur 60 times per second as the video screen is refreshed.
- The *System Error Handler* gets control when a fatal system error occurs, and it displays an appropriate error box.
- The *Operating System Utilities* provide a variety of useful functions including obtaining the date and the time, performing string comparisons, and many others.
- The *Disk Initialization Package* is called by the *Standard File Package* to initialize and name disks, most commonly when a user inserts an uninitialized disk.

- The *Floating-Point Arithmetic Package* supports extended precision arithmetic. The *Transcendental Functions Package* provides a random number generator as well as trigonometric, logarithmic, exponential, and financial functions. Macintosh compilers automatically generate calls to these packages to perform numerical manipulations.

22.5 RESOURCE MANAGER

This and the next several sections consider key components of the User Interface Toolbox in detail. The *Resource Manager* is the part of the Toolbox through which an application accesses *resources* such as menus, fonts, and icons. Applications normally access resources through the Font Manager and the Menu Manager; these, in turn, call the Resource Manager. An application's code itself is a resource.

Resources are stored in *resource files*. A resource file is associated with each application. A *system resource file* contains standard resources shared by all applications. Resources may be placed in the resource file with the aid of the *Resource Editor*. An icon resides in a resource file as a 32-by-32 bit image. A font resides as a bit image of the characters of the font.

22.6 QUICKDRAW

QuickDraw is the part of the Toolbox that enables applications to draw the following:

1. text characters in a number of proportionally-spaced fonts, with variations that include boldfacing, italicizing, underlining, and outlining
2. straight lines of any length, width, and pattern
3. a variety of shapes, including rectangles, rounded-corner rectangles, circles, ovals, and polygons; all either outlined and hollow or filled in with a pattern
4. arcs of ovals, or wedge-shaped sections filled in with a pattern
5. any other arbitrary shape or collection of shapes
6. a picture composed of any combination of the above, drawn with just a single procedure call.

All drawing with QuickDraw is performed in *grafPorts*, which are distinct drawing areas on the screen. Each of these ports offers a separate drawing environment; many grafPorts may be in use at once, and applications may switch easily between grafPorts. Some factors that characterize a grafPort are its screen location, characters set, drawing location, and its own coordinate system.

22.7 FONT MANAGER

The *Font Manager* is the part of the Toolbox that supports the use of various character fonts when applications draw text with QuickDraw (Mc85). A *font* is a complete set of characters of one typeface; the font does not include size or stylistic variations. Each font has a font number and a name. Character size is given in *points* (approximately 1/72nd of an inch).

Fonts are stored as resources in resource files and may occupy a large amount of space. A 12-point font typically occupies about 3K bytes, and a 24-point font occupies about 10K bytes; fonts for use on high-resolution output devices such as laser printers can occupy 32K bytes. Users may define their own fonts. If the Font Manager is asked to draw a font in a certain size and it does not have that size available, it attempts to scale down a larger font or scale up a smaller font.

22.8 TOOLBOX EVENT MANAGER

The *Toolbox Event Manager* is the component of the toolbox that allows an application to monitor user actions such as mouse clicks, mouse movement, keystrokes, and disk insertions; an application may also determine how much time has elapsed since system startup. Each time one of these actions occurs, the application is notified by means of an *event*. The Toolbox Event Manager calls the Operating System Event Manager, thus acting as an interface between it and the application.

Macintosh application programs are said to be *event-driven*; they repeatedly ask the Event Manager for events and respond to each accordingly. Users may define their own types of events. The Event Manager also facilitates communication between different parts of an application.

Events are *posted* (recorded) by the Operating System Event Manager in an *event queue*. The Toolbox Event Manager retrieves events from this queue for applications and also reports other types of events not kept in the queue such as window-related events. Some events have higher priority than others and may be inserted in the queue ahead of events that occurred earlier.

22.8.1 Event Types

Events may be generated by the user, the Window Manager, by devices drivers, or by applications. Some events are handled by the system; others are handled by applications.

Following are events that occur as a result of user actions:

1. A *mouse-down event* occurs when the user presses the mouse button; a *mouse-up event* occurs when the mouse button is released.
2. A *key-down event* occurs when the user presses a key on the keyboard; a *key-up event* occurs when the user releases the key.
3. *Auto-key events* occur when the user holds down a repeating key.

Note that mouse movement does not generate events; rather an application keeps track of the mouse by repeatedly requesting its current position from the Event Manager.

The Window Manager generates various types of events to coordinate window displays on the screen:

1. *Activate events* occur when an inactive window becomes active, or an active window becomes inactive; these events generally occur in pairs.

2. *Update events* occur when all or part of a window's contents need to be drawn or redrawn, usually as a result of the user's opening, closing, activating, or moving a window.

Device drivers report *device driver events* for various reasons unique to each particular type of device. These events are discussed in the sections of this case study dealing with the individual device drivers.

Network events are generated by the AppleTalk Manager as it monitors and controls an AppleTalk local area network.

The Event Manager reports a *null event* if it has no other events to report.

Every event is represented internally by an *event record* containing all pertinent information about that event. The event record includes

1. the type of event
2. the time the event was posted in *ticks* (sixtieths of a second) since system startup
3. the location of the mouse at the time the event was posted
4. the state of the mouse button at the time the event was posted
5. any additional information required for a particular type of event, such as which key the user pressed or which window is being activated.

22.8.2 Event Priority

Technically, the event queue operates FIFO, but there are exceptions. Events with different priorities may not, in fact, be inserted in the queue in time-sequence order. Also, not all events are inserted into the queue. Applications can ask the Event Manager to report events of a specific type, and this could cause some events to be temporarily bypassed.

The Event Manager always returns the highest-priority event available of the requested type. The priority ranking is as follows:

1. activate (window becoming inactive before window becoming active)
2. mouse-down, mouse-up, key-down, key-up, disk-inserted, network, device driver, application-defined (all in FIFO order)
3. auto-key
4. update (in front-to-back order of windows)
5. null

Activate events take priority over all others; they're detected in a special way, and are never actually placed in the event queue. Update events are also not placed in the queue.

22.8.3 Journaling Mechanism

Normally, the Event Manager receives events generated by various user activities that happen dynamically. By using the Event Manager's *journaling mechanism*, it is possible to feed the Event Manager a prestored sequence of events. For example, the "Guided Tour" provided by Apple to familiarize users with the Macintosh uses this facility. One popular use of the journaling mechanism is testing new Macintosh hardware and software systems; a journaling file is initialized to contain numerous events that check out the features of the hardware and the software. When a new version of the software is released, journaling files are used to check that all previously checked-out capabilities still work properly (this is called *regression testing*).

22.9 WINDOW MANAGER

The *Window Manager* is the part of the Toolbox that allows you to create, manipulate, and dispose of windows. The *active window* (i.e., the frontmost) is highlighted; user actions affect it while the other windows remain *inactive*. The Window Manager handles overlapping windows, makes windows active or inactive, moves windows, and resizes them.

Clicking the mouse button in a window makes that window active. Clicking in a window's close box (the small square at the top left corner of an active window) closes the window and removes it from the screen. *Dragging* (holding down the mouse button while moving the mouse) anywhere in the title box lets the user move the window. Dragging inside the size box (at the bottom right corner of an active window) allows the user to resize the window.

As far as an application is concerned, a window is a grafPrort that it can draw into with QuickDraw routines. The user may select from several standard types of windows or design customized ones.

Windows are normally drawn or redrawn in a two-step process. First the Window Manager draws the *window frame*. Then the Window Manager generates an *update event* to get the application to draw the window contents.

22.10 CONTROL MANAGER

A *control* is an object on the screen (such as a button, a check box, or a scroll bar) with which the user, using the mouse, can cause instant action with visible results or change settings to modify a future action. The Control Manager is the part of the Toolbox that deals with controls. Using the Control Manager, applications can

1. create and dispose of controls
2. display or hide controls
3. monitor the user's operation of a control with the mouse and respond accordingly
4. read or change the setting or other properties of a control
5. change the size, location, or appearance of a control.

Various standard controls are available and the user may create customized controls. Among the standard control types are the following:

1. *Buttons* cause an immediate or continuous action when clicked or pressed with the mouse.
2. *Check boxes* retain and display a setting; clicking with the mouse reverses the setting.
3. *Radio buttons* also retain and display an on-or-off setting. They are organized into groups, with the property that only one button in the group can be on at a time. Clicking one button in the group turns it on and simultaneously turns off the other button that was on, like the buttons on a car radio.
4. *Dials* display values in interesting ways such as by a position on a sliding switch, the reading on a thermometer scale, or the angle of a needle on a gauge. Settings are changed by dragging a control's moving part, called its *indicator*.

Controls may be active (if it is appropriate to manipulate them) or inactive (if they are not currently applicable). Inactive controls are dimmed. Every control is represented internally by a *control record* that includes

1. A pointer to the window the control belongs to
2. A handle to the next control in the window's control list (handles are explained in Section 22.16.1)
3. A handle to the control definition function
4. The control's title
5. A rectangle that completely encloses the control, which determines the control's size and location within its window
6. An indication of whether the control is currently active and how it is to be highlighted
7. The current setting of the control and the minimum and maximum values the setting can assume
8. An indication of whether the control is currently visible or invisible. Note that a control may be "visible" and still not appear on the screen, because it is obscured by overlapping windows or other objects.
9. An *action procedure* that defines some action to be performed repeatedly for as long as the user holds down the mouse button inside the control.

22.11 MENU MANAGER

The *Menu Manager* is the part of the Toolbox that allows users to create sets of *menus*, and allows the user to choose from the commands in those menus. Menus are an integral part of the Macintosh user interface. They enable users to see a complete listing of options without having either to memorize all available options or to keystroke those options.The user positions the cursor in the *menu bar* and presses the mouse over a *menu title*. The application then calls the Menu Manager, which highlights that title and "pulls down" the menu below it like a window shade. Dragging through the menu causes each of the *menu items* (commands) to be highlighted in turn. Releasing the mouse button over an item causes that item to be chosen. The item blinks briefly to confirm that it has been chosen, and then the menu disappears. The Menu Manager informs the application which item was chosen and the application performs the appropriate action.

Menus can be disabled so that their options cannot be selected; disabled menus are dimmed. An ellipsis (...) following the text of an item indicates that selecting the item will bring up a dialog box to get further information before the command is executed. Users may design their own menus. Commands selected from menus can also be chosen by pressing the command key (cloverleaf) and an appropriate letter. The general appearance and behavior of a menu is determined by a routine called its *menu definition procedure*, which is stored as a resource in the resource file.

The Menu Manager keeps all the information it needs for its operations on a particular menu in a *menu record*. This data structure contains the menu ID (a number that identifies the menu), the menu title, the contents of the menu (i.e., the text and the other parts of each item), the horizontal and vertical dimensions of the menu in pixels, a handle to the menu definition procedure, and flags telling whether each menu item is enabled or disabled and whether the menu itself is enabled or disabled.

22.12 TEXTEDIT

TextEdit is the part of the Toolbox that handles basic text formatting and editing capabilities in a Macintosh application. These capabilities include inserting new text, deleting characters that are backspaced over, translating mouse activity into text selection, scrolling text within a window, deleting selected text and possibly inserting it elsewhere, and copying text without deleting.

The Dialog Manager uses TextEdit for text editing in dialog boxes. TextEdit supports these standard features:

1. Selecting text by clicking and dragging with the mouse; selecting entire words by double-clicking.
2. Extending or shortening the selection by shift-clicking.
3. Inverse highlighting of the current text selection, or display of a blinking vertical bar at the insertion point.
4. Word wraparound, which prevents a word from being split between lines when text is displayed.
5. Cutting (or copying) and pasting text within an application via the Clipboard. (TextEdit actually puts cut or copied text into an area called the *TextEdit scrap.)*

22.13 DIALOG MANAGER

The *Dialog Manager* is the part of the Toolbox that enables applications to implement dialog boxes and use the alert mechanism, two means of communication between the application and the end user.

A dialog box appears on the screen when an application needs more information to carry out a command. It typically resembles a form on which the user checks boxes and fills in the blanks. Dialog boxes may contain informative or instructional text, rectangles in which text may be entered (initially blank or containing default text that can be edited), controls of any kind, graphics (icons or QuickDraw pictures), and other application-defined items. An "OK" button is usually provided for the user to indicate that it is appropriate to proceed. A "Cancel" button enables the user to cancel the command as though it had never been given.

The *alert mechanism* provides applications with a means of reporting errors or giving warnings. An *alert box* appears only when something has gone wrong or must be brought to the user's attention. The alert mechanism also issues a sound from the Macintosh's beeper.

22.14 DESK MANAGER

The *Desk Manager* is the part of the Toolbox that supports the use of desk accessories from an application; the Calculator, for example, is a standard desk accessory available to any application. Other desk accessories include the alarm clock, the chooser, the control panel, key caps, and the scrapbook.

The desk accessories are "mini-applications" that can be run at the same time as a Macintosh application. The user opens a desk accessory by choosing it from the Apple menu (shaped like an apple). Users may write their own desk accessories by creating them as device drivers and including them in resource files.

22.15 PACKAGE MANAGER

The *Package Manager* is the part of the Toolbox that provides access to *packages*. Packages are sets of data types and routines that are stored as resources and brought into memory when needed. The Macintosh packages, which are stored in a system resource file, include the following:

1. The *Standard File Package*, for presenting the standard user interface when a file is to be saved or opened.
2. The *Disk Initialization Package*, for initializing and naming new disks; this package is normally called by the Standard File Package.
3. The *International Utilities Package*, for accessing country-dependent information such as the formats for numbers, currency, dates, and times.
4. The *Binary-Decimal Conversion Package*, for converting integers to decimal strings and vice versa.
5. The *Floating-Point Arithmetic Package*, which supports extended precision arithmetic.
6. The *Transcendental Functions Package*, which contains trigonometric, logarithmic, exponential, and financial functions, as well as a random number generator.

22.16 MEMORY MANAGER

The *heap* contains memory available to applications and the operating system. The Memory Manager (An88) allows applications to obtain memory from the heap and release memory areas no longer needed to the heap. Blocks of memory in the heap can be allocated and released in any order. Thus the heap tends to suffer the fragmentation we considered in our discussion of real storage variable partition multiprogramming systems in Chapter 7 (Fig. 22.3).

The Memory Manager maintains at least two *heap zones*. The *system heap zone* is used by the operating system; the *application heap zone* is used by the application program and the Toolbox. User programs reside in space in the application heap zone requested by the Segment Loader.

Space in a heap zone is subdivided into contiguous *blocks*. Each block in the zone is either *allocated* or *free*. Each block contains a *block header*, actual contents, and perhaps some unused space at the end. Allocated blocks may be *relocatable* or *nonrelocatable*. A relocatable block may be *locked* or *unlocked*; a locked relocatable block cannot be moved. An unlocked block may be *purgeable* or *unpurgeable*.

22.16.1 Pointers and Handles

Nonrelocatable blocks are referred to by *pointers;* relocatable blocks are referred to by *handles*. Because a nonrelocatable block cannot move, the pointer to it never changes (Fig. 22.4). But relocatable blocks can move, so the Memory Manager creates a nonrelocatable *master pointer* to the block. When a relocatable block is allocated, the Memory Manager returns a handle to the master pointer; if the relocatable block is moved, the contents of the master pointer is changed while the handle remains constant (Fig. 22.5).

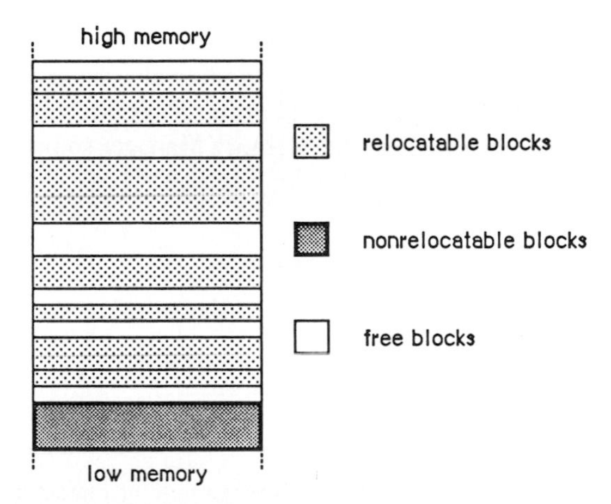

Fig. 22.3 Fragmented heap. Source: (IM85b) p. 9.

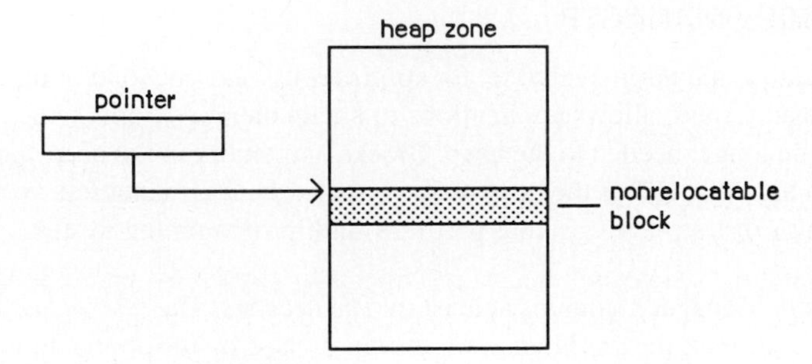

Fig. 22.4 A pointer to a nonrelocatable block. Source: (IM85b) p. 11.

22.16.2 Allocating Heap Space

The Memory Manager allocates heap space using the first fit strategy. After the first sufficiently large memory block is found and allocated, the next request for space begins searching at that point and wraps around the end of the heap zone, if necessary, to continue its search.

If a sufficiently large block can not be found, the Memory Manager begins compacting the heap zone by moving only unlocked relocatable blocks. This process terminates as soon as a sufficiently large block is found, or until the heap zone is fully compacted. Nonrelocatable blocks hinder the compaction process, so the Memory Manager attempts to maintain nonrelocatable blocks together at the bottom of the heap zone.

If after compaction a request still can not be satisfied, the Memory Manager attempts to expand the heap zone. If this doesn't work, then the Memory Manager begins purging relocatable, unlocked, purgeable blocks from the heap zone.

When all these possibilities have failed, the Memory Manager calls the *grow zone function*. This optional routine may be provided by an application as a last resort to create space within a heap zone; the grow zone function may, for example, purge previously unpurgeable blocks. The Memory Manager repeatedly calls the grow zone function and compacts the heap zone until it either finds space or runs out of freeable memory. Finally, if the memory request can not be satisfied, the Memory Manager so informs the routine that called it.

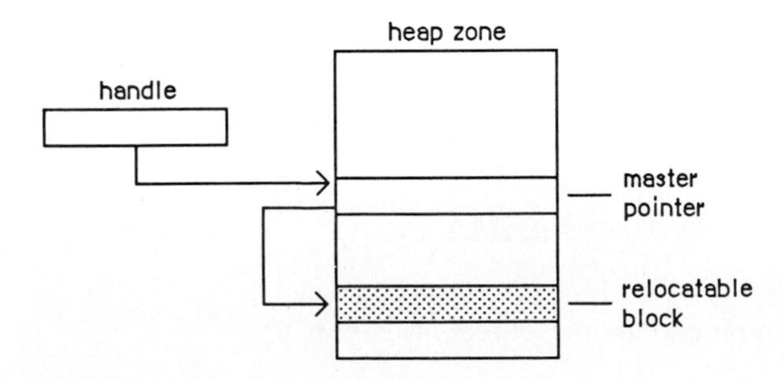

Fig. 22.5 A handle to a relocatable block. Source: (IM85b) p. 12.

22.16.3 Stack and Heap

Stack data structures are particularly helpful in supporting the dynamic memory allocation and deallocation associated with the activation and deactivation of functions and procedures. For each invocation of a routine, space called a *stack frame* is allocated on the stack to hold parameters, local variables, and the return address. As a routine is exited, the stack frame is popped (discarded) from the stack.

The stack and the application heap zone are both dynamic data structures. They grow toward one another from opposite ends of a common area of memory. An application heap limit may be set by a program to limit the size of the application heap zone; the stack may expand indefinitely and could collide with the application heap zone (Fig. 22.6). A routine called the *stack sniffer* runs sixty times per second (once after each vertical retrace interrupt) to determine if the stack and the heap have collided. If they have, then the System Error Handler is invoked to inform the user.

22.16.4 Memory Organization

Every allocated or free block in the heap zone has a block header containing information that helps the Memory Manager manage the blocks in the zone and move from block to block. Block headers are for the operating system; they are transparent to user programs. User programs see blocks by their logical size, i.e., the useful contents of the block, whereas the operating system sees blocks by their physical size, including the block header, the useful contents, and the wasted space at the end of the block.

22.17 SEGMENT LOADER

The *Segment Loader* allows applications to be divided into separate memory *segments* that need not all be in memory at once. Any one segment cannot be larger than 32K bytes. Initially, an application's *main segment* is loaded. The main segment remains loaded and locked for the duration of the application. Other segments are loaded dynamically as

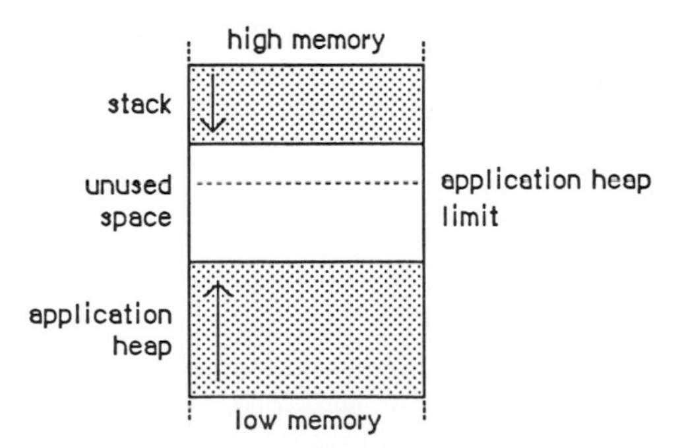

Fig. 22.6 The stack and the heap. Source: (IM85b) p. 17.

needed. A loaded segment is locked; it is not relocatable and not purgeable. An unloaded segment is made relocatable and purgeable. It is important that a segment not unload the segment that called it because the return address on the stack would become incorrect if the calling segment were moved or purged.

22.18 OPERATING SYSTEM EVENT MANAGER

The *Operating System Event Manager* is concerned with observing and reporting various low-level actions such as keystrokes, mouse clicks, disk insertions, device driver activity, and network events. Applications normally learn of these events by calling the Toolbox Event Manager, which in turn calls the Operating System Event Manager.

The Operating System Event Manager stores information about most events in an event queue. It enables the removal of events from the event queue, and it allows the setting of the *system event mask* to limit the kinds of event types that will be posted in the queue.

22.19 FILE MANAGER

The *File Manager* controls the reading and writing of files. It handles communication between applications and files on block devices such as disk drives of various kinds. A *volume* is the storage medium on which a file resides. Some examples of volumes are sturdy disks and hard disks.

Every volume has a *volume name* and a *volume reference number,* the latter used to distinguish between volumes of the same name. Each volume may contain many separate files as well as a *file directory* listing the files that are on that volume. Files are contained in *allocation blocks*, which are multiples of 512 bytes in size.

A volume is said to be *mounted* when it is inserted in a disk drive and information about the volume is stored in memory. A mounted volume may, however, be ejected. A volume is said to be *unmounted* when the File Manager frees the storage used to retain the descriptive information for the volume.

For each volume, the system assigns a *volume buffer* (on the heap) for use in reading and writing information from and to the volume. The larger the main memory, the greater the number of volume buffers that can be supported and hence the greater the number of volumes that can be mounted at once.

To prevent accidental or intentional destruction of information on a volume, volumes may be *locked* (against writing) by either setting a software flag or by moving the security tab on the 3-1/2 inch sturdy disk.

A mounted volume may be accessed by volume name, by volume reference number, or by disk drive number. Calls not specifying a particular volume are automatically directed to the *default volume*. This is normally the volume that was used to start the system, but an application may specify any particular mounted volume as the default volume.

22.19.1 Files

Each file is identified by a *file name* and a *version number*. Each byte within a file is identified by its position within the file beginning with byte 0. Files reside in allocation blocks of 512 bytes each. Each volume can contain many files, depending on how large the volume is and how large each of the files is. Each file is identified by a *file name* and a *version number*.

Each file has two *forks* (parts): a *data fork* and a *resource fork*. The resource fork of an application file contains the application code and the resources used by the application; this information is accessed exclusively by the Resource Manager. The data fork can contain whatever the application places there; its information is accessed exclusively by the File Manager.

Each file contains a *logical end-of-file*, which defines the end of the actual data in the file, and a *physical end-of-file*, which defines the end of the physical space reserved for the file (in allocation blocks of 512 bytes each). A *mark* indicates the next position at which reading or writing is to occur.

22.19.2 File Access

Access to a file may be either *sequential* or *random*. In order for a file to be accessed, the file must be *open*. A file must be *closed* before it can be deleted from its volume. When a file is opened for any reason, an *access path* to the file is created by the File Manager. The access path includes the identification of the volume on which the file resides, as well as the location of the file on that volume. Each file may have several access paths for reading, but only one access path for writing. The file access path is regulated by permissions of either read-only, write-only, or read/write.

When an application issues a read request from a file, the File Manager transfers the data from the file on the volume into the application's *data buffer* in memory. A write request by an application causes the File Manager to transfer the data from the data buffer to the file.

The File Manager may transfer data a line at a time or as a continuous stream of characters. In line-by-line transfers, lines are delineated by the *newline character*. In continuous stream transfers, each read or write request specifies the number of characters to be transferred.

The low-level routines of the File Manager can generally be executed either *synchronously* or *asynchronously*. A routine executed synchronously prevents the application from continuing until the routine has completed. When a routine is executed asynchronously, the application may continue while the routine is performed. An asynchronous routine call causes the File Manager to place an *I/O request* in the *file I/O queue* and return control to the calling program (most likely before the I/O has been performed). It is the option of the calling program to designate a *completion routine* to be performed when the asynchronous I/O finishes.

22.19.3 Data Organization on Volumes

The actual reading and writing of data is performed by device drivers that understand the precise layout of information on each different type of disk device. The File Manager does not actually read or write; rather it communicates with the device driver specific to the device in question. For this process to work, each device must first be initialized (formatted) by the Disk Initialization Package. The device drivers read and write data one block at a time.

Information is stored on Macintosh volumes in *logical blocks* and *allocation blocks.* Logical blocks contain 512 bytes of information plus some additional bytes of device driver information. Allocation blocks consist of one or more logical blocks treated as a group.

Volumes initialized by the Macintosh contain various pieces of system startup information in logical blocks 0 and 1. This information includes system parameters such as the starting size of the system heap and the number of entries to be allowed in the event queue.

The *master directory block* begins in logical block 2. It includes various types of *volume information* (Fig. 22.7) as well as the *volume allocation block map*, which indicates the usage of each block of the volume (i.e., unused or containing part of a specific file). The file directory (Fig. 22.8) lists descriptive information and the location for each file on the volume.

byte	field	description
byte 0	drSigWord (word)	always $D2D7
2	drCrDate (long word)	date and time of initialization
6	drLsBkUp (long word)	date and time of last backup
10	drAtrb (word)	volume attributes
12	drNmFls (word)	number of files in directory
14	drDirSt (word)	first block of directory
16	drBlLen (word)	length of directory in blocks
18	drNmAlBlks (word)	number of allocation blocks on volume
20	drAlBlkSiz (long word)	size of allocation blocks
24	drClpSiz (long word)	number of bytes to allocate
28	drAlBlSt (word)	first allocation block in block map
30	drNxtFNum (long word)	next unused file number
34	drFreeBks (word)	number of unused allocation blocks
36	drVN (byte)	length of volume name
37	drVN+1 (bytes)	characters of volume name

Fig. 22.7 Volume information. Source: (IM85b) p. 121.

byte	field	description
byte 0	flFlags (byte)	bit 7=1 if entry used; bit 0=1 if file locked
1	flTyp (byte)	version number
2	flUsrWds (16 bytes)	information used by the Finder
18	flFlNum (long word)	file number
22	flStBlk (word)	first allocation block of data fork
24	flLgLen (long word)	logical end-of-file of data fork
28	flPyLen (long word)	physical end-of-file of data fork
32	flRStBlk (word)	first allocation block of resource fork
34	flRLgLen (long word)	logical end-of-file of resource fork
38	flRPyLen (long word)	physical end-of-file of resource fork
42	flCrDat (long word)	date and time of creation
46	flMdDat (long word)	date and time of last modification
50	flNam (byte)	length of file name
51	flNam+1 (bytes)	characters of file name

Fig. 22.8 A file directory entry. Source: (IM85b) p. 123.

22.19.4 Data Structures in Memory

The File Manager uses the following data structures in main memory:

1. file I/O queue
2. volume-control-block queue
3. a copy of the volume allocation block map for each on-line volume
4. file-control-block buffer
5. a volume buffer for each on-line volume
6. optional access path buffers (one per access path)
7. drive queue

The *file I/O queue* contains parameter blocks for each of the asynchronous routines awaiting execution.

When a volume is initially mounted, its volume information is used to build a *volume control block* (Fig. 22.9) in the *volume-control-block queue*. The volume allocation block map is copied to the system heap, and space is reserved for a volume buffer in the system heap.

```
TYPE VCB =
   RECORD
      qLink:         QElemPtr;      {next queue in entry}
      qType:         INTEGER;       {queue type}
      vcbFlags:      INTEGER;       {bit 15 = 1 if dirty}
      vcbSigWord:    INTEGER;       {always $D2D7}
      vcbCrDate:     LONGINT;       {date and time of initializa-
                                    tion}
      vcbLsBkUp:     LONGINT;       {date and time of last back-
                                    up}
      vcbAtrb:       INTEGER;       {volume attributes}
      vcbNmFls:      INTEGER;       {number of files in directory}
      vcbDirSt:      INTEGER;       {first block of directory}
      vcbBlLn:       INTEGER;       {length of directory in
                                    blocks}
      vcbNmBlks:     INTEGER;       {number of allocation blocks}
      vcbAlBlkSiz:   LONGINT;       {size of allocation blocks}
      vcbClpSiz:     LONGINT;       {number of bytes to allocate}
      vcbAlBlSt:     INTEFER;       {first allocation block in
                                    block map}
      vcbNxtFNum:    LONGINT;       {next unused file number}
      vcbFreeBks:    INTEGER;       {number of unused allocation
                                    blocks}
      vcbVN:         STRING[27];    {volume name}
      vcbDrvNum:     INTEGER;       {drive number}
      vcbDRefNum:    INTEGER;       {driver reference number}
      vcbFSID:       INTEGER;       {file-system identifier}
      vcbVRefNum:    INTEGER;       {volume reference number}
      vcbMAdr:       Ptr;           {pointer to block map}
      vcbBufAdr:     Ptr;           {pointer to volume buffer}
      vcbMLen:       INTEGER;       {number of bytes in block
                                    map}
      vcbDirIndex:   INTEGER;       {used internally}
      vcbDirBlk:     INTEGER;       {used internally}
   END;
```

Fig. 22.9 Volume control block. Source: (IM85b) p. 125.

When a file is opened, information in the file directory entry is used to create a *file control block* (Fig. 22.10) in the *file-control-block buffer*. The file-control-block buffer contains information about all access paths.

At system startup time, information describing each disk drive connected to the Macintosh is inserted in the *drive queue* (Fig. 22.11). One key piece of information in this entry is the driver reference number of the device driver that controls this device.

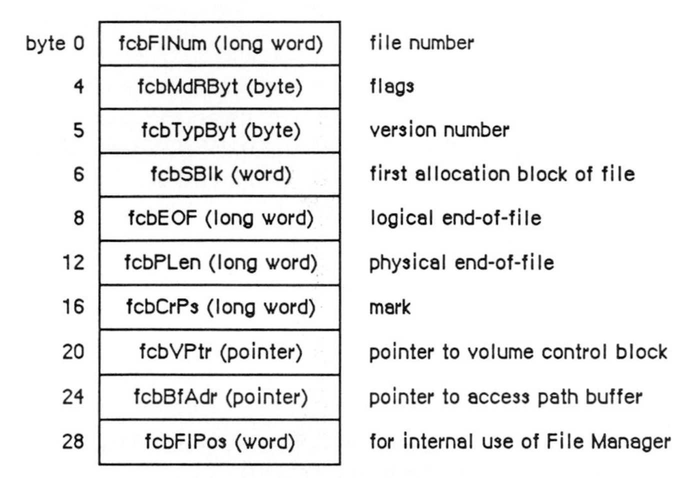

Fig. 22.10 File control block. Source: (IM85b) p. 127.

```
TYPE DrvQEl = RECORD
          qLink:      QElemPtr;  {next queue entry}
          qType:      INTEGER;   {queue type}
          dQDrive:    INTEGER;   {drive number}
          dQRefNum:   INTEGER;   {driver reference
                                 number}
          dQFSID:     INTEGER;   {file-system
                                 identifier}
          dQDrvSize:  INTEGER;   {number of logical
                                 blocks}
        END;
```

Fig. 22.11 Drive queue entry. Source: (IM85b) p. 127.

22.20 PRINTING MANAGER

The RAM-based *Printing Manager* enables the use of QuickDraw routines to print text and graphics on various types of printers (Sp85). The Printing Manager calls the *Printer Driver*, which is a RAM-based device driver.

The Printing Manager obtains page setup and print specifications from the application through dialogs. The application need not be concerned with specific printer characteristics when communicating with the Printing Manager. The Printer Driver actually controls the particular printer and has access to the printer's characteristics, which are stored in a *printer resource file* on the user's disk. New printers are installed with the Choose Printer desk accessory, which creates the new printer resource file.

When a document is opened for printing, the application is assigned a printing grafPort. QuickDraw routines are then used to draw text and graphics into this port.

Information to control printing is stored in a *print record* by the Printing Manager, which receives this information through dialogs with users (Fig. 22.12). The *style dialog* is initiated when the user selects *Page Setup* from the *File* menu. The style dialog is concerned with selecting options that affect the page dimensions. The job dialog is initiated when the user selects Print from the File menu. The job dialog allows the user to specify options for this particular print run such as the number of copies to print, the range of page numbers to print, the print quality, whether cut sheets or fanfold paper is being used, and so on.

The Printing Manager may print documents with one of two methods, namely *draft printing* or *spool printing*. With draft printing, the document is printed immediately. With spool printing, the actual printing of the document may be deferred—the Printing Manager first *spools*, i.e., prepares a print image either in memory or on disk, and this information is then transformed into bit-image representation and printed.

While printing is in progress, it is possible to run an optionally designated *background procedure*. The Printing Manager runs this procedure whenever it is not engaged in controlling printing. The Printing Manager is not a reentrant procedure, so it is important for the background procedure not to attempt any printing.

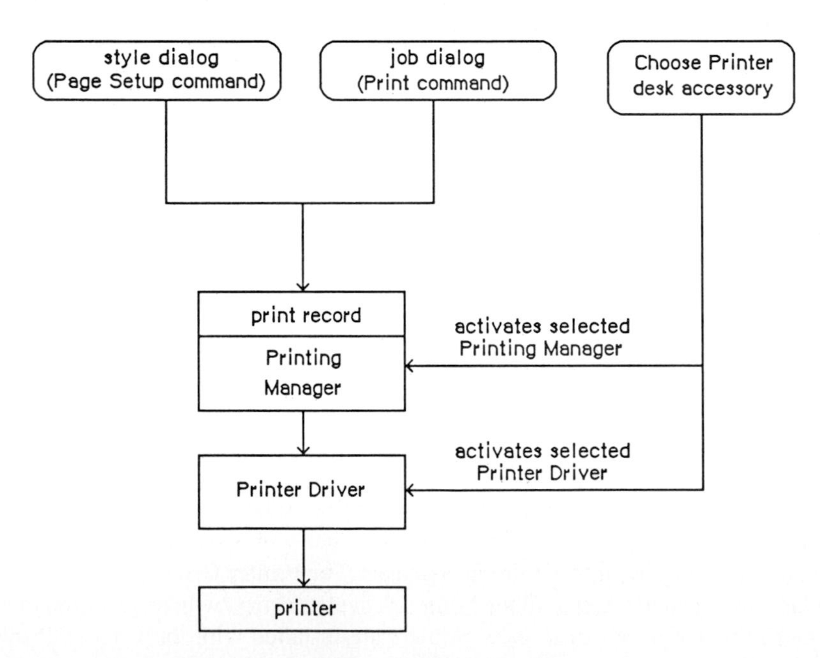

Fig. 22.12 Printing overview. Source: (IM85b) p. 148.

22.21 DEVICE MANAGER

The Device Manager is responsible for communications between applications and *devices*. Macintosh devices are hardware components such as disk drives, printers, and communications ports that can send information to, or receive information from, the Macintosh. The screen in this sense is not a device; it is controlled by QuickDraw.

The Macintosh supports both *character devices* and *block devices*. A character device (such as a printer or a serial port) reads or writes a continuous stream of characters one byte (character) at a time. A character device cannot return to a previous byte in the stream, nor can it skip ahead several characters in the stream. Character devices are sequential access devices.

Block devices (such as disk drives) read and write blocks of bytes at a time. Block devices are direct access devices; any block on the device can be accessed directly without having to read all previous blocks.

Applications normally communicate with devices by calling the Device Manager. The Device Manager may be called directly by the application, or it may be called indirectly via another portion of the system such as the File Manager or the Printing Manager (Fig. 22.13). The Device Manager itself does not directly control any particular device. Rather, it calls the device driver that is specifically responsible for each particular device.

Three device drivers are provided in ROM, namely the Disk Driver, the Sound Driver, and the ROM Serial Driver. The standard RAM drivers include the Printer Driver, the RAM Serial Driver, The AppleTalk drivers, and the desk accessories (manipulated by the Desk Manager). RAM drivers are considered to be resources and are obtained from the system resource file. Other device drivers may be added to the system as needed.

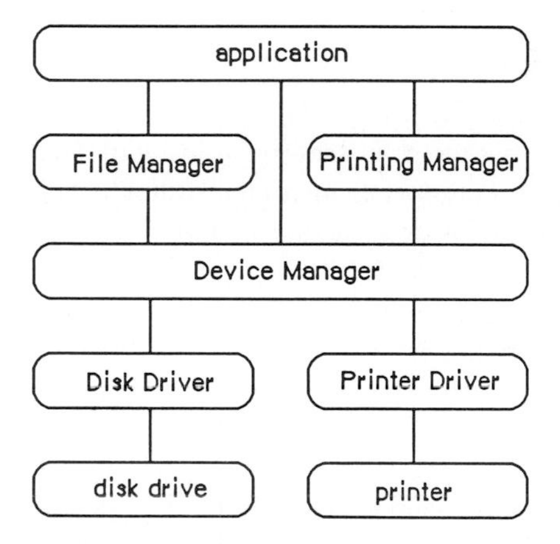

Fig. 22.13 Device Communication. Source: (IM85b) p. 176.

22.21.1 Device Driver

The Device Manager communicates with device drivers. Device Drivers are either *open* or *closed*. The Sound Driver and Disk Driver are automatically opened during system startup; other drivers are opened at the request of an application. A device driver must be open in order for an application to write data to, or read data from, a device. Each open device is given a *driver reference number* by the Device Manager.

When a device driver reads data from a device, it places that data in the application's *data buffer*. When a driver writes data to a device, it takes the data from the application's data buffer and transfers it to the device.

An application transmits *control information* to the device driver; the device driver transmits *status information* to the application. Control information may select modes of operation, start or stop processes, enable buffers, choose protocols, and so on. Status information may indicate the current mode of operation, the readiness of the device, the occurrence of errors, and so on.

Low-level Device Manager routines can be executed either *synchronously* or *asynchronously*. On an asynchronous call, an *I/O request* is placed in the *driver I/O queue* and control returns immediately to the calling program, which may proceed even while the I/O is being performed. Requests are processed one at a time from the queue. A *completion routine* may be specified by the calling program; this routine will be executed automatically when the asynchronous operation finishes.

Parameters communicated between applications and the Device Manager are stored in a *parameter block* in the stack or the heap. RAM drivers are stored in resource files. When a device driver is opened, a *device control entry* is created in memory. Each device driver has a driver I/O queue that contains the parameter blocks for all asynchronous routines awaiting execution. The Unit Table (Fig. 22.14) contains a handle to the device control entry of each of the device drivers.

22.21.2 Interrupts

Two kinds of *exceptions* that the processor must deal with are *traps* and *interrupts*. A trap results directly from the execution of an instruction; attempts to divide by zero, reference an out-of-bounds memory location, and execute an undefined operation code are all examples of traps.

When a device wants the attention of the processor, it issues an interrupt. A device may wish, for example, to notify the processor of the completion of an I/O operation, or it may wish to let the processor know that it is ready to receive transmissions.

An interrupt causes the processor to suspend normal execution, save the address of the next instruction to be executed and the processor's internal status on the stack, and transfer control to an *interrupt handler* routine designed to process that particular type of interrupt. Users may write their own interrupt handlers.

The Motorola MC68000 series of microprocessors recognizes seven different *interrupt levels*. A separate *interrupt handler* is provided for each of these. An *interrupt vector*

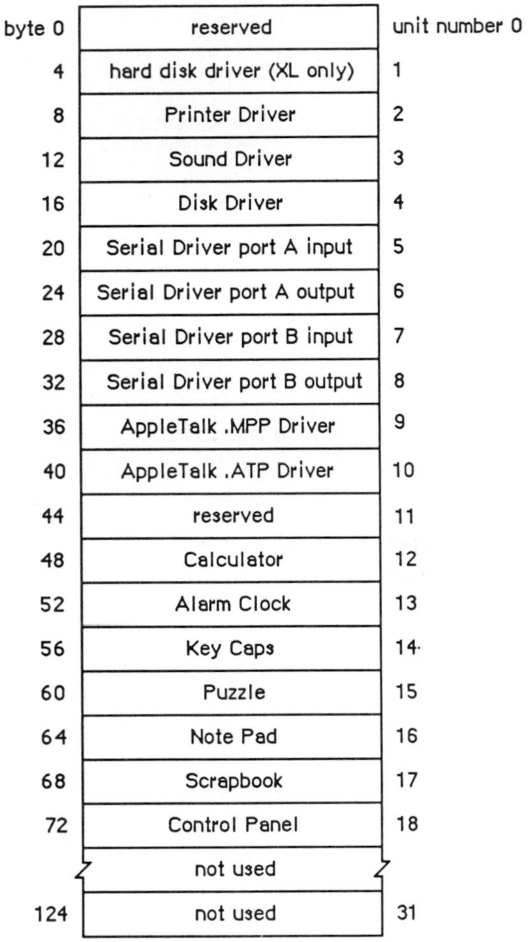

byte		unit number
0	reserved	0
4	hard disk driver (XL only)	1
8	Printer Driver	2
12	Sound Driver	3
16	Disk Driver	4
20	Serial Driver port A input	5
24	Serial Driver port A output	6
28	Serial Driver port B input	7
32	Serial Driver port B output	8
36	AppleTalk .MPP Driver	9
40	AppleTalk .ATP Driver	10
44	reserved	11
48	Calculator	12
52	Alarm Clock	13
56	Key Caps	14
60	Puzzle	15
64	Note Pad	16
68	Scrapbook	17
72	Control Panel	18
	not used	
124	not used	31

Fig. 22.14 The Unit Table. Source: (IM85b) p. 192.

table in low memory contains the addresses of these seven routines. When an interrupt occurs, the type of interrupt is used as an index to the interrupt vector table to determine the address of the appropriate interrupt handler, and control is transferred to that interrupt handler. When the interrupt handler completes, the status information is restored from the stack, and the processor continues from the point of interruption.

Three devices in the Macintosh can cause interrupts. These are the Synertek SY6522 Versatile Interface Adaptor (VIA), the Zilog Z8530 Serial Communications Controller (SCC), and the debugging switch. Each of these sends a three-bit *interrupt priority level* to the processor. This number informs the processor of the device causing the interrupt and the interrupt handler that should be executed as follows:

Level	Interrupting Device
0	None
1	VIA
2	SCC
3	VIA and SCC
4-7	Debugging switch

The level of the interrupt is compared with the processor priority in the status register. If the interrupt level is greater than the processor priority, the MC68000 acknowledges the interrupt and initiates interrupt processing.

When an interrupt is acknowledged, the processor priority is set to the interrupt priority level to prevent additional interrupts of equal or lower priority until the interrupt handler has finished servicing the interrupt. Interrupt handlers should lower the processor priority as soon as possible to enable pending interrupts to be processed promptly.

The interrupt priority level is used as an index into the *primary interrupt vector table*. Each entry in the table contains the starting address of an interrupt handler (Fig. 22.15).

Execution jumps to the interrupt handler at the address specified in the table. The interrupt handler must identify and service the interrupt. Then it must restore the processor priority, status register, and program counter to the values they contained before the interrupt occurred.

Level-1 interrupts are generated by the VIA. The source of the interrupt is indicated in the VIA's interrupt flag register and interrupt enable register; a table of *secondary vectors* in low memory is used to determine which interrupt handler to call. The level-1 interrupt handler is reentrant.

Level-2 interrupts are generated by the SCC. The level-2 interrupt handler also uses a table of secondary vectors to route specific types of interrupts to appropriate interrupt handlers, and the level-2 interrupt handler is also reentrant. Communications interrupts are always handled before mouse interrupts.

$64	autoInt1	vector to level-1 interrupt handler
$68	autoInt2	vector to level-2 interrupt handler
$6C	autoInt3	vector to level-3 interrupt handler
$70	autoInt4	vector to level-4 interrupt handler
$74	autoInt5	vector to level-5 interrupt handler
$78	autoInt6	vector to level-6 interrupt handler
$7C	autoInt7	vector to level-7 interrupt handler

Fig. 22.15 Primary interrupt vector table. Source: (†M85b) p. 197.

22.21.3 Disk Driver

The *Disk Driver* is a ROM-based device driver for controlling Macintosh 3 1/2-inch disk drives. Most applications will call the File Manager to read or write files on disks. But it is possible for an application to call the Disk Driver directly.

The disk driver enables an application to read, write, and eject disks. Disk formatting is not done by the Disk Driver, but rather by the Disk Initialization Package.

Disk information is stored in 512-byte *sectors*. A 400K-byte disk contains 800 sectors. An 800K-byte disk contains 1600 sectors. Each sector consists of an *address mark*, which contains information used by the Disk Driver to determine the position of the sector on the disk, and a *data mark*, which primarily contains data stored in that sector.

Consecutive sectors are grouped into *tracks*. A 400K-byte disk contains 80 tracks numbered from 0 (outermost) to 79 (innermost). Each track corresponds to one ring around the disk.

Macintosh disks actually take advantage of the fact that outer tracks have a larger circumference and can contain more sectors. This is not the case with most other microcomputer systems. A 400K-byte disk, for example, is organized as follows:

Tracks	Sectors per track	Sectors
0-15	12	0-191
16-31	11	192-367
32-47	10	368-527
48-63	9	528-671
64-79	8	672-799

Applications may read and write data only in entire sectors. Data may be accessed at the current sector, at a position relative to the current sector, or at a position relative to the first sector on the disk.

22.21.4 Sound Driver

The *Sound Driver* is a device driver that controls sound and music generation (He86). It controls three different sound synthesizers: a four-tone synthesizer that produces simple harmonic sounds with up to four separate voices, a square-wave synthesizer that produces less harmonic sounds like beeps, and a free-form synthesizer that produces complex music and speech.

The Sound Driver uses digital representations of waveforms. The parameters of the sounds to be produced are stored in a data structure called a *synthesizer buffer*. Each sound to be produced must be described by the four parameters of duration, pitch, phase, and waveform.

Because the Sound Driver uses interrupts to produce sound, other device drivers should not be in use while sound is being produced; they might turn off interrupts, making sound production unreliable.

22.21.5 Serial Drivers

The *RAM Serial Driver* and *ROM Serial Driver* allow applications to communicate with the two serial ports on the back of the Macintosh. These device drivers control full-duplex, asynchronous serial communication between serial devices and applications.

Full duplex communication means that transmission may occur in both directions simultaneously; while a device is transmitting data to the Macintosh, the Macintosh may simultaneously transmit data back to the device. Serial data transmission occurs one bit at a time over a single data path (parallel data transmission occurs many bits at a time over a communication line with many data paths). With asynchronous communication the Macintosh communicates with serial devices without the use of a common timer; no timing signals are transmitted. Successively transmitted characters in asynchronous transmission may follow one another immediately, or there may be arbitrarily large delays between transmissions. Asynchronous serial data communication via the Serial Drivers adheres to the format shown in Fig. 22.16.

An idle serial device keeps the transmission line in the *mark state* shown in Fig. 22.16. A transmission begins when the transmitting device sends a *start bit;* this indicates to the receiving device that it should prepare to receive a character. Then the character to be transmitted is sent as a sequence of 5, 6, 7, or 8 *data bits*. This may be followed by a *parity bit* used for error detection. The parity bit is inserted in the bit stream by the transmitting device; if the system is using odd parity, then the bit is chosen to make the total number of ones in the transmission odd (including the parity bit); for even parity, the bit is set to make the total number of ones even. The receiving device checks parity to determine if a *parity error* has occurred in transmission; if an error has occurred, then the transmitting device is instructed to retransmit the data. Character transmission concludes with the sending of one or two *stop bits* to delineate the end of the character. The *baud rate* is the number of bits transmitted per second; because start bits, parity bits, and stop bits are essentially overhead items, the baud rate is usually considerably larger than the rate at which "useful" data bits are transmitted.

A *frame* is the time between the transmission of the start bit and the transmission of the last stop bit. If the receiving device does not get a stop bit after the data and parity bits, it will note a *framing error*. After the stop bits, the transmitting device may send another character or maintain the line in the mark state. If the line is held in the *space state* (Fig.

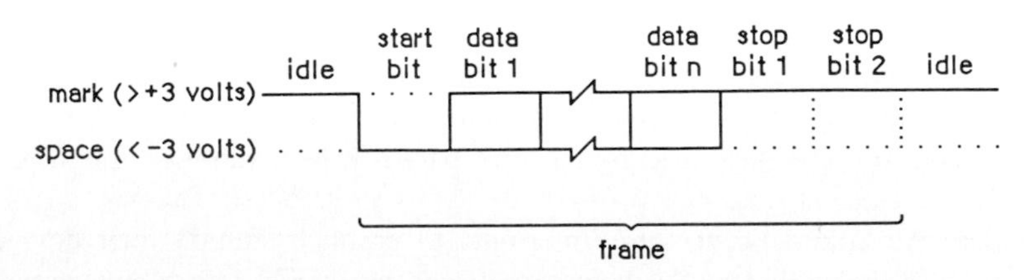

Fig. 22.16 Asynchronous data transmission. Source: (IM85b) p. 245.

22.16) for one frame or longer, a *break* occurs. Breaks are used to interrupt data transmission.

Each serial driver actually consists of four drivers: one input driver and one output driver for the modem port, and one input driver and one output driver for the printer port (Fig. 22.17). Input drivers receive data from the serial ports and transfer the data to applications. Output drivers take data from applications and pass the data to the serial ports for transmission. The four drivers are normally set to transmit at 9600 baud, eight data bits per character, no parity bit, and two stop bits; these parameters may be altered. The serial drivers can support full-duplex communication; each port can transmit and receive data at the same time. The serial ports are controlled by the Macintosh's Zilog Z8530 Serial Communications Controller (SCC). Channel A of the SCC controls the modem port, and channel B controls the printer port.

Data entering the Macintosh through one of the serial ports is temporarily kept in a small (three-character) buffer in the SCC; that data is then placed in a buffer in the input driver that controls that port. When an application issues a *read* call to the driver, characters are passed to the application from the input driver's buffer. Input driver buffers are set to hold as many as 64 characters; larger buffers can be specified.

A *hardware overrun error* occurs when the SCC buffer overflows; this will happen if the input driver is not issuing *read* calls frequently enough. A *software overrun error* occurs when an input driver's buffer overflows; this occurs because the application is not issuing read calls to the driver frequently enough.

22.21.6 AppleTalk Manager

The AppleTalk Manager enables the Macintosh to communicate over a single AppleTalk network or a set of interconnected Appletalk networks called an *internet* (Da85) (Ne86). AppleTalk communicates via channel B of the Serial Communications Controller. Data is

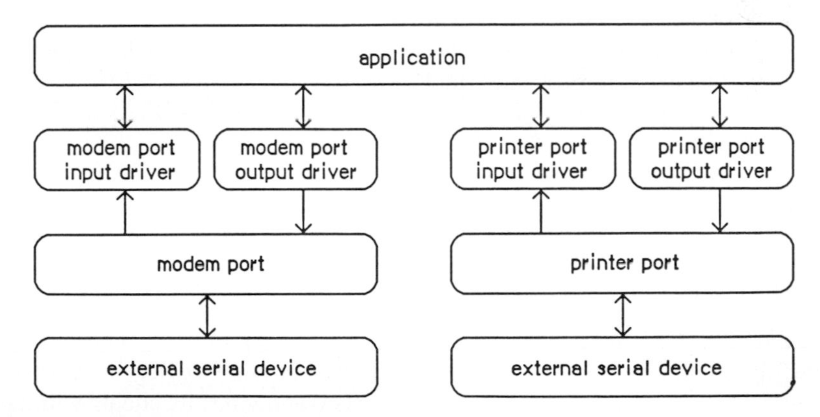

Fig. 22.17 Input and output drivers of a serial driver. Source: (IM85b) p. 247.

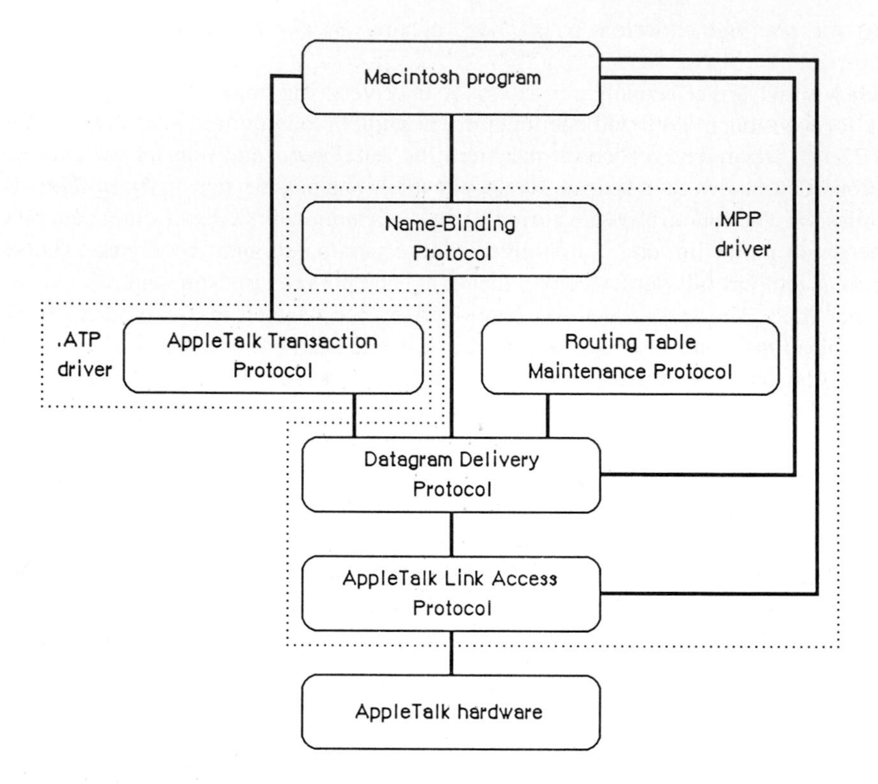

Fig. 22.18 AppleTalk Manager protocols. Source: (IM85b) p. 246.

transmitted in variable-length blocks called *packets*. The rules that govern AppleTalk transmissions are called *protocols*.

The AppleTalk system arranges these protocols in layers (Fig. 22.18). Each protocol in a given layer provides various services to higher-level layers (i.e., that protocol's *clients*); the protocol provides these capabilities by using the services offered by lower-level layers. The AppleTalk Manager protocols are as follows:

(A) AppleTalk Link Access Protocol (ALAP)

(B) Datagram Delivery Protocol (DDP)

(C) Routing Table Maintenance Protocol (RTMP)

(D) Name-Binding Protocol (NBP)

(E) AppleTalk Transaction Protocol (ATP)

The *AppleTalk Link Access Protocol* is the lowest-level protocol. It controls access to the AppleTalk network among competing devices. Each physical device in the network is a *node* with a unique *node id* assigned by ALAP. ALAP provides its clients with node-to-node delivery of data frames on a single network. ALAP frames are variable-length packets of data preceded and followed by control information. The frame header identifies the source and destination nodes. A *broadcast service* allows a message to be sent to all nodes on the network. ALAP checks for errors, but it makes no attempt at recovery; erroneous packets are lost.

The *Datagram Delivery Protocol* is the next higher level protocol. *Sockets* are logical entities within the nodes. Sockets are owned by *socket clients* which are software processes in the nodes. *Internets* are sets of AppleTalk networks interconnected by *bridges*. DDP manages socket-to-socket delivery of packets of data called *datagrams* over AppleTalk internets. A *socket listener* is the code in a socket client that accepts and processes datagrams addressed to that socket.

The *Routing Table Maintenance Protocol* is used by bridges on AppleTalk internets to maintain the routing tables needed for proper routing of datagrams throughout the internet.

Socket clients are network-visible entities which can choose to identify themselves by unique *entity names*. The *Name-Binding Protocol* maintains a names table in each node that contains the name and the internet address of each entity in that node. NBP allows clients to add or delete their names and node addresses from the node's names table. It also allows its clients to obtain the internet addresses of entities from their names.

The *AppleTalk Transaction Protocol* is responsible for providing error-free transmission. ATP uses a transaction-processing approach; each *transaction* consists of a *transaction request* and a *transaction response*. ATP repeats transaction requests until a correct response has been received; this ensures recovery when erroneous packets are transmitted.

The AppleTalk Manager is divided into three parts:

1. A lower-level RAM-based driver called *.MPP* that contains code to implement ALAP, DDP, NBP, and RTMP
2. A higher-level RAM-based driver called *.ATP* that implements ATP
3. A Pascal interface to these drivers.

Note that all protocols except the Routing Table Maintenance Protocol are directly accessible to Macintosh programs; RTMP's sole purpose is to provide routing information to DDP.

22.21.7 Vertical Retrace Manager

The video screen of the Macintosh is refreshed 60 times per second. When the video scan reaches the bottom of the screen and prepares to jump back to the top of the screen, a *vertical retrace interrupt,* sometimes called a *vertical blanking interrupt (VBL),* is generated. Each time this occurs, the operating system performs a series of recurrent tasks called *VBL tasks*. These include

1. Add one to the *tick count* (a measure of time elapsed since system startup).
2. Check if the heap and the stack have collided (if so, then call the System Error Handler).
3. Monitor changes in the position of the cursor.

4. Indicate (post) a mouse event if appropriate, i.e., if the state of the mouse button has changed and then remained constant for four interrupts (this is performed every other VBL interrupt).
5. Indicate (post) a *disk insert event* if a disk has been inserted in a disk drive (performed every 30 VBL interrupts).

Other tasks to be performed during vertical retrace interrupts can be specified by applications. For example, systems that poll to determine if an event has happened might insert a VBL task to run every few VBL interrupts. These tasks must execute quickly to avoid degrading the performance of the system.

Because interrupts are sometimes disabled and because some VBL tasks may take longer than a sixtieth of a second to execute, certain VBL tasks may not actually be performed each time they are supposed to be. This could cause noticeable effects, such as erratic cursor position updating.

22.22 SYSTEM ERROR HANDLER

The *System Error Handler* responds to fatal system errors. It displays a system error alert box and provides some means for the application to resume or restart. A system error usually means that a failure has occurred in the operating system. Such errors could prevent key portions of the Macintosh software from functioning, so the System Error Handler is designed to rely on the other Macintosh software as little as possible. In particular, it does not use the Memory Manager.

The System Error Handler uses one of the the *system error alert tables* to determine what to say in each dialog box. The system alert tables are resources stored in the system resource file. The *system startup alert table* is used while the system is undergoing startup. After startup, a *user alert table* is used.

The system startup alerts (such as the "Welcome to the Macintosh" message) are controlled by the System Error Handler (rather than the Dialog Manager) precisely because the System Error Handler uses so little of the system.

An application may recover from a system error by means of a *resume procedure* it has provided. If the user clicks the Resume button in a system error alert, the System Error Handler attempts to restore the state of the system, and then calls the application's resume procedure.

The System Error Handler is ordinarily called by the operating system and not directly by applications. Applications are more concerned with recovering from the system error and then resuming execution.

22.23 OPERATING SYSTEM UTILITIES

The Operating System Utilities are routines and data types in the Operating System that perform commonly needed operations such as manipulating pointers and handles, comparing strings, conversion of lowercase characters to uppercase, and reading and setting the date and time.

The *parameter RAM* consists of 20 bytes stored in the *clock chip* along with the current date and time. It includes modifiable information such as speaker volume, double-click time, the startup drive, alarm setting, and data transmission parameters for the modem port and the printer port. The clock chip is powered by a battery, so these values are preserved even when the main Macintosh power is off. The clock chip is difficult to access so its values, including the date and time settings, are copied by an operating system utility into low memory at system startup. Applications read and change parameter RAM through this low-memory copy.

The operating system makes extensive use of queues for keeping track of VBL tasks, I/O requests, events, mounted volumes, and disk drives; utilities are provided to enqueue and dequeue entries. Utility procedures are supplied that cause the system to wait for a specified number of ticks (i.e., sixtieths of a second), beep for the specified number of ticks, return the current ROM version number and an indication of which version of the Macintosh is in use, restart the system, and manipulate entries in the trap dispatch table.

22.24 THE EVOLVING MACINTOSH FAMILY

In the next several sections we describe the more recent models in the Macintosh computer line. Then we discuss the operating system enhancements made to support these newer models.

22.24.1 The Macintosh Plus

The *Macintosh Plus*, introduced in 1986, represented a gradual evolution of the Macintosh into a more substantial machine for competing in the business marketplace (Go86) (Ro86) (Us86). It added double-sided 800K sturdy disks, a megabyte of RAM (eight times as much as the original Macintosh), a larger ROM (128K vs 64K), and the SCSI interface ("small computer standard interface"). SCSI is an important industry-standard 8-bit parallel interface for communications between peripheral devices and personal computers. On the Macintosh Plus, the SCSI port handles communications at 320KB, which is approximately ten times faster than on the original Mac. The Macintosh Plus still did not provide expansion slots.

22.24.2 The Macintosh SE and SE/30

In 1987, Apple announced two new computer systems, the *Macintosh SE* (Hi87) (Lo87) (Po87), essentially the next step in the evolution of the Macintosh Plus, and the *Macintosh II* (discussed in the next section). The SE (for "system enhanced") included an *expansion slot* like that which has proven successful in other personal computers, but which was conspicuously absent in earlier Macintoshes. This evolved the Macintosh from a closed architecture (which discouraged third party hardware development) to a more open architecture. A 20MB internal hard disk drive was included.

One popular use of the expansion slot is to plug in an MS-DOS board to enable the SE to run IBM PC-compatible software. The SE still uses the same Motorola 68000 processor as earlier Macintoshes. Main memory is expandable from the standard one megabyte to four megabytes.

22.24.3 The Macintosh II

With the announcement of the *Macintosh II* in 1987, Apple entered the world of high-performance, color-graphics workstations (Hi87) (Us87). The Mac II cabinet can hold a second 800K internal sturdy disk, or it can hold a 20, 40, or 80-megabyte hard disk.

Instead of the familiar Motorola 68000 microprocessor, the Mac II used the 68020 and included a Motorola 68881 floating-point coprocessor. The more recently announced Mac IIx model uses the even more powerful Motorola 68030 microprocessor. Six expansion slots are provided; these are based on the *NuBus* standard developed at MIT.

The Mac II can run the conventional Macintosh operating system, or it can run Apple's version of UNIX System V called *A/UX*. Noticeably, in the first version of A/UX both operating systems could not run at once, as is possible in Sun UNIX (Chapter 18) and OS/2 (Chapter 23) where each supports both UNIX systems and DOS/MS-DOS (Chapter 19).

Apple's support of UNIX systems, and the availability of DOS/MS-DOS cards represent a change in philosophy for the company. This is completely consistent with the moves most other major vendors are making to support these popular operating systems. It is additional confirmation of the importance of the open systems philosophy.

Apple's A/UX as originally announced conformed to AT&T System V UNIX Release 2 with various Berkeley UNIX systems enhancements. The toolbox is accessible through A/UX. The Mac II supports Sun's Network File System (see Chapter 18) and can communicate over Ethernet-based networks (see Chapter 16). It is interesting that the original version of A/UX used a text-oriented interface, rather than the familiar Macintosh graphics interface. This was probably a management decision to make UNIX systems available as early as possible; also, many people believed that UNIX systems purists would prefer the conventional text-oriented UNIX systems shells. A/UX requires more substantial primary storage and hard disk than does the conventional Macintosh operating system.

A/UX Version 1.1 (Po89) enables the user to run a conventional Mac application simultaneously with several UNIX systems tasks in the background. A/UX 1.1 is POSIX-conformant (see Chapter 18). It includes MIT's X Window System; this provides the basis for the eventual inclusion of a full-scale graphical user interface that will sit on the X Window System primitives.

The toolbox now includes many features to support color graphics. The 68020 is several times faster than the 68000. The 68881 coprocessor offers tremendous speed improvements over performing math routines in software as was required on previous Macs. An instruction cache memory speeds processing even more.

The SCSI port is available for connecting external hard disk drives and tape devices. The Mac II's SCSI port is more than three times faster than that on the SE.

Sound generation is independent of the CPU. The sound quality is much enhanced; it has stereo capability with four voices. The Sound Manager (in the toolbox) contains routines to control sound generation.

The Motorola 68020 uses 32-bit addressing and hence a 4-gigabyte address space. This addressing capability is exploited when running A/UX.

The ROM toolbox includes color QuickDraw. Color capabilities have been added for the Control Manager, the Window Manager, the Menu Manager, and TextEdit.

22.24.4 The Macintosh SE/30

The *Macintosh SE/30* essentially makes the power of the Mac IIx available in a Mac SE (Ba89) (We89). The SE/30 use Motorola's 68030 microprocessor and its 68882 floating-point coprocessor. This enables applications to execute much faster than on the SE. The 68030 has built-in paging hardware called the *PMMU (paged memory management unit).* Main memory can now be as large as 8MB, and eventually much larger. The SE/30 has the same sound capabilities as the Mac II. The SCSI port can support as many as six hard disks or other SCSI-based devices.

22.25 MACINTOSH PLUS OPERATING SYSTEM ENHANCEMENTS

Several changes were introduced to enable the operating system to accommodate the Macintosh Plus (IM86). A *window zooming* feature was added. Application-defined events can be posted to the event queue. A hierarchical file system structure appropriate for supporting hard disk was added (He86a) (Po86). The Disk Driver was modified to support double-sided sturdy disks and a 20-MB hard disk. The System Resource File was added; applications may use the standard system resources in this file. The List Manager was added for handling lists; these are displayed in a rectangle in a window, and the List Manager can scroll lists and respond to list element selection. The SCSI Manager was added to control the SCSI bus. The Time Manager was added; this allows a routine to be scheduled for execution after a designated time interval expires.

22.26 MACINTOSH SE AND MACINTOSH II OPERATING SYSTEM ENHANCEMENTS

Both the Macintosh SE and the Macintosh II have new features that the operating system was enhanced to support (IM88). New capabilities were added in the areas of sound generation, menus, text processing, Apple Talk networking, international features, keyboard support, and customized control panels.

The Mac II placed additional demands on the operating system to support color graphics, plug-in slot cards for handling various devices including more processors, multiple display monitors, and multiple addressing modes including 24-bit addressing and 32-bit addressing.

The Menu Manager was modified to support hierarchical scrolling and pop-up menus. The various mathematical support packages were modified to operate in conjunction with the 68881 floating-point coprocessor. The Vertical Retrace Manager was modified to work with multiple screens.

Managing color displays is far more complex than managing black and white displays. QuickDraw was completely reworked to accommodate color. The Color Manager was added to provide QuickDraw with the lower-level routines needed to select colors. The Palette Manager was added to provide toolbox-level routines for applications to use to control their color environment. The Color Picker was added so that applications could easily provide users with a uniform interface for choosing colors.

The File Manager was enhanced to support shared access of files in multitasking systems and networks.

22.27 THE FUTURE OF THE MACINTOSH

The Macintosh has established itself as a clear alternative to the IBM line of personal computers. It has evolved into a position of prominence in the education and business communities. Apple continues to provide more powerful models consistent with the latest developments in hardware and software technology. In the near future, we can expect to see increased networking support and other enhanced capabilities consistent with the open systems philosophy that is driving the industry.

TERMINOLOGY

access path
access path buffer
activate event
address mark
allocation block
AppleBus Manager
AppleTalk
AppleTalk Link Access Protocol
AppleTalk Manager
AppleTalk Transaction Protocol
application-defined events
application heap zone
A/UX
block device
bridge
character device
clock chip
closed architecture
completion routine
Control Manager
data fork
Datagram Delivery Protocol
Desk Manager
Device Control Entry
device driver
Device Manager
Dialog Manager
Disk Driver
Disk Initialization Package
disk-inserted event
drive queue
Event Manager
event mask
event queue
exception vectors
expansion slot
file control block
file control block buffer
File Manager
Finder

Font Manager
frame
grafPort
grow zone function
handle
hardware overrun error
heap
heap zone
input driver
internet
interrupt priority level
interrupt vector table
journaling mechanism
Macintosh Plus
Macintosh SE
Macintosh SE/30
Macintosh II
mark state
MC68000
Memory Manager
memory-mapped input/output
Menu Manager
Motorola 68030 microprocessor
Motorola 68020 microprocessor
Motorola 68000 microprocessor
network event
NuBus
open architecture
Operating System Event Manager
output driver
Package Manager
parameter RAM
PMMU (paged memory management unit)
post an event
Printer Driver
Printing Manager
QuickDraw
Resource Editor
resource file
resource fork
Resource Manager
Routing Table Maintenance Protocol
RS422
RS232C
Scrap Manager
SCSI
Segment Loader
Serial Communications Controller (SCC)
serial drivers (RAM and ROM)
serial port
Sound Driver
stack frame
stack sniffer
Standard File Package
System Error Alert Tables
System Error Handler
system heap zone
toolbox
Toolbox Event Manager
trap dispatch table
Unit Table
User Interface Toolbox
Versatile Interface Adaptor (VIA)
Vertical Retrace Manager
volume allocation block map
volume buffer
volume information
Window Manager
window zooming

EXERCISES

22.1 Discuss the organization and the operation of the Macintosh's video screen.

22.2 The Macintosh stores more sectors per disk track on the outer tracks. How does it accomplish this?

22.3 Distinguish between the two keys levels of software in the Macintosh. Describe how each serves as an interface between the application and some other entity.

22.4 Explain the Macintosh notion of event. List seven common examples of events. What components of the software are concerned with reporting events? What does it mean for an application program to be event driven?

22.5 How does an application keep track of the mouse?

22.6 What is the difference between activate events and update events? How are they related?

22.7 Give three reasons why events may not necessarily be processed in FCFS order.

22.8 Explain the Macintosh notion of a resource. List four common types of resources.

22.9 Discuss two important applications of the Event Manager's journaling mechanism.

22.10 List the common tasks performed by the Window Manager.

22.11 How does the heap tend to become fragmented? What storage organization scheme have we discussed that suffers the same kind of fragmentation?

22.12 Distinguish between the terms in each of the following pairs:

a) relocatable, nonrelocatable
b) locked, unlocked
c) purgeable, unpurgeable
d) pointer, handle
e) stack, heap

22.13 What does the Macintosh operating system do with nonrelocatable blocks to minimize difficulties that might occur at compaction time?

22.14 What does the Memory Manager do when the heap is compacted and a request for memory still cannot be met?

22.15 Is it possible for the stack and the heap to collide without the system detecting it?

22.16 Why shouldn't a segment unload the segment that called it?

22.17 How does an application ordinarily learn of events reported by the operating system Event Manager?

22.18 Explain the meaning of each of the following terms and describe how they relate to one another: volume, file directory, file, allocation block, volume buffer, resource fork, data fork.

22.19 The File Manager may transfer data a line at a time or as a continuous stream of characters. For each type of transfer, describe how the File Manager knows how many characters to transfer.

22.20 Distinguish between synchronous I/O and asynchronous I/O.

22.21 Each file may have several access paths for reading, but only one access path for writing. Why?

22.22 The File Manager does not perform the actual reading and writing of data. What component of the operating system does this?

22.23 Discuss each of the following main memory data structures used by the File Manager:

a) file I/O queue
b) volume control block
c) volume-control-block queue
d) volume allocation block map
e) file control block
f) volume buffer
g) drive queue

22.24 Distinguish between the Printing Manager and the Printer Driver.

22.25 While printing is in progress, it is possible to run an optionally designated background procedure. Why shouldn't this background procedure attempt any printing?

22.26 Compare and contrast character devices and block devices. Give several examples of each.

22.27 Distinguish between control information and status information in the context of device drivers. Give three examples of each.

22.28 Distinguish between traps and interrupts. Give three examples of each.

22.29 Describe how the Macintosh processes interrupts. Be sure to include each of the following in your discussion:

a) what the processor does in response to an interrupt
b) interrupt handler
c) interrupt levels
d) interrupt vector table
e) restoring values after an interrupt

22.30 Why shouldn't other device drivers be used while sound is being produced?

22.31 The Macintosh Serial Drivers support full-duplex asynchronous serial communication. Explain how this form of communication operates.

22.32 In the context of Macintosh communications, explain the difference between a hardware overrun error and a software overrun error.

22.33 Discuss the use of layered protocols in AppleTalk; list each protocol and the key functions it performs.

22.34 Give several examples of VBL tasks regularly performed by the operating system. Why might certain VBL tasks not be performed as often as they are supposed to be?

LITERATURE

(An88) Anderson, A., "Macintosh Memory Management," *Byte*, Vol. 13, No. 4, April 1988, pp. 249–254.

(Ba89) Baran, N., "The Mac SE Takes Off," *Byte*, Februray 1989, pp. 113–116.

(Ch85) Chernicoff, S., *Macintosh Revealed*, Volumes I and II, Berkeley, CA: Hayden Book Company, 1985.

(Da85) Davis, F. E., "The AppleTalk Personal Network: Technical Specifications," *A+ Magazine*, March 1985, pp. 34–37.

(Do84) Douglas, M., "Inside the Mac," *Macworld*, Vol. 1, No. 1, 1984, pp. 34–41.

(Fa84) Farber, D., "A Mouse in the Hand," *Macworld*, Vol. 1, No. 1, 1984, pp. 28–30.

(Fa84a) Farber, D. (Ed.), "Redefining User-Friendly," *Macworld*, May/June 1984, p. 66–71.

(Fa84b) Farber, D., "Tales of the Finder," *Macworld*, May/June 1984, p. 34.

(Fa84c) Farber, D., "Double-Disk Strategies," *Macworld*, November 1984, pp. 34–42.

(Fl84) Fluegelman, A. (Ed.), "The Making of the Macintosh," *Macworld*, Vol. 1, No. 1, 1984, pp. 126–135.

(Go84) Goodman, D., "The Macintosh Deluxe," *Macworld*, November 1984, pp. 56–59.

(Go85) Goodman, D., "The Laser's Edge," *Macworld*, February 1985, pp. 70–79.

(Go85a) Goodman, D., "The Invisible Disk," *Macworld*, March 1985, pp. 72–79.

(Go86) Goodman, D., "Developing a Megabyte Strategy," *Macworld*, April 1986, pp. 80–85.

(He85) Heid, J., "Recovering Damaged Disks," *Macworld*, November 1985, pp. 106–113.

(He86) Heid, J., "Musical Wares," *Macworld*, February 1986, pp. 92–99.

(He86a) Heid, J., "Hard Decisions," *Macworld*, June 1986, pp. 102–108.

(Hi87) Hixson, A. C., "The MAC Is Back," *Personal Computing*, Vol. 11, No. 4, April 1987, pp. 102–117.

(Hz84) Hertzfeld, A., "Macintosh System Software Overview," *Byte*, February 1984, pp. 38–39.

(IM85a) *Inside Macintosh Volume I* (written by Rose, C.; B. Hacker; R. Anders; K. Withey; M. Metzler; S. Chernicoff; C. Espinosa; A. Averill; B. Davis; and B. Howard), Copyright 1985 Apple Computer Inc., Reading, MA: Addison-Wesley, 1985.

(IM85b) *Inside Macintosh Volume II* (written by Rose, C.; B. Hacker; R. Anders; K. Withey; M. Metzler; S. Chernicoff; C. Espinosa; A. Averill; B. Davis; and B. Howard), Copyright 1985 Apple Computer Inc., Reading, MA: Addison-Wesley, 1985.

(IM85c) *Inside Macintosh Volume III* (written by Rose, C.; B. Hacker; R. Anders; K. Withey; M. Metzler; S. Chernicoff; C. Espinosa; A. Averill; B. Davis; and B. Howard), Copyright 1985 Apple Computer Inc., Reading, MA: Addison-Wesley, 1985.

(IM86) *Inside Macintosh Volume IV*, Copyright 1986 Apple Computer Inc., Reading, MA: Addison-Wesley, 1986.

(IM88) *Inside Macintosh Volume V*, Copyright 1988 Apple Computer Inc., Reading, MA: Addison-Wesley, 1988.

(Le84) Lemmons, P., "An Interview: The Macintosh Design Team," *Byte*, February 1984, pp. 59–78.

(Le89) Levy, S., "Glory Days," *Macworld*, February 1989, pp. 161–169.

(Lo87) Loeb, L. H., "The Macintosh SE," *Byte*, Vol. 12, No. 9, August 1987, pp. 201–203.

(Lu84) Lu, C., "How the Macintosh Works," *Macworld*, May/June 1984, pp. 110–115.

(Lu84a) Lu, C., *The Apple Macintosh Book*, Microsoft Press, Bellevue, Washington, 1984.

(Mc85) McComb, G., "Making the Most of the Mac's Fonts," *Macworld*, January 1985, pp. 106–119.

(Mc85a) McComb, G., "Decking Out the Mac's Desktop," *Macworld*, March 1985, pp. 44–52.

(Mc86) McComb, G., "A Clipboard Collage," *Macworld*, January 1986, pp. 68–74.

(Mc86a) McComb, G., "Accessories to the Facts," *Macworld*, March 1986, pp. 106–109.

(Na84) Nace, T., "The Macintosh Family Tree," *Macworld*, November 1984, pp. 134–141.

(Ne86) Needle, D., "Expanding Your Network Options," *Macworld*, June 1986, pp. 126–133.

(Po84) Poole, L., "A Tour of the Mac Desktop," *Macworld*, Vol. 1, No. 1, pp. 16–21.

(Po84a) Poole, L., "The 64K Treasure Chest," *Macworld*, Vol. 1, No. 1, p. 116–120.

(Po86) Poole, L., "A Hierarchy and 20 Megabytes," *Macworld*, January 1986, pp. 76–84.

(Po87) Poole, L., "More Than a Plus," *Macworld*, April 1987, pp. 141–143.

(Po89) Poole, L., "*A/UX Version 1.1*," Macworld, March 1989, p.114.

(Po89a) Poole, L., "The Compact Mac: The Mac IIcx," *Macworld*, April 1989, pp. 131–137.

(Ro86) Robinson, P., "The Macintosh Plus," *Byte*, Vol. 11, No. 6, June 1986, pp. 85–90.

(Sm84) Smith, B., "Macintosh System Architecture," *Byte*, February 1984, p. 32.

(Sp85) Sprague, R., "The Language that Talks to Your Printer," *Macworld*, February 1985, pp. 106–115.

(Us86) Ushijima, D., "A Change for the Plus," *Macworld*, April 1986, pp. 95.

(Us87) Ushijima, D., "Macintosh II: Opening to the Future," *Macworld*, April 1987, pp. 126–139.

(We89) Webster, B. F., "The Mac SE Turns 030," *Macworld*, March 1989, pp. 112–117.

(Wi84) Williams, G., "The Apple Macintosh Computer," *Byte*, February 1984, pp. 30–54.

(Wi87) Williams, G., "MultiFinder for the Macintosh," *Byte*, Vol. 12, No. 13, November 1987, pp. 123–130.

(Yo86) Young, J. S., "Tales of the Macintosh," *Macworld*, February 1986, pp. 132–137.

APPENDIX

Apple Computer, Inc.
20525 Mariani Ave.
Cupertino, CA 95014

Macworld
PCW Communications, Inc.
501 Second Street
San Francisco, CA 94107

23
Case Study: OS/2

If two lives join, there is oft a scar.
They are one and one, with a shadowy third;
One near one is too far.

Robert Browning

Can two walk together, except they be agreed?

Amos 3:3

It is always good
When a man has two irons in the fire.

Francis Beaumont and John Fletcher

Outline

23.1 Introduction
23.2 History
23.3 Design Overview
23.4 Multitasking
- **23.4.1** Processes
- **23.4.2** Threads
- **23.4.3** Scheduling

23.5 Dynamic Linking
23.6 The File System
23.7 Memory Management
23.8 Interprocess Communication
- **23.8.1** Shared Memory
- **23.8.2** Semaphores
- **23.8.3** Anonymous Pipes
- **23.8.4** Named Pipes
- **23.8.5** Queues
- **23.8.6** Signals

23.9 The Presentation Manager and VIO
23.10 Device Monitors
23.11 Data Integrity
23.12 Timer Services
23.13 Device Drivers
- **23.13.1** Hard Errors
- **23.13.2** Device Helper Services
- **23.13.3** OS/2 Mouse Support
- **23.13.4** OS/2 Keyboard Support
- **23.13.5** Font and Code Page Support
- **23.13.6** I/O Privilege Mechanism

23.14 The DOS Compatibility Box
23.15 System Configuration
23.16 OS/2 Software Developer's Kit
23.17 Handling Errors and Exceptions
23.18 The Future
Appendix: Summary of OS/2 Commands

Acknowledgments and Permissions Credits: Extensive materials were condensed and adapted with permission from Microsoft Press, from *Inside OS/2*, by Gordon Letwin, Gordon Letwin is Microsoft's chief architect for OS/2. Where indicated, figures in this chapter are reprinted by permission from *Operating System/2 Technical Reference, Volumes 1 and 2*, and *Operating System/2 Standard Edition Users Reference*, copyright 1986, 1987 by International Business Machines Corporation.

23.1 INTRODUCTION

Of all the operating systems mentioned in this text, *OS/2* (He87) (Ia88) (Le88) may have the greatest impact over the next decade, or perhaps be second only to UNIX. It appears that OS/2 will dominate in the IBM PS/2 (Be87) (Ma87) (Ta88) marketplace and in the AT-compatible marketplace, while UNIX will dominate in advanced workstations and in the open systems marketplace. Based on the success of MS-DOS (La88), which IBM calls DOS, IBM and Microsoft agreed to jointly develop OS/2 as the next generation operating system for the IBM PS/2 line of personal computers, the successor to the IBM PC. OS/2 is a more powerful and correspondingly more complex operating system than DOS. Approximately 1000 software applications for OS/2 appeared within a year of its announcement; many of these had been developed for DOS environments and then *ported* to OS/2 (Ar87a) (Kn88) (Sc88a). The PS/2 architecture includes the *Micro Channel* (Mo88) (Ne88), IBM's proprietary internal asynchronous bus.

This is a large case study, partially to reflect the importance of OS/2 and partially to include a reasonably complete description of the functionality of a major personal computer operating system. OS/2 system calls, user commands, CONFIG.SYS statements, and device helper service calls are discussed. The reader is urged to study Chapter 19 first; it develops an understanding of the previous generation of IBM-compatible personal computer operating systems.

23.2 HISTORY

Microsoft had already developed the XENIX operating system, a UNIX-like system licensed from AT&T, when IBM originally approached Microsoft to produce a new operating system for the IBM PC (Le88). XENIX was too large and powerful for the 8086/8088-based processors of the PC (which did not offer memory management and memory protection hardware), so Microsoft had to develop a simpler operating system.

Microsoft bought the rights to SCP-DOS, developed by Tim Paterson at Seattle Computer Products and used this CP/M-80 clone as the basis of *MS-DOS version 1.0* for the IBM PC, introduced in 1981.

MS-DOS version 2.0 was released in 1983 to support the hard-disk IBM PC XT. The primary innovation was a tree-structured *hierarchical file system.*

MS-DOS version 3.0 appeared with the IBM PC AT in 1984. The AT uses an Intel 80286 microprocessor, which provides extended addressing capability and *protected mode* for running multiuser operating systems (and ensuring that users don't interfere with one another). But MS-DOS 3.0 simply runs the microprocessor in 8086 emulation mode (*real mode*) so that the 80286 functions merely as a more powerful 8086.

MS-DOS 3.3 was introduced to support IBM PS/2 computers (An87) (La88); it also runs on IBM PCs.

Microsoft created a real mode multitasking operating system called *MS-DOS version 4.0*. This system was designed for the 8086 and therefore had only one 640KB storage area to hold all processes. Because the 8086 lacks protected mode, processes can collide and destroy one another. Therefore version 4.0 was not a useful general-purpose multiuser operating system. It is important to note here that there is some confusion about the name MS-DOS 4.0. The system we mentioned here was never released in the United States. But a different MS-DOS version 4.0 has subsequently been released to enhance support for MS-DOS users; this new version is described in the MS-DOS case study in Chapter 19.

Microsoft and IBM entered into a joint agreement in 1985 to develop a general-purpose multitasking operating system that would take advantage of the protected mode of the 80286, which provides secure environments for separate processes. This product was renamed *DOS version 5.0* and then *CP/DOS*; its name was eventually changed to OS/2.

The initial version of OS/2 was the standard edition version 1.0 (Wh88), which included a text-oriented interface similar to that of MS-DOS. This edition utilized the features of the Intel 80286 microprocessor and ran on the Intel 80386 (Cr87) (Ro87) (Vi87) (Mc88) (Da89) as well, but it did not use the more advanced features of the 80386 (Mi87). Standard edition 1.1 was eventually released and included a graphical interface called the *Presentation Manager* (Pe88d) (Mo89). Extended edition 1.0, also with a text-oriented interface, included the *Communications Manager* (Li89) (Li89a) and the *Database Manager* (Ch88) (Wa88) (Ed89) (Li89); it, too, was replaced with a version, extended edition 1.1, which included the Presentation Manager. The extended edition (Je87) provides connectivity to the IBM product line and to IBM's *SQL relational database* standard. We refer to MS-DOS as DOS from this point in the text.

23.3 DESIGN OVERVIEW

The major goals of OS/2's designers (Le88) were to create an ideal office automation operating system, provide device-independent graphics drivers, allow applications to have direct access to high-bandwidth peripherals, provide multitasking, provide a customized environment for each program and its descendants, and provide a protected environment to ensure system stability.

Graphical display devices that can be used with PS/2s already exist in wide varieties and the technology is evolving quickly, so OS/2 is designed to control displays in a device-independent fashion. Device-specific code is handled in *device drivers* for the various kinds of devices; adding a new type of display device requires adding a corresponding new device driver to hide from the operating system the details of controlling the screen.

OS/2 provides *multitasking* so that it can control many activities simultaneously (Du87b). The user working on one application can be printing the results of a previous application, can be receiving electronic mail, and can be doing other things as well.

OS/2 uses *preemptive scheduling*; it can take the CPU away from one process and give it to another it considers more important. OS/2 supports *virtual memory* management so that each user controls its own private address space. Virtual address spaces may be much larger than available real storage. It reclaims memory no longer needed by a process so that this memory can be given to other processes. OS/2 manages *memory overcommit*; it allows a set of programs to run even if the total memory requirements (within reasonable limits) are larger than the real memory of the computer.

The early versions of OS/2 (designed primarily for the 80286 microprocessor environment) use pure *segmentation*; later versions based on the 80386 microprocessor will use *paging* (Vi87).

OS/2 uses the *least-recently-used (LRU) segment replacement algorithm* for choosing segments to swap to secondary storage to make room for incoming segments. Managing swapping carefully is important; if OS/2 were to allow the swap space in secondary storage to become full, a deadlock could occur if primary memory became full and a segment had to be swapped out to make room for an incoming segment.

OS/2 protects applications from one another and from damaging the operating system. Protection is especially critical in computer networks in which large numbers of users interact through the network. OS/2 uses the *ring protection mechanism* of the 80286. Applications run in *ring 3* (nonprivileged), the kernel and device drivers run in *ring 0* (privileged), and certain routines requiring *I/O privilege* run in *ring 2*. A program in any ring has access to data in that ring or in higher numbered rings.

In DOS, a program's environment is the entire computer system, while in OS/2, many processes share the machine. Processes compete for resources and may request simultaneous access to particular resources. OS/2 isolates programs from one another so that they appear to see a consistent environment each time they run.

In a single-tasking environment, a program must include all the capabilities it needs that are not directly provided by the operating system. This tends to encourage the growth of large, complex programs. In a multitasking OS/2, it is better to build smaller programs, each which performs one function or a related set of functions well, and then have these programs intercommunicate to accomplish the user's goals. This is sometimes referred to as the *software tools* approach.

The conventional *device driver* model used in OS/2 can be too slow for devices that require high-speed interaction, particularly when passing relatively small amounts of information each time. OS/2 allows applications to directly access a device's *I/O ports* and its *device memory* (if it has any); such access, however, is allowed in a carefully controlled manner, through the *I/O privilege mechanism*.

It is essential that new generations of hardware and software be compatible with existing widely used hardware and software if vendors want users to upgrade. The user investment in hardware and software is generally too large for an installation to start from scratch each time a new generation appears. OS/2 therefore was designed to be compatible with the 8086/8088 architectures used in the early IBM PC models, and with the 80286 architecture made prevalent with the IBM PC AT models. It is also compatible with DOS (Gi87).

The 80286 architecture was designed to provide compatibility with 8086/8088 computers, but it did this in a manner that was eventually "corrected" by the 80386 architecture, as will soon be explained (Kn87) (Le88). *Real mode* (also called *compatibility mode*) on the 80286 runs programs exactly the same as they run on the 8086/8088, except faster. But the 80286 was designed to support multitasking, and this requires the use of *protect mode*. So the 80286 can either run as a fast 8086/8088 or a mutitasking 80286, but it *was not designed to switch back and forth between the two modes*. The 80286 starts in real mode and can be switched into protect mode, but it cannot be switched back. OS/2 was designed to allow a single machine to run both modes and switch easily and efficiently back and forth between the modes in spite of limitations in the 80286 hardware; later in this case study we'll see how designers attacked this difficult problem (Va87) (Tr88).

One particularly interesting problem faced by OS/2 designers in providing real mode to run DOS in an OS/2 context is that DOS is a single-tasking system designed for users who exercise full control over their machines. Users in DOS environments typically tinker around with the hardware and the operating system in a manner which, for protection reasons, cannot be tolerated in multitasking environments (Le88).

DOS programs assume that they can access all of memory. If they are not currently using all the memory they can ask for more, and such additional requests within the limits of available memory cannot be refused. Because there are no other users on the system, the one user is guaranteed to receive the additional memory, and therefore users rarely provide for handling a "request denied" possibility. But requests can be denied in OS/2 since a request for memory returns what is available at that moment; before a program can actually obtain the memory, another user may grab it.

OS/2 provides a *file locking* capability to prevent users from clashing during concurrent file references (see Chapter 4). An application attempting to reference a locked file receives an indication that the file is locked and acts accordingly, probably retrying the request later. In real mode applications, users never expect to receive such errors so they rarely provide for handling them. OS/2 thus expects that DOS users will not take the proper actions, so it has to decide what is best in each case.

It is possible to write *downward compatible* programs under OS/2 that will run directly on a DOS version 3.X system. This is important for software developers making major investments in new products; it enables them to ensure a large marketplace for their products. Downward compatibility is facilitated by the *family applications program interface (family API)*, which has been incorporated into OS/2 (Sc87) (Ko88) (Le88) (Mi88) (Sc88) (Sc88a). The family API provides an environment comfortable for both DOS 3.X programs and OS/2 programs; it consists of a subset of OS/2 calls (the full set being the *applications programming interface* or *API*) that will also work in DOS. Users who write to the family API are assured that their programs will run on both OS/2 systems and DOS systems. A program may call the system function *DosGetMachineMode* to determine whether it is running *DOS mode* or *OS/2 mode*; based on this it can determine whether to limit itself to the family API calls or the full set of OS/2 API calls.

OS/2 is intended to run in networked environments (Ke88) in which OS/2 machines intercommunicate flexibly and easily with DOS machines, and in which multiple versions of OS/2 may be present at once. A program may determine the OS/2 version number by calling *DosGetVersion*.

In OS/2, an application may not access or modify another application's memory. The execution of one application will not affect the proper operation of another. When errors happen, OS/2 localizes them to avoid disrupting other aspects of the system. It also helps the user determine the source of the error. No program may individually crash the system, or cause any *screen group* other than its own to fail.

23.4 MULTITASKING

In multitasking operating systems (Ar87) (Le88), more than one program may operate at once. Users may switch between applications. OS/2 provides for *multiple thread execution* (Pe88b). Each *thread* is an active path through a program. OS/2 threads are similar to lightweight processes as used in Sun's UNIX (see Section 18.28.4); there may be several threads per process, and each of these threads shares the process's address space. The OS/2 scheduler is priority-based and preemptive. Processes have priorities. The CPU is always assigned to the highest priority thread that is ready to run.

Under DOS, the user essentially runs a single task or process. OS/2, however, provides three forms of multitasking. The user may run several different *sessions*—also called *screen groups*. Each screen group may have several *processes*. Each process may have several *threads*. A new session may be started with the START command. In a sense, each screen group may be considered a virtual computer with its own keyboard and its own screen. Processes and threads are forms of multitasking that the programmer controls. Screen groups are controlled by the user. The *foreground session* is the one in control of the keyboard and the screen; any other sessions are called *background sessions*.

An OS/2 process that creates another process is the *parent process*; the created process is the *child process*. A child inherits much of its parent's environment, including the parent's base priority, its screen group, and its open file handles; conceptually, this is like inheritance in UNIX.

OS/2 assigns a unique *process identification (PID)* to each process. A parent process has no way to tell if its children create their own descendants. Therefore, a parent that wants to know if the task to be performed by a child is finished cannot determine this because even though the parent can ask if the child is still alive, the child could in fact have delegated its work to descendants and then terminated itself.

When a parent creates a child, the parent is informed of the child's PID. This may be treated as a *command subtree* ID that identifies the entire tree of processes for which the child is the *root process*. Various OS/2 functions can either work with PIDs or with command subtrees. With a PID, only that one process is affected; with a command subtree form, the named process and its entire set of descendants is affected (Le88).

OS/2 uses *file handles* as do the more recent versions of DOS. OS/2 returns a unique 16-bit integer file handle whenever a process opens a file. The process then passes that value to OS/2 to identify the file for which it wishes to do input or output. Handles are also used when a program creates a *semaphore*; the program uses the handle in subsequent *semaphore request* and *semaphore release* calls. Handle references are much faster than using long text names. There are three standard handles: Normally, all OS/2 programs read their inputs from *STDIN (standard input)*, write their outputs to *STDOUT (standard output)*, and list their errors on *STDERR (standard error)*. Programs inherit these handles automatically; they do not need to open them. Opening is normally done with *DosOpen*, reading with *DosRead*, and writing with *DosWrite*.

Named pipes were not provided in OS/2 version 1.0 (Du87c). A process that opens an *anonymous pipe* (unnamed pipe) receives a file handle for reading from the pipe (with *DosRead*), and another file handle for writing to the pipe (with *DosWrite*). Data written to a pipe is stored in RAM (so reading and writing is much faster than with disk files), and is accessed FIFO. When a parent process creates a child process, the child inherits open pipe handles; the child can pass information to the parent by writing to the pipe, and the parent can read from it. OS/2 is like UNIX in the sense that pipes, files, and devices operate in a similar manner with similar calls.

Whenever a file is opened, OS/2 allocates a file handle and makes an appropriate entry in that process's handle table; this entry points to the *system file table (SFT)*. The SFT contains a file pointer that indicates the current position in the file for reading or writing. Inherited or duplicated handles point to the same SFT entry and hence have the same pointers (Le88). This is similar to UNIX as well.

23.4.1 Processes

The *DosExecPgm* call is used to execute a child process. The *exec* function in DOS simply loads a file, but with the OS/2 *dynamic linking* facility things become more complex. An application may reference many dynamic link libraries and these, in turn, may reference others. On an error return from *DosExecPgm*, OS/2 explicitly returns the name of the object causing the trouble such as a missing or defective dynamic link library, or some other load object.

DosExecPgm (IB87b) (Ia88) (Le88) allows the caller to specify execution options such as

- The child program should be executed *synchronously*, i.e., the thread issuing the call suspends execution until the child terminates. This is most like the DOS method of handling *exec* and is provided to facilitate DOS 3.X to OS/2 conversions; this option should generally be avoided in the development of new OS/2 applications.
- The child program should be executed *asynchronously*, i.e., the calling thread returns immediately; the child process is created and proceeds independently. When the child terminates, no return codes are supplied. This form of the call is used when it is desired to create a child to perform a certain task, but when the calling thread is not particularly interested in the result of the child's execution.
- The child program should be executed asynchronously, and on return the child's exit code should be saved for examination by *DosCWait* so that it can be determined if the child process succeeded or failed.
- The child process may be examined or modified by a debugger such as *CodeView* which uses the *DosPTrace* function to control the process or to *peek* (view) or *poke* (modify) it.
- The child process should be executed asynchronously, and it should be detached from the parent process (thus running as an orphan). This *DosExecPgm* option is most commonly used to create background *daemon* programs that do not interact with the user.

- The child process is loaded into memory in a suspended state, and does not execute until it is "thawed out" by the session manager.

DosCWait enables a parent process to determine when a child process has completed and whether its operation was successful. A child process may create its own children and so on. Therefore, if a parent wants to know that all the work being done by a child has finished, it should use the *command subtree option* of *DosCWait*. Also, one parent process may have many children to monitor. *DosCWait* may be used to monitor an individual child process, or it may be used to monitor the entire command subtree with a given child at its root (Le88). The functionality provided here is similar to that in UNIX.

OS/2 provides an environment in which processes, even parents and children, are quite independent of one another. A parent exercises only limited control over its command subtrees; it can either adjust their CPU priorities, or it can kill (terminate) them. A parent may wish to terminate a child prematurely as a result of a user command or in response to the user typing Ctrl-Break. *DosKillProcess* can terminate a process, or it can terminate a process and each of its descendant processes. Each process terminates only when all its threads have returned from their system calls. Calls such as "read a keyboard character," which might require a great deal of time to complete, are automatically aborted by the system to facilitate rapid termination.

A child process inherits the priority of its parent; the parent may change the child's priority with a system call, and should do so with the command subtree option.

DosExitList adds or deletes routines from the *process termination list* (a list of routines to be executed when the process terminates). *DosGetEnv* is normally used by library routines to determine the current process's environment.

23.4.2 Threads

The path of execution of the CPU through the instructions of a program is called a *thread of execution* (Le88). OS/2 allows for the simultaneous presence of many threads of execution in an application. In systems with multiple CPUs, many threads may be truly active at once. With single CPU systems, it is still reasonable to have multiple threads of execution. Multiuser systems certainly support multiple threads in a system-wide sense, but OS/2 actually supports multiple threads per process.

In OS/2, processes own resources (such as memory, files, system semaphores, pipes and queues), and every thread within a process shares all that process's resources. Threads have some private data such as their own copies of the CPU registers.

A process's first thread is created automatically by OS/2 when the process is created; additional threads are created with the *DosCreateThread* call. All a process's threads are siblings on an equal basis; there are no parent/child relationships among threads regardless of which create which. *DosGetPID* retrieves various identification information for the calling thread, namely the current thread ID, the current process ID, and the parent's process ID.

The first thread created for a process is called *thread 1* and it has some special properties. Threads can be created and destroyed faster than processes. It is easy to share data between the threads of a process because they all share the memory of the parent process. The thread is the dispatchable unit of execution and has priority assocaited with it.

There is a separate stack area for each thread (Le88). OS/2 automatically provides the stack area for thread 1, but the caller of *DosCreateThread* must provide a process memory area for the stack space for the new thread. Unfortunately, this memory is accessible and modifiable by all threads so the programmer must be careful to prevent threads from modifying these stack areas inadvertently. Because stacks can grow arbitrarily large, they can exceed the designated segment size, causing a *stack fault* and consequent thread termination.

All threads of a process have access to all the resources of that process; it is possible for several threads, for example, to issue reads and writes to the same file using the same file handle.

Programmers in an OS/2 environment use threads for a variety of reasons. A common application is to provide one thread for *foreground* work, which controls interaction with the user, and another thread to control *background* work, which performs the bulk of the work in support of the user's application. Modifiable data structures accessed by multiple threads in the same process need to be protected by RAM semaphores to prevent indeterminate results (see Chapter 4).

Threads provide a convenient way to handle portions of a job that are most naturally handled asynchronously (Le88) (Pe88b). For example, a thread may be assigned the job of periodically backing up critical information automatically; it can call *DosSleep* to rest for a designated time interval, be awakened, perform its backups, and then sleep again. A thread should be used to avoid the need for high-overhead polling loops; it can go blocked waiting for an event to occur and be awakened when the event occurs. A *server* process can use multiple threads to monitor and perform the services being requested by multiple *client* processes.

One common use of multiple threads is to speed processing by overlapping input/output with processing. Single thread programs must wait for I/O to complete before they proceed; multiple-thread programs may process some data while reading in the next set of data simultaneously.

Software engineering has become increasingly important as programs have grown in size and complexity. Most programs in use today are sequential rather than parallel in nature. But, as solving problems with inherent parallelism becomes more common, structuring parallel programs to make them more reliable, maintainable, and likely to be correct on the first try becomes increasingly difficult with sequential programming languages. Multiple-thread programming makes it convenient to mirror the structure of a parallel problem with parallel programming. This promotes ease of programming, ease of design, and maintainability. Parallel problems can certainly be solved with sequential programming languages that provide the ability to poll and detect the occurrence of parallel events, but these programs tend to be complex and difficult to debug (Le88).

As we saw in Chapter 4, uncontrolled common access to shared information can cause indeterminate results. We repeatedly emphasized that no assumptions may be made about the relative speeds of asynchronous concurrent processes (or threads). Therefore it is essential that threads use semaphores or other means to avoid simultaneous access to shared data (when one or more of the threads is updating the data).

When multiple threads need to access shared data, possibly for updating, the shared data access should be included in a critical section protected by RAM semaphores to ensure that only one thread at a time accesses the data (Ru88).

One way to guarantee the integrity of shared data in a critical section within a process is to suspend all other threads that might want to enter the section; this can be done with successive calls to *DosSuspendThread*. This, of course, requires that the thread about to enter a critical section knows the identities of the other threads that might want to enter their own critical sections. *DosSuspendThread* can only suspend other threads that belong to the same process. A suspended thread is resumed with *DosResumeThread*. Normally, critical sections within a process should be protected with RAM semaphores rather than with *DosSuspendThread*.

DosSuspendThread suspends one thread. *DosEnterCritSec* suspends all a process's threads except for the one calling *DosEnterCritSec*; this process may then enter a critical section. Note that *DosEnterCritSec* is not quite the same as the `ENTERMUTUALEXCLUSION` call (discussed in Chapter 4) which only suspends other threads as they attempt to enter their critical sections. *DosExitCritSec* resumes only threads that *DosEnterCritSec* suspended; it does not resume threads suspended by *DosSuspendThread*. A weakness of using *DosEnterCritSec* is that a process could be suspended while in a critical section.

Threads can die or be killed by an external event. A thread terminates itself (dies) by calling *DosExit*. A thread terminates all threads belonging to its process by calling *DosExit* and specifying the "exit entire process" option; application threads are terminated immediately, while threads executing system calls are terminated at appropriate points in their execution, possibly not immediately. If a single thread remains in a process and that thread calls *DosExit*, the entire process is terminated.

23.4.3 Scheduling

There is considerable overhead associated with creating and maintaining processes; threads are intended to be a low overhead means for implementing parallelism within a process.

OS/2 assigns priorities to each thread and runs the highest priority, ready-to-run thread. The OS/2 scheduler is *preemptive*; if a higher-priority thread becomes ready to run, then the CPU will be taken away (preempted) from a lower priority thread immediately, and given to the higher-priority thread.

The highest priority thread runs for as long as it wants to, or until its time slice expires. Then the next highest priority thread executes A blocked process that becomes ready to run gets the CPU if its priority is higher than the running process. The scheduler causes threads, not processes, to be dispatched; but all threads of a process have the same priority. Most threads run in the *general priority* (or *regular*) category in which they are categorized as either *interactive*, *foreground*, or *background*.

OS/2 is more concerned with optimizing response than it is with optimizing throughput. A process that controls a screen group not being displayed is a background process; background is the lowest of the general priorities. A foreground thread always gets the CPU first; background threads execute only when there are no active foreground threads. If a foreground thread becomes ready to run while a background thread is operating, the CPU is preempted and given to the foreground thread.

The processes involved with the currently active screen group are in the foreground category. The process involved with the keyboard is in the interactive category. When an interactive thread releases the CPU, the noninteractive foreground threads get the CPU next.

OS/2 tends to increase the priority of I/O-bound processes and decrease the priority of CPU-bound processes to ensure good device utilization while keeping CPU-bound jobs progressing. But OS/2 will not allow any background thread to attain a higher priority than any foreground thread.

Some applications, because of their nature, are *time critical*; they need to run at high priorities possibly contrary to the normal priority allocation algorithms (Le88). A print spooler ideally wants to keep the printer going at full speed; printers don't use much CPU time anyway, so giving the printer high priority rarely impacts the progress of other threads. Networks need to respond quickly to network events or possibly lose information. Identifying a thread as time critical can affect the response to other threads, so this designation should be used with care. It is important to try to keep the interactive process serviced at top speed. Ready-to-run time-critical threads are given priority over *regular* threads and *idle-time* threads. Threads of equal priority are scheduled round robin.

Processes may be designated as *low priority* (or *idle-time*) in which case they receive the CPU when no higher priority process needs the CPU. Low priority processes never have their priorities adjusted.

Normally, a thread inherits the priority of its creator. The intent of future releases of OS/2 is to give processes in the general priority category *base priorities* (Le88). New threads will inherit the base priorities of their creators. All a process's threads in the general priority category will be expressed relative to that process's base priority. If the process's base priority changes, then the priorities of all its threads change accordingly. Time-critical threads and low-priority threads are not affected by changes in their process's base priority. A process may alter its own priority, the priorities of its threads, or the priorities of its descendant processes with *DosSetPrty*; the priority of a process or thread is determined with *DosGetPrty*.

23.5 DYNAMIC LINKING

Dynamic linking (Gr88) (Ia88) (Ko88) (Le88a) enables a program to call a subroutine that has not been linked into its executable image. OS/2 resolves the references automatically at either load time or run time. *Dynamic link libraries (DLLs)* contain many common subroutines, especially the huge number that support OS/2's applications programming interface (API).

In *static linking*, external references are fully resolved at link time prior to loading or running the program. With dynamic linking, references to DLLs are not fully resolved by combining the code, but instead a *dynamic link reference* is included in the .EXE file (Pe88c). This informs the loader where to find the missing code (the DLL) when the linked program is loaded. This is called *load-time dynamic linking*, and it requires the references a program will make to be clear when the program is written and translated.

Dynamic linking delays binding until after the initial linking process. Unresolved external references are resolved either at load time or at run time.

A real advantage to dynamic linking over static linking is that it is much easier to incorporate new versions of subroutines. With static linking, each new version requires relinking. With dynamic linking, new versions are simply incorporated into the dynamic link libraries without any need to change the applications programs. Dynamic linking makes it easy to extend the operating system; software developers can write DLL packages without having to directly modify the operating system. This is in line with the philosophy of an *open systems architecture*.

With run-time dynamic linking, programs need not know in advance of execution the names of all the dynamic link packages they'll need. Of course, as systems become more complex and more dynamic it becomes increasingly difficult for programmers to have this information or even to predict it reliably. With run-time dynamic linking, programs determine what dynamic link packages they'll need as they execute; only the needed packages are then made available.

DosLoadModule (IB87b) loads a dynamic link module and returns a module handle. This handle is given to *DosFreeModule* to free the module so its memory can be released, to *DosGetProcAddr* to determine procedure addresses in the module, or to *DosGetModName* to determine the fully-qualified module name including the drive, path, filename, and extension of the module in the file system. *DosGetModHandle* returns a handle to a dynamic link module if, in fact, that module is loaded.

23.6 THE FILE SYSTEM

The initial release of OS/2, version 1.0, included a file system quite similar to that in DOS in an effort to preserve compatibility with DOS and facilitate the gradual transition to OS/2 (Du89).

OS/2 provides asynchronous I/O accessible through the functions *DosReadAsync* and *DosWriteAsync*. These are similar to *DosRead* and *DosWrite* with the exception that they return to the caller immediately rather than waiting for the call to complete. Both asynchronous I/O operations require as an argument a semaphore that is cleared upon I/O completion. Process threads can wait for operation completion or they can check the semaphore for completion. The *DosMuxSemWait* call is used to wait on multiple semaphore events.

OS/2 also offers *extended partitioning*, which allows it to view a hard disk as several smaller hard disks each containing a FAT (file allocation table) and a full file system.

A volume is a nonremovable disk in a disk drive, or a removable disk in a disk drive. To prevent duplication of volume IDs, OS/2 checksums the user-supplied name, combines this with the seconds since 1980, and uses this as a seed for a random number generator, which then returns a random number up to four billion. This helps ensure that created volumes are unique. OS/2 provides blocking and deblocking for disk I/O requests.

OS/2 uses common naming conventions for objects such as files, system semaphores, named shared memory, named pipes and so on (Le88). DOS uses file names of as many as eight characters followed by a period followed by an extension of up to three characters. OS/2 uses installable file systems (IFSs) rather than a built-in file system. In a sense, an IFS is like a device driver in that it is loaded at boot time. An IFS provides the code it takes to control a complete file system on a device, including all common file system management tasks such as creating and maintaining file directories, allocating space on disks, and so on. An IFS communicates with OS/2 across a standard interface. By using names in the "8.3 format" of DOS (i.e., a file name as long as 8 characters, followed by a period, followed by file extension as long as 3 characters), applications can ensure compatibility with future versions of OS/2. In future versions of OS/2, access permissions will be included in the file system name space along with other security features. Fig. 23.1 summarizes the OS/2 file system calls.

23.7 MEMORY MANAGEMENT

The OS/2 *memory manager* allocates physical memory and virtual memory to processes (He88) (Ia88) (Le88) (Mi88). DOS is a real memory, single-process operating system. OS/2 is a virtual memory, multiple-process operating system with multiple protected address spaces. Every memory reference results in a *segment selector* reference. The segment selector references an entry in either the *GDT (global descriptor table)* or the *LDT (local descriptor table)*. A memory location can only be referenced after it has been described in an LDT or GDT entry; the selector for that entry must be loaded into one of the four *segment registers*.

OS/2 protects processes from interfering with one another. Programs in OS/2 may access memory only through the LDT or the GDT. Segment descriptors in these tables contain both the physical address of each segment and the segment length. Programs are prevented from attempting to execute portions of a data segment. Programs may not write in procedure segments.

In DOS, programs may *hook* interrupt vectors by replacing the addresses of interrupt handlers with addresses in the program; OS/2 prohibits this because it could corrupt the security of the multitasking environment.

OS/2 processes cannot directly call into ROM BIOS code. Application programs cannot execute in ring 0 (privileged mode).

OS/2 supports both *named shared memory* and *giveaway shared memory* (see section 23.8.1). For each type, the shared entity is a segment. No names are assigned to giveaway shared segments. Access is granted only to an intended process with no chance that unauthorized processes can reference the segment. Giveaway shared memory segments may be created faster than named shared memory segments.

The maximum segment size on the 80286 processor is 64K; this problem goes away with the enormous capacities of the 80386 (Da89). OS/2 provides a capability called *huge*

OS/2 File System Calls	
DosBufReset	Commit File's Cache Buffers
DosChDir	Change Current Directory
DosChgFilePtr	Change (Move) File Read/Write Pointer
DosClose	Close File Handle
DosDelete	Delete File
DosDevConfig	Get Device Configuration
DosDevIOCtl	I/O Control for Devices
DosDupHandle	Duplicate File Handle
DosFileLocks	File Lock Manager
DosFindClose	Close Find Handle
DosFindFirst	Find First Matching File
DosFindNext	Find Next Matching File
DosMkDir	Make Subdirectory
DosMove	Move a File
DosNewSize	Change File Size
DosOpen	Open File
DosPhysicalDisk	Partitionable Disk Support
DosQCurDir	Query Current Directory
DosQCurDisk	Query Current Disk
DosQFHandState	Query File Handle State
DosQFileInfo	Query File Information
DosQFileMode	Query File Mode
DosQFSInfo	Query File System Information
DosQHandType	Query Handle Type
DosQVerify	Query Verify Setting
DosRead	Read from File
DosReadAsync	Asynchronous Read from File
DosRmDir	Remove Subdirectory
DosSearchPath	Search Path for File Name
DosSelectDisk	Select Default Drive
DosSetFHAndState	Set File Handle State
DosSetFileInfo	Set File Information
DosSetFileMode	Set File Mode
DosSetFsInfo	Set File System Information
DosSetMaxFH	Set Maximum File Handles
DosSetVerify	Set/Reset Verify Switch
DosWrite	Synchronous Write to File
DosWriteAsync	Asynchronous Write to File

Fig. 23.1 OS/2 file system calls. (Courtesy of International Business Machines Corporation.)

segments to enable users to create and manipulate segments larger than 64K. A huge segment may consist of several 64K segments plus a last segment of 64K or smaller. Huge segments are created with the *DosAllocHuge* call; they may be made larger or smaller via the *DosReallocHuge* call.

OS/2 ordinarily allocates memory in segments, but it has the capability to allocate portions of segments via its *memory suballocation* facility. This enables the system to satisfy frequent requests for small amounts of memory more efficiently than is possible through the system's standard segment allocation procedures, which incur substantial overhead. *DosSubSet* initializes a segment for suballocation, or increases the size of a suballocated segment. *DosSubAlloc* suballocates memory within a segment; *DosSubFree* frees suballocated memory. It is important to note that the 80286 is segment based, but the 80386 supports paging and segmentation (Cr87) (Ro87) (Vi87) (Ia88) (Le88) (Mc88).

Swapping is performed by segment; a process may lose its segments to secondary storage as the space they occupy is demanded by the system. A process runs smoothly as long as it references in-memory segments. When an out-of-memory segment is referenced, a *segment fault* occurs, requiring a delay as the required segment is read in from disk, and possibly an additional delay as one or more segments are swapped out to make room for the incoming segment. OS/2 swaps out the *least-recently-used (LRU)* segment (or segments) to make room for an incoming segment. The early releases of OS/2 swap by segment; later releases based on the 80386 processor will use paging. The priorities of processes or threads are not considered by the swapping algorithm; once a process is marked to be swapped it is equally eligible with all such marked processes to be swapped (Le88). Certain portions of system code cannot be swapped for efficiency and response reasons, or because swapping is simply not possible, such as with real mode code (because segment faults are meaningless when running in real mode).

Memory overcommit occurs when the total size of all current programs is larger than real memory; this is normal in virtual storage systems. Managing memory overcommit is important; OS/2 will not initiate another process if the degree of memory overcommit would result in too little RAM to run a swapped-out process or too little disk space to swap out a process to make room for other processes (could this lead to deadlock?).

Programs may request substantial amounts of memory as they execute; OS/2 can refuse excessive requests. The system manages memory overcommit to ensure that programs can run; it is possible that these programs will run slowly, but the key issue is guaranteeing that they can run.

Every system is different in the sense that the job mix is dependent on the goals and purposes of a particular system. Individual users may deal with inefficient operation by placing fewer demands on the system, or by providing more memory or faster processors to run the desired demand more efficiently.

OS/2 tries to swap out segments that are not needed soon. Because swapping is done by segment, programmers should be careful as they decide what will be included in each segment. If a segment is brought to memory, that segment should ideally contain code likely to be used. Infrequently used error-processing routines should be placed in separate segments from frequently used mainline code. In general, items used together should appear in the same segment; items unlikely to be used together should be in separate segments.

OS/2 provides two special segments, one global and one local, that hold system information. The *global information segment* contains system data such as time and date information; the *local information segment* contains process data. The global information includes *RAS (reliability, availability, and serviceability)* data that aids in determining and correcting system problems. The local data contains information about processes and threads.

With protect mode, each process has one local descriptor table (LDT) for all its threads. The global descriptor table enables a process to address system-wide information and procedures shared by all processes.

DosAllocSeg allocates a segment of a requested size (up to 64K) to a process; the memory is both *movable* (when *compacting* main storage) and *swappable*. Storage compaction and swapping are selectable features that can be disabled when the system is configured. *DosReallocSeg* adjusts the size of an allocated segment; segments can be increased or decreased in size, but shared segments can only be increased. *DosFreeSeg* frees a memory segment (for a shared segment, the *reference count* is reduced; the segment is freed when the count reaches 0).

DosAllocHuge allocates multiple segments of memory to form a *huge segment*; this is a means of overcoming the 80286 limitation of 64K bytes per segment. *DosGetHugeShift* returns the shift value for determining the selectors to access a huge memory area allocated by *DosAllocHuge*. *DosReallocHuge* adjusts the size of a huge memory segment originally allocated by *DosAllocHuge*. *DosMemAvail* determines the size of of the largest available memory block.

OS/2 creates an LDT for each application. An entry is made in the LDT for each segment loaded, including segments from dynamic link libraries. Only one copy of any segment is in memory although it may be shared by several applications each with an entry for that segment in its own LDT.

OS/2 allows segments to be any size up to 64K, so as segments are allocated and freed, memory tends to become *fragmented* (see the discussion of fragmentation under variable partition multiprogramming in Chapter 7). When a sufficiently large block of memory is not available to satisfy a request for memory, OS/2 uses *segment motion* (see the discussion of *storage compaction* in Chapter 7) to form a large enough block; only when this fails does swapping occur.

Segments may be marked for *demand loading*; this feature is particularly useful for segments that are not likely to be referenced on each execution of a program (such as error routines for obscure errors). Demand-loaded segments are not brought into memory when a program is initally loaded; this conserves memory and enables programs to execute sooner.

The *DosCreateCSAlias* call enables a process to place executable code in a data segment and call this as a code segment (Kr88). This call is used by the debuggers to circumvent protection in the 80286 that disallows modifying code.

OS/2 provides a feature called *discardable segments*. Segments marked as discardable are used to hold objects to be accessed only briefly and which can be recreated quickly.

When the system gets low on available memory it reclaims discardable segments. Discardable segments can be swapped or moved. *DosLockSeg* prevents a discardable segment from being discarded; *DosUnlockSeg* makes the segment discardable again.

23.8 INTERPROCESS COMMUNICATION

OS/2 is a multitasking operating system; many processes may be active at once. This section describes how processes communicate through OS/2's *interprocess communication (IPC)* facilities. OS/2 provides a variety of means for interprocess communication including *signals, pipes, queues, semaphores*, and *shared memory*. Applications use calls to create semaphores, pipes, and queues; these calls return unique handles to be used in calls that manipulate and eventually destroy the created objects.

23.8.1 Shared Memory

Shared memory is implemented in two ways, namely with *giveaway shared memory* or with *named shared memory* (Li88). With *giveaway shared memory* the owner awards access to another process. To use giveaway shared memory (Kr88), a process creates a segment with *DosAllocSeg*, and informs the system (via *DosGiveSeg*) of the segment selector and the intended sharer's process ID. The system returns the segment selector to be used by the intended sharer; the process granting access then passes this selector to the sharer via an interprocess communication mechanism. The intended sharer then accesses the segment by providing this selector in the *DosGetSeg* call.

A named shared segment is created with *DosAllocShrSeg*; the process supplies the name and the desired segment size, and a segment selector is returned. The segment name must begin within \SHAREMEM\. The sharer requests access via *DosGetShrSeg* by supplying the segment name given to the process when it was created.

23.8.2 Semaphores

Semaphores are normally used to ensure mutual exclusion. OS/2 supports *RAM semaphores* and *system semaphores* (Du87c) (Ia88) (Le88) (Mi88) (Ru88). RAM semaphores are four-byte data structures intended for use by the threads of one process. A RAM semaphore is claimed with a test-and-set operation. The handle for a RAM semaphore is the address of its double word in the local address space of the process.

When several processes are involved, system semaphores are needed to ensure integrity. System semaphores have their data structures in system memory rather than in the address spaces of processes, so accessing system semaphores is slower because the operating system boundary must be crossed and this is a relatively time-consuming operation.

The *DosCreateSem* call creates a system semaphore and returns a *semaphore handle*. Each subsequent semaphore call requires a semaphore handle as an argument. A system semaphore is opened by the *DosOpenSem* call (RAM semaphores have no explicit open). A RAM semaphore must be in a shared memory segment; it is initialized simply by zeroing its memory.

Semaphores are normally used to protect critical sections. To use a critical section, the process first calls *DosSemRequest*. This call returns when it has claimed the semaphore and then the process can proceed. After accessing the critical section, the process should call *DosSemClear* to release the semaphore and allow threads waiting on it to proceed. A weakness of this scheme is that a process may indeed access a critical resource without first claiming the semaphore; a process may do this maliciously or even accidentally.

Many threads can be waiting on a semaphore; when the semaphore becomes available, the thread with the highest CPU priority gets it.

Semaphores may also be used to signal threads that events have occurred. With the *DosMuxSemWait* call, a process may wait on several events and be awakened whenever any of them occurs.

The *DosSemRequest* call requests a semaphore, and the *DosSemClear* call releases it. *DosSemRequest* waits until an owned semaphore is released or until a designated wait time interval expires; it can also return immediately on an owned semaphore if desired. If the semaphore is not owned, then it is set to owned and the call returns.

DosSemClear releases the semaphore; any blocked threads waiting on the semaphore can proceed. *DosSemSet* sets a semaphore to *owned*; it is most often used in signalling situations in which a blocked thread is to be awakened when a semaphore is cleared. *DosSemWait* waits for a semaphore to be cleared. *DosSemSetWait* sets a semaphore and then waits for it to be cleared. *DosMuxSemWait* waits for any of several semaphores to clear. *DosCreateSem* creates a system semaphore, *DosOpenSem* opens it, and *DosCloseSem* closes it.

One problem with semaphores (Le88) is that they are sometimes not released and thus left "orphaned," a situation that could lead to deadlock among processes still dependent on being able to claim the semaphores before entering their critical sections. This can occur in several ways

- A signal handler may fail to return to the point at which a thread was interrupted by a signal. This may prevent the semaphore from being released.
- A process that has set a semaphore may be killed.
- A process can incur a fatal error.
- A process may simply malfunction because of a logic bug.

A process can use *DosHoldSignal* to prevent a signal from preempting the processor while the process is in a critical section, but this technique does not preclude all possible causes of preemption.

When a process dies, so do its semaphores. When a process owning a system semaphore dies, the next process to use the semaphore receives a message indicating the death of the owner.

23.8.3 Anonymous Pipes

One form of message communication is *anonymous pipes*, which allow processes to communicate in a manner similar to file I/O (Du87c) (Le88). Anonymous pipes are used by closely related processes. Anonymous pipes are like UNIX pipes.

An anonymous pipe is created via *DosMakePipe*, which specifies a pipe size up to 64Kb, and which returns a *read handle* and a *write handle*. When an anonymous pipe is full, a write waits until space is available; when an anonymous pipe is empty, a read waits until data is available (see the ring buffer monitor in Chapter 5).

Processes communicate via anonymous pipes with standard *DosRead* and *DosWrite* calls. Anonymous pipes need not be opened prior to their use; they are closed with *DosClose*. An anonymous pipe is destroyed after all its processes issue *DosClose* calls. Anonymous pipes are maintained in main storage buffers. Data read from a file is still in the file; data read from an anonymous pipe is no longer accessible. A child process inherits access to its parent's pipes; a parent will often communicate with a child over an inherited pipe. One weakness of pipes is that the data being passed is copied from the writer to the pipe and from the pipe to the reader; this multiple copying is inefficient for high volume data transfers. Pipes operate FIFO; the order in which the data is written to the pipe is the order in which it is read from the pipe.

A parent process that wants to send and receive data from a child process should create two anonymous pipes. Anonymous pipes may be used only between a parent and its child processes.

23.8.4 Named Pipes

A *named pipe* (Du87c) (Le88) is a serial communication channel between processes which use the *DosRead* and *DosWrite* calls to communicate.

Users of a named pipe need to know the name of the pipe but the users need not be related. Named pipes work equally well on a local machine and across a network. When a named pipe is opened, a single handle is returned that may be both read and written.

A named pipe is created with the call *DosMakeNmPipe*. Servers and clients use the *DosConnectNmPipe* call to make the pipe operative; the server issues the call and this enables a client to open the pipe. *DosMakeNmPipe* returns a handle to the server; *DosOpen* returns a handle to the client.

When a process at one end of a pipe closes it, writers receive an error and readers receive an end-of-file indication. The server that sees a client has closed a pipe issues *DosDisconnectNmPipe*.

There are several operations for client processes. *DosTransactNmPipe* is like a *DosWrite* followed by a *DosRead*. On an unopened pipe, *DosCallNmPipe* is equivalent to a *DosOpen*, *DosTransactNmPipe*, and *DosClose*. The *DosCallNmPipe* is like a remote procedure call across a network.

The *DosPeekNmPipe* call can peek at data to be read in the pipe without actually reading the data and removing it from the pipe. A server can use this call to determine if it wants to handle a client's request.

23.8.5 Queues

Queues are also used for interprocess communication (Ia88) (Le88). Queues use the file system name space. They pass *messages* rather than streams of bytes. Multiple writers are allowed. Pipes are read FIFO, but queues may be read in various orders. Queues use *shared memory* so they are faster than pipes for high volume data transfers (because only a pointer to the data is passed), but queues do not work across a network. Queues normally require more involved programming than pipes.

Each queue has one owner who creates the queue. The client process must use the calls *DosReadQueue* and *DosWriteQueue*. Each queue has a single owner but may have many clients.

A queue message consists of the message itself, the process ID of the sender, and a word value supplied by the sender to be used by servers and clients as they see fit to facilitate communication.

Queues also contain a *peek* capability. But since queues can be read in a variety of orders, and since higher priority records may arrive, when the queue is *peek*ed a value is returned that guarantees the same information will be read by a subsequent *DosReadQueue*.

Queues can be ordered either by priority or by arrival order, and then either FIFO (first-in-first-out) or LIFO (last-in-first-out). The server process can search the queue and remove elements at any time, and in whatever order it chooses.

A queue is created with *DosCreateQueue*, opened with *DosOpenQueue*, and closed with *DosCloseQueue*. An element is added to a queue with *DosWriteQueue*, removed from a queue with *DosReadQueue*, and examined by *DosPeekQueue*. The number of elements in a queue may be determined by *DosQueryQueue*, and all entries may be purged by *DosPurgeQueue*.

Queue elements are message packages. Queue data is stored in shared memory segments, which must of course be accessible to readers and writers. Queues can vary in size and can be quite large because messages need not be confined to a single 64Kb segment as with pipes.

23.8.6 Signals

Signals (IB87a) (Ia88) (Le88) are a software-initiated asynchronous means of interprocess communication. A signal is the software parallel to a hardware interrupt. OS/2 signals are similar to UNIX signals. As the result of a signal, various application registers are saved to the stack and an appropriate *signal handler* automatically begins executing; the signal handler saves anything else that needs to be preserved.

DosSetSigHandler informs OS/2 that a particular handler is to respond to a particular signal number. The call may also specify that the signal is to be ignored, or that the system's default action should apply.

OS/2 supports three common signals and three general-purpose signals. The common signals are *Ctrl-C (SIGINTR)*, *Ctrl-Break (SIGBREAK)*, and *program termination (SIGTERM)* (which occurs when a parent process kills a child process with *DosKill*). The general-purpose signals are *process flag A (SIGPFA)*, *process flag B (SIGPFB)*, and *process flag C (SIGPFC)*; a process signals a *flag event* in a target process by calling *DosFlagProcess* processes may interpret these flags any way they wish. There are some problems with *DosFlagProcess*: Signals only pass a single word of information beside their number, they can disrupt system calls, and they may arrive faster than they can be serviced and hence can be lost. Processes may install signal handlers to respond to flag signals. A process may send a Ctrl-C or a Ctrl-Break signal to another process via *DosSendSignal*.

An arriving signal interrupts the process's *thread 1* (i.e., the process's primary thread); the process calls the signal handler with an argument provided to it by the sender of the signal. While the signal handler is operating, further signals are blocked to prevent the handler from being reentered. The signal handler eventually issues a *DosSetSigHandler* call to allow further signals. The *DosHoldSignal* call protects a critical section from being interrupted by a signal.

Signals have no priorities. When an enabled signal occurs, the signal handler is entered, possibly interrupting another signal handler. If another signal of the same type occurs while one is being processed, the arriving signal is held until the processing of the first one is completed.

When a signal to a process occurs, if that process is executing, the signal causes the process to switch to its signal handler immediately. But if another process is running, the signal merely causes the operating system to *post* the signal to the process; the current process is not interrupted, but the next time the signalled process becomes active, the signal causes that process to switch to its signal handler.

Signal handlers run nonprivileged in ring 3. Only thread 1 of a process receives signals and executes signal handlers. Therefore multithreaded applications often dedicate thread 1 to this purpose and use other threads to accomplish most of their work.

Applications can only receive signals after they have indicated their desire to do so. A signal that arrives while thread 1 is in a critical section protected by a semaphore could cause the signal handler to execute; if the handler does not return to the interrupted code, then the semaphore is left on ("orphaned"), which could eventually cause a deadlock.

23.9 THE PRESENTATION MANAGER AND VIO

Personal computers produced before 1984 generally had text-oriented interfaces that required little CPU support. The development of mouse-oriented, graphics-oriented user interfaces is generally attributed to research work done at Xerox PARC (Palo Alto Research Center) in the 1970s. With the appearance of the Apple Macintosh in January 1984, the industry focused on the advanced capabilities of graphical interfaces. They were faster, easier to learn, more fun to use, and better for novices while simultaneously offering an appropriate interface for experts.

IBM and Microsoft have responded to the success of graphical interfaces with the introduction of the *Presentation Manager* for OS/2 (Ve87) (Ge88) (Gu88) (Kr88) (Le88) (Pe88) (Pe88a) (Pe88d). The Presentation Manager is the OS/2 version of enhanced *Microsoft Windows*. It uses windows, menus, buttons, scroll bars, dialog boxes, and other graphics to implement a user-friendly interface. The original Microsoft Windows product used *tiled windows* (displayed side-by-side) rather than *overlapped windows*. The presentation manager may receive its inputs from a mouse, the keyboard, or both.

A graphical interface is far more complex to implement than a text-oriented interface, but the advantages to users are many. OS/2 version 1.1 added over 500 additional function calls to support the graphical interface; about half of these are to control windowing., while most of the rest support the *graphics programming interface (GPI)* which is closely related to IBM's *graphical data display manager (GDDM)*. The Presentation Manager is a complex one for developing new applications.

The Presentation Manager is a key to IBM's *Systems Application Architecture (SAA)*, and it could well become the standard graphical interface across all levels of IBM mainframes and minicomputers. (Note: The Presentation Manager was not yet released when this text entered production.)

OS/2 also provides the *VIO interface*, a character-oriented interface that appears similar to the ROM BIOS video interface (Le88). The first release of OS/2 (1.0) included only the VIO interface; the Presentation Manager is included in subsequent releases (1.1 and higher). The VIO interface and the Presentation Manager are like device drivers. They are device dependent. VIO is character oriented. It is replaceable; VIO-oriented applications may eventually be managed by the Presentation Manager. Users will generally prefer the Presentation Manager to VIO. Applications written for the real mode environment may find the VIO interface preferable. Applications may use the VIO interface in character mode, work around VIO and directly manipulate the screen in either character or graphics mode, or use the Presentation Manager. Background processes do not interact directly with the user. When using VIO, a process is relegated to the background when a user selects another screen group. A summary of the video interface VIO calls appears in Fig. 23.2.

23.10 DEVICE MONITORS

In ensuring compatibility with the huge base of DOS applications programs, the designers of OS/2 decided to include features that would enable programs to examine and modify device data streams (IB87a) (Ia88) (Le88). Many DOS programs, for example, hook (edit) interrupt vectors to gain control when a device interrupt comes in; they examine the interrupt and decide if they want to process it for some application-specific reason rather than allowing the interrupt to go directly to DOS. OS/2 includes *device monitors* to provide such capabilities. A *printer spooler*, for example, might use a device monitor to intercept a process's printer output, spool it to disk, and route the data to the printer at an appropriate time.

OS/2 Video Function Calls	
VioDeRegister	DeRegister Video Subsystem
VioEndPopUp	Deallocate Pop-Up Display Screen
VioGetAnsi	Get ANSI Status
VioGetBuf	Get Logical Video Buffer
VioGetConfig	Get Video Configuration
VioGetCp	Get Code Page
VioGetCurPos	Get Cursor Position
VioGetCurType	Get Cursor Type
VioGetFont	Get Font
VioGetMode	Get Display Mode
VioGetPhysBuf	Get Physical Display Buffer
VioGetState	Get Video State
VioModeUndo	Restore Mode Undo
VioModeWait	Restore Mode Wait
VioPopUp	Allocate a pop-up Display Screen
VioPrtSc	Print Screen
VioPrtScToggle	Toggle Print Screen
VioReadCellStr	Read Char/Attr String
VioReadCharStr	Read Character String
VioRegister	Register Video Subsystem
VioSavRedrawUndo	Screen Save Redraw Undo
VioSavRedrawWait	Screen Save Redraw Wait
VioScrLock	Lock Screen
VioScrollDn	Scroll Screen Down
VioScrollLf	Scroll Screen Left
VioScrollRt	Scroll Screen Right
VioScrollUp	Scroll Screen Up
VioScrUnLock	Unlock Screen
VioSetAnsi	Set ANSI On or Off
VioSetCp	Set Code Page
VioSetCurPos	Set Cursor Position
VioSetCurType	Set Cursor Type
VioSetFont	Set Font
VioSetMode	Set Display Mode
VioSetState	Set Video State
VioShowBuf	Display Logical Buffer
VioWrtCellStr	Write Char/Attr String
VioWrtCharStr	Write Character String
VioWrtCharStrAtt	Write Char String with Attr
VioWrtNAttr	Write N Attributes
VioWrtNCell	Write N Char/Attrs
VioWrtNChar	Write N Characters
VioWrtTTY	Write TTY String

Fig. 23.2 *(continued)*

Fig. 23.2 *(continued)*

Vio Functions Supporting the Presentation Manager	
VioAssociate	Associates Vio presentation space with device context
VioCreateLogFont	Creates logical font for use with Vio presentation space
VioCreatePS	Allocates Vio presentation space
VioDeleteSetId	Releases logical font identifier
VioDestroyPS	Destroys Vio presentation space
VioGetDeviceCellSize	Returns character cell height and width
VioGetOrg	Returns screen coordinates for origin of Vio presentation space
VioQueryFonts	Returns list of available fonts for specified typeface
VioQuerySetIds	Returns list of loaded fonts
VioSetDeviceCellSize	Sets character cell height and width
VioSetOrg	Sets screen coordinates of origin for Vio presentation space
VioShowPS	Updates display from Vio presentation space

Fig. 23.2 OS/2 video function calls. (Courtesy of International Business Machines Corporation and Microsoft Press.)

OS/2 does not let applications hook interrupt vectors; this could be disastrous in a multitasking system as users could then corrupt the system. A program that wishes to examine and modify a device data stream uses an OS/2 *device monitor* while executing in ring 3 (nonprivileged user state); this is done in such a manner that the device driver is aware of the use of the device monitor and grants permission for its use.

A process indicates its intent to be a device monitor first by issuing *DosMonOpen* to obtain a handle for the device, and then by calling the device driver via *DosMonReg*. The process provides a buffer to receive incoming monitor data and another buffer to hold outgoing monitor data. A process can call OS/2 easily, but OS/2 really can't call a process, so it uses an interesting technique to communicate with the process: A monitoring process must call OS/2 via one of its threads (with *DosMonRead*) immediately after indicating its intent to be a monitoring process; OS/2 holds this thread until data is in the incoming buffer, and then releases the thread to the monitoring process. The device monitor writes outgoing data via *DosMonWrite*. *DosMonClose* terminates device monitoring on a particular device.

Multiple device monitors are allowed for certain devices; OS/2 chains these monitors together so they all see the device data stream. Inefficient monitors, or too many monitors in the chain, could slow a device's throughput. Device monitors should not suspend or block; they must be written and tested carefully to be error-free for obvious reasons.

23.11 DATA INTEGRITY

OS/2 provides *file sharing* and *record locking* for protecting critical sections that update files and records (Le88). File sharing enables the owner to specify if readers are allowed or if writing is allowed. Record locking enables a process to lock out other processes from accessing a range of bytes within the file. The file sharing and record locking features lock out all other processes whether these intend to be cooperative or not (as with semaphores, for example). File sharing and record locking do not provide for blocking until the file or record once again becomes accessible; an application wishing to wait for this can do so with a polling loop (and should use *DosSleep* between polls to reduce wasted CPU time).

OS/2 buffers its data to be written to disk, so when the system crashes it is possible that some data is still in the buffers rather than on the disk. *DosBufReset* immediately writes all buffers with modified data to the disk.

OS/2 provides a *writethrough* mechanism to cause all writes via a specified file handle to be written to disk before the *DosWrite* returns to the caller.

23.12 TIMER SERVICES

OS/2 provides a number of features that enable applications to monitor real time with reasonable precision (Le88). These services in version 1.0 are generally based on a 32Hz periodic clock system interrupt (i.e., that interrupt approximately 30 times per second). This granularity is appropriate for timing human-related events, but is too coarse for timing events occurring at microsecond computer speeds. No matter how fine-grained the timing eventually becomes in future systems, the use of preemptive scheduling means that a thread waiting on a timer event may not run immediately anyway if there are higher priority ready-to-run threads.

The *DosGetDateTime* call returns the current date and time; these are set with *DosSetDateTime*.

The program may determine the duration of a clock tick by using *DosGetInfoSeg* to gain access to the *global information segment* (which contains this, and other, information of system-wide interest).

DosSleep works synchronously; the thread that calls *DosSleep* is held in the operating system until the time elapses, then the thread is released.

DosTimerAsync works asynchronously. The call takes an interval and a system semaphore handle; it then returns immediately. The system semaphore is cleared when the time has expired. The process can poll the semaphore to determine if the time has expired, or it can block on the semaphore and wait to be awakened. *DosTimerStart* is similar to *DosTimerAsync*, but it clears the semaphore periodically each time the interval specified in the call elapses; *DosTimerStop* stops the timer (specified by a semaphore handle) that had been started by either of these calls.

Applications that require more precision than these alternatives provide should reference the time values in the global information segment. Applications that need to respond quickly to timeouts should assign a high-priority thread to handling timer events; the bulk of their work should, however, be done by their normal priority threads.

alternate spooler and perform *code page switching*; it activates a *code page* and font for a specific printer and process. *DosPFSCloseUser* indicates that a process closed the file it was using for spooling. *DosPFSInit* initializes a printer for code page and font switching. *DosPFSQueryAct* returns the code page and font for a printer and process. *DosPFSVerify-Font* determines if a code page and font are available in a printer's font file.

DosSetProcCp sets the code page of the calling process. *DosSetCp* sets the code page of the calling process, the session's display code page, and the keyboard code page; *DosGetCp* queries this information. *DosGetCtryInfo* returns various country-dependent information including code page information. *DosCaseMap* performs case mapping related to specifications in the country mapping file. *DosGetCollate* gets a collating sequence (for sorting purposes) from the country information file. *DosGetDBCSEv* gets the DBCS (double-byte character set) environmental vector from the *country information file*; the double-byte pairs provide for the wide variety of characters used in various international character sets.

23.13.6 I/O Privilege Mechanism

Giving applications the right to access devices directly can result in very high speed transfers, but it can jeopardize system stability and cause conflicts between applications that want to control the device simultaneously. OS/2 has an *I/O privilege* mechanism to deal with these issues (Ia88) (Le88). This mechanism allows a process to request from a device driver that it be allowed to access the device and its dedicated or mapped memory directly. This tends to make an application device-dependent.

23.14 THE DOS COMPATIBILITY BOX

OS/2 runs the huge installed base of DOS applications. To support DOS, OS/2 provides what is called the *real mode screen group* (or the *compatibility box*, or the *3.x box*). This gives a program the environment of an 8086 PC running DOS 3.3. Programs running under DOS execute in real mode. OS/2 actually switches into real mode to execute DOS programs (Le88) (Tr88) rather than attempting to emulate real mode from inside protected mode (which is slow).

OS/2 designates one screen group as the *real mode screen group*. The user can switch to the protected mode environment by selecting a different screen group. OS/2 version 1.0 supports only a single real mode screen group. Later versions of OS/2 may support multiple real mode screen groups, a feature the 80386 is capable of supporting.

The DOS compatibility box is supported by the 80286's real mode (Gi87). The 80286 processor starts up in real mode and can be switched to protect mode, but there is no natural provision for switching from protect mode to real mode. The processor may switch from protected mode to real mode with a special technique that essentially simulates complete resetting of the system (Va87) (Le88).

23.15 SYSTEM CONFIGURATION

The user may customize the OS/2 environment by placing appropriate commands in the *CONFIG.SYS file* (IB87) (Ri87) (Ja88). OS/2 locates the CONFIG.SYS file at initialization time in the startup drive's root directory. The file comes preloaded with values generally appropriate for OS/2 systems, but users may wish to edit the file to customize their systems for optimal performance with particular applications. A summary of CONFIG.SYS statements appears in Fig. 23.4.

DOS Mode Configuration Statements	
BREAK	Detect Ctrl+Break in DOS mode (always on in OS/2 mode)
FCBS	Set FCB (File Control Block) management information
RMSIZE	Set memory size for DOS mode
SHELL	Specify alternate DOS command processor

OS/2 Mode Configuration Statements	
BUFFERS	Specify the number of 512-byte buffers for disk I/O
CODEPAGE	Select code pages for using international character sets
COUNTRY	Specify country for country-dependent information
DEVICE	Name the path and filename of a device driver (to install)
DEVINFO	Ready device for code page switching
DISKCACHE	Set the number of storage blocks for the disk cache
IOPL	Permits program with I/O privilege (ring 2) to execute I/O instructions directly
LIBPATH	Specify the directories in which DLLs are located
MAXWAIT	Set time delay after which waiting process gets priority boost
MEMMAN	Enable or disable swapping and/or compaction
PAUSEONERROR	Enables/disables pausing for CONFIG.SYS error display
PRIORITY	Specifies whether priorities of regular class threads are to be varied dynamically or are to remain fixed
PROTECTONLY	Enables either OS/2 mode only, or both OS/2 and DOS mode
PROTSHELL	Allows replacement of the OS/2 command processor
REM	Insert a remark in the CONFIG.SYS file
RUN	Start a system program during system initialization
SWAPPATH	Specify the path to the swap file
THREADS	Specify the maximum number of OS/2 threads that may exist
TIMESLICE	Set minimum and maximum values of the quantum
TRACE	Specify system tracing (generally for use by a service person)
TRACEBUF	Specify system trace circular buffer size

Fig. 23.4 CONFIG.SYS statements. (Courtesy of International Business Machines Corporation.)

23.16 OS/2 SOFTWARE DEVELOPERS KIT

The personal computing industry depends on a steady flow of powerful and innovative software applications developed by independent software vendors (ISVs). Microsoft makes available a *software developers kit* to encourage and facilitate the development of independent software (Pr88).

A recent version of the kit included OS/2, Microsoft Windows and the Windows Toolkit, an optimizing Microsoft C compiler and the Microsoft Macro Assembler that can produce real mode DOS or protected mode OS/2 programs, various utilities and sample programs, and the presentation manager. Thousands of developers bought the package at its initial $3000 price, which included a technical developers conference at Microsoft and a year's subscription to Microsoft's on-line support system. Videotapes were included for those who could not attend the developers conference.

This kind of support provided early in the life cycle of a major personal computer operating system, such as OS/2, can be essential to the operating system's widespread acceptance.

23.17 HANDLING ERRORS AND EXCEPTIONS

The *DosBeep* call generates a beep sound of specified frequency and duration; programs may signal the user that an error has occurred by issuing a beep.

DosError can prevent hard error messages and program exception messages from being issued to users; if these types of errors then occur, the process is terminated.

DosSetVec enables a process to specify (register) the address of a handler routine to be used when a certain type of machine exception (such as divide overflow or invalid opcode) occurs.

DosErrClass is a general-purpose error-handling routine that helps users interpret the errors that occur, and determine how to correct them. The user supplies an *error code* (returned by a previous function call), and OS/2 returns an *error classification*, a *recommended action*, and an *error locus*. The class, action, and locus definitions appear in Fig. 23.5.

23.18 THE FUTURE

There are so many firmly established trends that it is relatively straightforward to write this section, but with one exception: the personal computing systems that will derive from OS/ 2 will be ever larger and ever more complex than the standard edition 1.0, so it becomes increasingly difficult to predict *when* key milestones will occur (Kr88).

The field of software engineering is concerned with fostering on-time, within-budget systems development efforts, but it generally presumes the availability of detailed, high-quality specifications. Because future designs will affect so many people working in such a diversity of applications and geographical areas, the specifications process itself is becoming increasingly prolonged. The key to the future is open systems interconnection, and this implies the involvment of standards groups throughout the world as new directions in computing and communications take shape.

Class Definitions

Value	Mnemonic	Description
1	OUTRES	Out of resources
2	TEMPSIT	Temporary situation
3	AUTH	Authorization failed
4	INTRN	Internal error
5	HRDFAIL	Device hardware failure
6	SYSFAIL	System failure
7	APPERR	Probable application error
8	NOTFND	Item not located
9	BADFMT	Bad format for call/data
10	LOCKED	Resource/data locked
11	MEDIA	Incorrect media, CRC error
12	ALREADY	Resource/action already taken/done/exists
13	UNK	Unclassified
14	CAN'T	Can't perform requested action
15	TIME	Timeout

Action Definitions

Value	Mnemonic	Description
1	RETRY	Retry immediately
2	DLYRET	Delay and retry
3	USER	Bad user input - get new values
4	ABORT	Terminate in an orderly manner
5	PANIC	Terminate immediately
6	IGNORE	Ignore error
7	INTRET	Retry after user intervention

Locus Definitions

Value	Mnemonic	Description
1	UNK	Unknown
2	DISK	Random access device such as a disk
3	NET	Network
4	SERDEV	Serial device
5	MEM	Memory

Fig. 23.5 OS/2 error class, action, and locus definitions. (Courtesy of International Business Machines Corporation.)

For the next few years, it is anticipated that IBM will concentrate on taking full advantage of the 80386 architecture (Vi87) (Le88) (Da89). The 80386 offers the protection features of the 80286, paging, and segments as large as 4 million KB (4 GB). On the 80386, programs can use such large segments that they can run in only one data segment and one procedure segment (if they wish); this is called the *flat model* and it runs programs considerably faster than if they are heavily segmented.The 80386 architecture provides *virtual real mode* which runs programs in an 8086-compatible real mode but with protection; this will enable 80386-based computers to support multiple real mode applications at once. The 80386 architecture can allow or disallow I/O access port-by-port, a feature that may be exploited in future OS/2 versions to provide more secure systems.

What will the personal computer (or advanced workstation, if you will) look like at the turn of the century (Mc87)? It will have a huge primary storage probably on the order of 100Mb. It will have high-speed parallel processors (and eventually massive parallelism). It will use rewritable optical disks with capacities of tens of billions of bytes. Its display will be high resolution color of near-photographic quality. Printouts will be of true typeset quality on ultra-high-resolution laser printers, and color printing will become common. Ultra-high-speed communications through fiber optics will enable computers to intercommunicate at computer speeds rather than at today's slow telephone line speeds. Applications will be integrated to interoperate smoothly with other applications, the operating system, and with remote systems. Operating systems vendors will provide increasing applications functionality "wrapped" within the operating system itself. Advanced graphics interfaces will become the norm as innovations in the user interface make it increasingly easy for the general public to use computers. Operating systems vendors will participate actively in the international standards arena as open systems predominate; this will fundamentally change the marketplace as vendors used to providing and sustaining their own proprietary architectures will now adhere to the open standards. Users will ultimately be able to purchase the hardware and software they need from many different companies and these products will interoperate smoothly. All of these trends will affect the evolution of OS/2 and its competitors and successors.

As the previous edition of this text went to press, an interesting question was whether MS-DOS or CP/M would become the personal computer operating system of choice for IBM PCs and compatibles, and whether either operating system would emerge as the standard for the entire industry. MS-DOS won the battle primarily because IBM chose it as the standard and because Microsoft and IBM kept evolving it in response to architectural trends and increasing user demands. Now the stage is set for round two in which OS/2 and UNIX systems will compete for supremacy on PS/2s and in the entire industry (Tr88). To hazard a prediction, it seems that OS/2 will dominate on PS/2s while UNIX systems will dominate on advanced workstations and in the open systems marketplace. To hazard a more distant prediction, UNIX systems seem likely to become the industry standard by the mid-to-late 1990s, even on the generation of IBM personal computers that will eventually supersede the PS/2s. Regardless of which operating system dominates, if indeed one ever does, the competition fostered by having several valid contenders continues to provide users with declining costs, greater ease of use, and increasing operating system functionality.

TERMINOLOGY

anonymous pipe
applications program interface (API)
asynchronous execution
background process
base priority
bimodal device driver
block mode device
character mode device
child process
code page
collision area
command subtree
communications manager
compaction
compatibility box
compatibility mode
daemon program
database manager
demand loading
device driver
device helper services (DevHlp)
device interrupt routine
device monitor
device strategy routine
discardable segment
DOS 1.0
DOS 2.0
DOS 3.0
DOS 3.3
DOS 4.0
DOS 5.0
DOS mode
dual mode
dynamic link library (DLL)
dynamic link module
encapsulation
environment strings
event-driven program
exitlist
extended partitioning
family applications program interface (family API)
file allocation table (FAT)
file handle
file locking
file system name space
filter
first-level interrupt handler (FLIH)
flag event
flat model
foreground process
general priority category
general protection (GP) fault
giveaway shared memory
global descriptor table (GDT)
global shared memory
graphical data display manager (GDDM)
graphics mode
graphics programming interface (GPI)
handle
hard error
hard error daemon
hierarchical file system
hook an interrupt vector
huge segment
idle-time priority
independent software vendor (ISV)
installable file system (IFS)
Intel 80286
Intel 80386
interactive process
interprocess communications (IPC)
interrupt service routine
interrupt strategy routine
I/O privilege mechanism
IOCtl
KBD subsystem
loadtime dynamic linking
local descriptor table (LDT)
local shared memory
logical video buffer
low priority process
memory manager
memory overcommit
memory suballocation
mickey

Micro Channel
Microsoft Windows
mode switching
MOU subsystem
mouse
multitasking
named pipe
named shared memory
open systems architecture
OS/2 extended edition
OS/2 mode
OS/2 software developers kit
OS/2 standard edition
overlapped windows
parent process
physical memory
PID (Process Identification Number)
pipe
popup
preemptive scheduling
Presentation Manager
privilege mode (ring 0)
process termination list
protect mode
PS/2
queue
RAM semaphore
RAS data
real mode
real mode screen group
record locking
redirection
reference count
regular priority category
ring 0
ring 2
ring 3
ring protection mechanism
root directory
runtime dynamic linking
scan code
screen group
segment descriptor
segment monitor
segment motion
semaphore
semaphore handle
semaphore release
semaphore request
session manager
shared memory
shared segment
shell
signal
software developers kit
software tools
SQL relational database
static linking
STDERR (standard error)
STDIN (standard input)
STDOUT (standard output)
swapping
synchronous execution
system file table (SFT)
system semaphore
Systems Application Architecture (SAA)
text mode
thread
thread of execution
tiled windows
time-critical process
timer services
VIO subsystem
virtual real mode
unnamed pipe
writethrough
3.x box

EXERCISES

23.1 Trace the evolution of the OS/2 operating system from the earliest versions of MS-DOS.

23.2 Give several reasons why the original MS-DOS 4.0 was inappropriate as a general-purpose multitasking operating system.

23.3 OS/2 is intended as an ideal operating system for the office automation environment. It is a multitasking operating system capable of performing many chores at once. From your understanding of office environments, list as many functions as you can that might be desirable to perform simultaneously.

23.4 What is preemptive scheduling? Why is this form of scheduling appropriate for OS/2?

23.5 Define memory overcommit. Why is it reasonable for OS/2 to support a system load that causes memory to become overcommitted? Under what circumstances would memory overcommit be detrimental to the operation of an OS/2 system?

23.6 Why do early versions of OS/2 use pure segmentation and not paging?

23.7 How might swapping in OS/2 potentially cause a deadlock? What safeguards in OS/2 prevent this from happening?

23.8 Argue why compatibility with widely used hardware and software is an important consideration for designers of new operating systems. How does the design of OS/2 reflect the importance of compatibility issues?

23.9 What aspects of the design of the 80286 microprocessor with regard to compatibility mode were corrected in the 80386 microprocessor?

23.10 What key problems were faced by OS/2 designers in incorporating DOS compatibility into OS/2?

23.11 Why do programs requesting additional memory in DOS rarely provide for dealing with "request denied" situations?

23.12 What does it mean for a user to write downward compatible programs under OS/2?

23.13 Define the concept of an applications programming interface (API). How does an API encapsulate the hardware and the operating system? Discuss the possibility that two different operating systems could offer identical APIs. What are the advantages and disadvantages of such an approach? (Note: The POSIX standard for UNIX-like systems would enable vendors of many different operating systems to offer identical APIs.)

23.14 Explain the notion of family applications programming interface (family API) as used in OS/2. What is the key reason for including it? What difficulties may be faced by its users?

23.15 One operating system offers only a file locking mechanism while another offers both a file locking mechanism and a record locking mechanism. Discuss the relative merits of each; specifically consider performance issues and complexity issues.

23.16 Distinguish between the notions of process and thread.

23.17 Give several examples of features in OS/2 that are similar to features in UNIX.

23.18 In OS/2 what factors make it difficult for a parent to determine if a child has finished the work it was to perform?

23.19 Distinguish between a synchronous call to a child process and an asynchronous call to a child process.

23.20 What is a daemon? Give an example of the use of a daemon in OS/2.

23.21 Describe the relationship between parent processes and child processes in OS/2.

23.22 Distinguish between multi-thread operation in uniprocessor systems vs. in multiprocessor systems.

23.23 Discuss the special status of thread 1 in a process that has many threads.

23.24 How do processes typically assign different threads to perform various portions of a process's work?

23.25 Give an example of an application which is inherently parallel in nature and explain why programming such an application with multiple threads is more natural than programming it with a single thread.

23.26 How is the use of *DosSuspendThread*/*DosResumeThread* different from the use of `ENTERMUTUALEXCLUSION/EXITMUTUALEXCLUSION` as discussed in Chapter 4?

23.27 How is the use of *DosEnterCritSec*/*DosExitCritSec* different from the use of `ENTERMUTUALEXCLUSION/EXITMUTUALEXCLUSION` as discussed in Chapter 4?

23.28 In what sense are all the threads of a process identical? In what sense are they different?

23.29 Distinguish between interactive, foreground, and background processes.

23.30 Discuss the meaning of the following strategy: OS/2 is more concerned with optimizing response than it is with optimizing throughput. Under what circumstances might throughput optimization become more important than response optimization?

23.31 Describe how the OS/2 dispatching scheme might result in indefinite postponement.

23.32 Does OS/2 associate higher priority with I/O-bound processes or with processor-bound processes? Why?

23.33 Give three examples of threads that should be in the time-critical priority category.

23.34 Explain the difference between static linking and dynamic linking.

23.35 OS/2 uses common naming conventions for objects such as files, system semaphores, named shared memory, and named pipes. List advantages and disadvantages of choosing names for this diversity of objects from a single name space.

23.36 What does it mean for a program to "hook" interrupt vectors? Why is it reasonable for DOS programs to do this, but inappropriate for OS/2 programs to do so?

23.37 What segment replacement algorithm does OS/2 use to make room for an incoming segment?

23.38 Discuss the ramifications of the following OS/2 policy: The priorities of processes and threads are not considered by the swapping algorithm; once a process is marked to be swapped it is equally eligible with all such marked processes to be swapped.

23.39 What are the differences between anonymous pipes and named pipes? Why are anonymous pipes inefficient for high volume data transfers?

23.40 Distinguish between named shared memory and giveaway shared memory.

23.41 Explain the difference between RAM semaphores and system semaphores. Which are faster to access? Which are more appropriate for handling needs within a process? Which are required to ensure integrity when multiple processes are involved?

23.42 Semaphores may be used to signal threads that events have occurred. How might a process wait on several events and be awakened whenever any of them occurs?

23.43 Describe several ways in which a semaphore may ultimately not be released and thus left orphaned.

23.44 In OS/2, could a thread waiting on a semaphore suffer indefinite postponement? Explain your answer.

23.45 Explain the operation of queues as a means for interprocess communication. Why are queues a fast means for transferring large amounts of data?

23.46 Discuss signals as a means of interprocess communication. How are signals similar to interrupts? How are they different?

23.47 How is dynamic linking consistent with the open systems philosophy?

23.48 Discuss the advantages and the disadvantages of a graphical user interface as compared to a text-oriented user interface.

23.49 Discuss the special status afforded to interactive programs by OS/2.

23.50 Distinguish between the synchronous I/O afforded by *DosRead* and *DosWrite* and the asynchronous I/O afforded by *DosReadAsync* and *DosWriteAsync*.

23.51 OS/2 cannot allow programs to hook interrupt vectors to gain control when a device interrupt comes in, but it does provide a similar capability. What feature does OS/2 include to provide this similar capability? How does it operate? Does it ensure the integrity of the system?

23.52 How does OS/2 communicate with a device monitor process?

23.53 OS/2 allows multiple monitors per device for certain devices. How does OS/2 arrange these so that they all see the device data stream? What concerns are raised by such an arrangement?

23.54 Give a key weakness of using *DosEnterCritSec* to enforce mutual exclusion.

23.55 File sharing and record locking do not provide for blocking until the locked object again becomes available. How, then, should an application wait to access the object? What techniques should be used to reduce wasted CPU time?

23.56 What is a "writethrough mechanism?" If a crash occurs during a writethrough, is it guaranteed that all data will have been written to the disk properly?

23.57 Describe the timer services offered by OS/2. Some users criticize the "granularity" of these services as not being fine enough; what do these users mean? Even if the granularity were finer, what aspect of OS/2's process control could prevent accurate time measurements?

23.58 What call is used synchronously to indicate that a time interval has elapsed? What call is used asychronously to indicate that a time interval has elapsed? In each case, state whether the process waiting for notification can assume that exactly the designated amount of time has elapsed.

23.59 What should an application do to help ensure rapid response to a timeout?

23.60 What is a hard error? Give a common example of a hard error. Why it is sometimes difficult for OS/2 to detect the source of a hard error?

23.61 Files are allocated in terms of blocks called allocation units, so on the average one would expect about one-half an allocation unit to be wasted per file. Under what circumstances, however, could more waste occur?

23.62 Why did OS/2's designers include a segment suballocation mechanism?

23.63 What considerations should programmers keep in mind as they decide what programs or data should be placed in a segment?

23.64 Discuss several ways in which deadlocks and indefinite postponement can occur in OS/2.

LITERATURE

(An87) Anderson, J., "Twilight of DOS," *PC Tech Journal*, Vol. 5, No. 8, August 1987, pp. 180–193.

(Ar87) Armbrust, S., and T. Forgeron, "Multiple Tasks," *PC Tech Journal*, Vol. 5, No. 11, November 1987, pp. 90–106.

(Ar87a) Armbrust, S., "Porting to OS/2," *PC Tech Journal*, Vol. 5, No. 11, November 1987, pp. 140–148.

(Be87) Bender, E., "Why Buy a PS/2?" *PC World*, December 1987, pp. 278–283.

(Ca88) Campbell, J. L., *Inside OS/2: The Complete Programmer's Reference*, Blue Ridge Summit, PA: TAB BOOKS, Inc., 1988.

(Ch88) Chang, P. Y., and W. W. Myre, "OS/2 EE Database Manager Overview and Technical Highlights," *IBM Systems Journal*, Vol. 27, No. 2, 1988, pp. 105–118.

(Ch87) Chester, J. A., "IBM and OS/2 Take on the Clones," *Infosystems*, Vol. 34, No. 8, August 1987, pp. 34–36.

(Co88) Conklin, D., *OS/2: A Business Perspective*, New York, NY: John Wiley & Sons, Inc, 1988.

(Co88a) Cook, R. L.; F. L. Rawson III; J. A. Tunkel; and R. L. Williams, "Writing an Operating System/2 Application," *IBM Systems Journal*, Vol. 27, No. 2, 1988, pp. 134–157.

(Cr87) Crosswy, C., and M. Perez, "Upward to the 80386," *PC Tech Journal*, Vol. 5, No. 2, February 1987, pp. 51–66.

(Da89) Davis, S. R., and W. L. Rosch, "368 Multitasking Environments," *PC Magazine*, Vol. 8, No. 4, February 28, 1989, pp. 94–140.

(Du87b) Duncan, R., "OS/2 Multitasking: Exploiting the Protected Mode of the 80286," *Microsoft Systems Journal*, Vol. 2, No. 2, May 1987, pp. 27–36.

(Du87c) Duncan, R., "OS/2 Inter-Process Communication: Semaphores, Pipes, and Queues," *Microsoft Systems Journal*, Vol. 2, No. 2, May 1987, pp. 37–50.

(Du87a) Duncan, R., "Porting MS-DOS Assembly Language Programs to the OS/2 Environment," *Microsoft Systems Journal*, Vol. 2, No. 3, July 1987, pp. 9–17.

(Du87) Duncan, R., "Character-Oriented Display Services Using OS/2's VIO Subsystem," *Microsoft Systems Journal*, Vol. 2, No. 4, September 1987, pp. 23–33.

(Du88) Duncan, R., "An Examination of the DevHlp API," *Microsoft Systems Journal*, Vol. 3, No. 2, March 1988, pp. 39–55.

(Du89a) Duncan, R., *Advanced OS/2 Programming*, Redmond, WA: Microsoft Press, 1989.

(Du89) Duncan, R., "Comparing DOS and OS/2 File Systems," *PC Magazine*, Vol. 8, No. 3, February 14, 1989, pp. 321–332.

(Ed89) Edelstein, H. A., "OS/2 Meets SQL," *PC Tech Journal*, Vol. 7, No. 2, February 1989, pp. 62–75.

(Fa87) Fastie, W., "The OS/2 Debate," *PC Tech Journal*, November 1987, pp. 21–27.

(Ge88) Geary, M., "Converting Windows Applications for Microsoft OS/2 Presentation Manager," *Microsoft Systems Journal*, Vol. 3, No. 1, January 1988, pp. 9–30.

(Gi87) Gillman, J., "Compatibility and Transition for MS-DOS Programs," *Microsoft Systems Journal*, Vol. 2, No. 2, May 1987, pp. 19–26.

(Gr88) Greenberg, R. M., "Design Concepts and Considerations in Building an OS/2 Dynamic-Link Library," *Microsoft Systems Journal*, Vol. 3, No. 3, May 1988, pp. 27–48.

(Gu88) Guttman, M., "Building a Foundation for Presentation Manager," *Computerworld Focus*, June 1988, pp.31–33.

(Ha87) Hansen, M., and L. Sargent, "Increase the Performance of Your Programs with a Math Coprocessor," *Microsoft Systems Journal*, Vol. 2, No. 3, July 1987, pp. 59–69.

(He87) Heller, M., "An Architecture for the Future," *PC Tech Journal*, Vol. 5, No. 11, November 1987, pp. 67–83.

(He88) Heller, V., "OS/2 Virtual Memory Management," *Byte,* Vol. 13, No. 4, April 1988, pp. 227–233.

(Ia88) Iacobucci, E., *OS/2 Programmer's Guide*, Berkeley, CA: Osborne McGraw-Hill, 1988.

(IB87a) IBM Corporation, *Operating System/2 Technical Reference (First Edition), Volume 1*, Copyright International Business Machines Corporation, 1986, 1987.

(IB87b) IBM Corporation, *Operating System/2 Technical Reference (First Edition), Volume 2*, Copyright International Business Machines Corporation, 1986, 1987.

(IB87) IBM Corporation, *Operating System/2 Standard Edition Users Reference*, Copyright International Business Machines Corporation, 1987.

(Ja88) Jamsa, K., *Using OS/2*, Berkeley, CA: Osborne McGraw-Hill, 1988.

(Je87) Jeffrey, B., "OS/2: Have We Seen the Future?" *Computerworld Focus*, July 8, 1987, pp. 25–26.

(Ke88) Kessler, A., "OS/2 LAN Manager Provides a Platform for Server-Based Network Applications," *Microsoft Systems Journal*, Vol. 3, No. 2, March 1988, pp. 29–38.

(Kn87) Knorr, E., "A Model for the 80's," *PC World*, December 1987, pp. 151–159.

(Kn88) Knorr, E., "Getting the Feel of OS/2," *PC World*, Vol. 6, No. 4, April 1988, pp. 188–193.

(Ko88) Kogan, M. S., and F. L. Rawson III, "The Design of Operating System/2," *IBM Systems Journal*, Vol. 27, No. 2, 1988, pp. 90–104.

(Kr88) Krantz, J. I.; A. M. Mizell; and R. L. Williams, *OS/2 Features, Functions, and Applications*, New York, N.Y.: John Wiley & Sons, Inc., 1988.

(La88) Lammers, S., (Editor-in-Chief), *The MS-DOS Encyclopedia*, Redmond, WA: Microsoft Press, 1988.

(Le88) Letwin, G., *Inside OS/2*, Redmond: WA, Microsoft Press, 1988.

(Le88a) Letwin, G., "Dynamic Linking in OS/2," *Byte*, Vol. 13, No. 4, April 1988, pp. 273–280.

(Li88) Linnell, D., "SAA: IBM's Road Map to the Future," *PC Tech Journal*, Vol. 6, No. 4, April 1988, pp. 86–105.

(Li89) Linnell, D., "The OS/2 Puzzle Takes Shape," *PC Tech Journal*, Vol. 7, No. 2, February 1989, pp. 45–48.

(Li89a) Linnell, D., "Cooperative Communications," *PC Tech Journal*, Vol. 7, No. 2, February 1989, pp. 52–61.

(Ma87) Machrone, B., and P. Somerson, "IBM Builds New Plateau With Personal System/2," *PC Magazine*, Vol. 6, No. 10, May 26, 1987, pp. 33–54.

(Mc87) McManus, R., "In Pursuit of Tomorrow's PC," *PC World*, May 1987, pp. 260–271.

(Mc88) McNierney, E., "386 Operating Environments," *PC Tech Journal*, Vol. 6, No. 1, January 1988, pp. 60–73.

(Mi87) Mirecki, T., "Enter OS/2," *PC Tech Journal*, November 1987, pp. 52–63.

(Mi88) Mizell, A. M., "Understanding Device Drivers in Operating System/2," *IBM Systems Journal*, Vol. 27, No. 2, 1988, pp. 170–184.

(Mo89) Morris, R. R., and W. E. Brooks, "UNIX Versus OS/2: A Graphic Comparison," *PC Tech Journal*, Vol. 7, No. 2, February 1989, pp. 106–118.

(Mo88) Morrow, G., "The IBM Micro Channel I/O Bus," *Micro/Systems Journal*, Vol. 4, No. 2, February 1988, pp. 18–26.

(Ne88) Newcom, K., "The Micro Channel Versus the AT Bus," *Byte*, (IBM Special Issue), Vol. 13, No. 11, Fall 1988, pp. 91–98.

(Pr88) Perrone, G., "OS/2 Developers Kit Offers Unusual Power," *IEEE Software*, July 1988, pp. 97–101.

(Pe87) Petzold, C., "A Complete Guide to Writing Your First OS/2 Program," *Microsoft Systems Journal*, Vol. 2, No. 2, May 1987, pp. 51–60.

(Pe88a) Petzold, C., "Utilizing OS/2 Multithread Techniques in Presentation Manager Applications," *Microsoft Systems Journal*, Vol. 3, No. 2, March 1988, pp. 11–27.

(Pe88) Petzold, C., "The Graphics Programming Interface: A Guide to OS/2 Presentation Spaces," *Microsoft Systems Journal*, Vol. 3, No. 3, May 1988, pp. 9–18.

(Pe88c) Petzold, C., "Exploring The OS/2 .EXE File," *PC Magazine*, Vol. 7, No. 9, May 17, 1988, pp. 329–341.

(Pe88b) Petzold, C., "Multiple Threads Make Better OS/2 Programs," *PC Magazine*, Vol. 7, No. 12, June 28, 1988, pp. 289–307.

(Pe88d) Petzold, C., "Introducing the OS/2 Presentation Manager," *PC Magazine*, Vol. 7, No. 13, July 1988, pp. 379-394.

(Pe89) Petzold, C., *Programming the OS/2 Presentation Manager*, Readmond, WA: Microsoft Press, 1989.

(Qu88) Quirk, K., "Model 80 Flagship," *PC Tech Journal*, Vol. 6, No. 4, April 1988, pp. 62–73.

(Ri87) Rizzo, T., "A Foundation for the Next Generation," *Microsoft Systems Journal*, Vol. 2, No. 2, May 1987, pp. 1–12.

(Ro88) Robbins, J., *Essential OS/2*, Alameda: CA: SYBEX, 1988.

(Ro87) Rosch, W. L., "Heavy Metal 386s Weigh In," *PC Magazine*, Vol. 6, No. 16, September 29, 1987, pp. 91–150.

(Ro88) Rosch, W. L., "IBM's PS/2 Model 80-111: A Dream Deferred," *PC Magazine*, Vol. 7, No. 8, April 26, 1988, pp. 93–100.

(Ru88) Ruddell, K., "Using OS/2 Semaphores to Coordinate Concurrent Threads of Execution," *Microsoft Systems Journal*, Vol. 3, No. 3, May 1988, pp. 19–26.

(Sc87) Schmitt, D. A., "The Flexible Interface," *PC Tech Journal*, Vol. 5, No. 11, November 1987, pp. 111–128.

(Sc88a) Schmitt, D. A., "Converting DOS Programs to OS/2 Protected Mode," *Micro/Systems Journal*, Vol. 4, No. 3, March 1988, pp. 24–34.

(Sc88) Schmitt, D. A., "Family Ties," *PC Tech Journal*, Vol. 6, No. 6, June 1988, pp. 124–132.

(Se88) Seybold, A., "OS/2 Represents Future of Micro Operating Systems," *High Technology Business*, July 1988, pp. 58–59.

(St88) Stinson, C., "Preparing for Presentation Manager: Paradox® Steps up to Windows 2.0," *Microsoft Systems Journal*, Vol. 3, No. 1, January 1988, pp. 1–7.

(Ta88) Tallman, D., "PS/2 Turns 1," *PC Tech Journal*, Vol. 6, No. 4, April 1988, pp. 48–57.

(Tr88) Tropp, W., and S. Wright, "The DOS-UNIX Union," *PC Tech Journal*, Vol. 6, No.1, January 1988, pp. 78–91.

(Va87) Valigra, L., "OS/2: Turning off the Car to Change Gears," *Microsoft Systems Journal*, Vol. 2, No. 2, May 1987, pp. 61–66.

(Ve87) Vellon, M., "The OS/2 Windows Presentation Manager: Microsoft Windows on the Future," *Microsoft Systems Journal*, Vol. 2, No. 2, May 1987, pp. 13–18.

(Vi87) Vigorita, H., "Memory Addressing on the Intel 80386," *Micro/Systems Journal*, Vol. 3, No. 6, November/December 1987, pp. 18–21.

(Wa88) Watson, S. L., "OS/2 Query Manager Overview and Prompted Interface," *IBM Systems Journal*, Vol. 27, No. 2, 1988, pp. 119–133.

(Wh88) White, E. M., "IBM OS/2 Standard Edition," *Byte*, Vol. 13, No. 6, June 1988, pp. 145–154.

APPENDIX: Summary of OS/2 Commands*

System Configuration and Control

BREAK (set)

Turns on or off the check for Ctrl+Break whenever a DOS program issues system calls.

COMMAND (command processor)

Starts another DOS command processor.

* This appendix is reprinted with permission from *Operating System/2 Standard Edition Users Reference*, copyright 1987 by International Business Machines Corporation.

DATE (set system date)
Displays or changes the date known to the system and resets the date on your computer's clock. This date is recorded in the directory when you create or change a file.

EXIT (end a command processor)
Ends the current command processor and returns to the previous one, if one exists.

PROMPT (command prompt)
Changes the command prompt.

SET (environment variables)
Sets one string in the environment equal to another string for later use in programs.

TIME (set system time)
Displays or changes the time known to the system and resets the time on your computer's clock. This time is recorded in the directory when you create or change a file.

VER (display OS/2 version number)
Displays the OS/2 version number.

Disk Management

ASSIGN (assign drives)
Assigns a drive letter to a different drive.

CHKDSK (check disk)
Analyzes the directories, files, and file allocation table on the specified or default drive and produces a disk status report.

DISKCOMP (compare diskettes)
Compares the contents of the diskette in the source drive to the contents of the diskette in the target drive.

DISKCOPY (copy diskettes)
Copies the contents of the diskette in the source drive to the diskette in the target drive. The target diskette is formatted, if necessary, during the copy.

FDISK (manage partitions)
Allows you to create a primary partition, create an extended partition, create a logical drive in the extended partition, change the active partition, delete a primary partition, delete an extended partition, delete a logical drive in the extended partition, display partition data, display logical drive information, and select the next fixed disk drive for partitioning (for systems with more than one fixed disk).

FORMAT (a fixed disk or diskette)
Formats the disk in the specified drive to accept OS/2 files.

JOIN (join drives)
Logically connects a drive to a directory on another drive.

LABEL (volume label)
Creates or changes the volume identification label on a disk.

SUBST (substitute drives)
Substitutes a drive letter for another drive and path.

SYS (transfer hidden files)
Transfers the OS/2 hidden system files IBMBIO.COM and IBMDOS.COM from the fixed disk or diskette in the default drive to the fixed disk or diskette in the specified drive.
VERIFY (set data verification)
Confirms that data written to a disk has been correctly written.
VOL (display disk volume label)
Displays the disk volume label if it exists.

Directory Management

APPEND (search path)
Sets a search path for data files outside the current directory.
CHDIR (change current directory)
Changes the current directory or displays its name.
DIR (display files in directory)
Lists the files in a directory.
DPATH (search path) (new OS/2 command)
Gives application programs the search path to data files outside the current directory.
MKDIR (make directory)
Makes a new directory.
PATH (search path)
Sets a search path for commands.
RMDIR (remove directory)
Removes empty directories from a multilevel directory structure.
TREE (display directory structure)
Displays all of the directory paths found on the specified drive, and optionally lists the files in each subdirectory.

File Management

ATTRIB (file attribute)
Turns on or off the read-only attribute and the archive bit of a file, for selected files in a directory or for all files in a directory.
BACKUP (back up files)
Backs up one or more files from one disk to another.
COMP (compare files)
Compares the contents of two files.
COPY (copy files)
Copies one or more files. This command also combines files.
EDLIN (line editor)
Edits an existing file. (See *EDLIN Commands* after this section.)
ERASE (delete files)
Deletes one or more files.
RECOVER (recover files)
Recovers files from a disk containing defective sectors.

RENAME (rename a file)
Changes the name of a file.
REPLACE (replace files)
Selectively replaces files on the target drive with the files of the same name from the source drive; selectively adds files from the source drive to the target drive.
RESTORE (restore backed up files)
Restores one or more backup files from one disk to another.
TYPE (display file contents)
Displays the contents of a file on the screen.
XCOPY (copy subdirectories)
Selectively copies groups of files, which can include lower level subdirectories.

EDLIN Commands

A (append lines)
C (copy lines)
D (delete lines)
Edit Line (line number, or "." for current line)
E (end edit)
I (insert lines)
L (list lines)
M (move lines)
P (page
Q (quit edit)
R (replace text)
S (search text)
T (transfer lines)
W (write lines)

Character-Device Management

ANSI (extended keyboard and display) (new OS/2 command)
Enables or disables extended display and keyboard support in OS/2 mode.
CHCP (change code page)
Allows you to switch back and forth between two code pages (defined character sets) that have been prepared for your system.
CLS (clear screen)
Clears the display screen.
GRAFTABL (graphics)
Allows additional characters from a language code page to be displayed when using display adapters in graphics mode.
KEYB (keyboard layout)
Selects a special keyboard layout to replace the default U.S. keyboard layout.
MODE (device control)
Sets operation modes for devices.

PRINT

Prints or cancels printing of one or more files.

SETCOM40 (set COM port address) (new OS/2 command)

Sets the COM port address so a DOS program can access the COM port interface directly to support a serial device, such as a plotter, printer, or mouse, when the COM0X.SYS device driver has been installed.

SPOOL (print queue) (new OS/2 command)

Intercepts and separates data going to the printer from different sources so that printer output from concurrently running applications is not intermixed.

Batch File Directives
(see also "Special Batch Files")

CALL (nest batch file)

Nests batch files

ECHO

Allows or prevents the screen display of OS/2 commands run from a batch file. It does not interfere with messages produced while commands are running.

ENDLOCAL (environment)

Restores the drive, directory, and environment variables that were in effect before the SETLOCAL command was executed.

EXTPROC (external processor)

Defines an external batch processor for a batch file.

FOR

Allows repetitive execution of OS/2 commands.

GOTO

Transfers control to the line following the one containing the appropriate label.

IF

Allows conditional execution of OS/2 commands.

PAUSE

Suspends execution of the batch file and displays the message *Press any key when ready*

REM (remarks)

Displays remarks from within a batch file.

SETLOCAL (environment)

Lets you begin defining the drive, directory, and environment variables that are local to the current batch file.

SHIFT

Allows the use of more than 10 replacement parameters in batch file processing.

Special Batch Files

OS/2INIT.CMD file

Automatically runs file of commands when "OS/2 Command Prompt" is selected from Program Selector menu to start new OS/2 Session.

AUTOEXEC.BAT file
Automatically runs file of commands when starting DOS.
STARTUP.CMD file
Automatically runs file of commands when starting OS/2.

Filters

FIND (filter)
Searches for a specific string of text in a file or files.
MORE (filter)
Sends output to the standard output device (usually the display) one full screen at a time.
SORT (filter)
Reads data from standard input, sorts the data, then writes it to standard output.

Commands for Problem Determination (for use by IBM service representatives)

CREATEDD (create dump diskette)
Creates a dump diskette.
TRACE (system events)
Selectively enables or disables the tracing of system events.
TRACEFMT (trace formatter)
Displays formatted trace records in reverse time stamp order.

Miscellaneous New OS/2 Commands

CMD (command processor) (new OS/2 command)
Starts another command processor in OS/2 mode.
DETACH (process noninteractively) (new OS/2 command)
Starts a noninteractive program.
HELP (help with messages) (new OS/2 command)
Provides a help line as part of the command prompt, a help screen, and information related to warning and error messages.
PATCH (patch an executable file) (new OS/2 command)
Allows you to apply IBM-supplied patches to make fixes to code.
START (programs automatically) (new OS/2 command)
Starts an OS/2 mode program in another session.

Index

Abend (abnormal end), 674, 693
Abort, 56, 659, 723
Absolute address, 677
Absolute assembler, 194
Absolute compiler, 194
Absolute loader, 33
Absolute path name, 577
Abstract Syntax Notation One (ASN.1), 504
Accept statement in Ada, 126
Acceptance testing, 515
Access control, 28, 233, 400, 401, 535, 537
Access methods, 389, 394, 590, 689, 692
Access rights, 233, 532, 535, 537
Accessed bit, 588
Accessing exception, 258
Acknowledgement protocol, 122
ACSE, 504
Activate event, 278, 745
Active states, 56
Active threats, 513
Ada, 73, 113, 114, 124, 320, 429
Adaptive mechanism, 299
Address space, 30, 124, 573, 587, 785
Address translation map, 218
Addressing, 432, 505
Advance(eventcount), 94
Advanced BIOS, 640, 811
Advisory lock, 581
Aging, 158, 289
AIX, 13, 571, 603, 604, 632
AIX/370, 706, 725
Alarm clock, 584, 750
Allocation block, 752, 754, 755, 756
Alohanet, 509
Amdahl multiple domain architecture, 710
American National Standards Institute (ANSI), 495, 511, 645
Amplification, 533
Analytic modeling, 421, 425, 426, 455
Ancestor, 585
Anonymous pipe, 788, 801
Anticipatory buffering, 394
Anticipatory fetch strategy, 189, 253, 265, 266
API, 787, 809, 812
Apollo Computer, 421, 434, 435, 437, 604
Apple, 14, 574, 632, 741
Apple Macintosh, 11, 24, 737, 803
AppleTalk, 738, 743, 746, 761, 767, 768, 769
Application base, 14, 35
Application heap zone, 739, 751
Application layer (layer 7), 497, 502
Application program interface (API), 640, 793
Archer group, 605
Architectural subsetting, 434
Archive bit, 650
Array processor, 113, 134, 318, 341, 343
Array reduction operations, 343
Arrival rate, 429, 457, 461, 462, 468, 473
Artificial contiguity, 216, 217
ASCII (American Standard Code for Information Interchange), 392, 504, 590, 644, 813
Association control service element, 503, 504
Associative storage, 225, 226, 227, 235, 239, 538, 677
Asymmetric encryption, 542
Asynchronous concurrent processes, 51, 58, 73, 78, 116, 122, 583, 585, 644, 755, 766, 784, 802, 807, 808
AT, 784, 786
AT&T, 8, 12, 570, 571, 572, 573, 574, 577, 593, 599, 602, 603, 604, 605, 784
AT&T remote file system (RFS), 596
AT&T streams, 593, 596, 597
AT&T System V, 603, 772
AT bus, 595
Atomicadd, 335
Attached processor, 681
Audit program, 535, 551

Authentication, 123, 514, 533, 541, 544
Authorization, 532, 539
AUX, 634, 652, 653
A/UX, 772
Auxiliary storage manager (ASM), 676, 677
Availability, 536, 672, 681, 723
Await(eventcount, value), 94
Awk, 586

Backbone network, 494, 512
Background, 574, 636, 644, 653, 760, 788, 791, 792, 793
Backup, 376, 391, 643, 644
Balanced binary tree, 342
Bandwidth, 9, 431, 512
Banker's Algorithm, 164, 178
Base-plus-displacement addressing, 27, 235, 236
Base priorities, 582, 793
Baseband, 508, 510, 512
Basic access methods, 394, 689, 690
Basic Input/Output System (BIOS), 636
.BAT, 642, 645
Batch processing, 4, 6, 193, 301, 423, 645, 647, 654, 672, 687, 696, 707, 708, 710, 727
BBN Advanced Computers, 334, 335, 604
BBN Butterfly, 328, 329
Belady's anomaly, 255
Bell Laboratories, 570, 571, 633
Benchmark, 426, 427, 428, 709
Berkeley, 12, 432, 570, 573, 575, 578, 583, 584, 585, 587, 591, 593, 594, 603, 772
Best fit placement strategy, 189, 201, 202, 230, 232, 658
Binary relation, 408
Binary semaphore, 89, 116, 126
Binding, 32
BIOS, 595, 636, 648, 653, 804
Birth and death processes, 471, 472, 473, 474
Bit image, 760
Block, 52, 53, 92, 123, 220, 392, 593, 807, 809
Block allocation, 396, 397, 399, 578
Block device, 645, 652, 653, 658, 754, 761, 808
Block header, 751, 753
Block mapping, 218, 220, 221
Block-multiplexor channel, 27, 721
Block paging, 724
Block/wakeup protocol, 89
Blocked, 51, 56, 340, 590, 791, 803
Blocked list, 52, 92
Blocked record, 392, 590
Blocked thread, 800
Blocking, 338, 374, 394, 498, 795, 808
Blocking send/receive, 122
Boot infector, 551
Bootstrap, 551, 646, 648, 649, 653
Bottleneck, 8, 370, 371, 403, 428, 429, 431, 582
Bounded buffer, 117, 456
Bounds register, 26, 192, 196, 230
Bourne shell, 573, 594
Branch penalty, 433
Break, 645, 767
Bridge, 506, 769
Brk system call, 590
Broadband, 508, 512
Broadcast, 122, 341, 597, 769
BSD, 571, 585, 593
Buffer cache, 339, 582, 724
Buffering, 25, 92, 117, 373, 392, 409, 553, 582, 585, 653, 655, 689, 806, 809
Burping storage, 200
Bus, 326, 339, 434, 494, 511, 512, 536, 595, 639
Busy wait, 79, 81, 85, 87, 92, 94
Butterfly, 317, 333, 334, 335, 339, 604
Butterfly switch, 328, 335, 336, 338
Byte-multiplexor channel, 27
Byte stream I/O, 590, 591

C, 5, 34, 429, 431, 572, 576
C++, 33, 431
C-SCAN (circular scan) disk scheduling, 365, 369
C-shell, 573, 594
Cache, 30, 188, 225, 226, 227, 235, 239, 261, 375, 429, 433, 588, 694, 695, 772, 724
Cache miss ratio, 434
Calloc call, 590
Caltech Cosmic Cube, 316
Cambridge Monitor System, 718
Capabilities, 401, 537, 538, 540
Carnegie-Mellon University, 334, 335, 571, 604
Carrier sense multiple access with collision detection (CSMA/CD), 509
CASE, 571
Catastrophic failure, 326, 333
CCITT, 7, 495, 506, 511
CD-ROM, 403, 404
Cedar System, 317
Centralized control, 8, 403, 405, 506, 672
Chain I/O request packets, 809

Chain monitors, 806
Challenge and response procedure, 543
Channel, 27, 29, 31, 59, 371, 374, 537, 544, 677, 681, 685, 721
Channel congestion, 371, 372
Channel program, 692
Character device, 634, 652, 653, 761, 808, 812
Character special file, 578
Checkpoint/restart, 172, 504
Child process, 53, 54, 574, 575, 584, 591, 654, 659, 788, 789, 801, 803
Chooser, 750
Cigarette smoker's problem, 141
Ciphertext, 541
Circuit-switching, 506
Circular buffer, 809, 812
Circular list, 259
Circular wait condition, 157, 159, 162, 164, 168, 170
CISC, 30, 424, 425, 431, 433
Class priority structure, 691
Classification, 532
Cleartext, 548
Client, 7, 403, 581, 583, 601, 602, 768, 791, 801, 802
Client/server model, 7
Clock, 53, 511, 653, 660, 741, 771, 807
Clock page replacement, 258
Clone, 637
Close, 389, 585, 692
Closed architecture, 14, 738, 771
Cluster, 646, 648
Cluster paging, 266
C.mmp, 334
Cm*, 334
CMOS clock, 637
CMS, 706–727
CMS virtual machine, 708
Coalescing holes, 197, 198, 199, 396, 658
Coaxial cable, 493, 496, 508– 510, 512
Cobegin/Coend, 74, 322
Code page, 589, 813, 814
Collision, 329, 330, 509, 510, 511, 812
Color QuickDraw, 773
Combining switch, 330, 331
Command file, 635
Command processor, 572, 634, 642, 647, 654
Command subtree, 788, 790
Commitment, 504
Common carrier, 8, 506, 512
Common management information protocol, 513
Common system area (CSA), 681
Communicating sequential processes, 114, 125
Communication standards, 495
Communication subnetwork, 493
Communication task, 674
Communication vector table, 681
Communications manager, 785
Communications port, 639, 761
Communications protocols, 35
Compact disk, 403
Compaction, 200, 395, 396, 752, 798
Compare-and-swap, 681
Compare double and swap, 683
Compatibility BIOS, 640
Compatibility box, 814
Compatibility mode, 786
Compiler optimization, 434
Complex instruction set computing (CISC), 30, 431
Computational complexity, 321
Compute-bound, 301, 332
Computer network, 7, 10, 24, 51, 87, 113, 403, 492, 494, 550, 570
Computer Security Technology Reference Manual, 531
Concentrator, 492
Concentric tracks, 404
Concurrency control, 228
Concurrent C, 114
Concurrent Pascal, 73, 114
Concurrent processes, 9, 73, 81
Concurrent programming, 3, 73, 76, 81, 113, 114, 124, 316
Concurrent programming (Ada), 124–135
Condition variable, 115, 116, 117, 120
Conditional critical region, 113, 114
CONFIG.SYS file, 636, 644, 645, 652, 653, 655, 784, 815
Configuration management, 513, 550
Conformance standards, 495, 515
Congestion, 339
Connection establishment, 512
Connection Machine (CM), 317, 319, 327, 340, 341, 342, 345, 346
Connection-oriented services, 500, 501, 505, 507
Connectionless services, 500, 501
Consumer, 91, 92, 117, 127
Contention, 326, 329, 330, 333, 338, 339, 374, 509, 683
Context switching, 36, 60, 220, 224, 290, 293, 294, 433, 588, 589

Contiguous storage allocation, 190, 197, 395, 396
Continuous Markov birth and death process, 471
Control-C interrupt, 584, 645, 654, 659
Control Data Corporation, 317, 605
Control manager, 741, 747, 773
Control object, 747
Control program, 707
Control register, 677
Control storage, 24, 34, 37
Controller, 374
Conversational monitor system, 707, 718
Coprocessor, 430, 431, 434, 772
Copy-on-write capability, 339
Copying capabilities, 538
Corporation for Open Systems International, 7, 12, 515, 516
Correctness, 10, 63, 125, 791
Cosmic Cube, 316, 317
Counting semaphore, 89, 92
Country-dependent information, 750, 814
CP, 707, 708, 709, 711, 712, 715, 716, 718, 721, 722
CP assist, 722
CP/CMS, 5, 710, 711
CP-40, 710
CPU-bound, 289, 793
Crash, 573
Cray-1 vector processor, 318
Cray X-MP, 317
Create a process, 54
Critical execution path, 435
Critical region, 76, 114
Critical section, 76, 78, 80, 81, 85, 87, 584, 683, 792, 800, 803, 807, 808
Crossbar-switch matrix, 326, 327, 328, 329, 334, 336
Cryptography, 514, 540, 541, 543, 548
CSMA/CD, 510
CTSS, 710, 711, 718
Current PSW, 60, 675
Cursor, 739, 769, 770
Cycle stealing, 27, 29
Cycle time, 225
Cylinder, 362, 365, 366, 368, 370, 373, 393

Daemon, 601, 789, 809
DARPA, 316, 596
DAS (dual address space), 694
DASD (direct access storage device), 393, 713
Data circuit-terminating equipment (DCE), 505
Data compression techniques, 375
Data Encryption Standard (DES), 541, 542
Data flow, 313, 316, 319, 320, 435, 436, 437
Data fork, 755
Data integrity, 807
Data in virtual object, 695
Data-level parallelism, 341
Data link layer, 500, 506–508
Data management, 689
Data mark, 765
Data objects, 341, 694
Data parallel computation, 341
Data region, 575
Data segment, 818
Data set, 689
Data space, 694, 695
Data terminal equipment (DTE), 505
Data window services, 694, 695
Database, 24, 118, 404, 405, 494, 641, 785
Dataflow architecture, 114, 434
Datagram delivery protocol (DDP), 768, 769
Datagram socket, 597
DCE, 505
Deadline scheduling, 162, 172, 292, 692
Deadlock, 9, 81, 113, 155, 289, 552, 687, 786, 797, 800, 803
Deadlock avoidance, 155, 160, 164
Deadlock detection, 155, 160, 168, 179
Deadlock-free resource allocation, 173
Deadlock prevention, 155, 160
Deadlock recovery, 155, 160, 170
Deadly embrace, 157
Death of a child process, 584
Deblocking, 394, 498, 795
DEC, 12, 492, 496, 509, 573, 574, 587, 604
DEC VAX, 417, 724
DECnet, 492, 496
DECwindows, 574
Decryption, 6, 391, 534, 541, 548
Dedicated disk, 373, 374
Dedicated line, 506
Dedicated resource, 156, 159, 161, 333
Dedicated system, 710
Dedicated virtual machine, 718, 719
Defense Department, 573
Degrade performance, 292, 375, 402, 727
Dekker's Algorithm, 78, 84, 85, 87, 92, 113
Delay statement in Ada, 128
Delayed branching, 433
Demand fetch strategy, 189, 253, 798

Demand paging, 263–265, 573, 712
Demultiplexing, 498
Department of Defense (DoD), 6, 7, 114, 492, 494, 496, 550
Departmental computing, 724
Deregulation, 495, 572
DES, 542
Descendant, 788
Descriptor, 585, 591
Despooler, 117
Destroy a process, 54
/dev, 578, 591
DevHlp, 809, 811
Device, 3, 24, 58, 59, 645, 653, 761
Device-dependent, 804
Device driver, 573, 591, 635, 636, 638, 645, 648, 652, 743, 745, 746, 750, 754, 756, 758, 759, 761, 765, 785, 786, 795, 804, 806, 808, 809, 813, 814
Device end interrupt, 715
Device header, 653
Device helper (DevHlp) services, 784, 809, 810, 811
Device independence, 391, 634, 640, 695, 785
Device interrupt, 804, 808
Device manager, 63, 743, 761, 762
Device memory, 786
Device monitor, 804, 806, 809, 812
Device strategy routine, 808
Device utilization, 298, 685
Dhrystone, 427, 429
Dialog manager, 742, 749, 770
Dialogue control, 492, 504
Dialup service, 506
Digital Network Architecture (DNA), 492, 496
Digital signature, 514, 542
Dijkstra's Banker's Algorithm, 164, 165
Direct access, 26, 339, 362, 592, 689, 691, 713
Direct mapping, 224, 225, 228, 235, 239, 588
Direct memory access, 29
Directory, 393, 395, 502, 576, 578
Dirty bit, 257
Disable a trap, 694
Disabled interrupt, 60, 61, 94
Discardable segment, 798
Disk, 26, 27, 32, 117, 157, 187, 217, 267, 361, 371, 390, 397, 472, 576, 635, 712, 754
Disk cache, 339, 361, 373
Disk cache hit ratio, 375
Disk controller, 371, 739, 741
Disk driver, 743, 761, 762, 765, 773
Disk event, 300
Disk file manager, 634
Disk head crash, 402
Disk head movement, 808
Disk insertion, 741, 746, 754, 770
Disk initialization package, 743, 750, 756, 765
Disk interleaving, 364, 373
Disk partitioning, 635, 640
Disk performance, 359–376
Disk reorganization, 374
Disk request, 473
Disk scheduling, 364, 371, 808
Disk seek, 552
Disk service facility, 473
Disk speed buffer, 740
Disk track, 537
Disk transfer area, 649, 655
Diskless workstation, 494, 573, 595, 601
Dispatching, 36, 52, 53, 62, 287, 291, 674, 685–687, 693, 722, 724
Displacement, 220, 221, 224, 228, 231, 236, 588
Distributed computing, 3, 6, 7, 8, 10, 51, 73, 87, 113, 114, 121–124, 390, 430, 492, 502, 516, 536, 550, 573, 591, 596, 602, 672, 707, 726
Distributed control, 506, 510
Distributed database, 406, 494
Distributed file system, 403
Distributed operating system, 502
Distributed system nucleus, 94
Distributed UNIX systems, 596
Division of responsibilities, 532
DMA channel, 29, 639
DoD Directive 5200.28, 531
DoD protocols, 496, 515, 516
Domain, 408
DOS, 13, 14, 571, 595, 632, 635, 641, 772, 784, 786, 787, 804, 814
DOS 1.1, 634
DOS 3.3, 814
DOS 4.0, 660
DOS 5.0, 785
DOS Compatibility Box, 640, 814
DOS mode, 787, 812, 815
DOS/MS-DOS, 772
DOS/VSE, 706, 727
Dos Calls, 797–816
Double buffering, 25, 392
Double-indirect block address, 578

Doubly-linked lists, 397
Drive queue, 757, 758, 759
Driver I/O queue, 762
DS, 502
DTA, 655
DTE, 505, 512
Dual mode, 808
Dup system call, 591
Dyadic processor complex, 681, 683
Dynamic address translation, 216, 223, 225, 226, 228, 232, 236, 238, 239, 676, 678, 710, 712
Dynamic linking, 594, 640, 789, 793
Dynamic load balancing, 300, 335, 340
Dynamic microprogramming, 34
Dynamic storage allocation, 590, 753
Dynamic resource allocation, 334

Eavesdropper, 540, 541, 542, 550
EBCDIC (Extended Binary Coded Decimal Interchange Code), 392
EDI, 502
Edison, 114
Effective ID, 580
8086 emulation mode, 784
Electronic bulletin board, 552
Electronic Data Interchange (EDI), 502
Electronic funds transfer system (EFT), 391, 530, 540
Electronic Industries Association (EIA), 495
Electronic mail, 7, 390, 493, 502, 540, 594, 636, 785
Elevator algorithm, 368
Emulation, 35, 594, 722
Enable a trap, 694
Enabled interrupt, 60, 61
Enabled signal, 803
Encapsulate, 78, 498, 539, 575, 808
Encipherment, 514
Encrypt, 599
Encryption, 6, 391, 513, 514, 534, 543, 544, 548, 550
End-to-end communication, 726
End-to-end connectability, 505
End-to-end encryption, 543
End system, 499, 500
Enqueue, 687
Entermutualexclusion, 77, 78, 79, 89, 792
Enterprise Systems Architecture/370, 672, 694
Entrapment, 545
Entry-sequenced data set, 691
Erlang-*k*, 460
Errno, 575
Error handling, 393, 492, 504–507, 512, 573, 694, 709
ESA/370, 672
/etc/exports, 601
Ethernet, 6, 326, 335, 338, 509, 594, 772
Ethical issues, 13, 320
Event, 56, 89, 94, 155, 340, 427, 583, 693, 745–747, 754, 773, 807, 812
Eventcount, 94, 95
Exception handling, 258, 587, 762
Exception vector, 739
EXCP, 692
Execute access, 233, 391, 535, 578
Execute permission, 234, 401, 586
Execution states, 28
Exhaustive program testing, 74, 125
Exit, 574, 575, 642
Exitmutualexclusion, 77, 78, 79, 89
Expanded memory, 694
Expanded virtual machine assist, 722
Expanded storage, 725
Expansion slot, 771, 772
Expectation, 423, 458, 462, 463, 464, 465, 468, 472
Explicit parallelism, 322
Exponential function, 455, 484
Exponential server, 465, 466
Exponentially distributed random variable, 472
Export a file system, 601
Extended Architecture, 676
Extended character set, 644
Extended Control Program Support, 722
Extended edition 1.0, 785
Extended storage, 695
External data representation (XDR), 602, 603
External interrupt, 59, 60, 693, 715

Factory automation, 502, 509, 514
Failing processor, 319, 335, 685
Fail-safe design, 536
Failure, 321, 333, 402, 506, 510, 693
Fair, 287, 292, 363, 590
Fair share scheduling (FSS), 299, 300
Family API, 787
FAT, 648, 649, 655
Fault tolerance, 10, 35, 320, 321, 335, 536
Favored subset of pages, 260, 261
FC, 644
FCB calls, 636, 638, 650, 651, 657

FCFS, 363–366, 459, 460, 808
Federal Information Processing Standard 31, 513
Feedback loop, 429
Fetch-and-add instruction, 330, 331
Fetch strategy, 189, 253
Fiber distributed data interface (FDDI), 511
Fiber optics, 493, 506, 508, 818
FIFO, 255, 295, 585, 746, 789, 801, 802
FIFO anomaly, 255, 256
Fifth-generation, 316
Fifty-percent rule, 209
File allocation table (FAT), 633, 634, 635, 642, 643, 646, 648, 660
File control block, 400, 636, 757, 758
File descriptor, 400, 585
File directory, 754, 756, 757
File handle, 636, 638, 645, 649–651, 656, 658, 788, 789, 807
File integrity, 389
File I/O queue, 755, 757
File locking, 155, 641, 787
File manager, 389, 743, 754, 755, 756, 757, 761, 765, 774
File map, 400
File organization, 373, 392, 395, 689
File scan, 395
File server, 126, 371, 403, 494, 510
File sharing, 581, 638, 641, 645, 807
File system, 62, 389, 402, 409, 536, 572, 573, 576, 582, 592, 641
File system reorganization, 402
File transfer, 7, 493, 494
File Transfer, Access, and Management (FTAM), 502
Filter, 585, 586, 636, 644, 653
Finger command, 553
Finite source, 456
Firmware, 3, 24
First-come-first-served (FCFS), 126, 363, 459, 472
First-fit placement strategy, 189, 201, 202, 230, 232, 340, 587, 658, 752
First-in-first-out (FIFO) page replacement, 254, 255
First-in-first-out queueing, 89, 93, 116
First-in-first-out (FIFO) scheduling, 292, 293
First level interrupt handler (FLIH), 60
First-order interarrival time, 462, 464
First-out-first-in, 588
Fixed-length blocks, 392, 397, 592
Fixed link pack area (FLPA), 681
Fixed partition multiprogramming, 193–196
Flag, 803
Flat mode, 818
Flaw hypothesis confirmation, 547
Flaw hypothesis generation, 547
Flip-flop buffering, 25
Floating operating system, 333
Floating point accelerator, 341, 342
Floating point arithmetic, 342, 428, 638, 744, 750
Floating point coprocessor, 430, 431, 434, 772
Floppy disk drive, 361, 808
Flow control, 492, 505, 506, 507
Flush a pipeline, 433
Flush buffers to disk, 374
Font and code page, 741, 744, 745, 813
FORALL statement, 342
Foreground, 574, 788, 791, 792, 793, 813
Fork, 574, 575, 755
Fork-and-bind system call, 339
Fortran 8x, 342, 346
Forward encryption algorithm, 553
4.1 BSD, 573
4.2 BSD, 573
4.3 BSD, 335, 573, 596
Fragmentation, 196, 374, 394, 396, 643, 751
Frame, 679, 766
Free block list, 400
Free call, 590
Free cluster, 339
Free list, 55, 197, 200, 396, 589
FSS, 299
FTAM, 502, 503, 515, 516
Full-duplex, 504, 597, 766, 767
Function call, 647, 804
Functional profile, 515
Functional recovery routines (FRR), 672
Functional standards, 495

Garbage collection, 200, 395
GCS (group control system), 726
General semaphore, 89
Generalized trace facility, 693
Generations, 4
Generic operating system attacks, 546
Generic system functional flaws, 544
Gettimeofday system call, 587
Gettimer system call, 587
Gigabyte, 695
Gigaflops, 316
Gigalips, 316
Give control, 504

Give tokens, 504
Giveaway shared memory, 795, 799
Global data, 115
Global descriptor table, 795
Global information segment, 798, 807
Global lock 687
Global service request, 687
Global shared variable, 75
Government OSI Profile (GOSIP), 514, 515
Graceful degradation, 289, 333, 536
GrafPort, 744, 747, 760
Graph reductions, 170, 171
Graphical data display manager (GDDM), 804
Graphical interface, 11, 574, 785, 803, 804
Graphics, 430, 644, 759
Graphics mode, 739, 812
Grep, 586
Group indentification, 578
Grow zone function, 752
Guard in Ada, 128, 130
Guest, 725

Hacker, 543
Half-duplex, 504
Halting problem, 265
Handle, 654, 748, 751, 752, 762, 801, 806, 807
Handshake, 507, 713, 723
Hard disk, 361, 364, 639, 643, 738, 754, 771, 772, 773
Hard error, 808, 809, 816
Hardware error detection and correction, 321, 694
Hardware lock, 687
Hardware monitor, 428
Hardware overrun error, 767
Hardware reconfiguration, 372
Hardware security, 536
Hashing, 393, 538, 552
Havender's linear ordering, 161, 163, 164, 687
Heap, 739, 743, 751–753, 762, 769
Heterogeneous computer systems, 124, 403, 493, 502
Heuristic, 228, 255, 256, 262, 298, 374
Hidden file, 650
Hidden sector, 648
Hierarchical database, 406
Hierarchical directory structure, 635, 639, 643, 649
Hierarchical file system, 390, 576, 650, 773, 784
Hierarchical process structure, 54
Hierarchical tree structure, 493, 496, 576
Hierarchy of locks, 687
High-level data link control (HDLC), 506, 507
High-level scheduling, 287
High-performance data space, 694
High-performance computer architectures, 24, 331, 431
Highest-response-ratio-next scheduling, 296
Hiperspace, 694, 695
Hook an interrupt vector, 795, 804, 806
Hooks, 693
Horizontal blanking interval, 739
Host, 35, 405, 492, 493, 500
Housekeeping, 193
HRN scheduling, 296
Huge segment, 795, 798
Hybrid network, 494
Hypercube, 317, 327, 328
Hyperexponential, 460

IBM, 5, 12, 317, 431, 603, 604, 660, 672, 710, 784, 785, 804
IBM PC, 13, 35, 570, 571, 594, 632, 636, 638–640, 660, 724, 737, 738, 772
IBM PC/AT, 595, 724, 784, 786
IBM PC/RT, 432
IBM PC/XT, 724, 784
IBM PS/2, 35, 660, 784
IBM 360 series, 34, 424, 434, 710
IBM 370, 5, 24, 317, 431, 710, 760
IBM 3090, 329, 638, 725
IBM 3270, 639, 724
IBM 30X0, 5
IBM 4300, 5
IBM 9370, 724
IBM RISC-based 801, 432
IBM Series/1 computer, 432
IBM Systems Network Architecture (SNA), 492
IBM System/38, 539
IBM token ring local area network, 638
IBMBIO.COM, 634, 636
IBMDOS.COM, 634
IEEE, 495, 508, 511, 602
IEEE 802.2, 509
IEEE 802.3, 509, 510, 511, 512
IEEE 802.4, 509
IEEE 802.5, 509, 511
ILLIAC IV, 317, 319
Image processing, 319, 341

Implicit parallelism, 322, 323
Import a file system, 601
Imposter, 123
Indefinite postponement, 9, 78, 81, 82, 85, 87, 89, 115, 120, 130, 131, 155, 158, 161, 162, 287, 289, 369, 583, 692
Indentically distributed exponential random variables, 457, 462
Independent random erasures, 463
Independent random variables, 457
Independent software vendor (ISV), 13, 31, 816
Index block chaining, 397, 398
Index sequential access, 393, 394, 590, 689, 690
Indirect block address, 578, 579
Infection, 550, 551, 552
Infinite server system, 477
Infinite source, 456
Information hiding, 115
Inherent parallelism, 334
Inherited pipe, 801
Inode, 576, 577, 578, 579, 591
Input/output, 3, 11, 25, 31, 59, 62, 536, 578, 590, 689, 709, 712, 723, 725, 743, 767
Input/output bound, 26
Input/output completion, 159
Input/output control system (IOCS), 31, 190
Insecure channel, 541
Installable device driver, 636, 653
Installable file system (IFS), 795
Installation performance specification, 685, 686
Instruction cycle, 224, 318, 436
Instruction fetch, 317
Instruction mix, 424
Instruction stop, 709
Instruction stream, 317
Instruction timing, 425
Integer pipeline, 437
Integrated Services Digital Network (ISDN), 3, 8, 506, 514
Integrity, 648
Intel, 35, 509, 571, 605, 632, 660
Intel 8080, 633
Intel 8086, 633
Intel 8088, 634
Intel 80286, 637, 638, 784, 785
Intel 80287 math coprocessor, 638, 639
Intel 80386, 35, 570, 571, 638, 725, 785
Intel iPSC system, 328
Interactive, 5, 61, 289, 292, 301, 366, 403, 423, 494, 583, 696, 710, 711, 727
Interarrival time, 457, 458, 460
Interconnection networks, 326, 330
Interfault time, 264, 270
Interleaved, 27, 317
Intermediate layers, 498, 500, 502, 505
Intermediate-level scheduling, 287
Intermediate system, 499, 500
Internal command, 647, 654
Internal fragmentation, 267, 268
Internal security, 532, 535
International Organization for Standardization, 7, 12, 495
International standardized profiles, 495
International support, 637, 391, 743, 750, 814
Internet, 515, 550, 553, 596, 769
Internet worm, 550, 552
Interoperability, 515, 604, 818
Interprocess communication, 54, 62, 73, 91, 117, 121, 122, 123, 125, 339, 340, 409, 493, 494, 544, 573, 583, 641, 685, 802
Interprocessor communication, 336, 339, 341, 342, 345, 799
Interrupt, 25, 29, 36, 52, 57, 58, 60, 291, 332, 551, 583, 584, 587, 589, 647, 686, 711, 722, 739, 762, 764, 765, 767, 802, 804, 809, 811
Interrupt handler, 36, 58, 60, 62, 155, 647, 653, 654, 656, 659, 676, 739, 762, 764
Interrupt key, 59
Interrupt priority, 739, 763, 764
Interrupt scheme of large-scale IBM processors, 59, 675
Interrupt vector table, 60, 653, 654, 659, 762, 764
Interrupting clock, 52, 59, 291
Interval timer, 26, 52, 291, 587
Intractable, 321
Intruder, 532, 535
I-number, 591
I/O-bound, 27, 289, 296–298, 301, 332, 583
I/O-channel, 27, 544
I/O completion, 27, 51, 56, 298, 588, 691, 693, 808
I/O interrupt handler, 60, 686
I/O interrupt, 59
I/O pointer, 592
I/O port, 786, 808
I/O privilege mechanism, 786, 814
I/O request, 755, 762
IOCS package, 31
Ioctl system call, 591, 599, 658, 812

IO.SYS, 643, 653, 654
IPCS, 707
IPL, 674
ISAM, 373, 690
ISDN, 3, 8, 506, 514
ISO, 495
ISO development environment (ISODE), 516
ISO reference model, 495, 496
ISO 8822, 504
ISO 9646, 495
ISO 7498, 495
ISV, 13, 816

Job control language, 193, 708
Job entry subsystem, 674, 691
Job scheduling, 287, 430, 691
Job stream processor, 193
Join, 408, 409, 643
Journaling mechanism, 747

KBD API, 813
Kendall notation, 459, 460
Kernel, 61, 427, 535, 573, 575, 582, 583, 588, 589, 640, 786, 808, 809
Kernel program, 425
Key distribution, 541
Key-down event, 745, 746
Key-sequenced data set, 690, 691
Key-up event, 745, 746
Keyboard KBD API calls, 813
Keyboard support, 813
Kill system call, 584
Known processes list, 54
Korn shell, 573

Lamport's Bakery Algorithm, 87
LAN, 6, 494, 496, 505, 507, 508, 509, 510, 511, 512, 640
Laser optical disk, 361, 376, 403
Last fit, 658
Latency optimization, 362, 364, 375
Law of Large Numbers, 461
"Layer 8", 498, 499
Layer 1, 496, 499, 511
Layer 7, 500
Layer 3, 512
Layer 2, 506, 508, 512
"Layer 0", 499, 511
Layers, 496, 498, 499
Least-frequently-used (LFU) page replacement, 188, 255, 256
Least-recently-used, 188, 228, 582, 641, 786
Libraries of programs, 689
Library lookaside facility, 696
LIFO, 599, 802
Lightweight processes, 587, 593, 788
LIM expanded memory, 660
Linear address space, 594, 595
Linear improvements in performance, 334
Link, 577, 578, 646
Link access control-balanced (LAP-B), 507
Link pack area, 681
Linking, 24, 33, 155, 577, 674
LINPACK, 428
Lips, 316
Little's result, 461, 468
LNKLST lookaside facility, 696
Load, 363, 601
Load balancing, 329
Load image, 33
Loader, 24, 32
Local Area Network, 6, 494, 508, 514, 573, 638, 639, 640, 641, 739
Local data, 115
Local descriptor table (LDT), 795, 798
Local disk, 595
Local file system, 577
Local information segment, 798
Local LIFO page replacement, 274
Local lock, 687
Local machine, 801
Local memory, 341
Local parallel architecture, 435
Local processing, 501, 502
Local processor, 340
Local procedure call, 124
Local service request, 687
Local system queue area (LSQA), 681
Locality, 228, 255, 259, 260, 267, 374, 395
Locating broker, 7
Location-independent, 28
Lock, 330, 540, 583, 657, 687, 787
Lock file, 581
Lock-step synchronization, 81, 92
Locking, 595, 638, 807
Lockout, 333
Logging disk, 402, 535, 694
Logging on to an application, 504
Logical inferences per second, 316
Logical link control (LLC), 508, 509
Logical sector, 648
Logical view, 391
Login, 531, 534, 548, 549, 575, 576, 580, 592, 717
Look and feel, 11

Loop, 589
Loop distribution, 322, 323
Loosely coupled multiprocessing, 329, 334, 494, 681, 682
Loss systems, 459
Lost object problem, 538
Lost token, 510
Lotus-Intel-Microsoft (LIM) memory, 596
Low-level scheduling, 287
Lower layers, 498, 500, 502, 505, 506
Lpr, 580
LRU, 255
Lseek, 592
LU6.2, 496

MAC protocols, 506
Mach, 335, 339, 571, 604
Machine check interrupt, 59, 60
Machine state bit, 544
Macintosh, 11, 14, 24, 317, 574, 632, 661, 737, 738, 739, 748, 771, 772, 773, 803
Macro library, 393
Mailbox, 123, 508
Main storage, 187, 257
Mainframe, 6, 8, 573, 604, 641, 672, 804
Mainframe operating system, 711
Major device number, 591
Mallinfo call, 590
Malloc call, 590
Mallopt call, 590
Manufacturing Automation Protocol (MAP), 509, 514
Manufacturing Message Service (MMS), 502
Mapped, 589
Mapped memory, 808, 814
Mark, 755, 766
Markov processes, 425, 455, 471, 476
Masquerade, 546
Massive parallelism, 3, 10, 73, 114, 319, 321, 322, 341, 346, 818
Massive parallel processor, 113, 327, 330
Master, 10, 332, 506, 510
Master directory, 646, 756
Master index, 373
Master pointer, 751
Master scheduler, 674, 686
Master-slave, 332, 493, 494, 496, 503
Master trace, 693
MC68000 microprocessor, 740, 741, 764
Mean time between failure, 376
Media access control (MAC), 506, 508, 510
Media attachment unit (MAU), 511
Medusa, 334
Member, 393, 689
Memory contention, 330
Memory management, 5, 24, 340, 587, 641, 809, 810
Memory manager, 743, 751, 752, 753
Memory-mapped, 431, 738
Memory overcommit, 785, 797
Memory suballocation, 797
Menu, 634, 660, 741, 748, 773, 804
Message-based communications, 121, 122, 123, 493, 583
Message buffer, 122
Message Handling Systems (MHS), 502
Message packet, 336, 337
Message passing, 113, 121, 122, 329, 334, 602, 802
Message queue, 123, 340, 585
MHS, 502, 505, 515, 516
Mickey, 812
Micro channel, 639, 784
Microcode, 3, 24, 34–36, 63, 431
Microprocessor, 6, 9, 94, 316, 319, 492, 570, 572, 632
Microprogramming, 24, 34, 37, 40, 431, 432
Microsoft, 570, 572, 573, 603, 632, 633, 635, 637, 660, 784, 785, 804
Microsoft Networks, 638
Microsoft Windows, 640, 804, 816
Microwave link, 493
Migration of nucleus to microcode, 63
Migration to OSI, 496, 516
Military command and control systems, 124
MIMD, 335
MIN, 254
Minor device number, 591
MISD (multiple instruction stream, single data stream), 317, 318
MIMD (multiple instruction stream, multiple data stream), 317, 318
Mission critical system, 113, 135, 320
M. I. T., 5, 12, 300, 316, 335, 341, 571, 574, 710, 725, 772
M/M/1 queueing system, 466, 468, 469
M/M/c queueing system, 458, 466, 467, 469
MMS, 502
MMU (memory management unit), 588
*MOD, 114
Modem, 511, 512, 739, 743, 767, 771
Modified bit, 255, 257, 588
Modula-2, 73, 114
Monitor, 113–119, 809, 811

Monitoring, 353, 722
Most recently referenced, 235, 239
Most-trusted status, 28, 235
Motorola, 605
Motorola MC68000 microprocessor, 738, 762, 772
Motorola 68020, 335, 772
Motorola 68030, 570, 772, 773
Motorola 68881 floating point coprocessor, 772, 773
Motorola 68882 floating point coprocessor, 335, 773
Motorola 68851 paged-memory management unit, 335
Mount, 577, 601, 610, 754
Mou Calls, 812–813
Mouse, 11, 571, 573, 594, 660, 737, 739, 740, 745, 746, 749, 764, 770, 803, 812
Mouse API, 812
Move to primary, 695
Move to secondary, 695
MPP (Massive Parallel Processor), 319
MS-DOS, 14, 571, 594, 595, 632–640, 772, 784, 785
MS-DOS board, 772
MS-DOS system calls, 655
MSDOS.SYS, 643, 653, 654
MS OS/2, 640
Multics, 5, 51, 237, 300, 571, 710, 725
Multilevel feedback queues, 296, 297, 298
Multiple-bus schemes, 326
Multiple-server system, 459
Multiple-thread program, 791
Multiple virtual storage (MVS), 672, 676
Multiplexing, 159, 492, 498, 593, 599, 600
Multiplexor channel, 27
Multipoint connection, 507, 512, 508
Multiprocessing, 3, 7, 9, 10, 29, 51, 54, 56, 59, 73, 113, 114, 125, 316– 320, 322, 323, 325, 328, 330–332, 335, 434, 536, 601, 674, 681, 686, 687, 694, 711, 724, 725
Multiprogramming, 4, 193, 194, 228, 430, 572, 686, 706, 707, 709, 723
Multistage network, 317, 328, 329, 336
Multitasking, 124, 570, 587, 594, 633, 635, 636, 637, 638, 725, 784, 785, 786, 788, 795, 799, 806, 808, 809
Multithread execution, 586, 601, 641, 788, 803
Multiuser system, 26, 61, 62, 725
Mutual exclusion, 75, 76, 78, 80, 81, 82, 87, 89, 94, 113–115, 125, 126, 131, 132, 333, 335, 673, 799
Mutual exclusion condition for deadlock, 159, 332
MVCP, 695
MVCS, 695
MVS, 14, 29, 59, 572, 672, 690, 694, 706, 712, 722, 725, 727
MVS/ESA, 680, 691, 694
MVS/SP, 694
MVS/370, 680
MVS/XA, 672, 678, 679, 680, 688, 695
MVT, 672, 690

Name-binding protocol (NBP), 768, 769
Named data object, 694
Named message exchange, 340
Named pipe, 583, 585, 788, 795, 801
Named shared memory, 795, 799
NASA's MPP, 317
National Institute for Standards and Technology (NIST), 495, 541
Nd protocol, 601
Necessary conditions for deadlock, 159
Negative feedback, 430
N-entity, 496, 498
Nested monitor calls, 120
NetView, 726
Network, 801
Network database, 407
Network directory, 726
Network disk (nd) protocol, 601
Network File System (NFS), 577, 581, 593, 601, 772
Network layer (layer 3), 500, 505, 506
Network management, 493, 494, 502, 513
Network protocol data unit (NPDU), 498, 505
Network server, 809
"Never wait" rule, 324, 325
NeXT, 403, 737
Next-fit strategy, 201
NFS, 594, 595, 602, 603
N-layer, 497
Nonblocking calls, 122, 338, 593
Noncontiguous storage allocation, 190, 230, 231, 396
Nondeterministic polynomial, 321
Nonpageable, 681
Nonpreemptible resources, 159, 289, 340
Nonpreemptive process, 60
Nonpreemptive scheduling, 290, 292, 295
Nonprivileged, 803, 806
Nonrelocatable block, 751, 752
Nonuniform request distributions, 372
Notarization, 514

NP-complete problems, 321, 322
N-process mutual exclusion, 87
N-service user, 496
N-Step scan, 365, 368
NuBus, 772
Nucleus, 61, 62, 63, 89, 92, 94, 116, 681, 712
NUR, 257, 258, 589
NYU's Ultracomputer, 316, 330

Object-oriented programming, 33, 334, 339, 340, 353, 401, 537, 539, 661, 694, 695, 747, 789
Off-line, 26, 536
Office Document Interchange Format (ODIF), 502
On-line, 5, 26, 536
One-to-one sector interleave, 639
Open a file, 389, 502, 591, 592, 692
Open accept statement in Ada, 128
Open architecture, 636, 638, 738, 771
Open file table, 591
Open look, 571, 574, 603
Open operating system standards, 12
Open Software Foundation, 7, 12, 13, 502, 604, 605
Open systems, 3, 7, 11, 12, 34, 35, 497, 499, 500, 501, 516, 548, 550, 552, 602, 726, 774, 784, 818
Open Systems Interconnection (OSI), 3, 113, 492, 816
Operating system calls, 13, 14, 122, 497
Operating system event manager, 743, 745, 754
Operating system penetration, 543
Operating System/2, 632, 640
Operating System utilities, 743
Operator spoof, 546
OPT, 254
Optical disk, 376, 818
Optical fiber, 496, 509, 512
Optimization, 292, 322, 686
Optimizing compiler, 32, 432, 433, 435
Ordinary file, 576, 578
Orphaned semaphore, 803
OSF, 12, 604, 605
OSI, 3, 8, 12, 492, 493, 494, 496, 498, 499, 501, 502, 505, 507, 508, 513–516, 597, 602
OS/2, 14, 55, 62, 73, 122, 123, 574, 582, 587, 594, 604, 632, 640, 641, 660, 661, 737, 784, 785, 795, 815, 816
Out-of-band data, 597
Output driver, 767
Output port, 338
Overlapped CPU-I/O processing, 436, 582, 809
Overlapping window, 747, 748, 804
Overlay, 31, 190, 191, 646, 654

Package manager, 743, 750
Packet switching, 336, 341, 506, 543, 550, 768
Page, 220, 223, 395, 587, 677
Page data set, 679
Page fault, 255, 258, 269, 270, 430, 677, 679
Page fault frequency page replacement, 264
Page fault rate, 260, 261, 264, 290
Page frame, 221, 222, 225, 228, 229, 241, 253, 267, 587, 589, 680, 685
Page mapping, 223–225, 229, 239, 241
Page map table origin register, 224
Page reclamation, 589
Page-out, 680
Page reference pattern, 255
Page release, 266
Page replacement strategy, 253
Page residence bit, 224
Page size, 267, 268, 269, 270
Page slot, 680
Page stealing, 685
Page setup, 759
Page table, 239, 267, 590, 677, 678
Page table origin register, 228
Page transport, 721
Pageable link pack area (PLPA), 681
Pager, 589
Paging, 28, 201, 215, 220, 221, 223, 236, 268, 429, 430, 573, 587, 589, 590, 679, 725, 727, 786, 818
Paging address translation, 225–227
Paging device, 721
Paging/segmentation system, 238
Parallel computation, 3, 9, 10, 73, 316, 318, 321, 323, 324, 331, 342, 791, 818
Parallel hardware, 435
Parallel interface, 771
Parallel printer port, 644
Parallel supercomputing, 321
Parallel UNIX systems, 604
Parameter RAM, 740, 771
Parbegin/parend, 74, 78
Parent process, 53, 54, 575, 584, 591, 654, 788, 801, 803
Paris, 342
Parity, 573, 766
Partition, 187, 194, 374

Partitioned data set, 689
Partitioned file, 393
Pass-through facility, 726
Passive threats, 513
Passwords, 28, 514, 534, 545, 549, 553, 580, 575, 715–717, 723, 726
Path expression, 113, 121, 130
Pathname, 390, 391, 577, 635, 643, 650, 656
PC, 13, 24, 35, 632, 737, 814
PC/AT, 637, 786
PCB (process control block), 54, 92
PC-DOS, 632, 635, 706
PCP, 672
PC/RT, 604
PC/VM Bond, 724
PC/XT, 635, 636, 637
PDU, 498, 505, 506, 507
Peek, 789, 802
Peer processor, 431
Peer-to-peer, 493, 496, 503
Pending interrupt, 60
Penetration, 530, 531, 534, 544, 547, 553, 717
Penetrator entrapment, 545
Performance, 24, 34, 53, 62, 73, 113, 125, 188, 220, 228, 287, 289, 316, 318, 334, 364, 369, 370, 374, 375, 395, 421, 434, 493, 495, 496, 512, 582, 672, 710, 722
Performance degradation, 326, 339, 373
Performance enhancements, 728
Performance evaluation, 422, 425
Performance in paged systems, 712
Performance management, 513
Performance measurement, 429, 722
Performance monitoring, 371, 421, 428
Performance on multiprocessors, 683
Performance tuning, 724
Periodic audits, 535
Periodic backups, 402
Periodic clock system interrupt, 807
Permissions, 578, 591, 806
Personal computer, 6, 8, 364, 573, 710, 737
Personal System/2, 632, 638, 640, 641
Peterson's Algorithm, 85, 86, 113
PFF, 264
Pg, 586
PHY (physical protocols), 509, 511
Physical layer (layer 1), 496, 499, 500, 511
Physical network medium, 506
Physical record, 392, 395, 578
Pipe, 578, 584, 585, 591, 596, 636, 644, 653, 788, 789, 790, 799
Pipeline, 29, 318, 432, 433, 434, 435, 436, 585
Placement strategies, 189, 232, 253
Plaintext, 541, 542
Please tokens, 504
PMMU (paged memory management unit), 773
Point-to-point connection, 337, 507
Poisson process, 457–459, 462, 463, 472
Poke, 789
Polling, 25, 58, 134, 506, 508, 510, 593, 601, 690, 791, 807
Polling bias in Ada, 134
Port, 123, 570, 786, 818
POSI, 12
Positive feedback, 430
POSIX, 13, 602, 772
Post, 691, 745, 746, 770, 803, 808
Pragma, 128
Precedence, 323
Predictability, 162, 288, 290, 292, 364–366, 423, 428, 511
Preemption, 158, 159, 290, 293, 800, 808
Preemptive, 60, 692, 788, 792
Preemptive scheduling, 290, 785, 807
Prefetch, 266, 374
Prefixing, 574, 677
Presentation context, 504
Presentation layer (layer 6), 497, 500, 504
Presentation Manager, 574, 640, 660, 737, 785, 803, 804, 816
Presentation service, 498, 503, 504
Primary address space, 694
Primary interrupt vector table, 764
Primary storage, 5, 24, 25, 27, 30, 61, 187, 188, 215, 270
Primary thread, 803
Principle of least privilege, 28, 537, 545
Principle of optimality, 254
Print server, 122, 126, 430, 494
Print spooler, 636, 804
Printer driver, 759, 761
Printer port, 767, 771
Printer resource file, 759
Printing manager, 743, 759, 760, 761
Priority, 53, 93, 158, 287, 290, 291
Priority aging, 692
Priority round-robin process scheduler, 300
Privacy Act of 1974, 531
Privacy problem, 541
Private address space, 785
Private key, 542
Privilege, 28, 59, 231, 575, 583, 711, 716, 722, 795, 808
Probabilistic routing mechanism, 465

Probability, 455, 458, 459, 463, 465, 471, 473
Problem of dispute, 541
Problem state, 28, 711
Procedure call/return mechanism, 36, 62, 432
Procedure segment, 575, 818
Process, 9, 51, 809
Process control, 501, 509, 511, 572, 709
Process control block (PCB), 51, 53, 55, 58, 62
Process creation, 62
Process descriptor, 53
Process environment, 575
Process flags, 803
Process management, 409, 582, 809, 810
Process scheduling, 51, 299, 492
Process state switching, 51, 62, 89, 92
Process synchronizaiton, 62, 92, 94, 340
Processor, 24, 319, 677
Processor-bound, 27, 294, 301, 583
Processor interconnection schemes, 325, 341
Processor scheduling, 287, 709, 725
Processor state, 29
Processor utilization, 422, 430
Producer-consumer relationship, 90, 92, 94, 95, 117, 127
Program call (PC), 695
Program check interrupt, 59, 60
Program interrupt, 693
Program linkage, 694
Program segment prefix (PSP), 649, 654, 659
Program status word (PSW), 60
Program transfer (PT), 695
Project MAC, 300, 571
Prompt, 574, 642
Proprietary architecture, 8
Protect key, 675
Protect mode, 594, 636, 640, 784–787, 798, 808, 814, 816
Protected address space, 594
Protected name, 537
Protected variable, 89, 92
Protection, 192, 230, 531, 572, 575, 587, 709, 723, 786, 818
Protection bits, 236, 239, 588
Protection domain, 537
Protocol, 7, 492, 495, 496, 602, 768
Protocol data unit (PDU), 498
Proving program correctness, 10, 63, 74, 113
PSA, 677
pSOS, 335, 340
PSP, 654, 659
PS/2, 24, 35, 604, 638, 639, 640, 784, 818
PSW, 60, 675
Public cluster, 339
Public domain software, 552
Public file, 553
Public key system, 541, 542
Public networks, 495, 505
Purchased priority, 292
Pure procedure, 228, 652
Push a page, 259
Push module onto a stream, 597
Putmsg call, 601

Quality of service, 505
Quantum, 52, 59, 289, 293, 294, 298
Quantum expiration, 53, 76, 298, 301
Queue, 89, 92, 455, 458, 584, 746, 790, 799, 802, 808, 809
Queue capacity, 459, 460
Queue discipline, 93, 459, 460
Queue function used with monitors, 120
Queued access methods, 294, 689, 690
Queueing models, 457, 458
Queueing network, 297, 298
Queueing system, 457, 458, 459, 460
Queueing theory, 158, 425, 455, 459, 466
Queueing time, 458
QuickDraw, 741–774

RAM, 375, 588, 637, 738, 739, 740, 743, 759, 789, 797, 800
RAM disk, 361, 375, 653
RAM driver, 761, 762
RAM semaphore, 791, 792, 799, 800
Random access, 375, 738, 755
Random delay, 329, 510
Random page replacement, 254
Random reference pattern, 260, 271, 363, 370, 375
Random variable, 456, 457, 460, 463, 472
Random wait, 338
RAS, 798
Read/execute access, 234
Read handle, 801
Read-only, 24, 233, 234, 374, 391, 401, 403, 535, 578, 591, 638, 643, 650, 723, 738
Read system call, 585
Readonly page, 258
Readwrite access, 235, 401, 643
Readers and writers, 118, 119, 120, 121, 130, 801
Ready, 51, 56, 331, 340, 582, 588
Ready list, 52, 92, 93, 94, 292, 293, 330
Real address, 28, 216, 220, 224, 225, 228, 236, 637, 677
Real ID, 580

Real mode, 639, 640, 641, 784, 786, 797, 808, 814, 816, 818
Real problem state, 711
Real storage, 187, 215, 217, 232, 535, 573, 587, 679, 712, 751, 795
Real storage manager (RSM), 676, 679
Real storage segmentation, 230
Real storage utilization under VM, 713
Real supervisor state, 711
Real-time clock, 740
Real-time systems, 5, 6, 113, 155, 170, 172, 200, 289, 290, 301, 335, 340, 375, 502, 807
Realloc call, 590
Receive, 122, 690
Recombining, 498
Reconstruct transactions, 402
Record, 393, 590
Record locking, 539, 602, 650, 807
Recovery, 391, 402, 572, 683
Recurrent state, 471
Redirect, 574, 636, 644, 653
Reduced instruction set computing (RISC), 30, 431
Reentrant, 159, 228, 333, 575, 681, 760, 764, 808
Reference count, 798
Referenced bit, 257, 258, 259
Region control task, 687
Registration procedure, 7
Regression testing, 747
Relational database, 407, 408, 641
Relative byte address, 691
Relative path name, 577
Reliability, 10, 326, 333, 402, 536, 550, 572, 648, 672, 681, 723
Relocation, 24, 33, 196, 634
Remote access network, 492, 493
Remote calls, 340
Remote file system, 403, 503, 577, 595, 601, 602
Remote logon, 726
Remote memory access, 336
Remote mode, 809
Remote mount, 602
Remote procedure calls (RPC), 123, 124, 329, 493, 502, 602, 603, 801
Rendezvous, 125, 126, 128, 132, 587
Replacement strategies, 189, 253
Request queue, 429, 810
Request rate, 363
Reserve, 687
Resident, 236, 589, 647
Resident blocked process, 590
Resident device driver, 652
Resident page set, 264
Resident page tables, 339
Resident part, 635, 647
Resource allocation graph, 156, 169, 170
Resource file, 741, 744, 745, 750, 762
Resource fork, 755
Resource manager, 3, 686, 711, 741, 744, 755
Resource measurement facility (RMF), 693
Response time, 61, 200, 201, 288, 289, 292, 293, 294, 296, 298, 364, 366, 369, 422, 423, 428, 685
Restart interrupt, 59, 60, 685
Resume, 54, 55, 62, 170, 287, 340, 770
Retry, 122, 808
Revocation of capabilities, 538
Rewritable optical disk, 376, 818
RFS, 602, 603
Ring buffer, 92, 94, 95, 117, 130, 585, 810
Ring protection, 637, 786 795, 803, 806, 808
RISC, 30, 31, 34, 424, 425, 431, 433, 434
Risk assessment, 513
ROM, 24, 640, 738, 740, 761, 765, 795
ROM BIOS, 795, 804
ROM serial driver, 761, 766
Root, 390, 575–577, 580, 591, 643, 648, 650, 788, 815
Rotational optimization, 362, 364, 365, 370, 375
Rotational position sensing (RPS), 372
Round robin, 293, 298, 301, 340, 793
Routing, 333, 342, 500, 505, 506, 514, 726, 768, 769
RPC, 124, 602
RS-232C, 511, 512, 739
RS422, 739
RSA, 542
*R*th-order interarrival time, 464
Running state, 51, 291, 340

SAA, 640, 641, 804
Safe state, 165, 167
Salt, 548
SASE, 502
Satellite, 493, 495, 507
Saturation, 158, 366, 371, 429
Savage benchmark, 428
Sbrk, 590
SCAN disk scheduling, 365, 366, 367, 369, 374
Scattering routine, 339
SCC, 738, 739, 764

Scheduling, 3, 27, 155, 158, 287, 295, 364, 409, 582, 585, 681, 685, 687, 689, 792, 808
Screen buffer, 739
Screen group, 787, 788, 809, 814
Script-driven simulator, 427
Scrolling, 741, 749, 773, 804
SCSI, 771–773
SDU, 498
SE, 771, 772
Second chance page replacement, 258
Secondary storage, 30, 61, 187, 188, 217, 224, 257, 390, 587
Secondary vectors, 764
Sector, 365, 396, 397, 634, 642, 643, 655, 740, 741, 765
Sector interleave, 639
Sector-oriented linked allocation, 396
Sector queueing, 370
Secure open systems, 551
Security, 6, 28, 36, 63, 123, 196, 233, 405, 406, 512, 513, 530, 541, 550, 572, 717, 721, 818
Security kernel, 535, 536
Seek, 362, 364, 365, 370, 373, 395
Segment, 220, 587, 677, 743, 753, 818
Segment fault, 797
Segment loader, 743, 751, 753
Segment mapping, 232, 235, 236, 239, 241, 675, 678
Segment motion, 798
Segment overflow exception, 236, 239
Segment protection, 236, 239, 675
Segmentation, 28, 215, 220, 236, 537, 584, 786, 795
Select call, 593, 660
Select statement in Ada, 127, 128
Selector channel, 27
Selfish round robin, 293
Semaphore, 89, 92, 93, 94, 113, 116, 537, 583, 641, 788, 790, 792, 799, 803, 807, 810
Send call, 122, 690, 802
Sendmail, 553
Send/receive message passing, 122
Sequenced packet socket, 597
Sequencer, 94, 342
Sequential file, 331, 364, 373, 374, 392, 689, 755
Sequential processor, 9, 75, 259, 319, 323, 234
Sequentialization, 29, 78, 581
Serial communication channel, 801
Serial communications controller, 738, 739
Serial data stream, 766, 809
Serial driver, 743, 761, 766, 767
Serial port, 739, 743, 766
Serialize access to resource, 331, 585, 683, 686
Serially reusable resources, 115, 156, 159
Server, 7, 125, 455, 458, 459, 460, 467, 476, 513, 601, 602, 791, 801, 809
Server process, 581, 583
Server utilization, 458, 461, 467
Service facility, 455, 459
Service rate, 429, 466, 686
Service time, 296, 459, 460, 466
Serviceability, 681, 694, 723
Session, 788
Session layer (layer 5), 498, 500, 504
Set asynchronous balanced mode (SABM), 507
Setpriority call, 583
Settimeofday, 587
Settimer, 587
Setuid, 548, 580
Shared bus, 326
Shared data, 36, 76, 91
Shared file, 391, 581, 601, 687, 723
Shared memory, 124, 329, 335, 339, 340, 342, 573, 583, 799, 800, 802
Shared queue structure, 331
Shared ready list, 94
Shared reentrant procedure, 575
Shared resource, 126, 159, 493, 494, 583
Shared resource network, 493
Shared transmission medium, 508
Sharing, 28, 155, 242, 404, 531, 573, 581, 645, 650, 695, 718, 807
Sharing in paging, 228, 229, 236
Sharing in segmentation, 236, 237
Sharing of minidisks, 714
Shell, 572, 573, 575, 593, 645
Shortest-job-first (SJF) scheduling, 295
Shortest-remaining-time (SRT) scheduling, 295
Shoulder tap, 683, 684
Shutdown, 172, 402, 694
Sieve of Eratosthenes, 345, 346
Sigblock, 584
SIGBREAK, 803
Signal, 59, 89, 94, 115, 116, 120, 155, 301, 340, 583, 693, 799, 800, 802, 803
Signal generator, 740
Signal handler, 584, 800, 802, 803
Signal processor (SIGP), 683

SIGINTR, 803
SIGP, 683–685
SIGPFA, 803
Sigsetmask, 584
SIGTERM, 803
Sigvec system call, 584
SIMD, 317, 318, 319, 341
Simulation, 3, 369, 427
Single-server system, 459, 461, 477
Single-user contiguous allocation system, 190, 191
SIO, 692
SISD, 317
SJF (shortest-job-first) scheduling, 295
Slave, 332, 431, 506
Sleeping barber problem, 141
SLINPACK, 428
SLIP, 694
SLTF, 370, 371
SNA, 492, 493, 494, 496, 509, 511, 597, 690, 726
Socket, 581, 583, 585, 591, 596, 598, 769
Software engineering, 6, 10, 125, 135, 573, 791, 816
Software interrupt, 647, 654
Software tool, 573, 786
Source (in a queueing system), 456, 460
Source Code Control System (SCCS), 573
Source code portability, 603
Space-time product under demand paging, 265
Spatial locality, 259, 266, 374, 375
Special file, 578, 591, 592
Specific application service elements (SASE), 502
Spin lock, 687
Splitting, 498
Spoofer, 550
Spooling, 32, 117, 157, 430, 580, 585, 594, 636, 691, 709, 715, 724, 725, 760, 793, 804
SQL, 641, 726, 785
SRM, 685, 686
SRT (shortest-remaining-time) scheduling, 295
SSTF, 365, 366, 367, 369, 370
Stability in queueing systems, 430
Stack, 259, 499, 553, 575, 587, 739, 741, 753, 762, 769, 791, 802
Stack region, 575
Stack sniffer, 753
Standard, 7, 12, 495
Standard auxiliary, 652, 658
Standard error, 574, 652
Standard file package, 743, 750
Standard hiperspace, 695
Standard input, 574, 644, 652
Standard output, 574, 592, 644, 652, 658
Standards Promotion and Applications Group, 12, 516
Star network, 718
Starvation, 366
StarOS, 334
Start bit, 766
Startio, 27, 693
Startup, 674, 686, 771, 815
Starvation, 155, 158
State, 25, 28, 52, 471, 473, 476
Stateful server, 602
Stateless protocol, 602
STDERR (standard error), 788
STDN (standard input), 788
STDOUT (standard output), 788
Steady state, 458, 461, 467, 471
Storage compaction, 198, 200, 798
Storage cycle, 225, 239
Storage hierarchy, 30, 188, 375
Storage interleaving, 24
Storage management, 187, 676, 709
Storage organization, 187
Storage placement, 201, 202, 587
Storage protection, 26, 192, 231, 572, 675
Store-and-forward packet switching, 543
Strategic Computing Initiative (SCI), 316
Streams, 591, 596, 597, 599, 600, 601
Subdirectory, 643, 650
Subnetwork, 493, 494, 505
Sun Microsystems, 301, 341, 570, 571, 573, 574, 577, 581, 582, 593, 601, 603, 604
Sun Microsystem's Network File System (NFS), 403, 494, 596, 772
SunOS, 570, 573, 581, 582, 583, 588, 589, 593, 594, 595, 603
Sun 386i, 35, 588, 593, 594
Sun UNIX, 772, 788
Sun UNIX file system hierarchy, 576
Sun UNIX process scheduling, 301
Super block, 577
Supercomputer, 24, 316, 321, 334, 340, 431, 573
Superuser, 548, 549, 575, 580, 591
Supervisor, 674, 686
Supervisor call instruction, 193, 196
Supervisor state, 28, 333, 588, 711, 725

Surveillance, 533
Suspend, 54, 55, 56, 62, 170, 172, 287, 340, 809
Suspend lock, 687, 688
Suspendedblocked, 56
Suspendedready, 56
SVC, 59, 60, 681, 693, 722
SVID, 603
SVR4, 571, 603, 605
SVR3, 570, 593
Swapping, 155, 201, 203, 573, 587, 588, 589, 590, 601, 679, 685, 786, 797, 798
Swapping in UNIX systems, 587, 589
Symmetrical multiprocessing, 333
Sync system call, 374, 582
Synchronization, 73, 114, 117, 125, 504, 585, 809
Synchronous, 58, 122, 593, 755, 808
Synthetic benchmark, 427, 428, 429
System administrator, 531, 575
System Application Architecture (SAA), 604, 640, 641, 660, 804
System call, 570, 575, 589, 599, 603, 647, 784, 803
System clock, 551, 810
System crash, 374, 402, 807
System error handler, 743, 753, 769, 770
System event, 694, 754
System file table (SFT), 789
System heap, 739, 751, 757
System load, 287
System management facility (SMF), 674, 693
System page map, 589
System queue area (SQA), 681
System resource file, 744, 761, 773
System resources manager (SRM), 679, 685
System semaphore, 799, 807
System/370, 641, 672, 676, 706, 707, 725, 727
System/370 Extended Architecture, 672
System/360, 4, 672, 690, 710
System/3X, 641
System V, 570, 583, 585, 593, 599, 603, 604
Systems Network Architecture (SNA), 492, 494, 496

Table fragmentation, 267
Tandem, 82, 91
Task, 51, 124, 676, 681, 686
Task control block (TCB), 680, 681, 686
Task priorities in Ada, 134
Task scheduling, 135
TCP/IP, 6, 335, 492, 496, 515, 597, 603
Technical and Office Protocol (TOP), 514
Telecommunications access methods, 690
Telephone network, 8, 495, 500, 506, 508, 512, 530
Terabyte, 672
Teraflops, 316
Terminal device driver, 300, 573
Terminal server, 494
Terminal windowing multiplexor, 597
Terminate but stay resident, 647, 659
Terminate on control-C interupt, 647
Testandset, 87, 88, 92, 330, 683
Text mode, 739, 812
Text-oriented interface, 803
Text region, 575
TF-1, 317
Thinking Machines Corp., 319, 340, 346
Thrashing, 261, 264, 429, 430, 589
Thread, 74, 587, 641, 788, 790, 791, 800, 803, 806, 807, 809, 813
Threat monitoring, 531, 533
Threshold value, 296, 545
Throughput, 287, 326, 364, 366, 369, 423, 428, 681, 686
Tightly coupled multiprocessing, 329, 338, 681, 682, 684
Time-critical, 793
Time-dependent events, 291
Time-of-day clock, 26
Time-slice, 293, 298
Time-stamp, 254, 255
Timer services, 513, 587, 807, 809, 811
Timerrunout, 53, 122, 128, 740, 807
Timesharing option (TSO), 674
Timesharing systems, 5, 6, 228, 254, 293, 298, 390, 403, 573, 582, 710, 715
Timings, 424
Token passing, 504, 506, 508, 509, 510, 511, 537, 638
T1, 495
Tool, 570
Toolbox, 739, 741, 743–745, 748, 749, 750, 751, 754, 772, 773, 774
TOP, 514
Tracing, 674, 693, 694
Track, 362, 363, 365, 373, 395, 397, 741, 765
Tractable, 322
Traffic intensity, 458, 460, 461, 467
Traffic padding, 514
Transaction logging, 403
Transaction processing (TP), 502, 536, 769

Transceiver, 510
Transient, 264, 461, 471, 635, 647
Translation lookaside buffer, 227, 677
Transmission medium, 499, 511, 512
Transmission time, 363, 375
Transparent multiprocessing, 536
Transport layer (layer 4), 498, 500, 505, 603
Trap, 58, 551, 575, 584, 587, 694, 739, 762, 771
Trapdoor, 546
Traversal, 580
Tree and Tabular Combined Notation (TTCN), 515
Tree height reduction, 322, 324
Trojan Horse, 545, 546, 549
TSO, 674, 685, 690, 727
Tuning a system, 429
Turing Award, 572
Turnaround time, 5, 423, 685, 693
Twisted-pair wires, 496, 508, 509, 510, 512
Two-level storage scheme, 217, 218, 390
Two-way interleaving, 24

Ultimate RISC, 445
Ultracomputer, 316
Ultrix operating system, 342
Unblock, 52, 392, 589, 808, 809
Unbounded queue, 455
Uninterruptible, 687
Uniprocessor, 29, 56, 60, 94, 317, 330, 332, 431
Unit table, 762, 763
UNIX, 5, 12, 14, 33, 55, 62, 73, 122, 123, 299, 300, 335, 373, 550, 661, 718, 784, 789
UNIX International, 502, 603, 605
UNIX operating systems security, 548
UNIX pipes, 801
UNIX signal, 583, 584, 802
UNIX standardization, 12
UNIX systems, 13, 431, 496, 516, 550, 551, 553, 570, 571, 572, 603, 632, 635, 725, 818
UNIX System V, 155, 570, 602, 772
Unmap, 589
Unmount, 577, 601, 754
Unsafe state, 165, 166, 167
Update event, 746, 747
Upper layers, 498, 502, 505, 506
Use count, 685
USENIX, 572
User authentication, 533
User friendly, 173, 391, 531, 571, 737, 804
User interface, 501, 502, 532
User interface toolbox, 741, 744
User page, 590
User state, 28, 588
/usr/group, 572

V, 89, 92, 93, 94, 113, 116
VAL, 114, 316
Valid bit, 588
Validate a simulation model, 427
Variable length record, 392, 592
Variable partition multiprogramming, 197, 221, 230, 232, 253, 394, 396, 672, 751, 798
Variance in response times, 292, 295, 362, 369, 423, 462
Vary processor, 687
VAX, 258, 267, 341, 342, 434, 573, 587, 724
VAX/VMS, 155, 266
VAX/VMS process scheduling, 301
VBL tasks, 769, 771
Vector processor, 113, 134, 318, 342
Vector table, 647
Vectored interrupts, 60
Verify, 642, 643, 656
Vertical blanking, 739, 740, 769
Vertical retrace, 743, 753, 769, 770, 774
Vfork, 575
VIA, 738, 740, 764
Video display, 508, 739, 740, 743, 805
VIO, 803, 804, 806
Virtual address, 28, 216, 220, 224, 228, 231, 235, 677
Virtual address format in a paged and segmented system, 237
Virtual address space, 216, 217, 395, 587, 595, 785
Virtual address translation in a pure segmentation system, 232
Virtual computer, 788
Virtual console, 715
Virtual disk, 637, 643, 645, 724
Virtual 8086 mode, 595
Virtual equals real mode, 712, 722
Virtual file store (VFS), 502, 503
Virtual instruction counter, 711
Virtual interval timer assist, 722
Virtual I/O, 679, 707
Virtual machine, 421, 705, 707–712, 714, 728
Virtual machine assist, 721, 722
Virtual memory objects, 339

Virtual problem state, 711
Virtual real mode, 818
Virtual storage, 5, 28, 33, 187, 201, 215, 535, 637, 570, 573, 707, 709, 710, 785, 795
Virtual storage access method, 690
Virtual storage manager (VSM), 676, 680
Virtual storage organization, 215, 253
Virtual storage management, 253
Virtual supervisor state, 711
Virtual telecommunication access method, 690
Virtual Terminal Protocol (VTP), 502
Virtual window, 695
Virus, 13, 549, 550, 551, 552
VLF, 694, 695
VM, 5, 14, 36, 59, 63, 672, 696, 706, 707, 710, 711, 724
Vm-allocate-and-bind call, 339
VM Bond, 724
VM/370, 706, 710, 711, 712, 717, 721, 723, 724
VM directory, 716, 717, 726
VM extended control program support, 721
VM guest, 725
VM/IPF (interactive productivity facility), 726
VM/IS, 724
VM/Monitor program, 723
VM Pass-through facility, 736
VM/PC, 724
VM/SP, 718, 724, 726
VM/SP HPO, 724
VM/SP IPCS (interactive program control system), 723
Voice, 8, 512, 514, 532–534
Volatility, 376, 389
Volume, 393, 648, 674, 687, 754
Volume allocation block map, 756, 757
Volume buffer, 754, 757
Volume control block, 757, 758
Volume label, 643, 648, 650
Volume mounting request, 693
Volume number, 660, 754
von Neumann architecture, 317
VSAM access method, 689, 690
VTP, 502
V.24, 511
V.21, 511
Vulnerability, 13, 531

Wait, 89, 115, 116, 120, 155, 301, 340, 455, 458, 574
Wait for condition, 159, 161
Wakeup, 53
Wall clock time, 26, 190
WAN, 494, 506, 507
Whetstone, 427, 428
Wide area network (WAN), 494, 506
Window, 263, 505, 571, 573, 594, 660, 737, 741, 745, 746, 747, 773, 804
Windowing multiplexor, 599
Wiretapper, 514
Work load, 423, 686
Working directory, 577
Workgroup, 494
Working set, 260, 261, 262, 263, 264, 266, 267, 270, 290, 429, 430, 693
Workstation, 3, 6, 7, 8, 35, 512, 534, 570, 573, 580, 582, 588, 737, 772, 784, 818
Worm, 13, 549, 550, 551, 553
WORM disk, 376, 404
Worst-fit placement strategy, 189, 201, 202, 230
Write access, 233, 391, 401, 535, 578, 591
Write handle, 801
Write system call, 585
Writer, 118, 801, 802
Writethrough, 807

XA, 676
XDR, 602
XENIX, 570, 572, 603, 633, 635, 784
XEROX, 6, 509, 596
Xerox's Palo Alto Research Center (PARC), 6, 803
XNS, 597
X/Open, 7, 12, 502
X3, 495
X3.139, 509, 511
X.25, 506
X Window system, 12, 335, 571, 574, 603, 772

Yellow pages, 502

Zero capacity, 459
Zilog Z8530 serial communications controller (SCC), 738, 739, 763, 767